Norstedts
lilla engelska ordbok

ENGELSK-SVENSK
SVENSK-ENGELSK

Vincent Petti   Kerstin Petti

NORSTEDTS

Lilla engelska ordboken
Första upplagan (Esselte Studium 1987)

Norstedts lilla engelska ordbok
Andra upplagan (Norstedts Förlag AB 1993)

Norstedts lilla engelska ordbok
Tredje upplagan (Norstedts Ordbok AB 1998)

Norstedts lilla engelska ordbok
Fjärde upplagan (Norstedts Ordbok 2002)

Norstedts lilla engelska ordbok
Femte upplagan (Norstedts Akademiska Förlag 2007)

Projektledare och redaktör Håkan Nygren
Projektledare för tidigare upplagor Mona Wiman
Författare till faktarutorna Anders Odeldahl
Typografi Ingmar Rudman
Omslag Lars E. Pettersson
Sättning Stockholms Fotosätteri AB

Femte upplagan, tredje tryckningen
ISBN 978-91-1-303490-4

© 2007, Vincent Petti, Kerstin Petti och Norstedts
(Norstedts Akademiska Förlag)
www.norstedts.se

Tryckt hos Rotolito Lombarda, Italien 2010

Norstedts ingår i Norstedts Förlagsgrupp AB, grundad 1823

Förord

Denna välkända och omtyckta engelsk-svenska/svensk-engelska ordbok utkommer nu i sin femte upplaga. Hela materialet är genomgånget och ungefär sex hundra nya ord och fraser har lagts till. Liksom i föregående upplaga hittar användaren kompletterande inslag i blå rutor i anslutning till många uppslagsord. Informationen kan gälla t.ex. grammatik eller kulturtraditioner i den engelskspråkiga världen.

Ett nytt inslag i denna upplaga är en lista över så kallade "false friends", dvs. ordpar bestående av ett svenskt och ett engelskt ord, där de båda orden liknar varandra men har olika betydelser. Till dessa ordpar ges belysande exempel, och den som vill ha en utförligare beskrivning av orden kan även slå upp dem i ordboken.

Användaren kan också notera att stor vikt har lagts vid amerikansk engelska, där både amerikanskt ordförråd och uttal lyfts fram i hela ordboken (se vidare sammanfattningen på sidan XVI).

Lättillgänglighet och tydlighet har stått i fokus vid omarbetningen och på sidan X finns en handledning i hur man använder ordboken. Mellan den engelsk-svenska och den svensk-engelska delen av ordboken hittar man ett avsnitt med oregelbundna verb, vikt- och rymdmått samt de så kallade "false friends" som nämns ovan.

I den svensk-engelska sektionen får användaren hjälp med att välja den rätta översättningen genom en tydlig uppdelning av de olika betydelserna. Om läsaren t.ex. vill ha reda på hur ordet **resa** ska översättas, så ges följande information:

1 resa I *subst* spec. till lands journey; till sjöss voyage; överresa crossing; vard., om alla slags resor trip; med bil ride, trip; med flyg flight ...

I den engelsk-svenska delen ersätts denna uppställning av belysande exempel som anknyter till det engelska sammanhang man vill förstå. På så sätt blir denna ordbok en välkommen guide till engelska för både svensktalande och icke svensktalande användare. Den är lämplig för studerande på olika nivåer och för alla dem som kommer i kontakt med engelska på jobbet, vid utlandsresor, på fritiden eller framför tv:n.

III

Vårt syfte har hela tiden varit att producera en behändig men innehållsrik ordbok av hög kvalitet, och vi har fått redaktionell hjälp av Håkan Nygren, som genom sin entusiasm och sitt professionella kunnande har bistått oss vid utarbetandet av denna femte upplaga av ordboken. Vi vill också tacka Anders Odeldahl som försett oss med informationsmaterialet i de reviderade blå rutorna.

Välkomna till vår femte upplaga av **Norstedts lilla engelska ordbok**! Vi hoppas att den ska bli er ständiga hjälpreda i alla situationer.

Vincent och Kerstin Petti
Huddinge, juni 2007

Foreword

This popular two-way English-Swedish dictionary is now in its fifth edition. It has been completely revised and updated, with the addition of about six hundred words, phrases and senses. Besides this, there are extra pedagogical features: relevant information is given, where appropriate, in little blue "boxes" in the dictionary on, for example, items of grammar, or cultural traditions in the English-speaking world. This was already in place in the third edition. Now another feature has been added: a short list of so-called False Friends, i.e. pairs of words, one in Swedish and one in English, which look alike but differ in meaning. These pairs are illustrated by examples in the list and they are also found in the dictionary.

It will be noted that attention has consistently been paid to American English, both as regards vocabulary and pronunciation, everywhere in the dictionary (see also the short summary on page XVI).

Great attention has been paid to clarity of presentation and easy access. On page X there is a guide, showing how to use the dictionary. There is also a list of irregular verbs, weights and measures, placed together with the False Friends in the pages between the two sections of the dictionary, the English-Swedish and the Swedish-English.

In the Swedish-English section help is given in choosing the right translation by the clear division of the different senses, using Swedish sense indicators, since most users are Swedish-speaking. However, learners of Swedish who are English-speaking can also use the dictionary without much difficulty. If the user wants to know how the word **resa** is to be translated into English, the following information is given:

1 resa I *subst* spec. till lands journey; till sjöss
voyage; överresa crossing; vard., om alla
slags resor trip; med bil ride, trip; med flyg flight ...

In the English-Swedish section this method is replaced by illustrative examples relating to the English context, written or spoken, that one is trying to understand. Thus both Swedish and non-Swedish speakers seeking a guide to English will welcome this dictionary: schoolchildren at the senior level of the "grundskola" and those at the "gymnasium", students, adult learners and anyone who is interested in English or uses it at work, during leisure time, touring abroad or watching television.

Our aim has been to continue to provide a handy, compact quality dictionary, and we have been assisted editorially by Håkan Nygren, who has, with his enthusiasm and professional skill, seen the fifth edition of this dictionary through, in spite of his responsibilities as head of the dictionary editorial staff – for which we are extremely grateful. We wish also to thank Anders Odeldahl for providing the information material in the blue "boxes" and revising them.

Welcome, then, to our fifth edition. We hope it will be your helpmate and companion at all times.

Vincent and Kerstin Petti
Huddinge, June 2007

Ordbokstecken

Krok ~

Krok betecknar hela uppslagsordet:

panta: *~ flaskor* (= panta flaskor)

Hakparentes [ ]

Hakparentes används kring uttalsbeteckning:

handsfree ['hændzfri:]

Rund parentes ( )

Rund parentes används

a) kring ord eller ordgrupper som kan ersätta närmast föregående ord:

klassresa *subst* **1** skol. class outing (trip) (= class outing, class trip)

b) kring uppgift om böjning eller annan grammatisk upplysning:

beat I [bi:t] (*beat beaten*) *verb* **1** slå, piska

Piggparentes [ ]

Piggparentes används kring konstruktionsmönster eller belysande exempel:

aktsam: careful [*om* of] (dvs. *aktsam om* = careful of)
piercing: genomträngande [*a ~ cry*] (dvs. *a piercing cry* = ett genomträngande skrik)

Punkter ...

Punkter används

a) vid avbrutna exempel:

anledning: *~en till att...* the reason why...

b) för att visa var objektet ska placeras vid verb (i de fall då objektet ska placeras mellan ord som ingår i översättningen):

slita: slita ut nöta ut wear...out

c) ibland vid adjektiv för att visa det engelska uttryckets placering i förhållande till sitt huvudord:

svensktalande *adj* Swedish-speaking... endast före subst.

Siffror

I, II   Romerska siffror används för uppdelning i ordklasser.

1, 2   Arabiska siffror används

a) för att ange ord med samma stavning men med olika betydelse och ursprung:

1 bok *subst* träd beech
2 bok *subst* book

b) för att ange olika delbetydelser:

composition [ˌkɒmpəˈzɪʃən] *subst* **1** sammansättning **2** musik. komposition **3** skol. uppsats

Bokstäver

a) b)   Bokstäver används för att ange olika delbetydelser hos fraser:

attestera *verb*, ~ *ngt* a) utbetalning, belopp authorize sth for payment b) handling certify sth

Översikt

Så här är engelsk-svenska delen uppställd.
Svensk-engelska delen följer samma mönster.

Grammatik o.d.

1 uppslagsord
2 uttal (uttal som brukar vara
  svåra för en svensk är marke-
  rade med understrykning)
3 översättning
4 ordklass
5 fras, språkexempel med
  översättning
6 oöversatt språkexempel
7 verbfraser (partikelverb)
8 konstruktionsuppgift
9 böjningsuppgift
10 verbböjning
11 uppgift om dubbelskriven
   konsonant i böjning

Etiketter o.d.

12 ämnesområde
13 stilnivå
14 svensk förklaring, precisering
15 amerikansk engelska
16 hänvisning

Siffror

17 romerska siffror (indelning i
   ordklasser)
18 arabiska siffror (indelning i
   delbetydelser)
19 siffror vid homografer, dvs.
   ord som stavas lika men har
   olika betydelser

Information

20 realia, grammatik m.m.

① ② ④ ③ ⑧

allergic [əˈlɜːdʒɪk] _adj_ allergisk [_to_ mot]
⑰
brush I [brʌʃ] _subst_ **1** borste, kvast **2** pensel
3 borstning, avborstning; _**give sth a ~**_
⑤
borsta av ngt
II [brʌʃ] _verb_ **1** borsta, borsta av
2 skrubba
III [brʌʃ] _verb_ med adv. o. prep.
⑦**brush aside** vifta undan
brush down borsta av
brush up friska upp [_I must ~ up my_
English] ⑥

banjo [ˈbændʒəʊ] (pl. ~s) _subst_ banjo
⑨
lug [lʌg] (-gg-) _verb_ släpa på, kånka på
⑪

forbid [fəˈbɪd] (_forbade forbidden_)
⑩
⑬
birdie [ˈbɜːdɪ] _subst_ **1** barnspr. pippifågel
2 golf., ett slag under par birdie
⑫ ⑭
casket [ˈkɑːskɪt] _subst_ **1** skrin **2** amer.
likkista ⑱ ⑮

an [ən, n, beton. æn] _obest art_ se _a_
⑯

⑳ **cricket**
Cricket påminner om en slags avan-
cerad brännboll och spelas framför
allt i England och några länder
som ingick i det brittiska imperiet,
t.ex. Australien _Australia_, Indien
India, Sydafrika _South Africa_, Väst-
indien _the West Indies_ och Pakistan
Pakistan. En vanlig match tar tre–
fyra dagar att genomföra. En inter-
nationell match, test match, kan ta
upp till fem dagar.

⑲**1 cricket** [ˈkrɪkɪt] _subst_ syrsa insekt
2 cricket [ˈkrɪkɪt] _subst_ kricket spel

Till användaren

Hur hittar man i ordboken?

Uppslagsordens form

Ordboken består av två delar: en engelsk-svensk och en svensk-engelsk. Mellan de båda delarna finns förteckningar över engelska oregelbundna verb, false friends, engelska och amerikanska mått, vikter m.m.

I den svensk-engelska delen går man från det för oss kända (svenskan) till det okända (engelskan). Uppslagsorden står oftast i grundform vilket betyder att om du t.ex. ska översätta *stränderna* eller *har burit* så letar du under **strand** respektive **bära**. Ibland är dock uppslagsordet en böjd form, t.ex. **adoptivföräldrar** *subst pl.*

I den engelsk-svenska delen finns många oregelbundna former av verb (t.ex. imperfekt **forgave**, perfekt particip **forgiven**) och substantiv (pl. **geese**) som uppslagsord, med uttal och med hänvisning till grundformen, dvs. till verbets infinitivform respektive substantivets singularform.

Alfabetisk ordning

Uppslagsorden står i strikt alfabetisk ordning, antingen de är enkla eller sammansatta. Bindestreck, punkt m.m. räknas inte.

Engelsk-svenska	Svensk-engelska
bluebottle	aska
blue-collar	A-skatt
blue tit	askfat

Observera att V och W räknas som två olika bokstäver, inte bara i engelskan utan numera också i svenskan.

Stavning

Stavningen av de engelska orden är normalt den brittiska engelskans. I många fall anges även amerikanska varianter. Se vidare avsnittet "Amerikansk engelska" på sidan XVI.

Sammansatta ord

Sammansatta ord i svenskan tas upp som uppslagsord inordnade i den alfabetiska ordföljden. Vid sammansatta ord i engelskan förekommer olika skrivsätt: hopskrivet (**birdcage**), med bindestreck (**bird-watcher**) eller särskrivet (**bird cherry**). Om du inte hittar ett sammansatt ord bland uppslagsorden, titta då under något av de enkla orden.

Ord som stavas lika

Ord som stavas lika men har olika betydelser (och ofta olika ursprung) brukar kallas *homografer*. I ordboken står homografer som två olika uppslagsord, med en arabisk siffra (**1**, **2** etc.) framför. Det gäller t.ex. **1 regel** = 'anordning på dörr' och **2 regel** = 'föreskrift'.

Varianter

Ord som betyder samma sak står tillsammans, förutsatt att den alfabetiska ordningen inte bryts. Exempel: **cirkelformig** o. **cirkelrund**

Hur hittar man i artiklarna?

Ordningen inom artiklarna

Med *artikel* menar vi här uppslagsordet och den text som hör dit, dvs. ordklass, översättning, språkexempel, grammatiska upplysningar etc. De olika typer av information som ges i en artikel följer ungefär samma ordning i alla artiklar.

1	2	3	4	5
forget	[fə'get]	(*forgot forgotten*)	(*forgetting*)	*verb*
glömma;	*~ about sth*	glömma bort ngt		

6	7	8

1	5	6
beställning	*subst*	order; bokning booking;
gjord på ~	made to order	

7	8

1. Uppslagsord
2. Uttal (i engelsk-svenska delen)
3. Böjning (i engelsk-svenska delen)
4. Dubbelskriven konsonant (i engelsk-svenska delen)
5. Ordklass
6. Översättning av uppslagsordet
7. Språkexempel
8. Översättning av språkexemplet

Tecknet ~ ersätter uppslagsordet inne i artikeln, i språkexempel m.m.

Uttal

Uppgifter om de engelska ordens uttal finns i den engelsk-svenska delen. Varje uppslagsord har fonetisk transkription i direkt anslutning till ordklassuppgiften eftersom uttalet för ett och samma ord kan variera beroende på ordklass. Uttal som brukar vara svåra för en svensk har markerats med understrykning.

addict I [ə'dɪkt] *verb*, *be addicted to* vara begiven på
II ['ædɪkt] *subst* missbrukare; *drug (dope) ~* narkoman

En uppställning över de fonetiska tecknen finns på sidan XXII.

Böjning

För svenska ord ges i allmänhet inte böjningsuppgifter. För engelska ord ges uppgift om böjning när den är eller kan vara oregelbunden. En förteckning över engelska oregelbundna verb finns i mitten av ordboken, mellan den engelsk-svenska och den svensk-engelska delen.

Ordklasser

Varje uppslagsord har ordklassmarkering, t.ex. *subst* för substantiv, *adj* för adjektiv osv. Ofta kan ett ord tillhöra mer än en ordklass: **djup** är både adjektiv och substantiv, **travel** kan vara verb och substantiv.

För att det ska gå lättare att hitta i artikeln, har den delats in efter ordklasserna, och varje sådan avdelning inleds då med en romersk siffra (**I, II** etc.). En särskild förteckning över ordklasser finns på sidan XVIII.

Betydelser

Ett visst ord kan ha flera mer eller mindre närliggande betydelser eller motsvaras av flera olika ord i engelskan – t.ex. **stor** "great, big, large, tall" etc. För att du ska hitta rätt översättning finns ibland en förklaring med liten stil.

Närliggande betydelser skiljs ofta åt bara av ett komma eller semikolon, medan mer klart åtskilda skiljs åt av siffror eller **a), b)** etc.

De förkortningar som används i lilla stilen finns förklarade på sidan XVIII.

Exempel

De oöversatta kursiva exemplen i piggparentes [ ] (jfr sidan VII) i den engelsk-svenska delen ger exempel på hur översättningen kan användas, t.ex.

bring: **bring back** väcka till liv [~ *back memories*]

De översatta exemplen är ofta mer fasta uttryck som ges en träffande översättning, ofta utöver grundöversättningen, t.ex.

leg: *pull sb's* ~ vard. driva med ngn
storm: *en* ~ *i ett vattenglas* a storm in a teacup, amer. a tempest in a teapot

En fras ligger under det ord som uppfattas som huvudord. Det är inte alltid det första ordet i uttrycket, så om du inte hittar frasen vid första försöket, leta under nästa tänkbara ord.

Ordningen mellan fraser

Om en artikel innehåller många fraser står dessa ofta i någon systematisk eller alfabetisk ordning. Särskilt gäller detta verbfraser efter egen romersk siffra. Här står fraserna i fet stil och de har placerats alfabetiskt efter den partikel som följer verbet, t.ex. i artikeln **gå**:

II *verb* med betonad partikel
gå an
gå av
gå bort
gå efter
gå emot etc.

i artikeln **bring**:

II [brɪŋ] (*brought brought*) *verb* med adv. o. prep.
bring about
bring back
bring in etc.

Uppgifter om konstruktion m.m.

I vissa fall ger ordboken information utöver själva översättningen. Särskilt när bruket i svenskan och engelskan skiljer sig ger vi uppgift om hur orden ska konstrueras, dvs. om exempelvis efterföljande verb ska stå i singular eller plural:

polis *subst* **1** myndighet police (med verb i pl.)

polisen har ... heter alltså 'the police have ...'

Likaså:

alla *pron* everybody sing., everyone sing.
Ex. *alla är* = everybody (everyone) is ...
pengar *subst pl* money sing.
Ex. *pengarna är* = the money is ...

vapen *subst* **1** weapon; i pl.vanligen arms; koll. weaponry sing.

Med koll. (= kollektivt) menas vapen som grupp, ej enstaka vapen.

Förkortningen sing. innebär att verbet ska stå i singular om det som du ska översätta handlar om vapen som grupp: *vapen har* ... heter alltså 'weaponry has ...'

Uppgifter om preposition m.m. ges ibland inom tecknet [ ] efter översättningen:

medlemskap *subst* membership [*i* of]
interest ['ɪntrəst] *subst* intresse [*in* för]

Översättning

När vi ger en översättning utan förklaring är det ordets normala betydelse som avses. Om ordet har någon specialbetydelse utöver grundbetydelsen anger vi detta med en förklaring i liten stil före översättningen. Exempel:

hagel *subst* **1** hail; *stora* ~ big hailstones **2** blyhagel shot, small shot
beställning *subst* order; bokning booking; *gjord på* ~ made to order

Vissa ord saknar motsvarighet i det andra språket. Det kan vara maträtter eller ord som hör ihop med olika seder och bruk, s.k. kulturspecifika ord. I sådana fall ges antingen en ungefärlig översättning eller en förklaring. Exempel:

kasperteater *subst* ungefär Punch and Judy show
Här har vi försökt ge en översättning som ger motsvarande associationer i det andra språket.

En annan lösning är att ge en förklaring som inte kan användas som översättning, men som ändå bidrar till språkförståelsen. Exempel:

fastlagsris *subst* twigs pl. with coloured feathers used as a decoration during Lent
dagbarn *subst* child in the care of a childminder; *ha* ~ be a childminder

Ytterligare ett sätt är att ge ett förslag till översättning med efterföljande förklaring, t.ex.

crumpet ['krʌmpɪt] *subst* tekaka som rostas och ätes varm
En typ av ord som man bör vara extra uppmärksam på är så kallade *false friends*, det vill säga ord och uttryck i två olika språk som liknar varandra men som har olika betydelser. En uppställning över vanliga false friends i engelskan/svenskan finns på sidan 468, mellan den engelsk-svenska och den svensk-engelska delen.

Amerikansk engelska

Amerikansk engelska markeras i ordboken med amer.

Stavning

I fråga om stavning skiljer sig amerikansk engelska i vissa fall från brittisk engelska. Här följer en förteckning över de vanligaste amerikanska stavningsvarianterna:

1. Den brittiska ändelsen *-our* motsvaras i amerikansk engelska av *-or*, t.ex. *color, harbor, labor, rumor.*
2. Den brittiska ändelsen *-re* motsvaras av i amerikansk engelska *-er*, t.ex. *center, liter, meter, theater.*
3. Den brittiska ändelsen *-ce* motsvaras i vissa ord i amerikansk engelska av *-se*, t.ex. *defense, license, pretense.*
4. Den brittiska engelskans *-ll-* skrivs i vissa ord i amerikansk engelska med enkelt *-l-*, t.ex. *labeled, quarreled, signaled, marvelous, traveler, woolen.*
5. Andra stavningsvarianter av mindre förutsebar typ ges genomgående i ordboken, t.ex. *airplane, aluminum, analyze, cozy, gray, mold, plow, tire* (bildäck) etc.

Uttal

I USA finns inte något standarduttal som i Storbritannien. Men de flesta bildade amerikaners uttal innehåller flera gemensamma drag som skiljer deras uttal från det brittiska:

1. I brittisk engelska är *r* stumt före konsonant och i ordslut om det inte följs av vokal (som i t.ex. *far off, everywhere else*). I amerikansk engelska uttalas *r* i dessa fall, i t.ex. *bird, hard, matter, where.*
2. I amerikansk engelska uttalas *t* eller *tt* mellan tonande ljud (dvs. vokaler och vissa konsonanter) med stark dragning åt *d*, så att t.ex. *better, metal, little* kan låta som *bedder, meddle, liddle.*
3. I många ord uttalas den brittiska standardengelskans [ɑ:] som [æ:] i amerikansk engelska när det följs av ljuden [f] (t.ex. *after*), [m] (t.ex. *example*), [n] (t.ex. *demand, aunt*), [s] (t.ex. *pass, past*), [θ] (t.ex. *path*).
4. Den brittiska standardengelskans [əʊ] i sådana ord som *no, only, boat* uttalas i amerikansk engelska med [oʊ].

5. Den brittiska engelskans [ɒ] i sådana ord som *got, hot, what* uttalas i amerikansk engelska ungefär som *a* i det svenska ordet *hat*, men kortare.

6. Den brittiska engelskans [ju:] i många ord uttalas i amerikansk engelska ofta med [u:] i t.ex. *duty, new, stupid.*

7. Ord som slutar på *-ary, -ery, -ory* har i amerikansk engelska biton på näst sista stavelsen. Jämför:

	brittisk engelska	amerikansk engelska
secondary	['sekəndrɪ]	['sekən‚derɪ]
cemetery	['semətrɪ]	['semə‚terɪ]
territory	['terɪtərɪ]	['terə‚tɔ:rɪ]

8. Ordboken redovisar naturligtvis amerikanskt uttal i de fall där uttalet på ett oförutsebart sätt skiljer sig från den britttiska engelskans, t.ex. *address, clerk, Derby, lieutenant, schedule.* Se dessa ord.

Förkortningar

I konstruktionsmönster

sb	somebody
sb's	somebody's
sth	something
sth's	something's
ngn	någon (objektet är en person)
ngns	någons
ngt	något (objektet är en sak)
ngts	någots

Ordklasser

adj	adjektiv
adv	adverb
best art	bestämd artikel
hjälpverb	
huvudverb	
infinitivmärke	
interj	interjektion
konj	konjunktion
obest art	obestämd artikel
perf p	perfekt particip
prefix	
prep	preposition
pres p	presens particip
pron	pronomen
räkn	räkneord
subst	substantiv
subst pl	substantiv i pluralform
verb	

Övrigt

adj.	adjektiv; adjektivisk
adv.	adverb; adverbial; adverbiell
allm.	allmänt, i allmän (ej speciell) betydelse
amer.	amerikansk; amerikansk engelska; i Amerika (USA)
anat.	anatomi
astrol.	astrologi
astron.	astronomi
barnspr.	barnspråk
bibl.	biblisk; i Bibeln
bil.	bilterm
bildl.	bildlig, bildligt
biol.	biologi

bot.	botanik
boxn.	boxning
britt.	brittisk
byggn.	byggnadsterm
data.	dataterm
eg.	egentlig (ej bildlig) betydelse
ekon.	ekonomi
el.	eller
elektr.	elektronik; elteknik
eng.	engelsk; engelska
etc.	etcetera
ex.	exempel
film.	filmterm
flyg.	flygväsen, flygteknik
fonet.	fonetik
fotb.	fotboll
foto.	fotografering
fys.	fysik
fysiol.	fysiologi
förk.	förkortning
geogr.	geografi, geografisk
geom.	geometri
golf.	golfterm
gram.	grammatik
gymn.	gymnastikterm
hand.	handelsterm
hist.	historisk företeelse
imperf.	imperfekt
inf.	infinitiv
iron.	ironisk stil
jakt.	jaktterm
jfr	jämför
jur.	juridik
järnv.	järnvägsterm
kem.	kemiterm
kok.	kokkonst, matlagning
koll.	kollektiv
konst.	konst; konstvetenskap
kortsp.	kortspel
kyrkl.	kyrklig
lantbr.	lantbruk
litt.	litterär stil, litteratur
mat.	matematik
med.	medicin
meteor.	meteorologi
mil.	militärväsen
m.m.	med mera
m.fl.	med flera
motor.	motorteknik

musik.	musikterm
mytol.	mytologi
naturv.	naturvetenskap
neds.	nedsättande
o.	och
o.d.	och dylikt
ordspr.	ordspråk
osv.	och så vidare
pl.	plural (till form och/eller konstruktion)
polit.	politik; politisk
prep.	preposition; prepositions-
psykol.	psykologi
®	inregistrerat varumärke
radio.	radio; radioteknik
relig.	religion; religiös
resp.	respektive
schack.	schackterm
simn.	simning
sing.	singular (till form och/eller konstruktion)
självst.	självständig
sjö.	sjöfart
skol.	skolväsen
skämts.	skämtsam; skämtsamt
sl.	slang
spel.	i sällskapsspel
sport.	sport, idrott
språkv.	språkvetenskap
sv.	svensk; svenska
svag.	svagare
tandläk.	tandläkarterm
teat.	teater
tekn.	teknik
tele.	telekommunikation
t.ex.	till exempel
tennis.	tennisterm
textil.	textilterm
trafik.	trafikväsen
trädg.	trädgårdsterm
tull.	tullväsen
tv.	television; tv-teknik
typogr.	typografi
univ.	universitetsväsen
vard.	vardaglig; vardagligt
vetensk.	vetenskaplig term
vulg.	vulgär stil, grov slang
zool.	zoologi
åld.	äldre språkbruk
äv.	även

Norstedts
lilla engelska ordbok

ENGELSK-SVENSK

Uttal

Vokaler

Långa		Korta	
[i:]	steel	[ɪ]	ring
[ɑ:]	father	[e]	pen
[ɔ:]	call	[æ]	back
[u:]	too	[ʌ]	run
[ɜ:]	girl	[ɒ]	top
		[ʊ]	put
		[ə]	about

Diftonger

[eɪ]	name
[aɪ]	line
[ɔɪ]	boy
[əʊ]	phone
[aʊ]	now
[ɪə]	here
[eə]	there
[ʊə]	tour

Konsonanter

Tonande		Tonlösa	
[b]	back	[p]	people
[d]	drink	[t]	too
[g]	go	[k]	call
[v]	very	[f]	fish
[ð]	there	[θ]	think
[z]	freeze	[s]	strike
[ʒ]	usual	[ʃ]	shop
[dʒ]	job	[tʃ]	check
[j]	you	[h]	here
[m]	my		
[n]	next		
[ŋ]	ring		
[l]	long		
[r]	red		
[w]	win		

Huvudtryck markeras med lodrätt accenttecken i överkant som placeras före den stavelse som har huvudtrycket: **about** [ə'baʊt]

Bitryck markeras med lodrätt accenttecken i nederkant som placeras före den stavelse som har bitrycket: **academic** [ˌækə'demɪk]

Aa

Λ o. **a** [eɪ] *subst* **1** A, a **2** musik., *A* a; *A flat* ass; *A sharp* aiss

a [ə] el. framför vokal **an** [ən] *obest art* **1** en, ett **2** *twice a day* två gånger om dagen

aback [ə'bæk] *adv*, *I was taken* ~ jag blev häpen

abandon [ə'bændən] *verb* **1** ge upp [~ *an attempt*] **2** överge [~ *a person*] **3** avbryta [~ *a project*]

abate [ə'beɪt] *verb* **1** avta **2** minska

abattoir ['æbətwɑː] *subst* slakthus

abbess ['æbes] *subst* abbedissa

abbey ['æbɪ] *subst* **1** kloster **2** klosterkyrka

abbot ['æbət] *subst* abbot

abbreviate [ə'briːvɪeɪt] *verb* förkorta

abbreviation [ə,briːvɪ'eɪʃən] *subst* förkortning

abdicate ['æbdɪkeɪt] *verb* **1** abdikera **2** avsäga sig [~ *the throne*]

abdication [,æbdɪ'keɪʃən] *subst* **1** abdikation **2** avsägelse

abdomen ['æbdəmən] *subst* **1** buk, mage **2** underliv

abduct [æb'dʌkt] *verb* röva bort, föra bort

aberration [,æbə'reɪʃən] *subst* avvikelse; *in a moment of* ~ i ett anfall av sinnesförvirring

abhor [əb'hɔː] (-*rr*-) *verb* avsky

abhorrence [əb'hɒrəns] *subst* avsky, fasa

abhorrent [əb'hɒrənt] *adj* avskyvärd, motbjudande

abide [ə'baɪd] *verb* **1** ~ *by* a) foga sig efter b) stå fast vid [~ *by a decision*] **2** stå ut med; *I can't* ~ *him* jag tål honom inte

ability [ə'bɪlətɪ] *subst* skicklighet; *to the best of my* ~ efter bästa förmåga

abject ['æbdʒekt] *adj* **1** eländig; ~ *poverty* yttersta misär **2** ynklig, krypande

ablaze [ə'bleɪz] *adj*, *be* ~ stå i lågor, stå i brand

able ['eɪbl] *adj* skicklig, duglig; *I am* ~ *to do it* jag kan göra det

abnormal [æb'nɔːml] *adj* abnorm, onormal

abnormality [,æbnɔː'mælətɪ] *subst* abnormitet

aboard [ə'bɔːd] *adv* o. *prep* ombord, ombord på

abolish [ə'bɒlɪʃ] *verb* avskaffa

abolition [,æbə'lɪʃən] *subst* avskaffande

abominable [ə'bɒmɪnəbl] *adj* avskyvärd

abominate [ə'bɒmɪneɪt] *verb* avsky

abomination [ə,bɒmɪ'neɪʃn] vard. *subst* **1** avsky **2** styggelse

aboriginal [,æbə'rɪdʒnəl] *subst* urinvånare

aborigine [,æbə'rɪdʒɪnɪ] (pl. *aborigines* [,æbə'rɪdʒɪniːz]) *subst* urinvånare

abortion [ə'bɔːʃən] *subst* abort; *have an* ~ göra abort

abortionist [ə'bɔːʃnɪst] *subst* abortör

abound [ə'baʊnd] *verb* finnas i överflöd; ~ *in* (*with*) vimla av, vara rik på [*the river* ~*s in fish*]

about I [ə'baʊt] *prep* **1** om [*tell me* ~ *it*]; *what is the book* ~*?* vad handlar boken om?; *what* ~ *your brother?* hur är det med din bror?; *what* ~ *a beer?* ska vi ta en öl? **2** omkring i (på) [~ *the town*] **3** på sig [*I have no money* ~ *me*], hos [*there's something* ~ *him I don't like*] **4** sysselsatt med; *while you are* ~ *it* medan du ändå håller på **5** omkring, ungefär, cirka [~ *five*; ~ *fifty*] II [ə'baʊt] *adv* **1** omkring, runt **2** ute, i farten; *be* ~ finnas; *there is a lot of flu* ~ det går mycket influensa just nu; *be out and* ~ el. *be* ~ vara uppe, vara i farten **3** *be* ~ *to* stå i begrepp att [*she is* ~ *to change her job*]

about-turn [ə,baʊt'tɜːn] *subst* helomvändning [*do an* ~]

above I [ə'bʌv] *prep* över, ovanför; ~ *all* framför allt; *over and* ~ förutom II [ə'bʌv] *adv* **1** ovan, ovanför; upptill **2** ovanstående, ovannämnda **3** mer, därutöver [*boys of 15 and* ~]

above-board [ə,bʌv'bɔːd] *adj* öppen, ärlig

above-mentioned [ə,bʌv'menʃənd] *adj* ovannämnd

abracadabra [,æbrəkə'dæbrə] *subst* abrakadabra

abreast [ə'brest] *adv* i bredd, bredvid varandra; ~ *of* (*with*) i jämnhöjd med; ~ *of the times* med sin tid

abridged [ə'brɪdʒd] *adj* förkortad [*an* ~ *version*]

abroad [ə'brɔːd] *adv* **1** utomlands, i (till) utlandet **2** *there is a rumour* ~ det går ett rykte

abrupt [ə'brʌpt] *adj* **1** plötslig, tvär, abrupt **2** brysk

ABS [,eɪbiː'es] (förk. för *antilock braking system*); ~ *brakes* ABS-bromsar

abscess ['æbses] *subst* böld

abscond [əb'skɒnd] *verb* avvika, rymma

absence ['æbsəns] *subst* frånvaro

absent ['æbsənt] *adj* frånvarande

absentee [ˌæbsən'tiː] *subst* frånvarande

absent-minded [ˌæbsənt'maɪndɪd] *adj* tankspridd

absolute ['æbsəluːt] *adj* absolut, fullständig, komplett [*an ~ fool*]

absolutely ['æbsəluːtlɪ] *adv* absolut, helt

absolve [əb'zɒlv] *verb* frikänna

absorb [əb'sɔːb] *verb* **1** absorbera **2** införliva, uppsluka **3** helt uppta; *be absorbed in* vara försjunken i

absorbent [əb'sɔːbənt] *adj* absorberande

absorbing [əb'sɔːbɪŋ] *adj* **1** absorberande **2** fängslande [*an ~ book*]

abstain [əb'steɪn] *verb* **1** avstå, avhålla sig [*from* från] **2** ~ *from voting* lägga ned sin röst

abstainer [əb'steɪnə] *subst* **1** absolutist **2** valskolkare, soffliggare

abstention [əb'stenʃən] *subst* **1** ~ *from voting* el. ~ röstnedläggelse **2** återhållsamhet

abstinence ['æbstɪnəns] *subst* **1** avhållsamhet **2** abstinens

abstinent ['æbstɪnənt] *adj* avhållsam

abstract ['æbstrækt] *adj* abstrakt

abstruse [æb'struːs] *adj* svårfattlig, dunkel

absurd [əb'sɜːd] *adj* absurd, orimlig

absurdity [əb'sɜːdətɪ] *subst* absurditet, orimlighet

abundance [ə'bʌndəns] *subst* överflöd, stor mängd

abundant [ə'bʌndənt] *adj* riklig, rik [*in* på]

abuse I [ə'bjuːs] *subst* **1** missbruk [*drug ~, alcohol ~*] **2** misshandel [*child ~*] **3** ovett, glåpord
II [ə'bjuːz] *verb* **1** missbruka; utnyttja sexuellt **2** misshandla **3** förolämpa [*racially ~*]

abusive [ə'bjuːsɪv] *adj* ovettig, smädlig

abyss [ə'bɪs] *subst* avgrund

Abyssinian [ˌæbɪ'sɪnjən] *subst* kattras abessinier

AC [ˌeɪ'siː] (förk. för *alternating current*) växelström

academic I [ˌækə'demɪk] *adj* akademisk
II [ˌækə'demɪk] *subst* akademiker

academy [ə'kædəmɪ] *subst* akademi

accelerate [ək'seləreɪt] *verb* accelerera

acceleration [əkˌselə'reɪʃən] *subst* **1** acceleration **2** accelerationsförmåga

accelerator [ək'seləreɪtə] *subst* **1** gaspedal **2** fys. el. kem. accelerator

---

accent
En persons sätt att tala engelska, *accent*, avslöjar inte bara varifrån han eller hon kommer. Det antyder också vilken bildning man har och vilken samhällsklass man tillhör. I den här ordboken anges det uttal som talas av bildade människor i sydöstra England och som förstås av de flesta engelsktalande. Dessutom ges i många fall amerikanska varianter.

---

accent I ['æksənt] *subst* **1** betoning, tonvikt **2** accent, brytning **3** accenttecken
II [æk'sent] *verb* betona

accentuate [æk'sentjʊeɪt] *verb* betona, accentuera

accept [ək'sept] *verb* anta, acceptera, godta

acceptable [ək'septəbl] *adj* acceptabel, godtagbar

acceptance [ək'septəns] *subst* accepterande, godtagande, antagande

access I ['ækses] *subst* **1** tillträde, tillgång; ~ *road* tillfartsväg t.ex. till motorväg **2** data. åtkomst; ~ *time* åtkomsttid
II ['ækses] *verb* **1** få (ha) tillgång till **2** data. ta fram, komma åt [*~ files*]

accessible [ək'sesəbl] *adj* tillgänglig

accessory [ək'sesərɪ] *subst* **1** pl. *accessories* tillbehör, accessoarer **2** medbrottsling

accident ['æksɪdənt] *subst* **1** tillfällighet; *by ~* av en händelse (slump) **2** olycksfall, olycka

accidental [ˌæksɪ'dentl] *adj* **1** oavsiktlig; ~ *death* dödsfall genom olyckshändelse **2** tillfällig

accidentally [ˌæksɪ'dentəlɪ] *adv* **1** av en händelse (slump) **2** oavsiktligt

accident-prone ['æksɪdəntprəʊn] *adj*, *he is* ~ han råkar lätt ut för olyckor, han är en olycksfågel

acclaim [ə'kleɪm] *verb* hylla, lovorda

acclimatize [ə'klaɪmətaɪz] *verb* **1** acklimatisera **2** acklimatisera sig

accommodate [ə'kɒmədeɪt] *verb* inhysa, inkvartera

accommodating [ə'kɒmədeɪtɪŋ] *adj* tillmötesgående

accommodation [əˌkɒmə'deɪʃən] *subst* bostad, logi, boende; utrymme, plats

accompaniment [ə'kʌmpənɪmənt] *subst* **1** musik. ackompanjemang **2** tillbehör
accompanist [ə'kʌmpənɪst] *subst* musik. ackompanjatör
accompany [ə'kʌmpənɪ] *verb* **1** följa med, åtfölja **2** musik. ackompanjera
accomplice [ə'kʌmplɪs] *subst* medbrottsling
accomplish [ə'kʌmplɪʃ] *verb* **1** utföra, uträtta **2** fullborda
accomplished [ə'kʌmplɪʃt] *adj* skicklig
accomplishment [ə'kʌmplɪʃmənt] *subst* **1** genomförande, uträttande **2** prestation; ~*s* talanger
accord I [ə'kɔːd] *verb* bevilja
II [ə'kɔːd] *subst*, *with one* ~ enhälligt; *she did it of her own* ~ hon gjorde det självmant
accordance [ə'kɔːdəns] *subst*, *in* ~ *with* i överensstämmelse med
according [ə'kɔːdɪŋ], ~ *to* prep. enligt, beroende på
accordingly [ə'kɔːdɪŋlɪ] *adv* **1** i enlighet därmed, därefter **2** följaktligen
accordion [ə'kɔːdjən] *subst* musik. dragspel
accost [ə'kɒst] *verb* antasta
account I [ə'kaʊnt] *verb*, ~ *for* redovisa, redovisa för; *I can't* ~ *for it* jag kan inte förklara det; *that* ~*s for it* det förklarar saken; *there's no accounting for tastes* om tycke och smak ska man inte diskutera
II [ə'kaʊnt] *subst* **1** konto, räkning; pl. ~*s* räkenskaper; *on my own* ~ för egen räkning; *on that* ~ för den sakens skull; *on no* ~ el. *not on any* ~ på inga villkor; *on* ~ *of* på grund av **2** *leave sth out of* ~ lämna ngt ur räkningen, bortse från ngt; *take into* ~ ta med i beräkningen; *of no* ~ utan betydelse **3** berättelse, redogörelse; *by all* ~*s* efter allt vad man har hört
accountable [ə'kaʊntəbl] *adj* ansvarig [*to* inför]
accountant [ə'kaʊntənt] *subst*, *chartered* ~ el. amer. *certified public* ~ (förk. *CPA*) auktoriserad revisor
accredit [ə'kredɪt] *verb* ackreditera [*to* hos]; ~*ed* allmänt erkänd, officiellt godkänd
accrue [ə'kruː] *verb* **1** tillfalla [*to sb* ngn] **2** växa till; *accrued interest* upplupen ränta
accumulate [ə'kjuːmjʊleɪt] *verb* **1** hopa sig, ackumuleras **2** samla, ackumulera
accumulation [ə,kjuːmjʊ'leɪʃən] *subst* **1** anhopning, ackumulation **2** samlande
accumulator [ə'kjuːmjʊleɪtə] *subst* ackumulator

accuracy ['ækjʊrəsɪ] *subst* **1** exakthet, precision **2** riktighet
accurate ['ækjʊrət] *adj* **1** exakt, precis **2** riktig
accusation [,ækjuː'zeɪʃən] *subst* anklagelse
accusative [ə'kjuːzətɪv] *subst* gram. ackusativ; *in the* ~ i ackusativ
accuse [ə'kjuːz] *verb* anklaga [*of* för]
accused [ə'kjuːzd] *subst*, *the* ~ den anklagade
accustom [ə'kʌstəm] *verb* vänja [*to* vid]
accustomed [ə'kʌstəmd] *adj* van [*to* vid]
ace I [eɪs] *subst* **1** ess, äss **2** i tennis serveess **3** stjärna, mästare
II [eɪs] *adj* vard. toppen [*it was absolutely* ~]
acetate ['æsəteɪt] *subst* kem. acetat
acetic [ə'siːtɪk] *adj*, ~ *acid* ättiksyra
acetone ['æsətəʊn] *subst* aceton
acetylsalicylic acid ['æsɪtaɪl,sælə'sɪlɪk'æsɪd] *subst* kem. acetylsalicylsyra
ache I [eɪk] *verb* värka; *I'm aching all over* jag har ont i hela kroppen
II [eɪk] *subst* värk; *I have* ~*s and pains all over* jag har ont i hela kroppen
achieve [ə'tʃiːv] *verb* **1** uträtta, åstadkomma **2** uppnå, prestera
achievement [ə'tʃiːvmənt] *subst* prestation, insats
Achilles [ə'kɪliːz] Akilles; *Achilles' heel* svag punkt akilleshäl; *Achilles' tendon* anat. hälsena
acid I ['æsɪd] *adj* sur; ~ *rain* surt regn
II ['æsɪd] *subst* **1** syra **2** vard. LSD narkotika
acidification [ə,sɪdɪfɪ'keɪʃən] *subst* försurning
acknowledge [ək'nɒlɪdʒ] *verb* **1** erkänna **2** kännas vid **3** bekräfta mottagande av [~ *a letter*]
acknowledgement [ək'nɒlɪdʒmənt] *subst* **1** erkännande **2** bekräftelse
acme ['ækmɪ] *subst* höjdpunkt
acne ['æknɪ] *subst* med. akne
acorn ['eɪkɔːn] *subst* ekollon
acoustic [ə'kuːstɪk] *adj* o. **acoustical** [ə'kuːstɪkl] *adj* akustisk
acoustics [ə'kuːstɪks] (med verb i pl.) *subst* ljudförhållande akustik [*the* ~ *here are good*]
acquaint [ə'kweɪnt] *verb*, *be acquainted with* vara bekant med, vara insatt i
acquaintance [ə'kweɪntəns] *subst* **1** bekantskap [*with* med] **2** kännedom [*with* om] **3** bekant [*an* ~]
acquiesce [,ækwɪ'es] *verb* samtycka [*in* till]
acquire [ə'kwaɪə] *verb* förvärva, skaffa sig

acquirement [əˈkwaɪəmənt] *subst*
1 förvärvande **2** pl. ~*s* färdigheter, talanger
acquisition [ˌækwɪˈzɪʃən] *subst* förvärvande, förvärv
acquisitiveness [əˈkwɪzɪtɪvnəs] *subst* habegär
acquit [əˈkwɪt] (*-tt-*) *verb* **1** frikänna [*of* från-] **2** *she acquitted herself well* hon klarade sig fint
acquittal [əˈkwɪtl] *subst* frikännande
acre [ˈeɪkə] *subst* ytmått 'acre' (4 047 m²), ungefär tunnland
acrid [ˈækrɪd] *adj* bitter, skarp, kärv, frän
acrimonious [ˌækrɪˈməʊnjəs] *adj* bitter, frän [~ *dispute*]
acrobat [ˈækrəbæt] *subst* akrobat
acrobatic [ˌækrəˈbætɪk] *adj* akrobatisk
acrobatics [ˌækrəˈbætɪks] (med verb i pl.) *subst* akrobatik, akrobatkonster
across I [əˈkrɒs] *adv* **1** över, på tvären **2** i korsord vågrätt
II [əˈkrɒs] *prep* över, tvärsöver, genom
across-the-board [əˌkrɒsðəˈbɔːd] *adj* allmän, generell; *an ~ wage increase* en löneförhöjning över hela linjen
acrylic [əˈkrɪlɪk] *subst* kem. akryl
act I [ækt] *subst* **1** handling; *caught in the ~* tagen på bar gärning; *terrorist ~* terroristdåd **2** beslut [*Act of Parliament*] **3** lag **4** teat. akt, nummer [*a circus ~*] **5** vard., *clean up one's ~* el. *get one's ~ together* vard. ta sig samman, skärpa sig
II [ækt] *verb* **1** handla; agera **2** fungera [*as som*] **3** teat. spela
acting I [ˈæktɪŋ] *adj* tillförordnad [~ *headmaster*]
II [ˈæktɪŋ] *subst* teat. spel, spelsätt
action [ˈækʃən] *subst* **1** handling, aktion, agerande; ~ *film* (*movie*) actionfilm; ~ *replay* tv. repris ofta i slowmotion; *take ~* ingripa **2** inverkan, verkan [*the ~ of the drug*] **3** funktion; *put out of ~* sätta ur funktion **4** strid
action-packed [ˈækʃnpækt] *adj* vard., om t.ex. film fartfylld, spännande
activate [ˈæktɪveɪt] *verb* aktivera
active [ˈæktɪv] *adj* aktiv, verksam
activist [ˈæktɪvɪst] *subst* aktivist
activity [ækˈtɪvətɪ] *subst* **1** aktivitet, verksamhet **2** pl. *activities* verksamhet, sysselsättningar
actor [ˈæktə] *subst* skådespelare
actress [ˈæktrəs] *subst* skådespelerska
actual [ˈæktʃʊəl] *adj* faktisk, verklig; *in ~ fact* i själva verket

actually [ˈæktʃʊəlɪ] *adv* egentligen, i själva verket, faktiskt
acupuncture [ˈækjʊpʌŋktʃə] *subst* med. akupunktur
acupuncturist [ˌækjʊˈpʌŋktʃərɪst] *subst* med. akupunktör
acute [əˈkjuːt] *adj* **1** akut **2** skarp, häftig; fin
AD [ˌeɪˈdiː, ˌænəʊˈdɒmɪnaɪ] (förk. för *Anno Domini* latin) e.Kr.
ad [æd] *subst* vard. (kortform för *advertisement*) annons
adapt [əˈdæpt] *verb* **1** lämpa, anpassa **2** bearbeta
adaptable [əˈdæptəbl] *adj* anpassningsbar
adaptation [ˌædæpˈteɪʃən] *subst* **1** anpassning **2** bearbetning, omarbetning av t.ex. litterärt verk
adaptor [əˈdæptə] *subst* adapter, förgreningspropp
add [æd] *verb* **1** tillägga, tillsätta **2** addera, summera [*up* ihop]; ~ *to* öka, förhöja
added [ˈædɪd] *adj* ökad, extra
adder [ˈædə] *subst* huggorm
addict I [ˈædɪkt] *verb*, *be addicted to* vara begiven på
II [ˈædɪkt] *subst* missbrukare; *drug* (*dope*) ~ narkoman
addiction [əˈdɪkʃən] *subst* **1** missbruk **2** begivenhet [*to* på]
addition [əˈdɪʃən] *subst* **1** tillägg, tilläggande; *in ~* dessutom; *in ~ to* förutom **2** mat. addition
additional [əˈdɪʃnəl] *adj* ytterligare, extra
additive [ˈædətɪv] *subst* tillsatsämne; *food ~* livsmedelstillsats
address I [əˈdres, amer. äv. ˈædres] *verb* **1** hålla tal till **2** vända sig till; *she addressed herself to the people* hon vände sig till folket **3** adressera
II [əˈdres, amer. äv. ˈædres] *subst* **1** adress **2** offentligt tal
addressee [ˌædreˈsiː] *subst* adressat
adenoids [ˈædənɔɪdz] *subst* pl med. polyper
adept [əˈdept, ˈædept] *adj* skicklig [*at* i], erfaren
adequate [ˈædɪkwət] *adj* tillräcklig, fullgod, adekvat
adhere [ədˈhɪə] *verb*, ~ *to* a) sitta fast vid b) hålla fast vid
adherent [ədˈhɪərənt] *subst* anhängare [*of*]
adhesive [ədˈhiːsɪv] *adj* självhäftande; ~ *plaster* plåster; ~ *tape* tejp
adjacent [əˈdʒeɪsənt] *adj* **1** angränsande **2** *be ~ to* gränsa till
adjective I [ˈædʒɪktɪv] *subst* gram. adjektiv

adjoin [ə'dʒɔɪn] *verb* gränsa till
adjoining [ə'dʒɔɪnɪŋ] *adj* angränsande
adjourn [ə'dʒɜːn] *verb* ajournera, ajournera sig
adjust [ə'dʒʌst] *verb* **1** rätta, rätta till **2** justera; ~ *oneself to* el. ~ *to* anpassa sig till
adjustable [ə'dʒʌstəbl] *adj* inställbar, justerbar
adjustment [ə'dʒʌstmənt] *subst* inställning, justering
ad-lib vard. **I** [,æd'lɪb] (*-bb-*) *verb* improvisera **II** [,æd'lɪb] *adj* improviserad
administer [əd'mɪnɪstə] *verb* administrera, förvalta
administration [əd,mɪnɪ'streɪʃən] *subst* administrering, förvaltning, administration
administrative [əd'mɪnɪstrətɪv] *adj* administrativ, förvaltande
administrator [əd'mɪnɪstreɪtə] *subst* förvaltare, administratör
admirable ['ædmərəbl] *adj* beundransvärd
admiral ['ædmrəl] *subst* sjö. amiral
admiration [,ædmə'reɪʃən] *subst* beundran
admire [əd'maɪə] *verb* beundra
admirer [əd'maɪərə] *subst* beundrare
admission [əd'mɪʃən] *subst* **1** tillträde, inträde, intagning **2** medgivande
admit [əd'mɪt] (*-tt-*) *verb* **1** släppa in, anta; *be admitted to hospital* vara (bli) intagen på sjukhus **2** ha plats för **3** medge **4** ~ *of* tillåta; ~ *to* erkänna
admittance [əd'mɪtəns] *subst* inträde; *no* ~ tillträde förbjudet
admonish [əd'mɒnɪʃ] *verb* tillrättavisa, förmana
admonition [,ædmə'nɪʃən] *subst* tillrättavisning, förmaning
ado [ə'duː] *subst* ståhej, väsen; *without further* ~ utan vidare spisning
adolescence [,ædə'lesns] *subst* tonårstid mellan puberteten och mogen ålder
adolescent [,ædə'lesnt] *subst* tonåring mellan puberteten och mogen ålder
adopt [ə'dɒpt] *verb* **1** anta, godkänna **2** adoptera; *she had the child adopted* hon adopterade bort barnet **3** låna in {~ *a new word into the language*} **4** lägga sig till med {~ *an attitude*}
adoption [ə'dɒpʃən] *subst* **1** införande, antagande, godkännande **2** adoptering
adoptive [ə'dɒptɪv] *adj*, ~ *parents* adoptivföräldrar
adorable [ə'dɔːrəbl] *adj* vard. förtjusande

adoration [,ædə'reɪʃən] *subst* dyrkan
adore [ə'dɔː] *verb* dyrka, vard. avguda, älska
adorn [ə'dɔːn] *verb* pryda, smycka
adornment [ə'dɔːnmənt] *subst* **1** prydande **2** prydnad
ADP [,eɪdiː'piː] (*förk.* för *automatic data processing*) ADB (*förk.* för *automatisk databehandling*)
adrenalin [ə'drenəlɪn] *subst* o. **adrenaline** [ə'drenəlɪn] *subst* kem. adrenalin
Adriatic [,eɪdrɪ'ætɪk] *adj* o. *subst*, *the* ~ *Sea* el. *the* ~ Adriatiska havet
adrift [ə'drɪft] *adv* o. *adj* på drift
adroit [ə'drɔɪt] *adj* skicklig, händig
adult ['ædʌlt, amer. vanligen ə'dʌlt] *adj* o. *subst* vuxen; ~ *education* vuxenundervisning
adultery [ə'dʌltərɪ] *subst* äktenskapsbrott
advance I [əd'vɑːns] *verb* **1** gå framåt, avancera **2** göra framsteg **3** förskottera {~ *a loan*} **II** [əd'vɑːns] *subst* **1** framryckning **2** framsteg; *make* ~*s* a) göra framsteg b) göra närmanden **3** förskott; *in* ~ på förhand, i förväg, i förskott **4** *an* ~ *booking* en förhandsbokning
advanced [əd'vɑːnst] *adj* **1** långt framskriden; ~ *in years* ålderstigen **2** avancerad {~ *ideas*}
advantage [əd'vɑːntɪdʒ] *subst* fördel äv. i tennis; förmån; *have the* ~ *of* ha övertaget över; *take* ~ *of* utnyttja
advantageous [,ædvən'teɪdʒəs] *adj* fördelaktig

Advent
I de engelsktalande länderna firar man normalt inte advent med att tända ljus. Adventskalendrar är däremot vanliga i England och USA.

Advent ['ædvent] *subst*, ~ *calendar* adventskalender; ~ *Sunday* första advent
adventure [əd'ventʃə] *subst* äventyr; ~ *game* äventyrsspel
adventurer [əd'ventʃərə] *subst* äventyrare
adventurous [əd'ventʃərəs] *adj* äventyrslysten
adverb ['ædvɜːb] *subst* gram. adverb
adversary ['ædvəsərɪ] *subst* motståndare
adverse ['ædvɜːs] *adj* **1** ogynnsam **2** kritisk {~ *comments*}
adversity [əd'vɜːsətɪ] *subst* motgångar

advert ['ædvɜːt] *subst* vard. (kortform för *advertisement*) annons

advertise ['ædvətaɪz] *verb* **1** annonsera, göra reklam för **2** göra reklam

advertisement [əd'vɜːtɪsmənt] *subst* **1** annons **2** reklam, annonsering

advertiser ['ædvətaɪzə] *subst* annonsör

advertising ['ædvətaɪzɪŋ] *subst* annonsering, reklam; ~ *agency* annonsbyrå

advice [əd'vaɪs] *subst* råd; *a piece (bit) of* ~ ett råd

advisable [əd'vaɪzəbl] *adj* tillrådlig

advise [əd'vaɪz] *verb* råda [*on* angående, i]; ~ *against* avråda från

adviser [əd'vaɪzə] *subst* rådgivare

advisory [əd'vaɪzərɪ] *adj* rådgivande

advocate I ['ædvəkət] *subst* förespråkare [*of* för]
II ['ædvəkeɪt] *verb* förespråka

aerated ['eəreɪtɪd] *adj*, ~ *water* kolsyrat vatten

aerial I ['eərɪəl] *adj* luft-, flyg- [~ *photograph*]
II ['eərɪəl] *subst* radio. etc. antenn

aerobics [eə'rəʊbɪks] (med verb i sing.) *subst* aerobics, gymping

aerodynamic [ˌeərəʊdaɪ'næmɪk] *adj* aerodynamisk

aeroplane ['eərəpleɪn] *subst* flygplan

aerosol ['eərəʊsɒl] *subst*, ~ *container* aerosolförpackning

aerospace ['eərəʊspeɪs] *subst* rymd inom rymdtekniken

aesthetic [iːs'θetɪk] *adj* estetisk

afar [ə'fɑː] *adv*, *from* ~ ur fjärran

affable ['æfəbl] *adj* vänlig, lättillgänglig

affair [ə'feə] *subst* **1** angelägenhet, sak, affär **2** *have an* ~ *with sb* ha ett förhållande med ngn, ha en kärleksaffär med ngn

1 affect [ə'fekt] *verb* **1** beröra, påverka, drabba **2** göra intryck på, röra; *her death affected him* han tog det mycket hårt när hon dog

2 affect [ə'fekt] *verb* låtsas ha, låtsas vara

affectation [ˌæfek'teɪʃən] *subst* tillgjordhet

1 affected [ə'fektɪd] *adj* **1** angripen **2** rörd, gripen [*by* av] **3** påverkad

2 affected [ə'fektɪd] *adj* tillgjord, affekterad

affection [ə'fekʃən] *subst* tillgivenhet, ömhet

affectionate [ə'fekʃənət] *adj* tillgiven, öm

affectionately [ə'fekʃənətlɪ] *adv* tillgivet; *Yours* ~ i brev Din (Er) tillgivne

affinity [ə'fɪnətɪ] *subst* släktskap, samhörighet

affirm [ə'fɜːm] *verb* **1** försäkra, bestämt påstå **2** intyga, försäkra

affirmative I [ə'fɜːmətɪv] *adj* jakande, bekräftande; ~ *action* amer. se *positive discrimination* under *positive 3*
II [ə'fɜːmətɪv] *subst* jakande svar; *answer in the* ~ svara jakande

affix [ə'fɪks] *verb* fästa [~ *a stamp to an envelope*]

afflict [ə'flɪkt] *verb* plåga, drabba

affliction [ə'flɪkʃən] *subst* lidande, krämpa, sjukdom

affluence ['æfluəns] *subst* rikedom, välstånd

affluent ['æfluənt] *adj* rik, förmögen; *the* ~ *society* överflödssamhället

afford [ə'fɔːd] *verb* **1** *I can* ~ *it* jag har råd med det **2** ge, bereda [~ *great pleasure*]

affront I [ə'frʌnt] *verb* skymfa, förolämpa
II [ə'frʌnt] *subst* skymf, förolämpning

Afghan I ['æfgæn] *subst* **1** afghan invånare **2** afghanhund
II ['æfgæn] *adj* afghansk

Afghanistan [æf'gænɪstɑːn]

afloat [ə'fləʊt] *adj* flytande; *stay* ~ hålla sig flytande

afoot [ə'fʊt] *adv* o. *adj* på gång [*plans are* ~]

afraid [ə'freɪd] *adj* rädd [*of* för]; *I'm* ~ *not* tyvärr inte; *I'm* ~ *so* jag är rädd för det, tyvärr

afresh [ə'freʃ] *adv* ånyo, på nytt

Africa ['æfrɪkə] Afrika

African I ['æfrɪkən] *subst* afrikan
II ['æfrɪkən] *adj* afrikansk

African-American [ˌæfrɪkənə'merɪkən] *subst* afroamerikan

Afro ['æfrəʊ] (pl. ~s) *subst* afrofrisyr

Afro-American [ˌæfrəʊə'merɪkən] *adj* afroamerikan

after I ['ɑːftə] *adv* o. *prep* efter, bakom; ~ *all* när allt kommer omkring, ändå; ~ *you!* du först!, var så god!
II ['ɑːftə] *konj* sedan; ~ *he had gone* sedan han hade gått

aftercare ['ɑːftəkeə] *subst* med. eftervård

after-effects ['ɑːftərɪˌfekts] *subst pl* efterverkningar, efterdyningar

afterlife ['ɑːftəlaɪf] *subst* liv efter detta

aftermath ['ɑːftəmæθ] *subst* efterdyningar; *in the* ~ *of the war* i krigets spår

afternoon [ˌɑːftə'nuːn] *subst* eftermiddag

afters ['ɑːftəz] *subst pl* vard. efterrätt

aftershave ['ɑːftəʃeɪv] *subst*, ~ *lotion* el. ~ rakvatten, aftershave

afterthought ['ɑːftəθɔːt] *subst* **1** eftertanke **2** vard. sladdbarn

afterwards ['ɑ:ftəwədz] *adv* efteråt
again [ə'gen, ə'geɪn] *adv* **1** igen, åter; ~ *and*
~ el. *time and* ~ gång på gång; *never* ~
aldrig mer; *over* ~ omigen **2** däremot, å
andra sidan
against [ə'genst, ə'geɪnst] *prep* **1** mot, emot
2 intill
age I [eɪdʒ] *subst* **1** ålder, *old* ~ ålderdom,
ålderdomen; *come of* ~ bli myndig; *ten*
years of ~ tio år gammal; *under* ~
minderårig **2** tid *[the Ice Age]*; *the atomic*
~ atomåldern; *the Middle Ages*
medeltiden **3** *for* ~*s* i (på) evigheter
II [eɪdʒ] *verb* **1** åldras **2** göra gammal
aged [i betydelse 1 eɪdʒd, i betydelse 2 'eɪdʒɪd]
adj **1** i en ålder av; *a man* ~ *forty* en
fyrtioårig man **2** ålderstigen; *the* ~ de
gamla
ageing ['eɪdʒɪŋ] *adj* åldrande
ageism ['eɪdʒɪzm] *subst*
åldersdiskriminering
agency ['eɪdʒənsɪ] *subst* **1** agentur, organ,
byrå t.ex. inom FN **2** förmedling **3** inverkan
agenda [ə'dʒendə] *subst* dagordning
agent ['eɪdʒənt] *subst* **1** agent, ombud;
secret ~ hemlig agent **2** medel *[chemical*
~*]*
aggrandize [ə'grændaɪz] *verb* förstora,
upphöja
aggravate ['ægrəveɪt] *verb* **1** förvärra **2** vard.
reta, irritera
aggravating ['ægrəveɪtɪŋ] *adj* **1** ~
circumstances försvårande
omständigheter **2** vard. retsam, förarglig
aggregate ['ægrɪgət] *subst* summa; *on* ~
sammanlagt resultat
aggression [ə'greʃən] *subst* aggression
aggressive [ə'gresɪv] *adj* aggressiv
aggressor [ə'gresə] *subst* angripare
aggrieved [ə'gri:vd] *adj* sårad, kränkt
aghast [ə'gɑːst] *adj* förskräckt, bestört
agile ['ædʒaɪl, amer. 'ædʒəl] *adj* vig, rörlig
agility [ə'dʒɪlətɪ] *subst* vighet, rörlighet
agitate ['ædʒɪteɪt] *verb* **1** uppröra **2** agitera
[for för]
agitation [ˌædʒɪ'teɪʃən] *subst* **1** upprördhet
2 agitation
agitator ['ædʒɪteɪtə] *subst* agitator,
uppviglare
ago [ə'gəʊ] *adv* för … sedan; *long* ~ för
länge sedan; *it was years* ~ det var för
flera år sedan; *as long* ~ *as 1980* redan
1980
agonizing ['ægənaɪzɪŋ] *adj* plågsam,
smärtsam

agony ['ægənɪ] *subst* **1** svåra plågor **2** ~ *aunt*
kvinnlig hjärtespaltsredaktör; ~ *column*
hjärtespalt i tidning
agree [ə'gri:] *verb* **1** hålla med *[on* om]
2 komma överens, vara överens *[on* om]
3 passa, stämma **4** samtycka
agreeable [ə'gri:əbl] *adj* **1** angenäm **2** vard.
trevlig **3** *be* ~ *to* gå med på
agreement [ə'gri:mənt] *subst*
1 överenskommelse, avtal; *make (come*
to) an ~ *with sb* komma överens med ngn
2 överensstämmelse; enighet
agricultural [ˌægrɪ'kʌltʃrəl] *adj* jordbruks-
agriculture ['ægrɪkʌltʃə] *subst* jordbruk
aground [ə'graʊnd] *adv* o. *adj*, *go* ~ el. *run* ~
gå på grund
ahead [ə'hed] *adv* o. *adj* före; framåt;
straight ~ rakt fram; ~ *of* framför, före;
go ~*!* sätt i gång!, fortsätt!
aid I [eɪd] *verb* hjälpa, bistå
II [eɪd] *subst* **1** hjälp, bistånd **2** hjälpmedel
[visual ~*]*
Aids o. **AIDS** [eɪdz] *subst* med. (förk. för *acquired*
immune deficiency syndrome förvärvat
immunbristsyndrom) AIDS
ailment ['eɪlmənt] *subst* krämpa, sjukdom
aim I [eɪm] *verb* sikta med *[*~ *a gun at]*; ~ *at*
sikta på, sträva efter; ~ *a blow at* rikta ett
slag mot
II [eɪm] *subst* **1** *take* ~ ta sikte *[at* på]
2 mål, målsättning **3** avsikt
ain't [eɪnt] vard. el. dialektalt för *am* (*are, is*)
not, have not o. *has* not
1 air I [eə] *subst* **1** luft; *by* ~ med flyg; *go by*
~ flyga; *on the* ~ i radio (tv) **2** flyg-, luft-;
the Royal Air Force (förk. *RAF*) brittiska
flygvapnet
II [eə] *verb* vädra, lufta
2 air [eə] *subst* **1** utseende; *an* ~ *of luxury*
en luxuös prägel; *there is an* ~ *of*
mystery about it det är något mystiskt
med det **2** min; *give oneself* ~*s* el. *put on*
~*s* låtsas vara förnäm
3 air [eə] *subst* melodi
airbag ['eəbæg] *subst* krockkudde, airbag
air base ['eəbeɪs] *subst* flygbas
air bed ['eəbed] *subst* luftmadrass
air-conditioning ['eəkən‚dɪʃənɪŋ] *subst*
luftkonditionering
aircraft ['eəkrɑːft] (pl. lika) *subst* flygplan; ~
carrier hangarfartyg
airdrop ['eədrɒp] *subst* luftlandsättning
airfield ['eəfi:ld] *subst* flygfält
air force ['eəfɔːs] *subst* flygvapen
airgun ['eəgʌn] *subst* luftgevär, luftbössa

air hostess ['eə,həʊstes] *subst* flygvärdinna

airing ['eərɪŋ] *subst* vädring; ~ *cupboard* torkskåp; *give sth an* ~ vädra ngt

air letter ['eə,letə] *subst* lätt brev på en sida som går med flyg

airlift ['eəlɪft] *subst* luftbro

airline ['eəlaɪn] *subst* **1** flyglinje **2** flygbolag

airliner ['eə,laɪnə] *subst* trafikflygplan

airmail ['eəmeɪl] *subst* flygpost

airman ['eəmən] *subst* flygare

air mattress ['eə,mætrəs] *subst* luftmadrass

airplane ['eəpleɪn] *subst* amer. flygplan

air pocket ['eə,pɒkɪt] *subst* luftgrop

airport ['eəpɔːt] *subst* flygplats

airproof ['eəpruːf] *adj* lufttät

air-raid ['eəreɪd] *subst* flygräd, flyganfall; ~ *warning* flyglarm

air route ['eəruːt] *subst* flygväg, luftled

airsick ['eəsɪk] *adj* flygsjuk

airstrip ['eəstrɪp] *subst* start- och landningsbana

airtight ['eətaɪt] *adj* lufttät; *an* ~ *alibi* ett vattentätt alibi

airway ['eəweɪ] *subst* **1** flyg. luftled **2** flygbolag

airy ['eərɪ] *adj* **1** luftig **2** lättsinnig, nonchalant

airy-fairy [,eərɪ'feərɪ] *adj* verklighetsfrämmande, flummig [~ *ideas*]

aisle [aɪl] *subst* **1** mittgång, gång mellan bänkrader **2** sidoskepp i kyrka

ajar [ə'dʒɑː] *adv* på glänt

akin [ə'kɪn] *adj* släkt, besläktad [*to* med]

alabaster [,ælə'bɑːstə, ,ælə'bæstə] *subst* alabaster

à la carte [,ælə'kɑːt] *adj* o. *adv* à la carte

alarm I [ə'lɑːm] *subst* **1** larmsignal, larm; *give the* ~ slå larm **2** oro **3** väckarklocka

II [ə'lɑːm] *verb* **1** larma **2** oroa

alarm call [ə'lɑːmkɔːl] *subst* tele., *book an* ~ beställa väckning

alarm clock [ə'lɑːmklɒk] *subst* väckarklocka

alarming [ə'lɑːmɪŋ] *adj* oroväckande

alas [ə'læs] *interj* ack, tyvärr

Albania [æl'beɪnjə] Albanien

Albanian I [æl'beɪnjən] *subst* **1** alban **2** albanska språket

II [æl'beɪnjən] *adj* albansk

albatross ['ælbətrɒs] *subst* fågel albatross

albino [æl'biːnəʊ, amer. æl'baɪnəʊ] (pl. ~*s*) *subst* albino

album ['ælbəm] *subst* album

albumen ['ælbjʊmɪn] *subst* äggvita, äggviteämne

alcohol ['ælkəhɒl] *subst* alkohol, sprit

alcoholic I [,ælkə'hɒlɪk] *adj* alkoholhaltig

II [,ælkə'hɒlɪk] *subst* alkoholist

alcoholism ['ælkəhɒlɪzəm] *subst* alkoholism

alcove ['ælkəʊv] *subst* alkov, nisch

alder ['ɔːldə] *subst* träd al

ale [eɪl] *subst* öl; *brown* ~ mörkt öl; *pale* ~ ljust öl

alert I [ə'lɜːt] *adj* vaken, på alerten; *be* ~ *to* vara uppmärksam på

II [ə'lɜːt] *subst* **1** larm, flyglarm **2** *on the* ~ på utkik

III [ə'lɜːt] *verb* larma

algae ['ældʒiː] *subst pl* alger i t.ex. akvarium

algebra ['ældʒɪbrə] *subst* algebra

Algeria [æl'dʒɪərɪə] Algeriet

Algerian I [æl'dʒɪərɪən] *subst* algerier

II [æl'dʒɪərɪən] *adj* algerisk

Algiers [æl'dʒɪəz] Alger

alias ['eɪlɪəs] *adv* o. *subst* alias

alibi ['ælɪbaɪ] *subst* alibi

alien I ['eɪljən] *adj* **1** utländsk **2** främmande [*to* för]

II ['eɪljən] *subst* **1** jur. utlänning; *alien's passport* främlingspass **2** rymdvarelse

alienate ['eɪljəneɪt] *verb* fjärma, stöta bort

1 alight [ə'laɪt] *verb* **1** stiga av **2** landa, sätta sig

2 alight [ə'laɪt] *adj* upptänd, tänd; *catch* ~ ta eld

align [ə'laɪn] *verb* ställa upp i rät linje, rikta in

alignment [ə'laɪnmənt] *subst* **1** placering i rät linje; *wheel* ~ bil. justering av hjulinställning **2** polit. allians, gruppering

alike I [ə'laɪk] *adj* lik, lika; *they are* ~ de är lika, de liknar varandra

II [ə'laɪk] *adv* lika, på samma sätt [*we were dressed* ~]

alimony ['ælɪmənɪ] *subst* amer. underhåll, understöd

alive [ə'laɪv] *adj* **1** i livet, vid liv, levande [*be buried* ~]; *be* ~ *with* krylla av **2** *be* ~ *to* vara medveten om

alkali ['ælkəlaɪ] *subst* kem. alkali

alkaline ['ælkəlaɪn] *adj* kem. alkalisk

all I [ɔːl] *adj* o. *pron* **1** all, allt, alla; ~ *at once* alla (allt) på en gång; *not at* ~ inte alls; *not at* ~*!* ingen orsak!; *once and for* ~ en gång för alla; *in* ~ allt som allt **2** hela [*eat* ~ *the cake*; *don't take up* ~ *my time*] **3** hel- [~ *wool*]

II [ɔːl] *adv* alldeles, helt och hållet; ~ *along* a) prep. utefter hela [~ *along the road*] b) adv. hela tiden, längs hela [*I knew it* ~ *along*]; ~ *at once* plötsligt; ~ *but* a) alla (allt) utom [*we've found ~ but one*] b) nästan [*we are ~ but there*]; **go ~ out** ta ut sig helt; *~ over* a) prep. över hela [*~ over the world*] b) adv. över hela kroppen [*she was shivering ~ over*]; *that is Tom ~ over* det är typiskt Tom, sådan är Tom; *it's ~ up with him* det är ute med honom; *he's not ~ that good!* vard. så bra är han inte!; *it's* (*it's quite*) *~ right* a) det går bra b) för all del, det gör ingenting; *it will be ~ right* det ordnar sig nog; *~ the more* så mycket (desto) mera; *~ the same* ändå, i alla fall; *it's ~ the same to me* det gör mig detsamma; *three ~* sport. tre lika

allay [ə'leɪ] *verb* stilla, mildra

all clear [ˌɔːl'klɪə] *subst* **1** faran över; *sound the ~* ge 'faran över' **2** *get the ~* få klartecken

allegation [ˌælɪ'geɪʃən] *subst* anklagelse, beskyllning

allege [ə'ledʒ] *verb* göra gällande, påstå

allegiance [ə'liːdʒəns] *subst* tro och lydnad, lojalitet

allergic [ə'lɜːdʒɪk] *adj* allergisk [*to* mot]

allergy ['ælədʒɪ] *subst* med. allergi

alleviate [ə'liːvɪeɪt] *verb* lindra, mildra

alleviation [əˌliːvɪ'eɪʃən] *subst* lindring

alley ['ælɪ] *subst* **1** gränd; *blind ~* återvändsgränd **2** kägelbana, bowlingbana **3** *it's just up my ~* det är något för mig, det är mitt område, det passar mig precis

alliance [ə'laɪəns] *subst* förbund, allians

allied ['ælaɪd] *adj* **1** allierad **2** liknande, besläktad

alligator ['ælɪgeɪtə] *subst* djur alligator

all-important [ˌɔːlɪm'pɔːtnt] *adj* allt överskuggande, helt avgörande

all-in [före subst. 'ɔːlɪn, i betydelse 2 ˌɔːl'ɪn] *adj* **1** *~ price* allt-i-ett-pris, allomfattande; *~ wrestling* fribrottning **2** vard. slutkörd [*I'm ~*]

allocate ['æləkeɪt] *verb* **1** tilldela **2** anslå

allocation [ˌælə'keɪʃən] *subst* tilldelning

allot [ə'lɒt] (*-tt-*) *verb* **1** tilldela **2** anslå

allotment [ə'lɒtmənt] *subst* **1** tilldelning **2** koloniträdgård

allow [ə'laʊ] *verb* **1** tillåta, låta, få **2** bevilja, ge **3** *~ for* ta i betraktande, räkna med [*~ for shrinking*] **4** *~ of* medge, tillåta

allowance [ə'laʊəns] *subst* **1** underhåll **2** anslag, bidrag **3** fickpengar **4** ranson, tilldelning **5** *make ~ for* el. *make ~s for* ta hänsyn till

alloy ['ælɔɪ] *subst* legering

all-round [ˌɔːl'raʊnd, före subst. 'ɔːlraʊnd] *adj* mångsidig

all-singing, all-dancing [ˌɔːl'sɪŋɪŋˌɔːl'dɑːnsɪŋ] *adj* vard. välutrustad, häftig [*an ~ computer*]

allspice ['ɔːlspaɪs] *subst* kryddpeppar

all-time ['ɔːltaɪm] *adj* vard., *an ~ record* alla tiders rekord

allude [ə'luːd] *verb*, *~ to* anspela på

allure [ə'ljʊə] *verb* locka, tjusa

allurement [ə'ljʊəmənt] *subst* lockelse

alluring [ə'ljʊərɪŋ] *adj* lockande, förförisk

allusion [ə'luːʒən] *subst* anspelning

ally I [ə'laɪ] *verb* förena, alliera

II ['ælaɪ] *subst* bundsförvant, allierad

almanac ['ɔːlmənæk] *subst* almanack, kalender

almighty [ɔːl'maɪtɪ] *adj* **1** allsmäktig; *God Almighty!* vard. herregud! **2** väldig, himla [*an ~ noise*]

almond ['ɑːmənd] *subst* mandel

almost ['ɔːlməʊst] *adv* nästan, nära

aloft [ə'lɒft] *adv* o. *adj* i höjden; upp, uppåt, högt upp

alone I [ə'ləʊn] *adj* ensam; *let him ~* låt honom vara

II [ə'ləʊn] *adv* endast; *go it ~* vard. handla på egen hand

along I [ə'lɒŋ] *prep* längs; *~ the street* längs gatan, gatan fram

II [ə'lɒŋ] *adv* **1** framåt **2** *come ~!* kom nu!, raska på! **3** *~ with* tillsammans med, jämte **4** *all ~* hela tiden

alongside I [ə'lɒŋsaɪd] *adv* vid sidan; *~ of* långsides med

II [ə'lɒŋsaɪd] *prep* vid sidan av

aloof [ə'luːf] *adv* o. *adj* reserverad; *stand ~* hålla sig undan

---

alphabet

Lägg märke till hur de här bokstäverna i alfabetet uttalas:

a [eɪ], e [iː], g [dʒiː], h [eɪtʃ], i [aɪ], j [dʒeɪ], k [keɪ], q [kjuː], r [ɑː], u [juː], v [viː], w ['dʌbljuː], x [eks], y [waɪ], z [zed, amer. ziː].

å, ä, ö finns inte i det engelska alfabetet. När man t.ex. ska bokstavera sitt svenska namn säger man för å *an a with a circle*, för ä *an a with two dots* och för ö *an o with two dots*.

aloud [ə'laʊd] *adv* högt, med hög röst
alphabet ['ælfəbet] *subst* alfabet
alphabetical [,ælfə'betɪkl] *adj* alfabetisk
alpine ['ælpaɪn] *adj* alpin, alpinsk
Alps [ælps] *subst pl*, *the* ~ Alperna
already [ɔːl'redɪ] *adv* redan
Alsatian [æl'seɪʃjən] *subst* schäfer hund
also ['ɔːlsəʊ] *adv* också, även
altar ['ɔːltə] *subst* altare
alter ['ɔːltə] *verb* **1** förändra, ändra
   2 förändras
alteration [,ɔːltə'reɪʃən] *subst* förändring,
   ändring
alternate I [ɔːl'tɜːnət] *adj* omväxlande,
   alternerande; *on* ~ *days* varannan dag
   II ['ɔːltəneɪt] *verb* låta växla, växla
alternately [ɔːl'tɜːnətlɪ] *adv* omväxlande,
   växelvis
alternative [ɔːl'tɜːnətɪv] *adj* o. *subst* alternativ
although [ɔːl'ðəʊ] *konj* fastän, även om
altitude ['æltɪtjuːd] *subst* höjd
alto ['æltəʊ] (pl. ~s) *subst* musik. **1** alt
   2 altstämma
altogether I [,ɔːltə'geðə] *adv* **1** helt och
   hållet, alldeles **2** sammanlagt, på det hela
   taget
   II [,ɔːltə'geðə] *subst* vard., *in the* ~ spritt
   naken
aluminium [,æljʊ'mɪnjəm] *subst* aluminium
aluminum [ə'luːmənəm] *subst* amer.
   aluminium
always ['ɔːlweɪz, obetonat 'ɔːlwəz] *adv* alltid,
   jämt
am [æm, obetonat əm], *I am* jag är; se vidare *be*

---

a.m.
a.m. är en förkortning för latinets
ante meridiem som betyder före
middagen, f.m.

---

a.m. [,eɪ'em] förk. f.m., på förmiddagen, på
   morgonen
amalgam [ə'mælgəm] *subst* **1** kem. amalgam
amalgamate [ə'mælgəmeɪt] *verb* **1** slå
   samman **2** gå samman
amaryllis [,æmə'rɪlɪs] *subst* blomma amaryllis
amass [ə'mæs] *verb* samla ihop, lägga på
   hög
amateur ['æmətə, ,æmə'tɜː] *subst* amatör
amateurish ['æmətərɪʃ] *adj* amatörmässig
amaze [ə'meɪz] *verb* förbluffa, göra häpen
amazement [ə'meɪzmənt] *subst* häpnad,
   förvåning

amazing [ə'meɪzɪŋ] *adj* häpnadsväckande
ambassador [æm'bæsədə] *subst* ambassadör
amber ['æmbə] *subst* **1** bärnsten **2** trafik. gult
   ljus
ambiguous [æm'bɪgjʊəs] *adj* tvetydig
ambition [æm'bɪʃən] *subst* **1** ärelystnad
   2 ambition
ambitious [æm'bɪʃəs] *adj* **1** ärelysten
   2 ambitiös
amble ['æmbl] *verb* släntra, lunka
ambulance ['æmbjʊləns] *subst* ambulans
ambush I ['æmbʊʃ] *subst* bakhåll
   II ['æmbʊʃ] *verb* ligga i bakhåll för; *they
   were ambushed* de råkade ut för ett
   bakhåll
ameliorate [ə'miːljəreɪt] *verb* förbättra
amen [,ɑː'men, ,eɪ'men] *interj* amen!
amenable [ə'miːnəbl] *adj* foglig, medgörlig
amend [ə'mend] *verb* rätta, ändra
amendment [ə'mendmənt] *subst* **1** rättelse
   2 ändringsförslag **3** amer. tillägg till
   författningen
amends [ə'mendz] *subst*, *make* ~ *for*
   gottgöra
amenity [ə'miːnətɪ] *subst* bekvämlighet;
   every ~ alla moderna bekvämligheter
America [ə'merɪkə] Amerika
American I [ə'merɪkən] *adj* amerikansk
   II [ə'merɪkən] *subst* amerikan; ~ *Indian*
   infödd amerikan indian
amethyst ['æməθɪst] *subst* ädelsten ametist
amiable ['eɪmjəbl] *adj* vänlig, älskvärd
amicable ['æmɪkəbl] *adj* vänskaplig, vänlig
amid [ə'mɪd] *prep* mitt i, ibland
amidst [ə'mɪdst] *prep* mitt i, ibland
amino-acid [ə,miːnəʊ'æsɪd] *subst* kem.
   aminosyra
amiss [ə'mɪs] *adv* o. *adj* på tok, fel; *don't
   take it* ~ ta inte illa upp
amity ['æmətɪ] *subst* vänskap, vänskaplighet
ammonia [ə'məʊnjə] *subst* kem. ammoniak
ammonium [ə'məʊnjəm] *subst* kem.
   ammonium
ammunition [,æmjʊ'nɪʃən] *subst*
   ammunition
amnesia [æm'niːzɪə] *subst* psykol.
   minnesförlust
amnesty ['æmnəstɪ] *subst* amnesti,
   benådning
amok [ə'mɒk] *adv*, *run* ~ löpa amok
among [ə'mʌŋ] *prep* bland, ibland; ~
   ourselves oss emellan
amongst [ə'mʌŋst] *prep* bland, ibland
amorous ['æmərəs] *adj* amorös, kärleksfull
amount I [ə'maʊnt] *verb*, ~ *to* a) uppgå till

b) vara detsamma som
II [ə'maʊnt] *subst* **1** belopp **2** mängd; *any* ~
of massvis med
amp [æmp] vard. kortform för *ampere* o.
amplifier [3 ~ *fuse*]
ampere ['æmpeə] *subst* ampere
amphetamine [ˌæm'fetəmiːn] *subst*
amfetamin
amphibious [æm'fɪbɪəs] *adj* amfibisk
ample ['æmpl] *adj* **1** rymlig **2** riklig,
tillräcklig
amplifier ['æmplɪfaɪə] *subst* elektr. förstärkare
amplify ['æmplɪfaɪ] *verb* **1** utvidga **2** elektr.
förstärka
amply ['æmplɪ] *adv* rikligt, mer än nog
ampoule ['æmpuːl] *subst* med. ampull
amputate ['æmpjʊteɪt] *verb* amputera
amputation [ˌæmpjʊ'teɪʃən] *subst*
amputering
amuck [ə'mʌk] *adv*, *run* ~ löpa amok
amulet ['æmjʊlət] *subst* amulett slags
skyddande smycke
amuse [ə'mjuːz] *verb* roa, underhålla
amusement [ə'mjuːzmənt] *subst* nöje; ~
park nöjesfält, tivoli
amusing [ə'mjuːzɪŋ] *adj* rolig
an [ən, n, betonat æn] *obest art* se *a*
anabolic [ˌænə'bɒlɪk] *adj*, ~ *steroids*
anabola steroider
anachronism [ə'nækrənɪzəm] *subst*
anakronism
anaemia [ə'niːmjə] *subst* med. blodbrist,
anemi
anaemic [ə'niːmɪk] *adj* med. blodfattig,
anemisk
anaesthesia [ˌænəs'θiːzjə] *subst* bedövning
anaesthetic [ˌænəs'θetɪk] *subst*
bedövningsmedel, bedövning; *general* ~
narkos; *local* ~ lokalbedövning
anal ['eɪnl] *adj* anal
analgesic [ˌænæl'dʒiːzɪk] *subst*
smärtstillande medel
analogy [ə'nælədʒɪ] *subst* analogi
analyse ['ænəlaɪz] *verb* analysera
analysis [ə'næləsɪs] (pl. *analyses*
[ə'næləsiːz]) *subst* analys
analyst ['ænəlɪst] *subst* analytiker
analytic [ˌænə'lɪtɪk] *adj* o. **analytical**
[ˌænə'lɪtɪkəl] *adj* analytisk
analyze ['ænəlaɪz] *verb* amer., se *analyse*
anarchist ['ænəkɪst] *subst* anarkist
anarchy ['ænəkɪ] *subst* anarki
anatomical [ˌænə'tɒmɪkl] *adj* anatomisk
anatomy [ə'nætəmɪ] *subst* anatomi

ancestor ['ænsəstə] *subst* stamfader; pl. ~*s*
förfäder
ancestry ['ænsəstrɪ] *subst* **1** börd, anor
2 förfäder
anchor ['æŋkə] *subst* ankare; *weigh* ~ lätta
ankar
anchorage ['æŋkərɪdʒ] *subst* ankarplats
anchovy ['æntʃəvɪ, æn'tʃəʊvɪ] *subst* sardell
ancient ['eɪnʃənt] *adj* forntida, gammal
and [ənd, ən, betonat ænd] *konj* och; ~ *so on*
el. ~ *so forth* och så vidare (förk. osv.)
Andorra [æn'dɔːrə]
anecdote ['ænɪkdəʊt] *subst* anekdot, rolig
historia
anemone [ə'nemənɪ] *subst* blomma anemon
anew [ə'njuː] *adv* ånyo, på nytt
angel ['eɪndʒəl] *subst* ängel
angelic [æn'dʒelɪk] *adj* änglalik
anger I ['æŋgə] *subst* vrede, ilska
II ['æŋgə] *verb* reta upp
angina pectoris [ænˌdʒaɪnə'pektərɪs] *subst*
med. angina pectoris, kärlkramp
1 angle ['æŋgl] *subst* **1** vinkel; *at right* ~*s* i
rät vinkel **2** synvinkel
2 angle ['æŋgl] *verb* meta, fiska med krok
angle-parking ['æŋgl,pɑːkɪŋ] *subst* trafik.
snedparkering
angler ['æŋglə] *subst* metare, sportfiskare
angling ['æŋglɪŋ] *subst* metning, mete
Anglo-American I [ˌæŋgləʊə'merɪkən] *subst*
angloamerikan
II [ˌæŋgləʊə'merɪkən] *adj* angloamerikansk
Anglophobe I ['æŋgləfəʊb] *subst*
engelskhatare
II ['æŋgləfəʊb] *adj* engelskfientlig
Anglo-Saxon [ˌæŋgləʊ'sæksən] *adj*
anglosaxisk
Anglo-Swedish [ˌæŋgləʊ'swiːdɪʃ] *adj*
engelsk-svensk
Angola [æŋ'gəʊlə]
angry ['æŋgrɪ] *adj* arg, ilsken, ond
anguish ['æŋgwɪʃ] *subst* pina, vånda, ångest
angular ['æŋgjʊlə] *adj* kantig, vinklig
animal I ['ænəml] *subst* djur
II ['ænəml] *adj*, *the* ~ *kingdom* djurriket
animate ['ænɪmeɪt] *verb* **1** ge liv åt **2** liva
upp; *animated discussion* livlig
(animerad) diskussion **3** *animated*
cartoon tecknad film
animation [ˌænɪ'meɪʃən] *subst* **1** livlighet, liv
animosity [ˌænɪ'mɒsətɪ] *subst* förbittring,
animositet
ankle ['æŋkl] *subst* vrist, fotled, ankel
annex I [ə'neks] *verb* annektera, införliva
II ['æneks] *subst* spec. amer., se *annexe*

annexation [ˌænek'seɪʃən] *subst* annektering

annexe ['æneks] *subst* **1** annex **2** tillbyggnad

annihilate [ə'naɪəleɪt] *verb* **1** förinta **2** tillintetgöra

annihilation [əˌnaɪə'leɪʃən] *subst* **1** förintelse **2** tillintetgörelse

anniversary [ˌænɪ'vɜːsərɪ] *subst* årsdag

annotate ['ænəteɪt] *verb* kommentera

annotation [ˌænə'teɪʃən] *subst* anteckning

announce [ə'naʊns] *verb* tillkännage, meddela

announcement [ə'naʊnsmənt] *subst* tillkännagivande, meddelande; dödsannons etc. annons

announcer [ə'naʊnsə] *subst* radio. el. tv. presentatör

annoy [ə'nɔɪ] *verb* förarga, reta, irritera

annoyance [ə'nɔɪəns] *subst* förargelse, förtret

annoying [ə'nɔɪɪŋ] *adj* förarglig, retsam, irriterande

annual ['ænjʊəl] *adj* **1** årlig **2** ettårig

annually ['ænjʊəlɪ] *adv* **1** årligen **2** årsvis

annuity [ə'njuːətɪ] *subst* livränta

annul [ə'nʌl] (*-ll-*) *verb* annullera, upphäva

Annunciation [əˌnʌnsɪ'eɪʃən] *subst*, ~ *Day* Marie Bebådelsedag 25 mars

anonymity [ˌænə'nɪmətɪ] *subst* anonymitet

anonymous [ə'nɒnɪməs] *adj* anonym

anorak ['ænəræk] *subst* **1** anorak, vindtygsjacka **2** vard. nörd, fackidiot

anorexia [ˌænə'reksɪə] *subst* med. anorexi

anorexic [ˌænə'reksɪk] *subst* med. anorektiker

another I [ə'nʌðə] *pron* **1** en annan **2** en till **3** *one* ~ varandra
II [ə'nʌðə] *adj*, ~ *day* en annan dag

answer I ['ɑːnsə] *subst* svar [*to* på]
II ['ɑːnsə] *verb* svara; besvara, svara på; ~ *for* stå till svars för; ~ *the bell* (*door*) gå och öppna

answerable ['ɑːnsərəbl] *adj* ansvarig [*to* inför]

answering machine ['ɑːnsərɪŋməˌʃin] *subst* telefonsvarare

answerphone ['ɑːnsəfəʊn] *subst* telefonsvarare

ant [ænt] *subst* myra

antagonism [æn'tægənɪzəm] *subst* fiendskap, antagonism

antagonist [æn'tægənɪst] *subst* motståndare, antagonist

antagonize [æn'tægənaɪz] *verb* reta

antarctic I [ænt'ɑːktɪk] *adj* antarktisk; *the Antarctic Ocean* Södra ishavet

II [ænt'ɑːktɪk] *subst, the Antarctic* Antarktis

antelope ['æntɪləʊp] *subst* djur antilop

antenatal [ˌæntɪ'neɪtl] *adj*, ~ *care* mödravård före förlossningen; ~ *clinic* mödravårdscentral

antenna [æn'tenə] *subst* radio. el. tv. antenn

anterior [æn'tɪərɪə] *adj* föregående

anthem ['ænθəm] *subst, national* ~ nationalsång

ant-hill ['ænthɪl] *subst* myrstack

anthology [æn'θɒlədʒɪ] *subst* antologi

anthropologist [ˌænθrə'pɒlədʒɪst] *subst* antropolog

anthropology [ˌænθrə'pɒlədʒɪ] *subst* antropologi

anti-abortionist [ˌæntɪə'bɔːʃənɪst] *subst* abortmotståndare

anti-aircraft [ˌæntɪ'eəkrɑːft] *adj*, ~ *gun* luftvärnskanon

antibiotic I [ˌæntɪbaɪ'ɒtɪk] *subst* antibiotikum
II [ˌæntɪbaɪ'ɒtɪk] *adj* antibiotisk

anticipate [æn'tɪsɪpeɪt] *verb* **1** förutse, vänta sig **2** förekomma, föregripa

anticipation [ænˌtɪsɪ'peɪʃən] *subst* förväntan; *in* ~ i förväg

anticlimax [ˌæntɪ'klaɪmæks] *subst* antiklimax

anti-clockwise [ˌæntɪ'klɒkwaɪz] *adv* moturs

antics ['æntɪks] *subst pl* upptåg

antidote ['æntɪdəʊt] *subst* motgift

antifreeze [ˌæntɪ'friːz] *subst* kylarvätska

antioxidant [ˌæntɪ'ɒksɪdənt] *subst* antioxidationsmedel

antipathy [æn'tɪpəθɪ] *subst* motvilja, antipati [*to* mot]

anti-pollution [ˌæntɪpə'luːʃən] *adj*, ~ *campaign* miljövårdskampanj

antiquated ['æntɪkweɪtɪd] *adj* föråldrad

antique I [æn'tiːk] *adj* antik, forntida
II [æn'tiːk] *subst* antikvitet

antiquity [æn'tɪkwətɪ] *subst* antiken, forntiden

antiracism [ˌæntɪ'reɪsɪzm] *subst* antirasism

antirust [ˌæntɪ'rʌst] *adj* rostskyddande, rostskydds-; ~ *agent* rostskyddsmedel

anti-Semite [ˌæntɪ'siːmaɪt] *subst* antisemit

anti-Semitism [ˌæntɪ'semɪtɪzm] *subst* antisemitism

antiseptic I [ˌæntɪ'septɪk] *adj* antiseptisk
II [ˌæntɪ'septɪk] *subst* antiseptiskt medel

antisocial [ˌæntɪ'səʊʃl] *adj* asocial

antistatic [ˌæntɪ'stætɪk] *adj* antistatisk

antler ['æntlə] *subst* horn på hjortdjur

anus ['eɪnəs] *subst* anus, analöppning

anvil ['ænvɪl] *subst* städ

anxiety [æŋ'zaɪətɪ] *subst* ängslan, oro

anxious ['æŋkʃəs] *adj* **1** ängslig, orolig **2** angelägen

any ['enɪ] *pron* **1** någon, något, några **2** vilken (vilket, vilka) som helst, varje [~ *child knows that*]

anybody ['enɪˌbɒdɪ] *pron* **1** någon [*has* ~ *been here?*] **2** vem som helst [~ *can do it*]

anyhow ['enɪhaʊ] *adv* **1** på något sätt **2** i alla (varje) fall **3** lite hur som helst [*the bodies were placed* ~]

anyone ['enɪwʌn] *pron* se *anybody*

anything ['enɪθɪŋ] *pron* **1** något, någonting **2** vad som helst; ~ *but pleasant* allt annat än trevlig; *not for* ~ inte för allt i världen; *easy as* ~ hur lätt som helst

anyway ['enɪweɪ] *adv* **1** på något sätt **2** i alla fall

anywhere ['enɪweə] *adv* **1** någonstans; ~ *else* någon annanstans; *not* ~ *near so good* inte på långt när så bra **2** var som helst

apart [ə'pɑːt] *adv* **1** åt sidan, avsides; *joking* ~ skämt åsido **2** fristående, för sig själv; ~ *from* frånsett; *I can't tell them* ~ jag kan inte skilja på dem **3** isär, ifrån varandra

apartment [ə'pɑːtmənt] *subst* **1** pl. ~*s* möblerad våning, möblerade rum **2** spec. amer. våning, lägenhet; ~ *house* el. ~ *building* hyreshus

apathetic [ˌæpə'θetɪk] *adj* apatisk, likgiltig

apathy ['æpəθɪ] *subst* apati, likgiltighet

ape I [eɪp] *subst* svanslös apa
II [eɪp] *verb* apa efter, härma

Apennines ['æpenaɪnz] *subst pl, the* ~ Apenninerna

aperitif [ə'perɪtɪf] *subst* aperitif

aperture ['æpətjʊə] *subst* **1** öppning **2** foto. bländare

apex ['eɪpeks] *subst* spets, topp

apiece [ə'piːs] *adv* **1** per styck **2** per man

apologetic [əˌpɒlə'dʒetɪk] *adj* ursäktande, urskuldande

apologize [ə'pɒlədʒaɪz] *verb* be om ursäkt

apology [ə'pɒlədʒɪ] *subst* ursäkt

apoplectic [ˌæpə'plektɪk] *adj*, ~ *fit* el. ~ *stroke* slaganfall

apoplexy ['æpəpleksɪ] *subst* apoplexi, slag

apostle [ə'pɒsl] *subst* apostel

apostrophe
Apostrof används i engelskan:
• i sammandragna former för att visa att en bokstav utelämnats:
don't = *do not, he's* = *he is, we're* = *we are*
• i genitiv: *John's sister, my sisters' room*
• för att bilda plural av bokstäver och siffror: *two p's, I can't read your 7's.*

apostrophe [ə'pɒstrəfɪ] *subst* apostrof

appal [ə'pɔːl] (*-ll-*) *verb* förskräcka; *appalling* skrämmande, förfärlig

apparatus [ˌæpə'reɪtəs] *subst* **1** apparat **2** apparatur **3** redskap

apparent [ə'pærənt] *adj* tydlig, uppenbar

apparently [ə'pærəntlɪ] *adv* synbarligen, uppenbarligen

apparition [ˌæpə'rɪʃən] *subst* uppenbarelse, spöke

appeal I [ə'piːl] *verb* **1** vädja [*for* om] **2** ~ *against* överklaga **3** ~ *to* tilltala, falla i smaken
II [ə'piːl] *subst* **1** vädjan, appell **2** jur. överklagande; *court of* ~ appellationsdomstol **3** attraktion, charm

appealing [ə'piːlɪŋ] *adj* **1** lockande, tilltalande, attraktiv **2** vädjande

appear [ə'pɪə] *verb* **1** visa sig, framträda, uppträda **2** komma ut, publiceras **3** synas, tyckas, verka

appearance [ə'pɪərəns] *subst* **1** framträdande, upptbrädande; *put in an* ~ visa sig, infinna sig **2** utgivning, publicering **3** utseende; *keep up* ~*s* hålla skenet uppe

appease [ə'piːz] *verb* stilla [~ *one's hunger*], blidka genom eftergifter

appendicitis [əˌpendə'saɪtɪs] *subst* med. blindtarmsinflammation

appendix [ə'pendɪks] *subst* (i betydelse 1 pl. *appendixes* el. *appendices*, i betydelse 2 pl. *appendixes*) **1** bihang, bilaga **2** *the* ~ anat. blindtarmen

appetite ['æpətaɪt] *subst* aptit, matlust

appetizer ['æpətaɪzə] *subst* aptitretare

appetizing ['æpətaɪzɪŋ] *adj* aptitretande

applaud [ə'plɔːd] *verb* applådera

applause [ə'plɔːz] *subst* applåder; *loud* ~ en stark applåd

apple ['æpl] *subst* äpple
appliance [ə'plaɪəns] *subst* anordning, apparat
applicable [ə'plɪkəbl] *adj* tillämplig
applicant ['æplɪkənt] *subst* sökande [*for* till]
application [ˌæplɪ'keɪʃən] *subst* 1 ansökan [*for* om]; *on* ~ på begäran 2 tillämpning 3 anbringande, applicering
apply [ə'plaɪ] *verb* 1 ansöka [*to sb* hos ngn; *for sth* om ngt] 2 använda, tillämpa, vara tillämplig [*to* på] 3 anbringa, applicera
appoint [ə'pɔɪnt] *verb* 1 bestämma, fastställa 2 utnämna, förordna
appointment [ə'pɔɪntmənt] *subst* 1 avtalat möte, träff; *make an* ~ beställa tid [*with* hos] 2 utnämning 3 anställning, befattning
appreciable [ə'priːʃəbl] *adj* märkbar, avsevärd
appreciate [ə'priːʃɪeɪt] *verb* 1 uppskatta, sätta värde på [*I* ~ *all you have done*] 2 inse [*I* ~ *your problem*] 3 stiga i värde
appreciation [əˌpriːʃɪ'eɪʃən] *subst* 1 uppskattning 2 uppfattning; förståelse [*of* för] 3 värdestegring
appreciative [ə'priːʃjətɪv] *adj* uppskattande
apprehend [ˌæprɪ'hend] *verb* uppfatta
apprehension [ˌæprɪ'henʃən] *subst* farhåga, oro
apprehensive [ˌæprɪ'hensɪv] *adj* ängslig
apprentice I [ə'prentɪs] *subst* lärling
II [ə'prentɪs] *verb* sätta i lära
approach I [ə'prəʊtʃ] *verb* närma sig, söka kontakt med
II [ə'prəʊtʃ] *subst* 1 närmande 2 infart, tillfartsväg 3 sätt att ta itu med, sätt att angripa
approachable [ə'prəʊtʃəbl] *adj* åtkomlig
approbation [ˌæprə'beɪʃən] *subst* gillande
appropriate I [ə'prəʊprɪət] *adj* lämplig, passande
II [ə'prəʊprɪeɪt] *verb* 1 anslå 2 tillägna sig
approval [ə'pruːvl] *subst* gillande, godkännande; *on* ~ till påseende, på öppet köp
approve [ə'pruːv] *verb* 1 ~ *of* gilla, samtycka till 2 godkänna [~ *a decision*]
approx [ə'prɒks] (förk. för *approximately*) ca (förk. för *cirka*)
approximate [ə'prɒksɪmət] *adj* 1 approximativ, ungefärlig 2 ~ *to* närmande sig, liknande
approximately [ə'prɒksɪmətlɪ] *adv* ungefär, cirka
apricot ['eɪprɪkɒt] *subst* aprikos

April ['eɪprəl] *subst* april; ~ *fool!* april, april!; ~ *Fools' Day* 1 april då man narras april
apron ['eɪprən] *subst* förkläde
apron strings ['eɪprənstrɪŋz] *subst pl*, *be tied to sb's* ~ gå i ngns ledband
apt [æpt] *adj* 1 lämplig, träffande 2 benägen [*to* att]
aptitude ['æptɪtjuːd] *subst* anlag
aquarium [ə'kweərɪəm] *subst* akvarium
Aquarius [ə'kweərɪəs] stjärntecken Vattumannen
aquatic [ə'kwætɪk] *adj* som växer (lever) i vatten; ~ *sports* vattensport
aquavit ['ækwəvɪt] *subst* akvavit
Arab I ['ærəb] *subst* arab
II ['ærəb] *adj* arabisk
Arabia [ə'reɪbjə] Arabien
Arabian I [ə'reɪbjən] *subst* arab
II [ə'reɪbjən] *adj* arabisk
Arabic I ['ærəbɪk] *adj* arabisk
II ['ærəbɪk] *subst* arabiska språket
arable ['ærəbl] *adj* odlingsbar
arbitrary ['ɑːbɪtrərɪ] *adj* 1 godtycklig 2 egenmäktig
arbitration [ˌɑːbɪ'treɪʃən] *subst* skiljedom, medling
arbitrator ['ɑːbɪtreɪtə] *subst* skiljedomare, medlare
arc [ɑːk] *subst* båge
arcade [ɑː'keɪd] *subst* valvgång, arkad; *shopping* ~ täckt galleria
arch [ɑːtʃ] *subst* 1 valvbåge, valv 2 hålfot; ~ *support* hålfotsinlägg
archaeologist [ˌɑːkɪ'ɒlədʒɪst] *subst* arkeolog
archaeology [ˌɑːkɪ'ɒlədʒɪ] *subst* arkeologi
archaic [ɑː'keɪɪk] *adj* ålderdomlig

archbishop

• *The Archbishop of Canterbury* är den anglikanska kyrkans överhuvud.

• *The Archbishop of York* är biträdande överhuvud.

• *The Archbishop of Westminster* är den katolska kyrkans överhuvud i England.

archbishop [ˌɑːtʃ'bɪʃəp] *subst* ärkebiskop
arched [ɑːtʃt] *adj* välvd; bågformig
archer ['ɑːtʃə] *subst* bågskytt
archery ['ɑːtʃərɪ] *subst* bågskytte
archipelago [ˌɑːkɪ'peləgəʊ] (pl. ~s) *subst* 1 skärgård, arkipelag 2 ögrupp

architect ['ɑːkɪtekt] *subst* arkitekt
architectural [ˌɑːkɪ'tektʃrəl] *adj* arkitektonisk
architecture ['ɑːkɪtektʃə] *subst* arkitektur
archives ['ɑːkaɪvz] *subst pl* arkiv
arch-rival [ˌɑːtʃ'raɪvl] *subst* ärkerival
arctic I ['ɑːktɪk] *adj* arktisk; *the Arctic Circle* norra polcirkeln; *the Arctic Ocean* Norra ishavet **II** ['ɑːktɪk] *subst*, *the Arctic* Arktis
ardent ['ɑːdənt] *adj* ivrig, varm {*an ~ admirer*}, brinnande {*~ desire*}
ardour ['ɑːdə] *subst* glöd, iver
arduous ['ɑːdjʊəs] *adj* mödosam
are [ɑː, obetonat ə], *they/we/you ~* de/vi/du (ni) är; se vidare *be*
area ['eərɪə] *subst* **1** yta, areal **2** område, trakt; *~ code* amer. riktnummer; *shopping ~* affärskvarter
arena [ə'riːnə] *subst* arena, stridsplats
aren't [ɑːnt] = *are not*
Argentina [ˌɑːdʒən'tiːnə]
Argentine I ['ɑːdʒəntaɪn] *adj* argentinsk **II** ['ɑːdʒəntaɪn] *subst* **1** argentinare **2** *the ~* Argentina
Argentinian I [ˌɑːdʒən'tɪnjən] *adj* argentinsk **II** [ˌɑːdʒən'tɪnjən] *subst* argentinare
arguably ['ɑːgjʊəblɪ] *adv* enligt mångas åsikt (tycke)
argue ['ɑːgjuː] *verb* **1** argumentera, resonera **2** tvista, gräla **3** hävda
argument ['ɑːgjʊmənt] *subst* **1** argument **2** resonemang **3** gräl, dispyt
argumentative [ˌɑːgjʊ'mentətɪv] *adj* diskussionslysten, grälsjuk
argy-bargy [ˌɑːdʒɪ'bɑːdʒɪ] *subst* vard. bråk, gräl
aria ['ɑːrɪə] *subst* musik. aria
arid ['ærɪd] *adj* **1** torr **2** ofruktbar, kal
Aries ['eəriːz] astrol. Väduren
arise [ə'raɪz] (*arose arisen*) *verb* uppstå, uppkomma {*a serious problem has arisen*}
arisen [ə'rɪzn] perf. p. av *arise*
aristocracy [ˌærɪ'stɒkrəsɪ] *subst* aristokrati
aristocrat ['ærɪstəkræt] *subst* aristokrat
aristocratic [ˌærɪstə'krætɪk] *adj* aristokratisk
arithmetic [ə'rɪθmətɪk] *subst* räkning
1 arm [ɑːm] *subst* **1** arm; *keep sb at arm's length* hålla ngn på avstånd **2** ärm **3** armstöd
2 arm I [ɑːm] *subst pl.* *~s* vapen; *~s race* kapprustning; *be up in ~s against* vara

på krigsstigen mot **II** [ɑːm] *verb* **1** beväpna **2** rusta
armada [ɑː'mɑːdə] *subst* stor flotta, armada
armadillo [ˌɑːmə'dɪləʊ] (pl. *~s*) *subst* djur bälta
armband ['ɑːmbænd] *subst* armbindel
armchair ['ɑːmtʃeə] *subst* fåtölj
Armenia [ɑɪ'miːnjə] Armenien
Armenian I [ɑː'miːnjən] *adj* armenisk **II** [ɑː'miːnjən] *subst* **1** armenier **2** armeniska språket
armistice ['ɑːmɪstɪs] *subst* vapenvila
armour I ['ɑːmə] *subst* rustning, pansar **II** ['ɑːmə] *verb*, *armoured car* pansarbil; *armoured forces* pansartrupper
armpit ['ɑːmpɪt] *subst* armhåla
armrest ['ɑːmrest] *subst* armstöd
army ['ɑːmɪ] *subst* armé
aroma [ə'rəʊmə] *subst* arom
aromatic [ˌærə'mætɪk] *adj* aromatisk
arose [ə'rəʊz] imperf. av *arise*
around I [ə'raʊnd] *adv*, *all ~* runt omkring, omkring **II** [ə'raʊnd] *prep* runtom, runt omkring; *~ the clock* dygnet runt
arousal [ə'raʊzl] *subst* uppväckande
arouse [ə'raʊz] *verb* väcka; *be aroused* bli upphetsad
arrange [ə'reɪndʒ] *verb* **1** ordna, ställa i ordning, arrangera **2** göra upp {*~ with sb*}, komma överens
arrangement [ə'reɪndʒmənt] *subst* **1** arrangemang, ordnande **2** överenskommelse **3** förberedelse
arrears [ə'rɪəz] *subst pl* resterande skulder; *be in ~s* ligga efter med betalning, arbete etc.
arrest I [ə'rest] *verb* anhålla, arrestera **II** [ə'rest] *subst* anhållande, arrestering; *place (put) under ~* sätta i arrest
arrival [ə'raɪvl] *subst* ankomst; *on ~* vid ankomsten {*in, at till*}
arrive [ə'raɪv] *verb* anlända, komma fram {*in, at till*}
arrogance ['ærəgəns] *subst* arrogans, övermod
arrogant ['ærəgənt] *adj* arrogant, övermodig
arrow ['ærəʊ] *subst* pil projektil el. symbol
arse [ɑːs] *subst* vulg. arsle
arsehole ['ɑːshəʊl] *subst* vulg., som skällsord arsle
arsenal ['ɑːsənəl] *subst* arsenal äv. bildl.
arsenic ['ɑːsənɪk] *subst* arsenik
arson ['ɑːsn] *subst* mordbrand
art [ɑːt] *subst* **1** konst; *~ gallery* konstgalleri

2 *the Faculty of Arts* humanistiska fakulteten
arterial [ɑːˈtɪərɪəl] *adj*, ~ *road* motortrafikled
arteriosclerosis [ɑːˌtɪərɪəʊskləˈrəʊsɪs] *subst* åderförkalkning; *med.* arterioskleros
artery [ˈɑːtərɪ] *subst* anat. pulsåder, artär
artful [ˈɑːtfʊl] *adj* slug, listig
arthritis [ɑːˈθraɪtɪs] *subst* med. ledinflammation; *rheumatoid* ~ ledgångsreumatism
artichoke [ˈɑːtɪtʃəʊk] *subst, globe* ~ kronärtskocka; *Jerusalem* ~ jordärtskocka
article [ˈɑːtɪkl] *subst* **1** hand. artikel, vara **2** artikel [*newspaper* ~] **3** gram. artikel
articulate I [ɑːˈtɪkjʊlət] *adj* tydlig, klar **II** [ɑːˈtɪkjʊleɪt] *verb* artikulera, tala tydligt
articulation [ɑːˌtɪkjʊˈleɪʃən] *subst* artikulation
artificial [ˌɑːtɪˈfɪʃl] *adj* konstgjord, konstlad; ~ *respiration* konstgjord andning; ~ *silk* konstsiden
artificiality [ˌɑːtɪfɪʃɪˈælətɪ] *subst* konstgjordhet
artillery [ɑːˈtɪlərɪ] *subst* mil. artilleri
artist [ˈɑːtɪst] *subst* konstnär, artist
artiste [ɑːˈtiːst] *subst* artist, scenartist
artistic [ɑːˈtɪstɪk] *adj* konstnärlig, artistisk
artistry [ˈɑːtɪstrɪ] *subst* konstnärskap, artisteri
as I [æz, obetonat əz] *adv* o. *konj* **1** så, lika [*I'm* ~ *tall as you*]; *twice* ~ *heavy* två gånger så tung **2** jämförande som [*I'm* ~ *tall* ~ *you*] **3** såsom, till exempel **4** *try* ~ *he might* hur han än försökte **5** tid just när (som) **6** orsak eftersom, då [~ *you are late you won't get any dinner*] **II** [æz, obetonat əz] *pron* som [*the same* ~], såsom; *such* ~ sådant som, sådana som **III** [æz, obetonat əz] särskilda uttryck: ~ *for* vad beträffar; ~ *good* ~ så gott som; ~ *if* som om; ~ *it is* redan nu; ~ *it were* så att säga; ~ *regards* el. ~ *to* vad beträffar; ~ *yet* ännu så länge
asbestos [æsˈbestəs] *subst* asbest
ascend [əˈsend] *verb* bestiga, stiga uppför, stiga uppåt
Ascension [əˈsenʃən] *subst*, ~ *Day* Kristi Himmelsfärdsdag
ascent [əˈsent] *subst* **1** bestigning, uppstigning **2** stigning
ascertain [ˌæsəˈteɪn] *verb* förvissa sig om
ascetic I [əˈsetɪk] *adj* asketisk **II** [əˈsetɪk] *subst* asket

ascribe [əˈskraɪb] *verb* tillskriva
1 ash [æʃ] *subst* träd ask; *mountain* ~ rönn
2 ash [æʃ] *subst* **1** vanligen pl. *ashes* aska; *cigarette* ~ cigarettaska; *reduce to ashes* lägga i aska **2** pl. *ashes* stoft; *ashes to ashes, dust to dust* kyrkl. av jord är du kommen, jord skall du åter varda
ashamed [əˈʃeɪmd] *adj* skamsen; *be* ~ el. *feel* ~ skämmas [*of* för, över]
ash-blond [ˌæʃˈblɒnd] *adj* ljusblond, askblond
ashcan [ˈæʃkæn] *subst* amer. soptunna
ashen [ˈæʃn] *adj* askliknande, askgrå
ashore [əˈʃɔː] *adv* i land; på land
ashtray [ˈæʃtreɪ] *subst* askkopp, askfat
Ash Wednesday [ˌæʃˈwenzdeɪ] *subst* kyrkl. askonsdag, askonsdagen
Asian I [ˈeɪʃən] *adj* asiatisk **II** [ˈeɪʃən] *subst* asiat
Asiatic I [ˌeɪʃɪˈætɪk] *adj* asiatisk **II** [ˌeɪʃɪˈætɪk] *subst* asiat
aside I [əˈsaɪd] *adv* avsides, åt sidan; *joking* ~ skämt åsido **II** [əˈsaɪd] *subst* teat. avsidesreplik
ask [ɑːsk] *verb* **1** fråga [*about* om]; ~ *for* fråga efter; ~ *a question* ställa en fråga; *if you* ~ *me* om jag får säga vad jag tycker; *be asked* bli tillfrågad **2** begära, be [*for*

---

as…as

Några exempel med *as… as* i liknelser:

as busy as a bee
   flitig som en myra
as drunk as a lord
   full som en alika
as dead as a dodo
   stendöd
as easy as pie
   lätt som en plätt
as fit as a fiddle
   frisk som en nötkärna
as nutty as a fruitcake
   spritt språngande galen
as pretty as a picture
   vacker som en dag
as quiet as a mouse
   tyst som en mus
as ugly as sin
   ful som stryk

om]; ~ *sb's advice* fråga ngn till råds
3 bjuda, inbjuda; ~ *sb to dance* bjuda
upp ngn
askew I [ə'skjuː] *adj* sned, skev
II [ə'skjuː] *adv* snett, skevt
asleep [ə'sliːp] *adv* o. *adj* sovande; *fall* ~
somna; *she was* ~ hon sov
asocial [eɪ'səʊʃl] *adj* asocial
asparagus [ə'spærəgəs] *subst* grönsak sparris
aspect ['æspekt] *subst* aspekt
aspen ['æspən] *subst* träd asp
asphalt I ['æsfælt] *subst* asfalt
II ['æsfælt] *verb* asfaltera
aspiration [,æspə'reɪʃən] *subst* ambition,
strävan
aspire [ə'spaɪə] *verb* sträva [*to* efter]
aspirin ['æsprɪn] *subst* aspirin
1 ass [æs] *subst* åsna
2 ass [æs] *subst* amer. vulg. arsle
assail [ə'seɪl] *verb* angripa, överfalla
assailant [ə'seɪlənt] *subst* angripare
assassin [ə'sæsɪn] *subst* mördare,
lönnmördare
assassinate [ə'sæsɪneɪt] *verb* mörda,
lönnmörda
assassination [ə,sæsɪ'neɪʃən] *subst* mord,
lönnmord
assault I [ə'sɔːlt] *subst* **1** anfall, angrepp
2 överfall; ~ *and battery* jur. övervåld och
misshandel
II [ə'sɔːlt] *verb* anfalla, överfalla
assemble [ə'sembl] *verb* **1** samla, samlas
2 montera, sätta ihop
assembly [ə'semblɪ] *subst* **1** församling,
samling, sällskap; ~ *hall* samlingssal, aula
2 hopsättning; ~ *line* monteringsband,
löpande band
assembly rooms [ə'semblɪruːmz] *subst pl*
festvåning sing.
assent I [ə'sent] *verb* samtycka, instämma
II [ə'sent] *subst* samtycke, bifall
assert [ə'sɜːt] *verb* hävda
assertion [ə'sɜːʃən] *subst* hävdande; bestämt
påstående
assess [ə'ses] *verb* **1** uppskatta, bedöma,
utvärdera **2** beskatta, taxera
assessment [ə'sesmənt] *subst*
1 uppskattning, bedömning, utvärdering
2 beskattning, taxering
asset ['æset] *subst* tillgång; ~*s and*
liabilities tillgångar och skulder
asshole ['æshəʊl] *subst* amer. vulg., som skällsord
arsle
assiduity [,æsɪ'djuːətɪ] *subst* ihärdighet, flit
assiduous [ə'sɪdjʊəs] *adj* ihärdig, flitig

assign [ə'saɪn] *verb* tilldela, anvisa
assignment [ə'saɪnmənt] *subst* **1** tilldelning,
anvisning **2** uppgift, uppdrag; skol. beting
assimilate [ə'sɪmɪleɪt] *verb* assimilera,
uppta
assist I [ə'sɪst] *verb* hjälpa, hjälpa till,
assistera, bistå
II [ə'sɪst] *subst* sport. assist, målgivande
passning
assistance [ə'sɪstəns] *subst* hjälp, bistånd
assistant I [ə'sɪstənt] *adj* assisterande,
biträdande [~ *librarian*]
II [ə'sɪstənt] *subst* **1** medhjälpare **2** *shop* ~
expedit, affärsbiträde
associate I [ə'səʊʃɪət] *subst* kompanjon,
kollega
II [ə'səʊʃɪeɪt] *verb* **1** förena [*problems*
associated with cancer treatment] **2** associera
3 umgås [*with* med]
association [ə,səʊsɪ'eɪʃən] *subst* **1** förening,
sammanslutning **2** förbund; *Association*
football vanlig fotboll i motsats till rugby **3** *in*
~ *with* i samband med **4** association
assorted [ə'sɔːtɪd] *adj*, ~ *sweets* blandade
karameller
assortment [ə'sɔːtmənt] *subst* **1** sortering
2 sortiment, blandning t.ex. av karameller
assume [ə'sjuːm] *verb* **1** anta, förmoda
2 anta; *assumed name* antaget namn
3 ta på sig [~ *a responsibility*]
assumption [ə'sʌmʃən] *subst* antagande; *on*
the ~ *that* under förutsättning att
assurance [ə'ʃʊərəns] *subst* **1** försäkran
2 självsäkerhet **3** livförsäkring
assure [ə'ʃʊə] *verb* **1** försäkra, förvissa [*of*
om] **2** säkerställa, trygga **3** livförsäkra
assured [ə'ʃʊəd] *adj* **1** säker, viss,
säkerställd **2** förvissad [*of* om] **3** trygg,
självsäker
aster ['æstə] *subst* blomma aster
asterisk ['æstərɪsk] *subst* asterisk, stjärna (★)
astern [ə'stɜːn] *adv* sjö. akter ut (över)
asthma ['æsmə] *subst* med. astma
asthmatic I [æs'mætɪk] *adj* med. astmatisk
II [æs'mætɪk] *subst* med. astmatiker
astigmatic [,æstɪg'mætɪk] *adj* astigmatisk
astigmatism [ə'stɪgmətɪzm] *subst*
astigmatism
astonish [ə'stɒnɪʃ] *verb* förvåna
astonishing [ə'stɒnɪʃɪŋ] *adj* förvånande
astonishment [ə'stɒnɪʃmənt] *subst*
förvåning
astound [ə'staʊnd] *verb* förbluffa, slå med
häpnad
astounding [ə'staʊndɪŋ] *adj* förbluffande

astray [ə'streɪ] *adv*, *go* ~ a) gå vilse
b) komma bort; *lead* ~ vilseleda
astride [ə'straɪd] *prep* o. *adv* grensle, grensle
över (på)
astrologer [ə'strɒlədʒə] *subst* astrolog
astrological [ˌæstrə'lɒdʒɪkl] *adj* astrologisk
astrology [ə'strɒlədʒɪ] *subst* astrologi
astronaut ['æstrənɔːt] *subst* astronaut
astronomer [ə'strɒnəmə] *subst* astronom
astronomic [ˌæstrə'nɒmɪk] *adj* o.
  astronomical [ˌæstrə'nɒmɪkəl] *adj*
  astronomisk; ~ *figures* astronomiska
  siffror
astronomy [ə'strɒnəmɪ] *subst* astronomi
astute [ə'stjuːt] *adj* skarpsinnig, slug
asunder [ə'sʌndə] *adv* isär, sönder; *be torn*
  ~ slitas i stycken
asylum [ə'saɪləm] *subst* asyl, fristad
asymmetric [ˌæsɪ'metrɪk] *adj* o.
  assymetrical [ˌæsɪ'metrɪkl] *adj*
  asymmetrisk

---

at
I e-postadresser används @,
snabel-a. Det står för prepositionen
at och uttalas på engelska [æt].

---

at [æt, obetonat ət] *prep* **1** på [~ *the hotel*]
  2 vid [~ *my side*; ~ *midnight*] **3** i [~ *Oxford*;
  ~ *the last moment*] **4** *come home* ~ *five!*
  kom hem klockan fem!; ~ *my aunt's* hos
  min faster; ~ *home* hemma; ~ *my place*
  el. ~ *my house* hemma hos mig **5** med [~
  a speed of 50 miles an hour]; ~ *a loss* med
  förlust; ~ *that* till på köpet **6** till ett pris av,
  för, till [~ *half price*]; *sell* ~ *a loss* sälja
  med förlust **7** *clever* ~ duktig i (på); *good*
  ~ bra i (på) **8** *aim* ~ sikta på; *arrive* ~
  anlända till; *smile* ~ le mot; *be* ~ *sb* vara
  'på ngn; *he has been* ~ *it all day* han har
  hållit på hela dagen, han har varit i farten
  hela dagen
ate [et, spec. amer. eɪt] *imperf.* av *eat*
atheism ['eɪθɪɪzəm] *subst* ateism
atheist ['eɪθɪɪst] *subst* ateist
Athens ['æθɪnz] Aten
athlete ['æθliːt] *subst* **1** idrottsman,
  idrottskvinna **2** friidrottare, atlet
athletic [æθ'letɪk] *adj* **1** ~ *association*
  idrottsförening **2** spänstig, atletisk
athletics [æθ'letɪks] *subst* **1** friidrott **2** spec.
  amer. idrott, idrottande

Atlantic [ət'læntɪk] *adj* o. *subst*, *the* ~ *Ocean*
  el. *the* ~ Atlanten, Atlantiska oceanen
atlas ['ætləs] *subst* atlas, kartbok
ATM [ˌeɪtiː'em] (förk. för *automated teller
  machine*) bankomat®; ~ *card* se *cash card*
atmosphere ['ætmə‚sfɪə] *subst* atmosfär
atmospheric [ˌætmə'sferɪk] *adj* atmosfärisk;
  ~ *pressure* lufttryck
atom ['ætəm] *subst* atom [~ *bomb*]
atomic [ə'tɒmɪk] *adj* atom- [~ *bomb*; ~
  energy]
atomizer ['ætəmaɪzə] *subst* sprej,
  sprejförpackning
atone [ə'təʊn] *verb*, ~ *for* sona, gottgöra
atrocious [ə'trəʊʃəs] *adj* ohygglig,
  avskyvärd, vard. gräslig
atrocity [ə'trɒsətɪ] *subst* **1** ohygglighet,
  grymhet **2** illdåd
attach [ə'tætʃ] *verb* **1** fästa, sätta fast (på)
  [*to* på, vid]; ~ *importance to* lägga vikt
  vid **2** *be attached to* a) vara fäst vid
  b) vara knuten till
attaché [ə'tæʃeɪ] *subst* attaché; ~ *case*
  [ə'tæʃɪkeɪs] attachéväska
attachment [ə'tætʃmənt] *subst*
  1 tillgivenhet, hängivenhet **2** tillbehör,
  tillsats
attack I [ə'tæk] *subst* anfall, angrepp [*on*
  mot], attack
  II [ə'tæk] *verb* angripa, anfalla, attackera
attain [ə'teɪn] *verb* uppnå, nå
attainment [ə'teɪnmənt] *subst* **1** uppnående
  2 vanligen pl. ~*s* kunskaper, färdigheter
attempt I [ə'tempt] *verb* försöka
  II [ə'temt] *subst* **1** försök **2** *an* ~ *on sb's
  life* ett attentat mot ngn
attend [ə'tend] *verb* **1** bevista, besöka, var
  med på **2** närvara, delta i; ~ *school* gå i
  skolan; *well-attended* välbesökt **3** ~ *on*
  passa upp på; ~ *to* a) expediera [~ *to a
  customer*] b) sköta om **4** vårda, sköta om
attendance [ə'tendəns] *subst* **1** närvaro [*at*,
  on vid, på], deltagande [*at*, *on* i] **2** antal
  närvarande, publik, publiksiffra
attendant I [ə'tendənt] *subst* **1** vakt [*park*
  ~], skötare **2** följeslagare, tjänare [*on* hos,
  åt]
  II [ə'tendənt] *adj* åtföljande
attention I [ə'tenʃən] *subst*
  1 uppmärksamhet, kännedom [*bring sth to
  sb's* ~]; *attract* ~ tilldra sig
  uppmärksamhet; *pay* ~ *to* ägna
  uppmärksamhet åt **2** tillsyn, passning
  3 *stand at* (*to*) ~ stå i givakt

II [ə'tenʃən] *interj* **1** mil. givakt! **2** ~ *please!*
i t.ex. högtalare hallå, hallå!
attentive [ə'tentɪv] *adj* uppmärksam
attic ['ætɪk] *subst* vind, vindsrum
attire I [ə'taɪə] *verb* kläda
  II [ə'taɪə] *subst* klädsel
attitude ['ætɪtjuːd] *subst* inställning, attityd
attorney [ə'tɜːnɪ] *subst* **1** *power of* ~
  fullmakt **2** amer. advokat; *district* ~ allmän
  åklagare
Attorney-General [ə,tɜːnɪ'dʒenrəl] *subst* **1** i
  Storbritannien kronjurist, ungefär
  justitiekansler **2** amer. justitieminister
attract [ə'trækt] *verb* dra till sig, attrahera;
  ~ *attention* tilldra sig uppmärksamhet
attraction [ə'trækʃən] *subst* **1** attraktion,
  dragningskraft, lockelse
  2 attraktionsnummer; pl. ~*s* nöjen
attractive [ə'træktɪv] *adj* attraktiv,
  tilldragande, tilltalande
attribute I ['ætrɪbjuːt] *subst* attribut,
  utmärkande drag
  II [ə'trɪbjuːt] *verb* tillskriva [*sth to sb* ngn
  ngt]
aubergine ['əubəʒiːn] *subst* grönsak
  aubergine, äggplanta
auburn ['ɔːbən] *adj* kastanjebrun, rödbrun
auction I ['ɔːkʃən] *subst* auktion
  II ['ɔːkʃən] *verb*, ~ el. ~ *off* auktionera bort
auctioneer [,ɔːkʃə'nɪə] *subst*
  auktionsförrättare
audacious [ɔː'deɪʃəs] *adj* djärv, fräck
audacity [ɔː'dæsətɪ] *subst* djärvhet, fräckhet
audible ['ɔːdəbl] *adj* hörbar
audience ['ɔːdjəns] *subst* **1** publik, åhörare
  2 tittare, lyssnare **3** *obtain an* ~ *with* få
  audiens hos
audio cassette [,ɔːdɪəukə'set] *subst* vard.
  ljudkassett
audiovisual [,ɔːdɪəu'vɪzjuəl] *adj*, ~ *aids*
  audivisuella hjälpmedel
audit ['ɔːdɪt] *verb* revidera, granska
audition [ɔː'dɪʃən] *subst* provsjungning,
  provspelning för t.ex. engagemang
auditor ['ɔːdɪtə] *subst* revisor
auditorium [,ɔːdɪ'tɔːrɪəm] *subst* **1** hörsal
  2 teat. salong
aught [ɔːt] *subst*, *for* ~ *I know* inte annat än
  jag vet
augment [ɔːg'ment] *verb* **1** öka **2** ökas
au gratin [,əu'grætæn] *adj* kok. gratinerad;
  fish ~ fiskgratäng
August ['ɔːgəst] *subst* augusti
august [ɔː'gʌst] *adj* majestätisk

aunt [ɑːnt, amer. ænt] *subst* **1** faster, moster
  2 tant
auntie o. **aunty** ['ɑːntɪ, amer. 'æntɪ] *subst*
  smeksamt för *aunt*
au pair [,əu'peə] *subst* au pair, au pair flicka
auspicious [ɔː'spɪʃəs] *adj* gynnsam
austere [ɔː'stɪə] *adj* **1** sträng, allvarlig
  2 spartansk, stram
austerity [ɔː'sterətɪ] *subst* **1** stränghet
  2 spartanskhet, stramhet

Australia
HUVUDSTAD: Canberra (310 000
invånare).
FOLKMÄNGD: 19,7 milj. Ca 95 %
är av europeiskt ursprung. Urbe-
folkningen, *the aboriginals*, uppgår
till ca 270 000 människor (1,3 %).
YTA: 7 682 300 km² (ungefär 17
gånger så stort som Sverige).
SPRÅK: engelska.
De största städerna är Sydney och
Melbourne. Klimatet är mycket
torrt och hett i centrala och västra
Australien, milt tempererat i södra
och sydöstra Australien, tropiskt,
fuktigt i norra Australien. Jordbru-
ket är den viktigaste näringsgrenen.
Australien är världens främsta ull-
producent.

Australia [ɒ'streɪljə] Australien
Australian I [ɒ'streɪljən] *adj* australisk
  II [ɒ'streɪljən] *subst* australiensare
Austria ['ɒstrɪə] Österrike
Austrian I ['ɒstrɪən] *adj* österrikisk
  II ['ɒstrɪən] *subst* österrikare
authentic [ɔː'θentɪk] *adj* autentisk, äkta
authenticity [,ɔːθen'tɪsətɪ] *subst* äkthet,
  autenticitet
author ['ɔːθə] *subst* författare, författarinna
  [*of* till]
authoritarian [,ɔːθɒrɪ'teərɪən] *adj* auktoritär
authoritative [ɔː'θɒrɪtətɪv] *adj* auktoritativ,
  myndig
authority [ɔː'θɒrətɪ] *subst* **1** myndighet,
  makt, maktbefogenhet; *those in* ~ de
  makthavande; *on one's own* ~ på eget
  bevåg **2** tillstånd, fullmakt **3** auktoritet,
  expert **4** stöd, belägg [*there is no* ~ *for this*]

authorization [ˌɔːθəraɪˈzeɪʃən] *subst* tillstånd, godkännande

authorize [ˈɔːθəraɪz] *verb* **1** auktorisera, bemyndiga **2** godkänna; ~ *a sum for payment* attestera ett belopp

authorship [ˈɔːθəʃɪp] *subst* författarskap

autobiographic [ˈɔːtəˌbaɪəˈgræfɪk] *adj* o.

autobiographical [ˈɔːtəˌbaɪəˈgræfɪkəl] *adj* självbiografisk

autobiography [ˌɔːtəbaɪˈɒgrəfɪ] *subst* självbiografi

autocrat [ˈɔːtəkræt] *subst* enväldshärskare, autokrat

autograph [ˈɔːtəgrɑːf] *subst* autograf

automate [ˈɔːtəmeɪt] *verb* automatisera; *automated teller machine* (förk. *ATM*) bankomat®

automatic I [ˌɔːtəˈmætɪk] *adj* automatisk

II [ˌɔːtəˈmætɪk] *subst* automatvapen

automation [ˌɔːtəˈmeɪʃən] *subst* automation, automatisering

automatize [ɔːˈtɒmətaɪz] *verb* automatisera

automobile [ˈɔːtəməbiːl] *subst* spec. amer. bil

autopilot [ˈɔːtəʊˌpaɪlət] *subst* autopilot

autopsy [ˈɔːtɒpsɪ] *subst* obduktion

autumn [ˈɔːtəm] *subst* höst; se *summer* för ex.

autumnal [ɔːˈtʌmnəl] *adj* höstlik; ~ *equinox* höstdagjämning

auxiliary I [ɔːgˈzɪljərɪ] *adj*, ~ *verb* hjälpverb

II [ɔːgˈzɪljərɪ] *subst* hjälpverb

AV [ˌeɪˈviː] förk. för *audiovisual*

avail I [əˈveɪl] *verb*, ~ *oneself of* begagna sig av

II [əˈveɪl] *subst*, *of no* ~ el. *to no* ~ till ingen nytta

available [əˈveɪləbl] *adj* **1** tillgänglig, anträffbar **2** *this video is now* ~ den här videon finns nu i handeln

avalanche [ˈævəlɑːnʃ] *subst* lavin

avarice [ˈævərɪs] *subst* girighet

avaricious [ˌævəˈrɪʃəs] *adj* girig, sniken

avenge [əˈvendʒ] *verb* hämnas

avenue [ˈævənjuː] *subst* allé, aveny

average I [ˈævrɪdʒ] *subst* genomsnitt; *on an* ~ el. *on the* ~ el. *on* ~ i genomsnitt, i medeltal

II [ˈævrɪdʒ] *adj* genomsnittlig, ordinär

averse [əˈvɜːs] *adj*, *I am* ~ *to* jag ogillar; *I'm not* ~ *to* jag har inget emot

aversion [əˈvɜːʃən] *subst* motvilja, aversion; *my pet* ~ min fasa

avert [əˈvɜːt] *verb* **1** vända bort, avleda [~ *suspicion*] **2** avvärja [~ *a danger*]

aviation [ˌeɪvɪˈeɪʃən] *subst* flygning, flygkonst

avid [ˈævɪd] *adj* ivrig, glupsk

avocado [ˌævəˈkɑːdəʊ] (pl. ~*s*) *subst* avokado

avoid [əˈvɔɪd] *verb* undvika, undgå

avoidable [əˈvɔɪdəbl] *adj*, *it was* ~ det hade kunnat undvikas

avoidance [əˈvɔɪdəns] *subst* **1** undvikande; *tax* ~ skatteplanering

await [əˈweɪt] *verb* vänta, invänta

awake [əˈweɪk] (*awoke awoken*) *verb* **1** vakna **2** väcka **3** *she was* ~ *to the danger* hon var medveten om faran

awaken [əˈweɪkən] *verb* **1** väcka **2** vakna

awakening [əˈweɪknɪŋ] *subst* uppvaknande

award I [əˈwɔːd] *verb* tilldela, tilldöma, belöna med

II [əˈwɔːd] *subst* pris, belöning

aware [əˈweə] *adj* medveten [*of* om], uppmärksam [*of* på]

away I [əˈweɪ] *adv* **1** bort, i väg, undan, åt sidan [*put sth* ~] **2** borta **3** vidare, 'på [*work* ~] **4** *straight* ~ el. *right* ~ med detsamma, genast

II [əˈweɪ] *adj* sport., ~ *match* bortamatch

awe [ɔː] *subst* vördnad, stor respekt

awe-inspiring [ˈɔːɪnˌspaɪərɪŋ] *adj* respektinjagande

awe-struck [ˈɔːstrʌk] *adj* skräckslagen, fylld av vördnad

awful [ˈɔːfl] *adj* ohygglig, fruktansvärd, vard. förfärlig, hemsk

awkward [ˈɔːkwəd] *adj* **1** tafatt, klumpig **2** förlägen, generad **3** besvärlig **4** pinsam

awning [ˈɔːnɪŋ] *subst* markis

awoke [əˈwəʊk] imperf. av *awake*

awoken [əˈwəʊkən] perf. p. av *awake*

AWOL [ˈeɪwɒl] (förk. för *absent without leave*) frånvarande utan giltigt förfall

ax [æks] (pl. *axes* [ˈæksɪz]) *subst* amer., se *axe*

axe I [æks] *subst* **1** yxa, bila **2** *get the* ~ få sparken

II [æks] *verb* vard. skära ned

axes [ˈæksiːz] *subst pl* se *axis*

axiomatic [ˌæksɪəˈmætɪk] *adj* axiomatisk

axis [ˈæksɪs] (pl. *axes* [ˈæksiːz]) *subst* mat. axel

Ayers Rock [ˌeəzˈrɒk]
Mitt i Australien ligger *Ayers Rock* eller *Uluru*. Det är en ca 348 meter hög klippa som reser sig över den plana slätten. För Australiens urbefolkning är berget heligt.

axle ['æksl] *subst* axel, hjulaxel
ay I [aɪ] *interj* dialektalt ja
II [aɪ] *subst* jaröst
azalea [ə'zeɪljə] *subst* blomma azalea
Azerbaijan [ˌæzəbaɪ'dʒɑːn] geogr.
   Azerbajdzjan
azure ['æʒə] *adj* azurblå, himmelsblå

Bb

B o. **b** [biː] *subst* **1** B, b **2** musik., *B* h; *B flat* b;
   B sharp hiss
BA [ˌbiː'eɪ] (förk. för *Bachelor of Arts*) ungefär
   fil. kand.
babble I ['bæbl] *verb* babbla, pladdra
II ['bæbl] *subst* babbel, pladder
babe [beɪb] *subst* **1** litt. spädbarn **2** spec. amer.
   a) mest i tilltal sötnos b) tjej
baboon [bə'buːn] *subst* djur babian
baby ['beɪbɪ] *subst* **1** spädbarn, baby **2** vard.
   sötnos
baby bouncer ['beɪbɪˌbaʊnsə] *subst*
   babysitter stol för småbarn
baby boy [ˌbeɪbɪ'bɔɪ] *subst* gossebarn
baby buggy ['beɪbɪˌbʌgɪ] *subst*
   1 paraplyvagn **2** amer. ngt åld. barnvagn
baby carriage ['beɪbɪˌkærɪdʒ] *subst* amer.
   barnvagn
baby girl [ˌbeɪbɪ'gɜːl] *subst* flickebarn
baby jumper ['beɪbɪˌdʒʌmpə] *subst*
   hoppgunga för småbarn
baby-minder ['beɪbɪˌmaɪndə] *subst*
   dagmamma
baby-sat ['beɪbɪsæt] imperf. o. perf. p. av
   baby-sit
baby-sit ['beɪbɪsɪt] (*baby-sat baby-sat*)
   (*baby-sitting*) *verb* sitta barnvakt
baby-sitter ['beɪbɪˌsɪtə] *subst* barnvakt
baccy ['bækɪ] *subst* vard. tobak
bachelor ['bætʃələ] *subst* **1** ungkarl
   2 *Bachelor of Arts* (*Science*) ungefär
   filosofie kandidat
bacillus [bə'sɪləs] (pl. *bacilli* [bə'sɪlaɪ]) *subst*
   bacill
back I [bæk] *subst* **1** rygg; *have one's ~ to*
   the wall vara hårt trängd; *put (get) sb's*
   ~ up reta upp ngn; *put one's ~ into sth*
   lägga manken till; *be glad to see the ~ of*
   sb (*sth*) vara glad att bli kvitt ngn (ngt)
   2 baksida, bakre del; *at the ~ of* bakom
   3 sport. back
II [bæk] *adj* på baksidan, bak-; *~ page* sista
   sida av tidning; *take a ~ seat* hålla sig i
   bakgrunden
III [bæk] *adv* **1** bakåt **2** tillbaka, åter, igen
IV [bæk] *verb* **1** backa [*~ a car*], röra sig
   bakåt **2** gå (träda) tillbaka **3** rygga **4** hålla
   (satsa) på [*~ a horse*], stödja

V [bæk] *verb* med adv. o. prep.
back away gå tillbaka, backa
back down retirera, backa ur
back out 1 gå baklänges ut [*of* ur] **2** backa ur, hoppa av
back up 1 backa upp **2** data. säkerhetskopia
backache ['bækeɪk] *subst* ont i ryggen, ryggont

> **back-bencher**
> *Back-benchers* kallas de parlamentsledamöter som inte har någon officiell befattning i sitt parti. De sitter på någon av de bakre bänkarna i parlamentssalen.

back-bencher [ˌbæk'bentʃə] *subst* vanlig parlamentsledamot i motsats till minister
backbiter ['bækˌbaɪtə] *subst* baktalare
backbiting ['bækˌbaɪtɪŋ] *subst* förtal, elakt skvaller
backbone ['bækbəʊn] *subst* ryggrad; *to the* ~ helt igenom
backbreaking ['bækˌbreɪkɪŋ] *adj* slitsam, hård
backchat ['bæktʃæt] *subst* vard. uppkäftighet, kaxighet
backcomb ['bækkəʊm] *verb* tupera
back copy ['bækˌkɒpɪ] *subst* gammalt nummer av tidning el. tidskrift
backer ['bækə] *subst* uppbackare, finansiär
backfire [ˌbæk'faɪə] *verb* **1** bil. baktända **2** slå slint
backgammon ['bækˌgæmən] *subst* bräde, brädspel
background ['bækgraʊnd] *subst* **1** bakgrund, fond **2** miljö
backhand ['bækhænd] *subst* sport. backhand
backhander ['bækˌhændə] *subst* **1** slag med handryggen; sport. backhandslag **2** vard. muta
backheel I ['bækhiːl] *subst* klackspark
II ['bækhiːl] *verb* klacksparka
backing ['bækɪŋ] *subst* **1** stöd, uppbackning **2** musik. komp
backlash ['bæklæʃ] *subst* motreaktion
back number [ˌbæk'nʌmbə] *subst* gammalt nummer av tidning el. tidskrift
backpack ['bækpæk] *subst* ryggsäck
backpacker ['bækˌpækə] *subst* fotvandrare med ryggsäck
back pay ['bækpeɪ] *subst* retroaktiv lön

backside [ˌbæk'saɪd] *subst* vard. ända, rumpa
backstage [ˌbæk'steɪdʒ] *adv* o. *adj* bakom kulisserna
backstroke ['bækstrəʊk] *subst* ryggsim
back tax ['bæktæks] *subst* kvarskatt
backup I ['bækʌp] *adj*, ~ *copy* el. ~ *file* data. säkerhetskopia, backup; ~ *light* amer. backljus
II ['bækʌp] *subst* **1** stöd, förstärkning **2** data. säkerhetskopia, backup **3** ersättare, reserv
backward I ['bækwəd] *adj* **1** bakåtriktad, bakåtvänd **2** trög, efterbliven
II ['bækwəd] *adv* se *backwards*
backwards ['bækwədz] *adv* bakåt, bakut, baklänges, tillbaka; ~ *and forwards* fram och tillbaka; *know sth* ~ kunna ngt utan och innan
backwater ['bækˌwɔːtə] *subst* **1** bakvatten **2** avkrok, håla
backwoods ['bækwʊdz] *subst pl* **1** spec. amer. avlägsna skogstrakter, obygder **2** avkrok
backyard [ˌbæk'jɑːd] *subst* **1** bakgård **2** amer. trädgård på baksidan av huset
bacon ['beɪkən] *subst* bacon
bacteria [bæk'tɪərɪə] *subst* bakterier
bacteriological [bækˌtɪərɪə'lɒdʒɪkl] *adj* bakteriologisk [~ *warfare*]
bad [bæd] (*worse worst*) *adj* **1** dålig, inte bra; *not* ~! inte illa!; ~ *luck* otur; *go* ~ ruttna, bli dålig; *that's too* ~! vard. vad tråkigt!, vad synd!; *he's* ~ *news around here* det blir bara trubbel (bråk) när han dyker upp **2** svår [*a* ~ *blunder*; *a* ~ *cold*], sorglig **3** [~ *news*] **4** oriktig, falsk [~ *cheque*] **5** ond, fördärvad; ~ *language* svordomar
bade [bæd, beɪd] *imperf.* av *bid I*
badge [bædʒ] *subst* märke, emblem
badger I ['bædʒə] *subst* djur grävling
II ['bædʒə] *verb* **1** trakassera **2** tjata på
badly ['bædlɪ] (*worse worst*) *adv* **1** dåligt, illa **2** svårt **3** *need* (*want*) *sth* ~ verkligen behöva (vilja ha) ngt
badminton ['bædmɪntən] *subst* sport. badminton
bad-tempered [ˌbæd'tempəd] *adj* på dåligt humör, sur
baffle ['bæfl] *verb* **1** förvirra, förbrylla **2** gäcka
bag I [bæg] *subst* **1** påse, säck **2** bag, väska
II [bæg] (*-gg-*) *verb* **1** fånga, skjuta **2** vard. knycka, lägga beslag på
bagatelle [ˌbægə'tel] *subst* **1** bagatell **2** fortunaspel
baggage ['bægɪdʒ] *subst* bagage, resgods
baggy ['bægɪ] *adj* påsig, säckig [~ *trousers*]

bag lady ['bæg,leɪdɪ] *subst* vard. uteliggare, hemlös kvinna

bagpiper ['bæg,paɪpə] *subst* säckpipblåsare

bagpipes ['bægpaɪps] *subst pl* säckpipa

baguette [bæ'get] *subst* baguette brödsort

1 bail [beɪl] *verb*, ~ *out* a) ösa, ösa ut [~ *water*] b) hoppa med fallskärm

2 bail I [beɪl] *subst* borgen; *on* ~ mot borgen
II [beɪl] *verb*, ~ *sb out* få ngn frisläppt mot borgen

bait I [beɪt] *verb* **1** hetsa, plåga **2** reta **3** agna krok, sätta bete på
II [beɪt] *subst* agn, bete vid fiske

bake [beɪk] *verb* **1** baka, ugnssteka, ugnsbaka; *baked beans* vita bönor i tomatsås **2** stekas, bakas

baker ['beɪkə] *subst* bagare

bakery ['beɪkərɪ] *subst* bageri

baking sheet ['beɪkɪŋʃiːt] *subst* bakplåt

baking tin ['beɪkɪŋtɪn] *subst* bakform

baking tray ['beɪkɪŋtreɪ] *subst* bakplåt

balance I ['bæləns] *subst* **1** våg **2** balans [*he lost his* ~], jämvikt; *strike a* ~ finna en medelväg **3** hand. saldo; återstod, rest; ~ *brought forward* el. ~ *carried forward* ingående saldo, utgående saldo **4** vard., *the* ~ resten
II ['bæləns] *verb* **1** avväga, väga **2** balansera **3** motväga, uppväga

balcony ['bælkənɪ] *subst* **1** balkong **2** *the* ~ teat. vanligen andra raden, amer. första raden på biografbalkongen

bald [bɔːld] *adj* flintskallig

1 bale [beɪl] *subst* bal, packe

2 bale [beɪl] *verb*, ~ *out* a) hoppa med fallskärm b) ösa, ösa ut

Balkans ['bɔːlkəns] *subst pl*, *the* ~ Balkan

1 ball [bɔːl] *subst* bal, dans

2 ball [bɔːl] *subst* **1** boll; *play* ~ samarbeta; *the* ~ *is in your court* bollen ligger hos dig **2** klot **3** kula **4** nystan [~ *of wool*] **5** vulg., pl. ~*s* a) kulor testiklar b) skitsnack

ballad ['bæləd] *subst* **1** folkvisa **2** ballad

ballast ['bæləst] *subst* barlast

ball bearing [,bɔːl'beərɪŋ] *subst* kullager

ballet ['bæleɪ] *subst* balett

ballet-dancer ['bæleɪ,dɑːnsə] *subst* balettdansör, balettdansös

balloon [bə'luːn] *subst* **1** ballong; ~ *glass* aromglas **2** pratbubbla i tecknad serie

ballot ['bælət] *subst* **1** röstsedel, valsedel **2** sluten omröstning

ballot box ['bælətbɒks] *subst* valurna

ballot paper ['bælət,peɪpə] *subst* röstsedel, valsedel

ballpen ['bɔːlpen] *subst* kulpenna

ballpoint ['bɔːlpɔɪnt] *subst*, ~ *pen* el. ~ kulpenna

ballroom ['bɔːlruːm] *subst* **1** balsal **2** danssalong

ballyhoo [,bælɪ'huː] *subst* vard. ståhej

balsam ['bɔːlsəm] *subst* balsam

Baltic ['bɔːltɪk] *adj* o. *subst* baltisk; *the* ~ *Sea* el. *the* ~ Östersjön; *the* ~ *States* Baltikum

bamboo [bæm'buː] *subst* **1** bambu **2** bamburör

ban I [bæn] *subst* officiellt förbud; *put a* ~ *on* förbjuda
II [bæn] (-*nn*-) *verb* förbjuda, bannlysa

banal [bə'nɑːl] *adj* banal

banana [bə'nɑːnə] *subst* **1** banan **2** *go* ~*s* vard. bli galen

band I [bænd] *subst* **1** band; snodd **2** trupp, skara **3** musikgrupp; mindre orkester, musikkår; *rock* ~ rockgrupp
II [bænd] *verb*, ~ *together* förena sig, gå samman

bandage I ['bændɪdʒ] *subst* bandage, förband, binda
II ['bændɪdʒ] *verb* lägga förband (bandage) på

Band-Aid® ['bændeɪd] *subst* amer. plåster, snabbförband

B&B [,biːən'biː] o. **B and B** [,biːən'biː] *förk.* för *Bed and Breakfast*

bandit ['bændɪt] *subst* bandit, bov

bandmaster ['bænd,mɑːstə] *subst* kapellmästare

bandstand ['bændstænd] *subst* musikestrad

bandy ['bændɪ] *adj* hjulbent

bandy-legged ['bændɪlegd] *adj* hjulbent

bang I [bæŋ] *verb* banka, smälla, slå
II [bæŋ] *subst* slag, smäll, knall
III [bæŋ] *interj* o. *adv* bom, pang; *go* ~ smälla till

bangle ['bæŋgl] *subst* armring, ankelring

banish ['bænɪʃ] *verb* **1** landsförvisa **2** bannlysa **3** slå bort [~ *cares*]

banishment ['bænɪʃmənt] *subst* landsförvisning

banisters ['bænɪstəz] *subst pl* trappräcke

banjo ['bændʒəʊ] (pl. ~*s*) *subst* banjo

1 bank [bæŋk] *subst* **1** strand vid flod **2** bank, vall

2 bank I [bæŋk] *subst* **1** bank; ~ *account* bankkonto; ~ *balance* tillgodohavande på banken; ~ *holiday* allmän helgdag; ~ *manager* bankkamrer, bankdirektör **2** spelbank

II [bæŋk] *verb* **1** ~ *with* ha bankkonto hos **2** ~ *on* vard. lita på

banker ['bæŋkə] *subst* **1** bankir **2** spel. bankör

bank giro ['bæŋk,dʒaɪrəʊ] (pl. ~*s*) *subst* bankgiro

banknote ['bæŋknəʊt] *subst* sedel

bankrupt I ['bæŋkrʌpt] *subst* person som har gjort konkurs; bankruttör
II ['bæŋkrʌpt] *adj* bankrutt; *go* ~ göra konkurs

bankruptcy ['bæŋkrəptsɪ] *subst* **1** konkurs **2** bankrutt

banner ['bænə] *subst* **1** banderoll **2** fana, baner [*the* ~ *of freedom*]

banns [bænz] *subst pl*, *publish the* ~ el. *read the* ~ avkunna lysning

banquet ['bæŋkwɪt] *subst* bankett, festmåltid

bantamweight ['bæntəmweɪt] *subst* sport. bantamvikt

banter I ['bæntə] *subst* skämt, skämtande
II ['bæntə] *verb* skämta, raljera

baptism ['bæptɪzəm] *subst* dop

baptize [bæp'taɪz] *verb* döpa

bar I [bɑ:] *subst* **1** stång; *gold* ~ guldtacka; ~ *of chocolate* chokladkaka; *a* ~ *of soap* en tvål **2** bom; pl. ~*s* galler [*behind* ~*s*] **3** sport. ribba i fotboll el. höjdhopp **4** bar, bardisk, avdelning på en pub [*the saloon* ~] **5** hinder [*to* för], spärr **6** skrank i rättssal; *the prisoner at the* ~ den anklagade **7** musik. takt, taktstreck
II [bɑ:] (*-rr-*) *verb* **1** bomma till (igen); spärra, blockera [~ *the way*] **2** hindra **3** utesluta, avstänga [~ *sb from a race*] **4** förbjuda
III [bɑ:] *prep* vard. utom [~ *one*]

barbarian [bɑ:'beərɪən] *subst* barbar

barbaric [bɑ:'bærɪk] *adj* barbarisk

barbarism ['bɑ:bərɪzəm] *subst* barbari

barbarous ['bɑ:bərəs] *adj* barbarisk

barbecue ['bɑ:bɪkju:] *subst* **1** utegrill **2** grillfest; *have a* ~ ha grillfest, grilla

barbed [bɑ:bd] *adj*, ~ *wire* taggtråd

barber ['bɑ:bə] *subst* frisör; *barber's shop* frisersalong

barbershop ['bɑ:bəʃɒp] *subst* **1** spec. amer. frisersalong **2** musik. barbershop [*a* ~ *quartet*]

barbie ['bɑ:bɪ] *subst* vard. se *barbecue*

Barbie doll® [,bɑ:bɪ'dɒl] *subst* Barbiedocka®

bar code ['bɑ:kəʊd] *subst* streckkod

1 bare [beə] *adj* **1** bar [~ *hands*], naken, kal **2** knapp [*a* ~ *majority*]

2 bare [beə] *verb*, ~ *one's teeth* visa tänderna

barefaced ['beəfeɪst] *adj* oblyg, skamlös, fräck [*a* ~ *lie*]

barefoot ['beəfʊt] *adv* barfota [*walk* ~]

barefooted ['beə,fʊtɪd] *adj* o. *adv* barfota

bareheaded [,beə'hedɪd] *adj* barhuvad

barely ['beəlɪ] *adv* nätt och jämnt, knappt

barf [bɑ:f] *verb* vard. spy, kräkas

bargain I ['bɑ:gɪn] *subst* **1** förmånlig el. god affär, uppgörelse; *that's a* ~! avgjort!; *strike a* ~ *with sb* träffa avtal med ngn; *into the* ~ till på köpet **2** bra köp, kap, fynd, klipp **3** före subst., ~ *price* fyndpris
II ['bɑ:gɪn] *verb* **1** köpslå, pruta **2** förhandla, göra upp [*for* om] **3** vard., ~ *for* räkna med, vänta sig

barge I [bɑ:dʒ] *subst* pråm
II [bɑ:dʒ] *verb* vard. **1** stöta, knuffa [*into* till], rusa [*into* in i, på] **2** ~ *in* tränga sig på

baritone ['bærɪtəʊn] *subst* musik. baryton

1 bark [bɑ:k] *subst* bark på träd
2 bark I [bɑ:k] *verb* skälla [*at* på]; ~ *up the wrong tree* vara inne på fel spår
II [bɑ:k] *subst* skall, skällande; *his* ~ *is worse than his bite* han är inte så farlig som han låter

barley ['bɑ:lɪ] *subst* korn sädesslag

barmaid ['bɑ:meɪd] *subst* kvinnlig bartender

barman ['bɑ:mən] *subst* bartender

barn [bɑ:n] *subst* lada, loge, amer. ladugård

barometer [bə'rɒmɪtə] *subst* barometer

baron ['bærən] *subst* baron

baroness ['bærənəs] *subst* baronessa

barrack ['bærək] *subst* pl. ~*s* kasern, barack

barrage ['bærɑ:ʒ] *subst* **1** mil. spärreld **2** *a* ~ *of questions* en störtflod av frågor

barrel ['bærəl] *subst* **1** fat, tunna **2** gevärspipa, eldrör

barrel organ ['bærəl,ɔ:gən] *subst* positiv

barren ['bærən] *adj* ofruktbar, steril

barricade I [,bærɪ'keɪd] *subst* barrikad
II [,bærɪ'keɪd] *verb* barrikadera

barrier ['bærɪə] *subst* barriär, spärr

barring ['bɑ:rɪŋ] *prep* utom, bortsett från; ~ *accidents we will arrive at 6* om inget oförutsett inträffar kommer vi fram kl. 6

barrister ['bærɪstə] *subst* advokat med rätt att föra parters talan vid domstol

barrow ['bærəʊ] *subst* skottkärra

bartender ['bɑ:,tendə] *subst* bartender

barter I ['bɑ:tə] *verb* idka byteshandel, byta ut [*for* mot], schackra, köpslå
II [bɑ:tə] *subst* byteshandel

1 base [beɪs] *adj* **1** tarvlig **2** usel, dålig; ~
   metals oädla metaller
2 base I [beɪs] *subst* **1** bas **2** sockel, fot
   3 grundval
   II [beɪs] *verb* basera, grunda {*on* på}
baseball ['beɪsbɔːl] *subst* baseboll
baseline ['beɪslaɪn] *subst* sport. baslinje
basement ['beɪsmənt] *subst* källarvåning
bases ['beɪsiːz] *subst pl av basis*
bash [bæʃ] *verb* vard. slå, klå upp
bashful ['bæʃfʊl] *adj* blyg, försagd
basic ['beɪsɪk] *adj* grundläggande,
   fundamental
basically ['beɪsɪklɪ] *adv* i grund och botten
basics ['beɪsɪks] *subst pl, the* ~
   grundläggande fakta (principer); *get back
   to* ~ återgå till grundläggande principer,
   börja om från början
basil ['bæzl] *subst* basilika krydda
basin ['beɪsn] *subst* fat, handfat, skål
basis ['beɪsɪs] (pl. *bases* ['beɪsiːz]) *subst* bas,
   basis
bask [bɑːsk] *verb*, ~ *in the sun* sola sig
basket ['bɑːskɪt] *subst* korg
basketball ['bɑːskɪtbɔːl] *subst* sport.
   basketboll
1 bass [bæs] *subst* fisk bass
2 bass I [beɪs] *subst* musik. bas
   II [beɪs] *adj* musik. bas- {*a* ~ *voice*}
bassoon [bə'suːn] *subst* musik. fagott
bastard ['bɑːstəd] *subst* **1** utomäktenskapligt
   barn **2** sl. knöl, jävel
1 bat [bæt] *subst* fladdermus
2 bat I [bæt] *subst* sport. **1** slagträ i kricket m.m.
   2 racket i bordtennis
   II [bæt] (-*tt*-) *verb* sport. slå i kricket, baseball
   m.m.
batch [bætʃ] *subst* hop, hög {*a* ~ *of letters*},
   bunt
bated ['beɪtɪd] *adj*, *with* ~ *breath* med
   återhållen andedräkt, med dämpad röst
bath I [bɑːθ, pl. bɑːðz] *subst* **1** bad; *run a* ~
   tappa i badvatten **2** badkar **3** ~*s*
   a) badhus, badinrättning b) kuranstalt,
   kurort; *swimming* ~*s* el. ~*s* simhall
   II [bɑːθ] *verb* bada {~ *a baby*}
bathe I [beɪð] *verb* **1** bada i det fria **2** amer.
   bada, tvätta sig; ge ett bad; ~ *the baby*
   bada babyn **3** badda {~ *one's eyes*}
   II [beɪð] *subst* bad utomhus; *have a* ~ ta ett
   bad i det fria
bathing ['beɪðɪŋ] *subst* badning, bad
bathing beach ['beɪðɪŋbiːtʃ] *subst* badstrand
bathing cap ['beɪðɪŋkæp] *subst* åld. el. amer.
   badmössa

bathing costume ['beɪðɪŋˌkɒstjuːm] *subst*
   ngt åld. baddräkt
bathing hut ['beɪðɪŋhʌt] *subst* badhytt
bathing pool ['beɪðɪŋpuːl] *subst* badbassäng,
   pool
bathing suit ['beɪðɪŋsuːt] *subst* åld. el. amer.
   baddräkt
bathrobe ['bɑːɪθɪɔʊb] *subst* badkappa,
   badrock
bathroom ['bɑːθruːm] *subst* **1** badrum
   2 amer. toalett, badrum
bath towel ['bɑːθˌtaʊəl] *subst* badhandduk
bathtub ['bɑːθtʌb] *subst* **1** badkar **2** badbalja
batik [bə'tiːk] *subst* batik metod, tyg
Batman ['bætmæn] seriefigur Läderlappen,
   Batman
baton ['bætən] *subst* **1** batong **2** musik.
   taktpinne
batsman ['bætsmən] *subst* slagman i t.ex
   kricket
battalion [bə'tæljən] *subst* bataljon
1 batter ['bætə] *verb* **1** slå, slå in (ned); ~
   the door down slå in dörren **2** misshandla
   3 hamra, bulta
2 batter ['bætə] *subst* kok. smet, frityrsmet; ~
   pudding ungefär ugnspannkaka
battered ['bætəd] *adj* **1** sönderslagen, illa
   medfaren **2** misshandlad {*a* ~ *baby*}
battery ['bætərɪ] *subst* batteri; *recharge
   one's batteries* ladda (ladda om)
   batterierna hämta krafter
battery-operated ['bætərɪˌɒpəreɪtɪd] *adj*
   batteridriven
battle I ['bætl] *subst* slag, strid, batalj
   II ['bætl] *verb* kämpa
battle-axe ['bætl-æks] *subst* **1** stridsyxa
   2 vard. satkäring
battle cry ['bætlkraɪ] *subst* stridsrop
battlefield ['bætlfiːld] *subst* slagfält
battleship ['bætlʃɪp] *subst* slagskepp
Bavaria [bə'veərɪə] Bayern
bawl [bɔːl] *verb* vråla, tjuta
1 bay [beɪ] *subst* lagerträd
2 bay [beɪ] *subst* vik, bukt
3 bay [beɪ] *subst* **1** utrymme, avdelning, bås
   2 burspråk
bay leaf ['beɪliːf] (pl. *bay leaves* ['beɪliːvz])
   subst lagerblad
bayonet ['beɪənət] *subst* bajonett
bazaar [bə'zɑː] *subst* basar
BBC [ˌbiːbiː'siː] (förk. för *British Broadcasting
   Corporation*) BBC, brittiska radion och
   televisionen
BC [ˌbiː'siː] (förk. för *before Christ*) f. Kr.

be

PRESENS INDIKATIV

Singular:	Plural:
I am	*we are*
you are	*you are*
he/she/it is	*they are*

IMPERFEKT

Singular:	Plural:
I was	*we were*
you were	*you were*
he/she/it	*they were*
was

be I [biː, obetonat bɪ] (*was been*) *huvudverb*
1 vara; bli [*the answer was no*] **2** *there is* el.
there are det är, det finns **3** gå [*we were at school together*] **4** ligga [*it is on the table*]
5 sitta [*he is in prison*] **6** stå [*the verb is in the singular*] **7** *he is dead, isn't he?* han är
död, eller hur?; *he is wrong* han har fel;
how are you? hur mår du?; *how much is it?* vad kostar den?; *now you are for it!*
det ska du få för!

II [biː, obetonat bɪ] (*was been*) *verb med adv. o. prep.*
be about handla om [*what is it about?*]; *he was about to go* han skulle just gå
be for förorda, vara för; *now you are for it!* det kommer du att få för!
be off ge sig iväg (av) [*I must ~ off*]

III [biː, obetonat bɪ] (*was been*) *hjälpverb* **1** *be* + perf. p. **2** passivbildande bli **3** vara; *he was saved* han räddades, han blev räddad;
when were you born? när är du född?
4 *be* + ing-form: *they are building a house* de håller på och bygger ett hus; *the house is being built* huset håller på att byggas; *he is leaving tomorrow* han reser i morgon **5** *be* + *to* inf.: *am* (*are, is*)
to ska [*when am I to come back?*]; *was*
(*were*) *to* skulle [*he was never to come back again; if I were to tell you . . .*]

beach [biːtʃ] *subst* sandstrand; badstrand; *~ ball* badboll
beach buggy [ˈbiːtʃˌbʌgɪ] *subst* strandjeep
beachwear [biːtʃweə] *subst* badkläder, strandkläder
beacon [ˈbiːkən] *subst* **1** fyr **2** flygfyr
bead [biːd] *subst* **1** pärla av glas, trä etc.
2 droppe [*~ of sweat*]
beak [biːk] *subst* näbb på fågel
beaker [ˈbiːkə] *subst* glasbägare för laboratorieändamål; mugg

beam I [biːm] *subst* **1** bjälke **2** ljusstråle
II [biːm] *verb* stråla [*~ with happiness*]
bean [biːn] *subst* böna
1 bear [beə] *subst* björn
2 bear I [beə] (*bore borne*, äv. *born*, se detta
ord) *verb* **1** högtidligt bära, föra **2** bära [*~ a name*], äga, ha [*~ some resemblance to*],
inneha; *~ in mind* komma ihåg, ha i
minnet **3** uthärda, tåla, stå ut med **4** bära
[*~ fruit*], frambringa; föda [*~ a child*]
5 bära, hålla [*the ice doesn't ~*] **6** tynga,
trycka, vila [*on, against* mot, på] **7** *bring to ~* utöva [*bring pressure to ~*] **8** föra, ta av
[*~ to the right*]
II [beə] (*bore borne*) *verb med adv. o. prep.*
bear down on (**upon**) **1** styra ned mot
2 störta (kasta) sig över
bear out stödja, bekräfta
bear up hålla uppe, hålla modet uppe
bearable [ˈbeərəbl] *adj* uthärdlig, dräglig
beard [bɪəd] *subst* skägg
bearded [ˈbɪədɪd] *adj* skäggig, med skägg
bearer [ˈbeərə] *subst* bärare
bearing [ˈbeərɪŋ] *subst* **1** hållning,
uppträdande **2** betydelse [*on* för]; *it has no ~ on the subject* det har inte med
saken att göra **3** läge; *find one's ~s*
orientera sig **4** sjö. pejling, bäring **5** tekn.
lager
Béarnaise [ˌbeɪəˈneɪz] *subst*, *~ sauce*
bearnaisesås
beast [biːst] *subst* **1** djur, best **2** om person
odjur, fä
beastly [ˈbiːstlɪ] *adj* vard. avskyvärd, gräslig
beat I [biːt] (*beat beaten*) *verb* **1** slå, piska,
bulta, hamra; klappa [*my heart is beating hard*]; *~ time* slå takten **2** vispa [*~ eggs*]
3 slå [*~ a record*], besegra; *it ~s me how*
vard. jag fattar inte hur
II [biːt] *subst* **1** slag, bultande **2** musik.
taktslag **3** polis rond, pass
III [biːt] *adj*, *~* el. *dead ~* vard. helt
utmattad, helt slut
beaten [ˈbiːtn] *adj o. perf p* (av *beat I*) slagen,
besegrad
beater [ˈbiːtə] *subst* kok. visp [*egg-beater*]
beating [ˈbiːtɪŋ] *subst* **1** slående **2** stryk,
smörj
beautiful [ˈbjuːtəful] *adj* vacker, skön
beautify [ˈbjuːtɪfaɪ] *verb* försköna, pryda
beauty [ˈbjuːtɪ] *subst* skönhet; *~ parlour*
skönhetssalong
beaver [ˈbiːvə] *subst* **1** bäver **2** bäverskinn
became [bɪˈkeɪm] imperf. av *become*

because I [bɪ'kɒz] *konj* därför att
II [bɪ'kɒz] *adv*, ~ *of* på grund av
beckon ['bekən] *verb* **1** göra tecken, göra tecken åt **2** vinka, vinka till sig
become [bɪ'kʌm] *(became become) verb* **1** bli, bliva **2** *what has* ~ *of it?* vart har det tagit vägen? ⊃ passɑ, ɑnstå, klä [*that cap* ~*s you*]
becoming [bɪ'kʌmɪŋ] *adj* passande, klädsam

---

bed and breakfast

Ett billigt sätt att övernatta i Storbritannien och på Irland är att bo på *bed and breakfast*. I priset ingår övernattning och *full English breakfast* med ägg, bacon, korv, te, rostat bröd m.m. I USA är *bed and breakfast* däremot en dyrare form av övernattning.

---

bed [bed] *subst* bädd, säng; ~ *and breakfast* rum med frukost; *twin* ~*s* två enkelsängar; *make the* ~ el. *make the* ~*s* bädda; *put the children to* ~ lägga barnen
bedclothes ['bedkləʊðz] *subst pl* sängkläder
bedding ['bedɪŋ] *subst* sängkläder
bedridden ['bed‚rɪdn] *adj* sängliggande
bedroom ['bedruːm] *subst* sängkammare, sovrum
bedside ['bedsaɪd] *subst*, *at the* ~ vid sängkanten; *at (by) a sick person's* ~ vid någons sjukbädd; ~ *table* nattduksbord
bedsitter [‚bed'sɪtə] *subst* möblerad enrummare
bedsore ['bedsɔː] *subst* liggsår
bedspread ['bedspred] *subst* sängöverkast
bedstead ['bedsted] *subst* sängstomme, säng
bedtime ['bedtaɪm] *subst* läggdags; ~ *story* godnattsaga

The Beatles

The Beatles kallade sig fyra musikintresserade ungdomar från Liverpool, John Lennon, Paul McCartney, George Harrison och Ringo Starr. De upplevde under 1960-talet en framgång utan like. Gruppen upplöstes 1970. John Lennon mördades i USA 1980.

---

bee [biː] *subst* bi; *have a* ~ *in one's bonnet* ha en fix idé
beech [biːtʃ] *subst* träd bok
beef [biːf] *subst* oxkött, nötkött
beefsteak ['biːfsteɪk] *subst* biff, biffstek
beefy ['biːfɪ] *adj* om person kraftig, muskulös
beehive ['biːhaɪv] *subst* bikupa
bee-keeper ['biː‚kiːpə] *subst* biodlare
been [biːn, obetonat bɪn] perf. p. av *be*
beep I [biːp] *subst* tut, pip
II [biːp] *verb* tuta, pipa
beer [bɪə] *subst* öl
beet [biːt] *subst* växt beta
beetle ['biːtl] *subst* skalbagge
beetroot ['biːtruːt] *subst* rödbeta
befall [bɪ'fɔːl] *(befell befallen) verb* litt. hända, ske
befallen [bɪ'fɔːlən] perf. p. av *befall*
befell [bɪ'fel] imperf. av *befall*
before I [bɪ'fɔː] *prep* framför, inför, för, före; ~ *long* inom kort
II [bɪ'fɔː] *konj* innan, förrän
beforehand [bɪ'fɔːhænd] *adv* på förhand, i förväg, före
beg [beg] *(-gg-) verb* **1** tigga **2** be (tigga) om; *I* ~ *to inform you* jag får härmed meddela
began [bɪ'gæn] imperf. av *begin*
beggar ['begə] *subst* **1** tiggare **2** vard. rackare; *you lucky* ~*!* din lyckans ost!
begging ['begɪŋ] *subst* tiggande, tiggeri
begin [bɪ'gɪn] *(began begun) (beginning) verb* börja, börja med; *to* ~ *with* a) för det första b) till att börja med
beginner [bɪ'gɪnə] *subst* nybörjare
beginning [bɪ'gɪnɪŋ] *subst* början, begynnelse; *at the* ~ i början
begonia [bɪ'gəʊnjə] *subst* blomma begonia
begrudge [bɪ'grʌdʒ] *verb* **1** inte unna, missunna **2** inte gilla [~ *spending money*]
begun [bɪ'gʌn] perf. p. av *begin*
behalf [bɪ'hɑːf] *subst*, *on sb's* ~ el. amer. *in sb's* ~ i ngns ställe, för ngns räkning
behave [bɪ'heɪv] *verb* **1** uppföra sig väl; ~ *yourself!* uppför dig ordentligt!, sköt dig! **2** bete sig
behaviour [bɪ'heɪvjə] *subst* **1** beteende **2** uppförande, uppträdande
behead [bɪ'hed] *verb* halshugga
beheld [bɪ'held] imperf. o. perf. p. av *behold*
behind I [bɪ'haɪnd] *prep* bakom, efter
II [bɪ'haɪnd] *adv* **1** bakom, baktill, efter **2** kvar [*stay* ~]
III [bɪ'haɪnd] *subst* vard. bak, stuss
behindhand [bɪ'haɪndhænd] *adv* o. *adj* efter, på efterkälken

behold [bɪ'həʊld] (*beheld beheld*) *verb* litt.
skåda

beholder [bɪ'həʊldə] *subst* åskådare

beige [beɪʒ] *subst* o. *adj* färg beige

being I ['biːɪŋ] *adj*, *for the time* ~ för
närvarande, tillsvidare
II ['biːɪŋ] *subst* **1** tillvaro; *come into* ~ bli
till **2** väsen natur **3** väsen, varelse [*human*
~]

Belarus [ˌbelə'ruːs] Vitryssland

Belarusian I [ˌbelə'rʌʃən] *adj* vitrysk
II [ˌbelə'rʌʃən] *subst* **1** vitryss **2** språket
vitryska

belated [bɪ'leɪtɪd] *adj* försenad, senkommen

belch I [beltʃ] *verb* **1** rapa **2** spy ut t.ex. rök
II [beltʃ] *subst* rapning

belfry ['belfrɪ] *subst* klocktorn

Belgian I ['beldʒən] *adj* belgisk
II ['beldʒən] *subst* belgare

Belgium ['beldʒəm] Belgien

Belgrade [ˌbel'greɪd] Belgrad

belie [bɪ'laɪ] *verb* motsäga, strida mot

belief [bɪ'liːf] *subst* tro [*in* på]; *to the best of
my* ~ så vitt jag vet

believe [bɪ'liːv] *verb* tro, tro på; ~ *in* tro på;
make ~ låtsas; *would you* ~ *it!* kan man
tänka sig!, tro det eller ej!

believer [bɪ'liːvə] *subst* troende; *a* ~ en
troende; *I'm a* ~ *in discipline* jag tror på
disciplin

belittle [bɪ'lɪtl] *verb* förringa, nedvärdera
person el. ngns insats

bell [bel] *subst* **1** ringklocka **2** bjällra, skälla

bellboy ['belbɔɪ] *subst* piccolo

belle [bel] *subst* skönhet, vacker kvinna

bellhop ['belhɒp] *subst* amer. vard. piccolo

belligerent I [bɪ'lɪdʒərənt] *adj* **1** krigförande
2 stridslysten
II [bɪ'lɪdʒərənt] *subst* krigförande makt

bellow ['beləʊ] *verb* **1** böla, råma **2** ryta

bellows ['beləʊz] (pl. lika) *subst* bälg, blåsbälg

belly ['belɪ] *subst* vard. mage, buk

belly-ache ['belɪeɪk] *subst* ont i magen

belly button ['belɪbʌtn] *subst* anat. vard. navel

belly dance ['belɪdɑːns] *subst* magdans

belong [bɪ'lɒŋ] *verb*, ~ *to* tillhöra; *where do
these* ~*?* var ska jag ställa de här?

belongings [bɪ'lɒŋɪŋz] *subst pl* tillhörigheter

beloved I [bɪ'lʌvd, före subst. bɪ'lʌvɪd] *adj*
älskad
II [bɪ'lʌvɪd] *subst*, *my* ~ min älskade

below [bɪ'ləʊ] *prep* o. *adv* nedan, nedanför,
under; *from* ~ nerifrån, underifrån

belt [belt] *subst* **1** bälte, skärp, rem **2** tekn.
drivrem

beltway ['beltweɪ] *subst* amer. kringfartsled

bench [bentʃ] *subst* **1** bänk **2** säte
3 arbetsbänk

benchmark ['bentʃmɑːk] *subst* bildl.
måttstock; referenspunkt

bend I [bend] (*bent bent*) *verb* **1** böja, kröka,
vika **2** böja (kröka) sig, böjas
II [bend] *subst* böjning, krök, kurva

beneath [bɪ'niːθ] *adv* o. *prep* nedan, nedanför,
under; ~ *contempt* under all kritik

benediction [ˌbenɪ'dɪkʃən] *subst* välsignelse

benefactor ['benɪfæktə] *subst* välgörare

beneficial [ˌbenɪ'fɪʃl] *adj* välgörande,
gynnsam

benefit I ['benɪfɪt] *subst* **1** förmån, fördel,
nytta; *give sb the* ~ *of the doubt* hellre
fria än fälla ngn **2** bidrag, understöd **3** ~
concert välgörenhetskonsert
II ['benɪfɪt] *verb* göra ngn gott (nytta),
gagna; ~ *by* (*from*) ha (dra) nytta av,
tjäna på

benevolence [bə'nevələns] *subst* välvilja

benevolent [bə'nevələnt] *adj* **1** välvillig
2 välgörenhets- [~ *society*]

Bengal [beŋ'gɔːl] Bengalen

benign [bɪ'naɪn] *adj* **1** välvillig **2** med.
godartad [*a* ~ *tumour*]

bent I [bent] *subst* böjelse
II [bent] imperf. av *bend I*
III [bent] perf p (av *bend I*) *adj* **1** böjd, krokig,
krökt **2** *be* ~ *on* ha föresatt sig, vara
inriktad på [*she is* ~ *on going*]

benzine [ben'ziːn] *subst* bensin för rengöring

bequeath [bɪ'kwiːð] *verb* testamentera,
lämna i arv

bequest [bɪ'kwest] *subst* testamentarisk gåva

bereave [bɪ'riːv] (*bereft bereft* el. *bereaved
bereaved*) *verb* beröva, fränta; *the bereaved*
den (de) sörjande

bereavement [bɪ'riːvmənt] *subst* **1** sorg
2 dödsfall

bereft [bɪ'reft] imperf. o. perf. p. av *bereave*

beret ['bereɪ] *subst* basker, baskermössa

Berlin [bɜː'lɪn]

Bermuda [bə'mjuːdə] Bermuda; *the* ~*s*
Bermudaöarna

berry ['berɪ] *subst* **1** bär **2** *brown as a* ~
brun som en pepparkaka

berserk [bə'sɜːk] *adj*, *go* (*run*) ~ gå
bärsärkargång, bli helvild

berth [bɜːθ] *subst* **1** koj, kojplats, sovplats
2 *give sb a wide* ~ undvika ngn

beseech [bɪ'siːtʃ] (*besought besought*) *verb* litt.
bönfalla, be enträget

besetting [bɪ'setɪŋ] *adj*, ~ *sin* skötesynd

beside [bɪ'saɪd] *prep* **1** bredvid, intill **2** ~ *oneself* utom sig [*with av*]
besides I [bɪ'saɪdz] *adv* dessutom, för övrigt
II [bɪ'saɪdz] *prep* förutom, jämte
besiege [bɪ'siːdʒ] *verb* **1** belägra **2** bombardera [*she was besieged with questions*]
besought [bɪ'sɔːt] *imperf.* o. *perf.* p. av *beseech*
best I [best] *adj* o. *adv* (superlativ av *good* o. **2** *well*) bäst; *the* ~ *part of an hour* nära nog en timme; *as* ~ *he could* så gott han kunde
II [best] *subst* det, den, de bästa; *all the* ~ *of luck!* el. *all the* ~*!* lycka till!; *he looked his* ~ han var till sin fördel; *get the* ~ *of it* få övertaget; *make the* ~ *of* göra det bästa möjliga av; *to the* ~ *of my knowledge* såvitt jag vet
best-before date [ˌbestbɪ'fɔːdeɪt] *subst* för t.ex. matvaror bästföredatum
bestial ['bestɪəl] *adj* djurisk, bestialisk
bestow [bɪ'stəʊ] *verb* skänka
bestseller [ˌbest'selə] *subst* bestseller, bästsäljare
bet I [bet] *subst* vad; *make a* ~ el. *lay a* ~ slå vad
II [bet] (*bet bet*, ibland *betted betted*) (*betting*) *verb* slå vad, slå vad om; ~ *on a horse* hålla (satsa) på en häst; *you* ~*!* vard. det kan du skriva upp!
betray [bɪ'treɪ] *verb* **1** förråda **2** svika [~ *sb's confidence*] **3** röja [~ *a secret*]
betrayal [bɪ'treɪəl] *subst* **1** förräderi, svek **2** avslöjande
better I ['betə] *adj* o. *adv* (komparativ av *good* o. **2** *well*) **1** bättre; *be* ~ *off* ha det bättre ställt; *no* ~ *than* inte annat än; *so much the* ~ el. *all the* ~ så mycket (desto) bättre; *the sooner the* ~ ju förr dess bättre; *for* ~ *or for worse* vad som än händer; *get the* ~ *of* få övertaget över; *think* ~ *of it* komma på bättre tankar; *you had* ~ *try* det är bäst att du försöker **2** hellre
II ['betə] *verb* förbättra, bättra på
betting ['betɪŋ] *subst* vadhållning
between [bɪ'twiːn] *prep* o. *adv* **1** emellan, mellan; ~ *you and me* oss emellan **2** ~ *us* (*you* etc.) tillsammans [*we had £100* ~ *us*]
beverage ['bevərɪdʒ] *subst* formellt dryck
beware [bɪ'weə] *verb*, ~ *of* akta sig för; ~ *of pickpockets!* varning för ficktjuvar!
bewilder [bɪ'wɪldə] *verb* förvirra, förbrylla
bewitch [bɪ'wɪtʃ] *verb* förhäxa, förtrolla
beyond I [bɪ'jɒnd] *prep* **1** bortom [~ *the bridge*] **2** senare än, efter [~ *the usual hour*]

3 utom, utöver; över [*live* ~ *one's means*]; *it is* ~ *me* a) det går över mitt förstånd b) det är mer än jag förmår
II [bɪ'jɒnd] *adv* **1** bortom, på andra sidan **2** därutöver
bias I ['baɪəs] *subst* förutfattad mening, fördomar, partiskhet
II ['baɪəs] (*biased biased* el. *biassed biassed*) *verb* göra partisk (fördomsfull)
biased o. **biassed** ['baɪəst] *adj* partisk, fördomsfull; *a* ~ *report* ett vinklat reportage
biathlon [baɪ'æθlən] *subst* sport. skidskytte
bib [bɪb] *subst* haklapp
bible ['baɪbl] *subst* bibel; *the Bible* Bibeln
biblical ['bɪblɪkl] *adj* biblisk, bibel-
bibliography [ˌbɪblɪ'ɒgrəfɪ] *subst* **1** bibliografi, litteraturförteckning
bicarbonate [baɪ'kɑːbənət] *subst* kem., ~ el. ~ *of soda* bikarbonat
biceps ['baɪseps] (pl. lika) *subst* anat. biceps
bicker ['bɪkə] *verb* gnabbas, käbbla
bicycle I ['baɪsɪkl] *subst* cykel; ~ *clip* cykelklämma
II ['baɪsɪkl] *verb* cykla
bicyclist ['baɪsɪklɪst] *subst* cyklist
bid I [bɪd] (i betydelse 1 *bid bid*, i betydelse 2: imperf. *bade*, perf. p. *bidden*) (*bidding*) *verb* **1** bjuda på auktion el. i kortspel **2** i högre stil befalla, bjuda; ~ *sb welcome* hälsa ngn välkommen
II [bɪd] *subst* bud på auktion el. i kortspel; *make a* ~ *for* vara ute efter

---

big
The Big Apple är ett populärt namn för New York.
Big Bang, "Den stora smällen", är teorin om universums uppkomst genom en enorm explosion.
Big Ben kallas den stora klockan i det brittiska parlamentshusets klocktorn.
Big Brother är en diktatorisk person som övervakar och kontrollerar den enskildes liv (från George Orwells klassiska framtidsroman *1984*.
Big Dipper betyder berg-och-dalbana, men i amerikansk engelska kallas även stjärnbilden Karlavagnen ibland *the Big Dipper*.

bidden ['bɪdn] imperf. av bid I
bidder ['bɪdə] subst anbudsgivare; *the highest* ~ högstbjudande
bidet ['bi:deɪ, amer. bɪ'deɪ] subst bidé
bier [bɪə] subst likbår, likvagn
bifocals [ˌbaɪ'fəʊklz] subst pl bifokala (dubbelslipade) glasögon
big I [bɪg] adj stor, kraftig; *great* ~ vard. stor stark [*a great* ~ *man*]; ~ *brother* storebror; ~ *business* storfinansen; *do things in a* ~ *way* slå på stort; *look* ~ se viktig ut
II [bɪg] adv vard. malligt, stöddigt [*act* ~]; *talk* ~ vara stor i orden
bigamist ['bɪgəmɪst] subst bigamist
bigamy ['bɪgəmɪ] subst bigami, tvegifte
bighead ['bɪghed] subst vard. viktigpetter, stropp
bigheaded [ˌbɪg'hedɪd] adj vard. uppblåst
bigot ['bɪgət] subst bigott person
bigoted ['bɪgətɪd] adj bigott, trångsynt
bigwig ['bɪgwɪg] subst vard. högdjur, höjdare
bike I [baɪk] subst vard. **1** cykel **2** motorcykel
II [baɪk] verb vard. cykla
bikini [bɪ'ki:nɪ] subst bikini
bilateral [baɪ'lætrəl] adj **1** bilateral, ömsesidig
bilberry ['bɪlbərɪ] subst blåbär
bile [baɪl] subst galla
bilingual [baɪ'lɪŋgwəl] adj tvåspråkig
1 bill [bɪl] subst fågels näbb
2 bill [bɪl] subst **1** lagförslag, proposition, motion **2** räkning, nota **3** affisch; ~ *of fare* matsedel **4** amer. sedel [*dollar* ~]
billboard ['bɪlbɔːd] subst amer. affischtavla
billiards ['bɪljədz] (med verb i sing.) subst biljard, biljardspel
billion ['bɪljən] subst miljard
billionaire [ˌbɪljə'neə] subst miljardär
billow I ['bɪləʊ] subst litt. stor våg, bölja
II ['bɪləʊ] verb bölja, svalla; ~ *out* välla ut
billy ['bɪlɪ] subst amer. polisbatong
bimbo ['bɪmbəʊ] (pl. ~s) subst vard. neds. bimbo, brutta attraktiv men ointelligent kvinna
bin [bɪn] subst **1** lår, binge **2** soptunna **3** låda **4** skrin, burk för bröd
bind [baɪnd] (*bound bound;* se äv. *1 bound*) verb **1** binda, binda fast, fästa [*to* vid]
2 binda om; ~ el. ~ *up* förbinda
3 förbinda, förplikta
binding I ['baɪndɪŋ] subst **1** bindning
2 bokband
II ['baɪndɪŋ] adj bindande [*on* för]
binge I [bɪndʒ] subst, *go on a* ~ gå ut och supa
II [bɪndʒ] verb hetsäta
binger ['bɪndʒə] subst hetsätare
bingo ['bɪŋgəʊ] subst o. interj bingo
bin-liner ['bɪnˌlaɪnə] subst soppåse
binocular [bɪ'nɒkjʊlə] subst pl. ~s kikare; *a pair of* ~s en kikare
biodegradable [ˌbaɪəʊdɪ'greɪdəbl] adj biologiskt nedbrytbar
biofuel ['baɪəʊˌfjʊəl] subst biobränsle
biographic [baɪə'græfɪk] adj o. **biographical** [baɪə'græfɪkəl] adj biografisk
biography [baɪ'ɒgrəfɪ] subst biografi, levnadsteckning
biological [ˌbaɪə'lɒdʒɪkl] adj biologisk
biologist [baɪ'ɒlədʒɪst] subst biolog
biology [baɪ'ɒlədʒɪ] subst biologi
biomass ['baɪəʊmæs] subst biomassa
birch [bɜːtʃ] subst träd björk
bird [bɜːd] subst **1** fågel; ~ *of prey* rovfågel
2 ~s *of a feather flock together* ordspr. lika barn leka bäst; *kill two* ~s *with one stone* slå två flugor i en smäll; *a* ~ *in the hand is worth two in the bush* ordspr. bättre en fågel i handen än tio i skogen **3** sl. brud, tjej
birdcage ['bɜːdkeɪdʒ] subst fågelbur
bird cherry ['bɜːdˌtʃerɪ] subst träd hägg
birdie ['bɜːdɪ] subst **1** barnspr. pippifågel
2 golf., ett slag under par birdie
bird nest ['bɜːdnest] subst fågelbo
bird's-eye view [ˌbɜːdzaɪ'vjuː] subst fågelperspektiv
bird's nest ['bɜːdznest] subst fågelbo
bird-watcher ['bɜːdˌwɒtʃə] subst fågelskådare
Biro® ['baɪrəʊ] (pl. ~s) subst kulspetspenna
birth [bɜːθ] subst födelse; ~ *certificate* födelseattest; *give* ~ *to* a) föda b) ge upphov till; *by* ~ till börden, född [*Swedish by* ~]
birth control ['bɜːθkənˌtrəʊl] subst födelsekontroll
birthday ['bɜːθdeɪ] subst födelsedag; *Happy* ~ *to you!* el. *Happy* ~*!* har den äran på födelsedagen!
birthmark ['bɜːθmɑːk] subst födelsemärke
birthplace ['bɜːθpleɪs] subst födelseort
birthrate ['bɜːθreɪt] subst födelsetal, nativitet
birthstone ['bɜːθstəʊn] subst månadssten
biscuit ['bɪskɪt] subst kex
bishop ['bɪʃəp] subst **1** biskop **2** schack. löpare
bison ['baɪsn] subst **1** bison, bisonoxe
2 visent

1 bit [bɪt] *subst* **1** borr, borrjärn **2** bett på
betsel

2 bit [bɪt] *subst* **1** bit, stycke; *a ~* lite, något;
not a ~ inte ett dugg; *quite a ~* en hel del;
go to ~s gå i småbitar; *~s and pieces*
omåsaker **2** *two ~s* amer. sl. 25 cent

3 bit [bɪt] imperf. av *bite I*

4 bit [bɪt] *subst* data. bit

bitch [bɪtʃ] *subst* **1** tik **2** vard. satkärring

bite I [baɪt] (*bit bitten*) *verb* **1** bita [*at* efter],
bita i (på) **2** bitas **3** nappa, hugga [*at* på]
4 *~ off more than one can chew* ta sig
vatten över huvudet
II [baɪt] *subst* **1** bett, stick **2** napp, hugg
3 munsbit; matbit; *a ~ to eat* en bit mat

biting [ˈbaɪtɪŋ] *adj* bitande, stickande

bitten [ˈbɪtn] perf. p. av *bite I*

bitter I [ˈbɪtə] *adj* **1** bitter, besk; *to the ~
end* till det bittra slutet, in i det sista
2 förbittrad, hätsk
II [ˈbɪtə] *subst* slags besk öl, bitter [*a pint of ~*,
please!]

bizarre [bɪˈzɑː] *adj* bisarr

blab [blæb] (*-bb-*) *verb* **1** sladdra **2** sladdra
om

black
Personer av afrikanskt ursprung
föredrar ofta att kalla sig *blacks*. I
USA används, särskilt i formella
sammanhang, *African-American*.
Ordet *negro* uppfattas som föroläm-
pande.

black I [blæk] *adj* svart, mörk; *~ box* flyg.
vard. svart låda, färdskrivare; *~ coffee* kaffe
utan grädde; *~ eye* blått öga efter slag; *the
Black Forest* Schwarzwald; *Black
Maria* vard. Svarta Maja polisens piketbil; *the
~ market* svarta börsen; *the Black Sea*
Svarta havet; *beat ~ and blue* slå gul och
blå
II [blæk] *subst* **1** svart, svärta **2** svart person
III [blæk] *verb* **1** svärta **2** *~ sb's eye* ge ngn
ett blått öga

blackberry [ˈblækbərɪ] *subst* björnbär

blackbird [ˈblækbɜːd] *subst* koltrast

blackboard [ˈblækbɔːd] *subst* svart tavla

blackcurrant [ˌblækˈkʌrənt] *subst* svart
vinbär

blacken [ˈblækən] *verb* **1** svärta, svärta ned
2 svartna

blackguard [ˈblægɑːd] *subst* skurk, slyngel

blackhead [ˈblækhed] *subst* pormask

blacking [ˈblækɪŋ] *subst* skosvärta

blackleg [ˈblækleg] *subst* svartfot,
strejkbrytare

blackmail I [ˈblækmeɪl] *subst* utpressning
II [ˈblækmeɪl] *verb* öva utpressning mot

blackmailer [ˈblækˌmeɪlə] *subst* utpressare

black-marketeer [ˈblækˌmɑːkɪˈtɪə] *subst*
svartabörshaj

blackout [ˈblækaʊt] *subst* **1** mörkläggning
2 med. blackout [*have a ~*]

blacksmith [ˈblæksmɪθ] *subst* smed

bladder [ˈblædə] *subst* **1** blåsa **2** anat.
urinblåsa

blade [bleɪd] *subst* **1** blad på kniv, åra, till
rakhyvel m.m. **2** klinga

blame I [bleɪm] *verb* **1** klandra, förebrå [*~
oneself*]; *I have myself to ~* jag får skylla
mig själv **2** skylla på; *I was blamed for it*
jag fick skulden för det
II [bleɪm] *subst* skuld; *lay* (*put, throw*) *the
~ on sb* lägga skulden på ngn

blameless [ˈbleɪmləs] *adj* utan skuld,
oskyldig

blameworthy [ˈbleɪmˌwɜːðɪ] *adj*
klandervärd

blanch [blɑːntʃ] *verb* göra blek, bleka;
blanched celery blekselleri

blancmange [bləˈmɒnʒ] *subst* efterrätt
blancmangé

bland [blænd] *adj* **1** förbindlig **2** mild [*~
air*] **3** menlös

blank I [blæŋk] *adj* **1** tom, blank, ren,
oskriven; *~ cartridge* lös patron **2** tom,
uttryckslös; *look ~* se oförstående ut; *my
mind went ~* jag blev alldeles tom i
huvudet
II [blæŋk] *subst* **1** tomrum, lucka **2** *draw a
~* dra en nit **3** lös patron

blanket [ˈblæŋkɪt] *subst* **1** filt, sängfilt **2** *a ~
of snow* ett snötäcke

blare [bleə] *verb* smattra [*the trumpet
blared*]
II [bleə] *subst* smatter

blasé [ˈblɑːzeɪ] *adj* blasé

blaspheme [blæsˈfiːm] *verb* häda, smäda

blasphemy [ˈblæsfəmɪ] *subst* hädelse,
blasfemi

blast I [blɑːst] *subst* **1** vindstöt **2** tryckvåg vid
explosion, explosion; *~ effect* sprängkraft
3 *in full ~* el. *at full ~* vard. i full fart, för
fullt **4** trumpetstöt, signal **5** tjut
II [blɑːst] *verb* **1** spränga **2** förinta **3** vard., *~
it!* jäklar också!

blasted [ˈblɑːstɪd] *adj* vard. sabla, jäkla

blatant ['bleɪtənt] *adj* påfallande, flagrant
blaze I [bleɪz] *subst* **1** låga, flammande eld;
in a ~ i ljusan låga; *a* ~ *of colour* ett hav
av glödande färger **2** eldsvåda **3** vard., *go to*
~*s!* dra åt skogen!; *he ran like* ~*s* han
sprang som bara den
II [bleɪz] *verb* **1** flamma, brinna **2** skina
klart (starkt)
blazer ['bleɪzə] *subst* klubbjacka
bleach I [bliːtʃ] *verb* **1** bleka **2** blekas
II [bliːtʃ] *subst* blekmedel
bleak [bliːk] *adj* **1** kal [*a* ~ *landscape*]
2 dyster [*a* ~ *future*]
bleat I [bliːt] *verb* bräka
II [bliːt] *subst* bräkande
bled [bled] *imperf*. o. *perf*. p. av *bleed*
bleed [bliːd] (*bled bled*) *verb* blöda; ~ *to*
death förblöda
bleeding I ['bliːdɪŋ] *adj* blödande; ~ *heart*
blomma löjtnantshjärta
II ['bliːdɪŋ] *subst* blödning
bleeper ['bliːpə] *subst* personsökare
mottagaranordning
blemish I ['blemɪʃ] *verb* vanställa, fläcka
II ['blemɪʃ] *subst* fläck, skönhetsfel
blend I [blend] *verb* **1** blanda [~ *tea*],
förena; ~ *into* smälta in i **2** blanda sig,
blandas
II [blend] *subst* blandning [~ *of tea*; ~ *of*
tobacco]
blender ['blendə] *subst* kok. mixer
bless [bles] *verb* **1** välsigna; *God* ~ *you!*
a) Gud bevare dig! b) prosit! **2** lyckliggöra;
blessed with talent begåvad med talang
3 *I'm blessed if I know* det vete katten!
blessed ['blesɪd] *adj* **1** välsignad **2** lycklig,
salig [~ *are the poor*] **3** helig; *the Blessed*
Virgin den heliga jungfrun **4** vard.
förbaskad
blessing ['blesɪŋ] *subst* **1** välsignelse **2** nåd,
gudagåva, glädjeämne; *a* ~ *in disguise*
tur i oturen
blew [bluː] *imperf*. av *1 blow I*
blimey ['blaɪmɪ] *interj* sl. jösses!
blind I [blaɪnd] *adj* **1** blind; ~ *in one eye*
blind på ett öga; ~ *alley* återvändsgränd;
~ *date* 'blindträff' med obekant person; *turn*
a ~ *eye to sth* blunda för ngt **2** *he did not*
take a ~ *bit of notice of it* han brydde sig
inte ett dugg om det
II [blaɪnd] *adv*, ~ *drunk* vard. dödfull
III [blaɪnd] *subst* **1** rullgardin; *Venetian* ~
persienn **2** täckmantel
IV [blaɪnd] *verb* **1** göra blind **2** blända
3 förblinda

blinders ['blaɪndəz] *subst pl* amer., se *blinkers*
blindfold I ['blaɪndfəʊld] *verb* binda för
ögonen på
II ['blaɪndfəʊld] *adj* o. *adv*, *he was* ~ han
hade bindel för ögonen; *I could do it* ~ jag
skulle kunna göra det med förbundna
ögon
III ['blaɪndfəʊld] *subst* ögonbindel
blind-man's buff [,blaɪndmænz'bʌf] *subst*
blindbock
blink [blɪŋk] *verb* **1** blinka; plira [*at* mot]
2 blinka med
blinkers ['blɪŋkəz] *subst pl* skygglappar
blinking ['blɪŋkɪŋ] *adj* vard. förbaskad
blip [blɪp] *subst* **1** data. blipp **2** hake, aber [*a*
~ *in our plan*]
bliss [blɪs] *subst* lycksalighet, lycka
blissful ['blɪsfʊl] *adj* lycksalig
blister ['blɪstə] *subst* blåsa på huden
blizzard ['blɪzəd] *subst* häftig snöstorm
bloated ['bləʊtɪd] *adj* uppsvälld, plufsig
bloater ['bləʊtə] *subst* ungefär böckling
blob [blɒb] *subst* droppe, klick [*a* ~ *of paint*]
block I [blɒk] *subst* **1** kloss, block av sten, trä
2 ~ *letter* tryckbokstav
3 byggnadskomplex; ~ *of flats* hyreshus
4 kvarter **5** stopp, blockering
II [blɒk] *verb*, ~ el. ~ *up* blockera, spärra av,
täppa till
blockade I [blɒ'keɪd] *subst* blockad
II [blɒ'keɪd] *verb* blockera
blockbuster ['blɒk,bʌstə] *subst* vard. **1** kraftig
bomb **2** om film, bok dundersuccé
blockhead ['blɒkhed] *subst* vard. dumskalle
blog I [blɒg] *subst* blogg personlig dagbok på
webben **II** [blɒg] *verb* blogga skriva personlig
dagbok på webben
bloke [bləʊk] *subst* vard. kille
blond I [blɒnd] *adj* blond
II [blɒnd] *subst* blond person
blonde I [blɒnd] *adj* blond [*a* ~ *girl*]
II [blɒnd] *subst* blondin
blood [blʌd] *subst* blod; *stir up bad* ~ väcka
ont blod; *his* ~ *is up* han kokar av ilska; *in*
cold ~ kallblodigt, med berått mod; *it*
runs in the ~ det ligger i blodet (släkten)
blood bank ['blʌdbæŋk] *subst* blodbank
blood clot ['blʌdklɒt] *subst* med. blodpropp
blood count ['blʌdkaʊnt] *subst* blodvärde
blood-curdling ['blʌd,kɜːdlɪŋ] *adj*
hårresande
blood donor ['blʌd,dəʊnə] *subst* blodgivare
blood group ['blʌdgruːp] *subst* blodgrupp
blood heat ['blʌdhiːt] *subst* normal
kroppstemperatur

bloodhound ['blʌdhaʊnd] *subst* blodhund
bloodless ['blʌdləs] *adj* **1** blodlös **2** oblodig
blood-poisoning ['blʌd,pɔɪznɪŋ] *subst* blodförgiftning
blood pressure ['blʌd,preʃə] *subst* blodtryck
bloodshed ['blʌdʃed] *subst* blodsutgjutelse
bloodshot ['blʌdʃɒt] *adj* blodsprängd
bloodstained ['blʌdsteɪnd] *adj* blodfläckad, blodstänkt
blood test ['blʌdtest] *subst* blodprov
bloodthirsty ['blʌd,θɜːstɪ] *adj* blodtörstig
blood type ['blʌdtaɪp] *subst* blodgrupp
blood vessel ['blʌd,vesl] *subst* blodkärl
bloody I ['blʌdɪ] *adj* **1** blodig **2** sl. förbannad, djävla
II ['blʌdɪ] *adv* sl. förbannat; *not ~ likely!* i helvete heller!
bloom I [bluːm] *subst* blomma; *be in ~* stå i blom
II [bluːm] *verb* blomma, stå i full blom
blooper ['bluːpə] *subst* vard. tabbe, blunder
blossom I ['blɒsəm] *subst* **1** blomma **2** blomning; *be in ~* stå i blom
II ['blɒsəm] *verb* **1** slå ut i blom, blomma **2** *~ up* (*out*) blomma upp
blot I [blɒt] *subst* **1** plump, bläckfläck **2** fel, brist, skönhetsfläck
II [blɒt] (*-tt-*) *verb* **1** bläcka ner **2** torka med läskpapper, torka **3** *~ out* a) skymma b) utplåna, utrota
blotch [blɒtʃ] *subst* större fläck på huden
blotting-paper ['blɒtɪŋ,peɪpə] *subst* läskpapper
blouse [blaʊz] *subst* blus
1 blow I [bləʊ] (*blew blown*; i betydelse **2** *blowed*) *verb* **1** blåsa, blåsa i; *~ one's nose* snyta sig; *~ one's own trumpet* skryta, slå på trumman för sig själv **2** vard., *~ it!* jäklar också!; *blowed if I know!* det vete katten! **3** *you blew it!* du missade chansen!, du gjorde bort dig!
II [bləʊ] (*blew blown*) *verb* med adv. o. prep.
blow out 1 slockna **2** släcka, blåsa ut [*~ out a candle*] **3** *the storm has blown itself out* stormen har bedarrat **4** *~ out one's brains* skjuta sig för pannan
blow over 1 blåsa omkull **2** om t.ex. oväder dra förbi, gå över
blow up 1 blåsa upp, pumpa upp [*~ up a tyre*] **2** spränga i luften, flyga i luften
2 blow [bləʊ] *subst* slag, stöt; *come to ~s* råka i slagsmål; *his death was a terrible ~* hans död var ett hårt slag
blow-dry ['bləʊdraɪ] *verb* föna håret
blowlamp ['bləʊlæmp] *subst* blåslampa

blown [bləʊn] perf. p. av *1 blow I*
blowtorch ['bləʊtɔːtʃ] *subst* amer. blåslampa
blow-up ['bləʊʌp] *subst* foto. (vard.) förstoring
blow-wave ['bləʊweɪv] *verb* föna håret
blub [blʌb] (*-bb-*) *verb* vard. lipa
blubber I ['blʌbə] *verb* vard. lipa
II ['blʌbə] *subst* späck hos valdjur
blue I [bluː] *adj* **1** blå; *~ cheese* ädelost; *once in a ~ moon* sällan eller aldrig **2** vard. deppig **3** vard. porr- [*a ~ film*]
II [bluː] *subst* **1** blått; *out of the ~* helt oväntat **2** *the ~* poetiskt a) skyn, himlen b) havet **3** konservativ [*a true ~*] **4** pl., *have the ~s* vard. deppa, vara nere
bluebell ['bluːbel] *subst* blomma **1** i Sydengland engelsk klockhyacint **2** i Nordengland liten blåklocka
blueberry ['bluːbərɪ] *subst* nordamerikanskt blåbär
bluebottle ['bluː,bɒtl] *subst* spyfluga
blue-collar ['bluː,kɒlə] *adj*, *~ worker* arbetare, kroppsarbetare
blue tit ['bluːtɪt] *subst* fågel blåmes
bluff I [blʌf] *verb* bluffa
II [blʌf] *subst* bluff; *call sb's ~* testa om ngn bluffar
blunder I ['blʌndə] *verb* dumma sig, göra bort sig
II ['blʌndə] *subst* blunder, tabbe
blunt I [blʌnt] *adj* **1** slö, trubbig **2** trög, slö **3** rättfram; *to be ~* för att gå rakt på sak
II [blʌnt] *verb* göra slö, trubba av
bluntly ['blʌntlɪ] *adv* rakt på sak
blur I [blɜː] *subst* **1** sudd, suddighet **2** surr [*a ~ of voices*]
II [blɜː] (*-rr-*) *verb* **1** göra suddig (otydlig) **2** bli suddig
blurred [blɜːd] *adj* suddig, otydlig
blurt [blɜːt] *verb*, *~ out* vräka ur sig
blush I [blʌʃ] *verb* rodna
II [blʌʃ] *subst* rodnad, rodnande
bluster I ['blʌstə] *verb* domdera, skrävla
II ['blʌstə] *subst* gormande
BO [,biː'əʊ] vard. (förk. för *body odour*) svettlukt
boar [bɔː] *subst* galt; *wild ~* vildsvin
board I [bɔːd] *subst* **1** bräde, bräda **2** anslagstavla, svart tavla **3** kost [*free ~*]; *~ and lodging* kost och logi, inackordering; *full ~* helpension **4** styrelse, råd, nämnd; *~ of directors* styrelse, direktion för t.ex. bolag **5** *on ~* ombord, ombord på (i) fartyg, flygplan, amer. äv. tåg
II [bɔːd] *verb* gå ombord på båt, tåg

boarder ['bɔːdə] *subst* **1** inackorderingsgäst, pensionatsgäst **2** elev som bor på internat

boarding card ['bɔːdɪŋkɑːd] *subst* flyg. el. sjö. boardingcard

boarding house ['bɔːdɪŋhaʊs] *subst* pensionat

boarding school ['bɔːdɪŋskuːl] *subst* internatskola

boast I [bəʊst] *subst* skryt

II [bəʊst] *verb* **1** skryta **2** kunna skryta med

boaster ['bəʊstə] *subst* skrytmåns

boastful ['bəʊstfʊl] *adj* skrytsam

boat [bəʊt] *subst* båt

boat race ['bəʊtreɪs] *subst* kapprodd, båttävling

boatswain ['bəʊsn] *subst* båtsman

bobble ['bɒbl] *subst* tofs rund boll på mössa

bobby ['bɒbɪ] *subst* vard. 'bobby', polisman

bodice ['bɒdɪs] *subst* liv, klänningsliv

body ['bɒdɪ] *subst* **1** kropp, lekamen **2** lik, död kropp [the police found the ~] **3** samfund, församling [a legislative ~]; governing ~ styrande organ **4** skara, grupp **5** body plagg

body-building ['bɒdɪ,bɪldɪŋ] *subst* bodybuilding

bodyguard ['bɒdɪgɑːd] *subst* livvakt

body-hugging ['bɒdɪ,hʌgɪŋ] *adj* kroppsnära [~ dress]

body odour ['bɒdɪ,əʊdə] *subst* svettlukt

body shop ['bɒdɪʃɒp] *subst* bil. bilplåtslageri

bog I [bɒg] *subst* **1** mosse, myr **2** sl. toalett

II [bɒg] (-gg-) *verb*, **be (get) bogged down** vard. ha kört fast

bogus ['bəʊgəs] *adj* fingerad, sken-

Bohemian I [bə'hiːmjən] *subst* bohem

II [bə'hiːmjən] *adj* bohemisk

1 boil [bɔɪl] *subst* böld, varböld

2 boil I [bɔɪl] *verb* koka, sjuda

II [bɔɪl] *verb* med adv. o. prep.

boil away 1 koka bort **2** koka för fullt **boil down** koka ihop, koka av; it all ~s down to... det hela går i korthet ut på...

III [bɔɪl] *subst*, **be at the ~** el. **be on the ~** koka; **bring to the ~** koka upp

boiler ['bɔɪlə] *subst* **1** värmepanna; ~ room pannrum; ~ suit overall **2** kokkärl, kokare

boiling-point ['bɔɪlɪŋpɔɪnt] *subst*, **at ~** på (vid) kokpunkten

boisterous ['bɔɪstərəs] *adj* bullrande, bullrig [~ laughter]

bold [bəʊld] *adj* **1** djärv, dristig **2** framfusig

Bolivia [bə'lɪvɪə]

Bolivian I [bə'lɪvɪən] *subst* bolivian

II [bə'lɪvɪən] *adj* boliviansk

bolster I ['bəʊlstə] *subst* lång underkudde

II ['bəʊlstə] *verb*, vanligen ~ up stödja [~ up a theory]

bolt I [bəʊlt] *subst* **1** bult **2** låskolv, regel **3** slutstycke i skjutvapen **4** make a ~ for rusa mot **5** like a ~ from the blue som en blixt från en klar himmel

II [bəʊlt] *verb* **1** rusa i väg **2** vard. kasta i sig mat **3** fästa med bult (bultar) **4** regla

bomb I [bɒm] *subst* bomb

II [bɒm] *verb* bomba

bombard [bɒm'bɑːd] *verb* bombardera

bombardment [bɒm'bɑːdmənt] *subst* bombardemang

bombastic [bɒm'bæstɪk] *adj* bombastisk

bomber ['bɒmə] *subst* bombplan

bombproof ['bɒmpruːf] *adj* bombsäker

bond [bɒnd] *subst* **1** förbindelse **2** obligation **3** revers [for på] **4** band [~ of friendship; ~s of friendship], förbindelse

bone I [bəʊn] *subst* **1** ben, benknota; **be chilled to the ~** el. **be frozen to the ~** frysa ända in i märgen; **work sb to the ~** låta ngn arbeta som en slav; **work one's fingers to the ~** arbeta som en slav **2** ~ of contention tvistefrö; **have a ~ to pick with sb** vard. ha en gås oplockad med ngn; **he made no ~s about the fact that...** vard. han stack inte under stol med att...

II [bəʊn] *verb* bena fisk, bena ur

bone-dry [,bəʊn'draɪ] *adj* snustorr

bonfire ['bɒn,faɪə] *subst* bål, brasa

bonnet ['bɒnɪt] *subst* **1** hätta för barn **2** huva **3** motorhuv på bil

bonny ['bɒnɪ] *adj* söt, fager [a ~ lass]

bonus ['bəʊnəs] *subst* bonus

bony ['bəʊnɪ] *adj* benig, full av ben

boo I [buː] *interj* bu!, fy!

II [buː] *subst* burop, fyrop

III [buː] *verb* bua!; bua åt

1 boob [buːb] *subst* vard. **1** dumskalle **2** tabbe, blunder

2 boob [buːb] *subst* vard., pl. ~s tuttar bröst

boob tube ['buːbtuːb] vard., **the ~** *subst* amer. dumburken tv

booby prize ['buːbɪpraɪz] *subst* jumbopris

booby trap ['buːbɪtræp] *subst* **1** elakt skämt, fälla **2** mil. minfälla

boohoo [,bʊ'huː] *verb* vard. tjuta, storgråta

book I [bʊk] *subst* **1** bok; **be in sb's good ~s** ligga bra till hos ngn; **be in sb's bad (black) ~s** ligga illa till hos någon; **go by the ~** följa reglerna **2** häfte **3** telefonkatalog; **he is in the ~** han står i telefonkatalogen

II [bʊk] *verb* **1** notera, bokföra, skriva upp
[*be booked for an offence*] **2** sport. ge en
varning, varna [*be booked for a foul*] **3** boka,
beställa, förhandsbeställa, reservera biljett,
plats, rum
bookcase ['bʊkkeɪs] *subst* bokhylla skåp
book club ['bʊkklʌb] *subst* bokklubb,
bokcirkel, läsecirkel
booking ['bʊkɪŋ] *subst* **1** bokning,
beställning **2** sport. varning
booking-office ['bʊkɪŋ‚ɒfɪs] *subst*
biljettkontor, biljettlucka
bookkeeper ['bʊk‚kiːpə] *subst* bokhållare
bookkeeping ['bʊk‚kiːpɪŋ] *subst* bokföring
booklet ['bʊklət] *subst* liten bok, häfte,
broschyr
bookmaker ['bʊk‚meɪkə] *subst* bookmaker
bookmark ['bʊkmɑːk] *subst* bokmärke äv.
data.
book matches ['bʊk‚mætʃɪz] *subst pl*
avrivningständstickor i tändsticksplån
bookmobile ['bʊkmə‚biːl] *subst* amer.
bokbuss
bookseller ['bʊk‚selə] *subst* bokhandlare
bookshelf ['bʊkʃelf] *subst* bokhylla enstaka
hylla
bookshop ['bʊkʃɒp] *subst* bokhandel
bookstall ['bʊkstɔːl] *subst* **1** bokstånd
2 tidningskiosk
bookstore ['bʊkstɔː] *subst* bokhandel
book token ['bʊk‚təʊkən] *subst* presentkort
på böcker
1 boom [buːm] *verb* dåna, dundra
2 boom [buːm] *subst* högkonjunktur,
uppsving
boomerang ['buːməræŋ] *subst* bumerang
boon [buːn] *subst* välsignelse, förmån
boorish ['bʊərɪʃ] *adj* tölpaktig
boost I [buːst] *verb* **1** höja, öka; ~ *morale*
stärka moralen **2** puffa för [~ *a new
product*]
II [buːst] *subst* **1** höjning, ökning **2** lyft; *a ~
for the economy* ett lyft för ekonomin
booster ['buːstə] *subst*, ~ *rocket* startraket
boot I [buːt] *subst* **1** känga **2** pjäxa **3** stövel
4 *get the* ~ vard. få sparken; *too big for
one's* ~*s* stöddig **5** bagagelucka,
bagageutrymme
II [buːt] *verb* **1** sparka; ~ *sb out* vard. ge ngn
sparken **2** data. boota
booth [buːð, buːθ] *subst* **1** stånd, bod **2** bås
avskärmad plats **3** telefonkiosk
bootleg I ['buːtleg] (*-gg-*) *verb* langa sprit
II ['buːtleg] *adj* piratkopierad [~ *tapes*; ~
computer programs]

bootlegger ['buːt‚legə] *subst* langare
booty ['buːtɪ] *subst* byte, rov
booze I [buːz] *verb* vard. supa
II [buːz] *subst* vard. **1** sprit **2** fylleskiva
boozer ['buːzə] *subst* vard. fyllbult, suput
boracic [bə'ræsɪk] *adj*, ~ *acid* borsyra
bordeaux [bɔː'dəʊ] *subst* bordeauxvin
border I ['bɔːdə] *subst* **1** gräns **2** kant, rand
3 bård, list
II ['bɔːdə] *verb* **1** ~ el. ~ *on* gränsa till
2 kanta, begränsa
borderline ['bɔːdəlaɪn] *subst* gränslinje; ~
case gränsfall
1 bore [bɔː] imperf. av *2 bear I*
2 bore I [bɔː] *subst* **1** borrhål **2** gevärslopp
II [bɔː] *verb* borra [~ *for oil*]
3 bore I [bɔː] *subst* **1** *the film is a* ~ filmen
är långtråkig; *what a* ~*!* usch, vad tråkigt!
2 tråkmåns
II [bɔː] *verb* tråka ut
bored [bɔːd] *adj* uttråkad, ointresserad
boredom ['bɔːdəm] *subst* långtråkighet, leda
boring ['bɔːrɪŋ] *adj* tråkig, långtråkig
born [bɔːn] *adj* o. *perf p* (av *2 bear I*) född; *he is
a* ~ *teacher* han är som skapt till lärare;
an Englishman ~ *and bred* en äkta
engelsman
borne [bɔːn] *perf p* (av *2 bear*) **1** buren etc.,
burit etc.; se *2 bear* **2** född [~ *by Eve*]
borough ['bʌrə] *subst* stad (stadsdel) som
administrativt begrepp; ~ *council*
kommunfullmäktige, stadsfullmäktige
borrow ['bɒrəʊ] *verb* låna [*from* av]
Bosnia ['bɒznɪə] Bosnien
Bosnian I ['bɒznɪən] *subst* bosnier
II ['bɒznɪən] *adj* bosnisk
bosom ['bʊzəm] *subst* **1** barm, bröst **2** famn
3 ~ *friend* hjärtevän
boss I [bɒs] *subst* vard. boss, bas
II [bɒs] *verb* vard., ~ *sb about* köra med ngn
bossy ['bɒsɪ] *adj* vard. dominerande
botanic [bə'tænɪk] *adj* o. **botanical**
[bə'tænɪkəl] *adj* botanisk
botanist ['bɒtənɪst] *subst* botanist
botany ['bɒtənɪ] *subst* botanik
botch [bɒtʃ] *verb* klanta till, förfuska
both I [bəʊθ] *pron* båda, bägge; ~ *of us* oss
båda, både du och jag
II [bəʊθ] *adv*, ~ *you and me* både du och
jag
bother I ['bɒðə] *verb* **1** bekymra, besvära,
plåga, störa **2** göra sig besvär [*about* med];
I can't be bothered jag orkar (gitter) inte
3 inte bry sig om; *not* ~ *about* strunta i

4 ~ *it!* el. ~*!* tusan också!

II ['bɒðə] *subst* besvär; bråk

Bothnia ['bɒθnɪə] *subst*, *the Gulf of* ~ Bottenviken, Bottniska viken

bottle I ['bɒtl] *subst* **1** butelj, flaska; *hit the* ~ börja supa, ta till flaskan **2** vard. mod, kurage *[that took a lot of ~]*

II ['bɒtl] *verb* **1** tappa på flaska; *bottled beer* flasköl **2** lägga in på glas, konservera

bottle bank ['bɒtlbæŋk] *subst* glasigloo

bottleneck ['bɒtlnek] *subst* flaskhals

bottle-opener ['bɒtl,əʊpənə] *subst* flasköppnare

bottom ['bɒtəm] *subst* **1** botten, undre del; *at the* ~ *of* nederst på, längst ner på (i); *at* ~ i grund och botten; *be at the* ~ *of* ligga bakom; *get to the* ~ *of* gå till botten med **2** vard. ända, stjärt

bough [baʊ] *subst* spec. större trädgren

bought [bɔːt] *imperf.* o. perf. p. av *buy I*

boulder ['bəʊldə] *subst* större sten, stenblock

boulevard ['buːləvɑːd] *subst* boulevard

bounce I [baʊns] *verb* studsa

II [baʊns] *subst* studs, studsning, hopp

bouncer ['baʊnsə] *subst* vard. utkastare, dörrvakt

bouncing cradle [,baʊnsɪŋ'kreɪdl] *subst* babysitter stol för småbarn

bouncy castle [,baʊnsɪ'kɑːsl] *subst* hoppborg för barn, t.ex. på lekplatser

1 bound I [baʊnd] *imperf.* av *bind*

II [baʊnd] *perf p* (av *bind*) o. *adj* inbunden, bunden; *be* ~ *by an agreement* vara bunden av ett avtal; *be* ~ *over* jur. få villkorlig dom; *be* ~ *to* vara skyldig att, vara tvungen att; *he is* ~ *to win* han vinner säkert

2 bound [baʊnd] *adj* destinerad *[for till]*

3 bound I [baʊnd] *verb* **1** studsa **2** skutta

II [baʊnd] *subst* skutt, hopp, språng

4 bound I [baʊnd] *subst* pl. ~*s* gräns, gränser; *out of* ~*s* spec. skol. el. mil. förbjudet område, på förbjudet område; *keep within* ~*s* hålla måttan

II [baʊnd] *verb* begränsa

boundary ['baʊndərɪ] *subst* gräns

bounty ['baʊntɪ] *subst* **1** välgörenhet, frikostighet **2** ekon. premie *[export ~]*

bouquet [bʊ'keɪ] *subst* bukett

bourbon ['bʊəbən] *subst* slags amer. whisky

bourgeois I ['bʊəʒwɑː] *subst* småborgare

II ['bʊəʒwɑː] *adj* småborgerlig

bourgeoisie [,bʊəʒwɑː'ziː] *subst* bourgeoisie, borgarklass, medelklass

bout [baʊt] *subst* **1** dust, kamp *[wrestling ~]*

2 anfall *[~ of activity]*, släng *[~ of influenza]*

1 bow I [baʊ] *verb* **1** böja *[~ one's head]*, kröka; *be bowed down with* vara nertyngd av **2** buga, buga sig *[to för]*

II [baʊ] *subst* bugning; *take a* ~ ta emot applåderna

2 bow [baʊ] *subst* sjö., pl. ~*s* bog, för, stäv

3 bow [bəʊ] *subst* **1** båge; ~ *window* burspråksfönster **2** pilbåge **3** stråke **4** knut, rosett

bowels ['baʊəlz] *subst pl* inälvor; *empty one's* ~ tömma tarmen

bower ['baʊə] *subst* berså

1 bowl [bəʊl] *subst* skål, bunke

2 bowl [bəʊl] *verb* **1** i kricket kasta; ~ el. ~ *out* slå ut slagmannen **2** spela bowls, spela bowling

bow-legged ['bəʊleɡd] *adj* hjulbent

bowler ['bəʊlə] *subst* slags hatt kubb, plommonstop

bowling ['bəʊlɪŋ] *subst* **1** bowling **2** i kricket kastande

bowls [bəʊlz] *(med verb i sing.) subst pl* bowls spelas med träklot på gräsplan

bow tie [,bəʊ'taɪ] *subst* fluga, rosett

bow-wow ['baʊwaʊ] *subst* barnspr. vovve

1 box [bɒks] *subst* **1** låda, ask, dosa, box; *the* ~ vard. teve **2** avbalkning, bås **3** post. box, fack **4** loge på teater **5** fotb., *the* ~ vard., se *penalty box* under *penalty 2*

2 box I [bɒks] *verb* **1** boxa; ~ *sb's ears* ge ngn en örfil **2** boxas

II [bɒks] *subst*, ~ *on the ears* örfil

3 box [bɒks] *subst* buxbom träslag och träd

boxer ['bɒksə] *subst* **1** boxare **2** hund boxer

boxing ['bɒksɪŋ] *subst* boxning

Boxing Day

Boxing Day har fått sitt namn efter den gamla seden att ge bort en liten present i en ask box. Fortfarande förekommer det ibland att man ger en present till t.ex. brevbäraren. I Storbritannien är *Boxing Day* en allmän helgdag. I USA är det en vanlig vardag och namnet *Boxing Day* används inte.

Boxing Day ['bɒksɪŋdeɪ] *subst* i Storbritannien annandag jul; om första dagen efter juldagen är en söndag tredjedag jul

box lunch [,bɒks'lʌntʃ] *subst* amer. matsäck

box office ['bɒks,ɒfɪs] *subst* biljettkontor för t.ex. teater

boxwood ['bɒkswʊd] *subst* buxbom träslag

boy [bɔɪ] *subst* pojke, gosse, grabb

boycott I ['bɔɪkɒt] *verb* bojkotta

II ['bɔɪkɒt] *subst* bojkott

boyfriend ['bɔɪfrend] *subst* pojkvän

boyhood ['bɔɪhʊd] *subst*, *in my* ~ som pojke

boyish ['bɔɪɪʃ] *adj* pojkaktig

bra [brɑː] *subst* vard. bh, behå

brace I [breɪs] *subst* pl. ~*s* hängslen [*a pair of* ~*s*]

II [breɪs] *verb*, ~ *oneself* ta sig samman

bracelet ['breɪslət] *subst* armband

bracer ['breɪsə] *subst* vard. styrketår, återställare

bracing ['breɪsɪŋ] *adj* uppiggande [*the* ~ *air by the sea*]

bracken ['brækən] *subst* bräken; ormbunke

bracket I ['brækɪt] *subst* **1** konsol, vinkeljärn **2** parentes; *in* ~*s* inom parentes

II ['brækɪt] *verb* **1** sätta inom parentes **2** ~ *together* el. ~ jämställa

brag [bræg] (-*gg*-) *verb* skryta, skrävla

braggart ['brægət] *subst* skrävlare

braid [breɪd] *subst* fläta av hår

braille [breɪl] *subst* blindskrift

brain I [breɪn] *subst* hjärna; *cudgel one's* ~*s* el. *rack one's* ~*s* anstränga (bry) sin hjärna; *he has got* ~*s* han är intelligent

II [breɪn] *verb* slå in skallen på

brain dead ['breɪnded] *adj* hjärndöd

brain death ['breɪndeθ] *subst* hjärndöd

brainwash ['breɪnwɒʃ] *verb* hjärntvätta

brainwashing ['breɪn,wɒʃɪŋ] *subst* hjärntvätt

brainwave ['breɪnweɪv] *subst* snilleblixt, ljus idé

brainy ['breɪnɪ] *adj* vard. begåvad, skärpt

braise [breɪz] *verb* kok. bräsera

brake I [breɪk] *subst* broms

II [breɪk] *verb* bromsa

III [breɪk] *verb* bromsa

brake disc ['breɪkdɪsk] *subst* bromsskiva

brake fluid ['breɪkfluɪd] *subst* bromsvätska

brake light ['breɪklaɪt] *subst* bromsljus

brake lining ['breɪk,laɪnɪŋ] *subst* bromsband

braking ['breɪkɪŋ] *adj*, ~ *distance* bromssträcka

bran [bræn] *subst* kli

branch [brɑːntʃ] *subst* **1** gren, kvist **2** förgrening, utgrening **3** filial

brand I [brænd] *subst* **1** hand. sort [~ *of coffee*], märke [~ *of cigarettes*] **2** brännjärn **3** brännmärke

II [brænd] *verb* märka med brännjärn, brännmärka

brandish ['brændɪʃ] *verb* svänga t.ex. vapen

brand-new [,brænd'njuː] *adj* splitterny

brandy ['brændɪ] *subst* konjak

brass [brɑːs] *subst* **1** mässing; *get down to* ~ *tacks* komma till saken **2** ~ *band* mässingsorkester

brassiere ['bræzɪə, 'bræsɪə, amer. brə'zɪə] *subst* bysthållare, behå

brat [bræt] *subst* **1** satunge **2** rackarunge

bravado [brə'vɑːdəʊ] *subst* skryt, övermod

brave I [breɪv] *adj* modig, tapper

II [breɪv] *verb* trotsa

bravery ['breɪvərɪ] *subst* mod, tapperhet

bravo [,brɑː'vəʊ] *interj* bravo!

brawl I [brɔːl] *subst* bråk, slagsmål

II [brɔːl] *verb* bråka, gorma

brawn [brɔːn] *subst* muskelstyrka

brawny ['brɔːnɪ] *adj* muskulös, stark

bray [breɪ] *verb* om åsna skria

brazen ['breɪzn] *adj* fräck [*a* ~ *lie*]

Brazil [brə'zɪl] Brasilien

Brazilian I [brə'zɪljən] *adj* brasiliansk

II [brə'zɪljən] *subst* brasilian

brazil nut [brə'zɪlnʌt] *subst* paranöt

breach I [briːtʃ] *subst* **1** brytning, brytande; ~ *of discipline* disciplinbrott; ~ *of duty* tjänstefel; ~ *of promise* brutet äktenskapslöfte **2** bräsch, hål; *step into the* ~ el. *fill the* ~ rycka in

II [briːtʃ] *verb* slå en bräsch i

bread [bred] *subst* bröd, matbröd; *a slice* (*piece*) *of* ~ *and butter* en smörgås utan pålägg

breadbin ['bredbɪn] *subst* brödburk, brödskrin

breadboard ['bredbɔːd] *subst* skärbräda för bröd

breadcrumb ['bredkrʌm] *subst* brödsmula; ~*s* a) brödsmulor b) ströbröd

breadth [bredθ] *subst* bredd, vidd

breadwinner ['bred,wɪnə] *subst* familjeförsörjare

break I [breɪk] (*broke broken*) *verb* **1** bryta, bryta av, knäcka **2** ha sönder, gå sönder **3** brytas, brytas sönder, brista, gå av [*the rope broke*]; *his voice is breaking* han är i målbrottet; ~ *open* bryta upp **4** krossa [~ *sb's heart*] **5** bryta mot [~ *the law*] **6** ~ *the ice* mellan personer etc. bryta isen; ~ *the news to sb* meddela ngn nyheten **7** *dawn is breaking* det gryr **8** bryta fram, ljuda [*a cry broke from her lips*]; ~ *into laughter* brista ut i skratt; ~ *into a house* bryta sig in i ett hus

II [breɪk] *(broke broken)* *verb* med adv. o. prep.

break away slita sig loss; göra sig fri

break down 1 bryta ner; slå in en dörr **2** dela upp, lösa upp **3** bryta samman; få ett sammanbrott **4** gå sönder, strejka

break in 1 bryta sig in **2** rida in [~ *in a horse*], köra in **3** röka in [~ *in a pipe*]

break off avbryta

break out 1 bryta ut **2** ~ *out into a sweat* råka i svettning

break up 1 bryta (slå) sönder **2** upplösa, upplösas [*their marriage broke up*], skingra [*the police broke up the crowd*] **3** sluta [*school ~s up today*]

III [breɪk] *subst* **1** brytande, brytning; brott; ~ *of serve* servegenombrott **2** spricka, avbrott; paus, rast **3** *at ~ of day* vid dagens inbrott **4** vard., *a bad ~* otur; *a lucky ~* tur **5** vard. chans [*give him a ~*]; *give me a ~!* lägg av!

breakaway ['breɪkəweɪ] *subst* **1** utbrytning **2** sport. kontring

breakdown ['breɪkdaʊn] *subst* **1** sammanbrott, misslyckande **2** ~ *lorry* el. (mindre) ~ *van* bärgningsbil **3** analys

breaker ['breɪkə] *subst* bränning, brottsjö

---

breakfast

• *English breakfast, full breakfast* är hela måltider som består av ägg, bacon, flingor *cereal*, korv *sausage*, te, juice, rostat bröd *toast* m.m. De serveras framför allt på hotell, men inte så ofta i hemmet.

• *American breakfast* består av ägg, bacon m.m. Dessutom serveras ofta stekt potatis *hash* och pannkakor med lönnsirap *maple syrup*.

• Om man beställer *Continental breakfast* får man oftast bara te eller kaffe, smör, bröd och marmelad.

---

breakfast I ['brekfəst] *subst* frukost, morgonmål; ~ *food* flingor etc.

II ['brekfəst] *verb* äta frukost

break-in ['breɪkɪn] *subst* inbrott i ett hus etc.

breaking-point ['breɪkɪŋpɔɪnt] *subst* bristningsgräns

breakneck ['breɪknek] *adj*, *at ~ speed* i rasande fart

breakthrough ['breɪkθruː] *subst* genombrott

breakup ['breɪkʌp] *subst* upplösning [*the ~ of a marriage*], brytning

breakwater ['breɪk,wɔːtə] *subst* vågbrytare

bream [briːm] *subst* fisk braxen

breast [brest] *subst* bröst; *make a clean ~ of it* lätta sitt samvete

breast-fed ['brestfed] imperf. o. perf. p. av *breast-feed*

breast-feed ['brestfiːd] *(breast-fed breast-fed)* *verb* amma

breaststroke ['breststrəʊk] *subst*, *the ~* bröstsim

breath [breθ] *subst* **1** andedräkt, anda, andning; *catch one's ~* hämta andan; *it took my ~ away* det fick mig att tappa andan, det gjorde mig alldeles mållös; *waste one's ~ on* spilla ord på; *out of ~* andfådd **2** andetag, andedrag **3** pust, fläkt; *a ~ of fresh air* en nypa frisk luft

breathalyser ['breθəlaɪzə] *subst* alkotestapparat

breathe [briːð] *verb* andas; *she breathed her last* hon drog sin sista suck; *I won't ~ a word* jag säger inte ett knyst

breather ['briːðə] *subst*, *take a ~* pusta ut

breathing-space ['briːðɪŋspeɪs] *subst* andrum

breathless ['breθləs] *adj* **1** andfådd **2** andlös

breathtaking ['breθ,teɪkɪŋ] *adj* nervkittlande, hissnande

bred [bred] imperf. o. perf. p. av *breed I*

breeches ['brɪtʃɪz] *subst pl* knäbyxor

breed I [briːd] *(bred bred)* *verb* **1** föda upp djur **2** odla **3** skapa, väcka, föda [*war ~s misery*] **4** fortplanta sig, föröka sig

II [briːd] *subst* ras, avel; ~ *of cattle* kreaturstam

breeding ['briːdɪŋ] *subst* **1** uppfödning, avel **2** fortplantning, häckning **3** god uppfostran, hyfs

breeding-ground ['briːdɪŋgraʊnd] *subst* **1** grogrund [*a ~ for crime*] **2** häckningsplats

breeze I [briːz] *subst* bris, fläkt

II [briːz] *verb* vard., ~ *in* komma insusande

brethren ['breðrən] *subst pl* se *brother 2*

brevity ['brevətɪ] *subst* korthet; koncishet

brew I [bruː] *verb* **1** brygga; ~ *tea* koka te **2** bryggas **3** *there is something brewing* det är något i görningen

II [bruː] *subst* brygd

brewer ['bruːə] *subst* bryggare person

brewery ['bruːərɪ] *subst* bryggeri

briar ['braɪə] *subst* törnbuske, nyponbuske

bribe I [braɪb] *subst* mutor, muta

II [braɪb] *verb* muta

bribery ['braɪbərɪ] *subst* tagande av mutor

brick [brɪk] *subst* **1** tegel, tegelsten; *as hard as u ~* stenhård; *drop a ~* vard. trampa i klaveret; *it's like talking to a ~ wall* det är som att tala till en vägg **2** byggkloss

bricklayer ['brɪkˌleɪə] *subst* murare

bridal ['braɪdl] *adj* brud- [*~ gown*], bröllops-

bride [braɪd] *subst* brud

bridegroom ['braɪdgruːm] *subst* brudgum

bridesmaid ['braɪdzmeɪd] *subst* brudtärna

1 bridge [brɪdʒ] *subst* kortsp. bridge

2 bridge I [brɪdʒ] *subst* **1** bro **2** brygga **3** kommandobrygga

II [brɪdʒ] *verb* slå en bro över, överbrygga

bridgehead ['brɪdʒhed] *subst* mil. brohuvud

bridle I ['braɪdl] *subst* betsel

II ['braɪdl] *verb* tygla

brief I [briːf] *subst* pl. *~s* trosor

II [briːf] *adj* kort, kortfattad; *I'll be ~* jag ska fatta mig kort; *in ~* i korthet, kort sagt

briefcase ['briːfkeɪs] *subst* portfölj

brier ['braɪə] *subst* törnbuske, nyponbuske

brigade [brɪ'geɪd] *subst* brigad

bright [braɪt] *adj* **1** klar, ljus; *look on the ~ side* se saken från den ljusa **2** blank **3** skärpt, begåvad

brighten ['braɪtn] *verb* **1** göra ljus (ljusare) **2** bli ljus (ljusare), lysa upp [*his face brightened up*]

1 brill [brɪl] *subst* fisk slätvar

2 brill [brɪl] *adj* vard. strålande, briljant [*it's ~!*]

brilliance ['brɪljəns] *subst* **1** glans, briljans **2** begåvning

brilliant ['brɪljənt] *adj* **1** glänsande, lysande, briljant, strålande [*a ~ idea*] **2** mycket begåvad

brim [brɪm] *subst* **1** brädd, kant **2** brätte på hatt

brine [braɪn] *subst* saltvatten, saltlake

bring I [brɪŋ] (*brought brought*) *verb* **1** komma med, ha (ta) med sig **2** hämta **3** frambringa, framkalla **4** medföra **5** förmå, bringa, få [*to till att*]; *I couldn't ~ myself to do it* jag kunde inte förmå mig att göra det

II [brɪŋ] (*brought brought*) *verb* med adv. o. prep.

bring about få till stånd, åstadkomma, framkalla [*~ about a crisis*]

bring back 1 ta (ha) med sig tillbaka **2** väcka till liv [*~ back memories*]

bring in föra in, bära in, ta in

bring out ge ut [*~ out a new book*]

bring round 1 få att kvickna till **2** ta med **3** *~ sb round to one's point of view* omvända ngn till sin åsikt

bring up 1 uppfostra, föda upp **2** ta (dra) upp [*~ up a question*], föra på tal

brink [brɪŋk] *subst* rand, brant; *on the ~ of ruin* på ruinens brant

brisk [brɪsk] *adj* livlig, rask; *at a ~ pace* i raskt tempo

brisket ['brɪskɪt] *subst* kok. bringa

bristle I ['brɪsl] *subst* **1** borsthår; vanligen pl. *~s* borst **2** skäggstrå

II ['brɪsl] *verb*, *~ with* vimla av [*~ with difficulties*]

Brit [brɪt] *subst* vard. britt, engelsman

Britain ['brɪtn] **1** *Great ~* el. *~* Storbritannien; ibland England **2** hist. Britannien

British I ['brɪtɪʃ] *adj* brittisk; engelsk

II ['brɪtɪʃ] *subst*, *the ~* britterna, engelsmännen

Briton ['brɪtn] *subst* britt

Brittany ['brɪtənɪ] Bretagne

brittle ['brɪtl] *adj* spröd, skör

broach [brəʊtʃ] *verb* föra på tal [*~ a subject*]

broad I [brɔːd] *adj* **1** bred, vid, vidsträckt; *~ beans* bondbönor; *in ~ daylight* mitt på ljusa dagen **2** huvudsaklig, stor [*~ outline (outlines)*]

II [brɔːd] *subst* amer. sl. brud, fruntimmer

broadband ['brɔːdbænd] *subst* data. el. radio. bredband

broadcast I ['brɔːdkɑːst] (*broadcast broadcast*) *verb* **1** sända, sända i radio (tv) **2** uppträda i radio (tv)

II ['brɔːdkɑːst] *subst* radioutsändning, tv-sändning

broadcasting ['brɔːdˌkɑːstɪŋ] *subst* radio; *the British Broadcasting Corporation* brittiska radion och televisionen, BBC

broaden ['brɔːdn] *verb* **1** göra bred (bredare) **2** vidga, bredda **3** bli bred (bredare)

broad-minded [ˌbrɔːd'maɪndɪd] *adj* vidsynt

broadsheet ['brɔːdʃiːt] *subst* tidning i större format motsvarar ungefär en svensk dagstidning, motsats *tabloid*

broad-shouldered [ˌbrɔːd'ʃəʊldəd] *adj* bredaxlad

broadside ['brɔːdsaɪd] *subst* bredsida

broccoli ['brɒkəlɪ] *subst* grönsak broccoli

brochure ['brəʊʃjʊə] *subst* broschyr, prospekt

broil [brɔɪl] *verb* **1** halstra, grilla **2** halstras, grillas

broiler ['brɔɪlə] *subst* kok. broiler, gödkyckling

broiling ['brɔɪlɪŋ] *adj* brännhet, stekhet

broke I [brəʊk] *imperf. av break I*
II [brəʊk] *adj* vard. pank

broken ['brəʊkən] *perf p* (av *break I*) o. *adj*
1 trasig, sönder, bruten, knäckt **2** ~ *in* inriden, tämjd, dresserad

broken-hearted [‚brəʊkən'hɑːtɪd] *adj* nedbruten av sorg

broker ['brəʊkə] *subst* mäklare

brolly ['brɒlɪ] *subst* vard. paraply

bronchitis [brɒŋ'kaɪtɪs] *subst* bronkit, luftrörskatarr

bronze I [brɒnz] *subst* brons
II [brɒnz] *verb* göra solbränd

brooch [brəʊtʃ] *subst* brosch

brood I [bruːd] *subst* kull
II [bruːd] *verb* **1** ligga på ägg, ruva **2** grubbla

brook [brʊk] *subst* bäck

broom [bruːm] *subst* **1** kvast, sopborste **2** växt ginst

broth [brɒθ] *subst* buljong; tunn soppa

brothel ['brɒθl] *subst* bordell

brother ['brʌðə] *subst* **1** bror, broder **2** (pl. ofta *brethren*) relig. trosbroder

brotherhood ['brʌðəhʊd] *subst* broderskap, brödraskap

brother-in-law ['brʌðərɪnlɔː] (pl. *brothers-in-law* ['brʌðəzɪnlɔː]) *subst* svåger

brotherly ['brʌðəlɪ] *adj* broderlig

brought [brɔːt] *imperf. o. perf. p. av bring*

brow [braʊ] *subst* panna; *knit one's* ~*s* rynka pannan

brown I [braʊn] *adj* brun; ~ *paper* brunt omslagspapper; ~ *sugar* farinsocker
II [braʊn] *subst* brunt

brownie ['braʊnɪ] *subst* **1** tomte **2** *Brownie* el. *Brownie guide* miniorscout **3** vard., *try to earn* (*get*) ~ *points* försöka få pluspoäng (beröm)

browse [braʊz] *verb* **1** bläddra [~ *through a newspaper*]; gå runt och titta [*I don't want anything, I'm just browsing*]; ~ *among* botanisera bland [~ *among the books in the shop*]; ~ *the Web* data. söka på nätet **2** om djur beta

bruise I [bruːz] *subst* blåmärke
II [bruːz] *verb* **1** ge blåmärken; *he bruised his leg* han fick blåmärken på benet **2** bli stött om frukt

brunette [bruː'net] *subst* brunett

brush I [brʌʃ] *subst* **1** borste, kvast **2** pensel **3** borstning, avborstning; *give sth a* ~ borsta av ngt
II [brʌʃ] *verb* **1** borsta, borsta av **2** skrubba
III [brʌʃ] *verb* med adv. o. prep.
brush aside vifta undan
brush down borsta av
brush up friska upp [*I must* ~ *up my English*]

brusque [bruːsk, amer. brʌsk] *adj* burdus, brysk

Brussels ['brʌslz] Bryssel

Brussels sprouts [‚brʌslz'spraʊts] *subst pl* brysselkål

brutal ['bruːtl] *adj* brutal, rå

brutality [bruː'tælətɪ] *subst* brutalitet, råhet

brute [bruːt] *subst* **1** oskäligt djur **2** brutal människa, vard. odjur

B.Sc. [‚biːes'siː] (förk. för *Bachelor of Science*) ungefär fil. kand. i naturvetenskapliga ämnen

bubble ['bʌbl] *subst* o. *verb* bubbla

bubble bath ['bʌblbɑːθ] *subst* skumbad, bubbelbad

bubbly ['bʌblɪ] *subst* vard. skumpa, champis champagne

buck [bʌk] *subst* **1** bock, hanne av dovhjort, stenbock, kanin m.fl. **2** amer. vard. dollar **3** *pass the* ~ vard. skylla ifrån sig

bucket ['bʌkɪt] *subst* hink, pyts; *kick the* ~ sl. kola av, dö

bucketful ['bʌkɪtfʊl] *subst*, *a* ~ *of water* en hink vatten

---

Buckingham Palace
[‚bʌkɪŋəm'pælɪs]
Buckingham Palace är den kungliga familjens residens i London. Där kan man se vaktavlösningen, *the Changing of the Guard*, varje dag.

---

buckle I ['bʌkl] *subst* spänne, buckla
II ['bʌkl] *verb* spänna [*on på*]; ~ *up* el. ~ böja (kröka) sig

bud [bʌd] **I** *subst* knopp; *nip sth in the* ~ kväva ngt i sin linda
II [bʌd] (*-dd-*) *verb* knoppas

Buddhism ['bʊdɪzm] *subst* buddism

Buddhist ['bʊdɪst] *subst* buddist

budding ['bʌdɪŋ] *adj* blivande [~ *talent*]

buddy ['bʌdɪ] *subst* amer. vard. kompis, polare; *listen* ~ hörru, hördu 'du, du

budge [bʌdʒ] *verb* **1** röra sig ur fläcken, flytta sig **2** rubba

budgerigar ['bʌdʒərɪgɑː] *subst* fågel undulat
budget I ['bʌdʒɪt] *subst* budget; ~ *flight*
lågprisflyg
II ['bʌdʒɪt] *verb* göra upp en budget
budgie ['bʌdʒɪ] *subst* vard. undulat
buff [bʌf] *subst* **1** sämskskinn **2** mattgul färg
buffalo ['bʌfələʊ] (pl. ~*s*) *subst* buffel;
bisonoxe
buffer ['bʌfə] *subst* buffert
1 buffet ['bʌfɪt] *verb* slå till, knuffa
2 buffet ['bʊfeɪ] *subst* **1** möbel buffé, skänk
2 buffé restaurang el. mål
buffoon [bə'fuːn] *subst* pajas
bug I [bʌg] *subst* **1** vägglus, amer. insekt
2 vard. bacillusk, bacill **3** data. bugg,
programfel
II [bʌg] (-*gg*-) *verb* bugga placera dolda
mikrofoner
bugger ['bʌgə] *subst* vulg. sate, jävel; ~*!*
djävlar!
bugger-all [ˌbʌgər'ɔːl] *subst* vard., *she did* ~
hon gjorde inte ett djälva dugg
buggy ['bʌgɪ] *subst* **1** paraplyvagn **2** ~ el.
baby ~ amer. barnvagn
bugle ['bjuːgl] *subst* **1** jakthorn **2** mil.
signalhorn
build I [bɪld] (*built built*) *verb* bygga
II [bɪld] *subst* kroppsbyggnad
builder ['bɪldə] *subst* **1** byggare
2 byggmästare
building ['bɪldɪŋ] *subst* byggnad, hus
build-up ['bɪldʌp] *subst* uppladdning
built [bɪlt] *imperf.* o. *perf.* p. av *build I*
built-in [ˌbɪlt'ɪn] *adj* inbyggd; ~ *wardrobe*
inbyggd garderob, garderob
built-up ['bɪltʌp] *adj* tättbebyggd; ~ *area*
tättbebyggt område
bulb [bʌlb] *subst* **1** blomlök **2** glödlampa
Bulgaria [bʌl'geərɪə, bʊl'geərɪə] Bulgarien
Bulgarian [bʌl'geərɪən, bʊl'geərɪən] *subst*
1 bulgar **2** bulgariska språket *adj* bulgarisk
bulge I [bʌldʒ] *subst* bula, buckla,
utbuktning
II [bʌldʒ] *verb* bukta ut, svälla ut, puta ut
bulimia [bjʊ'lɪmɪə] *subst* med. bulimi,
hetsätning
bulimic [bjʊ'lɪmɪk] *subst* med. bulimiker
bulk [bʌlk] *subst* volym, omfång; *the* ~
huvuddelen; *in* ~ i stora partier
bulky ['bʌlkɪ] *adj* skrymmande, klumpig
bull [bʊl] *subst* **1** tjur, hanne; *like a* ~ *at a*
gate buffligt, på ett buffligt sätt **2** spec. amer.
vard. skitsnack
bulldog ['bʊldɒg] *subst* bulldogg

bulldozer ['bʊlˌdəʊzə] *subst* bulldozer,
bandschaktare
bullet ['bʊlɪt] *subst* kula till t.ex. gevär
bulletin ['bʊlɪtɪn] *subst* bulletin, rapport; ~
board amer. anslagstavla
bullet-proof ['bʊlɪtpruːf] *adj* skottsäker
bullfight ['bʊlfaɪt] *subst*, *a* ~ en tjurfäktning
bullfighter ['bʊlˌfaɪtə] *subst* tjurfäktare
bullfinch ['bʊlfɪntʃ] *subst* fågel domherre
bullock ['bʊlək] *subst* djur stut, oxe
bull's-eye ['bʊlzaɪ] *subst* **1** skottavlas prick
2 fullträff, mitt i prick
bullshit ['bʊlʃɪt] *subst* vard. skitsnack
bully I ['bʊlɪ] *subst* översittare, mobbare
II ['bʊlɪ] *verb* mobba, trakassera
bullying ['bʊlɪɪŋ] *subst* **1** översitteri **2** i skola
mobbning
bum I [bʌm] *subst* **1** vulg. rumpa, ända; ~
bag vard. midjeväska **2** amer. vard. luffare
3 amer. vard. odåga
II [bʌm] (-*mm*-) *verb* amer. vard. bomma,
tigga
bumble-bee ['bʌmblbiː] *subst* humla
bumf [bʌmf] *subst* vard. **1** tråkigt officiellt
papper; pappersexercis **2** dasspapper
bump I [bʌmp] *subst* **1** stöt, duns **2** bula,
knöl **3** ojämnhet på väg, gupp
II [bʌmp] *verb* **1** stöta, dunka; ~ *into*
a) stöta till b) stöta på [*I bumped into her the*
other day]
bumper ['bʌmpə] *subst* **1** stötfångare,
kofångare på bil; ~ *car* radiobil på nöjesfält
2 ~ *crop* rekord-skörd
bumpkin ['bʌmkɪn] *subst*, *country* ~
bondtölp, lantis
bumpy ['bʌmpɪ] *adj* om väg ojämn, guppig

---

hot cross bun
På långfredagen är det tradition att
äta en slags varm, söt bulle, *hot cross*
bun, som är fylld med korinter och
suckat. På översidan har man skurit
in ett kors.

---

bun [bʌn] *subst* **1** bulle; *hot cross* ~ korsmärkt
bulle som äts på långfredagen **2** hårknut
bunch [bʌntʃ] *subst* **1** klase [~ *of grapes*]
2 bukett [~ *of flowers*] **3** knippa [~ *of*
keys], bunt **4** vard. samling, hop [*a strange*
~ *of people*]
bundle ['bʌndl] *subst* bunt, knyte, bylte; *a* ~
of nerves ett nervknippe

bungalow ['bʌŋgələʊ] *subst* bungalow, enplansvilla

bungee ['bʌndʒɪ] *subst*, ~ *jumping* sport. bungyjump

bungle ['bʌŋgl] *verb* förfuska, fördärva

bungler ['bʌŋglə] *subst* klåpare, klant

bunion ['bʌnjən] *subst* öm knöl på stortån

bunk [bʌŋk] *subst* **1** brits **2** sovhytt **3** ~ *bed* våningssäng

bunker ['bʌŋkə] *subst* bunker

bunny ['bʌnɪ] *subst* barnspr., ~ el. ~ *rabbit* kanin

buoy [bɔɪ] *subst* sjö. boj

buoyant ['bɔɪənt] *adj* **1** som lätt flyter **2** elastisk, spänstig [*with a* ~ *step*] **3** om person gladlynt

burbot ['bɜːbət] *subst* fisk lake

burden I ['bɜːdn] *subst* börda [*to, on* för], last; *beast of* ~ lastdjur
II ['bɜːdn] *verb* belasta, betunga

bureau ['bjʊərəʊ] *subst* **1** sekreterär, skrivbord **2** ämbetsverk, byrå [*information* ~] **3** amer. byrå möbel

bureaucracy [bjʊə'rɒkrəsɪ] *subst* byråkrati

bureaucratic [ˌbjʊərə'krætɪk] *adj* byråkratisk

burger ['bɜːgə] *subst* vard. hamburgare

burglar ['bɜːglə] *subst* inbrottstjuv; ~ *alarm* tjuvlarm

burglary ['bɜːglərɪ] *subst* inbrott, inbrottsstöld

burgle ['bɜːgl] *verb* göra inbrott i; *our house has been burgled* vi har haft inbrott

Burgundy ['bɜːgəndɪ] Bourgogne

burgundy ['bɜːgəndɪ] *subst* bourgognevin

burial ['berɪəl] *subst* begravning; ~ *ground* begravningsplats

burlesque [bɜː'lesk] *adj* burlesk

burly ['bɜːlɪ] *adj* kraftig, kraftigt byggd om person

Burma ['bɜːmə] Burma; jfr *Myanmar*

Burmese I [ˌbɜː'miːz] *adj* burmansk, burmesisk
II [ˌbɜː'miːz] (pl. lika) *subst* burman, burmes

burn I [bɜːn] (*burnt burnt*) *verb* **1** bränna, förbränna, bränna (elda) upp; *I've burnt my fingers* jag har bränt mig på fingrarna **2** brännas vid, brännas **3** brinna, brinna upp **4** lysa, glöda
II [bɜːn] *subst* brännskada, brännsår

burner ['bɜːnə] *subst* **1** brännare **2** låga på gasspis; *put sth on the back* ~ vard. lägga ngt på is

burnish ['bɜːnɪʃ] *verb* **1** blankskura, polera **2** bli blank

burnt I [bɜːnt] imperf. o. perf. p. av *burn I*
II [bɜːnt] *adj* bränd

burp I [bɜːp] *subst* vard. rapning, rap
II [bɜːp] *verb* vard. rapa

burrow I ['bʌrəʊ] *subst* kanins m.fl. djurs håla, lya
II ['bʌrəʊ] *verb* gräva ner sig

burst I [bɜːst] (*burst burst*) *verb* **1** brista, spricka, krevera **2** spränga [~ *a balloon*], spräcka **3** komma störtande [*he* ~ *into the room*]; ~ *in* a) störta in b) avbryta; ~ *into flames* flamma upp, ta eld; ~ *into laughter* brista i skratt; ~ *out laughing* brista i skratt
II [bɜːst] *subst* **1** *a* ~ *of gunfire* en skottsalva **2** anfall [*a* ~ *of energy*] **3** storm [*a* ~ *of applause*] **4** *a* ~ *of laughter* en skrattsalva

bury ['berɪ] *verb* begrava

bus [bʌs] *subst* buss äv. data.

busbar ['bʌsbɑː] *subst* data. buss

bus driver ['bʌsˌdraɪvə] *subst* busschaufför

bush [bʊʃ] *subst* buske; *beat about the* ~ gå som katten kring het gröt

bushy ['bʊʃɪ] *adj* buskig, yvig [*a* ~ *tail*]

business ['bɪznəs] *subst* **1** (utan pl.) affär, affärer, affärsliv; *on* ~ i affärer; *go into* ~ starta eget, bli affärsman; ~ *hours* öppettider **2** (med pl. *businesses*) affär, företag, firma **3** (med pl. *businesses*) bransch [*the oil* ~; *show* ~] **4** (utan pl.) uppgift, sak, arbete [~ *before pleasure*]; *I made it my* ~ *to* jag åtog mig att; *he means* ~ vard. han menar allvar **5** (utan pl.) angelägenhet, sak; *a bad* ~ en sorglig historia; *it's the* ~! vard. det är alla tiders!; *it's none of your* ~ det angår dig inte; *mind your own* ~! vard. sköt du ditt!; *I'm sick of the whole* ~ jag är led på alltsammans

business-end ['bɪznɪsend] *subst*, *the* ~ vard. spetsen av verktyg, vapen etc. [*the* ~ *of a gun*]

businesslike ['bɪznɪslaɪk] *adj* affärsmässig

businessman ['bɪznɪsmæn] *subst* affärsman

bus lane ['bʌsleɪn] *subst* bussfil

bus stop ['bʌsstɒp] *subst* busshållplats

1 bust [bʌst] *subst* **1** byst **2** bröst, barm

2 bust I [bʌst] (*bust busted*, amer. *bust bust*) *verb* **1** slå sönder **2** göra razzia på **3** gripa, haffa **4** ~ *up* göra slut med varandra
II [bʌst] *adj* sönder, trasig; *go* ~ a) paja b) gå i konkurs

bustle I ['bʌsl] *verb* jäkta, flänga [~ *about*];
II ['bʌsl] *subst* fläng, jäkt

bustling [ˈbʌslɪŋ] *adj* livlig
busy I [ˈbɪzɪ] *adj* **1** sysselsatt, upptagen; *I'm ~ packing* jag håller på att packa; *the line is ~* tele. det är upptaget **2** flitig, verksam **3** full av liv och rörelse; *~ street* livligt trafikerad gata
II [ˈbɪzɪ] *verb*, *~ oneself* sysselsätta sig
busybody [ˈbɪzɪˌbɒdɪ] *subst*, *he is a ~* vard. han lägger sig i allting
but I [bʌt, obetonat bət] *konj* o. *prep* **1** men; *not only this ~ that one* inte bara den här utan också den där **2** utom *[all ~ he]* **3** om inte *[whom should he meet ~ me?]* **4** *~ for...* bortsett från...; *~ for you* om det inte hade varit för dig **5** *first ~ one* tvåa, som tvåa; *the last ~ one* den näst sista **6** än; *who else ~ he could have done it?* vem mer än han kunde ha gjort det?
II [bʌt, obetonat bət] *adv* bara *[he is ~ a child]*
III [bʌt, obetonat bət] *subst* men; *without ifs and ~s* utan om och men
butcher I [ˈbʊtʃə] *subst* slaktare
II [ˈbʊtʃə] *verb* slakta brutalt
butler [ˈbʌtlə] *subst* hovmästare, förste betjänt
1 butt [bʌt] *subst* **1** tjockända **2** kolv **3** cigarrstump, fimp **4** spec. amer. vard. bak, häck
2 butt [bʌt] *subst* skottavla
3 butt [bʌt] *verb* **1** stöta, stöta till med huvud el. horn **2** stånga, stångas **3** *~ in* vard. blanda (lägga) sig i
butter I [ˈbʌtə] *subst* smör
II [ˈbʌtə] *verb* **1** bre smör på **2** *~ up* vard. smöra för, fjäska för
butter bean [ˈbʌtəbiːn] *subst* slags stor limaböna, vaxböna
buttercup [ˈbʌtəkʌp] *subst* smörblomma
butterfingers [ˈbʌtəˌfɪŋgəz] *subst* vard. klumpig (fumlig) person som lätt tappar saker; *~!* din klumpeduns!
butterfly [ˈbʌtəflaɪ] *subst* fjäril
buttermilk [ˈbʌtəmɪlk] *subst* kärnmjölk
buttocks [ˈbʌtəks] *subst pl* bak, ända, stuss
button I [ˈbʌtn] *subst* knapp
II [ˈbʌtn] *verb*, *~ up* el. *~* knäppa, knäppa ihop
buttonhole [ˈbʌtnhəʊl] *subst* knapphål
buttress [ˈbʌtrəs] *subst* strävpelare, stöd
buxom [ˈbʌksəm] *adj* om kvinna frodig
buy I [baɪ] (*bought bought*) *verb* köpa; *~ off* friköpa, lösa ut, köpa
II [baɪ] *subst* vard. köp

buyer [ˈbaɪə] *subst* **1** köpare, spekulant **2** inköpare
buzz I [bʌz] *subst* surr, surrande; *I'll give you a ~* amer. vard. jag slår en signal, jag ringer dig
II [bʌz] *verb* surra
buzzard [ˈbʌzəd] *subst* fågel ormvråk
buzzer [ˈbʌzə] *subst* summer
by I [baɪ] *prep* **1** i uttryck som innebär befintlighet vid, bredvid, hos *[~ me]*; *~ land and sea* till lands och sjöss; *~ oneself* a) ensam, för sig själv b) på egen hand
2 i uttryck som innebär riktning el. rörelse förbi *[he went ~ me]*; genom *[~ a side door]*; över, via *[~ Paris]*; *~ the way* el. *~ the by* apropå; förresten
3 för att uttrycka medel genom; vid, i *[lead ~ the hand]*; *~ itself* av sig själv; *~ oneself* på egen hand; *go ~ car* åka bil; *go ~ train* åka tåg; *multiply ~ six* multiplicera med sex
4 i tidsuttryck till, senast *[be home ~ six]*, per *[paid ~ the hour]*; *~ this time tomorrow* i morgon så här dags; *~ night* om natten; *day ~ day* dag för dag
5 av *[a book ~ Greene]*
6 i måttsuttryck: *the price rose ~ 10%* priset steg 10 %; *three metres long ~ four metres broad* tre meter lång och fyra meter bred; *bit ~ bit* bit för bit; *one ~ one* en och en
7 i uttryck som innebär förhållande: till *[a lawyer ~ profession]*; *Brown ~ name* vid namn Brown; *go ~ the name of* gå under namnet
II [baɪ] *adv* i närheten, bredvid, intill, förbi *[pass ~]*; undan, av *[put money ~]*; *~ and ~* så småningom; *~ and large* i stort sett; *close (near) ~* alldeles i närheten, strax intill
bye [baɪ] o. **bye-bye** [ˌbaɪˈbaɪ] *interj* vard. hej då!, ajö!
by-election [ˈbaɪɪˌlekʃən] *subst* fyllnadsval
bygone I [ˈbaɪgɒn] *adj* gången, svunnen *[~ days]*
II [ˈbaɪgɒn] *subst*, *let ~s be ~s* låta det skedda vara glömt
bypass I [ˈbaɪpɑːs] *subst* **1** förbifartsled **2** med. bypass
II [ˈbaɪpɑːs] *verb* **1** leda förbi **2** kringgå
bystander [ˈbaɪˌstændə] *subst* tillfällig åskådare
byte [baɪt] *subst* data. byte

Cc

1 C o. **c** [siː] *subst* **1** C, c **2** musik., *C* c; *C flat* cess; *C sharp* ciss

2 C (förk. för *Celsius*) C

c. förk. för *cent, cents, cubic*

ca. förk. för *circa*

cab [kæb] *subst* taxi

cabaret ['kæbəreɪ] *subst*, ~ el. ~ *show* kabaré

cabbage ['kæbɪdʒ] *subst* kål, spec. vitkål, kålhuvud

cab-driver ['kæb,draɪvə] *subst* taxichaufför

cabin ['kæbɪn] *subst* **1** stuga, koja **2** sjö. hytt **3** flyg. kabin

cabin boy ['kæbɪnbɔɪ] *subst* sjö. hyttuppassare

cabinet ['kæbɪnət] *subst* **1** skåp med lådor el. hyllor **2** badrumsskåp, vitrinskåp **3** låda, hölje på tv el. radio **4** polit. kabinett, ministär

cable I ['keɪbl] *subst* **1** kabel, vajer **2** kabel-tv **3** telegram

II ['keɪbl] *verb* telegrafera till

cache [kæʃ] *subst*, *arms* ~ vapengömma

cackle I ['kækl] *verb* kackla

II ['kækl] *subst* kackel

cactus ['kæktəs] *subst* kaktus

caddie ['kædɪ] *subst* golf. caddie; ~ *car* el. ~ *cart* golfvagn

caddy ['kædɪ] *subst* **1** teburk, tedosa **2** = *caddie*

cadet [kə'det] *subst* mil. kadett

cadge [kædʒ] *verb* snylta, snylta till sig

cadmium ['kædmɪəm] *subst* kem. kadmium

Caesarean [sɪ'zeərɪən] *adj*, ~ *section* (*operation*) med. kejsarsnitt

café ['kæfeɪ, amer. kæ'feɪ] *subst* **1** kafé **2** liten restaurang

cafeteria [,kæfə'tɪərɪə] *subst* cafeteria

caffeine ['kæfiːn] *subst* koffein

cage I [keɪdʒ] *subst* **1** bur **2** hisskorg

II [keɪdʒ] *verb* sätta i bur

cahoots [kə'huːts] *subst pl* vard., *be in* ~ *with* vara i maskopi med

cake [keɪk] *subst* **1** tårta, kaka, bakelse; ~ *mix* kakmix; *it sells like hot* ~s det går åt som smör i solsken; *it's a piece of* ~ vard. det är lätt som en plätt; *you can't have your* ~ *and eat it* ordspr. man kan inte både äta kakan och ha den kvar **2** platt

bulle, krokett [*fish* ~] **3** *a* ~ *of soap* en tvål

calamity [kə'læmətɪ] *subst* katastrof

calcium ['kælsɪəm] *subst* kem. kalcium

calculate ['kælkjʊleɪt] *verb* beräkna, kalkylera, räkna; ~ *on* räkna med

calculating ['kælkjʊleɪtɪŋ] *adj* beräknande

calculation [,kælkjʊ'leɪʃən] *subst* beräkning

calculator ['kælkjʊleɪtə] *subst* räknare

calendar ['kæləndə] *subst* almanacka, kalender

1 calf [kɑːf] (pl. *calves* [kɑːvz]) *subst* vad kroppsdel

2 calf [kɑːf] (pl. *calves* [kɑːvz]) *subst* **1** kalv **2** kalvskinn

calibre ['kælɪbə] *subst* kaliber

California [,kælɪ'fɔːnjə] Kalifornien

Californian [,kælɪ'fɔːnjən] *adj* kalifornisk

call I [kɔːl] *verb* **1** kalla, benämna, uppkalla [*after* efter]; *be called* heta **2** kalla på, larma [~ *the police*]; ~ *attention to* fästa uppmärksamheten på **3** telefonera, ringa [*for* efter] **4** väcka **5** ropa [*to* åt]; ~ *for* a) ropa på, ropa efter b) komma och hämta [*I'll* ~ *for it tomorrow*] c) mana till, kräva; *this* ~s *for a celebration* det här måste firas; ~ *on* påkalla, uppmana, anmoda **6** hälsa 'på; ~ *at* besöka; ~ *for* komma och hämta; ~ *on* hälsa 'på, besöka

II [kɔːl] *verb med adv. o. prep.*

call in 1 kalla in, ropa in **2** inkalla, tillkalla **3** titta in till ngn

call off inställa, avlysa [~ *off a meeting*], avblåsa [~ *off a strike*]

call out 1 kalla ut **2** kommendera ut **3** ropa ut, ropa upp [~ *out the winners*]

call over ropa upp

call up 1 kalla fram, kalla upp **2** tele. ringa upp **3** mil. inkalla

III [kɔːl] *subst* **1** rop **2** anrop, påringning, telefonsamtal; *I'll give you a* ~ jag slår en signal, jag ringer dig **3** kallelse, maning

---

Cajun ['keɪdʒən]

Cajuns, cajuner, är ättlingar till de franska kolonister som 1755 förvisades från Canada till Louisianas sumpmarker. De lever av fiske och kräftfiske (kräfta = amer. *crawfish*). De är också kända för sin musik och sin kryddiga mat, särskilt fisk- och skaldjursrätter, *spicy seafood*.

4 skäl, anledning [*there is no ~ for you to worry*] **5** hand. efterfrågan [*for på*] **6** besök, visit; *port of* ~ anlöpningshamn
call box [ˈkɔːlbɒks] *subst* **1** telefonkiosk **2** amer. larmskåp
caller [ˈkɔːlə] *subst* **1** besökande, besökare **2** person som ringer (telefonerar)
call-in [ˈkɔːlɪn] *subst* amer., se *phone-in*
calling [ˈkɔːlɪŋ] *subst* kall, yrke
callous [ˈkæləs] *adj* **1** känslolös, okänslig **2** känslokall
call-over [ˈkɔːlˌəʊvə] *subst* namnupprop
call-up [ˈkɔːlʌp] *subst* mil. inkallelse
callus [ˈkæləs] *subst* valk, förhårdnad
calm I [kɑːm] *adj* o. *subst* lugn
II [kɑːm] *verb* lugna; ~ *sb down* lugna ner ngn; ~ *down* lugna sig
Calor gas® [ˈkæləgæs] *subst* gasol
calorie [ˈkælərɪ] *subst* kalori
calumny [ˈkæləmnɪ] *subst* förtal, smädelse
calves [kɑːvz] *subst pl* av **1** *calf* o. **2** *calf*
Cambodia [kæmˈbəʊdjə] Kambodja
camcorder [ˈkæmˌkɔːdə] *subst* videokamera
came [keɪm] imperf. av *come*
camel [ˈkæməl] *subst* kamel
camellia [kəˈmiːljə] *subst* blomma kamelia
camera [ˈkæmərə] *subst* kamera
cameraman [ˈkæmərəmæn] *subst* kameraman, fotograf
Cameroon [ˌkæməˈruːn] Kamerun republiken
camomile [ˈkæməmaɪl] *subst* kamomill
camouflage I [ˈkæmʊflɑːʒ] *subst* kamouflage
II [ˈkæmʊflɑːʒ] *verb* kamouflera
camp I [kæmp] *subst* läger, koloni [*summer ~*]; *break* ~ bryta lägret; *pitch* (*set up*) ~ slå läger
II [kæmp] *verb* **1** tälta, campa; *go camping* åka ut och campa **2** slå läger
campaign I [kæmˈpeɪn] *subst* kampanj, fälttåg
II [kæmˈpeɪn] *verb* delta i en kampanj, organisera en kampanj
camp bed [ˌkæmpˈbed] *subst* tältsäng
camper [ˈkæmpə] *subst* **1** campare, tältare **2** husbil
camping [ˈkæmpɪŋ] *subst* camping, lägerliv
camping-ground [ˈkæmpɪŋgraʊnd] *subst* o.
camping-site [ˈkæmpɪŋsaɪt] *subst* campingplats
camshaft [ˈkæmʃɑːft] *subst* tekn. kamaxel
1 can [kæn, obetonat kən] (nekande *cannot, can't*, imperf. *could*) *hjälpverb* presens kan, kan få, får; ~ *do* vard. det ordnar sig; *no* ~ *do* vard. det går inte
2 can I [kæn] *subst* **1** kanna **2** burk,

konservburk **3** dunk **4** vard., *the* ~ fängelse [*he's in the ~*]
II [kæn] *verb* konservera

Canada
HUVUDSTAD: Ottowa.
FOLKMÄNGD: 31 milj.
SPRÅK: engelska, franska.
YTA: 9 971 610 km^2 (ca 24 gånger Sveriges yta).
Canada är världens till ytan näst största land och har mycket stora naturtillgångar. Ungefär 21 % av befolkningen är av brittiskt ursprung och ungefär 23 % av franskt ursprung. I delstaten Quebec är franska det största språket.

Canada [ˈkænədə] Kanada
Canadian I [kəˈneɪdjən] *adj* kanadensisk
II [kəˈneɪdjən] *subst* kanadensare människa
canal [kəˈnæl] *subst* grävd, konstgjord kanal
canalize [ˈkænəlaɪz] *verb* kanalisera
canapé [ˈkænəpeɪ] *subst* kanapé, sandwich
Canary [kəˈneərɪ] *subst*, *the ~ Islands* el. *the Canaries* Kanarieöarna
canary [kəˈneərɪ] *subst* kanariefågel
cancel [ˈkænsəl] (*-ll-*, amer. *-l-*) *verb* **1** stryka, korsa över; ~ *a stamp* stämpla ett frimärke **2** inställa [~ *a meeting*] **3** annullera, avbeställa [~ *an order*]
cancellation [ˌkænsəˈleɪʃən] *subst* **1** överstrykning **2** inställande **3** annullering, avbeställning
cancer [ˈkænsə] *subst* **1** med. cancer **2** astrol., *Cancer* Kräftan
candelabra [ˌkændəˈlæbrə] *subst* kandelaber
candid [ˈkændɪd] *adj* öppen, uppriktig; ~ *camera* dolda kameran
candidate [ˈkændɪdət] *subst* kandidat, sökande
candied [ˈkændɪd] *adj* kanderad [~ *fruit*]
candle [ˈkændl] *subst* ljus av t. ex. stearin; *levande ljus*
candlegrease [ˈkændlgriːs] *subst* stearin
candlestick [ˈkændlstɪk] *subst* ljusstake
can-do [ˌkænˈduː] *adj* villig, positiv [*a ~ attitude*]
candour [ˈkændə] *subst* uppriktighet, öppenhet

candy ['kændɪ] *subst* 1 kandisocker 2 amer.
godis, konfekt
candy floss [,kændɪ'flɒs] *subst* sockervadd
cane I [keɪn] *subst* 1 rör, sockerrör
2 promenadkäpp, käpp 3 rotting, spö
4 rotting material
II [keɪn] *verb* prygla, piska
canine ['keɪnaɪn, 'kænaɪn] *adj* 1 hund- 2 ~
teeth hörntänder
cannabis ['kænəbɪs] *subst* cannabis
canned [kænd] *adj* konserverad; ~ *food*
burkmat; ~ *goods* konserver; ~ *meat*
köttkonserver; ~ *peas* ärter på burk
cannibal ['kænɪbl] *subst* kannibal
cannibalism ['kænɪbəlɪzəm] *subst*
kannibalism
cannon ['kænən] *subst* kanon
cannot ['kænɒt] kan inte, får inte
canoe I [kə'nuː] *subst* kanot
II [kə'nuː] *verb* paddla kanot
canon ['kænən] *subst* musik. kanon
canonize ['kænənaɪz] *verb* kanonisera,
helgonförklara
can-opener ['kæn,əʊpənə] *subst*
konservöppnare
can't [kɑːnt] = *cannot*
canteen [kæn'tiːn] *subst* 1 lunchrum,
servering 2 mil. marketenteri
canter I ['kæntə] *subst* kort galopp; *at a* ~ i
galopp; *win at a* ~ vinna lätt och ledigt
II ['kæntə] *verb* rida i kort galopp
canvas ['kænvəs] *subst* 1 segelduk, tältduk
2 kanvas 3 målarduk 4 boxn. ringgolv
canvass ['kænvəs] *verb* gå runt och
bearbeta, värva röster i [~ *a district*], värva
röster
1 cap [kæp] *subst* 1 mössa, keps 2 kapsyl
3 *percussion* ~ tändhatt
2 cap [kæp] (-*pp*-) *verb*, *to* ~ *it all* a) till råga
på allt b) som kronan på verket
capability [,keɪpə'bɪlətɪ] *subst* förmåga,
skicklighet
capable ['keɪpəbl] *adj* 1 skicklig, duktig 2 ~
of i stånd till, kapabel till
capacious [kə'peɪʃəs] *adj* rymlig
capacity [kə'pæsətɪ] *subst* 1 utrymme;
seating ~ antalet sittplatser; *filled to* ~
fullsatt 2 kapacitet 3 egenskap, ställning;
in the ~ *of* i egenskap av 4 före subst., ~
house el. ~ *audience* fullsatt hus
1 cape [keɪp] *subst* udde, kap
2 cape [keɪp] *subst* cape, krage
caper ['keɪpə] *subst* pl. ~*s* kapris krydda
Cape Town ['keɪptaʊn] Kapstaden
capital I ['kæpɪtl] *adj* 1 ~ *letter* stor

bokstav 2 ~ *punishment* dödsstraff
II ['kæpɪtl] *subst* 1 huvudstad 2 stor bokstav
3 kapital, förmögenhet; *make* ~ *of* el.
make ~ *out of* slå mynt av
capitalism ['kæpɪtəlɪzəm] *subst* kapitalism
capitalist ['kæpɪtəlɪst] *subst* kapitalist

Capitol ['kæpɪtl]
I huvudstaden, *the capital*, i de
flesta amerikanska delstater finns
en kupolförsedd byggnad som
kallas *capitolium*, *the Capitol*. Där
sammanträder delstatens parla-
ment. Den mest kända ligger på
Capitol Hill i Washington och är
USA:s kongressbyggnad.

capitulate [kə'pɪtjʊleɪt] *verb* kapitulera
capitulation [kə,pɪtjʊ'leɪʃən] *subst*
kapitulation
caprice [kə'priːs] *subst* nyck, infall; kapris
capricious [kə'prɪʃəs] *adj* nyckfull
Capricorn ['kæprɪkɔːn] *subst* stjärntecken
Stenbocken
capsize [kæp'saɪz] *verb* kapsejsa, kantra
capstan ['kæpstən] *subst* sjö. ankarspel,
gångspel
capsule ['kæpsjuːl] *subst* 1 kapsel 2 kapsyl
captain ['kæptɪn] *subst* 1 kapten; sport.
lagkapten 2 amer., ungefär poliskommissarie
3 brandkapten
caption ['kæpʃən] *subst* 1 överskrift
2 bildtext
captivate ['kæptɪveɪt] *verb* fängsla,
trollbinda
captive I ['kæptɪv] *adj* fången; *be taken* ~
tas till fånga
II ['kæptɪv] *subst* fånge
captivity [kæp'tɪvətɪ] *subst* fångenskap
capture I ['kæptʃə] *subst* 1 tillfångatagande,
gripande 2 erövring 3 fångst, byte
II ['kæptʃə] *verb* 1 ta till fånga, gripa
2 erövra, inta
car [kɑː] *subst* 1 bil; ~ *bombing*
bilbombsattentat 2 amer. järnv. vagn
carafe [kə'ræf] *subst* karaff
caramel ['kærəməl] *subst* 1 bränt socker,
karamell 2 kola
carat ['kærət] *subst* karat
caravan ['kærəvæn] *subst* 1 karavan
2 husvagn; ~ *site* campingplats för
husvagnar
caraway ['kærəweɪ] *subst* krydda kummin

carbohydrate [ˌkɑːbə'haɪdreɪt] *subst* kolhydrat

carbon ['kɑːbən] *subst* kem. kol; ~ *dioxide* koldioxid, kolsyra; ~ *monoxide* koloxid

carbonic [kɑː'bɒnɪk] *adj*, ~ *acid* kem. kolsyra

carbon paper ['kɑːbən,peɪpə] *subst* karbonpapper

carburettor [ˌkɑːbjʊ'retə] *subst* bil. förgasare

carcass ['kɑːkəs] *subst* **1** kadaver **2** djurkropp, kropp av slaktat djur

carcinogenic [ˌkɑːsɪnə'dʒenɪk] *adj* med. cancerframkallande

card [kɑːd] *subst* kort, spelkort, visitkort; ~*s* kortspel; ~ *index* kortregister, kartotek; *play* ~*s* spela kort; *he has a* ~ *up his sleeve* han har något i bakfickan; *it's on the* ~*s* det är mycket möjligt

cardamom ['kɑːdəməm] *subst* krydda kardemumma

cardboard ['kɑːdbɔːd] *subst* papp, kartong

cardigan ['kɑːdɪgən] *subst* cardigan, kofta

cardinal **I** ['kɑːdɪnl] *adj* väsentlig [*of* ~ *importance*]; ~ *number* grundtal; *the* ~ *points* de fyra väderstrecken
II ['kɑːdɪnl] *subst* kyrkl. kardinal

cardiogram ['kɑːdɪəgræm] *subst* med. kardiogram

cardphone ['kɑːdfəʊn] *subst* korttelefon

care **I** [keə] *subst* **1** bekymmer **2** omtänksamhet, noggrannhet; *take* ~ *to* vara noga med att; *take* ~ *not to* akta sig för att **3** vård [*under the* ~ *of*]; *take* ~*!* el. *take* ~ *of yourself!* sköt om dig!; *take* ~ *of* ta hand om, vara rädd om; ~ *of* (förk. *c/o*) på brev adress, c/o
II [keə] *verb* **1** bry sig om [*I don't* ~ *what he says*]; ~ *about* bry sig om, bekymra sig om; ~ *for* a) bry sig om, ha lust med [*I shouldn't* ~ *for that*] b) tycka om, hålla av; *would you* ~ *for?* vill du ha?; *I don't* ~ det gör mig detsamma; *I couldn't* ~ *less* vard. det struntar jag i **2** ~ *to* ha lust att, gärna vilja

career **I** [kə'rɪə] *subst* **1** bana, yrke [*choose a* ~]; ~*s guidance* yrkesvägledning; ~*s officer* el. ~ *counselor* amer. yrkesvägledare **2** karriär **3** *in full* ~ i full fart
II [kə'rɪə] *verb* rusa [*about, along* omkring]

careerist [kə'rɪərɪst] *subst* karriärist, streber

carefree ['keəfriː] *adj* bekymmerslös, sorglös

careful ['keəfʊl] *adj* **1** försiktig **2** aktsam [*of* om, med] **3** omsorgsfull, noggrann

careless ['keələs] *adj* slarvig, vårdslös

carelessness ['keələsnəs] *subst* slarv, vårdslöshet

caress **I** [kə'res] *verb* smeka
II [kə'res] *subst* smekning

caretaker ['keə,teɪkə] *subst* **1** vaktmästare **2** fastighetsskötare, portvakt **3** ~ *government* expeditionsministär

cargo ['kɑːgəʊ] (pl. *cargoes*) *subst* skeppslast

Caribbean [ˌkærɪ'biːən] *adj* o. *subst*, *the* ~ *Sea* el. *the* ~ Karibiska havet

caricature **I** ['kærɪkətʃʊə] *subst* karikatyr
II ['kærɪkətʃʊə] *verb* karikera

caries ['keərɪz, 'keəriːz] *subst* karies

carnation [kɑː'neɪʃən] *subst* nejlika

carnival ['kɑːnɪvl] *subst* karneval

---

carol
Precis som i Sverige sjunger man julsånger till jul. Det förekommer att man går från hus till hus och sjunger, *go carol singing*. Till de mest kända julsångerna hör *Good King Wenceslaus, O come all ye Faithful* och *Silent night* (Stilla natt).

---

carol ['kærəl] *subst*, ~ el. *Christmas* ~ julsång

1 carp [kɑːp] (pl. lika) *subst* fisk karp

2 carp [kɑːp] *verb* gnata; ~ *at* hacka på

car park ['kɑːpɑːk] *subst* bilparkering

Carpathians [kɑː'peɪθjənz] *subst pl*, *the* ~ Karpaterna

carpenter ['kɑːpəntə] *subst* snickare

carpentry ['kɑːpəntrɪ] *subst* **1** snickeri **2** träslöjd

carpet ['kɑːpɪt] *subst* större mjuk matta

carport ['kɑːpɔːt] *subst* carport vägglöst garage

carriage ['kærɪdʒ] *subst* **1** vagn, ekipage **2** järnv. personvagn **3** transport, frakt

carrier ['kærɪə] *subst* **1** bärare, stadsbud **2** transportföretag **3** *aircraft* ~ hangarfartyg **4** pakethållare **5** smittbärare

carrier bag ['kærɪəbæg] *subst* bärkasse

carrier pigeon ['kærɪə,pɪdʒɪn] *subst* brevduva

carrion ['kærɪən] *subst* kadaver, as

carrion crow [ˌkærɪən'krəʊ] *subst* svartkråka

carrot ['kærət] *subst* morot

carry **I** ['kærɪ] *verb* **1** bära, bära på, ha med (på) sig [*he carried a gun*]; medföra **2** frakta, transportera **3** föra, driva; bära t.ex. ljud **4** ha plats för, rymma **5** *be carried* om t.ex. motion gå igenom, bli antagen **6** hålla, föra kropp, huvud **7** skriva om, ta upp; *the papers carried a picture of...* tidningarna hade en bild av ...

II ['kærɪ] *verb* med adv. o. prep.

carry away 1 bära bort, föra bort **2** *be carried away by* ryckas med av

carry back föra tillbaka

carry forward bokföringsterm transportera; *carried forward* transport till ngt

carry off 1 bära bort, föra bort **2** hemföra, vinna [*~ off a prize*] **3** *~ it off* sköta sig bra, klara sig bra

carry on 1 föra [*~ on a conversation*]; bedriva, utöva **2** fortsätta, gå vidare **3** vard. bära sig åt, bråka [*she is always carrying on*]

carry out utföra, genomföra, fullfölja

carry over 1 bära (föra, ta) över **2** hand. överföra; bokföringsterm transportera; *amount carried over* el. *carried over* transport

carry through 1 genomföra **2** driva igenom

carryall ['kærɔːl] *subst* amer. rymlig bag, stor väska

carrycot ['kærɪkɒt] *subst* babylift bärkasse för spädbarn

carry-on ['kærɪɒn] *adj*, *~ case* el. *~ bag* kabinväska

cart I [kɑːt] *subst* tvåhjulig kärra; *put the ~ before the horse* börja i galen ända

II [kɑːt] *verb* **1** köra, forsla **2** kånka på

cartel [kɑːˈtel] *subst* ekon. kartell

cartilage ['kɑːtəlɪdʒ] *subst* anat. brosk

carton ['kɑːtən] *subst* kartong, pappask, paket; *a ~ of cigarettes* en cigarettlimpa

cartoon [kɑːˈtuːn] *subst* **1** skämtteckning, politisk karikatyr **2** tecknad serie **3** ~ el. *animated ~* tecknad film, animerad film

cartoonist [kɑːˈtuːnɪst] *subst* skämttecknare

cartridge ['kɑːtrɪdʒ] *subst* **1** patron **2** kassett, cartridge

cartwheel ['kɑːtwiːl] *subst*, *turn ~s* gymn. hjula

carve [kɑːv] *verb* **1** skära, snida **2** skära upp, tranchera kött

carver ['kɑːvə] *subst* förskärare

carving ['kɑːvɪŋ] *subst* träsnideri

carving-knife ['kɑːvɪŋnaɪf] *subst* förskärarkniv, trancherkniv

cascade [kæˈskeɪd] *subst* kaskad

1 case [keɪs] *subst* **1** fall, förhållande; *a ~ in point* ett typexempel; *as the ~ may be* allteftersom omständigheterna; *in ~ I forget*

ifall jag skulle glömma; *in ~ of fire* i händelse av brand; *in any ~* i varje fall; *in that ~* i så fall **2** jur. rättsfall, mål **3** jur. el. friare bevis; skäl; *state one's ~* framlägga sin sak **4** sjukdomsfall, fall [*3 ~s of pneumonia*] **5** gram. kasus

2 case [keɪs] *subst* **1** väska, resväska; portfölj **2** låda, lår **3** skrin, etui, fodral [*glasses ~*] **4** glasmonter, monter

cash I [kæʃ] *subst*, ~ el. *ready ~* kontanter; *pay ~* el. *pay in ~* el. *pay ~ down* betala kontant

II [kæʃ] *verb* lösa in [*~ a cheque*]; *~ in on* slå mynt av

cash-and-carry [ˌkæʃənˈkærɪ] *subst* hämtköp

cashbook ['kæʃbʊk] *subst* kassabok

cashbox ['kæʃbɒks] *subst* kassaskrin

cash card ['kæʃkɑːd] *subst* bankomatkort

cashdesk ['kæʃdesk] *subst* kassa där man betalar

cash discount [ˌkæʃˈdɪskaʊnt] *subst* kassarabatt

cash dispenser ['kæʃdɪˌspensə] *subst* bankomat®

cashew ['kæʃuː] *subst* nöt *~ nut* el. *~ cashewnöt*

cashier [kæˈʃɪə] *subst* kassör, kassörska

cash machine ['kæʃməˌʃiːn] *subst* bankomat®

Cashpoint® ['kæʃpɔɪnt] *subst* bankomat®

cash price [ˌkæʃˈpraɪs] *subst* kontantpris

cash register ['kæʃˌredʒɪstə] *subst* kassaapparat

casing ['keɪsɪŋ] *subst* hölje, skal

casino [kəˈsiːnəʊ] (pl. *~s*) *subst* kasino äv. kortsp.

cask [kɑːsk] *subst* fat, tunna

casket ['kɑːskɪt] *subst* **1** skrin **2** amer. likkista

Caspian ['kæspɪən] *adj*, *the ~ Sea* Kaspiska havet

casserole ['kæsərəʊl] *subst* gryta eldfast form el. maträtt

cassette [kəˈset] *subst* kassett för bandspelare, tv, film; *~ deck* kassettdäck; *~ recorder* kassettbandspelare

cast I [kɑːst] (*cast cast*) *verb* **1** kasta [*~ a shadow*; *~ a glance at*]; *~ one's vote* avge sin röst **2** gjuta, stöpa, forma **3** teat. tilldela en roll; *be ~ as* spela rollen som

II [kɑːst] (*cast cast*) *verb* med adv. o. prep.

cast aside kasta bort, kassera

cast away kasta bort; *be ~ away* sjö. lida skeppsbrott

cast off kasta bort, kassera; lägga av kläder

cast out fördriva, driva ut

III [kɑːst] *subst* **1** avgjutning; *plaster* ~ med. gipsförband **2** gjutform **3** teat. rollbesättning; *the* ~ de medverkande; *an all-star* ~ en stjärnensemble

castanets [ˌkæstə'nets] *subst pl* musik. kastanjetter

castaway ['kɑːstəweɪ] *subst* skeppsbruten

caste [kɑːst] *subst* kast, samhällsklass

caster sugar ['kɑːstəˌʃuːgə] *subst* fint strösocker

casting vote [ˌkɑːstɪŋ'vəʊt] *subst* utslagsröst

cast iron [ˌkɑːst'aɪən] *subst* gjutjärn

castle ['kɑːsl] *subst* **1** slott, borg **2** schack. torn

castor oil [ˌkɑːstər'ɔɪl] *subst* ricinolja

castor sugar ['kɑːstəˌʃuːgə] *subst* fint strösocker

castrate [kæ'streɪt] *verb* kastrera

casual ['kæʒjʊəl] *adj* **1** tillfällig, flyktig; ~ *labourer* tillfällighetsarbetare; ~ *sex* tillfälliga sexuella förbindelser; *a* ~ *remark* ett yttrande i förbigående **2** planlös, lättvindig **3** nonchalant; ~ *clothes* ledig klädstil; ~ *jacket* fritidsjacka

casualty ['kæʒjʊəltɪ] *subst* **1** olycksfall; ~ *ward* el. ~ *department* olycksfallsavdelning på sjukhus **2** offer i t.ex. krig, olycksfall, olyckshändelse

cat [kæt] *subst* katt, kattdjur; *it's raining* ~*s and dogs* regnet står som spön i backen; *let the* ~ *out of the bag* prata bredvid mun; *see which way the* ~ *jumps* känna efter varifrån vinden blåser; *he is like a* ~ *on hot bricks* (amer. *on a hot tin roof*) vard. han sitter som på nålar

catalogue ['kætəlɒg] *subst* katalog, förteckning

catalyser ['kætəlaɪzə] *subst* o. **catalyst** ['kætəlɪst] *subst* kem. katalysator

catalytic [ˌkætə'lɪtɪk] *adj* kem. katalytisk; ~ *converter* bil. katalysator

catapult ['kætəpʌlt] *subst* **1** katapult **2** slangbella

cataract ['kætərækt] *subst* **1** med. grå starr **2** vattenfall

catarrh [kə'tɑː] *subst* med. katarr

catastrophe [kə'tæstrəfɪ] *subst* katastrof

catastrophic [ˌkætə'strɒfɪk] *adj* katastrofal

catcall ['kætkɔːl] *subst* busvissling som protest

cat car ['kætkɑː] *subst* vard. katbil, bil med katalysator

catch I [kætʃ] (*caught caught*) *verb* **1** fånga, få tag i, ta fast, gripa; ~ *fire* fatta eld **2** hinna med [~ *the train*] **3** komma på [~ *sb stealing*]; ~ *sb out* avslöja ngn, ertappa

ngn **4** ådra sig; smittas av; ~ *a cold* el. ~ *cold* bli förkyld **5** fatta, begripa, uppfatta; ~ *sight of* få syn på **6** lura [*she tried to* ~ *me*] **7** fastna [*my dress got caught on a hook*] **8** ~ *on* slå, bli populär [*the film never caught on*] **9** ~ *out* ertappa, avslöja **10** ~ *up* a) hinna ifatt, hinna upp b) ta igen vad man försummat; ~ *up with* hinna ifatt

II [kætʃ] *subst* **1** i bollspel lyra; *that was a good* ~ det var bra taget **2** fångst **3** *there's a* ~ *in it* det är något lurt med det **4** spärr, hake **5** knäppe, lås

catching ['kætʃɪŋ] *adj* smittande, smittsam

catchment ['kætʃmənt] *subst*, ~ *area* skolas, sjukhus etc. upptagningsområde

catchphrase ['kætʃfreɪz] *subst* slagord

catchword ['kætʃwɜːd] *subst* slagord

catchy ['kætʃɪ] *adj* klatschig, slående

categorical [ˌkætə'gɒrɪkl] *adj* kategorisk

category ['kætəgərɪ] *subst* kategori

cater ['keɪtə] *verb* **1** leverera mat (måltider) **2** ~ *for* servera mat till **3** tillgodose, sörja för

catering ['keɪtərɪŋ] *subst* servering av

---

cat

Katten dyker upp i många sammanhang:

Has the cat got your tongue?
   Har du inte mål i munnen?

let the cat out of the bag
   prata bredvid munnen

be like a cat on hot bricks (amer. *on a hot tin roof*)
   sitta som på nålar

fight like cat and dog
   vara som hund och katt

not have a cat in hell's chance
   inte ha skuggan av en chans

play cat and mouse with somebody
   leka katt och råtta med någon

it's raining cats and dogs
   regnet står som spön i backen

see which way the cat jumps
   känna efter varifrån vinden blåser

think one is the cat's whiskers
   tro att man är något

there's no room to swing a cat
   det är trångt om saligheten

måltider (mat); **the ~ trade**
restaurangbranschen
caterpillar ['kætəpɪlə] *subst* **1** fjärilslarv **2** ~
el. ~ **tractor** bandtraktor
cathedral [kə'θiːdrəl] *subst* katedral,
domkyrka
Catholic I ['kæθəlɪk] *adj* **1** katolsk
II ['kæθəlɪk] *subst, a ~* el. *a Roman ~* en
katolik
Catholicism [kə'θɒlɪsɪzəm] *subst* katolicism
cattle ['kætl] *subst pl* nötkreatur, boskap
catty ['kætɪ] *adj* småelak, spydig
catwalk ['kætwɔːk] *subst* catwalk vid
modeuppvisning
Caucasian I [ˌkɔː'keɪzjən] *adj* kaukasisk
II [ˌkɔː'keɪzjən] *subst* kaukasier, vit
Caucasus ['kɔːkəsəs] *subst, the ~* Kaukasus
caught [kɔːt] *verb* imperf. o. perf. p. av *catch*
cauldron ['kɔːldrən] *subst* kittel
cauliflower ['kɒlɪˌflauə] *subst* blomkål
cause I [kɔːz] *subst* **1** orsak, grund [*of* till],
anledning, skäl [*of* till] **2** sak [*work for a*
good ~]
II [kɔːz] *verb* **1** orsaka, vålla **2** förmå, få; ~
sth to be done låta göra ngt
caution I ['kɔːʃən] *subst* **1** varsamhet
2 varning äv. sport.; tillrättavisning
II ['kɔːʃən] *verb* varna [*against* för]
cautious ['kɔːʃəs] *adj* försiktig, varsam
cavalcade [ˌkævəl'keɪd] *subst* kavalkad
cavalry ['kævəlrɪ] *subst* kavalleri
cavalryman ['kævəlrɪmən] *subst* kavallerist
cave I [keɪv] *subst* håla, grotta
II [keɪv] *verb, ~ in* störta in, rasa
cavern ['kævən] *subst* stor grotta
caviar o. **caviare** ['kævɪɑː] *subst* kaviar
cavity ['kævətɪ] *subst* **1** hålighet, håla **2** hål i
tand
c.c. [ˌsiː'siː] förk. för *cubic centimetre*
(*centimetres*)
CCTV [ˌsiː'siːˌtiː'viː] *subst* (förk. för
closed-circuit television) **1** system med
övervakningskameror som täcker
offentliga platser, bl.a. i
brottsförebyggande syfte; ~ *camera*
övervakningskamera **2** intern-tv
CD [ˌsiː'diː] *subst* (förk. för *compact disc*) cd,
cd-skiva
CD-burner [ˌsiː'diːˌbɜːnə] *subst* cd-brännare
CD-player [ˌsiː'diːˌpleɪə] *subst* cd-spelare
CD-ROM [ˌsiːdiː'rɒm] *subst* (förk. för *compact*
disc read-only memory) cd-rom
CD-RW [ˌsiːdiːˌɑː'dʌbljuː] *subst* (förk. för
compact disc-rewritable) cd-rw skrivbar cd som
kan återanvändas

CD-writer [ˌsiː'diːˌraɪtə] *subst* cd-brännare,
cd-skrivare
cease [siːs] *verb* **1** upphöra **2** sluta, upphöra
med; ~ *fire!* mil. eld upphör!
cease-fire [ˌsiːs'faɪə] *subst* eldupphör
ceaseless ['siːsləs] *adj* oupphörlig, ändlös
cedar ['siːdə] *subst* **1** ceder **2** cederträ
ceiling ['siːlɪŋ] *subst* **1** innertak, tak; *hit the*
~ gå i taket **2** högsta gräns, tak [*price ~*]
celebrate ['seləbreɪt] *verb* **1** fira **2** vard. festa
celebrated ['seləbreɪtɪd] *adj* berömd
celebration [ˌselə'breɪʃən] *subst* **1** firande
2 fest
celebrity [sə'lebrətɪ] *subst* celebritet, kändis
celeriac [sə'lerɪæk] *subst* rotselleri
celery ['selərɪ] *subst* selleri; *blanched* ~
blekselleri
celibacy ['selɪbəsɪ] *subst* celibat, ogift stånd
celibate I ['selɪbət] *adj* ogift
II ['selɪbət] *subst, he is a ~* han lever i
celibat
cell [sel] *subst* cell
cellar ['selə] *subst* **1** källare **2** vinkällare
cellist ['tʃelɪst] *subst* musik. cellist
cello ['tʃeləu] (pl. ~s) *subst* musik. cello
cellphone ['selfəun] *subst* isht amer.
mobiltelefon
cellular ['seljulə] *adj* cellformig; ~ *phone*
isht amer. mobiltelefon
cellulite ['seljulaɪt] *subst* fysiol. cellulit
substans
cellulose ['seljuləus] *subst* cellulosa
Celsius ['selsjəs] *subst, ~ thermometer*
celsiustermometer; *30 degrees Celsius*
(*30°C*) 30 grader Celsius (30°C)
Celt [kelt] *subst* kelt
Celtic I ['keltɪk] *adj* keltisk
II ['keltɪk, fotbollslag 'seltɪk] *subst* **1** keltiska
språket **2** namn på skotskt fotbollslag
cement I [sɪ'ment] *subst* **1** cement **2** kitt
II [sɪ'ment] *verb* **1** cementera **2** kitta
cemetery ['semətrɪ] *subst* kyrkogård ej vid
kyrka
censor I ['sensə] *subst* censor
II ['sensə] *verb* censurera
censorship ['sensəʃɪp] *subst* censur
censure I ['senʃə] *subst* klander
II ['senʃə] *verb* kritisera, fördöma
census ['sensəs] *subst* folkräkning
cent [sent] *subst* **1** *per* ~ procent **2** mynt cent
centenarian [ˌsentə'neərɪən] *subst*
hundraåring
centenary [sen'tiːnərɪ] *subst*
hundraårsjubileum
center ['sentə] *subst* amer., se *centre*

centigram o. **centigramme** ['sentɪgræm] *subst* centigram

centilitre ['sentɪˌliːtə] *subst* centiliter

centimetre ['sentɪˌmiːtə] *subst* centimeter

centipede ['sentɪpiːd] *subst* tusenfoting insekt

central ['sentrəl] *adj* central, mellerst; ~ *heating* centralvärme

centralize ['sentrəlaɪz] *verb* centralisera

centre I ['sentə] *subst* **1** centrum, center, mitt, medelpunkt; ~ *of gravity* tyngdpunkt **2** central för verksamhet **3** sport. inlägg
II ['sentə] *verb* **1** centrera **2** sport. lägga in mot mitten

centrifugal [ˌsentrɪ'fjuːgl] *adj*, ~ *force* centrifugalkraft

century ['sentʃərɪ] *subst* århundrade, sekel; *in the 20th* ~ på 1900-talet; *in the 21st* ~ på 2000-talet (tjugohundratalet)

cep [sep] *subst* bot. stensopp, karljohanssvamp

ceramics [sə'ræmɪks] (med verb i sing.) *subst* keramik konsten

cereal ['sɪərɪəl] *subst* **1** sädesslag **2** pl. ~*s* el. ~ flingor etc. som morgonmål [*breakfast* ~*s*]

cerebral ['serəbrəl] *adj*, ~ *haemorrhage* hjärnblödning; ~ *palsy* ['pɔːlzɪ] (förk. *CP*) med. CP

ceremonial I [ˌserɪ'məʊnɪəl] *adj* ceremoniell, högtids- [~ *dress*]
II [ˌserɪ'məʊnɪəl] *subst* ceremoniel

ceremonious [ˌserɪ'məʊnjəs] *adj* ceremoniös, omständlig

ceremony ['serəmənɪ] *subst* **1** ceremoni **2** ceremonier, formaliteter; *stand on* ~ hålla på etiketten

cerise [sə'riːz] *subst* cerise

cert [sɜːt] *subst* vard. för *certainty*; *it's a dead* ~ det är bergssäkert

certain ['sɜːtn] *adj* **1** säker [*of, about* på]; *make* ~ *of* förvissa sig om; *for* ~ alldeles säkert **2** viss [*a* ~ *improvement*]

certainly ['sɜːtnlɪ] *adv* säkert, säkerligen; som svar ja visst; ~ *not!* visst inte!

certainty ['sɜːtntɪ] *subst* säkerhet, visshet; *a* ~ en given sak; *that's a* ~ det är säkert

certificate [sə'tɪfɪkət] *subst* **1** skriftligt intyg, bevis, attest [*of* om, på], certifikat; *health* ~ friskintyg **2** skol. betyg, diplom

certify ['sɜːtɪfaɪ] *verb* intyga, betyga, attestera handling; *this is to* ~ *that* härmed intygas att

cf. [kəm'peə, ˌsiː'ef] jfr, jämför

CFC [ˌsiːef'siː] (förk. för *chlorofluorocarbon*) freon®

chafe [tʃeɪf] *verb* **1** skava, skava mot **2** gnida sig, skrapa **3** reta upp sig [*at* över]

chaffinch ['tʃæfɪntʃ] *subst* bofink fågel

chagrin I ['ʃægrɪn] *subst* förtret
II ['ʃægrɪn] *verb* förtreta

chain I [tʃeɪn] *subst* **1** kedja, kätting **2** pl. ~*s* bojor **3** kedja, följd, rad [~ *of events*]
II [tʃeɪn] *verb* **1** kedja fast [*to* vid] **2** lägga bojor på, lägga kedjor på

chainsaw ['tʃeɪnsɔː] *subst* motorsåg

chain-smoker ['tʃeɪnˌsməʊkə] *subst* kedjerökare

chain store ['tʃeɪnstɔː] *subst* filial i butikskedja; pl. ~*s* butikskedja

chair I [tʃeə] *subst* **1** stol **2** lärostol, professur **3** *be in the* ~ sitta som ordförande; *take the* ~ inta ordförandeplatsen
II [tʃeə] *verb* **1** vara (sitta som) ordförande vid [~ *a meeting*] **2** bära i gullstol

chairman ['tʃeəmən] (pl. *chairmen* ['tʃeəmən]) *subst* **1** ordförande **2** styrelseordförande

chairperson ['tʃeəˌpɜːsn] *subst* ordförande

chalk I [tʃɔːk] *subst* krita; *not by a long* ~ vard. inte på långa vägar
II [tʃɔːk] *verb* skriva (rita) med krita

challenge I ['tʃælɪndʒ] *subst* utmaning, stimulerande uppgift
II ['tʃælɪndʒ] *verb* **1** utmana [~ *sb to a game of tennis*] **2** ifrågasätta

challenger ['tʃælɪndʒə] *subst* utmanare

challenging ['tʃælɪndʒɪŋ] *adj* utmanande, stimulerande

chamber ['tʃeɪmbə] *subst* kammare; ~ *music* kammarmusik; ~ *of horrors* skräckkammare

chambermaid ['tʃeɪmbəmeɪd] *subst* städerska på hotell

chamber pot ['tʃeɪmbəpɒt] *subst* nattkärl

chameleon [kə'miːlɪən] *subst* djur el. person kameleont

champagne [ʃæm'peɪn] *subst* champagne

champers ['ʃæmpəz] *subst* vard. skumpa, champis champagne

champion I ['tʃæmpjən] *subst* **1** mästare [*world* ~] **2** förkämpe [*of* för]
II ['tʃæmpjən] *verb* kämpa för, förfäkta

championship ['tʃæmpjənʃɪp] *subst* **1** mästerskap, mästerskapstävling **2** försvar, kämpande [*of* för]

chance I [tʃɑːns] *subst* **1** *by* ~ händelsevis; *game of* ~ hasardspel **2** chans, tillfälle, möjlighet, utsikter [*of* till]; *the* ~*s are that* det mesta talar för att
II [tʃɑːns] *adj* tillfällig [~ *likeness*]

III [tʃɑːns] *verb* hända sig, slumpa sig; råka [*I chanced to be out*]; ~ *on* råka på

chancellor ['tʃɑːnsələ] *subst* kansler; *Chancellor of the Exchequer* i Storbritannien finansminister

chancy ['tʃɑːnsɪ] *adj* vard. chansartad

chandelier [,ʃændə'lɪə] *subst* ljuskrona, takkrona

change I [tʃeɪndʒ] *verb* **1** ändra, förändra [*into* till]; ändra på, förvandla; ~ *one's mind* ändra sig **2** ändras, förändras, förvandlas, ändra sig **3** byta, byta ut [*for* mot], skifta [~ *colour*]; ~ *places* byta plats **4** byta om **5** växla pengar **6** bil., ~ *down* växla ner; ~ *up* lägga in en högre växel **II** [tʃeɪndʒ] *subst* **1** ändring, svängning [*a sudden* ~], skifte **2** ombyte, byte; *it makes a* ~ det blir en smula omväxling; ~ *of air* luftombyte; *for a* ~ för omväxlings (en gångs) skull, för en gångs skull **3** ombyte [*a* ~ *of clothes*] **4** växel, småpengar; *exact* ~ jämna pengar; *small* ~ växel; *keep the* ~! det är jämna pengar!

changeable ['tʃeɪndʒəbl] *adj* föränderlig, ostadig, ombytlig

change-over ['tʃeɪndʒ,əʊvə] *subst* **1** övergång, omläggning **2** omslag **3** sport., stafett växling

changing-room ['tʃeɪndʒɪŋruːm] *subst* omklädningsrum

channel ['tʃænl] *subst* **1** kanal, sund; *the English Channel* el. *the Channel* Engelska kanalen **2** ränna, kanal för vätskor **3** radio. el. tv. kanal **4** medium, kanal; *through the official* ~s tjänstevägen

chant I [tʃɑːnt] *verb* skandera, ropa taktfast **II** [tʃɑːnt] *subst* taktfast ropande

chanterelle [,ʃɑːntə'rel] *subst* kantarell

chaos ['keɪɒs] *subst* kaos

chaotic [keɪ'ɒtɪk] *adj* kaotisk

1 chap I [tʃæp] (*-pp-*) *verb* spricka om hud; få sprickor **II** [tʃæp] *subst* spricka i huden

2 chap [tʃæp] *subst* vard. karl, kille; *old* ~! gamle gosse!

chapel ['tʃæpəl] *subst* kapell, kyrka

chaperon I ['ʃæpərəʊn] *subst* person förkläde **II** ['ʃæpərəʊn] *verb* vara förkläde åt

chaplain ['tʃæplɪn] *subst* mest mil. präst, pastor

chapped [tʃæpt] *adj* narig [~ *hands*]

chapstick ['tʃæpstɪk] *subst* amer. cerat

chapter ['tʃæptə] *subst* kapitel

character ['kærəktə] *subst* **1** karaktär, natur, egenart, beskaffenhet **2** personlighet

[*public* ~], vard. typ, original **3** figur, roll i roman, pjäs **4** skrivtecken, bokstav

characteristic I [,kærəktə'rɪstɪk] *adj* karakteristisk, kännetecknande [*of* för] **II** [,kærəktə'rɪstɪk] *subst* kännemärke, kännetecken

characterization [,kærəktəraɪ'zeɪʃən] *subst* karakterisering, karakteristik

characterize ['kærəktəraɪz] *verb* karakterisera, beteckna [*as* som]; känneteckna

charade [ʃə'rɑːd] *subst* charad

charcoal ['tʃɑːkəʊl] *subst* träkol; ~ *tablet* koltablett

charge I [tʃɑːdʒ] *verb* **1** anklaga [*with* för] **2** ta, ta betalt; *how much do you* ~? hur mycket tar ni?; ~ *extra* ta extra betalt **3** ladda [~ *a battery*] **4** storma fram mot, rusa på, storma fram, rusa fram [*at* mot] **5** sport. tackla **II** [tʃɑːdʒ] *subst* **1** anklagelse, beskyllning **2** pris, avgift, taxa; *free of* ~ gratis **3** fast utgift **4** tekn. el. elektr. laddning **5** *man in* ~ vakthavande; *be in* ~ *of* ha hand om, ha vården om; *take* ~ *of sth* ta hand om ngt **6** mil. m.m. anfall, chock **7** sport. tackling

charge card ['tʃɑːdʒkɑːd] *subst* betalkort

charger ['tʃɑːdʒə] *subst*, *battery* ~ batteriladdare

charisma [kə'rɪzmə] *subst* karisma, utstrålning

charitable ['tʃærɪtəbl] *adj* **1** medmänsklig; ~ *institution* välgörenhetsinrättning **2** välvillig

charity ['tʃærətɪ] *subst* **1** människokärlek **2** överseende **3** välgörenhet **4** välgörenhetsinrättning

charlady ['tʃɑː,leɪdɪ] *subst* städerska

charlatan ['ʃɑːlətən] *subst* charlatan, bluff

charm I [tʃɑːm] *subst* **1** charm, tjusning; pl. ~s behag, skönhet **2** amulett **3** berlock **II** [tʃɑːm] *verb* charmera, tjusa, förtrolla

charmer ['tʃɑːmə] *subst* charmör

charming ['tʃɑːmɪŋ] *adj* charmfull, charmig, förtjusande

charred [tʃɑːd] *adj* förkolnad

chart I [tʃɑːt] *subst* **1** diagram **2** karta [*weather* ~] **3** ~ el. *wall* ~ väggplansch **4** sjökort **II** [tʃɑːt] *verb* kartlägga

charter I ['tʃɑːtə] *subst* **1** privilegiebrev **2** charter; *a* ~ *flight* en chartrad flygresa; ~ *flights* charterflyg **II** ['tʃɑːtə] *verb* **1** bevilja privilegier **2** chartra, befrakta

chartered ['tʃɑːtəd] *adj* **1** auktoriserad; ~ *accountant* auktoriserad revisor **2** chartrad {~ *aircraft*}
charwoman ['tʃɑːˌwʊmən] (pl. *charwomen* ['tʃɑːˌwɪmɪn]) *subst* städerska
chase I [tʃeɪs] *verb* jaga, förfölja
II [tʃeɪs] *subst* jakt
chasm ['kæzəm] *subst* klyfta, avgrund
chassis ['ʃæsɪ] *subst* chassi, underrede
chaste [tʃeɪst] *adj* kysk
chastise [tʃæ'staɪz] *verb* **1** ta i upptuktelse **2** straffa, aga
chastity ['tʃæstətɪ] *subst* kyskhet
chat I [tʃæt] (-*tt*-) *verb* **1** prata, snacka **2** data. chatta
II [tʃæt] *subst* prat, pratstund
chatter I ['tʃætə] *verb* **1** pladdra, tjattra **2** om tänder skallra
II ['tʃætə] *subst* pladder, tjatter
chatterbox ['tʃætəbɒks] *subst* vard. pratkvarn
chatty ['tʃætɪ] *adj* **1** pratsam **2** kåserande
chauffeur ['ʃəʊfə] *subst* privatchaufför
chauvinism ['ʃəʊvɪnɪzəm] *subst* chauvinism; *male* ~ manschauvinism
chauvinist ['ʃəʊvɪnɪst] *subst* chauvinist; *male* ~ manschauvinist; *male* ~ *pig* vard. mullig mansgris
cheap [tʃiːp] *adj* billig
cheapen ['tʃiːpən] *verb* göra billig, göra billigare
cheapskate ['tʃiːpskeɪt] *subst* vard. snåljåp
cheat I [tʃiːt] *verb* **1** lura; ~ *sb out of sth* lura ngn på ngt **2** fuska, fiffla; *she cheated on her husband* hon bedrog sin man
II [tʃiːt] *subst* svindlare, skojare, fuskare
check I [tʃek] *subst* **1** hinder, broms **2** *keep in* ~ el. *hold in* ~ hålla i schack; *keep a* ~ *on* el. *put a* ~ *on* hålla i schack **3** kontroll {*make a* ~}; *keep a* ~ *on* hålla kontroll på **4** amer. bankterm check **5** amer. restaurangnota **6** ~ el. ~ *pattern* rutigt mönster
II [tʃek] *verb* **1** ~ el. ~ *up* kontrollera; ~ *up on sth* kontrollera ngt **2** tygla, hejda **3** hejda, hämma, hindra **4** amer., ~ el. ~ *up* stämma {*with*} **5** ~ *in* a) checka in på flyg hotell b) stämpla in på arbetsplats; ~ *into a hotel* ta in på ett hotell
checkbook ['tʃekbʊk] *subst* amer. checkhäfte
checked [tʃekt] *adj* rutig {~ *material*}
checkers ['tʃekəz] (med verb i sing.) *subst* amer. damspel
check-in ['tʃekɪn] *subst* flyg. incheckning; ~ *counter* incheckningsdisk

checkmate ['tʃekmeɪt] *subst* schackmatt; ~*!* schack och matt!
check-out ['tʃekaʊt] *subst* kassa i varuhus, snabbköp
check-up ['tʃekʌp] *subst* kontroll, undersökning
cheek I [tʃiːk] *subst* **1** kind **2** vard. fräckhet; *what* ~*!* vad fräckt!; *I like your* ~ iron. du är inte lite fräck du!
II [tʃiːk] *verb* vard. vara fräck mot
cheekbone ['tʃiːkbəʊn] *subst* kindben
cheeky ['tʃiːkɪ] *adj* vard. fräck, uppkäftig
cheep I [tʃiːp] *verb* om småfåglar pipa
II [tʃiːp] *subst* om småfågels pip
cheer I [tʃɪə] *subst* **1** hurrarop; *three ~s for* ett trefaldigt (svensk motsvarighet fyrfaldigt) leve för **2** vard., ~*s!* skål!
II [tʃɪə] *verb* **1** ~ *up* pigga upp, liva upp, bli gladare **2** heja på, hurra, heja; hurra för; ~ *on* heja på
cheerful ['tʃɪəfʊl] *adj* **1** glad, gladlynt **2** glädjande, trevlig
cheerfulness ['tʃɪəfʊlnəs] *subst* gladlynthet
cheerio [ˌtʃɪərɪ'əʊ] *interj* vard. hej då!

cheerleader
I de flesta amerikanska gymnasier finns hejarklacksgrupper, som ska få publiken i stämning vid idrotts-arrangemang. Oftast är det flickor, som är klädda i skolans färger.

cheerleader ['tʃɪəˌliːdə] *subst* sport. hejarklacksledare
cheerless ['tʃɪələs] *adj* glädjelös, dyster
cheery ['tʃɪərɪ] *adj* glad, munter
cheese [tʃiːz] *subst* ost
cheetah ['tʃiːtə] *subst* djur gepard
chef [ʃef] *subst* köksmästare, kock
chemical I ['kemɪkl] *adj* kemisk
II ['kemɪkl] *subst* kemikalie
chemist ['kemɪst] *subst* **1** kemist **2** apotekare; ~ el. *chemist's* ungefär apotek
chemistry ['kemɪstrɪ] *subst* kemi
cheque [tʃek] *subst* check
cheque book ['tʃekbʊk] *subst* checkhäfte
cherish ['tʃerɪʃ] *verb* hysa; ~ *a hope* hysa en förhoppning
cherry ['tʃerɪ] *subst* körsbär; *whiteheart* ~ bigarrå
cherub ['tʃerəb] (pl. *cherubim* ['tʃerəbɪm]) *subst* kerub
cherubic [tʃe'ruːbɪk] *adj* kerubisk, änglalik

cherubim ['tʃerəbɪm] *subst pl* av *cherub*
chervil ['tʃɜːvɪl] *subst* krydda körvel
chess [tʃes] *subst* schack; *a game of* ~ ett parti schack
chessboard ['tʃesbɔːd] *subst* schackbräde
chest [tʃest] *subst* **1** kista, låda; ~ *of drawers* byrå **2** bröst, bröstkorg; *get sth off one's* ~ lätta sitt hjärta
chestnut ['tʃesnʌt] *subst* kastanj
chew I [tʃuː] *verb* tugga
 II [tʃuː] *subst* **1** tuggning **2** tugga
chewing-gum ['tʃuːɪŋɡʌm] *subst* tuggummi
chic I [ʃiːk] *subst* stil, elegans
 II [ʃiːk] *adj* chic, elegant
Chicago [ʃɪ'kɑːɡəʊ]
chick [tʃɪk] *subst* **1** nykläckt kyckling **2** fågelunge **3** sl. tjej, brud
chicken I ['tʃɪkɪn] *subst* **1** kyckling, höns **2** *don't count your* ~*s before they are hatched* ungefär sälj inte skinnet innan björnen är skjuten
 II ['tʃɪkɪn] *adj* vard. feg, skraj
 III ['tʃɪkɪn] *verb*, ~ *out* fegt dra sig ur
chickenpox ['tʃɪkɪnpɒks] *subst* med. vattkoppor
chickenrun ['tʃɪkɪnrʌn] *subst* hönsgård
chicory ['tʃɪkərɪ] *subst* **1** endiv **2** amer. chicorée, frisée **3** cikoria, cikoriarot
chief I [tʃiːf] *subst* **1** chef, ledare; ~ *of staff* stabschef **2** hövding
 II [tʃiːf] *adj* **1** i titlar chef-, chefs-, huvud- [~ *editor*] **2** huvud-, förnämst, störst, ledande
chiefly ['tʃiːflɪ] *adv* framför allt, först och främst, huvudsakligen
chieftain ['tʃiːftən] *subst* ledare, hövding
chilblain ['tʃɪlbleɪn] *subst* frostknöl, kylskada
child [tʃaɪld] (pl. *children* ['tʃɪldrən]) *subst* barn; ~ *abuse* barnmisshandel; ~ *benefit* barnbidrag; *with* ~ gravid
childbearing ['tʃaɪld,beərɪŋ] *subst* barnafödande
childbirth ['tʃaɪldbɜːθ] *subst* **1** förlossning **2** *die in* ~ dö i barnsäng
child-care ['tʃaɪldkeə] *subst*, ~ *worker* barnvårdare
childhood ['tʃaɪldhʊd] *subst* barndom; *he is in his second* ~ han har blivit barn på nytt
childish ['tʃaɪldɪʃ] *adj* barnslig
childlike ['tʃaɪldlaɪk] *adj* barnslig, lik ett barn
childminder ['tʃaɪld,maɪndə] *subst* dagmamma, dagbarnvårdare
childproof ['tʃaɪldpruːf] *adj* barnsäker [~ *locks*]
children ['tʃɪldrən] *subst pl* av *child*

child-welfare ['tʃaɪld,welfeə] *adj* o. *subst*, ~ *centre* barnavårdscentral
Chile ['tʃɪlɪ]
Chilean I ['tʃɪlɪən] *subst* chilen, chilenare
 II ['tʃɪlɪən] *adj* chilensk
chill I [tʃɪl] *subst* kyla, köld; *catch a* ~ bli förkyld; *take the* ~ *off* ljumma upp
 II [tʃɪl] *verb* kyla, kyla av; *chilled* a) kyld b) frusen
chilli ['tʃɪlɪ] *subst* chili spansk peppar
chilly ['tʃɪlɪ] *adj* **1** kylig, kall **2** frusen
chime I [tʃaɪm] *subst* klockspel
 II [tʃaɪm] *verb* **1** ringa, klinga; *the clock chimed twelve* klockan slog tolv **2** ~ *in* inflika, instämma
chimney ['tʃɪmnɪ] *subst* **1** skorsten **2** rökgång
chimney pot ['tʃɪmnɪpɒt] *subst* skorsten, skorstenspipa ovanpå taket
chimney-sweep ['tʃɪmnɪswiːp] *subst* o.
chimney-sweeper ['tʃɪmnɪ,swiːpə] *subst* skorstensfejare, sotare
chimpanzee [,tʃɪmpən'ziː] *subst* schimpans
chin [tʃɪn] *subst* haka; *he took it on the* ~ han tog det med jämnmod
China ['tʃaɪnə] Kina
china ['tʃaɪnə] *subst* porslin
Chinatown ['tʃaɪnətaʊn] *subst* kineskvarter
Chinese I [,tʃaɪ'niːz] *adj* kinesisk; ~ *chequers* el. amer. ~ *checkers* kinaschack sällskapsspel; ~ *lantern* kulört lykta
 II [,tʃaɪ'niːz] *subst* **1** (pl. lika) kines **2** kinesiska språket
1 chink [tʃɪŋk] *subst* **1** spricka; *a* ~ *in sb's armour* en svag (sårbar) punkt **2** springa
2 chink [tʃɪŋk] *verb* om t.ex. mynt klirra, klinga

---

chips

Can I have some chips, please?
En engelsman och en amerikan menar olika saker när de använder ordet *chips*. Engelsmannen vill nämligen ha pommes frites och amerikanen potatischips.

---

chip I [tʃɪp] *subst* **1** flisa, spån, skärva; *have a* ~ *on one's shoulder* vara snarstucken **2** pl. ~*s* a) pommes frites b) amer. potatischips **3** hack i t.ex. porslinsyta **4** sl. spelmark **5** data. chip
 II [tʃɪp] (-*pp*-) *verb* **1** flisa; *chipped potatoes* pommes frites **2** slå en flisa ur; *chipped* kantstött [*a chipped cup*]

chipboard ['tʃɪpbɔːd] *subst* fibermaterial; *a sheet of* ~ en spånskiva

chipolata [ˌtʃɪpə'lɑːtə] *subst* ungefär prinskorv

chiropodist [kɪ'rɒpədɪst] *subst* fotvårdsspecialist

chiropody [kɪ'rɒpədɪ] *subst* fotvård

chiropractor [ˌkaɪərə'præktə] *subst* kiropraktor

chirp I [tʃɜːp] *verb* kvittra

II [tʃɜːp] *subst* kvitter

chisel I ['tʃɪzl] *subst* stämjärn

II ['tʃɪzl] (-*ll*-) *verb* hugga med stämjärn; mejsla

chit-chat ['tʃɪttʃæt] *subst* vard. småsnack; lättsam pratstund

chivalrous ['ʃɪvəlrəs] *adj* **1** chevaleresk **2** ridderlig

chivalry ['ʃɪvəlrɪ] *subst* ridderlighet

chives [tʃaɪvz] *subst pl* kok. gräslök

chlamydia [klə'mɪdɪə] *subst* med. klamydia

chloride ['klɔːraɪd] *subst* kem. klorid; *hydrogen* ~ väteklorid

chlorinate ['klɔːrɪneɪt] *verb* klorera

chlorine ['klɔːriːn] *subst* kem. klor, klorgas

chlorofluorocarbon ['klɔːrəʊˌfluərə'kɑːbən] *subst* kem. freon®

chlorophyll ['klɒrəfɪl] *subst* kem. klorofyll

chock-full [ˌtʃɒk'fʊl] *adj* fullpackad, proppfull

chocolate ['tʃɒklət] *subst* choklad; *a* ~ en fylld chokladbit, en chokladpralin; *a bar of* ~ en chokladkaka; *plain* ~ el. amer. *dark* ~ mörk choklad

choice I [tʃɔɪs] *subst* **1** val; *I have no* ~ *in the matter* jag har inget annat val **2** urval, sortiment

II [tʃɔɪs] *adj* utsökt, utvald

choir ['kwaɪə] *subst* **1** kör **2** kor i kyrka

choirboy ['kwaɪəbɔɪ] *subst* korgosse

choir-singing ['kwaɪəˌsɪŋɪŋ] *subst* körsång

choke I [tʃəʊk] *verb* **1** kväva, strypa **2** kvävas, storkna **3** ~ *off* vard. avskräcka

II [tʃəʊk] *subst* bil. choke

cholera ['kɒlərə] *subst* med. kolera

cholesterol [kə'lestərɒl] *subst* kem. kolesterol; ~ *count* kolesterolhalt, kolesterolvärde

choose [tʃuːz] (*chose chosen*) *verb* **1** välja, välja ut, utkora **2** föredra **3** ha lust, vilja *{I don't* ~ *to work}*

choosy ['tʃuːzɪ] *adj* kinkig, kräsen

chop I [tʃɒp] (-*pp*-) *verb* **1** hugga, hacka, hacka sönder; ~ *and change* vela hit och

dit **2** ~ *a ball* sport. skära en boll

II [tʃɒp] *subst* **1** hugg **2** kotlett med ben

chopper ['tʃɒpə] *subst* **1** huggare *{wood* ~*}* **2** köttyxa, hackkniv **3** vard. helikopter **4** vard. motorcykel med högt styre **5** ~*s* vard. tänder

choppy ['tʃɒpɪ] *adj* sjö. gropig, krabb *{a* ~ *sea}*

chord [kɔːd] *subst* musik. ackord

choreographer [ˌkɒrɪ'ɒgrəfə] *subst* teat. koreograf

choreography [ˌkɒrɪ'ɒgrəfɪ] *subst* teat. koreografi

chorus ['kɔːrəs] *subst* **1** korus, kör **2** refräng **3** balett i revy

chorus girl ['kɔːrəsgɜːl] *subst* balettflicka

chose [tʃəʊz] imperf. av *choose*

chosen ['tʃəʊzn] perf. p. av *choose*

Christ [kraɪst] Kristus; ~*!* Herre Gud!

christen ['krɪsn] *verb* döpa, döpa till

Christendom ['krɪsndəm] *subst* kristenheten

christening ['krɪsnɪŋ] *subst* dop

Christian I ['krɪstʃən] *adj* kristen, kristlig; ~ *name* förnamn

II ['krɪstʃən] *subst* kristen

Christianity [ˌkrɪstɪ'ænətɪ] *subst* kristendom, kristendomen

Christmas ['krɪsməs] *subst* jul, julen; ~ *box* julklapp till brevbärare m.fl.; ~ *cracker* smällkaramell till jul; ~ *decorations* julpynt; ~ *Eve* julaftonen; ~ *carol* julsång; ~ *present* julklapp; ~ *pudding* plumpudding; ~ *stocking* strumpa som man stoppar julklappar i; ~ *tree* julgran

chrome [krəʊm] *subst* krom

chromium ['krəʊmjəm] *subst* krom metall

chromium-plated [ˌkrəʊmjəm'pleɪtɪd] *adj* förkromad

chromosome ['krəʊməsəʊm] *subst* kromosom

chronic ['krɒnɪk] *adj* kronisk

chronicle I ['krɒnɪkl] *subst* krönika

II ['krɒnɪkl] *verb* skildra

chronological [ˌkrɒnə'lɒdʒɪkl] *adj* kronologisk *{in* ~ *order}*

chrysanthemum [krɪ'sænθəməm] *subst* blomma krysantemum

chubby ['tʃʌbɪ] *adj* knubbig

chuck [tʃʌk] *verb* vard. slänga, kasta

chucker-out [ˌtʃʌkər'aʊt] (pl. *chuckers-out* [ˌtʃʌkəz'aʊt]) *subst* vard. utkastare

chuckle I ['tʃʌkl] *verb* skrocka

II ['tʃʌkl] *subst* skrockande

chum [tʃʌm] *subst* vard. el. ngt åld. kompis

chunk [tʃʌŋk] *subst* tjockt stycke, stor bit

church [tʃɜːtʃ] *subst* kyrka; *go to* ~ gå i
kyrkan

churchgoer ['tʃɜːtʃˌgəʊə] *subst* regelbunden
kyrkobesökare

churchgoing ['tʃɜːtʃˌgəʊɪŋ] *subst*
kyrkobesök

churchyard ['tʃɜːtʃjɑːd] *subst* kyrkogård
kring kyrka

churn I [tʃɜːn] *subst* **1** smörkärna
2 mjölkkanna för transport av mjölk
II [tʃɜːn] *verb* **1** kärna **2** ~ *out* spotta fram

chute [ʃuːt] *subst* **1** rutschbana **2** sopnedkast

chutney ['tʃʌtnɪ] *subst* chutney slags pickles

CIA [ˌsiːaɪ'eɪ] (förk. för *Central Intelligence
Agency*) CIA den federala underrättelsetjänsten i
USA

cider ['saɪdə] *subst* cider

cig [sɪg] *subst* vard. cigg cigarett

cigar [sɪ'gɑː] *subst* cigarr

cigarette [ˌsɪgə'ret] *subst* cigarett

cigarette-case [ˌsɪgə'retkeɪs] *subst*
cigarettetui

cigarette end [ˌsɪgə'retend] *subst*
cigarettstump, fimp

cigarette holder [ˌsɪgə'retˌhəʊldə] *subst*
cigarettmunstycke

cigarette lighter [ˌsɪgə'retˌlaɪtə] *subst*
cigarettändare

ciggy ['sɪgɪ] *subst* vard. cigg cigarett

cinder ['sɪndə] *subst* **1** slagg **2** pl. ~*s* aska

Cinderella [ˌsɪndə'relə] Askungen

cine-camera ['sɪnɪˌkæmərə] *subst*
filmkamera

cinema ['sɪnəmə] *subst* bio, biograflokal; *go
to the* ~ gå på bio

cinemagoer ['sɪnəməˌgəʊə] *subst*
biobesökare

cinnamon ['sɪnəmən] *subst* krydda kanel

cipher ['saɪfə] *subst* **1** chiffer, chifferskrift
2 vard. nolla person **3** spec. amer. siffra **4** noll

circa ['sɜːkə] *prep* cirka, ungefär, omkring

circle I ['sɜːkl] *subst* **1** cirkel i olika betydelser,
ring, krets **2** teat., *the dress* ~ första raden;
the upper ~ andra raden
II ['sɜːkl] *verb* kretsa runt, cirkla över

circuit ['sɜːkɪt] *subst* **1** elektr. krets; ~ *card*
kretskort; *short* ~ kortslutning
2 turnéväg, turnérutt **3** sport. racerbana
4 sport. turnering [*golf* ~]

circular I ['sɜːkjʊlə] *adj* cirkelrund,
cirkelformig; ~ *letter* cirkulär; ~ *road*
kringfartsled, ringväg; ~ *tour* rundresa
II ['sɜːkjʊlə] *subst* cirkulär, rundskrivelse

circularize ['sɜːkjʊləraɪz] *verb* skicka
cirkulär till

circulate ['sɜːkjʊleɪt] *verb* **1** låta cirkulera,
sätta (vara) i omlopp **2** skicka omkring
3 cirkulera

circulation [ˌsɜːkjʊ'leɪʃən] *subst*
1 cirkulation, omlopp **2** upplaga av tidning
[*a big* ~]

circumcise ['sɜːkəmsaɪz] *verb* omskära

circumference [sə'kʌmfərəns] *subst* omkrets

circumstance ['sɜːkəmstəns] *subst*
omständighet, förhållande; *in the* ~*s* el.
under the ~*s* under sådana
omständigheter

circus ['sɜːkəs] *subst* **1** cirkus **2** runt torg,
rund plan i namn [*Piccadilly Circus*]

cistern ['sɪstən] *subst* cistern, behållare, tank

citadel ['sɪtədl] *subst* citadell

cite [saɪt] *verb* anföra, citera

citizen ['sɪtɪzn] *subst* **1** medborgare
2 invånare

citizenship ['sɪtɪznˌʃɪp] *subst* medborgarskap

citrus ['sɪtrəs] *adj*, ~ *fruit* citrusfrukt

city ['sɪtɪ] *subst* stor stad; *the City* City
Londons finanscentrum; ~ *centre* centrum

civics ['sɪvɪks] (med verb i sing.) *subst*
samhällskunskap

civil ['sɪvl] *adj* **1** medborgerlig; ~ *war*
inbördeskrig **2** hövlig **3** civil; ~ *aviation*
civilflyg; *Civil Defence* civilförsvar; ~
servant statstjänsteman, tjänsteman inom
civilförvaltningen; *the Civil Service*
civilförvaltningen statsförvaltningen utom den
militära o. kyrkliga

civilian I [sɪ'vɪljən] *subst* civil, civilperson
II [sɪ'vɪljən] *adj* civil; *in* ~ *life* i det civila

civilization [ˌsɪvəlaɪ'zeɪʃən] *subst* civilisation

civilize ['sɪvəlaɪz] *verb* civilisera

clad I [klæd] poetiskt, imperf. o. perf. p. av *clothe*
II [klæd] *adj* klädd

claim I [kleɪm] *verb* **1** fordra, kräva **2** göra
anspråk på **3** göra gällande; hävda
II [kleɪm] *subst* **1** fordran, krav **2** yrkande
3 anspråk; *lay* ~ *to* göra anspråk på
4 påstående **5** rätt [*to sth* till ngt]

clam [klæm] *subst* **1** skaldjur el. ätlig mussla
2 vard. tillknäppt person, mussla

clammy ['klæmɪ] *adj* fuktig och klibbig

clamour I ['klæmə] *subst* **1** skrik, larm
2 högljudda krav
II ['klæmə] *verb* **1** skrika, larma **2** högljutt
kräva

clamp I [klæmp] *subst* **1** krampa, klämma
2 skruvtving
II [klæmp] *verb* vard., ~ *down on* klämma åt
[~ *down on football hooligans*]

clan [klæn] *subst* **1** klan **2** gäng

clandestine [klæn'destɪn] *adj* hemlig

clang I [klæŋ] *subst* skarp metallisk klang

II [klæŋ] *verb* klinga, klämta

clank [klæŋk] *verb* rassla, skramla

clap I [klæp] (*-pp-*) *verb* 1 klappa [~ *one's hands*] 2 klappa händerna, applådera

II [klæp] *subst* 1 handklappning, applåd 2 knall [~ *of thunder*]

claptrap ['klæptræp] *subst* vard. klyschor, tomma fraser

claret ['klærət] *subst* rödvin av bordeauxtyp

clarification [ˌklærɪfɪ'keɪʃən] *subst* klargörande, förtydligande

clarify ['klærɪfaɪ] *verb* 1 klargöra, förtydliga 2 klarna

clarinet [ˌklærɪ'net] *subst* musik. klarinett

clarinettist [ˌklærɪ'netɪst] *subst* musik. klarinettist

clarity ['klærətɪ] *subst* klarhet

clash I [klæʃ] *verb* 1 drabba samman, råka i konflikt 2 inte stämma [*with* med]; *the colours* ~ färgerna skär sig, färgerna passar inte ihop; *the two programmes* ~ de två programmen kolliderar

II [klæʃ] *subst* 1 skräll, smäll 2 sammanstötning

clasp I [klɑːsp] *subst* 1 knäppe, spänne, lås på t.ex. väska 2 omfamning 3 handslag

II [klɑːsp] *verb* omfamna, krama, hålla hårt om; ~ *one's hands* knäppa händerna

clasp knife ['klɑːspnaɪf] *subst* fällkniv

class I [klɑːs] *subst* 1 klass i samhället el. skol. 2 lektion; *evening classes* kvällskurser

II [klɑːs] *verb* 1 klassa, räknas [*as* som]; ~ *among* räkna bland 2 klassificera

class-conscious [ˌklɑːs'kɒnʃəs] *adj* klassmedveten

class distinction [ˌklɑːsdɪ'stɪŋkʃən] *subst* klasskillnad

classic I ['klæsɪk] *adj* klassisk

II ['klæsɪk] *subst* klassiker

classical ['klæsɪkl] *adj* klassisk [~ *music*]

classified ['klæsɪfaɪd] *adj* 1 klassificerad 2 hemligstämplad [~ *information*]

classify ['klæsɪfaɪ] *verb* 1 klassificera 2 hemligstämpla

classmate ['klɑːsmeɪt] *subst* klasskamrat

classroom ['klɑːsruːm] *subst* klassrum

clatter I ['klætə] *verb* slamra, klappra

II ['klætə] *subst* slammer [*a* ~ *of cutlery*], klapper [*the* ~ *of horses' hoofs*]

clause [klɔːz] *subst* 1 gram. sats; *main* ~ huvudsats 2 klausul, moment i paragraf

claustrophobia [ˌklɔːstrə'fəʊbjə] *subst* klaustrofobi, cellskräck

claw [klɔː] *subst* klo

clay [kleɪ] *subst* 1 lera, lerjord 2 i tennis grus; ~ *court* grusbana

clean I [kliːn] *adj* 1 ren, renlig 2 fläckfri, fullständig 3 *make a* ~ *break with the past* bryta fullständigt med det förflutna; *come* ~*!* bekänn alltsammans!; *make a* ~ *sweep* göra rent hus

II [kliːn] *adv* alldeles [*I* ~ *forgot*], rent, rakt, tvärt

III [kliːn] *verb* 1 göra ren, putsa, borsta [~ *shoes*] 2 städa, städa i, rensa 3 tömma, länsa [~ *one's plate*]

IV [kliːn] *verb* med adv. o. prep.

clean out rensa, tömma, städa i

clean up 1 rensa upp i, städa undan i, göra rent i 2 städa, göra rent efter sig 3 snygga till sig 4 ~ *up your act!* ryck upp dig!, försök att få ordning på det hela!

V [kliːn] *subst* vard. rengöring, städning, putsning

clean-cut [ˌkliːn'kʌt] *adj* klar, väl avgränsad; ~ *features* rena drag

cleaner ['kliːnə] *subst* 1 städerska, städare; *send one's clothes to the the dry* ~*s* skicka kläderna på kemtvätt 2 rensare [*pipe-cleaner*], renare 3 vard., *send* (*take*) *sb to the* ~*s* a) snuva ngn på pengar b) klå upp ngn

cleanly ['kliːnlɪ] *adv* rent

cleanse [klenz] *verb* 1 rengöra 2 rensa

clean-shaven [ˌkliːn'ʃeɪvn] *adj* slätrakad

clean-up ['kliːnʌp] *subst* 1 grundlig rengöring, uppröjning; sanering 2 utrensning

clear I [klɪə] *adj* 1 klar, ren, tydlig 2 fri [*of* från] [~ *of snow*]; klar, öppen [~ *for traffic*]; *all* ~*!* faran över! 3 hel, full [*six* ~ *days*]

II [klɪə] *verb* 1 klara; ~ *the air* rensa luften; ~ *one's throat* harkla sig 2 klarna, ljusna 3 befria [*of* från], göra (ta) loss, reda ut 4 rensa; ~ *the table* duka av; ~ *the way* bana väg 5 skingra sig [*the clouds cleared*] 6 klarera varor i tullen 7 täcka [~ *expenses*]; förtjäna netto 8 godkänna [*the article was cleared for publication*]

III [klɪə] *verb* med adv. o. prep.

clear away 1 röja undan, ta bort, rensa bort 2 duka av 3 dra bort, skingra sig

clear off el. **clear out** 1 rensa ut, rensa bort 2 vard. sticka, dunsta; ~ *off!* el. ~ *out!* stick!

clear up 1 ordna, städa, göra rent i 2 klargöra, reda upp 3 klarna

clearance [ˈklɪərəns] *subst* **1** undanröjande, sanering, rensning; *slum* ~ slumsanering **2** tullbehandling, tullklarering **3** ~ *sale* utförsäljning **4** *security* ~ el. ~ intyg om verkställd säkerhetskontroll **5** spelrum **6** trafik. fri höjd

clear-cut [ˌklɪəˈkʌt] *adj* **1** skarpt skuren, ren [~ *features*] **2** klar, entydig

clear-sighted [ˌklɪəˈsaɪtɪd] *adj* klarsynt

cleavage [ˈkliːvɪdʒ] *subst* djup urringning i t.ex. klänning

cleave [kliːv] (imperf. *cleft* el. *cleaved*, perf. p. *cleft*) *verb* klyva

cleft [kleft] imperf. o. perf. p. av *cleave*

clemency [ˈklemənsɪ] *subst* förbarmande, nåd

clementine [ˈkleməntaɪn] *subst* klementin frukt

clench [klentʃ] *verb* bita ihop [~ *one's teeth*], pressa hårt samman; ~ *one's fist* knyta näven

clergy [ˈklɜːdʒɪ] *subst* prästerskap, präster

clergyman [ˈklɜːdʒɪmən] (pl. *clergymen* [ˈklɜːdʒɪmən]) *subst* präst spec. inom eng. statskyrkan

clerical [ˈklerɪkl] *adj* **1** prästerlig; ~ *collar* prästs rundkrage **2** ~ *staff* kontorspersonal

clerk [klɑːk, amer. klɜːk] *subst* **1** kontorist **2** tjänsteman på bank, domstol **2** amer. expedit i affär

clever [ˈklevə] *adj* **1** begåvad, intelligent **2** skicklig, duktig

cliché [ˈkliːʃeɪ] *subst* klyscha, kliché

click I [klɪk] *verb* **1** knäppa till, knäppa med; ~ *one's heels* slå ihop klackarna **2** vard. stämma, klaffa; *all the pieces ~ed into place* alla bitarna föll på plats **3** trivas ihop **4** data., ~ el. ~ *on* klicka på
II [klɪk] *subst* knäppning

client [ˈklaɪənt] *subst* **1** klient **2** kund

clientele [ˌkliːɒnˈtel] *subst* **1** klientel **2** kundkrets

cliff [klɪf] *subst* **1** klippa **2** bergvägg

climacteric [ˌklaɪmækˈterɪk] *subst* fysiol. klimakterium, övergångsålder

climate [ˈklaɪmət] *subst* klimat

climax [ˈklaɪmæks] *subst* klimax, kulmen, höjdpunkt

climb I [klaɪm] *verb* **1** klättra; kliva, stiga **2** klättra uppför, klättra upp på, bestiga
II [klaɪm] *subst* **1** klättring, stigning

climber [ˈklaɪmə] *subst* **1** klättrare, bestigare [*mountain ~*] **2** streber

clinch I [klɪntʃ] *subst* boxn. clinch
II [klɪntʃ] *verb* **1** boxn. gå i clinch **2** avgöra [~ *an argument*] **3** göra upp [~ *a sale*]

cling [klɪŋ] (*clung clung*) *verb* **1** klänga sig fast, klamra sig fast [*to, on to* vid] **2** hålla sig [*to* intill]; fastna [*to* i, vid]; ~ *to* hålla fast vid; ~ *together* hålla ihop

clingfilm [ˈklɪŋfɪlm] *subst* plastfolie

clinic [ˈklɪnɪk] *subst* klinik

clinical [ˈklɪnɪkl] *adj* klinisk; ~ *thermometer* febertermometer

clink I [klɪŋk] *verb* klirra med
II [klɪŋk] *subst* klirr

1 clip I [klɪp] (*-pp-*) *verb*, ~ *together* fästa ihop med gem, sätta ihop med klämma
II [klɪp] *subst* **1** gem **2** klämma

2 clip [klɪp] (*-pp-*) *verb* klippa [~ *tickets*]

clique [kliːk] *subst* klick, kotteri

clit [klɪt] *subst* vard. kittlare, klitoris

clitoris [ˈklɪtərɪs] *subst* klitoris, kittlare

cloak [kləʊk] *subst* **1** slängkappa, mantel **2** täckmantel [*a ~ for terrorist activities*]

cloakroom [ˈkləʊkruːm] *subst* **1** kapprum, garderob; ~ *attendant* rockvaktmästare **2** effektförvaring **3** toalett

clock I [klɒk] *subst* **1** klocka, väggur, tornur; *against the ~* i kapp med klockan (tiden); *round the ~* el. *around the ~* dygnet runt **2** sl. fejs ansikte
II [klɒk] *verb*, ~ *in* el. ~ *on* stämpla in på stämpelur

clocking-in [ˌklɒkɪŋˈɪn] *adj*, ~ *card* stämpelkort

clock radio [ˌklɒkˈreɪdɪəʊ] *subst* klockradio

clockwise [ˈklɒkwaɪz] *adv* medurs

clockwork [ˈklɒkwɜːk] *subst* urverk; ~ *train* mekaniskt (uppdragbart) tåg

clod [klɒd] *subst* **1** klump av t.ex. jord, lera **2** vard. tölp, tjockskalle

clog I [klɒg] *subst* träsko
II [klɒg] (*-gg-*) *verb* täppa till, täppas till

cloister [ˈklɔɪstə] *subst* **1** kloster **2** klostergång

---

close
Lägg märke till att *close* [kləʊz] med tonande s och *close* [kləʊs] med tonlöst s har olika betydelser.

1 close I [kləʊz] *verb* **1** stänga, stängas; slå igen [~ *a book*]; sluta till; stänga av [~ *a street*]; lägga ner [~ *a factory*]; sätta igen stänga; ~ *one's eyes to* blunda för [~ *one's eyes to the danger*]; ~ *down* stänga,

AKADEMIBOKHANDELN
Österlånggatan 41, 503 37 BORÅS
TEL: 010-744 15 50 ORG.NR. 556046-8448

Kvitto: 006-98948   2011-08-13 14:48:56
Kassör: 004-Inger   kr

NORSTEDTS LILLA ENGELSKA   299.00
                                ==========
TOTALT SEK (1 ARTIKEL)   **299.00**

KONTANT   299.00

TILLBAKA   **0.00**

Moms	Belopp	Netto	Brutto
6%	16.92	282.08	299.00

MÅNDAG-FREDAG 10.00-18.00
LÖRDAG 10.00-16.00
Öppet köp 14 dgr, byte 30 dgr mot kvitto

CD, DVD bytes endast plomberade
Gäller ej tidskrifter och reavaror
Tack och välkommen åter

lägga ner 2 sluta, avsluta [~ *an account;* ~ *a debate*]; avslutas
II [kləʊz] *verb* med adv. o. prep.
close down om t.ex. affär stänga, stängas, slå igen, läggas ner
close in komma närmare, falla på; ~ *in on* omringa
III [kləʊz] *subst* slut [*the* ~ *of day*]
2 close I [kləʊs] *adj* **1** nära [*a* ~ *relative*], intim; *be* ~ *to sb* stå ngn nära; *at* ~ *quarters* el. *at* ~ *range* på nära håll; *it was a* ~ *shave* vard. det var nära ögat **2** tät **3** ingående, grundlig [~ *investigation*], noggrann [~ *analysis*], nära [*a* ~ *resemblance*] **4** kvav, kvalmig **5** mycket jämn [*a* ~ *contest; a* ~ *finish*]; *the* ~ *season* olaga tid för jakt el. fiske
II [kləʊs] *adv* tätt, nära, strax [*by, to* intill; *on, upon* efter]; ~ *together* tätt ihop; ~ *at hand* a) strax intill b) nära förestående; ~ *on sb's heels* tätt i hälarna på ngn; ~ *on* inemot, uppemot [~ *on 100*]; *she is* ~ *on fifty* hon närmar sig femtio
closed-circuit [ˈkləʊzd،sɜːkɪt] *adj*, ~ *television* intern-tv; se äv. *CCTV*
close-down [ˈkləʊzdaʊn] *subst* **1** nedläggning **2** sändningsslut
close-fitting [،kləʊsˈfɪtɪŋ] *adj* tätt åtsittande
close-knit [،kləʊsˈnɪt] *adj* sammanhållen [~ *family*]
closely [ˈkləʊslɪ] *adv* **1** nära [~ *related*], intimt **2** tätt [~ *packed*] **3** ingående, grundligt
close-shaven [،kləʊsˈʃeɪvn] *adj* slätrakad
closet [ˈklɒzɪt] *subst* **1** amer. skåp, garderob **2** latrin, toalett **3** *come out of the* ~ a) erkänna att man är homosexuell, komma ut b) ta bladet från munnen, säga som det är
close-up [ˈkləʊsʌp] *subst* närbild
closing [ˈkləʊzɪŋ] *adj*, ~ *time* stängningsdags
clot I [klɒt] *subst* **1** klimp, klump **2** ~ *of blood* blodpropp
II [klɒt] (*-tt-*) *verb* klumpa sig, levra sig
cloth [klɒθ] *subst* **1** tyg **2** trasa för t.ex. putsning **3** duk
clothe [kləʊð] (*clothed clothed*, poetiskt *clad clad*) *verb* **1** klä, bekläda **2** täcka, hölja
clothes [kləʊðz] *subst pl* kläder
clothes hanger [ˈkləʊðز،hæŋə] *subst* klädgalge
clothes line [ˈkləʊðzlaɪn] *subst* klädstreck
clothes peg [ˈkləʊðzpeg] *subst* **1** klädnypa **2** klädhängare

clothespin [ˈkləʊðzpɪn] *subst* amer., se *clothes peg 1*
clothing [ˈkləʊðɪŋ] *subst* **1** beklädnad **2** kläder
cloud I [klaʊd] *subst* moln; *be in the* ~*s* el. *have one's head in the* ~*s* vara i det blå
II [klaʊd] *verb*, ~ el. ~ *over* höljas i moln, mulna
cloudberry [ˈklaʊdbərɪ] *subst* hjortron
cloudburst [ˈklaʊdbɜːst] *subst* skyfall
cloudy [ˈklaʊdɪ] *adj* molnig, mulen
clove [kləʊv] *subst* kok. el. bot. kryddnejlika
clover [ˈkləʊvə] *subst* klöver; *he is in* ~ han har kommit på grön kvist
clown I [klaʊn] *subst* clown, pajas
II [klaʊn] *verb*, ~ *about* el. ~ spela pajas, spexa
club I [klʌb] *subst* **1** klubba, grov påk **2** kortsp. klöverkort; pl. ~*s* klöver **3** klubb
II [klʌb] (*-bb-*) *verb* klubba till (ned); ~ *together* dela kostnaderna lika
cluck I [klʌk] *verb* skrocka
II [klʌk] *subst* skrockande
clue [kluː] *subst* ledtråd, spår; ~*s across* i korsord vågräta ord; ~*s down* lodräta ord; *I haven't a* ~ vard. det har jag ingen aning om; *he hasn't a* ~ vard. han är korkad
clumsy [ˈklʌmzɪ] *adj* klumpig, tafatt
clung [klʌŋ] imperf. o. perf. p. av *cling*
cluster I [ˈklʌstə] *subst* klunga, klase
II [ˈklʌstə] *verb* klunga ihop sig
clutch I [klʌtʃ] *verb* **1** gripa tag i, hålla hårt om **2** gripa [*at* efter]
II [klʌtʃ] *subst* **1** tekn. koppling; bil. kopplingspedal; ~ *plate* kopplingslamell **2** pl. *clutches* klor; *get into sb's clutches* råka i klorna på ngn
clutter [ˈklʌtə] *verb*, ~ *up* el. ~ belamra, skräpa ned i (på)
cm. (förk. för *centimetre, centimetres*) cm
Co. 1 [kəʊ, ˈkʌmpənɪ] (förk. för *Company*) Co. företag [*Smith & Co.*]
c/o 1 (förk. för *care of*) på brev c/o, adress [*c/o Smith*]
coach I [kəʊtʃ] *subst* **1** turistbuss, långfärdsbuss **2** järnv. personvagn **3** galavagn, kaross **4** privatlärare, handledare **5** sport. tränare
II [kəʊtʃ] *verb* **1** ge privatlektioner, förbereda [*for* till examen; *in* i ämne] **2** träna
coachwork [ˈkəʊtʃwɜːk] *subst* karosseri
coagulate [kəʊˈægjʊleɪt] *verb* koagulera
coal [kəʊl] *subst* kol, spec. stenkol; *carry* ~*s to Newcastle* ge bagarbarn bröd
coalbin [ˈkəʊlbɪn] *subst* kolbox

coalfield ['kəʊlfiːld] *subst* kolfält
coalfish ['kəʊlfɪʃ] *subst* gråsej
coalition [ˌkəʊə'lɪʃən] *subst*
  1 sammanslutning, förening **2** koalition; ~
  government samlingsregering
coalmine ['kəʊlmaɪn] *subst* kolgruva
coalminer ['kəʊlˌmaɪnə] *subst*
  kolgruvearbetare
coalmining ['kəʊlˌmaɪnɪŋ] *subst* kolbrytning
coalpit ['kəʊlpɪt] *subst* kolgruva
coal tit ['kəʊltɪt] *subst* fågel svartmes
coarse [kɔːs] *adj* **1** grov [~ *sand*] **2** rå,
  ohyfsad
coast I [kəʊst] *subst* kust
  II [kəʊst] *verb* på cykel rulla (glida) nedför utan
  att trampa; i bil rulla (glida) nedför med
  kopplingen ur
coastguard ['kəʊstgɑːd] *subst* medlem av
  sjöräddningen (kustbevakningen)
coat I [kəʊt] *subst* **1** rock, kappa **2** kavaj **3** ~
  of arms vapensköld, vapen **4** på djur päls
  5 lager, skikt; *apply a* ~ *of paint to* stryka
  färg på
  II [kəʊt] *verb* täcka, belägga, bestryka
coated ['kəʊtɪd] *adj* belagd [~ *tongue*]
coat hanger ['kəʊtˌhæŋə] *subst* rockhängare,
  galge
coax [kəʊks] *verb* **1** lirka med **2** övertala
cobbled ['kɒbld] *adj* kullerstensbelagd; ~
  street kullerstensgata
cobblestone ['kɒblstəʊn] *subst* kullersten
cobra ['kəʊbrə, 'kɒbrə] *subst* kobra; *Indian*
  ~ glasögonorm
cobweb ['kɒbweb] *subst* spindelnät,
  spindelväv
Coca-Cola® [ˌkəʊkə'kəʊlə] *subst*
  Coca-Cola®
cocaine [kə'keɪn] *subst* kokain
cock I [kɒk] *subst* **1** tupp **2** spec. i
  sammansättningar hanne av fåglar [~ *robin*]
  3 kran, pip, tapp **4** hane på gevär; *at half* ~
  på halvspänn **5** vulg. kuk
  II [kɒk] *verb* **1** sticka rätt upp; ~ *one's ears*
  spetsa öronen **2** spänna hanen på, osäkra
  [~ *the trigger of a gun*]
cock-a-doodle-doo ['kɒkəˌduːdl'duː] *interj*
  kuckeliku
cock-and-bull [ˌkɒkən'bʊl] *adj*, ~ *story* vard.
  rövarhistoria
cocker spaniel [ˌkɒkə'spænjəl] *subst*
  cockerspaniel
cock-eyed ['kɒkaɪd] *adj* **1** vindögd **2** sned
  [*the picture is* ~] **3** knäpp, galen; *it's all* ~
  det är uppåt väggarna
cockle ['kɒkl] *subst* hjärtmussla

cockney
En *cockney* är en infödd Londonbo
som talar en särskild Londondia-
lekt. Det sägs att bara den som är
född så nära att han kan höra
klockorna, *Bow Bells*, i kyrkan *St
Mary-le-Bow*, räknas som en riktig
cockney.

cockney ['kɒknɪ] *subst* **1** cockney londonbo
  som talar londondialekten **2** cockney
  londondialekten [~ *accent*]
cockpit ['kɒkpɪt] *subst* cockpit, förarkabin
cockroach ['kɒkrəʊtʃ] *subst* kackerlacka
cock sparrow [ˌkɒk'spærəʊ] *subst* fågel
  sparvhane
cocksure [ˌkɒk'ʃʊə] *adj* tvärsäker;
  självsäker, stöddig
cocktail ['kɒkteɪl] *subst* cocktail; ~ *cabinet*
  barskåp; ~ *lounge* cocktailbar
cocky ['kɒkɪ] *adj* vard. stöddig, kaxig
cocoa ['kəʊkəʊ] *subst* **1** kakao **2** choklad som
  dryck
coconut ['kəʊkənʌt] *subst* kokosnöt; ~
  matting kokosmatta
COD [ˌsiːəʊ'diː] (förk. för *cash on delivery*,
  amer. *collect on delivery*) mot efterkrav, mot
  postförskott
cod [kɒd] *subst* fisk torsk; *dried* ~ kabeljo
code I [kəʊd] *subst* **1** kod, chifferspråk
  2 *dialling* ~ el. amer., *area* ~ tele.
  riktnummer; *international* ~ tele.
  landsnummer
  II [kəʊd] *verb* koda, chiffrera
codeine ['kəʊdiːn] *subst* kodein
codfish ['kɒdfɪʃ] *subst* torsk
codify ['kəʊdɪfaɪ] *verb* kodifiera
cod-liver, ~ *oil* [ˌkɒdlɪvər'ɔɪl] fiskleverolja
coerce [kəʊ'ɜːs] *verb* tvinga [*into* till]
coercion [kəʊ'ɜːʃn] *subst* tvång
coexistence [ˌkəʊɪg'zɪstəns] *subst*
  1 samtidig förekomst **2** samlevnad
  [*peaceful* ~]
coffee ['kɒfɪ] *subst* kaffe
coffee bar ['kɒfɪbɑː] *subst* cafeteria
coffee break ['kɒfɪbreɪk] *subst* kaffepaus
coffee-grinder ['kɒfɪˌgraɪndə] *subst*
  kaffekvarn
coffee grounds ['kɒfɪgraʊndz] *subst pl*
  kaffesump
coffee pot ['kɒfɪpɒt] *subst* kaffekanna,
  kaffepanna
coffee table ['kɒfiːˌteɪbl] *subst* soffbord

coffin ['kɒfɪn] *subst* likkista
cog [kɒg] *subst* kugge
cogitate ['kɒdʒɪteɪt] *verb* tänka, fundera
cognac ['kɒnjæk] *subst* äkta konjak
cohabit [kəʊ'hæbɪt] *verb* sammanbo
cohabitant [ˌkəʊ'hæbɪtənt] *subst* sambo
coherence [kə'hɪərəns] *subst* sammanhang
coherent [kə'hɪərənt] *adj*
sammanhängande, följdriktig
cohesion [kə'hɪːʒən] *subst* sammanhållande
kraft
coiffure [kwɑː'fjʊə] *subst* frisyr
coil I [kɔɪl] *verb*, ~ el. ~ *up* rulla ihop, ringla
ihop
II [kɔɪl] *subst* rulle, rörspiral
coin I [kɔɪn] *subst* mynt, slant
II [kɔɪn] *verb* 1 mynta, prägla 2 mynta,
bilda, skapa {~ *a word*}
coinage ['kɔɪnɪdʒ] *subst* myntsystem,
myntsort
coincide [ˌkəʊɪn'saɪd] *verb* 1 sammanfalla
2 stämma överens
coincidence [kəʊ'ɪnsɪdəns] *subst*
sammanträffande, tillfällighet
coitus ['kəʊɪtəs] *subst* spec. med. samlag
coke [kəʊk] *subst* koks
Coke® [kəʊk] *subst* vard. Coca-Cola®
colander ['kʌləndə, 'kɒləndə] *subst* durkslag
grov sil
cold I [kəʊld] *adj* kall, frusen; *I feel* ~ jag
fryser
II [kəʊld] *subst* 1 köld, kyla 2 förkylning;
catch a ~ bli förkyld 3 *give sb the* ~
shoulder behandla ngn som luft
cold-blooded ['kəʊldˌblʌdɪd] *adj* kallblodig
{~ *murder*}
cold storage [ˌkəʊld'stɔːrɪdʒ] *subst*
kylförvaring
coleslaw ['kəʊlslɔː] *subst* vitkålssallad med
majonnäsdressing
colic ['kɒlɪk] *subst* med. kolik
collaborate [kə'læbəreɪt] *verb* samarbeta
collaboration [kəˌlæbə'reɪʃən] *subst*
samarbete
collaborator [kə'læbəreɪtə] *subst*
medarbetare
collapse I [kə'læps] *subst* 1 kollaps,
sammanbrott 2 sammanstörtande, ras
II [kə'læps] *verb* 1 kollapsa, klappa ihop
2 störta samman, rasa
collapsible [kə'læpsəbl] *adj* hopfällbar
collar ['kɒlə] *subst* 1 krage 2 halsband t.ex. på
hund
collar bone ['kɒləbəʊn] *subst* anat. nyckelben
collate [kə'leɪt] *verb* kollationera

colleague ['kɒliːg] *subst* kollega,
arbetskamrat
collect [kə'lekt] *verb* 1 samla, samla in,
samla ihop 2 samlas, samla sig, hopas
3 hämta
collect call [kə'lektkɔːl] *subst* amer. tele.
samtal som betalas av mottagaren
collected [kə'lektɪd] *adj* 1 samlad; ~
works samlade verk
collection [kə'lekʃən] *subst* 1 samlande,
hopsamling, insamling 2 tömning av
brevlåda 3 samling {~ *of books*}
collector [kə'lektə] *subst* samlare
college ['kɒlɪdʒ] *subst* 1 internatskola,
college 2 fackskola, fackhögskola; ~ *of
education* lärarhögskola 3 skola, institut;
~ *of further education* skola för
vidareutbildning 4 amer.: slags högskola som
är ett internat, ibland universitet
collide [kə'laɪd] *verb* kollidera, krocka
collie ['kɒlɪ] *subst* collie hundras
collier ['kɒlɪə] *subst* kolgruvearbetare
colliery ['kɒljərɪ] *subst* kolgruva
collision [kə'lɪʒən] *subst* kollision,
sammanstötning, krock
colloquial [kə'ləʊkwɪəl] *adj* om språk
vardaglig, talspråksaktig
Cologne I [kə'ləʊn] Köln
II [kə'ləʊn] *subst*, *cologne* se *eau-de-Cologne*
Colombia [kə'lɒmbɪə]
Colombian I [kə'lɒmbɪən] *subst* colombian
II [kə'lɒmbɪən] *adj* colombiansk
colon ['kəʊlən] *subst* 1 skiljetecken i skrift kolon
2 med. tjocktarm, grovtarm
colonel ['kɜːnl] *subst* överste
colonial [kə'ləʊnjəl] *adj* kolonial
colonize ['kɒlənaɪz] *verb* kolonisera
colonizer ['kɒlənaɪzə] *subst* kolonisatör
colony ['kɒlənɪ] *subst* 1 koloni 2 nybygge
color ['kʌlə] *subst* o. *verb* amer., se *colour*
coloratura [ˌkɒlərə'tʊərə] *subst* musik.
koloratur {~ *soprano*}
colossal [kə'lɒsl] *adj* kolossal, väldig
colossus [kə'lɒsəs] *subst* koloss
colour I ['kʌlə] *subst* 1 färg, kulör 2 pl. ~s
a) ett lags färger; klubbdräkt b) flagga, fana;
join the ~s ta värvning; *come off with
flying* ~s klara sig med glans; *show one's
true* ~s visa sitt rätta ansikte; *see sth in
its true* ~s se ngt i dess rätta ljus
II ['kʌlə] *verb* 1 färga, måla, färglägga 2 få
färg; ~ el. ~ *up* rodna
colour-blind ['kʌləblaɪnd] *adj* färgblind
colourful ['kʌləfʊl] *adj* färgrik, färgstark
colt [kəʊlt] *subst* hingst föl

coltsfoot ['kəʊltsfʊt] (pl. ~s) subst blomma
tussilago

columbine ['kɒləmbaɪn] subst blomma akleja

column ['kɒləm] subst **1** kolonn, pelare
2 kolumn, spalt

columnist ['kɒləmnɪst] subst kåsör,
kolumnist, krönikör

coma ['kəʊmə] subst med. koma medvetslöshet

comb I [kəʊm] subst kam
II [kəʊm] verb kamma; ~ **out** el. ~ bildl.
finkamma

combat I ['kɒmbæt] subst kamp, strid
II ['kɒmbæt] verb bekämpa

combatant ['kɒmbətənt] subst stridande

combination [ˌkɒmbɪ'neɪʃən] subst
1 kombination, sammanställning
2 sammanslutning, förening

combine I [kəm'baɪn] verb **1** ställa samman,
förena, kombinera **2** förena sig; samverka
II ['kɒmbaɪn] subst sammanslutning

combustible [kəm'bʌstəbl] adj lättantändlig

combustion [kəm'bʌstʃən] subst
förbränning; **internal** ~ **engine**
förbränningsmotor

come I [kʌm] (came come) verb **1** komma
2 ~, ~! el. ~ **now!** a) se så!, så ja! b) försök
inte!; ~ **easy to sb** gå lätt för ngn.; ~ **loose**
lossna; ~ **undone** el. ~ **untied** gå upp,
lossna; ~ **what may** hända vad som
hända vill; **how** ~ **?** hur kommer det sig?;
in days to ~ under kommande dagar **3** ~
to + inf. a) komma för att [he has ~ here to
work] b) komma att [I've ~ to hate this]; ~
to think of it när man tänker efter **4** vard.,
~ **it over** spela herre över; **don't** ~ **it with
me!** försök inte med mig!
II [kʌm] (came come) verb med adv. o. prep.
come about ske, hända, gå till
come across 1 komma över **2** träffa på
come along 1 komma med, gå med; ~
along! kom nu! **2** ta sig [the garden is
coming along], arta sig
come by 1 komma förbi **2** få tag i, komma
över
come down 1 komma ner, gå ner **2** ~
down to kunna reduceras till [it ~s down to
this] **3** ~ **down in favour of** ta ställning
för
come forward 1 träda fram, stiga fram
2 erbjuda sig; ~ **forward with a
proposal** lägga fram ett förslag
come from 1 komma ifrån, vara ifrån;
coming from you that's a compliment
för att komma från dig är det en

komplimang **2** komma sig av [that ~s from
being so impatient]
come in 1 komma in, komma i mål **2** ~ **in
handy** el. ~ **in useful** komma väl till pass
3 ~ **in for** få del av, få, få sig
come into 1 få ärva [~ into a fortune] **2** ~
into fashion komma på modet; ~ **into
play** träda i verksamhet; spela in; ~ **into
power** komma till makten; ~ **into the
world** komma till världen
come of 1 komma sig av [this ~s of
carelessness]; **no good will** ~ **of it** det
kommer inte att leda till något gott; **that's
what** ~**s of your lying!** där har du för att
du ljuger! **2** härstamma från; **he** ~**s of a
good family** han är av god familj
come off 1 gå ur, lossna från **2** ramla av,
ramla ner **3** ~ **off it!** vard. lägg av! **4** äga
rum, bli av **5** lyckas; avlöpa, gå [did
everything ~ off all right?] **6** klara sig [he
came off best]
come on 1 komma, närma sig **2** träda
fram **3** bryta in, falla på [night came on]
4 ta sig, utveckla sig **5** ~ **on!** a) kom nu!,
skynda på! b) sport. heja! [~ on you Spurs!]
c) kom om du törs!
come out 1 komma ut **2** ~ **out on strike**
gå i strejk **3** gå ur [these stains won't ~ out]
4 komma i dagen, komma fram **5** visa sig,
visa sig vara [~ out all right] **6** rycka ut [~
out in defence of sb] **7** ~ **out at** bli, uppgå till
[it ~s out at £50]
come over 1 komma över **2** känna sig, bli;
she came over a bit queer hon kände sig
lite konstig **3** **what had** ~ **over her?** vad
gick det åt henne?
come round 1 komma över, titta in; ~
round and see sb komma och hälsa på
ngn **2** kvickna till
come to 1 komma till, nå **2** kvickna till
3 **whatever are we coming to?** vad ska
det bli av oss?, vart ska det sluta?; **he had it
coming to him** vard. han hade sig själv att
skylla **4** belöpa sig till, komma (gå) på;
how much does it ~ **to?** hur mycket blir
det? **5** leda till; ~ **to nothing** gå om intet;
it ~**s to the same thing** det kommer på
ett ut; **when it** ~**s to it** när det kommer till
kritan
come up 1 komma upp, komma fram,
dyka upp **2** komma på tal **3** ~ **up against**
kollidera med, råka ut för **4** ~ **up to** nå
(räcka) upp till, uppgå till, motsvara,
uppfylla **5** ~ **up with** komma med [~ up
with a new suggestion]

comeback ['kʌmbæk] *subst* comeback
{*make a ~*}
comedian [kə'miːdjən] *subst* komiker
comedienne [kə,miːdɪ'en] *subst* komedienn
como-down ['kʌmdaʊn] *subst* steg nedåt spec.
socialt
comedy ['kɒmədɪ] *subst* komedi, lustspel
comer ['kʌmə] *subst*, *all ~s* alla som ställer
upp
comet ['kɒmɪt] *subst* astron. komet
comfort I ['kʌmfət] *subst* **1** tröst, lättnad **2** ~
pl. *~s* komfort, bekvämligheter,
välbefinnande
II ['kʌmfət] *verb* trösta; *be comforted* låta
trösta sig
comfortable ['kʌmfətəbl] *adj* **1** bekväm,
komfortabel; *be ~* el. *feel ~* ha det bekvämt
2 som har det bra; *a ~ lead* en trygg
ledning; *by a ~ margin* med god
marginal
comfort-eater ['kʌmfət,iːtə] *subst* tröstätare
comforter ['kʌmfətə] *subst* **1** tröstare **2** spec.
amer. yllehalsduk **3** tröstnapp **4** amer. täcke,
duntäcke
comic I ['kɒmɪk] *adj* **1** komisk; *~ opera*
operett; *~ paper* skämttidning,
serietidning; *~ strip* skämtserie; *~ strip
character* seriefigur **2** komedi
II ['kɒmɪk] *subst* **1** skämttidning,
serietidning **2** skämtserie; *the ~s* serierna i
dagstidning **3** komiker på varieté
comical ['kɒmɪkl] *adj* komisk, festlig
coming I ['kʌmɪŋ] *adj* **1** kommande,
förestående **2** lovande; *~ man*
framtidsman
II ['kʌmɪŋ] *subst* **1** ankomst **2** pl. *~s and
goings* spring ut och in, folk som kommer
och går
comma ['kɒmə] *subst* kommatecken
command I [kə'mɑːnd] *verb* **1** befalla
2 kommendera, ha befälet över **3** förfoga
över **4** erbjuda utsikt över **5** betinga ett pris
II [kə'mɑːnd] *subst* **1** befallning; mil. order,
kommando {*at his ~*} **2** herravälde; *have a
good ~ of a language* behärska ett språk
bra **3** befäl {*under the ~ of*},
kommendering; *take ~ of* ta befälet över;
in ~ befälhavande; *be in ~* föra befälet {*of
~* över}
commandant [,kɒmən'dænt] *subst*
kommendant; befälhavare
commander [kə'mɑːndə] *subst* befälhavare
commander-in-chief [kə,mɑːndərɪn'tʃiːf]
(pl. *commanders-in-chief*
[kə,mɑːndəzɪn'tʃiːf]) *subst* överbefälhavare

commanding [kə'mɑːndɪŋ] *adj*
1 befälhavande; *~ officer* mil. chef,
befälhavare **2** imponerande {*~
appearance*}
commandment [kə'mɑːndmənt] *subst* bud,
budord; *the ten ~s* tio Guds bud, de tio
budorden
commando [kə'mɑːndəʊ] (pl. *~s*) *subst*
1 kommandotrupp **2** kommandosoldat
commemorate [kə'meməreɪt] *verb* fira
(hedra) minnet av
commemoration [kə,memə'reɪʃən] *subst*
åminnelse, firande; *in ~ of* till åminnelse
av
commence [kə'mens] *verb* börja, inleda
commencement [kə'mensmənt] *subst*
1 början, inledning **2** amer. skol., ungefär
avslutning; univ. utdelning av diplom m.m.,
vid avslutning
commend [kə'mend] *verb* lovorda, prisa
commendable [kə'mendəbl] *adj* lovvärd
comment I ['kɒment] *subst* kommentar,
anmärkning; *no ~!* inga kommentarer!
II ['kɒment] *verb*, *~ on* a) kommentera
b) kritisera
commentary ['kɒməntrɪ] *subst* **1** kommentar
{*on till*} **2** referat, reportage
commentate ['kɒmenteɪt] *verb*, *~ on*
kommentera, referera
commentator ['kɒmenteɪtə] *subst*
kommentator
commerce ['kɒmɜːs] *subst* handel
commercial I [kə'mɜːʃl] *adj* kommersiell; *~
break* tv. el. radio. avbrott för reklam,
reklampaus; *~ television* reklam-tv; *~
traffic* yrkestrafik
II [kə'mɜːʃl] *subst* i radio el. tv reklaminslag
commercialize [kə'mɜːʃəlaɪz] *verb*
kommersialisera
commission I [kə'mɪʃən] *subst* **1** uppdrag,
order **2** spec. mil. officersfullmakt **3** hand.
provision **4** kommission
II [kə'mɪʃən] *verb* **1** ge officersfullmakt;
commissioned officer officer **2** beställa
{*~ a portrait*}
commissionaire [kə,mɪʃə'neə] *subst*
vaktmästare, dörrvakt på t.ex. biograf, varuhus
commit [kə'mɪt] (-tt-) *verb* **1** begå {*~ a
crime; ~ an error*}, föröva {*to åt*};
~ to memory lägga på minnet, lära sig
utantill; *~ to paper* skriva ned **3** ~
oneself ta ställning, binda sig, åta sig {*~
oneself to*}
commitment [kə'mɪtmənt] *subst* **1** åtagande,
förpliktelse **2** t.ex. polit. engagemang {*to i*}

committed [kə'mɪtɪd] *adj* engagerad, bunden

committee [kə'mɪtɪ] *subst* **1** kommitté, utredning; *standing* ~ ständigt utskott **2** styrelse i t.ex. förening

commodity [kə'mɒdətɪ] *subst* handelsvara

common I ['kɒmən] *adj* **1** gemensam **2** vanlig, allmän, gängse; *it's common knowledge* det är allmänt känt; *the ~ man* den enkle medborgaren; *the ~ people* gemene man; ~ *or garden* vard. helt vanlig [*a ~ or garden sparrow*] **3** vulgär, tarvlig
II ['kɒmən] *subst* **1** allmänning; *in* ~ gemensamt; *interests in* ~ gemensamma intressen

commonly ['kɒmənlɪ] *adv* **1** vanligen, allmänt **2** vanligt

commonplace I ['kɒmənpleɪs] *subst* banalitet, plattityd
II ['kɒmənpleɪs] *adj* vardaglig, banal

common room ['kɒmənruːm] *subst* skol. personalrum

commons ['kɒmənz] *subst*, *the House of Commons* el. *the Commons* underhuset i parlamentet

commonsense ['kɒmənsens] *adj* förnuftig [*a ~ idea*]

common sense [ˌkɒmən'sens] *subst* sunt förnuft

commonwealth ['kɒmənwelθ] *subst*, *the Commonwealth* Samväldet

commotion [kə'məʊʃən] *subst* tumult, uppståndelse

communal ['kɒmjʊnl, kə'mjuːnl] *adj* gemensam; ~ *aerial* el. ~ *antenna* centralantenn

communicate [kə'mjuːnɪkeɪt] *verb* meddela; ~ *with* sätta sig i förbindelse med, kommunicera med

communication [kəˌmjuːnɪ'keɪʃən] *subst* **1** meddelande **2** kommunikation, förbindelse; *means of* ~ kommunikationsmedel

communicative [kə'mjuːnɪkətɪv] *adj* meddelsam, öppenhjärtig

communion [kə'mjunjən] *subst* **1** *Holy* ~ nattvard **2** gemenskap

communiqué [kə'mjuːnɪkeɪ] *subst* kommuniké

Communism ['kɒmjʊnɪzəm] *subst* kommunism

Communist I ['kɒmjʊnɪst] *subst* kommunist
II ['kɒmjʊnɪst] *adj* kommunistisk

community [kə'mjuːnətɪ] *subst* **1** *the* ~ det

allmänna, samhället; ~ *service* samhällstjänst **2** samfund [*a religious ~*] **3** ~ *singing* allsång

commute [kə'mjuːt] *verb* trafik. pendla

commuter [kə'mjuːtə] *subst* trafik. pendlare; ~ *train* pendeltåg

compact I ['kɒmpækt] *subst* liten puderdosa
II [kəm'pækt] *adj* kompakt, tätt packad

compact disc [ˌkɒmpækt'dɪsk] *subst* CD-skiva

companion [kəm'pænjən] *subst* **1** följeslagare, kamrat **2** handbok [*The Gardener's Companion*]

companionship [kəm'pænjənʃɪp] *subst* kamratskap, sällskap

company ['kʌmpənɪ] *subst* **1** sällskap; *part ~ with* skiljas från **2** främmande, besök [*expect ~*] **3** hand. bolag, företag, kompani **4** mil. kompani

comparable ['kɒmpərəbl] *adj* jämförlig, jämförbar [*to* med]

comparative I [kəm'pærətɪv] *adj* **1** komparativ, jämförande **2** gram. komparativ; *the ~ degree* komparativen **3** relativ [*in ~ comfort*]
II [kəm'pærətɪv] *subst* gram. komparativ

comparatively [kəm'pærətɪvlɪ] *adv* jämförelsevis, relativt

compare I [kəm'peə] *verb* **1** jämföra; ~ *to* jämföra med, likna vid; ~ *with* jämföra med, göra en jämförelse mellan **2** kunna jämföras, kunna jämställas **3** gram. komparera
II [kəm'peə] *subst*, *beyond* ~ utan jämförelse

comparison [kəm'pærɪsn] *subst* jämförelse; *beyond* ~ utan jämförelse; *there is no ~ between them* de går inte att jämföra

compartment [kəm'pɑːtmənt] *subst* **1** avdelning, fack, rum **2** järnv. kupé; *driver's* ~ förarhytt

compass ['kʌmpəs] *subst* **1** kompass; *point of the* ~ kompasstreck, väderstreck; *take a ~ bearing* ta bäring **2** pl. *compasses* passare; *a pair of compasses* en passare

compassion [kəm'pæʃən] *subst* medlidande

compassionate [kəm'pæʃənət] *adj* medlidsam

compatible [kəm'pætəbl] *adj* **1** förenlig, överensstämmande **2** tekn. kompatibel

compatriot [kəm'pætrɪət] *subst* landsman

compel [kəm'pel] (*-ll-*) *verb* tvinga

compendium [kəm'pendjəm] *subst* kompendium

compensate ['kɒmpenseɪt] *verb* **1** ~ *sb for*

kompensera ngn för, ersätta ngn för **2** ~
for kompensera, uppväga
compensation [ˌkɒmpen'seɪʃən] *subst*
1 kompensation **2** skadestånd
compete [kəm'piːt] *verb* **1** tävla, konkurrera
2 delta [~ *in a race*]
competent ['kɒmpətənt] *adj* kompetent,
duglig
competition [ˌkɒmpə'tɪʃən] *subst*
1 konkurrens, tävlan **2** tävling
competitive [kəm'petətɪv] *adj*
1 konkurrenskraftig [~ *prices*] **2** tävlings-,
konkurrensbetonad
competitor [kəm'petɪtə] *subst* **1** sport.
tävlande, medtävlare **2** konkurrent
complacent [kəm'pleɪsnt] *adj* självbelåten
complain [kəm'pleɪn] *verb* klaga, beklaga sig
[*of, about* över]
complaint [kəm'pleɪnt] *subst* **1** klagomål
2 åkomma, sjukdom
complement I ['kɒmplɪmənt] *subst*
1 komplement **2** *full* ~ fullt antal; *a full* ~
of teeth en hel uppsättning tänder **3** gram.
predikatsfyllnad
II ['kɒmplɪment] *verb* komplettera
complete I [kəm'pliːt] *adj* **1** komplett,
fullständig [*a* ~ *stranger*] **2** avslutad, färdig
3 fullkomlig
II [kəm'pliːt] *verb* **1** avsluta, slutföra,
fullborda **2** komplettera, göra fullständig
3 fylla i [~ *a form*]
complex I ['kɒmpleks] *adj* sammansatt,
komplicerad, invecklad
II ['kɒmpleks] *subst* komplex
complexion [kəm'plekʃən] *subst* hy,
ansiktsfärg
complexity [kəm'pleksətɪ] *subst* komplexitet
complicate ['kɒmplɪkeɪt] *verb* komplicera
complicated ['kɒmplɪkeɪtɪd] *adj*
komplicerad, invecklad
complication [ˌkɒmplɪ'keɪʃən] *subst*
komplikation
complicity [kəm'plɪsɪtɪ] *subst* delaktighet i
t.ex. brott
compliment I ['kɒmplɪmənt] *subst*
1 komplimang **2** pl. ~*s* hälsningar; *my* ~*s*
to your wife hälsa din fru
II ['kɒmplɪment] *verb* komplimentera [*on*
för]
complimentary [ˌkɒmplɪ'mentrɪ] *adj*
1 berömmande, smickrande **2** ~ *ticket*
fribiljett, gratisbiljett
comply [kəm'plaɪ] *verb* ge efter, foga sig; ~
with rätta sig efter, lyda [~ *with the rules*]
component I [kəm'pəʊnənt] *adj*, ~ *part*

beståndsdel
II [kəm'pəʊnənt] *subst* komponent,
beståndsdel
compose [kəm'pəʊz] *verb* **1** bilda, utgöra;
be composed of bestå av **2** musik.
komponera, tonsätta **3** konst. komponera
4 utarbeta, sätta ihop [~ *a speech*]
composed [kəm'pəʊzd] *adj* lugn, samlad
composer [kəm'pəʊzə] *subst* musik.
kompositör, tonsättare
composite ['kɒmpəzɪt] *adj* sammansatt; ~
el. ~ *sketch* amer. fantombild
composition [ˌkɒmpə'zɪʃən] *subst*
1 sammansättning **2** musik. komposition
3 skol. uppsats
compost ['kɒmpɒst] *subst* kompost
composure [kəm'pəʊʒə] *subst* fattning, lugn
compound I ['kɒmpaʊnd] *adj* sammansatt;
~ *interest* ränta på ränta
II ['kɒmpaʊnd] *subst* **1** sammansättning
2 kem. förening **3** gram. sammansatt ord,
sammansättning **4** inhägnad
comprehend [ˌkɒmprɪ'hend] *verb* begripa,
förstå
comprehensible [ˌkɒmprɪ'hensəbl] *adj*
begriplig
comprehension [ˌkɒmprɪ'henʃən] *subst*
1 fattningsförmåga **2** förståelse; *listening*
~ hörförståelse; *reading* ~ läsförståelse
comprehensive [ˌkɒmprɪ'hensɪv] *adj*
1 omfattande, allsidig; ~ *insurance*
allriskförsäkring; ~ *car insurance*
helförsäkring för motorfordon **2** ~ *school*
el. ~ ungefär grund- och gymnasieskola för
elever över 11 år
compress I [kəm'pres] *verb* **1** trycka ihop,
pressa samman **2** tekn. el. data. komprimera
II ['kɒmpres] *subst* kompress, vått omslag
comprise [kəm'praɪz] *verb* omfatta,
innefatta, inbegripa; *be comprised of*
bestå av
compromise I ['kɒmprəmaɪz] *subst*
kompromiss
II ['kɒmprəmaɪz] *verb* **1** kompromissa
2 kompromettera
compromising ['kɒmprəmaɪzɪŋ] *adj*
1 kompromissvillig **2** komprometterande
compulsion [kəm'pʌlʃən] *subst* tvång
compulsive [kəm'pʌlsɪv] *adj* tvångsmässig;
she is a ~ *eater* hon hetsäter, hon
tröstäter
compulsory [kəm'pʌlsərɪ] *adj* obligatorisk
compute [kəm'pjuːt] *verb* beräkna,
kalkylera

computer [kəm'pju:tə] *subst* dator; ~ *freak*
el. ~ *geek* el. ~ *nerd* datanörd, datafantast
computerization [kəm,pju:təraı'zeıʃən]
subst **1** datorisering **2** databehandling
computerize [kəm'pju:təraız] *verb*
1 datorisera **2** databehandla, lägga på data
comrade ['kɒmreıd] *subst* kamrat
comrade-in-arms [,kɒmreıdın'ɑ:mz] *subst*
vapenbroder
con I [kɒn] *subst* (vard. kortform för *confidence*)
se ~ *man*, ~ *trick* och ~ *game* under *confidence*
II [kɒn] (*-nn-*) *verb* sl. lura, dupera [*into
doing sth* att göra ngt]
con artist ['kɒn,ɑ:tıst] *subst* vard.
bondfångare, sol-och-vårare
concave [,kɒn'keıv] *adj* konkav [~ *lens*]
conceal [kən'si:l] *verb* dölja [*from* för];
concealed lighting indirekt belysning
concealment [kən'si:lmənt] *subst* döljande
concede [kən'si:d] *verb* **1** medge, bevilja
2 sport., *Spurs conceded a goal* Spurs
släppte in ett mål
conceit [kən'si:t] *subst* inbilskhet,
egenkärlek
conceited [kən'si:tıd] *adj* inbilsk, egenkär
conceivable [kən'si:vəbl] *adj* **1** fattbar
2 tänkbar, möjlig
conceive [kən'si:v] *verb* **1** tänka ut, hitta på
2 föreställa sig, fatta **3** ~ *of* föreställa sig
concentrate ['kɒnsəntreıt] *verb*
1 koncentrera sig **2** inrikta, koncentrera [~
one's attention on] **3** koncentreras
concentration [,kɒnsən'treıʃən] *subst*
koncentration; ~ *camp*
koncentrationsläger
concept ['kɒnsept] *subst* begrepp
conception [kən'sepʃən] *subst*
1 föreställning, uppfattning; begrepp
2 befruktning
concern I [kən'sɜ:n] *verb* **1** angå, röra
2 bekymra, oroa; ~ *oneself with* bekymra
sig om, intressera sig för
II [kən'sɜ:n] *subst* **1** angelägenhet, affär,
sak; *it is no* ~ *of mine* det angår mig inte
2 bekymmer, oro **3** hand. företag, firma
concerned [kən'sɜ:nd] *perf p* o. *adj*
1 bekymrad, orolig [*about* över]
2 inblandad; *be* ~ *with* ha att göra med;
as far as I am ~ vad mig beträffar, för
min del; *the parties* ~ de berörda
parterna
concerning [kən'sɜ:nıŋ] *prep* angående,
beträffande
concert ['kɒnsət] *subst* **1** konsert; ~ *hall*
konsertsal **2** samförstånd [*in* ~]

concertgoer ['kɒnsət,gəʊə] *subst*
konsertbesökare
concert grand [,kɒnsət'grænd] *subst*
konsertflygel
concertina [,kɒnsə'ti:nə] *subst* musik.
concertina litet dragspel
concerto [kən'tʃeətəʊ] (pl. vanligen ~*s*) *subst*
konsert musikstycke för soloinstrument och
orkester
concession [kən'seʃən] *subst* medgivande,
eftergift
conciliate [kən'sılıeıt] *verb* blidka, försona
conciliatory [kən'sılıətrı] *adj* försonlig
concise [kən'saıs] *adj* koncis, kortfattad
conclude [kən'klu:d] *verb* **1** avsluta, slutföra
2 sluta, avslutas; *to* ~ till sist **3** dra
slutsatsen [*that* att]
conclusion [kən'klu:ʒən] *subst* slut,
avslutning; slutresultat; *in* ~ slutligen;
bring to a ~ slutföra; *come to the* ~
that... komma till den slutsatsen att...
concoct [kən'kɒkt] *verb* laga till, koka ihop
concoction [kən'kɒkʃən] *subst* hopkok;
tillagning
concord ['kɒŋkɔ:d] *subst* harmoni, sämja
concrete I ['kɒkri:t] *adj* **1** konkret **2** av
betong, betong-
II ['kɒkri:t] *subst* betong
concussion [kən'kʌʃən] *subst* **1** med.
hjärnskakning **2** häftig stöt
condemn [kən'dem] *verb* **1** döma
[*condemned to death*] **2** fördöma **3** kassera,
utdöma
condemnation [,kɒndem'neıʃən] *subst*
fördömelse
condensation [,kɒnden'seıʃn] *subst*
kondensvatten
condense [kən'dens] *verb* **1** kondensera
2 komprimera, förkorta **3** kondenseras
condescend [,kɒndı'send] *verb* nedlåta sig
condescending [,kɒndı'sendıŋ] *adj*
nedlåtande
condiment ['kɒndımənt] *subst* krydda spec.
peppar och salt
condition [kən'dıʃən] *subst* **1** villkor,
förutsättning; pl. ~*s* förhållanden; *on no* ~
på inga villkor **2** tillstånd, skick [*in good* ~]
3 spec. sport. kondition
conditional I [kən'dıʃənl] *adj* **1** villkorlig,
beroende [*on* av, på] **2** gram. konditional,
villkors-
II [kən'dıʃənl] *subst* gram. konditionalis; *in
the* ~ i konditionalis
conditioned [kən'dıʃənd] *adj* betingad

condo ['kɒndəʊ] (pl. ~s) *subst* amer. vard. för *condominium*

condolence [kən'dəʊləns] *subst* beklagande, kondoleans

condom ['kɒndɒm] *subst* kondom

condominium [ˌkɒndə'mɪnɪəm] *subst* amer. **1** andelsfastighet **2** andelslägenhet

condone [kən'dəʊn] *verb* överse med

conduct I ['kɒndʌkt] *subst* **1** uppförande, uppträdande **2** skötsel
II [kən'dʌkt] *verb* **1** föra, leda, sköta; *conducted tour* rundtur med guide; guidad tour **2** musik. dirigera

conductor [kən'dʌktə] *subst* **1** konduktör på buss, spårvagn, amer. äv. på tåg **2** musik. dirigent

cone [kəʊn] *subst* **1** kon **2** kotte **3** strut [*ice cream* ~]

confectioner [kən'fekʃnə] *subst*, *confectioner's* godisaffär

confectionery [kən'fekʃnərɪ] *subst* sötsaker, konfekt

confederation [kənˌfedə'reɪʃən] *subst* förbund, konfederation

confer [kən'fɜː] (*-rr-*) *verb* **1** tilldela, förläna [*sth on sb* ngn ngt], skänka [~ *power on sb*] **2** konferera, rådslå

conference ['kɒnfərəns] *subst* konferens, överläggning; *be in* ~ sitta i sammanträde

confess [kən'fes] *verb* **1** bekänna, erkänna; ~ *to a crime* erkänna ett brott **2** bikta sig

confession [kən'feʃən] *subst* **1** bekännelse, erkännande **2** bikt

confetti [kən'fetɪ] *subst* konfetti

confide [kən'faɪd] *verb*, ~ *in sb* anförtro sig åt ngn

confidence ['kɒnfɪdəns] *subst* **1** förtroende, tillit; *take sb into one's* ~ göra ngn till sin förtrogne; *vote of* ~ förtroendevotum; *vote of no* ~ misstroendevotum; ~ *man* bondfångare; ~ *trick* el. amer. ~ *game* bondfångarknep **2** självförtroende

confident ['kɒnfɪdənt] *adj* **1** säker; *be* ~ *that* vara säker på att, lita på att

confidential [ˌkɒnfɪ'denʃl] *adj* **1** konfidentiell **2** förtrolig

confine I ['kɒnfaɪn] *subst* pl. ~s gräns, gränser
II [kən'faɪn] *verb* **1** spärra in, sätta in; *be confined to barracks* mil. ha kasernförbud; *be confined to bed* vara sängliggande **2** inskränka

confirm [kən'fɜːm] *verb* **1** bekräfta **2** befästa, styrka **3** kyrkl. konfirmera

confirmation [ˌkɒnfə'meɪʃən] *subst* **1** bekräftelse **2** befästande, styrkande **3** kyrkl. konfirmation

confirmed [kən'fɜːmd] *adj* inbiten [~ *bachelor*]

confiscate ['kɒnfɪskeɪt] *verb* konfiskera, beslagta

confiscation [ˌkɒnfɪ'skeɪʃən] *subst* konfiskering, beslag

conflict I ['kɒnflɪkt] *subst* konflikt

conflicting [kən'flɪktɪŋ] *adj* motstridande [~ *interests*], motsägande; ~ *evidence* motsägande bevis

conform [kən'fɔːm] *verb* **1** anpassa [*to* till, efter], rätta sig [*to* efter] **2** överensstämma [*to, with* med]

conformity [kən'fɔːmətɪ] *subst* **1** överensstämmelse, likformighet **2** anpassning [*to* till, efter]

confront [kən'frʌnt] *verb* konfrontera; *be confronted by* el. *be confronted with* ställas inför

confrontation [ˌkɒnfrʌn'teɪʃən] *subst* konfrontation

confuse [kən'fjuːz] *verb* **1** förvirra, göra konfys **2** förväxla, blanda ihop

confused [kən'fjuːzd] *adj* förvirrad [*at* över], konfys

confusion [kən'fjuːʒən] *subst* **1** förvirring, oreda **2** förväxling

congenial [kən'dʒiːnɪəl] *adj* sympatisk, tilltalande, behaglig, passande

congenital [kən'dʒenɪtl] *adj* medfödd

conger ['kɒŋgə] *subst* o. **conger eel** [ˌkɒŋgər'iːl] *subst* havsål

Congo ['kɒŋgəʊ] floden *the* ~ Kongo

congratulate [kən'grætjʊleɪt] *verb* gratulera, lyckönska [*on* till, på]

congratulation [kənˌgrætjʊ'leɪʃən] *subst*

---

congress
The Congress i USA har två kamrar, senaten, *the Senate*, och representanthuset, *the House of Representatives*. De är tillsammans USA:s lagstiftande församling, *law-making body*. Presidenten kan inlägga sitt veto mot ett lagförslag, *veto a bill*, men kongressen kan ändå anta en lag, *make it a law* om man har två tredjedelars majoritet i bägge kamrarna.

gratulation, lyckönskan;
Congratulations! gratulerar!
congregate ['kɒŋgrɪgeɪt] *verb* samlas
congregation [ˌkɒŋgrɪ'geɪʃən] *subst* kyrkas
församling
congress ['kɒŋgres] *subst* **1** kongress **2** *the*
Congress el. *Congress* kongressen
lagstiftande församlingen i USA
Congressman ['kɒŋgresmən] (pl.
Congressmen ['kɒŋgresmən]) *subst* amer.
kongressledamot
coniferous [kə'nɪfərəs] *adj*, ~ *tree* barrträd
conjecture I [kən'dʒektʃə] *subst* gissning,
förmodan
II [kən'dʒektʃə] *verb* gissa sig till, förmoda
conjugate ['kɒndʒʊgeɪt] *verb* gram. böja t.ex.
verb; konjugera
conjugation [ˌkɒndʒʊ'geɪʃən] *subst* gram.
böjning av t.ex. verb; konjugation
conjunction [kən'dʒʌŋkʃən] *subst*
1 förbindelse; *in* ~ *with* i samverkan med
2 gram. konjunktion
conjurer ['kʌndʒərə] *subst* trollkarl
conjuring ['kʌndʒərɪŋ] *subst*, ~ *tricks*
trollkonster; *do* ~ *tricks* trolla
conman ['kɒnmæn] (pl. *conmen* ['kɒnmen])
subst vard. bondfångare, sol-och-vårare
connect [kə'nekt] *verb* **1** förbinda, förena;
be connected with stå i samband med
2 tekn. koppla, koppla ihop **3** tele. koppla
4 trafik. ansluta *[connecting train]*
connected [kə'nektɪd] *adj* o. *perf p*
1 sammanhängande **2** besläktad,
förbunden
connection [kə'nekʃən] *subst* **1** förbindelse,
samband **2** tekn. koppling; *a loose* ~
glappkontakt **3** trafik. anslutning **4** kontakt
[business ~]
connoisseur [ˌkɒnə'sɜː] *subst* kännare,
konnässör
conquer ['kɒŋkə] *verb* **1** erövra, besegra
2 segra
conqueror ['kɒŋkərə] *subst* erövrare
conquest ['kɒŋkwest] *subst* erövring
conscience ['kɒnʃəns] *subst* samvete
conscientious [ˌkɒnʃɪ'enʃəs] *adj*
samvetsgrann
conscious ['kɒnʃəs] *adj* **1** medveten *[of* om*]*
2 vid medvetande
consciousness ['kɒnʃəsnəs] *subst*
1 medvetenhet *[of* om*]* **2** medvetande
conscript ['kɒnskrɪpt] *subst* värnpliktig
consecutive [kən'sekjʊtɪv] *adj* i rad, i följd
[~ days]
consent I [kən'sent] *subst* samtycke, bifall

II [kən'sent] *verb* samtycka, ge sitt
samtycke; ~ *to* gå med på
consequence ['kɒnsɪkwəns] *subst* **1** följd,
konsekvens, slutsats; *in* ~ följaktligen
2 vikt, betydelse *[sth of ~]*; *it is of no* ~ det
betyder ingenting
consequent ['kɒnsɪkwənt] *adj* följande
consequently ['kɒnsɪkwəntlɪ] *adv*
följaktligen
conservation [ˌkɒnsə'veɪʃən] *subst*
1 bevarande, konservering av t.ex. konstverk
2 naturvård, miljövård
conservationist [ˌkɒnsə'veɪʃənɪst] *subst*
miljövårdare, naturvårdare
conservatism [kən'sɜːvətɪzəm] *subst*
konservatism
conservative I [kən'sɜːvətɪv] *adj*
konservativ; *at a* ~ *estimate* vid en
försiktig beräkning
II [kən'sɜːvətɪv] *subst* konservativ person;
Conservative polit. konservativ
conserve I [kən'sɜːv] *verb* **1** bevara **2** koka
in frukt
II [kən'sɜːv] *subst* vanligen pl. ~*s* inlagd frukt
consider [kən'sɪdə] *verb* **1** tänka på, fundera
på, överväga **2** ta hänsyn till, anse, anse
som
considerable [kən'sɪdərəbl] *adj* betydande;
~ *trouble* åtskilligt besvär
considerably [kən'sɪdərəblɪ] *adv* betydligt
considerate [kən'sɪdərət] *adj* hänsynsfull
consideration [kənˌsɪdə'reɪʃən] *subst*
1 övervägande, beaktande; *give sth* ~ ta
ngt under övervägande; *on further* ~ vid
närmare eftertanke **2** hänsyn, omtanke;
take sth into ~ ta hänsyn till ngt
considering I [kən'sɪdərɪŋ] *prep* o. *konj* med
tanke på, med hänsyn till
II [kən'sɪdərɪŋ] *adv* efter omständigheterna
consignment [kən'saɪnmənt] *subst*
varusändning
consist [kən'sɪst] *verb* bestå *[of* av*]*
consistent [kən'sɪstənt] *adj* **1** konsekvent,
följdriktig **2** jämn *[the team has been ~]*
consolation [ˌkɒnsə'leɪʃən] *subst* tröst
console [kən'səʊl] *verb* trösta
consolidate [kən'sɒlɪdeɪt] *verb* konsolidera
consommé [kən'sɒmeɪ] *subst* köttbuljong,
consommé
consonant ['kɒnsənənt] *subst* konsonant
conspicuous [kən'spɪkjʊəs] *adj*
iögonfallande, tydlig
conspiracy [kən'spɪrəsɪ] *subst*
sammansvärjning, komplott

conspirator [kən'spɪrətə] *subst* konspiratör, sammansvuren

conspire [kən'spaɪə] *verb* konspirera, sammansvärja sig

constable ['kʌnstəbl, 'kɒnstəbl] *subst* polis, polisman; *Chief Constable* polismästare

constant ['kɒnstənt] *adj* ständig, konstant

constantly ['kɒnstəntlɪ] *adv* ständigt, konstant

constellation [ˌkɒnstə'leɪʃən] *subst* **1** konstellation **2** stjärnbild

consternation [ˌkɒnstə'neɪʃən] *subst* bestörtning

constipate ['kɒnstɪpeɪt] *verb*, *be constipated* ha förstoppning, vara hård i magen

constipation [ˌkɒnstɪ'peɪʃən] *subst* förstoppning, trög mage

constituency [kən'stɪtjʊənsɪ] *subst* polit. valkrets

constitute ['kɒnstɪtjuːt] *verb* utgöra, bilda

constitution

"We the people of the United States..." Så inleds den amerikanska konstitutionen, *the Constitution of the United States*. Den trädde i kraft 1789. 7 artiklar, *articles* och 25 tillägg, *amendments*, fastställer hur USA:s regering ska bildas och vilka individens rättigheter är. De tio första tilläggen (från 1791) är kända under namnet *Bill of Rights* och innebär skydd för den enskilde mot statsmakten.

constitution [ˌkɒnstɪ'tjuːʃən] *subst* **1** författning, konstitution **2** kroppens konstitution, fysik

constitutional [ˌkɒnstɪ'tjuːʃnəl] *adj* konstitutionell

construct [kən'strʌkt] *verb* **1** konstruera **2** uppföra

construction [kən'strʌkʃən] *subst* **1** konstruktion **2** uppförande **3** byggnad

constructive [kən'strʌktɪv] *adj* konstruktiv

constructor [kən'strʌktə] *subst* konstruktör

consul ['kɒnsəl] *subst* konsul

consulate ['kɒnsjʊlət] *subst* konsulat

consult [kən'sʌlt] *verb* **1** rådfråga, konsultera **2** slå upp i [~ *a dictionary*]

consultation [ˌkɒnsəl'teɪʃən] *subst* överläggning; konsultation

consume [kən'sjuːm] *verb* förtära, förbruka, konsumera

consumer [kən'sjuːmə] *subst* konsument; ~ *goods* konsumtionsvaror; ~ *guidance* konsumentupplysning

consumption [kən'sʌmʃən] *subst* **1** förtäring; *unfit for human* ~ otjänlig som människoföda **2** konsumtion, förbrukning

contact I ['kɒntækt] *subst* kontakt, beröring, förbindelse; ~ *lenses* kontaktlinser
II ['kɒntækt] *verb* komma i kontakt med, kontakta

contagious [kən'teɪdʒəs] *adj* smittsam

contain [kən'teɪn] *verb* **1** innehålla, rymma **2** ~ *oneself* behärska sig, hålla sig

container [kən'teɪnə] *subst* **1** behållare, kärl **2** container

contaminate [kən'tæmɪneɪt] *verb* **1** förorena **2** smitta ner med radioaktivitet

contamination [kənˌtæmɪ'neɪʃən] *subst* **1** förorening **2** radioaktiv nedsmittning

contemplate ['kɒntəmpleɪt] *verb* **1** betrakta **2** fundera, fundera på, ha planer på

contemplation [ˌkɒntəm'pleɪʃən] *subst* **1** begrundande **2** betraktande

contemporary I [kən'temprərɪ] *adj* **1** samtidig, samtida **2** nutida
II [kən'temprərɪ] *subst* samtida

contempt [kən'temt] *subst* förakt; *hold in* ~ hysa förakt för

contemptible [kən'temtəbl] *adj* föraktlig

contemptuous [kən'temtjʊəs] *adj* föraktfull

contend [kən'tend] *verb* **1** strida, kämpa; tävla **2** hävda

contender [kən'tendə] *subst* sport. tävlande, utmanare

1 content ['kɒntent] *subst* innehåll

2 content I [kən'tent] *subst* belåtenhet; *to one's heart's* ~ av hjärtans lust
II [kən'tent] *adj* nöjd, belåten
III [kən'tent] *verb*, ~ *oneself* nöja sig [*with* med]

contented [kən'tentɪd] *adj* nöjd, belåten

contention [kən'tenʃən] *subst* **1** påstående, åsikt **2** *bone of* ~ tvistefrö **3** *out of* ~ ur leken, ute ur striden

contentment [kən'tentmənt] *subst* belåtenhet

contents ['kɒntents] *subst pl* innehåll [*the* ~ *of a book*]; *table of* ~ innehållsförteckning

contest I ['kɒntest] *subst* **1** strid, kamp **2** tävling [*a song* ~], match

II [kən'test] *verb* **1** strida, tävla [*for* om]
2 tävla om
contestant [kən'testənt] *subst* **1** stridande
part **2** tävlande
context ['kɒntekst] *subst* sammanhang,
kontext
continent ['kɒntɪnənt] *subst* **1** världsdel,
kontinent **2** fastland; *the Continent*
kontinenten Europas fastland
continental I [,kɒntɪ'nentl] *adj* kontinental
II [,kɒntɪ'nentl] *subst* fastlandseuropé
contingency [kən'tɪndʒənsɪ] *subst*
eventualitet
continual [kən'tɪnjʊəl] *adj* ständig,
oavbruten
continuation [kən,tɪnjʊ'eɪʃən] *subst*
fortsättning
continue [kən'tɪnjuː] *verb* fortsätta
continuity [,kɒntɪ'njuːətɪ] *subst* kontinuitet
continuous [kən'tɪnjʊəs] *adj* kontinuerlig,
ständig; ~ *performance*
nonstopföreställning; *the* ~ *tense* gram.
progressiv form
contort [kən'tɔːt] *verb* förvrida, förvränga
contour ['kɒn,tʊə] *subst* kontur; ~ *map*
höjdkarta
contraception [,kɒntrə'sepʃən] *subst*
födelsekontroll, användning av
preventivmedel
contraceptive [,kɒntrə'septɪv] *subst*
preventivmedel
contract I ['kɒntrækt] *subst* kontrakt
II [kən'trækt] *verb* **1** dra samman, dra ihop
2 få, ådra sig [~ *a disease*]
contraction [kən'trækʃən] *subst*
sammandragning, hopdragning
contractor [kən'træktə] *subst* **1** leverantör
2 entreprenör
contradict [,kɒntrə'dɪkt] *verb* **1** säga emot
2 motsäga
contradiction [,kɒntrə'dɪkʃən] *subst*
motsägelse; ~ *in terms* självmotsägelse
contradictory [,kɒntrə'dɪktərɪ] *adj*
motsägande, motstridig
contralto [kən'træltəʊ] (pl. ~s) *subst* musik.
1 alt **2** kontraalt
contraption [kən'træpʃən] *subst* vard.
apparat, grej
contrary I ['kɒntrərɪ] *adj* o. *adv* motsatt,
stridande [*to* mot]; ~ *to* tvärtemot, i strid
mot [~ *to the rules*]
II ['kɒntrərɪ] *subst*, *on the* ~ tvärtom
contrast I ['kɒntrɑːst] *subst* kontrast,
motsättning, motsats; *in* ~ *to* el. *in* ~ *with*
i motsats till

II [kən'trɑːst] *verb* **1** ställa upp som
motsats, kontrastera **2** bilda en kontrast
contribute [kən'trɪbjuːt] *verb* **1** bidra med
2 bidra, medverka [*to* till] **3** lämna bidrag
contribution [,kɒntrɪ'bjuːʃən] *subst* **1** bidrag
2 insats
contributor [kən'trɪbjʊtə] *subst*
1 bidragsgivare **2** medarbetare i t.ex. tidskrift
[*to* i]
contrivance [kən'traɪvəns] *subst* anordning;
apparat
contrive [kən'traɪv] *verb* **1** tänka ut, hitta på
2 finna utvägar till, lyckas
control I [kən'trəʊl] *subst* **1** kontroll,
herravälde [*he lost* ~ *of his car*];
självbehärskning; *import* ~
importreglering; *passport* ~ passkontroll;
circumstances beyond one's ~
omständigheter som man inte råder över;
be in ~ *of* ha makten över; *the situation
was getting out of* ~ man började tappa
kontrollen över situationen **2** pl. ~*s*
kontrollinstrument, reglage; *at the* ~*s* flyg.
vid spakarna
II [kən'trəʊl] (*-ll-*) *verb* kontrollera,
behärska, dirigera, reglera; ~ *one's
temper* bibehålla sitt lugn; ~ *oneself*
behärska sig
controller [kən'trəʊlə] *subst* kontrollant
controversial [,kɒntrə'vɜːʃl] *adj*
kontroversiell
controversy [kən'trɒvəsɪ, 'kɒntrəvɜːsɪ]
subst kontrovers
convalesce [,kɒnvə'les] *verb* tillfriskna
convalescence [,kɒnvə'lesns] *subst*
tillfrisknande, konvalescens
convalescent I [,kɒnvə'lesnt] *adj*, ~ *home*
konvalescenthem
II [,kɒnvə'lesnt] *subst* konvalescent
convene [kən'viːn] *verb* **1** sammankalla
2 sammanträda, samlas
convenience [kən'viːnjəns] *subst*
1 lämplighet **2** bekvämlighet; ~ *food*
snabbmat; *do it at your* ~ gör det när det
passar dig **3** *a flat with modern* ~*s* (förk.
mod cons) en modern lägenhet; *public* ~
offentlig toalett
convenient [kən'viːnjənt] *adj* **1** lämplig,
passande; *if it is* ~ om det passar
2 bekväm, behändig
convent ['kɒnvənt] *subst* nunnekloster
convention [kən'venʃən] *subst* **1** konvent
[*national* ~] **2** konvention, konventionen,
vedertaget bruk

conventional [kən'venʃnəl] *adj*
konventionell, sedvanlig

converge [kən'vɜːdʒ] *verb* löpa samman,
stråla samman

conversant [kən'vɜːsənt] *adj*, ~ *with* insatt
i, förtrogen med

conversation [ˌkɒnvə'seɪʃən] *subst*
konversation, samtal

conversational [ˌkɒnvə'seɪʃnəl] *adj*
samtals- {*in a* ~ *tone*}

converse [kən'vɜːs] *verb* konversera,
samtala

conversion [kən'vɜːʃən] *subst*
1 omvandling, förvandling **2** relig.
omvändelse **3** ekon. konvertering,
omräkning

convert I ['kɒnvɜːt] *subst* omvänd, konvertit;
she's a ~ *to Catholicism* hon har gått
över till katolicismen
II [kən'vɜːt] *verb* **1** omvandla, förvandla,
göra om {*into* till} **2** relig. omvända **3** ekon.
konvertera, omsätta {~ *into cash*}

convertible I [kən'vɜːtəbl] *adj* **1** *it is* ~ den
(det) kan omvandlas, den (det) kan
omsättas **2** *a* ~ *sports car* en sportbil med
sufflett
II [kən'vɜːtəbl] *subst* cabriolet

convex [kɒn'veks] *adj* konvex

convey [kən'veɪ] *verb* **1** föra, transportera,
forsla **2** meddela; uttrycka

conveyance [kən'veɪəns] *subst* **1** befordran,
transport **2** fortskaffningsmedel

conveyor [kən'veɪə] *subst*, ~ *belt*
transportör, transportband

convict I [kən'vɪkt] *verb* fälla {*of* för},
förklara skyldig {*of* till}
II ['kɒnvɪkt] *subst* fånge, intern

conviction [kən'vɪkʃən] *subst* **1** brottslings
fällande, fällande dom {*of* mot}; *he had
three previous* ~*s* han var straffad tre
gånger tidigare **2** övertygelse; *carry* ~
verka övertygande

convince [kən'vɪns] *verb* övertyga {*of* om}

convivial [kən'vɪvɪəl] *adj* **1** festlig, glad
2 sällskaplig

convoy I ['kɒnvɔɪ] *verb* eskortera
II ['kɒnvɔɪ] *subst* konvoj

convulsion [kən'vʌlʃən] *subst* mest pl. ~*s*
konvulsioner, krampanfall

coo [kuː] *verb* kuttra

cook I [kʊk] *subst* kock, kokerska; *she is a
good* ~ hon lagar god mat
II [kʊk] *verb* **1** laga till, laga mat, koka, steka
2 laga mat **3** kokas, stekas, tillagas **4** vard.,
~ *up* koka ihop, hitta på {~ *up a story*}

cookbook ['kʊkbʊk] *subst* spec. amer. kokbok

cooker ['kʊkə] *subst* **1** spis **2** matäpple

cookery ['kʊkərɪ] *subst* kokkonst,
matlagning

cookery book ['kʊkərɪbʊk] *subst* kokbok

cookie ['kʊkɪ] *subst* amer., ungefär småkaka,
kex

cooking ['kʊkɪŋ] *subst* matlagning,
tillagning, kokning, stekning; *do the* ~
laga maten; ~ *apple* matäpple; ~
chocolate blockchoklad; ~ *oil* matolja

cool I [kuːl] *adj* **1** sval, kylig **2** kylig,
kallsinnig **3** lugn; *keep* ~*!* el. ~ *it!* vard. ta
det lugnt!; *a* ~ *customer* en fräck en
4 vard. häftig, cool, ball
II [kuːl] *subst* **1** svalka **2** vard., *lose one's* ~
tappa huvudet; *keep one's* ~ hålla
huvudet kallt
III [kuːl] *verb* **1** göra sval, göra svalare; kyla
2 svalna, kylas av

cool bag ['kuːlbæg] *subst* o. **cool box**
['kuːlbɒks] *subst* kylväska

coop [kuːp] *subst* bur för ligghöns

co-op ['kəʊɒp] *subst* vard. (kortform för
co-operative society el. *shop* el. *store*); *the
Co-op* konsum

co-operate [kəʊ'ɒpəreɪt] *verb* samarbeta

co-operation [kəʊˌɒpə'reɪʃən] *subst*
samarbete, samverkan

co-operative [kəʊ'ɒpərətɪv] *adj*
1 samarbetsvillig **2** kooperativ {~ *society*};
~ *shop* el. ~ *store* konsumbutik; *the
Co-operative Wholesale Society* ungefär
Kooperativa förbundet

co-opt [kəʊ'ɒpt] *verb* välja in {*on to* i}

co-ordinate [kəʊ'ɔːdɪneɪt] *verb* samordna,
koordinera

co-ordination [kəʊˌɔːdɪ'neɪʃən] *subst*
samordning, koordination

cop I [kɒp] *subst* vard. snut polis; *the* ~*s*
snuten
II [kɒp] (*-pp-*) *verb* vard., ~ *it* få på pälsen

cope [kəʊp] *verb* **1** klara det, vard. stå pall
2 ~ *with* klara, vard. stå pall för

Copenhagen [ˌkəʊpn'heɪgən] Köpenhamn

copier ['kɒpɪə] *subst* kopiator,
kopieringsapparat

co-pilot [ˌkəʊ'paɪlət] *subst* flyg. andrepilot

copious ['kəʊpjəs] *adj* riklig, kopiös

1 copper ['kɒpə] *subst* sl. snut polis

2 copper ['kɒpə] *subst* **1** koppar
2 kopparmynt

copter ['kɒptə] *subst* vard. helikopter

copy I ['kɒpɪ] *subst* **1** kopia, avskrift; *fair* ~
el. *clean* ~ renskriven kopia; *rough* ~

koncept, kladd; *top* ~ original **2** exemplar,
nummer av t.ex. bok, tidning
II ['kɒpɪ] *verb* **1** kopiera; ~ *down* el. ~
skriva av; ~ *out* skriva ut **2** imitera, härma
copycat ['kɒpɪkæt] *subst* **1** härmapa,
efterapare **2** efter samma mönster som
tidigare [~ *murder*; ~ *strike*]
copyright I ['kɒpɪraɪt] *subst* copyright,
upphovsrätt; ~ *reserved* eftertryck
förbjudes
II ['kɒpɪraɪt] *verb* få copyright på
coquette [kɒ'ket] *subst* kokett
coquettish [kɒ'ketɪʃ] *adj* kokett
coral ['kɒrəl] *subst* korall
cord [kɔːd] *subst* **1** rep, snöre, snodd **2** amer.
elektr. sladd **3** anat., *spinal* ~ ryggmärg;
vocal ~*s* stämband **4** pl. ~*s*
manchesterbyxor
cordial I ['kɔːdjəl] *adj* hjärtlig [*a* ~ *smile*]
II ['kɔːdjəl] *subst* fruktsaft
cordiality [ˌkɔːdɪ'ælətɪ] *subst* hjärtlighet
cordon I ['kɔːdn] *subst* kordong; *police* ~
poliskedja, polisspärr
II ['kɔːdn] *verb*, ~ *off* spärra av med poliskedja
corduroy ['kɔːdərɔɪ] *subst* manchestertyg; pl.
~*s* manchesterbyxor
core [kɔː] *subst* **1** kärnhus i frukt **2** kärna,
kärnpunkt; *to the* ~ alltigenom
cork I [kɔːk] *subst* kork
II [kɔːk] *verb*, ~ *up* el. ~ korka igen
corkscrew ['kɔːkskruː] *subst* korkskruv
1 corn [kɔːn] *subst* **1** säd, spannmål **2** i större
delen av Storbritannien spec. vete **3** skotska el.
irländska havre **4** amer., *Indian* ~ el. ~ majs;
sweet ~ majs; ~ *on the cob* kokta
majskolvar maträtt **5** sädeskorn
2 corn [kɔːn] *subst* liktorn på foten
corncob ['kɔːnkɒb] *subst* majskolv
cornea ['kɔːnɪə] *subst* anat. hornhinna
corner I ['kɔːnə] *subst* **1** hörn, hörna; *turn
the* ~ a) vika om hörnet b) klara det värsta;
be in a tight ~ vara i knipa **2** sport. hörna
II ['kɔːnə] *verb* **1** tränga in i ett hörn, sätta i
knipa **2** ta kurvor, ta kurvorna
corner kick ['kɔːnəkɪk] *subst* fotb. hörna
cornet ['kɔːnɪt] *subst* **1** musik. kornett
2 glasstrut
cornflakes ['kɔːnfleɪks] *subst pl* cornflakes,
majsflingor
cornflour ['kɔːnflaʊə] *subst* **1** majsmjöl
2 finsiktat mjöl
cornflower ['kɔːnflaʊə] *subst* blåklint
corny ['kɔːnɪ] *adj* vard. larvig, töntig
coronary ['kɒrənərɪ] *subst* vard. med.
hjärtinfarkt

Coronation Street
Coronation Street är en av Englands
mest populära tv-serier någonsin.
Ingen annan serie har gått längre på
tv. Det är en såpa som handlar om
arbetarklassfamiljer som alla bor på
gatan *Coronation Street*. Gatan finns
inte i verkligheten.

coronation [ˌkɒrə'neɪʃən] *subst* kröning
coroner ['kɒrənə] *subst* coroner
undersökningsdomare som utreder orsaken till
dödsfall vid misstanke om mord; *coroner's
inquest* förhör om dödsorsaken
1 corporal ['kɔːprəl] *subst* mil. **1** korpral
2 furir
2 corporal ['kɔːprəl] *adj* kroppslig; ~
punishment aga
corporation [ˌkɔːpə'reɪʃən] *subst*
1 korporation **2** statligt bolag [*British
Broadcasting Corporation*], amer. aktiebolag
3 styrelse **4** vard. kalaskula
corps [kɔː] (pl. *corps* [kɔːz]) *subst* kår
corpse [kɔːps] *subst* lik
corpulent ['kɔːpjulənt] *adj* korpulent, fet
correct I [kə'rekt] *verb* **1** rätta, rätta till,
korrigera, justera
II [kə'rekt] *adj* korrekt, rätt
correction [kə'rekʃən] *subst* rättelse,
korrigering, justering
correspond [ˌkɒrɪ'spɒnd] *verb* **1** motsvara
varandra; ~ *to* motsvara **2** brevväxla
correspondence [ˌkɒrɪ'spɒndəns] *subst*
1 motsvarighet [*to* till], överensstämmelse
[*with* med] **2** brevväxling; ~ *school*
korrespondensinstitut, brevskola
correspondent [ˌkɒrɪ'spɒndənt] *subst*
1 brevskrivare **2** korrespondent; *our
special* ~ vår utsände medarbetare
corresponding [ˌkɒrɪ'spɒndɪŋ] *adj*
motsvarande
corridor ['kɒrɪdɔː] *subst* korridor; ~ *train*
genomgångståg
corroborate [kə'rɒbəreɪt] *verb* bestyrka,
bekräfta
corroboration [kəˌrɒbə'reɪʃən] *subst*
bestyrkande, bekräftelse, bekräftande
corrode [kə'rəʊd] *verb* **1** fräta **2** fräta sönder,
frätas sönder
corrosion [kə'rəʊʒən] *subst* korrosion,
frätning
corrosive I [kə'rəʊsɪv] *adj* frätande
II [kə'rəʊsɪv] *subst* frätande ämne

corrugate ['kɒrʊgeɪt] *verb* räffla, korrugera;
corrugated iron korrugerad plåt;
corrugated cardboard wellpapp
corrupt I [kə'rʌpt] *adj* **1** fördärvad, depraverad **2** korrumperad
II [kə'rʌpt] *verb* **1** fördärva, göra depraverad **2** korrumpera
corruption [kə'rʌpʃən] *subst* korruption
corset ['kɔːsɪt] *subst* korsett, snörliv
Corsica ['kɔːsɪkə] Korsika
Corsican I ['kɔːsɪkən] *adj* korsikansk
II ['kɔːsɪkən] *subst* korsikan, korsikanare
cortisone ['kɔːtɪzəʊn] *subst* cortison
cosmetic I [kɒz'metɪk] *adj* kosmetisk
II [kɒz'metɪk] *subst* skönhetsmedel; pl. ~*s* kosmetika
cosmic ['kɒzmɪk] *adj* kosmisk [~ *rays*]
cosmonaut ['kɒzmənɔːt] *subst* kosmonaut, rysk astronaut
cosmopolitan [ˌkɒzmə'pɒlɪtən] *adj* kosmopolitisk
cosmos ['kɒzmɒs] *subst*, *the* ~ kosmos
cost I [kɒst] (*cost cost*) *verb* kosta
II [kɒst] *subst* **1** kostnad; *the* ~ *of living* levnadskostnaderna; ~ *price* inköpspris, självkostnadspris; *at the* ~ *of* till priset av; *at all* ~*s* till varje pris; *as I know to my* ~ som jag vet av bitter erfarenhet **2** jur., pl. ~*s* rättegångskostnader
costly ['kɒstlɪ] *adj* dyrbar, kostsam, dyr
costume ['kɒstjuːm] *subst* **1** klädedräkt, dräkt; ~ *ball* maskeradbal **2** teat. kostym
cosy ['kəʊzɪ] *adj* hemtrevlig, trivsam, mysig
cot [kɒt] *subst* **1** babysäng, spjälsäng; ~ *death* med. plötslig spädbarnsdöd **2** amer. fältsäng, tältsäng
coterie ['kəʊtərɪ] *subst* kotteri
cottage ['kɒtɪdʒ] *subst* **1** litet hus, stuga; *country* ~ litet landställe **2** före subst., ~ *cheese* keso®; ~ *loaf* runt matbröd med liten topp på
cotton ['kɒtn] *subst* **1** bomull **2** bomullstråd
cotton candy [ˌkɒtn'kændɪ] *subst* amer. sockervadd
cotton wool [ˌkɒtn'wʊl] *subst* **1** råbomull **2** bomull; vadd; ~ *pad* bomullstuss
couch [kaʊtʃ] *subst* **1** soffa, dyscha; ~ *potato* vard. soffpotatis **2** bänk för t.ex. massage
couchette [kuː'ʃet] *subst* järnv. liggvagnsplats; ~ *car* el. ~ liggvagn
cough I [kɒf] *verb* hosta
II [kɒf] *subst* **1** hosta **2** hostning
cough drop ['kɒfdrɒp] *subst* halstablett, hosttablett

cough mixture ['kɒfˌmɪkstʃə] *subst* hostmedicin
could [kʊd, obetonat kəd] *hjälpverb* (imperf. av *1 can*) **1** kunde **2** skulle kunna
couldn't ['kʊdnt] = *could not*
council ['kaʊnsl] *subst* råd, rådsförsamling; *town* ~ el. *city* ~ kommunfullmäktige, stadsfullmäktige
councillor ['kaʊnsələ] *subst* rådsmedlem; *town* ~ el. ~ kommunfullmäktig, stadsfullmäktig
counsel I ['kaʊnsəl] *subst* **1** råd; *keep one's own* ~ behålla sina tankar för sig själv **2** (pl. lika) advokat som biträder part vid rättegång; ~ *for the defence* försvarsadvokat, försvarsadvokaten
II ['kaʊnsəl] *verb* råda ngn
counsellor ['kaʊnsələ] *subst* rådgivare
1 count [kaʊnt] *subst* icke-brittisk greve
2 count I [kaʊnt] *verb* **1** räkna, räkna till [~ *three*], räkna in, räkna ihop; *six, counting the driver* sex, föraren medräknad **2** anse som, hålla ngn för; ~ *oneself lucky* skatta sig lycklig **3** gälla för [*the ace* ~*s ten*] **4** *it doesn't* ~ det räknas inte, det betyder inget; räknas med
II [kaʊnt] *verb* med adv. o. prep.
count in räkna med
count on: *you can* ~ *on me* räkna med mig, du kan lita på mig
count out 1 räkna upp t.ex. pengar **2** boxn. räkna ut **3** inte räkna med [~ *me out*]
count up räkna ihop
III [kaʊnt] *subst* **1** sammanräkning; *keep* ~ *of* hålla räkning på; *lose* ~ tappa räkningen **2** boxn. räkning; *take the* ~ gå ner för räkning **3** jur. anklagelsepunkt
countable I ['kaʊntəbl] *adj* gram., om subst. räknebar, pluralbildande
II ['kaʊntəbl] *subst* gram. räknebart substantiv, pluralbildande substantiv
countdown ['kaʊntdaʊn] *subst* nedräkning vid t.ex. start
countenance I ['kaʊntənəns] *subst* ansikte
II ['kaʊntənəns] *verb* tillåta
1 counter ['kaʊntə] *subst* **1** i t.ex. butik disk **2** amer. arbetsbänk **3** spelmark, bricka
2 counter I ['kaʊntə] *adj*, *it is* ~ *to* den strider mot
II ['kaʊntə] *adv*, ~ *to* tvärt emot
III ['kaʊntə] *verb* **1** motarbeta **2** bemöta
counteract [ˌkaʊntər'ækt] *verb* motverka
counterattack I ['kaʊntərəˌtæk] *subst* motanfall

II ['kaʊntərə,tæk] *verb* **1** göra motanfall mot **2** göra motanfall

counterfeit ['kaʊntəfiːt] *adj* förfalskad; ~ *money* falska pengar

counterfoil ['kaʊntəfɔɪl] *subst* på t.ex. biljetthäfte talong

countermeasure ['kaʊntə,meʒə] *subst* motåtgärd

counter-offensive ['kaʊntərə,fensɪv] *subst* motoffensiv

counterpart ['kaʊntəpɑːt] *subst* motsvarighet, motpart

counter-revolution ['kaʊntərevə,luːʃən] *subst* kontrarevolution

countess ['kaʊntəs, 'kaʊntes] *subst* **1** icke-brittisk grevinna **2** countess 'earls' maka el. änka

countless ['kaʊntləs] *adj* otalig, oräknelig

country ['kʌntrɪ] *subst* **1** land, rike **2** landsbygd, landsort; *in the* ~ a) på landet b) i landsorten **3** område, trakt

country house [,kʌntrɪ'haʊs] *subst* **1** herrgård, gods **2** landställe, hus på landet

countryman ['kʌntrɪmən] *subst* **1** landsman **2** lantbo

countryside ['kʌntrɪsaɪd] *subst* **1** landsbygd **2** landskap, natur [*what beautiful* ~*!*]

county Storbritannien indelas i grevskap, *counties*. Det största är *Yorkshire* i norra England. I södra England ligger bl.a. *Kent, Devon, Cornwall* och *Somerset*.

county ['kaʊntɪ] *subst* **1** grevskap; *the Home Counties* grevskapen närmast London; ~ *council* a) grevskapsråd b) ungefär landsting **2** amer. storkommun i vissa delstater

coup [kuː] *subst* kupp

coupe [kuːp] *subst* coupe skål med glass

coupé ['kuːpeɪ, amer. kuː'peɪ] *subst* bil. kupé

couple I ['kʌpl] *subst* par
II ['kʌpl] *verb* **1** koppla, koppla ihop, para

coupon ['kuːpɒn] *subst* kupong

courage ['kʌrɪdʒ] *subst* mod, tapperhet

courageous [kə'reɪdʒəs] *adj* modig, tapper

courier ['kʊrɪə] *subst* **1** kurir **2** reseledare

course [kɔːs] *subst* **1** bana **2** riktning; sjö. el. flyg. kurs **3** förlopp, gång [*the* ~ *of events*]; *in the* ~ *of* inom loppet av; *in* ~ *of time*

med tiden; *in due* ~ i vederbörlig ordning **4** *of* ~ naturligtvis; *it is a matter of* ~ det är en självklar sak **5** kurs, studiegång **6** rätt vid en måltid; *first* ~ förrätt **7** kapplöpningsbana, golfbana

court I [kɔːt] *subst* **1** kringbyggd gård, gårdsplan **2** sport. plan, bana [*tennis* ~] **3** hov **4** jur. domstol, rätt, rättssal; ~ *of appeal* appellationsdomstol; *in* ~ inför rätten; *go to* ~ dra saken inför rätta; *take sb to* ~ stämma ngn
II [kɔːt] *verb* göra ngn sin kur, fria till

courteous ['kɜːtjəs] *adj* artig, hövlig

courtesy ['kɜːtəsɪ] *subst* artighet, hövlighet; *by the* ~ *of* el. *by* ~ *of* med benäget tillstånd av; ~ *title* hövlighetstitel

court-martial [,kɔːt'mɑːʃl] (pl. äv. *courts-martial*) *subst* krigsrätt

courtroom ['kɔːtruːm] *subst* rättssal

court shoes ['kɔːtʃuːz] *subst pl* pumps

courtyard ['kɔːtjɑːd] *subst* gård, gårdsplan

cousin ['kʌzn] *subst* kusin; *second* ~ syssling

cover I ['kʌvə] *verb* **1** täcka, täcka över, klä **2** dölja **3** sträcka sig över, omfatta **4** i tidning, radio m.m. bevaka, täcka **5** tillryggalägga, avverka [~ *five miles*] **6** ~ *up* täcka över, dölja
II ['kʌvə] *subst* **1** täcke, överdrag **2** hölje **3** lock **4** pärm, omslag **5** skydd; *under the* ~ *of* a) i skydd av b) under täckmantel av

cover charge ['kʌvətʃɑːdʒ] *subst* kuvertavgift

cover girl ['kʌvəgɜːl] *subst* omslagsflicka

coverlet ['kʌvələt] *subst* överkast på säng

covet ['kʌvət] *verb* åtrå

covetous ['kʌvətəs] *adj* lysten, girig

cow [kaʊ] *subst* **1** ko **2** neds., om kvinna apa, kossa, bitch **3** *mad* ~ *disease* galna ko-sjukan

coward ['kaʊəd] *subst* feg stackare, fegis

cowardice ['kaʊədɪs] *subst* feghet, rädsla

cowardly ['kaʊədlɪ] *adj* feg

cowboy ['kaʊbɔɪ] *subst* cowboy

cower ['kaʊə] *verb* krypa ihop, huka sig [*before* för]

cowhouse ['kaʊhaʊs] *subst* ladugård

cowl [kaʊl] *subst* **1** munkkåpa **2** huva **3** rökhuv

co-worker [,kəʊ'wɜːkə] *subst* medarbetare

cowshed ['kaʊʃed] *subst* ladugård

cowslip ['kaʊslɪp] *subst* gullviva

coy [kɔɪ] *adj* om kvinna chosig, tillgjort blyg

cozy ['kəʊzɪ] amer., se *cosy*

crab [kræb] *subst* krabba

crack I [kræk] *verb* **1** knaka, braka, knalla, smälla **2** spricka, brista **3** spräcka, knäcka [~ *nuts*] **4** kollapsa, knäckas [~ *under the strain*] **5** om röst brytas **6** ~ *jokes* vitsa, okämta
II [kræk] *verb* med adv. o. prep.
crack down on vard. slå ner på, klämma åt
crack up vard. klappa ihop
III [kræk] *subst* **1** brak, knall, smäll **2** spricka **3** ~ *of dawn* vard. gryning **4** *have a* ~ *at sth* vard. försöka sig på ngt
IV [kræk] *adj* vard. mäster- [*a* ~ *shot*], elit- [*a* ~ *team*]
cracker ['krækə] *subst* **1** fyrverkeri smällare, svärmare **2** *Christmas* ~ el. ~ smällkaramell **3** tunt smörgåskex, amer. kex i allm.
crackers ['krækəz] *adj* vard. knasig, knäpp
crackle I ['krækl] *verb* knastra
II ['krækl] *subst* knaster
cradle ['kreidl] *subst* vagga
craft [krɑːft] *subst* **1** hantverk, yrke, konst; *arts and* ~*s* pl. konsthantverk **2** (pl. lika) fartyg, båt, farkost, flygplan
craftsman ['krɑːftsmən] *subst* hantverkare, skicklig yrkesman, konsthantverkare
craftsmanship ['krɑːftsmənʃɪp] *subst* hantverk, hantverksskicklighet
crafty ['krɑːftɪ] *adj* listig, slug
crag [kræg] *subst* brant klippa
cram [kræm] (-*mm*-) *verb* **1** proppa full, stuva in, stoppa in **2** proppa mat i, göda **3** plugga [*for* på, till en examen]
cramp I [kræmp] *subst* kramp
II [kræmp] *verb* hämma
cramped [kræmpt] *perf p* o. *adj* **1** alltför trång **2** hoptryckt stil
cranberry ['krænbərɪ] *subst* tranbär; ~ *sauce* tranbärssylt
crane I [krein] *subst* **1** fågel trana **2** lyftkran
II [krein] *verb* sträcka på [~ *one's neck*]
crane fly ['kreinflai] *subst* harkrank
crank [kræŋk] *subst* **1** vev **2** vard. excentrisk individ, original
crankshaft ['kræŋkʃɑːft] *subst* tekn. vevaxel
crap [kræp] *subst* vard. **1** skit **2** skitsnack
crash I [kræʃ] *verb* **1** braka, skrälla **2** krossas, gå i kras **3** rusa med ett brak; ~ *into* smälla ihop med **4** flyg. störta **5** ekon. krascha, göra bankrutt **6** kvadda, krascha
II [kræʃ] *subst* **1** brak, krasch **2** olycka [*killed in a car* ~], smäll, krock
crashbag ['kræʃbæg] *subst* bil. krockkudde
crash helmet ['kræʃ,helmɪt] *subst* störthjälm
crash-land ['kræʃlænd] *verb* kraschlanda

crash-landing ['kræʃ,lændɪŋ] *subst* kraschlandning
crate [kreit] *subst* spjällåda, back för t.ex öl
crater ['kreitə] *subst* krater
cravat [krə'væt] *subst* kravatt
crave [kreiv] *verb* **1** be om **2** ~ *for* el. ~ längta efter
craving ['kreivɪŋ] *subst* begär, åtrå [*for* efter]
crawfish ['krɔːfɪʃ], amer., se *crayfish*
crawl I [krɔːl] *verb* **1** krypa, kravla, kräla **2** myllra, krylla [*with* av] **3** simn. crawla
II [krɔːl] *subst* **1** *go at a* ~ krypa fram **2** simn. crawl
crawler lane ['krɔːləlein] *subst* trafik. krypfil
crawlers ['krɔːləz] *subst pl* krypbyxor
crayfish ['kreifɪʃ] *subst* skaldjur kräfta
crayon ['kreiən] *subst* färgkrita
craze [kreiz] *subst* **1** mani, dille [*for* på] **2** modefluga; *the latest* ~ sista skriket
crazy ['kreizi] *adj* tokig, galen
creak I [kriːk] *verb* knarra, knaka
II [kriːk] *subst* knarr, knakande
creaky ['kriːkɪ] *adj* knarrande
cream [kriːm] *subst* **1** grädde; ~ *tea* te med scones, sylt och vispgrädde; *double* ~ tjock grädde; *single* ~ tunn grädde **2** kok. kräm; pralin med krämfyllning **3** kräm för hud, skor m.m. **4** grädda [*the* ~ *of society*]
cream cheese [,kriːm'tʃiːz] *subst* mjuk gräddost; *fresh* ~ el. ~ keso®; kvark
crease I [kriːs] *subst* **1** veck, rynka, skrynkla **2** pressveck
II [kriːs] *verb* **1** pressa **2** skrynkla **3** skrynkla sig, rynka sig, vecka sig
creaseproof ['kriːspruːf] *adj* skrynkelfri
create [krɪ'eit] *verb* **1** skapa [~ *new jobs*], frambringa **2** upprätta **3** väcka [~ *a sensation*]
creation [krɪ'eiʃən] *subst* **1** skapande **2** skapelse **3** kreation, modeskapelse
creative [krɪ'eitiv] *adj* kreativ, skapande [*a* ~ *artist*]
creator [krɪ'eitə] *subst* **1** skapare **2** upphovsman
creature ['kriːtʃə] *subst* **1** varelse, människa [*a lovely* ~], typ [*that horrid* ~] **2** djur
credence ['kriːdəns] *subst* tilltro
credibility [,kredə'bilɪtɪ] *subst* trovärdighet
credible ['kredəbl] *adj* trovärdig
credit I ['kredɪt] *subst* **1** kredit; *on* ~ på kredit (räkning); ~ *account* kundkonto i varuhus; ~ *card* köpkort, kreditkort; ~ *squeeze* kreditåtstramning **2** tillgodohavande; ~ *note* tillgodokvitto **3** *she is a* ~ *to* hon är en heder för; *get* ~

for få beröm för; *take the* ~ ta åt sig äran
4 tilltro; *give* ~ *to* sätta tro till
II ['kredɪt] *verb* **1** tro; ~ *sb with sth* a) tro
ngn om ngt b) tillskriva ngn ngt **2** hand.
kreditera
creditable ['kredɪtəbl] *adj* hedrande,
aktningsvärd
creditor ['kredɪtə] *subst* fordringsägare
credulous ['kredjʊləs] *adj* lättrogen
creed [kriːd] *subst* trosbekännelse, troslära
creek [kriːk] *subst* **1** liten vik **2** amer. å, bäck
creep [kriːp] (*crept crept*) *verb* **1** krypa, kräla
2 smyga, smyga sig
creeper ['kriːpə] *subst* krypväxt, klätterväxt
creepers ['kriːpəz] *subst pl* amer. krypbyxor
creepy-crawly [ˌkriːpɪ'krɔːlɪ] *subst* småkryp
cremate [krɪ'meɪt] *verb* kremera, bränna
cremation [krɪ'meɪʃən] *subst* kremering
crematorium [ˌkremə'tɔːrɪəm] *subst*
krematorium
crepe [kreɪp] *subst* **1** tyg kräpp **2** ~ *paper*
kräppapper; ~ *rubber* rågummi till skor
crept [krept] imperf. o. perf. p. av *creep*
crescendo [krə'ʃendəʊ] *subst* italienska, mus.
el. allm. crescendo
crescent ['kresnt] *subst* **1** månskära,
halvmåne
cress [kres] *subst* växt krasse
crest [krest] *subst* **1** kam på tupp **2** ätts vapen
[*family* ~] **3** krön, topp
crestfallen ['krest ˌfɔːlən] *adj* nedslagen
Crete [kriːt] Kreta
crevice ['krevɪs] *subst* skreva, springa
crew [kruː] *subst* **1** sjö. el. flyg. besättning;
ground ~ markpersonal **2** team, lag, neds.
gäng
crew cut ['kruːkʌt] *subst*, *have a* ~ vara
snaggad
crib I [krɪb] *subst* **1** krubba, babykorg **2** amer.
babysäng, spjälsäng **3** vard. plagiat **4** skol.
fusklapp
II [krɪb] (*-bb-*) *verb* vard. **1** knycka **2** planka,
fuska
1 cricket ['krɪkɪt] *subst* syrsa insekt
2 cricket ['krɪkɪt] *subst* kricket spel
cricketer ['krɪkɪtə] *subst* kricketspelare
crime [kraɪm] *subst* **1** brott **2** brottslighet
Crimea [kraɪ'mɪə], *the* ~ Krim
crime passionel [ˌkriːmpæsjə'nel] *subst* fr.
svartsjukedrama brott
criminal I ['krɪmɪnl] *adj* **1** brottslig,
kriminell **2** kriminal-; ~ *case* brottmål; *he
has a* ~ *record* han finns i straffregistret
II ['krɪmɪnl] *subst* brottsling, förbrytare
criminality [ˌkrɪmɪ'nælɪtɪ] *subst* brottslighet

crimson I ['krɪmzn] *subst* karmosinrött
II ['krɪmzn] *adj* karmosinröd, högröd
cringe [krɪndʒ] *verb* krypa, vara inställsam
cripple I ['krɪpl] *subst* krympling
II ['krɪpl] *verb* **1** lemlästa **2** lamslå, förstöra
crippled ['krɪpld] *adj* **1** lam, lytt **2** lamslagen
[*the economy was* ~]
crisis ['kraɪsɪs] (pl. *crises* ['kraɪsiːz]) *subst*
kris
crisp I [krɪsp] *adj* knaprig, frasig
II [krɪsp] *subst*, *potato* ~*s* potatischips
crispbread ['krɪspbred] *subst* knäckebröd
crispy ['krɪspɪ] *adj* frasig
criterion [kraɪ'tɪərɪən] (pl. *criteria*
[kraɪ'tɪərɪə]) *subst* kriterium
critic ['krɪtɪk] *subst* kritiker
critical ['krɪtɪkl] *adj* kritisk [*of* mot]
criticism ['krɪtɪsɪzəm] *subst* kritik [*of* av,
över]
criticize ['krɪtɪsaɪz] *verb* kritisera
croak I [krəʊk] *verb* **1** kraxa **2** om groda kväka
II [krəʊk] *subst* **1** kraxande **2** kväkande
Croat ['krəʊæt] *subst* kroat
Croatia [krəʊ'eɪʃə] Kroatien
Croatian [krəʊ'eɪʃən] *adj* kroatisk
crochet I ['krəʊʃeɪ] *subst* virkning; ~ *hook*
el. ~ *needle* virknål
II ['krəʊʃeɪ] *verb* virka
crockery ['krɒkərɪ] *subst* porslin koppar,
tallrikar m.m.
crocodile ['krɒkədaɪl] *subst* krokodil
crocus ['krəʊkəs] *subst* krokus
croissant ['krwɑːsɑːnt] *subst* franska kok. giffel
crony ['krəʊnɪ] *subst* mest neds. kumpan,
polare
crook I [krʊk] *subst* **1** krök, krok **2** vard. bov
II [krʊk] *verb* kröka, böja

---

cricket
Cricket påminner om en slags avancerad brännboll och spelas framför
allt i England och i några länder
som ingick i det brittiska imperiet,
t.ex. Australien *Australia*, Indien
India, Sydafrika *South Africa*, Västindien *the West Indies* och Pakistan
Pakistan. En vanlig match tar tre-
fyra dagar att genomföra. En internationell match, *test match*, kan ta
upp till fem dagar.

crooked ['krʊkɪd] *adj* **1** krokig, krökt **2** sned
[*a ~ smile*] **3** oärlig, skum
croon [kru:n] (*-nn-*) *verb* nynna, gnola
crop I [krɒp] *subst* **1** skörd **2** gröda **3** fågels
kräva
II [krɒp] (*-pp-*) *verb* skära av, hugga av; ~
up dyka upp
croquet ['krəʊkɪ, amer. krəʊ'keɪ] *subst*
krocket spel
croquette [krɒ'ket, krəʊ'ket] *subst* kok.
krokett
cross I [krɒs] *subst* **1** kors, kryss; *make the
sign of the* ~ göra korstecken **2** korsning,
mellanting
II [krɒs] *adj* vard. sur, arg [*with* på]
III [krɒs] *verb* **1** lägga i kors, korsa [~ *one's
legs*]; *keep your fingers crossed!* håll
tummarna! **2** stryka [*off the list* från listan];
~ *out* korsa över, stryka över **3** fara över,
gå över **4** biol. korsa
crossbar ['krɒsbɑ:] *subst* **1** stång på herrcykel
2 sport. ribba
crossbreed ['krɒsbri:d] *subst* blandras
cross-country [ˌkrɒs'kʌntrɪ] *adj*, ~
running terränglöpning; *a ~ run* el. ~
race ett terränglopp
cross-examination ['krɒsɪɡˌzæmɪ'neɪʃən]
subst korsförhör
cross-examine [ˌkrɒsɪɡ'zæmɪn] *verb*
korsförhöra
cross-eyed ['krɒsaɪd] *adj* vindögd, skelögd
crossfire ['krɒsˌfaɪə] *subst* korseld
crossing ['krɒsɪŋ] *subst* **1** överresa
2 korsning, gatukorsning, vägkorsning;
pedestrian ~ övergångsställe; *zebra* ~
övergångsställe med ränder
cross-purposes [ˌkrɒs'pɜ:pəsɪz] *subst pl*, *be
at* ~ syfta åt olika håll, missförstå varann
cross-question [ˌkrɒs'kwestʃən] *verb*
korsförhöra
crossroad ['krɒsrəʊd] *subst*, ~*s* vägkorsning
[*a ~s*]; *we are at the* ~*s* vi står vid
skiljevägen
cross-section [ˌkrɒs'sekʃən] *subst*
genomskärning, tvärsnitt
crosswalk ['krɒswɔ:k] *subst* amer.
övergångsställe
crosswind ['krɒswɪnd] *subst* sidvind
crossword ['krɒswɜ:d] *subst*, ~ *puzzle* el. ~
korsord [*do a ~*]
crotch [krɒtʃ] *subst* anat. skrev, gren
crouch [kraʊtʃ] *verb*, ~ *down* el. ~ huka sig
1 crow [krəʊ] *verb* gala [*the cock crowed*]
2 crow [krəʊ] *subst* kråka; *as the* ~ *flies*
fågelvägen

crowbar ['krəʊbɑ:] *subst* kofot
crowd I [kraʊd] *subst* folkmassa,
folksamling; på t.ex. match publik, vard. gäng
[*a nice ~*]
II [kraʊd] *verb* **1** trängas, tränga ihop sig,
strömma i skaror, trängas i [~ *a hall*]
2 packa full [~ *a bus*]
crowded ['kraʊdɪd] *adj* **1** fullpackad, full,
fullsatt [*a ~ bus*] **2** späckad [*a ~
programme*]
crown I [kraʊn] *subst* **1** krona **2** valuta krona
[*a Swedish ~*]
II [kraʊn] *verb* kröna; *to* ~ *it all* till råga på
allt
crucial ['kru:ʃl] *adj* avgörande, kritisk [*a ~
moment*]
crucifix ['kru:sɪfɪks] *subst* relig. krucifix
crucify ['kru:sɪfaɪ] *verb* korsfästa
crude [kru:d] *adj* **1** rå, obearbetad; ~ *oil*
råolja **2** grov, plump [~ *jokes*]
cruel [krʊəl] *adj* grym
cruelty ['krʊəltɪ] *subst* grymhet
cruet ['kru:ɪt] *subst* **1** flaska till bordställ
2 bordställ
cruise I [kru:z] *verb* **1** kryssa omkring **2** köra
i lagom fart; ~ *at* ha en marschfart på
II [kru:z] *subst* kryssning; ~ *control* bil.
automatisk farthållare
cruiser ['kru:zə] *subst* sjö. kryssare
cruising ['kru:zɪŋ] *adj*, ~ *speed* bil. etc.
marschfart
crumb [krʌm] *subst* smula av bröd m.m.
crumble ['krʌmbl] *verb* **1** smula sig **2** förfalla
crumpet ['krʌmpɪt] *subst* tekaka som rostas och
ätes varm
crumple ['krʌmpl] *verb*, ~ *up* el. ~ skrynkla,
knyckla till, knyckla ihop; skrynkla sig
crunch I [krʌntʃ] *verb* **1** knapra på **2** knastra
II [krʌntʃ] *subst* **1** knaprande, knastrande
2 *when it comes to the* ~ när det
verkligen gäller
crusade I [kru:'seɪd] *subst* kampanj [*against
mot*]
II [kru:'seɪd] *verb* delta i en kampanj
[*against mot*]
crush I [krʌʃ] *verb* krossa, klämma illa
II [krʌʃ] *subst* vard., *have a* ~ *on* svärma för
crust [krʌst] *subst* skorpa, kant på t.ex. bröd;
earth ~ jordskorpa
crutch [krʌtʃ] *subst* **1** krycka **2** anat. skrev,
gren
crux [krʌks] *subst* krux, stötesten; *the* ~ *of
the matter* den avgörande punkten
cry I [kraɪ] *verb* **1** ropa, skrika **2** gråta; ~
oneself to sleep gråta sig till sömns

ll [kraɪ] *verb med adv.* o. *prep.*
cry for 1 ropa på, ropa efter **2** gråta efter
cry out ropa högt, skrika till, ropa; ~ *out for* ropa på, fordra
lll [kraɪ] *subst* **1** rop, skrik; *in full* ~ i full fart **2** gråtstund; *have a good* ~ vard. gråta ut
crybaby ['kraɪˌbeɪbɪ] *subst* vard. lipsill, gnällmåns
crying ['kraɪɪŋ] *adj* skriande, trängande [~ *need*]; *a* ~ *shame* en evig skam, synd och skam
cryptic ['krɪptɪk] *adj* kryptisk
crystal ['krɪstl] *subst* **1** kristall [*salt* ~*s*] **2** kristallglas, kristall
crystal-clear [ˌkrɪstl'klɪə] *adj* kristallklar
crystallize ['krɪstəlaɪz] *verb* kristallisera
cub [kʌb] *subst* **1** unge av varg, björn, lejon m.m. **2** miniorscout
Cuba ['kjuːbə] Kuba
Cuban I ['kjuːbən] *subst* kuban
ll ['kjuːbən] *adj* kubansk
cube [kjuːb] *subst* **1** kub, tärning [*ice* ~] **2** mat. kub; ~ *root* kubikrot
cubic ['kjuːbɪk] *adj* kubisk; ~ *metre* kubikmeter
cubicle ['kjuːbɪkl] *subst* **1** avklädningshytt inomhus **2** bås, kabin [*shower* ~]
cuckoo ['kuku:] *subst* gök; ~ *clock* gökur
cucumber ['kjuːkʌmbə] *subst* gurka; *cool as a* ~ vard. lugn som en filbunke
cud [kʌd] *subst*, *chew the* ~ idissla
cuddle I ['kʌdl] *verb* krama, kela med; kramas, kelas; ~ *up* krypa tätt tillsammans
ll ['kʌdl] *subst* kram
cuddly ['kʌdlɪ] *adj* kelig, kramgod
cudgel ['kʌdʒəl] *subst* knölpåk
1 cue [kjuː] *subst* **1** teat. stickreplik **2** signal, vink, antydning
2 cue [kjuː] *subst* biljardkö
1 cuff I [kʌf] *verb* örfila upp
ll [kʌf] *subst* örfil
2 cuff [kʌf] *subst* **1** ärmuppslag; *off the* ~ a) på rak arm b) utom protokollet **2** manschett **3** amer. byxuppslag
cuff link ['kʌflɪŋk] *subst* manschettknapp
cuisine [kwɪ'ziːn] *subst* kokkonst kök [*French* ~]
cul-de-sac [ˌkʌldə'sæk] (pl. *culs-de-sac*) [ˌkʌldə'sæk] *subst* återvändsgränd, återvändsgata
culinary ['kʌlɪnərɪ] *adj* kulinarisk
culminate ['kʌlmɪneɪt] *verb* kulminera
culmination [ˌkʌlmɪ'neɪʃən] *subst* kulmen
culprit ['kʌlprɪt] *subst*, *the* ~ den skyldige

cult [kʌlt] *subst* kult
cultivable ['kʌltɪvəbl] *adj* odlingsbar
cultivate ['kʌltɪveɪt] *verb* bruka, bearbeta jord, odla
cultivated ['kʌltɪveɪtɪd] *adj* **1** kultiverad, bildad **2** uppodlad
cultivation [ˌkʌltɪ'veɪʃən] *subst* brukning, bearbetning av jord
cultural ['kʌltʃrəl] *adj* kulturell, bildnings-
culture I ['kʌltʃə] *subst* **1** kultur [*Greek* ~], bildning; ~ *shock* kulturchock **2** biol. odling [*bee* ~], kultur [~ *of bacteria*]; ~ *pearls* odlade pärlor
ll ['kʌltʃə] *verb* odla, bilda; *cultured pearls* odlade pärlor; *cultured people* kultiverade människor
cunning I ['kʌnɪŋ] *adj* slug
ll ['kʌnɪŋ] *subst* slughet
cunt [kʌnt] *subst* vulg. fitta
cup I [kʌp] *subst* **1** kopp; *it's not my* ~ *of tea* det är inte i min smak **2** pokal, cup; *challenge* ~ vandringspokal
ll [kʌp] (-*pp*-) *verb* kupa [~ *one's hand*]
cupboard ['kʌbəd] *subst* skåp
cupful ['kʌpful] *subst*, *a* ~ *of sugar* en kopp socker
cup tie ['kʌptaɪ] *subst* fotb. cupmatch
cur [kɜː] *subst* hundracka, byracka
curate ['kjuərət] *subst* kyrkoadjunkt
curb I [kɜːb] *subst* **1** *put a* ~ *on* lägga band på, hålla i schack **2** amer., se *kerb*
ll [kɜːb] *verb* tygla
curbstone ['kɜːbstəun] *subst* amer., se *kerbstone*
curd [kɜːd] *subst* vanligen pl. ~*s* ostmassa; ~ *cheese* el. ~ kvark
curdle ['kɜːdl] *verb* **1** surna, ysta sig **2** klumpa sig
cure I [kjuə] *subst* **1** botemedel [*for* mot] **2** kur [*of* mot, för]; bot [*of* för, mot]
ll [kjuə] *verb* **1** bota [*of* från] **2** konservera, salta, röka
curettage [kjuə'retɪdʒ] *subst* med. skrapning
curfew ['kɜːfjuː] *subst* utegångsförbud
curiosity [ˌkjuərɪ'ɒsətɪ] *subst* **1** vetgirighet **2** nyfikenhet **3** kuriositet
curious ['kjuərɪəs] *adj* **1** vetgirig **2** nyfiken [*about* på] **3** egendomlig
curl I [kɜːl] *verb* locka, locka sig; ~ *up* rulla ihop sig, kura ihop sig
ll [kɜːl] *subst* hårlock
curler ['kɜːlə] *subst* hårspole, spole
curlew ['kɜːljuː] *subst* fågel storspov
curly ['kɜːlɪ] *adj* lockig, krullig
currant ['kʌrənt] *subst* **1** korint **2** vinbär

currency ['kʌrənsɪ] *subst* **1** utbredning, spridning [*give ~ to a report*], gångbarhet **2** valuta

current I ['kʌrənt] *adj* **1** gångbar, gängse, allmänt utbredd **2** aktuell [*~ fashions*], rådande [*the ~ crisis*] **3** innevarande [*the ~ year*]
II ['kʌrənt] *subst* **1** ström **2** elektrisk ström

curriculum [kə'rɪkjʊləm] *subst* **1** läroplan **2** kurs

1 curry ['kʌrɪ] *subst* **1** kok. curry **2** curryrätt
2 curry ['kʌrɪ] *verb*, *~ favour* ställa sig in [*with* hos]

curse I [kɜːs] *subst* **1** förbannelse **2** svordom **3** gissel, plåga
II [kɜːs] *verb* **1** förbanna **2** svära [*at* över]

cursed ['kɜːsɪd] *adj* förbannad, fördömd

curt [kɜːt] *adj* brysk, snäv, tvär

curtain ['kɜːtn] *subst* **1** gardin, draperi, förhänge; *draw the ~s* dra för gardinerna **2** ridå; *safety ~* teat. järnridå

curtain call ['kɜːtnkɔːl] *subst* teat. inropning

curtain rod ['kɜːtnrɒd] *subst* gardinstång

curtsey o. **curtsy I** ['kɜːtsɪ] *subst* nigning
II ['kɜːtsɪ] *verb* niga

curvaceous [kɜː'veɪʃəs] *adj* vard., om kvinna kurvig

curve I [kɜːv] *subst* kurva, båge, krök
II [kɜːv] *verb* **1** böja, kröka **2** böja sig, kröka sig

curved [kɜːvd] *adj* böjd, krökt

cushion I ['kʊʃən] *subst* kudde, dyna
II ['kʊʃən] *verb* **1** madrassera, stoppa [*cushioned seats*] **2** dämpa, mildra

cushy ['kʊʃɪ] *adj* vard. latmans- [*a ~ job*]

cuss [kʌs] *subst* vard., *I don't give a ~* det skiter jag i; *not worth a ~* inte värd ett dugg

cussed ['kʌsɪd] *adj* vard. envis, tvär

custard ['kʌstəd] *subst* vaniljkräm; vaniljsås

custard-pie ['kʌstədpaɪ] *adj*, *~ comedy* buskis, bondkomik

custody ['kʌstədɪ] *subst* **1** vårdnad **2** förvar; *take into ~* anhålla; *in ~* i häkte; *in safe ~* i säkert förvar

custom ['kʌstəm] *subst* **1** sed, bruk, kutym **2** pl. *~s* tull, tullar, tullavgift, tullavgifter; *the Customs* tullverket, tullen; *~s examination* tullbehandling, tullvisitation

customary ['kʌstəmərɪ] *adj* vanlig, bruklig

customer ['kʌstəmə] *subst* **1** kund **2** vard. individ; *a cool ~* en fräck en; *a queer ~* el. *an odd ~* en konstig prick; *an ugly ~* en otrevlig typ

customize ['kʌstəmaɪz] *verb* skräddarsy, specialanpassa efter kundens önskemål

custom-made ['kʌstəmmeɪd] *adj* måttbeställd, skräddarsydd

cut I [kʌt] (*cut cut*) (*cutting*) *verb* **1** skära, hugga, klippa; skära i (av, för), klippa av; *have one's hair ~* klippa håret **2** *~ one's teeth* få tänder **3** skära ner, minska, förkorta **4** bryta, klippa av t.ex. filmning, del av program; stryka [*~ a scene in a film*]; *~ sb short* avbryta ngn tvärt; *~ sth short* stoppa ngt **5** skära till, hugga ut **6** kortsp. kupera [*~ the cards*] **7** vard., *~ sb dead* behandla ngn som luft
II [kʌt] (*cut cut*) (*cutting*) *verb* med adv. o. prep.
cut down 1 hugga ner, fälla **2** knappa in på, skära ner, minska
cut in blanda sig i samtalet, avbryta
cut off 1 hugga av, skära av (bort), kapa **2** skära av, isolera, avstänga **3** göra slut på, dra in **4** stänga av, avbryta
cut out 1 skära (hugga) ut, klippa ut; klippa (skära) till; *she is ~ out for the part* hon är som klippt och skuren för rollen **2** vard. skära bort, stryka, hoppa över; sluta upp med, låta bli; *~ it out!* lägg av!
cut up 1 skära sönder (upp), stycka; hugga sönder **2** klippa (skära) till **3** vard. bedröva, uppröra [*she was ~ up after his death*]
III [kʌt] *adj*, *~ flowers* lösa blommor, snittblommor; *~ glass* slipat glas, kristall; *at ~ price* till underpris; *~ and dried* el. *~ and dry* fix och färdig
IV [kʌt] *subst* **1** skärsår **2** nedskärning, nedsättning [*a ~ in prices*]; nedstrykning [*~s in the text*]; minskning; *a ~ in wages* en löneminskning; *a power ~* ett elavbrott **3** stycke, bit; *a ~ off the joint* en skiva från steken **4** skärning, snitt om kläder **5** *short ~* genväg **6** kupering av spelkort **7** *a ~ above me* ett pinnhål högre än jag

cutback ['kʌtbæk] *subst* minskning, nedskärning

cute [kjuːt] *adj* vard. **1** klipsk, fiffig **2** söt, rar

cuticle ['kjuːtɪkl] *subst* **1** nagelband

cutlery ['kʌtlərɪ] *subst* matbestick

cutlet ['kʌtlət] *subst* **1** kotlett **2** köttskiva **3** pannbiff

cut-price [ˌkʌt'praɪs] *adj*, *~ shop* ungefär lågprisaffär

cut-throat ['kʌtθrəʊt] *adj*, *~ competition* hänsynslös konkurrens

cutting I ['kʌtɪŋ] *subst* klipp [*press ~*]
II ['kʌtɪŋ] *adj* skärande, vass, bitande

cuttlefish ['kʌtlfɪʃ] *subst* bläckfisk

CV [,siː'viː] (förk. för *curriculum vitae* latin) meritförteckning vid platsansökan; kort levnadsbeskrivning

cyanide ['saɪənaɪd] *subst*, *potassium* ~ kem. cyankalium

cybernetics [,saɪbə'netɪks] (med verb i sing.) *subst* cybernetik

cyberspace ['saɪbəspeɪs] *subst* cyberrymden

cyclamen ['sɪkləmən, 'saɪkləmən] *subst* blomma cyklamen

cycle I ['saɪkl] *subst* **1** cykel; ~ *helmet* cykelhjälm **2** kretslopp **3** cykel, period
II ['saɪkl] *verb* **1** cykla **2** kretsa

cyclist ['saɪklɪst] *subst* cyklist

cyclone ['saɪkləʊn] *subst* cyklon

cylinder ['sɪlɪndə] *subst* **1** cylinder, vals **2** lopp, rör i eldvapen

cymbal ['sɪmbl] *subst* musik. cymbal

cynic ['sɪnɪk] *subst* cyniker

cynical ['sɪnɪkl] *adj* cynisk

cynicism ['sɪnɪsɪzəm] *subst* cynism

cypress ['saɪprəs] *subst* träd cypress

Cypriot I ['sɪprɪət] *adj* cypriotisk
II ['sɪprɪət] *subst* cypriot

Cyprus ['saɪprəs] *subst* Cypern

cyst [sɪst] *subst* med. cysta

czar [zɑː] *subst* hist. tsar

Czech I [tʃek] *subst* tjeck
II [tʃek] *adj* tjeckisk; *the* ~ *Republic* Tjeckiska republiken, Tjeckien

Dd

D o. **d** [diː] *subst* **1** D, d **2** musik., *D* d; *D flat* dess; *D sharp* diss

'd [d] = *had*; *would* [*he'd* = *he had*, *he would*]

dab [dæb] (*-bb-*) *verb* klappa lätt, badda

dachshund ['dæksənd] *subst* hund tax

dad [dæd] *subst* vard. pappa, farsa

daddy ['dædɪ] *subst* vard. pappa

daddy-longlegs [,dædɪ'lɒŋlegz] (pl. lika) *subst* insekt harkrank, pappa långben

daffodil ['dæfədɪl] *subst* påsklilja

daft [dɑːft] *adj* vard. dum, korkad

dagger ['dægə] *subst* dolk

dahlia ['deɪljə, amer. vanligen 'dæljə] *subst* dahlia

daily I ['deɪlɪ] *adj* daglig
II ['deɪlɪ] *adv* dagligen [*she came* ~], om dagen [*twice* ~]
III ['deɪlɪ] *subst* dagstidning

dainty I ['deɪntɪ] *subst* läckerbit
II ['deɪntɪ] *adj* nätt, späd

dairy ['deərɪ] *subst* **1** mejeri **2** mjölkaffär

dairy cattle ['deərɪ,kætl] *subst pl* mjölkboskap

daisy ['deɪzɪ] *subst* tusensköna, bellis blomma

Dalmatian [,dæl'meɪʃn] *subst* dalmatiner hund

dam I [dæm] *subst* damm, fördämning
II [dæm] (*-mm-*) *verb*, ~ *up* el. ~ dämma av, dämma upp

damage I ['dæmɪdʒ] *subst* **1** (utan pl.) skada, skadegörelse [*to* på] **2** pl. ~*s* jur. skadestånd
II ['dæmɪdʒ] *verb* skada

dame [deɪm] *subst* **1** *Dame* titel på kvinnlig riddare av vissa ordnar (motsvarar *Knight* med titeln *Sir*) [*Dame Julie Andrews; Dame Julie*] **2** ngt åld. amer. sl. fruntimmer, brud

damn I [dæm] *verb* vard. förbanna; ~ *it!* jäklar också!; *well I'll be damned!* det var som tusan!
II [dæm] *subst* vard., *I don't care* (*give*) *a* ~ *if...* jag ger fan i om...
III [dæm] *adj* vard. jäkla [~ *fool!*]
IV [dæm] *interj* vard. jäklar också!

damnation [dæm'neɪʃən] *subst* fördömelse

damned [dæmd] *adj* **1** fördömd **2** vard. förbaskad

damp I [dæmp] *subst* fukt
II [dæmp] *adj* fuktig

dampen ['dæmpən] *verb* **1** fukta **2** dämpa [~ *the sound*]

dance I [dɑ:ns] *verb* dansa
II [dɑ:ns] *subst* **1** dans **2** danstillställning
dance band ['dɑ:nsbænd] *subst* dansorkester
dance hall ['dɑ:nshɔ:l] *subst* danslokal
dancer ['dɑ:nsə] *subst* dansare, dansör, dansös; dansande [*the ~s*]
dandelion ['dændɪlaɪən] *subst* maskros
dandruff ['dændrʌf] *subst* mjäll i hår
Dane [deɪn] *subst* **1** dansk **2** *Great* ~ grand danois hund
danger ['deɪndʒə] *subst* fara, risk [*of* för]
dangerous ['deɪndʒərəs] *adj* farlig [*for, to* för]; ~ *driving* vårdslös körning; *play a* ~ *game* spela ett högt spel
dangle ['dæŋgl] *verb* dingla, dingla med
Danish I ['deɪnɪʃ] *adj* dansk; ~ *pastry* wienerbröd
II ['deɪnɪʃ] *subst* **1** danska språket **2** (pl. lika) wienerbröd [*two ~, please*]
Danube ['dænju:b] *subst*, *the* ~ Donau floden
dare I [deə] *verb* **1** våga, tordas [*he ~ not come*; *he does not ~ to come*], våga sig på; *I* ~ *you to do it!* gör det om du törs! **2** *I* ~ *say you know* du vet nog; *I* ~ *say* kanske det
II [deə] *subst* utmaning
daredevil ['deə,devl] *subst* våghals
daren't [deənt] = *dare not*
daresay [,deə'seɪ] se *dare say* under *dare I* 2
daring I ['deərɪŋ] *adj* djärv, vågad
II ['deərɪŋ] *subst* djärvhet
dark I [dɑ:k] *adj* **1** mörk; ~ *chocolate* amer. mörk choklad **2** hemlig [*keep sth ~*] **3** ~ *horse* om person dark horse, oskrivet blad **4** *the Dark Ages* medeltidens mörkaste århundraden
II [dɑ:k] *subst* mörker; *be in the* ~ *about* sväva i okunnighet om
darken ['dɑ:kən] *verb* **1** bli mörk, mörkna **2** förmörka
darkness ['dɑ:knəs] *subst* mörker, dunkel
darling I ['dɑ:lɪŋ] *subst* **1** älskling, raring **2** favorit [*the ~ of fashion world*]
II ['dɑ:lɪŋ] *adj* **1** älsklings- **2** gullig, söt [*a ~ little house*]
1 darn [dɑ:n] *verb* sl., ~ *it!* fasen också!
2 darn [dɑ:n] *verb* stoppa [~ *socks*]
darned [dɑ:nd] *adj* sl. förbaskad
darning-needle ['dɑ:nɪŋ,ni:dl] *subst* stoppnål
darning-wool ['dɑ:nɪŋwʊl] *subst* stoppgarn

darts
Darts är dels ett traditionellt och populärt spel på puben, dels ett professionellt tävlingsspel. Darts spelas bl.a. i Storbritannien, Irland, Nederländerna, Irland, USA och i de skandinaviska länderna.

dart [dɑ:t] *subst* **1** pil **2** ~*s* (med verb i sing.) dart; *play* ~*s* kasta pil, spela dart
dartboard ['dɑ:tbɔ:d] *subst* spel. piltavla, darttavla
dash I [dæʃ] *verb* **1** slå, kasta [~ *sth down*] **2** stöta, köra ngt mot ngt **3** slå, törna [~ *against*] **4** störta, rusa [*at, mot, på*]; *I've got to* ~ jag måste kila **5** krossa [~ *sb's hopes*]
II [dæʃ] *subst* **1** rusning [*for* för att nå] **2** sport. sprinterlopp **3** stänk, skvätt [*a ~ of whisky*] **4** tankstreck **5** käckhet, kläm
dashboard ['dæʃbɔ:d] *subst* instrumentbräda, instrumentpanel på bil, flygplan
dashing ['dæʃɪŋ] *adj* **1** käck **2** stilig
DAT [dæt] (förk. för *digital audio tape*) digitalt inspelat band, DAT
data ['deɪtə] *subst* data, information
1 date [deɪt] *subst* **1** dadel **2** dadelpalm
2 date [deɪt] *subst* **1** datum; *out of* ~ omodern; *to* ~ hittills; *up to* ~ à jour; med sin tid; *bring up to* ~ a) göra aktuell b) modernisera **2** vard. träff; avtalat möte; *make a* ~ stämma träff **3** person sällskap, vän [*can I bring my ~ along?*]
II [deɪt] *verb* **1** datera; ~ *from* härröra från; ~ *back to* gå tillbaka till **2** vard. stämma träff med; ha sällskap med **3** vara gammalmodig [*his books ~*]
dated ['deɪtɪd] *adj* gammalmodig, ålderdomlig
dative ['deɪtɪv] *subst* gram. dativ; *in the* ~ i dativ
daughter ['dɔ:tə] *subst* dotter
daughter-in-law ['dɔ:tərɪnlɔ:] (pl. *daughters-in-law* ['dɔ:təzɪnlɔ:]) *subst* svärdotter, sonhustru
dawdle ['dɔ:dl] *verb* söla
dawn I [dɔ:n] *verb* gry, dagas; *it dawned on me* det började gå upp för mig
II [dɔ:n] *subst* gryning, början [*the ~ of civilization*]; *at* ~ i gryningen

D-day
På dagen D, *D-day*, den 6 juni 1944, nära slutet av andra världskriget, landsatte de allierade trupper i Frankrike under den amerikanske generalen Eisenhowers ledning.

day [deɪ] *subst* **1** dag; *the ~ after tomorrow* i övermorgon; *the ~ before yesterday* i förrgår; *the other ~* häromdagen; *some ~* en dag; en vacker dag; *let's call it a ~* vard. nu räcker det för i dag; *~ off* ledig dag; *~ by ~* dag för dag; *by ~* om dagen, på dagen; *for ~s on end* flera dagar i rad **2** ~ el. *~ and night* dygn **3** ofta pl. *~s* tid; tidsålder; *it has had its ~* den har spelat ut sin roll; *those were the ~s!* det var tider det!, det var då det!; *at the end of the ~* när allt kommer omkring; *at the present ~* i närvarande stund; *in the old ~s* förr i världen; *in those ~s* på den tiden

daybreak ['deɪbreɪk] *subst* gryning, dagning

daycare ['deɪkeə] *subst*, *~ centre* daghem, dagis

daydream I ['deɪdriːm] *subst* dagdröm
II ['deɪdriːm] *verb* dagdrömma

daydreamer ['deɪˌdriːmə] *subst* dagdrömmare

daylight ['deɪlaɪt] *subst* dagsljus; gryning; *daylight-saving time* sommartid; *in broad ~* mitt på ljusa dagen

day nursery ['deɪˌnɜːsərɪ] *subst* daghem, dagis

day-return [ˌdeɪrɪ'tɜːn] *adj*, *~ ticket* endagsbiljett för återresa samma dag

daytime ['deɪtaɪm] *subst* dag; *in the ~* el. *during the ~* om (på) dagen

daze [deɪz] *subst*, *in a ~* omtumlad

dazzle I ['dæzl] *verb* blända, förblinda
II ['dæzl] *subst* bländande skimmer

DC [ˌdiː'siː] **1** förk. för *direct current* (likström) **2** förk. för *District of Columbia* [*Washington ~*]

deacon ['diːkən] *subst* kyrkl. diakon

dead I [ded] *adj* **1** död; *~ end* återvändsgränd [*negotiations have reached a ~ end*], slutpunkt **2** *~ heat* dött (oavgjort) lopp; *~ weight* livlös massa **3** *on a ~ level* precis på samma plan, jämsides **4** vard. tvär, plötslig; *he came to a ~ stop* han

tvärstannade **5** exakt; *hit the ~ centre of the target* träffa mitt i prick **6** vard., *it's a ~ certainty* el. *it's a ~ cert* det är bergsäkert; *she was in ~ earnest* hon menade fullt allvar; *~ silence* dödstystnad **II** [ded] *subst* **1** *the ~* de döda **2** *in the ~ of night* mitt i natten; *in the ~ of winter* mitt i kallaste vintern **III** [ded] *adv* **1** vard. död-, dö-; *~ beat* el. *~ tired* dödstrött; *~ certain* dödsäker, bergsäker; *~ drunk* döfull; *~ scared* döskraj, skitskraj; *~ slow* mycket sakta **2** *~ against* rakt emot

deaden ['dedn] *verb* **1** bedöva **2** dämpa [*~ the effect*]

deadlock ['dedlɒk] *subst* dödläge; *reach a ~* köra fast

deadly ['dedlɪ] *adj* **1** dödlig, dödsbringande; *~ nightshade* växt belladonna **2** döds- [*~ enemies*]

deaf [def] *adj* döv; *~ and dumb* dövstum; *are you ~?* vard. hör du illa?; *turn a ~ ear to* slå dövörat till för

deaf-aid ['defeɪd] *subst* hörapparat

deafen ['defn] *verb* göra döv; *deafening* öronbedövande

1 deal [diːl] *subst* **1** granplanka, furuplanka **2** virke gran, furu

2 deal [diːl] *subst* **1** *a great ~* el. *a good ~* en hel del **2** vard. affär, affärstransaktion, uppgörelse; *it's no big (great) ~* vard. det är inget problem; *big ~!* vard. än sen då?; *that's a ~!* då säger vi det! **3** vard., *give sb a fair ~* behandla ngn rättvist **4** kortsp. giv; *whose ~ is it?* vem ska ge? **II** [diːl] (*dealt dealt*) *verb* **1** ~ el. *~ out* utdela **2** kortsp. ge **3** handla, göra affärer **4** *~ with* a) ha att göra med b) behandla c) ta itu med [*~ with a problem*] d) handlägga ärende e) handla om

dealer ['diːlə] *subst* handlande [*in med*]; i sammansättningar -handlare [*car-dealer*]; *drug ~* langare

dealings ['diːlɪŋz] *subst pl* **1** affärer, förbindelser **2** umgänge; samröre

dealt [delt] imperf. o. perf. p. av *2 deal II*

dean [diːn] *subst* kyrkl. domprost

dear I [dɪə] *adj* **1** kär [*to för*], rar **2** hälsningsfras i brev kära, bästa [*Dear Mr. Brown*]; *Dear Sir (Madam)* i formella brev: utan motsvarighet i svenskan **3** dyr, kostsam **II** [dɪə] *subst* **1** spec. i tilltal kära du; *my ~* kära du; *help me, there's a ~* vard. hjälp mig så är du snäll **2** raring [*she is a ~*]

III [dɪə] *interj,* ~ *me!* för att uttrycka t.ex.
förvåning kors!, nej men!; *oh* ~*!* oj då!, aj, aj!
dearly ['dɪəlɪ] *adv* innerligt, högt [*love* ~]
dearth [dɜ:θ] *subst* brist, knapphet
death [deθ] *subst* **1** död; *it will be the* ~ *of*
me det blir min död; ~ *row* amer. fängelse,
avdelning för dödsdömda brottslingar, *be*
at death's door ligga för döden;
frightened to ~ el. *scared to* ~ dörädd;
sick to ~ *of sth* (*sb*) el. *tired to* ~ *of sth*
(*sb*) utled på ngt (ngn); *put to* ~ avliva,
avrätta **2** dödsfall
deathbed ['deθbed] *subst* dödsbädd
deathblow ['deθbləʊ] *subst* dödsstöt,
dråpslag
death duties ['deθ,dju:tɪz] *subst pl* olika slags
arvsskatt
death rate ['deθreɪt] *subst* dödstal, dödlighet
death warrant ['deθ,wɒrənt] *subst* dödsdom
debase [dɪ'beɪs] *verb* **1** försämra **2** förnedra
debatable [dɪ'beɪtəbl] *adj* diskutabel
debate I [dɪ'beɪt] *verb* diskutera, debattera
  II [dɪ'beɪt] *subst* diskussion, debatt
debater [dɪ'beɪtə] *subst* debattör
debility [dɪ'bɪlətɪ] *subst* svaghet, kraftlöshet
debit I ['debɪt] *subst* debet
  II ['debɪt] *verb* debitera
debonair [,debə'neə] *adj* charmig, gladlynt
  vanligen om man
debris ['debri:, 'deɪbri:, amer. vanligen
də'bri:] *subst* spillror, skräp
debt [det] *subst* skuld; *I owe you a* ~ *of*
gratitude jag står i tacksamhetsskuld till
dig; *be in sb's* ~ stå i skuld hos ngn; *be in*
~ vara skuldsatt; *run into* ~ sätta sig i
skuld; *out of* ~ skuldfri
debtor ['detə] *subst* gäldenär
debug [di:'bʌg] (*-gg-*) *verb* data. avlusa
debunk [di:'bʌŋk] *verb* vard. avslöja, säga
sanningen om
debut ['deɪbju:] *subst* debut
decade ['dekeɪd] *subst* decennium, årtionde
decadent ['dekədənt] *adj* dekadent,
förfallen
decaf ['di:kæf] *subst* vard. koffeinfritt kaffe
decanter [dɪ'kæntə] *subst* karaff med propp
decathlete [dɪ'kæθli:t] *subst* sport.
tiokampare
decathlon [dɪ'kæθlɒn] *subst* sport. tiokamp
decay I [dɪ'keɪ] *verb* **1** förfalla **2** multna,
vissna, ruttna **3** om tand orsaka karies i; *the*
tooth is decayed tanden är angripen av
karies
  II [dɪ'keɪ] *subst* **1** förfall **2** förmultning,
förruttnelse **3** kariesangrepp i tand

decayed [dɪ'keɪd] *adj* **1** förfallen **2** skämd,
murken, rutten [~ *meat*] **3** om tänder
kariesangripen
decease [dɪ'si:s] *subst* frånfälle, död
deceased I [dɪ'si:st] *adj* avliden
  II [dɪ'si:st] *subst, the* ~ den avlidne, de
avlidna
deceit [dɪ'si:t] *subst* **1** bedrägeri
  2 bedräglighet
deceitful [dɪ'si:tfʊl] *adj* bedräglig, svekfull
deceive [dɪ'si:v] *verb* bedra, vilseleda, lura
deceiver [dɪ'si:və] *subst* bedragare
December [dɪ'sembə] *subst* december
decency ['di:snsɪ] *subst* **1** anständighet
  2 hygglighet
decent ['di:snt] *adj* **1** anständig **2** hygglig
decentralize [di:'sentrəlaɪz] *verb*
decentralisera
deception [dɪ'sepʃən] *subst* bedrägeri
deceptive [dɪ'septɪv] *adj* bedräglig
decibel ['desɪbel] *subst* fys. decibel
decide [dɪ'saɪd] *verb* **1** avgöra, döma
  2 bestämma sig; ~ *on* bestämma sig för
decided [dɪ'saɪdɪd] *adj* bestämd, avgjord
deciding [dɪ'saɪdɪŋ] *adj* avgörande
deciduous [dɪ'sɪdjʊəs] *adj* lövfällande; ~
forest lövskog
decilitre ['desɪlɪtə] *subst* deciliter
decimal I ['desɪml] *adj* decimal- [~ *system*];
  ~ *fraction* decimalbråk; ~ *point*
decimalkomma i sv. [*0.26* läses vanligen *point*
two six]
  II ['desɪml] *subst* decimal; decimalbråk
decimetre ['desɪmi:tə] *subst* decimeter
decipher [dɪ'saɪfə] *verb* dechiffrera, tyda

The Declaration of Independence
Den 4 juli 1776 antogs
den amerikanska självständighets-
deklarationen, *the Declaration of*
Independence. Amerika blev då
formellt fritt från England. I dekla-
rationen kan man läsa de bevingade
orden *all men are created equal*, vi
skapas alla lika. 4 juli, *the Fourth of*
July, som också kallas *Independence*
Day, är den amerikanska national-
dagen. Överallt i USA firar man
detta med parader, lekar och
grillfester. På kvällen hålls stora fyr-
verkerier.

decision [dɪ'sɪʒən] *subst* **1** avgörande
2 beslut; *come to a* ~ fatta ett beslut,
komma fram till ett beslut; *make a* ~ fatta
ett beslut
decisive [dɪ'saɪsɪv] *adj* **1** avgörande
2 beslutsam
deck [dek] *subst* **1** sjö. däck **2** våning, plan i
t.ex. dubbeldäckare (buss) **3** amer. kortlek
deckchair ['dektʃeə] *subst* däcksstol, fällstol
declaration [ˌdeklə'reɪʃən] *subst* **1** förklaring
[~ *of war*], tillkännagivande **2** deklaration;
customs ~ tulldeklaration
declare [dɪ'kleə] *verb* **1** förklara, tillkännage,
deklarera, förklara sig, uttala sig; ~ *war on*
förklara krig mot **2** deklarera i tullen; *have
you anything to* ~? ha ni något att
förtulla?
declension [dɪ'klenʃən] *subst* gram.
deklination, böjning
decline I [dɪ'klaɪn] *verb* **1** slutta nedåt **2** böja
ned, luta **3** gå utför, förfalla **4** avböja, tacka
nej **5** gram. böja
II [dɪ'klaɪn] *subst* **1** *on the* ~ i avtagande
2 nedgång, minskning
declutch [ˌdiː'klʌtʃ] *verb* bil. koppla ur,
trampa ur
decode [ˌdiː'kəʊd] *verb* dechiffrera; data.
avkoda, dekoda
decoder [ˌdiː'kəʊdə] *subst* data. avkodare; tv.
dekoder
décolletage [ˌdeɪkɒl'tɑːʒ] *subst* dekolletage,
urringning
décolleté [deɪ'kɒlteɪ] *adj* urringad
decompose [ˌdiːkəm'pəʊz] *verb* **1** vittra;
ruttna **2** lösa upp
decor ['deɪkɔː] *subst* teat. dekor, dekorationer
decorate ['dekəreɪt] *verb* **1** dekorera, pryda
2 måla och tapetsera
decoration [ˌdekə'reɪʃən] *subst*
1 dekorering, prydande; *interior* ~
heminredning **2** dekoration
decorative ['dekərətɪv] *adj* dekorativ
decorator ['dekəreɪtə] *subst* **1** dekoratör
2 *painter and* ~ el. ~ målare hantverkare;
interior ~ inredningsarkitekt
decorous ['dekərəs] *adj* anständig, korrekt
decoy ['diːkɔɪ] *subst* lockfågel, lockbete
decrease I [ˌdiː'kriːs] *verb* minskas, avta,
minska
II ['diːkriːs] *subst* minskning; *on the* ~ i
avtagande
decree I [dɪ'kriː] *subst* dekret, påbud
II [dɪ'kriː] *verb* påbjuda, bestämma
decrepit [dɪ'krepɪt] *adj* **1** skröplig
2 fallfärdig

decriminalize [diː'krɪmɪnəlaɪz] *verb*
avkriminalisera
dedicate ['dedɪkeɪt] *verb* **1** ägna; ~ *oneself
to* ägna sig åt **2** tillägna [*sth to sb* ngn ngt]
dedicated ['dedɪkeɪtɪd] *adj* hängiven, starkt
engagerad
dedication [ˌdedɪ'keɪʃən] *subst*
1 hängivenhet [*to* för]; engagemang
2 tillägnan, dedikation
deduce [dɪ'djuːs] *verb* sluta sig till, härleda
deduct [dɪ'dʌkt] *verb* dra av, dra ifrån; *be
deducted from* avdras, dras av
deductible [dɪ'dʌktəbl] *adj* avdragsgill
deduction [dɪ'dʌkʃən] *subst* **1** avdrag,
avräkning **2** härledning, slutledning
deed [diːd] *subst* handling, gärning
deejay ['diːdʒeɪ] *subst* vard. diskjockey
deep I [diːp] *adj* **1** djup; *a* ~ *carpet* en tjock
matta; *go off the* ~ *end* vard. bli rasande
2 djupsinnig
II [diːp] *adv* djupt; ~ *down* innerst inne
III [diːp] *subst*, *the* ~ havet, djupet
deepen ['diːpən] *verb* **1** fördjupa, fördjupas
2 göra djupare, bli djupare
deep freeze I [ˌdiːp'friːz] *subst* frys
II [ˌdiːp'friːz] (*deep-froze deep-frozen*) *verb*,
deep-freeze djupfrysa
deep-freezer [ˌdiːp'friːzə] *subst* amer. frys
deep-froze [ˌdiːp'frəʊz] *verb* imperf. av
deep-freeze
deep-frozen [ˌdiːp'frəʊzn] *verb* perf. p. av
deep-freeze
deep-fry [ˌdiːp'fraɪ] *verb* fritera
deer [dɪə] (pl. lika) *subst* hjort
deface [dɪ'feɪs] *verb* vanställa, vanpryda
defamation [ˌdefə'meɪʃən] *subst*
ärekränkning
defamatory [dɪ'fæmətərɪ] *adj* ärekränkande
default [dɪ'fɔːlt] *subst* **1** *win by* ~ sport.
vinna en match genom walkover **2** data.
förinställd, förvald [~ *drive*]
defeat I [dɪ'fiːt] *subst* **1** nederlag **2** sport.
nederlag, förlust
II [dɪ'fiːt] *verb* besegra, slå; *they were
defeated* de förlorade, de blev besegrade
(slagna)
defeatist [dɪ'fiːtɪst] *subst* defaitist
defect I ['diːfekt] *subst* **1** brist, defekt **2** lyte;
speech ~ talfel
II [dɪ'fekt] *verb* polit. hoppa av
defection [dɪ'fekʃən] *subst* polit. avhopp
defective [dɪ'fektɪv] *adj* **1** bristfällig
2 defekt
defector [dɪ'fektə] *subst* polit. avhoppare

defence [dɪ'fens] *subst* **1** försvar, skydd **2** jur.
försvarstalan; *the* ~ svarandesidan
defend [dɪ'fend] *verb* försvara, skydda
defendant [dɪ'fendənt] *subst* o. *adj* jur.
svarande
defender [dɪ'fendə] *subst* försvarare; sport.
försvarsspelare
defense ['dɪfens] *subst* amer. = *defence*
defensive [dɪ'fensɪv] *adj* defensiv, försvars-
[~ *mechanism*]
1 defer [dɪ'fɜ:] (*-rr-*) *verb* skjuta upp, dröja
2 defer [dɪ'fɜ:] (*-rr-*) *verb*, ~ *to* böja sig för
deference ['defərəns] *subst*, *out of* ~ *to* av
hänsyn till
defiance [dɪ'faɪəns] *subst* utmaning, trots
defiant [dɪ'faɪənt] *adj* utmanande, trotsig
deficiency [dɪ'fɪʃənsɪ] *subst* **1** bristfällighet
2 brist [*in* på]
deficient [dɪ'fɪʃənt] *adj* bristfällig; *be* ~ *in*
sakna, lida brist på
deficit ['defɪsɪt] *subst* underskott [*of* på]
defile [dɪ'faɪl] *verb* **1** förorena, nedsmutsa
2 vanhelga **3** förfula **4** besudla
definable [dɪ'faɪnəbl] *adj* definierbar
define [dɪ'faɪn] *verb* precisera, fastställa,
definiera
definite ['defənət] *adj* **1** bestämd; *the* ~
article bestämd artikel **2** definitiv
3 fastställd [~ *plan*], avgjord, klar [~
advantage]
definitely ['defənətlɪ] *adv* absolut, avgjort
definition [ˌdefɪ'nɪʃən] *subst* **1** definition
2 skärpa på tv-bild el. foto
deflate [dɪ'fleɪt] *verb* **1** släppa luften ur **2** ~
the economy orsaka deflation
deflation [dɪ'fleɪʃən] *subst* ekon. deflation
deflationary [dɪ'fleɪʃnərɪ] *adj* ekon.
deflationistisk
deflect [dɪ'flekt] *verb* få att böja (vika) av
deflection [dɪ'flekʃən] *subst* **1** böjning åt
sidan, krökning **2** avvikelse **3** sport., *the*
ball took a ~ bollen gick in i mål (via en
spelare klubba etc.)
deform [dɪ'fɔ:m] *verb* deformera, vanställa
deformed [dɪ'fɔ:md] *adj* vanställd,
missbildad
deformity [dɪ'fɔ:mətɪ] *subst* deformitet,
missbildning
defraud [dɪ'frɔ:d] *verb* bedraga [*of* på]
defray [dɪ'freɪ] *verb* bestrida, bära [~ *the*
costs]
defrost [ˌdi:'frɒst] *verb* tina upp t.ex. fruset
kött; frosta av t.ex. kylskåp, vindruta
defroster [ˌdi:'frɒstə] *subst* bil. defroster
deft [deft] *adj* flink, händig, skicklig

defuse [dɪ'fju:z] *verb* **1** desarmera [~ *a*
bomb] **2** lösa upp [~ *the tense situation*]
defy [dɪ'faɪ] *verb* **1** trotsa [~ *the law*]
2 utmana
degenerate I [dɪ'dʒenərət] *adj* degenererad
II [dɪ'dʒenəreɪt] *verb* degenerera, urarta
degradation [ˌdegrə'deɪʃən] *subst*
1 degradering **2** förnedring
degrade [dɪ'greɪd] *verb* **1** degradera
2 förnedra
degree [dɪ'gri:] *subst* **1** grad äv. mat.; *by* ~*s*
gradvis; *to a certain* ~ el. *to some* ~ i viss
(någon) mån **2** univ., akademisk examen [*a*
university ~; *take a* ~ *in history*]
deign [deɪn] *verb*, ~ *to* nedlåta sig att
deity ['di:ətɪ] *subst* gud, gudinna
deject [dɪ'dʒekt] *verb* göra nedslagen
delay I [dɪ'leɪ] *verb* **1** dröja med; dröja
2 försena, fördröja; *delaying tactics*
förhalningstaktik
II [dɪ'leɪ] *subst* fördröjning, dröjsmål,
försening
delegate I ['delɪgət] *subst* delegat, fullmäktig
II ['delɪgeɪt] *verb* delegera, bemyndiga
delegation [ˌdelɪ'geɪʃən] *subst* **1** delegering
2 delegation
delete [dɪ'li:t] *verb* stryka, stryka ut
deliberate I [dɪ'lɪbərət] *adj* avsiktlig,
medveten
II [dɪ'lɪbəreɪt] *verb* **1** överväga **2** överlägga
[*on* om]
deliberation [dɪˌlɪbə'reɪʃən] *subst* **1** moget
övervägande **2** överläggning; pl. ~*s*
överläggningar
delicacy ['delɪkəsɪ] *subst* **1** delikatess,
läckerhet **2** finkänslighet **3** ömtålighet
delicate ['delɪkət] *adj* **1** klen [~ *health*];
skör **2** delikat, ömtålig [*a* ~ *situation*]
3 utsökt; läcker [~ *food*]
delicatessen [ˌdelɪkə'tesn] *subst*
1 delikatessaffär **2** färdiglagad mat,
delikatesser
delicious [dɪ'lɪʃəs] *adj* läcker, utsökt, härlig
delight I [dɪ'laɪt] *subst* glädje, förtjusning;
take ~ *in* el. *take a* ~ *in* finna nöje i, njuta
av
II [dɪ'laɪt] *verb* glädja; ~ *in* finna nöje i,
njuta av [*he* ~*s in teasing me*]
delighted [dɪ'laɪtɪd] *adj* glad, förtjust [*at sth*,
with sth över ngt]
delightful [dɪ'laɪtful] *adj* förtjusande, härlig
delinquency [dɪ'lɪŋkwənsɪ] *subst*, *juvenile* ~
ungdomsbrottslighet
delinquent [dɪ'lɪŋkwənt] *subst*, *juvenile* ~
ungdomsbrottsling

delirious [dɪ'lɪrɪəs] *adj* **1** yr; *be* ~ a) vara yr
b) lida av yrsel c) yra *av feber* **2** vild, extatisk;
~ *with joy* ifrån sig av glädje
delirium [dɪ'lɪrɪəm] *subst* feberyrsel; med.
delirium
deliver [dɪ'lɪvə] *verb* **1** överlämna; hand.
leverera, dela ut **2** befria [*from*]; frälsa [~
us from evil] **3** framföra, hålla [~ *a speech*]
4 förlösa [~ *a baby*]
delivery [dɪ'lɪvərɪ] *subst* **1** överlämnande,
leverans **2** utdelning, utbärning [~ *of
letters*], posttur **3** ~ *note* följesedel; *cash
on* ~ el. amer., *collect on* ~ mot efterkrav,
mot postförskott **4** framförande [~ *of a
speech*] **5** förlossning
delphinium [del'fɪnɪəm] *subst* blomma
riddarsporre
delude [dɪ'luːd] *verb* lura, förleda [*into* till]
deluge I ['deljuːdʒ] *subst* **1** skyfall
2 översvämning **3** syndaflod **4** *a* ~ *of
letters* en störtflod av brev
II ['deljuːdʒ] *verb* översvämma, dränka
delusion [dɪ'luːʒən] *subst* illusion, inbillning
de luxe [də'lʌks, də'lʊks] *adj* luxuös, lyx-
demagogic [ˌdemə'ɡɒɡɪk] *adj* demagogisk
demagogue ['deməɡɒɡ] *subst* demagog
demand I [dɪ'mɑːnd] *verb* begära, fordra,
kräva
II [dɪ'mɑːnd] *subst* **1** begäran [*for* om], krav
[*for* på]; *on* ~ vid anfordran **2** efterfrågan
[*for* på]; *supply and* ~ tillgång och
efterfrågan; *in* ~ efterfrågad
demanding [dɪ'mɑːndɪŋ] *adj* fordrande,
krävande
demarcate ['diːmɑːkeɪt] *verb* avgränsa
demeanour [dɪ'miːnə] *subst* uppträdande,
hållning
demented [dɪ'mentɪd] *adj* sinnessjuk
demilitarize [ˌdiː'mɪlɪtəraɪz] *verb*
demilitarisera
demob [ˌdiː'mɒb] (*-bb-*) *verb* mil. vard.
(kortform för *demobilize*); *be demobbed* el.
get demobbed mucka
demobilization [diːˌməʊbɪlaɪ'zeɪʃən] *subst*
demobilisering
demobilize [diː'məʊbɪlaɪz] *verb*
demobilisera
democracy [dɪ'mɒkrəsɪ] *subst* demokrati
democrat ['deməkræt] *subst* demokrat
democratic [ˌdemə'krætɪk] *adj* demokratisk
demolish [dɪ'mɒlɪʃ] *verb* **1** demolera, rasera,
riva **2** rasera, kullkasta [~ *an argument*]
demolition [ˌdemə'lɪʃən] *subst* **1** demolering,
rasering, rivning **2** raserande, kullkastande

demon ['diːmən] *subst* **1** demon, djävul
2 vard., *a* ~ *for work* en arbetsmyra
demonstrate ['demənstreɪt] *verb* **1** bevisa,
uppvisa **2** demonstrera
demonstration [ˌdemən'streɪʃən] *subst*
1 bevisning, uppvisande **2** demonstration
demonstrative [dɪ'mɒnstrətɪv] *adj*
1 demonstrativ, öppenhjärtig **2** gram.
demonstrativ
demonstrator ['demənstreɪtə] *subst*
demonstrant
demoralize [dɪ'mɒrəlaɪz] *verb* demoralisera
demure [dɪ'mjʊə] *adj* blyg, sedesam vanligen
om kvinna
den [den] *subst* **1** djurs håla, lya, kula
2 tillhåll, håla, näste [*a gambling* ~] **3** vard.
lya, krypin
denial [dɪ'naɪəl] *subst* **1** förnekande
2 dementi
denim ['denɪm] *subst* **1** denim jeanstyg **2** pl. ~*s*
jeans av denim
Denmark ['denmɑːk] Danmark
denomination [dɪˌnɒmɪ'neɪʃən] *subst* **1** mynts
valör **2** kyrkosamfund
denominator [dɪ'nɒmɪneɪtə] *subst* mat.
nämnare; *lowest common* ~ minsta
gemensamma nämnare
denote [dɪ'nəʊt] *verb* **1** beteckna **2** ange,
tyda på
denounce [dɪ'naʊns] *verb* stämpla,
brännmärka
dense [dens] *adj* **1** tät, kompakt **2** dum
density ['densətɪ] *subst* täthet
dent I [dent] *subst* buckla
II [dent] *verb* buckla till
dental ['dentl] *adj* **1** tand-; ~ *floss* tandtråd
2 tandläkar-; ~ *surgeon* tandläkare
dentist ['dentɪst] *subst* tandläkare
denture ['dentʃə] *subst*, ~*s* tandprotes,
löständer
denunciation [dɪˌnʌnsɪ'eɪʃən] *subst*
fördömande, brännmärkning
deny [dɪ'naɪ] *verb* **1** neka till, dementera
2 neka, vägra [~ *sb sth*] **3** ~ *oneself* neka
sig, försaka
deodorant [dɪ'əʊdərənt] *subst* deodorant
depart [dɪ'pɑːt] *verb* **1** avresa; om t.ex. tåg
avgå **2** avlägsna sig **3** ~ *from* frångå [~
from routine]
department [dɪ'pɑːtmənt] *subst* **1** avdelning;
~ *store* varuhus **2** departement,
regeringsdepartement; *the State
Department* amer. utrikesdepartementet;
the English Department univ. Engelska
institutionen

departure [dɪ'pɑːtʃə] *subst* avresa, avfärd, avgång; ~ *indicator* järnv. el. flyg. avgångstavla

depend [dɪ'pend] *verb* **1** bero [*on* på]; *it all* ~*s* vard. det beror 'på **2** ~ *on* lita på

dependable [dɪ'pendəbl] *adj* pålitlig

dependence [dɪ'pendəns] *subst* beroende

dependent [dɪ'pendənt] *adj* beroende [*on* av]

depict [dɪ'pɪkt] *verb* avbilda, skildra

deplorable [dɪ'plɔːrəbl] *adj* bedrövlig, sorglig

deplore [dɪ'plɔː] *verb* djupt beklaga

deploy [dɪ'plɔɪ] *verb* **1** utnyttja [~ *one's resources*] **2** mil. utplacera [~ *missiles*], gruppera

depopulate [diː'pɒpjʊleɪt] *verb* avfolka

depopulation [diːˌpɒpjʊ'leɪʃən] *subst* avfolkning

deport [dɪ'pɔːt] *verb* deportera, förvisa

deportation [ˌdiːpɔː'teɪʃən] *subst* deportering

deposit I [dɪ'pɒzɪt] *verb* **1** lägga ned **2** deponera **3** sätta in [~ *money in a bank*] **II** [dɪ'pɒzɪt] *subst* **1** deposition **2** insättning [*savings-bank's* ~*s*] **3** pant, handpenning

depository [dɪ'pɒzɪtərɪ] *subst* förvaringsställe; *night* ~ amer. servicebox, nattfack

depot ['depəʊ] *subst* **1** depå, förråd **2** bussgarage **3** amer. busstation, mindre järnvägsstation

depraved [dɪ'preɪvd] *adj* depraverad, fördärvad

depreciate [dɪ'priːʃɪeɪt] *verb* **1** minska i värde, falla

depreciation [dɪˌpriːʃɪ'eɪʃən] *subst* värdeminskning

depress [dɪ'pres] *verb* **1** trycka ned **2** deprimera

depressed [dɪ'prest] *adj* **1** deprimerad, deppig **2** ~ *area* krisdrabbat område med arbetslöshet

depressing [dɪ'presɪŋ] *adj* deprimerande

depression [dɪ'preʃən] *subst* depression, nedstämdhet, deppighet

deprive [dɪ'praɪv] *verb* beröva [*sb of sth* ngn ngt]

depth [depθ] *subst* **1** djup; *in the* ~ *of winter* mitt i vintern; *she was out of her* ~ det gick över hennes horisont **2** djupsinne

deputation [ˌdepjʊ'teɪʃən] *subst* deputation

deputize ['depjʊtaɪz] *verb* vikariera [*for* för]

deputy ['depjʊtɪ] *subst* **1** deputerad, ombud **2** ställföreträdare, vikarie

derange [dɪ'reɪndʒ] *verb* **1** rubba, störa **2** *mentally deranged* mentalsjuk

derby ['dɑːbɪ, amer. 'dɜːbɪ] *subst* **1** sport. derby; *local* ~ lokalderby **2** amer. plommonstop, kubb

deregulate [diː'regjʊleɪt] *verb* avreglera

derelict ['derɪlɪkt] *adj* övergiven, herrelös

deride [dɪ'raɪd] *verb* håna, förlöjliga

derision [dɪ'rɪʒən] *subst* hån, förlöjligande

derive [dɪ'raɪv] *verb* **1** få, erhålla **2** härleda, härstamma

derogatory [dɪ'rɒgətrɪ] *adj* nedsättande, förringande [~ *remarks*]

descend [dɪ'send] *verb* **1** gå (komma, stiga) ned, sänka sig [*on* över], stiga (gå) nedför; ~ *on* överrumpla; ~ *to* nedlåta sig till **2** slutta **3** *be descended from* härstamma från

descendant [dɪ'sendənt] *subst* avkomling [*of* till]

descent [dɪ'sent] *subst* **1** nedstigning, nedgång **2** sluttning, nedförsbacke **3** härstamning

describe [dɪ'skraɪb] *verb* beskriva

description [dɪ'skrɪpʃən] *subst* **1** beskrivning **2** *of every* ~ av alla slag, alla slags ...

desecrate ['desɪkreɪt] *verb* vanhelga

1 desert [dɪ'zɜːt] *subst*, *get one's deserts* få vad man förtjänar

2 desert I ['dezət] *subst* öken **II** [dɪ'zɜːt] *verb* **1** överge; *deserted* övergiven, öde **2** desertera från; desertera, rymma

deserter [dɪ'zɜːtə] *subst* desertör

desertion [dɪ'zɜːʃən] *subst* **1** övergivande **2** desertering, rymning

desert island ['dezətˌaɪlənd] *subst* öde ö

deserve [dɪ'zɜːv] *verb* förtjäna, vara värd

deserving [dɪ'zɜːvɪŋ] *adj* förtjänstfull, värdig, värd; *a* ~ *case* om person ett ömmande fall

desiccated ['desɪkeɪtɪd] *adj*, ~ *coconut* kokosflingor

design I [dɪ'zaɪn] *verb* **1** formge, teckna, designa, rita [~ *a building*], skapa **2** planlägga **3** avse [*a room designed for children*] **II** [dɪ'zaɪn] *subst* **1** formgivning, design **2** planläggning; ritning **3** mönster

designate ['dezɪgneɪt] *verb* beteckna, utse; *designated driver* den som kör och avstår från att dricka alkohol vid fest etc.

designation [ˌdezɪg'neɪʃən] *subst* beteckning

designer [dɪ'zaɪnə] *subst* formgivare, designer; ~ **jeans** märkesjeans

desirable [dɪ'zaɪərəbl] *adj* **1** önskvärd **2** åtråvärd

desire I [dɪ'zaɪə] *verb* **1** önska; *leave a great deal to be desired* lämna mycket övrigt att önska **2** begära, be
II [dɪ'zaɪə] *subst* **1** önskan, längtan, begär [*for* efter, till] **2** åtrå **3** önskemål

desirous [dɪ'zaɪərəs] *adj* ivrig, lysten [*of* efter]

desist [dɪ'zɪst] *verb* **1** avstå **2** upphöra

desk [desk] *subst* **1** skrivbord **2** skolbänk; *teacher's* ~ kateder **3** kassa i butik

desk clerk ['deskklɜːk] *subst* amer. receptionist

desktop ['desktɒp] *subst*, ~ *computer* bordsdator

desolate ['desələt] *adj* **1** ödslig, enslig **2** ensam och övergiven

desolation [‚desə'leɪʃən] *subst* **1** ödeläggelse **2** övergivenhet

despair I [dɪ'speə] *subst* förtvivlan; *be in* ~ vara förtvivlad
II [dɪ'speə] *verb* förtvivla, misströsta

desperado [‚despə'rɑːdəʊ] (pl. ~s) *subst* desperado

desperate ['despərət] *adj* desperat, förtvivlad

desperation [‚despə'reɪʃən] *subst* förtvivlan, desperation

despicable [dɪ'spɪkəbl] *adj* föraktlig, avskyvärd

despise [dɪ'spaɪz] *verb* förakta

despite [dɪ'spaɪt] *prep* trots

despondent [dɪ'spɒndənt] *adj* förtvivlad, modfälld

despot ['despɒt] *subst* despot, tyrann

despotic [de'spɒtɪk] *adj* despotisk

dessert [dɪ'zɜːt] *subst* dessert, efterrätt

dessertspoon [dɪ'zɜːtspuːn] *subst* dessertsked

destination [‚destɪ'neɪʃən] *subst* destination, bestämmelseort, resmål

destine ['destɪn] *verb* bestämma, ämna [*for* för, till]

destiny ['destɪnɪ] *subst* öde, livsöde

destitute ['destɪtjuːt] *adj* utblottad [*of* på], utfattig

destroy [dɪ'strɔɪ] *verb* förstöra, tillintetgöra

destroyer [dɪ'strɔɪə] *subst* sjö. jagare

destruction [dɪ'strʌkʃən] *subst* förstörande, ödeläggelse, förintelse

destructive [dɪ'strʌktɪv] *adj* destruktiv

detach [dɪ'tætʃ] *verb* **1** lösgöra, skilja **2** mil. avdela, detachera

detachable [dɪ'tætʃəbl] *adj* löstagbar

detached [dɪ'tætʃt] *adj* **1** avskild, enstaka **2** friliggande; ~ *house* villa **3** opartisk

detachment [dɪ'tætʃmənt] *subst* **1** lösgörande, avskiljande **2** opartiskhet **3** mil. detachering

detail I ['diːteɪl, amer. vanligen dɪ'teɪl] *subst* detalj
II ['diːteɪl, amer. vanligen dɪ'teɪl] *verb* **1** specificera **2** mil. avdela, detachera [*for* till]

detailed ['diːteɪld] *adj* detaljerad

detain [dɪ'teɪn] *verb* **1** uppehålla, försena **2** hålla i häkte

detect [dɪ'tekt] *verb* upptäcka, spåra

detection [dɪ'tekʃən] *subst* upptäckt

detective I [dɪ'tektɪv] *adj* detektiv-; ~ *inspector* kriminalinspektör
II [dɪ'tektɪv] *subst* detektiv

detector [dɪ'tektə] *subst* tekn. el. radio. detektor; *sound* ~ ljuddetektor

detention [dɪ'tenʃən] *subst* **1** uppehållande **2** skol. kvarsittning **3** ~ *camp* mil. interneringsläger

deter [dɪ'tɜː] *verb* avskräcka, avhålla [*from*]

detergent [dɪ'tɜːdʒənt] *subst* tvättmedel, diskmedel

deteriorate [dɪ'tɪərɪəreɪt] *verb* försämra, försämras

deterioration [dɪ‚tɪərɪə'reɪʃən] *subst* försämring

determination [dɪ‚tɜːmɪ'neɪʃən] *subst* **1** beslutsamhet **2** fastställande

determine [dɪ'tɜːmɪn] *verb* **1** bestämma, fastställa **2** besluta, besluta sig; *be*

---

dessert
Exempel på typiska engelska eller amerikanska efterrätter är:
apple pie äppelpaj
lemon meringue pie citronpaj
rice pudding risgrynsgröt
trifle lager av sockerkaka och frukt eller sylt toppat med vaniljkräm eller vispad grädde
cheesecake paj fylld med mjukost (t.ex. *Philadelphia cheese*), ofta toppad med sylt.

determined to... vara fast besluten att...

deterrent [dɪ'terənt] *subst* avskräckningsmedel

detest [dɪ'test] *verb* avsky

detestable [dɪ'testəbl] *adj* avskyvärd

detonate ['detəneɪt] *verb* **1** få att detonera **2** detonera

detonation [,detə'neɪʃən] *subst* detonation

detonator ['detəneɪtə] *subst* tändhatt

detour ['di:tʊə] *subst* **1** omväg **2** amer. trafikomläggning

detox I ['di:tɒks] *verb* vard., ~ *sb* avgifta ngn, lägga in ngn på torken
II ['di:tɒks] *subst* vard., *the* ~ torken alkoholistanstalt

detoxify [di:'tɒksɪfaɪ] *verb* avgifta

detract [dɪ'trækt] *verb*, ~ *from* förringa

detrimental [,detrɪ'mentl] *adj* skadlig [*to* för]

deuce [dju:s] *subst* **1** spel. tvåa **2** i tennis fyrtio lika

devaluation [,di:væljʊ'eɪʃən] *subst* devalvering

devalue [,di:'vælju:] *verb* devalvera

devastate ['devəsteɪt] *verb* ödelägga

devastation [,devə'steɪʃən] *subst* ödeläggelse

develop [dɪ'veləp] *verb* **1** utveckla; utveckla sig, utvecklas [*into* till]; *developing country* utvecklingsland, u-land **2** utnyttja, exploatera **3** foto. framkalla

development [dɪ'veləpmənt] *subst* **1** utveckling **2** utnyttjande, exploatering **3** *housing* ~ bostadsområde **4** foto. framkallning

deviate ['di:vɪeɪt] *verb* avvika

deviation [,di:vɪ'eɪʃən] *subst* avvikelse

device [dɪ'vaɪs] *subst* **1** knep, påhitt **2** anordning, apparat **3** emblem, märke på sköld, vapen **4** *leave sb to his own* ~*s* låta ngn klara sig själv

devil ['devl] *subst* djävul, fan, sate; *what the* ~*?* va fan?, vad i helvete?; *run like the* ~ springa som tusan; *go to the* ~ dra åt helsike; *talk of the* ~ *and he will appear* ordspr. när man talar om trollen, så står de i farstun; *between the* ~ *and the deep blue sea* ordspr. i valet och kvalet, mellan pest och kolera

devilish ['devlɪʃ] *adj* djävulsk, vard. jäkla

devious ['di:vjəs] *adj* **1** slingrande **2** bedräglig

devise [dɪ'vaɪz] *verb* hitta på, tänka ut

devoid [dɪ'vɔɪd] *adj*, ~ *of* helt utan

devote [dɪ'vəʊt] *verb* uppoffra [~ *one's time to study*]; ~ *oneself to* ägna sig åt

devoted [dɪ'vəʊtɪd] *adj* o. *perf p* **1** hängiven, tillgiven **2** bestämd [*to* åt]

devotion [dɪ'vəʊʃən] *subst* **1** tillgivenhet [*to* för]; hängivenhet [*to* för]; ~ *to duty* plikttrohet **2** uppoffrande

devour [dɪ'vaʊə] *verb* sluka

devout [dɪ'vaʊt] *adj* from

dew [dju:] *subst* dagg

dexterity [dek'sterətɪ] *subst* fingerfärdighet, skicklighet

dexterous ['dekstərəs] *adj* fingerfärdig, skicklig

dextrose ['dekstrəʊz] *subst* druvsocker

diabetes [,daɪə'bi:ti:z] *subst* diabetes

diabetic [,daɪə'betɪk] *subst* diabetiker

diabolical [,daɪə'bɒlɪkl] *adj* diabolisk, djävulsk

diagnose ['daɪəgnəʊz] *verb* diagnostisera

diagnosis [,daɪəg'nəʊsɪs] (pl. *diagnoses* [,daɪəg'nəʊsi:z]) *subst* diagnos

diagonal [daɪ'ægnəl] *adj* o. *subst* diagonal

diagram ['daɪəgræm] *subst* diagram

dial I ['daɪəl] *subst* **1** urtavla **2** visartavla **3** radio. stationsskala **4** tele. fingerskiva **5** solur
II ['daɪəl] *verb* ringa upp, slå telefonnummer

dialect ['daɪəlekt] *subst* dialekt

dialectal [,daɪə'lektl] *adj* dialektal

dialling ['daɪəlɪŋ] *subst* telefonering, ringande; ~ *code* riktnummer; ~ *tone* kopplingston, svarston

dialogue ['daɪəlɒg] *subst* dialog, samtal

diameter [daɪ'æmɪtə] *subst* diameter

diamond ['daɪəmənd] *subst* **1** diamant **2** kortsp. ruterkort; pl. ~*s* ruter

diaper ['daɪəpə] *subst* amer. blöja

diaphragm ['daɪəfræm] *subst* **1** anat. diafragma, mellangärde **2** foto. bländare

diarrhoea [,daɪə'rɪə] *subst* med. diarré

Dickens

Charles Dickens (1812–1870) var en av Englands mest berömda roman-författare. I *Oliver Twist*, *David Copperfield*, *A Christmas Carol* och många andra romaner visar han hur svårt de fattiga hade det. I dag filmas Dickens romaner om och om igen både för bio och tv.

diary ['daɪərɪ] *subst* **1** dagbok **2** kalender, almanacka

dice [daɪs] (pl. lika) *subst* **1** tärning **2** tärningsspel

dictate I ['dɪkteɪt] *subst* diktat, påbud, föreskrift
II [dɪk'teɪt] *verb* diktera, föreskriva

dictation [dɪk'teɪʃən] *subst* diktamen

dictator [dɪk'teɪtə] *subst* diktator

dictatorial [,dɪktə'tɔːrɪəl] *adj* diktatorisk

dictatorship [dɪk'teɪtəʃɪp] *subst* diktatur

dictionary ['dɪkʃənrɪ] *subst* ordbok, lexikon

did [dɪd] *imperf.* av *1 do*

didn't ['dɪdnt] = *did not*

die [daɪ] *verb* **1** dö, omkomma, avlida **2** dö ut, slockna **3** *I'm dying to do it* vad jag längtar efter att få göra det! **4** ~ *down* el. ~ *away* dö bort

diesel ['diːzəl] *subst*, ~ *engine* dieselmotor

diet I ['daɪət] *subst* diet, kost; *be on a* ~ a) hålla diet b) banta
II ['daɪət] *verb* **1** hålla diet **2** banta

differ ['dɪfə] *verb* **1** vara olik, vara olika, avvika [*from* från] **2** ha olika uppfattning

difference ['dɪfrəns] *subst* **1** skillnad, olikhet; *it makes no* ~ *to me* det gör mig detsamma; *it doesn't make much* ~ det spelar inte så stor roll **2** meningsskiljaktighet

different ['dɪfrənt] *adj* olik, olika, skild, annorlunda

differentiate [,dɪfə'renʃɪeɪt] *verb* differentiera; ~ *between* göra åtskillnad mellan

difficult ['dɪfɪkəlt] *adj* svår, besvärlig

difficulty ['dɪfɪkəltɪ] *subst* svårighet, svårigheter

diffuse I [dɪ'fjuːs] *adj* **1** diffus **2** spridd
II [dɪ'fjuːz] *verb* sprida omkring

dig I [dɪg] (*dug dug*) (*digging*) *verb* **1** gräva [*for* efter]; gräva i; ~ *out* gräva fram **2** stöta, sticka
II [dɪg] *subst* vard. pik, känga [*that was a* ~ *at me*]

digest [daɪ'dʒest] *verb* smälta t.ex. mat, kunskaper

digestion [daɪ'dʒestʃən] *subst* matsmältning

digit ['dɪdʒɪt] *subst* ensiffrigt tal, siffra

digital ['dɪdʒɪtl] *adj* digital [~ *TV*; ~ *watch*]

dignified ['dɪgnɪfaɪd] *adj* värdig

dignify ['dɪgnɪfaɪ] *verb* göra värdig

dignitary ['dɪgnɪtərɪ] *subst* dignitär

dignity ['dɪgnətɪ] *subst* värdighet; *stand on one's* ~ hålla på sin värdighet

digress [daɪ'gres] *verb* komma från ämnet

digs [dɪgz] *subst pl* vard. hyresrum, lya

dilapidated [dɪ'læpɪdeɪtɪd] *adj* förfallen

dilate [daɪ'leɪt] *verb* vidga, vidga sig

dilemma [dɪ'lemə] *subst* dilemma

dilettante [,dɪlɪ'tæntɪ] *subst* dilettant

diligence ['dɪlɪdʒəns] *subst* flit

diligent ['dɪlɪdʒənt] *adj* flitig, arbetsam

dilute [daɪ'ljuːt] *verb* spä ut, blanda ut

dim I [dɪm] *adj* dunkel [~ *memories*], oklar, vag
II [dɪm] (-*mm*-) *verb* bil., ~ *the headlights* amer. blända av vid möte

dime [daɪm] *subst* amer. tiocentare

dimension [daɪ'menʃən] *subst* dimension

diminish [dɪ'mɪnɪʃ] *verb* förminska, förminskas

diminutive [dɪ'mɪnjutɪv] *adj* mycket liten

dimmer ['dɪmə] *subst* bil. amer. ljusomkopplare, avbländare

dimple ['dɪmpl] *subst* smilgrop

din [dɪn] *subst* dån, buller, larm

dine [daɪn] *verb* äta middag

diner ['daɪnə] *subst* **1** middagsgäst **2** järnv. restaurangvagn **3** spec. amer. matställe

dinghy ['dɪŋgɪ] *subst* båt jolle

dingy ['dɪndʒɪ] *adj* smutsig, sjaskig

dining-car ['daɪnɪŋkɑː] *subst* järnv. restaurangvagn

dining-hall ['daɪnɪŋhɔːl] *subst* större matsal

dining-room ['daɪnɪŋruːm] *subst* matsal, matrum

dinner ['dɪnə] *subst* middag; *sit down to* ~ sätta sig till bords

dinner jacket ['dɪnə,dʒækɪt] *subst* smoking

dinner party ['dɪnə,pɑːtɪ] *subst* middagsbjudning

dinner plate ['dɪnəpleɪt] *subst* flat tallrik

dinosaur ['daɪnəsɔː] *subst* dinosaurie, skräcködla

dioxide [daɪ'ɒksaɪd] *subst*, *carbon* ~ kem. koldioxid

dip I [dɪp] (-*pp*-) *verb* **1** doppa, sänka ned, stoppa [*in, into* i] **2** dyka, doppa sig **3** ~ *into* stoppa i [~ *into a book*] **4** bil., ~ *the headlights* blända av vid möte
II [dɪp] *subst* **1** doppning, sänkning **2** vard. dopp, bad **3** dipp, dippsås

diphtheria [dɪf'θɪərɪə] *subst* med. difteri

diphthong ['dɪfθɒŋ] *subst* språkljud diftong

diploma [dɪ'pləumə] *subst* diplom

diplomacy [dɪ'pləuməsɪ] *subst* diplomati

diplomat ['dɪpləmæt] *subst* diplomat

diplomatic [,dɪplə'mætɪk] *adj* diplomatisk

dipstick ['dɪpstɪk] *subst* bil. oljemätsticka

dipswitch ['dɪpswɪtʃ] *subst* bil. avbländare, ljusomkopplare

direct I [daɪ'rekt] *verb* **1** rikta [*at, towards* mot] **2** leda, dirigera **3** regissera [~ *a film*] **4** visa vägen [*can you ~ me to the station?*] **5** befalla, beordra, föreskriva, bestämma **II** [daɪ'rekt] *adj* **1** direkt, rak [*the ~ opposite*], rät, omedelbar; ~ *current* likström; ~ *hit* fullträff **2** rättfram **III** [daɪ'rekt] *adv* direkt, rakt, rätt

direction [daɪ'rekʃən] *subst* **1** riktning; *in every ~* åt alla håll; *in the ~ of* mot; *sense of ~* lokalsinne **2** pl. ~*s* anvisningar; ~*s for use* bruksanvisning

directly [daɪ'rektlɪ] *adv* **1** direkt, rakt **2** genast

directoire [ˌdɪrek'twɑː] *subst*, ~ *knickers* mamelucker

director [daɪ'rektə] *subst* **1** direktör, chef; ~ *of studies* studierektor; *board of* ~*s* bolagsstyrelse **2** film. el. teat. regissör

director-general [daɪˌrektə'dʒenrəl] *subst* generaldirektör

directory [daɪ'rektərɪ] *subst*, *telephone* ~ telefonkatalog; ~ *enquiries* el. amer. ~ *assistance* nummerupplysningen

dirt [dɜːt] *subst* smuts; *treat sb like* ~ behandla ngn som skit; ~ *road* amer. grusväg

dirt-cheap [ˌdɜːt'tʃiːp] *adj* o. *adv* jättebillig, jättebilligt

dirty I ['dɜːtɪ] *adj* **1** smutsig, skitig **2** snuskig [*a ~ story*]; *a ~ dog* vard., om person en fähund; *give sb a ~ look* ge ngn en mördande blick; *a ~ mind* en snuskig fantasi; ~ *play* sport. ojust spel; *a ~ trick* ett fult spratt; *do the ~ work* göra slavgörat; *you ~ swine!* ditt jävla svin! **II** ['dɜːtɪ] *verb* smutsa ner

disability [ˌdɪsə'bɪlətɪ] *subst* invaliditet

disable [dɪs'eɪbl] *verb* handikappa, invalidisera

disabled I [dɪs'eɪbld] *adj* handikappad; ~ *toilet* handikapptoalett **II** [dɪs'eɪbld] *subst pl, the* ~ de handikappade

disablement [ˌdɪs'eɪblmənt] *subst* handikapp, invaliditet; ~ *pension* invaliditetspension

disadvantage [ˌdɪsəd'vɑːntɪdʒ] *subst* nackdel; *at a* ~ i ett ofördelaktigt läge

disadvantageous [ˌdɪsædvɑːn'teɪdʒəs] *adj* ofördelaktig

disagree [ˌdɪsə'griː] *verb* **1** inte hålla med om; *I* ~ det håller jag inte med om **2** inte

komma överens **3** inte stämma överens **4** om t.ex. mat *this food* ~*s with me* jag tål inte den här maten

disagreeable [ˌdɪsə'grɪəbl] *adj* obehaglig, otrevlig

disagreement [ˌdɪsə'griːmənt] *subst* meningsskiljaktighet, oenighet

disallow [ˌdɪsə'laʊ] *verb* underkänna [*the goal was disallowed*], förklara ogiltig

disappear [ˌdɪsə'pɪə] *verb* försvinna

disappearance [ˌdɪsə'pɪərəns] *subst* försvinnande

disappoint [ˌdɪsə'pɔɪnt] *verb* göra besviken [*with* på]; *I felt disappointed* jag kände mig besviken

disappointing [ˌdɪsə'pɔɪntɪŋ] *adj* nedslående; *it was* ~ det var en besvikelse

disappointment [ˌdɪsə'pɔɪntmənt] *subst* besvikelse, missräkning

disapproval [ˌdɪsə'pruːvl] *subst* ogillande

disapprove [ˌdɪsə'pruːv] *verb*, ~ *of* el. ~ ogilla

disarm [dɪs'ɑːm] *verb* **1** avväpna **2** nedrusta

disarmament [dɪs'ɑːməmənt] *subst* nedrustning

disarrange [ˌdɪsə'reɪndʒ] *verb* ställa till oreda i

disarray [ˌdɪsə'reɪ] *subst* oreda, oordning

---

dis-
Förstavelsen *dis-* används för att bilda motsatser men förekommer också i ord med en negativ betydelse. Dess grundbetydelse är <u>inte</u> och motsvaras ofta av de svenska förstavelserna <u>o-</u>, <u>miss-</u>, <u>av-</u>.

like – dislike
　　gilla – inte gilla, ogilla
believe – disbelieve
　　tro – inte tro
respect – disrespect
　　respekt – brist på respekt
taste – distaste
　　smak – avsmak
satisfaction – dissatisfaction
　　tillfredsställelse, belåtenhet – missbelåtenhet, missnöje
disappointment
　　besvikelse, missräkning

disaster [dɪˈzɑːstə] *subst* katastrof
disastrous [dɪˈzɑːstrəs] *adj* katastrofal
disbelief [ˌdɪsbɪˈliːf] *subst* misstro [*in* till]
disbelieve [ˌdɪsbɪˈliːv] *verb*, ~ *in* el. ~ inte tro på, tvivla på
disc [dɪsk] *subst* **1** rund skiva, platta **2** bricka **3** grammofonskiva el. cd-skiva skiva **4** data. diskett **5** med., *have a slipped* ~ ha diskbråck
discard [dɪsˈkɑːd] *verb* **1** kassera, förkasta
discern [dɪˈsɜːn] *verb* urskilja, skönja
discerning [dɪˈsɜːnɪŋ] *adj* omdömesgill
discharge I [dɪsˈtʃɑːdʒ] *verb* **1** skriva ut [~ *a patient*; *be discharged from hospital*] **2** frige [~ *a prisoner*] **3** avskeda **4** släppa ut, tömma [~ *toxic waste into the sea*] **5** elektr. ladda ur
II [ˈdɪstʃɑːdʒ] *subst* **1** utskrivning [*the ~ of a patient*] **2** frigivning [*the ~ of a prisoner*] **3** avsked **4** utsläpp, utsöndring **5** elektr. urladdning **6** betalning [~ *of a debt*]; fullgörande [~ *of one's duties*]
disciple [dɪˈsaɪpl] *subst* lärjunge, anhängare
disciplinary [ˈdɪsɪplɪnəri] *adj* disciplinär; ~ *action* disciplinära åtgärder
discipline I [ˈdɪsɪplɪn] *subst* disciplin
II [ˈdɪsɪplɪn] *verb* disciplinera
disc jockey [ˈdɪskˌdʒɒkɪ] *subst* **1** vard. skivpratare **2** på diskotek diskjockey
disclose [dɪsˈkləʊz] *verb* **1** avslöja [~ *a secret to sb*] **2** visa, blotta
disclosure [dɪsˈkləʊʒə] *subst* avslöjande
disco [ˈdɪskəʊ] (pl. ~*s*) *subst* vard. disco
discolour [dɪsˈkʌlə] *verb* missfärga
discomfort I [dɪsˈkʌmfət] *subst* obehag
II [dɪsˈkʌmfət] *verb* orsaka obehag
disconcert [ˌdɪskənˈsɜːt] *verb* bringa ur fattningen
disconnect [ˌdɪskəˈnekt] *verb* **1** skilja **2** koppla av (ifrån), stänga av [~ *the telephone*]; *be disconnected* tele. bli bortkopplad
disconsolate [dɪsˈkɒnsələt] *adj* otröstlig
discontent [ˌdɪskənˈtent] *subst* missnöje
discontented [ˌdɪskənˈtentɪd] *adj* missnöjd
discontinue [ˌdɪskənˈtɪnjuː] *verb* upphöra med
discord [ˈdɪskɔːd] *subst* **1** oenighet, missämja **2** musik. dissonans, disharmoni
discotheque [ˈdɪskətek] *subst* diskotek
discount I [ˈdɪskaʊnt] *subst* rabatt; ~ *store* lågprisvaruhus
II [dɪsˈkaʊnt] *verb* **1** dra av **2** bortse ifrån
discourage [dɪsˈkʌrɪdʒ] *verb* **1** göra nedslagen; *don't be discouraged!* tappa

inte modet!, kom igen! **2** avskräcka [~ *sb from doing sth*]
discouragement [dɪsˈkʌrɪdʒmənt] *subst* **1** nedslagenhet **2** avskräckande
discouraging [dɪsˈkʌrɪdʒɪŋ] *adj* nedslående [*a ~ result*]; avskräckande
discourteous [dɪsˈkɜːtjəs] *adj* ohövlig
discover [dɪsˈkʌvə] *verb* upptäcka, finna
discovery [dɪsˈkʌvərɪ] *subst* upptäckt
discredit I [dɪsˈkredɪt] *subst*, *be a* ~ *to* vara en skam för; *bring* ~ *on* el. *throw* ~ *on* ge dåligt rykte, misskreditera
II [dɪsˈkredɪt] *verb* misskreditera
discreditable [dɪsˈkredɪtəbl] *adj* vanhedrande
discreet [dɪsˈkriːt] *adj* diskret, taktfull
discrepancy [dɪsˈkrepənsɪ] *subst* diskrepans, brist på överensstämmelse
discretion [dɪsˈkreʃən] *subst* **1** diskretion **2** urskillningsförmåga, omdöme, takt **3** *at one's own* ~ efter behag; *use your* ~ gör som du själv finner för gott
discriminate [dɪsˈkrɪmɪneɪt] *verb* **1** skilja, göra skillnad [*between* på, mellan] **2** ~ *against* diskriminera
discriminating [dɪsˈkrɪmɪneɪtɪŋ] *adj* omdömesgill, skarpsinnig [~ *judgement*]
discrimination [dɪˌskrɪmɪˈneɪʃən] *subst* **1** skiljande; diskriminering [*racial* ~]; åtskillnad [*without* ~] **2** omdöme, skarpsinne
discus [ˈdɪskəs] *subst* sport. diskus
discuss [dɪsˈkʌs] *verb* diskutera
discussion [dɪsˈkʌʃən] *subst* diskussion
disdain I [dɪsˈdeɪn] *subst* förakt
II [dɪsˈdeɪn] *verb* förakta
disdainful [dɪsˈdeɪnfʊl] *adj* föraktfull
disease [dɪˈziːz] *subst* sjukdom, sjukdomar
diseased [dɪˈziːzd] *adj* sjuklig
disembark [ˌdɪsɪmˈbɑːk] *verb* landstiga, debarkera
disengage [ˌdɪsɪnˈgeɪdʒ] *verb* frigöra, koppla loss
disfigure [dɪsˈfɪgə] *verb* vanställa, vanpryda
disgrace I [dɪsˈgreɪs] *subst* **1** vanära, skamfläck; *this is a* ~*!* detta är rena skandalen! **2** onåd [*in* ~]
II [dɪsˈgreɪs] *verb* **1** vanhedra **2** skämma ut
disgraceful [dɪsˈgreɪsfʊl] *adj* skamlig, skandalös
disgruntled [dɪsˈgrʌntld] *adj* missnöjd, sur
disguise I [dɪsˈgaɪz] *verb* **1** klä ut; *disguised as a policeman* förklädd till polis **2** förställa [~ *one's voice*]

ll [dɪsˈgaɪz] *subst* **1** förklädnad; *in* ~
förklädd **2** förställning
disgust l [dɪsˈgʌst] *subst* avsky, avsmak
[*with* för]
ll [dɪsˈgʌst] *verb* äckla
disgusting [dɪsˈgʌstɪŋ] *adj* äcklig, vidrig
dish l [dɪʃ] *subst* **1** fat, karott; flat skål; assiett
[*butter* ~] **2** *dirty dishes* odiskad disk;
wash the dishes el. *do the dishes* diska
3 maträtt **4** *satellite* ~ el. ~
parabolantenn; *fixed* ~ fast parabolantenn
ll [dɪʃ] *verb*, ~ *up* lägga upp [~ *up the food*],
sätta fram, servera; ~ *out* dela ut
disharmonious [ˌdɪshɑːˈməʊnjəs] *adj*
disharmonisk
disharmony [dɪsˈhɑːmənɪ] *subst* disharmoni
dishcloth [ˈdɪʃklɒθ] *subst* **1** disktrasa
2 kökshandduk
dishearten [dɪsˈhɑːtn] *verb* göra nedslagen
disheartening [dɪsˈhɑːtnɪŋ] *adj* nedslående
dishevelled [dɪˈʃevəld] *adj* ovårdad, rufsig
[~ *hair*]
dishonest [dɪsˈɒnɪst] *adj* oärlig, ohederlig
dishonesty [dɪsˈɒnɪstɪ] *subst* oärlighet,
ohederlighet
dishonour [dɪsˈɒnə] *subst o. verb* vanära
dishonourable [dɪsˈɒnərəbl] *adj*
vanhedrande
dishwasher [ˈdɪʃˌwɒʃə] *subst* **1** diskmaskin
2 diskare
dishwashing liquid [ˈdɪʃwɒʃɪŋˌlɪkwɪd] *subst*
spec. amer. flytande diskmedel
dishwater [ˈdɪʃˌwɔːtə] *subst* **1** diskvatten
2 vard. teblask
disillusioned [ˌdɪsɪˈluːʒənd] *adj*
desillusionerad
disinclined [ˌdɪsɪnˈklaɪnd] *adj* obenägen
disinfect [ˌdɪsɪnˈfekt] *verb* desinficera
disinfectant [ˌdɪsɪnˈfektənt] *subst*
desinfektionsmedel
disinherit [ˌdɪsɪnˈherɪt] *verb* göra arvlös
disintegrate [dɪsˈɪntəgreɪt] *verb*
sönderdelas, upplösas
disintegration [dɪsˌɪntəˈgreɪʃn] *subst*
sönderfall, upplösning
disinterested [dɪsˈɪntrəstɪd] *adj*
oegennyttig; opartisk
disk [dɪsk] *subst* **1** spec. amer., se *disc* **2** data.
diskett; ~ *storage* skivminne; ~ *unit*
skivenhet
diskette [dɪˈsket] *subst* data. diskett
dislike l [dɪsˈlaɪk] *verb* tycka illa om, ogilla;
take a ~ *to* fatta motvilja mot
ll [dɪsˈlaɪk] *subst* motvilja [*of* mot]

dislocate [ˈdɪsləkeɪt] *verb* med. vrida ur led,
vricka
dislodge [dɪsˈlɒdʒ] *verb* rycka loss, rubba
disloyal [dɪsˈlɔɪəl] *adj* illojal
disloyalty [dɪsˈlɔɪəltɪ] *subst* illojalitet
dismal [ˈdɪzməl] *adj* dyster, trist
dismantle [dɪsˈmæntl] *verb* demontera
dismay l [dɪsˈmeɪ] *subst* bestörtning
ll [dɪsˈmeɪ] *verb* göra bestört
dismiss [dɪsˈmɪs] *verb* **1** avskeda **2** upplösa
församling etc.; *the class was dismissed*
skol. klassen fick gå **3** *he dismissed the
idea* han avfärdade tanken **4** jur. ogilla; ~
the case avskriva målet
dismissal [dɪsˈmɪsl] *subst* **1** avskedande
2 avslag
dismount [ˌdɪsˈmaʊnt] *verb* stiga av häst cykel

Disney
Walt Disney (1901–1966). Ameri-
kansk filmproducent och pappa till
bl.a. *Donald Duck* Kalle Anka,
Mickey Mouse Musse Pigg och
Goofy Långben. Flera stora nöjes-
parker har byggts upp kring hans
figurer: *Disneyland* i Kalifornien,
Disneyworld i Florida och *Euro-
disney* utanför Paris.

disobedience [ˌdɪsəˈbiːdjəns] *subst* olydnad
disobedient [ˌdɪsəˈbiːdjənt] *adj* olydig
disobey [ˌdɪsəˈbeɪ] *verb* inte lyda, vara olydig
disorder [dɪsˈɔːdə] *subst* **1** oordning; *throw
into* ~ ställa till oreda i **2** med. rubbning
disorderly [dɪsˈɔːdəlɪ] *adj* bråkig, störande
[~ *conduct*]; *he was arrested for being
drunk and* ~ han greps för fylleri och
förargelseväckande beteende
disorganized [dɪsˈɔːgənaɪzd] *adj*, *be* ~ vara
illa organiserad
disown [dɪsˈəʊn] *verb* inte vilja kännas vid,
desavouera
disparage [dɪˈspærɪdʒ] *verb* tala nedsättande
om, nedvärdera
dispassionate [dɪsˈpæʃənət] *adj* saklig,
objektiv [*a* ~ *opinion*]
dispatch l [dɪˈspætʃ] *verb* **1** avsända
2 expediera
ll [dɪˈspætʃ] *subst* **1** avsändning,
expediering **2** rapport, depesch
dispatch box [dɪˈspætʃbɒks] *subst*
dokumentskrin

dispatch rider [dɪ'spætʃˌraɪdə] *subst* mil. ordonnans

dispel [dɪ'spel] (*-ll-*) *verb* fördriva, skingra

dispensary [dɪ'spensərɪ] *subst* apotek på sjukhus

dispense [dɪ'spens] *verb* **1** dela ut, fördela, ge; *dispensing chemist* apotekare **2** ~ *with* avvara, undvara

disperse [dɪ'spɜːs] *verb* **1** skingra, skingras [*the crowd dispersed*] **2** sprida, sprida sig, spridas

displace [dɪs'pleɪs] *verb* **1** flytta på, rubba **2** tränga undan, tränga ut; *displaced person* tvångsförflyttad, flykting

display I [dɪ'spleɪ] *verb* **1** visa fram, skylta med [~ *goods in the window*] **2** visa prov på [~ *courage*] **II** [dɪ'spleɪ] *subst* **1** förevisning, uppvisning [*a fashion* ~]; *window* ~ fönsterskyltning; ~ *of colours* färgprakt **2** uttryck [*of* för], prov [*of* på]; *make a* ~ *of* ståta med **3** data. etc., ~ el. ~ *unit* a) bildskärm b) bildruta

displease [dɪs'pliːz] *verb* väcka missnöje hos; *be displeased* vara missnöjd

displeasing [dɪs'pliːzɪŋ] *adj* misshaglig

displeasure [dɪs'pleʒə] *subst* missnöje

disposable [dɪ'spəʊzəbl] *adj* **1** disponibel, till förfogande **2** engångs- [~ *paper plates*]; ~ *nappy* el. amer. ~ *diaper* blöja

disposal [dɪ'spəʊzl] *subst* **1** bortskaffande, undanröjning **2** avyttrande, försäljning **3** *I'm at your* ~ jag står till ditt förfogande

dispose [dɪ'spəʊz] *verb* **1** göra benägen **2** ordna, ställa upp, arrangera **3** ~ *of* a) bli av med b) klara av c) förfoga över

disposed [dɪ'spəʊzd] *adj* benägen, upplagd, disponerad [*to*, *for* i samtliga fall för]; *be favourably* ~ *towards* vara positivt inställd till

disposition [ˌdɪspə'zɪʃən] *subst* **1** uppställning, disposition **2** sinnelag [*a happy* ~] **3** benägenhet

disproportionate [ˌdɪsprə'pɔːʃənət] *adj* oproportionerlig

disprove [ˌdɪs'pruːv] *verb* motbevisa

dispute I [dɪ'spjuːt] *subst* tvist, konflikt **II** [dɪ'spjuːt] *verb* **1** tvista [*about*, *on* om] **2** bestrida [~ *a claim*]

disqualification [dɪsˌkwɒlɪfɪ'keɪʃən] *subst* diskvalificering

disqualify [dɪs'kwɒlɪfaɪ] *verb* diskvalificera

disregard I [ˌdɪsrɪ'gɑːd] *verb* ignorera, nonchalera [~ *a warning*], åsidosätta [~ *sb's wishes*]

II [ˌdɪsrɪ'gɑːd] *subst* ignorerande, nonchalerande, åsidosättande

disrepair [ˌdɪsrɪ'peə] *subst* dåligt skick, förfall

disreputable [dɪs'repjʊtəbl] *adj* illa beryktad

disrepute [ˌdɪsrɪ'pjuːt] *subst* vanrykte

disrespect [ˌdɪsrɪ'spekt] *subst* brist på respekt

disrespectful [ˌdɪsrɪ'spektfʊl] *adj* respektlös

disrupt [dɪs'rʌpt] *verb* **1** störa [~ *a meeting*] **2** splittra

dissatisfaction ['dɪˌsætɪs'fækʃən] *subst* missnöje, missbelåtenhet

dissatisfied [ˌdɪ'sætɪsfaɪd] *adj* missnöjd, missbelåten

dissect [dɪ'sekt] *verb* dissekera

disseminate [dɪ'semɪneɪt] *verb* sprida

dissension [dɪ'senʃən] *subst* meningsskiljaktighet, oenighet, missämja

dissent [dɪ'sent] *verb* **1** vara av en annan åsikt, ha en avvikande uppfattning **2** avvika [*from* från], reservera sig [*from* mot]

dissenter [dɪ'sentə] *subst* oliktänkande person

dissertation [ˌdɪsə'teɪʃən] *subst* doktorsavhandling [*on* om, över]

disservice [ˌdɪ'sɜːvɪs] *subst* otjänst, björntjänst [*she did me a* ~]

dissident ['dɪsɪdənt] *subst* oliktänkande

dissimilar [ˌdɪ'sɪmɪlə] *adj* olik, olika; ~ *to sth* olik ngt

dissimilarity [ˌdɪsɪmɪ'lærətɪ] *subst* olikhet

dissipated ['dɪsɪpeɪtɪd] *adj* utsvävande [~ *life*]

dissipation [ˌdɪsɪ'peɪʃən] *subst* utsvävningar

dissociate [dɪ'səʊʃɪeɪt] *verb*, ~ *oneself from* ta avstånd från

dissolute ['dɪsəluːt] *adj* utsvävande [*a* ~ *life*]

dissolution [ˌdɪsə'luːʃn] *subst* upplösning [*the* ~ *of Parliament*]

dissolve [dɪ'zɒlv] *verb* upplösa [~ *a partnership*], upplösa sig, upplösas

dissuade [dɪ'sweɪd] *verb* avråda

distance I ['dɪstəns] *subst* avstånd, distans, sträcka; *keep one's* ~ el. *keep at a* ~ hålla sig på avstånd; *in the* ~ i fjärran **II** ['dɪstəns] *verb* distansera

distant ['dɪstənt] *adj* **1** avlägsen, långt bort **2** reserverad, kylig

distaste [ˌdɪs'teɪst] *subst* avsmak [*for* för], motvilja [*for* mot, för], olust [*for* inför]

distasteful [dɪs'teɪstfʊl] *adj* motbjudande [*to* för]

distend [dɪ'stend] *verb* utvidga, utvidgas, svälla

distil [dɪ'stɪl] (*-ll-*) *verb* destillera, bränna

distillation [ˌdɪstɪ'leɪʃən] *subst* destillering, destillation

distillery [dɪ'stɪlərɪ] *subst* bränneri, spritfabrik

distinct [dɪ'stɪŋkt] *adj* **1** tydlig, klar, distinkt **2** olik, olika, skild [*two ~ groups*]; *~ from* olik

distinction [dɪ'stɪŋkʃən] *subst* **1** skillnad, distinktion; *draw a ~* göra skillnad [*between* på, mellan]; *without ~* utan åtskillnad **2** betydelse, värde [*a novel of ~*]

distinctive [dɪ'stɪŋktɪv] *adj* utmärkande, karakteristisk

distinguish [dɪ'stɪŋgwɪʃ] *verb* **1** tydligt skilja, särskilja **2** urskilja **3** känneteckna, utmärka

distinguished [dɪ'stɪŋgwɪʃt] *adj* **1** framstående [*a ~ woman*], förnämlig, lysande [*a ~ career*] **2** distingerad

distort [dɪ'stɔːt] *verb* **1** förvrida; *distorting mirror* skrattspegel **2** förvränga, förvanska [*~ facts*]

distortion [dɪ'stɔːʃən] *subst* **1** förvrängning **2** vrångbild **3** distortion av ljud

distract [dɪ'strækt] *verb* distrahera, vilseleda

distracted [dɪ'stræktɪd] *adj* **1** förvirrad, ifrån sig **2** vansinnig

distraction [dɪ'strækʃən] *subst* **1** förvirring **2** sinnesförvirring

distress I [dɪ'stres] *subst* **1** nöd; sjönöd [*a ship in ~*]; *~ signal* nödrop, nödsignal **2** smärta, sorg **3** ångest, oro

II [dɪ'stres] *verb* plåga, pina

distressed [dɪ'strest] *adj* **1** olycklig, bedrövad, ängslig **2** nödställd

distressing [dɪ'stresɪŋ] *adj* **1** plågsam, smärtsam **2** beklämmande

distribute [dɪ'strɪbjuːt] *verb* **1** dela ut, distribuera **2** fördela

distribution [ˌdɪstrɪ'bjuːʃən] *subst* **1** utdelning [*prize ~*], distribution **2** fördelning

distributor [dɪ'strɪbjʊtə] *subst* **1** distributör **2** fördelare i bil

district ['dɪstrɪkt] *subst* område, distrikt; *~ attorney* amer. allmän åklagare; se äv. *Washington*

District of Columbia [ˌdɪstrɪktəvkə'lʌmbɪə], *[the]* ~ Förenta staternas förbundsdistrikt, identiskt med huvudstaden *Washington*

distrust [dɪs'trʌst] *subst* o. *verb* misstro

distrustful [dɪs'trʌstfʊl] *adj* misstrogen

disturb [dɪ'stɜːb] *verb* **1** störa **2** oroa

disturbance [dɪ'stɜːbəns] *subst* **1** störningar **2** bråk [*a political ~*], oordning; pl. *~s* oroligheter

disuse [ˌdɪs'juːs] *subst*, *fall into* ~ komma ur bruk

disused [ˌdɪs'juːzd] *adj* nedlagd, avlagd

ditch I [dɪtʃ] *subst* dike; grav

II [dɪtʃ] *verb* göra slut med, ge på båten [*she ditched her boyfriend*], ge respass

ditchwater ['dɪtʃˌwɔːtə] *subst*, *as dull as* ~ vard. dödtråkig

dither ['dɪðə] *verb* vackla, tveka

ditto ['dɪtəʊ] *adv* o. *subst* hand. el. vard. dito

ditty ['dɪtɪ] *subst* liten visa, liten sång

diva ['diːvə] *subst* diva

divan [dɪ'væn] *subst* divan soffa

dive I [daɪv] *verb* dyka [*for* efter]; *~ in* hoppa 'i

II [daɪv] *subst* dykning; sport. simhopp; *take a ~* fotb. filma, göra en störtdykning

diver ['daɪvə] *subst* dykare

diverge [daɪ'vɜːdʒ] *verb* gå isär; avvika [*from* från]

diverse [daɪ'vɜːs] *adj* olika, skild [*~ nationalities*]

diversion [daɪ'vɜːʃən] *subst* **1** avledande, avbrott **2** skenmanöver **3** omläggning [*traffic ~*] **4** tidsfördriv

diversity [daɪ'vɜːsətɪ] *subst* mångfald

divert [daɪ'vɜːt] *verb* **1** avleda **2** dirigera om, lägga om [*~ the traffic*] **3** roa, underhålla

divide [dɪ'vaɪd] *verb* **1** dela upp; dela upp sig [*into* i]; *~ up* fördela **2** mat. dividera, dela **3** splittra, göra oense

dividend ['dɪvɪdend] *subst* **1** utdelning på t.ex. aktier **2** återbäring

divine I [dɪ'vaɪn] *adj* gudomlig

II [dɪ'vaɪn] *verb* ana sig till

diving ['daɪvɪŋ] *subst* sport. simhoppning

diving-board ['daɪvɪŋbɔːd] *subst* trampolin

diving-mask ['daɪvɪŋmɑːsk] *subst* cyklopöga för dykare

divinity [dɪ'vɪnətɪ] *subst* **1** gudomlighet **2** teologi

division [dɪ'vɪʒən] *subst* **1** delning; uppdelning, indelning [*into* i] **2** mat. el. mil. el. sport. division **3** avdelning **4** skiljelinje, gräns, motsättning

divorce I [dɪ'vɔːs] *subst* skilsmässa; jur. äktenskapsskillnad

II [dɪ'vɔːs] *verb* skilja sig från [*~ one's wife*]; skilja sig, skiljas; *they are divorced* de är frånskilda

divorcee [dɪ͵vɔːˈsiː] *subst* frånskild kvinna el. man

divulge [daɪˈvʌldʒ] *verb* avslöja, röja

DIY [͵diːaɪˈwaɪ] (förk. för *do-it-yourself*) gör-det-själv [~ *shop* el. ~ *store*]

dizzy [ˈdɪzɪ] *adj* **1** yr **2** svindlande [~ *heights*]

DJ [͵diːˈdʒeɪ] förk. för *disc jockey*

1 do I [duː] (*did done*; *he/she/it does*) (se äv. *done* o. *don't*) *huvudverb* **1** göra, utföra; ~ *one's homework* göra sina läxor; ~ *sums* el. ~ *arithmetic* räkna; *what can I ~ for you?* vad kan jag stå till tjänst med?; *please ~!* varsågod!, ja gärna! **2** syssla med [~ *painting*]; arbeta på (med); ~ *the cooking* laga mat **3** sköta sig, klara sig [*how is he doing?*]; må [*she is doing better now*]; *how do you ~?* hälsningsfras god dag!; *how are you doing?* hur står det till?, hur är läget? **4** vard. lura, snuva [*out of* på] **5** vard. vara lagom för, räcka för; passa, duga, duga åt [*this room will ~ me*]; gå an [*it doesn't ~ to offend him*]; räcka, vara lagom; *that'll do* det är bra, det räcker **II** [duː] (*did done*; *he/she/it does*) *verb med adv.* o. *prep.*

do away with avskaffa
do in sl. **1** fixa mörda **2** ta kål på
do out 1 städa upp i; måla och tapetsera **2** ~ *sb out of sth* lura från ngn ngt
do up 1 reparera, renovera, snygga upp **2** packa, slå in [~ *up a parcel*] **3** knäppa [~ *up one's coat*]; knyta [~ *up your shoes*] **4** *be done up* vara slut, vara tröttkörd
do with 1 *it has* (*is*) *nothing to* ~ *with you* det har ingenting med dig att göra **2** *I can* ~ *with two* jag behöver två; *I could* ~ *with a drink* det skulle smaka bra med en drink **3** *be done with* vara över, vara slut; *let's have done with it* låt oss få slut på det; *buy it and have done with it* köp den så är det gjort; *when you have done with the knife* när du är färdig med kniven
do without klara sig utan
III [duː] (*did done*; *he/she/it does*) (se äv. *done* o. *don't*) *hjälpverb* **1** ersättningsverb göra; *do you know him? -yes, I ~* känner du honom? -ja, det gör jag; *you saw it, didn't you?* du såg det, eller hur? **2** betonat: *I ~ wish I could help you* jag önskar verkligen att jag kunde hjälpa dig; ~ *come!* kom gärna! **3** omskrivande: ~ *you like it?* tycker du om det?; *doesn't he*

know it? vet han det inte?; *I don't dance* jag dansar inte

2 do [duː] *subst* **1** fest, kalas **2** *do's and dont's* regler och förbud, vad man får och inte får göra

doc [dɒk] *subst* vard. doktor

docile [ˈdəʊsaɪl, amer. ˈdɒsl] *adj* foglig, snäll [*a ~ child*]

1 dock [dɒk] *subst* förhörsbås i rättssal; *be in the* ~ sitta på de anklagades bänk

2 dock [dɒk] *subst* **1** skeppsdocka; hamnbassäng **2** ofta pl. ~*s* hamn; varv

3 dock [dɒk] *verb* om rymdfarkoster docka

docker [ˈdɒkə] *subst* hamnarbetare

dockyard [ˈdɒkjɑːd] *subst* skeppsvarv; *naval* ~ örlogsvarv

doctor [ˈdɒktə] *subst* **1** univ. doktor; *doctor's degree* doktorsgrad; *Doctor of Philosophy* filosofie doktor **2** läkare, doktor; *family* ~ husläkare; *doctor's certificate* läkarintyg

doctrine [ˈdɒktrɪn] *subst* doktrin, lära

document [ˈdɒkjʊmənt] *subst* dokument, handling

documentary [͵dɒkjʊˈmentrɪ] *subst* **1** reportage i tv el. radio **2** dokumentärfilm

dodge I [dɒdʒ] *verb* **1** vika undan, hoppa åt sidan **2** smita, slingra sig ifrån, smita från **II** [dɒdʒ] *subst* knep, trick

dodgem [ˈdɒdʒəm] *subst* vard. radiobil på nöjesfält

dodger [ˈdɒdʒə] *subst* vard. skojare, filur; *tax* ~ skattesmitare

doe [dəʊ] *subst* djur **1** hind **2** harhona, kaninhona

does [dʌz, obetonat dəz] *verb*, *he/she/it does* se vidare *1 do*

doesn't [ˈdʌznt] = *does not*

dog [dɒg] *subst* **1** hund; *the* ~*s* vard. hundkapplöpningen; *he is going to the* ~*s* vard. det går utför med honom; *lead a dog's life* leva ett hundliv **2** vard., *dirty* ~ fähund; *lazy* ~ latmask; *lucky* ~ lyckans ost

dog-eared [ˈdɒg͵ɪəd] *adj*, *the book is* ~ boken har hundöron

dogged [ˈdɒgɪd] *adj* envis, ihärdig, seg

doggy [ˈdɒgɪ] *subst* vard. vovve; ~ *bag* påse med överbliven mat som en restauranggäst får med sig hem

dog kennel [ˈdɒg͵kenl] *subst* **1** hundkoja **2** hundpensionat

dogma [ˈdɒgmə] *subst* dogm, trossats

dogmatic [dɒgˈmætɪk] *adj* dogmatisk

dog-tired [͵dɒgˈtaɪəd] *adj* dödstrött

doing ['duːɪŋ] *subst*, *it will take some* ~ det är inte gjort utan vidare; pl. ~*s* förehavanden

do-it-yourself [ˌduːɪtjə'self] *adj* se *DIY*

doldrums ['dɒldrəmz] *subst pl* **1** sjö. stiltje; stiltjeområden **2** *in the* ~ nedstämd

dole I [dəʊl] *subst* vard. arbetslöshetsunderstöd; *be on the* ~
II [dəʊl] *verb*, ~ *out* dela ut

doleful ['dəʊlfʊl] *adj* **1** sorglig **2** sorgsen

doll I [dɒl] *subst* docka leksak
II [dɒl] *verb*, ~ *up* vard. klä (snofsa) upp, klä (snofsa) upp sig

dollar ['dɒlə] *subst* dollar [*five* ~*s*]

dollhouse ['dɒlhaʊs] *subst* amer., se *doll's house*

doll's house ['dɒlshaʊs] *subst* dockskåp

dolly ['dɒlɪ] *subst* barnspr. docka leksak

dolphin ['dɒlfɪn] *subst* delfin

dolphinarium [ˌdɒlfɪ'neərɪəm] *subst* delfinarium

domain [dəʊ'meɪn] *subst* domän, område

dome [dəʊm] *subst* kupol

domestic I [də'mestɪk] *adj* **1** hus-; ~ *duties* hushållsgöromål; ~ *help* hemhjälp; ~ *life* hemliv **2** huslig, hemkär **3** inrikes [~ *policy*] **4** ~ *animal* husdjur
II [də'mestɪk] *subst* hembiträde

---

dog
En hund är inte alltid en hund!
hot dog
  varm korv
a dog in the manger
  en person som inte unnar någon annan något
a lucky dog
  en lyckans ost
top dog
  höjdare
a dog's life
  ett hundliv
not have a dog's chance
  inte ha skuggan av en chans
go to the dogs
  gå åt skogen
see a man about a dog
  gå ett ärende, gå på toaletten
let sleeping dogs lie
  väck inte den björn som sover

---

domesticate [də'mestɪkeɪt] *verb* **1** tämja [*domesticated animals*] **2** *he (she) is not domesticated* han (hon) är inte huslig

domicile ['dɒmɪsaɪl] *subst* hemort, fast bostad

domiciled ['dɒmɪsaɪld] *adj* bofast, mantalsskriven

dominance ['dɒmɪnəns] *subst* **1** herravälde **2** dominans

dominant ['dɒmɪnənt] *adj* dominerande, dominant

dominate ['dɒmɪneɪt] *verb* **1** dominera **2** härska över

domination [ˌdɒmɪ'neɪʃən] *subst* herravälde

domineer [ˌdɒmɪ'nɪə] *verb* dominera, härska

domino ['dɒmɪnəʊ] *subst*, *dominoes* (med verb i sing.) dominospel

Donald Duck [ˌdɒnld'dʌk] seriefigur Kalle Anka

donate [dəʊ'neɪt] *verb* skänka, donera

donation [dəʊ'neɪʃən] *subst* donation

done [dʌn] *perf p* o. *adj* **1** gjort, gjord etc., se också *1 do*; *it can't be* ~ det går inte; *well* ~*!* bravo!, det gjorde du bra!; *have you* ~ *talking?* har du pratat färdigt? **2** kok. färdigkokt, färdigstekt **3** *it isn't* ~ det är inte passande

donkey ['dɒŋkɪ] *subst* åsna äv. om person; *for donkey's years* vard. på (i) många herrans år

donor ['dəʊnə] *subst* donator; *blood* ~ blodgivare

don't I [dəʊnt] *verb* = *do not*; ~*!* låt bli!
II [dəʊnt] *subst* skämts. förbud; *do's and don'ts* regler och förbud, vad man får och inte får göra

doom I [duːm] *subst* **1** ont öde, undergång **2** *the day of* ~ domens dag **3** ~ *and gloom* vard. tryckt stämning, dysterhet; jämmer och elände
II [duːm] *verb* döma, förutbestämma

doomed [duːmd] *adj* dömd [~ *to die*]; dödsdömd

doomsday ['duːmzdeɪ] *subst* domedag

door [dɔː] *subst* **1** dörr; port; ingång; *answer the* ~ gå och öppna; *the car is at the* ~ bilen är framkörd; *be at death's* ~ ligga för döden; *out of* ~*s* utomhus; *within* ~*s* inomhus **2** lucka

doorknob ['dɔːnɒb] *subst* runt dörrhandtag

doorknocker ['dɔːˌnɒkə] *subst* portklapp

doorstep ['dɔːstep] *subst* **1** dörrtröskel **2** trappsteg utomhus

door-to-door [ˌdɔːtəˈdɔː] *adj*, ~ *salesman* dörrknackare, hemförsäljare

doorway [ˈdɔːweɪ] *subst* dörröppning, port

dope [dəʊp] *subst* 1 vard. knark, narkotika; ~ *fiend* el. ~ *addict* knarkare; ~ *pedlar* el. ~ *pusher* knarklangare, narkotikalangare 2 sl. dummer

doping [ˈdəʊpɪŋ] *subst* sport. doping

dormice [ˈdɔːmaɪs] *subst pl* av *dormouse*

dormitory [ˈdɔːmətrɪ] *subst* 1 sovsal; ~ *suburb* sovstad 2 amer. studenthem vid t.ex. ett universitet

dormouse [ˈdɔːmaʊs] (pl. *dormice* [ˈdɔːmaɪs]) *subst* hasselmus

dorsal [ˈdɔːsl] *adj*, ~ *fin* ryggfena på fisk

dosage [ˈdəʊsɪdʒ] *subst* 1 dosering 2 dos

dose I [dəʊs] *subst* dos
II [dəʊs] *verb* 1 ge medicin 2 dosera

dossier [ˈdɒsɪeɪ] *subst* dossier

dot I [dɒt] *subst* punkt, prick [*the* ~ *over an i*]; *on the* ~ vard. punktligt, prick
II [dɒt] (*-tt-*) *verb* 1 pricka, punktera [~ *a line*]; sätta prick över [~ *one's i's*] 2 ligga utspridd över

dote [dəʊt] *verb*, ~ *on* avguda

dotted [ˈdɒtɪd] *adj* o. *perf p* 1 prickad [~ *line*]; prickig; *sign on the* ~ *line* skriva under 2 översållad [*with* med, av]

double I [ˈdʌbl] *adj* dubbel, tvåfaldig; ~ *figures* tvåsiffriga tal; *play a* ~ *game* spela dubbelspel; *stopped is spelt with a* ~ *p* stopped stavas med två p
II [ˈdʌbl] *subst* 1 exakt kopia, avbild 2 film. etc. stand-in, dubbelgångare 3 mil., *at the* ~ el. amer. *on the* ~ i språngmarsch 4 i tennis ~*s* dubbel, dubbelmatch
III [ˈdʌbl] *verb* 1 fördubbla, dubblera; fördubblas 2 vika; ~ *up* böja (vika) ihop; vrida sig; ~ *up with laughter* vika sig dubbel av skratt; ~ *oneself up* krypa ihop 3 sjö. runda, dubblera; ~ *a cape* runda en udde

double-barrelled [ˌdʌblˈbærəld] *adj*, ~ *name* dubbelnamn

double bass [ˌdʌblˈbeɪs] *subst* musik. kontrabas

double-breasted [ˌdʌblˈbrestɪd] *adj* om plagg dubbelknäppt

double cream [ˌdʌblˈkriːm] *subst* tjock grädde, vispgrädde

double-cross [ˌdʌblˈkrɒs] *verb* vard. spela dubbelspel med, lura

double-dealing [ˌdʌblˈdiːlɪŋ] *subst* bedrägeri dubbelspel

double-decker [ˌdʌblˈdekə] *subst*, ~ el. ~ *bus* dubbeldäckare

double-glazed [ˌdʌblˈgleɪzd] *adj*, ~ *window* tvåglasfönster

double standard [ˌdʌblˈstændəd] *subst* dubbelmoral

doubt I [daʊt] *subst* tvivel, tvekan; *give sb the benefit of the* ~ hellre fria än fälla ngn; *beyond* ~ utom allt tvivel; *be in* ~ tveka; *when in* ~ i tveksamma fall
II [daʊt] *verb* tvivla; misstro, tvivla på [~ *the truth of sth*]

doubtful [ˈdaʊtfʊl] *adj* tvivelaktig [*a* ~ *case*], oviss [*a* ~ *fight*]; om person tveksam

dough [dəʊ] *subst* 1 deg 2 sl. stålar pengar

doughnut [ˈdəʊnʌt] *subst* kok. munk

doughy [ˈdəʊɪ] *adj* degig

dour [dʊə] *adj* barsk, sträng

dove [dʌv] *subst* duva

Dover [ˈdəʊvə]
Dovers vita kalkklippor, *the white cliffs of Dover* är det första man ser av England när man kommer över Engelska kanalen. När engelsmännen ser klipporna känner de att de är hemma igen.

---

dowager [ˈdaʊədʒə] *subst*, *queen* ~ änkedrottning

1 down [daʊn] *subst* låg gräsbevuxen kulle

2 down [daʊn] *subst* dun, ludd, fjun

3 down I [daʊn] *adv* o. *adj* 1 ned, ner; nedåt, nere; i korsord lodrätt 2 kontant [*pay £10* ~]; *cash* ~ kontant 3 minus; *be one* ~ sport. ligga under med ett mål 4 *note* ~ el. *write* ~ anteckna, skriva upp 5 ~ *in the mouth* vard. nedslagen, moloken; *be* ~ *on sb* hacka på ngn; *it's* ~ *to* a) det är tack vare [*it's* ~ *to our team spirit that we won*] b) *it's* ~ *to you if you want to succeed* det är upp till dig om du vill lyckas; ~ *to our time* ända (fram) till vår tid; ~ *to the last detail* in i minsta detalj; *be* ~ *with the flu* ligga sjuk i influensa
II [daʊn] *adj* 1 neråtgående, avgående, från stan [*the* ~ *traffic*]; *the* ~ *platform* plattformen för avgående tåg 2 ~ *payment* a) kontant betalning b) handpenning
III [daʊn] *prep* nedför, utför; i [*throw sth* ~ *the sink*], nedåt; borta i [~ *the hall*], nere i; längs med; *walk* ~ *the street* gå gatan

fram; *there's a pub* ~ *the street* det
ligger en pub längre ner på gatan
down-and-out [ˌdaʊnən'aʊt] *subst* fattiglapp
downfall ['daʊnfɔːl] *subst* **1** fall, undergång
2 *a heavy* ~ *of rain* ett skyfall
downgrade ['daʊngreɪd] *subst*, *on the* ~ på
tillbakagång
downhearted [ˌdaʊn'hɑːtɪd] *adj* nedstämd
downhill [ˌdaʊn'hɪl] *adv* o. *adj* nedför, utför;
go ~ förfalla; *it was* ~ *all the way* det
gick av bara farten; ~ *skiing* sport.
störtlopp
download [ˌdaʊn'ləʊd] *verb* data. ladda ner

Downing Street ['daʊnɪŋstriːt]
Downing Street är en gata i London.
På *10, Downing Street* har premiär-
ministern traditionellt sin bostad.
Ibland säger man *Downing Street*
när man menar den brittiska reger-
ingen.

downpour ['daʊnpɔː] *subst* störtregn, skyfall
downright I ['daʊnraɪt] *adj* ren, fullkomlig
II ['daʊnraɪt] *adv* riktigt, fullkomligt
downside ['daʊnsaɪd] *subst* avigsida [*it has its*
~]
downsize ['daʊnsaɪz] *verb* skära ned, minska
downspout ['daʊnspaʊt] *subst* amer., se
drainpipe
downstairs [ˌdaʊn'steəz] *adv* nedför
trappan (trapporna), ner [*go* ~]; nere [*they
are* ~]
down-to-earth [ˌdaʊntʊ'ɜːθ] *adj* jordnära,
realistisk
downtown I [ˌdaʊn'taʊn] *adv* spec. amer. in till
stan, in till centrum
II ['daʊntaʊn] *adj* spec. amer. i centrum
downward I ['daʊnwəd] *adj* nedåtgående,
sjunkande [*a* ~ *tendency*]; ~ *slope*
nedförsbacke
II ['daʊnwəd] *adv* nedåt
downwards ['daʊnwədz] *adv* nedåt
dowry ['daʊərɪ] *subst* hemgift
doze I [dəʊz] *verb* o. dåsa; ~ *off* slumra till
II [dəʊz] *subst* lätt slummer, tupplur
dozen ['dʌzn] *subst* dussin [*two* ~ *knives*],
dussintal; *by the* ~ dussinvis
dozenth ['dʌznθ] *adj* tolfte
Dr o. **Dr.** (förk. för *Doctor*) dr, d:r
drab [dræb] *adj* **1** trist **2** gråbrun, smutsgul
draft I [drɑːft] (amer. stavning för *draught*, se
också detta ord o. *draught beer*) *subst* **1** spec. mil.

uttagning, amer. inkallelse (uttagning) till
militärtjänst **2** plan, utkast, koncept
II [drɑːft] *verb* **1** mil. amer. kalla in **2** göra
utkast till, skissera
draftsman ['drɑːftsmən] *subst* amer., se
draughtsman
drafty ['drɑːftɪ], amer., se *draughty*
drag I [dræg] (-*gg*-) *verb* **1** släpa, dra **2** röra
sig långsamt, gå långsamt [*the time seemed
to* ~]; sacka efter **3** ~ *out* el. ~ *on* dra ut på,
förhala; *time dragged on* det drog ut på
tiden
II [dræg] *subst* **1** hämsko, broms, hinder
2 sl. dönick tråkmåns; *it's a* ~ det är dötrist
3 sl. 'drag race' accelerationstävling för bilar **4** ~
show dragshow show med män utklädda till
kvinnor
dragnet ['drægnet] *subst* dragnät, släpnot
dragon ['drægən] *subst* drake
dragonfly ['drægənflaɪ] *subst* insekt slända,
trollslända
drain I [dreɪn] *verb* **1** ~ *off* el. ~ *away* rinna
av, rinna bort; tappa ut **2** dränera
3 tömma, dricka ur
II [dreɪn] *subst* **1** dräneringsrör, avlopp;
pour money down the ~ vard. kasta
pengarna i sjön **2** *it is a great* ~ *on his
strength* det tar (tär) på hans krafter
drainage ['dreɪnɪdʒ] *subst* **1** dränering,
avtappning **2** en trakts vattenavlopp,
avloppsledningar
drainpipe ['dreɪnpaɪp] *subst* avloppsrör
drake [dreɪk] *subst* fågel ankbonde, anddrake
dram [dræm] *subst* hutt, sup
drama ['drɑːmə] *subst* drama, skådespel
dramatic [drə'mætɪk] *adj* dramatisk; ~
critic teaterkritiker
dramatist ['dræmətɪst] *subst* dramatiker
dramatization [ˌdræmətaɪ'zeɪʃən] *subst*
dramatisering
dramatize ['dræmətaɪz] *verb* dramatisera
drank [dræŋk] imperf. av *drink I*
drape I [dreɪp] *verb* drapera
II [dreɪp] *subst* spec. amer. gardin, förhänge
drapery ['dreɪpərɪ] *subst* draperi; *a piece of*
~ ett draperi
drastic ['dræstɪk] *adj* drastisk
draught [drɑːft] *subst* **1** klunk **2** drag; *there
is a* ~ det drar **3** teckning, utkast **4** ~*s* se
draughts
draught beer [ˌdrɑːft'bɪə] *subst* fatöl
draughts [drɑːfts] (med verb i sing.) *subst pl*
dam, damspel
draughtsman ['drɑːftsmən] *subst* ritare,
tecknare

draughty ['drɑːftɪ] *adj* dragig [*a ~ room*]
draw I [drɔː] (*drew drawn*) *verb* **1** dra **2** dra
åt, dra till; *~ a curtain* a) dra för en gardin
b) dra undan en gardin **3** rita, teckna **4** dra
till sig, attrahera [*~ crowds*]; *he drew my
attention to* han fäste min
uppmärksamhet på **5** pumpa upp, dra upp
[*~ water from a well*] **6** sport. spela oavgjort
7 locka fram [*~ applause*], framkalla **8** *~
near* närma sig, nalkas **9** dra lott [*for* om]
II [drɔː] (*drew drawn*) *verb* med adv. o. prep.

draw aside: *~ sb aside* ta någon avsides
draw back dra sig tillbaka, dra sig undan
draw on 1 nalkas, närma sig [*winter is
drawing on*] **2** *~ on sb* dra blankt mot ngn
draw out dra ut, ta ut; dra ut på [*~ out a
meeting*]
draw to 1 dra för [*~ the curtain to*] **2** *~ to
a close* el. *~ to an end* närma sig slutet
draw up 1 dra upp, dra närmare **2** avfatta,
utarbeta, sätta upp [*~ up a document*]
3 stanna [*the car drew up*]
III [drɔː] *subst* **1** drag, dragning; *be quick
on the ~* dra snabbt t.ex. en revolver **2** vard.
attraktion, dragplåster **3** lottdragning,
dragning **4** oavgjord match; *end in a ~*
sluta oavgjort
drawback ['drɔːbæk] *subst* nackdel, avigsida
drawbridge ['drɔːbrɪdʒ] *subst* **1** klaffbro
2 vindbrygga
drawer ['drɔːə] *subst* byrålåda, bordslåda;
chest of ~s byrå
drawers [drɔːz] *subst pl* spec. amer. (åld.)
underbyxor, kalsonger
drawing ['drɔːɪŋ] *subst* ritning, teckning
drawing-card ['drɔːɪŋkɑːd] *subst* dragplåster
attraktion
drawing-pin ['drɔːɪŋpɪn] *subst* häftstift
drawing-room ['drɔːɪŋruːm] *subst*
sällskapsrum
drawl I [drɔːl] *verb* släpa på orden, tala
släpigt; säga i en släpande ton
II [drɔːl] *subst* släpigt tal
drawn [drɔːn] *verb* perf. p. av *draw I*
dread I [dred] *verb* frukta, fasa för
II [dred] *subst* fruktan [*of* för]; fasa
dreadful ['dredful] *adj* förskräcklig, hemsk
dream I [driːm] *subst* dröm
II [driːm] (*dreamt dreamt* [dremt] el.
dreamed dreamed [dremt el. driːmd]) *verb*
drömma; *~ up* fantisera ihop
dreamer ['driːmə] *subst* drömmare, svärmare
dreamt [dremt] imperf. o. perf. p. av *dream II*
dream team ['driːmtiːm] *subst* spec. sport. vard.
drömlag

dreamy ['driːmɪ] *adj* drömmande, svärmisk
dreary ['drɪərɪ] *adj* tråkig, trist
dredge I [dredʒ] *subst* släpnät, mudderverk
II [dredʒ] *verb* **1** försöka fiska upp, rota
fram **2** muddra t.ex. sjöbotten
dregs [dregz] *subst pl* bottensats
drench [drentʃ] *verb* genomdränka
dress I [dres] *verb* **1** klä; *~ up* a) klä ut b) klä
ut sig **2** klä sig [*~ well*], klä på sig; *get
dressed* klä sig **3** bearbeta, bereda [*~
furs*] **4** anrätta, tillaga [*~ a salad*]
5 förbinda, lägga om [*~ a wound*] **6** vard.,
~ down skälla ut
II [dres] *subst* **1** klädsel, kläder **2** klänning
3 (endast sing.) dräkt; *evening ~*
högtidsdräkt; *~ rehearsal*
generalrepetition
dresser ['dresə] *subst* **1** köksskåp med öppna
överhyllor; hyllskänk **2** amer. toalettbord
dressing ['dresɪŋ] *subst* **1** påklädning
2 tillredning **3** salladssås, dressing [*salad
~*] **4** gödsel **5** förband, omslag
dressing-gown ['dresɪŋgaʊn] *subst*
morgonrock
dressing-room ['dresɪŋruːm] *subst*
omklädningsrum
dressing-table ['dresɪŋˌteɪbl] *subst*
toalettbord
dressmaker ['dresˌmeɪkə] *subst* sömmerska
dress shirt [ˌdres'ʃɜːt] *subst* frackskjorta
drew [druː] imperf. av *draw I*
dribble I ['drɪbl] *verb* **1** droppa, drypa
2 dregla **3** sport. dribbla
II ['drɪbl] *subst* **1** droppe **2** sport. dribbling
drift I [drɪft] *subst* **1** drivande, drift **2** driva
[*a ~ of snow*] **3** tendens, trend [*the general
~*]; tankegång **4** tankegång, innebörd; *I
didn't catch the ~ of the conversation*
jag fattade inte riktigt vad samtalet
handlade om
II [drɪft] *verb* driva med strömmen, glida; *~
apart* glida ifrån varandra
drill I [drɪl] *verb* **1** drilla, borra; borra sig
[*into* i i] **2** exercera, drilla
II [drɪl] *subst* **1** borr, borrmaskin **2** exercis,
drill
drink I [drɪŋk] (*drank drunk*) *verb* **1** dricka; *~
up* dricka ur; *~ to sb* el. *~ to sb's health*
skåla för ngn **2** supa, dricka
II [drɪŋk] *subst* **1** dryck [*food and ~*]
2 drickande, dryckenskap **3** klunk; *a ~ of
water* ett glas vatten, lite vatten **4** sup,
drink, glas
drink-driver [ˌdrɪŋk'draɪvə] *subst* rattfyllerist
drink-driving [ˌdrɪŋk'draɪvɪŋ] *subst* rattfylleri

drip [drɪp] (*-pp-*) *verb* droppa; drypa

drip-dry [,drɪp'draɪ] *verb* dropptorkas; dropptorka

dripping ['drɪpɪŋ] *subst* **1** droppande [*~ from the tap*] **2** stekflott, flottyr

drive I [draɪv] (*drove driven*) *verb* **1** driva; driva på, driva fram, drivas fram **2** köra [*~ a car*] **3** tvinga [*into, to* till]; *~ sb mad* el. *~ sb crazy* göra ngn galen **4** slå (driva, köra) in **5** *~ at* syfta på; *what are you driving at?* vart vill du komma?

II [draɪv] *subst* **1** åktur, färd; körning; *go for a ~* ta en åktur **2** körväg; privat uppfartsväg **3** energi [*plenty of ~*], framåtanda **4** kampanj, satsning **5** attack, offensiv

drivel ['drɪvl] *subst* dravel, dösnack

driven ['drɪvn] *perf. p.* av *drive I*

driver ['draɪvə] *subst* förare, chaufför; *driver's licence* körkort

driveway ['draɪvweɪ] *subst* infart, uppfartsväg

driving ['draɪvɪŋ] *subst* körning; *~ licence* körkort; *~ mirror* backspegel; *~ school* trafikskola, bilskola; *~ test* körkortsprov; *take one's ~ test* köra upp, ta körkortsprovet; *~ under the influence* (förk. *DUI*) amer. vard. rattfylleri

drizzle I ['drɪzl] *verb* dugga

II ['drɪzl] *subst* duggregn

dromedary ['drɒmədərɪ] *subst* djur dromedar

drone I [drəʊn] *subst* **1** insekt drönare, hanbi **2** surr, entonigt tal

II [drəʊn] *verb* surra, tala entonigt; *~ on* mala på

drool [druːl] *verb* dregla

droop [druːp] *verb* **1** sloka [*the flowers drooped*] **2** sloka med, hänga med

drop I [drɒp] *subst* **1** droppe **2** vard. tår, slurk [*a ~ of beer*] **3** fall, nedgång

II [drɒp] (*-pp-*) *verb* **1** tappa, släppa, släppa ner; *~ sb a hint* ge ngn en vink; *~ me a postcard !* skriv ett kort! **2** falla, falla (sjunka) ner **3** drypa, droppa **4** låta falla bort, utelämna **5** överge, upphöra med [*~ a bad habit*]; sluta umgås med **6** lämna av, sätta av [*I'll ~ you at the station*]

III [drɒp] (*-pp-*) *verb* med adv. o. prep.

drop behind sacka efter, komma efter

drop in titta in, droppa in

drop off 1 falla av **2** avta, minska

drop out 1 falla ur **2** dra sig ur, hoppa av

drop over titta 'in, hälsa 'på

dropout ['drɒpaʊt] *subst* **1** avhoppare från t.ex. studier **2** en socialt utslagen

drought [draʊt] *subst* torka

drove [drəʊv] *imperf.* av *drive I*

drown [draʊn] *verb* drunkna, dränka; *be drowned* drunkna

drowsy ['draʊzɪ] *adj* sömnig, dåsig

drudgery ['drʌdʒərɪ] *subst* slavgöra, slit

drug I [drʌg] *subst* **1** drog, apotekvara, läkemedel **2** pl. *~s* narkotika

II [drʌg] (*-gg-*) *verb* **1** blanda sömnmedel (narkotika) i **2** droga, bedöva, söva

drug abuse ['drʌgə,bjuːs] *subst* narkotikamissbruk

drug addict ['drʌg,ædɪkt] *subst* narkoman

drug baron ['drʌg,bærən] *subst* vard. narkotikakung

drug dealer ['drʌg,diːlə] *subst* o. **drug pusher** ['drʌg,pʊʃə] *subst* narkotikalangare, knarklangare

drugstore

En *drugstore* är en typiskt amerikansk företeelse. Här kan man köpa apoteksvaror, skönhetsprodukter, film, matvaror etc. Ibland finns det också en enklare servering.

drugstore ['drʌgstɔː] *subst* amer. drugstore apotek och kemikalieaffär med enklare servering m.m.

drum I [drʌm] *subst* **1** trumma **2** tekn. trumma, vals, cylinder; *~ brake* trumbroms **3** i örat trumhinna

II [drʌm] (*-mm-*) *verb* trumma; *~ sth into sb* slå i ngn ngt

drummer ['drʌmə] *subst* musik. trumslagare

drunk I [drʌŋk] *perf. p.* av *drink I*

II [drʌŋk] *adj* drucken, berusad

III [drʌŋk] *subst* fyllo, fyllerist

drunkard ['drʌŋkəd] *subst* fyllbult, drinkare

drunken ['drʌŋkən] *adj* full, berusad; *~ driver* rattfyllerist; *~ driving* rattfylleri

dry I [draɪ] *adj* torr

II [draɪ] *verb* **1** torka; torka ut; *~ up* a) torka ut; torka upp, torka bort b) vard. tystna [*he dried up suddenly*] **2** förtorka, förtorkas **3** *~ out* sluta på torken sluta dricka

dry-clean [,draɪ'kliːn] *verb* kemtvätta

dry-cleaner [,draɪ'kliːnə] *subst*, *dry-cleaner's* kemtvätt

dry goods [,draɪ'gʊdz] *subst pl* **1** torra varor kaffe, te m.m. **2** amer. klädesvaror

drying-out [‚draɪɪŋ'aʊt] *adj*, ~ *centre*
avgiftningsklinik alkoholistanstalt

dual ['dju:əl] *adj* tvåfaldig, dubbel

dub [dʌb] (*-bb-*) *verb* **1** dubba en film **2** döpa
till, kalla för

dubious ['dju:bjəs] *adj* tvivelaktig, tveksam

duchess ['dʌtʃəs] *subst* hertiginna

duck I [dʌk] *subst* anka; and [*wild* ~]
II [dʌk] *verb* **1** dyka ned o. snabbt komma upp
igen; doppa sig **2** böja sig hastigt; ducka

duckling ['dʌklɪŋ] *subst* ankunge

dud I [dʌd] *subst* vard. blindgångare; *it's a* ~
den är värdelös
II [dʌd] *adj* vard. oduglig, skräp-; falsk

dude [dju:d, du:d] *subst* **1** spec. amer. vard.
snobb **2** snubbe, typ [*a real cool* ~]

due I [dju:] *adj* **1** som ska betalas; *be* ~ el.
fall ~ förfalla till betalning **2** tillbörlig
[*with* ~ *respect*]; *in* ~ *course* i vederbörlig
ordning **3** ~ *to* beroende på, på grund av;
be ~ *to* bero på, ha sin grund i **4** väntad;
the train is ~ *at* **6** tåget beräknas
ankomma kl. 6
II [dju:] *adv* rakt, precis; ~ *north* rakt
norrut
III [dju:] *subst* **1** *to give him his* ~ , *he is*
capable i rättvisans namn måste man
medge att han är duktig **2** pl. ~*s* tull; avgift

duel ['dju:əl] *subst* duell

duet [dju'et] *subst* musik. **1** duett **2** fyrhändigt
stycke; *play a* ~ el. *play* ~*s* spela
fyrhändigt

1 dug [dʌg] *subst* juver; spene på vissa djur

2 dug [dʌg] imperf. o. perf. p. av *dig I*

dug-out ['dʌgaʊt] *subst* **1** underjordiskt
skyddsrum **2** sport. avbytarbänk med regn-
och vindskydd

DUI [‚di:ju:'aɪ] (förk. för *driving under the*
influence) se ex. under *driving*

duke [dju:k] *subst* hertig

dull [dʌl] *adj* **1** matt, mulen **2** tråkig, trist
3 långsam, trög **4** dov [~ *ache*]

duly ['dju:lɪ] *adv* vederbörligen, tillbörligt

dumb I [dʌm] *adj* **1** stum, mållös; ~
animals oskäliga djur **2** vard. dum [*a* ~
blonde]
II [dʌm] *verb*, ~ *down* fördumma

dumbbell ['dʌmbel] *subst* hantel

dumbfound [dʌm'faʊnd] *verb* göra mållös

dummy ['dʌmɪ] *subst* **1** attrapp **2** skyltdocka;
buktalares docka **3** barns napp, tröst

dump I [dʌmp] *verb* stjälpa av, tippa [~ *the*
coal], dumpa, slänga
II [dʌmp] *subst* **1** avfallshög,

avstjälpningsplats, soptipp **2** vard. håla,
kyffe

dumpling ['dʌmplɪŋ] *subst* kok. klimp som
kokas i t.ex. soppa; *apple* ~ äppelknyte

Dumpster® ['dʌmstə] *subst* amer.
sopcontainer

dunce [dʌns] *subst* dumhuvud, dummerjöns

dung [dʌŋ] *subst* dynga, gödsel

dungarees [‚dʌŋgə'ri:z] *subst pl*
1 snickarbyxor, blåställ **2** amer. jeans

dungeon ['dʌndʒən] *subst* fängelsehåla

dunghill ['dʌŋhɪl] *subst* gödselhög; sophög

dupe [dju:p] *verb* lura, dupera

duplicate I ['dju:plɪkət] *subst* dubblett,
kopia; *in* ~ i två exemplar
II ['dju:plɪkeɪt] *verb* **1** fördubbla **2** kopiera

duplication [‚dju:plɪ'keɪʃən] *subst*
fördubbling; kopiering

durable ['djuərəbl] *adj* varaktig, hållbar

during ['djuərɪŋ] *prep* under [~ *the day*]

dusk [dʌsk] *subst* skymning

dusky ['dʌskɪ] *adj* dunkel; svartaktig

dust I [dʌst] *subst* **1** damm, stoft; *throw* ~
in sb's eyes slå blå dunster i ögonen på
ngn **2** sopor
II [dʌst] *verb* damma ner; ~ el. ~ *off* damma
av

dustbin ['dʌstbɪn] *subst* soptunna, soplår

dustcart ['dʌstkɑ:t] *subst* sopbil

dustcover ['dʌst‚kʌvə] *subst* skyddsomslag
på bok

duster ['dʌstə] *subst* **1** dammtrasa
2 tavelsudd

dust jacket ['dʌst‚dʒækɪt] *subst*
skyddsomslag på bok

dustman ['dʌstmən] (pl. *dustmen*
['dʌstmən]) *subst* sophämtare

dusty ['dʌstɪ] *adj* dammig

Dutch I [dʌtʃ] *adj* **1** holländsk, nederländsk
2 *go* ~ dela på kostnaderna; ~ *treat*
knytkalas
II [dʌtʃ] *subst* **1** nederländska språket;
double ~ rotvälska **2** *the* ~ holländarna

Dutchman ['dʌtʃmən] (pl. *Dutchmen*
['dʌtʃmən]) *subst* holländare

dutiable ['dju:tjəbl] *adj* tullpliktig

dutiful ['dju:tɪfʊl] *adj* plikttrogen

duty ['dju:tɪ] *subst* **1** plikt, skyldighet
2 uppdrag; *off* ~ tjänstledig; *on* ~ a) i
tjänst, tjänstgörande b) vakthavande,
jourhavande c) på post; *the officer on* ~
dagofficeren **3** hand. avgift [*customs* ~],
skatt, tull

duty-free [‚dju:tɪ'fri:] *adj* tullfri

duvet ['duːveɪ] *subst* duntäcke; ~ *cover*
påslakan
DVD [,diːviː'diː] (förk. för *digital video disc*)
dvd, digital videoskiva; ~ *player*
dvd-spelare
dwarf I [dwɔːf] *subst* dvärg
II [dwɔːf] *verb* få att verka liten
dwell [dwel] (*dwelt dwelt*) *verb* 1 litt. vistas,
bo 2 ~ *on* dröja vid [~ *on a subject*]
dwelling ['dwelɪŋ] *subst* 1 litt. boning
2 bostad bostadsenhet
dwelt [dwelt] *verb* imperf. o. perf. p. av *dwell*
dwindle ['dwɪndl] *verb* smälta ihop, krympa
ihop; förminskas
dye I [daɪ] *subst* färg; färgämne; färgmedel
II [daɪ] *verb* färga
dying I ['daɪɪŋ] *subst* döende; *to my* ~ *day*
så länge jag lever
II ['daɪɪŋ] *adj* döende
dynamic [daɪ'næmɪk] *adj* dynamisk
dynamite I ['daɪnəmaɪt] *subst* dynamit
II ['daɪnəmaɪt] *verb* spränga med dynamit
dynamo ['daɪnəməʊ] (pl. ~s) *subst* på cykel
dynamo
dynasty ['dɪnəstɪ] *subst* dynasti
dysentery ['dɪsntrɪ] *subst* med. dysenteri

Ee

1 E o. **e** [iː] *subst* 1 E, e 2 musik , *E* e; *E flat*
ess; *E sharp* eiss
2 E (förk. för *east*) O, Ö
each [iːtʃ] *pron* 1 var för sig, varje särskild;
they got one pound ~ de fick ett pund var
2 vardera; *they cost one pound* ~ de
kostar ett pund styck 3 ~ *other* varandra
eager ['iːgə] *adj* ivrig; *an* ~ *beaver* en
arbetsmyra
eagle ['iːgl] *subst* örn
1 ear [ɪə] *subst* sädesax
2 ear [ɪə] *subst* öra; *be all* ~s vara idel öra;
give ~ *to* el. *lend an* ~ *to* lyssna till; *have
an* ~ *for music* ha musiköra; *play by* ~
spela efter gehör
earache ['ɪəreɪk] *subst* örsprång, öronvärk;
have an ~ ha ont i öronen
eardrum ['ɪədrʌm] *subst* trumhinna
earl [ɜːl] *subst* brittisk greve
early I ['ɜːlɪ] *adv* tidigt, för tidigt; ~
tomorrow morning i morgon bitti
II ['ɜːlɪ] *adj* tidig, för tidig; *the* ~ *bird
catches the worm* ordspr. morgonstund
har guld i mund; *in his* ~ *forties* några år
över fyrtio; *in the* ~ *nineties* i början på
nittiotalet
earmark ['ɪɑmɑːk] *verb* anslå, öronmärka
earmuffs ['ɪəmʌfs] *subst pl* öronskydd
earn [ɜːn] *verb* tjäna, förtjäna
earnest I ['ɜːnɪst] *adj* allvarlig [*an* ~
attempt]; enträgen
II ['ɜːnɪst] *subst*, *in real* ~ på fullt allvar;
are you in ~? menar du allvar?
earnings ['ɜːnɪŋz] *subst pl* inkomster, intäkter
earphone ['ɪəfəʊn] *subst* 1 hörlur
2 öronmussla
ear-piercing ['ɪə,pɪəsɪŋ] *adj* öronbedövande
earplug ['ɪəplʌg] *subst* öronpropp som skydd
earring ['ɪərɪŋ] *subst* örhänge
earshot ['ɪəʃɒt] *subst*, *within* ~ inom
hörhåll
ear-splitting ['ɪə,splɪtɪŋ] *adj* öronbedövande
earth I [ɜːθ] *subst* 1 jord; mark [*fall to the* ~];
the Earth planeten jorden; *it costs the* ~
vard. det kostar skjortan; *how on* ~...?
hur i all världen...?; *what on* ~...? vad i
all världen...?; *why on* ~...? varför i all
världen...?; *this place looks like*

nothing on ~ vad här ser ut! **2** mull, mylla **3** jakt. lya, kula; *run to* ~ el. *go to* ~ om t.ex. räv gå under, gå i gryt **4** elektr. jord, jordledning
II [ɜ:θ] *verb* elektr. jorda

earthen ['ɜ:θən] *adj* jord-, ler- {*an* ~ *jar*}

earthenware ['ɜ:θənweə] *subst* lergods

earthly ['ɜ:θlɪ] *adj* **1** jordisk, världslig **2** vard., *not an* ~ *chance* el. *not an* ~ inte skuggan av en chans

earthquake ['ɜ:θkweɪk] *subst* jordskalv, jordbävning

earthworm ['ɜ:θwɜ:m] *subst* daggmask

earthy ['ɜ:θɪ] *adj* jordaktig, jordnära

earwig ['ɪəwɪg] *subst* tvestjärt

ease I [i:z] *subst* **1** *at* ~ el. *at one's* ~ a) i lugn och ro b) väl till mods; *stand at* ~! el. *at* ~! mil. manöver!; *ill at* ~ illa till mods; *put sb at* ~ el. *set sb at* ~ få ngn att känna sig väl till mods **2** lätthet
II [i:z] *verb* **1** lindra {~ *the pain*} **2** lätta {~ *the pressure*} **3** lossa litet på {~ *the lid*}, lätta på; ~ *off* lätta, minska; ~ *up* ta det lugnare

easel ['i:zl] *subst* konst. staffli

easily ['i:zəlɪ] *adv* **1** lätt, med lätthet; mycket väl {*it can* ~ *happen*} **2** lugnt

east I [i:st] *subst* **1** öster, öst, ost; *to the* ~ *of* öster om **2** *the East* Östern; *the Far East* Fjärran Östern; *the Middle East* Mellanöstern
II [i:st] *adj* östlig, östra, öst- {*on the* ~ *coast*}; *the East Indies* Ostindien
III [i:st] *adv* mot (åt) öster, österut; ~ *of* öster om

eastbound ['i:stbaʊnd] *adj* östgående

Easter ['i:stə] *subst* påsk, påsken; ~ *Day* el. ~ *Sunday* påskdag, påskdagen; ~ *Monday* annandag påsk

easterly ['i:stəlɪ] *adj* östlig, ostlig

eastern ['i:stən] *adj* **1** östlig, ostlig, östra, öst- **2** *Eastern* österländsk

eastward I ['i:stwəd] *adj* ostlig
II ['i:stwəd] *adv* mot öster

eastwards ['i:stwədz] *adv* mot öster, österut

easy I ['i:zɪ] *adj* **1** lätt, enkel, lättköpt {*an* ~ *victory*}; *it's as* ~ *as pie* det är lätt som en plätt, det är jättelätt **2** bekymmerslös {*lead an* ~ *life*}, lugn; *at an* ~ *pace* sakta och makligt; *I'm* ~! det gör mig inte något!
II ['i:zɪ] *adv* vard. {*easier said than done*}; *go* ~! el. ~! sakta!, försiktigt!; *go* ~ *on the butter!* ta det försiktigt med smöret!; *take it* ~! ta det lugnt!

easy-chair ['i:zɪtʃeə] *subst* fåtölj, länstol

easy-going ['i:zɪ,gəʊɪŋ] *adj*, *she is* ~ hon är bekväm av sig, hon tar lätt på saker och ting

eat [i:t] (*ate* [et, spec. amer. eɪt] *eaten* ['i:tn]) *verb* äta; ~ *away* fräta bort; ~ *into* fräta sig in i; ~ *one's words* få äta upp det man har sagt; ~ *one's heart out* vara otröstlig; ~ *your heart out!* vard. känn dig blåst!; *what's eating you?* vad är det med dig?; vad går du och deppar för?

eatable ['i:təbl] *adj* ätbar njutbar

eaten ['i:tn] perf. p. av *eat*

eatery ['i:tərɪ] *subst* spec. amer. vard. matställe

eau-de-Cologne [,əʊdəkə'ləʊn] *subst* eau-de-cologne

eaves [i:vz] *subst pl* takfot, takskägg

eavesdrop ['i:vzdrɒp] (*-pp-*) *verb* tjuvlyssna

eavesdropper ['i:vz,drɒpə] *subst* tjuvlyssnare

ebb [eb] *subst* ebb; ~ *and flow* ebb och flod; *be at a low* ~ stå lågt

ebbtide [,eb'taɪd] *subst* ebb, ebbtid

ebony ['ebənɪ] *subst* ebenholts

eccentric I [ɪk'sentrɪk] *adj* excentrisk
II [ɪk'sentrɪk] *subst* original, underlig figur

eccentricity [,eksen'trɪsətɪ] *subst* excentricitet, originalitet

ECG [,i:si:'dʒi:] (förk. för *electrocardiogram*) EKG

echo I ['ekəʊ] (pl. *echoes*) *subst* eko, genklang
II ['ekəʊ] *verb* eka, genljuda

eclipse I [ɪ'klɪps] *subst* förmörkelse, eklips; *an* ~ *of the sun* el. *a solar* ~ en solförmörkelse
II [ɪ'klɪps] *verb* **1** förmörka **2** överglänsa, ställa i skuggan

ecofreak ['ekəʊfri:k] *subst* vard. miljöaktivist

ecofriendly ['ekəʊ,frendlɪ] *adj* miljövänlig

ecological [,i:kə'lɒdʒɪkl] *adj* ekologisk

ecologist [i:'kɒlədʒɪst] *subst* ekolog, miljövårdare

ecology [i:'kɒlədʒɪ] *subst* ekologi

economic [,i:kə'nɒmɪk] *adj* ekonomisk, nationalekonomisk

economical [,i:kə'nɒmɪkl] *adj* ekonomisk, sparsam

economics [,i:kə'nɒmɪks] (med verb i sing.) *subst* nationalekonomi, ekonomi

economist [ɪ'kɒnəmɪst] *subst* ekonom, nationalekonom

economize [ɪ'kɒnəmaɪz] *verb* spara {*on* på}, vara sparsam, vara ekonomisk {*on* med}

economy [ɪ'kɒnəmɪ] *subst* **1** sparsamhet, ekonomi **2** ekonomi

economy-size [ɪ'kɒnəmɪsaɪz] *adj* i ekonomiförpackning

ecosystem ['i:kəʊ,sɪstəm] *subst* ekosystem

ecstasy ['ekstəsɪ] *subst* **1** extas, hänryckning; *go into ecstasies over* råka i extas över **2** vard. ecstasy narkotika

ecstatic [ek'stætɪk] *adj* extatisk

Ecuador ['ekwədɔɪ]

Ecuadorian I [,ekwə'dɔ:rɪən] *subst* ecuadorian

  II [,ekwə'dɔ:rɪən] *adj* ecuadoriansk

eczema ['eksəmə] *subst* med. eksem

eddy I ['edɪ] *subst* strömvirvel

  II ['edɪ] *verb* virvla

Eden ['i:dn] *subst, the Garden of* ~ Edens lustgård, paradiset

edge I [edʒ] *subst* **1** egg, kant; *on* ~ på helspänn, nervös; *it set my nerves on* ~ det gick mig på nerverna **2** kant [*the* ~ *of a table*], rand

  II [edʒ] *verb* **1** kanta **2** ~ *one's way* tränga sig fram; ~ *out* utmanövrera **3** maka sig [~ *towards the door*]

edgeways ['edʒweɪz] *adv, I couldn't get a word in* ~ jag fick inte en syl i vädret

edgewise ['edʒwaɪz] *adv* vanligen amer., se *edgeways*

edible ['edəbl] *adj* ätlig, ätbar [~ *mushrooms*]

edifice ['edɪfɪs] *subst* större el. ståtlig byggnad

Edinburgh ['edɪnbərə]

edit ['edɪt] *verb* **1** redigera **2** vara redaktör för

edition [ɪ'dɪʃən] *subst* upplaga, utgåva

editor ['edɪtə] *subst* **1** redaktör **2** utgivare

editorial I [,edɪ'tɔ:rɪəl] *adj* redigerings-, redaktionell [~ *work*]

  II [,edɪ'tɔ:rɪəl] *subst* ledare i tidning

educate ['edjʊkeɪt] *verb* utbilda, uppfostra

education [,edjʊ'keɪʃən] *subst* **1** bildning [*classical* ~]; fostran **2** undervisning, utbildning

educational [,edjʊ'keɪʃnəl] *adj* undervisnings-, utbildnings-

eel [i:l] *subst* ål

eerie ['ɪərɪ] *adj* kuslig

efface [ɪ'feɪs] *verb* utplåna, stryka

effect I [ɪ'fekt] *subst* effekt, verkan [*cause and* ~], verkning [*the* ~*s of the war*], inverkan, påverkan, inflytande; *in* ~ i själva verket; *come into* ~ el. *take* ~ träda i kraft; *words to that* ~ ord i den stilen

  II [ɪ'fekt] *verb* åstadkomma [~ *changes*]

effective [ɪ'fektɪv] *adj* effektiv, verksam

effeminate [ɪ'femɪnət] *adj* om man el. pojke feminin

efficacious [,efɪ'keɪʃəs] *adj* effektiv

efficiency [ɪ'fɪʃənsɪ] *subst* effektivitet

efficient [ɪ'fɪʃənt] *adj* effektiv, kompetent

effort ['efət] *subst* ansträngning; prestation; *make an* ~ *to* anstränga sig för att; *with* ~ med möda; *it's not worth the* ~ det är inte värt besväret

effusive [ɪ'fju:sɪv] *adj* översvallande

e.g. [,i:'dʒi:, fərɪg'zɑ:mpl] (= *for example*) t.ex.

1 egg [eg] *verb*, ~ *sb on* egga ngn, driva på ngn

2 egg [eg] *subst* ägg; *put all one's* ~*s in one basket* sätta allt på ett kort

egg-beater ['eg,bi:tə] *subst* o. **egg-whisk** ['egwɪsk] *subst* visp

eggplant ['egplɑ:nt] *subst* spec. amer. aubergine grönsak

ego ['i:gəʊ] *subst* jag, ego

egocentric I [,i:gə'sentrɪk] *adj* egocentrisk

  II [,i:gə'sentrɪk] *subst* egocentriker

egoism ['i:gəʊɪzəm] *subst* egoism, egennytta

egoist ['i:gəʊɪst] *subst* egoist

egoistic [,i:gəʊ'ɪstɪk] *adj* egoistisk, självisk

egotism ['egətɪzm] *subst* **1** egenkärlek, egotism

egotist ['egətɪst] *subst* egocentriker; egoist

Egypt ['i:dʒɪpt] Egypten

Egyptian I [ɪ'dʒɪpʃən] *subst* egyptier

  II [ɪ'dʒɪpʃən] *adj* egyptisk

eh [eɪ] *interj*, ~? va för nåt?; eller hur?, va? [*nice*, ~?]

eiderdown ['aɪdədaʊn] *subst* **1** ejderdun **2** duntäcke

eight [eɪt] *räkn* o. *subst* åtta

eighteen [,eɪ'ti:n] *räkn* arton

eighteenth [,eɪ'ti:nθ] *räkn* o. *subst* artonde; artondel

eighth [eɪtθ] *räkn* o. *subst* åttonde; åttondel

eightieth ['eɪtɪəθ] *räkn* o. *subst* åttionde; åttiondel

eighty ['eɪtɪ] *räkn* o. *subst* **1** åttio **2** åttiotal; *in the eighties* på åttiotalet

---

Eire

Irländska republiken, *the Irish Republic*, kallas *Eire* på iriska, *Irish* eller *Gaelic*.

Eire ['eərə]

either I ['aɪðə, spec. amer. 'i:ðə] *pron* **1** endera, ettdera **2** vilken (vilket) som helst [*you can take* ~ *of them; you can take* ~] **3** någon, någondera, något, någotdera

[*I don't want* ~ *of them*] **4** vardera, vartdera
5 båda, bägge
II ['aɪðə, spec. amer. 'iːðə] *adv* heller [*he won't come* ~]
III ['aɪðə, spec. amer. 'iːðə] *konj*, ~ ... *or*
a) antingen ... eller [*he is* ~ *mad or drunk*]
b) både ... och [*he is taller than* ~ *you or me*]
ejaculate [ɪ'dʒækjʊleɪt] *verb* **1** fysiol.
ejakulera **2** utropa, utstöta
ejaculation [ɪ,dʒækju'leɪʃən] *subst*
1 sädesuttömning; fysiol. ejakulation
2 utrop
eject [ɪ'dʒekt] *verb* kasta ut, driva ut, stöta ut
ejection [ɪ'dʒekʃən] *subst* utkastande; ~ *seat* katapultstol
ejector [ɪ'dʒektə] *subst*, ~ *seat* katapultstol
elaborate I [ɪ'læbərət] *adj* **1** omsorgsfullt utarbetad **2** omständlig, komplicerad
II [ɪ'læbəreɪt] *verb* **1** uttala sig närmare [*on* om] **2** utveckla närmare
elapse [ɪ'læps] *verb* förflyta, gå [*a year had elapsed*]
elastic I [ɪ'læstɪk] *adj* **1** elastisk, tänjbar **2** ~ *band* a) resårband b) gummiband
II [ɪ'læstɪk] *subst* resår, gummiband
elasticity [,iːlæ'stɪsətɪ] *subst* elasticitet, spänst
elated [ɪ'leɪtɪd] *adj* upprymd, glad, hänförd
elation [ɪ'leɪʃən] *subst* upprymdhet, glädje
elbow I ['elbəʊ] *subst* armbåge; ~ *grease* slit, hårt arbete
II ['elbəʊ] *verb*, ~ *oneself forward* armbåga sig fram
elbow room ['elbəʊruːm] *subst* svängrum
elder ['eldə] *adj* (komparativ av *old*) äldre spec. om släktingar
elderberry ['eldə,berɪ] *subst* fläderbär
elderly ['eldəlɪ] *adj* rätt gammal, äldre [*an* ~ *gentleman*]
eldest ['eldɪst] *adj* (superlativ av *old*) äldst spec. om släktingar
elect [ɪ'lekt] *verb* välja genom röstning, välja till
election [ɪ'lekʃən] *subst* val spec. genom röstning; *a general* ~ allmänna val
elective [ɪ'lektɪv] *adj*, ~ *subject* skol. tillvalsämne
electoral [ɪ'lektərəl] *adj* polit., ~ *district* valdistrikt; ~ *register* vallängd
electorate [ɪ'lektərət] *subst* väljarkår; *the* ~ väljarna, väljarkåren
electric [ɪ'lektrɪk] *adj* elektrisk; ~ *bulb* glödlampa; ~ *cooker* elspis, elektrisk spis
electrical [ɪ'lektrɪkl] *adj*, ~ *appliances* elektriska apparater

electrician [ɪlek'trɪʃən] *subst* elektriker, elmontör
electricity [ɪlek'trɪsətɪ] *subst* elektricitet, el
electrify [ɪ'lektrɪfaɪ] *verb* elektrifiera
electrocardiogram [ɪ,lektrəʊ'kɑːdjəʊgræm] *subst* elektrokardiogram
electrode [ɪ'lektrəʊd] *subst* elektr. elektrod
electron [ɪ'lektrɒn] *subst* elektron
electronic [ɪlek'trɒnɪk] *adj* elektronisk; ~ *mail* (förk. *e-mail*) elektronisk post
electronics [ɪlek'trɒnɪks] (med verb i sing.) *subst* elektronik
electroplated [ɪ'lektrəpleɪtɪd] *adj*, ~ *nickel-silver* (förk. *EPNS*) nysilver
electrostatic [ɪ,lektrə'stætɪk] *adj* elektrostatisk
elegance ['elɪɡəns] *subst* elegans
elegant ['elɪɡənt] *adj* elegant
element ['elɪmənt] *subst* **1** kem. grundämne **2** element; *be in one's* ~ vara i sitt rätta element, vara i sitt esse **3** beståndsdel; *an* ~ *of danger* ett riskmoment; *an* ~ *of truth* en gnutta sanning
elementary [,elɪ'mentrɪ] *adj* elementär, enkel
elephant ['eləfənt] *subst* elefant
elevate ['elɪveɪt] *verb* lyfta upp, höja
elevation [,elɪ'veɪʃən] *subst* **1** upphöjande, lyftande **2** upphöjning [*an* ~ *in the ground*]

---

election
• I STORBRITANNIEN:
Vid allmänna val kan alla som är över 18 år rösta på vem som ska sitta i parlamentet. Det finns 659 valkretsar, *constituencies*, och i var och en röstar man fram en representant. Det parti som får flest representanter bildar regering.
• I USA:
I USA sker val till representanthuset. Folkrika stater har fler valkretsar, *districts*, och alltså fler representanter, *representatives*, än glest bebyggda stater. Varje stat väljer också två senatorer, *senators*, till senaten. De väljs på sex år. Presidentval hålls vart fjärde år.

3 upphöjelse [*her* ~ *to the throne*] **4** höjd
över havsytan (marken)

elevator ['elɪveɪtə] *subst* spec. amer. hiss; tekn.
elevator

eleven [ɪ'levn] *räkn* o. *subst* elva

eleventh [ɪ'levnθ] *räkn* o. *subst* **1** elfte
2 elftedel; *at the* ~ *hour* i elfte timmen

elf [elf] *subst* älva, fe

eligibility [ˌelɪdʒə'bɪlətɪ] *subst* **1** valbarhet
2 berättigande

eligible ['elɪdʒəbl] *adj* **1** valbar [*for till*]
2 berättigad [~ *for a pension*], kvalificerad
[~ *for membership*]

eliminate [ɪ'lɪmɪneɪt] *verb* eliminera,
utesluta [~ *a possibility*]; *eliminated* sport.
utslagen

elimination [ɪˌlɪmɪ'neɪʃən] *subst*
1 eliminering **2** sport. utslagning; ~
competition utslagningstävling

elite [ɪ'liːt] *subst* elit

elixir [ɪ'lɪksə] *subst* elixir, universalmedel

elk [elk] *subst* djur **1** älg **2** amer. kanadahjort

ellipse [ɪ'lɪps] *subst* geom. ellips

ellipsis [ɪ'lɪpsɪs] (pl. *ellipses* [e'lɪpsiːz]) *subst*
språkv. ellips

elliptical [ɪ'lɪptɪkl] *adj* **1** språkv. elliptisk,
ellips- **2** geom. elliptisk

Ellis Island
Ellis Island är en liten ö i inloppet
till New York. Hit anlände åren
1892–1943 miljontals invandrare
för att genomgå kontroll av den
amerikanska immigrationsmyndig-
heten. I dag finns här ett museum,
där man bl.a. kan hitta fakta om
alla som invandrade.

---

elm [elm] *subst* träd alm

elocution [ˌelə'kjuːʃən] *subst* talarkonst,
talteknik

elongate ['iːlɒŋgeɪt] *verb* förlänga, dra ut

eloquence ['eləkwəns] *subst* vältalighet

eloquent ['eləkwənt] *adj* vältalig

else [els] *adv* **1** annars [*where* ~ *can it be?*];
hurry, or ~ *we'll be late* skynda, annars
blir vi försenade **2** annan [*somebody* ~];
anything ~? något mer, något annat?;
everybody ~ alla andra; *who* ~? vem
annars?, vilka annars?; *everywhere* ~ på
alla andra ställen; *little* ~ föga annat;
nowhere ~ ingen annanstans

elsewhere [ˌels'weə] *adv* någon annanstans

elucidate [ɪ'luːsɪdeɪt] *verb* klargöra, belysa

elude [ɪ'luːd] *verb* **1** komma undan, undgå
2 gäcka; *his name eludes me* jag
kommer inte på hans namn

elusive [ɪ'luːsɪv] *adj* svårfångad, gäckande
[~ *shadow*]

emaciated [ɪ'meɪʃɪeɪtɪd] *adj* utmärglad

e-mail I ['iːmeɪl] *subst* (förk. för *electronic mail*)
e-post, mejl

II ['iːmeɪl] *verb* e-posta, mejla

emanate ['eməneɪt] *verb*, ~ *from* komma
från, härröra från, stråla ut från

emancipate [ɪ'mænsɪpeɪt] *verb* frige [~ *the
slaves*], frigöra, emancipera

embalm [ɪm'bɑːm] *verb* balsamera

embankment [ɪm'bæŋkmənt] *subst*
1 invallning **2** fördämning, vägbank

embargo [em'bɑːgəʊ] (pl. *embargoes*) *subst*
embargo, handelsförbud

embark [ɪm'bɑːk] *verb* embarkera, ta
ombord, gå ombord; ~ *on* inlåta sig i, ge
sig in på

embarrass [ɪm'bærəs] *verb* göra förlägen,
göra generad

embarrassed [ɪm'bærəst] *perf p* o. *adj*
förlägen, generad [*at* över]

embarrassing [ɪm'bærəsɪŋ] *adj* pinsam,
genant

embassy ['embəsɪ] *subst* ambassad

embellish [ɪm'belɪʃ] *verb* utsmycka

ember ['embə] *subst* glödande kol; ~*s*
glödande aska

embezzle [ɪm'bezl] *verb* försnilla, förskingra

embezzlement [ɪm'bezlmənt] *subst*
förskingring

embezzler [ɪm'bezlə] *subst* förskingrare

embitter [ɪm'bɪtə] *verb* förbittra

emblem ['embləm] *subst* emblem, sinnebild

embodiment [ɪm'bɒdɪmənt] *subst*
förkroppsligande, inkarnation,
personifikation

embody [ɪm'bɒdɪ] *verb* **1** förkroppsliga; *be
embodied in* få uttryck i **2** innehålla
3 omfatta

embrace I [ɪm'breɪs] *verb* **1** omfamna,
krama **2** omfamna varandra, kramas
3 omfatta

II [ɪm'breɪs] *subst* omfamning, kram

embroider [ɪm'brɔɪdə] *verb* brodera

embroidery [ɪm'brɔɪdərɪ] *subst* broderi

embryo ['embrɪəʊ] (pl. ~*s*) *subst* embryo

emend [ɪ'mend] *verb* korrigera text

emerald ['emərəld] *subst* ädelsten smaragd;
the Emerald Isle den gröna ön Irland

emerge [ɪ'mɜːdʒ] *verb* dyka upp, uppstå

emergency [ɪ'mɜːdʒənsɪ] *subst* nödläge, kris,

kritiskt läge; *in an* ~ el. *in case of* ~ i ett
nödläge; *state of* ~ undantagstillstånd; *in
a state of* ~ i alarmberedskap, nöd- [~
landing], kris- [~ *meeting*]; ~ *brake*
nödbroms; ~ *cord* amer. nödbromslina; ~
exit el. ~ *door* reservutgång; ~ *ward*
akutmottagning på sjukhus

emery paper ['emərɪ,peɪpə] *subst*
smärgelpapper

emigrant ['emɪɡrənt] *subst* utvandrare,
emigrant

emigrate ['emɪɡreɪt] *verb* utvandra,
emigrera

emigration [,emɪ'ɡreɪʃən] *subst* utvandring,
emigration

eminence ['emɪnəns] *subst* **1** högt anseende
2 *His Eminence* Hans Eminens

eminent ['emɪnənt] *adj* framstående

emissary ['emɪsərɪ] *subst* emissarie,
sändebud

emission [ɪ'mɪʃən] *subst* utsläpp; utstrålning
[~ *of light*]

emit [ɪ'mɪt] (*-tt-*) *verb* sända ut, stråla ut,
avge [~ *heat*], ge ifrån sig [~ *an odour*]

emotion [ɪ'məʊʃən] *subst* **1** sinnesrörelse
2 stark känsla

emotional [ɪ'məʊʃnəl] *adj* känslomässig,
emotionell; ~ *life* känsloliv

emperor ['empərə] *subst* kejsare

emphasis ['emfəsɪs] (pl. *emphases*
['emfəsiːz]) *subst* eftertryck, tonvikt,
betoning; *lay* ~ *on* ge eftertryck åt

emphasize ['emfəsaɪz] *verb* betona,
framhäva

emphatic [ɪm'fætɪk] *adj* eftertrycklig,
emfatisk

empire ['empaɪə] *subst* **1** kejsardöme, rike
[*the Roman* ~] **2** imperium, välde

employ I [ɪm'plɔɪ] *verb* **1** sysselsätta, ge
arbete åt, anställa **2** använda
II [ɪm'plɔɪ] *subst, in sb's* ~ anställd hos ngn

employee [ɪm'plɔɪiː] *subst* arbetstagare,
anställd

employer [ɪm'plɔɪə] *subst* arbetsgivare

employment [ɪm'plɔɪmənt] *subst*
1 sysselsättning, arbete; ~ *agency* el. ~
bureau arbetsförmedlingsbyrå
2 användning

empress ['emprəs] *subst* kejsarinna

empty I ['emtɪ] *adj* tom
II ['emtɪ] *verb* **1** tömma **2** tömmas

empty-handed [,emtɪ'hændɪd] *adj* tomhänt

EMU ['iːmjuː, ,iːem'juː] (förk. för *Economic
and Monetary Union*) EMU

enable [ɪ'neɪbl] *verb*, ~ *sb to* göra det

möjligt för ngn att [*it enabled me to go on
holiday*]

enamel I [ɪ'næməl] *subst* **1** emalj **2** lackfärg
II [ɪ'næməl] (*-ll-*) *verb* **1** emaljera **2** lackera

enchant [ɪn'tʃɑːnt] *verb* tjusa, hänföra,
förtrolla

enchanting [ɪn'tʃɑːntɪŋ] *adj* förtjusande

enchantment [ɪn'tʃɑːntmənt] *subst*
1 tjuskraft **2** förtjusning

enchantress [ɪn'tʃɑːntrəs] *subst* tjuserska

encircle [ɪn'sɜːkl] *verb* omge, omringa

enclose [ɪn'kləʊz] *verb* **1** omge, omsluta **2** i
t.ex. brev bifoga; *enclosed please find*
härmed bifogas

enclosure [ɪn'kləʊʒə] *subst* **1** bilaga till brev
2 inhägnad

encompass [ɪn'kʌmpəs] *verb* **1** omge
2 omfatta

encore I [ɒŋ'kɔː] *interj* dakapo!
II [ɒŋ'kɔː] *subst* **1** extranummer, dakapo
2 dakaporop

encounter I [ɪn'kaʊntə] *verb* möta, träffa på
II [ɪn'kaʊntə] *subst* möte

encourage [ɪn'kʌrɪdʒ] *verb* **1** uppmuntra
2 stödja, främja

encouragement [ɪn'kʌrɪdʒmənt] *subst*
1 uppmuntran **2** främjande, understöd

encroach [ɪn'krəʊtʃ] *verb* inkräkta [*on* på]

encumber [ɪn'kʌmbə] *verb* **1** betunga,
belasta **2** belamra [*a room encumbered with
furniture*]

encyclopaedia o. **encyclopedia**
[en,saɪklə'piːdjə] *subst* encyklopedi,
uppslagsbok, uppslagsverk

end I [end] *subst* **1** slut; avslutning; ände,
ända; *change* ~*s* byta sida i bollspel; *make
both* ~*s meet* få det att gå ihop; *put an* ~
to sätta stopp för; *I liked the book no* ~
vard. jag tyckte väldigt mycket om boken;
there is (*are*) *no* ~ *of* ... vard. det finns
massor med ...; *be at an* ~ vara slut, vara
förbi; *at the* ~ vid (i, på) slutet; *in the* ~
till slut, till sist; *on* ~ a) på ända b) i sträck,
i ett kör; *to the very* ~ ända till slutet;
bring to an ~ avsluta, sluta; *come to an*
~ ta slut **2** mål [*with this* ~ *in view*],
ändamål, syfte
II [end] *verb* sluta, avsluta; göra slut på;
upphöra; *all's well that* ~*s well* ordspr.
slutet gott, allting gott; ~ *up in* sluta i,
hamna i

endanger [ɪn'deɪndʒə] *verb* äventyra,
riskera; *an endangered species* ett
utrotningshotat djur

endear [ɪn'dɪə] *verb* göra omtyckt

endearing [ɪn'dɪərɪŋ] *adj* älskvärd

endearment [ɪn'dɪəmənt] *subst* ömhetsbetygelse; smeksamt ord; *term of* ~ smeksamt uttryck

endeavour I [ɪn'devə] *verb* sträva [*to efter att*], verkligen försöka
II [ɪn'devə] *subst* strävan [*to do*], allvarligt försök [*to do*]

endgame ['endgeɪm] *subst* i schack slutspel

ending ['endɪŋ] *subst* **1** slut, avslutning; *happy* ~ lyckligt slut **2** gram. ändelse

endive ['endɪv] *subst* grönsak **1** chicorée frisée, frisésallat **2** amer. endiv

endorse [ɪn'dɔːs] *verb* **1** skriva sitt namn på baksidan av, endossera [~ *a cheque*] **2** stödja [~ *a plan*], godkänna

endow [ɪn'dau] *verb* **1** donera pengar till **2** begåva, utrusta [*she was endowed with great talent*]

endurance [ɪn'djuərəns] *subst* uthållighet; *beyond* ~ el. *past* ~ outhärdligt

endure [ɪn'djuə] *verb* **1** uthärda [~ *pain*], utstå, stå ut med **2** bestå [*his work will* ~] **3** hålla ut

enduring [ɪn'djuərɪŋ] *adj* varaktig, bestående [~ *value*]

enema ['enəmə] *subst* lavemang

enemy ['enəmɪ] *subst* fiende; ~ *aircraft* fientligt flyg

energetic [ˌenə'dʒetɪk] *adj* energisk, kraftfull

energy ['enədʒɪ] *subst* energi

energy-saving ['enədʒɪˌseɪvɪŋ] *adj* energisnål

enervate ['enəveɪt] *verb* försvaga, förslappa

enforce [ɪn'fɔːs] *verb* **1** upprätthålla respekten för [~ *law and order*] **2** driva igenom [~ *one's principles*]

enforcement [ɪn'fɔːsmənt] *subst* upprätthållande [~ *of law and order*], genomdrivande

engage [ɪn'geɪdʒ] *verb* **1** anställa, engagera, anlita **2** i passiv, *be engaged* förlova sig **3** uppta [*work* ~*s much of his time*] **4** ~ *in* engagera sig i, ägna sig åt [~ *in business*]

engaged [ɪn'geɪdʒd] *adj* **1** upptagen [*he is* ~ *at the moment*]; på t.ex. toalettdörr upptaget; ~ *tone* tele. upptagetton **2** sysselsatt [*in, on* med]; anställd **3** förlovad

engagement [ɪn'geɪdʒmənt] *subst* **1** åtagande, engagemang; avtalat möte **2** anställning [*her* ~ *as secretary*] **3** förlovning [*to* med]

engaging [ɪn'geɪdʒɪŋ] *adj* intagande [*an* ~ *smile*]

engine ['endʒɪn] *subst* **1** motor, maskin **2** lok

engine-driver ['endʒɪnˌdraɪvə] *subst* lokförare

engineer [ˌendʒɪ'nɪə] *subst* **1** ingenjör; tekniker **2** sjö. maskinist

engineering [ˌendʒɪ'nɪərɪŋ] *subst* ingenjörsvetenskap, ingenjörskonst; teknik

engine room ['endʒɪnruːm] *subst* maskinrum

England

HUVUDSTAD: London (Stor-London, *Greater London* 7 milj.).
FOLKMÄNGD: omkring 50 milj.
YTA: 130 440 km^2 (mindre än en tredjedel av Sveriges yta).
SPRÅK: engelska.
England är den mellersta delen av ön Storbritannien. England gränsar till Wales i väster och Skottland i norr. England är en viktig industrination.

England ['ɪŋglənd]

English I ['ɪŋglɪʃ] *adj* engelsk
II ['ɪŋglɪʃ] *subst* **1** engelska språket; *the King's* ~ el. *the Queen's* ~ ungefär korrekt engelska **2** *the* ~ engelsmännen

Englishman ['ɪŋglɪʃmən] (pl. *Englishmen* ['ɪŋglɪʃmən]) *subst* engelsman

Englishwoman ['ɪŋglɪʃˌwumən] (pl. *Englishwomen* ['ɪŋglɪʃˌwɪmɪn]) *subst* engelska

engrave [ɪn'greɪv] *verb* rista in, gravera

engraving [ɪn'greɪvɪŋ] *subst* **1** ingravering **2** gravyr

engross [ɪn'grəus] *verb* uppta [*the work engrossed him*]; *she was engrossed in her work* hon var helt upptagen av sitt arbete

engrossing [ɪn'grəusɪŋ] *adj* fängslande

engulf [ɪn'gʌlf] *verb* uppsluka

enhance [ɪn'hɑːns] *verb* höja, öka [~ *the value of sth*]

enigma [ɪ'nɪgmə] *subst* gåta, mysterium

enigmatic [ˌenɪg'mætɪk] *adj* gåtfull, dunkel

enjoy [ɪn'dʒɔɪ] *verb* **1** njuta av **2** finna nöje i, tycka om; *did you* ~ *the party?* hade du roligt på festen?; *I am enjoying it here* jag trivs här **3** ~ *oneself* ha trevligt, roa sig

enjoyable [ɪn'dʒɔɪəbl] *adj* njutbar, trevlig

enjoyment [ɪn'dʒɔɪmənt] *subst* **1** njutning **2** nöje, glädje

enlarge [ɪn'lɑːdʒ] *verb* **1** förstora, förstora

upp [~ *a photo*], vidga [~ *a hole*]
2 förstoras, vidgas; ~ *on* breda ut sig över
enlargement [ɪn'lɑ:dʒmənt] *subst*
1 förstorande **2** foto. förstoring [*an* ~ *from a negative*]
enlighten [ɪn'laɪtn] *verb* upplysa, ge upplysningar [*on* om]
enlist [ɪn'lɪst] *verb* **1** mil. värva [~ *recruits*]; ta värvning **2** försöka få [~ *sb's help*]
enlistment [ɪn'lɪstmənt] *subst* mil. värvning
enliven [ɪn'laɪvn] *verb* liva upp, ge liv åt
enmity ['enmətɪ] *subst* fiendskap
enormous [ɪ'nɔ:məs] *adj* enorm, väldig
enough [ɪ'nʌf] *adj* o. *adv* nog, tillräckligt; *it's* ~ *to drive one mad* det är så man kan bli galen; *I've had* ~ jag har fått nog; *that's* ~! nu räcker det!
enquire [ɪn'kwaɪə] *verb* se *inquire*
enquiry [ɪn'kwaɪərɪ] *subst* se *inquiry*
enrage [ɪn'reɪdʒ] *verb* göra rasande, göra ursinning
enraged [ɪn'reɪdʒd] *adj* rasande, ursinnig
enrich [ɪn'rɪtʃ] *verb* **1** göra rik, berika **2** anrika
enrichment [ɪn'rɪtʃmənt] *subst* **1** berikande **2** anrikning
enrol [ɪn'rəʊl] (-*ll*-) *verb* o. spec. amer. **enroll** [ɪn'rəʊl] *verb* **1** skriva in, ta upp [~ *sb as a member of a society*] **2** anmäla sig, skriva in sig
enrolment [ɪn'rəʊlmənt] *subst* **1** enrollering, påmönstring **2** inskrivning, inregistrering
ensemble [ɒn'sɒmbl] *subst* ensemble
enslave [ɪn'sleɪv] *verb* förslava
ensue [ɪn'sju:] *verb* **1** följa; *the ensuing war* kriget som följde **2** bli följden, uppstå
ensure [ɪn'ʃʊə] *verb* **1** garantera, säkerställa; ~ *that*... se till att... **2** skydda [~ *oneself against loss*]
entail [ɪn'teɪl] *verb* medföra, innebära
entangle [ɪn'tæŋgl] *verb* trassla in, snärja in
enter I ['entə] *verb* **1** gå in, komma in; gå (komma, stiga) in i; ; gå in vid [~ *the army*]; *it never entered my head (mind)* det föll mig aldrig in **2** anmäla sig, ställa upp; ~ *a protest* lämna in en protest; ~ *oneself for* el. ~ *one's name for* anmäla sig till **3** anteckna, notera [~ *name on a list*]
II ['entə] *verb* med adv. o. prep.
enter into 1 gå in i, tränga in i **2** ge sig in i (på), inlåta sig i (på), öppna, inleda **3** gå in på (i) [~ *into details*]
enter on 1 slå in på; ~ *on one's duties* tillträda tjänsten **2** inlåta sig i (på), börja

enterprise ['entəpraɪz] *subst*
1 företagsamhet [*private* ~] **2** affärsföretag
3 företag, vågstycke
enterprising ['entəpraɪzɪŋ] *adj* företagsam
entertain [,entə'teɪn] *verb* **1** bjuda; ha bjudningar; ~ *some friends to dinner* ha några vänner på middag **2** underhålla, roa **3** representera i affärssammanhang; hysa [~ *hopes*]
entertainer [,entə'teɪnə] *subst* entertainer, underhållare
entertaining [,entə'teɪnɪŋ] *adj* underhållande
entertainment [,entə'teɪnmənt] *subst*
1 underhållning **2** representation i affärssammanhang
enthral [ɪn'θrɔ:l] (-*ll*-) *verb* hålla trollbunden [~ *one's audience*], fängsla
enthralling [ɪn'θrɔ:lɪŋ] *adj* fängslande
enthuse [ɪn'θju:z] *verb* **1** bli entusiastisk **2** entusiasmera
enthusiasm [ɪn'θju:zɪæzəm] *subst* entusiasm
enthusiast [ɪn'θju:zɪæst] *subst* entusiast
enthusiastic [ɪn,θju:zɪ'æstɪk] *adj* entusiastisk
entice [ɪn'taɪs] *verb* locka, förleda, lura
enticement [ɪn'taɪsmənt] *subst* lockelse, frestelse; lockmedel
entire [ɪn'taɪə] *adj* hel, fullständig
entirely [ɪn'taɪəlɪ] *adv* helt, fullständigt
entirety [ɪn'taɪərətɪ] *subst* helhet [*in its* ~]
entitle [ɪn'taɪtl] *verb* **1** betitla, benämna; *a book entitled*... en bok med titeln...
2 berättiga; *be entitled to* vara berättigad till (att)
entrails ['entreɪlz] *subst pl* inälvor
entrance ['entrəns] *subst* **1** ingång, entré [*the main* ~]; infart **2** inträde, entré, intåg
entrance fee ['entrənsfi:] *subst*
1 inträdesavgift, entréavgift
2 anmälningsavgift
entrance hall ['entrənshɔ:l] *subst* hall, entré
entreat [ɪn'tri:t] *verb* bönfalla
entreaty [ɪn'tri:tɪ] *subst* enträgen bön
entrecôte ['ɒntrəkəʊt] *subst* kok. entrecote
entrée ['ɒntreɪ] *subst* kok. **1** finare förrätt
2 huvudrätt
entrepreneur [,ɒntrəprə'nɜ:] *subst* företagare, entreprenör
entrust [ɪn'trʌst] *verb*, *I was entrusted with the money* jag anförtroddes pengarna
entry ['entrɪ] *subst* **1** inträde, ingång; *no* ~ tillträde förbjudet, trafik. förbjuden körriktning; ~ *permit* inresetillstånd;

make one's ~ träda in, göra sin entré
2 tävlingsbidrag [*entries must be in by 2 May*] **3** anteckning, post **4** uppslagsord, artikel i uppslagsverk
entry phone ['entrıfəʊn] *subst* porttelefon
E number ['i:ˌnʌmbə] *subst* E-nummer
beteckning på livsmedelstillsats
enumerate [ı'nju:məreıt] *verb* räkna upp, nämna
envelop [ın'veləp] *verb* svepa in, hölja
envelope ['envələʊp] *subst* kuvert
enviable ['envıəbl] *adj* avundsvärd
envious ['envıəs] *adj* avundsjuk [*of* på]
environment [ın'vaıərənmənt] *subst* **1** miljö; förhållanden [*social* ~] **2** omgivning
environmental [ınˌvaıərən'mentl] *adj* miljö–; ~ *control* miljövård; ~ *pollution* miljöförstöring; ~ *protection* miljöskydd
environmentalist [ınˌvaıərən'mentəlıst] *subst* miljöaktivist, miljövårdare
environs [ın'vaıərənz] *subst pl* omgivningar
envisage [ın'vızıdʒ] *verb* **1** föreställa sig **2** förutse
envoy ['envɔı] *subst* sändebud
envy I ['envı] *subst* avundsjuka
II ['envı] *verb* avundas
epic I ['epık] *adj* episk
II ['epık] *subst* episk dikt
epidemic [ˌepı'demık] *subst* epidemi
epigram ['epıgræm] *subst* epigram
epilepsy ['epılepsı] *subst* med. epilepsi
epileptic I [ˌepı'leptık] *adj* med. epileptisk
II [ˌepı'leptık] *subst* med. epileptiker
epilogue ['epılɒg] *subst* epilog
Epiphany [ı'pıfənı] *subst* **1** trettondagen, trettondag jul
episode ['epısəʊd] *subst* episod, avsnitt
epitaph ['epıtɑ:f] *subst* gravskrift, inskrift
epithet ['epıθet] *subst* epitet
epitomize [ı'pıtəmaız] *verb* vara typisk för, personifiera
EPNS [ˌi:'pi:ˌen'es] (förk. för *electroplated nickel-silver*) nysilver
epoch ['i:pɒk] *subst* epok
epoch-making ['i:pɒkˌmeıkıŋ] *adj* epokgörande, banbrytande
equal I ['i:kwəl] *adj* **1** lika [*to* som], lika stor [*to* som]; samma [*of* ~ *size*] **2** jämställd; *be on an* ~ *footing with* stå på jämlik fot med **3** *be* ~ *to* a) vara lika med, vara lika bra som b) klara av; *he is* ~ *to the occasion* han är situationen vuxen; *she is* ~ *to the task* hon klarar av uppgiften
II ['i:kwəl] *subst* like, jämlike
III ['i:kwəl] (-*ll*-) *verb* **1** vara lik, vara jämlik

med; gå upp mot **2** mat. vara lika med [*two times two* ~s *four*]
equality [ı'kwɒlətı] *subst* jämlikhet, likställdhet
equalize ['i:kwəlaız] *verb* sport. utjämna, kvittera
equally ['i:kwəlı] *adv* lika [~ *well*], jämnt [*spread* ~]
equal sign ['i:kwəlsaın] *subst* o. **equals sign** ['i:kwəlzsaın] *subst* likhetstecken
equanimity [ˌekwə'nımətı] *subst* jämnmod, sinneslugn
equate [ı'kweıt] *verb* jämställa, likställa
equation [ı'kweıʒən] *subst* ekvation
equator [ı'kweıtə] *subst* ekvator
equatorial [ˌekwə'tɔ:rıəl] *adj* ekvatorial
equestrian [ı'kwestrıən] *adj* rid– [~ *skill*]; ~ *sports* hästsport
equilateral [ˌi:kwı'lætərəl] *adj* liksidig
equilibrium [ˌi:kwı'lıbrıəm] *subst* jämvikt
equinox ['i:kwınɒks] *subst*, *autumnal* ~ höstdagjämning; *vernal* ~ el. *spring* ~ vårdagjämning
equip [ı'kwıp] (-*pp*-) *verb* **1** utrusta **2** rusta, göra rustad
equipment [ı'kwıpmənt] *subst* utrustning; materiel, artiklar [*sports* ~]
equivalent I [ı'kwıvələnt] *adj* likvärdig [*to* med]; motsvarande [*to this* detta]
II [ı'kwıvələnt] *subst* motsvarighet [*of*, *to* till]
equivocal [ı'kwıvəkl] *adj* dubbeltydig, tvetydig
era ['ıərə] *subst* era, tidsålder, tidevarv
eradicate [ı'rædıkeıt] *verb* utrota
eradication [ıˌrædı'keıʃən] *subst* utrotning
erase [ı'reız] *verb* radera, radera ut, sudda ut
eraser [ı'reızə] *subst* radergummi, kautschuk
erasing head [ı'reızıŋhed] *subst* raderhuvud
på bandspelare
ere [eə] *prep* poetiskt före i tiden; ~ *long* inom kort
erect I [ı'rekt] *adj* upprätt, rak
II [ı'rekt] *verb* resa [~ *a statue*], uppföra [~ *a building*]
erection [ı'rekʃən] *subst* **1** uppförande, byggande **2** fysiol. erektion
ermine ['ɜ:mın] *subst* djur el. päls hermelin
erode [ı'rəʊd] *verb* erodera, fräta bort, frätas bort
erosion [ı'rəʊʒən] *subst* **1** erosion **2** frätning
erotic [ı'rɒtık] *adj* erotisk
err [ɜ:] *verb* **1** missta sig, ta fel **2** fela

errand ['erənd] *subst*, **go on** ~**s** gå ärenden
errand-boy ['erəndbɔɪ] *subst* springpojke
erratic [ɪ'rætɪk] *adj* **1** oregelbunden
2 oberäknelig
erroneous [ɪ'rəʊnjəs] *adj* felaktig, oriktig
error ['erə] *subst* fel, felaktighet
erupt [ɪ'rʌpt] *verb* ha utbrott [*the volcano erupted*]
eruption [ɪ'rʌpʃən] *subst* utbrott [*volcanic* ~]
escalate ['eskəleɪt] *verb* trappa upp
escalation [ˌeskə'leɪʃən] *subst* upptrappning
escalator ['eskəleɪtə] *subst* rulltrappa
escapade [ˌeskə'peɪd] *subst* eskapad, upptåg
escape I [ɪ'skeɪp] *verb* **1** fly, rymma, undkomma **2** undgå, slippa [~ *punishment*] **3** strömma ut, läcka ut
II [ɪ'skeɪp] *subst* **1** rymning, flykt; *that was a narrow* ~*!* det var nära ögat!
escapism [ɪ'skeɪpɪzəm] *subst* eskapism, verklighetsflykt
escort I ['eskɔːt] *subst* eskort
II [ɪ'skɔːt] *verb* eskortera, ledsaga
Eskimo ['eskɪməʊ] (pl. ~*s*) *subst* åld. el. neds. eskimå
espalier [ɪ'spæljə] *subst* **1** spaljé **2** spaljéträd
especial [ɪ'speʃl] *adj* särskild, speciell
especially [ɪ'speʃəlɪ] *adv* särskilt, speciellt
espionage ['espɪənɑːʒ] *subst* spionage
espresso [e'spresəʊ] (pl. ~*s*) *subst*
1 espressokaffe; espresso [*two* ~*s please!*]
2 ~ *bar* espressobar
essay ['eseɪ] *subst* essä, uppsats [*on* om, över]
essence ['esns] *subst* **1** innersta väsen; *the* ~ *of* det centrala i; *in* ~ i huvudsak **2** essens [*fruit* ~]
essential I [ɪ'senʃl] *adj* väsentlig, nödvändig [*to* för]
II [ɪ'senʃl] *subst* väsentlighet [*concentrate on* ~*s*], grunddrag [*of* i]; *in all* ~*s* i allt väsentligt
essentially [ɪ'senʃəlɪ] *adv* väsentligt, i huvudsak
establish [ɪ'stæblɪʃ] *verb* **1** upprätta, grunda, grundlägga **2** etablera, införa [~ *a rule*] **3** fastställa [~ *sb's identity*], konstatera, påvisa
establishment [ɪ'stæblɪʃmənt] *subst*
1 upprättande, grundande **2** etablerande, fastställande **3** offentlig institution, inrättning, anstalt [*an educational* ~]
4 företag **5** *the Establishment* det etablerade samhället, etablissemanget
estate [ɪ'steɪt] *subst* **1** gods, lantegendom; ~ *agent* fastighetsmäklare; ~ *car*

herrgårdsvagn, kombi **2** *housing* ~ bostadsområde **3** dödsbo, kvarlåtenskap; *wind up an* ~ göra en boutredning; ~ *duty* el. ~ *tax* arvskatt
esteem I [ɪ'stiːm] *verb* uppskatta, högakta
II [ɪ'stiːm] *subst* högaktning
estimable ['estɪməbl] *adj* aktningsvärd
estimate I ['estɪmeɪt] *verb* uppskatta, värdera, beräkna [*at* till]; *estimated time of arrival* (förk. för *ETA*) beräknad ankomsttid
II ['estɪmət] *subst* **1** uppskattning, värdering, beräkning **2** uppfattning
estimation [ˌestɪ'meɪʃən] *subst*
1 uppskattning, värdering **2** uppfattning
Estonia [e'stəʊnjə] Estland
Estonian I [e'stəʊnjən] *adj* estnisk
II [e'stəʊnjən] *subst* **1** est, estländare
2 estniska språket
estranged [ɪ'streɪndʒd] *adj*, *be* ~ *from one's friends* komma ifrån sina vänner; *his* ~ *wife* hans frånskilda
estuary ['estjʊərɪ] *subst* bred flodmynning
ET [ˌiː'tiː] förk. för *extraterrestrial*
etc. [et'setrə] ibland skrivet &c (förk. för *et cetera*) etc., osv., m.m.
et cetera [et'setrə] *adv* etcetera, och så vidare
etch [etʃ] *verb* etsa
etching ['etʃɪŋ] *subst* etsning
eternal [ɪ'tɜːnl] *adj* **1** evig **2** vard. ständig [*this* ~ *noise*]
eternity [ɪ'tɜːnətɪ] *subst* evighet; ~ *ring* alliansring
ethereal [ɪ'θɪərɪəl] *adj* eterisk, översinnlig
ethical ['eθɪkl] *adj* etisk, moralisk
ethics ['eθɪks] (med verb i sing.) *subst* etik
Ethiopia [ˌiːθɪ'əʊpjə] Etiopien
Ethiopian I [ˌiːθɪ'əʊpjən] *subst* etiopier, etiop
II [ˌiːθɪ'əʊpjən] *adj* etiopisk
ethnic ['eθnɪk] *adj* etnisk, ras-, folk- [~ *minorities*]
etiquette ['etɪket] *subst* etikett, god ton
etymology [ˌetɪ'mɒlədʒɪ] *subst* etymologi
EU [ˌiː'juː] (förk. för *the European Union*) EU
eucalyptus [ˌjuːkə'lɪptəs] *subst* eukalyptus
euphemism ['juːfəmɪzəm] *subst* eufemism, förskönande omskrivning
euro ['jʊərəʊ] (pl. ~*s*) *subst* myntenhet euro
eurocheque® ['jʊərəʊtʃek] *subst* eurocheck
eurocrat ['jʊərəkræt] *subst* eurokrat
Eurocurrency [ˌjʊərəʊ'kʌrənsɪ] *subst* eurovaluta
Europe ['jʊərəp] Europa; ~ *Day* Europadagen

European I [ˌjʊərə'piːən] adj europeisk; **the ~ Union** (förk. EU) Europeiska unionen **II** [ˌjʊərə'piːən] subst europé

Eurovision ['jʊərəʊˌvɪʒən] subst tv. Eurovision; **the ~ Song Contest** Eurovisionsschlagerfestivalen, Melodifestivalen

euthanasia [ˌjuːθə'neɪzjə] subst dödshjälp

evacuate [ɪ'vækjʊeɪt] verb evakuera, utrymma

evacuation [ɪˌvækjʊ'eɪʃən] subst evakuering, utrymning

evade [ɪ'veɪd] verb undvika, slingra sig undan; smita från [~ taxes]; ~ **the issue** slingra sig undan

evaluate [ɪ'væljʊeɪt] verb bedöma, utvärdera

evaluation [ɪˌvæljʊ'eɪʃən] subst bedömning, utvärdering

evangelical [ˌiːvæn'dʒelɪkl] adj evangelisk

evaporate [ɪ'væpəreɪt] verb dunsta bort

evaporation [ɪˌvæpə'reɪʃən] subst avdunstning

evasion [ɪ'veɪʒən] subst **1** undvikande **2** undanflykter; **tax ~** skattefusk, skattesmitning

evasive [ɪ'veɪsɪv] adj undvikande; **be ~** slingra sig

eve [iːv] subst **1** afton, kväll; **Christmas Eve** julafton **2** on the ~ of kvällen före, dagen före, tiden omedelbart före

even I ['iːvən] adj **1** jämn, slät, plan; **make ~** jämna; **~ with** i jämnhöjd med **2** get ~ **with sb** a) bli kvitt med ngn b) ta revansch på ngn; **I'll get ~ with you!** det ska du få för! **II** ['iːvən] adv **1** även, till och med, också; **not ~** inte ens; ~ **as a child** redan som barn; **~ if** el. **~ though** även om; **~ so** ändå, likväl; **~ then** a) redan då b) ändå, likafullt **2** vid komparativ ännu, ändå [~ better] **III** ['iːvən] verb, **~ out** jämna ut, jämna till

evening ['iːvnɪŋ] subst **1** kväll, afton; **this ~** i kväll; **in the ~** på kvällen **2** före subst. kvälls-, afton- [the ~ star]; **~ classes** el. **~ school** kvällskurs för vuxna; **~ dress** a) aftonklänning b) frack

evenly ['iːvənlɪ] adv jämnt, lika [divide ~]

event [ɪ'vent] subst **1** händelse, tilldragelse; **the course of ~s** händelseförloppet; **at all ~s** i alla händelser, i varje fall **2** evenemang, sport. tävling, nummer på tävlingsprogram; tävlingsgren

eventful [ɪ'ventfʊl] adj händelserik

eventual [ɪ'ventʃʊəl] adj slutlig

eventuality [ɪˌventʃʊ'ælətɪ] subst möjlighet, eventualitet

eventually [ɪ'ventʃʊəlɪ] adv slutligen, till slut, så småningom

ever ['evə] adv **1** någonsin [better than ~]; **hardly ~** el. **scarcely ~** nästan aldrig; **nothing ~ happens** det händer aldrig någonting **2** as ~ som alltid, som vanligt; **for ~** för alltid, jämt och ständigt [for ~ raining]; **Scotland for ~!** leve Skottland!; **they lived happily ~ after** de levde lyckliga i alla sina dagar; **~ since** alltsedan, ända sedan; **Yours ~** i brevslut Din (Er) tillgivne **3** vard., **who ~** vem i all världen; **how ~** hur i all världen; **where ~** var i all världen; **~ so** hemskt, jätte- [I like it ~ so much]; **the greatest film ~** alla tiders största film **4** framför komparativ allt; **an ~ greater amount** en allt större mängd

evergreen I ['evəgriːn] adj vintergrön **II** ['evəgriːn] subst **1** vintergrön växt, ständigt grön växt **2** evergreen, långlivad schlager

everlasting I [ˌevə'lɑːstɪŋ] adj evig; ständig [~ complaints] **II** [ˌevə'lɑːstɪŋ] subst blomma eternell

evermore [ˌevə'mɔː] adv evigt

every ['evrɪ] pron varje, var, varenda; **~ reason to...** allt (alla) skäl att...; **~ other day** el. **~ second day** varannan dag; **one child out of ~ five** vart femte barn; **~ one of them** (us) varenda en; **~ now and then** el. **~ now and again** då och då, allt emellanåt

everybody ['evrɪˌbɒdɪ] pron alla [has ~ seen it?], var och en; varje människa [~ has a right to...]; ~ **else** alla andra

everyday ['evrɪdeɪ] adj **1** daglig **2** vardags- [~ clothes], vardaglig

everyone ['evrɪwʌn] pron se everybody

everything ['evrɪθɪŋ] pron allt, allting, alltsammans

everywhere ['evrɪweə] adv överallt

evict [ɪ'vɪkt] verb vräka, fördriva

evidence ['evɪdəns] subst **1** bevis, belägg, tecken [of på] **2** vittnesmål; **give ~** vittna inför rätta **3** spår, märke [of av] **4** be in ~ synas; förekomma

evident ['evɪdənt] adj tydlig, uppenbar [to för]

evidently ['evɪdəntlɪ] adv tydligen, uppenbarligen

evil I ['iːvl] adj ond [~ deeds], ondskefull **II** ['iːvl] subst ont [a necessary ~], det onda

evoke [ɪ'vəʊk] *verb* framkalla, frammana
evolution [ˌiːvə'luːʃən] *subst* utveckling, evolution
evolve [ɪ'vɒlv] *verb* utveckla, utvecklas
ewe [juː] *subst* tacka fårhona; ~ *lamb* tacklamm
ex [eks] *subst*, *my* ~ min före detta
ex- [eks] *prefix* f.d., ex- [*ex-husband*, *ex-president*]
exact I [ɪg'zækt] *adj* exakt, noggrann
II [ɪg'zækt] *verb* kräva, fordra
exacting [ɪg'zæktɪŋ] *adj* fordrande, krävande
exactly [ɪg'zæktlɪ] *adv* **1** exakt, precis; egentligen [*what is your plan* ~*?*]; ~*!* ja, just det!, precis! **2** noggrant
exaggerate [ɪg'zædʒəreɪt] *verb* överdriva
exaggeration [ɪgˌzædʒə'reɪʃən] *subst* överdrift
exaltation [ˌegzɔːl'teɪʃən] *subst* hänförelse
exalted [ɪg'zɔːltɪd] *adj* hänförd, exalterad
exam [ɪg'zæm] *subst* vard. (kortform för *examination*) examen, tenta, prov
examination [ɪgˌzæmɪ'neɪʃən] *subst* **1** undersökning, granskning [*of* av]; *customs'* ~ tullvisitering **2** examen, tentamen, prov; *fail in an* ~ bli underkänd i ett prov, bli underkänd i en tentamen; *pass an* ~ klara ett prov, klara en tentamen; *sit for an* ~ el. *take an* ~ gå upp i en examen
examine [ɪg'zæmɪn] *verb* **1** undersöka, pröva, granska **2** examinera
example [ɪg'zɑːmpl] *subst* exempel [*of* på]; *set a good* ~ föregå med gott exempel; *for* ~ till exempel
exasperate [ɪg'zæspəreɪt] *verb* göra förtvivlad
exasperation [ɪgˌzæspə'reɪʃən] *subst* förbittring, ursinne
excavate ['ekskəveɪt] *verb* gräva ut, gräva upp
excavation [ˌekskə'veɪʃən] *subst* utgrävning, grävning
excavator ['ekskəveɪtə] *subst* **1** grävmaskin **2** utgrävare **3** grävare, schaktare
exceed [ɪk'siːd] *verb* **1** överskrida [~ *the speed limit*]; överstiga, överskjuta **2** överträffa
excel [ɪk'sel] (*-ll-*) *verb* **1** vara bäst, vara främst **2** överträffa
excellence ['eksələns] *subst* förträfflighet, överlägsenhet
excellency ['eksələnsɪ] *subst* titel excellens
excellent ['eksələnt] *adj* utmärkt

except I [ɪk'sept] *verb* undanta
II [ɪk'sept] *prep* utom; ~ *for* bortsett från, utan
excepting [ɪk'septɪŋ] *prep* utom
exception [ɪk'sepʃən] *subst* undantag; *the* ~ *proves the rule* undantaget bekräftar regeln; *I take* ~ *to that* jag tar anstöt av detta
exceptional [ɪk'sepʃnəl] *adj* exceptionell
excerpt ['eksɜːpt] *subst* utdrag, excerpt
excess I [ɪk'ses] *subst* **1** omåttlighet **2** överdrift **3** *in* ~ *of* överstigande
II ['ekses] *adj* endast före subst., ~ *luggage* överviktsbagage; ~ *postage* tilläggsporto
excessive [ɪk'sesɪv] *adj* **1** överdriven **2** omåttlig
exchange I [ɪks'tʃeɪndʒ] *subst* **1** byte; ~ *of letters* brevväxling; ~ *of views* meningsutbyte; *in* ~ *for* i utbyte mot **2** ekon. växling av pengar; *rate of* ~ växelkurs; ~ el. *bill of* ~ växel **3** börs [*the Stock Exchange*]
II [ɪks'tʃeɪndʒ] *verb* **1** byta, byta ut **2** växla [~ *words*]
exchequer [ɪks'tʃekə] *subst*, *Chancellor of the Exchequer* finansminister i Storbritannien
excitable [ɪk'saɪtəbl] *adj* lättretlig, hetsig
excite [ɪk'saɪt] *verb* **1** hetsa upp **2**; framkalla
excited [ɪk'saɪtɪd] *adj* **1** ivrig, upphetsad **2** upprörd
excitement [ɪk'saɪtmənt] *subst* **1** upphetsning **2** uppståndelse **3** upprördhet
exciting [ɪk'saɪtɪŋ] *adj* spännande, upphetsande
exclaim [ɪkskleɪm] *verb* utropa, skrika [*'what!' he exclaimed*]
exclamation [ˌeksklə'meɪʃən] *subst* utrop; ~ *mark* utropstecken
exclude [ɪk'skluːd] *verb* utesluta, utestänga
exclusion [ɪk'skluːʒən] *subst* uteslutning, utestängande
exclusive [ɪk'skluːsɪv] *adj* **1** exklusiv **2** särskild, speciell [~ *privileges*]
exclusively [ɪk'skluːsɪvlɪ] *adv* uteslutande
excrement ['ekskrəmənt] *subst* exkrement
excursion [ɪk'skɜːʃən] *subst* utflykt, utfärd
excuse I [ɪk'skjuːz] *verb* **1** förlåta, ursäkta; ~ *me* förlåt, ursäkta **2** befria, frita
II [ɪk'skjuːs] *subst* ursäkt, bortförklaring; *make an* ~ ursäkta sig; *make* ~*s* komma med bortförklaringar
ex-directory [ˌeksdɪ'rektərɪ] *adj*, ~ *number* hemligt telefonnummer

execute ['eksɪkjuːt] *verb* **1** utföra [~ *orders*], verkställa; uträtta **2** avrätta

execution [,eksɪ'kjuːʃən] *subst* **1** utförande, verkställande **2** avrättning

executioner [,eksɪ'kjuːʃənə] *subst* bödel

executive [ɪg'zekjʊtɪv] *subst* företagsledare

exemplary [ɪg'zemplərɪ] *adj* exemplarisk

exemplify [ɪg'zemplɪfaɪ] *verb* exemplifiera

exempt [ɪg'zemt] *adj* befriad [~ *from tax*]

exemption [ɪg'zemʃən] *subst* **1** befrielse [~ *from military service*] **2** dispens

exercise I ['eksəsaɪz] *subst* **1** utövande [*the ~ of authority*], utövning **2** övning, träning, motion **3** övningsuppgift, övning **II** ['eksəsaɪz] *verb* **1** öva, utöva [~ *power*] **2** öva, träna

exercise bike ['eksəsaɪzbaɪk] *subst* motionscykel

exercise book ['eksəsaɪzbʊk] *subst* övningsbok

exert [ɪg'zɜːt] *verb* **1** utöva [~ *influence*], använda **2** ~ *oneself* anstränga sig

exertion [ɪg'zɜːʃən] *subst* **1** utövande [*the ~ of authority*] **2** ansträngning

exhaust I [ɪg'zɔːst] *verb* **1** utmatta **2** uttömma [~*one's patience*] **II** [ɪg'zɔːst] *subst* avgas; ~ *fumes* bilavgaser

exhausted [ɪg'zɔːstɪd] *adj* **1** utmattad **2** uttömd

exhaustion [ɪg'zɔːstʃən] *subst* **1** utmattning **2** uttömmande

exhaustive [ɪg'zɔːstɪv] *adj* uttömmande, ingående

exhibit I [ɪg'zɪbɪt] *verb* **1** förevisa [~ *a film*] **2** ställa ut, ha utställning **II** [ɪg'zɪbɪt] *subst jur.* bevisföremål

exhibition [,eksɪ'bɪʃən] *subst* utställning

exhibitionist [,eksɪ'bɪʃənɪst] *subst* exhibitionist

exhilarate [ɪg'zɪləreɪt] *verb* liva upp, göra upprymd

exhort [ɪg'zɔːt] *verb* uppmana, mana

exile I ['eksaɪl] *subst* **1** landsflykt, exil **2** landsförvisad **II** ['eksaɪl] *verb* landsförvisa

exist [ɪg'zɪst] *verb* finnas, existera, förekomma

existence [ɪg'zɪstəns] *subst* tillvaro, existens, förekomst; *in* ~ existerande

existing [ɪg'zɪstɪŋ] *adj* **1** existerande **2** nu (då) gällande

exit I ['eksɪt] *verb* gå ut **II** ['eksɪt] *subst* **1** sorti [*make one's ~*] **2** utträde; ~ *permit* utresetillstånd **3** utgång

exonerate [ɪg'zɒnəreɪt] *verb* frita, frikänna

exorbitant [ɪg'zɔːbɪtənt] *adj* omåttlig

exotic [ɪg'zɒtɪk] *adj* exotisk, främmande

expand [ɪk'spænd] *verb* **1** utvidga **2** utvidga sig, expandera

expanse [ɪk'spæns] *subst* vidd, vidsträckt yta

expansion [ɪk'spænʃən] *subst* **1** utbredande **2** expansion, utvidgning

expect [ɪk'spekt] *verb* **1** vänta, vänta sig, förvänta **2** vard. förmoda; *I* ~ *so* jag förmodar det **3** vard., *be expecting* vänta barn

expectant [ɪk'spektənt] *adj*, ~ *mothers* blivande mödrar

expectation [,ekspek'teɪʃən] *subst* väntan, förväntan; *raise* ~*s* väcka förväntningar; *in* ~ *of* i avvaktan på

expedient I [ɪk'spiːdjənt] *adj* ändamålsenlig, fördelaktig, opportun **II** [ɪk'spiːdjənt] *subst* utväg, lösning

expedition [,ekspɪ'dɪʃən] *subst* expedition, forskningsfärd; *shopping* ~ shoppingtur

expel [ɪk'spel] (-*ll*-) *verb* **1** driva ut, fördriva **2** utvisa **3** skol. relegera

expend [ɪk'spend] *verb* **1** lägga ner, använda **2** förbruka

expenditure [ɪk'spendɪtʃə] *subst* utgifter

expense [ɪk'spens] *subst* utgift; *travelling* ~*s* resekostnader; *she did it at my* ~ hon gjorde det på min bekostnad

expensive [ɪk'spensɪv] *adj* dyr, kostsam

experience I [ɪk'spɪərɪəns] *subst* **1** erfarenhet [*years of* ~] **2** upplevelse [*a terrible* ~] **II** [ɪk'spɪərɪəns] *verb* uppleva

experienced [ɪk'spɪərɪənst] *adj* erfaren, rutinerad

experiment I [ɪk'sperɪmənt] *subst* försök, experiment **II** [ɪk'sperɪment] *verb* experimentera

experimental [eks,perɪ'mentl] *adj* **1** försöks-, experiment- **2** experimenterande

expert I ['ekspɜːt] *subst* expert, sakkunnig **II** ['ekspɜːt] *adj* **1** sakkunnig, expert- [~ *work*] **2** kunnig, skicklig

expertise [,ekspɜː'tiːz] *subst* sakkunskap, expertis

expire [ɪk'spaɪə] *verb* **1** löpa ut [*the period has expired*] **2** dö

explain [ɪk'spleɪn] *verb* förklara, klargöra [*to för*]

explanation [,eksplə'neɪʃən] *subst* förklaring

explanatory [ɪk'splænətərɪ] *adj* förklarande

explicable [ek'splɪkəbl] *adj* förklarlig

explicit [ɪk'splɪsɪt] *adj* tydlig, uttrycklig; *be* ~ uttrycka sig tydligt

explode [ɪk'spləʊd] *verb* **1** explodera, springa i luften **2** spränga i luften

1 exploit ['eksplɔɪt] *subst* bragd, bedrift

2 exploit [ɪk'splɔɪt] *verb* exploatera, egennyttigt utnyttja

exploitation [,eksplɔɪ'teɪʃən] *subst* exploatering, utnyttjande

exploration [,eksplɔː'reɪʃən] *subst* utforskning

explore [ɪk'splɔː] *verb* utforska

explorer [ɪk'splɔːrə] *subst* forskningsresande, upptäcktsresande

explosion [ɪk'spləʊʒən] *subst* explosion

explosive I [ɪk'spləʊsɪv] *adj* explosiv
II [ɪk'spləʊsɪv] *subst* sprängämne

expo ['ekspəʊ] (pl. ~s) *subst* vard. expo

export I [ek'spɔːt] *verb* exportera
II ['ekspɔːt] *subst* exportvara; pl. ~*s* export, exporten

expose [ɪk'spəʊz] *verb* **1** utsätta [~ *to the cold*] **2** exponera foto. **3** exponera, ställa ut [~ *goods in a window*] **4** avslöja [~ *a swindler*]

exposure [ɪk'spəʊʒə] *subst* **1** utsatthet, att vara (bli) utsatt för; *one must avoid* ~ *to infection* man måste undvika att utsätta sig för smittan **2** foto. exponering [*3* ~*s left*] **3** *indecent* ~ jur. blottande sedlighetssårande **4** avslöjande [*the* ~ *of a fraud*] **5** läge; *with a southern* ~ med söderläge

expound [ɪk'spaʊnd] *verb* utveckla, framställa [~ *a theory*]

express I [ɪk'spres] *adj* **1** uttrycklig, tydlig [~ *command*], särskild, speciell [~ *purpose*] **2** ~ *letter* expressbrev; ~ *train* expresståg, fjärrtåg
II [ɪk'spres] *adv* med ilbud, express [*send sth* ~]
III [ɪk'spres] *subst* **1** *send sth by (per)* ~ skicka ngt express **2** expresståg, fjärrtåg
IV [ɪk'spres] *verb* uttrycka [~ *one's surprise*]

expression [ɪk'spreʃən] *subst* **1** uttryck, uttryckssätt **2** uttryckande; ~ *of sympathy* sympatiyttring **3** ansiktsuttryck **4** känsla [*play with* ~]

expressive [ɪk'spresɪv] *adj* **1** ~ *of* som uttrycker **2** uttrycksfull

expressway [ɪk'spreskweɪ] *subst* amer. motorväg

expropriate [ek'sprəʊprɪeɪt] *verb* expropriera

expulsion [ɪk'spʌlʃən] *subst* **1** utdrivande **2** uteslutning **3** utvisning

exquisite [ek'skwɪzɪt] *adj* utsökt, fin

extend [ɪk'stend] *verb* **1** sträcka ut, räcka ut **2** sträcka sig [*a road that* ~*s for miles and miles*] **3** förlänga [*we extended our visit*]; utvidga **4** ge, erbjuda [~ *aid*]

extension [ɪk'stenʃən] *subst* **1** utsträckande, utvidgande; sträckning **2** förlängning [*an* ~ *of my holiday*] **3** tillbyggnad, utbyggnad; förlängning; ~ *flex* el. amer. ~ *cord* förlängningssladd **4** tele. anknytning, anknytningsapparat

extensive [ɪk'stensɪv] *adj* **1** vidsträckt, omfattande **2** utförlig

extent [ɪk'stent] *subst* **1** utsträckning, omfattning, omfång; *to some* ~ el. *to a certain* ~ i viss mån **2** sträcka, yta

extenuating [ek'stenjʊeɪtɪŋ] *adj*, ~ *circumstances* förmildrande omständigheter

exterior I [ek'stɪərɪə] *adj* yttre, ytter-, utvändig
II [ek'stɪərɪə] *subst* yttre, utsida, exteriör [*the* ~ *of a building*]

exterminate [ɪk'stɜːmɪneɪt] *verb* utrota

extermination [ɪk,stɜːmɪ'neɪʃən] *subst* utrotande, förintande

external [ek'stɜːnl] *adj* yttre [~ *factors*], utvändig [*an* ~ *surface*]; *for* ~ *use only* endast för utvärtes bruk

extinct [ɪk'stɪŋkt] *adj* **1** slocknad [*an* ~ *volcano*] **2** utdöd [*an* ~ *species*]; *become* ~ dö ut

extinction [ɪk'stɪŋkʃən] *subst* **1** utdöende [*the* ~ *of a species*] **2** utsläckande [*the* ~ *of a fire*]

extinguish [ɪk'stɪŋgwɪʃ] *verb* släcka [~ *a fire*]

extort [ɪk'stɔːt] *verb* tvinga fram

extortionate [ɪk'stɔːʃənət] *adj* orimlig, ocker- [~ *prices*; ~ *interest*]

extra I ['ekstrə] *adv* extra
II ['ekstrə] *adj* extra, ytterligare; *in* ~ *time* sport. i förlängningen
III ['ekstrə] *subst* **1** extra sak **2** extraavgift **3** film. m.m. statist

extract I [ɪk'strækt] *verb* **1** dra ut [~ *teeth*] **2** pressa, pressa ut [~ *juice*] **3** tvinga fram [~ *money from sb*]
II ['ekstrækt] *subst* **1** extrakt [*meat* ~] **2** utdrag; *an* ~ *from a book* ett utdrag ur en bok

extraction [ɪk'strækʃən] *subst* **1** utdragning, uttagning **2** börd, härkomst [*of Italian* ~]

extradite ['ekstrədaɪt] *verb* utlämna

extradition [ˌekstrəˈdɪʃən] *subst* utlämning
till annan stat

extramarital [ˌekstrəˈmærɪtl] *adj*, ~
relations utomäktenskapliga förbindelser

extraordinary [ɪkˈstrɔːdənərɪ] *adj* **1** särskild
2 extraordinär, märklig

extraterrestrial [ˌekstrətəˈrestrɪəl] *adj*, ~
being (förk. *ET*) rymdvarelse

extravagance [ɪkˈstrævəgəns] *subst*
extravagans, överdåd

extravagant [ɪkˈstrævəgənt] *adj*
extravagant, överdådig, omåttlig

extreme I [ɪkˈstriːm] *adj* **1** ytterst [*the* ~
Left] **2** extrem, drastisk
 II [ɪkˈstriːm] *subst*, *go to* ~*s* gå till
ytterligheter, gå till överdrift; *in the* ~ i
högsta grad

extremely [ɪkˈstriːmlɪ] *adv* ytterst, oerhört

extremism [ɪkˈstriːmɪzm] *subst* extremism

extremist [ɪkˈstriːmɪst] *subst* extremist

extremity [ɪkˈstremətɪ] *subst* **1** yttersta del,
yttersta punkt **2** anat., pl. *extremities*
extremiteter

extricate [ˈekstrɪkeɪt] *verb* lösgöra, frigöra

extrovert [ˈekstrəvɜːt] *adj* psykol. utåtriktad,
utåtvänd

exuberant [ɪgˈzjuːbərənt] *adj*
1 översvallande [~ *praise*] **2** ymnig, frodig
[~ *vegetation*]

exult [ɪgˈzʌlt] *verb* jubla, triumfera

exultation [ˌegzʌlˈteɪʃən] *subst* jubel, triumf

eye I [aɪ] *subst* **1** öga; synförmåga; blick; *the
naked* ~ blotta ögat; *shut one's* ~*s to*
blunda för; *have an* ~ *for* ha blick (sinne,
öga) för; *have an* ~ *on* ha någon under
uppsikt; *have one's* ~ *on sth* vard. ha ett
gott öga till ngt; *keep one's* ~*s open* vard.
ha ögonen med sig; *keep an* ~ *on* hålla ett
öga på; *keep an* ~ *out for* hålla utkik
efter; *make* ~*s at* flörta med; *before*
(*under*) *the very* ~*s of sb* mitt för näsan
(ögonen) på ngn; *in the* ~*s of the law*
enligt lagen; *be in the public* ~ vara
föremål för offentlig uppmärksamhet; *see
* ~ *to* ~ *with sb* se på saken på samma sätt
som ngn; *be up to one's* ~*s in work* ha
arbete upp över öronen; *with an* ~ *to* i
avsikt att **2** *the* ~ *of a needle* nålsögat
 II [aɪ] *verb* betrakta, granska

eyeball [ˈaɪbɔːl] *subst* anat. ögonglob

eyebrow [ˈaɪbraʊ] *subst* ögonbryn

eye-catching [ˈaɪˌkætʃɪŋ] *adj* som fångar
ögat, slående

eyeful [ˈaɪfʊl] *subst* vard. **1** *get an* ~ *of this!*

kolla in det här! **2** *she is an* ~ hon är något
att vila ögonen på

eyeglasses [ˈaɪˌglɑːsɪz] *subst pl* spec. amer.
glasögon

eyelash [ˈaɪlæʃ] *subst* ögonfrans, ögonhår

eyelid [ˈaɪlɪd] *subst* ögonlock

eyeliner [ˈaɪˌlaɪnə] *subst* kosmetika eyeliner

eye-opener [ˈaɪˌəʊpnə] *subst* tankeställare

eye pencil [ˈaɪˌpensl] *subst* kosmetika
ögonpenna

eyeshadow [ˈaɪˌʃædəʊ] *subst* kosmetisk
ögonskugga

eyesight [ˈaɪsaɪt] *subst* syn [*have a good* ~]

eyesore [ˈaɪsɔː] *subst* skönhetsfläck

eyewash [ˈaɪwɒʃ] *subst* ögonvatten, ögonbad

eyewitness I [ˈaɪˌwɪtnəs] *subst* ögonvittne
 II [ˈaɪˌwɪtnəs] *verb* vara ögonvittne till

Ff

F o. **f** [ef] *subst* **1** F, f **2** musik., *F* f; *F flat* fess;
F sharp fiss
fable ['feɪbl] *subst* fabel, saga, myt
fabric ['fæbrɪk] *subst* **1** tyg [*silk* ~*s*], väv
2 struktur, textur
fabricate ['fæbrɪkeɪt] *verb* dikta ihop [~ *a*
story]
fabulous ['fæbjʊləs] *adj* **1** fabel- [~ *animal*]
2 sagolik, fabulös, vard. fantastisk
facade [fə'sɑːd] *subst* fasad
face I [feɪs] *subst* **1** ansikte; uppsyn, min; ~
down med ansiktet mot golvet (marken
etc.); med framsidan nedåt; ~ *to* ~ ansikte
mot ansikte; *keep a straight* ~ hålla
masken; *make* ~*s* el. *pull* ~*s* göra
grimaser; *pull a long* ~ bli lång i ansiktet;
on the ~ *of it* vid första påseendet; *to sb's*
~ mitt i ansiktet på ngn **2** urtavla **3** ~
value nominellt värde; *take sth at* ~
value el. *take sth at its* ~ *value* ta ngt för
vad det är
II [feɪs] *verb* **1** möta [~ *dangers*]; räkna med
[*we will have to* ~ *that*]; inte blunda för [~
reality]; ~ *down* tysta ned, kväsa; ~ *up to*
modigt möta, ta itu med **2** stå inför [~
ruin]; *let's* ~ *it*... vard. man kan inte
komma ifrån att... **3** vända ansiktet mot;
ligga (vetta) mot (åt) [*the house* ~*s south*];
vara (stå) vänd, vända sig [*towards* mot];
vetta, ligga [*to, towards* mot]; *the picture*
~*s page 10* bilden står mot sidan 10
4 mil., *about* ~*!* helt om!; *right* ~*!* höger
om!; *left* ~*!* vänster om!
face cloth ['feɪsklɒθ] *subst* tvättlapp
face-lift ['feɪslɪft] *subst* ansiktslyftning
face lotion ['feɪs,ləʊʃən] *subst* ansiktsvatten
face-off ['feɪsɒf] *subst* ishockey. tekning,
nedsläpp
facet ['fæsɪt] *subst* **1** fasett **2** sida, aspekt
facetious [fə'siːʃəs] *adj* skämtsam
face tissue ['feɪs,tɪʃuː] *subst* ansiktsservett
facial I ['feɪʃl] *adj* ansikts- [~ *expression*]
II ['feɪʃl] *subst* ansiktsbehandling
facilitate [fə'sɪlɪteɪt] *verb* underlätta,
förenkla
facility [fə'sɪlətɪ] *subst* **1** lätthet, ledighet
2 pl. *facilities* anordningar, faciliteter;
bathing facilities badmöjligheter;

modern facilities moderna
bekvämligheter
facsimile [fæk'sɪməlɪ] *subst* faksimile; ~
transmission fax, sändning med fax
fact [fækt] *subst* faktum; *a matter of* ~ ett
faktum; *as a matter of* ~ el. *in* ~ i själva
verket, faktiskt
faction ['fækʃən] *subst* polit. fraktion, klick,
falang
factor ['fæktə] *subst* faktor
factory ['fæktərɪ] *subst* fabrik, verk; ~ *hand*
el. ~ *worker* fabriksarbetare
factory-made ['fæktərɪmeɪd] *adj*
fabrikstillverkad
factual ['fæktʃʊəl] *adj* saklig, verklig
faculty ['fækəltɪ] *subst* **1** förmåga; ~ *for*
förmåga till; *be in possession of all*
one's faculties vara vid sina sinnens fulla
bruk **2** univ. fakultet
fad [fæd] *subst* modefluga
fade [feɪd] *verb* **1** vissna **2** blekna; ~ *away* så
småningom försvinna, dö bort; tona bort
3 bleka **4** film. m.m., ~ *out* tona bort; ~ *in*
tona in
Faeroe ['feərəʊ] *subst*, *the* ~*s* el. *the* ~
Islands Färöarna
fag I [fæg] (*-gg-*) *verb* slita, knoga; trötta ut,
tröttköra
II [fæg] *subst* **1** slit, knog; *it's too much of*
a ~ det är för jobbigt **2** vard. cig, tagg cigarett
3 amer. sl. bög
fag-end ['fægend] *subst* vard. cigarettfimp

Fahrenheit

Fryspunkten mätt i Fahrenheit
ligger vid 32° (= 0° Celsius) och
kokpunkten vid 212° (= 100° Cel-
sius). 20° Celsius motsvarar 68°
Fahrenheit. I USA anger man tem-
peratur i Fahrenheit. I England
mäter man ibland också i Fahren-
heit, eftersom många äldre männis-
kor inte är vana vid Celsiusskalan.

Fahrenheit ['færənhaɪt] *subst* Fahrenheit,
Fahrenheits skala med fryspunkten vid 32° och
kokpunkten vid 212°
fail [feɪl] *verb* **1** misslyckas; bli kuggad **2** bli
kuggad i [~ *an exam*] **3** strejka [*the engine*
failed]; stanna [*his heart failed*] **4** tryta; inte
räcka till [*if his strength* ~*s*]; avta, försämras
[*his health is failing*] **5** svika, lämna i
sticket; *words* ~ *me* jag saknar ord **6** ~ *to*

a) försumma att b) vägra att, inte vilja [*the engine failed to start*] c) undgå att [*he failed to see it*] d) misslyckas med att; ~ *to come* utebli, inte komma

falling I ['feɪlɪŋ] *subst* fel, brist, svaghet [*we all have our ~s*]

II ['feɪlɪŋ] *adj* avtagande [~ *eyesight*], vacklande [~ *health*]

III ['feɪlɪŋ] *prep* i brist på; ~ *that* i annat fall

fail-safe ['feɪlseɪf] *adj* idiotsäker

failure ['feɪljə] *subst* **1** misslyckande, fiasko; *she is a* ~ hon är misslyckad **2** underlåtenhet [~ *to obey orders*] **3** fel; *engine* ~ motorstopp; *heart* ~ hjärtsvikt, hjärtinsufficiens **4** *power* ~ elavbrott

faint I [feɪnt] *adj* **1** svag, matt [*a ~ voice*] **2** otydlig [~ *traces*]; *I haven't the faintest idea* jag har inte den ringaste aning

II [feɪnt] *subst* svimning

III [feɪnt] *verb* svimma; *fainting fit* svimningsanfall

1 fair [feə] *subst* **1** marknad **2** hand. mässa

2 fair I [feə] *adj* **1** rättvis, just [*to, on* mot]; skälig, rimlig; ~ *and square* öppen och ärlig; ~ *enough!* okej!, bra!; ~ *play* fair play, rent spel; *give sth a* ~ *trial* pröva ngt ordentligt; *give sb a* ~ *warning* varna ngn i tid **2** ganska stor [*a ~ number; a ~ chance*], ganska bra; rimlig [~ *prices*] **3** ~ *weather* uppehållsväder **4** gynnsam; *have a* ~ *chance* ha goda utsikter **5** blond, ljus [*a ~ complexion*] **6** poetiskt fager; *the* ~ *sex* det täcka könet

II [feə] *adv* **1** rättvist, just, hederligt **2** ~ *and square* rakt, öppet, ärligt

fairground ['feəgraʊnd] *subst* nöjesplats

fairly ['feəlɪ] *adv* **1** rättvist, ärligt, hederligt **2** tämligen, ganska, rätt [~ *good*]

fair-minded [ˌfeə'maɪndɪd] *adj* rättsinnig

fairness ['feənəs] *subst* **1** ärlighet **2** rättvisa; *in all* ~ el. *in* ~ i rättvisans namn **3** blondhet

fair-sized ['feəsaɪzd] *adj* ganska stor, medelstor

fairway ['feəweɪ] *subst* **1** sjö. farled **2** golf. fairway klippt del av spelfält

fairy I ['feərɪ] *subst* **1** älva, fe **2** sl. neds. bög

II ['feərɪ] *adj* fe-, älv- [~ *queen*]; sago- [~ *prince*]; ~ *godmother* god fe

fairyland ['feərɪlænd] *subst* sagoland

fairy story ['feərɪˌstɔːrɪ] *subst* o. **fairy tale** ['feərɪteɪl] *subst* saga

faith [feɪθ] *subst* **1** tro [*in* på] **2** förtroende [*in* för] **3** troslära

faithful ['feɪθfʊl] *adj* **1** trogen **2** exakt, noggrann

faithfully ['feɪθfəlɪ] *adv* troget; *promise* ~ vard. lova säkert; *Yours* ~ i brevslut Högaktningsfullt

faithless ['feɪθləs] *adj* trolös

fake I [feɪk] *verb* **1** förfalska **2** fuska med, dikta ihop **3** simulera [~ *illness*]; bluffa

II [feɪk] *subst* **1** förfalskning **2** uppdiktad historia, bluff **3** bluffmakare

falcon ['fɔːlkən] *subst* jaktfalk

fall I [fɔːl] (*fell fallen*) *verb* **1** falla; falla omkull, ramla; sjunka [*the price fell*]; störtas [*the government fell*]; *his face fell* han blev lång i ansiktet **2** infalla, inträffa [*Easter Day ~s on a Sunday*] **3** ~ *ill* bli sjuk; ~ *asleep* somna

II [fɔːl] (*fell fallen*) *verb* med adv. o. prep.

fall away 1 falla ifrån, svika **2** falla bort; vika undan

fall back: ~ *back on* falla tillbaka på, ta till

fall behind bli efter; *have fallen behind with* vara på efterkälken med [*she has fallen behind with the rent*]

fall below understiga, inte gå upp till beräkning m.m.

fall down falla ned, ramla ned

fall for 1 falla för [~ *for sb's charm*] **2** gå 'på, låta lura sig av

fall in 1 falla in, ramla in, falla ihop **2** mil. falla in i ledet; ~ *in!* uppställning! **3** ~ *in with* gå (vara) med på, foga sig efter

fall into 1 falla ned i, falla i [~ *into a deep sleep*] **2** råka i, komma in i

fall off 1 falla av, ramla av **2** avta, minska, sjunka, mattas

fall on 1 falla på, åligga **2** anfalla, överfalla; kasta sig över

fall out 1 falla ut, ramla ut **2** utfalla, avlöpa **3** mil. gå ur ledet **4** bli osams, råka i gräl

fall through misslyckas, falla igenom

fall under falla (komma, höra) under

III [fɔːl] *subst* **1** fall; fallande, sjunkande; nedgång **2** amer. höst; se *summer* för ex. **3** spec. pl. ~*s* vattenfall [*the Niagara Falls*]

fallacy ['fæləsɪ] *subst* **1** vanföreställning **2** falsk (felaktig) slutledning

fallen ['fɔːlən] perf. p. av *fall I*

fallible ['fæləbl] *adj* felbar, ofullkomlig

falling-off [ˌfɔːlɪŋ'ɒf] *subst* avtagande, nedgång

Fallopian tube [fəˌləʊpɪən'tjuːb] *adj* anat. äggledare

fall-out ['fɔːlaʊt] *subst*, *radioactive* ~ radioaktivt nedfall
false [fɔːls] *adj* **1** falsk, felaktig **2** lös- [~ *teeth*; ~ *beard*]
falsehood ['fɔːlshʊd] *subst* lögn, osanning
falsetto [fɔːl'setəʊ] (pl. ~*s*) *subst* musik. falsett
falsify ['fɔːlsɪfaɪ] *verb* förfalska
falsity ['fɔːlsətɪ] *subst* **1** oriktighet **2** falskhet
falter ['fɔːltə] *verb* **1** stappla, vackla **2** vara osäker
fame [feɪm] *subst* ryktbarhet, berömmelse
famed [feɪmd] *adj* ryktbar, berömd
familiar [fə'mɪljə] *adj* **1** bekant [*the name is* ~]; *be* ~ *with* vara förtrogen med **2** förtrolig [*on a* ~ *footing*] **3** närgången [*don't be so* ~*!*]
familiarity [fə͵mɪlɪ'ærətɪ] *subst* **1** förtrogenhet [*with* med] **2** förtrolighet **3** närgångenhet
familiarize [fə'mɪljəraɪz] *verb* göra bekant, göra förtrogen [*with* med]
family ['fæmlɪ] *subst* **1** familj; *a wife and* ~ hustru och barn; *be in the* ~ *way* vard. vara med barn; ~ *allowance* barnbidrag, familjebidrag; ~ *counselling* familjerådgivning; ~ *room* amer. hobbyrum **2** släkt; *it runs in the* ~ det ligger i släkten
famine ['fæmɪn] *subst* hungersnöd
famished ['fæmɪʃt] *adj* utsvulten; *I'm* ~ vard. jag är döhungrig
famous ['feɪməs] *adj* berömd
1 fan I [fæn] *subst* **1** solfjäder **2** tekn. fläkt
II [fæn] (-*nn*-) *verb* fläkta på; fläkta
2 fan [fæn] *subst* vard. fantast, fan, supporter [*a Spurs* ~]
fanatic [fə'nætɪk] *subst* fanatiker
fanatical [fə'nætɪkl] *adj* fanatisk
fanaticism [fə'nætɪsɪzəm] *subst* fanatism
fan belt ['fænbelt] *subst* bil. fläktrem
fanciful ['fænsɪfʊl] *adj* nyckfull, fantasifull
fancy I ['fænsɪ] *subst* **1** fantasi, inbillning **2** infall, nyck **3** tycke; *it took my* ~ det föll mig i smaken; *take a* ~ *to* bli förtjust i, fatta tycke för
II ['fænsɪ] *adj* **1** fantasi-, lyx- **2** fantastisk, godtycklig; ~ *price* fantasipris
III ['fænsɪ] *verb* **1** föreställa sig, inbilla sig **2** tycka om, gilla, vara pigg på [*I don't* ~ *doing it*]; fatta tycke för; *she fancies herself* hon tror att hon är något **3** önska sig, vilja ha; *I* ~ *a beer* jag känner för en öl
fancy dress [͵fænsɪ'dres] *subst* maskeraddräkt; ~ *ball* maskeradbal

fanfare ['fænfeə] *subst* fanfar
fang [fæŋ] *subst* huggtand; orms gifttand
fanny ['fænɪ] *subst* vulg. **1** fitta **2** amer. rumpa, stjärt; ~ *pack* midjeväska
fantasize ['fæntəsaɪz] *verb* fantisera [*about* om]
fantastic [fæn'tæstɪk] *adj* fantastisk
fantasy ['fæntəsɪ] *subst* fantasi; illusion
far I [fɑː] (*farther farthest* el. *further furthest*) *adj* **1** fjärran, avlägsen; *the Far East* Fjärran östern **2** bortre; *the* ~ *end* bortre delen; *at the* ~ *end of* vid bortersta ändan av
II [fɑː] (*farther farthest* el. *further furthest*) *adv* **1** långt [*how* ~ *is it?*]; långt bort; ~ *and wide* vitt och brett; *be* ~ *from* vara långtifrån; ~ *from* it långt därifrån; ~ *be it from me to*... jag vill ingalunda...; *as* ~ *as* a) prep. ända till b) konj. så vitt [*as* ~ *as I know*]; *so* ~ hittills; *in so* ~ *as* i den mån **2** vida, långt, mycket [~ *better*]; ~ *too much* alldeles för mycket; *by* ~ i hög grad, avgjort
far-away ['fɑːrəweɪ] *adj* avlägsen, fjärran
farce [fɑːs] *subst* fars
farcical ['fɑːsɪkl] *adj* farsartad
fare I [feə] *subst* **1** passageraravgift, biljettpris [*pay one's* ~], taxa **2** en el. flera passagerare, resande [*he drove his* ~ *home*]; körning [*the taxi-driver got a* ~] **3** kost; *bill of* ~ matsedel
II [feə] *verb* klara sig [~ *well*; ~ *badly*]
farewell [͵feə'wel] *subst* farväl
far-fetched [͵fɑː'fetʃt] *adj* långsökt
farm I [fɑːm] *subst* lantgård, bondgård; för djuruppfödning farm
II [fɑːm] *verb* bruka, odla; driva jordbruk; ~ *land* bruka jorden
farmer ['fɑːmə] *subst* lantbrukare, bonde
farm hand ['fɑːmhænd] *subst* lantarbetare, jordbruksarbetare
farmhouse ['fɑːmhaʊs] *subst* bondgård
farming ['fɑːmɪŋ] *subst* jordbruk, lantbruk
farmstead ['fɑːmsted] *subst* bondgård
farmyard ['fɑːmjɑːd] *subst* gård vid bondgård
far-off [͵fɑːr'ɒf] *adj* avlägsen, fjärran
far-reaching [͵fɑː'riːtʃɪŋ] *adj* långtgående
far-sighted [͵fɑː'saɪtɪd] *adj* **1** framsynt **2** långsynt
fart I [fɑːt] *subst* vulg. prutt
II [fɑːt] *verb* vulg. prutta
farther I ['fɑːðə] (komparativ av *far*, se *further* för ex.) *adj* bortre [*the* ~ *bank of the river*], avlägsnare

II ['fɑːðə] (komparativ av *far*, se *further* för ex.)
adv längre [*we can't go* ~], längre bort
farthermost ['fɑːðəməʊst] *adj* borterst
farthest I ['fɑːðɪst] (superlativ av *far*) *adj*
borterst, avlägsnast
II ['fɑːðɪst] (superlativ av *far*) *adv* längst;
längst bort
fascinate ['fæsɪneɪt] *verb* fascinera, fängsla
fascinating ['fæsɪneɪtɪŋ] *adj* fascinerande
fascination [ˌfæsɪ'neɪʃən] *subst* tjusning
fascism ['fæʃɪzəm] *subst* fascism
fascist I ['fæʃɪst] *subst* fascist
II ['fæʃɪst] *adj* fascistisk
fashion I ['fæʃən] *subst* **1** sätt, vis; *after a* ~
på sätt och vis; *in this* ~ på det här sättet
2 mod, mode; *it is all the* ~ det är senaste
modet, det är sista skriket; ~ *designer*
modetecknare; ~ *parade* modevisning
3 fason, mönster
II ['fæʃən] *verb* **1** forma **2** formge
fashionable ['fæʃənəbl] *adj* **1** modern
2 fashionabel, förnäm
1 fast I [fɑːst] *subst* fasta
II [fɑːst] *verb* fasta
2 fast I [fɑːst] *adj* **1** snabb, hastig,
snabbgående; ~ *food* snabbmat; ~ *lane*
trafik. omkörningsfil; ~ *train* fjärrtåg; *my*
watch is ~ min klocka går före **2** hållbar,
tvättäkta [~ *colours*]; *make* ~ binda fast
3 utsvävande, lättsinnig; *lead a* ~ *life* leva
om
II [fɑːst] *adv* **1** fort [*run* ~]; snabbt **2** fast
[*stand* ~]; *be* ~ *asleep* sova djupt
fasten ['fɑːsn] *verb* **1** fästa [*to* vid, i, på];
göra fast, binda [*to* vid, på]; sätta på sig,
spänna fast [~ *your seat belt*] **2** regla, säkra
3 knyta, knyta till; ~ *up* fästa ihop; ~ *up*
one's coat knäppa igen sin rock **4** fastna;
gå att stänga; fästas **5** ~ *on* ta fasta på,
fästa sig vid
fastener ['fɑːsnə] *subst* knäppanordning;
hake, spänne, lås
fastidious [fə'stɪdɪəs] *adj* kräsen, petnoga
fat I [fæt] *adj* **1** tjock, fet; *a* ~ *chance!* det
är ingen risk!
II [fæt] *subst* fett; *cooking* ~ matfett; *the* ~
is in the fire vard. det osar hett, nu är det
kokta fläsket stekt
fatal ['feɪtl] *adj* **1** dödlig, livsfarlig; ~
accident dödsolycka **2** ödesdiger; *a* ~
error ett ödesdigert (fatalt) misstag
fatalist ['feɪtəlɪst] *subst* fatalist
fate [feɪt] *subst* öde
fateful ['feɪtfʊl] *adj* ödesdiger
fat-free ['fætfriː] *adj* fettfri [~ *yoghurt*]

father ['fɑːðə] *subst* fader, far, pappa; ~
Christmas jultomten
fatherhood ['fɑːðəhʊd] *subst* faderskap
father-in-law ['fɑːðərɪnlɔː] (pl. *fathers-in-law*
['fɑːðəzɪnlɔː]) *subst* svärfar
fatherland ['fɑːðəlænd] *subst* fädernesland
fatherly ['fɑːðəlɪ] *adj* faderlig
fathom I ['fæðəm] *subst* famn mått (1,83 m)
II ['fæðəm] *verb* fatta, komma underfund
med
fatigue I [fə'tiːg] *subst* trötthet, utmattning
II [fə'tiːg] *verb* trötta ut, utmatta
fatness ['fætnəs] *subst* fetma
fatten ['fætn] *verb* **1** göda **2** bli fet
fattening ['fætnɪŋ] *adj* fettbildande
fatty I ['fætɪ] *adj* **1** fetthaltig, fet
II ['fætɪ] *subst* vard. tjockis
fatuous ['fætjʊəs] *adj* dum, enfaldig
faucet ['fɔːsɪt] *subst* amer. kran på ledningsrör
fault I [fɔːlt] *subst* **1** fel; brist, skavank; *find* ~
with klandra, kritisera **2** skuld, fel [*it is his*
~]; *through no* ~ *of his* utan egen
förskyllan; *be at* ~ vara skyldig **3** i tennis
felserve
faultless ['fɔːltləs] *adj* felfri, oklanderlig
faulty ['fɔːltɪ] *adj* felaktig, bristfällig
fave [feɪv] *subst* vard. favorit [*chocolate is my*
~]
favour I ['feɪvə] *subst* **1** gunst [*do me a* ~!];
be out of ~ a) vara i onåd [*with sb* hos ngn]
b) inte vara populär längre; *be in* ~ *of sth*
vara för ngt; *in* ~ *of* till förmån för; *in our*
~ till vår fördel, i vår favör **2** tjänst [*do me a*
~]
II ['feɪvə] *verb* **1** gilla; vara gynnsam för
2 favorisera, gynna
favourable ['feɪvərəbl] *adj* **1** välvillig [*to*
mot] **2** gynnsam, fördelaktig [*to* för]
favourite ['feɪvərɪt] *subst* favorit
1 fawn [fɔːn] *subst* **1** hjortkalv, dovhjortskalv
2 ljust gulbrun färg
2 fawn [fɔːn] *verb* svansa, krypa, fjäska [*on*
för]
fax I [fæks] *subst* telefax, fax
II [fæks] *verb* faxa
FBI [ˌefbiː'aɪ] (förk. för *Federal Bureau of*
Investigation i USA) FBI
fear I [fɪə] *subst* **1** fruktan, rädsla [*of* för]; *be*
in ~ *of* vara rädd för **2** farhåga; *be in* ~ *of*
one's life frukta för sitt liv; *no* ~! aldrig i
livet!
II [fɪə] *verb* **1** frukta, vara rädd för **2** vara
rädd
fearful ['fɪəfʊl] *adj* **1** rädd [*of* för];
räddhågad **2** förskräcklig

feasible ['fiːzəbl] *adj* genomförbar, görlig
feast I [fiːst] *subst* **1** fest, högtid
2 festmåltid, kalas **3** njutning, fest, fröjd
II [fiːst] *verb* festa, kalasa [*on* på]; ~ *one's eyes on* låta ögat njuta av
feat [fiːt] *subst* bragd, bedrift, prestation
feather I ['feðə] *subst* fjäder; *they are birds of a* ~ de är av samma skrot och korn; *birds of a* ~ *flock together* ordspr. lika barn leka bäst
II ['feðə] *verb* fjädra; ~ *one's own nest* skaffa sig fördelar
featherweight ['feðəweɪt] *subst* sport. fjädervikt
feature I ['fiːtʃə] *subst* **1** pl. ~*s* ansiktsdrag
2 kännetecken **3** inslag [~*s in the programme*]; huvudnummer
4 specialartikel, specialreportage **5** ~ *film* spelfilm, långfilm
II ['fiːtʃə] *verb* visa, presentera särskild attraktion
February ['februərɪ] *subst* februari
fed [fed] imperf. o. perf. p. av *feed I*
federal ['fedərəl] *adj* förbunds- [~ *republic*], federal; ~ *agent* medlem av den federala polisen i USA
federation [ˌfedə'reɪʃən] *subst* förbund, federation
fee [fiː] *subst* **1** honorar, arvode **2** avgift
feeble ['fiːbl] *adj* svag, klen, matt
feed I [fiːd] (*fed fed*) *verb* **1** fodra, ge mat, mata **2** vard., *be fed up with* vara utled på **3** om djur äta, beta; om person äta, käka **4** ~ *on* livnära sig på, äta
II [fiːd] *subst* **1** utfodring, matande **2** foder, foderranson **3** vard. mål, måltid, kalas
feeding-bottle ['fiːdɪŋˌbɒtl] *subst* nappflaska
feel [fiːl] (*felt felt*) *verb* **1** känna [~ *pain*], märka; ha en känsla av; känna på
2 sondera; ~ *one's way* treva sig fram
3 tycka, anse; inse **4** känna, känna sig, må [*how do you* ~*?*]; *how do you* ~ *about that?* vad tycker du om det?; ~ *for* känna för; ~ *sorry for* tycka synd om; ~ *cold* frysa; ~ *like* ha lust med, vara sugen på [*do you* ~ *like a walk?*] **5** kännas [*your hands* ~ *cold*]
feeler ['fiːlə] *subst* **1** zool. känselspröt, antenn
2 *put out* ~*s* skicka ut en trevare
feel-good ['fiːlgʊd] *adj*, ~ *factor* trivselfaktor; ~ *movie* måbrafilm
feeling ['fiːlɪŋ] *subst* **1** känsel **2** känsla; medkänsla [*for* med]; *bad* ~ missämja; *no hard* ~*s I hope* hoppas du inte tar illa upp!; *mixed* ~*s* blandade känslor; *hurt*

sb's ~*s* såra ngn, såra ngns känslor; ~*s ran high* känslorna råkade i svallning
feet [fiːt] *subst pl* av *foot I*
feign [feɪn] *verb* **1** hitta på, dikta upp **2** låtsa, låtsas, simulera; *she feigned surprise* hon låtsades vara förvånad
feint [feɪnt] *subst* skenmanöver, fint, list
feisty ['faɪstɪ] *adj* vard. käck, modig, framåt [*a* ~ *woman*]
1 fell [fel] imperf. av *fall I*
2 fell [fel] *verb* fälla, hugga ner [~ *a tree*]
fellow ['feləʊ] *subst* **1** vard. karl, kille, grabb; *a queer* ~ en konstig prick **2** ledamot av ett lärt sällskap
fellow-actor [ˌfeləʊ'æktə] *subst* medspelare, skådespelarkollega
fellow-countryman [ˌfeləʊ'kʌntrɪmən] *subst* landsman
fellow-feeling [ˌfeləʊ'fiːlɪŋ] *subst* medkänsla
fellowman [ˌfeləʊ'mæn] (pl. *fellowmen* [ˌfeləʊ'men]) *subst* medmänniska
fellow-passenger [ˌfeləʊ'pæsɪndʒə] *subst* medpasssagerare
fellowship ['feləʃɪp] *subst* kamratskap
fellow-worker [ˌfeləʊ'wɜːkə] *subst* arbetskamrat
1 felt [felt] imperf. o. perf. p. av *feel*
2 felt [felt] *subst* filt tyg; ~ *pen* tuschpenna
felt-tip ['felttɪp] *subst*, ~ el. ~ *pen* filtpenna
female I ['fiːmeɪl] *adj* kvinno-, kvinnlig; av honkön; ~ *elephant* elefanthona; ~ *sex* kvinnokön
II ['fiːmeɪl] *subst* neds. fruntimmer
feminine ['femɪnɪn] *adj* **1** kvinnlig, kvinno-; feminin **2** gram. feminin; *the* ~ *gender* femininum
femininity [ˌfemɪ'nɪnətɪ] *subst* kvinnlighet
feminism ['femɪnɪzm] *subst* **1** kvinnosaken; feminism **2** kvinnorörelsen
feminist ['femɪnɪst] *subst* feminist
fence I [fens] *subst* **1** stängsel, staket; *sit on the* ~ vard. inta en avvaktande hållning **2** sl. hälare
II [fens] *verb* **1** ~ *in* el. ~ *up* inhägna, omgärda **2** fäkta
fencer ['fensə] *subst* fäktare
fencing ['fensɪŋ] *subst* fäktning, fäktkonst
fend [fend] *verb* **1** ~ *off* avvärja, parera
2 vard., ~ *for oneself* sörja för sig själv
fender ['fendə] *subst* **1** eldgaller framför eldstad
2 amer. flygel, stänkskärm
fennel ['fenl] *subst* bot. el. kok. fänkål
ferment I ['fɜːment] *subst* jäsning, oro [*political* ~]
II [fə'ment] *verb* jäsa

fermentation [ˌfɜːmənˈteɪʃən] *subst* jäsning

fern [fɜːn] *subst* växt ormbunke

ferocious [fəˈrəʊʃəs] *adj* vildsint, vild, grym

ferocity [fəˈrɒsətɪ] *subst* vildsinthet, grymhet

ferret [ˈferət] *subst* djur frett tam form av iller

ferry I [ˈferɪ] *subst* färja; ~ *service* färjtrafik, färjförbindelse

II [ˈferɪ] *verb* färja, transportera

ferryboat [ˈferɪbəʊt] *subst* färja

fertile [ˈfɜːtaɪl, amer. ˈfɜːtl] *adj* **1** bördig, fruktbar **2** fruktsam **3** produktiv [*a ~ author*]; *a ~ imagination* en rik fantasi

fertility [fəˈtɪlətɪ] *subst* bördighet, fruktbarhet

fertilization [ˌfɜːtɪlaɪˈzeɪʃən] *subst* **1** gödsling **2** befruktning

fertilize [ˈfɜːtɪlaɪz] *verb* **1** gödsla, göda **2** befrukta

fertilizer [ˈfɜːtɪlaɪzə] *subst* gödningsmedel

fervent [ˈfɜːvənt] *adj* glödande [~ *zeal*], brinnande [~ *prayers*], ivrig

fervour [ˈfɜːvə] *subst* glöd, brinnande iver

fester [ˈfestə] *verb* om sår m.m. vara sig, vara

festival [ˈfestəvl] *subst* **1** relig. högtid, fest **2** festival, festspel

festive [ˈfestɪv] *adj* festlig, fest-

festivity [feˈstɪvətɪ] *subst* **1** feststämning; *air of* ~ feststämning **2** ofta pl. *festivities* festligheter

festoon [feˈstuːn] *subst* girland

fetch [fetʃ] *verb* **1** hämta, skaffa **2** inbringa [*it fetched £600*]; betinga [~ *a high price*]

fetching [ˈfetʃɪŋ] *adj* tilltalande

fête [feɪt] *subst* stor fest; välgörenhetsfest, basar

fetish [ˈfetɪʃ] *subst* fetisch

fetter I [ˈfetə] *subst* boja

II [ˈfetə] *verb* **1** fjättra **2** binda, hämma [*fettered by regulations*]

fettle [ˈfetl] *subst*, *in fine* ~ a) i fin form b) på gott humör

fetus [ˈfiːtəs] *subst* amer., se *foetus*

feud [fjuːd] *subst* fejd, strid, tvist

feudal [ˈfjuːdl] *adj* feodal- [~ *system*]

feudalism [ˈfjuːdəlɪzəm] *subst* feodalism

fever [ˈfiːvə] *subst* feber; febersjukdom; *at* ~ *pitch* på kokpunkten; *have a* ~ ha feber

feverish [ˈfiːvərɪʃ] *adj* **1** febrig; *he is* ~ han har feber **2** het, brinnande [~ *desire*], febril

few [fjuː] *adj* o. *subst* få, lite, litet; *a* ~ några få, några, lite, litet; *quite a* ~ el. *a good* ~ inte så få, inte så litet; *the* ~ fåtalet, minoriteten; *the first* ~ *days* de första dagarna; *the last* ~ *days* de senaste dagarna

fewer [ˈfjuːə] *adj* o. *subst* (komparativ av *few*) färre, mindre

fewest [ˈfjuːɪst] *adj* o. *subst* (superlativ av *few*) fåtaligast, minst

fiancé [fɪˈɑːnseɪ] *subst* fästman

fiancée [fɪˈɑːnseɪ] *subst* fästmö

fiasco [fɪˈæskəʊ] (pl. ~s) *subst* fiasko, misslyckande

fib I [fɪb] *subst* vard. smålögn, lögn; *tell* ~*s* småljuga, ljuga

II [fɪb] (-*bb*-) *verb* vard. småljuga, ljuga

fibre [ˈfaɪbə] *subst* fiber äv. i kost

fibreboard [ˈfaɪbəbɔːd] *subst* träfiberplatta

fibreglass [ˈfaɪbəglɑːs] *subst* glasfiber

fickle [ˈfɪkl] *adj* ombytlig, nyckfull

fiction [ˈfɪkʃən] *subst* **1** ren dikt, påhitt **2** skönlitteratur vanligen på prosa

fictitious [fɪkˈtɪʃəs] *adj* uppdiktad, fingerad

fiddle I [ˈfɪdl] *subst* vard. **1** fiol; *as fit as a* ~ frisk som en nötkärna; *have a face as long as a* ~ vara lång i ansiktet **2** fiffel

II [ˈfɪdl] *verb* vard. **1** spela fiol **2** ~ *about with* el. ~ *with* fingra på, pilla på; mixtra med **3** fjanta [~ *about doing nothing*] **4** fiffla

fiddler [ˈfɪdlə] *subst* **1** fiolspelare, spelman **2** vard. fifflare

fidelity [fɪˈdelətɪ] *subst* **1** trohet **2** naturtrogen återgivning av ljud m.m.

fidget [ˈfɪdʒɪt] *verb* inte kunna sitta stilla; ~ *with* pilla med

fidgety [ˈfɪdʒətɪ] *adj* nervös, orolig

field [fiːld] *subst* **1** fält; åker **2** område [*in the ~ of politics*], fält, fack **3** fys. fält; *magnetic* ~ magnetfält **4** mil. slagfält **5** sport. plan [*football* ~] **6** koll. fält deltagare i t.ex. tävling, jakt; ~ *events* tävlingar i hopp och kast

field glasses [ˈfiːldˌglɑːsɪz] *subst pl* fältkikare

field marshal [ˈfiːldˌmɑːʃl] *subst* fältmarskalk

fieldmouse [ˈfiːldmaʊs] (pl. *fieldmice* [ˈfiːldmaɪs]) *subst* sork

fiend [fiːnd] *subst* **1** djävul, ond ande **2** *dope* ~ narkoman; *fresh-air* ~ friluftsfantast; *be a golf* ~ vara golfbiten

fiendish [ˈfiːndɪʃ] *adj* djävulsk, ondskefull

fierce [fɪəs] *adj* **1** vild **2** våldsam, häftig

fiery [ˈfaɪərɪ] *adj* **1** brännande [~ *heat*], flammande **2** eldig, hetsig [*a ~ temper*]

fifteen [ˌfɪfˈtiːn] *räkn* o. *subst* femton

fifteenth [ˌfɪfˈtiːnθ] *räkn* o. *subst* femtonde; femtondel

fifth [fɪfθ] *räkn* o. *subst* femte; femtedel

fiftieth [ˈfɪftɪəθ] *räkn* o. *subst* femtionde; femtiondel fifty ['fɪftɪ] räkn o. subst femtio; femtiotal; *in the fifties* på femtiotalet

fifty-fifty [,fɪftɪ'fɪftɪ] adj o. adv fifty-fifty, jämn, jämnt; *on a* ~ *basis* på lika basis; *a* ~ *chance* femtioprocents chans; *go* ~ *with sb* dela lika med ngn

fig [fɪg] subst frukt fikon

fight I [faɪt] (*fought fought*) verb **1** slåss, kämpa, boxas **2** bekämpa, slåss med **3** gräla, bråka

II [faɪt] subst slagsmål, kamp, strid; boxningsmatch; *put up a good* ~ kämpa tappert

fighter ['faɪtə] subst **1** slagskämpe, kämpe **2** boxare

fighter-bomber [,faɪtə'bɒmə] subst mil. attackplan

fighting ['faɪtɪŋ] subst **1** strid, strider [*street* ~], kamp **2** slagsmål

figment ['fɪgmənt] subst påfund, påhitt; ~ *of the imagination* fantasifoster

figurative ['fɪgjʊrətɪv] adj bildlig

figure I ['fɪgə] subst **1** siffror; siffra; pl. ~*s* uppgifter, statistik; *he is good at* ~*s* han är bra på att räkna **2** vard. belopp, pris **3** figur; *she has a good* ~ hon har snygg figur **4** gestalt, person [*a public* ~]; *cut a poor* ~ göra en slät figur **5** figur, illustration, bild

II ['fɪgə] verb **1** beräkna; ~ *out* räkna ut; komma underfund med **2** anta, förmoda **3** ~ *on* räkna med; lita på **4** räkna på, spekulera på **5** framträda, figurera, förekomma **6** *it* (*that*) ~*s* det verkar troligt, det stämmer

figurehead ['fɪgəhed] subst galjonsfigur

figure-skater ['fɪgə,skeɪtə] subst konståkare

figure-skating ['fɪgə,skeɪtɪŋ] subst konståkning på skridsko

filament ['fɪləmənt] subst tråd i glödlampa; tunn tråd

1 file I [faɪl] subst fil verktyg

II [faɪl] verb fila

2 file I [faɪl] subst **1** samlingspärm, pärm, mapp **2** dokumentsamling, kortsystem; *on our* ~*s* i vårt register **3** data. fil; ~ *sharing* fildelning

II [faɪl] verb arkivera, registrera

3 file I [faɪl] subst rad av personer el. saker efter varandra; led

II [faɪl] verb gå i en lång rad

filial ['fɪljəl] adj sonlig, dotterlig

filings ['faɪlɪŋz] subst pl filspån

fill I [fɪl] verb **1** fylla, fyllas **2** tillfredsställa, mätta **3** besätta, tillsätta en tjänst; ~ *sb's*

place inta ngns plats **4** ~ *up* fylla upp, fylla igen; ~ *up a form* fylla i en blankett

II [fɪl] subst **1** lystmäte; *eat one's* ~ *of* äta sig mätt på **2** fyllning; *a* ~ *of tobacco* en stopp

fillet I ['fɪlɪt] subst kok. filé; ~ *of sole* sjötungsfilé

II ['fɪlɪt] verb filea; *filleted sole* sjötungsfilé

filling I ['fɪlɪŋ] adj mättande

II ['fɪlɪŋ] subst fyllnad, fyllning, plomb [*a gold* ~]

filling station ['fɪlɪŋ,steɪʃən] subst bensinstation

filly ['fɪlɪ] subst djur stoföl, ungsto

film I [fɪlm] subst **1** hinna, tunt skikt, film [*a* ~ *of oil*] **2** film, filmrulle; ~ *director* filmregissör; ~ *producer* filmproducent; ~ *star* filmstjärna

II [fɪlm] verb filma

filmgoer ['fɪlm,gəʊə] subst biobesökare

filter I ['fɪltə] subst filter

II ['fɪltə] verb **1** filtrera, sila **2** filtreras, silas

filth [fɪlθ] subst **1** smuts, lort **2** vard. snusk **3** vard. smörja

filthy ['fɪlθɪ] adj **1** smutsig, lortig **2** vard. snuskig

fin [fɪn] subst fena på fisk, flygplan

final I ['faɪnl] adj slutlig, sista, slutgiltig [*the* ~ *result*]

II ['faɪnl] subst sport., ~ pl. ~*s* final, sluttävlan

finale [fɪ'nɑːlɪ] subst musik. final, avslutning; *grand* ~ stort slutnummer

finalist ['faɪnəlɪst] subst finalist

finally ['faɪnəlɪ] adv slutligen, till sist

finance I ['faɪnæns] subst **1** finans **2** pl. ~*s* a) stats finanser b) enskilds ekonomi

II ['faɪnæns] verb finansiera

financial [faɪ'nænʃl] adj finansiell, ekonomisk [~ *aid*]; ~ *year* räkenskapsår

financier [faɪ'nænsɪə] subst finansman, finansiär

finch [fɪntʃ] subst fågel fink

find I [faɪnd] (*found found*) verb **1** finna, hitta, påträffa; se, upptäcka; *be found* finnas, påträffas **2** skaffa [~ *sb work*]; ~ *one's way* el. ~ *the way* leta sig fram, hitta vägen **3** anse, tycka ngn (ngt) vara; inse, märka [*I found that I was mistaken*] **4** jur., ~ *guilty* förklara skyldig; ~ *not guilty* frikänna **5** ~ *out* a) ta reda på, söka upp, upptäcka b) tänka ut, hitta på, komma på

II [faɪnd] subst fynd

1 fine I [faɪn] subst böter [*sentence sb to a* ~]

II [faɪn] *verb* bötfälla; *he was fined* han
fick böta
2 fine I [faɪn] *adj* **1** fin; *~!* utmärkt!,
finemang! **2** utsökt *[a ~ taste]*, förfinad;
the ~ arts de sköna konsterna **3** om väder
vacker **4** om t.ex. metaller ren *[~ gold]* **5** *I feel
~* jag mår riktigt bra; *one of these ~ days*
en vacker dag, endera dagen; *you're a ~
one!* iron. du är just en snygg en!
II [faɪn] *adv* fint; *that will suit me ~* vard.
det passar mig utmärkt; *cut it a bit ~* vard.
ta till i underkant; *you're cutting it a bit
~!* vard. du ger dig väldigt lite tid, du
kommer i sista stund
finery ['faɪnərɪ] *subst* finkläder, prakt
finesse [fɪ'nes] *subst* takt, finess
fine-tooth ['faɪntuːθ] *adj, go over sth with
a ~ (fine-toothed) comb* finkamma ngt
finger I ['fɪŋgə] *subst* finger; *first ~*
pekfinger; *little ~* lillfinger; *middle ~*
långfinger; *he has it at his fingers' ends*
han har (kan) det på sina fem fingrar; *have
a ~ in the pie* ha ett finger med i spelet;
pull (take) one's ~ out vard. få ändan ur
vagnen; *not lift a ~ to help* inte lägga två
strån i kors för att hjälpa; *put one's ~ on*
vard. sätta fingret på; *let a chance slip
through one's ~s* låta en chans gå sig ur
händerna
II ['fɪŋgə] *verb* fingra på
fingermark ['fɪŋgəmɑːk] *subst* märke efter
ett smutsigt finger
fingernail ['fɪŋgəneɪl] *subst* fingernagel
fingerprint ['fɪŋgəprɪnt] *subst* fingeravtryck
fingertip ['fɪŋgətɪp] *subst* fingerspets; *have
sth at one's ~* kunna (ha) ngt på sina fem
fingrar
finicky ['fɪnɪkɪ] *adj* kinkig, petig *[~ about
one's food]*
finish I ['fɪnɪʃ] *verb* **1** sluta, avsluta, bli färdig
med; *~ eating* äta färdigt; *~ off* vard. ta kål
på; *we finished up at a pub* till slut
hamnade vi på en pub **2** bli färdig, bli klar;
have you finished? är du klar? **3** sport.
sluta; *she finished third* hon slutade som
trea
II ['fɪnɪʃ] *subst* **1** slut, avslutning; *bring to
a ~* avsluta; *a fight to the ~* en kamp på
liv och död **2** sport. finish, upplopp **3** finish,
polering
finished ['fɪnɪʃt] *adj* **1** färdig **2** fulländad
3 vard. slut *[I'm ~, I can't go on]*
finishing ['fɪnɪʃɪŋ] *adj, ~ tape* sport.
målsnöre; *give sth the ~ touch* el. *give*

(put) the ~ touch to sth lägga sista
handen vid ngt
finishing line ['fɪnɪʃɪŋlaɪn] *subst* o. amer.
finish line ['fɪnɪʃlaɪn] *subst* sport. mållinje
Finland ['fɪnlənd]
Finn [fɪn] *subst* finne, finländare
Finnish I ['fɪnɪʃ] *adj* finsk, finländsk
II ['fɪnɪʃ] *subst* finska språket
fir [fɜː] *subst* gran, spec. ädelgran; *Scotch ~*
tall
fire I ['faɪə] *subst* **1** eld, elden; *catch ~* fatta
eld; *set ~ to* el. *set on ~* sätta eld på, sätta i
brand; *on ~* i brand; *be on ~* brinna, stå i
lågor **2** eld i eldstad; brasa; *electric ~*
elkamin **3** eldsvåda, brand; *~!* elden är lös!
4 mil. eld, skottlossning; *be under ~* a) mil.
vara under beskjutning b) vara utsatt för kritik
vara i skottgluggen
II ['faɪə] *verb* **1** avskjuta, fyra av, avlossa; *~
questions at sb* bombardera ngn med
frågor **2** ge eld, ge fyr *[at, on mot, på]*; *~
away* sätta igång att fråga **3** antända **4** vard.
sparka avskeda **5** egga, stimulera *[it fired her
imagination]*
fire alarm ['faɪərəˌlɑːm] *subst* brandalarm
firearm ['faɪərɑːm] *subst* skjutvapen,
eldvapen
fire brigade ['faɪəbrɪˌgeɪd] *subst* brandkår
fire drill ['faɪədrɪl] *subst* brandövning
fire engine ['faɪərˌendʒɪn] *subst* brandbil
fire escape ['faɪərɪˌskeɪp] *subst* **1** brandstege
2 reservutgång
fire-extinguisher ['faɪərɪkˌstɪŋgwɪʃə] *subst*
brandsläckare
fire fighter ['faɪəˌfaɪtə] *subst* brandsoldat,
brandman
firehouse ['faɪəhaʊs] *subst* amer. brandstation
fireman ['faɪəmən] (pl. *firemen* ['faɪəmən])
subst brandman, brandsoldat
fireplace ['faɪəpleɪs] *subst* eldstad, öppen
spis
fireproof ['faɪəpruːf] *adj* brandsäker, eldfast
fireside ['faɪəsaɪd] *subst, by the ~* vid brasan
fire station ['faɪəˌsteɪʃən] *subst* brandstation
firewood ['faɪəwʊd] *subst* ved
fireworks ['faɪəwɜːks] *subst pl*
1 fyrverkeripjäser **2** fyrverkeri
firing-squad ['faɪərɪŋskwɒd] *subst*
exekutionspluton
1 firm [fɜːm] *subst* firma
2 firm I [fɜːm] *adj* fast, stadig
II [fɜːm] *adv* fast; *stand ~* inta en fast
hållning
first I [fɜːst] *adj* o. räkn första, förste;
förnämsta; *~ aid* första hjälpen; *~ name*

förnamn; ~ **night** premiär; **in the** ~ **place**
a) i första rummet b) för det första; **at** ~
sight vid första anblicken; **love at** ~ **sight**
kärlek vid första ögonkastet; **you don't**
know the ~ **thing about it** du vet inte ett
dyft om det
II [fɜːst] *adv* **1** först; ~ **of all** allra först,
först och främst **2** i första klass [*travel* ~]
3 come ~ el. *finish* ~ komma som etta,
sluta som etta
III [fɜːst] *subst* **1 at** ~ först, i början
2 första, förste **3** sport. förstaplats, etta
4 motor. ettans växel
first-aid [ˌfɜːstˈeɪd] *adj,* ~ *kit* förbandslåda
first-class [ˌfɜːstˈklɑːs, före subst.
'fɜːstklɑːs] *adj* förstaklass-; förstklassig [*a*
~ *hotel*]; *a* ~ *row* vard. ett ordentligt gräl
first-hand I [ˌfɜːstˈhænd] *adj* förstahands-, i
första hand
II [ˌfɜːstˈhænd] *adv* i första hand; *learn sth*
~ få veta ngt i första hand
firstly ['fɜːstlɪ] *adv* för det första
first-rate [ˌfɜːstˈreɪt] *adj* första klassens,
förstklassig
firth [fɜːθ] *subst* fjord, fjärd
fish I [fɪʃ] (pl. *fishes* el. ~) *subst* **1** fisk; ~ *and*
chips friterad fisk och pommes frites; *he*
is like a ~ *out of water* han är som en fisk
på torra land; *drink like a* ~ dricka som
en svamp **2** vard., *queer* ~ lustigkurre
II [fɪʃ] *verb* fiska, fånga, dra upp [~ *trout*];
~ *for* fiska [~ *for trout*]; ~ *for*
compliments vard. gå med håven; ~ *out*
fiska upp
fishcake ['fɪʃkeɪk] *subst* kok., slags fiskkrokett
fisherman ['fɪʃəmən] (pl. *fishermen*
['fɪʃəmən]) *subst* yrkesfiskare
fishery ['fɪʃərɪ] *subst* fiskeri, fiske
fishfingers ['fɪʃˌfɪŋɡəz] *subst pl* kok.
fiskpinnar
fishing ['fɪʃɪŋ] *subst* fiske, fiskande; ~
village fiskeläge
fishing-grounds ['fɪʃɪŋɡraʊndz] *subst pl*
fiskevatten
fishing-line ['fɪʃɪŋlaɪn] *subst* metrev
fishing-permit ['fɪʃɪŋˌpɜːmɪt] *subst* fiskekort
fishing-rod ['fɪʃɪŋrɒd] *subst* metspö
fishknife ['fɪʃnaɪf] *subst* fiskkniv
fishmonger ['fɪʃˌmʌŋɡə] *subst* fiskhandlare
fish sticks ['fɪʃstɪks] *subst pl* kok., amer.
fiskpinnar
fishy ['fɪʃɪ] *adj* **1** fisklik, fisk- [*a* ~ *smell*]
2 vard. skum, misstänkt
fission ['fɪʃən] *subst, nuclear* ~ fys.
kärnklyvning

fist [fɪst] *subst* knytnäve, näve; *shake one's*
~ hytta med näven
1 fit [fɪt] *subst* anfall, attack av t.ex. sjukdom;
krampanfall; ~ *of apoplexy* slaganfall; ~
of laughter skrattanfall; *fainting* ~
svimningsanfall; *I nearly had a* ~ jag höll
på att få slag; *by* ~*s and starts* ryckvis
2 fit I [fɪt] *adj* **1** lämplig, passande, värdig
[*you are not* ~ *to* . . .]; *see* ~ *to* finna för
gott att, anse lämpligt att **2** spänstig, kry;
keep ~ hålla sig i form
II [fɪt] (-*tt*-) *verb* **1** passa i, passa till, passa;
~ *in with* passa ihop med **2** göra lämplig,
avpassa [*to* efter] **3** passa in, montera,
sätta på [~ *a tyre on to a wheel*]; prova in,
sätta in **4** utrusta, förse
III [fɪt] *subst* passform; *these shoes are*
your ~ det är din storlek på de här skorna;
be a tight ~ sitta åt
fitful ['fɪtfʊl] *adj* ryckig, ryckvis
fitness ['fɪtnəs] *subst* **1** kondition [*physical*
~] **2** lämplighet
fitting I ['fɪtɪŋ] *adj* passande, lämplig
II ['fɪtɪŋ] *subst* **1** avpassning, hoppassning
2 utrustning, provning [*go to the tailor's for*
a ~] **3** pl. ~*s* tillbehör; beslag på t.ex. dörrar,
fönster; armatur [*electric light* ~*s*]
five [faɪv] *räkn* o. *subst* fem; femma
fiver ['faɪvə] *subst* vard. fempundssedel, amer.
femdollarssedel
five-year-old I ['faɪvjərəʊld] *adj* femårig
II ['faɪvjərəʊld] *subst* femåring
fix I [fɪks] *verb* **1** fästa, montera, sätta fast [*to*
vid, i, på]; ~ *a shelf to a wall* sätta upp en
hylla på en vägg **2** fästa, rikta; ~*one's eyes*
on rikta blicken mot **3** fastställa,
bestämma, fastslå; ~ *on* bestämma sig för,
fastna för **4** ~ el. ~ *up* arrangera, placera,
ställa; ~ *sb up with sth* ordna (fixa) ngt åt
ngn **5** vard. fixa, greja, göra klar; sätta ihop,
laga [~ *a broken lock*], laga till [~ *lunch*]
6 vard. fixa, göra upp; *the match was*
fixed matchen var uppgjord
II [fɪks] *subst* knipa [*in an awful* ~]
fixation [fɪkˈseɪʃən] *subst* psykol. fixering
fixed [fɪkst] *adj* **1** fix; fästad, fast
2 fastställd, bestämd [~ *price*]
fixer ['fɪksə] *subst* vard. fixare; myglare
fixture ['fɪkstʃə] *subst* **1** fast tillbehör, fast
inventarium **2** sport., fastställd tävling,
match; ~ *list* lagens säsongprogram
fizz I [fɪz] *verb* om kolsyrad dryck brusa
II [fɪz] *subst* **1** brus **2** vard. skumpa spec.
champagne; brus kolsyrad dryck

fizzle ['fɪzl] *verb* **1** ~ *out* spraka till och slockna, *vard.* rinna ut i sanden, gå i stöpet

fjord [fjɔːd] *subst* fjord

flabby ['flæbɪ] *adj* slapp [~ *muscles*], sladdrig, plussig

---

flag
För amerikaner är flaggan en mycket viktig symbol. I varje klass- rum finns en flagga och amerikan- ska skolelever börjar dagen med att stå upp och hälsa flaggan. De lägger handen över bröstet och lovar att tjäna sitt fosterland, *the Pledge of Allegiance.*

---

1 flag [flæg] *subst* flagga, fana

2 flag [flæg] (*-gg-*) *verb* mattas, sacka efter; *the conversation flagged* konversationen började gå trögt

flagon ['flægən] *subst* vinkanna, vinkrus

flagpole ['flægpəʊl] *subst* flaggstång

flagrant ['fleɪɡrənt] *adj* flagrant

flagstaff ['flægstɑːf] *subst* flaggstång

flair [fleə] *subst,* *have a* ~ *for* ha näsa för, ha sinne för

flake I [fleɪk] *subst* flaga; flinga [~*s of snow*]; flak [~*s of ice*]; skiva

II [fleɪk] *verb* flisa, flagna, flaga sig

flamboyant [flæm'bɔɪənt] *adj* översvallande [~ *manner*]

flame I [fleɪm] *subst* flamma, låga; *be in* ~*s* stå i lågor

II [fleɪm] *verb* flamma, låga

flamingo [flə'mɪŋɡəʊ] (pl. ~*s*) *subst* fågel flamingo

Flanders ['flɑːndəz] Flandern

flank I [flæŋk] *subst* flank, flygel

II [flæŋk] *verb* flankera

flannel ['flænl] *subst* **1** flanell **2** flanelltrasa; tvättlapp **3** pl. ~*s* flanellbyxor

flap I [flæp] (*-pp-*) *verb* **1** flaxa med, vifta med **2** flaxa

II [flæp] *subst* **1** vingslag, flaxande **2** flik [*the* ~ *of an envelope*]; lock [*the* ~ *of a pocket*]

flare I [fleə] *verb,* ~ *up* a) flamma upp b) bli upprörd brusa upp

II [fleə] *subst* **1** fladdrande låga **2** signalljus

flash I [flæʃ] *verb* **1** lysa fram, blänka till; om t.ex. ögon blixtra; ~ *by* susa förbi **2** låta lysa; lysa med [~ *a torch*]; blinka med [~ *headlights*]

II [flæʃ] *subst* plötsligt sken, stråle [~ *of*

light]; blixt; blink från t.ex. fyr, signallampa; *a* ~ *in the pan* en engångssuccé, en tillfällig framgång; ~ *of lightning* blixt; *in a* ~ på ett ögonblick

flashback ['flæʃbæk] *subst* tillbakablick i berättelse

flashbulb ['flæʃbʌlb] *subst* foto. blixtljuslampa, fotoblixt

flashlight ['flæʃlaɪt] *subst* speciellt amer. ficklampa

flashy ['flæʃɪ] *adj* skrikig, vräkig

flask [flɑːsk] *subst* **1** flaska **2** fickflaska, plunta

1 flat [flæt] *subst* lägenhet, våning; *block of* ~*s* hyreshus

2 flat I [flæt] *adj* **1** plan, platt [~ *roof*]; ~ *plates* flata tallrikar; ~ *race* slätlopp; *a* ~ *refusal* ett blankt nej; *a* ~ *tyre* el. amer. *a* ~ *tire* en punktering; ~ *rate* enhetstaxa **2** fadd, duven, avslagen [~ *beer*]; *the battery is* ~ batteriet är urladdat (slut) **3** musik. sänkt en halv ton; med b-förtecken; *the piano is* ~ pianot är ostämt; *A* ~ etc., se resp. bokstav

II [flæt] *adv* **1** exakt, blankt [*in ten seconds* ~]; rent ut [*he told me* ~ *that . . .*]; ~ *out* för fullt, i full fart **2** plant, platt; *fall* ~ a) falla raklång b) falla platt till marken, misslyckas; *sing* ~ sjunga falskt

III [flæt] *subst* **1** flata av hand, svärd m.m. **2** musik. b-förtecken, b **3** punktering [*I had a* ~]

flatfooted [ˌflæt'fʊtɪd] *adj* plattfotad

flatly ['flætlɪ] *adv,* ~ *refuse* vägra blankt

flatpack ['flætpæk] *subst* paket med monteringsmöbler; ~ *furniture* monteringsmöbler

flatten ['flætn] *verb* **1** platta till; ~ *out* bli plan, bli platt **2** jämna med marken

flatter ['flætə] *verb* smickra

flatterer ['flætərə] *subst* smickrare

flattery ['flætərɪ] *subst* smicker

flaunt [flɔːnt] *verb* **1** briljera med, skylta med [~ *one's knowledge*] **2** nonchalera

flavour I ['fleɪvə] *subst* **1** smak **2** arom, doft

II ['fleɪvə] *verb* smaksätta, krydda

flaw [flɔː] *subst* **1** fel, skavank **2** brist

flawless ['flɔːləs] *adj* felfri; fläckfri [*a* ~ *reputation*]; fulländad

flax [flæks] *subst* lin

flaxen ['flæksən] *adj* **1** linartad **2** lingul

flay [fleɪ] *verb* **1** flå **2** hudflänga, hårt kritisera

flea [fliː] *subst* loppa

fleck [flek] *subst* fläck, stänk; korn [~*s of dust*]

fled [fled] *imperf.* o. *perf.* p. av *flee*

flee [fliː] (*fled fled*) *verb* **1** fly, ta till flykten **2** fly från, fly ur

fleece [fliːs] *subst* fårs ull, päls

fleecy ['fliːsɪ] *adj* ullig

fleet [fliːt] *subst* sjö. flotta, eskader, flottilj

Flemish ['flemɪʃ] *adj* flamländsk

flesh [fleʃ] *subst* kött; *my own ~ and blood* mitt eget kött och blod; *go the way of all ~* gå all världens väg dö; *put on ~* lägga på hullet; *in the ~* livs levande, i egen person

flesh-coloured ['fleʃˌkʌləd] *adj* hudfärgad

flew [fluː] *imperf.* av *1 fly I*

flex I [fleks] *subst* elektr. sladd **II** [fleks] *verb* böja [~ *one's arms*]; spänna muskel

flexibility [ˌfleksə'bɪlətɪ] *subst* **1** böjlighet, smidighet **2** flexibilitet

flexible ['fleksəbl] *adj* **1** böjlig, smidig, elastisk **2** flexibel [*a ~ system*]; ~ *working hours* flextid

flexitime ['fleksɪtaɪm] *subst* spec. amer. o. **flextime** ['flekstaɪm] *subst* flextid

flick I [flɪk] *verb* snärta till, smälla, smälla till; ~ *away* el. ~ *off* slå bort, knäppa bort **II** [flɪk] *subst* lätt slag; knäpp, snärt; snabb rörelse [*a ~ of the wrist*]

flicker I ['flɪkə] *verb* fladdra [*the candle flickered*], flimra **II** ['flɪkə] *subst* **1** fladdrande **2** glimt [*a ~ of hope*]

1 flight [flaɪt] *subst* **1** flykt [*the ~ of a bird*], bana väg [*the ~ of an arrow*] **2** flygning [*a solo ~*], flygtur; ~ *recorder* färdskrivare **3** ~ el. ~ *of stairs* trappa; *two ~s up* två trappor upp

2 flight [flaɪt] *subst* flykt, flyende; *put to ~* jaga på flykten

flighty ['flaɪtɪ] *adj* flyktig, lättsinnig

flimsy ['flɪmzɪ] *adj* **1** tunn [*a ~ wall*] **2** svag, bräcklig [*a ~ cardboard box*], klen

flinch [flɪntʃ] *verb* **1** rygga tillbaka; ~ *from* dra sig för, rygga tillbaka inför **2** rycka till av smärta; *without flinching* utan att blinka

fling I [flɪŋ] (*flung flung*) *verb* kasta, slunga, slänga [~ *a stone*]; ~ *open* slå upp, slänga upp **II** [flɪŋ] *subst* **1** kast **2** *have a ~* slå runt, festa om

flint [flɪnt] *subst* **1** flinta **2** stift i tändare

flip [flɪp] (*-pp-*) *verb* **1** knäppa i väg [~ *a ball of paper*] **2** ~ *through* bläddra igenom

flip-flops ['flɪpflɒps] *subst pl* slags sandaler av gummi

flippant ['flɪpənt] *adj* nonchalant, lättvindig

flippers ['flɪpəz] *subst pl* **1** simfötter **2** simfenor på säl m.m.

flirt I [flɜːt] *verb* flörta; ~ *with the idea of...* leka med tanken att... **II** [flɜːt] *subst* flört person

flirtation [flɜː'teɪʃən] *subst* flört

flirtatious [flɜː'teɪʃəs] *adj* flörtig

flit [flɪt] (*-tt-*) *verb* **1** fladdra, flyga **2** flacka [~ *from place to place*]

float I [fləʊt] *verb* **1** flyta [*cork ~s*]; hålla flytande **2** sväva [*dust floating in the air*] **3** starta, grunda; ~ *a company* starta ett bolag genom aktieemission **II** [fləʊt] *subst* **1** flotte **2** flöte **3** simdyna

floating ['fləʊtɪŋ] *adj* flytande, svävande; ~ *dock* flytdocka; ~ *voter* marginalväljare

flock I [flɒk] *subst* **1** flock, skock [~ *of geese*]; hjord [~ *of sheep*] **2** om personer skara **II** [flɒk] *verb* flockas, skocka sig

floe [fləʊ] *subst* flak; *ice ~* isflak

flog [flɒg] (*-gg-*) *verb* prygla, piska

flogging ['flɒgɪŋ] *subst* prygel, aga, smörj

flood I [flʌd] *subst* **1** översvämning **2** högvatten, flod **3** ström **II** [flʌd] *verb* **1** översvämma; *flooded with light* dränkt av ljus **2** få att svämma över

floodlight ['flʌdlaɪt] *subst* strålkastare; pl. *~s* strålkastarbelysning, strålkastarljus

floor I [flɔː] *subst* **1** golv **2** våning våningsplan; *the first ~* en trappa upp, amer. bottenvåningen **II** [flɔː] *verb* slå omkull, golva boxare; *the question floored me completely* jag gick fullständigt bet på frågan, jag blev helt ställd

floorshow ['flɔːʃəʊ] *subst* kabaré, krogshow

flop I [flɒp] (*-pp-*) *verb* **1** flaxa, sprattla; ~ *about* a) om sko kippa, glappa b) om person gå och hänga **2** ~ *down* dimpa ner, sjunka ner **3** vard. göra fiasko, floppa **II** [flɒp] *subst* **1** flaxande, plums **2** vard. fiasko, flopp

floppy ['flɒpɪ] *adj* **1** flaxande, slak; svajig; ~ *hat* slokhatt **2** ~ *disk* data. diskett

florid ['flɒrɪd] *adj* rödblommig [~ *complexion*]

florist ['flɒrɪst] *subst*, *florist's shop* el. *florist's* blomsteraffär

floss [flɒs] *subst*, *dental ~* tandtråd

flounce [flaʊns] *verb* rusa, störta [*she flounced out of the room*]

1 flounder ['flaʊndə] *subst* fisk flundra, skrubbskädda

2 flounder ['flaʊndə] *verb* **1** sprattla, tumla; ~ *about* irra omkring **2** stå och hacka

flour ['flaʊə] *subst* mjöl

flourish I ['flʌrɪʃ] *verb* **1** blomstra; florera **2** svänga, svinga [~ *a sword*] **3** lysa med [~ *one's wealth*]
II ['flʌrɪʃ] *subst* **1** snirkel, släng **2** elegant sväng, elegant rörelse

flourishing ['flʌrɪʃɪŋ] *adj* blomstrande

flout [flaʊt] *verb* trotsa [~ *the law*]; nonchalera

flow I [fləʊ] *verb* flyta, rinna, strömma
II [fləʊ] *subst* **1** flöde, flod, ström **2** tidvattnets flod [*ebb and* ~]

---

flower
I England ger man ofta blommor för att visa sin kärlek, tacka för något eller för att be om ursäkt för något. Det är inte vanligt att man som i Sverige har blommor med sig till en fest.

---

flower I ['flaʊə] *subst* **1** blomma **2** *be in* ~ stå i blom, blomma
II ['flaʊə] *verb* blomma, stå i blom

flowerbed ['flaʊəbed] *subst* rabatt

flowerpot ['flaʊəpɒt] *subst* blomkruka

flower show ['flaʊəʃəʊ] *subst* blomsterutställning

flowery ['flaʊərɪ] *adj* blomsterprydd, blommig [*a* ~ *carpet*]

flown [fləʊn] *perf. p.* av *1 fly I*

flu [fluː] *subst* vard. influensa

fluctuate ['flʌktjʊeɪt] *verb* fluktuera, växla, skifta

fluctuation [ˌflʌktjʊˈeɪʃən] *subst* variation, växling, skiftning

flue [fluː] *subst* rökgång, rökkanal

fluency ['fluːənsɪ] *subst* ledigt uttryckssätt; *her* ~ *in English was excellent* hon talade flytande engelska

fluent ['fluːənt] *adj* flytande [*speak* ~ *French*]

fluently ['fluːəntlɪ] *adv* flytande [*speak French* ~]

fluff [flʌf] *subst* **1** ludd, ulldamm **2** dun

fluffy ['flʌfɪ] *adj* **1** luddig **2** luftig, fluffig

fluid I ['fluːɪd] *adj* flytande
II ['fluːɪd] *subst* vätska

fluke [fluːk] *subst* vard. lyckträff, tur, flax

flung [flʌŋ] *imperf. o. perf. p.* av *fling I*

flunk [flʌŋk] *verb* spec. amer. vard. kugga i examen

fluorescent [flɔːˈresnt] *adj,* ~ *lamp* lysrörslampa

fluoride ['flʊəraɪd] *subst* kem. fluorid; ~ *toothpaste* fluortandkräm

fluorine ['flʊəriːn] *subst* kem. fluor

flurry I ['flʌrɪ] *subst* **1** *a* ~ *of activity* en febril aktivitet **2** *rain* ~ regnby; *snow* ~ snöby
II ['flʌrɪ] *verb* uppröra, förvirra

1 flush I [flʌʃ] *verb* **1** blossa upp, rodna **2** göra röd, få att rodna **3** spola, spola ren [~ *the pan*]
II [flʌʃ] *subst* **1** spolning, renspolning **2** svall, rus, yra [*the first* ~ *of victory*] **3** häftig rodnad; feberhetta

2 flush [flʌʃ] *adj* **1** stadd vid kassa, rik **2** jämn, slät, plan; ~ *with* i jämnhöjd med **3** om slag rak, direkt

fluster ['flʌstə] *verb* göra nervös, förvirra

flute [fluːt] *subst* musik. flöjt

flutter I ['flʌtə] *verb* **1** fladdra, vaja, sväva **2** flaxa med [~ *one's wings*]
II ['flʌtə] *subst* **1** fladdrande **2** uppståndelse; *be in a* ~ vara uppjagad

flux [flʌks] *subst, in a state of* ~ stadd i omvandling

1 fly I [flaɪ] (*flew flown*) *verb* **1** flyga; flyga över [~ *the Atlantic*]; ~ *high* sikta högt **2** ila, flyga; ~ *into a rage* bli rasande; *send sb flying* slå omkull ngn **3** fladdra, vaja [*the flags were flying*]
II [flaɪ] *subst,* ~ pl. *flies* gylf

2 fly [flaɪ] *subst* fluga; *he wouldn't hurt a* ~ han gör inte en fluga förnär; *a* ~ *in the ointment* smolk i bägaren

fly agaric [ˌflaɪˈægərɪk] *subst* röd flugsvamp

flying ['flaɪɪŋ] *subst* flygning
II ['flaɪɪŋ] *adj* **1** flygande; ~ *fish* flygfisk; ~ *range* flygplans aktionsradie; ~ *saucer* flygande tefat **2** ~ *visit* blixtvisit; ~ *squad* polispiket som sätts in vid t.ex. bankrån

flyleaf ['flaɪliːf] *subst* försättsblad i bok

flyover ['flaɪˌəʊvə] *subst* trafik. planskild korsning, vägbro, överfart

flyweight ['flaɪweɪt] *subst* sport. flugvikt

flywheel ['flaɪwiːl] *subst* svänghjul

foal [fəʊl] *subst* föl

foam I [fəʊm] *subst* skum, fradga, lödder; ~ *extinguisher* skumsläckare; ~ *rubber* skumgummi
II [fəʊm] *verb* skumma, fradga

focal ['fəʊkl] *adj* foto. fokal-, brännpunkts-; ~ *distance* el. ~ *length* brännvidd

focus I ['fəʊkəs] *subst* fokus, brännpunkt; *the picture is out of* ~ bilden är oskarp; *the* ~ *of attention* centrum för uppmärksamheten
II ['fəʊkəs] *verb* **1** fokusera, samla; ~ *on* fästa huvudvikten vid; ~ *one's attention on* koncentrera sin uppmärksamhet på; *be focused* vara koncentrerad, vara fokuserad **2** fokuseras, samlas **3** foto. ställa in; ställa i skärpa

fodder ['fɒdə] *subst* torrfoder

foe [fəʊ] *subst* poetiskt fiende, motståndare

foetus ['fiːtəs] *subst* foster i livmodern

fog [fɒg] *subst* dimma; ~ *light* el. ~ *lamp* dimljus

fogey ['fəʊgɪ] *subst, old* ~ vard. gammal stofil

foggy ['fɒgɪ] *adj* dimmig; *I haven't the foggiest idea* jag har inte den blekaste aning

foible ['fɔɪbl] *subst* svaghet, egenhet, svagsida

1 foil [fɔɪl] *subst* folie, foliepapper
2 foil [fɔɪl] *verb* omintetgöra, gäcka
3 foil [fɔɪl] *subst* fäktn. florett

1 fold [fəʊld] *subst* fålla, inhägnad
2 fold I [fəʊld] *verb* **1** vika, vika ihop; vecka **2** vikas, vika sig, vika ihop sig; ~ *up* lägga ihop, vika ihop **3** fälla ihop [~ *up a chair*]
II [fəʊld] *subst* veck

folder ['fəʊldə] *subst* **1** folder, broschyr **2** samlingspärm, mapp

folding ['fəʊldɪŋ] *adj* hopvikbar, hopfällbar; ~ *bed* fällsäng, tältsäng; ~ *doors* vikdörrar

foliage ['fəʊlɪɪdʒ] *subst* löv, lövverk

folk [fəʊk] *subst* **1** folk, människor; *my folks* mina anhöriga, min familj **2** före subst. folk-; ~ *dance* folkdans; ~ *song* folkvisa

folklore ['fəʊklɔː] *subst* folklore, folkminnesforskning

follow ['fɒləʊ] *verb* **1** följa, följa bakom (på, efter) i rum el. tid; komma efter, efterträda; *as* ~*s* på följande sätt; *to* ~ efter, ovanpå; ~ *'on* följa efter, fortsätta efter **2** följa, lyda [~ *advice*] **3** ägna sig åt yrke **4** följa med, hänga med; *do you* ~ *?* fattar du? **5** vara en följd [*from* av]

follower ['fɒləʊə] *subst* anhängare; följeslagare

following I ['fɒləʊɪŋ] *adj* följande; *the* ~ *day* följande dag
II ['fɒləʊɪŋ] *subst* följe, anhängare; *she has a large* ~ hon har en stor supporterskara

follow-up ['fɒləʊʌp] *subst* uppföljning

folly ['fɒlɪ] *subst* dårskap

foment [fə'ment] *verb* underblåsa [~ *rebellion*]

fond [fɒnd] *adj* tillgiven, kärleksfull, öm; *be* ~ *of* tycka om, vara förtjust i

fondle ['fɒndl] *verb* kela med, smeka

fondue ['fɒndjuː] *subst* kok. fondue

food [fuːd] *subst* mat [~ *and drink*]; föda, födoämne; ~ *poisoning* matförgiftning; ~ *processor* matberedare

foodstuff ['fuːdstʌf] *subst* födoämne

fool I [fuːl] *subst* **1** dåre, dumbom; *live in a fool's paradise* leva i lycklig okunnighet **2** narr; *All Fools' Day* [,ɔːl'fuːlzdeɪ] första april då man narras april; *make a* ~ *of sb* göra ngn löjlig; *play the* ~ el. *act the* ~ spela pajas
II [fuːl] *verb* **1** skoja med, driva med; ~ *sb out of sth* lura av ngn ngt **2** ~ *about with* el. ~ *around with* pillra med

foolery ['fuːlərɪ] *subst* dårskap, narraktighet

foolhardy ['fuːl,hɑːdɪ] *adj* dumdristig

foolish ['fuːlɪʃ] *adj* dåraktig, dum

foolproof ['fuːlpruːf] *adj* idiotsäker

foot I [fʊt] (pl. *feet* [fiːt]) *subst* **1** fot; *my* ~*!* vard. nonsens!; *be on one's feet* a) stå, resa sig b) vara på benen; *go on* ~ gå till fots; *put one's* ~ *down* säga ifrån på skarpen, sätta ner foten; *put one's* ~ *in it* vard. trampa i klaveret; *rise to one's feet* resa sig; *rush sb off his feet* bringa ngn ur fattningen; *by* ~ till fots; *on* ~ till fots, i rörelse, i gång **2** fot [*at the* ~ *of the mountain*]; fotända [*the* ~ *of a bed*] **3** fot mått (= 12 *inches* ungefär = 30,5 cm); *five* ~ *six* el. *five feet six* 5 fot 6 tum ungefär 167 cm
II [fʊt] *verb*, ~ *the bill* vard. betala räkningen, stå för kalaset

foot-and-mouth disease [,fʊtən'maʊθdɪ,ziːz] *subst* mul- och klövsjuka

football ['fʊtbɔːl] *subst* **1** fotboll **2** ~ el. *American* ~ amerikansk fotboll

footballer ['fʊtbɔːlə] *subst* fotbollsspelare

foothold ['fʊthəʊld] *subst* fotfäste

footie ['fʊtɪ] *subst* vard. fotboll

footing ['fʊtɪŋ] *subst* **1** fotfäste; *put a business on a sound* ~ konsolidera ett företag **2** *be on an equal* ~ stå på jämlik fot med

footlights ['fʊtlaɪts] *subst pl* teat. **1** ramp, rampljus **2** *the* ~ scenen

footman ['fʊtmən] *subst* betjänt, lakej

footpath ['fʊtpɑːθ] *subst* gångstig

footprint ['fʊtprɪnt] *subst* **1** fotspår, fotavtryck **2** satellit-tv footprint, täckningsområde

footsie ['fʊtsɪ] *subst*, *play* ~ vard. tåflörta

footstep ['fʊtstep] *subst* **1** steg, fotsteg **2** fotspår

footstool ['fʊtstuːl] *subst* pall

footwear ['fʊtweə] *subst* skodon, fotbeklädnad

for I [fɔː, obetonat fə] *prep* **1** för; till [*here's a letter* ~ *you*; *the train* ~ *London*]; åt [*I can hold it* ~ *you*]; efter [*ask* ~ *sb*], om [*ask* ~ *help*]; på, till ett belopp av [*a bill* ~ *£100*]; av [*cry* ~ *joy*; ~ *this reason*] **2** trots; *he is kind* ~ *all that* han är snäll trots allt **3** vad beträffar, i fråga om [*the worst year ever* ~ *accidents*]; ~ *all I care* vad mig beträffar, gärna för mig; *he is dead* ~ *all I know* han är död vad jag vet; *so much* ~ *that!* det var det!, nog om den saken!; *as* ~ vad beträffar; *as* ~ *me* för min del **4** såsom, som; ~ *instance* el. ~ *example* till exempel; *I* ~ *one* jag för min del; ~ *one thing* för det första; *I know it* ~ *a fact* det vet jag säkert **5** för, för att vara [*not bad* ~ *a beginner*] **6** *oh* ~ *a cup of tea!* vad jag är sugen på en kopp te!; *what's this* ~ *?* vard. a) vad är det här till? b) vad är det här bra för? **7** i tidsuttryck: i; på [*I haven't seen him* ~ *a long time*]; *be away* ~ *a month* vara bortrest en månad; ~ *several months* sedan flera månader tillbaka **8** i rumsuttryck: ~ *kilometres* på flera kilometer; *it is not* ~ *me to judge* det är inte min sak att döma

II [fɔː, obetonat fə] *konj* för, ty [*I asked her to stay*, ~ *I had something to tell her*]

forage I ['fɒrɪdʒ] *subst* foder åt hästar el. boskap **II** ['fɒrɪdʒ] *verb* **1** söka efter föda **2** ~ el. ~ *about* el. ~ *around* leta, rota [*for* efter]

forbade [fə'bæd, fə'beɪd] imperf. av *forbid*

forbid [fə'bɪd] (*forbade forbidden*) (*forbidding*) *verb* förbjuda

forbidden [fə'bɪdn] perf. p. av *forbid*

forbidding [fə'bɪdɪŋ] *adj* frånstötande; *a* ~ *appearance* ett frånstötande yttre

force I [fɔːs] *subst* **1** styrka, kraft; ~ *of habit* vanans makt; *by* ~ *of* i kraft av; *in great* ~ el. *in* ~ mil. i stort antal **2** styrka, trupp; *the Force* polisen; pl. ~*s* stridskrafter [*naval* ~*s*]; *air* ~ flygvapen; *armed* ~*s* väpnade styrkor; *join* ~*s with* förena (alliera) sig med **3** våld [*use* ~]; *brute* ~ fysiskt våld; *by* ~ med våld **4** laga kraft; *come into* ~ träda i kraft

II [fɔːs] *verb* **1** tvinga; ~ *the pace* driva upp tempot **2** bryta upp [~ *a lock*] **3** tvinga fram [*from*, *out of* av], pressa fram [*from*, *out of* ur, från]

forced [fɔːst] *adj* o. *perf p* **1** tvungen; ~ *feeding* tvångsmatning; ~ *labour* tvångsarbete; ~ *landing* nödlandning **2** konstlad, ansträngd [*a* ~ *manner*]

force-feed ['fɔːsfiːd] *verb* tvångsmata

forceful ['fɔːsfʊl] *adj* kraftfull, stark

force-land [,fɔːs'lænd] *verb* nödlanda

forceps ['fɔːseps] (pl. lika) *subst* kirurgisk tång, pincett

forcible ['fɔːsəbl] *adj* kraftig, eftertrycklig

fore [fɔː] *subst*, *come to the* ~ framträda, bli aktuell

forearm ['fɔːrɑːm] *subst* underarm

foreboding [fɔː'bəʊdɪŋ] *subst* ond aning, föraning

forecast I ['fɔːkɑːst] (*forecast forecast* el. *forecasted forecasted*) *verb* förutse, förutsäga **II** ['fɔːkɑːst] *subst* prognos; *weather* ~ väderrapport

forefather ['fɔː,fɑːðə] *subst* förfader

forefinger ['fɔː,fɪŋgə] *subst* pekfinger

forefront ['fɔːfrʌnt] *subst*, *be in the* ~ vara högaktuell, stå i förgrunden

foregone ['fɔːgɒn] *adj*, *be a* ~ *conclusion* a) vara en given sak b) vara givet på förhand

foreground ['fɔːgraʊnd] *subst* förgrund

forehand ['fɔːhænd] *subst* sport. forehand

forehead ['fɒrɪd, 'fɔːhed] *subst* panna

foreign ['fɒrən] *adj* **1** utländsk; utrikes- [~ *trade*]; *the Foreign and Commonwealth Secretary* el. *the Foreign Secretary* i Storbritannien utrikesministern **2** främmande [*to* för]

foreigner ['fɒrənə] *subst* utlänning

Foreign Legion [,fɒrən'liːdʒən] *subst*, *the* ~ Främlingslegionen

foreleg ['fɔːleg] *subst* framben

foreman ['fɔːmən] (pl. *foremen* ['fɔːmən]) *subst* förman, verkmästare

foremost ['fɔːməʊst] *adj* o. *adv* främst [*the* ~ *representative*; *first and* ~]

forensic [fə'rensɪk] *adj* juridisk, rättslig; ~ *medicine* rättsmedicin

foreplay ['fɔːpleɪ] *subst* förspel vid samlag

forerunner ['fɔː,rʌnə] *subst* föregångare, förelöpare

foresaw [fɔː'sɔː] imperf. av *foresee*

foresee [fɔː'siː] (*foresaw foreseen*) *verb* förutse

foreseeable [fɔː'siːəbl] *adj* förutsebar; *in the ~ future* inom överskådlig framtid

foreseen [fɔː'siːn] perf. p. av *foresee*

foreskin ['fɔːskɪn] *subst* anat. förhud

forest ['fɒrɪst] *subst* stor skog

forestall [fɔː'stɔːl] *verb* förekomma

foretaste ['fɔːteɪst] *subst* försmak [*of sth*]

foretell [fɔː'tel] (*foretold foretold*) *verb* förutsäga

foretold [fɔː'təʊld] imperf. o. perf. p. av *foretell*

forever [fə'revə] *adv* för alltid; jämt

forewarn [fɔː'wɔːn] *verb* varsko, förvarna

foreword ['fɔːwɜːd] *subst* förord, företal

forfeit ['fɔːfɪt] *verb* förverka, gå miste om

forgave [fə'geɪv] imperf. av *forgive*

1 forge [fɔːdʒ] *verb*, *~ ahead* kämpa sig fram

2 forge I [fɔːdʒ] *subst* **1** smedja **2** smidesugn
II [fɔːdʒ] *verb* **1** smida **2** förfalska

forger ['fɔːdʒə] *subst* förfalskare

forgery ['fɔːdʒərɪ] *subst* förfalskning

forget [fə'get] (*forgot forgotten*) (*forgetting*) *verb* glömma; *~ about sth* glömma bort ngt

forgetful [fə'getfʊl] *adj* glömsk

forgetfulness [fə'getfʊlnəs] *subst* glömska

forget-me-not [fə'getmɪnɒt] *subst* blomma förgätmigej

forgive [fə'gɪv] (*forgave forgiven*) *verb* förlåta

forgiven [fə'gɪvn] perf. p. av *forgive*

forgiveness [fə'gɪvnəs] *subst* förlåtelse

forgiving [fə'gɪvɪŋ] *adj* förlåtande, överseende

forgot [fə'gɒt] imperf. av *forget*

forgotten [fə'gɒtn] perf. p. av *forget*

fork I [fɔːk] *subst* **1** gaffel **2** grep **3** förgrening; vägskäl
II [fɔːk] *verb* **1** vard., *~ out* punga ut med, punga ut med stålarna **2** *~ left* ta av till vänster

forlorn [fə'lɔːn] *adj* **1** ensam och övergiven **2** *a ~ hope* ett fåfängt hopp

form I [fɔːm] *subst* **1** form **2** sport. form; *be in great ~* vara i högform; *on ~* i form; *out of ~* ur form **3** etikett, form; *it is bad ~* det passar sig inte; *it is good ~* det hör till god ton **4** formulär, blankett [*fill up a ~*] **5** bänk utan rygg **6** skol. klass, årskurs **7** gjutform
II [fɔːm] *verb* **1** bilda [*~ a Government*]; forma, gestalta **2** formas, ta form, bildas **3** utforma, göra upp [*~ a plan*]; göra sig, bilda sig [*~ an opinion*] **4** utgöra; *~ part of* utgöra en del av

formal ['fɔːml] *adj* formell, högtidlig

formality [fɔː'mælətɪ] *subst* **1** formalitet [*customs formalities*]; formsak **2** formalism

format I ['fɔːmæt] *subst* om bok el. data. format
II ['fɔːmæt] (*-tt-*) *verb* data. formatera

formation [fɔː'meɪʃən] *subst* **1** utformning **2** formering, gruppering

former ['fɔːmə] *adj* **1** föregående, tidigare **2** förra, f.d. [*the ~ headmaster*] **3** *the ~* den förra, det (de) förra [*the ~ was better than the latter*]

formerly ['fɔːməlɪ] *adv* förut, förr; *~ ambassador in* f.d. ambassadör i

formidable ['fɔːmɪdəbl] *adj* formidabel, överväldigande

formula ['fɔːmjʊlə] *subst* formel

formulate ['fɔːmjʊleɪt] *verb* formulera

forsake [fə'seɪk] (*forsook forsaken*) *verb* överge, svika

forsaken [fə'seɪkən] perf. p. av *forsake*

forsook [fə'sʊk] imperf. av *forsake*

fort [fɔːt] *subst* fort, fäste

forte ['fɔːteɪ] *subst* stark sida [*singing is not my ~*]

forth [fɔːθ] *adv* **1** framåt, vidare; *and so ~* osv. **2** fram, ut [*bring ~; come ~*]

forthcoming [fɔːθ'kʌmɪŋ] *adj* **1** förestående, stundande; *~ events* kommande program på t.ex. bio **2** vard. tillmötesgående

forthright ['fɔːθraɪt] *adj* rättfram, öppen

forthwith [,fɔːθ'wɪθ] *adv* genast

fortieth ['fɔːtɪəθ] *räkn* o. *subst* fyrtionde; fyrtiondel

fortification [,fɔːtɪfɪ'keɪʃən] *subst* **1** mil. befästande **2** befästning; spec. pl. *~s* befästningsverk

fortify ['fɔːtɪfaɪ] *verb* **1** mil. befästa **2** förstärka; *fortified wine* starkvin

fortitude ['fɔːtɪtjuːd] *subst* mod, själsstyrka

fortnight ['fɔːtnaɪt] *subst* fjorton dagar; *every ~* el. *once a ~* var fjortonde dag

fortress ['fɔːtrəs] *subst* fästning

fortunate ['fɔːtʃənət] *adj* lycklig; *be ~* ha tur

fortunately ['fɔːtʃənətlɪ] *adv* lyckligtvis

fortune ['fɔːtʃuːn] *subst* **1** lycka, tur; *tell sb his ~* spå ngn; *try one's ~* pröva lyckan **2** förmögenhet

fortune-hunter ['fɔːtʃuːn,hʌntə] *subst* lycksökare

fortune-teller ['fɔːtʃuːn,telə] *subst* spåman, spåkvinna

forty ['fɔːtɪ] *räkn* o. *subst* **1** fyrtio **2** fyrtiotal; *in the forties* på fyrtiotalet **3** *~ winks* vard. en liten tupplur

forum ['fɔːrəm] *subst* **1** forum **2** domstol

forward I ['fɔːwəd] *adj* **1** främre, framåtriktad; framåt **2** närgången, framfusig
II ['fɔːwəd] *subst* sport. forward, anfallsspelare
III ['fɔːwəd] *adv* framåt, fram [*lean* ~; *go* ~]
IV ['fɔːwəd] *verb* **1** främja **2** vidarebefordra, eftersända; *please* ~ på brev eftersändes
forwards ['fɔːwədz] *adv* framåt; *backwards and* ~ fram och tillbaka
fossil ['fɒsl] *subst* fossil; ~ *fuel* fossilt bränsle
foster ['fɒstə] *verb* **1** utveckla [~ *ability*]
foster child ['fɒstətʃaɪld] *subst* fosterbarn
fought [fɔːt] *imperf. o. perf. p. av* **fight** *I*
foul I [faʊl] *adj* **1** illaluktande; vidrig [~ *smell*]; äcklig [*a* ~ *taste*]; smutsig; ~ *air* dålig luft; ~ *weather* ruskväder **2** *fall* ~ *of* el. *run* ~ *of* a) kollidera med b) komma i konflikt med [*fall* ~ *of the law*] **3** rå, oanständig [~ *language*], vard. otäck, ruskig **4** ojust, regelvidrig; ~ *play* a) ojust spel b) brott
II [faʊl] *subst* ojust spel, ruff; boxn. el. basket foul; *commit a* ~ ruffa
III [faʊl] *verb* **1** sport. spela ojust; vara ojust mot, ruffa **2** smutsa ned, förorena
1 found [faʊnd] *imperf. o. perf. p. av* **find** *I*
2 found [faʊnd] *verb* **1** grunda, lägga grunden till, grundlägga **2** grunda, basera [*on* på]
foundation [faʊn'deɪʃən] *subst* **1** grundande **2** grund; underlag **3** stiftelse, fond
founder ['faʊndə] *subst* grundare, grundläggare

Founding Fathers
Founding Fathers kallas de män som skrev den amerikanska konstitutionen och alltså grundade Amerikas förenta stater. Bland dem fanns t.ex. *George Washington*, USA:s första president, och *Thomas Jefferson*, USA:s tredje president.

foundry ['faʊndrɪ] *subst* gjuteri
fountain ['faʊntən] *subst* fontän
fountain pen ['faʊntənpen] *subst* reservoarpenna
four [fɔː] *räkn o. subst* **1** fyra **2** fyrtal; *on all* ~*s* på alla fyra
four-cylinder ['fɔːˌsɪlɪndə] *adj* fyrcylindrig

four-dimensional [ˌfɔːdaɪ'menʃnəl] *adj* fyrdimensionell
fourfold I ['fɔːfəʊld] *adj* fyrdubbel, fyrfaldig
II ['fɔːfəʊld] *adv* fyrdubbelt, fyrfaldigt
four-footed [ˌfɔː'fʊtɪd] *adj* fyrfota-, fyrfotad
four-legged [ˌfɔː'legd, ˌfɔː'legɪd] *adj* fyrbent
four-letter words [ˌfɔːletə'wɜːdz] *subst pl* runda ord sexord
fourteen [ˌfɔː'tiːn] *räkn o. subst* fjorton
fourteenth [ˌfɔː'tiːnθ] *räkn o. subst* fjortonde; fjortondel
fourth [fɔːθ] *räkn o. subst* fjärde; fjärdedel
fowl [faʊl] *subst* **1** hönsfågel; fjäderfä **2** kok. fågel, höns
fox I [fɒks] *subst* **1** räv **2** vard. pangbrud
II [fɒks] *verb* vard. lura, förbrylla
foxhunting ['fɒksˌhʌntɪŋ] *subst* rävjakt till häst med hundar
foxtrot ['fɒkstrɒt] *subst* musik. foxtrot [*do the* ~; *dance the* ~]
foyer ['fɔɪeɪ] *subst* foajé
fraction ['frækʃən] *subst* **1** bråkdel **2** mat. bråk
fracture I ['fræktʃə] *subst* benbrott, fraktur
II ['fræktʃə] *verb* bryta; brytas
fragile ['frædʒaɪl, amer. 'frædʒl] *adj* bräcklig, ömtålig, skör, spröd
fragility [frə'dʒɪlətɪ] *subst* bräcklighet, ömtålighet
fragment ['frægmənt] *subst* stycke, bit, fragment
fragrance ['freɪɡrəns] *subst* vällukt, doft
fragrant ['freɪɡrənt] *adj* välluktande, doftande
fraidy-cat ['freɪdɪkæt] *subst* barnspr. fegis
frail [freɪl] *adj* bräcklig, klen
frailty ['freɪltɪ] *subst* bräcklighet, klenhet
frame I [freɪm] *verb* **1** utforma; utarbeta **2** rama in
II [freɪm] *subst* **1** stomme; ram t.ex. på cykel **2** karm [~ *of a picture*], ram **3** kropp, kroppsbyggnad [*his powerful* ~] **4** ~ *of mind* sinnesstämning **5** bildruta på t.ex. filmremsa
framework ['freɪmwɜːk] *subst* stomme; ram, struktur [*the* ~ *of society*]
franc [fræŋk] *subst* franc myntenhet
France [frɑːns] Frankrike
frank [fræŋk] *adj* öppenhjärtig, rättfram, uppriktig [*with* mot]
frankfurter ['fræŋkfɜːtə] *subst* frankfurterkorv, wienerkorv
frankly ['fræŋklɪ] *adv* uppriktigt sagt, ärligt talat
frantic ['fræntɪk] *adj* ursinnig, rasande

fraternal [frə'tɜːnl] *adj* broderlig, broders-
fraternity [frə'tɜːnətɪ] *subst* **1** broderskap,
broderlighet **2** broderskap, samfund
fraternize ['frætənaɪz] *verb* fraternisera
fraud [frɔːd] *subst* **1** bedrägeri **2** bedragare
fraudulent ['frɔːdjʊlənt] *adj* bedräglig
fray [freɪ] *verb* göra trådsliten; *frayed cuffs*
fransiga manschetter
freak I [friːk] *subst* **1** nyck, infall
2 missfoster, vidunder **3** fantast;
computer ~ datanörd; *health* ~
frisksportare; *sport* ~ sportfåne
II [friːk] *verb*, ~ *out* vard. a) smälla av, flippa
ut b) snetända
freckle I ['frekl] *subst* fräkne
II ['frekl] *verb* göra fräknig, bli fräknig
freckled ['frekld] *adj* o. **freckly** ['freklɪ] *adj*
fräknig
free I [friː] *adj* **1** fri, frivillig; *he is* ~ *to* det
står honom fritt att; *leave sb* ~ *to* ge ngn
fria händer att; *set* ~ frige, frigöra; ~ *kick*
fotb. frispark **2** fri, ledig [*have a day* ~]
3 befriad, fritagen; ~ *from* utan
4 kostnadsfri, gratis; ~ *of charge* gratis
5 ~ *and easy* otvungen, naturlig
6 frikostig, generös
II [friː] *verb* befria, frige, frigöra
freedom ['friːdəm] *subst* frihet, oberoende
freely ['friːlɪ] *adv* **1** fritt [*travel* ~]
2 frivilligt, villigt **3** rikligt
freemason ['friːˌmeɪsn] *subst* frimurare
freesia ['friːzjə] *subst* blomma fresia
freestyle ['friːstaɪl] *subst* **1** fristil, frisim
2 fribrottning
freeway ['friːweɪ] *subst* amer. motorväg
freeze I [friːz] (*froze frozen*) *verb* **1** frysa;
komma att frysa **2** ~ *over* frysa till **3** frysa
ned (in), djupfrysa [~ *meat*] **4** isa sig [*the
blood froze in his veins*] **5** stanna, stå still
II [friːz] *subst* **1** frost, köldknäpp **2** *wage* ~
el. ~ lönestopp
freeze-dry [ˌfriːz'draɪ] *verb* frystorka
freezer ['friːzə] *subst* frys; ~ *pack* frysklamp
freezing ['friːzɪŋ] *adj* bitande kall, iskall
freezing-compartment
['friːzɪŋkəmˌpɑːtmənt] *subst* frysfack i t.ex.
kylskåp
freezing-point ['friːzɪŋpɔɪnt] *subst* fryspunkt
freight [freɪt] *subst* fraktgods; frakt
freight train ['freɪttreɪn] *subst* godståg
French I [frentʃ] *adj* fransk; ~ *bean*
skärböna, haricot vert; ~ *fried* el. ~ *fries*
pommes frites; ~ *horn* musik. valthorn;
take ~ *leave* vard. smita, avdunsta; ~ *roll*
småfranska; ~ *stick* baguette; ~ *toast* kok.

fattiga riddare
II [frentʃ] *subst* **1** franska språket **2** *the* ~
fransmännen
Frenchman ['frentʃmən] (pl. *Frenchmen*
['frentʃmən]) *subst* fransman
frenzied ['frenzɪd] *adj* frenetisk
frenzy ['frenzɪ] *subst* ursinne, raseri; *in a* ~
of joy vild av glädje
Freon® ['friːɒn] *subst* freon®
frequency ['friːkwənsɪ] *subst* frekvens
frequent I ['friːkwənt] *adj* ofta
förekommande, vanlig [*a* ~ *sight*]; tät [~
visits]; frekvent
II [frɪ'kwent] *verb* ofta besöka, frekventera
[~ *a café*]
frequently ['friːkwəntlɪ] *adv* ofta
fresco ['freskəʊ] (pl. *frescoes* el. ~*s*) *subst* konst.
fresk
fresh [freʃ] *adj* **1** ny [*a* ~ *paragraph*]; färsk
[~ *bread*]; frisk, fräsch **2** vard. påflugen;
don't get ~! var inte så fräck!
freshen ['freʃn] *verb*, ~ *up* el. ~ friska upp,
fräscha upp
freshwater ['freʃˌwɔːtə] *adj* sötvattens- [~
fish]
fret [fret] (-*tt*-) *verb* gräma sig; gräma
fretful ['fretfʊl] *adj* sur, grinig, retlig
fretsaw ['fretsɔː] *subst* lövsåg
friar ['fraɪə] *subst* relig. munk; *Friar Tuck*
broder Tuck
friction ['frɪkʃən] *subst* **1** friktion
2 motsättningar
Friday ['fraɪdeɪ, 'fraɪdɪ] *subst* fredag; *last* ~ i
fredags; *Good* ~ långfredagen
fridge [frɪdʒ] *subst* vard. kylskåp
friend [frend] *subst* vän, väninna, kamrat; *be*
~*s with* vara god vän med; *be bad* ~*s*
vara ovänner; *make* ~*s* a) skaffa sig
vänner b) bli vänner; *make* ~*s with* bli
god vän med
friendly I ['frendlɪ] *adj* vänlig, vänskaplig [*to*,
with mot]; *get* ~ *with* bli vän med
II ['frendlɪ] *subst* sport. vänskapsmatch
friendship ['frendʃɪp] *subst* vänskap
frigate ['frɪgət] *subst* sjö. fregatt
fright [fraɪt] *subst* skräck, förskräckelse; *get*
a ~ bli skrämd; *give sb a* ~ skrämma ngn
frighten ['fraɪtn] *verb* skrämma; ~ *sb to*
death skrämma livet ur ngn
frightful ['fraɪtfʊl] *adj* förskräcklig, förfärlig
frigid ['frɪdʒɪd] *adj* **1** kall **2** kylig **3** med. frigid
frigidity [frɪ'dʒɪdətɪ] *subst* **1** kylighet, kyla
2 med. frigiditet
frill [frɪl] *subst* pl. ~*s* vard. grannlåter,
krusiduller

frilly ['frɪlɪ] *adj* krusad, plisserad; snirklad

fringe I [frɪndʒ] *subst* **1** frans **2** marginal; ytterkant; ~ *group* polit. grupp på ytterkanten **3** lugg
II [frɪndʒ] *verb* fransa

frisk [frɪsk] *verb* **1** · *about* hoppa, skutta **2** vard. muddra leta igenom

frisky ['frɪskɪ] *adj* sprallig, yster

1 fritter ['frɪtə] *subst* kok., *apple* ~*s* friterade äppelringar

2 fritter ['frɪtə] *verb*, ~ *away* plottra bort, slösa bort [~ *away one's time*]

frivolity [frɪ'vɒlətɪ] *subst* flärd, lättsinne

frivolous ['frɪvələs] *adj* lättsinnig, tramsig

frizzle ['frɪzl] *verb* steka, fräsa

frizzy ['frɪzɪ] *adj* krusig, krullig [~ *hair*]

fro [frəʊ] *adv*, *to and* ~ fram och tillbaka, av och an

frock coat [,frɒk'kəʊt] *subst* bonjour

frog [frɒg] *subst* groda; *have a* ~ *in one's throat* vara rostig i halsen, vara hes

frogman ['frɒgmən] (pl. *frogmen* ['frɒgmən]) *subst* grodman

frolic I ['frɒlɪk] *subst* skoj, upptåg
II ['frɒlɪk] (*frolicked frolicked*) *verb* leka, skutta

from [frɒm] *prep* **1** från; ur; ~ *a child* ända från barndomen **2** av [*steel is made* ~ *iron*; *I got it* ~ *my mother*] **3** ~ *above* ovanifrån; ~ *among* ur, fram ur, från; ~ *behind* bakifrån; ~ *below* nedifrån; ~ *without* utifrån

front I [frʌnt] *subst* **1** framsida, främre del; *in* ~ framtill, före [*walk in* ~]; *in* ~ *of* framför, inför **2** mil. el. meteor. front [*cold* ~] **3** fasad; täckmantel; ~ *organization* täckorganisation
II [frʌnt] *adj* fram-, främre, front-; ~ *door* ytterdörr, port; ~ *page* förstasida av tidning; ~ *room* rum åt gatan; ~ *row* teat. m.m. första bänk; ~ *seat* framsäte; plats framtill

frontier ['frʌntɪə, amer. frʌn'tɪr] *subst* politisk statsgräns, gräns

frontispiece ['frʌntɪspiːs] *subst* titelplansch

frost I [frɒst] *subst* **1** frost; *ten degrees of* ~ Celsius tio grader kallt **2** rimfrost
II [frɒst] *verb* **1** göra frostbiten, frostskada **2** täcka med rimfrost; ~ *over* el. ~ *up* täckas av rimfrost **3** mattslipa, mattera [*frosted glass*]

frostbite ['frɒstbaɪt] *subst* köldskada

frostbitten ['frɒst,bɪtn] *adj* frostbiten, frostskadad

frosty ['frɒstɪ] *adj* frost- [~ *nights*], frostig

froth [frɒθ] *subst* fradga, skum [~ *on the beer*]

frothy ['frɒθɪ] *adj* fradgande, skummande

frown I [fraʊn] *verb* **1** rynka pannan **2** ~ *at* el. ~ *on* se ogillande på
II [fraʊn] *subst* rynkad panna; bister uppsyn

froze [frəʊz] imperf. av *freeze I*

frozen I ['frəʊzn] perf. p. av *freeze I*
II ['frəʊzn] *adj* **1** djupfryst [~ *food*] **2** bunden [~ *credits*]; maximerad [~ *prices*]

frugal ['fruːgl] *adj* **1** sparsam **2** enkel [*a* ~ *meal*]

fruit [fruːt] *subst* frukt

fruit drop ['fruːtdrɒp] *subst* syrlig karamell med fruktsmak

fruiterer ['fruːtərə] *subst* frukthandlare

fruitful ['fruːtfʊl] *adj* fruktbar, givande

fruitless ['fruːtləs] *adj* fruktlös, gagnlös

fruit machine ['fruːtmə,ʃiːn] *subst* enarmad bandit, spelautomat

frustrate [frʌ'streɪt] *verb* **1** omintetgöra, motverka **2** frustrera

frustration [frʌ'streɪʃən] *subst* **1** omintetgörande **2** frustrering

fry [fraɪ] *verb* steka i panna; bryna, fräsa

frying-pan ['fraɪŋpæn] *subst* stekpanna; *out of the* ~ *into the fire* ordspr. ur askan i elden

fry pan ['fraɪpæn] *subst* amer. stekpanna

ft. [fʊt, resp. fiːt] förk. för *foot* resp. *feet*

fuchsia ['fjuːʃə] *subst* blomma fuchsia

fuck I [fʌk] *verb* vulg. **1** knulla **2** ~ *it!* fan också!; ~ *you!* el. ~ *off!* dra åt helvete!; ~ *up* sabba, strula till; *don't* ~ *with me!* jävlas inte med mig!
II [fʌk] *subst* vulg. knull samlag; *what the* ~*!* vad i helvete!

fuck-all [,fʌk'ɔːl] *subst* vulg., *she knows* ~ hon vet inte ett jävla dugg

fucker ['fʌkə] *subst* vulg. jävel

fucking ['fʌkɪŋ] *adj* vulg. jävla

---

front-bencher

Front-benchers kallas de parlamentsledamöter som har en officiell befattning i sitt parti. De sitter på de främre bänkarna i parlamentssalen. Premiärministern och andra ministrar sitter på ena sidan av mittgången i salen och på den motsatta sidan sitter de viktigaste medlemmarna av oppositionen.

fuck-up ['fʌkʌp] *subst* vulg. jävla röra, satans strul

fudge [fʌdʒ] *subst* fudge slags mjuk kola

fuel I [fjʊəl] *subst* bränsle, drivmedel; ~ *cap* tanklock på bil
II [fjʊəl] (*-ll-*, amer. *-l-*) *verb* **1** förse med bränsle, tanka **2** bunkra

fuel-efficient ['fjʊəlɪˌfɪʃənt] *adj* bränslesnål

fugitive ['fjuːdʒətɪv] *subst* flykting; rymling

fulfil [fʊl'fɪl] (*-ll-*) *verb* **1** uppfylla, infria; fullgöra, utföra [~ *one's duties*] **2** fullborda [~ *a task*]

full I [fʊl] *adj* **1** full, fylld [*of* av, med], fullsatt; *I'm ~ up* el. *I'm ~* vard. jag är mätt; ~ *cream* tjock grädde; ~ *house* teat. utsålt hus; ~ *moon* fullmåne; ~ *stop* punkt i skrift; ~ *time* a) heltid [*work ~ time*] b) sport. full tid; *in ~ view of* klart synlig för **2** mäktig, fyllig **3** hel [*a ~ dozen*]; ~ *board* helpension
II [fʊl] *subst*, *in ~* fullständigt, till fullo; *to the ~* fullständigt, till fullo

full-blooded [ˌfʊl'blʌdɪd] *adj* kraftfull, passionerad

full-bodied [ˌfʊl'bɒdɪd] *adj* fyllig, mustig

full-fledged [ˌfʊl'fledʒd] *adj* fullfjädrad

full-grown [ˌfʊl'grəʊn] *adj* fullväxt, fullvuxen

full-length [ˌfʊl'leŋθ] *adj* hellång [*a ~ skirt*]; hel; *a ~ film* en långfilm; *a ~ portrait* en helbild

full-scale ['fʊlskeɪl] *adj* **1** i naturlig skala [*a ~ drawing*] **2** omfattande, total

full-time ['fʊltaɪm] *adj* heltids- [~ *work*]

fully ['fʊlɪ] *adv* **1** fullt, fullständigt, till fullo **2** drygt; ~ *two days* hela två dar, drygt två dar

fully-fashioned [ˌfʊlɪ'fæʃənd] *adj* formstickad, fasonstickad

fumble ['fʌmbl] *verb* **1** fumla; famla [*for* efter]; treva **2** fumla med **3** missa [~ *a chance*]

fume I [fjuːm] *subst* oftast pl. ~*s* rök [~*s of a cigar*]; utdunstningar; ångor
II [fjuːm] *verb* vara rasande [*at* över]

fumigate ['fjuːmɪgeɪt] *verb* desinficera genom rökning

fun I [fʌn] *subst* nöje; skoj; *for ~* för skojs skull; *in ~* på skämt; *it was such ~* det var så roligt; *make ~ of* el. *poke ~ at* driva med; ~ *and games* vard. skoj
II [fʌn] *adj* vard. rolig, kul [*a ~ hat*; *a ~ party*]

function I ['fʌŋkʃən] *subst* **1** funktion **2** ceremoni; tillställning, högtidlighet

II ['fʌŋkʃən] *verb* fungera; ~ *key* data. funktionstangent

functionary ['fʌŋkʃnərɪ] *subst* funktionär

fund [fʌnd] *subst* **1** fond, stor tillgång, förråd **2** vard., pl. ~*s* tillgångar; pengar medel

fundamental I [ˌfʌndə'mentl] *adj* fundamental, grundläggande [*to* för]
II [ˌfʌndə'mentl] *subst* vanligen pl. ~*s* grundprinciper

funeral ['fjuːnrəl] *subst* begravning; ~ *procession* el. ~ begravningståg

fun fair ['fʌnfeə] *subst* vard. nöjesfält, tivoli

fungus ['fʌŋgəs] (pl. *fungi* ['fʌŋgaɪ]) *subst* svamp

fun house ['fʌnhaʊs] *subst* vard. lustiga huset på tivoli

funk [fʌŋk] *subst* vard., *be in a ~* vara skraj

funnel ['fʌnl] *subst* **1** tratt **2** skorsten på båt el. lok

---

funny

Ibland används frasen *funny peculiar* (på amerikansk engelska *funny weird*, *funny strange*) or *funny ha-ha* för att ta reda på om den som talar menar konstig eller rolig.

---

funny ['fʌnɪ] *adj* **1** rolig, komisk **2** konstig, egendomlig; ~ *business* fiffel, mygel; *the ~ farm* dårhuset; ~ *money* falska pengar

fur [fɜː] *subst* **1** päls på vissa djur; ~ *coat* plagg päls **2** skinn av vissa djur **3** ~ pl. ~*s* päls, pälsverk

furious ['fjʊərɪəs] *adj* rasande, ursinnig

furl [fɜːl] *verb* rulla ihop; fälla ihop [~ *an umbrella*]

furnace ['fɜːnɪs] *subst* masugn, smältugn

furnish ['fɜːnɪʃ] *verb* **1** förse, utrusta **2** inreda, möblera

furniture ['fɜːnɪtʃə] (utan pl.) *subst* möbler, möblemang; *a lot of* ~ mycket möbler; *a piece of* ~ en möbel; ~ *remover* flyttkarl; ~ *van* flyttbil

furrier ['fʌrɪə] *subst* körsnär

furrow I ['fʌrəʊ] *subst* **1** plogfåra **2** i t.ex. ansiktet fåra
II ['fʌrəʊ] *verb* **1** plöja **2** fåra

further I ['fɜːðə] *adj* (komparativ av *far*) **1** bortre, avlägsnare, längre bort **2** ytterligare; ~ *education* vidareutbildning, fortbildning; *until ~ notice* tills vidare
II ['fɜːðə] *adv* (komparativ av *far*) **1** längre,

längre bort; ~ *on* längre fram; *take sth* ~
föra ngt vidare; *wish sb* ~ vard. önska ngn
dit pepparn växer **2** vidare, ytterligare
III ['fɜːðə] *verb* främja, gynna
furthermore [ˌfɜːðə'mɔː] *adv* vidare,
dessutom
furthermost ['fɜːðəməʊst] *adj* avlägsnast,
borterst
furthest I ['fɜːðɪst] (superlativ av *far*) *adj*
borterst, avlägsnast
II ['fɜːðɪst] (superlativ av *far*) *adv* längst bort,
ytterst
furtive ['fɜːtɪv] *adj* förstulen [*a* ~ *glance*],
hemlig; *look* ~ se hemlighetsfull ut
fury ['fjʊərɪ] *subst* raseri, ursinne [*in a* ~]
1 fuse I [fjuːz] *verb* **1** smälta; smälta
samman **2** *a* ~ *has blown* en propp har
gått
II [fjuːz] *subst* säkring, propp
2 fuse [fjuːz] *subst* **1** brandrör, tändrör
2 stubintråd
fuselage ['fjuːzɪlɑːʒ] *subst* flygkropp
fusion ['fjuːʒən] *subst* sammansmältning;
fusion
fuss I [fʌs] *subst* bråk, uppståndelse, ståhej;
make a ~ *about* tjafsa om, bråka om;
without any ~ utan att göra stor affär av
det
II [fʌs] *verb* bråka, tjafsa; ~ *over the*
children pyssla om barnen, pjoska med
barnen
fussy ['fʌsɪ] *adj* petig, tjafsig
fusty ['fʌstɪ] *adj* unken, mögelluktande;
instängd
futile ['fjuːtaɪl], amer. 'fjuːtl] *adj* fåfäng,
meningslös
futility [fjʊ'tɪlətɪ] *subst* fåfänglighet,
meningslöshet
future I ['fjuːtʃə] *adj* framtida, kommande;
senare [*a* ~ *chapter*]; *the* ~ *tense* gram.
futurum
II ['fjuːtʃə] *subst* **1** framtid; *the*
immediate ~ den närmaste framtiden; *in*
~ i fortsättningen; *in the* ~ i framtiden
2 gram., *the* ~ futurum
fuzzy ['fʌzɪ] *adj* **1** fjunig, luddig; suddig [*a* ~
picture] **2** krusig [~ *hair*]

Gg

G o. **g** [dʒiː] *subst* **1** *G* g **2** musik. G, g; *G flat*
gess; *G sharp* giss
g. (förk. för *gramme, grammes, gram, grams*)
gram
gab [gæb] *subst* vard., *she has the gift of the*
~ hon är slängd i käften
gabble I ['gæbl] *verb* babbla, pladdra på
II ['gæbl] *subst* babbel, pladder
gable ['geɪbl] *subst* gavel
gadget ['gædʒɪt] *subst* grej, pryl
gag I [gæg] (-gg-) *verb* sätta munkavle på,
tysta ner
II [gæg] *subst* **1** munkavle **2** gag, skämt
gaga ['gɑːgɑː] *adj* vard. gaggig
gaiety ['geɪətɪ] *subst* glädje, munterhet
gaily ['geɪlɪ] *adv* glatt, muntert
gain I [geɪn] *subst* **1** vinst **2** ökning [*a* ~ *in*
weight]
II [geɪn] *verb* **1** vinna, få [~ *permission*],
erhålla **2** öka, gå upp [~ *in weight*]; ~ *2*
kilos gå upp 2 kilo **3** om klocka forta sig **4** ~
on vinna på, ta in på [~ *on the others in a*
race]
gait [geɪt] *subst* gång, sätt att gå [*an unsteady*
~]
gala ['gɑːlə] *subst* stor fest, gala
galaxy ['gæləksɪ] *subst* **1** astron. galax
2 lysande samling [*a* ~ *of famous people*]
gale [geɪl] *subst* hård vind, storm; sjö. kuling
gallant ['gælənt] *adj* tapper, modig
gallantry ['gæləntrɪ] *subst* mod, hjältemod
gall bladder ['gɔːl,blædə] *subst* anat. gallblåsa
galleria [ˌgælə'riːə] *subst* galleria
gallery ['gælərɪ] *subst* **1** galleri; *art* ~
konstgalleri **2** läktare inomhus; *the* ~ teat.
översta raden, tredje raden **3** läktarpublik,
galleripublik **4** *play to the* ~ spela för
galleriet, fria till publiken

gallon
I England använder man numera
oftast liter i stället för gallon. I USA
används däremot *gallon* när man
köper t.ex. bensin. 1 brittisk gallon
= 4,5 liter, 1 amerikansk gallon =
3,8 liter.

gallivant ['gælɪvænt] *verb*, ~ *about* el. ~ *around* gå och driva, driva omkring på, vara ute på vift

gallon ['gælən] *subst* gallon rymdmått spec. för våta varor: britt. = 4,5 liter, amer. = 3,8 liter

gallop I ['gæləp] *verb* galoppera
II ['gæləp] *subst* galopp; *ride at a* ~ rida i galopp

gallows ['gæləʊz] (pl. lika) *subst* galge

gallstone ['gɔːlstəʊn] *subst* med. gallsten

Gallup ['gæləp] egennamn, ~ *poll* gallupundersökning, opinionsundersökning

galore [gə'lɔː] *adv* i massor; *win prizes* ~ vinna massor av priser

galvanize ['gælvənaɪz] *verb* **1** tekn. galvanisera **2** egga, entusiasmera

gamble I ['gæmbl] *verb* spela hasard; ~ *on* vard. slå vad om, tippa
II ['gæmbl] *subst* chansning, vågspel

gambler ['gæmblə] *subst* spelare, hasardspelare

gambling ['gæmblɪŋ] *subst* hasardspel

gambling-den ['gæmblɪŋden] *subst* spelhåla

gambol I ['gæmbəl] *subst* hopp, skutt
II ['gæmbəl] (*-ll-*) *verb* skutta omkring

game I [geɪm] *subst* **1** spel; lek [*children's* ~*s*]; *the* ~ *is up* spelet är förlorat; *give the* ~ *away* vard. prata bredvid mun, avslöja alltihop; *play the* ~ spela just, uppföra sig just; *I beat him at his own* ~ jag slog honom med hans egna vapen **2** knep, lek, skämt; *none of your* ~*s!* kom inte med några dumheter!; *what's his* ~? vard. vad håller han på med? **3** match [*let's play another* ~]; *a* ~ *of chess* ett parti schack **4** game i tennis; set i bordtennis el. badminton **5** pl. ~*s* idrott; *the Olympic Games* Olympiska spelen **6** vilt, villebråd; *big* ~ storvilt
II [geɪm] *adj*, *I'm* ~ *for anything* jag ställer upp på vad som helst

gamekeeper ['geɪm,kiːpə] *subst* skogvaktare, viltvårdare

gaming-table ['geɪmɪŋ,teɪbl] *subst* spelbord

gammon ['gæmən] *subst* saltad el. rökt skinka

gander ['gændə] *subst* gåskarl, gåshanne

gang I [gæŋ] *subst* **1** brottsligt liga **2** vard. gäng
II [gæŋ] *verb*, ~ *up on* mobba, gadda ihop sig mot

gangplank ['gæŋplæŋk] *subst* sjö. landgång

gangrene ['gæŋɡriːn] *subst* med. kallbrand

gangster ['gæŋstə] *subst* gangster

gangway ['gæŋweɪ] *subst* **1** gång, passage spec. mellan bänkrader **2** sjö. landgång

gaol I [dʒeɪl] *subst* fängelse
II [dʒeɪl] *verb* sätta i fängelse

gaolbird ['dʒeɪlbɜːd] *subst* fängelsekund, fånge

gaoler ['dʒeɪlə] *subst* fångvaktare

gap [gæp] *subst* **1** öppning, hål, gap **2** lucka, mellanrum **3** klyfta [*generation* ~]

gape [geɪp] *verb* **1** gapa **2** glo

gaping ['geɪpɪŋ] *adj* gapande [*a* ~ *hole*]

garage ['gærɑːʒ, spec. amer. gə'rɑːʒ] *subst* **1** garage **2** bilverkstad, servicestation; ~ *mechanic* bilmekaniker

garbage ['gɑːbɪdʒ] *subst* **1** amer. avfall, sopor; ~ *can* soptunna; ~ *collector* renhållningsarbetare; ~ *separation* (*sorting*) sopsortering **2** vard. smörja, strunt [*you're talking* ~], skräp

garbled ['gɑːbld] *adj* förvrängd, förvanskad [*a* ~ *version of a speech*]

garden ['gɑːdn] *subst* trädgård; villatomt; *everything in the* ~ *is lovely* vard. allt är frid och fröjd; *lead sb up the* ~ *path* vard. lura ngn, dra ngn vid näsan

garden centre ['gɑːdn,sentə] *subst* handelsträdgård

garden city [,gɑːdn'sɪtɪ] *subst* trädgårdsstad, villastad

gardener ['gɑːdnə] *subst* trädgårdsmästare

gardenia [gɑː'diːnjə] *subst* blomma gardenia

gardening ['gɑːdnɪŋ] *subst* trädgårdsskötsel, trädgårdsarbete

gargle I ['gɑːgl] *verb* gurgla, gurgla sig
II ['gɑːgl] *subst* gurgelvatten

garland ['gɑːlənd] *subst* krans, girland

garlic ['gɑːlɪk] *subst* vitlök; *a clove of* ~ en vitlöksklyfta

garment ['gɑːmənt] *subst* klädesplagg; pl. ~*s* kläder

garnet ['gɑːnɪt] *subst* halvädelsten granat

garnish I ['gɑːnɪʃ] *verb* kok. garnera
II ['gɑːnɪʃ] *subst* kok. garnering

garret ['gærət] *subst* vindskupa

garrison ['gærɪsn] *subst* mil. garnison

garrulous ['gærələs] *adj* pratsam, pratsjuk

garter ['gɑːtə] *subst* **1** strumpeband runt benet **2** amer., ~ *belt* strumpebandshållare

gas I [gæs] *subst* **1** gas **2** amer. vard. (kortform för *gasoline*) bensin **3** *step on the* ~ vard. a) trampa på gasen, gasa på b) skynda på
II [gæs] (*-ss-*) *verb* **1** vard. snacka, babbla **2** gasa, gasförgifta

gasbag ['gæsbæg] *subst* vard. pratkvarn

gas cap ['gæskæp] *subst* amer. bil. tanklock

gas cooker ['gæs,kʊkə] *subst* gasspis

gas fire ['gæs,faɪə] *subst* gaskamin

gash [gæʃ] *subst* gapande skärsår

gasket ['gæskɪt] *subst* tekn. packning, topplockspackning

gasoline ['gæsəliːn] *subst* amer. bensin

gasp I [gɑːsp] *verb* dra efter andan, flämta
II [gɑːsp] *subst* flämtning; *she was at her last* ~ hon var helt utpumpad

gas station ['gæs,steɪʃən] *subst* amer. bensinmack

gas stove ['gæsstəʊv] *subst* gasspis, gaskök

gastric ['gæstrɪk] *adj*, ~ *flu* maginfluensa; ~ *ulcer* magsår

gastritis [gæ'straɪtɪs] *subst* med. magkatarr, gastrit

gasworks ['gæswɜːks] (med verb i sing.; pl. lika) *subst* gasverk

gate [geɪt] *subst* **1** grind **2** flyg. utgång **3** sport. publiktillströmning [*a big* ~]

gateau ['gætəʊ] (pl. *gateaux* ['gætəʊz]) *subst* tårta vanligen med grädde

gatecrash ['geɪtkræʃ] *verb* vard., ~ *into* el. ~ komma objuden till [~ *a party*]; smita in på [~ *a football match*]; ~ *on sb* våldgästa ngn

gatecrasher ['geɪt,kræʃə] *subst* vard. objuden gäst, snyltgäst

gateway ['geɪtweɪ] *subst* **1** port **2** inkörsport, nyckel [*the* ~ *to success*]

gather ['gæðə] *verb* **1** samla [~ *a crowd*] **2** samlas, samla sig **3** samla ihop, samla in; plocka [~ *flowers*]; ~ *together* samla ihop, plocka ihop **4** skaffa sig, inhämta [~ *information*]; ~ *speed* få fart **5** dra den slutsatsen, förstå; *she has left, I* ~ hon har gått, har jag förstått

gaudy ['gɔːdɪ] *adj* prålig, skrikig

gauge I [geɪdʒ] *verb* **1** mäta [~ *the temperature*] **2** sondera, pejla [~ *people's opinions*]
II [geɪdʒ] *subst* **1** standardmått, kaliber; *take the* ~ *of* ta mått på **2** mätare **3** spårvidd

gauze [gɔːz] *subst* gas, flor; ~ *bandage* gasbinda

gave [geɪv] imperf. av *give I*

gawky ['gɔːkɪ] *adj* tafatt, klumpig

gay I [geɪ] *adj* **1** homosexuell bög **2** ngt åld. glad, munter
II [geɪ] *subst* homosexuell bög

gaze I [geɪz] *verb* stirra [*at* på]; *he gazed into her eyes* han såg henne djupt i ögonen
II [geɪz] *subst* blick [*a steady* ~]

gazelle [gə'zel] *subst* gasell

GB [,dʒiː'biː] (förk. för *Great Britain*) äv. som nationalitetsbeteckning på brittiska bilar

gear [gɪə] *subst* **1** redskap, utrustning, grejor **2** bil. växel; *change* ~ växla; *in top* ~ på högsta växeln; *drive in second* ~ köra på tvåans växel

gearbox ['gɪəbɒks] *subst* bil. växellåda

gearlever ['gɪə,liːvə] *subst* bil. växelspak

gearshift ['gɪəʃɪft] *subst* bil. växelspak

gee [dʒiː] *interj* jösses!, oj då!

geek [giːk] *subst* amer. sl. tönt, nörd [*computer* ~]

geese [giːs] *subst pl* av *goose*

gel [dʒel] *subst*, *hair* ~ hårgelé; *shaving* ~ rakgelé

gelatine ['dʒelətiːn] *subst* gelatin

gem [dʒem] *subst* **1** ädelsten, juvel **2** klenod, pärla

Gemini ['dʒemɪnaɪ] *subst* stjärntecken Tvillingarna

gender ['dʒendə] *subst* gram. genus

gene [dʒiːn] *subst* gen, arvsanlag

genealogical [,dʒiːnjə'lɒdʒɪkl] *adj*, ~ *table* stamtavla

general I ['dʒenrəl] *adj* **1** allmän, generell; *in* ~ el. *as a* ~ *rule* i allmänhet, på det hela taget; *a* ~ *election* allmänna val; ~ *knowledge* allmänbildning; ~ *practitioner* allmänpraktiserande läkare **2** general- [~ *agent*] **3** i titlar placerat efter huvudordet general- [*secretary-general*]
II ['dʒenrəl] *subst* mil. general

generalization [,dʒenrəlaɪ'zeɪʃən] *subst* generalisering; allmän slutsats

generalize ['dʒenrəlaɪz] *verb* generalisera

generally ['dʒenrəlɪ] *adv* i allmänhet, i regel; *I* ~ *stay up till eleven* jag brukar vara uppe till elva; ~ *speaking* i stort sett

generate ['dʒenəreɪt] *verb* alstra, utveckla, generera [~ *electricity*]

generation [,dʒenə'reɪʃən] *subst* **1** framkallande, alstring **2** generation [*the second* ~]

generator ['dʒenəreɪtə] *subst* elektr. generator

generosity [,dʒenə'rɒsətɪ] *subst* **1** generositet, givmildhet **2** storsinthet

generous ['dʒenərəs] *adj* **1** generös, frikostig [*med* with] **2** *a* ~ *helping* en riklig portion

genetically [dʒə'netɪklɪ] *adv*, ~ *engineered* el. ~ *modified* genmanipulerad

genetics [dʒə'netɪks] (med verb i sing.) *subst* genetik

Geneva [dʒə'niːvə] Genève

genial ['dʒiːnjəl] *adj* **1** mild, gynnsam [*a ~ climate*] **2** gemytlig, vänlig

genitals ['dʒenɪtlz] *subst pl* könsorgan, könsdelar

genitive ['dʒenətɪv] *subst* gram. genitiv; *in the ~* i genitiv

genius ['dʒiːnjəs] *subst* geni, snille

genocide ['dʒenəsaɪd] *subst* folkmord

genre ['ʒɒːnrə] *subst* biol. genre

gent [dʒent] *subst* vard. (kortform för *gentleman*) **1** herre **2** *~s* herrtoalett

genteel [dʒen'tiːl] *adj* förnäm av sig, struntförnäm

gentile ['dʒentaɪl] *subst* icke-jude

gentle ['dʒentl] *adj* **1** varsam, försiktig **2** mild [*a ~ breeze*], blid **3** mjuk, lätt [*a ~ touch*]

gentleman ['dʒentlmən] (pl. *gentlemen* ['dʒentlmən]) *subst* **1** herre; *gentlemen's lavatory* herrtoalett **2** gentleman [*a fine old ~*]

gently ['dʒentlɪ] *adv* **1** varsamt **2** milt, mjukt

genuine ['dʒenjʊɪn] *adj* **1** äkta, genuin **2** sann, verklig

geographical [dʒɪə'græfɪkəl] *adj* geografisk

geography [dʒɪ'ɒɡrəfɪ] *subst* geografi

geologist [dʒɪ'ɒlədʒɪst] *subst* geolog

geology [dʒɪ'ɒlədʒɪ] *subst* geologi

geometry [dʒɪ'ɒmətrɪ] *subst* geometri

Georgia ['dʒɔːdʒə] *subst* **1** Georgien **2** Georgia staten i USA

geranium [dʒə'reɪnjəm] *subst* pelargon

geriatric I [ˌdʒerɪ'ætrɪk] *adj*, *~ care* äldreomsorg
II [ˌdʒerɪ'ætrɪk] *subst* åldring, vard. gamling

geriatrics [ˌdʒerɪ'ætrɪks] (med verb i sing.) *subst* med. geriatrik

germ [dʒɜːm] *subst* bakterie, bacill

German I ['dʒɜːmən] *adj* tysk; *~ measles* med. röda hund; *~ shepherd* amer. schäfer hund
II ['dʒɜːmən] *subst* **1** tysk; tyska **2** tyska språket

Germany ['dʒɜːmənɪ] Tyskland

germicide ['dʒɜːmɪsaɪd] *subst* bakteriedödande medel

germinate ['dʒɜːmɪneɪt] *verb* gro, spira

gesticulate [dʒe'stɪkjʊleɪt] *verb* gestikulera

gesture ['dʒestʃə] *subst* gest

get I [get] (*got got*, perf. p. amer. ofta *gotten*) (*getting*) *verb* **1** få, lyckas få, skaffa sig [*~ a job*] **2** fånga, få tag i; få fast, sätta dit [*they got the murderer*] **3** vard. fatta, haja [*do you ~ what I mean?*] **4** komma, lyckas komma [*~*

home] **5** *have got* ha; *have got to* vara (bli) tvungen att **6** *~ sth done* se till att ngt blir gjort; få ngt gjort; *get sb to do sth* få ngn att göra ngt; *~ one's hair cut* klippa sig, klippa håret **7** *~ to* småningom komma att, lära sig att [*I got to like him*]; *~ to know* få reda på, få veta, lära känna; *it was getting dark* det började bli mörkt; *~ going* komma i gång; *~ talking* börja prata **8** bli [*~ better*]; *~ married* gifta sig
II [get] (*got got*, perf. p. amer. ofta *gotten*) (*getting*) *verb* med adv. o. prep.

get about 1 resa omkring, röra på sig **2** komma ut, sprida sig om rykte

get along 1 klara sig, reda sig **2** *I must be getting along* jag måste ge mig i väg **3** *do you ~ along?* kommer ni överens? **4** komma åt, nå, hacka på [*you're always getting at me*] **5** syfta på, mena; *what are you getting at?* vart är det du vill komma? **6**

get away 1 komma i väg **2** komma undan, rymma; *~ away with* komma undan med; *~ away with it* klara sig, slippa undan

get back 1 få igen, få tillbaka **2** återvända **3** *~ one's own back* ta revansch [*she got her own back*]

get by 1 komma förbi **2** klara sig

get down 1 få ner, få i sig **2** gå ner (av), komma ner (av), göra nedstämd; *don't let it ~ you down* ta inte vid dig så hårt för det **3** *~ down to* ta itu med

get in 1 ta sig in, komma in **2** hinna med, klämma in [*they ~ in all the work they can*]

get into 1 stiga in i (upp på), komma in i (upp på) **2** råka (komma) i [*~ into danger*], komma in i, få [*~ into bad habits*]

get off 1 få av (upp, loss), ta av (upp, loss) **2** gå av, stiga av, slippa undan; *he got off lightly* han klarade sig lindrigt **3** ge sig av, komma i väg **4** *~ off on* bli tänd på **5** *~ off to bed* gå och lägga sig; *~ off to sleep* somna in **6** *~ off work* bli ledig från arbetet

get on 1 få (sätta) på; ta (få) på sig **2** gå på, stiga på, sätta sig på; *~ on one's feet* stiga upp, komma upp, resa sig för att tala; *she ~s on my nerves* hon går mig på nerverna **3** lyckas, ha framgång; trivas; *how is he getting on?* hur har han det?; *how is the work getting on?* hur går det med arbetet?; *~ on with it!* el. *~ on!* skynda (raska) på! **4** komma bra överens, trivas [*with sb med ngn*]; *he is easy to ~ on with* han är lätt att umgås med **5** *he is*

getting on in years el. *he is getting on in life* han börjar bli gammal; *time is getting on* tiden går; *be getting on for* närma sig, gå mot [*he is getting on for 70*] **6** ~ *on to* komma upp på [*~ on to a bus*] **get out 1** få fram [*~ out a few words*], hämta fram, ta fram [*he got out a bottle of wine*]; få ut (ur), ta ut (ur) **2** gå (komma, stiga, ta sig) ut [*of ur*], komma upp [*of ur*]; ~ *out of* a) komma ifrån [*~ out of a habit*] b) slingra sig undan [*try to ~ out of washing up*]

get over 1 få undangjord **2** komma över [*~ over one's shyness*], hämta sig från [*~ over an illness*], glömma

get round 1 kringgå [*~ round the law*], komma ifrån **2** lyckas övertala; *she knows how to ~ round him* hon vet hur hon ska ta honom **3** ~ *round to* få tillfälle till

get through 1 gå (komma, klara sig) igenom; bli färdig med **2** komma fram äv. i telefon **3** göra slut på [*~ through all one's money*]

get to 1 komma fram till, nå; ~ *to bed* komma i säng **2** *where has it got to?* vart har det tagit vägen?

get together få ihop, samla, samla ihop

get up gå upp, stiga upp [*~ up early in the morning*]; resa sig; ~ *up to* komma till, ställa till; ~ *up to mischief* hitta på rackartyg

getaway ['getəweɪ] *subst* vard. flykt; *make a ~* rymma, smita

get-together ['getəgeðə] *subst* vard. träff, sammankomst

get-up ['getʌp] *subst* vard. utstyrsel, klädsel

geyser ['giːzə, amer. 'gaɪzə] *subst* **1** gejser **2** varmvattenberedare

Ghana ['gɑːnə]

ghastly ['gɑːstlɪ] *adj* hemsk, förskräcklig

gherkin ['gɜːkɪn] *subst* inläggningsgurka

ghetto ['getəʊ] (pl. ~s) *subst* getto

ghost [gəʊst] *subst* **1** spöke; döds ande, vålnad **2** *the Holy Ghost* den Helige Ande **3** skymt [*the ~ of a smile*]; *not the ~ of a chance* inte skuggan av en chans **4** *give up the ~* a) dö, ge upp andan b) lägga av, paja

ghostly ['gəʊstlɪ] *adj* spöklik

giant ['dʒaɪənt] *subst* jätte, gigant; ~ *slalom* storslalom

gibber ['dʒɪbə] *verb* pladdra, tjattra

gibberish ['dʒɪbərɪʃ] *subst* rotvälska, rappakalja

gibe I [dʒaɪb] *verb*, ~ *at* håna, pika

II [dʒaɪb] *subst* gliring

giddiness ['gɪdɪnəs] *subst* yrsel, svindel

giddy ['gɪdɪ] *adj* yr i huvudet, vimmelkantig

gift [gɪft] *subst* **1** gåva; ~ *token* el. ~ *voucher* ungefär presentkort **2** talang, begåvning

gifted ['gɪftɪd] *adj* begåvad, talangfull

gigabyte ['gɪgəbaɪt] *subst* data. gigabyte

gigantic [dʒaɪ'gæntɪk] *adj* gigantisk, enorm

giggle I ['gɪgl] *verb* fnittra

II ['gɪgl] *subst* fnitter

gigolo ['dʒɪgələʊ] (pl. ~s) *subst* gigolo

gild [gɪld] *verb* förgylla

gill [gɪl] *subst* gäl på fisk

gilt I [gɪlt] *adj* förgylld

II [gɪlt] *subst* förgyllning

gimlet ['gɪmlət] *subst* **1** handborr, borr **2** drink gin el. vodka och limejuice

gimmick ['gɪmɪk] *subst* vard. gimmick, jippo

gin [dʒɪn] *subst* gin

ginger I ['dʒɪndʒə] *subst* ingefära

II ['dʒɪndʒə] *adj* vard. rödblond [*~ hair*]

ginger ale [ˌdʒɪndʒər'eɪl] *subst* o. **ginger beer** [ˌdʒɪndʒə'bɪə] *subst* kolsyrat ingefärsdricka

gingerbread ['dʒɪndʒəbred] *subst*, ~ *biscuit* pepparkaka

gingerly ['dʒɪndʒəlɪ] *adv* försiktigt, varsamt

ginseng ['dʒɪnseŋ] *subst* ginseng

gipsy I ['dʒɪpsɪ] *subst* zigenare, zigenerska

II ['dʒɪpsɪ] *adj* zigenar- [*~ music*]

giraffe [dʒɪ'rɑːf] *subst* giraff

girder ['gɜːdə] *subst* bärbjälke, balk

girdle ['gɜːdl] *subst* gördel

girl [gɜːl] *subst* **1** flicka **2** flickvän **3** ~ *scout* amer. flickscout

girlfriend ['gɜːlfrend] *subst* flickvän fästmö; flickbekant, väninna

girlhood ['gɜːlhʊd] *subst*, *during her ~* som flicka

girlish ['gɜːlɪʃ] *adj* flickaktig

giro ['dʒaɪrəʊ] (pl. ~s) *subst* **1** postgiro, bankgiro; ~ *account* postgirokonto; *pay by ~* el. *transfer by ~* girera **2** giroutbetalning

gist [dʒɪst] *subst*, *the ~ of* det väsentliga i, kärnpunkten i [*the ~ of the speech*]

give I [gɪv] (*gave given*; se äv. *given*) *verb* **1** ge, skänka; ~ *me... any day!* el. ~ *me... every time!* tacka vet jag...!; ~ *my compliments to* el. ~ *my love to* hälsa så mycket till **2** ~ *way* a) ge vika, brista [*the ice (rope) gave way*], svikta b) vika undan [*to för*], lämna företräde [*to åt*]; ~ *way to traffic from the right*

lämna företräde åt trafiken från höger
c) hemfalla, hänge sig [*to åt*] **d)** ge efter [*to*
för] **3** offra t.ex. tid, kraft [*to på*]; ~ *one's*
mind to ägna (hänge) sig åt **4** framkalla; ~
offence väcka anstöt **5** vålla, orsaka [~ *sb*
pain] **6** framföra, hålla; ~ *a lecture* hålla
en föreläsning; ~ *a toast for* utbringa en
skål för; ~ *three cheers for* utbringa ett
fyrfaldigt leve för **7** teat. ge; *they are*
giving Hamlet man ger Hamlet **8** ~ *a*
start rycka till
II [gɪv] (*gave given*) verb med adv. o. prep.
give away 1 ge bort, skänka bort
2 oavsiktligt förråda, avslöja [~ *away a*
secret]
give in 1 lämna in; ~ *in one's name*
anmäla sig **2** ge sig [*I* ~ *in*], ge vika, ge med
sig
give off alstra, avge
give out 1 dela ut [~ *out tickets*] **2** avge [~
out heat] **3** tryta, ta slut, svika [*his strength*
gave out]
give up 1 lämna ifrån sig, överlämna,
utlämna; ~ *oneself up* överlämna sig,
anmäla sig för polisen **2** ge upp [~ *up the*
attempt] **3** sluta, sluta med; *he gave up*
smoking han slutade röka
III [gɪv] subst, ~ *and take* ömsesidiga
eftergifter
giveaway ['gɪvəweɪ] subst **1** avslöjande
2 presentartikel som reklam; ~ *price*
vrakpris
given ['gɪvn] adj o. perf p (av *give I*) **1** given,
skänkt; ~ *name* spec. amer. förnamn **2** *be* ~
to vara benägen att, vara fallen för, vara
lagd för, vara hemfallen åt **3** bestämd,
given [*a* ~ *time*] **4** förutsatt
glacier ['glæsɪə, amer. 'gleɪʃə] subst glaciär,
jökel
glad [glæd] adj glad [*about, at* över, åt],
belåten [*about, at* med]; *I'm* ~ *to hear*
that... det var roligt att höra att...; *I*
shall be ~ *to come* jag kommer gärna
glade [gleɪd] subst glänta, glad
gladiator ['glædɪeɪtə] subst gladiator
gladiolus [ˌglædɪ'əʊləs] (pl. *gladioli*
[ˌglædɪ'əʊlaɪ]) subst gladiolus
gladly ['glædlɪ] adv med glädje, gärna
gladness ['glædnəs] subst glädje
glam [glæm] adj vard., se *glamorous*
glamorous ['glæmərəs] adj glamorös, tjusig
glamour ['glæmə] subst glamour, tjuskraft; ~
boy charmgosse
glance I [glɑːns] verb titta hastigt (flyktigt),
ögna [*at* i; *over, through* igenom]

II [glɑːns] subst hastig (flyktig) blick, titt [*at*
på]; *at first* ~ vid första ögonkastet
gland [glænd] subst anat. körtel
glare I [gleə] verb **1** blänka, glänsa **2** glo [*at*
på]
II [gleə] subst **1** bländande ljus **2** ilsken
blick
glaring ['gleərɪŋ] adj **1** bländande, skarp
2 stirrande [~ *eyes*] **3** bjärt, gräll [~
colours], iögonenfallande [~ *faults*]
Glasgow ['glɑːzgəʊ]
glass [glɑːs] subst **1** material glas [*made of* ~]
2 dricksglas, glas [*a* ~ *of wine*] **3** pl.
glasses glasögon
glassful ['glɑːsfʊl] subst glas mått
glasshouse ['glɑːshaʊs] subst växthus,
drivhus
glassware ['glɑːsweə] subst glasvaror, glas
glassy ['glɑːsɪ] adj **1** glasaktig **2** *a* ~ *look* en
glasartad blick
glaucoma [glɔː'kəʊmə] subst med. glaukom,
grön starr
glaze [gleɪz] verb **1** sätta glas i [~ *a window*]
2 glasera [~ *cakes*]; *glazed earthenware*
fajans; *glazed tiles* kakel
glazier ['gleɪzjə] subst glasmästare
gleam I [gliːm] subst glimt, stråle
II [gliːm] verb glimma
glee [gliː] subst uppsluppen glädje, förtjusning
gleeful ['gliːfʊl] adj glad, munter
glen [glen] subst trång dal, dalgång
glib [glɪb] adj talför, munvig
glide I [glaɪd] verb glida
II [glaɪd] subst glidning
glider ['glaɪdə] subst glidflygplan,
segelflygplan
gliding ['glaɪdɪŋ] subst **1** glidning
2 segelflygning
glimmer I ['glɪmə] verb glimma, skimra
II ['glɪmə] subst **1** skimmer, glimrande
2 glimt, skymt; *a* ~ *of hope* en strimma av
hopp
glimpse I [glɪmps] subst skymt [*of* av]; *catch*
a ~ *of* se en skymt av
II [glɪmps] verb se en skymt av
glint I [glɪnt] verb glittra, blänka
II [glɪnt] subst glimt [*a* ~ *in his eye*]
glisten ['glɪsn] verb glittra, glimma, glänsa
glitter I ['glɪtə] verb glittra, blänka
II ['glɪtə] subst **1** glitter, glimmer **2** prakt
gloat [gləʊt] verb, ~ *over* vara skadeglad
över [~ *over sb's misfortunes*]
global ['gləʊbl] adj global,
världsomspännande, total; ~ *warming*
global uppvärmning

globalization [ˌgləʊbəlaɪˈzeɪʃən] *subst* globalisering

globe [gləʊb] *subst* **1** klot, kula **2** *the* ~ jordklotet

gloom [gluːm] *subst* **1** dunkel **2** dysterhet, förstämning; ~ *and doom* vard. jämmer och elände; *it isn't all* ~ *and doom!* några ljuspunkter finns det i alla fall!

gloomy [ˈgluːmɪ] *adj* **1** dunkel **2** dyster

glorify [ˈglɔːrɪfaɪ] *verb* förhärliga, glorifiera

glorious [ˈglɔːrɪəs] *adj* **1** strålande, underbar, härlig **2** lysande [*a* ~ *victory*]

glory I [ˈglɔːrɪ] *subst* **1** ära [*win* ~] **2** prydnad, stolthet **3** härlighet; *in all one's* ~ i sitt esse

II [ˈglɔːrɪ] *verb*, ~ *in* jubla över, glädja sig åt

gloss I [glɒs] *subst* glans, glänsande yta

II [glɒs] *verb* göra glansig; ~ *over* släta över [*she glossed over his faults*]

glossary [ˈglɒsərɪ] *subst* ordlista

glossy [ˈglɒsɪ] *adj* glansig, glänsande; ~ *magazine* elegant och påkostad tidskrift

glove [glʌv] *subst* handske; ~ *compartment* handskfack i bil; *fit like a* ~ sitta som gjuten, passa perfekt

glow I [gləʊ] *verb* glöda, brinna [*with* av]

II [gləʊ] *subst* **1** glöd [*the* ~ *of sunset*] **2** frisk rodnad

glowing [ˈgləʊɪŋ] *pres p o. adj* glödande [~ *enthusiasm*], entusiastisk; *a* ~ *account* en entusiastisk skildring

glow-worm [ˈgləʊwɜːm] *subst* lysmask

glucose [ˈgluːkəʊz] *subst* glykos, glukos

glue I [gluː] *subst* lim

II [gluː] *verb* limma, limma fast, limma ihop

glum [glʌm] *adj* trumpen, surmulen

glutton [ˈglʌtn] *subst* matvrak, frossare

gluttony [ˈglʌtənɪ] *subst* frosseri, glupskhet

glycerine [ˌglɪsəˈriːn] *subst* glycerin

glycol [ˈglaɪkɒl] *subst* kem. glykol

GMT [ˌdʒiːemˈtiː] (förk. för *Greenwich Mean Time*) GMT

gnarled [nɑːld] *adj* knotig, knölig

gnash [næʃ] *verb*, *he gnashed his teeth* han gnisslade tänder

gnat [næt] *subst* **1** mygga **2** knott

gnaw [nɔː] (*gnawed gnawed*) *verb*, ~ *at* gnaga, gnaga på; *gnawed with anxiety* plågad av oro

gnome [nəʊm] *subst* gnom, trädgårdstomte

GNP [ˌdʒiːenˈpiː] (förk. för *gross national product*) BNP (förk. för *bruttonationalprodukt*)

go I [gəʊ] (*went gone; he/she/it goes;* se äv. *going* o. *gone*) *verb* **1** fara, resa, åka, köra; ge sig av; *look where you are going!* se dig för!; ~ *fishing* gå och fiska **2** om tid gå; *to* ~ kvar [*only five minutes to* ~] **3** utfalla, gå [*how did the voting* ~?] **4** bli [~ *bad*; ~ *blind*] **5** ha sin plats, bruka vara; få plats [*they will* ~ *in the bag*]; *where do the cups* ~? var ska jag ställa kopparna? **6** ljuda, lyda [*how does the text* ~?]; *the bell went* klockan ringde; *how does the tune* ~? hur låter (går) melodin?; *the story goes that…* det berättas (sägs) att… **7** räcka, förslå [*this sum won't* ~ *far*] **8** *here we* ~! a) nu börjar vi!, nu sätter vi i gång! b) nu börjas det! **9** ~ *to* tjäna till att; *it goes to show that…* det bevisar att…; *the qualities that* ~ *to make a teacher* de egenskaper som är nödvändiga för en lärare

II [gəʊ] (*went gone; he/she/it goes*) *verb* med adv. o. prep.

go about 1 gå omkring, fara omkring **2** ta itu med [*they went about their work*]

go against strida emot, vara emot, bjuda ngn emot

go ahead 1 sätta i gång, börja; fortsätta **2** gå framåt **3** ta ledningen spec. sport.

go along 1 gå vidare, fara vidare, fortsätta **2** ~ *along with* a) följa med b) hålla med [*I can't* ~ *along with you on that*]

go at rusa på, gå lös på

go back 1 gå tillbaka, fara tillbaka, återvända **2** bryta [~ *back on one's word*], svika

go beyond gå utöver, överskrida

go by 1 gå (fara) förbi; *two years went by* två år gick; ~ *by air* flyga; ~ *by car* åka bil **2** gå efter, rätta sig efter [*nothing to* ~ *by*] **3** ~ *by the name of…* gå under namnet…

go down 1 gå ner; falla, sjunka **2** minska [~ *down in weight*], försämras **3** sträcka sig fram till en tidpunkt; ~ *down in history* gå till historien **4** slå an, gå in, gå hem [*with* hos] **5** sport. bli nerflyttad, förlora [*the team went down two nil*]

go for 1 ~ *for a walk* ta en promenad; ~ *for a swim* gå och bada **2** gå efter, hämta **3** gå lös på, ge sig på **4** gälla [*that goes for you too!*]

go in 1 gå in; gå 'i **2** ~ *in for* gå in för, satsa på, ägna sig åt [~ *in for farming*], slå sig på [~ *in for golf*]; gå upp i [~ *in for an examination*]

go into 1 gå in i; gå med i, delta i **2** ge sig in på, ägna sig åt [*she went into journalism*]

3 gå in på [~ *into details*], ge sig in på, undersöka

go off 1 ge sig i väg **2** om skott el. eldvapen gå av, brinna av, smälla **3** gå, utlösas [*the alarm went off*] **4** bli skämd; bli sämre **5** ~ *off to sleep* falla i sömn

go on 1 gå (fara) vidare, fortsätta; ~ *on about* tjata om **2** ~ *on to* gå över till **3** pågå, hålla på **4** försiggå, stå 'på [*what's going on here?*]; vara i gång **5** tändas [*the lights went on*] **6** 'gå efter [*the only thing we have to* ~ *on*] **7** göra, ge sig ut på [~ *on a journey*]

go out 1 gå (fara) ut **2** slockna [*my pipe has gone out*] **3** ~ *all out* göra sitt yttersta, ta ut sig helt **4** ~ *out of* gå ur, komma ur [~ *out of use*] **5** ~ *out with* vard. sällskapa med

go over 1 gå över **2** stjälpa, välta **3** slå an, göra succé [*the speech went over well*] **4** gå igenom, granska, se över

go round 1 gå runt, gå omkring, fara runt (omkring) **2** räcka; *there isn't enough to* ~ *round* det finns inte så att det räcker till alla; ~ *round to* gå över till, hälsa på

go through 1 gå igenom **2** göra av med, göra slut på [*she went through all her money*] **3** ~ *through with* genomföra, fullfölja

go to 1 gå i [~ *to school*; ~ *to church*]; gå på [~ *to the theatre*]; gå till [~ *to bed*] **2** ta på sig [~ *to a great deal of trouble*]

go under 1 gå under **2** ~ *under the name of...* gå under namnet..., vara känd under namnet...

go up 1 gå upp, stiga; resa [~ *up to town*] **2** tändas, komma på [*the lights went up*] **3** gå (fara) uppför

go with 1 gå (fara) med, följa med **2** höra till; höra ihop med **3** passa till, gå till

go without 1 bli utan, vara utan **2** *it goes without saying* det säger sig självt

III [gəʊ] *subst* vard. **1** *be on the* ~ vara i farten, vara i gång **2** fart, ruter [*there's no* ~ *in him*] **3** (pl. *goes*); *have a* ~ *at it* göra ett försök; *it's your* ~ det är din tur; *at one* ~ på en gång

goad [gəʊd] *verb* driva till; ~ *sb into doing sth* driva ngn till att göra ngt, hetsa ngn till att göra ngt

go-ahead I ['gəʊəhed] *adj* framåt, energisk

II ['gəʊəhed] *subst* klarsignal, klartecken [*give sb the* ~]

goal [gəʊl] *subst* mål [*our* ~ *is to raise 2,000 pounds*]; *keep* ~ stå i mål; *score a* ~ göra mål

goalie ['gəʊlɪ] *subst* vard. målvakt, målis

goalkeeper ['gəʊl‚kiːpə] *subst* målvakt

goalkick ['gəʊlkɪk] *subst* inspark

goalless ['gəʊlləs] *adj* sport. mållös, utan mål

goalpost ['gəʊlpəʊst] *subst* målstolpe

goalscorer ['gəʊl‚skɔːrə] *subst* sport. målgörare, målskytt

goat [gəʊt] *subst* get

gobble ['gɒbl] *verb*, ~ *up* el. ~ *down* glufsa i sig

go-between ['gəʊbɪ‚twiːn] *subst* mellanhand

goblet ['gɒblət] *subst* glas på fot

goblin ['gɒblɪn] *subst* elakt troll, nisse

gobsmacked ['gɒbsmækt] *adj* vard. alldeles paff, mållös

god [gɒd] *subst* gud; *for God's sake!* för guds skull!

godchild ['gɒdtʃaɪld] (pl. *godchildren*) *subst* gudbarn

goddam o. **goddamn** ['gɒdæm] *adj* o. *adv* amer. vard. djävla, förbannad [~ *idiot*; ~ *stupid*]

goddess ['gɒdɪs] *subst* gudinna

godfather ['gɒd‚fɑːðə] *subst* gudfar

godforsaken ['gɒdfə‚seɪkn] *adj* gudsförgäten, eländig

godmother ['gɒd‚mʌðə] *subst* gudmor

godsend ['gɒdsend] *subst* skänk från ovan

go-getter ['gəʊ‚getə] *subst* vard. gåpåare, streber

goggles ['gɒglz] *subst pl* **1** skyddsglasögon, bilglasögon **2** vard. brillor

going I ['gəʊɪŋ] *subst* före, väglag [*heavy* ~]; *it's heavy* ~ det går trögt; *go while the* ~ *is good* gå medan det ännu finns en chans; *80 km an hour is good* ~ 80 km i timmen är en bra fart

II ['gəʊɪŋ] *adj* o. *pres p* **1** väl inarbetad [*a* ~ *concern*]; *get* ~ komma i gång; sätta i gång [*get* ~*!*] **2** *get sth* ~ få något i gång **3** *have something* ~ *with* ha något ihop med **4** som finns att få [*the best coffee* ~]; *he ate anything* ~ han åt allt som fanns att få; *are there any* ~*?* finns det några att få? **5** *going, going, gone!* vid auktion första, andra, tredje! **6** *she is* ~ *on for forty* hon närmar sig de fyrtio; *be* ~ *to* + inf. ska, komma att, tänka, ämna [*what are you* ~ *to do?*]

goitre ['gɔɪtə] *subst* med. struma

gold [gəʊld] *subst* guld; *as good as* ~ förfärligt snäll

golden ['gəʊldən] *adj* guld- [~ *earrings*], av guld, gyllene; ~ *handshake* större avgångsvederlag; *a* ~ *opportunity* ett utmärkt tillfälle; ~ *parachute* vard. fallskärmsavtal

goldfinch ['gəʊldfɪntʃ] *subst* fågel steglits
goldfish ['gəʊldfɪʃ] *subst* guldfisk
gold leaf [ˌgəʊld'liːf] *subst* bladguld
gold mine ['gəʊldmaɪn] *subst* guldgruva äv. något mycket lönande [*this shop is a ~*]
gold plate [ˌgəʊld'pleɪt] *subst* gulddoublé
gold-plated ['gəʊld‚pleɪtɪd] *adj* guldpläterad
goldsmith ['gəʊldsmɪθ] *subst* guldsmed
golf I [gɒlf] *subst* golf
  II [gɒlf] *verb,* **go golfing** spela golf
golf car ['gɒlfkɑː] *subst* o. **golf cart** ['gɒlfkɑːt] *subst* golfbil
golf club ['gɒlfklʌb] *subst* **1** golfklubba **2** golfklubb
golf course ['gɒlfkɔːs] *subst* golfbana
golfer ['gɒlfə] *subst* golfspelare
golf links ['gɒlflɪŋks] *subst* golfbana
golf trolley ['gɒlf‚trɒlɪ] *subst* golfvagn
Goliath [gə'laɪəθ] Goliat [*David* ['deɪvɪd] *and Goliath*]
golliwog ['gɒlɪwɒg] *subst* svart trasdocka
gondola ['gɒndələ] *subst* gondol
gondolier [ˌgɒndə'lɪə] *subst* gondoljär
gone [gɒn] *adj* o. *perf p* (av *go I*) **1** borta, försvunnen [*the book is ~*]; slut [*my money is ~*] **2** **she is far ~** hon är starkt utmattad, hon är svårt sjuk; *our work is far ~* vårt arbete är långt framskridet **3** gången, förbi; *it is past and ~* det tillhör det förflutna; *it's just ~ four* klockan är litet över fyra
gong [gɒŋ] *subst* gonggong
gonorrhoea [ˌgɒnə'rɪə] *subst* med. gonorré
goo [guː] *subst* vard. gegga
good I [gʊd] (*better best*) *adj* **1** god, bra [*a ~ knife*]; *she has a ~ figure* hon har en snygg figur **2** nyttig, hälsosam; *it is ~ for colds* det är bra mot förkylningar **3** duktig, bra [*at i*] **4** vänlig, snäll [*it was ~ of you to help me*] **5** ordentlig, riktig; *a ~ hiding* ett riktigt kok stryk; *a ~ while* en bra stund **6** i hälsnings- och avskedsfraser: *~ afternoon* a) god dag b) adjö; *~ day* a) god dag b) adjö; *~ evening* a) god afton, god dag b) adjö; *~ morning* a) god morgon, god dag b) adjö; *~ night* a) god natt, god afton b) adjö **7** med subst.: *Good Friday* långfredagen; *~ gracious!* el. *~ Heavens!* kära nån!, du milde!; *~ nature* godmodighet; *all in ~ time* i lugn och ro; *all in ~ time!* ta det lugnt!, sakta i backarna! **8** *make ~* a) gottgöra [*make ~ a loss*], ersätta, återställa b) hålla [*make ~ a promise*], vard. göra sin lycka
  II [gʊd] *adv*, *as ~ as* så gott som
  III [gʊd] *subst* **1** det goda; *~ and evil* gott

och ont **2** nytta, gagn; *it is for your own ~* det är för ditt eget bästa; *it is no ~* det tjänar ingenting till; *what's the ~ of that?* vad ska det vara bra för?; *he is up to no ~* han har något rackartyg för sig **3** *for ~* för gott, för alltid
goodbye [gʊd'baɪ] *subst* o. *interj* adjö, farväl
good-for-nothing ['gʊdfə‚nʌθɪŋ] *subst* odåga
good-humoured [ˌgʊd'hjuːməd] *adj* godmodig
good-looking [ˌgʊd'lʊkɪŋ] *adj*, *he is ~* är snygg
good-natured [ˌgʊd'neɪtʃəd] *adj* godmodig
goodness ['gʊdnəs] *subst* godhet; *~ knows* a) det vete gudarna b) Gud ska veta [*~ knows I've tried hard*]; *thank ~!* gudskelov!; *~ gracious!* el. *~ gracious me!* el. *my ~!* kära nån!, du milde!; *for goodness' sake!* för Guds skull!; *I wish to ~ that I could* jag önskar verkligen att jag kunde
goods [gʊdz] *subst pl* **1** lösören, tillhörigheter; *worldly ~* jordiska ägodelar **2** varor, artiklar, gods; frakt på järnväg, fraktgods
good-tempered [ˌgʊd'tempəd] *adj* godmodig
goodwill [ˌgʊd'wɪl] *subst* goodwill, anseende
gooey ['guːɪ] *adj* vard. geggig, kladdig [*a ~ mess*; *~ cream cakes*]
goof I [guːf] *subst* sl. **1** klantskalle **2** tabbe, tavla
  II [guːf] *verb* sl. amer. göra en tabbe; *~ around* larva omkring
google ['guːgl] *verb* data. googla söka på Internet med hjälp av Google [*for på*]
goose [guːs] (pl. *geese* [giːs]) *subst* gås
gooseberry ['gʊzbərɪ, 'guːzbərɪ] *subst* krusbär
gooseflesh ['guːsfleʃ] *subst* gåshud
gorge [gɔːdʒ] *verb* frossa; *~ oneself with food* proppa i sig mat
gorgeous ['gɔːdʒəs] *adj* **1** praktfull [*a ~ sunset*] **2** härlig, läcker **3** jättetjusig [*a ~ girl*]
gorilla [gə'rɪlə] *subst* gorilla
gorse [gɔːs] *subst* växt ärttörne
gory ['gɔːrɪ] *adj* blodig, blodbesudlad
gosh [gɒʃ] *interj*, *~!* kors!, jösses!
gospel ['gɒspəl] *subst* evangelium
gossip I ['gɒsɪp] *subst* **1** skvaller **2** skvallerbytta
  II ['gɒsɪp] *verb* skvallra, sladdra
gossipmonger ['gɒsɪp‚mʌŋgə] *subst* skvallerbytta

got [gɒt] imperf. av get
Gothenburg ['gɒθənbɜːg] Göteborg
gotten ['gɒtn] verb amer., se get
goulash ['guːlæʃ] subst kok. gulasch
gourmet ['guəmeɪ] subst gourmet, finsmakare
gout [gaʊt] subst med. gikt
govern ['gʌvən] verb styra, regera
governess ['gʌvənəs] subst guvernant
governing ['gʌvənɪŋ] adj regerande, styrande
government ['gʌvnmənt] subst **1** regering **2** regerings- [in Government circles]; stats- [Government control]
governor ['gʌvənə] subst **1** guvernör **2** direktör [~ of a prison]; chef **3** board of ~s styrelse
governor-general [ˌgʌvənə'dʒenrəl] subst generalguvernör
gown [gaʊn] subst **1** finare klänning [dinner ~] **2** kappa ämbetsdräkt för akademiker, domare m.fl. **3** skyddsdräkt
GP [ˌdʒiː'piː] (förk. för general practitioner) se ex. under general
grab I [græb] (-bb-) verb **1** hugga tag i, gripa tag i **2** roffa åt sig
II [græb] subst **1** hastigt grepp, hugg [for, at efter]; **make a ~ at** försöka gripa tag i **2** it's up for ~s vard. det står tillgängligt för vem som helst
grab bag ['græbbæg] subst amer. fiskdamm
grace I [greɪs] subst **1** behag, grace, elegans; **by the ~ of God** med Guds nåde **2** bordsbön; [say ~] **3** His (Her, Your) Grace Hans (Hennes, Ers) nåd
II [greɪs] verb pryda, smycka
graceful ['greɪsfʊl] adj behagfull, graciös
graceless ['greɪsləs] adj charmlös, klumpig
gracious ['greɪʃəs] adj **1** älskvärd **2** good ~! el. goodness ~! kära nån!, du milde!
gradation [grə'deɪʃən] subst gradering
grade I [greɪd] subst **1** grad; rang [social ~] **2** amer. skol. klass, årskurs **3** spec. amer. skol. betyg, poäng **4** spec. amer. mil. rang, grad **5** kvalitet, sort [different ~s of steel]; **make the ~** vard. lyckas **6** amer., se gradient
II [greɪd] verb gradera, sortera; dela in i kategorier; klassificera
gradient ['greɪdjənt] subst t.ex. vägs lutningsgrad, stigning
gradual ['grædjʊəl] adj gradvis, successiv
gradually ['grædjʊəlɪ] adv **1** gradvis, successivt **2** så småningom
graduate I ['grædjʊət] subst **1** akademiker, person med akademisk examen **2** elev som

gått ut gymnasieskolan [high school ~]
II ['grædjʊeɪt] verb **1** ta akademisk examen **2** amer. ta studenten, gå ut gymnasieskolan [~ from high school]

---

graduation
När amerikanska ungdomar slutar gymnasiet, *high school*, får de ett avgångsbetyg, *high school diploma*. Eleverna är under avslutningsceremonin klädda i en slags hatt och en kappa, *cap and gown*. På kvällen hålls en bal, som kallas *prom* (förkortning för *promenade*).

---

graduation [ˌgrædjʊ'eɪʃən] subst **1** avläggande av akademisk examen **2** amer. skol. avgångsexamen **3** gradering [the ~ of a thermometer]
graffiti [græ'fiːtiː] subst pl graffiti, klotter
1 graft [grɑːft] verb **1** ympa, ympa in [on, to i, på] **2** med. transplantera
2 graft [grɑːft] subst vard. korruption, mygel
grain [greɪn] subst **1** sädeskorn, gryn [a ~ of rice] **2** säd, spannmål **3** korn [~s of sand], gryn, grand; **there isn't a ~ of truth in the report** det finns inte en gnutta sanning i rapporten **4** gran minsta eng. vikt = 0,0648 g **5** ytas ådring, textur; **it goes against the ~ for me to...** det strider mot min natur att...
gram [græm] subst spec. amer. gram
grammar ['græmə] subst grammatik
grammatical [grə'mætɪkl] adj grammatisk
gramme [græm] subst gram
gramophone ['græməfəʊn] subst grammofon
gran [græn] subst vard. farmor; mormor
granary ['grænərɪ] subst spannmålsmagasin
grand I [grænd] adj **1** stor, pampig; storslagen [a ~ view]; förnäm, fin; ~ old man grand old man, nestor; ~ opera opera seriös o. utan talpartier; ~ piano flygel **2** vard. utmärkt; ~! fint!, utmärkt!, finemang!
II [grænd] subst musik. flygel
grandchild ['græntʃaɪld] (pl. grandchildren ['græn,tʃɪldrən]) subst barnbarn
granddad ['grændæd] subst vard. farfar; morfar
granddaughter ['græn,dɔːtə] subst sondotter; dotterdotter
grandeur ['grændʒə] subst storslagenhet, prakt

grandfather ['grænd,fɑ:ðə] *subst* farfar; morfar; ~ *clock* golvur

grandiose ['grændɪəʊs] *adj* storslagen

grandma ['grænmɑ:] *subst* o. **grandmamma** ['grænmə,mɑ:] *subst* vard. farmor; mormor

grandmother ['grænd,mʌðə] *subst* farmor; mormor

grandpa ['grænpɑ:] *subst* vard. farfar; morfar

grandparents ['grænd,peərənts] *subst* farföräldrar; morföräldrar

grandson ['grænsʌn] *subst* sonson; dotterson

grandstand ['grændstænd] *subst* huvudläktare, åskådarläktare vid tävlingar

grange [greɪndʒ] *subst* lantgård

granite ['grænɪt] *subst* granit

granny ['grænɪ] *subst* vard. farmor; mormor

Granola® [grə'nəʊlə] *subst* amer. müsli

grant I [grɑ:nt] *verb* **1** bevilja **2** anslå pengar [*towards* till] **3** medge; *take sth for granted* ta ngt för givet
II [grɑ:nt] *subst* **1** anslag, bidrag, stipendium; *government* ~ statsanslag, statsbidrag **2** beviljande, anslående

granulated ['grænjʊleɪtɪd] *adj*, ~ *sugar* strösocker

grape [greɪp] *subst* vindruva; ~ *hyacinth* blomma pärlhyacint

grapefruit ['greɪpfru:t] *subst* grapefrukt

grapevine ['greɪpvaɪn] *subst*, *hear sth on the* ~ få höra ngt genom djungeltelegrafen

graph [grɑ:f, græf] *subst* diagram, kurva; ~ *paper* rutat papper

graphite ['græfaɪt] *subst* grafit, blyerts

grapple ['græpl] *verb*, ~ *with* strida med, slåss med [~ *with the enemy*]; brottas med [~ *with problems*]

grasp I [grɑ:sp] *verb* **1** fatta tag i, gripa **2** gripa om, hålla fast **3** fatta, begripa [~ *the point*]
II [grɑ:sp] *subst* **1** grepp, tag; *beyond my* ~ utom räckhåll för mig; *within my* ~ inom räckhåll för mig **2** uppfattning, förståelse; *have a good* ~ *of the subject* ha ett bra grepp om ämnet

grass [grɑ:s] *subst* **1** gräs **2** sl. marijuana

grasshopper ['grɑ:s,hɒpə] *subst* gräshoppa

grass roots [,grɑ:s'ru:ts] *subst* gräsrötterena vanliga människor; *at* ~ *level* på gräsrotsnivå

grass widow [,grɑ:s'wɪdəʊ] *subst* gräsänka

grass widower [,grɑ:s'wɪdəʊə] *subst* gräsänkling

1 grate [greɪt] *verb* **1** riva [~ *cheese*]; smula sönder **2** gnissla, knarra, skorra illa; ~ *one's teeth* skära tänder; *it* ~*s on my nerves* det går mig på nerverna

2 grate [greɪt] *subst* spisgaller

grateful ['greɪtfʊl] *adj* tacksam [*to* mot]

grater ['greɪtə] *subst* rivjärn

gratification [,grætɪfɪ'keɪʃən] *subst* tillfredsställelse; nöje, njutning, uppfyllande [*the* ~ *of a wish*]

gratify ['grætɪfaɪ] *verb* tillfredsställa, uppfylla [~ *sb's wishes*]

gratifying ['grætɪfaɪɪŋ] *adj* glädjande, angenäm

gratin ['grætæ] *subst* kok. grätäng, gratin; *au* [əʊ] *gratin* au gratin

1 grating ['greɪtɪŋ] *adj* gnisslande, skärande, skorrande [~ *voice*]

2 grating ['greɪtɪŋ] *subst* galler, gallerverk

gratitude ['grætɪtju:d] *subst* tacksamhet [*to* mot]

gratuity [grə'tju:ətɪ] *subst* drickspengar, dricks

1 grave [greɪv] *adj* allvarlig, grav

2 grave [greɪv] *subst* grav

grave-digger ['greɪv,dɪgə] *subst* dödgrävare

gravel ['grævəl] *subst* grus, grov sand

gravestone ['greɪvstəʊn] *subst* gravsten

graveyard ['greɪvjɑ:d] *subst* kyrkogård, begravningsplats

gravitation [,grævɪ'teɪʃən] *subst* gravitation, tyngdkraft

gravity ['grævətɪ] *subst* **1** allvar **2** tyngd, vikt; *centre of* ~ tyngdpunkt; *specific* ~ densitet **3** tyngdkraft; *the law of* ~ tyngdlagen, gravitationslagen

gravlax ['grævlæks] *subst* kok. gravlax, gravad lax maträtt

gravy ['greɪvɪ] *subst* köttsaft, sky

gray [greɪ] *adj* amer. grå

1 graze I [greɪz] *verb* **1** snudda vid **2** skrapa, skrubba [*she grazed her knee*]; ~ *against* snudda vid, skrapa mot
II [greɪz] *subst* skrubbsår

2 graze [greɪz] *verb* **1** beta **2** valla [~ *sheep*]

grease [gri:s] *subst* **1** fett, talg, flott **2** smörjolja

greasepaint ['gri:speɪnt] *subst* teat. smink

Great Britain

Great Britain omfattar England, Skottland och Wales. I dagligt tal används Great Britain ibland i betydelsen *the United Kingdom* (förkortas *the U.K.*), dvs. England, Skottland, Wales och Nordirland.

greaseproof ['griːspruːf] *adj*, ~ *paper* smörgåspapper, smörpapper

greasy ['griːsɪ, 'griːzɪ] *adj* **1** fet, flottig [~ *food*] **2** oljig **3** hal [*a* ~ *road*]

great [greɪt] *adj* **1** stor; *Great Britain* Storbritannien; *Great Dane* grand danois hund; *a* ~ *big man* vard. en stor stark karl; ~ *friends* mycket goda vänner **2** stor, framstående [*a* ~ *musician*] **3** om tid lång [*a* ~ *interval*]; hög [*a* ~ *age*]; *a* ~ *while* en lång stund **4** vard. härlig, underbar [*a* ~ *sight*]; storartad; *that's* ~*!* el. ~*!* fint!, utmärkt!; *we had a* ~ *time* vi hade jättetrevligt

great-grandchild [,greɪt'græntʃaɪld] (pl. *great-grandchildren* [,greɪt'græn,tʃɪldrən]) *subst* barnbarnsbarn

great-granddaughter [,greɪt'græn,dɔːtə] **1** *subst* sons sondotter, sons dotterdotter **2** dotters sondotter, dotters dotterdotter

great-grandfather [,greɪt'grænd,fɑːðə] *subst* farfars far, farmors far, morfars far, mormors far, gammelfarfar, gammelmorfar

great-grandmother [,greɪt'grænd,mʌðə] *subst* farfars mor, farmors mor, morfars mor, mormors mor, gammelfarmor, gammelmormor

great-grandson [,greɪt'grændsʌn] *subst* **1** sons sonson, sons dotterson **2** dotters sonson, dotters dotterson

greatly ['greɪtlɪ] *adv* mycket, i hög grad

greatness ['greɪtnəs] *subst* **1** storlek i omfång, grad **2** storhet

grebe [griːb] *subst* fågel dopping

Grecian ['griːʃən] *adj* grekisk i stil [~ *nose*]

Greece [griːs] Grekland

greed [griːd] *subst* **1** girighet **2** glupskhet

greedy ['griːdɪ] *adj* **1** girig **2** glupsk

greedy-guts ['griːdɪgʌts] *subst* vard., ~*!* vad du vräker i dig!, vad du är glupsk!

Greek I [griːk] *subst* **1** grek; grekinna **2** grekiska språket
II [griːk] *adj* grekisk

green I [griːn] *adj* **1** grön **2** grön, oerfaren
II [griːn] *subst* **1** grönt **2** golf. green **3** grönska **4** pl. ~*s* vard. grönsaker

greenery ['griːnərɪ] *subst* grönska

greenfly ['griːnflaɪ] *subst* insekt bladlus

greengage ['griːngeɪdʒ] *subst* renklo, reine claude plommonsort

greengrocer ['griːn,grəʊsə] *subst* frukt- och grönsakshandlare

greengrocery ['griːn,grəʊsərɪ] *subst* **1** frukt-

och grönsaksaffär **2** frukt och grönsaker handelsvaror

greenhorn ['griːnhɔːn] *subst* vard. gröngöling

greenhouse ['griːnhaʊs] *subst* växthus; ~ *effect* växthuseffekt, drivhuseffekt

Greenland ['griːnlənd] Grönland

Greenwich

Greenwich i sydöstra London är berömt för den så kallade noll-meridianen, en tänkt linje som delar jordklotet i en östlig och en västlig del. Medelsoltiden vid denna meridian betraktas som världstid och kallas *Greenwich Mean Time* (förkortas *GMT*). Numera används ofta *UT* (*Universal Time*) i stället för *GMT*.

Greenwich Mean Time [,grɪnɪdʒ'miːntaɪm] Greenwichtid standardtid över hela världen

greet [griːt] *verb* **1** hälsa [*he greeted me with a nod*] **2** välkomna, ta emot t.ex. gäst **3** om syn, ljud möta [*a surprising sight greeted us*]

greeting ['griːtɪŋ] *subst* hälsning; ~*s card* el. amer. ~ *card* gratulationskort

grenade [grɪ'neɪd] *subst* mil. granat; *hand* ~ handgranat

grew [gruː] imperf. av *grow*

grey I [greɪ] *adj* grå
II [greɪ] *subst* grått
III [greɪ] *verb* gråna

greyhound ['greɪhaʊnd] *subst* vinthund; ~ *racing* hundkapplöpning

grid [grɪd] *subst* **1** galler **2** kraftledningsnät

gridiron ['grɪd,aɪən] *subst* **1** halster, grill; rost **2** amerikansk fotboll fotbollsplan

grief [griːf] *subst* sorg, bedrövelse [*for* över; *at* vid, över]; *come to* ~ a) råka illa ut b) gå omkull, gå i stöpet

grievance ['griːvəns] *subst* missnöjesanledning; *have a* ~ ha något att klaga över

grieve [griːv] *verb* sörja [*at, for* över]

grievous ['griːvəs] *adj* sorglig, smärtsam

grill I [grɪl] *verb* **1** halstra, grilla, steka på halster **2** halstra, grilla i korsförhör
II [grɪl] *subst* **1** grillrätt **2** halster, grill

grille [grɪl] *subst* **1** skyddsgaller **2** grill på bil

grim [grɪm] *adj* **1** hård, sträng [~ *determination*] **2** bister [*a* ~ *expression*]

grimace I [grɪˈmeɪs] *subst* grimas
  II [grɪˈmeɪs] *verb* grimasera
grime [graɪm] *subst* ingrodd smuts, sot
grimy [ˈgraɪmɪ] *adj* smutsig, sotig
grin I [grɪn] (*-nn-*) *verb* flina; ~ *and bear it*
  hålla god min i elakt spel
  II [grɪn] *subst* flin
grind I [graɪnd] (*ground ground*) *verb* **1** mala
  2 slipa, polera; *ground glass* matt
  (mattslipat) glas **3** ~ *one's teeth* skära
  tänder; ~ *to a halt* a) stanna med ett
  gnissel b) köra fast
  II [graɪnd] *subst* **1** vard. knog, slit, slitgöra
grinder [ˈgraɪndə] *subst* **1** kvarn
  [*coffee-grinder*] **2** slipmaskin
grindstone [ˈgraɪndstəʊn] *subst* slipsten
grip I [grɪp] *subst* **1** grepp, tag, fattning [*of*
  om] **2** handtag, grepp på väska m.m.
  3 hårklämma **4** *get to* ~*s with* el. *come to*
  ~*s with* komma inpå livet, ge sig i kast
  med
  II [grɪp] (*-pp-*) *verb* gripa om, fatta tag i [~
  the rope]
gripping [ˈgrɪpɪŋ] *adj* gripande, fängslande
grisly [ˈgrɪzlɪ] *adj* hemsk, kuslig, gräslig
gristle [ˈgrɪsl] *subst* i kött brosk
grit I [grɪt] *subst* **1** sandkorn; sand, grus
  2 vard. gott gry, mod, kurage
  II [grɪt] (*-tt-*) *verb* **1** gnissla med; ~ *one's*
  teeth skära tänder **2** sanda mot halka [~ *the*
  roads]
gritty [ˈgrɪtɪ] *adj* grusig, sandig, grynig
grizzled [ˈgrɪzld] *adj* gråsprängd
grizzly I [ˈgrɪzlɪ] *adj* gråaktig; gråhårig; ~
  bear nordamerikansk grizzlybjörn
  II [ˈgrɪzlɪ] *subst* grizzlybjörn
groan I [grəʊn] *verb* **1** stöna, jämra sig
  2 digna [*under* under börda] **3** om t.ex. trä
  knaka
  II [grəʊn] *subst* **1** stönande, jämmer
grocer [ˈgrəʊsə] *subst* specerihandlare
grocery [ˈgrəʊsərɪ] *subst* **1** mest pl. *groceries*
  specerier **2** ~ *store* speceriaffär
groggy [ˈgrɒgɪ] *adj* vard. ostadig, vacklande;
  spec. sport. groggy
groin [grɔɪn] *subst* ljumske, vard. skrev
groom I [gruːm] *subst* **1** brudgum
  2 stalldräng
  II [gruːm] *verb* **1** sköta, ansa, rykta hästar
  2 träna, trimma [~ *a political candidate*]
groove [gruːv] *subst* **1** fåra, räffla, skåra, spår
  2 slentrian; *get into a* ~ om person fastna i
  slentrian
groovy [ˈgruːvɪ] *adj* ngt åld. vard. häftig, ball,
  mysig

grope [grəʊp] *verb* treva, famla [*for* efter]; ~
  one's way treva sig fram
gross I [grəʊs] *adj* **1** grov, rå, krass [~
  materialism]; ~ *negligence* jur. grov
  oaktsamhet **2** skriande, flagrant [~
  injustice] **3** total , brutto ; ~ *national*
  product (förk. *GNP*) se GNP
  II [grəʊs] *subst* gross 12 dussin [*two* ~ *pens*]
grossly [ˈgrəʊslɪ] *adv* grovt, starkt [~
  exaggerated]
grotesque [grəʊˈtesk] *adj* grotesk, barock
grotto [ˈgrɒtəʊ] (pl. ~*s*) *subst* grotta
1 ground [graʊnd] imperf. o. perf. p. av *grind I*
2 ground I [graʊnd] *subst* **1** mark; jord; *it*
  would suit me down to the ~ vard. det
  skulle passa mig alldeles precis **2** terräng,
  plan, stadion, [*football* ~]; *gain* ~ vinna
  terräng; *hold one's* ~ el. *stand one's* ~
  hålla stånd, stå på sig; *lose* ~ förlora
  terräng **3** pl. ~*s* inhägnat område, stor tomt
  4 pl. ~*s* bottensats, sump [*coffee* ~*s*] **5** amer.
  elektr. jordkontakt, jordledning **6** grund,
  underlag, botten [*on a white* ~]
  7 anledning, orsak; *there is no* ~ *for*
  anxiety det finns ingen anledning till oro;
  on the ~*s that* med anledning av, på
  grund av
  II [graʊnd] *verb* **1** grunda, basera [*on* på]
  2 flyg. tvinga att landa, utfärda flygförbud;
  all aircraft are grounded inga plan får
  starta **3** amer. elektr. jorda
ground crew [ˈgraʊndkruː] *subst*
  markpersonal
ground floor [ˌgraʊndˈflɔː] *subst*
  bottenvåning, bottenplan
groundless [ˈgraʊndləs] *adj* grundlös,
  ogrundad
ground stroke [ˈgraʊndstrəʊk] *subst* i tennis
  grundslag
group I [gruːp] *subst* grupp
  II [gruːp] *verb* **1** gruppera **2** gruppera sig
1 grouse [graʊs] (pl. lika) *subst* ripa; *black* ~
  orre
2 grouse [graʊs] *verb* vard. knota, knorra
  [*about* över]
grove [grəʊv] *subst* skogsdunge, lund
grovel [ˈgrɒvl] (*-ll-*, amer. *-l-*) *verb* kräla i
  stoftet, krypa
grovelling [ˈgrɒvlɪŋ] *adj* krypande,
  inställsam
grow [grəʊ] (*grew grown*) *verb* **1** växa, växa
  upp; utvecklas; stiga, öka; låta växa; ~ *up*
  växa upp, bli fullvuxen; *she is grown up*
  hon är vuxen (stor); ~ *a beard* lägga sig
  till med skägg **2** småningom bli [~ *better*];

be growing börja bli [*she is growing old*]
3 ~ *to* mer och mer börja, komma att [*I grew to like it*] **4** odla [~ *potatoes*]
grower ['grəʊə] *subst* odlare, producent
growl I [graʊl] *verb* morra, brumma [*at* åt]
II [graʊl] *subst* morrande
grown I [grəʊn] perf. p. av *grow*
II [grəʊn] *adj* fullvuxen, grown
grown-up I ['grəʊnʌp] *adj* vuxen [*a* ~ *son*]
II ['grəʊnʌp] *subst* vuxen [*a* ~]
growth [grəʊθ] *subst* **1** växt, tillväxt [*the* ~ *of the city*]; utveckling [*the* ~ *of trade*]; framväxt [*the* ~ *of terrorism*], utvidgning **2** växt, växtlighet, vegetation; med. utväxt, svulst
grub I [grʌb] (*-bb-*) *verb* gräva, rota, böka
II [grʌb] *subst* **1** zool. larv, mask **2** vard. käk
grubby ['grʌbɪ] *adj* smutsig, sjaskig
grudge I [grʌdʒ] *verb* **1** missunna, avundas
II [grʌdʒ] *subst* avund; *have a* ~ *against sb* hysa agg mot ngn
grudging ['grʌdʒɪŋ] *adj* motvillig, missunnsam
gruel ['gruːəl] *subst* välling
gruelling ['gruːəlɪŋ] *adj* vard. mycket ansträngande, sträng [*a* ~ *cross-examination*]
gruesome ['gruːsəm] *adj* hemsk, kuslig
gruff [grʌf] *adj* grov [*a* ~ *voice*], sträv, barsk [*a* ~ *manner*]
grumble ['grʌmbl] *verb* knota, knorra [*about, at* över]
grumpy ['grʌmpɪ] *adj* knarrig, butter, vresig
grunge [grʌndʒ] *subst* amer. vard.
1 geggamoja, smuts **2** grunge musik el. mode
grungy ['grʌndʒɪ] *adj* amer. vard. geggig, smutsig
grunt I [grʌnt] *verb* grymta
II [grʌnt] *subst* grymtning
guarantee I [ˌgærən'tiː] *subst* garanti, säkerhet
II [ˌgærən'tiː] *verb* garantera [~ *peace*]; gå i borgen för, gå i god för; *this clock is guaranteed for one year* det är ett års garanti på den här klockan
guard I [gɑːd] *verb* **1** bevaka, vakta **2** vara på sin vakt [*against* mot] **3** skydda, bevara **4** gardera
II [gɑːd] *subst* **1** vakthållning, bevakning; ~ *of honour* hedersvakt; *keep* ~ hålla (stå på) vakt; *she was off her* ~ hon var inte på sin vakt; *catch sb off his* ~ överrumpla ngn **2** vakt, väktare **3** pl. ~*s* garde [*Horse Guards*] **4** konduktör på tåg

guarded ['gɑːdɪd] *adj* **1** bevakad, vaktad **2** förbehållsam, försiktig [*a* ~ *reply*]
guardian ['gɑːdjən] *subst* **1** bevakare; ~ *angel* skyddsängel **2** jur. förmyndare
Guatemala [ˌgwɑːtə'mɑːlə]
Guernsey ['gɜːnzɪ]
guerrilla [gə'rɪlə] *subst* **1** ~ *warfare* gerillakrigföring **2** gerillasoldat; pl. ~*s* gerillatrupper, gerilla, gerillasoldater
guess I [ges] *verb* **1** gissa **2** spec. amer. vard. tro, förmoda; *I* ~ *so* jag tror det
II [ges] *subst* gissning; *at a* ~ gissningsvis; *it's anyone's* ~ det är omöjligt att gissa
guesswork ['geswɜːk] *subst* gissning, gissningar
guest [gest] *subst* gäst, främmande; ~ *of honour* hedersgäst; *be my* ~ vard. var så god!, det bjuder jag på!
guest-house ['gesthaʊs] *subst* pensionat, gästhem
guffaw I [gʌ'fɔː] *subst* gapskratt, flabb
II [gʌ'fɔː] *verb* gapskratta, flabba
guidance ['gaɪdəns] *subst* ledning; vägledning, rådgivning [*marriage* ~]
guide I [gaɪd] *verb* **1** leda, vägleda, ledsaga
II [gaɪd] *subst* **1** vägvisare **2** guide, reseledare; ~ *dog* ledarhund, blindhund **3** vägledning [*this will serve as a* ~] **4** handbok, resehandbok; *railway* ~ tågtidtabell **5** flickscout
guidebook ['gaɪdbʊk] *subst* resehandbok, guide
guideline ['gaɪdlaɪn] *subst* riktlinje
guillotine I [ˌgɪlə'tiːn] *subst* giljotin
II [ˌgɪlə'tiːn] *verb* giljotinera
guilt [gɪlt] *subst* skuld [*proof of his* ~]; *feeling of* ~ skuldkänsla
guilty ['gɪltɪ] *adj* **1** skyldig; ~ *of murder* skyldig till mord; *find sb* ~ förklara ngn skyldig; *plead* ~ erkänna sig skyldig **2** skuldmedveten [*a* ~ *look*]; *a* ~ *conscience* dåligt samvete
guinea pig ['gɪnɪpɪg] *subst* **1** djur marsvin **2** försökskanin
guitar [gɪ'tɑː] *subst* gitarr
guitarist [gɪ'tɑːrɪst] *subst* gitarrist
gulf [gʌlf] *subst* **1** golf, bukt, vik; *the Gulf Stream* Golfströmmen; *the Gulf of Mexico* Mexikanska golfen **2** djup, klyfta [*the* ~ *between rich and poor*]
gull [gʌl] *subst* fågel mås, trut
gullible ['gʌləbl] *adj* lättlurad, lättrogen
gulp I [gʌlp] *verb*, ~ *down* svälja, stjälpa i sig, häva i sig
II [gʌlp] *subst* sväljning; klunk

1 gum [gʌm] *subst,* ~s tandkött

2 gum I [gʌm] *subst* **1** gummi, kåda **2** slags gelékaramell **3** ~ *boots* gummistövlar
II [gʌm] (*-mm-*) *verb* gummera; ~ *together* klistra ihop

gun I [gʌn] *subst* **1** kanon **2** bossa, gevär **3** vard. revolver, pistol **4** *grease* ~ smörjspruta **5** *big* ~ höjdare, pamp; *stick to one's* ~*s* stå på sig
II [gʌn] (*-nn-*) *verb* **1** vard., ~ *down* skjuta ner

gunboat ['gʌnbəʊt] *subst* kanonbåt

gunfire ['gʌn,faɪə] *subst* skottlossning; mil. artillerield

gunge [gʌndʒ] *subst* vard. o. **gunk** [gʌŋk] *subst* vard. gegga, smörja, kladd

gunman ['gʌnmən] (pl. *gunmen* ['gʌnmən]) *subst* revolverman, beväpnad man

gunner ['gʌnə] *subst* artillerist

gunpoint ['gʌnpɔɪnt] *subst, at* ~ under pistolhot

The Gunpowder Plot
Den 5 november 1605 försökte en grupp katoliker under Guy Fawkes ledning att spränga parlamentet, *the Gunpowder Plot*. Kuppen misslyckades och alla kuppdeltagarna avrättades. I dag firas *Guy Fawkes' Night* eller *Bonfire Night* med fyrverkerier och ett bål där man bränner en docka som föreställer Guy Fawkes.

---

gunpowder ['gʌn,paʊdə] *subst* krut

gunrunner ['gʌn,rʌnə] *subst* vapensmugglare

gunwale ['gʌnl] *subst* sjö. reling

gurgle ['gɜːgl] *verb* **1** klunka, klucka **2** gurgla

gush I [gʌʃ] *verb* **1** välla fram, forsa, strömma **2** vard. vara översvallande
II [gʌʃ] *subst* **1** ström, stråle **2** vard. sentimentalt svammel, flum

gust [gʌst] *subst* häftig vindstöt, kastvind

gusto ['gʌstəʊ] *subst, with great* ~ med stort välbehag

gusty ['gʌstɪ] *adj* byig, stormig

gut I [gʌt] *subst* **1** tarm **2** tarmsträng, kattgut **3** ~ *feeling* instinktiv känsla
II [gʌt] (*-tt-*) *verb* **1** rensa fisk **2** tömma, rensa; *gutted by fire* utbränd av eld

guts [gʌts] *subst pl* **1** inälvor, tarmar **2** mage,

buk **3** vard. kurage; *he has got no* ~ han har ingen ryggrad; *I hate her* ~ jag avskyr henne som pesten

gutter ['gʌtə] *subst* **1** rännsten; ~ *press* skandalpress **2** avloppsränna, avloppsrör **3** takränna

guy [gaɪ] *subst* vard. karl, kille; *hey you* ~*s!* hej grabbar!, hej tjejer!, hej grabbar och tjejer!

guzzle ['gʌzl] *verb* **1** supa, pimpla **2** vräka i sig, häva i sig

guzzler ['gʌzlə] *subst* fylltratt, matvrak

gym [dʒɪm] *subst* vard. kortform för *gymnasium* o. *gymnastics*, se dessa ord

gymnasium [dʒɪm'neɪzjəm] *subst* gymnastiksal, idrottslokal, gym

gymnastic I [dʒɪm'næstɪk] *adj* gymnastisk
II [dʒɪm'næstɪk] *subst,* ~*s* gymnastik

gynaecological [,gaɪnɪkə'lɒdʒɪkl] *adj* gynekologisk

gynaecologist [,gaɪnɪ'kɒlədʒɪst] *subst* gynekolog

gypsy I ['dʒɪpsɪ] *subst* zigenare
II ['dʒɪpsɪ] *adj* zigenar- [~ *music*]

gyrate [,dʒaɪ'reɪt] *verb* rotera, virvla runt

gyrocompass ['dʒaɪrə,kʌmpəs] *subst* gyrokompass

gyroscope ['dʒaɪərəskəʊp] *subst* gyroskop

Hh

H o. **h** [eɪtʃ] *subst* H, h

ha [hɑː] *interj* ha!, åh!; *ha, ha!* ha, ha!

habit ['hæbɪt] *subst* vana; *a bad* ~ en ovana, en dålig vana; *be in the* ~ *of* ha för vana att, bruka

habit-forming ['hæbɪtˌfɔːmɪŋ] *adj* vanebildande

habitual [hə'bɪtjʊəl] *adj* **1** vanemässig **2** inbiten, vane- [*an* ~ *drunkard*] **3** vanlig [*an* ~ *sight*]

habitually [hə'bɪtjʊəlɪ] *adv* jämt

hack [hæk] *verb* **1** hacka; hacka sönder **2** data. hacka (bryta) sig in i datasystem

hacker ['hækə] *subst* data. hacker

hackneyed ['hæknɪd] *adj* banal, utnött

hacksaw ['hæksɔː] *subst* bågfil metallsåg

had [hæd, obetonat həd] imperf. o. perf. p. av *have*

haddock ['hædək] *subst* fisk kolja

hadn't ['hædnt] = *had not*

haemorrhage ['hemərɪdʒ] *subst* med. blödning; *cerebral* ~ hjärnblödning

haemorrhoids ['hemərɔɪdz] *subst pl* med. hemorrojder

hag [hæg] *subst* häxa, satkärring

haggard ['hægəd] *adj* utmärglad, tärd

haggle ['hægl] *verb* pruta, köpslå

Hague [heɪg] *subst, The* ~ Haag

1 hail I [heɪl] *subst* **1** hagel **2** skur [*a* ~ *of blows*]
   II [heɪl] *verb* hagla

2 hail I [heɪl] *verb* **1** hälsa, hylla [~ *sb as leader*] **2** kalla på, ropa till sig [~ *a taxi*] **3** ~ *from* vara från, höra hemma i [*he* ~*s from Boston*]
   II [heɪl] *interj* hell!

hailstone ['heɪlstəʊn] *subst* hagel

hailstorm ['heɪlstɔːm] *subst* hagelby, hagelskur

hair [heə] *subst* hår; hårstrå; *a* ~ *of the dog that bit you* el. *a* ~ *of the dog* en återställare; *do one's* ~ fixa håret; *have one's* ~ *cut* klippa sig, klippa håret; *let one's* ~ *down* släppa loss; *it makes my* ~ *stand on end* det får håret att resa sig på mig; *split* ~s ägna sig åt hårklyverier; *she didn't turn a* ~ hon rörde inte en min

hairbrush ['heəbrʌʃ] *subst* hårborste

hair clip ['heəklɪp] *subst* hårklämma

hair curler ['heəˌkɜːlə] *subst* hårspole, papiljott

haircut ['heəkʌt] *subst* **1** klippning av hår; *have a* ~ el. *get a* ~ klippa sig **2** frisyr

hairdo ['heəduː] (pl. ~s) *subst* vard. frisyr

hairdresser ['heəˌdresə] *subst* frisör; hårfrisörska; *hairdresser's* frisersalong

hair drier ['heəˌdraɪə] *subst* hårtork

hairgrip ['heəgrɪp] *subst* hårklämma

hairline ['heəlaɪn] *subst* hårfäste

hair lotion ['heəˌləʊʃən] *subst* hårvatten

hairpiece ['heəpiːs] *subst* postisch, löshår

hairpin ['heəpɪn] *subst* hårnål

hair-raising ['heəˌreɪzɪŋ] *adj* hårresande

hairslide ['heəslaɪd] *subst* hårspänne

hairsplitting ['heəˌsplɪtɪŋ] *subst* hårklyveri, hårklyverier

hairstyle ['heəstaɪl] *subst* frisyr

hairy ['heərɪ] *adj* hårig, luden

Haiti ['heɪtɪ, hɑː'iːtɪ]

hake [heɪk] *subst* fisk kummel

hale [heɪl] *adj*, ~ *and hearty* frisk och kry

half I [hɑːf] (pl. *halves* [hɑːvz]) *subst* **1** halva, hälft; *do sth by halves* göra ngt halvdant; *cut in* ~ skära itu **2** sport. halvlek
   II [hɑːf] *adj* halv [~ *my time*]; ~ *an hour* en halvtimme
   III [hɑːf] *adv* halvt, till hälften, halv- [~ *cooked*]; *at* ~ *past five* el. vard. *at* ~ *five* klockan halv sex

half-board [ˌhɑːf'bɔːd] *subst* halvpension

half-hearted [ˌhɑːf'hɑːtɪd] *adj* halvhjärtad

half-mast [ˌhɑːf'mɑːst] *subst*, *at* ~ på halv stång

half time [ˌhɑːf'taɪm] *subst* sport. halvtid

halfway I [ˌhɑːf'weɪ] *adj* som ligger halvvägs [~ *point*]
   II [ˌhɑːf'weɪ] *adv* halvvägs [*we have gone* ~]

halibut ['hælɪbət] *subst* fisk hälleflundra

hall [hɔːl] *subst* **1** sal, aula; *lecture* ~ föreläsningssal **2** *concert* ~ konserthus; *town* ~ el. *city* ~ stadshus, rådhus **3** entré, hall, farstu

hallelujah [ˌhælɪ'luːjə] *subst* o. *interj* halleluja

hallmark ['hɔːlmɑːk] *subst* **1** guldsmedsstämpel, kontrollstämpel **2** kännemärke [*the* ~ *of success*]

hallo [hə'ləʊ] *interj* hallå!, hej!

hallow ['hæləʊ] *verb* helga; *hallowed* ['hæləʊɪd] *be thy name* bibl. helgat varde ditt namn

Halloween
Både i USA och i England klär
barnen ut sig till häxor eller spöken
på allhelgonaafton, *Halloween.*
Sedan går de runt och knackar
dörr. När någon öppnar, ropar de
trick or treat, bus eller godis. De
brukar då få lite godis. Man gör
också lampor som man sätter ljus i,
genom att holka ur pumpor, *pump-
kins.*

Halloween o. **Hallowe'en** [ˌhæləʊ'iːn] *subst*
Halloween, allhelgonaafton 31 oktober
hallucination [həˌluːsɪ'neɪʃən] *subst*
hallucination, synvilla
hallway ['hɔːlweɪ] *subst* entré
halo ['heɪləʊ] (pl. ~s el. *haloes) subst* gloria
halt I [hɔːlt] *subst* halt, uppehåll; *come to a*
~ stanna
II [hɔːlt] *verb* stanna, göra halt
halve [hɑːv] *verb* **1** halvera, dela i två lika delar
2 minska till hälften
halves [hɑːvz] *subst pl* avse *half I*
ham [hæm] *subst* skinka [*a slice of* ~]
hamburger ['hæmˌbɜːgə] *subst kok.*
hamburgare
hamlet ['hæmlət] *subst* liten by spec. utan kyrka
hammer I ['hæmə] *subst* **1** hammare **2** slägga
äv. sportgren **3** auktionsklubba
II ['hæmə] *verb* **1** hamra på **2** hamra, slå,
dunka [~ *on the door*]
hammer throw ['hæməθrəʊ] *subst sport.*
slägga, släggkastning
hammock ['hæmək] *subst* hängmatta;
garden ~ hammock
1 hamper ['hæmpə] *subst* korg [*luncheon* ~]
2 hamper ['hæmpə] *verb* hindra, hämma
hamster ['hæmstə] *subst zool.* hamster
hand I [hænd] *subst* **1** hand; *win* ~*s down*
vinna med lätthet; ~*s off!* bort med
tassarna!; ~*s up!* a) upp med händerna!
b) räck upp en hand!; *wait on sb* ~ *and
foot* passa upp på ngn; *get the upper* ~ få
(ta) övertaget; *change* ~*s* övergå i andra
händer; *give sb a* ~ ge ngn ett handtag,
hjälpa ngn; *have a* ~ *in sth* vara
inblandad i ngt **2** *close at* ~ el. *near at* ~
a) till hands b) nära förestående; *by* ~ för
hand [*done by* ~]; *in* ~ a) till sitt
förfogande [*have money in* ~] b) som man
håller på med [*the job in* ~]; *a game in* ~

en match mindre spelad; *take sth in* ~ ta
hand om ngt; *play into sb's* ~*s* spela i
händerna på ngn; *off* ~ på rak arm; *get sth
off one's* ~*s* slippa ifrån ngt; *on* ~ till
hands; *out of* ~ ur kontroll, oregerlig [*the
children are getting out of* ~] **3** visare på ur
[*second hand*] **4** *on one* ~ *... on the other*
~ el. *on the one* ~ *... on the other* ~ å ena
sidan... å andra sidan; *learn sth at first*
~ få veta ngt i första hand **5** person
arbetare, man [*how many* ~*s are
employed?*]; *a bad* ~ *at* dålig i; *a good* ~ *at*
duktig i **6** handstil [*a legible* ~] **7** vard.
applåder; *give sb a big* ~ ge ngn en stor
applåd
II [hænd] *verb* räcka, lämna, ge [*sth to sb*]
III [hænd] *verb med adv. o. prep.*
hand down lämna i arv, låta gå i arv
hand in lämna in
hand on skicka vidare, låta gå vidare
hand out dela ut, lämna ifrån sig
hand over to överlåta åt (till), överlämna
åt (till)

handbag ['hændbæg] *subst* handväska; ~
snatcher väskryckare
handball ['hændbɔːl] *subst sport.* handboll
handbrake ['hændbreɪk] *subst* handbroms
handclap ['hændklæp] *subst* handklappning
handcuff I ['hændkʌf] *subst* handboja
II ['hændkʌf] *verb* sätta handbojor på
handful ['hændfʊl] *subst* handfull; *their
daughter is a real* ~ deras dotter är
riktigt jobbig
handicap I ['hændɪkæp] *subst* **1** sport.
handicap **2** hos person handikapp
II ['hændɪkæp] (*-pp-*) *verb* **1** sport. ge
handicap **2** person handikappa
handicapped ['hændɪkæpt] *adj*
handikappad, funktionshindrad,
rörelsehindrad
handicraft ['hændɪkrɑːft] *subst* hantverk,
slöjd
handiwork ['hændɪwɜːk] *subst* skapelse, verk
handkerchief ['hæŋkətʃɪf] *subst* näsduk
handle I ['hændl] *verb* **1** ta i, beröra
2 hantera [~ *tools*]; ha hand om **3** sköta [~
the children]; behandla, handskas med,
klara [~ *a situation*]
II ['hændl] *subst* **1** handtag, skaft **2** vev
handlebar ['hændlbɑː] *subst pl.* ~*s* styrstång,
styre på cykel
handling ['hændlɪŋ] *subst* hantering,
behandling; *his* ~ *of the situation* hans
sätt att handskas med situationen

handmade [ˌhænd'meɪd] *adj* handgjord, tillverkad för hand

handout ['hændaʊt] *subst* vard. **1** papper, kopia som delas ut **2** reklamlapp; gratisprov **3** allmosa, gåva

handpick [ˌhænd'pɪk] *verb* handplocka

handrail ['hændreɪl] *subst* ledstång, räcke

handsfree ['hændzfriː] *adj*, ~ *phone* handsfree

handshake ['hændʃeɪk] *subst* handslag

handsome ['hænsəm] *adj* **1** vacker, ståtlig, stilig **2** fin, storslagen, ansenlig [*a ~ sum*]

hand-to-hand [ˌhændtə'hænd] *adj*, ~ *fighting* strider man mot man, handgemäng

handwriting ['hændˌraɪtɪŋ] *subst* handstil, skrift

handy ['hændɪ] *adj* **1** händig, praktisk **2** *come in* ~ vara bra att ha **3** *have sth* ~ ha ngt till hands

hang I [hæŋ] (*hung hung*, i betydelsen 'avliva genom hängning' *hanged hanged*) *verb* **1** hänga **2** hänga upp [~ *a picture on the wall*]; ~ *wallpaper* sätta upp tapeter, tapetsera; ~ *it!* vard. jäklar också!; *well I'll be hanged!* det var som tusan!
II [hæŋ] (*hung hung*) *verb* med adv. o. prep.
hang about el. **hang around 1** gå och driva **2** ~ *about a place* hålla till på ett ställe
hang behind hålla sig bakom (efter)
hang on 1 hänga på, bero på **2** hänga (hålla) fast, hänga (hålla) sig fast [*to* vid, i] **3** ~ *on a minute!* el. ~ *on!* vard. ett ögonblick!
hang up 1 fördröja [*the work was hung up by the strike*] **2** tele. lägga på luren
III [hæŋ] *subst* **1** fall [*the ~ of a gown*] **2** vard., *get the ~ of* komma underfund med, få grepp på **3** vard., *I don't give a ~* el. *I don't care a ~* det bryr jag mig inte ett dugg om

hangar ['hæŋə] *subst* flyg. hangar

hanger ['hæŋə] *subst* hängare, galge

hang-gliding ['hæŋˌglaɪdɪŋ] *subst* sport. hängglidning

hanging ['hæŋɪŋ] *subst* **1** upphängning **2** hängning straff **3** oftast pl. ~*s* förhängen, draperier

hangout ['hæŋaʊt] *subst* vard. tillhåll

hangover ['hæŋˌəʊvə] *subst* vard. baksmälla

hangup ['hæŋʌp] *subst* vard. komplex, fix idé

hanker ['hæŋkə] *verb*, ~ *after* längta efter

hanky ['hæŋkɪ] *subst* vard. näsduk

hanky-panky [ˌhæŋkɪ'pæŋkɪ] *subst* vard. **1** fuffens, smussel **2** vänsterprassel

haphazard [ˌhæp'hæzəd] *adj* slumpmässig, slumpartad; *in a ~ manner* på måfå

happen ['hæpən] *verb* hända [*to sb* ngn], ske, inträffa; *how did it ~?* hur gick det till?; *as it ~s, I have a stamp* jag råkar ha ett frimärke; *you don't ~ to have matches on you?* du har väl händelsevis inte tändstickor på dig?

happening ['hæpənɪŋ] *subst* händelse

happily ['hæpəlɪ] *adv* **1** lyckligt **2** lyckligtvis

happiness ['hæpɪnəs] *subst* lycka, glädje

happy ['hæpɪ] *adj* lycklig, glad; *A Happy New Year!* Gott nytt år!

happy-go-lucky [ˌhæpɪgəʊ'lʌkɪ] *adj* sorglös, lättsinnig

harangue [hə'ræŋ] *subst* harang

harass ['hærəs, spec. amer. hə'ræs] *verb* mobba; trakassera

harassment ['hærəsmənt, spec. amer. hə'ræsmənt] *subst* **1** trakasseri **2** mobbning

harbour I ['hɑːbə] *subst* hamn
II ['hɑːbə] *verb* härbärgera, ge skydd åt; ~ *a grudge against sb* hysa agg till någon

hard I [hɑːd] *adj* **1** hård, fast; ~ *cash* reda pengar, kontanter **2** hård, häftig [*a ~ fight*]; ~ *labour* jur. straffarbete **3** svår [*a ~ question*]; *be* ~ *of hearing* höra dåligt; *be* ~ *up* vard. ha ont om pengar **4** om person hård, känslolös; sträng; om klimat sträng, hård, svår; ~ *lines* el. ~ *luck* vard. otur; *be* ~ *on sb* vara hård (sträng) mot ngn **5** tung; ~ *drugs* tung narkotika **6** ~ *liquor* sprit, starksprit
II [hɑːd] *adv* **1** hårt, häftigt, kraftigt [*it's raining* ~] **2** flitigt [*work* ~] **3** *be* ~ *done by* vara illa behandlad

hard-and-fast [ˌhɑːdən'fɑːst] *adj* orubblig, benhård [~ *rules*]

hardback I ['hɑːdbæk] *adj* inbunden om bok
II ['hɑːdbæk] *subst* inbunden bok

hard-boiled [ˌhɑːd'bɔɪld] *adj* **1** hårdkokt [~ *eggs*] **2** hårdkokt, kallhamrad

harden ['hɑːdn] *verb* **1** göra hård, göra hårdare **2** härda, förhärda **3** hårdna, härdas; *hardened* a) förhärdad [*a hardened criminal*] b) luttrad [*he is hardened after 25 years in the business*]

hard-hearted [ˌhɑːd'hɑːtɪd] *adj* hård, hårdhjärtad

hard-hit [ˌhɑːd'hɪt] *adj* hårt drabbad

hardly ['hɑːdlɪ] *adv* knappt, knappast [*that is ~ right*], inte gärna; ~ *ever* nästan aldrig

hardship ['hɑːdʃɪp] *subst* påfrestning, prövning

hardware ['hɑːdweə] *subst* **1** järnvaror; ~ *store* järnhandel **2** data. hårdvara, maskinvara **3** vard. skjutjärn, puffra, puffror

hard-wearing [ˌhɑːd'weərɪŋ] *adj* oöm, slitstark

hard-working [ˌhɑːd'wɜːkɪŋ, före subst. 'hɑːdˌwɜːkɪŋ] *adj* arbetsam

hardy ['hɑːdɪ] *adj* härdad, tålig, härdig

hare [heə] *subst* **1** hare djur **2** sport. pacemaker, hare **3** hare attrapp vid hundkapplöpning

harebell ['heəbel] *subst* liten blomma blåklocka

harelipped ['heəlɪpt] *adj* harmynt

harem ['hɑːriːm, amer. 'hærəm] *subst* harem

haricot ['hærɪkəʊ] *subst*, ~ *bean* skärböna, brytböna

hark [hɑːk] *verb* lyssna

harm I [hɑːm] *subst* skada, ont; *there is no* ~ *in trying* det skadar inte att försöka; *do* ~ vålla skada; *I meant no* ~ jag menade inget illa; *out of harm's way* i säkerhet; *keep out of harm's way* hålla sig undan, akta sig
II [hɑːm] *verb*, ~ *sb* skada ngn, göra ngn illa

harmful ['hɑːmfʊl] *adj* skadlig, fördärvlig

harmless ['hɑːmləs] *adj* **1** oskadlig, ofarlig **2** harmlös, ofarlig [*she is quite* ~]

harmonica [hɑː'mɒnɪkə] *subst* musik. munspel

harmonious [hɑː'məʊnjəs] *adj* harmonisk

harmonize ['hɑːmənaɪz] *verb* **1** harmoniera, passa ihop **2** musik. harmonisera

harmony ['hɑːmənɪ] *subst* harmoni äv. musik.

harness ['hɑːnɪs] *subst* sele, seldon

harp I [hɑːp] *subst* musik. harpa
II [hɑːp] *verb*, ~ *on* tjata om

harpoon I [hɑː'puːn] *subst* sjö. harpun
II [hɑː'puːn] *verb* harpunera

harpsichord ['hɑːpsɪkɔːd] *subst* musik. cembalo

harrow I ['hærəʊ] *subst* jordbruksredskap harv
II ['hærəʊ] *verb* harva

harrowing ['hærəʊɪŋ] *adj* uppslitande, upprörande [*a* ~ *story*]

harry ['hærɪ] *verb* **1** plåga, ansätta **2** härja, plundra

harsh [hɑːʃ] *adj* **1** hård, sträv, skorrande **2** sträng, hård [~ *treatment*]

hart [hɑːt] *subst* djur hjort hanne

harvest I ['hɑːvɪst] *subst* skörd [*ripe for* ~]; *reap the* ~ skörda frukten
II ['hɑːvɪst] *verb* skörda

harvester ['hɑːvɪstə] *subst* **1** skördeman, skördearbetare **2** skördemaskin

has [hæz, obetonat həz] *verb*, *helshelit* ~ han/hon/den/det har; se vidare *have*

has-been ['hæzbɪn] *subst* vard. fördetting

hash I [hæʃ] *verb* hacka sönder t.ex. kott
II [hæʃ] *subst* **1** kok., slags ragu; hachis **2** *make a* ~ *of* vard. fördärva, göra pannkaka av

hashish ['hæʃiːʃ] *subst* hash, haschisch

hasn't ['hæznt] = *has not*

hassle I ['hæsl] *subst* vard. **1** käbbel **2** krångel **3** trakasseri
II ['hæsl] *verb* vard. **1** käbbla **2** krångla **3** trakassera

haste [heɪst] *subst* hast, brådska; *make* ~ raska på, skynda sig

hasten ['heɪsn] *verb* **1** påskynda, driva på **2** skynda, skynda sig

hasty ['heɪstɪ] *adj* **1** brådskande, skyndsam, snabb, hastig [*a* ~ *glance*] **2** förhastad; *be* ~ förhasta sig

hat [hæt] *subst* hatt; *top* ~ el. *high* ~ hög hatt; *talk through one's* ~ vard. prata i nattmössan; *keep sth under one's* ~ hålla tyst om ngt

1 hatch [hætʃ] *subst* **1** lucka, öppning; **2** sjö. skeppslucka **3** *down the* ~! vard. skål!, botten upp!

2 hatch [hætʃ] *verb* **1** kläcka, kläcka ut **2** kläckas, kläckas ut

hatchback ['hætʃbæk] *subst* bil. halvkombi

hatchet ['hætʃɪt] *subst* yxa; *bury the* ~ begrava stridsyxan

hate I [heɪt] *subst* hat, avsky
II [heɪt] *verb* hata

hateful ['heɪtfʊl] *adj* förhatlig [*to* för]

hat rack ['hætræk] *subst* hatthylla

hatred ['heɪtrɪd] *subst* hat, avsky

hatter ['hætə] *subst* hattmakare; *as mad as a* ~ spritt språngande galen

hat trick ['hættrɪk] *subst* sport. hat trick

haughty ['hɔːtɪ] *adj* högdragen, högmodig

haul I [hɔːl] *verb* spec. sjö. hala, dra, släpa
II [hɔːl] *subst* **1** halning, drag **2** kap, byte

haulage ['hɔːlɪdʒ] *subst*, ~ *contractors* åkeri

haunch [hɔːntʃ] *subst* höft, länd; *sit on one's haunches* sitta på huk

haunt I [hɔːnt] *verb* **1** *the house is haunted* det spökar i det här huset; *haunted castle* spökslott **2** om t.ex. tankar förfölja
II [hɔːnt] *subst* tillhåll

haunting ['hɔːntɪŋ] *adj* oförglömlig [*its ~ beauty*]; efterhängsen [*a ~ melody*]

have I [hæv, obetonat həv] (*had had; he/she/it has*) *verb* ha [*I ~ done it; I had done it*]
II [hæv, obetonat həv] (*had had; he/she/it has*) *huvudverb* **1** ha, äga; ~ *a cold* vara förkyld **2** göra, få sig, ta [~ *a walk*; ~ *a bath*] **3** få [*I had a letter from him*] **4** äta [~ *dinner*], dricka **5** ~ *it* i speciella betydelser: *rumour has it that* ryktet går att; *he's had it* vard. det är slut med honom; ~ *it your own way!* gör som du vill!; ~ *it in for* vard. ha ett horn i sidan till; ~ *it out with sb* göra upp med ngn, tala ut med ngn **6** ~ *to* + inf. vara (bli) tvungen att; *I ~ to go* jag måste gå; *that will ~ to do* det får duga **7** ~ *sth done* se till att ngt blir gjort, få ngt gjort; ~ *one's hair cut* klippa sig **8** ~ *sb do sth* låta ngn göra ngt [~ *your doctor examine her*]; *I won't ~ you playing in my room!* jag vill inte att ni leker i mitt rum! **9** *you had better ask him* det är bäst att du frågar honom
III [hæv] (*had had; he/she/it has*) *verb* med adv. o. prep.

have on ha kläder på sig [*he had nothing on*]; *I ~ nothing on this evening* vard. jag har inget för mig i kväll
have a tooth out dra ut en tand
haven ['heɪvn] *subst* tillflyktsort, fristad
haven't ['hævnt] = *have not*
havoc ['hævək] *subst* ödeläggelse; *make ~* anställa förödelse; *play ~ with* gå illa åt, kullkasta
Hawaii [hə'waɪiː]
hawk [hɔːk] *subst* fågel el. polit. hök
hawthorn ['hɔːθɔːn] *subst* växt hagtorn
hay [heɪ] *subst* hö; *hit the ~* vard. knyta sig, krypa till kojs; *make ~* bärga hö; *make ~ while the sun shines* ta tillfället i akt
hay fever ['heɪˌfiːvə] *subst* med. hösnuva
haystack ['heɪstæk] *subst* höstack
hazard I ['hæzəd] *subst* risk, fara
II ['hæzəd] *verb* riskera, våga [~ *a guess*]
hazardous ['hæzədəs] *adj* riskfylld
haze [heɪz] *subst* dis, töcken
hazel I ['heɪzl] *subst* hasselnöt
II ['heɪzl] *adj* ljusbrun, nötbrun [~ *eyes*]
hazelnut ['heɪzlnʌt] *subst* hasselnöt
hazy ['heɪzɪ] *adj* **1** disig, dimmig **2** dunkel, suddig [*a ~ recollection*]
he I [hiː, obetonat hɪ] (objektsform *him*) *pron* **1** han **2** den i ordspråk [~ *who lives will see*]
II [hiː] (pl. ~*s*) *subst* hanne, han [*our dog is a ~*]

III [hiː] *adj* i sammansättningar vid djurnamn han- [*he-dog*]; -hanne

head I [hed] *subst* **1** huvud **2** med annat subst.: ~ *over heels in love* upp över öronen förälskad; *from ~ to foot* från topp till tå, fullständigt; *turn ~ over heels* slå en kullerbytta, göra en volt **3** som objekt: *keep one's ~* hålla huvudet kallt, bibehålla fattningen; *laugh one's ~ off* vard. skratta ihjäl sig; *if they put their ~s together* om de slår sina kloka huvuden ihop; *lose one's ~* tappa huvudet, förlora fattningen **4** med prep. el. adv.: *he is taller than Tom by a ~* han är huvudet längre än Tom; *win by a ~* vinna med en huvudlängd; ~ *first* el. ~ *foremost* huvudstupa; *whatever put that into your ~?* hur kunde du komma på den tanken (idén)?; *go to sb's ~* stiga ngn åt huvudet **5** chef, ledare; rektor; ~ *of state* statschef **6** *a ~* el. *per ~* per man, per skalle; *twenty ~ of cattle* tjugo stycken nötkreatur **7** topp, spets; *the ~ of the table* övre ändan av bordet, hedersplatsen **8** huvud [*the ~ of a nail*]; *a ~ of cabbage* ett kålhuvud **9** ~*s or tails?* krona eller klave?; *I cannot make ~ or tail of it* vard. jag blir inte klok på det **10** *bring matters to a ~* driva saken till sin spets; *come to a ~* komma till en kris
II [hed] *adj* främsta, första; ~ *office* huvudkontor
III [hed] *verb* **1** anföra, leda [~ *a procession*]; stå i spetsen för; ~ *the list* stå överst på listan **2** förse med huvud (rubrik) **3** rikta, styra [~ *one's ship for the harbour*], sätta kurs; *be headed* (*heading*) *for* vara på väg mot, vara destinerad till; *he is heading for disaster* det är bäddat för katastrof för honom **4** fotb. nicka, skalla
headache ['hedeɪk] *subst* huvudvärk
headdress ['heddres] *subst* huvudbonad
header ['hedə] *subst* fotb. nick, skalle
headgear ['hedgɪə] *subst* huvudbonad
heading ['hedɪŋ] *subst* **1** rubrik, överskrift **2** avdelning
headlamp ['hedlæmp] *subst* bil. strålkastare
headlight ['hedlaɪt] *subst* bil. strålkastare; *drive with ~s on* köra på helljus
headline ['hedlaɪn] *subst* rubrik; *hit the ~s* el. *make the ~s* bli (vara) rubrikstoff
headlong ['hedlɒŋ] *adv* huvudstupa [*fall ~*]
headmaster [ˌhed'mɑːstə] *subst* rektor
headmistress [ˌhed'mɪstrəs] *subst* kvinnlig rektor

head-on [som adj. 'hedɒn, som adv. ˌhed'ɒn] *adj* o. *adv* med huvudet före; ~ *collision* frontalkrock

headphones ['hedfəʊnz] *subst* hörlurar

headquarters [ˌhed'kwɔːtəz] (pl. lika) *subst* **1** högkvarter **2** högkvarteret

headrest ['hedrest] *subst* huvudstöd, nackstöd

headroom ['hedruːm] *subst* trafik. fri höjd

headstrong ['hedstrɒŋ] *adj* egensinnig

head teacher [ˌhed'tiːtʃə] *subst* rektor

head waiter [ˌhed'weɪtə] *subst* hovmästare

headway ['hedweɪ] *subst*, *make* ~ komma framåt, göra framsteg

headwind ['hedwɪnd] *subst* motvind

headword ['hedwɜːd] *subst* uppslagsord i ordbok

heal [hiːl] *verb* bota, läka, läkas

health [helθ] *subst* **1** hälsa, hälsotillstånd; ~ *certificate* friskintyg; ~ *food store* hälsokostbod; ~ *insurance* sjukförsäkring; ~ *service* hälsovård **2** *drink to sb's* ~ el. *drink sb's* ~ dricka ngns skål; *your* ~! el. *good* ~! skål!

health resort ['helθrɪˌzɔːt] *subst* kurort

healthy ['helθɪ] *adj* **1** frisk, vid god hälsa [*be* ~] **2** sund [*a* ~ *attitude*], hälsosam

heap I [hiːp] *subst* hög, hop **II** [hiːp] *verb*, ~ *together* hopa, lägga i en hög, stapla; *a heaped spoonful* en rågad tesked

hear [hɪə] (*heard heard*) *verb* **1** höra; få höra, få veta; *hear! hear!* utrop av bifall ja, ja!, instämmer!; ~ *of* höra talas om; *I won't* ~ *of such a thing* jag vill inte veta 'av något sådant **2** lyssna på (till) **3** jur. förhöra [~ *a witness*]

heard [hɜːd] imperf. o. perf. p. av *hear*

hearer ['hɪərə] *subst* åhörare

hearing ['hɪərɪŋ] *subst* **1** hörsel; *be hard of* ~ höra dåligt **2** *in sb's* ~ i ngns närvaro, så att ngn hör; *within* ~ inom hörhåll; *out of* ~ utom hörhåll **3** förhör; *gain a* ~ vinna gehör; *give sb a fair* ~ ge ngn en chans att försvara sig

hearing aid ['hɪərɪŋeɪd] *subst* hörapparat

hearsay ['hɪəseɪ] *subst* hörsägen, rykte, rykten

hearse [hɜːs] *subst* likvagn

heart [hɑːt] *subst* **1** hjärta; ~ *failure* med. hjärtsvikt, hjärtinsufficiens; *change of* ~ sinnesförändring; ~ *and soul* med liv och lust, med hela sin själ; *put one's* ~ *and soul into*... el. *put one's* ~ *into*... lägga ner hela sin själ i...; *break sb's* ~ krossa ngns hjärta; *it breaks my* ~ *to see*... det skär mig i hjärtat att se...; *he had his* ~ *in his mouth* han hade hjärtat i halsgropen; *lose* ~ tappa modet; *set one's* ~ *on sth* verkligen vilja ha ngt; *at* ~ i själ och hjärta, i grund och botten; *we have it very much at* ~ det ligger oss mycket varmt om hjärtat; *at the bottom of one's* ~ innerst inne; *by* ~ utantill, ur minnet; *to one's heart's content* av hjärtans lust, så mycket man vill **2** kortsp. hjärterkort; pl. ~*s* hjärter

heartache ['hɑːteɪk] *subst* hjärtesorg

heartbreaking ['hɑːtˌbreɪkɪŋ] *adj* hjärtskärande

heartbroken ['hɑːtˌbrəʊkən] *adj* tröstlös, förtvivlad

heartburn ['hɑːtbɜːn] *subst* med. halsbränna

hearten ['hɑːtn] *verb* uppmuntra

heartfelt ['hɑːtfelt] *adj* djupt känd, hjärtlig

hearth [hɑːθ] *subst* härd; eldstad, spis

heartily ['hɑːtəlɪ] *adv* **1** hjärtligt **2** fullständigt, ordentligt [*I'm* ~ *sick of it*]

heart-to-heart [ˌhɑːttə'hɑːt] *adj* förtrolig [*a* ~ *talk*]

hearty ['hɑːtɪ] *adj* **1** hjärtlig [*a* ~ *welcome*]; uppriktig **2** kraftig [*a* ~ *blow*] **3** riklig [*a* ~ *meal*]

heat I [hiːt] *subst* **1** hetta, värme; *in the* ~ *of the moment* i ett ögonblick av upphetsning **2** sport. heat, lopp; *dead* ~ dött lopp **3** brunst; *in* ~ el. *on* ~ brunstig **II** [hiːt] *verb*, ~ *up* upphetta, värma upp

heated ['hiːtɪd] *perf* p o. *adj* **1** upphettad, uppvärmd [*a* ~ *swimming pool*] **2** animerad, livlig [*a* ~ *discussion*]

heater ['hiːtə] *subst* värmeapparat; *car* ~ bilvärmare

heath [hiːθ] *subst* hed

heathen I ['hiːðən] *subst* hedning, hedningarna **II** ['hiːðən] *adj* hednisk

heather ['heðə] *subst* växt ljung

Heathrow [ˌhiːθ'rəʊ]

Heathrow är Europas största flygplats. Den ligger 20 km väster om London.

---

heating ['hiːtɪŋ] *subst* upphettning, uppvärmning, eldning; *central* ~ centralvärme

heat-resistant ['hi:trɪ,zɪstənt] *adj*
värmebeständig

heat stroke ['hi:tstrəʊk] *subst* värmeslag

heat wave ['hi:tweɪv] *subst* värmebölja

heave I [hi:v] *verb* **1** ~ el. ~ *up* lyfta, häva
2 kasta **3** ~ *a sigh* dra en suck
II [hi:v] *subst* hävning, lyftning; tag [*a great
~*]

heaven ['hevn] *subst* **1** himmel
2 himmelriket; *thank Heaven!* tack Gode
Gud!

heavenly ['hevnlɪ] *adj* **1** himmelsk; ~
bodies himlakroppar **2** vard. gudomlig,
underbar

heavily ['hevəlɪ] *adv* tungt [~ *loaded*];
kraftigt [*it rained ~*]; mödosamt; ~
punished strängt bestraffad; ~ *taxed* hårt
beskattad

heavy ['hevɪ] *adj* **1** tung, kraftig; ~ *traffic*
a) tung trafik b) livlig trafik **2** stor [~
expenses]; svår [*a ~ loss; a ~ defeat*]; stark,
kraftig [*a ~ dose*]; *a ~ fine* höga böter; *a ~
smoker* en storrökare **3** ansträngande,
hård [~ *work*]

heavy-handed [,hevɪ'hændɪd] *adj* hårdhänt

heavy-hearted [,hevɪ'hɑ:tɪd] *adj* tungsint

heavyweight ['hevɪweɪt] *subst* sport.
1 tungvikt **2** tungviktare

Hebrew I ['hi:bru:] *subst* **1** hebré **2** hebreiska
språket
II ['hi:bru:] *adj* hebreisk

heckle ['hekl] *verb* häckla, avbryta [*the
speaker was heckled by the crowd*]

hectic ['hektɪk] *adj* hektisk, jäktig

hectogram ['hektəʊgræm] *subst* hektogram

he'd [hi:d] = *he had* o. *he would*

hedge [hedʒ] *subst* häck

hedgehog ['hedʒhɒg] *subst* igelkott

heed I [hi:d] *verb* bry sig om [~ *a warning*]
II [hi:d] *subst*, *pay* ~ *to* ta hänsyn till; *take*
~ ta sig i akt

heedless ['hi:dləs] *adj*, ~ *of* obekymrad om

heel I [hi:l] *subst* **1** häl; *kick one's* ~*s* el.
cool one's ~*s* vänta, slå dank; *take to
one's* ~*s* lägga benen på ryggen; *turn on
one's* ~*s* el. *turn on one's* ~ svänga om
på klacken **2** klack; bakkappa på sko **3** spec.
amer. sl. knöl
II [hi:l] *verb* klacka [~ *shoes*]

hefty ['heftɪ] *adj* vard. **1** om person bastant,
kraftig **2** kraftig [*a ~ push*]

he-goat ['hi:gəʊt] *subst* bock

heifer ['hefə] *subst* ung ko kviga

height [haɪt] *subst* **1** höjd; längd, storlek;
what is your ~? hur lång är du? **2** kulle;

topp [*mountain ~s*] **3** höjdpunkt; *the ~ of
fashion* högsta modet; *at its* ~ på sin
höjdpunkt, när den var som störst

heighten ['haɪtn] *verb* **1** göra högre, höja
2 förhöja [~ *an effect*], öka

heinous ['heɪnəs] *adj* avskyvärd [*a ~ crime*]

heir [eə] *subst* laglig arvinge, arvtagare

heiress ['eəres] *subst* arvtagerska

heirloom ['eəlu:m] *subst* släktklenod,
arvegods

held [held] imperf. o. perf. p. av *1 hold I*

helicopter ['helɪkɒptə] *subst* helikopter

helium ['hi:ljəm] *subst* kem. helium

hell [hel] *subst* helvete, helvetet; *oh*, ~*!* jäklar
också!; *a ~ of a noise* ett jäkla oväsen;
what the ~ do you want? vad fan vill
du?; *go to ~!* dra åt helvete!

he'll [hi:l] = *he will* o. *he shall*

hellish ['helɪʃ] *adj* helvetisk, infernalisk

hello [hə'ləʊ] *interj* hallå!, hälsning hej!

helm [helm] *subst* sjö. roder

helmet ['helmɪt] *subst* hjälm

helmsman ['helmzmən] *subst* sjö. rorsman

help I [help] *verb* **1** hjälpa, bistå, hjälpa till; ~
to hjälpa till att, bidra till att [*this ~ s to
explain*] **2** ~ *sb to sth* servera ngn ngt [*she
helped him to some desert*]; ~ *oneself to sth*
ta för sig av ngt; ~ *yourself!* var så god!
3 låta bli, hjälpa; *I can't ~ laughing* jag
kan inte låta bli att skratta; *I won't do it if
I can ~ it* jag gör inte det om jag slipper; *it
can't be helped* det kan inte hjälpas; det
är ingenting att göra åt det
II [help] *subst* hjälp; *be of ~ to sb* vara ngn
till hjälp; *it wasn't much ~* det var inte
till stor hjälp

helpful ['helpfʊl] *adj* hjälpsam, tjänstvillig

helping ['helpɪŋ] *subst* portion [*a ~ of pie*]

helpmate ['helpmeɪt] *subst* medhjälpare

Helsinki [hel'sɪŋkɪ] Helsingfors

hem I [hem] *subst* fåll, kant
II [hem] (-*mm-*) *verb* **1** fålla, kanta **2** ~ *in*
stänga inne

he-man ['hi:mæn] (pl. *he-men* ['hi:men])
subst vard. he-man, karlakarl

hemisphere ['hemɪ,sfɪə] *subst* halvklot,
hemisfär

hemp [hemp] *subst* hampa

hen [hen] *subst* höna; ~ *party* vard.
tjejbjudning

hence [hens] *adv* **1** härav [~ *it follows
that…*] **2** följaktligen, därför **3** härefter;
five years ~ om fem år

henceforth [,hens'fɔ:θ] *adv* hädanefter

henchman ['hentʃmən] (pl. *henchmen* ['hentʃmən]) *subst* hejduk, hantlangare
henpecked ['henpekt] *adj* hunsad; *a ~ husband* en toffelhjälte
hepatica [hɪ'pætɪkə] *subst* blomma blåsippa
her [hɜː] *pron* **1** (objektsform av *she*) henne, om bil, land m.m. den, det **2** vard. hon [*it's ~*] **3** sig [*she took it with ~*] **4** hennes [*it is ~ hat*]; sin [*she sold ~ house*], dess; se *my* för ex.
herald ['herəld] *verb* förebåda, inleda [*~ a new era*]
herb [hɜːb] *subst* ört, växt, kryddväxt
herbal ['hɜːbl] *adj* ört- [*~ medicine*]
herd I [hɜːd] *subst* hjord; *a ~ of cattle* en boskapshjord, flock
II [hɜːd] *verb* gå i hjord, gå i flock; *~ together* flockas, samlas
here [hɪə] *adv* här; hit; *that's neither ~ nor there* det hör inte till saken, det gör varken till eller från; *~ you are!* a) här har du!, var så god! b) se här!
hereafter [ˌhɪər'ɑːftə] *adv* **1** härefter, hädanefter
hereby [ˌhɪə'baɪ] *adv* härmed
hereditary [hə'redətrɪ] *adj* ärftlig, arvs-
heredity [hə'redətɪ] *subst* ärftlighet, arv
heresy ['herəsɪ] *subst* kätteri, irrlära
heretic ['herətɪk] *subst* kättare
heretical [hɪ'retɪkl] *adj* kättersk
herewith [ˌhɪə'wɪð] *adv* härmed
heritage ['herɪtɪdʒ] *subst* arv
hermit ['hɜːmɪt] *subst* eremit, enstöring
hernia ['hɜːnjə] *subst* med. bråck
hero ['hɪərəʊ] (pl. *heroes*) *subst* hjälte
heroic [hɪ'rəʊɪk] *adj* heroisk, hjältemodig; *~ deed* hjältedåd
heroin ['herəʊɪn] *subst* narkotika heroin
heroine ['herəʊɪn] *subst* hjältinna
heroism ['herəʊɪzəm] *subst* hjältemod
heron ['herən] *subst* fågel häger
herring ['herɪŋ] *subst* fisk sill
hers [hɜːz] *pron* hennes [*is that book ~?*]; sin [*she must take ~*]; se *1 mine* för ex.
herself [hə'self] *pron* sig [*she hurt ~*], sig själv [*she helped ~*], själv [*she can do it ~*]; *by ~* a) ensam, för sig själv b) på egen hand
he's [hiːz, obetonat hɪz] = *he is* o. *he has*
hesitant ['hezɪtənt] *adj* tvekande, tveksam
hesitate ['hezɪteɪt] *verb* tveka, vackla
hesitation [ˌhezɪ'teɪʃən] *subst* tvekan, tveksamhet
heterogeneous [ˌhetərəʊ'dʒiːnɪəs] *adj* heterogen, olikartad
hew [hjuː] (*hewed hewed* el. *hewn*) *verb* hugga, hugga i något

hewn [hjuːn] perf. p. av *hew*
hey [heɪ] *interj* hallå där!
heyday ['heɪdeɪ] *subst* glansperiod, glansdagar
hi [haɪ] *interj* amer. vard. hej!
hibernate ['haɪbəneɪt] *verb* övervintra, gå i ide
hibernation [ˌhaɪbə'neɪʃən] *subst* övervintring; djurs vinterdvala; *go into ~* gå i ide
hibiscus [hɪ'bɪskəs] *subst* blomma hibiskus
hiccough o. **hiccup I** ['hɪkʌp] *subst* hickning, hicka; *have the ~s* ha hicka
II ['hɪkʌp] *verb* hicka
hid [hɪd] imperf. o. perf. p. av *2 hide*
hidden I ['hɪdn] perf. p. av *2 hide*
II ['hɪdn] *adj* **1** gömd **2** dold, hemlig [*~ motives*]
1 hide [haɪd] *subst* djurhud, skinn
2 hide [haɪd] (*hid hidden* el. *hid*) *verb* **1** gömma, dölja [*from* för; *for* åt] **2** gömma sig
hide-and-seek [ˌhaɪdən'siːk] *subst* kurragömma
hideous ['hɪdɪəs] *adj* otäck, ohygglig, gräslig
hide-out ['haɪdaʊt] *subst* vard. gömställe, tillhåll
1 hiding ['haɪdɪŋ] *subst*, *a good ~* ett ordentligt kok stryk
2 hiding ['haɪdɪŋ] *subst*, *be in ~* hålla sig gömd; *go into ~* gömma sig
hiding-place ['haɪdɪŋpleɪs] *subst* gömställe
hierarchy ['haɪərɑːkɪ] *subst* hierarki, rangordning
hi-fi [ˌhaɪ'faɪ] (vard. för *high-fidelity*) *subst* **1** hifi naturtrogen ljudåtergivning **2** hifi-anläggning
high I [haɪ] *adj* **1** hög; högt belägen; *the High Court* högsta domstolen i Storbritannien; *~ priest* överstepräst; *~ street* huvudgata, storgata [ofta i namn *the High Street*]; *the ~ season* högsäsongen; *be ~ and mighty* vard. vara dryg, vara mallig; *it is ~ time you went* det är på tiden att du går, det är hög tid att du går **2** stark; intensiv; *~ pressure* högtryck; *~ tension* elektr. högspänning **3** stor [*~ finance*] **4** vard. full, på snusen, hög narkotikaberusad **5** i Storbritannien: *~ school* ungefär gymnasieskola [*~ school for girls*] **6** i USA: *junior ~ school* ungefär grundskolans högstadium; *senior ~ school* ungefär gymnasieskola
II [haɪ] *adv* högt [*fly ~*]
III [haɪ] *subst* vard. topp, rekord, rekordsiffra

high-and-mighty [ˌhaɪən'maɪtɪ] *adj* vard.
högdragen, mallig

highboard ['haɪbɔːd] *subst* simn., fast
hoppställning för simhopp trampolin för höga
hopp

highbrow I ['haɪbraʊ] *adj* vard. intellektuell,
neds. kultursnobbig

II ['haɪbraʊ] *subst* vard. kultursnobb

high-class [ˌhaɪ'klɑːs] *adj* högklassig,
förstklassig [*a ~ hotel*], kvalitets- [*a ~
article*]

high-fidelity [ˌhaɪfɪ'delətɪ] *adj* high fidelity-
med naturtrogen ljudåtergivning; se *hi-fi*

high-five [ˌhaɪ'faɪv] *subst* vard., *slap ~s* göra
en segergest genom att två personer el. spelare slår
ihop sina uppsträckta händer

highflown ['haɪfləʊn] *adj* högtravande

high-handed [ˌhaɪ'hændɪd] *adj* egenmäktig

high-heeled ['haɪhiːld] *adj* högklackad

high jump ['haɪdʒʌmp] *subst* sport. höjdhopp

highland ['haɪlənd] *subst* högland; *the
Highlands* Skotska högländerna

Highlander ['haɪləndə] *subst*
skotskhögländare

highlight I ['haɪlaɪt] *subst* höjdpunkt;
huvudattraktion; *~s of today's matches*
dagens matcher i sammandrag

II ['haɪlaɪt] *verb* **1** framhäva, accentuera
2 markera text med märkpenna

highly ['haɪlɪ] *adv* **1** högt **2** högst, ytterst [*~
interesting*]; *~ recommend* varmt
rekommendera **3** *think ~ of sb* ha höga
tankar om ngn

highly-strung [ˌhaɪlɪ'strʌŋ] *adj* nervös,
överspänd

high-minded [ˌhaɪ'maɪndɪd] *adj* högsint

highness ['haɪnəs] *subst* **1** höjd, storlek
2 *His (Her, Your) Highness* Hans
(Hennes, Ers) Höghet

high-octane [ˌhaɪ'ɒkteɪn] *adj* högoktanig [*~
petrol*]

high-pitched [ˌhaɪ'pɪtʃt] *adj* hög, gäll

high-powered [ˌhaɪ'paʊəd] *adj* **1** energisk,
effektiv **2** stark, kraftig [*a ~ engine*]

high-ranking ['haɪˌræŋkɪŋ] *adj* högt uppsatt,
med hög rang

high-rise ['haɪraɪz] *adj*, *~ building* höghus

highroad ['haɪrəʊd] *subst* allmän landsväg
1 *the ~ to success* vägen till framgång

high-spirited [ˌhaɪ'spɪrɪtɪd] *adj* livlig

highway ['haɪweɪ] *subst* allmän landsväg,
amer. större väg, huvudväg

highwayman ['haɪweɪmən] *subst* hist.
stråtrövare

hijack I ['haɪdʒæk] *verb* vard. kapa t.ex. flygplan

II ['haɪdʒæk] *subst* vard. kapning

hijacker ['haɪˌdʒækə] *subst* vard. kapare

hike I [haɪk] *subst* vard. fotvandring

II [haɪk] *verb* vard. fotvandra; promenera

hiker ['haɪkə] *subst* fotvandrare

hilarious [hɪ'leərɪəs] *adj* **1** uppsluppen,
munter **2** festlig, dråplig, komisk

hilarity [hɪ'lærətɪ] *subst* munterhet

hill [hɪl] *subst* **1** kulle, berg; *as old as the ~s*
gammal som gatan, urgammal **2** backe
3 hög av t.ex. jord, sand; stack [*ant-hill*]

hillock ['hɪlək] *subst* mindre kulle

hillside ['hɪlsaɪd] *subst* bergssluttning,
backsluttning

hilly ['hɪlɪ] *adj* bergig, kullig, backig

hilt [hɪlt] *subst* fäste, handtag på t.ex. svärd, dolk

him [hɪm] *pron* (objektsform av *he*) **1** honom
2 vard. han [*it's ~*] **3** sig [*he took it with ~*]

himself [hɪm'self] *pron* sig [*he hurt ~*], sig
själv [*he helped ~*]; själv [*he can do it ~*]; *by
~* a) ensam, för sig själv b) på egen hand

hind [haɪnd] *adj* bakre, bak- [*~ wheel*]; *get
up on one's ~ legs and speak* resa sig
och hålla tal

hinder ['hɪndə] *verb* hindra [*from going* från
att gå]; förhindra

hindquarter [ˌhaɪnd'kwɔːtə] *subst* pl. *~s* på
djur länder, bakdel

hindrance ['hɪndrəns] *subst* hinder [*to* för]

Hindu [ˌhɪn'duː] *subst* hindu

hinge I [hɪndʒ] *subst* gångjärn

II [hɪndʒ] *verb*, *~ on* hänga på, bero på

hint I [hɪnt] *subst* **1** vink, antydan **2** tips [*as,
to* om; *on* om]

II [hɪnt] *verb* antyda; *~ at* antyda, anspela
på

hip [hɪp] *subst* höft; länd

hip-hop I [ˌhɪp'hɒp] *subst* hiphop
ungdomskultur el. dansmusik

II [ˌhɪp'hɒp] (*-pp-*) *verb* dansa till
hiphopmusik

hippo ['hɪpəʊ] (pl. *~s*) *subst* vard. kortform för
hippopotamus

hippopotamus [ˌhɪpə'pɒtəməs] *subst*
flodhäst

hire I ['haɪə] *subst* hyra; hyrande; *for ~* att
hyra; på taxibil ledig; *car ~ company*
biluthyrningsfirma; *car ~ service*
biluthyrning

II ['haɪə] *verb* **1** hyra; *hired coach*
abonnerad buss **2** spec. amer. anställa **3** leja
[*~ a murderer*]

hire-purchase [ˌhaɪə'pɜːtʃəs] *subst*, *buy on
~* el. *pay for on ~* köpa på avbetalning

his [hɪz] *pron* hans [*is that book* ~*?*; *the car is* ~]; sin [*he must sell* ~ *car*]; se *1 mine* o. *my* för ex.

hiss I [hɪs] *verb* **1** väsa, fräsa, vissla [*at åt*] **2** vissla åt

II [hɪs] *subst* väsning, fräsande

historian [hɪ'stɔːrɪən] *subst* historiker

historic [hɪ'stɒrɪk] *adj* historisk, minnesvärd

historical [hɪ'stɒrɪkl] *adj* historisk

history ['hɪstərɪ] *subst* **1** historia; historien [*the first time in* ~]; *ancient* ~ forntidens historia; *mediaeval* ~ medeltidens historia; *modern* ~ nyare tidens historia **2** bakgrund [*the man had a* ~ *of drink problems*]

hit I [hɪt] (*hit hit*) (*hitting*) *verb* **1** slå till; slå [*at mot*] **2** köra, stöta mot, köra på [*the car* ~ *a tree*], träffa; ~ *and run* smita om bilförare; ~ *on* el. ~ *upon* komma (hitta) på **3** drabba [*feel* ~; *feel oneself* ~]; *be hard* ~ drabbas hårt

II [hɪt] (*hit hit*) (*hitting*) *verb* med adv. o. prep.

hit back slå tillbaka

hit it off komma bra överens

hit out slå vilt omkring sig

hit on komma på, hitta på

III [hɪt] *subst* **1** slag, stöt **2** träff; *direct* ~ fullträff **3** succé; schlager

hit-and-run [ˌhɪtən'rʌn] *adj* trafik., ~ *case* fall av smitning; ~ *driver* smitare

hitch I [hɪtʃ] *verb* binda fast [~ *a horse to a tree*]

II [hɪtʃ] *subst* hinder, hake [*a* ~ *in our plans*]; *technical* ~ tekniskt missöde

hitchhike ['hɪtʃhaɪk] *verb* lifta

hitchhiker ['hɪtʃˌhaɪkə] *subst* liftare

hither ['hɪðə] *adv* litt. hit; ~ *and thither* hit och dit

hitherto [ˌhɪðə'tuː] *adv* hittills

HIV [ˌeɪtʃaɪ'viː] (förk. för *human immunodeficiency virus* humant immunbristvirus) hiv; ~ *negative* hiv-negativ; ~ *positive* hiv-positiv

hive [haɪv] *subst* bikupa

HMS [ˌeɪtʃem'es] förk. för *His* (*Her*) *Majesty's Ship*

hoard I [hɔːd] *subst* samlat förråd, lager

II [hɔːd] *verb* samla på hög, hamstra, lagra [~ *food*]

hoarder ['hɔːdə] *subst* hamstrare

hoarding ['hɔːdɪŋ] *subst* affischtavla

hoarfrost [ˌhɔː'frɒst] *subst* rimfrost

hoarse [hɔːs] *adj* hes

hoax [həʊks] *subst* skämt, upptåg, bluff

hobble ['hɒbl] *verb* halta, linka, stappla

hobby ['hɒbɪ] *subst* hobby

hobby-horse ['hɒbɪhɔːs] *subst* käpphäst

hockey ['hɒkɪ] *subst* landhockey; ~ *stick* hockeyklubba; *field* ~ amer. landhockey

hoe [həʊ] *subst* verktyg hacka

hog [hɒg] *subst* svin; *go the whole* ~ löpa linan ut

hoist [hɔɪst] *verb* hissa [~ *a flag*]; hissa upp, lyfta upp [*on to* på]

1 hold I [həʊld] (*held held*) *verb* **1** hålla, hålla fast **2** hålla i sig, stå sig [*will the fine weather* ~*?*]; ~ *the line, please* tele. var god och vänta; ~ *one's ground* stå på sig, hålla stånd **3** hålla [*the rope held*]; tåla; *he can* ~ *his liquor* han tål en hel del sprit; ~ *water* hålla, vara hållbar [*the theory doesn't* ~ *water*] **4** innehålla, rymma, ha plats för **5** inneha [~ *a high position*], inta **6** behålla, hålla kvar; hålla fången, fängsla **7** anordna; hålla [~ *a meeting*] **8** anse; ha, hysa; ~ *an opinion* ha en uppfattning; ~ *sth against sb* lägga ngn ngt till last

II [həʊld] (*held held*) *verb* med adv. o. prep.

hold back 1 hålla tillbaka, hejda **2** hålla inne med [~ *back information*]

hold on hålla fast, hålla sig fast, hålla på plats, hålla i sig [*to* i, vid] [~ *on to the rope*]; ~ *on!* vänta ett tag!

hold out 1 hålla ut (fram), räcka fram **2** hålla ut, hålla stånd **3** räcka [*will the food* ~ *out?*]

hold together hålla ihop, hålla samman

hold up 1 hålla (räcka, sträcka) upp; ~ *up to ridicule* göra till ett åtlöje **2** hålla uppe, stödja **3** uppehålla, försena [*be held up by fog*], hejda, stanna [~ *up the traffic*]

III [həʊld] *subst* **1** tag, grepp, fäste; *catch* ~ *of* el. *lay* ~ *of* ta tag i, gripa tag i; *have a* ~ *on* ha en hållhake på **2** vid brottning grepp; vid boxning fasthållning; *no* ~*s barred* alla grepp är tillåtna **3** *keep sth on* ~ lägga ngt på is

2 hold [həʊld] *subst* sjö. el. flyg. lastrum

holdall ['həʊldɔːl] *subst* rymlig bag, stor väska

holder ['həʊldə] *subst* **1** innehavare [~ *of a championship*; ~ *of a post*]; i sammansättningar -hållare [*record-holder*] **2** behållare, hållare

hold-up ['həʊldʌp] *subst* **1** rånöverfall **2** avbrott, uppehåll; trafikstopp

hole [həʊl] *subst* **1** hål **2** vard. håla [*a wretched little* ~] **3** djurs kula, lya

hole-in-the-wall [ˌhəʊlɪnðə'wɔːl] *subst* bankomat® utomhus

holiday
Lägg märke till att *holiday* <u>inte</u>
betyder 'semester', 'lov' på ameri-
kansk engelska. Amerikaner använ-
der ordet *vacation* för <u>semester</u>, <u>lov</u>.

holiday I ['hɒlədeɪ, 'hɒlədɪ] *subst* **1** helgdag;
fridag; *bank* ~ allmän helgdag, bankfridag
2 ledighet, semester *[a week's* ~*]*; pl. ~*s*
ferier
II ['hɒlədeɪ, 'hɒlədɪ] *verb* semestra
holiday-maker ['hɒlədɪˌmeɪkə] *subst*
semesterfirare
Holland ['hɒlənd]
hollow I ['hɒləʊ] *adj* **1** ihålig **2** insjunken,
infallen *[~ cheeks]* **3** tom; värdelös *[~
victory]*
II ['hɒləʊ] *adv* vard. grundligt *[beat sb* ~*]*
III ['hɒləʊ] *subst* **1** ihålighet **2** håla, grop
3 dal
holly ['hɒlɪ] *subst* växt järnek
hollyhock ['hɒlɪhɒk] *subst* blomma stockros
holocaust ['hɒləkɔːst] *subst* stor förödelse,
förintelse *[nuclear* ~*]*; *the Holocaust*
förintelsen av judar under andra världskriget
holster ['həʊlstə] *subst* pistolhölster
holy ['həʊlɪ] *adj* helig
homage ['hɒmɪdʒ] *subst*, *pay* ~ *to* el. *do* ~ *to*
hylla
home I [həʊm] *subst* hem äv. anstalt; bostad;
hemort; *there is no place like* ~ el. *east
or west,* ~ *is best* borta bra men hemma
bäst; *make one's* ~ bosätta sig; *at* ~
a) hemma *[stay at* ~*]*, i hemmet; i
hemlandet b) sport. hemma, på
hemmaplan; *feel at* ~ känna sig som
hemma; *make yourself at* ~ känn dig
som hemma
II [həʊm] *adj* **1** hem- *[~ life]*, hemma-;
Home Guard a) hemvärn *[the Home
Guard]* b) hemvärnsman **2** sport. hemma-
[~ match; ~ *team]*; ~ *ground* hemmaplan
3 inhemsk *[~ products]*, inländsk; ~
affairs inre angelägenheter; *the Home
Secretary* i Storbritannien inrikesministern;
the ~ *market* hemmamarknaden; *the
Home Office* i Storbritannien
inrikesdepartementet **4** ~ *truths* beska
sanningar
III [həʊm] *adv* **1** hem *[come* ~*]*, hemåt; *it's
nothing to write* ~ *about* vard. det är
ingenting att hurra för **2** hemma,
hemkommen; framme; i mål **3** i (in)

ordentligt; *bring sth* ~ *to sb* fullt klargöra
ngt för ngn; *drive a nail* ~ slå i en spik
ordentligt; *go* ~ ta skruv, gå hem (in) *[the
remark went* ~*]*
home-coming ['həʊmˌkʌmɪŋ] *subst*
hemkomst
home-grown ['həʊmgrəʊn] *adj* inhemsk *[~
tomatoes]*
home help [ˌhəʊm'help] *subst* hemhjälp;
hemsamarit; ~ *service* hemtjänst
homely ['həʊmlɪ] *adj* **1** enkel, anspråkslös;
vardaglig **2** hemtrevlig *[a* ~ *atmosphere]*
3 amer. alldaglig, tämligen ful *[a* ~ *face]*
home page ['həʊmpeɪdʒ] *subst* hemsida på
Internet
homesick ['həʊmsɪk] *adj*, *be* ~ el. *feel* ~
längta hem, ha hemlängtan
homeward ['həʊmwəd] *adv* o. **homewards**
['həʊmwədz] *adv* hemåt

homework
Homework är alltid singular. Det
kan inte föregås direkt av obestämd
artikel, *a*.
a piece of homework, some homework
en läxa
a lot of homework
många läxor, mycket läxor
not much homework
inte många läxor, inte mycket
läxor

homework ['həʊmwɜːk] *subst* **1** hemarbete
2 skol. läxor; *some* ~ en läxa
homicide ['hɒmɪsaɪd] *subst* **1** dråp, mord
2 mordkommissionen *[~* el. *the* ~ *squad]*
homo ['həʊməʊ] (pl. ~*s*) *subst* vard. homofil
homogeneous [ˌhəʊmə'dʒiːnɪəs] *adj*
homogen
homosexual [ˌhəʊmə'seksjʊəl] *adj* o. *subst*
homosexuell
homosexuality [ˌhəʊməseksjʊ'ælətɪ] *subst*
homosexualitet
Honduras [hon'djʊərəs]
honest ['ɒnɪst] *adj* ärlig, hederlig; uppriktig
[~ opinion]
honestly ['ɒnɪstlɪ] *adv* **1** ärligt, hederligt
2 ärligt talat, uppriktigt sagt
honesty ['ɒnɪstɪ] *subst* ärlighet, hederlighet;
~ *is the best policy* ärlighet varar längst
honey ['hʌnɪ] *subst* **1** honung **2** vard. raring,
sötnos

honeycomb [ˈhʌnɪkəʊm] *subst* vaxkaka, honungskaka
honeymoon I [ˈhʌnɪmuːn] *subst* smekmånad
II [ˈhʌnɪmuːn] *verb* fira smekmånad
honeysuckle [ˈhʌnɪˌsʌkl] *subst* blomma kaprifol
honorary [ˈɒnərərɪ] *adj* heders- {~ *member}*
honour I [ˈɒnə] *subst* ära, heder; *in sb's* ~ till ngns ära; *in* ~ *of* för att hedra, för att fira; *guard of* ~ hedersvakt; *on my* ~ på hedersord; *do the* ~s sköta värdskapet
II [ˈɒnə] *verb* hedra, ära
honourable [ˈɒnərəbl] *adj* **1** hederlig, ärlig {~ *conduct}* **2** hedervärd **3** ärofull {*an ~ peace}*
hood [hʊd] *subst* **1** kapuschong, huva, luva **2** bil. sufflett **3** bil. amer. motorhuv **4** vard. ligist, bov
hoodlum [ˈhuːdləm] *subst* vard. ligist, bov
hoodwink [ˈhʊdwɪŋk] *verb* föra bakom ljuset
hoof [huːf, hʊf] *subst* hov
hook I [hʊk] *subst* **1** hake, krok **2** metkrok; *be off the* ~ vard. ha kommit ur knipan; *by* ~ *or by crook* på ett eller annat sätt; *let sb off the* ~ hjälpa ngn ur knipan **3** telefonklyka
II [hʊk] *verb* **1** få på kroken {~ *a rich husband}* **2** ~ *on* haka fast (på) {*to* vid, i}
hooked [hʊkt] *adj* **1** böjd, krökt, krokig **2** *be* ~ *on* vard. a) vara fast i {*be* ~ *on drugs}* b) vara tokig i {*be* ~ *on TV}*
hooker [ˈhʊkə] *subst* spec. amer. sl. fnask
hooky [ˈhʊkɪ] *subst* amer. vard., *play* ~ skolka från skolan
hooligan [ˈhuːlɪɡən] *subst* huligan, ligist
hooliganism [ˈhuːlɪɡənɪzəm] *subst* huliganism
hoop [huːp] *subst* tunnband
hooray [hʊˈreɪ] *interj* hurra!
hoot I [huːt] *verb* **1** skrika, hoa om uggla **2** tjuta om t.ex. ångvissla; tuta om t.ex. signalhorn
II [huːt] *subst* **1** ugglas skrik, hoande **2** ångvisslas tjut; signalhorns tut **3** vard., *I don't care a* ~ el. *I don't give two* ~s det bryr jag mig inte ett dugg om

honest
h uttalas inte i en del ord: *an honest* [ˈɒnɪst] *man* en hederlig man, *an hour* [ˈaʊə] en timme, *an heir* [eə] en arvinge, *honour* [ˈɒnə] ära, heder.

hooter [ˈhuːtə] *subst* ångvissla; tuta, signalhorn
Hoover®️ I [ˈhuːvə] *subst* **1** egennamn **2** *hoover* dammsugare
II [ˈhuːvə] *verb* **1** egennamn **2** *hoover* dammsuga
1 hop I [hɒp] (-*pp*-) *verb* **1** hoppa, skutta **2** sl., ~ *it!* stick!, försvinn!
II [hɒp] *subst* hopp, skutt
2 hop [hɒp] *subst* humleplanta; pl. ~s humle
hope I [həʊp] *subst* hopp, förhoppning; *you've got a* ~ el. *you've got some* ~s! och det trodde du!
II [həʊp] *verb* hoppas {*for* på}; hoppas på
hopeful [ˈhəʊpfʊl] *adj* hoppfull, förhoppningsfull
hopefully [ˈhəʊpfʊlɪ] *adv* **1** hoppfullt **2** förhoppningsvis
hopeless [ˈhəʊpləs] *adj* **1** hopplös **2** ohjälplig, omöjlig
hopscotch [ˈhɒpskɒtʃ] *subst* hoppa hage lek; *play* ~ hoppa hage
horde [hɔːd] *subst* hord, svärm
horizon [həˈraɪzn] *subst* horisont
horizontal [ˌhɒrɪˈzɒntl] *adj* horisontal, horisontell
hormone [ˈhɔːməʊn] *subst* hormon
horn [hɔːn] *subst* **1** horn; *French* ~ musik. valthorn **2** signalhorn **3** kok. strut {*cream* ~}
hornet [ˈhɔːnɪt] *subst* insekt bålgeting
horoscope [ˈhɒrəskəʊp] *subst* horoskop
horrendous [həˈrendəs] *adj* förfärlig, hemsk
horrible [ˈhɒrəbl] *adj* fasansfull, ohygglig, hemsk
horrid [ˈhɒrɪd] *adj* avskyvärd, hemsk
horrify [ˈhɒrɪfaɪ] *verb* slå med fasa, förfära; *horrified* skräckslagen
horror [ˈhɒrə] *subst* fasa, skräck
horror-stricken [ˈhɒrəˌstrɪkən] *adj* o.
horror-struck [ˈhɒrəstrʌk] *adj* skräckslagen
hors-d'oeuvre [ɔːˈdɜːvr] *subst* hors d'oeuvre; pl. ~s smårätter, assietter
horse [hɔːs] *subst* **1** häst; *eat like a* ~ äta som en häst; *work like a* ~ slita som ett djur; *straight from the horse's mouth* från en säker källa **2** *clothes* ~ torkställning för kläder
horseback [ˈhɔːsbæk] *subst*, *on* ~ till häst
horse chestnut [ˌhɔːsˈtʃesnʌt] *subst* bot. hästkastanj
horseplay [ˈhɔːspleɪ] *subst* skoj, spex
horsepower [ˈhɔːsˌpaʊə] (pl. lika) *subst* hästkraft
horse-race [ˈhɔːsreɪs] *subst* hästkapplöpning

horseradish ['hɔːs,rædɪʃ] *subst* pepparrot
horse-trade ['hɔːstreɪd] *verb* kohandla
horse-trading ['hɔːs,treɪdɪŋ] *subst* kohandel
horticulture ['hɔːtɪkʌltʃə] *subst* trädgårdsodling, trädgårdsskötsel, trädgårdskonst
hose I [həʊz] *subst* slang för t.ex. bevattning, dammsugare
II [həʊz] *verb* vattna, spruta
hose pipe ['həʊzpaɪp] *subst* slang för bevattning
hosiery ['həʊzɪərɪ, amer. 'həʊʒərɪ] *subst* strumpor, trikåvaror
hospitable [hɒ'spɪtəbl] *adj* gästfri, gästvänlig
hospital ['hɒspɪtl] *subst* sjukhus, lasarett
hospitality [,hɒspɪ'tælətɪ] *subst* gästfrihet
hospitalize ['hɒspɪtəlaɪz] *verb* lägga in på sjukhus, föra till sjukhus
1 host [həʊst] *subst* massa, mängd [a ~ of details]
2 host I [həʊst] *subst* **1** värd **2** värdshusvärd **3** tv. etc. programledare
II [həʊst] *verb* **1** vara värd för **2** vara programledare för
hostage ['hɒstɪdʒ] *subst* gisslan
hostel ['hɒstəl] *subst* ungkarlshotell, härbärge; *youth* ~ vandrarhem
hostess ['həʊstɪs] *subst* värdinna
hostile ['hɒstaɪl, amer. 'hɒstl] *adj* fiende-; fientlig
hostility [hɒ'stɪlətɪ] *subst* fientlighet
hot [hɒt] *adj* **1** het, varm; ~ *air* tomt prat, skryt, snack; *be* ~ *on sb* (*sth*) vara tänd på ngn (ngt); *go like* ~ *cakes* el. *sell like* ~ *cakes* gå åt som smör; *get into* ~ *water* vard. få det hett om öronen; *make it* ~ *for sb* vard. göra livet surt för ngn **2** om krydda stark; om smak skarp **3** hetsig, häftig [a ~ temper] **4** vard. rykande färsk, het [~ news]
hotbed ['hɒtbed] *subst* **1** drivbänk **2** härd, grogrund [a ~ of vice]
hot-blooded [,hɒt'blʌdɪd] *adj* **1** hetlevrad, hetsig **2** varmblodig
hot dog [,hɒt'dɒg] *subst* varm korv med bröd
hotel [həʊ'tel] *subst* hotell
hot flush [,hɒt'flʌʃ] *subst* med. blodvallning
hothead ['hɒthed] *subst* brushuvud
hotheaded [,hɒt'hedɪd] *adj* hetsig, häftig
hothouse ['hɒthaʊs] *subst* drivhus, växthus
hotplate ['hɒtpleɪt] *subst* kokplatta, värmeplatta
hot-tempered [,hɒt'tempəd] *adj* hetlevrad
hot-water [,hɒt'wɔːtə] *adj*, ~ *bottle* varmvattenflaska av gummi; ~ *tap* el. amer.~ *faucet* varmvattenskran

hotwire ['hɒtwaɪə] *verb* bil. vard. tjuvkoppla [~ *the engine*]
hound I [haʊnd] *subst* jakthund
II [haʊnd] *verb* jaga, förfölja
hour ['aʊə] *subst* **1** timme; *a quarter of an* ~ en kvart; *keep early* ~*s* ha tidiga vanor; *keep late* ~*s* ha sena vanor; *after* ~*s* efter arbetstid; *at an early* ~ tidigt; *at a late* ~ sent; *at this* ~ så här dags; *for* ~*s and* ~*s* i timmar, timtals; *he came on the* ~ han kom på slaget; *buses run on the* ~ bussarna går varje hel timme **2** tidpunkt, stund; *the* ~ *has come* stunden är inne
hourglass ['aʊəglɑːs] *subst* timglas
hour hand ['aʊəhænd] *subst* timvisare
hourly I ['aʊəlɪ] *adj* varje timme, i timmen; *there's an* ~ *train service* det går ett tåg i timmen
II ['aʊəlɪ] *adv* varje timme [two spoonfuls ~]
house I [haʊs, pl. 'haʊzɪz] *subst* **1** hus; villa; hem; *it's on the* ~ vard. det är huset som bjuder; *invite sb to one's* ~ bjuda hem ngn; *set* (*put*) *one's* ~ *in order* se om sitt hus; *as safe as* ~*s* så säkert som aldrig det; *like a* ~ *on fire* vard. med rasande fart; *they get on like a* ~ *on fire* de kommer jättebra överens **2** *the Houses of Parliament* parlamentshuset i London; *the House of Commons* underhuset i London; *the House of Lords* överhuset i London; *the House of Representatives* representanthuset i kongressen i USA **3** teat. salong; *there was a full* ~ det var utsålt hus; *bring the* ~ *down* ta publiken med storm **4** firma; *publishing* ~ förlag
II [haʊz] *verb* **1** härbärgera, hysa, ta emot; *the club is housed there* klubben har sina lokaler där **2** rymma, innehålla
house agent ['haʊs,eɪdʒənt] *subst* fastighetsmäklare
housebreaking ['haʊs,breɪkɪŋ] *subst* åld. el. amer. jur. inbrott i hus etc.
housebroken ['haʊs,brəʊkən] *adj* spec. amer. rumsren om t.ex. hund
household I ['haʊshəʊld] *subst* hushåll, hus
II ['haʊshəʊld] *adj* hushålls-, hem-; ~ *appliance* hushållsmaskin; ~ *name* känt namn, kändis
householder ['haʊs,həʊldə] *subst* husinnehavare, lägenhetsinnehavare
house-hunting ['haʊs,hʌntɪŋ] *pres p, go* ~ gå på jakt efter hus
housekeeper ['haʊs,kiːpə] *subst* hushållerska

housekeeping ['haʊsˌkiːpɪŋ] *subst*
hushållning; ~ *money* hushållspengar
housemaid ['haʊsmeɪd] *subst* hembiträde
house-owner ['haʊsˌəʊnə] *subst* villaägare,
fastighetsägare
house sparrow ['haʊsˌspærəʊ] *subst* fågel
gråsparv
house trailer ['haʊsˌtreɪlə] *subst* amer.
husvagn
housetrained ['haʊstreɪnd] *adj* rumsren om
t.ex. hund
house-warming ['haʊsˌwɔːmɪŋ] *subst* o. *adj*, ~
el. ~ *party* inflyttningsfest i nytt hem
housewife ['haʊswaɪf] (pl. *housewives*
['haʊswaɪvz]) *subst* hemmafru
housework ['haʊswɜːk] *subst* hushållsarbete
housing ['haʊzɪŋ] *subst* **1** inhysande,
härbärgering **2** bostäder [*modern* ~]; ~
accommodation bostad, bostäder; ~
estate bostadsområde; ~ *shortage*
bostadsbrist
hovel ['hɒvəl] *subst* skjul, ruckel
hover ['hɒvə] *verb* om t.ex. fåglar, flygplan sväva,
kretsa [*over* över]
hovercraft ['hɒvəkrɑːft] (pl. lika) *subst* båt
svävare
how [haʊ] *adv* **1** hur; ~ *do you do?* god dag!
vid presentation; ~ *are you?* hur står det till?,
hur mår du?; ~ *come?* hur kommer det
sig?; ~ *ever* hur i all världen **2** vad, så, hur i
utrop; ~ *kind you are!* vad du är snäll!
however I [haʊ'evə] *adv* hur . . . än [~ *rich he
may be*]
II [haʊ'evə] *konj* emellertid
howl I [haʊl] *verb* **1** tjuta, yla, vråla; ~ *with
laughter* tjuta av skratt **2** vina, tjuta
II [haʊl] *subst* **1** ylande, vrål **2** tjut, vinande
howler ['haʊlə] *subst* vard. groda, grovt fel
HQ [ˌeɪtʃ'kjuː] förk. för *Headquarters*
hr. (förk. för *hour*) tim.
hrs. (förk. för *hours*) tim.
hub [hʌb] *subst* **1** nav, hjulnav **2** centrum [*a
~ of commerce*]
hubbub ['hʌbʌb] *subst* **1** larm, ståhej, sorl
2 rabalder
hubby ['hʌbɪ] *subst* vard., äkta man; *my* ~ min
gubbe
hubcap ['hʌbkæp] *subst* navkapsel
huddle ['hʌdl] *verb* **1** *be huddled together*
ligga tätt tryckta intill varandra; *huddled
up* hopkrupen **2** ~ el. ~ *together* sitta tätt
intill varandra, trycka sig intill varandra,
krypa ihop
hue [hjuː] *subst* **1** färg [*the ~s of the rainbow*];
färgskiftning, nyans **2** schattering

hug I [hʌg] (*-gg-*) *verb* krama, omfamna
II [hʌg] *subst* kram, omfamning
huge [hjuːdʒ] *adj* väldig, jättestor, enorm
hulk [hʌlk] *subst* holk, hulk gammalt fartygsskrov
hull [hʌl] *subst* fartygsskrov
hullabaloo [ˌhʌləbə'luː] *subst* ståhej, rabalder
hullo [ˌhʌ'ləʊ] *interj* hallå!, hej!
hum I [hʌm] (*-mm-*) *verb* **1** om radio brumma;
om trafik brusa; om bi surra **2** nynna, nynna
på [~ *a song*]
II [hʌm] *subst* surrande; brum; sorl [*a ~ of
voices*]
human I ['hjuːmən] *adj* mänsklig,
människo- [*the ~ body*]; ~ *being*
människa, mänsklig varelse; *the ~ race*
människosläktet
II ['hjuːmən] *subst* människa vanligen i motsats
till djur
humane [hjuː'meɪn] *adj* human,
människovänlig
humanism ['hjuːmənɪzəm] *subst* humanism
humanitarian [hjuːˌmænɪ'teərɪən] *adj*
humanitär, människovänlig
humanity [hjʊ'mænətɪ] *subst*
1 mänskligheten, människosläktet
2 människokärlek, mänsklighet
humble I ['hʌmbl] *adj* **1** ödmjuk,
underdånig, undergiven; *your ~ servant*
Er ödmjuke tjänare **2** låg [*a ~ post*],
blygsam, enkel [*a man of ~ origin*]
II ['hʌmbl] *verb* förödmjuka; ~ *oneself*
ödmjuka sig
humbug I ['hʌmbʌg] *subst* **1** humbug, skoj,
bluff **2** humbug, skojare, bluffmakare
II ['hʌmbʌg] *interj*, ~*!* prat!, snack!
humdrum ['hʌmdrʌm] *adj* enformig [*a ~
life*], tråkig [*a ~ job*]
humid ['hjuːmɪd] *adj* fuktig [~ *air*]
humidity [hjʊ'mɪdətɪ] *subst* fukt, fuktighet
humiliate [hjʊ'mɪlɪeɪt] *verb* förödmjuka
humiliation [hjʊˌmɪlɪ'eɪʃən] *subst*
förödmjukelse, förödmjukande
humility [hjʊ'mɪlətɪ] *subst* ödmjukhet
humming-bird ['hʌmɪŋbɜːd] *subst* fågel kolibri
humorist ['hjuːmərɪst] *subst* humorist,
skämtare
humorous ['hjuːmərəs] *adj* humoristisk,
skämtsam
humour I ['hjuːmə] *subst* **1** humor,
skämtlynne; *sense of* ~ sinne för humor
2 humör; sinnelag; *in a bad* ~ på dåligt
humör; *in a good* ~ på gott humör
II ['hjuːmə] *verb* blidka, få på gott humör
hump [hʌmp] *subst* **1** puckel, knöl **2** vard.,
he's got the ~ han deppar

hunch I [hʌntʃ] *verb*, ~ *up* el. ~ kröka, dra upp [*sit with one's shoulders hunched up*]
II [hʌntʃ] *subst* **1** puckel **2** vard., *I have a* ~ *that* jag har på känn att
hunchback ['hʌntʃbæk] *subst* puckelrygg
hunchbacked ['hʌntʃbækt] *adj* puckelryggig
hundred ['hʌndrəd] *räkn* o. *subst* hundra; hundratal; *a* ~ *per cent* hundraprocentig, fullständig; ~*s of people* hundratals människor
hundredfold I ['hʌndrədfəʊld] *adv*, *a* ~ hundrafalt, hundrafaldigt
II ['hʌndrədfəʊld] *subst*, *a* ~ hundrafalt
hundredth ['hʌndrədθ] *räkn* o. *subst* hundrade; hundradel
hundredweight ['hʌndrədweɪt] *subst* viktmått, britt. = 50,8 kg, amer. = 45,36 kg
hung [hʌŋ] *imperf*. o. *perf*. p. av *hang I*
Hungarian I [hʌŋ'geərɪən] *adj* ungersk
II [hʌŋ'geərɪən] *subst* **1** ungrare **2** ungerska språket
Hungary ['hʌŋgərɪ] Ungern
hunger I ['hʌŋgə] *subst* **1** hunger; ~ *strike* hungerstrejk **2** törst, hunger [~ *for knowledge*]
II ['hʌŋgə] *verb* svälta, hungra
hungry ['hʌŋgrɪ] *adj* hungrig
hunt I [hʌnt] *verb* **1** jaga; *be out hunting* vara på jakt; *go hunting* gå på jakt **2** jaga efter, leta, leta efter; *be hunting for* vara på jakt efter
II [hʌnt] *subst* jakt; *be on the* ~ *for* vara på jakt efter
hunter ['hʌntə] *subst* jägare
hunting ['hʌntɪŋ] *subst* jakt
hunting-ground ['hʌntɪŋgraʊnd] *subst* jaktmark
huntsman ['hʌntsmən] *subst* jägare
hurdle ['hɜːdl] *subst* **1** i häcklöpning häck; i hästsport hinder; ~*s* häcklöpning, häck [*110 metres* ~*s*] **2** hinder, barriär
hurdler ['hɜːdlə] *subst* sport. häcklöpare
hurdle race ['hɜːdlreɪs] *subst* sport. **1** häcklöpning **2** hinderlöpning för hästar
hurl [hɜːl] *verb* slunga, vräka
hurrah I ['hʊ'rɑː] o. **hurray** [hʊ'reɪ] *interj* hurra!
II [hʊ'rɑː] o. **hurray** [hʊ'reɪ] *subst* hurra
hurricane ['hʌrɪkən, amer. 'hɜːrəkeɪn] *subst* orkan
hurry I ['hʌrɪ] *verb* **1** skynda sig, skynda, rusa [~ *away*; ~ *off*]; ~ *on* skynda vidare; ~ *up* skynda på **2** skynda på, jäkta [*it's no use hurrying her*]; påskynda [ofta ~ *on*, ~ *up*]

II ['hʌrɪ] *subst* brådska, jäkt; *be in a* ~ ha bråttom [*to att*]
hurt [hɜːt] (*hurt hurt*) *verb* **1** skada **2** skada sig i, göra sig illa i; ~ *oneself* göra sig illa **3** göra ont [*it* ~*s terribly*], *my foot* ~*s me* jag har ont i foten **4** såra; *feel* ~ känna sig sårad
hurtle ['hɜːtl] *verb* rusa, störta, braka
husband ['hʌzbənd] *subst* man, make; ~ *and wife* man och hustru, äkta makar
hush I [hʌʃ] *verb* **1** hyssja åt; tysta ner; *hushed silence* djup tystnad; *in a hushed voice* med dämpad röst **2** ~ *up* tysta ner [~ *up a scandal*]
II [hʌʃ] *subst* tystnad
III [ʃː] *interj*, ~! hyssj!, tyst!
hush-hush [,hʌʃ'hʌʃ] *adj* vard. topphemlig [*a* ~ *investigation*]
II [,hʌʃ'hʌʃ] *subst* vard. hysch-hysch
husky ['hʌskɪ] *adj* hes, beslöjad [*a* ~ *voice*]
hustle I ['hʌsl] *verb* **1** knuffa, stöta, knuffa (stöta) till **2** knuffas, trängas **3** vard. lura, blåsa t.ex. på pengar **4** vard. gå på gatan vara prostituerad
II ['hʌsl] *subst* **1** knuffande **2** jäkt; gåpåaranda; ~ *and bustle* fart och fläng **3** amer. sl. blåsning, bondfångeri
hustler ['hʌslə] *subst* **1** gåpåare, skojare **2** vard. fixare **3** amer. sl. fnask
hut [hʌt] *subst* **1** hydda, koja **2** hytt; barack
hutch [hʌtʃ] *subst* bur [*rabbit hutch*]
hyacinth ['haɪəsɪnθ] *subst* blomma hyacint
hyaena [haɪ'iːnə] *subst* djur hyena
hybrid ['haɪbrɪd] *subst* hybrid, korsning
hydrangea [haɪ'dreɪndʒə] *subst* blomma hortensia
hydrant ['haɪdrənt] *subst* vattenpost
hydraulic [haɪ'drɔːlɪk] *adj* hydraulisk
hydrochloric [,haɪdrə'klɒrɪk] *adj*, ~ *acid* kem. saltsyra
hydroelectric [,haɪdrəʊɪ'lektrɪk] *adj* hydroelektrisk; ~ *power* vattenkraft
hydrogen ['haɪdrədʒən] *subst* väte [~ *bomb*]; ~ *peroxide* vätesuperoxid
hydroxide [haɪ'drɒksaɪd] *subst* hydroxid
hyena [haɪ'iːnə] *subst* hyena
hygiene ['haɪdʒiːn] *subst* hygien; hälsovård
hygienic [haɪ'dʒiːnɪk] *adj* hygienisk
hymen ['haɪmən] *subst* anat. mödomshinna
hymn [hɪm] *subst* **1** hymn, lovsång **2** psalm i psalmbok
hype [haɪp] *subst* vard. reklam, jippo
hypermarket ['haɪpə,mɑːkɪt] *subst* stormarknad

hypersensitive [ˌhaɪpə'sensɪtɪv] *adj*
överkänslig om person
hyphen ['haɪfən] *subst* bindestreck
hyphenate ['haɪfəneɪt] *verb* skriva med
bindestreck, sätta bindestreck mellan
hypnosis [hɪp'nəʊsɪs] *subst* hypnos
hypnotic [ˌhɪp'nɒtɪk] *adj* hypnotisk
hypnotism ['hɪpnətɪzəm] *subst* **1** hypnotism
2 hypnos
hypnotist ['hɪpnətɪst] *subst* hypnotisör
hypnotize ['hɪpnətaɪz] *verb* hypnotisera
hypochondriac I [ˌhaɪpə'kɒndrɪæk] *subst*
hypokonder, inbillningssjuk människa
II [ˌhaɪpə'kɒndrɪæk] *adj* hypokondrisk,
inbillningssjuk
hypocrisy [hɪ'pɒkrəsɪ] *subst* hyckleri
hypocrite ['hɪpəkrɪt] *subst* hycklare
hypocritical [ˌhɪpə'krɪtɪkl] *adj* hycklande
hypothesis [haɪ'pɒθəsɪs] (pl. *hypotheses*
[haɪ'pɒθəsiːz]) *subst* hypotes; *working* ~
arbetshypotes
hypothetical [ˌhaɪpə'θetɪkl] *adj* hypotetisk
hysteria [hɪ'stɪərɪə] *subst* hysteri
hysterical [hɪ'sterɪkl] *adj* hysterisk
hysterics [hɪ'sterɪks] *subst* hysteri; *go into*
~ få ett hysteriskt anfall

1 I o. **i** [aɪ] *subst* I, i
2 I [aɪ] (objektsform *me*) *pron* jag
Iberian [aɪ'bɪərɪən] *adj, the* ~ *Peninsula*
Pyreneiska halvön, Iberiska halvön
ice I [aɪs] *subst* **1** is; *it cut no* ~ vard. det
gjorde inget intryck [*with* på] **2** glass; *an* ~
en glass **3** amer. sorbet
II [aɪs] *verb* **1** lägga på is, isa drycker **2** ~
over el. ~ frysa, frysa till [*the pond iced*
over]; ~ *up* bli nedisad; *iced over* frusen,
isbelagd; *iced up* överisad **3** glasera [~ *a*
cake]
ice age ['aɪseɪdʒ] *subst* istid
iceberg ['aɪsbɜːg] *subst* isberg; ~ *lettuce*
isbergssallad
icebound ['aɪsbaʊnd] *adj* tillfrusen,
fastfrusen
icebox ['aɪsbɒks] *subst* **1** isskåp **2** frysfack
3 amer. kylskåp
icebreaker ['aɪsˌbreɪkə] *subst* isbrytare
ice cream [ˌaɪs'kriːm] *subst* glass;
ice-cream parlour glassbar
ice cube ['aɪskjuːb] *subst* iskub, istärning
ice hockey ['aɪsˌhɒkɪ] *subst* ishockey; ~
skate ishockeyrör; ~ *stick*
ishockeyklubba
Iceland ['aɪslənd] Island
Icelander ['aɪsləndə] *subst* islänning
Icelandic I [aɪs'lændɪk] *adj* isländsk
II [aɪs'lændɪk] *subst* isländska språket
ice lolly ['aɪsˌlɒlɪ] *subst* isglass, isglasspinne
ice pack ['aɪspæk] *subst* **1** packisfält
2 isblåsa
ice rink ['aɪsrɪŋk] *subst* skridskobana
ice skate ['aɪsskeɪt] *verb* åka skridskor
icicle ['aɪsɪkl] *subst* istapp, ispigg
icily ['aɪsɪlɪ] *adv* isande, iskallt
iciness ['aɪsɪnəs] *subst* iskyla, isande köld
icing ['aɪsɪŋ] *subst* **1** nedisning spec. flyg.
2 glasyr på bakverk; *put the* ~ *on the cake*
sätta pricken över 'i' **3** i ishockey icing
icon ['aɪkən] *subst* **1** kyrkl. ikon **2** data. ikon
3 idol, ikon
icy ['aɪsɪ] *adj* **1** iskall, isig **2** iskall [*an* ~ *tone*]
ID [ˌaɪ'diː] (förk. för *identity*); ~ el. ~ *card*
ID-kort
I'd [aɪd] = *I had, I should* o. *I would*
idea [aɪ'dɪə] *subst* idé, begrepp, aning [*I have*

no ~ *what happened*}; *the very* ~ *makes me sick* bara tanken äcklar mig; *that's the* ~*!* just det, ja!; *what's the big* ~*?* vad är meningen med det här?; *it wouldn't be a bad* ~ det skulle inte vara så dumt; *I have an* ~ *that*... jag anar att...; *I have no* ~ det har jag ingen aning om

ideal I [aɪ'dɪəl] *adj* idealisk
　II [aɪ'dɪəl] *subst* ideal

idealism [aɪ'dɪəlɪzm] *subst* idealism

idealist [aɪ'dɪəlɪst] *subst* idealist

idealistic [aɪˌdɪə'lɪstɪk] *adj* idealistisk

idealize [aɪ'dɪəlaɪz] *verb* idealisera

identical [aɪ'dentɪkl] *adj* identisk; ~ *twins* enäggstvillingar

identification [aɪˌdentɪfɪ'keɪʃən] *subst* identifiering, legitimation; ~ *papers* legitimation, identitetshandlingar; ~ *parade* konfrontation för att identifiera en misstänkt

identify [aɪ'dentɪfaɪ] *verb* identifiera; ~ *oneself* legitimera sig

identity [aɪ'dentətɪ] *subst* identitet; ~ *card* identitetskort

ideology [ˌaɪdɪ'ɒlədʒɪ] *subst* ideologi

idiom ['ɪdɪəm] *subst* idiom

idiomatic [ˌɪdɪə'mætɪk] *adj* idiomatisk

idiosyncrasy [ˌɪdɪə'sɪŋkrəsɪ] *subst* egenhet, karakteristiskt drag

idiot ['ɪdɪət] *subst* idiot, dumbom

idiotic [ˌɪdɪ'ɒtɪk] *adj* idiotisk, dåraktig

idle I ['aɪdl] *adj* **1** lat, lättjefull **2** sysslolös **3** stillastående; *be* ~ el. *lie* ~ stå stilla, vara ur drift **4** gagnlös, fruktlös {~ *speculations*}; ~ *gossip* löst skvaller; *an* ~ *threat* ett tomt hot
　II ['aɪdl] *verb* **1** lata sig, slöa **2** tekn. gå på tomgång **3** ~ *away* slösa bort {~ *away one's time*}

idol ['aɪdl] *subst* **1** idol **2** avgud

idolize ['aɪdəlaɪz] *verb* avguda, dyrka

idyll ['ɪdɪl, amer. 'aɪdl] *subst* idyll

idyllic [ɪ'dɪlɪk, amer. aɪ'dɪlɪk] *adj* idyllisk

i.e. [ˌaɪ'iː, ˌðæt'ɪz] (= *that is*) dvs.

if I [ɪf] *konj* **1** om, ifall, såvida; ~ *not* a) om inte b) annars {*stop it,* ~ *not I'll scream*}; ~ *anything* snarare {~ *anything it had got worse*}; ~ *only* om bara; ~ *only to* om inte annat så för att, ~ *so* i så fall; *well,* ~ *it isn't John!* ser man på, är det inte John?; ~ *it had not been for him* om inte han hade varit; ~ *that* om ens det **2** om, ifall; *I doubt* ~ *he will come* jag tvivlar på att han kommer
　II [ɪf] *subst,* ~*s and buts* om och men

igloo ['ɪgluː] (pl. ~*s*) *subst* igloo

ignite [ɪg'naɪt] *verb* **1** tända, sätta eld på **2** tändas, fatta eld

ignition [ɪg'nɪʃən] *subst* tändning, antändning; ~ *key* tändningsnyckel, startnyckel

ignoramus [ˌɪgnə'reɪməs] *subst* dumhuvud

ignorance ['ɪgnərəns] *subst* okunnighet, ovetskap {*of* om}

ignorant ['ɪgnərənt] *adj* okunnig, ovetande {*of* om}

ignore [ɪg'nɔː] *verb* ignorera, inte bry sig om

I'll [aɪl] = *I shall* o. *I will*

ill I [ɪl] (*worse worst*) *adj* **1** sjuk, dålig; *fall* ~ el. *be taken* ~ bli sjuk **2** ~ *fame* el. ~ *repute* dåligt rykte, vanrykte **3** om sak olycklig, ofördelaktig; dålig {*an* ~ *omen*}; *have* ~ *luck* ha otur
　II [ɪl] (*worse worst*) *adv* illa; *speak* ~ *of* tala illa om

ill-advised [ˌɪləd'vaɪzd] *adj* oklok, oförnuftig

ill-behaved [ˌɪlbɪ'heɪvd] *adj* ohyfsad

ill-bred [ˌɪl'bred] *adj* ouppfostrad, obelevad

ill-concealed [ˌɪlkən'siːld] *adj* illa dold

illegal [ɪ'liːgl] *adj* illegal, olaglig

illegible [ɪ'ledʒəbl] *adj* oläslig, oläsbar

illegitimate [ˌɪlɪ'dʒɪtɪmət] *adj* **1** illegitim, olaglig {*an* ~ *action*} **2** utomäktenskaplig {*an* ~ *child*}

ill-feeling [ˌɪl'fiːlɪŋ] *subst* agg, groll

ill-humoured [ˌɪl'hjuːməd] *adj* på dåligt humör, vresig

illicit [ɪ'lɪsɪt] *adj* **1** olovlig **2** olaglig

illiteracy [ɪ'lɪtərəsɪ] *subst* analfabetism

illiterate I [ɪ'lɪtərət] *adj* **1** inte läs- och skrivkunnig; ~ *person* analfabet **2** obildad
　II [ɪ'lɪtərət] *subst* **1** analfabet

ill-luck [ˌɪl'lʌk] *subst* olycka, otur

ill-mannered [ˌɪl'mænəd] *adj* ohyfsad

ill-natured [ˌɪl'neɪtʃəd] *adj* elak, ondskefull

illness ['ɪlnəs] *subst* sjukdom

illogical [ɪ'lɒdʒɪkl] *adj* ologisk

ill-tempered [ˌɪl'tempəd] *adj* butter, vresig

ill-treat [ˌɪl'triːt] *verb* misshandla

illuminate [ɪ'luːmɪneɪt] *verb* upplysa, belysa

illumination [ɪˌluːmɪ'neɪʃən] *subst* belysning

illusion [ɪ'luːʒən] *subst* illusion, inbillning; *optical* ~ synvilla

illusionist [ɪ'luːʒənɪst] *subst* illusionist, trollkonstnär

illustrate ['ɪləstreɪt] *verb* illustrera, belysa

illustration [ˌɪlə'streɪʃən] *subst* **1** illustration, belysning genom exempel **2** bild, illustration

illustrator ['ɪləstreɪtə] *subst* illustratör

illustrious [ɪ'lʌstrɪəs] *adj* berömd, lysande

ill-will [,ɪl'wɪl] *subst* illvilja, agg
I'm [aɪm] = *I am*
image ['ɪmɪdʒ] *subst* **1** bild; avbild; *he is the*
very (spitting) ~ *of his father* han är sin
far upp i dagen **2** språklig bild, metafor
3 image, profil
imagery ['ɪmɪdʒərɪ] *subst* bildspråk
imaginable [ɪ'mædʒɪnəbl] *adj* tänkbar
imaginary [ɪ'mædʒɪnərɪ] *adj* inbillad
imagination [ɪ,mædʒɪ'neɪʃən] *subst* **1** fantasi
2 inbillning
imaginative [ɪ'mædʒɪnətɪv] *adj* fantasifull
imagine [ɪ'mædʒɪn] *verb* föreställa sig, tro;
just ~*!* el. ~*!* kan man tänka sig!; *you are*
just imagining things det är bara
inbillning
imbecile ['ɪmbəsiːl] *subst* imbecill person;
idiot
imitate ['ɪmɪteɪt] *verb* **1** efterlikna **2** härma,
imitera
imitation [,ɪmɪ'teɪʃən] *subst* **1** imitation,
härmning **2** före subst. imiterad, oäkta [~
pearls]; ~ *leather* konstläder
imitator ['ɪmɪteɪtə] *subst* imitatör, efterapare
immaculate [ɪ'mækjʊlət] *adj* **1** fläckfri
2 oklanderlig
immaterial [,ɪmə'tɪərɪəl] *adj* oväsentlig
immature [,ɪmə'tjʊə] *adj* omogen
immaturity [,ɪmə'tjʊərətɪ] *subst* omognad
immediate [ɪ'miːdjət] *adj* omedelbar,
omgående; överhängande; *in the* ~ *future*
inom den närmaste framtiden
immediately ['ɪmiːdjətlɪ] *adv* **1** omedelbart,
omgående, genast **2** närmast, omedelbart
[*the time* ~ *before the war*] **3** direkt [*be* ~
affected]
immemorial [,ɪmə'mɔːrɪəl] *adj*, *from time*
~ från urminnes tider
immense [ɪ'mens] *adj* ofantlig, enorm
immensity [ɪ'mensətɪ] *subst* väldig
omfattning, ofantlighet
immerse [ɪ'mɜːs] *verb* **1** sänka ner, doppa
ner **2** ~ *oneself in* gå fullständigt upp i
immigrant ['ɪmɪgrənt] *subst* immigrant,
invandrare
immigrate ['ɪmɪgreɪt] *verb* immigrera,
invandra [*into* till]
immigration [,ɪmɪ'greɪʃən] *subst*
immigration, invandring
imminent ['ɪmɪnənt] *adj* hotande,
överhängande [*an* ~ *danger*], nära
förestående
immobile [ɪ'məʊbaɪl, amer. ɪ'məʊbl] *adj*
orörlig
immoderate [ɪ'mɒdərət] *adj* omåttlig

immoral [ɪ'mɒrəl] *adj* omoralisk, osedlig
immorality [,ɪmə'rælətɪ] *subst* omoral,
osedlighet
immortal [ɪ'mɔːtl] *adj* odödlig, oförgänglig
immortality [,ɪmɔː'tælətɪ] *subst* odödlighet
immune [ɪ'mjuːn] *adj* immun [*mot* to]; ~ *to*
flattery oemottaglig för smicker
immunity [ɪ'mjuːnətɪ] *subst* immunitet
immunodeficiency [,ɪmjʊnəʊdɪ'fɪʃənsɪ]
subst med. immunbrist; *human* ~ *virus*
(förk. *HIV*) humant immunbristvirus
impact ['ɪmpækt] *subst* **1** sammanstötning
2 inverkan, påverkan, verkan; *make an* ~
on göra intryck på
impair [ɪm'peə] *verb* försämra, försvaga
impart [ɪm'pɑːt] *verb* ge, skänka, förläna
impartial [ɪm'pɑːʃl] *adj* opartisk
impartiality ['ɪm,pɑːʃɪ'ælətɪ] *subst*
opartiskhet
impassable [ɪm'pɑːsəbl] *adj* ofarbar,
oframkomlig
impatience [ɪm'peɪʃəns] *subst* otålighet
impatient [ɪm'peɪʃənt] *adj* otålig
impeccable [ɪm'pekəbl] *adj* oklanderlig
impede [ɪm'piːd] *verb* hindra, hämma, hejda
impediment [ɪm'pedɪmənt] *subst* hinder;
speech ~ talfel
impel [ɪm'pel] (*-ll-*) *verb* driva, driva fram; *I*
feel impelled to jag känner mig tvingad
att
impending [ɪm'pendɪŋ] *adj* överhängande,
annalkande
impenetrable [ɪm'penɪtrəbl] *adj*
ogenomtränglig, outgrundlig, otillgänglig
imperative I [ɪm'perətɪv] *adj* **1** absolut
nödvändig [*it is* ~ *that he should come*]
2 gram. imperativ [*the* ~ *mood*]
II [ɪm'perətɪv] *subst* gram., *in the* ~ i
imperativ
imperceptible [,ɪmpə'septəbl] *adj* omärklig
imperfect [ɪm'pɜːfɪkt] *adj* ofullkomlig,
bristfällig
imperial [ɪm'pɪərɪəl] *adj* kejserlig
imperialism [ɪm'pɪərɪəlɪzəm] *subst*
imperialism
impersonal [ɪm'pɜːsnəl] *adj* opersonlig
impersonate [ɪm'pɜːsəneɪt] *verb* imitera
impersonation [ɪm,pɜːsə'neɪʃən] *subst*
1 imitation [~*s of famous people*]
impersonator [ɪm'pɜːsəneɪtə] *subst* imitatör
impertinent [ɪm'pɜːtɪnənt] *adj* oförskämd
imperturbable [,ɪmpə'tɜːbəbl] *adj* orubblig
impetuous [ɪm'petjʊəs] *adj* impulsiv
impetus ['ɪmpɪtəs] *subst* **1** drivkraft, kraft
2 rörelseenergi, fart

implacable [ɪm'plækəbl] *adj* oförsonlig
implant I [ɪm'plɑːnt] *verb* inplanta, inprägla,
inskärpa [*in sb* hos ngn]
II [ɪm'plɑːnt] *subst* med. implantat
implausible [ɪm'plɔːzəbl] *adj* osannolik
implement I ['ɪmplɪmənt] *subst* verktyg,
redskap
II ['ɪmplɪment] *verb* genomföra, förverkliga,
uppfylla [~ *a promise*]
implicate ['ɪmplɪkeɪt] *verb* blanda in [~ *sb in
a crime*]; *be implicated in* vara (bli)
invecklad i, vara (bli) inblandad i
implication [,ɪmplɪ'keɪʃən] *subst*
1 inblandning **2** innebörd, konsekvens; *by*
~ underförstått
implicit [ɪm'plɪsɪt] *adj* **1** underförstådd
2 obetingad, blind [~ *faith*]
implore [ɪm'plɔː] *verb* bönfalla, tigga och be
imply [ɪm'plaɪ] *verb* **1** innebära, föra med sig
2 förutsätta **3** antyda
impolite [,ɪmpə'laɪt] *adj* oartig, ohövlig
import I ['ɪmpɔːt] *subst* **1** import; ~*s*
importvaror **2** vikt, betydelse
II [ɪm'pɔːt] *verb* importera
importance [ɪm'pɔːtəns] *subst* vikt,
betydelse; *attach* ~ *to* lägga vikt vid
important [ɪm'pɔːtnt] *adj* viktig, betydande
importer [ɪm'pɔːtə] *subst* importör
impose [ɪm'pəʊz] *verb* **1** lägga på [~ *taxes*];
införa [~ *a speed limit*]; ~ *a fine on sb*
döma ngn till böter **2** ~ *sth on sb* pracka
på ngn ngt, tvinga på ngn ngt; ~ *oneself
on sb* tvinga sig på ngn
imposing [ɪm'pəʊzɪŋ] *adj* imponerande
impossibility [ɪm,pɒsə'bɪlətɪ] *subst*
omöjlighet
impossible [ɪm'pɒsəbl] *adj* omöjlig
impossibly [ɪm'pɒsəblɪ] *adv* hopplöst [~
lazy]
impostor [ɪm'pɒstə] *subst* bedragare, skojare
impotence ['ɪmpətəns] *subst* **1** vanmakt
2 fysiol. impotens
impotent ['ɪmpətənt] *adj* **1** maktlös **2** fysiol.
impotent
impoverish [ɪm'pɒvərɪʃ] *verb* utarma, göra
utfattig
impracticable [ɪm'præktɪkəbl] *adj*
ogenomförbar
impractical [ɪm'præktɪkl] *adj* opraktisk
imprecise [,ɪmprɪ'saɪs] *adj* inexakt, oprecis
impregnable [ɪm'pregnəbl] *adj* ointaglig
impregnate ['ɪmpregneɪt] *verb* impregnera;
impregnated with genomsyrad med
impresario [,ɪmpre'sɑːrɪəʊ] (pl. ~*s*) *subst*
impressario

impress I ['ɪmpres] *subst* märke, stämpel;
bear the ~ *of* bära prägel av
II [ɪm'pres] *verb* **1** göra intryck på,
imponera på; *impressed by* imponerad
av **2** stämpla, prägla **3** inprägla, inskärpa
t.ex. en idé [*on* hos]
impression [ɪm'preʃən] *subst* **1** intryck; *be
under the* ~ *that...* ha fått intrycket
att... **2** imitation [*she gave* ~*s of TV
personalities*] **3** märke, stämpel
4 tryckning, omtryckning av bok
impressionable [ɪm'preʃənəbl] *adj*
mottaglig för intryck, lättpåverkad
impressive [ɪm'presɪv] *adj* imponerande,
verkningsfull
imprison [ɪm'prɪzn] *verb* sätta i fängelse
imprisonment [ɪm'prɪznmənt] *subst*
fängslande; fångenskap; ~ *for life* livstids
fängelse
improbable [ɪm'prɒbəbl] *adj* osannolik
impromptu I [ɪm'prɒmptjuː] *adv* oförberett
[*speak* ~], improviserat
II [ɪm'prɒmptjuː] *adj* oförberedd,
improviserad
improper [ɪm'prɒpə] *adj* opassande [~
conduct], oanständig
improve [ɪm'pruːv] *verb* **1** förbättra
2 förbättras, bli bättre; ~ *on sth* förbättra
ngt, bättra på ngt
improvement [ɪm'pruːvmənt] *subst*
förbättring
improvisation [,ɪmprəvaɪ'zeɪʃən] *subst*
improvisation äv. musik.
improvise ['ɪmprəvaɪz] *verb* improvisera äv.
musik.
imprudent [ɪm'pruːdənt] *adj* oklok
impudence ['ɪmpjudəns] *subst*
oförskämdhet, fräckhet
impudent ['ɪmpjudənt] *adj* oförskämd, fräck
impulse ['ɪmpʌls] *subst* **1** stöt; *give an* ~ *to*
sätta fart på **2** impuls, ingivelse
impulsive [ɪm'pʌlsɪv] *adj* impulsiv
impunity [ɪm'pjuːnətɪ] *subst*, *with* ~
ostraffat
impure [ɪm'pjʊə] *adj* oren
impurity [ɪm'pjʊərətɪ] *subst* orenhet,
förorening
in I [ɪn] *prep* i [~ *a box*; ~ *April*; *dressed* ~
black]; på [~ *the street*; ~ *the morning*; ~ *the
18th century* (på 1700-talet); *I did it* ~ *five
minutes*; ~ *this way*]; om [*she will be back* ~
a month]; med [*written* ~ *pencil*; ~ *a loud
voice*]; hos [~ *Shakespeare*]; vid [~ *good
health*]; *she slipped* ~ *crossing the
street* hon halkade då hon gick över gatan;

~ *memory of* till minne av; ~ *reply to*
your letter som (till) svar på ditt brev; ~
my opinion enligt min mening
II [ɪn] *adv* in [*come* ~]; inne, hemma [*he
wasn't* ~]; *be* ~ *for* få räkna med [*we're* ~
for bad weather]; *be* ~ *for it* få det hett om
öronen
III [ɪn] *adj* vard. inne modern; *it's the* ~
thing to ... det är inne att ...
in. förk. för *inch, inches*
inability [ˌɪnə'bɪlətɪ] *subst* oförmåga
inaccessible [ˌɪnæk'sesəbl] *adj* otillgänglig
inaccurate [ɪn'ækjʊrət] *adj* **1** felaktig,
oriktig **2** inte noggrann
inactive [ɪn'æktɪv] *adj* inaktiv, overksam
inadequate [ɪn'ædɪkwət] *adj* **1** inadekvat
2 otillräcklig, bristfällig
inadvisable [ˌɪnəd'vaɪzəbl] *adj* inte tillrådlig
inane [ɪ'neɪn] *adj* idiotisk, fånig
inanimate [ɪn'ænɪmət] *adj* **1** livlös **2** utan
liv, trög
inapplicable [ɪn'æplɪkəbl] *adj* inte
tillämpbar
inappropriate [ˌɪnə'prəʊprɪət] *adj* olämplig
inattentive [ˌɪnə'tentɪv] *adj* ouppmärksam
inaudible [ɪn'ɔːdəbl] *adj* ohörbar
inaugural [ɪ'nɔːgjʊrəl] *adj* invignings-,
öppnings- [~ *speech*]; installations- [~
lecture]
inaugurate [ɪ'nɔːgjʊreɪt] *verb* **1** inviga
2 installera [~ *a president*] **3** inleda [~ *a
new era*]
inauguration [ɪˌnɔːgjʊ'reɪʃən] *subst*
1 invigning **2** installation [*the* ~ *of the
President of the USA*]
inborn [ˌɪn'bɔːn] *adj* medfödd
Inc. (förk. för *Incorporated* spec. amer.) AB
incalculable [ɪn'kælkjʊləbl] *adj*

---

in-
Förstavelsen *in-* och varianterna *il-*,
im-, *ir-* används ofta för att bilda
motsatser.

secure – insecure
   säker – osäker
legal – illegal
   laglig – olaglig
possible – impossible
   möjlig – omöjlig
regular – irregular
   regelbunden – oregelbunden

---

1 oöverskådlig [~ *consequences*]
2 oberäknelig
incapable [ɪn'keɪpəbl] *adj* **1** oduglig,
inkompetent **2** *be* ~ *of* vara oförmögen att
[*be* ~ *of doing sth*]
incapacity [ˌɪnkə'pæsɪtɪ] *subst* oförmåga
incarnate [ɪn'kɑːnət] *adj* förkroppsligad,
vard. inbiten, inpiskad; *he is the devil* ~
han är den personifierade ondskan, han är
en riktig djävel
incarnation [ˌɪnkɑː'neɪʃən] *subst*
inkarnation, förkroppsligande
incautious [ɪn'kɔːʃəs] *adj* oförsiktig
incendiary [ɪn'sendjərɪ] *adj* mordbrands-; ~
bomb brandbomb
1 incense ['ɪnsens] *subst* rökelse
2 incense [ɪn'sens] *verb* göra rasande;
incensed förbittrad
incentive [ɪn'sentɪv] *subst* drivfjäder,
incitament
incessant [ɪn'sesnt] *adj* oavbruten, ständig
incest ['ɪnsest] *subst* incest
inch [ɪntʃ] *subst* tum 2,54 cm; *every* ~ *a
gentleman* en gentleman ut i
fingerspetsarna; *give her an* ~ *and she'll
take a mile* om man ger henne ett finger
så tar hon hela handen; *I don't trust him
an* ~ jag litar inte ett dugg på honom;
within an ~ *of death* mycket nära döden
incident ['ɪnsɪdənt] *subst* händelse, incident;
frontier ~*s* gränsintermezzon
incidental [ˌɪnsɪ'dentl] *adj* tillfällig,
oväsentlig
incidentally [ˌɪnsɪ'dentəlɪ] *adv*
1 tillfälligtvis, i förbigående **2** förresten [~
why were you late?]
incinerator [ɪn'sɪnəreɪtə] *subst*
förbränningsugn t.ex. för sopor
incision [ɪn'sɪʒn] *subst* med., *make an* ~
lägga ett snitt
incite [ɪn'saɪt] *verb* egga, egga upp; ~ *to
violence* hetsa till våld
inclination [ˌɪnklɪ'neɪʃən] *subst* **1** lutning;
böjning **2** benägenhet, böjelse
incline [ɪn'klaɪn] *verb* **1** luta, luta ned; böja
2 göra benägen [*to* för]; vara benägen för
inclined [ɪn'klaɪnd] *adj* **1** benägen [*to* för]
2 lagd [*be musically* ~]
include [ɪn'kluːd] *verb* inkludera, omfatta,
inbegripa
included [ɪn'kluːdɪd] *perf* p o. *adj* inkluderad,
inberäknad, inklusive; *all expenses* ~ alla
utgifter är inkluderade, inklusive alla
utgifter; *be* ~ *in* (*on*) *the list* komma med
på listan

including [ɪnˈkluːdɪŋ] *prep* omfattande, inklusive {~ *all expenses*}

inclusive [ɪnˈkluːsɪv] *adj* **1** inberäknad; *to Saturday* ~ t.o.m. lördag; ~ *of* inklusive, med allt inberäknat t.ex. *fast pris på hotell*

incoherence [ˌɪnkəˈhɪərəns] *subst* brist på sammanhang

incoherent [ˌɪnkəˈhɪərənt] *adj* osammanhängande

income [ˈɪnkʌm] *subst* inkomst; *a large* ~ stora inkomster; *live over one's* ~ leva över sina tillgångar

income tax [ˈɪnkəmtæks] *subst* inkomstskatt; ~ *return* självdeklaration

incoming [ˈɪnˌkʌmɪŋ] *adj* inkommande, ankommande {~ *trains*}

incomparable [ɪnˈkɒmpərəbl] *adj* makalös

incompatible [ˌɪnkəmˈpætəbl] *adj* **1** oförenlig **2** data. inkompatibel, inte kompatibel

incompetence [ɪnˈkɒmpətəns] *subst* inkompetens, oförmåga

incompetent [ɪnˈkɒmpətənt] *adj* inkompetent, oduglig

incomplete [ˌɪnkəmˈpliːt] *adj* ofullständig

incomprehensible [ɪnˌkɒmprɪˈhensəbl] *adj* obegriplig {*to* för}

inconceivable [ˌɪnkənˈsiːvəbl] *adj* obegriplig, ofattbar {*to* för}

inconclusive [ˌɪnkənˈkluːsɪv] *adj* inte avgörande; ofullständig

incongruous [ɪnˈkɒŋgruəs] *adj* **1** oförenlig **2** omaka, som inte går ihop **3** orimlig; absurd

inconsiderable [ˌɪnkənˈsɪdərəbl] *adj* obetydlig, oansenlig

inconsiderate [ˌɪnkənˈsɪdərət] *adj* tanklös, hänsynslös

inconsistency [ˌɪnkənˈsɪstənsɪ] *subst* **1** inkonsekvens **2** oförenlighet {*with* med}

inconsistent [ˌɪnkənˈsɪstənt] *adj* **1** inkonsekvent **2** oförenlig; *be* ~ *with* strida mot, inte stämma med

inconsolable [ˌɪnkənˈsəʊləbl] *adj* otröstlig

inconspicuous [ˌɪnkənˈspɪkjuəs] *adj* omärklig, föga iögonenfallande

inconstant [ɪnˈkɒnstənt] *adj* ombytlig

inconvenience I [ˌɪnkənˈviːnjəns] *subst* olägenhet {*to* för}; *put sb to* ~ vålla ngn besvär
II [ˌɪnkənˈviːnjəns] *verb* besvära

inconvenient [ˌɪnkənˈviːnjənt] *adj* oläglig, olämplig

incorporate [ɪnˈkɔːpəreɪt] *verb* **1** införliva,

införlivas; *incorporated company* spec. amer. aktiebolag

incorrect [ˌɪnkəˈrekt] *adj* oriktig, felaktig

incorrigible [ɪnˈkɒrɪdʒəbl] *adj* oförbätterlig

incorruptible [ˌɪnkəˈrʌptəbl] *adj* omutlig

increase I [ɪnˈkriːs] *verb* **1** öka, ökas **2** höja, öka
II [ˈɪnkriːs] *subst* ökning, utökning, höjning; *be on the* ~ vara i tilltagande, öka, stiga

increasing [ɪnˈkriːsɪŋ] *pres p* o. *adj* ökande; *to an ever* ~ *extent* i allt större utsträckning

increasingly [ɪnˈkriːsɪŋlɪ] *adv* alltmer

incredible [ɪnˈkredəbl] *adj* otrolig

incredulous [ɪnˈkredjʊləs] *adj* skeptisk; *she was* ~ hon kunde inte tro det

incubator [ˈɪnkjʊbeɪtə] *subst* **1** äggkläckningsmaskin **2** kuvös

incur [ɪnˈkɜː] (*-rr-*) *verb* ådra sig, åsamka sig

incurable [ɪnˈkjʊərəbl] *adj* obotlig

indebted [ɪnˈdetɪd] *adj* **1** skuldsatt **2** tack skyldig {*to sb* ngn}

indecency [ɪnˈdiːsnsɪ] *subst* oanständighet

indecent [ɪnˈdiːsnt] *adj* oanständig

indecision [ˌɪndɪˈsɪʒən] *subst* obeslutsamhet

indecisive [ˌɪndɪˈsaɪsɪv] *adj* obeslutsam

indeclinable [ˌɪndɪˈklaɪnəbl] *adj* gram. oböjlig

indeed I [ɪnˈdiːd] *adv* verkligen, minsann, faktiskt; visserligen; *yes,* ~*!* ja visst!
II [ɪnˈdiːd] *interj* verkligen!

indefatigable [ˌɪndɪˈfætɪgəbl] *adj* outtröttlig

indefensible [ˌɪndɪˈfensəbl] *adj* oförsvarlig

indefinable [ˌɪndɪˈfaɪnəbl] *adj* odefinierbar

indefinite [ɪnˈdefɪnət] *adj* obestämd, vag

indefinitely [ɪnˈdefɪnətlɪ] *adv* på obestämd tid, i det oändliga

indelible [ɪnˈdeləbl] *adj* outplånlig

indent [ɪnˈdent] *verb* göra indrag på

independence [ˌɪndɪˈpendəns] *subst* oberoende, självständighet; *Independence Day* amer. 4 juli, självständighetsdagen firas till minnet av oavhängighetsförklaringen 1776

independent [ˌɪndɪˈpendənt] *adj* oberoende {*of* av}, oavhängig, självständig

indescribable [ˌɪndɪˈskraɪbəbl] *adj* obeskrivlig, obeskrivbar

indestructible [ˌɪndɪˈstrʌktəbl] *adj* oförstörbar; outplånlig

index I [ˈɪndeks] *subst* **1** register, index; *card* ~ kortregister; ~ *card* kartotekskort **2** ekon. index
II *verb* indexreglera

index-finger [ˈɪndeksˌfɪŋgə] *subst* pekfinger

index-linked [ˈɪndekslɪŋkt] *adj* indexreglerad

Republic of India
HUVUDSTAD: New Delhi.
FOLKMÄNGD: ca 1 100 milj.
YTA: 3,2 milj. km² (mer än sju
gånger så stort som Sverige).
SPRÅK: Hindi och engelska är offi-
ciella språk.
Indien var länge en viktig brittisk
koloni och kallades ibland *the Jewel
in the Crown of the British Empire*,
juvelen i kronan. Indien blev själv-
ständigt 1947.

India ['ɪndjə] Indien
Indian I ['ɪndjən] *adj* **1** indisk [*the ~ Ocean*];
   ~ *ink* kinesisk tusch; ~ *summer*
brittsommar, indiansommar **2** indiansk
   II ['ɪndjən] *subst* **1** indier **2** indian
indicate ['ɪndɪkeɪt] *verb* ange, antyda, visa
indication [,ɪndɪ'keɪʃən] *subst* **1** angivande
   2 tecken, kännetecken
indicative I [ɪn'dɪkətɪv] *adj*, *be ~ of* tyda på
   II [ɪn'dɪkətɪv] *subst* gram. indikativ; *in the ~*
i indikativ
indicator ['ɪndɪkeɪtə] *subst* **1** visare
   2 körriktningsvisare, blinker **3** tavla;
arrival ~ ankomsttavla; *departure ~*
avgångstavla
indict [ɪn'daɪt] *verb* åtala, väcka åtal mot
indictable [ɪn'daɪtəbl] *adj* åtalbar
indictment [ɪn'daɪtmənt] *subst* **1** åtal
   2 anklagelse
indifference [ɪn'dɪfrəns] *subst* likgiltighet [*to*
för]
indifferent [ɪn'dɪfrənt] *adj* **1** likgiltig [*to* för]
   2 medelmåttig
indigestible [,ɪndɪ'dʒestəbl] *adj* svårsmält
indigestion [,ɪndɪ'dʒestʃən] *subst*
1 magbesvär **2** ont i magen
indignant [ɪn'dɪgnənt] *adj* indignerad,
förnärmad
indignation [,ɪndɪg'neɪʃən] *subst* indignation
indignity [ɪn'dɪgnətɪ] *subst* kränkning,
skymf, förödmjukelse
indirect [,ɪndɪ'rekt] *adj* indirekt
indiscipline [ɪn'dɪsɪplɪn] *subst* brist på
disciplin
indiscreet [,ɪndɪ'skriːt] *adj* indiskret, taktlös
indiscretion [,ɪndɪ'skreʃən] *subst*
indiskretion, taktlöshet
indiscriminate [,ɪndɪ'skrɪmɪnət] *adj*

1 godtycklig, slumpartad **2** urskillningslös,
omdömeslös
indispensable [,ɪndɪ'spensəbl] *adj*
oumbärlig
indisposed [,ɪndɪ'spəʊzd] *adj* indisponerad
indisputable [,ɪndɪ'spjuːtəbl] *adj* obestridlig
indistinct [,ɪndɪ'stɪŋkt] *adj* otydlig, oklar
indistinguishable [,ɪndɪ'stɪŋgwɪʃəbl] *adj*,
they are ~ det går inte att skilja dem åt
individual I [,ɪndɪ'vɪdjʊəl] *adj* individuell,
personlig [*~ style*]
   II [,ɪndɪ'vɪdjʊəl] *subst* individ
individuality ['ɪndɪ,vɪdjʊ'ælətɪ] *subst*
individualitet, egenart, särprägel
indivisible [,ɪndɪ'vɪzəbl] *adj* odelbar
indoctrinate [ɪn'dɒktrɪneɪt] *verb*
indoktrinera
indoctrination [ɪn,dɒktrɪ'neɪʃən] *subst*
1 indoktrinering
indolent ['ɪndələnt] *adj* slö, loj
indomitable [ɪn'dɒmɪtəbl] *adj* okuvlig
Indonesia [,ɪndə'niːzjə] Indonesien
Indonesian I [,ɪndə'niːzjən] *adj* indonesisk
   II [,ɪndə'niːzjən] *subst* indones
indoor ['ɪndɔː] *adj* inomhus-; ~ *games*
inomhustävlingar, inomhusspel
indoors [,ɪn'dɔːz] *adv* inomhus, inne
indubitable [ɪn'djuːbɪtəbl] *adj* otvivelaktig
induce [ɪn'djuːs] *verb* **1** förmå, föranleda
2 orsaka
inducement [ɪn'djuːsmənt] *subst*
incitament, motivation, sporre
indulge [ɪn'dʌldʒ] *verb*, ~ *in* hänge sig åt
indulgent [ɪn'dʌldʒənt] *adj* **1** överseende
2 släpphänt
industrial [ɪn'dʌstrɪəl] *adj* industriell; ~
disease yrkessjukdom; ~ *dispute*
arbetskonflikt; ~ *estate* el. amer. ~ *park*
industriområde
industrialism [ɪn'dʌstrɪəlɪzəm] *subst*
industrialism
industrialist [ɪn'dʌstrɪəlɪst] *subst*
industriman
industrialize [ɪn'dʌstrɪəlaɪz] *verb*
industrialisera
industrious [ɪn'dʌstrɪəs] *adj* flitig, arbetsam
industry ['ɪndəstrɪ] *subst* **1** industri;
näringsliv **2** flit, arbetsamhet
inebriated [ɪ'niːbrɪeɪtɪd] *adj* berusad
inedible [ɪn'edəbl] *adj* oätlig, oätbar
ineffective [,ɪnɪ'fektɪv] *adj* ineffektiv,
verkningslös
ineffectual [ɪnɪ'fektʃʊəl] *adj* verkningslös,
resultatlös
inefficient [,ɪnɪ'fɪʃənt] *adj* ineffektiv

ineligible [ɪn'elɪdʒəbl] *adj* **1** inte valbar [*for* till] **2** inte kvalificerad

inequality [ˌɪnɪ'kwɒlətɪ] *subst* olikhet; *social* ~ brist på social jämlikhet

inert [ɪ'nɜːt] *adj* trög, slö; overksam

inertia [ɪ'nɜːʃjə] *subst* tröghet; slöhet

inestimable [ɪn'estɪməbl] *adj* ovärderlig

inevitable [ɪn'evɪtəbl] *adj* oundviklig, ofrånkomlig

inexact [ˌɪnɪg'zækt] *adj* inexakt, felaktig

inexcusable [ˌɪnɪk'skjuːzəbl] *adj* oförlåtlig

inexhaustible [ˌɪnɪg'zɔːstəbl] *adj* outtömlig

inexorable [ɪn'eksərəbl] *adj* obönhörlig

inexpensive [ˌɪnɪk'spensɪv] *adj* billig

inexperienced [ˌɪnɪk'spɪərɪənst] *adj* oerfaren

inexplicable [ˌɪnek'splɪkəbl] *adj* oförklarlig

infallible [ɪn'fæləbl] *adj* ofelbar; osviklig

infamous ['ɪnfəməs] *adj* ökänd, skamlig, infam

infancy ['ɪnfənsɪ] *subst* spädbarnsålder; tidiga barnaår; tidig barndom

infant ['ɪnfənt] *subst* spädbarn; småbarn

infantry ['ɪnfəntrɪ] *subst* infanteri, fotfolk

infantryman ['ɪnfəntrɪmən] *subst* infanterist

infant school ['ɪnfəntskuːl] *subst* lägsta stadiet av 'primary school' för barn mellan 5 och 7 år

infatuated [ɪn'fætjʊeɪtɪd] *perf p* o. *adj* blint förälskad

infatuation [ɪnˌfætjʊ'eɪʃən] *subst* blind förälskelse

infect [ɪn'fekt] *verb* infektera, smitta

infection [ɪn'fekʃən] *subst* infektion, smitta

infectious [ɪn'fekʃəs] *adj* smittosam

infer [ɪn'fɜː] *verb* (*-rr-*) *verb* sluta sig till; *he inferred that* han drog den slutsatsen att

inferior I [ɪn'fɪərɪə] *adj* **1** lägre i t.ex. rang [*to* än], underordnad [*to sb* ngn; *to sth* ngt] **2** sämre [*to* än]; *an ~ product* en undermålig produkt **II** [ɪn'fɪərɪə] *subst* underordnad

inferiority [ɪnˌfɪərɪ'ɒrətɪ] *subst* underlägsenhet; *~ complex* mindervärdeskomplex

infernal [ɪn'fɜːnl] *adj* **1** infernalisk **2** vard. förbannad [*an ~ nuisance*]

inferno [ɪn'fɜːnəʊ] (pl. *~s*) *subst* inferno, helvete

infertile [ɪn'fɜːtaɪl, amer. ɪn'fɜːtl] *adj* ofruktbar, steril

infest [ɪn'fest] *verb* hemsöka, översvämma; *this place is infested with cockroaches* det här stället kryllar av kackerlackor

infidelity [ˌɪnfɪ'delətɪ] *subst* otrohet

infiltrate ['ɪnfɪltreɪt] *verb* **1** infiltrera **2** nästla sig in i, tränga in i **3** nästla sig in, tränga in

infiltration [ˌɪnfɪl'treɪʃən] *subst* infiltration

infiltrator ['ɪnfɪltreɪtə] *subst* infiltratör

infinite ['ɪnfɪnət] *adj* oändlig, ändlös, omätlig [*~ number*]

infinitive I [ɪn'fɪnɪtɪv] *adj* gram. infinitiv- **II** [ɪn'fɪnɪtɪv] *subst* gram., *the ~* infinitiv

infinity [ɪn'fɪnətɪ] *subst* oändlighet, oändligheten

infirm [ɪn'fɜːm] *adj* klen, skröplig

infirmity [ɪn'fɜːmətɪ] *subst* skröplighet

inflame [ɪn'fleɪm] *verb* **1** hetsa upp **2** inflammera [*an inflamed boil*] **3** underblåsa, förvärra

inflammable [ɪn'flæməbl] *adj* lättantändlig

inflammation [ˌɪnflə'meɪʃən] *subst* inflammation

inflatable [ɪn'fleɪtəbl] *adj* uppblåsbar

inflate [ɪn'fleɪt] *verb* **1** blåsa upp, pumpa upp **2** göra uppblåst **3** driva upp [*~ prices*]

inflated [ɪn'fleɪtɪd] *perf p* o. *adj* **1** uppblåst, pumpad **2** svulstig **3** ekon. inflations- [*~ prices*]

inflation [ɪn'fleɪʃən] *subst* ekon. inflation

inflationary [ɪn'fleɪʃnərɪ] *adj* inflationistisk

inflect [ɪn'flekt] *verb* gram. böja, deklinera

inflection [ɪn'flekʃən] *subst* gram. böjning

inflexible [ɪn'fleksəbl] *adj* **1** oböjlig **2** orubblig

inflict [ɪn'flɪkt] *verb* vålla, tillfoga [*~ suffering*]

influence I ['ɪnfluəns] *subst* **1** inflytande [*on* på] **2** inverkan, påverkan; *be under the ~* vara spritpåverkad **II** ['ɪnfluəns] *verb* ha inflytande på, påverka, influera

influential [ˌɪnflu'enʃl] *adj* inflytelserik

influenza [ˌɪnflu'enzə] *subst* influensa

influx ['ɪnflʌks] *subst* inflöde, tillströmning

info ['ɪnfəʊ] *subst* (förk. för *information*) info

inform [ɪn'fɔːm] *verb* meddela, underrätta, informera; *~ against* el. *~ on* uppträda som angivare mot, ange, tjalla på

informal [ɪn'fɔːml] *adj* informell

information [ˌɪnfə'meɪʃən] (utan pl.) *subst* meddelande, underrättelser, information; *an interesting piece of ~* en intressant upplysning; *~ technology* informationsteknik (förk. IT)

informative [ɪn'fɔːmətɪv] *adj* upplysande

informed [ɪn'fɔːmd] *adj* välunderrättad, insatt; *keep sb ~ as to* hålla ngn à jour med

informer [ɪnˈfɔːmə] *subst* angivare, tjallare

infrared [ˌɪnfrəˈred] *adj* infraröd; ~ *lamp* värmelampa

infrequent [ɪnˈfriːkwənt] *adj* ovanlig

infrequently [ɪnˈfriːkwəntlɪ] *adv* sällan

infringe [ɪnˈfrɪndʒ] *verb* överträda, kränka

infringement [ɪnˈfrɪndʒmənt] *subst*
1 överträdelse, kränkning [*of* av]
2 regelbrott

infuriate [ɪnˈfjʊərɪeɪt] *verb* göra rasande

infuriating [ɪnˈfjʊərɪeɪtɪŋ] *adj* fruktansvärt irriterande

infuse [ɪnˈfjuːz] *verb* ingjuta [*into* i], inge

ingenious [ɪnˈdʒiːnjəs] *adj* fyndig, genial

ingenuous [ɪnˈdʒenjʊəs] *adj* 1 öppen, frimodig 2 naiv

ingratiating [ɪnˈgreɪʃɪeɪtɪŋ] *adj* inställsam

ingratitude [ɪnˈgrætɪtjuːd] *subst* otacksamhet

ingredient [ɪnˈgriːdjənt] *subst* ingrediens

inhabit [ɪnˈhæbɪt] *verb* bebo, befolka

inhabitant [ɪnˈhæbɪtənt] *subst* invånare

inhale [ɪnˈheɪl] *verb* 1 andas in, inhalera
2 dra halsbloss

inherent [ɪnˈhɪərənt] *adj* inneboende [*in* i], medfödd

inherit [ɪnˈherɪt] *verb* ärva [*from* av, efter]

inheritance [ɪnˈherɪtəns] *subst* arv

inheritor [ɪnˈherɪtə] *subst* arvinge, arvtagare

inhibit [ɪnˈhɪbɪt] *verb* hämma, hindra

inhibition [ˌɪnhɪˈbɪʃən] *subst* psykol. hämning

inhospitable [ˌɪnhɒˈspɪtəbl] *adj* ogästvänlig

inhuman [ɪnˈhjuːmən] *adj* omänsklig

inimitable [ɪˈnɪmɪtəbl] *adj* oefterhärmlig

initial I [ɪˈnɪʃl] *adj* begynnelse- [~ *stage*], inledande
II [ɪˈnɪʃl] *subst* 1 begynnelsebokstav 2 initial
III [ɪˈnɪʃəl] *verb* underteckna med initialer, sätta sina initialer på

initially [ɪˈnɪʃəlɪ] *adv* i början

initiate I [ɪˈnɪʃɪeɪt] *verb* 1 inleda, initiera, starta 2 inviga [~ *sb into a secret*]
II [ɪˈnɪʃɪeɪt] *subst* invigd person

initiative [ɪˈnɪʃɪətɪv] *subst* initiativ, företagsamhet

inject [ɪnˈdʒekt] *verb* spruta in, injicera [*into* i]

injection [ɪnˈdʒekʃən] *subst* injektion, spruta

injure [ˈɪndʒə] *verb* skada [~ *one's leg*], såra [~ *sb's pride*]

injurious [ɪnˈdʒʊərɪəs] *adj* skadlig [*to* för]

injury [ˈɪndʒərɪ] *subst* skada, men; ~ *time* sport. tilläggstid, förlängning

injustice [ɪnˈdʒʌstɪs] *subst* orättvisa

ink [ɪŋk] *subst* 1 bläck 2 trycksvärta, tryckfärg

inkling [ˈɪŋklɪŋ] *subst* aning, nys, hum [*of* om]

inland I [ˈɪnlənd] *adj* belägen inne i landet, inrikes
II [ɪnˈlænd] *adv* inne i landet

in-laws [ˈɪnlɔːz] *subst pl* släktingar genom giftermål t.ex. svärföräldrar; ingifta

inlet [ˈɪnlet] *subst* 1 liten vik 2 inlopp

inmate [ˈɪnmeɪt] *subst* 1 intern, intagen på institution 2 patient

inn [ɪn] *subst* värdshus

innate [ˌɪˈneɪt] *adj* medfödd, naturlig

inner [ˈɪnə] *adj* inre, invändig; ~ *city* innerstadsområde; *the* ~ *lane* innerfilen

innermost [ˈɪnəməʊst] *adj* innerst; *in the* ~ *depths of the forest* längst inne i skogen

innkeeper [ˈɪnˌkiːpə] *subst* värdshusvärd

innocence [ˈɪnəsns] *subst* oskuld

innocent [ˈɪnəsnt] *adj* oskyldig [*of* till]

innovation [ˌɪnəˈveɪʃən] *subst* innovation, nyhet

innumerable [ɪˈnjuːmərəbl] *adj* otalig

inoculate [ɪˈnɒkjʊleɪt] *verb* med. ympa in smittämne; *be inoculated* bli vaccinerad

inoffensive [ˌɪnəˈfensɪv] *adj* oförarglig

in-patient [ˈɪnˌpeɪʃənt] *subst* sjukhuspatient

input [ˈɪnpʊt] *subst* 1 intag 2 elektr. el. radio. ineffekt 3 data. indata

inquest [ˈɪnkwest] *subst* rättslig undersökning

inquire [ɪnˈkwaɪə] *verb* 1 fråga, höra sig för 2 fråga om

inquiry [ɪnˈkwaɪərɪ, amer. äv. ˈɪkwərɪ] *subst*
1 förfrågan 2 utredning; *judicial* ~ rättslig undersökning

inquisitive [ɪnˈkwɪzɪtɪv] *adj* frågvis, nyfiken

insane [ɪnˈseɪn] *adj* 1 mentalsjuk 2 vard. vansinnig

insanitary [ɪnˈsænɪtrɪ] *adj* hälsovådlig

insanity [ɪnˈsænətɪ] *subst* 1 mentalsjukdom 2 vard. vansinne, vanvett

insatiable [ɪnˈseɪʃjəbl] *adj* omättlig

inscribe [ɪnˈskraɪb] *verb* skriva in, rista in

inscription [ɪnˈskrɪpʃən] *subst* 1 inskription 2 dedikation

inscrutable [ɪnˈskruːtəbl] *adj* outgrundlig

insect [ˈɪnsekt] *subst* insekt

insecticide [ɪnˈsektɪsaɪd] *subst* insektsmedel, bekämpningsmedel mot insekter

insecure [ˌɪnsɪˈkjʊə] *adj* osäker, otrygg

insecurity [ˌɪnsɪˈkjʊərətɪ] *subst* osäkerhet, otrygghet

insemination [ɪnˌsemɪˈneɪʃn] *subst*

insemination; *artificial* ~ konstgjord befruktning

insensitive [ɪn'sensətɪv] *adj* okänslig [*to* för]

inseparable [ɪn'sepərəbl] *adj* oskiljaktig

insert [ɪn's3:t] *verb* sätta in, föra in

insertion [ɪn's3:ʃən] *subst* insättande, införande

inside I [ˌɪn'saɪd] *subst* insida; ~ *out* a) ut och in b) med avigsidan ut; *know sth* ~ *out* känna ngt utan och innan; *turn sth* ~ *out* vända ut och in på ngt
II [ˌɪn'saɪd] *adj* inre, invändig, inner- [~ *pocket*]
III [ˌɪn'saɪd] *adv* inuti, invändigt; inåt; inne
IV [ˌɪn'saɪd] *prep* inne i, inom; in i; innanför

insidious [ɪn'sɪdɪəs] *adj* lömsk, smygande

insight ['ɪnsaɪt] *subst* insikt, inblick, insyn

insignificant [ˌɪnsɪg'nɪfɪkənt] *adj* obetydlig

insincere [ˌɪnsɪn'sɪə] *adj* inte uppriktig, falsk

insincerity [ˌɪnsɪn'serətɪ] *subst* brist på uppriktighet, falskhet

insinuate [ɪn'sɪnjʊeɪt] *verb* insinuera, antyda

insinuation [ɪnˌsɪnjʊ'eɪʃən] *subst* insinuation, antydan

insipid [ɪn'sɪpɪd] *adj* **1** smaklös, fadd
2 urvattnad **3** intetsägande, tråkig

insist [ɪn'sɪst] *verb* insistera; ~ *on* insistera på, yrka på

insistent [ɪn'sɪstənt] *adj* envis, enträgen

insole ['ɪnsəʊl] *subst* innersula

insolence ['ɪnsələns] *subst* oförskämdhet

insolent ['ɪnsələnt] *adj* oförskämd

insoluble [ɪn'sɒljʊbl] *adj* olöslig

insomnia [ɪn'sɒmnɪə] *subst* med. sömnlöshet

inspect [ɪn'spekt] *verb* **1** granska
2 inspektera, besiktiga

inspection [ɪn'spekʃən] *subst* **1** granskning
2 inspektion, besiktning

inspector [ɪn'spektə] *subst* **1** inspektör, kontrollant **2** *police* ~ polisinspektör; *chief* ~ poliskommissarie

inspiration [ˌɪnspə'reɪʃən] *subst* inspiration

inspire [ɪn'spaɪə] *verb* inspirera; ~ *confidence in* väcka förtroende hos

install [ɪn'stɔ:l] *verb* **1** installera **2** sätta upp, montera

installation [ˌɪnstə'leɪʃən] *subst*
1 installation **2** uppsättning, montering

instalment [ɪn'stɔ:lmənt] *subst*
1 avbetalning, amortering; *by* ~*s* på avbetalning **2** portion, del, avsnitt

instance ['ɪnstəns] *subst* exempel [*of* på]; *for* ~ till exempel; *in this* ~ i det här fallet

instant I ['ɪnstənt] *adj* ögonblicklig, omedelbar [~ *relief*]; ~ *coffee* snabbkaffe
II ['ɪnstənt] *subst* ögonblick; *this* ~ nu genast

instantaneous [ˌɪnstən'teɪnjəs] *adj* ögonblicklig

instantly ['ɪnstəntlɪ] *adv* ögonblickligen

instead [ɪn'sted] *adv* i stället; ~ *of* i stället för

instep ['ɪnstep] *subst* anat. vrist fotens böjda översida

instigate ['ɪnstɪgeɪt] *verb* **1** uppvigla till; anstifta **2** sätta igång

instigator ['ɪnstɪgeɪtə] *subst* **1** anstiftare
2 upphovsman

instil [ɪn'stɪl] (-*ll*-) *verb* inge [*sth into sb* ngn ngt]

instinct ['ɪnstɪŋkt] *subst* instinkt, drift

instinctive [ɪn'stɪŋktɪv] *adj* instinktiv

institute I ['ɪnstɪtju:t] *verb* **1** upprätta
2 inleda, vidta [~ *legal proceedings*]
II ['ɪnstɪtju:t] *subst* institut; ~ *of education* ungefär lärarhögskola

institution [ˌɪnstɪ'tju:ʃən] *subst* **1** inrättande
2 institution, institut **3** anstalt

institutionalized [ˌɪnstɪ'tju:ʃənəlaɪzd] *adj* hospitaliserad

instruct [ɪn'strʌkt] *verb* **1** undervisa, instruera **2** informera

instruction [ɪn'strʌkʃən] *subst* undervisning; pl. ~*s* instruktioner, föreskrifter; ~*s for use* bruksanvisningar

instructive [ɪn'strʌktɪv] *adj* instruktiv, lärorik

instructor [ɪn'strʌktə] *subst* lärare, handledare, instruktör

instrument ['ɪnstrʊmənt] *subst* musik.
1 instrument **2** verktyg; ~ *panel* instrumentbräda

insubordinate [ˌɪnsə'bɔ:dənət] *adj* olydig

insufferable [ɪn'sʌfərəbl] *adj* outhärdlig; *she is* ~ hon är odräglig

insufficient [ˌɪnsə'fɪʃənt] *adj* otillräcklig

insular ['ɪnsjʊlə] *adj* öbo- [~ *mentality*]; trångsynt

insulate ['ɪnsjʊleɪt] *verb* isolera

insulation [ˌɪnsjʊ'leɪʃən] *subst* isolering

insult I ['ɪnsʌlt] *subst* förolämpning [*to* mot]
II [ɪn'sʌlt] *verb* förolämpa

insurance [ɪn'ʃʊərəns] *subst* försäkring; ~ *policy* försäkringsbrev

insure [ɪn'ʃʊə] *verb* försäkra

insurmountable [ˌɪnsə'maʊntəbl] *adj* oöverstiglig, oövervinnelig [~ *difficulties*]

insurrection [ˌɪnsə'rekʃən] *subst* uppror

insusceptible [ˌɪnsə'septəbl] *adj*
oemottaglig
intact [ɪn'tækt] *adj* orörd, intakt, oskadad
integrate ['ɪntɪgreɪt] *verb* integrera,
integreras
integration [ˌɪntɪ'greɪʃən] *subst*
1 samordning **2** integration
integrity [ɪn'tegrətɪ] *subst* **1** integritet
2 hederlighet
intellect ['ɪntəlekt] *subst* intellekt, förstånd
intellectual [ˌɪntə'lektjʊəl] *adj* o. *subst*
intellektuell
intelligence [ɪn'telɪdʒəns] *subst* **1** intelligens
2 (utan pl.) upplysningar
3 underrättelsetjänst
intelligent [ɪn'telɪdʒənt] *adj* intelligent
intelligible [ɪn'telɪdʒəbl] *adj* begriplig [*to*
för]
intend [ɪn'tend] *verb* avse, ämna
intense [ɪn'tens] *adj* intensiv, häftig, sträng
[~ *cold*]; livlig [~ *interest*]
intensify [ɪn'tensɪfaɪ] *verb* **1** intensifiera,
skärpa **2** intensifieras, skärpas
intensity [ɪn'tensətɪ] *subst* intensitet, styrka
intensive [ɪn'tensɪv] *adj* intensiv,
koncentrerad; ~ *care* med. intensivvård
intent I [ɪn'tent] *adj* spänd [~ *look*]; ~ *on*
a) helt inriktad på b) ivrigt upptagen av
II [ɪn'tent] *subst* syfte, avsikt; *to all* ~*s and*
purposes så gott som, praktiskt taget
intention [ɪn'tenʃən] *subst* avsikt, syfte,
mening; *with the* ~ *of* i avsikt att
intentional [ɪn'tenʃnəl] *adj* avsiktlig
interactive [ˌɪntər'æktɪv] *adj* **1** data. el. tv.
interaktiv **2** ömsesidigt verkande
intercept [ˌɪntə'sept] *verb* **1** snappa upp på
vägen [~ *a letter*]; fånga upp **2** hejda [~ *an*
enemy missile]
intercom ['ɪntəkɒm] *subst* vard. snabbtelefon,
interntelefon
intercourse ['ɪntəkɔːs] *subst* umgänge [*with*
med]; *sexual* ~ sexuellt umgänge, samlag
interest I ['ɪntrəst] *subst* **1** intresse [*in* för];
take an ~ *in* intressera sig för **2** egen
fördel; *it is to his* ~ *to* det ligger i hans
intresse att **3** intresse [*American* ~*s in*
Asia] **4** ränta, räntor; *five per cent* ~ fem
procents ränta
II ['ɪntrəst] *verb* intressera [*in* för]; *be*
interested in vara intresserad av
interesting ['ɪntrəstɪŋ] *adj* intressant [*to*
för]
interface ['ɪntəfeɪs] *subst* **1** data. interface,
gränssnitt **2** beröringspunkt;
förbindelselänk

interfere [ˌɪntə'fɪə] *verb* **1** om person ingripa
[*in* i; *with* mot]; ~ *with* a) lägga sig i
b) mixtra med **2** om saker komma i vägen,
komma emellan
interference [ˌɪntə'fɪərəns] *subst*
1 ingripande [*without* ~ *from the police*];
inblandning [*in* i] **2** störning, störningar
interflora® [ˌɪntə'flɔːrə] *subst*
Blomsterförmedlingen
interior I [ɪn'tɪərɪə] *adj* **1** inre; invändig;
inomhus-; ~ *decoration* heminredning; ~
decorator inredningsarkitekt **2** inlands-;
inrikes
II [ɪn'tɪərɪə] *subst* **1** inre; insida, interiör
2 *the Department of the Interior* i USA
o. vissa andra länder inrikesdepartementet;
Minister of the Interior el. amer.
Secretary of the Interior inrikesminister
interjection [ˌɪntə'dʒekʃən] *subst* gram.
interjektion
interlude ['ɪntəluːd] *subst* **1** mellanspel
2 uppehåll, paus; intervall **3** musik.
mellanspel
intermarriage [ˌɪntə'mærɪdʒ] *subst*
blandäktenskap
intermarry [ˌɪntə'mærɪ] *verb* ingå
blandäktenskap
intermediary [ˌɪntə'miːdjərɪ] *subst*
mellanhand, medlare
intermediate [ˌɪntə'miːdjət] *adj*
mellanliggande; ~ *stage* mellanstadium
interment [ɪn'tɜːmənt] *subst* begravning,
gravsättning
intermezzo [ˌɪntə'metsəʊ] (pl. vanligen ~*s*)
subst intermezzo, mellanspel äv. musik. el.
bildl.
interminable [ɪn'tɜːmɪnəbl] *adj* oändlig,
ändlös
intermittent [ˌɪntə'mɪtənt] *adj* ojämn,
oregelbunden
intern [ɪn'tɜːn] *verb* internera, spärra in
internal [ɪn'tɜːnl] *adj* **1** inre, intern; ~
combustion engine förbränningsmotor
2 invärtes, invändig; ~ *medicine*
invärtesmedicin
international I [ˌɪntə'næʃnəl] *adj*
1 internationell, världsomfattande **2** sport.
[~ *team*], landslag
II [ˌɪntə'næʃnəl] *subst* sport. **1** landskamp
2 landslagsspelare
internee [ˌɪntɜː'niː] *subst* intern
Internet ['ɪntənet] *subst*, *the* ~ Internet [*surf*
the ~; *on the* ~]
internment [ɪn'tɜːnmənt] *subst* internering

interplay ['ɪntəpleɪ] *subst* samspel,
växelverkan

interpose [,ɪntə'pəʊz] *verb* sätta emellan;
inflicka {~ *a question*}

interpret [ɪn'tɜ:prɪt] *verb* **1** översätta tolka
2 tyda

interpretation [ɪn,tɜ:prɪ'teɪʃən] *subst*
1 översättning tolkning **2** tydning

interpreter [ɪn'tɜ:prɪtə] *subst* **1** översättare tolk
2 tolkare, framställare

interrogate [ɪn'terəgeɪt] *verb* förhöra {~ *a
witness*}

interrogation [ɪn,terə'geɪʃən] *subst*
1 utfrågning, förhör **2** *mark of* ~
frågetecken

interrogative [,ɪntə'rɒgətɪv] *subst* gram.
frågeord

interrogator [ɪn'terəgeɪtə] *subst*
förhörsledare, utfrågare

interrupt [,ɪntə'rʌpt] *verb* avbryta

interruption [,ɪntə'rʌpʃən] *subst* avbrott

intersect [,ɪntə'sekt] *verb* **1** skära, korsa
2 skära varandra, korsas

intersection [,ɪntə'sekʃn] *subst*
1 skärningspunkt **2** vägkorsning,
gatukorsning

interval ['ɪntəvəl] *subst* **1** mellanrum,
intervall; *bright* ~*s* tidvis uppklarnande;
cloudy, with sunny ~*s* växlande
molnighet; *at* ~*s* a) med intervaller b) med
mellanrum **2** mellanakt, paus

intervene [,ɪntə'vi:n] *verb* **1** komma
emellan, tillstöta **2** intervenera, ingripa {~
in the debate}

intervention [,ɪntə'venʃən] *subst*
intervention, ingripande

interview I ['ɪntəvju:] *subst* intervju
II ['ɪntəvju:] *verb* intervjua

interviewer ['ɪntəvju:ə] *subst* intervjuare

intestines [ɪn'testɪnz] *subst pl* tarmar; inälvor

intimacy ['ɪntɪməsɪ] *subst* förtrolighet

intimate I ['ɪntɪmət] *adj* förtrolig, intim; *an*
~ *knowledge of* en ingående kunskap om
II ['ɪntɪmət] *subst* förtrogen vän
III ['ɪntɪmeɪt] *verb* antyda, låta förstå

intimidate [ɪn'tɪmɪdeɪt] *verb* skrämma {*into
doing sth* att göra ngt}

intimidation [ɪn,tɪmɪ'deɪʃən] *subst* skrämsel,
hotelser

into ['ɪntʊ, obetonat 'ɪntə] *prep* **1** in i {*come* ~
the house}; in på {*turn* ~ *a street*}; ut i {*come*
~ *the garden*}; ut på {*go out* ~ *the country*}; i
{*jump* ~ *the water*; *divide sth* ~ *two parts*};
change ~ byta till; *translate* ~ *English*
översätta till engelska; *2* ~ *10 is 5* 2 i 10 går

5 gånger **2** vard., *be* ~ *sth* vara intresserad
av ngt, syssla med ngt

intolerable [ɪn'tɒlərəbl] *adj* outhärdlig

intolerance [ɪn'tɒlərəns] *subst* intolerans {*to
mot*}

intolerant [ɪn'tɒlərənt] *adj* intolerant {*to
mot*}

intonation [,ɪntə'neɪʃən] *subst* intonation

intoxicate [ɪn'tɒksɪkeɪt] *verb* berusa

intoxicating [ɪn'tɒksɪkeɪtɪŋ] *adj* berusande

intoxication [ɪn,tɒksɪ'keɪʃən] *subst*
berusning

intransitive [ɪn'trænsətɪv] *adj* gram.
intransitiv

intrepid [ɪn'trepɪd] *adj* oförskräckt, orädd

intricate ['ɪntrɪkət] *adj* invecklad,
tilltrasslad

intrigue I [ɪn'tri:g] *subst* intrig, intrigerande
II [ɪn'tri:g] *verb* **1** intrigera **2** väcka intresse
hos, väcka nyfikenhet hos {*the news
intrigued us*}

intriguer [ɪn'tri:gə] *subst* intrigmakare

intriguing [ɪn'tri:gɪŋ] *adj* fängslande,
spännande

intrinsic [ɪn'trɪnsɪk] *adj* **1** inre, inneboende
{*the* ~ *quality*} **2** egentlig, verklig

introduce [,ɪntrə'dju:s] *verb* **1** införa,
introducera {*into* i} **2** presentera, förestälta
{*to* för}; introducera; ~ *oneself* presentera
sig; *allow me to* ~ ... får jag
presentera ...

introduction [,ɪntrə'dʌkʃən] *subst*
1 introduktion, införande {*the* ~ *of a new
system*} **2** inledning {*to* till}, handledning
{*to* i} **3** presentation {*to* för}; *letter of* ~
rekommendationsbrev

introductory [,ɪntrə'dʌktrɪ] *adj* inledande

introvert ['ɪntrəvɜ:t] *subst* inåtvänd person

intrude [ɪn'tru:d] *verb* tränga sig på,
inkräkta; *I hope I'm not intruding* jag
hoppas jag inte stör

intruder [ɪn'tru:də] *subst* inkräktare

intrusion [ɪn'tru:ʒən] *subst* inkräktande,
intrång {*on* på, i}

intrusive [ɪn'tru:sɪv] *adj* **1** inkräktande
2 ovälkommen

intuition [,ɪntjʊ'ɪʃən] *subst* intuition

intuitive [ɪn'tju:ɪtɪv] *adj* intuitiv

inundate ['ɪnʌndeɪt] *verb* översvämma

invade [ɪn'veɪd] *verb* invadera, ockupera

invader [ɪn'veɪdə] *subst* inkräktare, angripare

1 invalid I ['ɪnvəlɪd, 'ɪnvəli:d] *subst* invalid
II ['ɪnvəlɪd, 'ɪnvəli:d] *verb* invalidiseras

2 invalid [ɪn'vælɪd] *adj* ogiltig {*an* ~ *cheque*},
utan laga kraft {*an* ~ *claim*}

invaluable [ɪn'væljʊəbl] *adj* ovärderlig
invariable [ɪn'veərɪəbl] *adj* oföränderlig, ständig
invariably [ɪn'veərɪəblɪ] *adv* oföränderligt, ständigt
invasion [ɪn'veɪʒən] *subst* invasion
invent [ɪn'vent] *verb* **1** uppfinna **2** hitta på
invention [ɪn'venʃən] *subst* uppfinning, uppfinnande
inventive [ɪn'ventɪv] *adj* uppfinningsrik
inventor [ɪn'ventə] *subst* uppfinnare
inventory ['ɪnvəntrɪ] *subst* inventarium, inventarieförteckning; *take an ~ of* inventera
invert [ɪn'vɜːt] *verb* vända upp och ned, kasta om
invertebrates [ɪn'vɜːtɪbrəts] *subst pl* ryggradslösa djur
inverted [ɪn'vɜːtɪd] *adj* upp och nedvänd, omvänd; *~ commas* anföringstecken, citationstecken
invest [ɪn'vest] *verb* **1** investera **2** *~ with* förse med [*~ sb with power*]
investigate [ɪn'vestɪgeɪt] *verb* **1** utforska, undersöka **2** utreda [*~ a crime*]
investigation [ɪn,vestɪ'geɪʃən] *subst* utredning, undersökning
investigative [ɪn'vestɪgeɪtɪv] *adj*, *~ journalism* el. *~ reporting* undersökande journalistik
investigator [ɪn'vestɪgeɪtə] *subst* utredare; undersökare
investment [ɪn'vestmənt] *subst* investering, placering
investor [ɪn'vestə] *subst* investerare, aktieägare
invigilate [ɪn'vɪdʒɪleɪt] *verb* vid examensskrivning vakta, hålla vakt
invigilator [ɪn'vɪdʒɪleɪtə] *subst* skrivvakt
invigorate [ɪn'vɪgəreɪt] *verb* styrka, liva upp; *an invigorating climate* ett stärkande klimat
invincible [ɪn'vɪnsəbl] *adj* oövervinnlig
invisible [ɪn'vɪzəbl] *adj* osynlig [*to* för]
invitation [,ɪnvɪ'teɪʃən] *subst* **1** inbjudan; *~ card* inbjudningskort **2** invit, lockelse
invite [ɪn'vaɪt] *verb* **1** inbjuda [*~ sb to dinner*] **2** be, anmoda; *~ criticism* inbjuda till kritik
inviting [ɪn'vaɪtɪŋ] *adj* lockande, frestande
invoice I ['ɪnvɔɪs] *subst* faktura
II ['ɪnvɔɪs] *verb* fakturera
involuntary [ɪn'vɒləntərɪ] *adj* ofrivillig, oavsiktlig
involve [ɪn'vɒlv] *verb* **1** blanda in, dra in;

those involved de inblandade **2** medföra, involvera, innefatta **3** *be involved in* vara inblandad i
involvement [ɪn'vɒlvmənt] *subst* inblandning
invulnerable [ɪn'vʌlnərəbl] *adj* osårbar [*to* för]
inward I ['ɪnwəd] *adj* **1** inre; invändig, invärtes **2** inåtgående
II ['ɪnwəd] *adv* inåt
inwardly ['ɪnwədlɪ] *adv* **1** invärtes **2** i sitt inre
inwards ['ɪnwədz] *adv* inåt
iodine ['aɪədiːn, 'aɪədaɪn] *subst* jod
ion ['aɪən] *subst* fys. el. kem. jon
I O U [,aɪəʊ'juː] *subst* (= *I owe you*) skuldsedel
iPod ['aɪpɒd] *subst* data. el. musik. iPod
IRA [,aɪɑːr'eɪ] (förk. för *Irish Republican Army*) Irländska Republikanska Armén nationalist organisation
Iran [ɪ'rɑːn]
Iranian I [ɪ'reɪnjən] *adj* iransk
II [ɪ'reɪnjən] *subst* **1** iranier **2** iranska språket
Iraq [ɪ'rɑːk] Irak
Iraqi I [ɪ'rɑːkɪ] *adj* irakisk
II [ɪ'rɑːkɪ] *subst* irakier

Ireland
Ireland är den näst största av de brittiska öarna. Den kallas ofta *the Emerald Isle*, Smaragdön, den gröna ön. Irland är delat i den självständiga Irländska republiken, *the Republic of Ireland*, *Eire*, och Nordirland, *Northern Ireland*, som är i union med Storbritannien.

Ireland ['aɪələnd] Irland
iris ['aɪərɪs] *subst* **1** blomma svärdslilja; i ögat iris, regnbågshinna
Irish I ['aɪərɪʃ] *adj* irländsk
II ['aɪərɪʃ] *subst* **1** irländska språket **2** *the ~* irländarna
Irishman ['aɪrɪʃmən] (pl. *Irishmen* ['aɪrɪʃmən]) *subst* irländare
Irishwoman ['aɪrɪʃ,wʊmən] (pl. *Irishwomen*) *subst* irländska
irksome ['ɜːksəm] *adj* tröttsam, irriterande
iron I ['aɪən] *subst* **1** järn; *strike while the ~ is hot* smida medan järnet är varmt **2** strykjärn, pressjärn **3** golf. järnklubba
II ['aɪən] *adj* järn-; *~ constitution* järnhälsa, järnfysik

III ['aɪən] _verb_ **1** stryka [~ _a shirt_], pressa
2 ~ _out_ a) utjämna [~ _differences_] b) släta
ut [~ _out wrinkles_]

ironic [aɪ'rɒnɪk] _adj_ o. **ironical** [aɪ'rɒnɪkəl]
adj ironisk

ironing ['aɪənɪŋ] _subst_ **1** strykning med
strykjärn; pressning **2** stryktvätt

ironing-board ['aɪənɪŋbɔːd] _subst_ strykbräde

ironmonger ['aɪən,mʌŋgə] _subst_
järnhandlare; _ironmonger's shop_ el.
ironmonger's järnaffär, järnhandel

ironware ['aɪənweə] _subst_ järnvaror

irony ['aɪərənɪ] _subst_ ironi

irrational [ɪ'ræʃnəl] _adj_ irrationell

irreconcilable [ɪ,rekən'saɪləbl] _adj_
oförsonlig

irregular [ɪ'regjʊlə] _adj_ **1** oregelbunden,
ojämn [_an_ ~ _surface_] **2** inkorrekt, oegentlig
[~ _conduct_]; ogiltig **3** irreguljär [~ _troops_]

irregularity [ɪ,regjʊ'lærətɪ] _subst_
1 oregelbundenhet; ojämnhet **2** oriktighet

irrelevant [ɪ'reləvənt] _adj_ irrelevant,
ovidkommande

irreplaceable [,ɪrɪ'pleɪsəbl] _adj_ oersättlig

irrepressible [,ɪrɪ'presəbl] _adj_ okuvlig

irreproachable [,ɪrɪ'prəʊtʃəbl] _adj_
oklanderlig

irresistible [,ɪrɪ'zɪstəbl] _adj_ oemotståndlig

irrespective [,ɪrɪ'spektɪv] _adj_, ~ _of_ utan
hänsyn till, oavsett [~ _of the consequences_]

irresponsible [,ɪrɪ'spɒnsəbl] _adj_ oansvarig,
ansvarslös [~ _behaviour_]

irreverent [ɪ'revərənt] _adj_ vanvördig

irrevocable [ɪ'revəkəbl] _adj_ oåterkallelig

irrigate ['ɪrɪgeɪt] _verb_ konstbevattna

irritable ['ɪrɪtəbl] _adj_ retlig, på dåligt humör

irritate ['ɪrɪteɪt] _verb_ irritera, reta, reta upp

irritating ['ɪrɪteɪtɪŋ] _adj_ irriterande

irritation [,ɪrɪ'teɪʃən] _subst_ irritation, retning

is [betonat ɪz, obetonat z, s], _helshelit_ ~
han/hon/den/det är; se vidare _be_

Islam ['ɪzlɑːm] _subst_ islam

Islamic [ɪz'læmɪk] _adj_ islamisk

island ['aɪlənd] _subst_ **1** ö [_the Orkney Islands_]
2 ~ el. _traffic_ ~ refug

isle [aɪl] _subst_ poetiskt el. i vissa egennamn ö [_the
Isle of Man; the British Isles_]

isn't ['ɪznt] = _is not_

isolate ['aɪsəleɪt] _verb_ isolera

isolation [,aɪsə'leɪʃən] _subst_ isolering; ~
hospital epidemisjukhus

Israel ['ɪzreɪl, 'ɪzrɪəl]

Israeli I [ɪz'reɪlɪ] _adj_ israelisk
II [ɪz'reɪlɪ] _subst_ invånare israel

issue I ['ɪʃuː] _verb_ **1** sälja [~ _cheap tickets_],

släppa ut, ge ut [~ _new stamps_]; publicera
2 lämna ut, dela ut [~ _rations_]; utfärda [~
an order] **3** stamma, härröra **4** strömma ut
II ['ɪʃuː] _subst_ **1** fråga, spörsmål, stridsfråga
[_political_ ~_s_]; _the point at_ ~ tvistefrågan,
sakfrågan **2** utgivning [_the_ ~ _of new
stamps_]; upplaga [_the_ ~ _of a newspaper_],
utgåva, nummer [_an_ ~ _of a magazine_]
3 utdelning [_the_ ~ _of rations_]; utfärdande
[_the_ ~ _of orders_] **4** jur. efterlevande [_die
without male_ ~]

isthmus ['ɪsməs] _subst_ näs [_the Isthmus of
Panama_]

IT [,aɪ'tiː] (förk. för _information technology_) IT

it [ɪt] _pron_ **1** den, det; sig; _that's just 'it_ det
är just det det är frågan om, just precis
2 utan motsvarighet i svenskan: _walk_ ~ gå till
fots; _confound_ ~! vard. jäklar!, tusan
också!; _I take_ ~ _that..._ jag antar att...;
run for ~ vard. sticka, kila; _have a good
time of_ ~ ha väldigt roligt

Italian I [ɪ'tæljən] _adj_ italiensk
II [ɪ'tæljən] _subst_ **1** italienare, italienska
2 italienska språket

italic [ɪ'tælɪk] _subst_ pl. ~_s_ kursiv stil; _in_ ~_s_
med kursiv stil

italicize [ɪ'tælɪsaɪz] _verb_ kursivera

Italy ['ɪtəlɪ] Italien

itch I [ɪtʃ] _subst_ klåda
II [ɪtʃ] _verb_ klia

itching ['ɪtʃɪŋ] _subst_ klåda

item ['aɪtəm] _subst_ **1** punkt [_the first_ ~ _on the
agenda_] **2** sak, artikel **3** _news_ ~ notis,
nyhet i tidning

itinerary [aɪ'tɪnərərɪ] _subst_ resväg, resplan

its [ɪts] _pron_ dess; sin [_the dog obeys_ ~ _master_]

it's [ɪts] = _it is_

itself [ɪt'self] _pron_ sig [_the dog scratched_ ~],
sig själv [_the child dressed_ ~], själv [_the thing
_ ~ _is not valuable_]; _he is honesty_ ~ han är
hederligheten själv

ITV [,aɪtiː'viː] (förk. för _Independent
Television_) kommersiellt tv-bolag i Storbritannien

I've [aɪv] = _I have_

ivory ['aɪvərɪ] _subst_ elfenben

The Ivy League
The Ivy League är en grupp gamla,
"fina" amerikanska universitet,
t.ex. Cornell, Harvard, Princeton
och Yale.

ivy ['aɪvɪ] _subst_ växt murgröna

Jj

J o. **j** [dʒeɪ] *subst* J, j

jab I [dʒæb] (*-bb-*) *verb* **1** stöta; slå, slå till, stöta till **2** boxn. jabba [*at* mot] **3** sticka [*~ a needle into one's arm*]
II [dʒæb] *subst* **1** stöt, slag **2** boxn. jabb **3** vard. stick injektion; spruta; *have a ~* få en spruta

jabber I ['dʒæbə] *verb* pladdra
II ['dʒæbə] *subst* pladder

jack I [dʒæk] *subst* **1** *every man ~* vard. varenda kotte **2** kortsp. knekt **3** tele. jack **4** domkraft; vinsch
II [dʒæk] *verb*, *~ up* el. *~* hissa med domkraft; *~ up* vard. höja [*~ up prices*]

jackal ['dʒækɔ:l, 'dʒækl] *subst* djur sjakal

jackdaw ['dʒækdɔ:] *subst* fågel kaja

jacket ['dʒækɪt] *subst* **1** jacka, kavaj **2** omslag, skyddsomslag till bok **3** skal; *~ potatoes* ugnsbakad potatis

jack-in-the-box ['dʒækɪnðəbɒks] *subst* gubben i lådan

jackknife ['dʒæknaɪf] *subst* stor fällkniv

jackpot ['dʒækpɒt] *subst* spel. jackpot; *hit the ~* vard. få jackpot

Jacuzzi® [dʒə'ku:zɪ] *subst* Jacuzzi®, bubbelpool

jade [dʒeɪd] *subst* jade ädelsten

jaded ['dʒeɪdɪd] *adj* **1** tröttkörd **2** blasé, avtrubbad [*~ taste*]

jagged ['dʒægɪd] *adj* ojämn [*a ~ edge*], spetsig [*~ rocks*]

jaguar ['dʒægjʊə] *subst* jaguar djur

jail I [dʒeɪl] *subst* fängelse
II [dʒeɪl] *verb* sätta i fängelse

jailbird ['dʒeɪlbɜ:d] *subst* fängelsekund, fånge

1 jam [dʒæm] *subst* sylt, marmelad ej citrusmarmelad

2 jam I [dʒæm] *subst* **1** kläm, press **2** trängsel; stockning [*traffic ~*] **3** vard., *be in a ~* vara i knipa; *get into a ~* råka i knipa
II [dʒæm] (*-mm-*) *verb* **1** klämma, pressa [*together* ihop; *into* in i]; *~ on the brakes* tvärbromsa **2** *jammed* packad [*jammed with people*] **3** sätta ur funktion; radio. störa **4** fastna; blockeras **5** låsa sig [*the brakes jammed*]

Jamaica [dʒə'meɪkə]
Jamaican I [dʒə'meɪkən] *subst* jamaican
II [dʒə'meɪkən] *adj* jamaicansk

jangle I ['dʒæŋgl] *verb* **1** rassla, skramla [*jangling keys*]; låta illa, skära **2** rassla med [*~ one's keys*]
II ['dʒæŋgl] *subst* rassel, skrammel

janitor ['dʒænɪtə] *subst* dörrvakt, amer. portvakt, fastighetsskötare, vaktmästare

January ['dʒænjʊərɪ] *subst* januari

Jap [dʒæp] *subst* neds. japp, japanes

Japan [dʒə'pæn]

Japanese I [ˌdʒæpə'ni:z] *adj* japansk
II [ˌdʒæpə'ni:z] *subst* **1** (pl. lika) japan; japanska **2** japanska språket

japonica [dʒə'pɒnɪkə] *subst* rosenkvitten växt

1 jar [dʒɑ:] *subst* kruka, burk

2 jar I [dʒɑ:] (*-rr-*) *verb* **1** skorra, skära [*~ on the ears*] **2** skaka, darra **3** *~ on* stöta, irritera
II [dʒɑ:] *subst* **1** knarr **2** skakning, stöt

jargon ['dʒɑ:gən] *subst* jargong [*medical ~*]

jasmine ['dʒæzmɪn] *subst* blomma jasmin

jaundice ['dʒɔ:ndɪs] *subst* med. gulsot

jaunt [dʒɔ:nt] *subst* utflykt, utfärd

jaunty ['dʒɔ:ntɪ] *adj* hurtig, pigg, käck

javelin ['dʒævlɪn] *subst* spjut äv. idrottsgren

jaw I [dʒɔ:] *subst* **1** käke, haka; *lower ~* underkäke; *upper ~* överkäke **2** pl. *~s* mun, gap, käft **3** vard. snack
II [dʒɔ:] *verb* vard. snacka

jawbone ['dʒɔ:bəʊn] *subst* käkben

jay [dʒeɪ] *subst* fågel nötskrika

jazz I [dʒæz] *subst* jazz
II [dʒæz] *verb*, *~ up* piffa upp

jealous ['dʒeləs] *adj* **1** svartsjuk; avundsjuk [*of* på] **2** *~ of* mån om, rädd om

jealousy ['dʒeləsɪ] *subst* **1** svartsjuka **2** avundsjuka

jeans [dʒi:nz] *subst pl* jeans

jeep [dʒi:p] *subst* ® jeep

jeer I [dʒɪə] *verb* **1** driva, skoja [*at* med] **2** *~* el. *~ at* håna
II [dʒɪə] *subst* gliring, spydighet

Jekyll ['dʒekɪl] egennamn, *~ and Hyde*

Jelly beans

Jelly beans är karameller som ser ut som bönor. De har olika smaker och färger. *Jelly beans* är mycket populära i USA. De är också ett populärt påskgodis.

[haɪd] doktor Jekyll och mister Hyde dubbelnatur

jelly ['dʒelɪ] *subst* gelé; ~ *roll* amer. rulltårta

jellyfish ['dʒelɪfɪʃ] *subst* manet

jemmy ['dʒemɪ] *subst* kort kofot inbrottsverktyg

jeopardize ['dʒepədaɪz] *verb* äventyra, sätta på spel, riskera, våga [~ *one's life*]

jeopardy ['dʒepədɪ] *subst* fara [*be in* ~]

jerk I [dʒɜːk] *subst* **1** ryck, knyck; stöt; *give a* ~ rycka till **2** spec. amer. sl. idiot, kräk

II [dʒɜːk] *verb* rycka, rycka till; stöta till

jersey ['dʒɜːzɪ] *subst* **1** tröja **2** materialet jersey

Jerusalem [dʒə'ruːsələm] geogr., ~ *artichoke* jordärtskocka

jest I [dʒest] *subst* skämt; *in* ~ på skämt, på skoj

II [dʒest] *verb* skämta, skoja

jester ['dʒestə] *subst* **1** skämtare **2** hist. gycklare vid t.ex. hov; hovnarr

jesting ['dʒestɪŋ] *subst* skämt, skoj; gyckel

Jesus ['dʒiːzəs] egennamn, ~! vard. Herre Gud!

1 jet [dʒet] *subst* **1** stråle [*a* ~ *of water*] **2** jetplan, jetflyg [*go by* ~]

2 jet [dʒet] *subst* jet mineral

jet-black [ˌdʒet'blæk] *adj* jetsvart, kolsvart

jet lag ['dʒetlæg] *subst* 'jet lag' rubbad dygnsrytm efter längre flygning

jettison I ['dʒetɪsn] *verb* **1** kasta överbord [~ *goods to make a ship lighter*]; göra sig av med [*the plane jettisoned its bombs*] **2** kullkasta [~ *a plan*]; förkasta [~ *an idea*]

II ['dʒetɪsn] *subst* kastande överbord av last

jetty ['dʒetɪ] *subst* **1** pir, vågbrytare **2** utskjutande brygga, kaj

Jew [dʒuː] *subst* jude

jewel ['dʒuːəl] *subst* **1** juvel, ädelsten, smycke; pl. ~*s* ofta smycken **2** om person el. sak pärla, klenod, skatt

jewel case ['dʒuːəlkeɪs] *subst* juvelskrin

jeweller ['dʒuːələ] *subst* juvelerare, guldsmed

jewellery ['dʒuːəlrɪ] *subst* smycken, juveler; *a piece of* ~ ett smycke; *costume* ~ bijouterier

jewelry ['dʒuːəlrɪ] *subst* amer., se *jewellery*

Jewess ['dʒuːes] *subst* judinna

Jewish ['dʒuːɪʃ] *adj* judisk

jew's-harp [ˌdʒuːz'hɑːp] *subst* mungiga

jiffy ['dʒɪfɪ] *subst* vard., *in a* ~ på ett litet kick

jigsaw ['dʒɪgsɔː] *subst*, ~ *puzzle* el. ~ pussel

jilt [dʒɪlt] *verb* överge, ge på båten

jingle I ['dʒɪŋgl] *verb* **1** klinga, pingla; skramla **2** skramla med

II ['dʒɪŋgl] *subst* klingande, pinglande; skramlande

jitters ['dʒɪtəz] *subst pl* vard., *it gives me the* ~*s* det ger mig stora skälvan

jittery ['dʒɪtərɪ] *adj* vard. skakis, uppskärrad

Jnr. o. **jnr.** ['dʒuːnjə] (förk. för *junior*) jr

job [dʒɒb] *subst* **1** arbete, vard. jobb; *a fine* ~ *of work* ett fint arbete; *make a good* ~ *of sth* göra ngt bra; *be out of a* ~ vara arbetslös **2** vard. jobb, fasligt besvär, slit [*what a* ~!]; *give sb up as a bad* ~ anse ngn som ett hopplöst fall; *make the best of a bad* ~ göra det bästa möjliga av situationen; *and a good* ~, *too!* och gudskelov för det!

jobcentre ['dʒɒbˌsentə] *subst* arbetsförmedling

jockey I ['dʒɒkɪ] *subst* jockej

II ['dʒɒkɪ] *verb* manövrera; lura [*sb into doing sth* ngn att göra ngt]; ~ *for position* försöka att skaffa sig ett bra läge

jockstrap ['dʒɒkstræp] *subst* suspensoar

jocular ['dʒɒkjʊlə] *adj* skämtsam, lustig

jodhpurs ['dʒɒdpəz] *subst pl* ridbyxor

jog I [dʒɒg] (-*gg*-) *verb* **1** stöta till, knuffa till **2** ~ *sb's memory* friska upp ngns minne **3** skaka, ruska **4** lunka [*along* på, fram]; sport. jogga

II [dʒɒg] *subst* **1** knuff, stöt **2** lunk

jogger ['dʒɒgə] *subst* sport. joggare

jogging ['dʒɒgɪŋ] *subst* sport. joggning; ~ *shoe* joggingsko

john [dʒɒn] *subst* **1** amer. vard., *the* ~ toa, dass **2** torsk kund hos prostituerad

join I [dʒɔɪn] *verb* **1** förena, förbinda; knyta samman, foga samman, sätta ihop [~ *the pieces*]; ~ *together* el. ~ *up* foga samman, sätta ihop; förena **2** förena sig med; följa med; gå in i (vid) [~ *a society*], ansluta sig till [~ *a party*]; ~ *the army* gå in i armén; *won't you* ~ *us?* vill du inte göra oss sällskap? **3** gränsa till **4** förenas, förena sig [*in* i; *with* med]; ~ *in* preposition delta i, blanda sig i [~ *in the conversation*], stämma in i [~ *in a song*]; ~ *up* vard. ta värvning

II [dʒɔɪn] *subst* skarv, fog, hopfogning

joiner ['dʒɔɪnə] *subst* snickare

joint I [dʒɔɪnt] *subst* **1** sammanfogning; tekn. fog, skarv **2** led [*finger* ~*s*]; *out of* ~ a) ur led b) i olag **3** kok. stek; ~ *of lamb* lammstek **4** vard. sylta, krog **5** kyffe **6** sl. joint haschcigarett

II [dʒɔɪnt] *adj* förenad, förbunden; ~ *account* gemensamt konto

III [dʒɔɪnt] *verb* foga ihop, foga samman, förbinda

jointly ['dʒɔɪntlɪ] *adv* gemensamt, samfällt

joke I [dʒəʊk] *subst* **1** skämt; kvickhet, vits; *practical* ~ practical joke, spratt; *it's a* ~*!* det är rena löjan!; *it's no* ~ det är ingenting att skämta med; *crack* ~*s* dra vitsar; *play a* ~ *on sb* spela ngn ett spratt; *he can't take a* ~ han tål inte skämt; *it's getting beyond a* ~ det börjar gå för långt **2** föremål för skämt [*a standing* ~], driftkucku

II [dʒəʊk] *verb* skämta, skoja [*about, at, with* med], driva; *you must be joking!* skojar du?

joker ['dʒəʊkə] *subst* **1** skämtare **2** kortsp. joker

joking ['dʒəʊkɪŋ] *subst* skoj; *this is no* ~ *matter* det här är inget att skämta om; ~ *apart* skämt åsido

jollity ['dʒɒlətɪ] *subst* munterhet; skoj

jolly I ['dʒɒlɪ] *adj* glad, trevlig, rolig, munter **II** ['dʒɒlɪ] *adv* vard., *that's* ~ *good* det var jättebra; *take* ~ *good care not to* akta sig väldigt noga för att; *a* ~ *good fellow* en hedersprick, en fin kille; *he knows* ~ *well* han vet väldigt väl

jolt I [dʒəʊlt] *verb* **1** om t.ex. åkdon skaka till **2** skaka om, ruska **3** ge en chock **II** [dʒəʊlt] *subst* **1** skakning, ryck **2** chock

Jordan ['dʒɔːdn] *subst* Jordanien

Jordanian [dʒɔː'deɪnjən] *subst* jordanier

jostle ['dʒɒsl] *verb* **1** knuffa **2** knuffas

jot I [dʒɒt] *subst* dugg, dyft **II** [dʒɒt] (*-tt-*) *verb*, ~ *down* krafsa ned, anteckna

journal ['dʒɜːnl] *subst* **1** tidskrift spec. teknisk el. vetenskaplig; tidning **2** journal, dagbok; liggare; sjö. loggbok

journalese [ˌdʒɜːnə'liːz] *subst* tidningsjargong

journalism ['dʒɜːnəlɪzəm] *subst* journalistik

journalist ['dʒɜːnəlɪst] *subst* journalist

journey ['dʒɜːnɪ] *subst* o. *verb* resa

Jove [dʒəʊv] mytol. Jupiter

jovial ['dʒəʊvɪəl] *adj* jovialisk, gemytlig

joviality [ˌdʒəʊvɪ'ælətɪ] *subst* gemytlighet

joy [dʒɔɪ] *subst* glädje, fröjd [*at* över]

joyful ['dʒɔɪfʊl] *adj* **1** glad, glädjande **2** glad och lycklig

joyous ['dʒɔɪəs] *adj* glad, glädjande [~ *news*]

joyride ['dʒɔɪraɪd] *subst* nöjestur ofta i stulen bil

joystick ['dʒɔɪstɪk] *subst* flyg. el. data. styrspak

Jr. o. **jr** ['dʒuːnjə] (förk. för *junior*) jr

jubilant ['dʒuːbɪlənt] *adj* jublande, triumferande

jubilee ['dʒuːbɪliː] *subst* jubileum

Judaism ['dʒuːdeɪɪzm] *subst* judendom, judendomen

judge I [dʒʌdʒ] *subst* jur. **1** domare **2** bedömare, kännare [*a good* ~ *of horses*]; *be a good* ~ *of* förstå sig bra på **II** [dʒʌdʒ] *verb* **1** döma; bedöma; *it's for you to* ~ det får ni själv bedöma; *to* ~ *from* el. *judging by* el. *judging from* att döma av **2** anse [*I judged him to be about 50*]

judgement ['dʒʌdʒmənt] *subst* **1** dom; *give* ~ el. *pass* ~ avkunna dom [*against, for* över] **2** *the Last Judgement* yttersta domen; *the Day of Judgement* el. *Judgement Day* domedagen **3** bedömning, omdöme, omdömesförmåga

judicial [dʒʊ'dɪʃl] *adj* rättslig, juridisk; ~ *proceedings* lagliga åtgärder, åtal; ~ *separation* hemskillnad

judicious [dʒʊ'dɪʃəs] *adj* omdömesgill

judo ['dʒuːdəʊ] *subst* judo

Judy ['dʒuːdɪ] egennamn; Punchs hustru i kasperteatern [*Punch and* ~]

jug [dʒʌg] *subst* kanna, krus, tillbringare

juggle ['dʒʌgl] *verb* jonglera; trolla, bolla [~ *with figures*]

juggler ['dʒʌglə] *subst* **1** jonglör **2** fifflare

juice [dʒuːs] *subst* **1** saft; juice **2** vard. soppa bensin **3** vard. el, ström

juicy ['dʒuːsɪ] *adj* saftig

ju-jitsu [dʒuː'dʒɪtsuː] *subst* jiujitsu

jukebox ['dʒuːkbɒks] *subst* jukebox

July [dʒʊ'laɪ] *subst* juli

jumble ['dʒʌmbl] *subst* virrvarr, röra, mischmasch

jumble sale ['dʒʌmblseɪl] *subst* loppmarknad vanligen för att samla in pengar

jumbo ['dʒʌmbəʊ] *subst* **1** vard. jumbo elefant **2** ~ *jet* el. ~ jumbojet **3** jättestor, jätte [*a* ~ *bottle of lemonade*]

jump I [dʒʌmp] *verb* **1** hoppa; skutta; springa i höjden om t.ex. pris; ~ *at a chance* gripa en chans; ~ *to conclusions* dra förhastade slutsatser; ~ *to one's feet* rusa upp, hoppa upp; *it made him* ~ det kom (fick) honom att hoppa högt **2** hoppa över [~ *a fence*; ~ *a chapter in a book*]; ~ *the gun* vard. tjuvstarta; ~ *the lights* el. ~ *the traffic lights* vard. köra mot rött ljus; ~ *the queue* vard. tränga sig före; ~ *rope* amer. hoppa rep

II [dʒʌmp] *subst* **1** hopp, skutt, språng; *high* ~ höjdhopp; *long* ~ längdhopp; *pole* ~ stavhopp **2** stegring [*a* ~ *in prices*]

jumper ['dʒʌmpə] *subst* **1** hoppare; *high* ~ höjdhoppare **2** jumper plagg

jumper cable [,dʒʌmpə'keɪbl] *subst* bil. amer., se *jump lead*

jumping sheet ['dʒʌmpɪŋʃiːt] *subst* brandsegel

jump lead ['dʒʌmpliːd] *subst* bil. startkabel

jump rope ['dʒʌmprəʊp] *subst* amer. hopprep

jump-start ['dʒʌmpstɑːt] *verb* bil. starta med startkablar

jumpy ['dʒʌmpɪ] *adj* **1** hoppig **2** vard. darrig, skärrad

junction ['dʒʌŋkʃən] *subst* **1** järnvägsknut **2** vägkorsning

juncture ['dʒʌŋktʃə] *subst* kritiskt ögonblick, avgörande tidpunkt; *at this* ~ vid denna tidpunkt

June [dʒuːn] *subst* juni

jungle ['dʒʌŋgl] *subst* djungel; ~ *gym* klätterställning för barn

junior I ['dʒuːnjə] *adj* **1** yngre [*to* än]; den yngre, junior [*John Smith, Junior*]; junior- [*a* ~ *team*]; **2** lägre i rang, underordnad
II ['dʒuːnjə] *subst* **1** yngre; yngre medlem; *he is six years my* ~ han är sex år yngre än jag **2** sport. junior **3** amer. vard. grabben [*take it easy,* ~!]

juniper ['dʒuːnɪpə] *subst* en växt; ~ *berry* enbär

junk [dʒʌŋk] *subst* skräp [*an attic full of* ~], skrot, lump, smörja; ~ *art* skrotkonst; ~ *food* skräpmat, snabbmat t.ex. popcorn, chips; ~ *shop* lumpbod

junkie ['dʒʌŋkɪ] *subst* sl. knarkare

junta ['dʒʌntə, 'hʊntə] *subst* polit. junta

Jupiter ['dʒuːpɪtə] astron. el. mytol. Jupiter

jurisdiction [,dʒʊərɪs'dɪkʃən] *subst* jurisdiktion, rättskipning

juror ['dʒʊərə] *subst* jur. juryledamot, jurymedlem

åtalsjury; *serve on a* ~ sitta i en jury **2** tävlingsjury, domarkommitté

just I [dʒʌst] *adj* **1** rättvis; välförtjänt [~ *reward*] **2** skälig, rimlig [*the payment is* ~]
II [dʒʌst] *adv* **1** just [*it is* ~ *what I want*]; exakt, precis [*it's* ~ *two o'clock*]; *it's* ~ *as well* det är lika bra (gott); ~ *by* strax bredvid; ~ *now* alldeles nyss; *he is* ~ *the man for the post* han är rätte mannen för tjänsten **2** just, nyss; *they have* ~ *left* strax; *it's* ~ *on six* klockan är strax sex **3** nätt och jämnt; *that's* ~ *possible* det är ju möjligt **4** bara, endast [*she is* ~ *a child*]; ~ *fancy!* tänk bara! **5** vard. fullkomligt, alldeles [*he's* ~ *crazy*]; *not* ~ *yet* inte riktigt ännu

justice ['dʒʌstɪs] *subst* **1** rättvisa, rätt; *administer* ~ el. *dispense* ~ skipa rättvisa; *do* ~ *to sb* göra ngn rättvisa; *court of* ~ domstol, rätt **2** rätt, berättigande; *the* ~ *of* det berättigade i **3** domare; *Justice of the Peace* fredsdomare

justifiable [,dʒʌstɪ'faɪəbl] *adj* försvarlig, rättmätig

justification [,dʒʌstɪfɪ'keɪʃən] *subst* rättfärdigande; berättigande; urskuldande

justify ['dʒʌstɪfaɪ] *verb* rättfärdiga, urskulda; berättiga, försvara; *the end justifies the means* ändamålet helgar medlen

jut [dʒʌt] (*-tt-*) *verb*, ~ *out* skjuta ut

juvenile I ['dʒuːvənaɪl, amer. 'dʒuːvənəl] *subst* ung människa; pl. ~*s* minderåriga
II ['dʒuːvənaɪl, amer. 'dʒuːvənəl] *adj* **1** ungdoms- [~ *books*]; ~ *court* ungdomsdomstol; ~ *delinquent* el. ~ *offender* ungdomsbrottsling **2** barnslig, omogen

---

jury
Juryns uppgift vid rättegångar är att avgöra om den anklagade är skyldig, *guilty*, eller inte skyldig, *not guilty*. Juryns beslut kallas *verdict*. Straffet, *the sentence*, utdöms av domaren.

jury ['dʒʊərɪ] *subst* **1** jury; *grand* ~ amer.

Kk

K o. **k** [keɪ] *subst* K, k
kale [keɪl] *subst* grönkål, kruskål
kangaroo [ˌkæŋɡəˈruː] (pl. ~s) *subst* känguru
karate [kəˈrɑːtɪ] *subst* karate
Kattegat [ˈkætɪɡæt] *subst*, *the* ~ Kattegatt
Kazakhstan [ˌkæzækˈstɑːn] Kazakstan
kebab [kɪˈbæb] *subst* kebab, grillspett
keel I [kiːl] *subst* köl; *on an even* ~ på rätt köl
II [kiːl] *verb*, ~ *over* el. ~ kantra
keen [kiːn] *adj* **1** skarp, vass **2** intensiv; stark [*a* ~ *sense of duty*]; levande [*a* ~ *interest*]; frisk [*a* ~ *appetite*]; hård [~ *competition*]; fin [*a* ~ *nose for*] **3** ivrig, entusiastisk; ~ *on* pigg på, förtjust i
keep I [kiːp] (*kept kept*) *verb* **1** hålla, behålla, hålla kvar; ~ *alive* hålla vid liv; ~ *sb company* hålla ngn sällskap; ~ *one's head* behålla fattningen; *I won't* ~ *you long* jag ska inte uppehålla dig länge; ~ *sb waiting* låta ngn vänta **2** förvara; bevara [~ *a secret*]; ~ *goal* stå i mål **3** äga, hålla sig med [~ *a car*] **4** underhålla, försörja **5** föra [~ *a diary*], sköta [~ *accounts*] **6** hålla sig [~ *awake*, ~ *silent*]; *how are you keeping?* hur står det till? **7** stå sig, hålla sig [*will the meat* ~*?*] **8** ~ *straight on* fortsätta rakt fram; ~ *left!* håll (kör, gå) till vänster! **9** ~ *doing sth* el. ~ *on doing sth* fortsätta att göra ngt; ~ *moving!* rör på er!; *she keeps on talking* hon bara pratar och pratar
II [kiːp] (*kept kept*) *verb* med adv. o. prep.
keep at it ligga i, inte ge upp
keep from 1 avhålla från **2** dölja för **3** ~ *sb from doing sth* hindra ngn från att göra ngt
keep off 1 hålla på avstånd; ~ *off the grass!* beträd ej gräsmattan! **2** ~ *off a subject* undvika ett ämne
keep on 1 fortsätta med, hålla i sig [*if the rain* ~*s on*] **2** inte ta av sig [~ *one's hat on*] **3** ~ *on at* vard. tjata på
keep out hålla ute, stänga ute [*of* från]; ~ *out of sb's way* undvika ngn
keep to hålla sig till, hålla fast vid [~ *to one's plans*]; stå fast vid [~ *to one's promise*]; ~ *sth to oneself* hålla ngt för sig själv, tiga

med ngt; ~ *oneself to oneself* hålla sig för sig själv; ~ *to the right!* håll till höger!
keep under hålla nere, kuva
keep up hålla uppe, fortsätta med, hålla vid liv [~ *up a conversation*]; ~ *it up* fortsätta, hänga i, inte ge tappt; ~ *up with* hålla jämna steg med
III [kiːp] *subst* **1** uppehälle [*earn one's* ~] **2** *for* ~*s* vard. för alltid, för gott
keeper [ˈkiːpə] *subst* **1** vakt **2** djurskötare **3** i sammansättningar -innehavare [*shopkeeper*], -vakt [*goalkeeper* målvakt]
keep-fit [ˌkiːpˈfɪt] *adj*, ~ *exercises* motionsgymnastik
keeping [ˈkiːpɪŋ] *subst* **1** förvar, vård; *in safe* ~ i säkert förvar **2** *be in* ~ *with* gå i stil med
keepsake [ˈkiːpseɪk] *subst* minnesgåva, souvenir
keg [keɡ] *subst* kagge
kennel [ˈkenl] *subst* **1** hundkoja **2** hundpensionat
kept [kept] imperf. o. perf. p. av *keep I*
kerb [kɜːb] *subst* trottoarkant
kerbstone [ˈkɜːbstəʊn] *subst* kantsten i trottoarkant
kerchief [ˈkɜːtʃɪf] *subst* sjalett, halsduk
kernel [ˈkɜːnl] *subst* kärna i nöt, fruktsten
kerosene [ˈkerəsiːn] *subst* spec. amer. fotogen
ketchup [ˈketʃəp] *subst* ketchup [*tomato* ~]
kettle [ˈketl] *subst* vattenkokare
kettle-drum [ˈketldrʌm] *subst* musik. puka
key [kiː] *subst* **1** nyckel; *master* ~ huvudnyckel **2** lösning, förklaring, facit **3** tangent på piano, tangentbord **4** musik. tonart
keyboard [ˈkiːbɔːd] *subst* **1** musik. klaviatur; ~ *instrument* klaverinstrument **2** tangentbord
keyboarder [ˈkiːˌbɔːdə] *subst* data. inskrivare
keyhole [ˈkiːhəʊl] *subst* nyckelhål; ~ *surgery* med. titthålskirurgi
keynote [ˈkiːnəʊt] *subst* grundton, grundtanke
keypad [ˈkiːpæd] *subst* knappsats på telefon, fjärrkontroll m.m.; litet tangentbord
keyphone [ˈkiːfəʊn] *subst* knapptelefon
key ring [ˈkiːrɪŋ] *subst* nyckelring
kg. (förk. för *kilogram, kilograms, kilogramme, kilogrammes*) kg
khaki [ˈkɑːkɪ] *subst* kaki
kHz (förk. för *kilohertz*) kHz
kick I [kɪk] *verb* **1** sparka, sparka till **2** ~ *the bucket* sl. kola, dö, sparkas; om häst slå bakut **3** protestera [*against*, *at* mot] **4** om skjutvapen rekylera

II [kɪk] *verb* med adv. o. prep.
kick off 1 sparka i gång [~ *off a campaign*];
2 göra avspark i fotboll
kick out 1 sparka ut **2** kasta ut **3** *be
kicked out* vard. få sparken
kick over sparka omkull; ~ *over the
traces* vard. hoppa över skaklarna
kick up 1 sparka upp t.ex. damm **2** vard.
ställa till; ~ *up a row* el. ~ *up a fuss* ställa
till bråk
III [kɪk] *subst* **1** spark; *free* ~ frispark;
penalty ~ straffspark **2** vard., *get a big* ~
out of tycka det är helskönt att, få en kick
av; *for* ~*s* för nöjes skull **3** vard. styrka, krut
i dryck **4** rekyl av skjutvapen
kickboard ['kɪkbɔːd] *subst* sport. kickboard
kick-off ['kɪkɒf] *subst* avspark i fotboll
kick-sled ['kɪksled] *subst* sparkstötting
kickstart ['kɪkstɑːt] *verb* **1** trampa i gång,
kickstarta en motorcykel **2** sätta fart på [~ *the
economy*]
1 kid [kɪd] *subst* **1** vard. barn, unge; ~
brother lillebror; ~ *sister* lillasyster
2 killing, kid **3** getskinn; ~ *gloves*
glacéhandskar; *treat sb with* ~ *gloves*
behandla ngn med silkesvantar
2 kid [kɪd] (-*dd*-) *verb* **1** lura, narra **2** skoja
med, retas med, skoja; *you're kidding!*
skojar du?, du skämtar!, retas; ~ *around*
skoja
kidding ['kɪdɪŋ] *subst* skoj; *no* ~*!* bergis!
kiddy ['kɪdɪ] *subst* vard. unge, litet barn
kidnap I ['kɪdnæp] (-*pp*-, amer. -*p*-) *verb*
kidnappa
II ['kɪdnæp] *subst* kidnappning
kidney ['kɪdnɪ] *subst* njure
kidney bean ['kɪdnɪbiːn] *subst* kidney bean
slags böna; rosenböna
kidney stone ['kɪdnɪstəʊn] *subst* njursten
kill I [kɪl] *verb* **1** döda, mörda, slå ihjäl; *be
killed* dö, omkomma; *be killed in action*
stupa i strid; ~ *time* få tiden att gå; ~ *two
birds with one stone* ordspr. slå två flugor
i en smäll
II [kɪl] *subst* jakt., villebrådets dödande **1** slakta
killer ['kɪlə] *subst* mördare
killjoy ['kɪldʒɔɪ] *subst* glädjedödare
kiln [kɪln] *subst* brännugn för t.ex. kalk, tegel
kilo ['kiːləʊ] (pl. ~*s*) *subst* (förk. för *kilogram,
kilogramme*) kilo
kilo- ['kɪləʊ] *prefix* kilo- ett tusen
kilogram o. **kilogramme** ['kɪləgræm] *subst*
kilogram
kilohertz ['kɪləhɜːts] *subst* kilohertz

kilometre [kɪ'lɒmɪtə, 'kɪlə,miːtə] *subst*
kilometer
kilowatt ['kɪləwɒt] *subst* kilowatt

kilt
Kilten är en kort, veckad kjol som
ingår i den skotska folkdräkten och
uniformen. Kiltarna finns i olikfärg-
ade skotskrutiga mönster, *tartans*.
De visade ursprungligen vilken
klan, *clan*, man tillhörde.

kilt [kɪlt] *subst* kilt
kimono [kɪ'məʊnəʊ] (pl. ~*s*) *subst* kimono
kin [kɪn] *subst* släkt, släktingar
1 kind [kaɪnd] *subst* slag, sort; *nothing of
the* ~ inte alls så; *something of the* ~
något ditåt; *a* ~ *of* ett slags; *all* ~*s of* alla
slags, alla möjliga; *that* ~ *of thing* sådant
där; *what* ~ *of weather is it?* vad är det
för väder?; *they are two of a* ~ de är
likadana
2 kind [kaɪnd] *adj* vänlig [*to* mot], snäll [*to*
mot]; ~ *regards* hjärtliga hälsningar;
would you be ~ *enough to . . . ?* el. *would
you be so* ~ *as to . . . ?* vill du vara vänlig
och . . . ?
kindergarten ['kɪndə,gɑːtn] *subst*
kindergarten, lekskola
kind-hearted [,kaɪnd'hɑːtɪd] *adj* godhjärtad
kindle ['kɪndl] *verb* **1** antända, tända **2** väcka
[~ *sb's interest*]
kindly I ['kaɪndlɪ] *adj* vänlig, godhjärtad
II ['kaɪndlɪ] *adv* vänligt, snällt; ~ *shut the
door!* var snäll och stäng dörren!
kindred ['kɪndrəd] *adj* besläktad; liknande
king [kɪŋ] *subst* **1** kung, konung **2** kung i
kortlek, schack m.fl. spel; dam i damspel; ~ *of
hearts* hjärter kung
kingdom ['kɪŋdəm] *subst* **1** kungarike,
kungadöme; *the United Kingdom of
Great Britain and Northern Ireland*
Förenade kungariket Storbritannien och
Nordirland **2** rike; *the* ~ *of heaven*
himmelriket **3** naturv., *the animal*
djurriket; *the mineral* ~ mineralriket; *the
vegetable* ~ växtriket
kingfisher ['kɪŋ,fɪʃə] *subst* fågel kungsfiskare
king-size ['kɪŋsaɪz] *adj* jättestor, extra stor
kinship ['kɪnʃɪp] *subst* släktskap, frändskap
kiosk ['kiːɒsk] *subst* kiosk

kipper
Kipper är en slags saltad, rökt och torkad fisk, ungefär lika stor som en strömming. Den äts ibland till frukost.

kipper ['kɪpə] *subst* 'kipper' slags fläkt, saltad o. rökt torkad fisk, spec. sill

kiss I [kɪs] *verb* **1** kyssa, pussa **2** kyssas, pussas
II [kɪs] *subst* kyss, puss; *give sb the ~ of life* behandla ngn med mun-mot-mun-metoden

kissogram ['kɪsəgræm] *subst* kyssogram

kissproof ['kɪspruːf] *adj* kyssäkta

kit [kɪt] *subst* **1** utrustning av kläder m.m.; utstyrsel **2** byggsats **3** *first-aid ~* förbandslåda; *repair ~* reparationslåda **4** mil. packning; *in full marching ~* med full packning

kitbag ['kɪtbæg] *subst* **1** sportbag, sportväska **2** mil. ränsel, ryggsäck

kitchen ['kɪtʃən] *subst* kök

kitchenette [ˌkɪtʃɪ'net] *subst* kokvrå, litet kök

kitchen range ['kɪtʃɪnreɪndʒ] *subst* köksspis

kitchen roll [ˌkɪtʃɪn'rəʊl] *subst* köksrulle, hushållsrulle

kitchen sink [ˌkɪtʃɪn'sɪŋk] *subst* diskbänk

kite [kaɪt] *subst* **1** fågel glada **2** drake av t.ex. papper; *fly a ~* a) flyga med drake b) släppa upp en försöksballong

kite-flying ['kaɪtˌflaɪɪŋ] *subst* drakflygning

kitten ['kɪtn] *subst* kattunge

kitty ['kɪtɪ] *subst* pott, insats

kiwi ['kiːwiː] *subst* **1** fågel kivi **2** frukt kiwi

Kleenex® ['kliːneks] *subst* ansiktsservett

kleptomania [ˌkleptə'meɪnjə] *subst* kleptomani

kleptomaniac [ˌkleptə'meɪnɪæk] *subst* kleptoman

km. (förk. för *kilometre, kilometres*) km

kn-
När *kn-* står i början på ord uttalas inte *k*: *knee* [niː], *knock* [nɒk].

knack [næk] *subst* gott handlag, förmåga; knep; *get the ~ of sth* få kläm på ngt

knapsack ['næpsæk] *subst* ryggsäck, ränsel

knave [neɪv] *subst* knekt i kortlek; *~ of hearts* hjärterknekt

knead [niːd] *verb* knåda

knee [niː] *subst* knä; *on one's bended ~s* på sina bara knän; *bring sb to his ~s* tvinga ngn på knä

kneecap ['niːkæp] *subst* knäskål

knee-deep [ˌniː'diːp] *adj* ända till knäna

kneel [niːl] (*knelt knelt* el. *kneeled kneeled*) *verb* knäböja, falla på knä; *~ down* falla på knä

knee-length ['niːleŋθ] *adj* knäkort

knee-pad ['niːpæd] *subst* knäskydd

knell [nel] *subst* själaringning; klämtning

knelt [nelt] imperf. o. perf. p. av *kneel*

knew [njuː] imperf. av *know I*

knickerbocker ['nɪkəbɒkə] *subst* **1** pl. *~s* knickerbockers, slags golfbyxor **2** *~ glory* fruktvarvad glass

knickers ['nɪkəz] *subst pl* **1** knickers **2** damunderbyxor, benkläder

knick-knacks ['nɪknæks] *subst* krimskrams

knife I [naɪf] (pl. *knives* [naɪvz]) *subst* kniv; *have got one's ~ into sb* ha ett horn i sidan till ngn
II [naɪf] *verb* knivhugga

knight I [naɪt] *subst* **1** medeltida riddare **2** knight adelsman av lägsta rang **3** springare, häst i schack
II [naɪt] *verb* utnämna till knight, adla

knighthood ['naɪthʊd] *subst* knightvärdighet

knit [nɪt] (*knitted knitted* el. *knit knit*) (*knitting*) *verb* **1** sticka t.ex. strumpor **2** *~ one's brows* rynka pannan, rynka ögonbrynen **3** *~ together* förena, binda (knyta) samman **4** växa ihop, förenas

knitting ['nɪtɪŋ] *subst* stickning

knitting-needle ['nɪtɪŋˌniːdl] *subst* för stickning sticka

knitwear ['nɪtweə] *subst* trikåvaror

knives [naɪvz] *subst pl* av *knife I*

knob [nɒb] *subst* **1** knopp, knapp; ratt på t.ex. radio; runt handtag, vred {*doorknob*} **2** liten bit {*a ~ of sugar; a ~ of coal*}; klick {*a ~ of butter*}

knock I [nɒk] *verb* **1** slå, slå till **2** bulta, knacka; {*~ at the door*} **3** kollidera, krocka {*into med*}
II [nɒk] *verb* med adv. o. prep.
knock about 1 slå hit och dit; misshandla **2** vard., om saker ligga och skräpa **3** vard. driva omkring (omkring i), flacka omkring (omkring i); *I've knocked about a bit* jag har sett (varit med om) en hel del
knock back svepa öl, whisky
knock down 1 slå ned, köra på **2** riva ned, riva omkull

knock off 1 slå av **2** slå av på [~ *a pound off the price*] **3** sluta [~ *off work at five*], sluta arbetet **4** knycka, stjäla
knock on slå mot, slå i
knock out 1 slå ut; knacka ur [~ *out one's pipe*] **2** knocka, slå ut boxare
knock over slå omkull, stöta omkull
knock up 1 kasta upp **2** vard. ställa till med, improvisera; rafsa ihop, skramla ihop **3** spec. amer. göra med barn
III [nɒk] *subst* **1** slag, smäll, stöt **2** knackning; *there's a ~ at the door* det knackar på dörren
knocker ['nɒkə] *subst* portklapp
knock-kneed [ˌnɒk'niːd] *adj* kobent
knock-out ['nɒkaʊt] *subst* knockout, knockoutslag i boxning
knot I [nɒt] *subst* **1** knut, knop; rosett; *undo a ~* lösa upp en knut **2** sjö. knop
II [nɒt] (*-tt-*) *verb* knyta
knotty ['nɒtɪ] *adj* **1** knutig **2** kinkig [*a ~ problem*]
know I [nəʊ] (*knew known*) *verb* **1** veta, ha reda på, känna till; *she's a bit stupid, you ~* hon är lite dum, förstår du; *you never ~* man kan aldrig veta; *as far as I ~* såvitt jag vet; *he is dead for all I ~* han är död vad jag vet; *before you ~ where you are* innan man vet ordet av; *~ about* känna till, veta om; *~ of* känna till, veta; *not that I ~ of* inte såvitt (vad) jag vet **2** kunna, vara kunnig; *he ~s all about cars* han kan bilar; *I ~ nothing about paintings* jag förstår mig inte alls på tavlor; *~ sth by heart* kunna ngt utantill; *~ how to* kunna, förstå sig på att; veta att; *~ how to read* kunna läsa **3** känna, vara bekant med [*I don't ~ him*]; *get to ~* lära känna; *she will do it if I ~ her* hon kommer att göra det om jag känner henne rätt
II [nəʊ] *subst, in the ~* vard. initierad, invigd
know-all ['nəʊɔːl] *subst* vard. besserwisser
know-how ['nəʊhaʊ] *subst* vard. know-how, kunnande, expertis
knowing I ['nəʊɪŋ] *adj* **1** kunnig, insiktsfull **2** medveten; *a ~ glance* en menande blick
II ['nəʊɪŋ] *subst, there is no ~ where that will end* man vet aldrig hur det kommer att gå
knowledge ['nɒlɪdʒ] (utan pl.) *subst* kunskap, kunskaper [*of* om, i]; vetskap, kännedom [*of* om]; vetande, lärdom; *he has a good ~ of English* han har goda kunskaper i engelska; *to the best of my ~* såvitt jag vet

known [nəʊn] *adj* o. *perf p* (av *know I*) känd, bekant [*to sb* för ngn]; *make ~* offentliggöra, göra bekant
knuckle I ['nʌkl] *subst* knoge; *rap sb over the ~s* slå (smälla) ngn på fingrarna
II ['nʌkl] *verb*, *~ under* el. *~ down* falla till föga, böja sig [*to* för]
knuckle-duster ['nʌklˌdʌstə] *subst* knogjärn
KO I [ˌkeɪ'əʊ] *verb* boxn. sl. = *knock out*
II [ˌkeɪ'əʊ] *subst* boxn. sl. = *knock-out*
koala [kəʊ'ɑːlə] *subst* djur koala, pungbjörn
Koran [kɔː'rɑːn] *subst, the ~* Koranen
Korea [kə'rɪə]
Korean I [kə'rɪən] *subst* korean
II [kə'rɪən] *adj* koreansk
kosher ['kəʊʃə] *subst* **1** koscher mat behandlad enligt judiska föreskrifter **2** vard. äkta, genuin
k.p.h. (förk. för *kilometres per hour*) km/tim, km/h
Kremlin ['kremlɪn] *subst, the ~* Kreml
Kuwait [kʊ'weɪt]
kW o. **kw.** (förk. för *kilowatt, kilowatts*) kw

LI

1 L o. **l** [el] *subst* L, l
2 L (förk. för *Learner*) övningsbil
£ [paund, pl. paundz] (förk. för *pound*, *pounds*) pund, £
l. (förk. för *litre*, *litres*) l
1 lab [læb] *subst* vard. (kortform av *laboratory*) labb
2 lab [læb] *subst* vard. (förk. för *low-alcohol beer*) ~ el. ~ *beer* lättöl
label l ['leɪbl] *subst* etikett; adresslapp
II ['leɪbl] (*-ll-*, amer. *-l-*) *verb* **1** sätta etikett på **2**; stämpla [*as* såsom]
labia ['leɪbjə] *subst pl* anat. blygdläppar
laboratory [lə'brɒtrɪ] *subst* laboratorium
laborious [lə'bɔːrɪəs] *adj* mödosam, arbetsam

Labor Day
Labor Day firas som helgdag i USA och Kanada den första måndagen i september. Det var ursprungligen tänkt som en vilodag för arbetare, men numera firar man mest de sista sommardagarna med utflykter och grillfester.

labour l ['leɪbə] *subst* **1** arbete, möda; *hard* ~ straffarbete **2** polit., *Labour* el. *the Labour Party* arbetarpartiet; *Labour Government* arbetarregering **3** *she was in* ~ förlossningsarbetet hade kommit igång; *be in* ~ ha födslovärkar
II ['leɪbə] *verb* **1** arbeta hårt [*at* på, med]; sträva [*to* efter att] **2** ~ *under* ha att dras med [~ *under a difficulty*] ; lida av
labourer ['leɪbərə] *subst* arbetare; *agricultural* ~ el. *farm* ~ lantarbetare
labour-saving ['leɪbə,seɪvɪŋ] *adj*, ~ *devices* arbetsbesparande hjälpmedel
laburnum [lə'bɜːnəm] *subst* träd gullregn
labyrinth ['læbərɪnθ] *subst* labyrint
lace l [leɪs] *subst* **1** spets, spetsar **2** snöre, snodd
II [leɪs] *verb* snöra [*up* till, åt]; ~ *up* el. ~ snöras
lack l [læk] *subst* brist [*of* på]
II [læk] *verb* **1** sakna, vara utan; ~ *for* sakna

[*they lacked for nothing*] **2** *be lacking* fattas, saknas; *be lacking in* sakna; *for* ~ *of* av brist på
lackey ['lækɪ] *subst* lakej
lacquer l ['lækə] *subst* lack
II ['lækə] *verb* lackera
lad [læd] *subst* pojke, grabb; *my* ~ i tilltal min vän
ladder l ['lædə] *subst* **1** stege, trappstege **2** maska på t.ex. strumpa
II ['lædə] *verb*, *my stocking has laddered* det har gått en maska på min strumpa
ladderproof ['lædəpruːf] *adj* masksäker [~ *stockings*]
laden ['leɪdn] *adj* o. *perf p* **1** lastad **2** mättad; fylld [*with* med, av]
ladle l ['leɪdl] *subst* slev [*soup* ~]
II ['leɪdl] *verb* ösa med slev, sleva; ~ *out* ösa upp, servera
lady ['leɪdɪ] *subst* **1** dam; *ladies and gentlemen* mina damer och herrar **2** *ladies'* dam- [*ladies' hairdresser*] ; *ladies* damtoalett [*where is the* ~ *?*] ; ~ *friend* väninna **3** *Lady* Lady adelstitel **4** *Our Lady* Vår Fru, Jungfru Maria
ladybird ['leɪdɪbɜːd] *subst* nyckelpiga insekt
ladybug ['leɪdɪbʌg] *subst* amer., se *ladybird*
lady-killer ['leɪdɪ,kɪlə] *subst* kvinnotjusare
ladylike ['leɪdɪlaɪk] *adj* som en lady, kultiverad
ladyship ['leɪdɪʃɪp] *subst*, *Her Ladyship* Hennes nåd
lag [læg] (*-gg-*) *verb*, ~ el. ~ *behind* bli efter, släpa efter
lager ['lɑːgə] *subst*, ~ el. ~ *beer* ljus lager
lagoon [lə'guːn] *subst* lagun
laid [leɪd] *imperf.* o. *perf.* p. av *3 lay*
laid-back [,leɪd'bæk] *adj* avslappnad, ledig [~ *style*]
lain [leɪn] *perf.* p. av *2 lie I*
lair [leə] *subst* vilda djurs lya, kula
lake [leɪk] *subst* sjö, insjö
lamb [læm] *subst* lamm; ~ *chop* lammkotlett; *roast* ~ lammstek
lamb's-wool ['læmzwʊl] *subst* lammull
lame l [leɪm] *adj* **1** halt **2** lam, svag [*a* ~ *excuse*]
II [leɪm] *verb* göra halt
lame duck [,leɪm'dʌk] *subst* vard. **1** hjälplös person (sak) **2** företag i svårigheter **3** ~ *president* amer. övergångspresident utan inflytande
lament l [lə'ment] *verb* klaga, jämra, jämra sig
II [lə'ment] *subst* klagosång

lamp [læmp] *subst* lampa, lykta
lampoon I [læm'puːn] *subst* pamflett,
smädeskrift
II [læm'puːn] *verb* smäda i skrift
lamppost ['læmppəʊst] *subst* lyktstolpe
lampshade ['læmpʃeɪd] *subst* lampskärm
LAN [læn] *subst* (förk. för *local area network*)
data. lokalt datornät, LAN
lance [lɑːns] *subst* lans
land I [lænd] *subst* **1** land i motsats till hav,
vatten; *see how the ~ lies* sondera
terrängen **2** litt. land, rike **3** mark, jord
II [lænd] *verb* **1** landa, landstiga, gå i land
{*we landed at Bombay*} **2** landsätta **3** *~ an*
aeroplane landa med ett flygplan; *~ a*
fish landa en fisk; *~ a job* få tag i ett
arbete; *~ a prize* vinna ett pris **4** *~ up* el. *~*
hamna {*~ in the mud*}, råka in {*in* i}; sluta
{*in* med, i}; *~ oneself in great trouble*
råka in i en mycket besvärlig situation; *be*
landed with a boring new job få en
tråkig ny arbetsuppgift på halsen **5** vard.
pricka in, ge {*~ a punch*}; om slag träffa, gå
in
landing ['lændɪŋ] *subst* **1** landning
2 *emergency ~* el. *forced ~* nödlandning,
landstigning **3** trappavsats
landing-strip ['lændɪŋstrɪp] *subst* bana, stråk
på flygfält
landlady ['lænd,leɪdɪ] *subst* **1** värdinna,
hyresvärdinna **2** värdshusvärdinna,
pubvärdinna
landlord ['lændlɔːd] *subst* **1** värd, hyresvärd
2 värdshusvärd, pubvärd
landlubber ['lænd,lʌbə] *subst* vard.
landkrabba
landmark ['lændmɑːk] *subst* **1** gränsmärke,
landmärke **2** milstolpe
landmine ['lændmaɪn] *subst* landmina
landowner ['lænd,əʊnə] *subst* jordägare
landscape ['lændskeɪp] *subst* landskap,
natur; *~ gardener* trädgårdsarkitekt
landslide ['lændslaɪd] *subst* jordskred; *~*
victory jordskredsseger
lane [leɪn] *subst* **1** smal väg mellan t.ex. häckar
2 trång gata, gränd; ofta bakgata **3** *~* el.
traffic ~ körfält, fil **4** farled för oceanfartyg,
segelled; flyg. luftled **5** sport. bana
language ['læŋgwɪdʒ] *subst* språk; *bad ~*
rått språk, grovt språk, svordomar
languid ['læŋgwɪd] *adj* slapp, matt, slö
languish ['læŋgwɪʃ] *verb* **1** avmattas, tyna
bort **2** tråna, trängta
lank [læŋk] *adj* om hår lång och rak, stripig
lanky ['læŋkɪ] *adj* gänglig, lång

lanolin ['lænəlɪn] *subst* o. **lanoline** ['lænəliːn]
subst lanolin
lantern ['læntən] *subst* lykta, lanterna;
Chinese ~ kulört lykta, pappersslykta
1 lap [læp] *subst* knä; sköte; *sit on sb's ~*
sitta i ngns knä; *live in the ~ of luxury*
leva ett liv i lyx
2 lap I [læp] (*-pp-*) *verb* linda in, svepa in
II [læp] *subst* sport. **1** varv **2** etapp; *~ of*
honour ärevarv
3 lap [læp] (*-pp-*) *verb* **1** *~ up* el. *~* lapa,
slicka upp, slicka i sig **2** om vågor plaska
lapdog ['læpdɒg] *subst* knähund
lapel [lə'pel] *subst* slag på t.ex. kavaj
Lapland ['læplænd] Lappland
Laplander ['læplændə] *subst* o. **Lapp** [læp]
subst same, lapp
lapse I [læps] *subst* **1** lapsus, förbiseende,
misstag **2** felsteg **3** *a ~ of a hundred*
years hundra år
II [læps] *verb* **1** sjunka ned, förfalla,
återfalla {*into* till, i} **2** *~ from* avfalla från,
avvika från **3** upphöra, förfalla **4** återgå
5 om tid förflyta
laptop ['læptɒp] *subst*, *~ computer* bärbar
dator
larch [lɑːtʃ] *subst*, *~* el. *~ tree* lärkträd
lard I [lɑːd] *subst* isterflott, ister
II [lɑːd] *verb* späcka {*larded with quotations*}
larder ['lɑːdə] *subst* skafferi
large I [lɑːdʒ] *adj* stor, vidsträckt; *by and ~*
i stort sätt, på det hela taget
II [lɑːdʒ] *subst*, *at ~* a) fri, lös, på fri fot b) i
allmänhet, som sådan {*the world at ~*}
largely ['lɑːdʒlɪ] *adv* till stor del, i hög grad, i
stor utsträckning
large-scale ['lɑːdʒskeɪl] *adj* i stor skala
large-size ['lɑːdʒsaɪz] *adj* o. **large-sized**
['lɑːdʒsaɪzd] *adj* stor, i stort nummer
largish ['lɑːdʒɪʃ] *adj* ganska stor
1 lark [lɑːk] *subst* lärka fågel
2 lark I [lɑːk] *subst* vard. upptåg, skoj
II [lɑːk] *verb*, *~* el. *~ about* skoja
larva ['lɑːvə] (pl. *larvae* ['lɑːviː]) *subst* larv
insekt
laryngitis [,lærɪn'dʒaɪtɪs] *subst* med. laryngit,
strupkatarr
larynx ['lærɪŋks] (pl. *larynges* [læ'rɪndʒiːz]
el. *larynxes*) *subst* struphuvud
lascivious [lə'sɪvɪəs] *adj* lysten, liderlig
laser ['leɪzə] *subst* laser
lash I [læʃ] *verb* **1** prygla **2** piska med {*the*
lion lashed its tail}; *~ out* slå vilt omkring
sig; *~ out at* fara ut mot
II [læʃ] *subst* ögonfrans, ögonhår

lass [læs] *subst* flicka, tös

lasso I [lə'suː] (pl. ~s el. *lassoes*) *subst* lasso

II [lə'suː] *verb* fånga med lasso

1 last [lɑːst] *subst* skomakares läst

2 last I [lɑːst] *adj* **1** sist, senast; ~ *Christmas* i julas; ~ *Monday* i måndags; ~ *name* efternamn; ~ *week* förra veckan; ~ *year* i fjol, förra året; *the* ~ *few years* de senaste åren

II [lɑːst] *adv* **1** sist {*who came* ~?}; i sammansättningar sist- {*last-mentioned*}; ~ *of all* allra sist **2** senast {*when did you see him* ~?}

III [lɑːst] *subst* sista; *to the* ~ el. *to the very* ~ ända in i det sista; *from first to* ~ från början till slut; *at* ~ till slut; *at* ~*!* äntligen!

3 last [lɑːst] *verb* **1** vara, räcka, hålla på {*how long did it* ~?} **2** hålla, hålla sig, stå sig **3** räcka till för någon

lasting ['lɑːstɪŋ] *adj* bestående, varaktig

lastly ['lɑːstlɪ] *adv* till sist, slutligen

latch I [lætʃ] *subst* dörrklinka, spärrhake; *the door is on the* ~ låset är uppställt

II [lætʃ] *verb*, ~ *on to* a) få tag i b) haka på {~ *on to a conversation*}

latchkey ['lætʃkiː] *subst* portnyckel

late I [leɪt] (komparativ *later* el. *latter*, superlativ *latest* el. *last*) *adj* **1** sen, för sen; *he is in his* ~ *forties* han är närmare femtio; *in the* ~ *nineties* i slutet av nittiotalet; *in the* ~ *summer* under sensommaren; *be* ~ vara sen, vara försenad, komma för sent **2** endast före subst. avliden, framliden; *my* ~ *husband* min avlidne man, förre, förra; före detta (f.d.); *the* ~ *prime minister* förre premiärministern, framlidne premiärministern **3** senaste tidens {*the* ~ *political troubles*}; *of* ~ på sista tiden, nyligen

II [leɪt] (komparativ *later*, superlativ *latest* el. *last*) *adv* sent; för sent; *be up* ~ vara uppe länge om kvällarna; *sleep* ~ sova länge

latecomer ['leɪtˌkʌmə] *subst* person som kommer för sent, eftersläntrare

lately ['leɪtlɪ] *adv* på sista tiden, på sistone

lateness ['leɪtnəs] *subst*, *the* ~ *of his arrival* hans sena ankomst

latent ['leɪtənt] *adj* latent, dold {~ *talent*}

later I ['leɪtə] *adj* senare

II ['leɪtə] *adv* senare, efteråt; *sooner or* ~ förr eller senare; ~ *on* senare, längre fram; *see you* ~*!* hej så länge!

latest ['leɪtɪst] *adj* senast, sist; *the* ~ *fashion* senaste modet; *it's the* ~ vard. det är sista skriket; *at the* ~ senast

lathe [leɪð] *subst* **1** svarv, svarvstol **2** drejskiva

lather I ['lɑːðə] *subst* lödder

II ['lɑːðə] *verb* **1** tvåla in **2** löddra sig

lathery ['lɑːðərɪ] *adj* löddrig

Latin I ['lætɪn] *adj* latinsk; ~ *America* Latinamerika

II ['lætɪn] *subst* latin

latitude ['lætɪtjuːd] *subst* **1** latitud, breddgrad **2** handlingsfrihet, rörelsefrihet, spelrum

latter ['lætə] *adj*, *the* ~ den (det, de) senare; denne {*my brother asked his boss but the* ~ *said no*}, denna, dessa

lattice ['lætɪs] *subst* galler, spjälverk

Latvia ['lætvɪə] Lettland

Latvian I ['lætvɪən] *adj* lettisk

II ['lætvɪən] *subst* **1** lett **2** lettiska språket

laudable ['lɔːdəbl] *adj* berömvärd

laugh I [lɑːf] *verb* skratta {*at* åt}

II [lɑːf] *subst* skratt

laughable ['lɑːfəbl] *adj* skrattretande, löjlig

laughing ['lɑːfɪŋ] *adj* skrattande

II ['lɑːfɪŋ] *subst* skratt, skrattande; *it is no* ~ *matter* det är ingenting att skratta åt

laughing-gas ['lɑːfɪŋɡæs] *subst* lustgas

laughing-stock ['lɑːfɪŋstɒk] *subst* åtlöje, driftkucku

laughter ['lɑːftə] *subst* skratt; *roars of* ~ el. *peals of* ~ skallande skrattsalvor

1 launch [lɔːntʃ] *verb* **1** sjösätta fartyg **2** slunga, kasta {~ *a spear*}, skjuta upp, sända upp {~ *a rocket*} **3** lansera **4** sätta igång, starta {~ *a campaign*}

2 launch [lɔːntʃ] *subst* **1** större motorbåt

launder ['lɔːndə] *verb* tvätta

launderette o. **laundrette** [ˌlɔːn'dret] *subst* tvättomat

Laundromat® ['lɔːndrəmæt] *subst* amer. tvättomat

laundry ['lɔːndrɪ] *subst* **1** tvättinrättning; ~ *room* tvättstuga **2** tvätt, tvättkläder

Laurel ['lɒrəl] egennamn, ~ *and Hardy* ['hɑːdɪ] komikerpar Helan Hardy och Halvan Laurel

laurel ['lɒrəl] *subst* lager, lagerträd; *rest on one's* ~*s* vila på sina lagrar

lav [læv] *subst* (vard. kortform för *lavatory*) toa

lava ['lɑːvə] *subst* lava

lavatory ['lævətrɪ] *subst* toalett, wc; ~ *paper* toalettpapper

lavender ['lævəndə] *subst* blomma lavendel

lavish I ['lævɪʃ] *adj* **1** slösaktig, frikostig **2** slösande **3** påkostad

II ['lævɪʃ] *verb* slösa, slösa med, vara frikostig med

law [lɔː] *subst* **1** lag; *by* ~ enligt lag (lagen), i lag **2** juridik; *court of* ~ domstol, rätt

law-abiding ['lɔːə,baɪdɪŋ] *adj* laglydig

lawcourt ['lɔːkɔːt] *subst* domstol, tingsrätt

lawful ['lɔːfʊl] *adj* laglig; ~ *game* el. ~ *prey* lovligt byte; ~ *heir* rättmätig arvinge

lawmaker ['lɔː,meɪkə] *subst* lagstiftare

lawn [lɔːn] *subst* gräsmatta; ~ *tennis* grästennis

lawnmower ['lɔːn,məʊə] *subst* gräsklippare; *power* ~ el. *powered* ~ motorgräsklippare

lawsuit ['lɔːsuːt] *subst* rättegång, mål; *bring a* ~ *against* öppna process mot

lawyer
Lawyer är det allmänna ordet för jurist. I England finns två slags jurister: *solicitors* och *barristers*. En *solicitor* ger råd i kontraktsfrågor, när det gäller testamenten m.m. En *solicitor* biträder också en *barrister*. En *barrister* har högre utbildning och representerar klienter i domstolen, oftast i högre domstolar. I USA används ofta *attorney* i stället för *lawyer*.

lawyer ['lɔːjə] *subst* jurist, advokat

lax [læks] *adj* slapp {~ *discipline*}, släpphänt

laxative ['læksətɪv] *subst* laxermedel, laxativ

1 lay [leɪ] *adj* lekmanna- {~ *preacher*}

2 lay [leɪ] imperf. av *2 lie I*

3 lay I [leɪ] (*laid laid*) *verb* **1** lägga, placera, lägga ner; ~ *a cable* dra en ledning; ~ *eggs* lägga ägg, värpa; ~ *the table* duka; ~ *waste* ödelägga **2** ~ *ten to one* vid t.ex. vadhållning hålla tio mot ett
II [leɪ] (*laid laid*) *verb* med adv. o. prep.
lay aside 1 lägga undan, spara **2** lägga bort, lägga ifrån sig {~ *aside the book*}
lay down 1 lägga ner **2** offra {~ *down one's life*} **3** fastställa, fastslå, uppställa {~ *sth down as a rule*}; hävda
lay off! lägg av!, sluta!
lay out 1 lägga fram, lägga ut **2** vard. slå ut, slå sanslös **3** planera, anlägga
lay up 1 lägga upp **2** vard., *be laid up* ligga sjuk {~ *with the flu* i influensa}

layabout ['leɪəbaʊt] *subst* sl. dagdrivare, odåga

lay-by ['leɪbaɪ] *subst* (pl. *lay-bys*) parkeringsplats vid landsväg, rastplats

layer ['leɪə] *subst* lager, skikt

layman ['leɪmən] (pl. *laymen* ['leɪmən]) *subst* lekman, icke-fackman

lay-off ['leɪɒf] *subst* permittering, friställning

layout ['leɪaʊt] *subst* **1** planering, anläggning **2** layout, plan, uppställning

laze [leɪz] *verb* lata sig, slöa; ~ *around* gå och slå dank

laziness ['leɪzɪnəs] *subst* lättja

lazy ['leɪzɪ] *adj* lat, lättjefull

lazybones ['leɪzɪbəʊnz] (pl. lika) *subst* vard. latmask, slöfock

lb. [paʊnd, pl. paʊndz] (förk. för *pound, pounds*) pund

lbs. [paʊndz] pl. av *lb.*

LCD [,elsiː'diː] (förk. för *liquid crystal display*); *LCD-TV* LCD-tv

1 lead [led] *subst* **1** bly **2** blyerts, grafit **3** blyertsstift

2 lead I [liːd] (*led led*) *verb* **1** leda, föra {*to* till; *into* in i}; ~ *the way* gå före och visa vägen {*to* för}; ~ *by the nose* få vart man vill; **2** gå före, vara ledare **3** föranleda {*this led him to believe that...*} **4** föra, leva; ~ *a miserable existence* föra en eländig tillvaro; ~ *a quiet life* leva ett stilla liv **5** om t.ex. väg gå, föra, leda {*to* till} **6** leda {*this led to confusion*}, resultera {*to* i} **7** kortsp. ha förhand, spela ut, dra {~ *the ace of trumps*}
II [liːd] (*led led*) *verb* med adv. o. prep.
lead astray föra vilse
lead away föra bort; *be led away by* låta sig ryckas med av
lead up to leda till, resultera i
III [liːd] *subst* **1** ledning, försprång **2** ledtråd, tips; *follow sb's* ~ el. *take sb's* ~ följa ngns exempel **3** teat. huvudroll **4** elektr. ledning **5** koppel rem

leaden ['ledn] *adj* **1** bly-, blyaktig **2** tung, blygrå {~ *skies*}

leader ['liːdə] *subst* ledare

leadership ['liːdəʃɪp] *subst* ledarskap, ledning

leading ['liːdɪŋ] *adj* ledande, förnämst; ~ *actor* manlig huvudrollsinnehavare; ~ *actress* kvinnlig huvudrollsinnehavare; ~ *article* ledare i tidning

lead pencil [,led'pensl] *subst* blyertspenna

leaf I [liːf] (pl. *leaves* [liːvz]) *subst* **1** löv, blad **2** blad i bok; *turn over a new* ~ börja ett nytt liv **3** klaff, skiva till t.ex. bord
II [liːf] *verb*, ~ *through* bläddra i, bläddra igenom

leaflet ['li:flət] *subst* **1** flygblad, reklamlapp **2** folder, broschyr

leafy ['li:fɪ] *adj* lövad, lövrik, lummig

league [li:g] *subst* **1** förbund **2** sport. serie, liga

leak I [li:k] *subst* läcka, läckage; *a ~ of information* en informationsläcka **II** [li:k] *verb* **1** läcka [*the pot ~s*], vara otät **2** läcka [*~ news to the press*]; *~ out* sippra ut, läcka ut

leakage ['li:kɪdʒ] *subst* läckage, läcka

leaky ['li:kɪ] *adj* läckande, läck, otät

1 lean [li:n] *adj* mager

2 lean [li:n] (*leaned leaned* [lent, li:nd] *leant leant* [lent]) *verb* **1** luta sig **2** luta, stödja, ställa

leaning ['li:nɪŋ] *subst* **1** lutning **2** böjelse, benägenhet [*towards* för]

leant [lent] imperf. o. perf. p. av *2 lean*

leap I [li:p] (*leapt leapt* [lept]) *verb* **1** hoppa **2** hoppa över **II** [li:p] *subst* hopp, språng; *by ~s and bounds* med stormsteg

leapfrog I ['li:pfrɒg] *subst* hoppa bock; *play ~* hoppa bock **II** ['li:pfrɒg] (-*gg-*) *verb* hoppa bock

leapt [lept] imperf. o. perf. p. av *leap*

leap year ['li:pjɪə] *subst* skottår

learn [lɜ:n] (*learnt learnt* [lɜ:nt] el. *learned learned* [lɜ:nt, lɜ:nd]) *verb* **1** lära sig [*from sb* av ngn] [*he ~s fast*], lära in; *~ by heart* lära sig utantill **2** få veta, höra [*from* av; *of* om]

learned I [lɜ:nt, lɜ:nd] imperf. o. perf. p. av *learn* **II** ['lɜ:nɪd] *adj* lärd

---

learner

Övningsförare, *learner-driver*, eller personer som just tagit körkort måste ha en skylt med ett stort rött L, *L-plate*, framtill och baktill på bilen. Detta körkortstillstånd, *provisional licence* (amer. *learner's permit*) gäller ett år.

---

learner ['lɜ:nə] *subst* **1** lärjunge, elev; nybörjare **2** övningsförare; *she is a fast ~* hon lär sig saker snabbt; *~ car* övningsbil

learning ['lɜ:nɪŋ] *subst* **1** inlärande, inlärning **2** lärdom; *a man of ~* en lärd man

learnt [lɜ:nt] imperf. o. perf. p. av *learn*

lease I [li:s] *subst* arrende, uthyrande; *get a*

new *~ of life* el. *take on a new ~ of life* få nytt liv **II** [li:s] *verb* **1** arrendera, hyra [*from* av] **2** ~ el. *~ out* arrendera ut, hyra ut **3** leasa

leasehold ['li:shəʊld] *subst* arrende

leaseholder ['li:s,həʊldə] *subst* arrendator

leash I [li:ʃ] *subst* koppel, rem; *on a ~* el. *on the ~* i koppel **II** [li:ʃ] *verb* koppla, föra i koppel

least I [li:st] (superlativ av *little*) *adj* o. *adv* minst **II** [li:st] (superlativ av *little*) *pron*, *the ~* det minsta; *to say the ~* minst sagt, milt talat; *at ~* a) åtminstone b) minst; *not in the ~* inte det minsta

leather ['leðə] *subst* läder, skinn

leathery ['leðərɪ] *adj* läderartad, seg [*~ meat*]

leave I [li:v] (*left left*) *verb* **1** lämna, lämna kvar, glömma; *~ alone* låta vara, låta bli, lämna i fred; *be left* a) lämnas kvar b) finnas kvar, bli kvar; *~ go* vard. släppa taget; *it ~s nothing to be desired* det lämnar ingenting övrigt att önska **2** efterlämna; *he ~s a wife and two sons* han efterlämnar hustru och två söner **3** testamentera, efterlämna **4** lämna, gå ifrån, resa ifrån; överge **5** avresa, avgå, ge sig i väg [*for* till] **6** sluta, flytta; *~ school* sluta skolan **7** lämna, överlämna, överlåta [*to* åt]; *~ to chance* lämna åt slumpen; *I'll ~ it to you to* ... jag överlåter åt dig att ... **II** [li:v] (*left left*) *verb* med adv. o. prep.

leave about låta ligga framme

leave aside lämna åsido, bortse ifrån

leave behind 1 lämna, lämna kvar, lämna efter sig, efterlämna **2** glömma kvar

leave off sluta med, avbryta, upphöra med; *we left off at page 10* vi slutade på sidan 10

leave out 1 utelämna, förbigå; *feel left out of things* känna sig utanför **2** låta ligga framme **III** [li:v] *subst* **1** lov, tillåtelse, tillstånd; *be on ~ of absence* el. *be on ~* a) spec. mil. ha permission b) vara tjänstledig; *absent without ~* frånvarande utan giltigt förfall **2** avsked, farväl; *take one's ~* säga adjö, ta farväl; *take ~ of one's senses* bli galen

leaven ['levn] *subst* surdeg

leaves [li:vz] *subst pl* av *leaf I*

leave-taking ['li:v,teɪkɪŋ] *subst* avsked; avskedstagande

leaving ['li:vɪŋ] *subst pl. ~s* matrester

Lebanese I [,lebə'ni:z] (pl. lika) *subst* libanes **II** [,lebə'ni:z] *adj* libanesisk

Lebanon ['lebənən] Libanon

lecher ['letʃə] *subst* bock, flickjägare

lecherous ['letʃərəs] *adj* liderlig, vällustig

lechery ['letʃərɪ] *subst* liderlighet, lusta

lecture I ['lektʃə] *subst* **1** föreläsning, föredrag {*on* om, *över*}; ~ *hall* el. ~ *room* föreläsningssal; *attend* ~*s* gå på föreläsningar; *deliver a* ~ el. *give a* ~ hålla en föreläsning **2** straffpredikan **II** ['lektʃə] *verb* **1** föreläsa, föreläsa för {*on* om, *över*} **2** läxa upp

lecturer ['lektʃərə] *subst* **1** föreläsare **2** universitetslektor

led [led] *imperf. o. perf. p. av 2 lead I*

ledge [ledʒ] *subst* list, hylla

lee [liː] *subst* lä, läsida; ~ *side* läsida

leech [liːtʃ] *subst* blodigel, igel; *hang on like a* ~ hänga på som en igel

leek [liːk] *subst* purjolök

leer I [lɪə] *subst* hånfull blick, lysten blick **II** [lɪə] *verb* snegla lömskt, kasta lömska blickar {*at* på}

lees [liːz] *subst pl* bottensats, drägg

leeward ['liːwəd] *subst*, *on the* ~ *of* på läsidan

leeway ['liːweɪ] *subst* spelrum, andrum; *have a great deal of* ~ *to make up* ha mycket att ta igen

1 left [left] *imperf. o. perf. p. av leave I*

2 left I [left] *adj* vänster; ~ *turn* vänstersväng **II** [left] *adv* till vänster {*of* om}, åt vänster; ~ *turn!* mil. vänster om!; *turn* ~ svänga till vänster **III** [left] *subst* vänster sida, vänster hand; *the Left* polit. vänstern; *on your* ~ till vänster om dig

left-hand ['lefthænd] *adj* vänster-

left-handed [,left'hændɪd] *adj* vänsterhänt

left-hander [,left'hændə] *subst* **1** vänsterhänt person; sport. vänsterhandsspelare **2** vänsterslag

leftist ['leftɪst] *subst* vänsteranhängare

left-luggage [,left'lʌgɪdʒ] *subst*, ~ *office* el. ~ effektförvaring, resgodsförvaring

left-off ['leftɒf] *subst* vard., pl. ~*s* avlagda kläder

leftover ['left,əʊvə] *subst* **1** pl. ~*s* rester, matrester **2** kvarleva

leftwards ['leftwədz] *adv* till vänster, åt vänster

left-wing ['leftwɪŋ] *adj* på vänsterkanten, vänster-, vänsterorienterad

leg [leg] *subst* **1** ben lem; *feel one's* ~*s* el. *find one's* ~*s* känna sig hemmastadd,

finna sig till rätta; *pull sb's* ~ vard. driva med ngn; *be on one's* ~*s* vara på benen igen efter sjukdom; *be on one's last* ~*s* vard. vara nära slutet **2** kok. lägg, lår; ~ *of mutton* fårstek, fårlår **3** byxben **4** skaft på strumpa el. stövel **5** ben, fot på t.ex. möbel **6** sport. omgång bestående av två matcher {*play the second* ~} **7** etapp av t.ex. distans, resa

legacy ['legəsɪ] *subst* legat, testamentarisk gåva

legal ['liːgl] *adj* laglig, rättslig, juridisk; *take* ~ *action* vidta laga åtgärder

legality [lɪ'gælətɪ] *subst* laglighet

legalize ['liːgəlaɪz] *verb* legalisera, göra laglig

legation [lɪ'geɪʃən] *subst* legation, beskickning

legend ['ledʒənd] *subst* legend, saga, sägen

legendary ['ledʒəndrɪ] *adj* legendarisk

legible ['ledʒəbl] *adj* läslig, läsbar

legion ['liːdʒən] *subst* legion, här; *the Foreign Legion* främlingslegionen

legislate ['ledʒɪsleɪt] *verb* lagstifta

legislation [,ledʒɪs'leɪʃən] *subst* lagstiftning

legislative ['ledʒɪslətɪv] *adj* lagstiftande

legislator ['ledʒɪsleɪtə] *subst* lagstiftare

legislature ['ledʒɪsleɪtʃə] *subst* lagstiftande församling

legitimate [lɪ'dʒɪtɪmət] *adj* legitim, laglig

leg-pulling ['leg,pʊlɪŋ] *subst* vard. skämt

leisure ['leʒə, amer. vanligen 'liːʒə] *subst* ledighet, fritid; ~ *clothes* el. ~ *wear* fritidskläder; *at* ~ el. *at one's* ~ ledig, i lugn och ro {*do sth at* ~}

leisurely ['leʒəlɪ, amer. 'liːʒəlɪ] *adj* lugn, maklig; *at a* ~ *pace* i lugn takt, i maklig takt

lemon ['lemən] *subst* citron

lemonade [,lemə'neɪd] *subst* lemonad, läskedryck; sockerdricka

lemon curd ['lemənkɜːd] *subst* citronkräm

lemon soda [,lemən'səʊdə] *subst* amer., se *lemon squash*

lemon sole ['lemənsəʊl] *subst* bergtunga fisk

lemon squash [,lemən'skwɒʃ] *subst* lemon squash citronsaft och vatten

lemon-squeezer ['lemən,skwiːzə] *subst* citronpress

lend [lend] (*lent lent*) *verb* **1** låna, låna ut **2** ~ *itself to* lämpa sig för; ~ *oneself to* låna sig till, gå med på; förnedra sig till **3** ge; ~ *a hand with sth* hjälpa till med ngt

lender ['lendə] *subst* långivare

lending-library ['lendɪŋ,laɪbrɪ] *subst* lånebibliotek

length [leŋθ] *subst* **1** längd; *lie full* ~ ligga raklång; *at arm's* ~ a) på en armlängds avstånd b) på avstånd [*keep sb at arm's* ~]; *win by three* ~*s* sport. vinna med tre längder; *ten metres in* ~ tio meter lång; *go to any* ~*s* inte sky något; *go to great* ~*s* gå (sträcka sig) mycket långt **2** *at* ~ a) slutligen, äntligen b) utförligt; *at great* ~ mycket utförligt

lengthen ['leŋθən] *verb* förlänga, göra längre; ~ *a skirt* lägga ned en kjol

lengthiness ['leŋθɪnəs] *subst* långrandighet

lengthwise ['leŋθwaɪz] *adv* på längden

lengthy ['leŋθɪ] *adj* lång, långvarig

lenience ['liːnjəns] *subst* o. **leniency** ['liːnjənsɪ] *subst* mildhet, överseende

lenient ['liːnjənt] *adj* mild, överseende

lens [lenz] *subst* lins, objektiv

Lent [lent] *subst* fasta, fastan, fastlagen

lent [lent] *imperf.* o. *perf.* p. av *lend*

lentil ['lentl] *subst* kok. lins

Leo ['liːəʊ] stjärntecken Lejonet

leopard ['lepəd] *subst* leopard

leper ['lepə] *subst* spetälsk

leprosy ['leprəsɪ] *subst* med. spetälska

lesbian I ['lezbɪən] *adj* lesbisk **II** ['lezbɪən] *subst* lesbisk kvinna

less I [les] *adj* o. *adv* o. *subst* (komparativ av *little*) **1** mindre; *in* ~ *than no time* på nolltid **2** *no* ~ *than £100* inte mindre än 100 pund; *not* ~ *than £100* minst 100 pund; *it's no* (*nothing*) ~ *than a scandal* det är ingenting mindre än en skandal **II** [les] *prep* minus [*5* ~ *2 is 3*], med avdrag av (för) [*£400 a week* ~ *taxes*]

lessen ['lesn] *verb* **1** minska, reducera **2** minskas

lesson ['lesn] *subst* **1** lektion **2** läxa; *I learnt a* ~ jag fick en läxa

lest [lest] *konj* **1** för att inte, så att inte [*I took it away* ~ *it should be stolen*] **2** efter ord för t.ex. fruktan, oro för att [*we were afraid* ~ *he should come late*]

1 let I [let] (*let let*) (*letting*) *verb* **1** låta, tillåta; *let's have a drink!* ska vi ta en drink?; ~ *me introduce . . .* får jag presentera . . .; *just* ~ *him try* vanligen han skulle bara våga! **2** släppa in [*my shoes* ~ *water*] **3** hyra ut [~ *rooms*]; *to* ~ att hyra **II** [let] (*let let*) (*letting*) *verb* med adv. o. prep.

let alone 1 låta vara, låta bli [~ *her alone!*] **2** för att inte tala om, ännu mindre [*he can't look after himself,* ~ *alone others*]

let be låta vara, låta bli [~ *him be!*]

let down 1 släppa ner, sänka ner **2** lägga

ner, släppa ner [~ *down a dress*] **3** lämna i sticket, svika [~ *down a friend*]

let go 1 släppa [~ *me go!*], släppa lös **2** släppa taget **3** låta gå; ~ *oneself go* slå sig lös

let in 1 släppa in [~ *in sb*; ~ *in light*]; ~ *oneself in* låsa upp (öppna) och gå in **2** ~ *in the clutch* släppa upp kopplingen **3** ~ *oneself in for* inlåta sig på, ge sig in på; *you're letting yourself in for a lot of work* du får bara en massa arbete på halsen **4** ~ *sb in on* inviga ngn i

let into 1 släppa in i; *be* ~ *into* slippa in i **2** inviga i, låta få veta [~ *sb into a secret*]

let loose släppa, släppa lös

let off 1 avskjuta, bränna av [~ *off fireworks*] **2** låta slippa undan [~ *sb off with a fine*]; *be* ~ *off* slippa undan **3** släppa ut t.ex. ånga; tappa av **4** släppa av [~ *me off at 12th Street!*] **5** släppa tjära fjärta

let on vard. **1** skvallra [*I won't* ~ *on*] **2** låtsas, låtsas om

let out 1 släppa ut, släppa lös; *be* ~ *out* släppas ut, släppas lös, slippa ut **2** avslöja [~ *out a secret*] **3** hyra ut

let up avta, minska; *the wind is letting up* vinden börjar avta

2 let [let] *subst* sport. nätboll vid serve

let-down ['letdaʊn] *subst* besvikelse

lethal ['liːθl] *adj* dödlig, dödande

let's [lets] = *let us*

letter ['letə] *subst* **1** bokstav; *capital* ~ stor bokstav; *small* ~ liten bokstav **2** brev, skrivelse; ~ *of credit* kreditiv; ~ *to the editor* insändare

letterbox ['letəbɒks] *subst* brevlåda, postlåda

lettuce ['letɪs] *subst* sallat, sallad typ av grönsak; salladshuvud

let-up ['letʌp] *subst* avbrott, uppehåll

leukaemia [luˈkiːmɪə] *subst* med. leukemi

level I ['levl] *subst* **1** nivå, plan; höjd; yta; *the lecture was above my* ~ föreläsningen låg över min horisont; *on a* ~ *with* i nivå (höjd) med, i jämnhöjd med **2** vard., *on the* ~ ärligt sagt; *he's on the* ~ han är just **3** vattenpass **II** ['levl] *adj* **1** jämn, slät, plan **2** vågrät; på samma plan [*with* som], i jämnhöjd, jämställd [*with* med]; jämn; ~ *crossing* plankorsning; järnvägskorsning i plan; *a* ~ *teaspoonful* en struken tesked; *do one's* ~ *best* göra sitt allra bästa; *draw* ~ komma jämsides med varandra; *keep* ~ *with* hålla jämna steg med **3** *keep a* ~

head hålla huvudet kallt
III ['levl] (-*ll*-, amer. -*l*-) *verb* **1** jämna [~ *a road*]; jämna ut **2** ~ *with* (*to*) *the ground* jämna med marken, rasera **3** rikta [*at, against* mot]
level-headed [ˌlevl'hedɪd] *adj* sansad
lever I ['liːvə] *subst* **1** hävstång **2** spak, handtag
II ['liːvə] *verb* lyfta med hävstång
levy I ['levɪ] *subst* uttaxering
II ['levɪ] *verb* uttaxera, lägga på [~ *a tax*]
lewd [ljuːd] *adj* liderlig, oanständig
lexicographer [ˌleksɪ'kɒgrəfə] *subst* ordboksförfattare
lexicography [ˌleksɪ'kɒgrəfɪ] *subst* lexikografi
liability [ˌlaɪə'bɪlətɪ] *subst* **1** ansvar, betalningsskyldighet **2** benägenhet, mottaglighet **3** pl. *liabilities* hand. skulder **4** belastning [*she is a* ~]
liable ['laɪəbl] *adj* **1** ansvarig, betalningsskyldig **2** skyldig; ~ *to* belagd med t.ex. straff, skatt; underkastad; ~ *to duty* tullpliktig; *make oneself* ~ *to* utsätta sig för risken av **3** mottaglig [*to* för]; benägen [*to* för]; *colours* ~ *to fade* färger som gärna vill blekna; *it is* ~ *to be misunderstood* det kan så lätt missförstås
liaison [liː'eɪzən] *subst* **1** i kärlek förhållande **2** mil., ~ *officer* sambandsofficer
liar ['laɪə] *subst* lögnare, lögnerska, lögnhals
libel I ['laɪbl] *subst* ärekränkning spec. i skrift
II ['laɪbl] (-*ll*-, amer. -*l*-) *verb* ärekränka
libellous ['laɪbləs] *adj* ärekränkande
liberal I ['lɪbrəl] *adj* **1** frikostig, generös **2** liberal, frisinnad **3** *Liberal* polit. liberal
II ['lɪbrəl] *subst*, *Liberal* polit. liberal
liberate ['lɪbəreɪt] *verb* **1** befria **2** frige
liberation [ˌlɪbə'reɪʃən] *subst* **1** befrielse, frigörelse **2** frigivning
liberator ['lɪbəreɪtə] *subst* befriare
liberty ['lɪbətɪ] *subst* frihet; *the* ~ *of the press* tryckfriheten; ~ *of speech* yttrandefrihet; *take liberties* ta sig friheter, vara närgången [*with* mot]; *at* ~ på fri fot; *you are at* ~ *to* det står dig fritt att; *set at* ~ frige
Libra ['liːbrə] *subst* stjärntecken Vågen
librarian [laɪ'breərɪən] *subst* bibliotekarie
library ['laɪbrɪ] *subst* bibliotek; film. arkiv
librettist [lɪ'bretɪst] *subst* librettoförfattare
libretto [lɪ'bretəʊ] (pl. ~*s* el. *libretti*) *subst* libretto
Libya ['lɪbɪə] Libyen

Libyan I ['lɪbɪən] *adj* libysk
II ['lɪbɪən] *subst* libyer
lice [laɪs] *subst* pl av *louse*
licence ['laɪsəns] *subst* **1** licens [*radio* ~]; *dog* ~ ungefär hundskatt; *driving* ~ el. *driver's* ~ körkort; *pilot's* ~ flygcertifikat **2** tygellöshet, lättsinne **3** handlingsfrihet; *poetic* ~ poetisk frihet
license I ['laɪsəns] *verb* bevilja licens, ge licens
II ['laɪsəns] *subst* amer. = *licence*; ~ *plate* amer. nummerplåt, registreringsskylt
licensed ['laɪsənst] *adj* med spriträttigheter; ~ *premises* (*house*) restaurang (hotell) med spriträttigheter
lichen ['laɪkən, 'lɪtʃən] *subst* lav
lick I [lɪk] *verb* **1** slicka, slicka på; ~ *sb's boots* vard. krypa för ngn, krusa för ngn; ~ *into shape* sätta i fason på **2** vard. ge stryk, slå [~ *sb at tennis*]
II [lɪk] *subst* **1** slickning **2** vard., *at a great* ~ el. *at full* ~ i full fräs
licorice ['lɪkərɪs] *subst* amer. lakrits
lid [lɪd] *subst* **1** lock; *put the* ~ *on* vard. sätta stopp för; *take the* ~ *off* vard. avslöja **2** ögonlock
lido ['liːdəʊ] (pl. ~*s*) *subst* friluftsbad
1 lie I [laɪ] *subst* lögn, osanning; *a pack of* ~*s* en massa lögner
II [laɪ] *verb* ljuga [*to* för]
2 lie I [laɪ] (*lay lain*) *verb* **1** ligga **2** ligga begraven; *here* ~*s* här vilar
II [laɪ] (*lay lain*) *verb* med adv. o. prep.
lie about ligga och skräpa, ligga framme
lie back luta sig tillbaka
lie down 1 lägga sig och vila, lägga sig ner **2** *take an insult lying down* finna sig i en förolämpning
lie in 1 ligga i, bestå i; *everything that* ~*s in my power* allt som står i min makt **2** ligga kvar i sängen
lie with ligga hos [*the fault* ~*s with the Government*]
III [laɪ] *subst* läge, belägenhet; *know the* ~ *of the land* veta hur läget är
Liechtenstein ['lɪktənstaɪn]
lie-down [laɪ'daʊn] *subst*, *go and have a* ~ lägga sig och vila
lie-in ['laɪɪn] *subst*, *have a nice* ~ ligga och dra sig i sängen
lieutenant [lef'tenənt, amer. luː'tenənt] *subst* **1** löjtnant inom armén; kapten inom flottan **2** i USA ungefär polisinspektör
life [laɪf] (pl. *lives* [laɪvz]) *subst* **1** liv; livstid, livslängd; *a* ~ *sentence* livstidsfängelse;

the ~ *and soul of the party* sällskapets medelpunkt; *tell the children the facts of* ~ vard. tala om för barnen hur ett barn kommer till; *great loss of* ~ stora förluster ı människoliv; *at my time of* ~ vid min ålder; *I had the time of my* ~ vard. jag hade jätteroligt; *not for the* ~ *of me* vard. inte för mitt liv, inte för allt i världen; *not on your* ~ aldrig i livet **2** levnadsteckning, biografi [*the lives of great men*] **3** konst. natur, verklighet; ~ *class* krokiklass med elever som tecknar efter levande modell; *larger than* ~ a) överdriven, som skiljer sig från mängden b) i övernaturlig storlek; *as large as* ~ livslevande [*there she was, as large as* ~]

lifebelt ['laɪfbelt] *subst* livbälte, räddningsbälte

lifeboat ['laɪfbəʊt] *subst* livbåt, livräddningsbåt

lifebuoy ['laɪfbɔɪ] *subst* livboj, frälsarkrans

lifeguard ['laɪfgɑːd] *subst* **1** livvakt **2** pl. ~*s* livgarde **3** livräddare, badvakt

life jacket ['laɪf,dʒækɪt] *subst* flytväst

lifeless ['laɪfləs] *adj* livlös, död, utan liv

lifelike ['laɪflaɪk] *adj* livslevande, naturtrogen

lifeline ['laɪflaɪn] *subst* livlina, räddningslina

lifelong ['laɪflɒŋ] *adj* livslång [~ *friendship*]

life-saving ['laɪf,seɪvɪŋ] *subst* livräddning

life-size [,laɪf'saɪz] *adj* i naturlig storlek

lifetime ['laɪftaɪm] *subst* livstid; *a* ~ ett helt liv, hela livet [*it'll last a* ~]; *it is the chance of a* ~ det är mitt (ditt etc.) livs chans

lift I [lɪft] *verb* **1** lyfta, lyfta på; höja sig **2** häva [~ *a blockade*], upphäva **3** lätta [*the fog lifted*], lyfta, skingras **II** [lɪft] *subst* **1** lyft, lyftande **2** *give sb a* ~ ge ngn lift, ge ngn skjuts **3** hiss; skidlift

ligament ['lɪgəmənt] *subst* anat. ligament, ledband

1 light I [laɪt] *subst* **1** ljus, sken; belysning; *bring to* ~ bringa i dagen; *come to* ~ komma i dagen; *may (can) I have a* ~*?* kan jag få lite eld?; *put on the* ~ tända ljuset; *put out the* ~ släcka ljuset; *shed* ~ *on* el. *throw* ~ *on* sprida ljus över, bringa klarhet i; *strike a* ~ tända en tändsticka; *in a false* ~ i falsk dager **2** pl. ~*s* a) teat. rampljus b) trafikljus **3** lampa **II** [laɪt] (*lit lit* el. *lighted lighted*) *verb* **1** ~ el. ~ *up* tända **2** lysa upp, belysa

2 light I [laɪt] *adj* **1** lätt [*a* ~ *burden*]; ~ *comedy* lättare komedi, lustspel; ~ *opera*

operett; ~ *reading* nöjesläsning; ~ *sentence* mild dom; *he is a* ~ *sleeper* han sover lätt **2** lindrig, lätt [*a* ~ *attack of flu*]

II [laɪt] *adv* lätt [*sleep* ~]; *get off* ~ slippa lindrigt undan; *travel* ~ resa utan mycket bagage

3 light [laɪt] (*lit lit* el. *lighted lighted*) *verb*, ~ *on* el. ~ *upon* råka på, stöta på

light bulb ['laɪtbʌlb] *subst* glödlampa

1 lighten ['laɪtn] *verb* lätta, göra lättare

2 lighten ['laɪtn] *verb* **1** lysa upp, upplysa **2** ljusna, klarna [*the sky lightened*]

1 lighter ['laɪtə] *subst* tändare

2 lighter ['laɪtə] *subst* läktare, pråm

light-fast ['laɪtfɑːst] *adj* ljusäkta

light-headed [,laɪt'hedɪd] *adj* **1** yr i huvudet **2** tanklös, lättsinnig

lighthouse ['laɪthaʊs] *subst* fyr, fyrtorn

lighthouse-keeper ['laɪthaʊs,kiːpə] *subst* fyrvaktare

lighting ['laɪtɪŋ] *subst* lyse, belysning

lightly ['laɪtlɪ] *adv* lätt; ~ *done* lättstekt; *get off* ~ slippa lindrigt undan

lightning ['laɪtnɪŋ] *subst* blixtar, blixt; *a flash of* ~ en blixt; *forked* ~ sicksackblixt, sicksackblixtar; *sheet* ~ ytblixt, ytblixtar

lightning-conductor ['laɪtnɪŋkən,dʌktə] *subst* åskledare

lightship ['laɪt-ʃɪp] *subst* fyrskepp

lightweight ['laɪtweɪt] *subst* **1** lättvikt, lätt, lättvikts- före subst. [~ *bicycle*] **2** lättviktare

light year ['laɪt jɪə] *subst* astron. ljusår [~*s away*]

likable ['laɪkəbl] *adj* sympatisk, trevlig

1 like I [laɪk] *adj* lik; *be* ~ vara lik, likna [*she is* ~ *him*], se ut som; *what's it* ~*?* a) hur är den? b) hur ser den ut?; *I have one* ~ *this at home* jag har en likadan hemma **II** [laɪk] *prep* **1** som [*if I were* ~ *you*], liksom, likt; ~ *this* så här **2** ~ *anything* vard. som bara den [*he ran* ~ *anything*]; *nothing* ~ vard. inte alls, inte på långt när [*nothing* ~ *as old*]; *something* ~ omkring, ungefär, något i stil med **III** [laɪk] *konj* vard. som [*do it* ~ *I do*], såsom **IV** [laɪk] *subst* **1** *the* ~ något liknande, något dylikt **2** vard., *the* ~*s of me* såna som jag

2 like I [laɪk] *verb* **1** tycka om, gilla; *well, I* ~ *that!* iron. det må jag då säga! **2** vilja [*do as you* ~], ha lust; *I should* ~ *to know* jag skulle gärna vilja veta; *he can try if he* ~*s* han får gärna försöka

II [laɪk] *subst*, ~*s and dislikes* sympatier och antipatier

likelihood ['laɪklɪhʊd] *subst* sannolikhet; *in all* ~ med all sannolikhet

likely I ['laɪklɪ] *adj* sannolik, trolig; *it is* ~ *to be misunderstood* det kan lätt missförstås; *he is* ~ *to win* han vinner säkert; *not* ~*!* vard. knappast!, och det trodde du!
II ['laɪklɪ] *adv*, *very* ~ sannolikt, troligen

like-minded [,laɪk'maɪndɪd] *adj* likasinnad

liken ['laɪkən] *verb* likna [*to* vid]

likeness ['laɪknəs] *subst* **1** likhet; *family* ~ släkttycke **2** skepnad, form **3** porträtt; *the portrait is a good* ~ porträttet är mycket likt

likewise ['laɪkwaɪz] *adv* **1** likaledes **2** därtill, dessutom

liking ['laɪkɪŋ] *subst*, *take a* ~ *to* fatta tycke för; *to sb's* ~ i ngns smak, till ngns belåtenhet

lilac I ['laɪlək] *subst* **1** syren **2** färg lila
II ['laɪlək] *adj* lila

Lilliputian [,lɪlɪ'pjuːʃən] *subst* lilleputt

lilt [lɪlt] *subst* rytm, schvung

lily ['lɪlɪ] *subst* lilja

lily of the valley [,lɪlɪəvðə'vælɪ] (pl. *lilies of the valley*) *subst* liljekonvalj

limb [lɪm] *subst* **1** lem, arm, ben **2** *be out on a* ~ vara illa ute, vara på farliga vägar

limber ['lɪmbə] *verb*, ~ *up* mjuka upp, mjuka upp sig

1 lime [laɪm] *subst* lime, lime-frukt

2 lime [laɪm] *subst* lind

3 lime I [laɪm] *subst* kalk; *slaked* ~ släckt kalk
II [laɪm] *verb* **1** kalka vägg **2** bestryka med fågellim, snärja

limelight ['laɪmlaɪt] *subst* rampljus; *be in the* ~ stå i rampljuset

limestone ['laɪmstəʊn] *subst* kalksten

limit I ['lɪmɪt] *subst* **1** gräns; *that's the* ~*!* vard. det slår alla rekord!, det var det värsta! **2** begränsning; *speed* ~ hastighetsbegränsning
II ['lɪmɪt] *verb* begränsa

limitation [,lɪmɪ'teɪʃən] *subst* begränsning, inskränkning

limited ['lɪmɪtɪd] *adj* begränsad, inskränkt; ~ *liability company* el. ~ *company* aktiebolag med begränsad ansvarighet

limo ['lɪməʊ] (pl. ~s) *subst* vard. limousine

limousine [,lɪmə'ziːn] *subst* limousine

1 limp [lɪmp] *adj* böjlig, slapp, sladdrig

2 limp I [lɪmp] *verb* linka, halta
II [lɪmp] *subst* haltande gång; *walk with a* ~ halta

limpid ['lɪmpɪd] *adj* genomskinlig, kristallklar

1 line I [laɪn] *subst* **1** linje **2** lina; metrev **3** klädstreck **4** elektr. el. tele. ledning; *stand in* ~ spec. amer. stå i kö, köa **5** länga, räcka, fil **6** rad [*page 10* ~ *5*]; *drop me a* ~ skriv några rader **7** versrad **8** teat., vanligen pl. ~*s* replik [*the actor had forgotten his* ~*s*], roll [*he knew his* ~*s*] **9** släktgren, led; led **10** fack, bransch [*what* ~ *is he in?*]; *saving is not in my* ~ att spara ligger inte för mig **11** hand. vara, sortiment [*a cheap* ~ *in hats*] **12** diverse fraser och uttryck: ~ *of action* förfaringssätt; ~ *of business* affärsgren, bransch; ~ *of goods* varuslag; *be in* ~ *with* ligga helt i linje med; *are you still on the* ~*?* är du kvar i telefon?; *bring sth into* ~ *with* bringa ngt i överensstämmelse med; *draw the* ~ *at* a) dra gränsen vid, säga stopp b) inte vilja gå med på; ~ *engaged* el. amer. ~ *busy* tele. upptaget!; *fall into* ~ mil. falla in i ledet; *hold the* ~*, please!* tele. var god och vänta!; *take a strong* ~ el. *take a hard* ~ uppträda bestämt
II [laɪn] *verb* **1** linjera **2** ~ el. ~ *up* rada upp; mil. ställa upp på linje **3** ~ *up* köa, ställa upp sig **4** stå utefter, kanta [*people lined the streets*] **5** göra rynkig, fåra t.ex. pannan

2 line [laɪn] *verb* fodra, beklä

lined [laɪnd] *adj* **1** randig, strimmig; ~ *paper* linjerat papper **2** rynkad, rynkig

linen ['lɪnɪn] *subst* **1** tyg linne **2** linne [*bed-linen*]; underkläder; *dirty* ~ el. *soiled* ~ smutskläder

liner ['laɪnə] *subst* **1** linjefartyg, oceanfartyg **2** trafikflygplan

linesman ['laɪnzmən] *subst* sport. linjedomare, linjeman

line-up ['laɪnʌp] *subst* **1** uppställning, laguppställning **2** gruppering [*a* ~ *of Afro-Asian powers*] **3** samling

linger ['lɪŋgə] *verb* **1** dröja sig kvar **2** ~ *on* leva vidare, leva kvar

lingerie ['lænʒəriː, amer. ,lɑːnʒə'reɪ] *subst* damunderkläder

lingo ['lɪŋgəʊ] (pl. *lingoes* el. *lingos*) *subst* vard. språk, jargong

linguist ['lɪŋgwɪst] *subst* **1** språkkunnig person **2** lingvist, språkforskare

linguistics [,lɪŋ'gwɪstɪks] (med verb i sing.) *subst* lingvistik

liniment ['lɪnəmənt] *subst* liniment

lining ['laɪnɪŋ] *subst* foder

link I [lɪŋk] *subst* **1** länk **2** manschettknapp

ll [lɪŋk] *verb* **1** ~ *together* el. ~ *up* el. ~
länka ihop, förena **2** ~ *up* el. ~ länkas ihop,
förena sig

links [lɪŋks] *subst* golfbana

linnet ['lɪnɪt] *subst* tågel hämpling

lino ['laɪnəʊ] (pl. ~*s*) *subst* vard. för *linoleum*

linoleum [lɪ'nəʊljəm] *subst* linoleum,
korkmatta

linseed ['lɪnsiːd] *subst* linfrö

linseed oil ['lɪnsiːdɔɪl] *subst* linolja

lion ['laɪən] *subst* lejon

lioness ['laɪənəs] *subst* lejoninna

lionize ['laɪənaɪz] *verb* dyrka, omsvärma, fira

lip [lɪp] *subst* läpp; *upper* ~ överläpp

lip gloss ['lɪpglɒs] *subst* läppglans

liposuction ['lɪpəʊˌsʌkʃən] *subst* med.
fettsugning

lip-reading ['lɪpˌriːdɪŋ] *subst* läppavläsning

lipsalve ['lɪpsælv] *subst* cerat

lip service ['lɪpˌsɜːvɪs] *subst* tomma ord,
fagra löften, munväder; *pay* ~ *to* låtsas
hålla med om

lipstick ['lɪpstɪk] *subst* läppstift

liquefy ['lɪkwɪfaɪ] *verb* smälta, kondensera,
anta vätskeform

liqueur [lɪ'kjʊə] *subst* likör

liquid l ['lɪkwɪd] *adj* **1** flytande, i vätskeform
2 klar, genomskinlig **3** ekon. likvid; ~
assets likvida tillgångar

ll ['lɪkwɪd] *subst* vätska

liquidate ['lɪkwɪdeɪt] *verb* likvidera

liquor ['lɪkə] *subst* spritdryck

liquorice ['lɪkərɪs] *subst* lakrits

Lisbon ['lɪzbən] Lissabon

lisp l [lɪsp] *verb* **1** läspa **2** läspa fram

ll [lɪsp] *subst* läspning; *have a* ~ läspa

1 list l [lɪst] *subst* lista, förteckning *[of på]*;
shopping ~ inköpslista, minneslista

ll [lɪst] *verb* **1** göra en lista på, lista

2 list l [lɪst] *verb* sjö. ha (få) slagsida

ll [lɪst] *subst* sjö. slagsida

listen ['lɪsn] *verb* lyssna, höra på; ~ *in on*
avlyssna; ~ *in to* a) lyssna på i radio
b) avlyssna *[~ in to a telephone conversation]*

listener ['lɪsnə] *subst* åhörare, lyssnare

listless ['lɪstləs] *adj* håglös, apatisk, slö

lit [lɪt] *imperf.* o. *perf.* p. av *1 light II* o. *3 light*

liter ['liːtə] *subst* amer. liter

literacy ['lɪtrəsɪ] *subst* läs- och
skrivkunnighet

literal ['lɪtrəl] *adj* **1** ordagrann **2** bokstavlig,
egentlig *[in the ~ sense]*

literally ['lɪtrəlɪ] *adv* **1** ordagrant
2 bokstavligt, bokstavligt talat

literary ['lɪtrərɪ] *adj* litterär, litteratur-

literate ['lɪtrət] *adj* läs- och skrivkunnig

literature ['lɪtrətʃə] *subst* litteratur

lithe [laɪð] *adj* smidig, vig, böjlig

lithograph ['lɪθəɡrɑːf, 'lɪθəɡræf] *subst*
litografi *[a ~]*

lithography [lɪ'θɒɡrəfɪ] *subst* litografi

Lithuania [ˌlɪθjʊ'eɪnjə] Litauen

Lithuanian l [ˌlɪθjʊ'eɪnjən] *adj* litauisk

ll [ˌlɪθjʊ'eɪnjən] *subst* **1** litauer **2** litauiska
språket

litmus ['lɪtməs] *subst* lackmus *[~ paper]*

litre ['liːtə] *subst* liter *[two ~s of milk]*

litter l ['lɪtə] *subst* **1** skräp, avfall **2** bår **3** kull
[a ~ of pigs; a ~ of puppies]

ll ['lɪtə] *verb*, ~ *up* el. ~ skräpa ner

litterbag ['lɪtəbæɡ] *subst* skräppåse t.ex. i bil

litterbin ['lɪtəbɪn] *subst* papperskorg på allmän
plats

litterbug ['lɪtəbʌɡ] *subst* amer. vard. person
som skräpar ner på allmän plats

litterlout ['lɪtəlaʊt] *subst* vard. person som
skräpar ner på allmän plats

little l ['lɪtl] (komparativ *less*, superlativ *least*) *adj*
liten; pl. små; lill- *[~ finger]*

ll ['lɪtl] (komparativ *less*, superlativ *least*) *adj* o.
adv o. *subst* **1** lite, litet, föga *[of ~ value]*,
ringa *[of ~ importance]*, obetydlig *[~
damage]*; *make* ~ *of* bagatellisera; *the* ~
det lilla *[the ~ I have seen]* **2** *a* ~ lite, litet,
lite grann *[he had a ~ money left]*; *he had* ~
money left han hade inte mycket pengar
kvar; *not a* ~ inte så litet, ganska mycket;
only a ~ bara lite

1 live l [laɪv] *adj* **1** levande **2** inte avbränd,
oanvänd *[a ~ match]*; laddad *[a ~
cartridge]*; skarp *[~ ammunition]*; *a* ~ *coal*
ett glödande kol; ~ *wire* a) strömförande
ledning b) energiknippe **3** radio. el. tv.
direktsänd; ~ *broadcast* direktsändning

ll [laɪv] *adv* radio. el. tv. direkt *[broadcast ~]*

2 live l [lɪv] *verb* **1** leva *[~ a double life]*; leva
kvar *[his memory will always ~]*; *we* ~ *and
learn* man lär så länge man lever; ~ *to see*
få uppleva **2** bo, vara bosatt, vistas

ll [lɪv] *verb* med adv. o. prep.

live down hämta sig efter; *he never lived
down the scandal* han fick aldrig folk att
glömma skandalen

live through genomleva, uppleva

live together leva ihop, sammanbo

~ *it up* vard. leva livet

live up to leva upp till, göra skäl för *[~ up
to one's reputation]*

live-in ['lɪvɪn] *subst*, ~ el. ~ *lover* sambo

livelihood ['laɪvlɪhʊd] *subst* uppehälle, levebröd; *means of* ~ födkrok

lively ['laɪvlɪ] *adj* livlig, pigg [~ *eyes*]; *look* ~*!* raska på!

liven ['laɪvn] *verb*, ~ *up* a) liva upp, pigga upp b) bli livlig (livligare), livas (piggas) upp

liver ['lɪvə] *subst* lever; ~ *disease* leversjukdom; ~ *paste* leverpastej

lives [laɪvz] *subst pl* av *life*

livestock ['laɪvstɒk] *subst* kreatursbesättning, boskap, husdjur

livid ['lɪvɪd] *adj* **1** blåblek, likblek **2** vard. rasande

living I ['lɪvɪŋ] *adj* levande; *are your parents* ~*?* lever dina föräldrar?; *in* ~ *memory* i mannaminne

II ['lɪvɪŋ] *subst* **1** liv, att leva [~ *is expensive these days*]; *standard of* ~ levnadsstandard **2** levebröd; *earn a* (*one's*) ~ el. *make a* (*one's*) ~ förtjäna sitt uppehälle [*by* på]; *what does he do for a* ~*?* vad sysslar han med?, vad lever han av? **3** kyrkl. pastorat **4** före subst. livs-, levnads- [~ *conditions*]; ~ *quarters* bostad; *a* ~ *wage* en lön som man kan leva på

living room ['lɪvɪŋruːm] *subst* vardagsrum

lizard ['lɪzəd] *subst* ödla

'll [l] = *will* o. *shall* [*I'll* = *I will*, *I shall*]

llama ['lɑːmə] *subst* lamadjur

LNB [ˌelenˈbiː] *subst* tv. mikrovågshuvud på parabol

lo [ləʊ] *interj*, ~ *and behold!* har man sett!

load I [ləʊd] *subst* **1** last, börda **2** tekn. belastning **3** vard., pl. ~*s* massor; ~*s of* massor av, en massa; *a* ~ *of rubbish!* en massa skräp!; *get a* ~ *of this!* kolla in det här!

II [ləʊd] *verb* **1** lasta [~ *a ship*]; fylla [~ *the washing machine*] **2** belasta [~ *one's memory with*]; ~ *one's stomach* överlasta magen **3** ladda **4** ~ *dice* förfalska tärningar

loaded ['ləʊdɪd] *perf p* o. *adj* **1** lastad; ~ *dice* falska tärningar **2** vard. tät rik **3** vard. packad, full

1 loaf [ləʊf] (pl. *loaves* [ləʊvz]) *subst* limpa, bröd; ~ *of bread* en limpa, ett bröd; *meat* ~ köttfärslimpa; *tin* ~ formbröd

2 loaf [ləʊf] *verb*, ~ *about* slå dank, stå och hänga

loafer ['ləʊfə] *subst* **1** dagdrivare **2** loafer slags lågsko

loam [ləʊm] *subst* sandblandad lerjord, lätt lerjord

loan I [ləʊn] *subst* lån; *on* ~ a) utlånad b) till låns

II [ləʊn] *verb* låna ut

loan-shark ['ləʊnʃɑːk] *subst* procentare

loath [ləʊθ] *adj* obenägen [*to* att]

loathe [ləʊð] *verb* avsky

loathing ['ləʊðɪŋ] *subst* avsky; äckel

loathsome ['ləʊðsəm] *adj* vidrig, äcklig

loaves [ləʊvz] *subst pl* av *1 loaf*

lob I [lɒb] *subst* sport. lobb

II [lɒb] (-*bb*-) *verb* sport. lobba

lobby ['lɒbɪ] *subst* **1** hall, vestibul, entréhall i t.ex. hotell **2** påtryckningsgrupp

lobe [ləʊb] *subst*, ~ *of the ear* örsnibb

lobelia [ləˈbiːljə] *subst* blomma lobelia

lobster ['lɒbstə] *subst* hummer

lobsterpot ['lɒbstəpɒt] *subst* hummertina

local I ['ləʊkl] *adj* lokal, orts-, på orten; ~ *area network* (förk. *LAN*) data. lokalt datornät; *the* ~ *authorities* de lokala (kommunala) myndigheterna; ~ *government* kommunal självstyrelse; ~ *population* lokalbefolkning

II ['ləʊkl] *subst* **1** ortsbo; *he is a* ~ han är härifrån **2** vard., *the* ~ kvarterspuben

locality [ləˈkælətɪ] *subst* **1** lokalitet, plats, ställe **2** trakt, ort **3** läge, belägenhet

locate [ləʊˈkeɪt] *verb* lokalisera, spåra; *be located* vara belägen, ligga

location [ləʊˈkeɪʃən] *subst* **1** läge, plats **2** film., *shoot films on* ~ filma på platsen

loch [lɒk] *subst* skotska **1** insjö **2** fjord

1 lock [lɒk] *subst* lock, hårlock

2 lock I [lɒk] *subst* **1** lås; *under* ~ *and key* inom lås och bom; *put sth under* ~ *and key* låsa in ngt **2** ~, *stock and barrel* rubb och stubb **3** sluss

II [lɒk] *verb* **1** låsa, stänga med lås; ~ *out* a) låsa ut b) lockouta; ~ *up* a) låsa till, stänga till [~ *up a room*] b) låsa in, spärra in [~ *up a prisoner*] **2** gå i lås, låsas, gå att låsa; ~ *up* låsa efter sig **3** låsa sig

locker ['lɒkə] *subst* låsbart skåp, låsbart fack; ~ *room* omklädningsrum

locket ['lɒkɪt] *subst* medaljong

lockjaw ['lɒkdʒɔː] *subst* vard. stelkramp

lockout ['lɒkaʊt] *subst* lockout

locksmith ['lɒksmɪθ] *subst* låssmed, klensmed

lock-up ['lɒkʌp] *subst* arrest, finka

locomotive [ˌləʊkəˈməʊtɪv] *subst* lokomotiv, lok

locust ['ləʊkəst] *subst* gräshoppa från Asien el. Afrika

lodge I [lɒdʒ] *subst* **1** jakthydda, jaktstuga

2 portvaktsrum

II [lɒdʒ] verb **1** inkvartera, hysa, logera, ta in **2** framföra; ~ *a complaint* framföra ett klagomål **3** deponera [~ *money in the bank*] **4** hyra rum, bo [*with* hos]

lodger ['lɒdʒə] subst inneboende, hyresgäst

lodging ['lɒdʒɪŋ] subst **1** husrum; ~ *for the night* nattlogi **2** pl. ~**s** hyresrum

lodging house ['lɒdʒɪŋhaʊs] subst enklare hotell

loft [lɒft] subst vind, loft

lofty ['lɒftɪ] adj litt. **1** hög, imponerande [*a ~ tower*], ståtlig; om rum hög i taket **2** hög [~ *ideals*]

log I [lɒg] subst **1** stock; *sleep like a* ~ sova som en stock **2** vedträ **3** sjö. logg

[lɒg] (-*gg*-) verb data., ~ *in* logga in; ~ *out* logga ut

loganberry ['lɔʊgənbərɪ] subst loganbär en korsning mellan hallon och björnbär

logbook ['lɒgbʊk] subst sjö. el. flyg. loggbok

log cabin ['lɒg‚kæbɪn] subst timmerstuga

loggerhead ['lɒgəhed] subst, *be at* ~*s* vara osams

logic ['lɒdʒɪk] subst logik

logical ['lɒdʒɪkl] adj logisk, följdriktig

loin [lɔɪn] subst **1** pl. ~**s** länder **2** kok. njurstek, fransyska

loin-cloth ['lɔɪnklɒθ] subst höftskynke

loiter ['lɔɪtə] verb **1** söla **2** stå och hänga; ~ *about* el. ~ dra omkring; *no loitering* på skylt förbjudet att vistas på området

loll [lɒl] verb **1** ligga och dra sig [~ *in bed*]; sitta och slappa **2** ~ *out* hänga ut ur munnen [*the dog's tongue was lolling out*]

lone [ləʊn] adj (endast före subst.) ensam [*a ~ wolf*], enslig

lonely ['ləʊnlɪ] adj **1** ensam **2** öde, ödslig

lonely-hearts [‚ləʊnlɪ'hɑːts] subst pl, ~ *club* ensamma hjärtans klubb; ~ *racketeer* sol-och-vårare

lonesome ['ləʊnsəm] adj ensam

1 long [lɒŋ] verb längta [*for* efter]

2 long I [lɒŋ] adj lång; längd- [~ *jump*]

II [lɒŋ] subst, *the ~ and short of it* summan av kardemumman, kontentan

III [lɒŋ] adv **1** länge; ~ *live the King!* leve kungen!; *he had not* ~ *eaten* han hade nyss ätit **2** hel; *an hour* ~ en hel timme; *all day* ~ hela dagen

IV [lɒŋ] adj o. subst o. adv i diverse förbindelser: *I shan't be* ~ el. *I won't be* ~ jag är strax tillbaka; *be* ~ *about sth* hålla på länge med ngt; *it was not* ~ *before he came* det dröjde inte länge förrän han kom; *he was not* ~ *coming* han lät inte vänta på sig; *take* ~ ta lång tid; ~ *ago* för länge sedan; *as* ~ så lång tid [*three times as* ~]; *as* ~ *as* el. *so* ~ *as* a) så länge, så länge som [*stay as* ~ *as you like*], lika länge som [*she stayed as* ~ *as I did*] b) om … bara [*you may borrow the book so* ~ *as you keep it clean*]; *as* ~ *as 10 years ago* redan för 10 år sedan; *before* ~ inom kort, snart; *for* ~ länge; på länge; *so* ~*!* vard. hej så länge!

long-distance [‚lɒŋ'dɪstəns] adj långdistans- [~ *flight*]; ~ *call* rikssamtal

longing I ['lɒŋɪŋ] adj längtansfull

II ['lɒŋɪŋ] subst längtan [*for* efter]

longish ['lɒŋɪʃ] adj rätt så lång, längre

---

lollipop
Vid övergångsställen nära skolor i Storbritannien står ofta trafikvakter. De hejdar bilarna när barnen ska gå över. Trafikvakten kallas ofta *lollipop man* eller *lollipop lady*, eftersom han eller hon är utrustad med en rund stoppskylt som ser ut som en stor slickepinne.

lollipop ['lɒlɪpɒp] subst klubba, slickepinne

lolly ['lɒlɪ] subst vard. klubba, slickepinne; *ice* ~ isglass pinne

London ['lʌndən]

Londoner ['lʌndənə] subst Londonbo; *she is a* ~ hon kommer från London

---

London
London är Storbritanniens huvudstad och största stad. Här finns många berömda platser, byggnader och turistattraktioner, t.ex. *Piccadilly Circus, the Houses of Parliament* Parlamentshuset, *Buckingham Palace* den kungliga familjens residens, *St Paul's Cathedral, the Tower of London* Towern och *Madame Tussaud's* vaxkabinett. Genom London flyter floden *the Thames,* Themsen. London är en viktig hamnstad, *port,* och centrum för industri, affärsvärld och turism.

longitude ['lɒndʒɪtjuːd] *subst* longitud
long-lived [ˌlɒŋ'lɪvd] *adj* långlivad, långvarig
long-range [ˌlɒŋ'reɪndʒ] *adj* långdistans- [~ *flight*]; ~ *forecast* långtidsprognos
long-shoreman ['lɒŋʃɔːmæn] *subst amer.* stuveriarbetare, stuvare
long-sighted [ˌlɒŋ'saɪtɪd] *adj* långsynt
long-standing ['lɒŋˌstændɪŋ] *adj* gammal, långvarig
long-term ['lɒŋtɜːm] *adj* **1** lång, långfristig [~ *loans*] **2** på lång sikt, långsiktig [~ *policy*]
long-winded [ˌlɒŋ'wɪndɪd] *adj* långrandig
loo [luː] *subst vard.*, *the* ~ toa, dass
look I [lʊk] *verb* **1** titta [*at* på] **2** leta, söka [*for* efter] **3** verka, förefalla, synas; ~ *like* se ut som, likna; *what does he* ~ *like?* hur ser han ut?; *it* ~*s like rain* det ser ut att bli regn; *she* ~*s 50* hon ser ut som 50; *make sb* ~ *a fool* göra ngn till ett åtlöje
II [lʊk] *verb* med adv. o. prep.
look about se sig om
look after 1 se efter, sköta om, ha (ta) hand om; ~ *after oneself* klara sig själv, sköta om sig **2** sköta, bevaka [~ *after one's interests*]
look at se på, titta på; *it isn't much to* ~ *at* det ser ingenting ut
look back 1 se sig om **2** se tillbaka, tänka tillbaka **3** *from then on he never looked back* från och med då gick det stadigt framåt för honom
look down se ned; ~ *down on sb* se ned på ngn
look for 1 leta efter **2** vänta sig
look forward se framåt; ~ *forward to* se fram emot
look in titta in [*on sb* till ngn], hälsa på [*on sb* ngn]
look into 1 se in i, titta in i **2** undersöka [*I'll* ~ *into the matter*]
look on 1 se 'på, titta 'på **2** betrakta [~ *on sb with distrust*]
look out 1 se ut, titta ut [~ *out of the window*] **2** se sig för; ~ *out!* se upp!, akta dig! **3** ~ *out on* el. ~ *out over* ha utsikt över
look over 1 se över **2** se igenom, granska
look round 1 se sig om; ~ *round the town* se sig om i staden **2** se sig om [*for* efter]
look to 1 se på, se till **2** ~ *to sb for sth* vänta sig ngt av ngn
look up 1 se upp, titta upp; ~ *up to sb* se upp till ngn **2** *things are looking up* det

börjar ljusna, det tar sig **3** ta reda på, slå upp [~ *up a word in a dictionary*] **4** vard. söka upp, hälsa på
look upon betrakta [~ *upon sb with distrust*]
III [lʊk] *subst* **1** blick, titt; *let me have a* ~ får jag se; *have a* ~ *at* el. *take a* ~ *at* ta en titt på **2** utseende, uttryck [*an ugly* ~ *on his face*] **3** ~*s* pl. uppsyn, min [*angry* ~*s*], uppsyn **4** pl. ~*s* persons utseende [*she has her mother's* ~*s*]; *I don't like the* ~ *of it* jag tycker inte om det, det verkar oroande
look-alike ['lʊkəlaɪk] *subst* vard. dubbelgångare
looker-on [ˌlʊkər'ɒn] (pl. *lookers-on* [ˌlʊkəz'ɒn]) *subst* åskådare
look-in ['lʊkɪn] *subst vard.* **1** titt, påhälsning **2** chans [*I didn't even get a* ~]
looking glass ['lʊkɪŋglɑːs] *subst* spegel
look-out ['lʊkaʊt] *subst*, *keep a good* ~ hålla skarp utkik [*for* efter]; *that's my* ~ det är min ensak; *be on the* ~ *for* hålla utkik efter
1 loom [luːm] *subst* **1** vävstol
2 loom [luːm] *verb* dyka fram, dyka upp; ~ *ahead* hota, vara i annalkande [*dangers looming ahead*]
loop I [luːp] *subst* **1** ögla, slinga; hängare **2** spiral livmoderinlägg
II [luːp] *verb* **1** göra en ögla på **2** flyg., ~ *the loop* göra en looping
loophole ['luːphəʊl] *subst* **1** kryphål [*a* ~ *in the law*] **2** skottglugg
loose [luːs] *adj* **1** lös, slapp [~ *skin*]; glapp; *be at a* ~ *end* vard. vara sysslolös, inte ha något för sig; *come* ~ lossna; *set* ~ släppa lös, släppa fri **2** lösaktig; ~ *morals* lättfärdighet
loose-fitting ['luːsˌfɪtɪŋ] *adj* löst sittande, ledig, vid
loose-leaf ['luːsliːf] *adj* lösblads- [~ *book*]
loosen ['luːsn] *verb* **1** lossa [~ *a screw*], lösa upp [~ *a knot*] **2** göra lösare, luckra upp; ~ *up* mjuka upp [~ *up one's muscles*]
loot I [luːt] *subst* byte, rov
II [luːt] *verb* plundra
looter ['luːtə] *subst* plundrare
lop-sided [ˌlɒp'saɪdɪd] *adj* sned, skev
lord I [lɔːd] *subst* **1** herre, härskare [*of* över]; *Our Lord* Vår Herre och Frälsare; *in the year of our Lord 1500* år 1500 efter Kristi födelse; *the Lord's Prayer* fadervår; *good Lord!* Herre Gud!; *Lord knows who* (*how*)*!* vard. Gud vet vem (hur)! **2** lord; *live like a* ~ leva furstligt;

as drunk as a ~ full som en alika; *swear like a* ~ svära som en borstbindare **3** *the House of Lords* el. *the Lords* överhuset; *Lord* Lord adelstitel före namn
ll [lɔːd] *verb,* ~ *it over* spela herre över
lordship [ˈlɔːdʃɪp] *subst* **1** herravälde [*over* över] **2** *Your Lordship* Ers nåd
lore [lɔː] *subst* kultur [*Irish* ~]
lorry [ˈlɒrɪ] *subst* lastbil
lorry-driver [ˈlɒrɪˌdraɪvə] *subst* lastbilschaufför, lastbilsförare
lose [luːz] (*lost lost*) *verb* **1** förlora, mista, tappa, tappa bort; ~ *sight of* a) förlora ur sikte b) bortse från, glömma; ~ *one's way* el. ~ *the way* råka (gå, köra) vilse; ~ *weight* gå ned i vikt **2** förspilla, ödsla [~ *time*]
loser [ˈluːzə] *subst* förlorare
loss [lɒs] *subst* **1** förlust; ~ *of appetite* bristande aptit; *no* ~ *of life* inga förluster i människoliv; ~ *of sleep* brist på sömn; ~ *of time* tidsförlust; *sell at a* ~ sälja med förlust **2** *be at a* ~ vara villrådig; *he is never at a* ~ han vet alltid råd; *be at a* ~ *for words* sakna ord
lost l [lɒst] *imperf.* av *lose*
ll [lɒst] *adj* o. *perf p* (av *lose*) **1** förlorad, borttappad; *get* ~ komma bort, försvinna; ~ *property office* hittegodsexpedition **2** vilsekommen [*a* ~ *child*]; bortkommen, vilsen [*I felt* ~]; hjälplös [*I'm* ~ *without my glasses*] **3** förtappad, fördömd [*a* ~ *soul*] **4** försummad [~ *opportunities*]; *be* ~ *on* vara bortkastad på [*the joke was* ~ *on her*]
lot [lɒt] *subst* **1** vard. massa, mängd; *a* ~ mycket [*he is a* ~ *better*]; ~*s* massor; *quite a* ~ en hel del, rätt mycket; *that's a fat* ~! det är minsann inte mycket!; *the* ~ allt, alltihop **2** tomt [*building* ~], plats [*burial* ~] **3** lott
lotion [ˈləʊʃən] *subst* vätska, lösning; *hair* ~ hårvatten; *setting* ~ läggningsvätska; *suntan* ~ solmjölk, sololja
lottery [ˈlɒtərɪ] *subst* lotteri; ~ *ticket* lottsedel
lotto [ˈlɒtəʊ] *subst* lotto, lottospel
lotus [ˈləʊtəs] *subst* lotus, lotusblomma
loud l [laʊd] *adj* **1** hög [~ *voice*], högljudd; *in a* ~ *voice* med hög röst; *the* ~ *pedal* musik. vard. fortepedalen **2** skrikig [*a* ~ *tie*], vulgär
ll [laʊd] *adv* högt [*don't speak so* ~!]
loud-hailer [ˌlaʊdˈheɪlə] *subst* megafon
loudmouth [ˈlaʊdmaʊθ] *subst* gaphals

loud-mouthed [ˈlaʊdmaʊθt] *adj* högljudd, skränig
loudspeaker [ˌlaʊdˈspiːkə] *subst* högtalare
lounge l [laʊndʒ] *verb,* ~ *about* el. ~ a) gå och driva b) stå (sitta) och hänga, lata sig; ~ *away* slöa bort [~ *away an hour*]
ll [laʊndʒ] *subst* **1** i bostad vardagsrum **2** vestibul, foajé, hall [*the hotel* ~] **3** salong; *cocktail* ~ cocktailbar; *the* ~ *bar* i pub den 'finaste' avdelningen
lounger [ˈlaʊndʒə] *subst* dagdrivare, lätting
lounge suit [ˌlaʊndʒˈsuːt] *subst* kostym
louse [laʊs] *subst* **1** (pl. *lice* [laɪs]) lus **2** vard., person äckel, knöl
lousy [ˈlaʊzɪ] *adj* **1** lusig **2** vard., ~ *with* nedlusad med [~ *with money*] **3** vard. urdålig, urusel [*a* ~ *dinner, feel* ~], jäkla [*you* ~ *swine*]
lout [laʊt] *subst* slyngel, drummel, tölp
loutish [ˈlaʊtɪʃ] *adj* slyngelaktig, drumlig
lovable [ˈlʌvəbl] *adj* gullig, älsklig
love l [lʌv] *subst* **1** kärlek [*of sb, for sb* till ngn; *of sth* till ngt]; förälskelse [*for i*]; *make* ~ älska, ligga med varandra; *make* ~ *to* älska med, ligga med; ~ *of mankind* människokärlek; *it is not to be had for* ~ *or money* det går inte att få för pengar; *in* ~ förälskad, kär [*with i*]; *fall in* ~ *with* förälska sig i, bli kär i **2** hälsning, hälsningar; *give him my* ~ hälsa honom så mycket; *send sb one's* ~ hälsa till ngn; *lots of* ~ el. ~ i brevslut hjärtliga hälsningar **3** älskling, raring, lilla vän **4** i tennis noll
ll [lʌv] *verb* **1** älska **2** tycka mycket om, vara förtjust i; *yes, I'd* ~ *to!* ja, mycket gärna!
love affair [ˈlʌvəˌfeə] *subst* kärlekshistoria
lovebirds [ˈlʌvbɜːdz] *subst pl* turturduvor; kärlekspar
love game [ˈlʌvgeɪm] *subst* i tennis blankt game
lovely l [ˈlʌvlɪ] *adj* **1** förtjusande, vacker, söt **2** härlig, underbar
ll [ˈlʌvlɪ] *subst* skönhet
love-making [ˈlʌvˌmeɪkɪŋ] *subst* älskande
lover [ˈlʌvə] *subst* **1** älskare; *the* ~*s* de älskande **2** vän, älskare; *be a* ~ *of* älska, tycka om
lovesick [ˈlʌvsɪk] *adj* kärlekskrank
loving [ˈlʌvɪŋ] *adj* kärleksfull; *a* ~ *couple* ett älskande par
1 low [ləʊ] *verb* råma, böla
2 low [ləʊ] *adj* **1** låg; *the Low Countries* Nederländerna, Belgien och Luxemburg; ~ *pressure* lågtryck; *the tide is* ~ det är

ebb; *in a ~ voice* med låg röst **2** ringa, obetydlig; ~ *rainfall* låg nederbörd; ~ *in protein* fattig på protein **3** simpel, låg, vulgär **4** nere, deppig

II [ləʊ] *adv* **1** lågt; djupt [*bow* ~]; lågmält; ~ *down on the list* långt ner på listan; *lay* ~ a) kasta omkull, döda b) tvinga att ligga till sängs [*influenza has laid him* ~]; *lie* ~ a) ligga kullslagen b) hålla sig gömd c) vard. ligga lågt **2** knappt **3** *as* ~ *as* ända ner till

III [ləʊ] *subst* botten, bottennotering [*a new* ~ *in bad taste*]

low-alcohol [ˌləʊˈælkəhɒl] *adj*, ~ *beer* lättöl

lowbrow I [ˈləʊbraʊ] *adj* vard. ointellektuell, obildad

II [ˈləʊbraʊ] *subst* vard. ointellektuell person

low-class [ˌləʊˈklɑːs] *adj* enklare, sämre, andra klassens [*a* ~ *pub*]

low-cut [ˈləʊkʌt] *adj* urringad

lowdown [ˈləʊdaʊn] *subst* vard., *give the* ~ *on* tipsa om, berätta senaste nytt om

low-down [ˈləʊdaʊn] *adj* **1** nedrig, gemen **2** förfallen, eländig

lower I [ˈləʊə] *adj* lägre, obetydligare, undre [~ *limit*]; nedre; *the* ~ *classes* de lägre klasserna, underklassen

II [ˈləʊə] *adv* lägre; ~ *down* längre ner

III [ˈləʊə] *verb* **1** sänka, sänka ner, fälla ner; ~ *a flag* hala en flagga; ~ *oneself* a) sänka sig b) nedlåta sig **2** dämpa, skruva ner [~ *the radio*]

lower-case [ˈləʊəkeɪs] *adj*, ~ *letter* liten bokstav

lowermost [ˈləʊəməʊst] *adj* lägst, underst

lowest I [ˈləʊɪst] *adj* o. *adv* lägst

II [ˈləʊɪst] *subst*, *at the* ~ lägst [*ten at the* ~]

low-grade [ˈləʊgreɪd] *adj* lågvärdig, av låg kvalitet

low-key [ˈləʊkiː] *adj* lågmäld, dämpad

lowland I [ˈləʊlənd] *subst* lågland; *the Lowlands* Skotska lågländerna

II [ˈləʊlənd] *adj* låglands-

low-lying [ˌləʊˈlaɪɪŋ] *adj* låglänt

low-minded [ˌləʊˈmaɪndɪd] *adj* lågsinnad, vulgär

low-necked [ˌləʊˈnekt] *adj* låghalsad, urringad

low-paid [ˌləʊˈpeɪd] *adj* lågavlönad

low-pitched [ˌləʊˈpɪtʃt] *adj* låg, lågmäld [*a* ~ *voice*]

low-powered [ˌləʊˈpaʊəd] *adj* svag, med liten effekt [*a* ~ *engine*]

low-rise [ˈləʊraɪz] *adj*, ~ *building* låghus

low-tar [ˌləʊˈtɑː] *adj* med låg tjärhalt [~ *cigarettes*]

low-voltage [ˌləʊˈvəʊltɪdʒ] *adj* svagströms- [~ *motor*], lågspännings-

loyal [ˈlɔɪəl] *adj* lojal, solidarisk [*to* mot, med], trofast, pålitlig [*a* ~ *friend*]

loyalty [ˈlɔɪəltɪ] *subst* lojalitet, trofasthet

lozenge [ˈlɒzɪndʒ] *subst* pastill, tablett [*throat* ~]

LSD [ˌelesˈdiː] *subst* LSD narkotiskt medel

Ltd. [ˈlɪmɪtɪd] (förk. för *Limited*) AB

lubricant [ˈluːbrɪkənt] *subst* smörjmedel

lubricate [ˈluːbrɪkeɪt] *verb* smörja, olja in, smörja in

lubricating [ˈluːbrɪkeɪtɪŋ] *adj* smörj- [~ *oil*]

lubrication [ˌluːbrɪˈkeɪʃən] *subst* smörjning; insmörjning

lucid [ˈluːsɪd] *adj* klar, redig

luck [lʌk] *subst* lycka, tur; *any* ~? lyckades det?; *bad* ~ otur; *good* ~ lycka, tur; *good* ~! lycka till!; *hard* ~ el. *tough* ~ vard. otur [*on sb* för ngn]; *just my* ~! iron. det är min vanliga tur!; *the best of* ~! lycka till!

luckily [ˈlʌkəlɪ] *adv* lyckligtvis, som tur var

lucky [ˈlʌkɪ] *adj* som har tur, med tur [*a* ~ *man*]; lyckosam, lycklig, tursam; *be* ~ a) ha tur b) vara tur [*it's* ~ *for him*]; *a* ~ *charm* en lyckobringade amulett; *it's my* ~ *day* det är min lyckodag (turdag); *you* ~ *devil!* el. *you* ~ *dog!* din lyckans ost!; ~ *number* turnummer; *third time* ~!

tredje gången gillt!; *strike* ~ ha tur

lucrative [ˈluːkrətɪv] *adj* lukrativ, lönande

ludicrous [ˈluːdɪkrəs] *adj* löjlig

ludo [ˈluːdəʊ] *subst* spel fia

lug [lʌg] (*-gg-*) *verb* släpa på, kånka på

luggage [ˈlʌgɪdʒ] *subst* bagage; *a piece of* ~ ett kolli

luggage label [ˈlʌgɪdʒˌleɪbl] *subst* adresslapp

luggage office [ˈlʌgɪdʒˌɒfɪs] *subst* resgodsexpedition

luggage rack [ˈlʌgɪdʒræk] *subst* bagagehylla

luggage van [ˈlʌgɪdʒvæn] *subst* resgodsvagn

lukewarm [ˈluːkwɔːm] *adj* **1** ljum [~ *tea*] **2** halvhjärtad [~ *support*]

lull I [lʌl] *verb* **1** vyssja, lulla [*to sleep* till sömns] **2** lugna, stilla [~ *sb's fears*]; ~ *sb into a false sense of security* invagga ngn i falsk säkerhet

II [lʌl] *subst* paus, uppehåll [*a* ~ *in the conversation*]; *the* ~ *before the storm* lugnet före stormen

lullaby [ˈlʌləbaɪ] *subst* vaggvisa, vaggsång

lumbago [lʌmˈbeɪgəʊ] *subst* med. ryggskott

lumber I [ˈlʌmbə] *subst* **1** skräp, bråte **2** spec. amer. timmer, virke

II [ˈlʌmbə] *verb*, ~ *up* el. ~ belamra

lumberjack ['lʌmbədʒæk] *subst* skogshuggare

lumberyard ['lʌmbəjɑːd] *subst* brädgård

luminous ['luːmɪnəs] *adj* självlysande [~ *paint*]; ~ *tape* reflexband

lump I [lʌmp] *subst* **1** klump, stycke, bit; ~ *sugar* bitsocker; *a ~ of sugar* en sockerbit **2** bula, knöl

II [lʌmp] *verb*, ~ *together* a) slå ihop i klump, bunta ihop b) behandla i klump

lumpy ['lʌmpɪ] *adj* full av klumpar, klimpig

lunacy ['luːnəsɪ] *subst* vansinne, vanvett

lunar ['luːnə] *adj* mån-; ~ *landscape* månlandskap

lunatic ['luːnətɪk] *subst* galning, dåre

lunch I [lʌntʃ] *subst* lunch; ~ *packet* el. *packed* ~ lunchmatsäck, lunchkorg

II [lʌntʃ] *verb* äta lunch

luncheon ['lʌntʃən] (formellt för *lunch*) *subst* lunch

lunch hour ['lʌntʃ‚aʊə] *subst* lunchrast

lunchtime ['lʌntʃtaɪm] *subst* lunchdags

lung [lʌŋ] *subst* lunga; före subst. lung- [~ *cancer*]

lunge I [lʌndʒ] *subst* utfall, häftig rörelse

II [lʌndʒ] *verb* **1** ~ *out* el. ~ göra utfall [*at* mot] **2** stöta, sticka t.ex. vapen [*into* i]

lupin ['luːpɪn] *subst* lupin blomma

1 lurch I [lɜːtʃ] *subst* krängning, raglande, vinglande

II [lɜːtʃ] *verb* kränga, ragla, vingla

2 lurch [lɜːtʃ] *subst*, *leave in the* ~ lämna i sticket

lure I [ljʊə, lʊə] *subst* lockelse, dragningskraft [*the ~ of the sea*]

II [ljʊə, lʊə] *verb* locka, lura

lurid ['ljʊərɪd] *adj* **1** brandröd, flammande [*a ~ sunset*]; skrikig, gräll **2** makaber [~ *details*]

lurk [lɜːk] *verb* stå på lur, ligga på lur

luscious ['lʌʃəs] *adj* **1** läcker, delikat [~ *peaches*] **2** vard. yppig [*a ~ blonde*]

lush [lʌʃ] *adj* frodig, yppig; grönskande

lust I [lʌst] *subst* lusta, åtrå [*for* efter]

II [lʌst] *verb*, ~ *for* åtrå, törsta efter

lustful ['lʌstfʊl] *adj* lysten [~ *eyes*], vällustig

lustre ['lʌstə] *subst* glans, lyster

lustrous ['lʌstrəs] *adj* glänsande, skimrande

lusty ['lʌstɪ] *adj* kraftfull, livskraftig; kraftig [*a ~ kick*]

Lutheran I ['luːθərən] *subst* lutheran

II ['luːθərən] *adj* luthersk

Luxembourg ['lʌksəmbɜːg] Luxemburg

luxuriant [lʌɡ'zjʊərɪənt] *adj* frodig, yppig, ymnig; ~ *hair* yvigt hår

luxurious [lʌɡ'zjʊərɪəs] *adj* luxuös, lyxig, flott [*a ~ hotel*]

luxury ['lʌkʃərɪ] *subst* **1** lyx, överflöd, överdåd; lyx- [*a ~ hotel*] **2** lyxartikel, lyxvara

lying I ['laɪɪŋ] pres. p. av *2 lie I*

II ['laɪɪŋ] *adj* lögnaktig

III ['laɪɪŋ] *subst* ljugande

lymph [lɪmf] *subst* anat. lymfa

lynch [lɪntʃ] *verb* lyncha

lynx [lɪŋks] *subst* lo, lodjur

lyric I ['lɪrɪk] *adj* lyrisk; ~ *poetry* el. ~ *verse* lyrik

II ['lɪrɪk] *subst* lyrisk dikt; pl. ~*s* a) lyrik b) sångtext

lyrical ['lɪrɪkəl] *adj* lyrisk

Mm

1 M o. **m** [em] *subst* M, m
2 M förk. för *motorway* [*the M1* [ˌemˈwʌn]
motorväg i England]
m. förk. för *metre, metres, mile, miles, minute, minutes*
'm = *am* [*I'm*]
MA [ˌemˈeɪ] (förk. för *Master of Arts*) ungefär fil. kand.
ma [mɑː] *subst* vard. mamma
ma'am [mæm] *subst* frun i tilltal
mac [mæk] *subst* vard. regnrock, regnkappa
macabre [məˈkɑːbrə] *adj* makaber, kuslig
macadam [məˈkædəm] *subst* makadam
macaroni [ˌmækəˈrəʊni] *subst* makaroner
macaroon [ˌmækəˈruːn] *subst* mandelbiskvi, polyné
mace [meɪs] *subst* muskotblomma krydda
Macedonia [ˌmæsɪˈdəʊnɪə] Makedonien
machine [məˈʃiːn] *subst* **1** maskin, apparat, automat **2** maskineri, partiapparat
machine-gun [məˈʃiːngʌn] *verb* skjuta med kulspruta
machine gun [məˈʃiːngʌn] *subst* kulspruta, maskingevär
machine-gunner [məˈʃiːnˌgʌnə] *subst* kulspruteskytt
machinery [məˈʃiːnərɪ] *subst* maskiner, maskineri
macho [ˈmætʃəʊ] (pl. ~s) *subst* macho, karlakarl
mackerel [ˈmækrəl] (pl. lika) *subst* fisk makrill
mackintosh [ˈmækɪntɒʃ] *subst* regnrock, regnkappa
mad [mæd] *adj* **1** vansinnig, galen, tokig; *it's enough to drive one* ~ det är så man kan bli vansinnig; *like* ~ som besatt, vilt; *raving* ~ el. *as* ~ *as a hatter* spritt galen; ~ *cow disease* galna ko-sjukan **2** spec. amer. arg, förbaskad [*at, with* på] **3** ilsken [*a* ~ *bull*]; galen [*a* ~ *dog*]
madam [ˈmædəm] *subst* i tilltal: *Madam* frun, fröken; *can I help you, ~?* kan jag hjälpa er (damen)?; *Dear Madam* el. *Madam* inledning i formella brev: utan motsvarighet i svenskan
madcap [ˈmædkæp] *subst* vildhjärna, yrhätta
madden [ˈmædn] *verb* göra galen, göra ursinnig

maddening [ˈmædnɪŋ] *adj* irriterande, outhärdlig [~ *delays*]
made I [meɪd] imperf. av *make*
II [meɪd] *adj* o. *perf p* (av *make*) **1** gjord, tillverkad **2** konstruerad, uppbyggd [*the plot is well* ~] **3** som lyckats [*a* ~ *man*]; *he's* ~ *for life* el. *he's* ~ vard. hans lycka är gjord
Madeira [məˈdɪərə] *subst* madeira vin
made-to-measure [ˌmeɪdtəˈmeʒə] *adj* måttbeställd, måttsydd
made-up [ˌmeɪdˈʌp] *adj* **1** uppdiktad [*a* ~ *story*] **2** sminkad, målad
madhouse [ˈmædhaʊs] *subst* vard. dårhus
madman [ˈmædmən] (pl. *madmen* [ˈmædmən]) *subst* dåre, galning
madness [ˈmædnəs] *subst* vansinne, galenskap
Madonna [məˈdɒnə] *subst* madonna [*the* ~]
Mafia o. **Maffia** [ˈmæfɪə, ˈmɑːfɪə] *subst* maffia
magazine [ˌmægəˈziːn] *subst* **1** illustrerad tidning, veckotidning **2** magasin i gevär
maggot [ˈmægət] *subst* **1** larv **2** mask i ost el. kött
magic I [ˈmædʒɪk] *adj* magisk [~ *rites*], troll- [~ *flute*], förtrollad; ~ *wand* trollspö, trollstav
II [ˈmædʒɪk] *subst* **1** magi [*black* ~], trolldom, trollkonster; *like* ~ som genom ett trollslag **2** tjuskraft
magical [ˈmædʒɪkəl] *adj* magisk [~ *effect*], förtrollande
magician [məˈdʒɪʃən] *subst* trollkarl, magiker
magistrate [ˈmædʒɪstreɪt] *subst*

Madame Tussaud's
[ˌmædəmtəˈsɔːdz]
Marie Tussaud var en skicklig fransk porträttskulptör. Under franska revolutionen tvingades hon göra dödsmasker av berömda personer som avrättades. 1802 flyttade hon till England. I 33 år åkte hon runt och visade sina masker innan hon 1835 grundade *Madame Tussaud's* vaxmuseum. I dag är *Madame Tussaud's* en av Londons stora attraktioner och lockar varje år till sig 2,5 miljoner besökare.

fredsdomare; domare; *magistrates'
court* ungefär tingsrätt

magnanimity [ˌmægnəˈnɪmətɪ] *subst*
storsinthet, ädelmod

magnanimous [mægˈnænɪməs] *adj* storsint

magnate [ˈmægneɪt] *subst* magnat

magnesium [mægˈniːzɪəm] *subst* kem.
magnesium

magnet [ˈmægnət] *subst* magnet

magnetic [mægˈnetɪk] *adj* **1** magnetisk; ~
tape magnetband **2** tilldragande [*a ~
personality*]

magnetism [ˈmægnətɪzəm] *subst*
1 magnetism **2** dragningskraft [*his ~*]

magnetize [ˈmægnətaɪz] *verb* magnetisera

magnificence [məgˈnɪfɪsns] *subst*
storslagenhet, prakt

magnificent [məgˈnɪfɪsnt] *adj* storslagen,
magnifik

magnify [ˈmægnɪfaɪ] *verb* förstora;
magnifying glass förstoringsglas

magnitude [ˈmægnɪtjuːd] *subst* storlek,
omfattning, betydelse, vikt

magnolia [mægˈnəʊlɪə] *subst* blomma
magnolia

magpie [ˈmægpaɪ] *subst* fågel skata

mahogany [məˈhɒɡənɪ] *subst* träd el. trä
mahogny

maid [meɪd] *subst* **1** hembiträde, tjänsteflicka
2 poetiskt mö **3** ungmö; *old* ~ gammal
ungmö, gammal nucka

maiden I [ˈmeɪdn] *subst* poetiskt mö
II [ˈmeɪdn] *adj* **1** ogift [*my ~ aunt*]; ~
name flicknamn som ogift **2** jungfru-; ~
speech jungfrutal; ~ *voyage* båts
jungfruresa

maidenhead [ˈmeɪdnhed] *subst* anat.
mödomshinna

maidservant [ˈmeɪdˌsɜːvənt] *subst*
hembiträde, tjänsteflicka

mail
Mail är det vanliga ordet för post i
amerikansk engelska. I brittisk eng-
elska används också post. E-post,
mejl heter *E-mail*.

1 mail [meɪl] *subst*, *coat of* ~ brynja

2 mail I [meɪl] *subst* post försändelser [*you've
got ~*; *open the ~*]; ~ *order* postorder;
send by ~ skicka med posten
the Royal Mail brittiska postverket

II [meɪl] *verb* skicka med posten, posta,
lägga på [*~ a letter*]

mailbag [ˈmeɪlbæg] *subst* postsäck,
postväska

mailbox [ˈmeɪlbɒks] *subst* o. amer. **mail-drop**
[ˈmeɪldrɒp] *subst* brevlåda

mailman [ˈmeɪlmæn] *subst* spec. amer.
brevbärare

mail-order [ˈmeɪlˌɔːdə] *adj* postorder- [*~
firm*]

maim [meɪm] *verb* lemlästa, stympa;
skadskjuta

main I [meɪn] *adj* huvudsaklig, väsentlig;
störst; huvud- [*~ building*; ~ *road*]; *the ~
floor* amer. bottenvåningen, gatuplanet; ~
street amer. huvudgata
II [meɪn] *subst* **1** *in the* ~ i huvudsak **2** *with
might and* ~ av alla krafter
3 huvudledning för vatten, gas, elektricitet; pl.
~s elektr. nät; *~s set* radio. nätansluten
apparat

mainfloor [ˌmeɪnˈflɔː] *subst* amer., *the ~*
gatuplanet i varuhus; bottenvåning

mainframe [ˈmeɪnfreɪm] *subst*, ~ *computer*
el. ~ stordator

mainland [ˈmeɪnlənd] *subst* fastland

mainly [ˈmeɪnlɪ] *adv* huvudsakligen, mest

mains-operated [ˈmeɪnzˌɒpəreɪtɪd] *adj*
elektr. nätansluten

mainstay [ˈmeɪnsteɪ] *subst* stöttepelare

mainstream [ˈmeɪnstriːm] *adj* traditionell,
normgivande

maintain [meɪnˈteɪn] *verb* **1** upprätthålla,
vidmakthålla [*~ law and order*]
2 underhålla, hålla i gott skick; ~ *a family*
försörja en familj **3** påstå, vidhålla, hävda
4 hålla på, hävda [*~ one's rights*]

maintenance [ˈmeɪntənəns] *subst*
1 upprätthållande, vidmakthållande
2 underhåll, skötsel **3** försörjning av familj;
pay ~ betala underhåll **4** vidhållande,
hävdande

maisonette [ˌmeɪzəˈnet] *subst*
etagelägenhet, tvåplanslägenhet

maize [meɪz] *subst* majs

majestic [məˈdʒestɪk] *adj* majestätisk

majesty [ˈmædʒəstɪ] *subst* **1** storslagenhet
[*the ~ of Rome*] **2** *Your* (*His, Her*)
Majesty Ers (Hans, Hennes) Majestät

major I [ˈmeɪdʒə] *adj* **1** större [*a ~
operation*], stor- [*a ~ war*], mera
betydande [*the ~ cities*]; *the ~ part* större
delen, huvudparten; ~ *road* huvudled
2 musik. dur- [*~ scale*]; ~ *key* durtonart; *A
~* A-dur

II ['meɪdʒə] *verb,* ~ *in* amer. ha som huvudämne {*she's majoring in history*}.
III ['meɪdʒə] *subst* mil. major
Majorca [mə'dʒɔːkə] Mallorca
major-general [,meɪdʒə'dʒenrəl] *subst* generalmajor
majority [mə'dʒɒrətɪ] *subst* **1** majoritet, flertal; *the* ~ *of people* de flesta människor; *absolute* ~ absolut majoritet **2** myndig ålder; *attain one's* ~ el. *reach one's* ~ bli myndig
make I [meɪk] (*made made*) *verb* **1** göra, tillverka, framställa {*of, out of* av; *from* av, på}; ~ *into* göra till, förvandla till **2** göra i ordning, laga till {~ *lunch*}, koka {~ *coffee*; ~ *tea*}; baka {~ *bread*}; sy {~ *a dress*} **3** hålla {~ *a speech*}; komma med {~ *excuses*}; ~ *the bed* bädda; ~ *a phone call* ringa ett samtal **4** utnämna till, utse till {*they made him chairman*} **5** få att {*he made me cry*}, förmå att, tvinga att {*he made me do it*}; *it's enough to* ~ *one cry* det är så man kan gråta; *what made the car stop?* vad var det som gjorde att bilen stannade?; ~ *believe that one is* ... låtsas att man är ...; ~ *do* klara sig **6** tjäna {~ £*25,000 a year*}; göra sig, skapa sig {~ *a fortune*}; skaffa sig {~ *many friends*} **7** bilda, utgöra; *3 times 3* ~ (*makes*) *9* 3 gånger 3 är (blir) 9; *100 pence* ~ *a pound* det går 100 pence på ett pund **8** uppskatta till {*I* ~ *the distance 5 miles*}; *I don't know what to* ~ *of it* jag vet inte vad jag ska tro om det **9** bestämma till, fastställa till {~ *the price 10 dollars*}; *let's* ~ *it 6 o'clock!* ska vi säga klockan 6! **10** komma fram till, lyckas nå {~ *the summit*}; angöra, få i sikte {~ *land*}; hinna med, hinna till {*we made the bus*} **11** styra kurs, fara {*for* mot, till; *towards* mot}; skynda, rusa {*for* mot, till; *towards* mot} **12** ~ *for* främja, bidra till {~ *for better understanding*} **13** ~ *as if* el. *as though* låtsas som om
II [meɪk] (*made made*) *verb* med adv. o. prep.
make away with försvinna med {*the thieves* ~ *away with the TV*}
make off ge sig i väg, sjappa
make out 1 skriva ut {~ *out a cheque*}, utfärda {~ *out a passport*}, göra upp, upprätta {~ *out a list*}, fylla i {~ *out a form*} **2** läsa {*I can't* ~ *out her handwriting*}, tyda, urskilja, skönja {*she could* ~ *out the hills in the distance*} **3** förstå, begripa {*as far as I can* ~ *out*} **4** påstå, göra gällande {*he made out that I was there*}

make up 1 bilda; *be made up of* bestå av, utgöras av **2** göra upp, upprätta {~ *up a list*} **3** hitta på, dikta ihop {*you've made it up*} **4** sminka; ~ *oneself up* el. ~ *up* sminka sig, göra make up **5** göra upp {~ *up a quarrel*}; ~ *it up* bli sams igen **6** ~ *up for* a) ersätta, gottgöra b) ta igen, hämta in {~ *up for lost time*}; ~ *it up to sb for sth* gottgöra ngn för ngt
III [meɪk] *subst* **1** fabrikat, tillverkning; märke {*cars of all* ~*s*} **2** utförande, snitt **3** vard., *on the* ~ vinningslysten
make-believe I ['meɪkbɪ,liːv] *subst* låtsaslek
II ['meɪkbɪ,liːv] *adj* låtsad, spelad
makeover ['meɪk,əʊvə] *subst* omändring, förändring; om t.ex. hus, rum renovering, förvandling
maker ['meɪkə] *subst* **1** tillverkare, fabrikant **2** skapare; *the Maker* el. *our Maker* Skaparen
makeshift I ['meɪkʃɪft] *subst* provisorium, nödlösning
II ['meɪkʃɪft] *adj* provisorisk, nöd- {*a* ~ *solution*}
make-up ['meɪkʌp] *subst* **1** make up; *put on* ~ sminka sig **2** sammansättning {*the* ~ *of the team*}
makeweight ['meɪkweɪt] *subst* fyllnadsgods, utfyllnad
making ['meɪkɪŋ] *subst* **1** tillverkning, tillagning; *that was the* ~ *of him* det gjorde folk av honom **2** *have the* ~*s of* ... ha goda förutsättningar att bli ...
maladjusted [,mælə'dʒʌstɪd] *adj* **1** feljusterad **2** missanpassad, miljöskadad
malady ['mælədɪ] *subst* sjukdom
malaria [mə'leərɪə] *subst* med. malaria
Malaysia [mə'leɪzɪə]
male I [meɪl] *adj* manlig {~ *heir*}, av mankön; han- {~ *animal*}, av hankön; ~ *child* gossebarn; ~ *elephant* elefanthane
II [meɪl] *subst* **1** man, mansperson **2** om djur hane, hanne
malevolent [mə'levələnt] *adj* elak, illvillig
malice ['mælɪs] *subst* illvilja, elakhet
malicious [mə'lɪʃəs] *adj* illvillig, elak, illasinnad
malignant [mə'lɪgnənt] *adj* **1** ondskefull, hätsk **2** med. elakartad {~ *tumour*}
mall [mɔːl, mæl] *subst,* *shopping* ~ el. ~ gågata med affärer, köpcentrum
mallard ['mæləd] *subst* fågel gräsand
mallet ['mælɪt] *subst* **1** mindre klubba, trähammare **2** sport. klubba för krocket och polo

malnutrition [ˌmælnjʊ'trɪʃən] *subst* undernäring

malt [mɔːlt] *subst* malt; ~ *whisky* maltwhisky

Malta ['mɔːltə]

Maltese I [ˌmɔːl'tiːz] *adj* maltesisk
II [ˌmɔːl'tiːz] *subst* **1** (pl. lika) maltesare **2** maltesiska språket

maltreat [mæl'triːt] *verb* misshandla

maltreatment [mæl'triːtmənt] *subst* misshandel

mama o. **mamma** ['mɑːmə] *subst* amer. vard. mamma

mammal ['mæml] *subst* däggdjur

mammon ['mæmən] *subst* mammon

mammoth ['mæməθ] *adj* jättelik, kolossal

mammy ['mæmɪ] *subst* spec. amer. vard. mamma

man I [mæn] (pl. **men** [men]) *subst* **1** man, karl, vard., i tilltal du, hörru [*say* ~; *what's up* ~] ibland utan motsvarighet i svenskan; *men's clothes* herrkläder; *every* ~ *for himself* rädda sig den som kan; ~ *for* ~ individuellt, en för en; ~ *of the match* matchens lirare; ~ *to* ~ man mot man, man och man emellan; *to a* ~ mangrant, som en man **2** människa [*all men must die*]; *feel a new* ~ känna sig som en ny människa; *Man* människan **3** arbetare [*the men were locked out*] **4** vanligen pl. **men** mil. meniga [*officers and men*] **5** människo-, man-, karl- [*man-hater*]; *men friends* manliga vänner **6** pjäs i schack; bricka i t.ex. brädspel
II [mæn] (*-nn-*) *verb* sjö. el. mil. bemanna [~ *a ship*]; besätta med manskap [~ *the barricades*]

manage ['mænɪdʒ] *verb* **1** hantera; sköta, ha hand om; ~ *a business* leda ett företag **2** klara, orka med; lyckas med; sköta, ordna; *she managed to do it* hon lyckades göra det **3** klara sig, klara det [*we can't* ~ *without his help*]

manageable ['mænɪdʒəbl] *adj* **1** hanterlig, lättskött **2** medgörlig, foglig

management ['mænɪdʒmənt] *subst* **1** skötsel, ledning **2** företagsledning, direktion; *under new* ~ på skylt ny regim **3** behandling, hanterande

manager ['mænɪdʒə] *subst* **1** direktör, chef; föreståndare; kamrer för banks avdelningskontor **2** manager; sport. lagledare, förbundskapten, manager

manageress [ˌmænɪdʒə'res] *subst* kvinnlig chef, föreståndarinna

managing ['mænɪdʒɪŋ] *adj,* ~ *director* verkställande direktör

mandarin ['mændərɪn] *subst* mandarin frukt

mandate ['mændeɪt] *subst* **1** mandat **2** fullmakt, bemyndigande

mandolin o. **mandoline** [ˌmændə'lɪn] *subst* musik. mandolin

mane [meɪn] *subst* man på djur el. vard. för långt tjockt hår

man-eating ['mæn,iːtɪŋ] *adj* människoätande [~ *tiger*]

maneuver [mə'nuːvə] *subst* o. *verb* amer., se *manoeuvre*

manful ['mænfʊl] *adj* manlig

manganese [ˌmæŋgə'niːz] *subst* kem. mangan

manger ['meɪndʒə] *subst* krubba

1 mangle I ['mæŋgl] *subst* mangel
II ['mæŋgl] *verb* **1** mangla **2** vrida

2 mangle ['mæŋgl] *verb* **1** hacka sönder, sarga **2** illa tilltyga

mango ['mæŋgəʊ] (pl. *mangoes* el. ~*s*) *subst* mango frukt

mangy ['meɪndʒɪ] *adj* skabbig [*a* ~ *dog*]

manhandle ['mæn,hændl] *verb* misshandla, behandla hårdhänt

manhood ['mænhʊd] *subst* **1** mannaålder [*reach* ~] **2** manlighet, mandom

mania ['meɪnjə] *subst* **1** mani **2** fluga, vurm

maniac ['meɪnɪæk] *subst* galning, dåre

manicure I ['mænɪkjʊə] *subst* manikyr
II ['mænɪkjʊə] *verb* manikyrera

manicurist ['mænɪkjʊərɪst] *subst* manikyrist

manifest I ['mænɪfest] *adj* uppenbar
II ['mænɪfest] *verb* manifestera, visa, tydligt visa, röja [~ *one's feelings*]

manifestation [ˌmænɪfe'steɪʃən] *subst* manifestation

manifesto [ˌmænɪ'festəʊ] (pl. ~*s*) *subst* manifest

manifold ['mænɪfəʊld] *adj* mångfaldig; ~ *duties* plikter av många slag

manipulate [mə'nɪpjʊleɪt] *verb* **1** hantera, manövrera [~ *a lever*] **2** manipulera **3** manipulera med, fuska med

manipulation [mə,nɪpjʊ'leɪʃən] *subst* **1** hanterande, manövrerande **2** manipulation, affärsknep

mankind [mæn'kaɪnd] *subst* mänskligheten [*a big step for* ~]; människosläktet

manly ['mænlɪ] *adj* manlig, manhaftig

mannequin
Lägg märke till att mannekäng
heter *model* på engelska.

mannequin ['mænɪkɪn] *subst* skyltdocka
manner ['mænə] *subst* **1** sätt, vis; sort, slag
2 sätt, hållning, uppträdande **3** pl. ~*s*
maner, uppförande; *good* ~*s* god ton, fint
sätt; *he has no* ~*s* han kan inte uppföra
sig **4** pl. ~*s* seder, vanor; ~*s and customs*
seder och bruk
mannerism ['mænərɪzəm] *subst* manér
manoeuvre I [mə'nuːvə] *subst* manöver
II [mə'nuːvə] *verb* manövrera, leda, föra,
styra
man-of-war [,mænəv'wɔː] (pl. *men-of-war*)
subst örlogsfartyg, krigsfartyg
manor ['mænə] *subst* herrgård, gods
manor-house ['mænəhaʊs] *subst* herrgård,
slott
manpower ['mæn,paʊə] *subst* arbetskraft
manservant ['mæn,sɜːvənt] (pl.
menservants) *subst* tjänare, betjänt
mansion ['mænʃən] *subst* **1** herrgård, förnäm
bostad **2** pl. ~*s* hyreshus
manslaughter ['mæn,slɔːtə] *subst* dråp
mantelpiece ['mæntlpiːs] *subst* spiselhylla
mantle ['mæntl] *subst* **1** mantel, cape **2** täcke
[*a* ~ *of snow*]
man-to-man [,mæntə'mæn] *adj* man mot
man [*a* ~ *fight*]; ~ *marking* sport.
punktmarkering
manual I ['mænjʊəl] *adj* manuell, hand-
II ['mænjʊəl] *subst* manual, handbok,
lärobok
manufacture I [,mænjʊ'fæktʃə] *subst*
1 tillverkning, fabrikation **2** produkt,
fabriksvara, fabrikat
II [,mænjʊ'fæktʃə] *verb* tillverka
manufacturer [,mænjʊ'fæktʃərə] *subst*
tillverkare, fabrikant
manufacturing I [,mænjʊ'fæktʃərɪŋ] *subst*
tillverkning, produktion
II [,mænjʊ'fæktʃərɪŋ] *adj* fabriks- [~ *town*]
manure [mə'njʊə] *subst* gödsel
manuscript ['mænjʊskrɪpt] *subst*
manuskript
many ['menɪ] *adj* o. *subst* många, mycket [~
people]; *a good* ~ ganska många, rätt
många; ~ *a man* litt.: mången, mången
man; *I've been here* ~ *a time* jag har
varit här många gånger; *she said so in so*
~ *words* hon sa så rent ut

map I [mæp] *subst* karta; sjökort; *put sth on
the* ~ göra ngt känt
II [mæp] (-*pp*-) *verb*, ~ *out* kartlägga
maple ['meɪpl] *subst* **1** lönn **2** lönnträ
mar [mɑː] (-*rr*-) *verb* fördärva, skämma,
störa
marathon ['mærəθən] *subst* sport. maraton
marble ['mɑːbl] *subst* **1** marmor **2** kula till
kulspel; *play* ~*s* spela kula
March [mɑːtʃ] *subst* månaden mars
march I [mɑːtʃ] *verb* marschera, låta
marschera; ~ *off* marschera i väg; föra
bort; ~ *past* defilera förbi; *quick* ~*!*
framåt marsch!
II [mɑːtʃ] *subst* musik. marsch
mare [meə] *subst* sto, märr
margarine [,mɑːdʒə'riːn, ,mɑːgə'riːn, amer.
'mɑːdʒərən] *subst* margarin
margin ['mɑːdʒɪn] *subst* **1** marginal **2** kant
marginal ['mɑːdʒɪnl] *adj* marginal-; kant-,
rand-; marginell
marguerite [,mɑːgə'riːt] *subst* blomma
prästkrage
marigold ['mærɪgəʊld] *subst* ringblomma;
French ~ el. större *African* ~ tagetes
marijuana [,mærɪ'jwɑːnə] *subst* marijuana
narkotika
marinade I [,mærɪ'neɪd] *subst* kok. marinad
II [,mærɪ'neɪd] *verb* kok. marinera
marine I [mə'riːn] *adj* marin-, marin, havs-,
sjö-
II [mə'riːn] *subst* **1** marin, flotta; *the
mercantile* ~ el. *the merchant* ~
handelsflottan **2** marinsoldat
mariner ['mærɪnə] *subst* sjöman, sjöfarare
marionette [,mærɪə'net] *subst* marionett äv.
om beroende person, regering
marital ['mærɪtl] *adj* äktenskaplig
maritime ['mærɪtaɪm] *adj* maritim, sjö-,
sjöfarts-
marjoram ['mɑːdʒərəm] *subst* bot. el. kok.
mejram
mark I [mɑːk] *subst* **1** märke, fläck, spår;
make one's ~ *in the world* el. *make
one's* ~ göra sig ett namn **2** kännetecken,
kännemärke [*of* på]; *a* ~ *of gratitude* ett
bevis på tacksamhet **3** märke, tecken;
exclamation ~ utropstecken **4** streck på
en skala; *overstep the* ~ överskrida
gränsen, gå för långt; *pass the million* ~
passera miljonstrecket; *be below the* ~
inte hålla måttet; *be up to the* ~ hålla
måttet; *keep sb up to the* ~ se till att ngn
håller måttet **5** betyg [*get good* ~*s*], poäng
6 mål, prick, skottavla; *hit the* ~ träffa

prick, slå huvudet på spiken; *miss the* ~
missa; *beside the* ~ vid sidan av; inte på
sin plats; *be wide of the* ~ vara alldeles
galet **7** sport. startlinje; *be quick off the* ~
vara snabb i starten; *on your ~ s, get set,
go!* på era platser (klara), färdiga, gå!
II [mɑːk] *verb* **1** märka, sätta märke på
2 markera, utmärka, känneteckna; ~ *time*
göra på stället marsch, inte komma
någonstans, stå och stampa på samma
fläck; musik. slå takten **3** sport. markera
4 betygsätta, rätta **5** ~ *off* pricka för; ~ *out*
staka ut **6** lägga märke till; ~ *my words*
sanna mina ord **7** märka, se upp **8** sport.
markera

marked [mɑːkt] *adj* påfallande, markant

marker ['mɑːkə] *subst* märkpenna

market I ['mɑːkɪt] *subst* **1** torg, marknad
2 marknad [*the labour* ~]; efterfrågan [*for*
på]; ~ *research* marknadsundersökning;
the black ~ svarta börsen; *put sth on the*
~ släppa ngt ut i marknaden (handeln)
II ['mɑːkɪt] *verb* marknadsföra, saluföra

market garden ['mɑːkɪtˌgɑːdn] *subst*
handelsträdgård

marketing ['mɑːkɪtɪŋ] *subst* marknadsföring

market place ['mɑːkɪtpleɪs] *subst* torg

market square [ˌmɑːkɪt'skweə] *subst, the* ~
stortorget

market town ['mɑːkɪttaʊn] *subst* ungefär
köping, landsortsstad med torgdag

marking ['mɑːkɪŋ] *subst* **1** märkning
2 rättning

marksman ['mɑːksmən] *subst* prickskytt,
skicklig skytt

---

marmalade

Det engelska ordet *marmalade* kan
bara användas om marmelad gjord
på citrusfrukter, dvs. apelsiner,
citroner eller grapefrukt. Om mar-
melad gjord på bär använder man
jam, t.ex. *strawberry jam* jordgubbs-
marmelad.

---

marmalade ['mɑːmələɪd] *subst* marmelad av
citrusfukter

marmot ['mɑːmət] *subst* murmeldjur

1 maroon I [mə'ruːn] *subst* rödbrun färg,
rödbrunt
II [mə'ruːn] *adj* rödbrun

2 maroon [mə'ruːn] *verb* landsätta, lämna
kvar på en obebodd ö (kust)

marquee [mɑː'kiː] *subst* **1** tält **2** amer. tak,
baldakin över entré

marriage ['mærɪdʒ] *subst* **1** äktenskap,
giftermål [*to* med]; ~ *guidance*
äktenskapsrådgivning **2** vigsel, bröllop; ~
certificate vigselattest

marriageable ['mærɪdʒəbl] *adj* giftasvuxen

married ['mærɪd] *adj* o. perf p gift [*to* med];
vigd; *the newly* ~ *couple* de nygifta; ~
life äktenskap; *be* ~ vara gift; gifta sig; *get*
~ gifta sig; *engaged to be* ~ förlovad

marrow ['mærəʊ] *subst* **1** märg **2** *vegetable*
~ el. ~ pumpa, kurbits

marry ['mærɪ] *verb* **1** gifta sig med, gifta sig
2 ~ *off* el. ~ gifta bort [*to* med] **3** viga [*to*
med]

Mars [mɑːz] astron. el. mytol. Mars

marsh [mɑːʃ] *subst* sumpmark, kärr, träsk

marshal ['mɑːʃl] *subst* **1** mil. marskalk **2** amer.
sheriff

marshy ['mɑːʃɪ] *adj* sumpig, träskartad

marsupial [ˌmɑː'suːpjəl] *subst* pungdjur

marten ['mɑːtɪn] *subst* **1** djur mård
2 mårdskinn

martial ['mɑːʃl] *adj* krigisk; militär- [~
music]; ~ *art* kampsport; ~ *law* krigsrätt

martin ['mɑːtɪn] *subst* fågel svala

martinet [ˌmɑːtɪ'net] *subst* disciplintyrann

martyr ['mɑːtə] *subst* martyr

marvel I ['mɑːvəl] *subst* underverk, under
II ['mɑːvəl] (-*ll-*, amer. -*l-*) *verb* förundra sig
[*at* över]

marvellous ['mɑːvələs] *adj* underbar

Marxism ['mɑːksɪzəm] *subst* marxism,
marxismen

Marxist ['mɑːksɪst] *subst* marxist

Mary ['meərɪ] egennamn, *the Virgin* ~
Jungfru Maria

marzipan ['mɑːzɪpæn] *subst* marsipan

mascara [mæ'skɑːrə] *subst* kosmetika mascara

mascot ['mæskət] *subst* maskot

masculine ['mæskjʊlɪn] *adj* **1** manlig,
maskulin **2** gram., *the* ~ *gender*
maskulinum

masculinity [ˌmæskjʊ'lɪnətɪ] *subst*
manlighet

mash I [mæʃ] *subst* mos, potatismos
II [mæʃ] *verb* mosa; *mashed potatoes*
potatismos

mask I [mɑːsk] *subst* **1** mask **2** skyddsmask,
munskydd **3** mask, täckmantel
II [mɑːsk] *verb* maskera

masked [mɑːskt] *adj*, ~ *ball* maskeradbal

masochist ['mæsəkɪst] *subst* masochist

mason ['meɪsn] *subst* murare, stenhuggare

masonic [mə'sɒnɪk] *adj* frimurar-; ~ *lodge* frimurarloge

Masonite® ['meɪsənaɪt] *subst* masonit®

masquerade I [ˌmæskə'reɪd] *subst* maskerad
II [ˌmæskə'reɪd] *verb* **1** vara maskerad, vara utklädd **2** uppträda; ~ *as* ge sig sken av att vara

1 mass [mæs] *subst* (ofta *Mass*) kyrkl. el. musik. mässa; *attend* ~ gå i mässan; *say* ~ läsa mässan

2 mass I [mæs] *subst* massa, mängd, hop; *the masses* massan, de breda lagren; *the* ~ *media* el. ~ *media* massmedierna, massmedia; ~ *meeting* massmöte
II [mæs] *verb* mil. koncentrera, dra samman {~ *troops*}; *massed attack* massanfall

massacre I ['mæsəkə] *subst* massaker {*of på*}, slakt
II ['mæsəkə] *verb* massakrera, slakta

massage I ['mæsɑːʒ] *subst* massage
II ['mæsɑːʒ] *verb* massera

masseur [mæ'sɜː] *subst* massör

masseuse [mæ'sɜːz] *subst* massös

massive ['mæsɪv] *adj* massiv, stadig

mass-produce [ˌmæsprə'djuːs] *verb* massproducera, masstillverka

mast [mɑːst] *subst* mast; *at half* ~ på halv stång

master I ['mɑːstə] *subst* **1** herre, härskare {*of över*}; överman; *find one's* ~ möta sin överman; *be* ~ *of the situation* behärska situationen **2** mästare, husbonde **3** hunds husse **4** *Master of Arts* univ., ungefär filosofie kandidat **5** mästare {*a painting by an old* ~} **6** *Master of Ceremonies* ceremonimästare, konferencier
II ['mɑːstə] *verb* **1** bli herre över; övervinna **2** behärska {~ *a language*}, bemästra {~ *the situation*}

masterful ['mɑːstəfʊl] *adj* **1** dominerande **2** mästerlig

master key ['mɑːstəkiː] *subst* huvudnyckel

masterly ['mɑːstəlɪ] *adj* mästerlig, skicklig

mastermind I ['mɑːstəmaɪnd] *verb* dirigera, vara hjärnan bakom
II ['mɑːstəmaɪnd] *subst*, *be the* ~ *behind sth* vara hjärnan bakom ngt

masterpiece ['mɑːstəpiːs] *subst* mästerverk

masterstroke ['mɑːstəstrəʊk] *subst* mästerligt drag

mastery ['mɑːstərɪ] *subst* **1** herravälde, övertag {*over, of över*} **2** mästerskap, skicklighet; *have a thorough* ~ *of sth* grundligt behärska ngt

masticate ['mæstɪkeɪt] *verb* tugga

mastiff ['mæstɪf] *subst* mastiff stor dogg

masturbate ['mæstəbeɪt] *verb* onanera

masturbation [ˌmæstə'beɪʃən] *subst* onani

mat [mæt] *subst* **1** matta; *be on the* ~ vard. få en skrapa **2** underlägg för t.ex. karott, tablett

matador ['mætədɔː] *subst* matador

1 match [mætʃ] *subst* tändsticka; *strike a* ~ tända en tändsticka

2 match I [mætʃ] *subst* **1** sport. match, tävling; *man of the* ~ matchens lirare **2** jämlike; *be no* ~ *for* inte kunna mäta sig med; *meet one's* ~ möta sin överman **3** motstycke, make, pendang; *these colours are a good* ~ de här färgerna går bra ihop, de här färgerna matchar varandra bra **4** giftermål, parti
II [mætʃ] *verb* **1** gå bra ihop med, passa till, matcha **2** finna (vara) en värdig motståndare till **3** para ihop; avpassa {*to* efter}; *be well matched* passa bra ihop **4** passa ihop; passa {*with till*}, matcha; *these two colours don't* ~ *very well* de här två färgerna går inte bra ihop; *to* ~ som matchar

matchbook ['mætʃbʊk] *subst* tändsticksplån med avrivningständstickor

matchbox ['mætʃbɒks] *subst* tändsticksask

matchless ['mætʃləs] *adj* makalös

match point [ˌmætʃ'pɔɪnt] *subst* i tennis matchboll

1 mate [meɪt] *subst* schack. matt

2 mate I [meɪt] *subst* **1** vard. kompis, polare, du; *hallo,* ~! tjena kompis!, hej du! **2** sjö. styrman; *chief* ~ överstyrman **3** make, maka
II [meɪt] *verb* para, para sig

material I [mə'tɪərɪəl] *adj* **1** materiell **2** väsentlig
II [mə'tɪərɪəl] *subst* **1** material, ämne, stoff; *raw* ~ el. *raw* ~*s* råmaterial, råvaror **2** tyg

materialist [mə'tɪərɪəlɪst] *subst* materialist

materialistic [məˌtɪərɪə'lɪstɪk] *adj* materialistisk

materialize [mə'tɪərɪəlaɪz] *verb* förverkligas

maternal [mə'tɜːnl] *adj* **1** moderlig **2** på mödernet; ~ *grandfather* morfar; ~ *grandmother* mormor; ~ *leave* mammaledighet

maternally [mə'tɜːnəlɪ] *adv* moderligt

maternity [mə'tɜːnətɪ] *subst* moderskap; ~ *benefit* ungefär föräldrapenning; ~ *dress* mammaklänning; ~ *hospital* BB

matey vard. **I** ['meɪtɪ] *subst* **1** polare, kamrat **2** i tilltal tjänare!, hörru! **II** ['meɪtɪ] *adj* vänlig, trevlig

math [mæθ] *subst* (amer. vard. kortform för *mathematics*) matte

mathematical [ˌmæθəˈmætɪkl] *adj* matematisk

mathematician [ˌmæθəməˈtɪʃən] *subst* matematiker

mathematics [ˌmæθəˈmætɪks] (vanligen med verb i sing.) *subst* matematik

maths [mæθs] (vanligen med verb i sing.) *subst* (vard. kortform för *mathematics*) matte

matin [ˈmætɪn] *subst* pl. ~s kyrkl. morgonbön

matinée [ˈmætɪneɪ] *subst* matiné

mating [ˈmeɪtɪŋ] *subst* parning; ~ *season* parningstid, brunsttid

matrimonial [ˌmætrɪˈməʊnɪəl] *adj* äktenskaplig, äktenskaps- [~ *problems*]

matrimony [ˈmætrɪmənɪ] *subst* äktenskap, äktenskapet

matron [ˈmeɪtrən] *subst* matrona

matronly [ˈmeɪtrənlɪ] *adj* matronaliknande, matroneaktig

matt [mæt] *adj* matt; ~ *finish* matt yta

matter I [ˈmætə] *subst* **1** ämne, stoff, materia [*solid* ~] **2** ämne, innehåll **3** sak [*a* ~ *I know little about*], angelägenhet, affär, fråga; pl. ~s förhållanden, förhållandena; *it's no laughing* ~ det är ingenting att skratta åt; *as a* ~ *of course* självfallet, självklart; *a* ~ *of fact* ett faktum; *as a* ~ *of fact* i själva verket; *it is only a* ~ *of time* det är bara en tidsfråga; *make* ~s *worse* förvärra saken, förvärra situationen; *for that* ~ för den delen **4** *no* ~ det gör ingenting, det spelar ingen roll; *no* ~ *how I try* hur jag än försöker; *no* ~ *where it is* var den än är; *what's the* ~? vad står på?, vad har hänt?; *what's the* ~ *with him?* vad är det med honom? **5** med. var

II [ˈmætə] *verb* betyda, vara av betydelse; *it doesn't* ~ det gör ingenting, det spelar ingen roll; *it doesn't* ~ *to me* det gör mig detsamma

matter-of-fact [ˌmætərəvˈfækt] *adj* saklig

mattress [ˈmætrəs] *subst* madrass

mature I [məˈtjʊə] *adj* mogen

II [məˈtjʊə] *verb* få att mogna, mogna

maturity [məˈtjʊərətɪ] *subst* **1** mognad, mogenhet **2** mogen ålder

maul [mɔːl] *verb* mörbulta, illa tilltyga

Maundy Thursday [ˌmɔːndɪˈθɜːzdeɪ] *subst* kyrkl. skärtorsdag, skärtorsdagen

mauve I [məʊv] *adj* ljuslila, malvafärgad

II [məʊv] *subst* ljuslila, malvafärg

max [mæks] *subst* vard., *to the* ~ till max

maxim [ˈmæksɪm] *subst* maxim

maximum I [ˈmæksɪməm] *subst* maximum, höjdpunkt

II [ˈmæksɪməm] *adj* högst, störst; maximi- [~ *temperature*]; maximal

May Day
Första måndagen i maj firas *May Day* i Storbritannien. I USA dansar de mindre barnen ofta runt maj-stången, *Maypole* i skolan.

May [meɪ] *subst* maj; ~ *Day* första maj

may [meɪ] (imperf. *might*) *hjälpverb* presens **1** kan, kan kanske [*he* ~ *have said so*] **2** får, får lov att [~ *I interrupt you?*]; kan få; *you* ~ *be sure that...* du kan vara säker på att... **3** må, måtte; *however that* ~ *be* hur det än förhåller sig med den saken; *come what* ~ hända vad som hända vill

maybe [ˈmeɪbiː] *adv* kanske, kanhända

mayfly [ˈmeɪflaɪ] *subst* slända

mayn't [meɪnt] = *may not*

mayonnaise [ˌmeɪəˈneɪz] *subst* kok. majonnäs

mayor [meə] *subst* borgmästare ordförande i kommunfullmäktige (om utländska förhållanden)

maypole [ˈmeɪpəʊl] *subst* majstång

maze [meɪz] *subst* **1** labyrint **2** virrvarr

mazurka [məˈzɜːkə] *subst* musik. mazurka

MB [ˌemˈbiː] **1** (förk. för *Bachelor of Medicine*) ungefär medicine kandidat (förk. med. kand.) **2** data. förk. för *megabyte*

MC [ˌemˈsiː] (förk. för *Master of Ceremonies*) konferencier

MD [ˌemˈdiː] (förk. för *Doctor of Medicine*) med. dr

me [miː, obetonat mɪ] *pron* (objektsform av *2 I*) **1** mig; *dear* ~! bevare mig! **2** vard. för *my*; *she likes* ~ *singing to her* hon tycker om att jag sjunger för henne **3** dialektalt el. vard. min [*where's* ~ *hat?*]

meadow [ˈmedəʊ] *subst* äng

meagre [ˈmiːgə] *adj* mager [*a* ~ *result*], knapp [*a* ~ *income*], klen, torftig

1 meal [miːl] *subst* mål, måltid; *a hot* ~ lagad mat; *make a* ~ *of sth* a) göra sig ett skrovmål b) ta i i överkant, göra stor affär av [*she made a* ~ *of parking the car*]

2 meal [miːl] *subst* grovt mjöl

meals-on-wheels [ˌmiːlzɒnˈwiːlz] *subst pl* hemkörning av lagad mat service inom hemtjänsten

mealtime [ˈmiːltaɪm] *subst* matdags, mattid

1 mean I [miːn] *subst* **1** *strike the golden* ~

el. *strike the happy* ~ gå den gyllene medelvägen **2** mat. medelvärde, medeltal, genomsnitt
II [mi:n] *adj* medel- [~ *distance*]
2 mean [mi:n] *adj* **1** snål **2** lumpen, gemen **3** oansenlig; *he is no ~ pianist* han är ingen dålig pianist **4** spec. amer. vard. elak
3 mean [mi:n] (*meant meant*) *verb* **1** betyda, innebära **2** mena, ämna, ha för avsikt; *he ~s no harm* han menar inget illa; *I meant to tell you* jag tänkte tala om det för dig **3** avse, mena; *that bullet was meant for me* den kulan var avsedd för mig; *what is this meant to be?* vad ska det här föreställa?
meander [mɪˈændə] *verb* irra omkring; om flod slingra sig
meaning I [ˈmiːnɪŋ] *adj* menande, talande [*a ~ look*]
II [ˈmiːnɪŋ] *subst* betydelse, innebörd, mening; *what is the ~ of...?* vad betyder...?
meaningful [ˈmiːnɪŋfʊl] *adj* **1** meningsfull, meningsfylld [~ *work*]; betydelsefull **2** *a ~ look* en menande blick
meaningless [ˈmiːnɪŋləs] *adj* meningslös, betydelselös
meanness [ˈmiːnnəs] *subst* snålhet, småaktighet
means [miːnz] *subst* **1** (ofta med verb i sing.; pl. lika) medel, hjälpmedel, sätt [*a ~; this ~*]; *~ to an end* ett medel att nå målet; *by ~ of* genom; *by all ~* a) så gärna, för all del b) på alla sätt; *by any ~* på något sätt; *by no ~* el. *not by any ~* inte på något sätt, ingalunda **2** pl. ~ medel, tillgångar; *live beyond one's ~* leva över sina tillgångar
means test [ˈmiːnztest] *subst* behovsprövning, inkomstprövning
meant [ment] imperf. o. perf. p. av *3 mean*
meantime [ˈmiːntaɪm] o. **meanwhile** [ˈmiːnwaɪl] *subst* o. *adv*, *in the ~* el. ~ under tiden
measles [ˈmiːzlz] (med verb i sing.) *subst* med. mässling; *German ~* röda hund
measly [ˈmiːzlɪ] *adj* vard. ynklig, futtig
measure I [ˈmeʒə] *subst* **1** mått; måttredskap; *weights and ~s* mått och vikt; *in some ~* i viss mån **2** åtgärd; *take ~s* vidta åtgärder; *take strong ~s* vidta stränga åtgärder
II [ˈmeʒə] *verb* mäta, ta mått på; *be measured for a suit* ta mått till en kostym; ~ *out* mäta upp; ~ *up to* kunna mäta sig med

measurement [ˈmeʒəmənt] *subst* mätning; pl. ~*s* mått, dimensioner
measuring-tape [ˈmeʒərɪŋteɪp] *subst* måttband
meat [miːt] *subst* kött
meat ball [ˈmiːtbɔːl] *subst* köttbulle
meat cube [ˈmiːtkjuːb] *subst* buljongtärning
meat extract [ˌmiːtˈekstrækt] *subst* köttextrakt
meat loaf [ˌmiːtˈləʊf] *subst* köttfärslimpa
meat pie [ˌmiːtˈpaɪ] *subst* köttpaj; köttpastej
meaty [ˈmiːtɪ] *adj* köttig, kött-
mechanic [məˈkænɪk] *subst* mekaniker, reparatör
mechanical [məˈkænɪkl] *adj* mekanisk
mechanics [məˈkænɪks] *subst* mekanik
mechanism [ˈmekənɪzəm] *subst* mekanism; mekanik
mechanize [ˈmekənaɪz] *verb* mekanisera
medal [ˈmedl] *subst* medalj
medallion [məˈdæljən] *subst* medaljong
medallist [ˈmedəlɪst] *subst* medaljör; *gold ~* guldmedaljör
meddle [ˈmedl] *verb* blanda sig 'i allting; ~ *with* a) blanda sig 'i b) fingra på
meddlesome [ˈmedlsəm] *adj* beskäftig; *he is ~* han är beskäftig, han lägger sig i allt
media [ˈmiːdjə] *subst pl* av *medium I*
mediaeval [ˌmedɪˈiːvl] *adj* = *medieval*
mediate [ˈmiːdɪeɪt] *verb* medla
mediation [ˌmiːdɪˈeɪʃən] *subst* medling
mediator [ˈmiːdɪeɪtə] *subst* **1** medlare **2** förlikningsman
Medicaid [ˈmedɪkeɪd] *subst* amer. statlig sjukhjälp åt låginkomsttagare
medical I [ˈmedɪkl] *adj* medicinsk, medicinal-; ~ *care* läkarvård; ~ *certificate* friskintyg, läkarintyg; ~ *examination* el. ~ *inspection* läkarundersökning; ~ *herb* medicinalväxt; ~ *practitioner* praktiserande läkare, legitimerad läkare; ~ *treatment* läkarvård
II [ˈmedɪkl] *subst* vard. läkarundersökning
medication [ˌmedɪˈkeɪʃən] *subst* medicinering, medikament
medicinal [meˈdɪsɪnl] *adj* **1** läkande, botande; ~ *properties* medicinska egenskaper **2** medicinsk, medicinal- [~ *herb*]
medicine [ˈmedsɪn] *subst* **1** medicin, läkekonst; *Doctor of Medicine* medicine doktor **2** medicin, läkemedel
medieval [ˌmedɪˈiːvl] *adj* medeltida, medeltids-; *in ~ times* under medeltiden
mediocre [ˌmiːdɪˈəʊkə] *adj* medelmåttig

mediocrity [ˌmiːdɪ'ɒkrətɪ] *subst* medelmåtta
meditate ['medɪteɪt] *verb* **1** meditera
2 fundera, grubbla
meditation [ˌmedɪ'teɪʃən] *subst* **1** meditation
2 funderande
Mediterranean [ˌmedɪtə'reɪnjən] *adj* o. *subst,*
the ~ Sea el. *the ~* Medelhavet
medium I ['miːdjəm] (pl. *media* ['miːdjə] el.
mediums, i betydelse 2 alltid *mediums*) *subst*
1 medium; *the media* massmedierna,
massmedia **2** spiritistiskt medium
3 medelväg; *a happy ~* en gyllene
medelväg
II ['miːdjəm] *adj* medelstor, medelgod; *~
size* mellanstorlek; *~ wave* radio.
mellanvåg
medley ['medlɪ] *subst* **1** blandning **2** musik.
potpurri
meek [miːk] *adj* ödmjuk, foglig
meet [miːt] (*met me*) *verb* **1** möta [*the two
teams ~ in the final*], träffa **2** mötas, träffas,
samlas; *make both ends ~* få det att gå
ihop ekonomiskt **3** motsvara [*~
expectations*]; tillmötesgå [*~ demands*] **4** *~
with* a) träffa på, stöta på b) möta, träffa; *~
with an accident* råka ut för en
olyckshändelse; *~ with approval* vinna
gillande; *~ with difficulties* stöta på
svårigheter
meeting ['miːtɪŋ] *subst* **1** möte,
sammanträffande **2** möte, sammanträde
3 sport. tävling
meeting-place ['miːtɪŋpleɪs] *subst*
mötesplats, samlingsplats
mega- ['megə] *prefix* mega- en miljon
megabucks ['megəbʌks] *subst pl* vard. massa
pengar [*she's earning ~*]
megabyte ['megəbaɪt] *subst* data. megabyte
megacycle ['megəˌsaɪkl] *subst* megacykel
megahertz ['megəhɜːts] *subst* radio.
megahertz
megalomania [ˌmegələ'meɪnjə] *subst*
storhetsvansinne, megalomani
megaphone ['megəfəʊn] *subst* megafon
megastar ['megəstɑː] *subst* vard.
megakändis, megastjärna
megaton ['megətʌn] *subst* megaton
megawatt ['megəwɒt] *subst* elektr. megawatt
melancholic [ˌmelən'kɒlɪk] *adj* melankolisk
melancholy I ['melənkəlɪ] *subst* melankoli
II ['melənkəlɪ] *adj* **1** melankolisk **2** sorglig
mellow I ['meləʊ] *adj* **1** mogen **2** fyllig
II ['meləʊ] *verb* **1** göra mogen **2** mogna
3 mildras genom ålder [*she has mellowed
over the years*]

melodic [mɪ'lɒdɪk] *adj* melodisk, melodi-
melodious [mɪ'ləʊdjəs] *adj* melodisk
melodrama ['melə,drɑːmə] *subst* melodram
melodramatic [ˌmelədrə'mætɪk] *adj*
melodramatisk, teatralisk
melody ['melədɪ] *subst* melodi
melon ['melən] *subst* melon
melt [melt] *verb* smälta
melting-point ['meltɪŋpɔɪnt] *subst* fys.
smältpunkt
member ['membə] *subst* **1** medlem;
deltagare [*conference ~*]; *Member of
Parliament* parlamentsledamot,
riksdagsman
membership ['membəʃɪp] *subst*
1 medlemskap **2** medlemsantal
membrane ['membreɪn] *subst* membran
memo ['meməʊ] (pl. *~s*) *subst* (förk. för
memorandum) PM; *~ pad*
anteckningsblock
memoir ['memwɑː] *subst* pl. *~s* memoarer
memorable ['memərəbl] *adj* minnesvärd
memorandum [ˌmemə'rændəm] (pl.
memoranda [ˌmemə'rændə] el.
memorandums) *subst* **1** minnesanteckning
2 PM, promemoria **3** inom diplomatin
memorandum
memorial I [mɪ'mɔːrɪəl] *adj* minnes- [*~
service*]
II [mɪ'mɔːrɪəl] *subst* minnesmärke [*to över*];
war ~ krigsmonument
memorize ['meməraɪz] *verb* memorera, lära
sig utantill
memory ['memərɪ] *subst* minne; *from ~* ur
minnet; *to the best of my ~* såvitt jag kan
minnas; *commit to ~* lägga på minnet;
memories of childhood
barndomsminnen; *in ~ of* el. *to the ~ of*
till minne av; *within living ~* i
mannaminne
men [men] *subst pl av man I*
menace I ['menəs] *subst* hot [*to* mot]; *he's a
~* vard. han är en plåga
II ['menəs] *verb* hota
menagerie [mɪ'nædʒərɪ] *subst* menageri
mend [mend] *verb* laga, reparera
menial ['miːnɪəl] *adj* tarvlig, enkel [*~ task*]
meningitis [ˌmenɪn'dʒaɪtɪs] *subst* med.
meningit, hjärnhinneinflammation
meniscus [mə'nɪskəs] *subst* anat. menisk
men-of-war [ˌmenəv'wɔː] *subst pl av
man-of-war*
menopause ['menəpɔːz] *subst* med.
klimakterium, övergångsålder
Menorca [me'nɔːkə] Minorca

menstruation [‚menstrʊ'eɪʃən] *subst*
menstruation
menswear ['menzweə] *subst* herrkläder
mental ['mentl] *adj* mental, psykisk, själslig,
andlig; ~ *age* intelligensålder; ~
arithmetic huvudräkning; ~ *work*
intellektuellt arbete
mentality [men'tælətɪ] *subst* mentalitet
mentally ['mentəlɪ] *adv* **1** mentalt, psykiskt,
själsligt, andligt **2** i tankarna, i huvudet
menthol ['menθɒl] *subst* mentol
mention I ['menʃən] *subst* omnämnande;
make ~ *of* omnämna
II ['menʃən] *verb* nämna, tala om [*to* för];
not to ~ för att inte tala om; *don't* ~ *it!*
svar på tack för all del!, ingen orsak!; *no
harm worth mentioning* ingen
nämnvärd skada
menu ['menjuː] *subst* **1** matsedel, meny
2 data. o. tv. meny
mercantile ['mɜːkəntaɪl] *adj* merkantil; ~
marine handelsflotta
mercenary ['mɜːsənərɪ] *subst* legosoldat,
legoknekt
merchandise ['mɜːtʃəndaɪz] *subst* varor
merchant I ['mɜːtʃənt] *subst* köpman,
grosshandlare
II ['mɜːtʃənt] *adj* handels-; ~ *fleet* el. ~
navy handelsflotta; ~ *ship* el. ~ *vessel*
handelsfartyg
merciful ['mɜːsɪfʊl] *adj* barmhärtig, nådig
merciless ['mɜːsɪləs] *adj* obarmhärtig
Mercury ['mɜːkjʊrɪ] astron. el. mytol.
Merkurius
mercury ['mɜːkjʊrɪ] *subst* kvicksilver
mercy ['mɜːsɪ] *subst* **1** barmhärtighet, nåd;
have ~ *on sb* förbarma sig över ngn; *for
mercy's sake* för Guds skull **2** *be at the
~ of sb* (*sth*) vara i ngns (ngts) våld
mere [mɪə] *adj* blott, ren, bara
merely ['mɪəlɪ] *adv* endast, bara
merge [mɜːdʒ] *verb* **1** slå ihop, slå samman
[~ *two companies*] **2** gå ihop, gå samman;
smälta ihop
merger ['mɜːdʒə] *subst* sammanslagning
meridian [mə'rɪdɪən] *subst* meridian
meringue [mə'ræŋ] *subst* kok. maräng
merit I ['merɪt] *subst* förtjänst, merit [*the
book has its* ~*s*]; värde; *a work of great* ~
ett mycket förtjänstfullt arbete
II ['merɪt] *verb* förtjäna, vara värd
merited ['merɪtɪd] *adj* välförtjänt
mermaid ['mɜːmeɪd] *subst* sjöjungfru
merriment ['merɪmənt] *subst* munterhet
merry ['merɪ] *adj* munter, uppsluppen, glad;

A Merry Christmas! god jul!; *make* ~
roa sig
merry-go-round ['merɪgəʊraʊnd] *subst*
karusell
merry-maker ['merɪ‚meɪkə] *subst* festare
merry-making ['merɪ‚meɪkɪŋ] *subst* festande
mesh [meʃ] *subst* maska i t.ex. nät
mesmerize ['mezməraɪz] *verb* magnetisera,
hypnotisera
mess I [mes] *subst* **1** röra, oreda, oordning;
make a ~ smutsa ner, stöka till; *make a*
~ *of* fördärva, sabba, trassla till; *make a* ~
of things trassla till allting **2** klämma,
knipa [*we've got ourselves into a* ~] **3** mil. el.
sjö. mäss **4** hopkok, mischmasch
II [mes] *verb* **1** ~ *up* el. ~ smutsa ner, stöka
till **2** fördärva, förfuska **3** ~ *about* a) pillra,
plottra b) traska omkring, larva omkring
4 *don't* ~ *with me!* akta dig för att bråka
med mig!
message ['mesɪdʒ] *subst* meddelande,
budskap, bud; *can I leave a* ~? i t.ex. telefon
är det något jag kan framföra?
messenger ['mesɪndʒə] *subst* **1** bud,
budbärare, sändebud; ~ *boy* expressbud,
springpojke **2** kurir
Messiah [mə'saɪə] *subst* Messias
Messrs. ['mesəz] *subst* **1** herrar, herrarna
2 Firma, Herrar; ~ *Jones & Co.* används
framför firmanamn utan motsvarighet i svenskan
messy ['mesɪ] *adj* **1** ~ **2** smutsig, kladdig
met [met] imperf. o. perf. p. av *meet*
metabolism [me'tæbəlɪzəm] *subst*
ämnesomsättning, metabolism
metal ['metl] *subst* metall
metallic [me'tælɪk] *adj* metallisk, metall-
metaphor ['metəfə] *subst* metafor, bild
meteor ['miːtjə] *subst* meteor
meteorite ['miːtjəraɪt] *subst* meteorit
meteorological [‚miːtjərə'lɒdʒɪkl] *adj*
meteorologisk; ~ *office* vädertjänst
meteorologist [‚miːtjə'rɒlədʒɪst] *subst*
meteorolog
meteorology [‚miːtjə'rɒlədʒɪ] *subst*
meteorologi
1 meter ['miːtə] *subst* mätare; taxameter; ~
maid vard. lapplisa
2 meter ['miːtə] *subst* amer. meter
methane ['miːθeɪn] *subst* kem. metan
method ['meθəd] *subst* metod
methodical [mə'θɒdɪkl] *adj* metodisk
Methodist ['meθədɪst] *subst* kyrkl. metodist
methodology [‚meθə'dɒlədʒɪ] *subst* metodik
meths [meθs] *subst pl* vard. (förk. för *methylated
spirit* el. *spirits*) se ex. under *methylated*

methylated ['meθɪleɪtɪd] *adj*, ~ *spirit* el. ~
spirits denaturerad sprit
meticulous [mə'tɪkjʊləs] *adj* mycket
noggrann
metre ['miːtə] *subst* meter

metric
I England används metersystemet,
men *pound* och *pint* används fortfa-
rande i stor utsträckning, t.ex. *a
pound of beef, a pint of beer, a pint of
milk*. Även *yard* och *mile* används
ofta. I USA används inte metersys-
temet annat än i vetenskapliga sam-
manhang.

metric ['metrɪk] *adj* meter- [*the ~ system*]; ~
ton ton 1.000 kg
metronome ['metrənəum] *subst* musik.
metronom
metropolis [mə'trɒpəlɪs] *subst* metropol,
huvudstad, storstad
metropolitan [,metrə'pɒlɪtən] *adj*
huvudstads-, storstads-; ofta London- [*the
Metropolitan Police*]
mettle ['metl] *subst* mod, kurage; *put sb on
his ~* sätta ngn på prov
mew I [mjuː] *verb* jama
II [mjuː] *subst* jamande
Mexican I ['meksɪkən] *adj* mexikansk
II ['meksɪkən] *subst* mexikan
Mexico ['meksɪkəu]
mg. (förk. för *milligram, milligrams,
milligramme, milligrammes*) mg
MHz (förk. för *megahertz*) MHz
miaow [mɪ'au] *verb* jama
mica ['maɪkə] *subst* glimmer mineral
mice [maɪs] *subst pl* av *mouse*
mickey ['mɪkɪ] *subst* vard., *take the ~ out of
sb* driva med ngn
Mickey Mouse [,mɪkɪ'maus] *subst* seriefigur
Musse Pigg
microbe ['maɪkrəub] *subst* mikrob
microchip ['maɪkrəutʃɪp] *subst* data.
mikrochip
microfilm ['maɪkrəufɪlm] *subst* mikrofilm
microphone ['maɪkrəfəun] *subst* mikrofon
microscope ['maɪkrəskəup] *subst* mikroskop
microwave ['maɪkrəuweɪv] *subst*, ~ el. ~
oven mikrovågsugn
mid [mɪd] *adj* mitt-, mellan-; ~ *May* mitten
av maj
mid-air [,mɪd'eə] *adj* i luften

mid-Atlantic [,mɪdət'læntɪk] *adj* som har
brittiska och amerikanska drag [*a ~ accent*]
midday ['mɪdeɪ] *subst* mitt på dagen
middle I ['mɪdl] *adj* mellersta, mittersta; *the
Middle Ages* medeltiden; *the ~ class* el.
the ~ classes medelklassen; *the Middle
East* Mellanöstern; ~ *finger* långfinger;
the Middle West Mellanvästern i USA
II ['mɪdl] *subst*, *in the ~ of* i mitten av (på),
mitt i
middle-aged [,mɪdl'eɪdʒd] *adj* medelålders
middle-class [,mɪdl'klɑːs] *adj* medelklass-
middleman ['mɪdlmæn] (pl. *middlemen*
['mɪdlmen]) *subst* hand. mellanhand
middleweight ['mɪdlweɪt] *subst* sport.
1 mellanvikt **2** mellanviktare
middling ['mɪdlɪŋ] *adj* vard. medelgod,
medelmåttig
midfielder ['mɪd,fiːldə] *subst* sport. mittfältare
midge [mɪdʒ] *subst* insekt mygga
midget I ['mɪdʒɪt] *subst* **1** dvärg **2** kryp,
plutt, lilleputt
II ['mɪdʒɪt] *adj* mini- [~ *golf*], dvärg-
midland ['mɪdlənd] *subst*, *the Midlands*
Midlands, mellersta England
midnight ['mɪdnaɪt] *subst* midnatt; *the ~
sun* midnattssolen; *burn the ~ oil* arbeta
till långt in på natten
midriff ['mɪdrɪf] *subst* anat. mellangärde
midst I [mɪdst] *subst* litt. mitt; *in the ~ of*
mitt i, mitt ibland, mitt under
II [mɪdst] *prep* litt. mitt i
midsummer ['mɪd,sʌmə] *subst* midsommar;
Midsummer Eve midsommarafton
midway [,mɪd'weɪ] *adv* halvvägs
Midwest [,mɪd'west] *subst* amer., *the ~*
Mellanvästern
midwife ['mɪdwaɪf] (pl. *midwives*
['mɪdwaɪvz]) *subst* barnmorska
1 might [maɪt] *hjälpverb* (imperf. av *may*)
1 skulle kanske kunna, skulle kunna,
kunde; *as the case ~ be* allt efter
omständigheterna **2** fick, kunde få; ~ *I
ask a question?* skulle jag kunna få ställa
en fråga?; *he asked if he ~ come in* han
frågade om han fick komma in
2 might [maɪt] *subst* makt, kraft; *with all
one's ~* med all makt, av alla krafter
mighty I ['maɪtɪ] *adj* mäktig, väldig
II ['maɪtɪ] *adv* vard. väldigt
mignonette [,mɪnjə'net] *subst* blomma reseda
migraine ['miːɡreɪn, 'maɪɡreɪn] *subst* migrän
migrate [maɪ'ɡreɪt] *verb* **1** flytta **2** vandra,
utvandra

migration [maɪˈɡreɪʃən] *subst* **1** flyttning **2** vandring

migratory [ˈmaɪɡrətrɪ] *adj*, ~ *bird* flyttfågel

mike [maɪk] *subst* vard. mick mikrofon

Milan [mɪˈlæn] Milano

mild [maɪld] *adj* **1** mild, blid **2** svag [*a* ~ *protest*] **3** lindrig

mildew [ˈmɪldjuː] *subst* mjöldagg, mögel

mildly [ˈmaɪldlɪ] *adv* milt; blitt

mile [maɪl] *subst* engelsk mil, 'mile' (= 1760 *yards* = 1609 m); *nautical* ~ nautisk mil, distansminut; *it was ~s better* vard. det var ofantligt mycket bättre; *for ~s and ~s* mil efter mil

mileage [ˈmaɪlɪdʒ] *subst* antal 'miles', antal mil; *my car gets better* ~ min bil drar mindre bensin

mileometer [maɪˈlɒmɪtə] *subst* vägmätare

milestone [ˈmaɪlstəʊn] *subst* milstolpe

milieu [ˈmiːljɜː, amer. miːlˈjuː] *subst* miljö, omgivning

militant I [ˈmɪlɪtənt] *adj* militant, stridbar
II [ˈmɪlɪtənt] *subst* militant aktivist

militarism [ˈmɪlɪtərɪzəm] *subst* militarism

militarist [ˈmɪlɪtərɪst] *subst* militarist

militarize [ˈmɪlɪtəraɪz] *verb* militarisera

military [ˈmɪlɪtərɪ] *adj* militärisk, krigs-; ~ *academy* militärhögskola; ~ *court* krigsrätt; ~ *service* militärtjänst; *compulsory* ~ *service* allmän värnplikt

militate [ˈmɪlɪteɪt] *verb*, ~ *against* motverka

militia [mɪˈlɪʃə] *subst* milis, lantvärn

militiaman [mɪˈlɪʃəmən] *subst* milissoldat

milk I [mɪlk] *subst* mjölk
II [mɪlk] *verb* mjölka

milk bar [ˈmɪlkbɑː] *subst* ungefär glassbar där äv. mjölkdrinkar o. smörgåsar serveras

milkman
På många platser i England körs mjölken ut av ett mjölkbud. Han ställer varje morgon det antal mjölkflaskor man beställt utanför dörren.

milkman [ˈmɪlkmən] *subst* mjölkutkörare, mjölkbud

milkshake [ˈmɪlkʃeɪk] *subst* milkshake ofta med glass

milksop [ˈmɪlksɒp] *subst* mes, mähä

milk tooth [ˈmɪlktuːθ] (pl. *milk teeth* [ˈmɪlktiːθ]) *subst* mjölktand

milky [ˈmɪlkɪ] *adj* **1** mjölkaktig, mjölklik **2** *the Milky Way* Vintergatan

mill [mɪl] *subst* **1** kvarn; *he has been (gone) through the* ~ han har fått slita ont; *put sb through the* ~ sätta ngn på prov **2** fabrik, verk, bruk; *cotton* ~ bomullsspinneri

millennium [mɪˈlenɪəm] *subst* **1** årtusende **2** *the* ~ det tusenåriga riket

miller [ˈmɪlə] *subst* mjölnare

millet [ˈmɪlɪt] *subst* bot. hirs

millibar [ˈmɪlɪbɑː] *subst* meteor. millibar

milligram o. **milligramme** [ˈmɪlɪɡræm] *subst* milligram

millilitre [ˈmɪlɪˌliːtə] *subst* milliliter

millimetre [ˈmɪlɪˌmiːtə] *subst* millimeter

milliner [ˈmɪlɪnə] *subst* modist

millinery [ˈmɪlɪnərɪ] *subst* **1** modevaror inom hattbranschen

million [ˈmɪljən] *räkn* o. *subst* miljon; *~s of people* miljontals människor

millionaire [ˌmɪljəˈneə] *subst* miljonär

millionairess [ˌmɪljəˈneərɪs] *subst* miljonärska

millionth [ˈmɪljənθ] *räkn* o. *subst* miljonte; ~ *part* miljondel

millipede [ˈmɪlɪpiːd] *subst* tusenfoting

millstone [ˈmɪlstəʊn] *subst*, *a ~ round sb's neck* en kvarnsten om halsen på ngn

mime I [maɪm] *subst* mim, pantomim
II [maɪm] *verb* spela pantomim, mima

mimic I [ˈmɪmɪk] *subst* imitatör
II [ˈmɪmɪk] (*mimicked mimicked*) *verb* härma, imitera

mimosa [mɪˈməʊzə] *subst* blomma mimosa

mince I [mɪns] *verb* **1** hacka; *minced meat* köttfärs **2** välja [*~ one's words*]; *not* ~ *matters* el. *not* ~ *one's words* inte skräda orden
II [mɪns] *subst* köttfärs

mincemeat [ˈmɪnsmiːt] *subst* blandning av russin, mandel, kryddor m.m. som fyllning i paj]; *make* ~ *of* vard. göra slarvsylta av

mince pie [ˌmɪnsˈpaɪ] *subst* paj med *mincemeat*

mincer [ˈmɪnsə] *subst* köttkvarn

mincing [ˈmɪnsɪŋ] *adj* **1** tillgjord [*~ manner*] **2** trippande [*~ steps*]

mind I [maɪnd] *subst* **1** sinne, själ; förstånd; *have an open* ~ vara öppen för nya idéer; *presence of* ~ sinnesnärvaro; *keep one's* ~ *on* koncentrera sig på; *in* ~ *and body* till kropp och själ; *in one's right* ~ el. *of a sound* ~ vid sina sinnens fulla bruk; *in one's mind's eye* för sitt inre öga; *that*

was a weight (load) off my ~ en sten föll från mitt bröst; *get sth off one's* ~ få ngt ur tankarna; *have sth on one's* ~ ha ngt på hjärtat; *what have you got on your* ~*?* vad har du på hjärtat?; *have a th at the back of one's* ~ ha ngt ständigt i tankarna; *be out of one's* ~ vara från sina sinnen **2** *change one's* ~ ändra mening, ändra åsikt; *give sb a piece of one's* ~ säga ngn sin mening rent ut; *read sb's* ~ läsa ngns tankar; *to my* ~ enligt min mening **3** lust, böjelse; *have a good (great)* ~ *to* ha god lust att; *have half a* ~ *to* nästan ha lust att; *know one's own* ~ veta vad man vill; *make up one's* ~ besluta sig, bestämma sig; *be in two* ~*s* vara villrådig **4** minne; *bear sth in* ~ ha ngt i minnet; *it must be borne in* ~ *that* man får inte glömma att; *he puts me in* ~ *of* han påminner mig om **5** persons ande, hjärna; *great* ~*s* snillen; *small* ~*s* trångsynta människor
II [maɪnd] *verb* **1** ge akt på; ~*!* akta dig!, se upp!; ~ *you are in time!* se till att du kommer i tid!; ~ *you don't fall!* akta dig så att du inte faller!; ~ *your head!* akta huvudet!; ~ *what you are doing!* se dig för! **2** se efter, sköta om, passa [~ *children*]; ~ *your own business!* vard. sköt du ditt! **3** bry sig om, tänka på; *I don't* ~... jag bryr mig inte om...; jag har inget emot...; *I don't* ~ *if I do* tack gärna; *do you* ~ *if I smoke* el. *do you* ~ *my smoking?* har du något emot att jag röker?; *I don't* ~ gärna för mig, det har jag inget emot; *would you* ~ *shutting the window?* vill du vara snäll och stänga fönstret?
minded ['maɪndɪd] *adj* i sammansättningar -sinnad, -sint [*high-minded*]; -medveten; *socially* ~ socialt inriktad
mindful ['maɪndfʊl] *adj*, *be* ~ *of* vara uppmärksam på
mind games ['maɪndɡeɪmz] *subst pl* vard., *play* ~ *with sb* psyka ngn, försöka psyka ngn
mind-reader ['maɪnd,riːdə] *subst* tankeläsare
1 mine [maɪn] *pron* min; *a book of* ~ en av mina böcker; *a friend of* ~ en vän till mig; *it's a habit of* ~ det är en vana jag har
2 mine I [maɪn] *subst* **1** gruva; *a* ~ *of information* a) en rik informationskälla b) om person ett levande lexikon **2** mil. mina; ~ *detector* minsökare
II [maɪn] *verb* **1** bryta [~ *ore*]; bearbeta;

arbeta i en gruva **2** gräva [~ *tunnels*]; ~ *for gold* gräva efter guld **3** mil. minera, lägga ut minor
minefield ['maɪnfiːld] *subst* **1** mil. minfält **2** gruvfält
miner ['maɪnə] *subst* gruvarbetare
mineral I ['mɪnərəl] *subst* **1** mineral **2** pl. ~*s* koll. mineralvatten; läskedrycker
II ['mɪnərəl] *adj* mineral-; ~ *waters* koll. mineralvatten; läskedrycker
mingle ['mɪŋɡl] *verb* blanda, umgås med folk
mingy ['mɪndʒɪ] *adj* vard. snål, knusslig
mini ['mɪnɪ] *subst* **1** minibil, småbil **2** minikjol
miniature I ['mɪnjətʃə] *subst* miniatyr
II ['mɪnjətʃə] *adj* miniatyr-, i miniatyr; ~ *camera* småbildskamera
minimal ['mɪnɪml] *adj* minimal
minimize ['mɪnɪmaɪz] *verb* **1** reducera till ett minimum **2** bagatellisera
minimum I ['mɪnɪməm] *subst* minimum
II ['mɪnɪməm] *adj* minsta, minimi- [~ *wage*]; minimal
mining ['maɪnɪŋ] *subst* **1** gruvdrift, brytning, gruvarbete **2** mil. el. sjö. minering
minisize ['mɪnɪsaɪz] *adj* i litet format, i ministorlek
minister ['mɪnɪstə] *subst* **1** minister **2** ~ el. ~ *of religion* präst
ministry ['mɪnɪstrɪ] *subst* **1** ministär, regering **2** departement **3** *enter the* ~ bli präst
mink [mɪŋk] *subst* djur mink
minor I ['maɪnə] *adj* **1** mindre [*a* ~ *operation*], smärre, mindre viktig; små- [~ *planets*]; *Asia Minor* Mindre Asien **2** musik. moll- [~ *scale*]; ~ *key* molltonart; *A* ~ a-moll
II ['maɪnə] *subst* jur. omyndig person, minderårig
Minorca [mɪ'nɔːkə] Menorca
minority [maɪ'nɒrətɪ] *subst* minoritet
1 mint [mɪnt] *subst* krydda el. växt mynta
2 mint I [mɪnt] *subst* myntverk, mynt; *in* ~ *condition* i skick som ny
II [mɪnt] *verb* mynta, prägla
minuet [,mɪnjʊ'et] *subst* musik. menuett
minus I ['maɪnəs] *prep* **1** minus **2** vard. utan [~ *her clothes*]
II ['maɪnəs] *adj* minus-; ~ *sign* minustecken
1 minute [maɪ'njuːt] *adj* ytterst liten, minimal; *in* ~ *detail* in i minsta detalj
2 minute ['mɪnɪt] *subst* **1** minut; *ten* ~*s to two* tio minuter i två; *ten* ~*s past two* tio

minuter över två; *I won't be a* ~ jag
kommer strax; *wait a* ~*!* vänta ett
ögonblick!; låt mig se!; *just a* ~*!* ett
ögonblick bara!; *this* ~ genast; *in a* ~ om
ett ögonblick **2** pl. ~*s* protokoll [*of* över,
från-]; *keep the* ~*s* el. *take the* ~*s* föra
protokoll

minute hand ['mɪnɪthænd] *subst* minutvisare

miracle ['mɪrəkl] *subst* mirakel, underverk

miracle-worker ['mɪrəkl,wɜːkə] *subst*
undergörare

miraculous [mɪ'rækjʊləs] *adj* mirakulös

mirage ['mɪrɑːʒ] *subst* hägring

mire ['maɪə] *subst* träsk, myr, dy

mirror I ['mɪrə] *subst* spegel; *driving* ~
backspegel; *hall of* ~*s* spegelsal
II ['mɪrə] *verb* spegla

mirth [mɜːθ] *subst* munterhet,
uppsluppenhet

misapprehension ['mɪs,æprɪ'henʃən] *subst*
missuppfattning; *be under a* ~ missta sig

misbehave [,mɪsbɪ'heɪv] *verb*, ~ el. ~
oneself bära sig illa åt, uppföra sig illa

misbehaviour [,mɪsbɪ'heɪvjə] *subst* dåligt
uppförande

miscalculate [,mɪs'kælkjʊleɪt] *verb*
1 felberäkna; räkna fel **2** missräkna sig,
felbedöma

miscalculation [mɪs,kælkjʊ'leɪʃən] *subst*
1 felräkning; felberäkning **2** felbedömning

miscarriage [,mɪs'kærɪdʒ] *subst* **1** missfall
2 ~ *of justice* justitiemord

miscellaneous [,mɪsə'leɪnjəs] *adj* blandad,
varjehanda, diverse

mischief ['mɪstʃɪf] *subst* **1** *up to all kinds
of* ~ full av rackartyg; *get into* ~ hitta på
rackartyg **2** ont, skada

mischief-maker ['mɪstʃɪf,meɪkə] *subst*
orosstiftare, intrigmakare

mischievous ['mɪstʃɪvəs] *adj* **1** busig
2 illasinnad [~ *rumours*]

misconception [,mɪskən'sepʃən] *subst*
missuppfattning

misconduct [mɪs'kɒndʌkt] *subst* dåligt
uppförande

misdeed [,mɪs'diːd] *subst* missgärning,
missdåd

miser ['maɪzə] *subst* snåljåp, girigbuk

miserable ['mɪzərəbl] *adj* **1** olycklig,
förtvivlad **2** bedrövlig, eländig, trist

miserly ['maɪzəlɪ] *adj* girig, gnidig

misery ['mɪzərɪ] *subst* elände, misär, nöd

misfire [,mɪs'faɪə] *verb* **1** om skjutvapen klicka;
om motor misstända **2** slå slint [*my plans
misfired*]

misfit ['mɪsfɪt] *subst*, *she's a* ~ hon är
missanpassad

misfortune [mɪs'fɔːtʃən] *subst* olycka,
motgång; otur [*have the* ~ *to*]

misgiving [mɪs'gɪvɪŋ] *subst* pl. ~*s* farhågor

misgovern [,mɪs'gʌvən] *verb* vanstyra

misguided [,mɪs'gaɪdɪd] *adj* missriktad

mishandle [,mɪs'hændl] *verb* misshandla

mishap ['mɪshæp] *subst* missöde, malör

mishmash ['mɪʃmæʃ] *subst* mischmasch,
röra

misinform [,mɪsɪn'fɔːm] *verb* felunderrätta

misinterpret [,mɪsɪn'tɜːprɪt] *verb* misstolka

misjudge [,mɪs'dʒʌdʒ] *verb* felbedöma

mislaid [mɪs'leɪd] *verb* imperf. o. perf. p. av
mislay

mislay [mɪs'leɪ] (*mislaid mislaid*) *verb*
förlägga tappa bort [*I have mislaid my gloves*]

mislead [mɪs'liːd] (*misled misled*) *verb*
vilseleda

misled [mɪs'led] imperf. o. perf. p. av *mislead*

mismanage [,mɪs'mænɪdʒ] *verb* missköta,
vansköta

misplace [,mɪs'pleɪs] *verb* felplacera; perf. p.
misplaced a) felplacerad b) malplacerad
c) bortkastad [*misplaced generosity*]

misprint ['mɪsprɪnt] *subst* tryckfel

mispronounce [,mɪsprə'naʊns] *verb* uttala
fel

mispronunciation ['mɪsprə,nʌnsɪ'eɪʃən]
subst feluttal, uttalsfel

misquote [,mɪs'kwəʊt] *verb* felcitera

misread [,mɪs'riːd] (*misread misread*
[,mɪs'red]) *verb* **1** läsa fel på **2** feltolka,
missuppfatta

misrepresent ['mɪs,reprɪ'zent] *verb* ge en
felaktig bild av, förvränga, feltolka

misrule [,mɪs'ruːl] *subst* vanstyre

1 miss [mɪs] *subst* fröken [*Miss Jones*]

2 miss I [mɪs] *verb* **1** missa; *we've missed
the bus* (*boat*) vard. sista tåget har gått;
you can't ~ *it* du kan inte gå fel **2** gå miste
om, bli utan **3** sakna [~ *a friend*]; ~ *out*
utelämna, hoppa över; ~ *out* el. ~ *out on*
gå miste om
II [mɪs] *subst* miss; *give sth a* ~ strunta i
ngt; *a* ~ *is as good as a mile* ordspr. nära
skjuter ingen hare

missile ['mɪsaɪl, amer. 'mɪsl] *subst* **1** projektil
2 robot, robotvapen, missil, raket

missing ['mɪsɪŋ] *adj* försvunnen,
frånvarande, borta; *be* ~ saknas, fattas,
vara frånvarande; *the* ~ *link* den felande
länken

mission ['mɪʃən] *subst* **1** delegation **2** mil. uppdrag **3** mission
missionary ['mɪʃənrɪ] *subst* missionär
missis ['mɪsɪz] *subst* vard., *the* ~ el. *my* ~ frugan
misspell [ˌmɪs'spel] *(misspelt misspelt)* verb stava fel; *it was* ~*t* det var felstavat
misspelling [ˌmɪs'spelɪŋ] *subst* felstavning, stavfel
misspelt [ˌmɪs'spelt] imperf. o. perf. p. av *misspell*
missus ['mɪsɪz] *subst* se *missis*
mist I [mɪst] *subst* **1** dimma, dis **2** imma
II [mɪst] *verb* hölja i dimma, bli (vara) dimmig; ~ *over* bli immig
mistake I [mɪ'steɪk] *(mistook mistaken)* verb ta miste på, ta fel på; missta sig på; ~ *sb* *(sth) for* förväxla ngn (ngt) med
II [mɪ'steɪk] *subst* misstag, fel; missförstånd
mistaken [mɪ'steɪkən] perf. p. av *mistake I*
mistakenly [mɪ'steɪkənlɪ] *adv* av misstag
mister ['mɪstə] *subst* herr, barnspr., i tilltal motsvaras av farbror
mistimed [ˌmɪs'taɪmd] *adj* **1** oläglig **2** malplacerad
mistletoe ['mɪsltəʊ] *subst* mistel
mistook [mɪ'stʊk] imperf. av *mistake I*
mistranslate [ˌmɪstræns'leɪt] *verb* översätta fel; *mistranslated* felöversatt
mistress ['mɪstrəs] *subst* **1** husmor; *the* ~ *of the house* frun i huset **2** djurs matte **3** älskarinna, mätress **4** härskarinna [*of* över]
mistrust [ˌmɪs'trʌst] *verb* o. *subst* misstro
misty ['mɪstɪ] *adj* dimmig, disig, immig
misunderstand [ˌmɪsʌndə'stænd] *(misunderstood misunderstood)* verb missförstå
misunderstanding [ˌmɪsʌndə'stændɪŋ] *subst* **1** missförstånd **2** misshällighet
misunderstood [ˌmɪsʌndə'stʊd] imperf. o. perf. p. av *misunderstand*
1 mite [maɪt] *subst* pyre, parvel
2 mite [maɪt] *subst* insekt kvalster
mitigate ['mɪtɪgeɪt] *verb* lindra, mildra; *mitigating circumstances* förmildrande omständigheter
mitre ['maɪtə] *subst* kyrkl. mitra, biskopsmössa
mitten ['mɪtn] *subst* vante, tumvante
mix I [mɪks] *verb* **1** blanda, blanda till; ~ *up* förväxla; *be* (*get*) *mixed up* a) vara (bli) inblandad [*in* i] b) vara (bli) förvirrad **2** blanda sig, gå ihop [*with* med] **3** umgås [~ *in certain circles*]

II [mɪks] *subst* mix, blandning; *cake* ~ kakmix
mixed [mɪkst] *adj* blandad; ~ *breed* blandras; ~ *economy* blandekonomi
mixed-up [ˌmɪkst'ʌp] *adj* vard. förvirrad
mixer ['mɪksə] *subst* blandare [*concrete* ~]; mixer, matberedningsmaskin; ~ *tap* blandare, blandningskran
mixture ['mɪkstʃə] *subst* blandning; *smoking* ~ el. ~ tobaksblandning
mix-up ['mɪksʌp] *subst* vard. **1** röra **2** förväxling
ml. (förk. för *millilitre, millilitres*) ml
mm. (förk. för *millimetre, millimetres*) mm
moan I [məʊn] *verb* **1** jämra sig, stöna **2** vard. knota; ~ *and groan* gnöla och gnälla
II [məʊn] *subst* jämmer, stönande
moat [məʊt] *subst* vallgrav
mob I [mɒb] *subst* **1** pöbel, mobb, hop **2** vard. gangsterliga
II [mɒb] (*-bb-*) verb omringa; *be mobbed* förföljas, omringas
mobile I ['məʊbaɪl, amer. 'məʊbl] *adj* rörlig, mobil; ~ *home* husvagn såsom permanent bostad; ~ *hospital* fältsjukhus; ~ *library* bokbuss; ~ *phone* el. ~ *telephone* mobiltelefon
II ['məʊbaɪl] *subst* **1** vard. mobil telefon **2** konst. mobil
mobility [məʊ'bɪlətɪ] *subst* rörlighet
mobilization [ˌməʊbɪlaɪ'zeɪʃən] *subst* mobilisering
mobilize ['məʊbɪlaɪz] *verb* mobilisera
mobster ['mɒbstə] *subst* vard. ligamedlem, gangster
moccasin ['mɒkəsɪn] *subst* slags sko mockasin
mock I [mɒk] *verb* **1** driva med; ~ *at* driva med **2** härma
II [mɒk] *adj* låtsad, oäkta, falsk; fingerad, sken-
mockery ['mɒkərɪ] *subst* **1** gyckel, drift; *make a* ~ *of* göra narr av **2** parodi [*a* ~ *of justice*]
mock turtle [ˌmɒk'tɜːtl] *subst*, ~ *soup* falsk sköldpaddssoppa
mod cons [ˌmɒd'kɒnz] vard. förk. för *modern conveniences*
mode [məʊd] *subst* **1** sätt, metod **2** bruk, mode
model I ['mɒdl] *subst* **1** modell **2** fotomodell, mannekäng **3** mönster, förebild
II ['mɒdl] *adj* **1** modell- [*a* ~ *train*] **2** mönstergill, exemplarisk
III ['mɒdl] (*-ll-*, amer. *-l-*) verb **1** modellera

[~ *in clay*]; forma **2** planera; ~ *oneself on sb* försöka efterlikna ngn

modem ['məʊdem] *subst* data. modem

moderate I ['mɒdərət] *adj* måttlig, moderat, måttfull; *a ~ improvement* en lätt förbättring

II ['mɒdərət] *subst* moderat

III ['mɒdəreɪt] *verb* moderera, mildra, dämpa

moderately ['mɒdərətlɪ] *adv* **1** måttligt, lagom **2** medelmåttigt; *moderately successful* någorlunda hyggligt framgångsrik

moderate-sized ['mɒdərətsaɪzd] *adj* medelstor, lagom stor

moderation [,mɒdə'reɪʃən] *subst* måttlighet, återhållsamhet; *in ~* med måtta, måttligt

modern ['mɒdən] *adj* modern, nutida

modernize ['mɒdənaɪz] *verb* modernisera

modest ['mɒdɪst] *adj* blygsam [*a ~ income*], anspråkslös

modesty ['mɒdɪstɪ] *subst* blygsamhet, anspråkslöshet

modify ['mɒdɪfaɪ] *verb* modifiera, ändra

modulate ['mɒdjʊleɪt] *verb* modulera

module ['mɒdjuːl] *subst* modul

Mohammedan I [mə'hæmɪdən] *adj* muslimsk

II [mə'hæmɪdən] *subst* muslim

moist [mɔɪst] *adj* fuktig [*~ climate*; *~ lips*]

moisten ['mɔɪsn] *verb* **1** fukta **2** bli fuktig

moisture ['mɔɪstʃə] *subst* fukt, fuktighet

molar ['məʊlə] *subst* kindtand

molasses [mə'læsɪz] (med verb i pl.) *subst* spec. amer. sirap

mold [məʊld] *subst* o. **moldy** [məʊldɪ] *adj* amer., se *mould* o. *mouldy*

Moldavia [mɒl'deɪvɪə] Moldavien region

Moldova [mɒl'dəʊvə] Moldavien stat

1 mole [məʊl] *subst* födelsemärke

2 mole [məʊl] *subst* djur mullvad

molecule ['mɒlɪkjuːl] *subst* kem. el. fys. molekyl

molehill ['məʊlhɪl] *subst* mullvadshög; *make a mountain out of a ~* göra en höna av en fjäder, förstora upp allting

molest [mə'lest] *verb* ofreda, antasta, störa

mollusc ['mɒləsk] *subst* zool. mollusk, blötdjur

molten ['məʊltən] *adj* smält, flytande [*~ lava*]; *~ metal* gjutmetall

mom [mɒm] *subst* amer. vard. mamma

moment ['məʊmənt] *subst* **1** ögonblick, stund, tidpunkt; *one ~* el. *just a ~* ett ögonblick, vänta litet; *this ~* genast, på

ögonblicket; *leisure ~s* el. *spare ~s* lediga stunder; *at the ~* för ögonblicket, för tillfället; *at a moment's notice* med detsamma; *in a ~ of anger* i ett anfall av vrede; *the man of the ~* mannen för dagen **2** betydelse, vikt [*an affair of great ~*]

momentary ['məʊməntrɪ] *adj* en kort stunds, kortvarig

momentous [mə'mentəs] *adj* viktig, betydelsefull

momentum [mə'mentəm] *subst* fart, styrka, kraft; *the car gained ~* bilen fick upp farten

momma ['mɒmə] *subst* amer. vard. mamma

monarch ['mɒnək] *subst* monark

monarchy ['mɒnəkɪ] *subst* monarki

monastery ['mɒnəstrɪ] *subst* munkkloster

Monday ['mʌndeɪ, 'mʌndɪ] *subst* måndag; *Easter ~* annandag påsk; *last ~* i måndags

monetary ['mʌnɪtrɪ] *adj* monetär, mynt-, penning-

money
Lägg märke till att det engelska ordet *money* är singular.
Where is the money?
Var är pengarna?
It's over there.
De är där borta.

money ['mʌnɪ] (utan pl.) *subst* pengar; *~ matters* penningangelägenheter; *be in the ~* vard. vara tät, tjäna grova pengar; *it's good ~* det tjänar man bra på; *be short of ~* ha ont om pengar; *for my ~* enligt min mening

money box ['mʌnɪbɒks] *subst* sparbössa

money-lender ['mʌnɪ,lendə] *subst* procentare, ockrare

money-making I ['mʌnɪ,meɪkɪŋ] *subst* att tjäna pengar

II ['mʌnɪ,meɪkɪŋ] *adj* lönande

money order ['mʌnɪ,ɔːdə] *subst* amer. postanvisning anvisning översänt i kuvert på fixerat lägre belopp

Mongolia [mɒŋ'gəʊljə] Mongoliet

mongrel I ['mʌŋgrəl] *subst* byracka hund

II ['mʌŋgrəl] *adj* av blandras

monitor I ['mɒnɪtə] *subst* **1** skol., ungefär ordningsman **2** radio. el. tv. monitor; ~

screen el. ~ bildskärm
II ['mɒnɪtə] *verb* övervaka, kontrollera
monk [mʌŋk] *subst* munk person
monkey I ['mʌŋkɪ] *subst* **1** djur apa; ~
business smussel, fuffens; ~ *tricks* vard.
rackartyg; ~ *wrench* amer. skiftnyckel;
throw a ~ *wrench into the works* amer.
sätta en käpp i hjulet; *you little* ~*!* din lilla
rackarunge!
II ['mʌŋkɪ] *verb*, ~ *about with* el. ~ *with*
vard. mixtra med, greja med
monkey nut ['mʌŋkɪnʌt] *subst* vard. jordnöt
monocle ['mɒnəkl] *subst* monokel
monogamous [mə'nɒgəməs] *adj* monogam
monogamy [mə'nɒgəmɪ] *subst* engifte,
monogami
monogram ['mɒnəgræm] *subst* monogram
monologue ['mɒnəlɒg] *subst* monolog
monopolize [mə'nɒpəlaɪz] *verb*
1 monopolisera **2** lägga beslag på
monopoly [mə'nɒpəlɪ] *subst* **1** monopol,
ensamrätt **2** *Monopoly®* Monopol
sällskapsspel
monosyllable ['mɒnə‚sɪləbl] *subst* enstavigt
ord
monotone ['mɒnətəʊn] *subst* enformig ton
monotonous [mə'nɒtənəs] *adj* monoton,
enformig
monotony [mə'nɒtənɪ] *subst* monotoni,
enformighet
monoxide [mə'nɒksaɪd] *subst*, *carbon* ~
koloxid
monsoon [mɒn'suːn] *subst* tropisk vind
monsun
monster ['mɒnstə] *subst* monster, vidunder
monstrous ['mɒnstrəs] *adj* monstruös
Montenegro [‚mɒntɪ'niːgrəʊ]
month [mʌnθ] *subst* månad; *by the* ~ per
månad; *for* ~*s* i månader; *she's in her
eighth* ~ hon är i åttonde månaden;
never (*not once*) *in a* ~ *of Sundays* vard.
aldrig någonsin
monthly I ['mʌnθlɪ] *adj* månatlig, månads-
II ['mʌnθlɪ] *adv* en gång i månaden,
månatligen
monument ['mɒnjʊmənt] *subst* monument,
minnesmärke; *ancient* ~ fornminne
monumental [‚mɒnjʊ'mentl] *adj*
monumental, storslagen
moo [muː] *verb* råma
mooch [muːtʃ] *verb* vard., ~ *about* gå och
drälla, driva omkring
1 mood [muːd] *subst* gram. modus; *the
subjunctive* ~ konjunktiven
2 mood [muːd] *subst* lynne, stämning,

humör; *be in the* ~ vara upplagd [*for sth*
för ngt]
moody ['muːdɪ] *adj* **1** lynnig, nyckfull **2** på
dåligt humör, sur
moon I [muːn] *subst* måne; *be over the* ~
vara i sjunde himlen
II [muːn] *verb* vard., ~ *about* el. ~ *around*
gå omkring och drömma
moonbeam ['muːnbiːm] *subst* månstråle
moonlight ['muːnlaɪt] *subst* månsken
moonlighting ['muːn‚laɪtɪŋ] (endast sing.) *subst*
vard. extraknäck
moonlit ['muːnlɪt] *adj* månljus, månbelyst
moonscape ['muːnskeɪp] *subst* månlandskap
moonshine ['muːnʃaɪn] *subst* **1** månsken
2 vilda fantasier, nonsens **3** om sprit
hembränt
moonstone ['muːnstəʊn] *subst* månsten
halvädelsten
1 moor [mʊə] *subst* hed
2 moor [mʊə] *verb* sjö. förtöja
moorhen ['mʊəhen] *subst* rörhöna fågel
mooring ['mʊərɪŋ] *subst* sjö. förtöjning
moose [muːs] *subst* amerikansk älg
mop I [mɒp] *subst* **1** mopp **2** vard. kalufs
II [mɒp] (-*pp*-) *verb* torka, moppa [~ *the
floor*]; ~ *up* a) torka upp b) mil. rensa, rensa
upp
mope [məʊp] *verb* grubbla, tjura
moped ['məʊped] *subst* moped
mopping-up [‚mɒpɪŋ'ʌp] *adj*, ~ *operations*
mil. rensningsaktioner
moral ['mɒrəl] *adj* **1** moralisk, sedelärande
2 sedlig **3** ~ *courage* civilkurage
morale [mɒ'rɑːl] *subst* stridsmoral,
kampanda
morality [mə'rælətɪ] *subst* **1** moral; sedelära
2 sedlighet
moralize ['mɒrəlaɪz] *verb* moralisera
morals ['mɒrəlz] *subst pl* moral, seder
morbid ['mɔːbɪd] *adj* sjuklig, morbid
more [mɔː] *adj* o. *subst* o. *adv* (komparativ till
much o. *many*) **1** mer, mera; ~ *and* ~
difficult allt svårare; ~ *or less* a) mer eller
mindre b) cirka [*fifty* ~ *or less*]; *all the* ~
desto mera, så mycket mera; *the* ~ *she
gets, the* ~ *she wants* ju mer hon får,
desto mer vill hon ha **2** fler, flera [*than* än];
the ~ *the merrier* ju fler desto roligare
3 ytterligare, mer; *once* ~ en gång till **4** vid
komparativ mer; med ändelse -are; ofta (vid
jämförelse mellan två) mest; med ändelser -st,
-ste; ~ *complicated* mera komplicerad; ~
easily lättare **5** ex. med *no no* ~ inte mer,
inte fler, aldrig mer; lika litet [*he knows very*

little about it, and no ~ *do I]*; *we saw no* ~
of him vi såg aldrig mer till honom; *no* ~
than knappast mer än
morel [mə'rel] *subst* bot. murkla
morello [mə'reləʊ] (pl. ~s) *subst* bot., ~
cherry el. ~ morell
moreover [mɔː'rəʊvə] *adv* dessutom
morgue [mɔːg] *subst* spec. amer. bårhus
Mormon ['mɔːmən] *subst* mormon
morn [mɔːn] *subst* poetiskt morgon
morning ['mɔːnɪŋ] *subst* morgon, förmiddag;
this ~ i morse, i förmiddags; *yesterday* ~
i går morse, i går förmiddag; ~ *coat* jackett
Moroccan I [mə'rɒkən] *adj* marockansk
II [mə'rɒkən] *subst* marockan
Morocco [mə'rɒkəʊ] Marocko
moron ['mɔːrɒn] *subst* vard. idiot
morose [mə'rəʊs] *adj* surmulen, butter
Morse [mɔːs] egennamn, *the* ~ *code* el. ~
morsealfabetet
morsel ['mɔːsəl] *subst* munsbit, bit, smula
mortal I ['mɔːtl] *adj* **1** dödlig; döds- [~ *sin*];
his ~ *remains* hans jordiska kvarlevor
2 vard., *not a* ~ *soul* inte en själ, inte en
enda kotte
II ['mɔːtl] *subst* dödlig; *ordinary* ~s
vanliga dödliga
mortality [mɔː'tælətɪ] *subst* dödlighet
mortally ['mɔːtəlɪ] *adv* dödligt
1 mortar ['mɔːtə] *subst* **1** mortel **2** mil.
granatkastare
2 mortar ['mɔːtə] *subst* murbruk
mortgage I ['mɔːgɪdʒ] *subst* inteckning; *first*
~ *loan* bottenlån
II ['mɔːgɪdʒ] *verb* inteckna, belåna
mortician [mɔː'tɪʃən] *subst* amer.
begravningsentreprenör
mortuary ['mɔːtjʊərɪ] *subst* bårhus
mosaic [mə'zeɪɪk] *subst* mosaik,
mosaikarbete
Moscow ['mɒskəʊ, amer. vanligen 'mɒskaʊ]
Moskva
Moslem I ['mɒzləm] *subst* muslim
II ['mɒzləm] *adj* muslimsk
mosque [mɒsk] *subst* moské
mosquito [mə'skiːtəʊ] *subst* insekt moskit,
stickmygga; pl. *mosquitoes* vanligen mygg
moss [mɒs] *subst* mossa; före subst. moss-
mossy ['mɒsɪ] *adj* mossig; ~ *green*
mossgrön
most I [məʊst] *adj* o. *subst* mest, flest, den
(det) mesta; ~ *boys* de flesta pojkar; *for*
the ~ *part* mest, till största delen, för det
mesta; *make the* ~ *of* göra det mesta
möjliga av, ta vara på; *at the* ~ el. *at* ~

högst, på sin höjd, i bästa fall
II [məʊst] *adv* **1** mest [*what pleased me* ~];
the one he values ~ el. *the one he values*
the ~ den som han värderar högst (mest)
2 för att bilda ändelser superlativ mest; med
ändelserna -st, -ste; *the* ~ *beautiful of all*
den allra vackraste; ~ *easily* lättast
3 högst, ytterst [~ *interesting*]; ~ *certainly*
alldeles säkert; ~ *probably* el. ~ *likely*
högst sannolikt
mostly ['məʊstlɪ] *adv* **1** mest, mestadels
2 vanligen, för det mesta
MOT [ˌeməʊ'tiː] (förk. för *Ministry of*
Transport) ~ *test* el. vard. ~ årlig besiktning
av motorfordon äldre än 3 år
motel [məʊ'tel] *subst* motell
moth [mɒθ] *subst* insekt **1** mal **2** nattfjäril
mothball ['mɒθbɔːl] *subst* malkula,
malmedel
moth-eaten ['mɒθˌiːtn] *adj* maläten
mother I ['mʌðə] *subst* **1** moder, mor,
mamma; *queen* ~ änkedrottning; *play* ~s
and fathers leka mamma, pappa, barn
2 ~ *country* fosterland, hemland; ~
tongue el. ~ *language* modersmål
II ['mʌðə] *verb* **1** sätta till världen **2** ge
upphov till **3** vara som en mor för
motherboard ['mʌðəbɔːd] *subst* data.
moderkort
motherhood ['mʌðəhʊd] *subst* moderskap
mother-in-law ['mʌðərɪnlɔː] (pl.
mothers-in-law ['mʌðəzɪnlɔː]) *subst* svärmor
motherly ['mʌðəlɪ] *adj* moderlig
mother-of-pearl [ˌmʌðərəv'pɜːl] *subst*
pärlemor
mothproof ['mɒθpruːf] *adj* malsäker
motion I ['məʊʃən] *subst* **1** rörelse; ~
picture film **2** gest, åtbörd, tecken
3 motion; *submit a* ~ a) väcka ett förslag
b) framställa ett yrkande **4** vanligen pl. ~s
avföring
II ['məʊʃən] *verb* **1** vinka, göra tecken
2 vinka åt, göra tecken åt
motionless ['məʊʃənləs] *adj* orörlig; i vila

motivate
Lägg märke till att *motivate* betyder
motivera = skapa motivation hos.
Motivera = ge skäl för heter *give the*
reason for.

motivate ['məʊtɪveɪt] *verb* motivera, skapa
motivation hos

motivation [ˌməʊtɪ'veɪʃən] *subst*
1 motivering **2** motivation
motive ['məʊtɪv] *subst* motiv
motocross ['məʊtəkrɒs] *subst* sport.
motocross
motor I ['məʊtə] *subst* motor; ~ *show*
bilsalong; ~ *works* bilfabrik
II ['məʊtə] *verb* bila
motorbike ['məʊtəbaɪk] *subst* vard.
motorcykel
motorboat ['məʊtəbəʊt] *subst* motorbåt
motorcade ['məʊtəkeɪd] *subst* bilkortege
motorcar ['məʊtəkɑ:] *subst* bil
motorcoach ['məʊtəkəʊtʃ] *subst* buss,
turistbuss
motorcycle ['məʊtəˌsaɪkl] *subst* motorcykel;
~ *combination* motorcykel med sidvagn
motorcyclist ['məʊtəˌsaɪklɪst] *subst*
motorcyklist
motoring ['məʊtərɪŋ] *subst* **1** bilande,
bilåkning **2** motorsport
motorist ['məʊtərɪst] *subst* bilist, bilförare
motorlaunch ['məʊtələ:ntʃ] *subst* större
motorbåt
motor race ['məʊtəreɪs] *subst* motortävling
motorscooter ['məʊtəˌsku:tə] *subst* skoter
motorway ['məʊtəweɪ] *subst* motorväg
mottled ['mɒtld] *adj* spräcklig, fläckig,
marmorerad
motto ['mɒtəʊ] (pl. *mottoes* el. ~*s*) *subst*
motto, valspråk, devis
1 mould [məʊld] *subst* jord, mylla, mull
2 mould [məʊld] *subst* mögel, mögelsvamp
3 mould I [məʊld] *subst* **1** form, gjutform;
matris **2** kok. form
II [məʊld] *verb* gjuta, forma, bilda
mouldy ['məʊldɪ] *adj* **1** möglig **2** vard. vissen,
urusel
mound [maʊnd] *subst* hög, kulle, vall
1 mount [maʊnt] *subst* i namn berg; *Mount
Etna* Etna
2 mount I [maʊnt] *verb* **1** gå upp på, gå
uppför, stiga upp på; ~ *the throne* bestiga
tronen **2** placera [*on* på] **3** montera, sätta
upp, infatta, rama in **4** mil. sätta i gång [~
an offensive]
II [maʊnt] *subst* ridhäst, häst
mountain ['maʊntɪn] *subst* berg, fjäll
mountain ash [ˌmaʊntən'æʃ] *subst* träd rönn
mountainbike ['maʊntənbaɪk] *subst*
mountainbike
mountaineer I [ˌmaʊntɪ'nɪə] *subst*
bergbestigare
II [ˌmaʊntɪ'nɪə] *verb* klättra i bergen

mountaineering [ˌmaʊntɪ'nɪərɪŋ] *subst*
bergbestigning
mountainous ['maʊntɪnəs] *adj* bergig
mounted ['maʊntɪd] *adj* **1** ridande [~
police]; fordonsburen **2** monterad, uppsatt,
inramad; om t.ex. frimärke insatt i album
mourn [mɔ:n] *verb* **1** sörja [*for* över] **2** sörja
över; ~ *for sb* sörja ngn
mourner ['mɔ:nə] *subst* sörjande; *the* ~*s* de
sörjande; *the chief* ~ den närmast
sörjande
mournful ['mɔ:nfʊl] *adj* sorglig, dyster
mourning I ['mɔ:nɪŋ] *adj* sörjande
II ['mɔ:nɪŋ] *subst* sorg; sorgdräkt; *in* ~
sorgklädd; *go into* ~ anlägga sorg; *go out
of* ~ lägga av sorgen
mouse [maʊs] (pl. *mice* [maɪs]) *subst* mus,
råtta
mouse mat ['maʊsmæt] *subst* o. amer. **mouse
pad** ['maʊspæd] *subst* data. musmatta

The Mousetrap
The Mousetrap är den pjäs som spe-
lats längst i hela världen. Den hade
premiär i London 1952 och spelas
fortfarande. Det är en deckare av
Agatha Christie. *The Mousetrap* har
spelats över 21 000 gånger. Flera av
skådespelarna som var med vid
premiären är nu döda.

mousetrap ['maʊstræp] *subst* råttfälla
mousse [mu:s] *subst* **1** kok. mousse
2 hårmousse
moustache [mə'stɑ:ʃ, amer. 'mʌstæʃ] *subst*
mustascher; *grow a* ~ anlägga mustasch
mouth [maʊθ, pl. maʊðz] *subst* **1** mun; *by
word of* ~ muntligen; *be down in the* ~
vara deppig; *have one's heart in one's* ~
ha hjärtat i halsgropen; *shut your* ~*!* håll
käft! **2** mynning
mouthful ['maʊθfʊl] *subst* munsbit, munfull
mouth organ ['maʊθˌɔ:gən] *subst* munspel
mouthpiece ['maʊθpi:s] *subst* **1** munstycke
2 telefonlur **3** talesman, språkrör
mouth-to-mouth [ˌmaʊðtə'maʊθ] *adj, the* ~
method mun-mot-munmetoden
mouthwash ['maʊθwɒʃ] *subst* munvatten
movable ['mu:vəbl] *adj* rörlig, flyttbar
move I [mu:v] *verb* **1** flytta, flytta på, rubba;
~ *troops* förflytta trupper **2** röra sig,
förflytta sig, flytta sig **3** röra på [~ *one's
lips*] **4** röra; *be moved* bli rörd, röras,

gripas [*he was deeply moved*]
II [muːv] *verb* med adv. o. prep.
move on gå på, cirkulera
move out 1 gå ut **2** flytta
move over flytta sig, flytta på sig
move up stiga (gå) fram
III [muːv] *subst* **1** flytt, flyttning; *get a ~
on!* vard. raska på!; *be on the ~* vara i
rörelse **2** drag, utspel [*a clever ~*]; *what's
the next ~?* vard. vad ska vi göra nu? **3** i
schack etc. drag
movement ['muːvmənt] *subst* **1** rörelse
2 musik. sats [*the first ~ of a symphony*]
3 t.ex. politisk, religiös rörelse [*the Labour ~*]
movie ['muːvɪ] *subst* vard. film; *the ~s* bio; *~
star* filmstjärna; *~ house* el. *~ theater*
amer. bio; *go to the ~s* gå på bio
moviegoer ['muːvɪˌgəʊə] *subst* biobesökare
moving I ['muːvɪŋ] *adj* o. *pres p* **1** rörlig; *~
staircase* el. *~ stairway* rulltrappa
2 rörande, gripande [*~ ceremony*]
II ['muːvɪŋ] *subst* förflyttning; *~ van* amer.
flyttbil
mow [məʊ] (*mowed mown*) *verb* slå, klippa
[*~ a lawn*]
mower ['məʊə] *subst* gräsklippare
mown [məʊn] perf. p. av *mow*
Mozambique [ˌməʊzəm'biːk] Moçambique
MP [ˌem'piː] förk. för *Member of Parliament,
Military Police*
MP3 [ˌempiːˈθriː] *subst*, *~ player*
MP3-spelare
m.p.h. förk. för *miles per hour*
Mr. o. **Mr** ['mɪstə] (pl. *Messrs.* ['mesəz])
(förk. för *mister*) hr, herr framför namn
Mrs. o. **Mrs** ['mɪsɪz] (förk. för *missis*) fru
framför namn
MS [ˌem'es, 'mænjʊskrɪpt] (pl. *MSS*
[ˌemes'es]) förk. för *manuscript*

Ms
Skilj mellan *Ms* [mɪz], <u>fru</u> eller
<u>fröken</u>, med tonande s och *miss*
[mɪs], <u>fröken</u> med tonlöst s.

Ms. o. **Ms** [mɪz] (pl. *Mses* ['mɪzɪz]) *subst* titel
för kvinna som ersättning för *Miss* el. *Mrs.* före
namn [*~ Louise Brown*]
Mt. förk. för *Mount, mountain*
much I [mʌtʃ] (*more most*) *adj* o. *adv*
1 mycket [*~ older*]; *very ~ older* betydligt
äldre; *without ~ difficulty* utan större
svårighet; *he doesn't look ~ like a*

clergyman han ser knappast ut som en
präst; *it looks very ~ like it* det ser nästan
så ut; *thank you very ~* tack så mycket; *~
to my delight* till min stora förtjusning; *~
too low* alldeles för låg **2** *pretty ~ alike*
ungefär lika; *it is ~ the same to me* det
gör mig ungefär detsamma
II [mʌtʃ] *subst* **1** mycket; *he is not ~ of a
writer* han är inte någon vidare författare;
make ~ of göra stor affär av; *I don't
think ~ of* jag ger inte mycket för; *his
work is not up to ~* det är inte mycket
bevänt med hans arbete **2** *as ~* lika (så)
mycket [*as* som]; *I thought as ~* var det
inte det jag trodde; *it was as ~ as he
could do to keep calm* det var knappt
han kunde hålla sig lugn **3** *how ~ is this?*
vad kostar den här?; *how ~ does it all
come to?* hur mycket blir det? **4** *so ~* så
mycket; *so ~ the better* så mycket bättre,
desto bättre; *so ~ for that* så var det med
det, så var det med den saken
much-advertised [ˌmʌtʃˈædvətaɪzd] *adj*
uppreklamerad
much-needed [ˌmʌtʃˈniːdɪd] *adj* välbehövlig
muck I [mʌk] *subst* gödsel, dynga, vard. skit,
smörja
II [mʌk] *verb* **1** *~ sth up* vard. göra
pannkaka av ngt, sabba ngt **2** *~ about* vard.
larva omkring, tjafsa; *~ about with* pillra
med
muck-up ['mʌkʌp] *subst* vard., *make a ~ of
sth* göra pannkaka av ngt
mucky ['mʌkɪ] *adj* vard. skitig, lortig
mucus ['mjuːkəs] *subst* fysiol. slem
mud [mʌd] *subst* **1** gyttja, dy **2** smuts, lera
muddle I ['mʌdl] *verb* trassla till; *~ up* el. *~
together* blanda ihop, förväxla, röra ihop
[*he has muddled things up*]
II ['mʌdl] *subst* röra, oreda, virrvarr; *make
a ~ of* trassla till
muddled ['mʌdld] *adj* rörig, virrig
muddle-headed ['mʌdlˌhedɪd] *adj* virrig
muddy ['mʌdɪ] *adj* smutsig, lerig [*~ roads*]
mudflap ['mʌdflæp] *subst* stänkskydd på bil
mudguard ['mʌdgɑːd] *subst* stänkskärm
mudpack ['mʌdpæk] *subst* kosmetisk
ansiktsmask
muesli ['mjuːzlɪ] *subst* müsli
1 muff [mʌf] *subst* muff; öron- skydd
2 muff [mʌf] *verb* missa, sumpa [*~ an
opportunity*]
muffin ['mʌfɪn] *subst* **1** slags tekaka som äts
varm med smör på **2** amer. muffins
muffle ['mʌfl] *verb* **1** linda om [*~ one's*

throat]; ~ *up* el. ~ pälsa på [~ *oneself up*
well], svepa in **2** linda om för att dämpa ljud,
dämpa; *muffled* dämpad, dov [*muffled
sounds*]
muffler ['mʌflə] *subst* **1** halsduk **2** amer.
ljuddämpare
mug I [mʌg] *subst* **1** mugg [*a* ~ *of tea*], sejdel
2 vard., ansikte tryne, fejs **3** vard. lättlurad
stackare
II [mʌg] (-*gg*-) *verb* vard. överfalla och råna
mugger ['mʌgə] *subst* vard. rånare som överfaller
på gatan
mugging ['mʌgɪŋ] *subst* vard. överfall och rån
på gatan
muggy ['mʌgɪ] *adj* kvav, tryckande [~ *day*]
mulatto [mjʊ'lætəʊ] (pl. ~*s* el. *mulattoes*) *subst*
mulatt
mulberry ['mʌlbərɪ] *subst* mullbär
mule [mjuːl] *subst* mula, mulåsna; *as
stubborn* (*obstinate*) *as a* ~ envis som
synden
mulligatawny [ˌmʌlɪgə'tɔːnɪ] *subst*, ~ *soup*
indisk currykryddad soppa
multilateral [ˌmʌltɪ'lætərəl] *adj* multilateral
[~ *agreement*]
multimedia [ˌmʌltɪ'miːdɪə] *subst pl*
multimedia
multimillionaire [ˌmʌltɪmɪljə'neə] *subst*
mångmiljonär
multinational [ˌmʌltɪ'næʃnəl] *adj*
multinationell [~ *company*]
multiple ['mʌltɪpl] *adj* mångfaldig;
flerdubbel; ~ *fracture* komplicerat
benbrott; ~ *stores* butikskedja; ~ *choice
test* flervalsprov
multiplication [ˌmʌltɪplɪ'keɪʃən] *subst*
1 multiplikation **2** mångfaldigande
multiply ['mʌltɪplaɪ] *verb* **1** multiplicera [*by*
med] **2** öka **3** ökas, flerdubblas **4** föröka
sig
multipurpose [ˌmʌltɪ'pɜːpəs] *adj* som kan
användas till mycket, universal-; ~ *vehicle*
(förk. *MPV*) familjebuss
multiracial [ˌmʌltɪ'reɪʃl] *adj* som omfattar
(representerar) många raser
multistorey [ˌmʌltɪ'stɔːrɪ] *adj* flervånings-
[~ *hotel*]; ~ *car park* parkeringshus
multitude ['mʌltɪtjuːd] *subst* **1** mängd,
massa, mångfald **2** folkmassa
mum [mʌm] *subst* mamma, vard. morsa
mumble I ['mʌmbl] *verb* mumla, mumla
fram
II ['mʌmbl] *subst* mummel
mumbo jumbo [ˌmʌmbəʊ'dʒʌmbəʊ] *subst*
hokuspokus; fikonspråk, jargong

1 mummy ['mʌmɪ] *subst* mumie
2 mummy ['mʌmɪ] *subst* barnspr. mamma;
mummy's darling mammagris, morsgris
mumps [mʌmps] *subst* med. påssjuka
munch [mʌntʃ] *verb* mumsa, mumsa på
mundane ['mʌndeɪn] *adj* trivial, vardaglig
Munich ['mjuːnɪk] München
municipal [mjʊ'nɪsɪpl] *adj* kommunal [~
buildings]; kommun-, stads- [~ *libraries*];
~ *council* kommunfullmäktige
municipality [mjʊˌnɪsɪ'pælətɪ] *subst*
1 kommun **2** kommunstyrelse
munition [mjʊ'nɪʃən] *subst*, ~*s*
krigsmateriel, vapen och ammunition
murder I ['mɜːdə] *subst* mord [*of* på];
attempted ~ mordförsök; *scream blue*
~ el. amer. *scream bloody* ~ vard. gallhojta
II ['mɜːdə] *verb* **1** mörda **2** misshandla [~ *a
song*], rådbråka [~ *the language*]
murderer ['mɜːdərə] *subst* mördare
murderess ['mɜːdərəs] *subst* mörderska
murderous ['mɜːdərəs] *adj* mordisk
murmur I ['mɜːmə] *subst* sorl, mummel;
without a ~ utan knot
II ['mɜːmə] *verb* sorla, mumla
muscle ['mʌsl] *subst* **1** muskel, muskler
2 muskelstyrka
Muscovite ['mʌskəvaɪt] *subst* moskvabo
muscular ['mʌskjʊlə] *adj* muskulös
1 muse [mjuːz] *subst* mytol. musa
2 muse [mjuːz] *verb* fundera, grubbla
museum [mjʊ'zɪəm] *subst* museum
mushroom I ['mʌʃrʊm] *subst* **1** svamp
2 champinjon
II ['mʌʃrʊm] *verb* plocka svamp
mushy ['mʌʃɪ] *adj* mosig, grötig, slafsig
music [mjuːzɪk] *subst* **1** musik **2** noter [*read
*~], nothäften [*printed* ~] **3** *face the* ~
vard. ta konsekvenserna
musical I ['mjuːzɪkl] *adj* **1** musikalisk;
musikintresserad [*a* ~ *person*]; *have a* ~
ear ha bra musiköra **2** musik- [~
instruments]; ~ *comedy* musikal **3** ~ *box*
speldosa; ~ *chairs* sällskapslek hela havet
stormar
II ['mjuːzɪkl] *subst* musikal
music hall ['mjuːzɪkhɔːl] *subst*
1 varietéteater; ~ *song* kuplett **2** amer.
konsertsal
musician [mjʊ'zɪʃən] *subst* musiker
music stand ['mjuːzɪkstænd] *subst* notställ
musk [mʌsk] *subst* mysk; ~ *ox* myskoxe
musket ['mʌskɪt] *subst* hist. musköt
musketeer [ˌmʌskə'tɪə] *subst* hist. musketör
muskrat ['mʌskræt] *subst* bisamråtta

Muslim I ['mʊzləm] *subst* muslim
  II ['mʊzləm] *adj* muslimsk
muslin ['mʌzlɪn] *subst* muslin
musquash ['mʌskwɒʃ] *subst* **1** bisamråtta
  2 ~ *fur* el. ~ bisam pälsverk; ~ *coat* el. ~
  bisampäls plagg
mussel ['mʌsl] *subst* skaldjur mussla
must I [mʌst, obetonat məst] *hjälpverb* presens
  1 måste, får **2** med negation får [*you* ~ *never*
  ask]; ~ *not* el. *mustn't* får inte [*you* ~ *not*
  go], ska inte [*you mustn't be surprised*]
  II [mʌst] *subst* vard., *a* ~ ett måste [*that book*
  is a ~]
mustache ['mʌstæʃ] *subst* amer., se *moustache*
mustang ['mʌstæŋ] *subst* mustang häst
mustard ['mʌstəd] *subst* senap
muster I ['mʌstə] *subst, pass* ~ hålla måttet,
  duga [*as, for* till]
  II ['mʌstə] *verb*, ~ *up* uppbjuda [~ *up all*
  one's strength]
mustn't ['mʌsnt] = *must not*
musty ['mʌstɪ] *adj* unken [~ *smell*],
  instängd [~ *air*], ovädrad [~ *room*]
mute I [mju:t] *adj* stum, mållös, tyst
  II [mju:t] *subst* **1** stum person **2** teat. statist
  3 musik. sordin; dämmare
  III [mju:t] *verb* dämpa; musik. sätta sordin
  på; *in muted tones* med dämpad röst
mutilate ['mju:tɪleɪt] *verb* **1** stympa,
  lemlästa **2** förvanska [*a mutilated version of*
  a book]
mutilation [,mju:tɪ'leɪʃən] *subst* stympning
mutinous ['mju:tɪnəs] *adj* upprorisk; som
  gör myteri
mutiny I ['mju:tɪnɪ] *subst* myteri
  II ['mju:tɪnɪ] *verb* göra myteri
mutter I ['mʌtə] *verb* mumla, muttra [*to*
  oneself för sig själv]
  II ['mʌtə] *subst* mumlande, mummel
mutton ['mʌtn] *subst* fårkött; *roast* ~ fårstek
mutual ['mju:tʃʊəl] *adj* **1** ömsesidig; ~
  admiration society sällskap för inbördes
  beundran; *they are* ~ *enemies* de är
  fiender till varandra **2** gemensam [*a* ~
  friend]
muzzle I ['mʌzl] *subst* **1** nos, tryne
  2 munkorg **3** mynning på skjutvapen
  II ['mʌzl] *verb* **1** sätta munkorg på hund;
  sätta munkavle på tysta ner **2** trycka nosen
  mot
my I [maɪ, obetonat mɪ] *pron* min; *I broke* ~
  arm jag bröt armen; *I cut* ~ *finger* jag
  skar mig i fingret; *without* ~ *knowing it*
  utan att jag vet (visste) om det; *yes,* ~

dear! ja, kära du!
  II [maɪ] *interj*, ~*!* oh!, tänk!, oj då!
Myanmar ['maɪænmɑ:]
myrtle ['mɜ:tl] *subst* myrten växt
myself [maɪ'self] *pron* mig [*I have hurt* ~],
  mig själv [*I can help* ~]; jag själv [*nobody*
  but ~], själv [*I saw it* ~]; *all by* ~
  a) alldeles ensam, alldeles för mig själv [*I*
  live all by ~] b) alldeles själv, helt på egen
  hand
mysterious [mɪ'stɪərɪəs] *adj* mystisk, gåtfull
mystery ['mɪstərɪ] *subst* **1** mysterium, gåta
  [*to* för] **2** hemlighetsfullhet,
  hemlighetsmakeri **3** hemlig; ~ *tour* resa
  mot (med) okänt mål
mystic ['mɪstɪk] *subst* mystiker
mystical ['mɪstɪkl] *adj* mystisk i relig. betydelse
  [~ *ceremonies*]
mysticism ['mɪstɪsɪzəm] *subst* mystik,
  mysticism
mystify ['mɪstɪfaɪ] *verb* mystifiera, förbrylla
myth [mɪθ] *subst* myt; saga, sägen, legend
mythological [,mɪθə'lɒdʒɪkl] *adj* mytologisk
mythology [mɪ'θɒlədʒɪ] *subst* mytologi

Nn

1 N o. **n** [en] *subst* N, n
2 N (förk. för *north, northern*) N
nab [næb] (*-bb-*) *verb* vard. haffa
nag [næg] (*-gg-*) *verb* **1** tjata på **2** tjata [*at* på]
nail I [neɪl] *subst* **1** nagel **2** spik; *as hard as ~s* vard. stenhård, obeveklig; *on the ~* a) vard. på stubben [*pay on the ~*] b) amer. helt korrekt, exakt
II [neɪl] *verb* **1** spika, spika fast; *~ down* spika igen, spika till **2** *~ sb down* ställa ngn mot väggen **3** vard. sätta fast [*~ a thief*]; sätta dit [*I'll ~ him*]
nail-biting ['neɪl,baɪtɪŋ] *subst* **1** nagelbitning **2** nervpirrande [*~ moments*]
nail file ['neɪlfaɪl] *subst* nagelfil
nail polish ['neɪl,pɒlɪʃ] *subst* nagellack
nail scissors ['neɪl,sɪzəz] *subst pl* nagelsax
nail varnish ['neɪl,vɑːnɪʃ] *subst* nagellack
naive [naɪ'iːv] *adj* naiv, aningslös
naivety o. **naiveté** [naɪ'iːvətɪ] *subst* naivitet
naked ['neɪkɪd] *adj* naken, bar; *with the ~ eye* med blotta ögat
namby-pamby [,næmbɪ'pæmbɪ] *adj* mjäkig, klemig
name I [neɪm] *subst* **1** namn; benämning [*of, for* på, för]; *call sb ~s* kasta glåpord efter ngn **2** rykte, namn; *a bad ~* ett dåligt rykte
II [neɪm] *verb* **1** ge namn åt, kalla; *be named* heta, kallas; *~ after* uppkalla efter **2** namnge [*three persons were named*]; säga namnet på [*can you ~ this flower?*]; benämna **3** säga, ange [*~ your price*] **4** sätta namn på, märka
namely ['neɪmlɪ] *adv* det vill säga, nämligen [*only one boy was there, ~ John*]
nameplate ['neɪmpleɪt] *subst* namnskylt
namesake ['neɪmseɪk] *subst* namne
Namibia [nə'mɪbɪə]
nanny ['nænɪ] *subst* barnspr. **1** barnsköterska **2** mormor, farmor **3** *the ~ state* förmyndarsamhället
1 nap I [næp] *subst* tupplur
II [næp] (*-pp-*) *verb* ta sig en tupplur; *catch sb napping* ta ngn på sängen
2 nap [næp] *subst* lugg, ludd på t.ex. tyg
nape [neɪp] *subst*, *~ of the neck* nacke
napkin ['næpkɪn] *subst* **1** *table ~* el. *~* servett

2 *disposable ~* blöja **3** amer., *sanitary ~* dambinda
Naples ['neɪplz] Neapel
nappy ['næpɪ] *subst* vard. (förk. för *napkin*); *~* el. *disposable ~* blöja
naprapath ['næprəpæθ] *subst* naprapat
narcissus [nɑː'sɪsəs] *subst* narciss, pingstlilja
narcotic I [nɑː'kɒtɪk] *subst* narkotiskt medel; pl. *~s* narkotika
II [nɑː'kɒtɪk] *adj*, *~ drugs* narkotika
narrate [nə'reɪt] *verb* berätta
narrative I ['nærətɪv] *subst* berättelse
II ['nærətɪv] *adj* berättande
narrator [nə'reɪtə] *subst* berättare
narrow ['nærəʊ] *adj* **1** smal, trång **2** knapp; *a ~ majority* en knapp majoritet; *have a ~ escape* komma undan med knapp nöd; *that was a ~ escape!* el. *that was a ~ shave!* det var nära ögat! **3** trångsynt, trång [*~ views*]
narrowly ['nærəʊlɪ] *adv* med knapp nöd [*he ~ escaped*]
narrow-minded [,nærəʊ'maɪndɪd] *adj* trångsynt, inskränkt
nasal ['neɪzl] *adj* o. *subst* nasal
nasturtium [nə'stɜːʃəm] *subst* växt krasse
nasty ['nɑːstɪ] *adj* **1** otäck, äcklig **2** elak, stygg, dum [*to mot*] **3** ruskig [*~ weather*]
nation ['neɪʃən] *subst* nation, folk
national ['næʃnəl] *adj* nationell; national- [*~ income*], lands-, landsomfattande [*a ~ campaign*]; folk- [*a ~ hero*]; *~ anthem* nationalsång; *National Health Service* (förk. *NHS*) den allmänna hälso- och sjukvården i Storbritannien
nationalism ['næʃənəlɪzəm] *subst* nationalism
nationalistic [,næʃənə'lɪstɪk] *adj* nationalistisk
nationality [,næʃə'nælətɪ] *subst* nationalitet
nationalization [,næʃənəlaɪ'zeɪʃən] *subst* förstatligande, nationalisering
nationalize ['næʃənəlaɪz] *verb* förstatliga, nationalisera
nationwide ['neɪʃənwaɪd] *adj* landsomfattande
native I ['neɪtɪv] *adj* **1** födelse- [*my ~ town*]; *~ country* fosterland, hemland; *~ language* modersmål **2** infödd [*a ~ Welshman*]; *Native American* infödd amerikan indian
II ['neɪtɪv] *subst* inföding; infödd
NATO ['neɪtəʊ] *subst* (förk. för *North Atlantic Treaty Organization*) NATO atlantpaktsorganisationen

natural ['nætʃrəl] *adj* **1** natur- [~ *product*]; naturtrogen; ~ *history programme* i tv naturprogram; ~ *science* naturvetenskap; ~ *state* naturtillstånd **2** naturlig; *it comes* ~ *to him* det faller sig naturligt för honom

naturalize ['nætʃrəlaɪz] *verb* naturalisera

naturally ['nætʃrəli] *adv* **1** naturligt **2** naturligtvis, givetvis **3** av naturen [*she is* ~ *musical*] **4** av sig själv [*it grows* ~]; *it comes* ~ *to me* det faller sig naturligt för mig

nature ['neɪtʃə] *subst* **1** natur, naturen **2** natur, karaktär, art, sort [*things of this* ~]; *human* ~ människonaturen; *by* ~ till sin natur, av naturen; *something in the* ~ *of* något i stil med **3** före subst. natur-; ~ *conservation* naturvård; ~ *reserve* naturreservat

nature-cure ['neɪtʃə,kjʊə] *adj*, ~ *medicine* naturläkemedel

naught [nɔːt] *subst* **1** ingenting; *come to* ~ gå om intet **2** amer. noll

naughty ['nɔːtɪ] *adj* **1** stygg, elak **2** oanständig

nausea ['nɔːsɪə, 'nɔːzɪə] *subst* kväljningar, illamående, äckel

nauseate ['nɔːsɪeɪt] *verb* kvälja, äckla

nauseating ['nɔːsɪeɪtɪŋ] *adj* kväljande, äcklig

nautical ['nɔːtɪkl] *adj* nautisk [~ *mile*], sjö- [~ *term*]

naval ['neɪvl] *adj* sjömilitär; sjö- [~ *battle*], marin-, flott-, örlogs- [~ *base*]

nave [neɪv] *subst* mittskepp i kyrka

navel ['neɪvəl] *subst* navel

navigable ['nævɪgəbl] *adj* farbar, navigerbar

navigate ['nævɪgeɪt] *verb* navigera, segla på (över); segla

navigation [,nævɪ'geɪʃən] *subst* navigation, navigering

navigator ['nævɪgeɪtə] *subst* navigatör

navvy ['nævɪ] *subst* vägarbetare; rallare

navy ['neɪvɪ] *subst* örlogsflotta, marin; *the British Navy* el. *the Royal Navy* brittiska flottan

navy-blue [,neɪvɪ'bluː] *adj* marinblå

Nazi ['nɑːtsɪ] *subst* nazist

Nazism ['nɑːtsɪzəm] *subst* nazism

NB [,en'biː] (förk. för *nota bene* latin) obs, märk väl

NE (förk. för *north-east, north-eastern*) NO, NÖ

Neapolitan [nɪə'pɒlɪtən] *subst* neapolitan

near I [nɪə] *adj* o. *adv* o. *prep* nära; *the Near East* Främre Orienten; *in the* ~ *future* i en nära framtid; *come* ~ el. *draw* ~ närma sig; ~ *at hand* till hands, i närheten; ~ *by* i närheten **II** [nɪə] *verb* närma sig [*the ship neared land*]

nearby I ['nɪəbaɪ] *adj* närbelägen [*a* ~ *pub*] **II** [nɪə'baɪ] *adv* i närheten

nearer ['nɪərə] *adj* o. *adv* (komparativ av *near*) o. *prep* närmare

nearest ['nɪərɪst] *adj* o. *adv* (superlativ av *near*) o. *prep* närmast; ~ *to* närmast; *those* ~ *to me* el. *those* ~ *and dearest to me* mina närmaste

nearly ['nɪəlɪ] *adv* **1** nästan, närmare [~ *2 o'clock*]; *not* ~ långt ifrån; *not* ~ *so bad* inte tillnärmelsevis så dålig **2** nära; ~ *related* nära släkt

nearside ['nɪəsaɪd] *adj* o. *subst* vid vänstertrafik vänster sida; vid högertrafik höger sida

near-sighted [,nɪə'saɪtɪd] *adj* närsynt

neat [niːt] *adj* **1** ordentlig, vårdad [*a* ~ *appearance*], prydlig [~ *writing*] **2** elegant, smidig [*a* ~ *solution*] **3** ren, outspädd [*drink whisky* ~] **4** amer. jättebra, häftig

necessary I ['nesəsərɪ] *adj* nödvändig; *when* ~ vid behov, när så behövs **II** ['nesəsərɪ] *subst*, *the* ~ vard. pengarna som behövs; *do the* ~ göra det nödvändiga

necessitate [nə'sesɪteɪt] *verb* nödvändiggöra

necessity [nə'sesɪtɪ] *subst* **1** nödvändighet; *of* ~ med nödvändighet; *in case of* ~ i nödfall **2** nödvändig sak [*food and warmth are necessities*]; *the necessities of life* livets nödtorft

neck [nek] *subst* hals; *have a stiff* ~ vara stel i nacken; *break one's* ~ *to do sth* göra sitt yttersta för att åstadkomma ngt; *stick one's* ~ *out* vard. sticka ut hakan; ~ *and* ~ vid kappridning jämsides, i bredd; *win by a* ~ vinna med en halslängd; *get it in the* ~ vard. få på huden; *be up to one's* ~ *in debt* vard. vara skuldsatt upp över öronen

necklace ['nekləs] *subst* halsband

neckline ['neklaɪn] *subst* urringning; *plunging* ~ djup urringning

necktie ['nektaɪ] *subst* slips, halsduk

nectarine ['nektəriːn] *subst* nektarin

née [neɪ] *adj* om gift kvinna född [*Mrs. Lennon,* ~ *Smith*]

need I [niːd] *subst* **1** behov [*of, for* av]; *if* ~ *be* om så behövs; *you have no* ~ *to go* du behöver inte gå; *meet a* ~ täcka ett behov **2** nöd, trångmål; *be in* ~ lida nöd; *a friend in* ~ *is a friend indeed* i nöden prövas vännen

II [niːd] *verb* behöva, kräva; behövas, krävas; *be needed* behövas, krävas

needle ['niːdl] *subst* **1** nål; visare på instrument; *sewing* ~ synål **2** med., *hypodermic* ~ kanyl **3** barr på gran el. fura

needless ['niːdləs] *adj* onödig; ~ *to say, he did it* givetvis gjorde han det

needlework ['niːdlwɜːk] *subst* handarbete, sömnad, syarbete; *do* ~ sy, handarbeta

needn't ['niːdnt] = *need not*

needs [niːdz] *adv* (före el. efter *must*) nödvändigtvis, ovillkorligen *[he must* ~ *do it]*

needy ['niːdɪ] *adj* behövande, nödlidande

negative I ['negətɪv] *adj* negativ, nekande, avvisande *[a* ~ *answer]*
II ['negətɪv] *subst* **1** nekande; *answer in the* ~ svara nekande **2** nekande ord **3** foto. negativ

neglect I [nɪ'glekt] *verb* försumma; nonchalera, negligera
II [nɪ'glekt] *subst* **1** försummelse; nonchalerande; ~ *of duty* tjänsteförsummelse **2** vanskötsel; *be in a state of* ~ vara vanskött

neglectful [nɪ'glektfʊl] *adj* försumlig

negligee ['neglɪʒeɪ] *subst* negligé

negligence ['neglɪdʒəns] *subst* slarv, vårdslöshet, försumlighet

negligent ['neglɪdʒənt] *adj* vårdslös, försumlig

negotiate [nɪ'gəʊʃɪeɪt] *verb* **1** förhandla *[for om]* **2** förhandla om

negotiation [nɪ,gəʊʃɪ'eɪʃən] *subst* förhandling

negotiator [nɪ'gəʊʃɪeɪtə] *subst* förhandlare

Negress ['niːgrəs] *subst* åld. (neds.) negress

Negro ['niːgrəʊ] (pl. *negroes*) *subst* åld. (neds.) neger

neigh [neɪ] *verb* gnägga

neighbour ['neɪbə] *subst* granne

neighbourhood ['neɪbəhʊd] *subst* grannskap, omgivning, trakt *[a lovely* ~*]*; *in the* ~ *of* a) i närheten av b) ungefär *[in the* ~ *of £500]*; ~ *watch* ungefär grannsamverkan mot brott

neighbouring ['neɪbərɪŋ] *adj* grann- *[*~ *country;* ~ *village]*; närbelägen, angränsande

neither I ['naɪðə, spec. amer. 'niːðə] *pron* ingen av två; ingendera; *in* ~ *case* i ingetdera fallet
II ['naɪðə, spec. amer. 'niːðə] *konj.*o. *adv*
1 ~ ... *nor* varken ... eller **2** med föregående

negation inte heller; ~ *can I* det kan inte jag heller

neo-Fascism [,niːəʊ'fæʃɪzm] *subst* nyfascism

neon ['niːɒn] *subst* neon; ~ *sign* neonskylt

neo-Nazism [,niːəʊ'nɑːtsɪzm] *subst* nynazism

nephew ['nefjʊ, 'nevjʊ] *subst* brorson, systerson

nepotism ['nepətɪzəm] *subst* nepotism, svågerpolitik

Neptune ['neptjuːn] astron. el. mytol. Neptunus

nerd [nɜːd] *subst* vard. **1** tönt **2** datanörd, nörd

nerve [nɜːv] *subst* **1** nerv; *it gets on my* ~*s* det går mig på nerverna **2** vard. fräckhet; *he's got a* ~*!* han är inte lite fräck!

nerve-racking ['nɜːv,rækɪŋ] *adj* nervpåfrestande, enerverande

nervous ['nɜːvəs] *adj* **1** nerv-; ~ *system* nervsystem; *a* ~ *breakdown* ett nervsammanbrott **2** nervös, ängslig, orolig

nervy ['nɜːvɪ] *adj* vard. **1** nervös, nervig **2** amer. fräck **3** amer. modig

nest I [nest] *subst* bo *[a wasp's* ~*]*, näste
II [nest] *verb* bygga bo

nestle ['nesl] *verb* krypa ihop; ~ *up* trycka sig, smyga sig *[against intill]*

1 net I [net] *subst* **1** nät **2** håv *[butterfly* ~*]*
3 *surf the* ~ data. surfa på nätet
II [net] (*-tt-*) *verb* fånga med (i) nät

2 net I [net] *adj* **1** netto; netto- *[*~ *weight]*
II [net] (*-tt-*) *verb* göra en nettovinst på, inbringa netto

Netherlander ['neðələndə] *subst* nederländare

Netherlands ['neðələndz] *subst*, *the* ~ Nederländerna

netting ['netɪŋ] *subst* nätverk; *wire* ~ metalltrådsnät

nettle I ['netl] *subst* nässla; *stinging* ~ brännässla
II ['netl] *verb* reta, såra; perf. p. *nettled* sårad, förnärmad

nettle-rash ['netlræʃ] *subst* med. nässelfeber

network ['netwɜːk] *subst* **1** nät *[a* ~ *of railways]*, nätverk **2** radio. el. tv. sändarnät; radiobolag, tv-bolag

neurosis [,njʊə'rəʊsɪs] (pl. *neuroses*) *subst* neuros

neurotic I [,njʊə'rɒtɪk] *adj* neurotisk, nervös
II [,njʊə'rɒtɪk] *subst* neurotiker

neuter I ['njuːtə] *adj* gram. neutral, neutrum- *[a* ~ *ending]*; *the* ~ *gender* neutrum
II ['njuːtə] *subst* gram. neutrum

neutral I ['njuːtrəl] *adj* neutral

II ['nju:trəl] *subst* **1** neutral person (stat m.m.) **2** motor., *put the gear into* ~ lägga i friläget

neutrality [njʊ'trælətɪ] *subst* neutralitet

neutralize ['nju:trəlaɪz] *verb* neutralisera

never ['nevə] *adv* aldrig; ~! vard. nej, vad säger du!, det menar du inte!; *well, I ~!* jag har aldrig hört (sett) på maken!; ~ *mind!* det spelar ingen roll!, bry dig inte om det!

never-ending ['nevər,endɪŋ] *adj* oupphörlig, ständig, oändlig

nevertheless [,nevəðə'les] *adv* inte desto mindre, ändå

new [nju:] *adj* ny, ny- [~ *election*]; frisk [~ *blood*]; ~ *moon* nymåne; ~ *year* nytt år, nyår; ~ *potatoes* färsk potatis; *that's a ~ one on me* vard. det hade jag ingen aning om

new-born ['nju:bɔ:n] *adj*, *a ~ baby* ett nyfött barn

newcomer ['nju:,kʌmə] *subst* nykomling

new-fangled ['nju:fæŋgld] *adj* nymodig

new-laid ['nju:leɪd] *adj* färsk [~ *eggs*]

newly ['nju:lɪ] *adv* **1** nyligen [~ *arrived*], ny- [*a newly-married couple*]

newly-weds ['nju:lɪwedz] *subst pl* vard., *the ~* de nygifta

new-mown ['nju:məʊn] *adj* nyslagen, nyklippt

news [nju:z] (med verb i sing.) *subst* nyheter, nyhet, underrättelse, underrättelser; *an interesting item of* ~ en intressant nyhet; *it's very much in the* ~ det är mycket aktuellt; *it was on the* ~ det sas (visades) i nyheterna; ~ *headlines* nyhetsrubriker; *a ~ summary* nyhetssammandrag

news agency ['nju:z,eɪdʒənsɪ] *subst* nyhetsbyrå, telegrambyrå

newsagent ['nju:z,eɪdʒənt] *subst*, *newsagent's* tidnings- och tobaksaffär

news broadcast ['nju:z,brɔ:dkɑ:st] *subst* nyhetssändning i tv, radio

news bulletin ['nju:z,bʊlətɪn] *subst* nyheter, nyhetsbulletin i tv, radio

newscast ['nju:zkɑ:st] *subst* radio. el. tv. nyhetssändning

newscaster ['nju:z,kɑ:stə] *subst* radio. el. tv. nyhetsuppläsare

newsflash ['nju:zflæʃ] *subst* brådskande nyhetstelegram, kort extrameddelande i radio el. tv

news item ['nju:z,aɪtəm] *subst* tidningsnotis, nyhet

newsletter ['nju:z,letə] *subst* **1** informationsblad **2** pressöversikt

newspaper ['nju:s,peɪpə] *subst* tidning

newsreader ['nju:z,ri:də] *subst* radio. el. tv. nyhetsuppläsare

newsreel ['nju:zri:l] *subst* journalfilm

newsroom ['nju:zru:m] *subst* **1** tidskriftsrum **2** nyhetsredaktion

newsstand ['nju:zstænd] *subst* tidningskiosk

newsvendor ['nju:z,vendə] *subst* tidningsförsäljare på gatan

newt [nju:t] *subst* vattensalamander, vard. vattenödla

New Year [,nju:'jɪə] *subst* nyår; *New Year's Eve* nyårsafton

---

New York
New York är USA:s största stad (över 8 milj., Stor-New York över 18 milj.). *Manhattan* är New Yorks mest kända stadsdel med sin skyline av skyskrapor. Här finns berömda skyskrapor som *the Empire State Building* och *the Chrysler Building*. På en ö i New Yorks hamn står Frihetsgudinnan, *the Statue of Liberty*. På och runt *Broadway* ligger många teatrar. *5th Avenue* är den största affärsgatan.

New York [,nju:'jɔ:k]

New Yorker [,nju:'jɔ:kə] *subst* newyorkbo

New Zealand [,nju:'zi:lənd] Nya Zeeland

New Zealander [,nju:'zi:ləndə] *subst* nyzeeländare

next I [nekst] *adj* o. *subst* **1** nästa, närmast [*during the ~ two days*]; *who's ~?* vem står på tur?; *to be continued in our ~* fortsättning följer i nästa nummer; *he lives ~ door to me* han bor alldeles bredvid mig **2** näst; *the ~ greatest* den näst största

II [nekst] *adv* **1** därefter, därpå [~ *came a tall man*], sedan **2** näst; ~ *to* intill, bredvid, näst efter; ~ *to nothing* nästan ingenting

next-door [,neks'dɔ:] *adj* närmast [*my ~ neighbours*]

next-of-kin [,nekstəv'kɪn] *subst* närmaste anhörig, närmast anhöriga

NHS [,eneɪtʃ'es] förk. för *National Health Service*

nib [nɪb] *subst* stålpenna; stift på reservoarpenna

nibble I ['nɪbl] *verb* knapra på, nafsa efter; knapra, nafsa

II ['nɪbl] *subst* **1** fiske napp **2** knaprande, nafsande

nice [naɪs] *adj* **1** trevlig, sympatisk **2** hygglig, snäll [*to* mot] **3** vacker [*a ~ day*], snygg [*a ~ dress*] **4** behaglig, skön, gott [*a ~ meal*]; *~ and soft* mjuk och skön; *~ and clean* ren och fin **5** iron. snygg, fin, skön; *a ~ mess* en snygg röra; *~ work!* bra jobbat!, bra gjort!; *you're a ~ one!* du är en snygg en!, du är en riktig elaking!

nice-looking [ˌnaɪsˈlʊkɪŋ] *adj* snygg

niche [niːʃ] *subst* ekon., plats nisch

nick I [nɪk] *subst* **1** hack, skåra **2** *in the ~ of time* i grevens tid **3** sl., *in the ~* på kåken fängelse

II [nɪk] *verb* **1** göra ett hack i **2** sl. knycka stjäla **3** sl. haffa

nickel I ['nɪkl] *subst* **1** nickel **2** amer. femcentare, fem cent

II ['nɪkl] *verb* förnickla

nickel silver [ˌnɪklˈsɪlvə] *subst*, *electroplated ~* el. *~* alpacka

nickname I ['nɪkneɪm] *subst* öknamn, smeknamn

II ['nɪkneɪm] *verb*, *~ sb* ge ngn smeknamnet..., ge ngn öknamnet... [*they nicknamed him Skinny*]

nicotine ['nɪkətiːn] *subst* nikotin

niece [niːs] *subst* brorsdotter, systerdotter

Niger [staten niːˈʒeə]

Nigeria [naɪˈdʒɪərɪə]

nigger ['nɪgə] *subst* neds. nigger, svarting

night [naɪt] *subst* natt; tidigare kväll, afton; *first ~* premiär; *last ~* a) i går kväll b) i natt, natten till i dag; *stop the ~* övernatta; *~s* adv. om nätterna; *at ~* a) på kvällen b) på (om) natten, på (om) nätterna; *by ~* på (om) natten

nightcap ['naɪtkæp] *subst* vard. sängfösare

nightclub ['naɪtklʌb] *subst* nattklubb

night depository ['naɪtdɪˌpɒzɪtrɪ] *subst* amer. nattfack på bank

nightdress ['naɪtdres] *subst* nattlinne

nightfall ['naɪtfɔːl] *subst* nattens inbrott

nightgown ['naɪtgaʊn] *subst* nattlinne

nightie ['naɪtɪ] *subst* vard. nattlinne

nightingale ['naɪtɪŋgeɪl] *subst* näktergal sydnäktergal

nightlight ['naɪtlaɪt] *subst* nattljus; nattlampa t.ex. i sovrum

nightly I ['naɪtlɪ] *adj* nattlig

II ['naɪtlɪ] *adv* på (om) natten, varje natt

nightmare ['naɪtmeə] *subst* mardröm

night porter ['naɪtˌpɔːtə] *subst* nattportier

night safe ['naɪtseɪf] *subst* nattfack på bank

night-service ['naɪtˌsɜːvɪs] *subst* pl. *~s* nattrafik

nightshade ['naɪtʃeɪd] *subst*, *deadly ~* belladonna växt

night-time ['naɪttaɪm] *subst*, *in the ~* el. *at ~* nattetid

night watchman [ˌnaɪtˈwɒtʃmən] *subst* nattvakt

nightwear ['naɪtweə] *subst*, *in ~* i nattdräkt

nil [nɪl] *subst* noll; *win two ~* vinna med två noll

Nile [naɪl] *subst*, *the ~* Nilen

nimble ['nɪmbl] *adj* kvick, flink, snabb

nincompoop ['nɪnkəmpuːp] *subst* vard. dumhuvud

nine [naɪn] *räkn* o. *subst* nia

nineteen [ˌnaɪnˈtiːn] *räkn* o. *subst* nitton; *talk ~ to the dozen* prata i ett, prata oavbrutet

nineteenth [ˌnaɪnˈtiːnθ] *räkn* o. *subst* nittonde; nittondel

ninetieth ['naɪntɪɪθ] *räkn* o. *subst* nittionde; nittiondel

ninety ['naɪntɪ] *räkn* o. *subst* **1** nittio **2** nittiotal; *in the nineties* på nittiotalet

ninth [naɪnθ] *räkn* o. *subst* nionde; niondel

nip I [nɪp] (*-pp-*) *verb* **1** nypa, klämma; bita **2** vard. kila; *~ along* el. *~ off* el. *~ round* kila i väg, kila bort (över)

II [nɪp] *subst* **1** nyp, nypning **2** *a ~ of whisky* en liten whisky

nipple ['nɪpl] *subst* **1** bröstvårta **2** tekn. nippel

nitpicker ['nɪtˌpɪkə] *subst* pedant, felfinnare

nitpicking ['nɪtˌpɪkɪŋ] *subst* vard. petighet, pedanteri

nitrate ['naɪtreɪt] *subst* kem. nitrat

nitrogen ['naɪtrədʒən] *subst* kem. kväve

nitty-gritty [ˌnɪtɪˈgrɪtɪ] *subst*, *the ~* det väsentliga, de praktiska detaljerna [*let's get down to the ~*]

nitwit ['nɪtwɪt] *subst* sl. dumbom, fårskalle

no I [nəʊ] *adj* ingen; *~ one* ingen; *she's ~ angel* hon är inte någon ängel precis; *there is ~ knowing when...* man kan aldrig veta när...; *~ parking* parkering förbjuden; *~ smoking* rökning förbjuden

II [nəʊ] *adv* nej, inte

III [nəʊ] (pl. *noes*) *subst* nej; nejröst; *the noes have it* nejrösterna är i majoritet

no. ['nʌmbə] nr, n:r

Noah ['nəʊə] egennamn; *Noah's Ark* Noaks ark

nobility [nəˈbɪlɪtɪ] *subst* **1** adel; *the ~* britt. högadeln **2** adelskap **3** ädelhet

noble I ['nəʊbl] *adj* **1** adlig, högadlig **2** ädel, förnäm, nobel
II ['nəʊbl] *subst* adelsman
nobleman ['nəʊblmən] (pl. *noblemen* ['nəʊblmən]) *subst* adelsman
noble-minded [,nəʊbl'maɪndɪd] *adj* ädel, högsint
nobody I ['nəʊbədɪ] *pron* ingen
II ['nəʊbədɪ] *subst* nolla obetydlig person
no-claims [,nəʊ'kleɪmz] *adj*, ~ *bonus* försäkringsterm bonus för skadefritt år
nocturnal [nɒk'tɜːnl] *adj* nattlig {~ *habits*}
nod I [nɒd] (*-dd-*) *verb* **1** nicka; *she nodded approval* hon nickade bifall; *he nodded his head* han nickade **2** nicka till somna
II [nɒd] *subst* nick, nickning
noise [nɔɪz] *subst* buller, starkt ljud, oväsen; ~ *suppressor* störningsskydd; *make a* ~ bullra, föra oväsen
noiseless ['nɔɪzləs] *adj* ljudlös
noisy ['nɔɪzɪ] *adj* bullrig, högljudd
no-man's-land ['nəʊmænzlænd] *subst* ingenmansland
nominate ['nɒmɪneɪt] *verb* **1** nominera **2** utnämna, utse
nomination [,nɒmɪ'neɪʃən] *subst* **1** nominering **2** utnämning
nominative ['nɒmɪnətɪv] *subst* gram. nominativ; *in the* ~ i nominativ
non [nɒn] *adv* **1** inte **2** i sammansättningar: icke- {*non-smoker*}; o-; -fri; *non-essential* oväsentlig; *non-iron* strykfri
non-alcoholic ['nɒn,ælkə'hɒlɪk] *adj* alkoholfri
non-aligned [,nɒnə'laɪnd] *adj* alliansfri
nonchalance ['nɒnʃələns] *subst* nonchalans
nonchalant ['nɒnʃələnt] *adj* nonchalant
non-combatant [,nɒn'kɒmbətənt] *adj* mil. icke-stridande; ~ *duties* vapenfri tjänst
non-commissioned [,nɒnkə'mɪʃənd] *adj*, ~ *officer* mil. **1** underofficer **2** underbefäl
nonconformist [,nɒnkən'fɔːmɪst] *subst* frireligiös, nonconformist
nondescript ['nɒndɪskrɪpt] *adj* obestämbar
non-drip [,nɒn'drɪp] *adj* droppfri
none I [nʌn] *pron* ingen, inget, inga
II [nʌn] *adv* ingalunda; *I was* ~ *the wiser for it* det blev jag inte klokare av
nonentity [nɒ'nentətɪ] *subst* nolla, obetydlig person
non-existent [,nɒnɪg'zɪstənt] *adj* obefintlig
non-fattening [,nɒn'fætənɪŋ] *adj* icke fettbildande
non-fiction [,nɒn'fɪkʃən] *subst* facklitteratur, sakprosa

non-iron [,nɒn'aɪən] *adj* strykfri {*a* ~ *shirt*}
no-no [,nəʊ'nəʊ] (pl. *no-nos*) *subst* vard., *it's a* ~ det går inte, det är oacceptabelt
nonplussed [,nɒn'plʌst] *adj*, *be* ~ vara ställd, vara svarslös
non-poisonous [,nɒn'pɔɪzənəs] *adj* giftfri
non-resident [,nɒn'rezɪdənt] *subst* tillfällig gäst {*the hotel restaurant is open to* ~*s*}
non-returnable [,nɒnrɪ'tɜːnəbl] *adj*, ~ *bottle* engångsflaska, engångsglas
nonsense ['nɒnsəns] *subst* nonsens, prat, strunt
non-skid [,nɒn'skɪd] *adj* slirfri {~ *tyres*}, hackfri
non-smoker [,nɒn'sməʊkə] *subst* **1** icke-rökare **2** kupé för icke-rökare
non-smoking [,nɒn'sməʊkɪŋ] *subst*, ~ *compartment* kupé för icke-rökare
non-stop [,nɒn'stɒp] *adj* o. *adv* nonstop, utan att stanna, utan uppehåll
non-violence [,nɒn'vaɪələns] *subst* icke-våld
noodle ['nuːdl] *subst* nudel slags bandspaghetti
noon [nuːn] *subst* **1** middag, klockan tolv på dagen {*before* ~}
noose [nuːs] *subst* snara
nor [nɔː] *konj*, *neither*... ~ varken... eller; ~ *can I* det kan inte jag heller
Nordic ['nɔːdɪk] *adj* nordisk
norm [nɔːm] *subst* norm
normal I ['nɔːml] *adj* normal
II ['nɔːml] *subst* det normala {*above* ~}
Norman ['nɔːmən] *subst* hist. normand
Normandy ['nɔːməndɪ] Normandie
north I [nɔːθ] *subst* **1** norr, nord; *to the* ~ *of* norr om **2** *the North* a) nordliga länder b) norra delen
II [nɔːθ] *adj* nordlig, norra, nordan-; *North America* Nordamerika; *the North Atlantic Treaty Organization* Atlantpaktsorganisationen; *the North Pole* nordpolen; *the North Sea* Nordsjön
III [nɔːθ] *adv* mot norr, norrut; ~ *of* norr om
northbound ['nɔːθbaʊnd] *adj* nordgående
north-east I [,nɔːθ'iːst] *subst* nordost, nordöst
II [,nɔːθ'iːst] *adj* nordöstlig, nordostlig, nordöstra
III [,nɔːθ'iːst] *adv* mot nordost, i nordost; ~ *of* nordost om
north-easterly [,nɔːθ'iːstəlɪ] *adj* nordostlig
north-eastern [,nɔːθ'iːstən] *adj* nordostlig
northerly ['nɔːðəlɪ] *adj* nordlig
northern ['nɔːðən] *adj* **1** nordlig, norra,

nord-; *Northern Ireland* Nordirland; ~
lights norrsken **2** nordisk
northerner ['nɔːðənə] *subst* person från norra
delen av landet (ett land); nordbo; i USA
nordstatare
northernmost ['nɔːðənməʊst] *adj* nordligast
northward I ['nɔːθwəd] *adj* nordlig
II ['nɔːθwəd] *adv* mot norr
northwards ['nɔːθwədz] *adv* mot norr,
norrut
north-west I [ˌnɔːθ'west] *subst* nordväst
II [ˌnɔːθ'west] *adj* nordvästlig, nordvästra
III [ˌnɔːθ'west] *adv* mot nordväst, i
nordväst; ~ *of* nordväst om
north-western [ˌnɔːθ'westən] *adj*
nordvästlig, nordvästra
Norway ['nɔːweɪ] Norge
Norwegian I [nɔː'wiːdʒən] *adj* norsk
II [nɔː'wiːdʒən] *subst* **1** norrman **2** norska
språket
nose [nəʊz] *subst* näsa; nos; *blow one's* ~
snyta sig; *stick (poke) one's* ~ *into other
people's business* lägga näsan i blöt;
lead sb by the ~ hålla ngn i ledband, få
ngn vart man vill; *pay through the* ~ vard.
bli uppskörtad
nosedive I ['nəʊzdaɪv] *subst*, *take a* ~ göra
en störtdykning, falla snabbt
II ['nəʊzdaɪv] *verb* störtdyka, falla snabbt
nosey ['nəʊzɪ] *adj* vard. nyfiken i en strut
nosh [nɒʃ] *subst* sl. käk mat
nostalgia [nɒ'stældʒɪə] *subst* nostalgi
nostalgic [nɒ'stældʒɪk] *adj* nostalgisk
nostril ['nɒstrəl] *subst* näsborre
nosy ['nəʊzɪ] *adj* vard. nyfiken; *be* ~ snoka,
vara nyfiken
not [nɒt] *adv* (efter hälpverb ofta *n't* [*haven't*;
couldn't]) inte; ~ *that* inte för att [~ *that I
fear him*]; *... doesn't (hasn't, can't) he*
(*she* etc.)*?* vanligen ..., eller hur?, ..., inte
sant?
notable ['nəʊtəbl] *adj* framstående,
betydande
notably ['nəʊtəblɪ] *adv* **1** märkbart
2 särskilt, i synnerhet
notch [nɒtʃ] *subst* hack, jack, skåra
note I [nəʊt] *subst* **1** anteckning, not; ~*s*
kommentar, kommentarer **2** kort brev,
kort meddelande **3** sedel **4** musik. ton; not
5 musik. tangent **6** ton, stämning **7** *a man
of* ~ en framstående man; *take* ~ *of* lägga
märke till; *nothing of* ~ ingenting av
betydelse
II [nəʊt] *verb* **1** märka, notera, observera
2 anteckna, skriva upp

note block ['nəʊtblɒk] *subst* kollegieblock
notebook ['nəʊtbʊk] *subst* **1** anteckningsbok
2 bärbar dator i litet format
noted ['nəʊtɪd] *adj* bekant, känd
note pad ['nəʊtpæd] *subst* anteckningsblock
notepaper ['nəʊtˌpeɪpə] *subst* brevpapper
noteworthy ['nəʊtˌwɜːðɪ] *adj*
anmärkningsvärd, beaktansvärd
nothing I ['nʌθɪŋ] *pron* ingenting, inget; ~
but ingenting annat än; ~ *doing!* inte en
chans!, glöm det!; ~ *else than* el. ~ *else
but* blott; *there is* ~ *for it but to* + inf. det
är inget annat att göra än att...; *for* ~
a) gratis [*he did it for* ~] b) förgäves [*suffer
for* ~]; *not for* ~ inte för inte; *there is* ~ *in
it* a) det ligger ingenting ingen sanning i det
b) det är ingen konst; *make* ~ *of* inte få ut
något av; *I can make* ~ *of it* jag förstår
mig inte på det; *to say* ~ *of* för att inte tala
om; *there's* ~ *to it* a) det är ingen konst
b) det ligger ingenting ingen sanning i det;
with ~ *on* utan någonting på sig
II ['nʌθɪŋ] *adv* inte alls, ingalunda; ~ *like*
inte på långt när
notice I ['nəʊtɪs] *subst* **1** notis, meddelande
2 varsel, förvarning; uppsägning; *give* ~
underrätta, varsko [*of* om]; *give* ~ *to quit*
el. *give* ~ säga upp sig; *give* ~ *of a strike*
varsla om strejk; *receive (get) a month's*
~ bli uppsagd med en månads varsel; *till
further* ~ tills vidare **3** kännedom [*bring
sth to sb's* ~]; *attract* ~ väcka
uppmärksamhet; *pay no* ~ *to* el. *take no*
~ *of* inte bry sig om
II ['nəʊtɪs] *verb* märka, lägga märke till,
iaktta
noticeable ['nəʊtɪsəbl] *adj* märkbar,
påfallande
notice board ['nəʊtɪsbɔːd] *subst* anslagstavla
notification [ˌnəʊtɪfɪ'keɪʃən] *subst*
underrättelse
notify ['nəʊtɪfaɪ] *verb* underrätta, varsko
notion ['nəʊʃən] *subst* **1** föreställning,
begrepp **2** idé
notorious [nə'tɔːrɪəs] *adj* ökänd
notwithstanding [ˌnɒtwɪθ'stændɪŋ] *prep* o.
konj trots, trots att
nougat ['nuːgɑː] *subst* fransk nougat
nought [nɔːt] *subst* noll, nolla; ~*s and
crosses* ungefär luffarschack
noun [naʊn] *subst* gram. substantiv
nourish ['nʌrɪʃ] *verb* ge näring åt, nära
nourishing ['nʌrɪʃɪŋ] *adj* närande [~ *food*]
nourishment ['nʌrɪʃmənt] *subst* näring, föda

novel I ['nɒvəl] *adj* ny, nymodig
II ['nɒvəl] *subst* roman
novelist ['nɒvəlɪst] *subst* romanförfattare
novelty ['nɒvəltɪ] *subst* **1** nyhet, nymodighet
November [nə'vembə] *subst* november
novice ['nɒvɪs] *subst* novis, nybörjare
now I [naʊ] *adv* **1** nu; ~ *and then* (*again*)
el. *every* ~ *and then* (*again*) då och då;
before ~ förut; före detta; *by* ~ vid det här
laget; *from* ~ *on* från och med nu; ~
for... ...och så var det dags för **2** ~ *then*
a) nå b) aj, aj [~ *then, don't touch it!*]; *what
was your name,* ~? vad var det du hette
nu igen?
II [naʊ] *konj* nu då [~ *you mention it*]
nowadays ['naʊədeɪz] *adv* nuförtiden
nowhere ['nəʊweə] *adv* ingenstans; ~ *else*
ingen annanstans; ~ *else but* ingen
annanstans än; ~ *near* inte på långt när;
we are getting ~ vi kommer ingen vart
nozzle ['nɒzl] *subst* munstycke, pip
NSPCC [,enes'piː,siː'siː] (förk. för *National
Society for the Prevention of Cruelty to
Children*) svensk motsvarighet ungefär BRIS
n't [nt] = *not* [*hasn't; needn't*]
nuance [njuˈɑːns] *subst* nyans
nuclear ['njuːklɪə] *adj* kärn-; nukleär;
kärnvapen-; ~ *energy* atomenergi; ~
power kärnkraft; ~ *power plant*
kärnkraftverk; ~ *waste* kärnavfall
nuclear-powered [,njuːklɪə'paʊəd] *adj*
kärnenergidriven, atom- [~ *submarine*]
nude I [njuːd] *adj* naken, bar
II [njuːd] *subst* naken figur; konst.
naketstudie, akt; *in the* ~ naken
nudge I [nʌdʒ] *verb*, ~ *sb* knuffa ngn med
armbågen för att påkalla uppmärksamhet
II [nʌdʒ] *subst* puff
nudism ['njuːdɪzəm] *subst* nudism
nudist ['njuːdɪst] *subst* nudist
nudity ['njuːdətɪ] *subst* nakenhet
nugget ['nʌgɪt] *subst* klump, klimp av ädel
metall
nuisance ['njuːsns] *subst* **1** otyg, oskick
2 olägenhet, besvär; plåga; *make a* ~ *of
oneself* bråka, ställa till besvär; *what a* ~!
så tråkigt!
numb I [nʌm] *adj* domnad, bedövad [~ *with
shock*]; ~ *with cold* stel av köld
II [nʌm] *verb* göra stel, göra stelfrusen;
bedöva
number I ['nʌmbə] *subst* **1** antal, mängd; *few
in* ~ el. *few in* ~*s* få till antalet; *superior
in* ~*s* numerärt överlägsen **2** nummer
[*telephone* ~]; tal [*odd* ~]; *cardinal* ~

grundtal; *look after* ~ *one* bara tänka på
sig själv, se om sitt eget hus **3** nummer av
tidskrift **4** teat. m.m. nummer [*a solo* ~]
5 numerus
II ['nʌmbə] *verb* **1** numrera, paginera
2 omfatta, uppgå till **3** räkna [*I* ~ *myself
among his friends*] **4** räkna antalet av; *his
days are numbered* hans dagar är
räknade
numeral ['njuːmrəl] *subst* **1** gram. räkneord
2 siffra [*Roman* ~*s*]
numerator ['njuːməreɪtə] *subst* mat. täljare
numerical [njuˈmerɪkl] *adj* numerisk,
numerär [~ *superiority*]; siffer- [~ *system*];
in ~ *order* i nummerordning
numerous ['njuːmərəs] *adj* talrik
nun [nʌn] *subst* nunna
nunnery ['nʌnərɪ] *subst* nunnekloster
nurse I [nɜːs] *subst* **1** sjuksköterska, syster;
male ~ manlig sjuksköterska
2 barnsköterska
II [nɜːs] *verb* **1** sköta barn el. sjuka, vårda
2 sköta om [~ *a cold*]
nursemaid ['nɜːsmeɪd] *subst* barnflicka
nursery ['nɜːsərɪ] *subst* **1** barnkammare; ~
rhyme barnkammarrim, barnvisa; ~
school lekskola, förskola **2** plantskola,
trädskola
nursing ['nɜːsɪŋ] *subst* **1** sjukvård **2** amning
nursing-home ['nɜːsɪŋhəʊm] *subst* privat
sjukhem; privat vårdhem
nurture ['nɜːtʃə] *verb* föda, föda upp, nära
nut [nʌt] *subst* **1** nöt; kärna i en nöt **2** mutter
3 vard. tokstolle
nutcracker ['nʌt,krækə] *subst* vanligen pl. ~*s*
nötknäppare; *a pair of* ~*s* en nötknäppare
nuthatch ['nʌthætʃ] *subst* fågel nötväcka
nutmeg ['nʌtmeg] *subst* krydda muskot
nutrition [njuˈtrɪʃən] *subst* näring
nutritious [njuˈtrɪʃəs] *adj* näringsrik
nutritive ['njuːtrətɪv] *adj*, ~ *value*
näringsvärde
nuts [nʌts] *adj* vard. knasig, knäpp; *she's* ~
about him hon är tokig i honom
nutshell ['nʌt-ʃel] *subst* nötskal; *to put it in
a* ~ kort sagt
nutty ['nʌtɪ] *adj* **1** med nötsmak **2** full med
nötter **3** vard. knasig, knäpp
nuzzle ['nʌzl] *verb* trycka nosen mot [*the
horse nuzzled my shoulder*]; ~ *up against*
trycka nosen mot
NW (förk. för *north-west, north-western*) NV
NY förk. för *New York*
nylon ['naɪlən] *subst* nylon; pl. ~*s*
nylonstrumpor

nymph [nɪmf] *subst* nymf
NZ förk. för *New Zealand*

Oo

O o. **o** [əʊ] *subst* **1** O, o **2** nolla; i sifferkombinationer noll; *please dial 5060* [ˌfaɪvəʊˈsɪksəʊ] var god slå 5060
oaf [əʊf] *subst* dummerjöns, idiot, drummel
oak [əʊk] *subst* **1** ek träd **2** ek, ekvirke
oaken [ˈəʊkən] *adj* av ek, ek-
oar [ɔː] *subst* åra
oarlock [ˈɔːlɒk] *subst* årtull, årklyka
oasis [əʊˈeɪsɪs] (pl. *oases* [əʊˈeɪsiːz]) *subst* oas
oath [əʊθ] *subst* **1** ed; *take the* ~ jur. avlägga eden **2** svordom
oatmeal [ˈəʊtmiːl] *subst* **1** havremjöl; ~ *porridge* havregrynsgröt **2** amer. havregrynsgröt
oats [əʊts] *subst pl* havre
obedience [əˈbiːdjəns] *subst* lydnad, åtlydnad
obedient [əˈbiːdjənt] *adj* lydig
obelisk [ˈɒbəlɪsk] *subst* obelisk
obese [əˈbiːs] *adj* mycket fet, sjukligt fet
obesity [əˈbiːsətɪ] *subst* stark fetma, sjuklig fetma
obey [əˈbeɪ] *verb* lyda, hörsamma
obituary [əˈbɪtjʊərɪ] *subst*, ~ *notice* el. ~ dödsruna, dödsannons; rubrik dödsfall
object I [ˈɒbdʒɪkt] *subst* **1** föremål, sak, ting **2** syfte, avsikt; *money is no* ~ det får kosta vad det vill **3** gram. objekt; *direct* ~ ackusativobjekt
II [əbˈdʒekt] *verb* invända {*that* att}; protestera {*to* mot}; ~ *to* ogilla, inte tåla; *if you don't* ~ om du inte har något emot det
objection [əbˈdʒekʃən] *subst* invändning, protest {*to, against* mot}; *I have no* ~ *to it* det har jag ingenting emot
objectionable [əbˈdʒekʃənəbl] *adj* **1** förkastlig **2** anstötlig, obehaglig
objective I [əbˈdʒektɪv] *adj* objektiv; saklig
II [əbˈdʒektɪv] *subst* mål
obligation [ˌɒblɪˈgeɪʃən] *subst* **1** förpliktelse, åliggande, skyldighet; *feel under an* ~ känna sig förpliktad **2** *be under an* ~ stå i tacksamhetsskuld
obligatory [əˈblɪgətrɪ] *adj* obligatorisk
oblige [əˈblaɪdʒ] *verb* **1** förpliktiga; *be obliged to* vara tvungen att **2** tillmötesgå {*I do my best to* ~ *him*}; stå till tjänst; *I'm*

much obliged jag är mycket tacksam;
much obliged! tack så mycket!
obliging [ə'blaɪdʒɪŋ] *adj* förekommande,
tillmötesgående
obliterate [ə'blɪtəreɪt] *verb* utplåna, stryka
ut
oblivion [ə'blɪvɪən] *subst* glömska
oblivious [ə'blɪvɪəs] *adj* glömsk {*of* av}
oblong ['ɒblɒŋ] *adj* avlång, rektangulär
obnoxious [əb'nɒkʃəs] *adj* vidrig, förhatlig
oboe ['əʊbəʊ] *subst* musik. oboe
obscene [əb'siːn] *adj* oanständig
obscenity [əb'senətɪ] *subst* oanständighet
obscure I [əb'skjʊə] *adj* **1** dunkel
2 svårfattlig **3** lite känd {*an ~ writer*}
II [əb'skjʊə] *verb* **1** fördunkla, skymma
{*mist obscured the view*} **2** dölja {*~ the truth*}
obscurity [əb'skjʊərətɪ] *subst* **1** dunkel,
mörker **2** svårfattlighet
obsequious [əb'siːkwɪəs] *adj* inställsam
observance [əb'zɜːvəns] *subst* **1** efterlevnad
2 firande
observant [əb'zɜːvənt] *adj* uppmärksam
observation [,ɒbzə'veɪʃən] *subst*
observation, iakttagelse; ***powers of*** ~
iakttagelseförmåga
observatory [əb'zɜːvətrɪ] *subst*
observatorium
observe [əb'zɜːv] *verb* observera, iaktta
observer [əb'zɜːvə] *subst* iakttagare,
observatör
obsess [əb'ses] *verb,* ***be obsessed by*** vara
besatt av
obsession [əb'seʃən] *subst* **1** fix idé
2 besatthet
obsolete ['ɒbsəliːt] *adj* föråldrad {*~ words*};
omodern {*an ~ battleship*}, förlegad
obstacle ['ɒbstəkl] *subst* hinder {*to* för}
obstacle-race ['ɒbstəklreɪs] *subst*
hindertävling slags sällskapslek
obstinacy ['ɒbstɪnəsɪ] *subst* envishet
obstinate ['ɒbstɪnət] *adj* envis
obstruct [əb'strʌkt] *verb* **1** täppa till,
blockera {*~ a road*} **2** hindra {*~ the traffic*}
obstruction [əb'strʌkʃən] *subst*
1 tilltäppning, hindrande **2** polit. el. sport.
obstruktion
obtain [əb'teɪn] *verb* få, skaffa sig, erhålla
obtainable [əb'teɪnəbl] *adj* anskaffbar; ***it's***
~ det (den) går att få
obtuse [əb'tjuːs] *adj* slö, trögtänkt
obvious ['ɒbvɪəs] *adj* tydlig, uppenbar
obviously ['ɒbvɪəslɪ] *adv* tydligen,
uppenbarligen
occasion [ə'keɪʒən] *subst* **1** tillfälle; ***on*** ~ då

och då; ***on several*** ~s vid flera tillfällen
2 tilldragelse, händelse; ***rise to the*** ~ el. ***be***
equal to the ~ vara situationen vuxen
3 anledning {*no ~ to change our plans*}
occasional [ə'keɪʒnəl] *adj* tillfällig, enstaka
{*~ showers*}; ***an ~ job*** ett ströjobb
occasionally [ə'keɪʒnəlɪ] *adv* då och då
occult I ['ɒkʌlt, ɒ'kʌlt] *adj* ockult
II ['ɒkʌlt, ɒ'kʌlt] *subst,* ***the*** ~ det ockulta
occupant ['ɒkjupənt] *subst* invånare,
innehavare; ***the ~s of the house*** de
boende i huset; ***the ~s of the car were...***
de som befann sig i bilen var...
occupation [,ɒkju'peɪʃən] *subst* **1** mil.
ockupation; ~ ***forces*** ockupationsstyrkor
2 sysselsättning {*my favourite ~*}, syssla
{*my daily ~s*}; yrke {*state name and ~*}
occupational [,ɒkju'peɪʃnəl] *adj* arbets- {*~*
therapy}, yrkes- {*~ disease*}
occupier ['ɒkjupaɪə] *subst* innehavare; ***the***
~ ***s of the flat*** de som bor (bodde, har
bott) i lägenheten, innehavarna av
lägenheten
occupy ['ɒkjupaɪ] *verb* **1** mil. ockupera, inta
2 inneha {*~ an important position*}, vara
innehavare av **3** bo i {*~ a house*}, bo på
4 uppta {*~ sb's time*}, sysselsätta; ***the seat***
is occupied platsen är upptagen
occur [ə'kɜː] (*-rr-*) *verb* **1** inträffa, hända, ske
2 förekomma **3** ~ ***to sb*** falla ngn in {*to att*}
occurrence [ə'kʌrəns] *subst* **1** händelse,
tilldragelse **2** förekomst
ocean ['əʊʃən] *subst* ocean, världshav, hav
o'clock [ə'klɒk] *adv,* ***it is ten*** ~ klockan är
tio; ***at one*** ~ klockan ett
octane ['ɒkteɪn] *subst* oktan
octave ['ɒktɪv] *subst* oktav
October [ɒk'təʊbə] *subst* oktober
octopus ['ɒktəpəs] *subst* åttaarmad bläckfisk
odd [ɒd] *adj* **1** udda, ojämn {*an ~ number*};
omaka {*an ~ glove*}; ~ ***pair*** restpar; ***keep***
the ~ change! det är jämna pengar!; ***at***
fifty ~ vid några och femtio års ålder; ***a***
hundred ~ kilometres drygt hundra
kilometer **2** tillfällig, extra; ~ ***jobs***
ströjobb; ***at ~ moments*** på lediga stunder
3 underlig, konstig
oddity ['ɒdətɪ] *subst* underlighet
odd-job man [,ɒd'dʒɒbmæn] *subst*
diversearbetare
odd-looking ['ɒd,lʊkɪŋ] *adj* med underligt
utseende
oddment ['ɒdmənt] *subst* pl. ~s småsaker
odds [ɒdz] *subst* **1** utsikter, odds, chanser;
the ~ ***are against him*** han har alla odds

emot sig; *the* ~ *are in his favour* han har
goda utsikter; *fight against heavy* ~
kämpa mot övermakten **2** spel. odds; *long*
~ a) höga odds b) små chanser; *short* ~
låga odds **3** *at* ~ oense, osams **4** ~ *and
ends* småsaker

odds-on ['ɒdzɒn] *adj*, *be an* ~ *favourite*
vara klar favorit

odious ['əʊdjəs] *adj* förhatlig, avskyvärd

odometer [əʊ'dɒmɪtə] *subst* spec. amer.
vägmätare

odour ['əʊdə] *subst* lukt, odör, doft

of [ɒv, obetonat əv] *prep* **1** om [*north* ~ *York*];
av [*born* ~ *poor parents*]; från [*a writer* ~ *the
18th century*;; *Professor Smith* ~ *Cambridge*];
i [*die* ~ *cancer*]; på [*a class* ~ *30 pupils*; *a boy*
~ *ten*]; med [*a man* ~ *foreign appearance*;
the advantage ~ *this system*]; *five minutes*
~ *twelve* amer. fem minuter i tolv; *a cup* ~
tea en kopp te; *a novel* ~ *Stevenson's* en
roman av Stevenson; *a number* ~ *people*
ett antal människor; *the town* ~
Brighton staden Brighton; *the
University* ~ *London* Londons
universitet, universitetet i London; *the
works* ~ *Milton* Miltons verk; *on the
fifth* ~ *May* den femte maj **2** för att uttrycka
genitiv, *the roof* ~ *the house* husets tak; *a
friend* ~ *mine* en vän till mig

off I [ɒf] *adv* o. *adj* **1** bort, i väg [~ *with you!*];
av [*take* ~]; på t.ex. instrumenttavla
frånkopplad , från; ~ *we go!* nu går vi!; *far*
~ långt bort; *Christmas is only a week*
~ det är bara en vecka till jul; *time* ~
ledighet; *take time* ~ ta ledigt **2** *be* ~ i
speciella betydelser **a)** vara av [*the lid is* ~];
vara ur, ha lossnat [*the button is* ~]; vara
frånkopplad **b)** ge sig av, kila; *it's time we
were* ~ det är på tiden vi kommer i väg;
where are you ~ *to?* vart ska du ta vägen?
c) vara ledig **d)** på restaurang vara slut [*sorry,
meat pie is* ~ *today*] **e)** vara inställd [*the
party is* ~]; *the wedding is* ~ det blir inget
bröllop **f)** vard. inte vara färsk [*the meat was
a bit* ~] **g)** *how are you* ~ *for money?*
hur har du det med pengar? **3** ~ *season*
lågsäsong, dödsäsong

II [ɒf] *prep* **1** ner från [*he fell* ~ *the ladder*],
av [*he fell* ~ *the bicycle*] **2** vid, nära; ~ *the
coast* **a)** utanför kusten **b)** vid kusten, nära
kusten **3** vard., *I'm* ~ *smoking* jag har lagt
av med att röka **4** på [*3% discount* ~ *the
price*]

off-beat ['ɒfbiːt] *adj* okonventionell,
annorlunda [*an* ~ *lifestyle*]

off-chance ['ɒftʃɑːns] *subst* liten chans [*there
is an* ~ *that…*]; *we called on the* ~ *of
finding you at home* vi chansade på att
du skulle vara hemma

off-colour [,ɒf'kʌlə] *adj* lite krasslig, lite
vissen

off-day ['ɒfdeɪ] *subst* **1** ledig dag **2** dålig dag
[*one of my* ~*s*]

offence [ə'fens] *subst* **1** lagöverträdelse,
förseelse; *punishable* ~ straffbar
handling; *it is an* ~ *to* det är straffbart att;
commit an ~ bryta mot lagen **2** *give* ~ *to*
el. *cause* ~ *to* väcka anstöt hos, stöta; *take*
~ ta illa upp; *quick to take* ~ lättstött

offend [ə'fend] *verb* väcka anstöt hos; väcka
anstöt; *be offended* bli stött [*by sb* på ngn;
by sth över ngt]; *don't be offended* ta inte
illa upp; ~ *against* bryta mot, synda emot

offender [ə'fendə] *subst* **1** lagöverträdare;
young ~ ungdomsbrottsling; ~*s will be
prosecuted* överträdelse beivras
2 syndare

offense [ə'fens] *subst* amer., se *offence*

offensive I [ə'fensɪv] *adj* **1** offensiv, anfalls-
[~ *weapons*] **2** anstötlig, stötande **3** vidrig,
motbjudande [*an* ~ *smell*]
II [ə'fensɪv] *subst* offensiv

offer I ['ɒfə] *verb* **1** erbjuda, bjuda [*I offered
him £150,000 for the house*]; ~ *for sale*
bjuda ut till försäljning; *I offered him a
cigarette* jag bjöd honom på en cigarett
2 utlova; ~ *a reward* utfästa en belöning
3 framföra [~ *an apology*] **4** ~ *to do sth*
erbjuda sig att göra ngt [*he offered to help
me*]
II ['ɒfə] *subst* **1** erbjudande [*of* om];
special ~ extrapris **2** anbud, bud; hand.
offert

offering ['ɒfərɪŋ] *subst* offergåva

off-hand [,ɒf'hænd] *adv* o. *adj* **1** på rak arm
2 nonchalant

office ['ɒfɪs] *subst* **1** kontor, tjänsterum,
expedition; ~ *block* kontorsbyggnad
2 amer. mottagning [*doctor's* ~] **3** *Office*
departement [*the Home Office*] **4** ämbete,
tjänst, befattning; *the Government in* ~
den sittande regeringen

officer ['ɒfɪsə] *subst* **1** officer; pl. ~*s* befäl
2 *police* ~ (vid tilltal vanligen ~) polis,
polisman

official I [ə'fɪʃl] *subst* **1** ämbetsman,
tjänsteman **2** sport. funktionär
II [ə'fɪʃl] *adj* officiell [*in* ~ *circles*]; tjänste-
[~ *letter*]

officially [ə'fɪʃəlɪ] *adv* officiellt

officiate [əˈfɪʃɪeɪt] *verb* fungera [~ *as chairman*], tjänstgöra

offing [ˈɒfɪŋ] *subst, in the* ~ under uppsegling [*a quarrel in the* ~]; på gång [*I have a job in the* ~]

off-licence [ˈɒf.laɪsəns] *subst* vin- och spritbutik

off-peak [ˈɒfpiːk] *adj, at* ~ *hours* a) vid lågtrafik b) elektr. vid lågbelastning

offset [ˈɒfset] (*offset offset*) (*-tt-*) *verb* uppväga [*the gains* ~ *the losses*]

offshoot [ˈɒfʃuːt] *subst* bot. sidoskott

offshore [ˌɒfˈʃɔː] *adj* o. *adv* **1** frånlands- [~ *wind*] **2** utanför kusten [~ *fisheries*]

offside [ˌɒfˈsaɪd] *adj* o. *subst* **1** sport. offside **2** trafik.: vid vänstertrafik höger sida, vid högertrafik vänster sida

offspring [ˈɒfsprɪŋ] *subst* avkomma, avföda

off-the-cuff [ˌɒfðəˈkʌf] *adj* improviserad

off-the-peg [ˌɒfðəˈpeg] *adj* vard. konfektionssydd

off-the-rack [ˌɒfðəˈræk] *adj* amer. vard., se *off-the-peg*

off-white [ˌɒfˈwaɪt] *adj* off-white, benvit

oft [ɒft] *adv* poetiskt ofta

often [ˈɒfn] *adv* ofta; *as* ~ *as not* ganska ofta; *more* ~ *than not* oftast; *every so* ~ då och då

oh [əʊ] *interj*, ~*!* å!, äsch!; oj!, aj!

oil I [ɔɪl] *subst* **1** olja; *burn the midnight* ~ jobba (plugga) in på småtimmarna; *pour* ~ *on troubled waters* gjuta olja på vågorna **2** mest pl. ~*s* oljemålningar; *paint in* ~*s* måla i olja
II [ɔɪl] *verb* olja in

oilcloth [ˈɔɪlklɒθ] *subst* vaxduk

oil gauge [ˈɔɪlgeɪdʒ] *subst* oljemätare

oil painting [ˈɔɪlˌpeɪntɪŋ] *subst* oljemålning; *I'm no* ~*!* jag är ingen skönhet precis!

oilrig [ˈɔɪlrɪg] *subst* oljeborrplattform

oilslick [ˈɔɪlslɪk] *subst* stor oljefläck t.ex. på vattnet

oilstove [ˈɔɪlstəʊv] *subst* **1** fotogenkök **2** fotogenkamin

oily [ˈɔɪlɪ] *adj* **1** oljig, oljeaktig **2** fet, flottig

ointment [ˈɔɪntmənt] *subst* salva

OK I [ˌəʊˈkeɪ] *adj* o. *adv* vard. okej; *it's* ~ *by* (*with*) *me* det är okej för min del, gärna för mig; *I'll do it,* ~*?* jag gör det, går det bra?
II [ˌəʊˈkeɪ] *subst* vard., *the* ~ okej, klarsignal
III [ˌəʊˈkeɪ] vard. *verb* godkänna [*the report was OK'd*]

old I [əʊld] (komparativ o. superlativ *older, oldest*, ibland *elder, eldest*, se dessa ord) *adj* **1** gammal;

~ *boy* a) gammal elev [*the school's* ~ *boys*] b) vard. gammal farbror, gamling; ~ *boy* (*chap, fellow, man*)*!* vard. gamle vän!, gamle gosse!; ~ *girl!* vard. flicka lilla!, lilla gumman!; *he's an* ~ *hand* vard. han är gammal i gamet; *my* ~ *man* a) farsan, min farsa b) gubben, min gubbe make; *any* ~ *thing* vard. vad katten som helst; *the Old World* Gamla världen **2** tidigare, f.d. [*our* ~ *head retired ten years ago*]
II [əʊld] *subst, in days of* ~ el. *in times of* ~ fordom, i gamla tider; *I know him of* ~ jag känner honom sedan gammalt

old-age [ˌəʊldˈeɪdʒ] *adj*, ~ *pension* [ˌəʊldeɪdʒˈpenʃən] förr ålderspension, folkpension

---

Old Bailey [ˌəʊldˈbeɪlɪ]
Old Bailey är det populära namnet på centralbrottsdomstolen i London, *the Central Criminal Court.* Här låg förr en fästningsmur, *bailey.*

---

olden [ˈəʊldən] *adj, in* ~ *times* el. *in* ~ *days* i gamla tider

old-fashioned [ˌəʊldˈfæʃənd] *adj* **1** gammalmodig, gammaldags **2** lillgammal

oldie [ˈəʊldɪ] *subst* vard. gamling; *golden* ~ om t.ex. gamla filmstjärnor gammal goding; musik. gammal hitlåt

oldish [ˈəʊldɪʃ] *adj* äldre, rätt gammal

old-time [ˈəʊldtaɪm] *adj* gammaldags

old-timer [ˌəʊldˈtaɪmə] *subst* vard. **1** *an* ~ en som är gammal i gamet **2** gamling

old-world [ˈəʊldwɜːld] *adj* gammaldags

olive I [ˈɒlɪv] *subst* oliv
II [ˈɒlɪv] *adj* olivgrön

Olympiad [əˈlɪmpɪæd] *subst* olympiad

Olympic [əˈlɪmpɪk] *adj, the* ~ *Games* de olympiska spelen

Oman [əʊˈmɑːn]

---

ombudsman
Ombudsman är inlånat från svenskan. På engelska betyder det enbart justitieombudsman.

---

ombudsman [ˈɒmbʊdzmən] *subst* i Storbritannien justitieombudsman

omelet o. **omelette** [ˈɒmlət] *subst* omelett

omen ['əʊmen] *subst* omen, förebud
ominous ['ɒmɪnəs] *adj* illavarslande, olycksbådande
omission [ə'mɪʃən] *subst* **1** utelämnande **2** underlåtenhet, försummelse
omit [ə'mɪt] (-tt-) *verb* **1** utelamna **2** underlåta, försumma
omnibus ['ɒmnɪbəs] *subst* **1** buss **2** ~ *book* el. ~ *volume* samlingsband, samlingsverk
omnipotent [ɒm'nɪpətənt] *adj* allsmäktig
omnivorous [ɒm'nɪvərəs] *adj* allätande
on I [ɒn] *prep* på [~ *the radio*; ~ *TV*; amer. ~ *19th Street*]; i [~ *the ceiling*; *talk* ~ *the telephone*]; vid [*Newcastle is situated* ~ *the Tyne*]; mot [*they made an attack* ~ *the town*]; till [~ *land and sea*; ~ *foot*]; om, kring, över [*a book* ~ *a subject*]; ~ *May 1st* den 1 maj; ~ *my arrival in London, I went to the hotel* vid ankomsten till London, gick jag till hotellet; ~ *hearing this he...* då han fick veta det...; ~ *second thoughts* vid närmare eftertanke; *this is* ~ *me* vard. det är jag som bjuder; *it's* ~ *the house* vard. det är huset som bjuder; ~ *to* ner på, upp på
II [ɒn] *adv* o. *adj* på [*a pot with the lid* ~]; på sig [*he drew his boots* ~]; vidare [*pass it* ~!]; *walk right* ~ gå rakt fram; *a little further* ~ lite längre fram; *from that day* ~ från och med den dagen; *the light is* ~ ljuset är tänt; *the radio is* ~ radion är på; *what's* ~ *tonight?* a) vad är det för program i kväll? b) vad är planerna för i kväll?; *it's just not* ~ vard. det går bara inte för sig; *what's he* ~ *about?* vad bråkar (snackar) han om?; *come* ~! a) skynda dig! b) kom igen!; ~ *and* ~ utan avbrott, i ett kör
once I [wʌns] *adv* **1** en gång; ~ *or twice* ett par gånger; ~ *bitten twice shy* ordspr. bränt barn skyr elden; ~ *again* el. ~ *more* en gång till, ännu en gång; ~ *and for all* en gång för alla; ~ *in a while* en och annan gång; *for* ~ för en gångs skull; *at* ~ a) med detsamma, genast b) på samma gång; *all at* ~ a) plötsligt, med ens b) alla på en gång **2** en gång, förr; ~ *upon a time there was a king* det var en gång en kung
II [wʌns] *konj*, ~ *he had done it* när han väl hade gjort det
oncoming I ['ɒn,kʌmɪŋ] *adj* annalkande [*an* ~ *storm*]; mötande [~ *traffic*; *an* ~ *car*]
II ['ɒn,kʌmɪŋ] *subst* ankomst [*the* ~ *of winter*], annalkande
one I [wʌn] *räkn* o. *adj* en, ett; ena; *for* ~

thing för det första; *blind in* ~ *eye* blind på ena ögat; *not* ~ inte en enda en; *it's all* ~ *to me* det gör mig detsamma; ~ *or two* ett par stycken; ~ *after the other went out* den ena efter den andra gick ut; ~ *at a time* el. ~ *at the time* en och en, en i taget; *she is* ~ *wonderful woman!* hon är verkligen en underbar kvinna!; ~ *by* ~ en och en, en åt gången, en i taget; *I for* ~ jag för min del
II [wʌn] *pron* **1** man; reflexivt sig [*pull after* ~]; *one's* a) ens [*one's own children*] b) sin [~ *must always be on one's guard*] c) en, en viss [~ *John Smith*]; ~ *another* varandra [*they like* ~ *another*] **2** stödjeord [*I lose a friend and you gain* ~]; någon, något [*where is my umbrella?* — *you didn't bring* ~]; *take the red box, not the black* ~ ta den röda asken, inte den svarta; *my dear* ~*s* mina kära; *the little* ~*s* småttingarna; *this* ~ *will do* den här duger; *which* ~ *do you like?* vilken tycker du om?
III [wʌn] *subst* **1** etta [*three* ~*s*] **2** vard., *you are a* ~! du är en rolig en!
one-act ['wʌnækt] *adj*, ~ *play* enaktare
one-armed ['wʌnɑːmd] *adj*, ~ *bandit* vard. enarmad bandit spelautomat
one-handed [,wʌn'hændɪd] *adj* enhänt
one-man ['wʌnmæn] *adj* enmans-; ~ *show* enmansteater, enmansshow
onerous ['ɒnərəs] *adj* betungande, tyngande
oneself [wʌn'self] *pron* sig [*wash* ~; *hurt* ~], sig själv [*proud of* ~], själv [*one had to do it* ~]
one-sided [,wʌn'saɪdɪd] *adj* ensidig
one-storey ['wʌn,stɔːrɪ] *adj* envånings-, enplans- [*a* ~ *house*]
one-track ['wʌntræk] *adj* vard., *have a* ~ *mind* vara enkelspårig
one-two [,wʌn'tuː] *subst*, *do a* ~ fotb. spela väggspel
one-way ['wʌnweɪ] *adj* **1** enkelriktad [*a* ~ *street*] **2** amer., ~ *ticket* enkel biljett
ongoing ['ɒn,gəʊɪŋ] *adj* pågående
onion ['ʌnjən] *subst* lök, rödlök
on-line ['ɒnlaɪn] *adj* data. direktansluten, uppkopplad, on-line
onlooker ['ɒn,lʊkə] *subst* åskådare
only I ['əʊnlɪ] *adj* enda; *my one and* ~ *chance* min absolut enda chans; *she is an* ~ *child* hon är enda barnet
II ['əʊnlɪ] *adv* **1** bara, endast; ~ *once* bara en gång; *if* ~ *to* om inte för annat så för att [*if* ~ *to spite him*]; *not* ~ ... *but* inte

bara... utan även; *when he was ~ three he could read* redan vid tre års ålder kunde han läsa **2** först, inte förrän [*I met him ~ yesterday*] **3** senast, så sent som [*he can't be away, I saw him ~ yesterday*] **4** ~ *just* just nu, alldeles nyss [*I have ~ just got it*] **III** ['əʊnlɪ] *konj* men; *I would lend you the book, ~ I don't know where it is* jag skulle gärna låna dig boken, men jag vet bara inte var den är; ~ *that* utom att

onrush ['ɒnrʌʃ] *subst* anstormning

onscreen ['ɒnskriːn] *adj* data. el. tv. på skärmen; ~ *display* display på skärmen

onset ['ɒnset] *subst* **1** anfall **2** inträde

onshore [ˌɒn'ʃɔː] *adj* o. *adv* **1** pålands- [~ *wind*] **2** på kusten **3** i land

onslaught ['ɒnslɔːt] *subst* våldsamt angrepp

onstage [ˌɒn'steɪdʒ] *adv* på scenen, in på scenen

on-the-spot [ˌɒnðə'spɒt] *adj* på ort och ställe; ~ *fine* böter som betalas direkt på plats

onto ['ɒntʊ] *prep* = *on to*

onus ['əʊnəs] *subst* börda, skyldighet

onward ['ɒnwəd] *adj* framåtriktad; ~ *march* frammarsch

onwards ['ɒnwədz] *adv* framåt, vidare; *from page 10* ~ från och med sidan 10

onyx ['ɒnɪks] *subst* onyx prydnadssten

oodles ['uːdlz] *subst pl* vard. massor [~ *of money*]

ooh [uː] *interj* **1** oj!, åh! **2** usch!

ooze [uːz] *verb*, ~ *out* sippra ut, sippra fram

opal ['əʊpl] *subst* ädelsten opal

opaque [ə'peɪk] *adj* ogenomskinlig, dunkel

open I ['əʊpən] *adj* öppen; *fling* ~ kasta upp, slänga upp; *in the* ~ *air* i fria luften, i det fria för jakt o. fiske; ~ *secret* offentlig hemlighet; ~ *to* öppen för, mottaglig för [~ *to argument*]; ~ *to doubt* underkastad tvivel; *this is* ~ *to question* detta kan ifrågasättas **II** ['əʊpən] *subst* **1** öppet, offentligt; *come* (*come out*) *into the* ~ komma ut, bli offentlig **2** sport. open tävling öppen för proffs o. amatörer **III** ['əʊpən] *verb* **1** öppna, inviga [~ *a new hospital*]; ~ *an account with* öppna konto hos; ~ *fire* mil. öppna eld [*on* mot] **2** öppnas, öppna sig **3** vetta, ha utsikt [*on, to* mot, åt] **4** leda, föra [*into, on to* in till, ut till, ut i]; *the room* ~*s on* (*on to*) *the garden* rummet har förbindelse med trädgården **5** ~ *up* öppna sig, bli meddelsam; ~ *up!* öppna dörren!

open-air [ˌəʊpən'eə] *adj* frilufts- [~ *life*], utomhus- [*an* ~ *dance-floor*]

opener ['əʊpənə] *subst* **1** -öppnare [*tin-opener; can-opener*] **2** inledare [~ *of a discussion*]

open-handed [ˌəʊpən'hændɪd] *adj* frikostig

open-hearted [ˌəʊpən'hɑːtɪd] *adj* **1** öppenhjärtig, uppriktig **2** varmhjärtad

open-house [ˌəʊpən'haʊs] *adj, he is giving an* ~ *party tomorrow* det är öppet hus hos honom i morgon

opening I ['əʊpənɪŋ] *pres p* o. *adj* begynnelse-; ~ *chapter* inledningskapitel; ~ *hours* öppettider; *his* ~ *remarks* hans inledande anmärkningar **II** ['əʊpənɪŋ] *subst* **1** öppnande; början, inledning; ~ *night* premiär; ~ *time* spec. öppningsdags för pubar **2** öppning, tillfälle, chans [*for* till]

open-minded [ˌəʊpən'maɪndɪd] *adj* fördomsfri, öppen

opera ['ɒpərə] *subst* opera

opera glasses ['ɒpərəˌɡlɑːsɪz] *subst pl* teaterkikare

operate ['ɒpəreɪt] *verb* **1** verka, göra verkan [*on, upon* på] **2** om t.ex. maskin arbeta, fungera **3** med. operera; *she was operated on for cancer* hon opererades för cancer; *his knee was operated on* han opererades i knät **4** mil. operera **5** sätta (hålla) i gång, manövrera, sköta [~ *a machine*] **6** leda, driva [~ *a company*]

operatic [ˌɒpə'rætɪk] *adj* opera- [~ *music*]

operating theatre ['ɒpəreɪtɪŋˌθɪətə] *subst* operationssal

operation [ˌɒpə'reɪʃən] *subst* **1** *be in* ~ vara i gång, vara i verksamhet; *come into* ~ a) träda i verksamhet b) om t.ex. lag träda i kraft; *put into* ~ sätta i verket [*put a plan into* ~] **2** med. operation, ingrepp; *have an* ~ *for...* bli opererad för... **3** skötsel, hantering [*the* ~ *of a machine*]

operator ['ɒpəreɪtə] *subst* **1** ~*!* på t.ex. hotell a) hallå!; fröken! b) växeln!; *telephone* ~ växeltelefonist; *wireless* ~ radiotelegrafist **2** med. kirurg **3** aktör på börsen

operetta [ˌɒpə'retə] *subst* musik. operett

opinion [ə'pɪnjən] *subst* **1** mening, åsikt, omdöme [*of, about* om]; ~ *poll* opinionsundersökning; *public* ~ den allmänna opinionen; *have a high* ~ *of* ha en hög tanke om; *in my* ~ enligt min mening; *it's a matter of* ~ det råder delade meningar, det är en fråga om tycke och smak **2** betänkande, utlåtande [*on* om, över, i]

opinionated [ə'pɪnjəneɪtɪd] *adj* egensinnig

opium ['əʊpjəm] *subst* narkotika opium

opossum [ə'pɒsəm] *subst* djur opossum, pungråtta

opponent [ə'pəʊnənt] *subst* motståndare [*of* till]

opportune ['ɒpətjuːn] *adj* opportun, läglig

opportunist [,ɒpə'tjuːnɪst] *subst* opportunist

opportunity [,ɒpə'tjuːnətɪ] *subst* gynnsamt tillfälle, möjlighet, chans; *at the first* ~ vid första tillfälle

oppose [ə'pəʊz] *verb* motsätta sig

opposed [ə'pəʊzd] *adj* motsatt [~ *views*]; *as* ~ *to* i motsats till

opposite I ['ɒpəzɪt] *adj* o. *prep* o. *adv* mitt emot [*the* ~ *house*], motsatt; ~ *to* mitt emot
II ['ɒpəzɪt] *subst* motsats [*of* till]; *I mean the* ~ jag menar tvärtom

opposition [,ɒpə'zɪʃən] *subst* **1** motsättning, motstånd **2** opposition

oppress [ə'pres] *verb* **1** trycka, tynga **2** trycka ned, tynga ned **3** förtrycka [~ *the people*]

oppression [ə'preʃən] *subst* förtryck [*the* ~ *of the people*]

oppressive [ə'presɪv] *adj* **1** tyngande **2** tryckande, pressande [~ *heat*]

oppressor [ə'presə] *subst* förtryckare

opt [ɒpt] *verb* välja; ~ *for sth* välja ngt, uttala sig för ngt

optical ['ɒptɪkl] *adj* optisk, syn-; ~ *illusion* synvilla

optician [ɒp'tɪʃən] *subst* optiker

optics ['ɒptɪks] (med verb i sing.) *subst* optik

optimism ['ɒptɪmɪzəm] *subst* optimism

optimist ['ɒptɪmɪst] *subst* optimist

optimistic [,ɒptɪ'mɪstɪk] *adj* optimistisk

option ['ɒpʃən] *subst* val [*I had no* ~], fritt val; valfrihet; valmöjlighet

optional ['ɒpʃnəl] *adj* valfri

opus ['əʊpəs] *subst* opus, verk

or [ɔː] *konj* eller, annars; ~ *else* annars, eller också

oracle ['ɒrəkl] *subst* orakel

oral ['ɔːrəl] *adj* muntlig [*an* ~ *examination*]

orally ['ɔːrəlɪ] *adv* muntligen, muntligt

orange I ['ɒrɪndʒ] *subst* **1** apelsin **2** orange färg
II ['ɒrɪndʒ] *adj* orange färgad

orangeade [,ɒrɪndʒ'eɪd] *subst* apelsindryck, läskedryck med apelsinsmak

Orangemen's Day Parade
Den 12 juli tågar Nordirlands protestanter i processioner för att fira segern vid slaget vid floden Boyne 1690, *the Battle of the Boyne*. Wilhelm av Oranien, *William of Orange*, besegrade James II, som stöddes av katolikerna. Processionerna uppfattas som provokationer av de nordirländska katolikerna och det är inte ovanligt med kravaller.

orang-outang [ə,ræŋuː'tæŋ] *subst* djur orangutang

orator ['ɒrətə] *subst* talare, orator

orb [ɔːb] *subst* klot, sfär, glob

orbit I ['ɔːbɪt] *subst* t.ex. planets, satellits bana; himlakropps kretslopp; *send into* ~ sända upp i bana
II ['ɔːbɪt] *verb* röra sig i en bana kring, kretsa kring

orchard ['ɔːtʃəd] *subst* fruktträdgård

orchestra ['ɔːkɪstrə] *subst* orkester; ~ *stalls* främre parkett

orchestral [ɔː'kestrəl] *adj* orkester-

orchid ['ɔːkɪd] *subst* blomma orkidé

ordain [ɔː'deɪn] *verb* prästviga

ordeal [ɔː'diːl, 'ɔːdiːl] *subst* svårt prov, eldprov; *a terrible* ~ en svår pärs

order I ['ɔːdə] *subst* **1** ordning, ordningsföljd; *in working* ~ el. *in good working* ~ i gott skick, funktionsduglig; *out of* ~ a) i oordning b) ur funktion **2** order, befallning, tillsägelse **3** jur., domstols beslut; ~ *of the Court* domstolsutslag **4** hand. order, beställning [*for* på]; *it's a tall* ~ det är för mycket begärt; *be on* ~ vara beställd; *made to* ~ tillverkad på beställning; skräddarsydd **5** på restaurang beställning **6** bankterm anvisning; utbetalningsorder **7** samhällsklass; *the lower* ~*s* de lägre klasserna **8** orden; ordenssällskap **9** *take* ~*s* el. *take holy* ~*s* låta prästviga sig **10** *in* ~ *to* + inf. i avsikt att; *in* ~ *for you to see the match* för att du ska se matchen; *in* ~ *that* för att, så att [*I did it in* ~ *that he shouldn't worry*] **11** slag, sort; *of (in) the* ~ *of* av (i) storleksordningen
II ['ɔːdə] *verb* **1** befalla, säga till, beordra [*sb to do sth*]; ~ *sb about* kommendera ngn,

köra med ngn **2** beställa [~ *a taxi*],
rekvirera **3** med. ordinera, föreskriva
orderly I ['ɔːdəlɪ] *adj* **1** välordnad, metodisk
2 om person ordentlig **3** stillsam, lugn [*an* ~
crowd]
II ['ɔːdəlɪ] *subst* **1** mil. ordonnans
2 *hospital* ~ sjukvårdsbiträde; *medical* ~
mil. sjukvårdare
ordinal ['ɔːdɪnl] *adj*, ~ *number* ordningstal
ordinarily ['ɔːdɪnərəlɪ] *adv* vanligen
ordinary I ['ɔːdnrɪ] *adj* vanlig, ordinär,
alldaglig
II ['ɔːdnrɪ] *subst*, *something out of the* ~
någonting utöver det vanliga
ore [ɔː] *subst* malm
oregano [ˌɒrɪˈgɑːnəʊ, spec. amer. əˈregənəʊ]
subst oregano
organ ['ɔːgən] *subst* **1** anat. organ; *male* ~
manslem **2** musik. orgel; positiv
organic [ɔːˈgænɪk] *adj* **1** organisk
2 biodynamisk; ~ *farming* biodynamisk
odling
organically [ɔːˈgænɪklɪ] *adv*, ~ *grown*
obesprutad, biodynamisk
organism ['ɔːgənɪzəm] *subst* organism
organist ['ɔːgənɪst] *subst* organist
organization [ˌɔːgənaɪˈzeɪʃən] *subst*
organisation, organisering
organize ['ɔːgənaɪz] *verb* organisera,
arrangera, ställa till
organizer ['ɔːgənaɪzə] *subst* organisatör,
arrangör
orgasm ['ɔːgæzəm] *subst* orgasm, utlösning
orgy ['ɔːdʒɪ] *subst* orgie
orient I ['ɔːrɪənt] *subst*, *the Orient* Orienten
II ['ɔːrɪənt] *verb* spec. amer., se *orientate*
Oriental [ˌɔːrɪˈentl] *adj* orientalisk,
österländsk
orientate ['ɔːrɪənteɪt] *verb* orientera; *be*
orientated towards vara inriktad på
orientation [ˌɔːrɪənˈteɪʃən] *subst* orientering
orienteering [ˌɔːrɪənˈtɪərɪŋ] *subst* sport.
orientering
origin ['ɒrɪdʒɪn] *subst* ursprung, tillkomst,
upphov; *country of* ~ ursprungsland
original I [əˈrɪdʒənl] *adj* **1** ursprunglig,
original- **2** originell, nyskapande
II [əˈrɪdʒənl] *subst* original
originality [əˌrɪdʒəˈnælətɪ] *subst* originalitet
originally [əˈrɪdʒənəlɪ] *adv* **1** ursprungligen
2 originellt [*write* ~]
originate [əˈrɪdʒəneɪt] *verb* **1** ge (vara)
upphov till **2** härstamma, uppstå
originator [əˈrɪdʒəneɪtə] *subst* upphovsman
ornament I ['ɔːnəmənt] *subst* ornament,

utsmyckning
II ['ɔːnəment] *verb* ornamentera, smycka
ornamental [ˌɔːnəˈmentl] *adj* ornamental,
dekorativ
ornamentation [ˌɔːnəmenˈteɪʃən] *subst*
1 ornamentering, utsmyckning
2 ornament
ornate [ɔːˈneɪt] *adj* **1** utsirad **2** överlastad
ornithologist [ˌɔːnɪˈθɒlədʒɪst] *subst*
ornitolog, fågelkännare
orphan ['ɔːfən] *subst* föräldralöst barn
orphanage ['ɔːfənɪdʒ] *subst* barnhem, hem
för föräldralösa barn
orthodontics [ˌɔːθəʊˈdɒntɪks] (med verb i
sing.) *subst* tandreglering
orthodox ['ɔːθədɒks] *adj* ortodox
orthography [ɔːˈθɒgrəfɪ] *subst* ortografi,
rättstavning
orthopaedic o. **orthopedic** [ˌɔːθəˈpiːdɪk] *adj*
ortopedisk
oscillate ['ɒsɪleɪt] *verb* svänga, pendla; fys.
oscillera
Oslo ['ɒzləʊ]
ostensible [ɒˈstensəbl] *adj* skenbar
ostentation [ˌɒstenˈteɪʃən] *subst* vräkighet
ostentatious [ˌɒstenˈteɪʃəs] *adj* grann,
prålig [~ *jewellery*], vräkig
osteopath ['ɒstɪəpæθ] *subst* osteopat,
kiropraktor
ostracize ['ɒstrəsaɪz] *verb* frysa ut, bojkotta
ostrich ['ɒstrɪtʃ, 'ɒstrɪdʒ] *subst* struts
other ['ʌðə] *pron* annan, annat, andra;
ytterligare; *the* ~ *day* häromdagen; *every*
~ *week* varannan vecka; *it was no* ~
than the King el. *it was none* ~ *than the*
King det var ingen annan än kungen;
somehow or ~ på ett eller annat sätt;
among ~*s* bland andra, bl.a.; *among* ~
things bland annat, bl.a.
otherwise ['ʌðəwaɪz] *adv* **1** annars, i annat
fall **2** annorlunda **3** för övrigt
otherworldly [ˌʌðəˈwɜːldlɪ] *adj*
verklighetsfrämmande, världsfrämmande
otter ['ɒtə] *subst* djur utter
ouch [aʊtʃ] *interj* aj!, oj!
ought [ɔːt] *hjälpverb* (presens el. imperfekt med *to*
+ inf.) bör, borde; *I* ~ *to see a doctor* jag
borde gå till läkaren; *I* ~ *to know* det
måtte jag väl veta
ounce [aʊns] *subst* **1** uns vanligen = 1/16 pound =
28,35 gram **2** uns, gnutta [*not an* ~ *of*
intelligence]
our ['aʊə] *pron* vår; se *my* för ex.
ours ['aʊəz] *pron* vår [*the house is* ~]; ~ *is a*

large family vi är en stor familj; se *1 mine* för ex.

ourselves [,aʊə'selvz] *pron* oss [*we amused* ~], oss själva [*we can take care of* ~], själva [*we made that mistake* ~]

oust [aʊst] *verb* driva bort, tränga undan

out [aʊt] *adv* o. *adj* **1** ute, utanför, borta; ut, bort; *take* ~ ta fram ur t.ex. fickan; *the fire is* ~ brasan har slocknat; *the light is* ~ ljuset är släckt; *the tide is* ~ det är ebb; *before the year is* ~ innan året är slut; *you are not far* ~ vard. det är inte så illa gissat; *be* ~ *and about* vara uppe, vara på benen; *it was her Sunday* ~ det var hennes lediga söndag **2** ~ *of* a) ut från, ut ur [*come* ~ *of the house*], upp ur [~ *of the water*], ut genom [~ *of the door*], ur [*drink* ~ *of a cup*]; från; ute ur, utanför b) av, utav [~ *of curiosity; it is made* ~ *of wood*]; ~ *of sight* utom synhåll; *be* ~ *of tea* inte ha något te, vara utan te; ~ *of doors* utomhus; *in two cases* ~ *of ten* i två fall av tio; *get* ~ *of here!* ut härifrån!; *be* ~ *of training* ha dålig kondition, vara otränad; *feel* ~ *of it* känna sig utanför **3** ~ *with it!* fram med det!, ut med språket!

out-and-out [,aʊtn'aʊt] *adj* vard. tvättäkta [*an* ~ *Londoner*], renodlad [*an* ~ *swindler*]

outbalance [,aʊt'bæləns] *verb* uppväga

outbid [,aʊt'bɪd] (*outbid outbid*) *verb* bjuda över

outboard ['aʊtbɔːd] *adj* utombords- [*an* ~ *motor*]

outbreak ['aʊtbreɪk] *subst* utbrott [*an* ~ *of hostilities*]; *an* ~ *of fire* en eldsvåda

outbuilding ['aʊt,bɪldɪŋ] *subst* uthus

outburst ['aʊtbɜːst] *subst* utbrott [*an* ~ *of rage*]

outcast ['aʊtkɑːst] *subst* utstött människa, paria

outclass [,aʊt'klɑːs] *verb* utklassa

outcome ['aʊtkʌm] *subst* resultat, utgång

outcry ['aʊtkraɪ] *subst*, *raise an* ~ *against* höja ett ramaskri mot, slå larm mot

outdated [,aʊt'deɪtɪd] *adj* gammalmodig, föråldrad

outdid [,aʊt'dɪd] imperf. av *outdo*

outdistance [,aʊt'dɪstəns] *verb* distansera

outdo [,aʊt'duː] (*outdid outdone*) *verb* överträffa, överglänsa

outdone [,aʊt'dʌn] perf. p. av *outdo*

outdoor ['aʊtdɔː] *adj* utomhus- [~ *games*]; ~ *clothes* ytterkläder; ~ *life* friluftsliv

outdoors [,aʊt'dɔːz] *adv* utomhus, ute

outer ['aʊtə] *adj* yttre, ytter-, utvändig; ~ *space* yttre rymden

outermost ['aʊtəməʊst] *adj* ytterst

outfit I ['aʊtfɪt] *subst* **1** utrustning, tillbehör; *repair* ~ reparationslåda **2** utstyrsel, ekipering [*a new spring* ~] **3** vard. grupp, gäng
II ['aʊtfɪt] (*-tt-*) *verb* utrusta, ekipera

outfitter ['aʊtfɪtə] *subst*, *outfitter's* herrekipering

outgoing ['aʊt,gəʊɪŋ] *adj* **1** utgående **2** avgående

outgrew [,aʊt'gruː] imperf. av *outgrow*

outgrow [,aʊt'grəʊ] (*outgrew outgrown*) *verb* växa om; växa ifrån; växa ur [~ *one's clothes*]

outgrown [,aʊt'grəʊn] perf. p. av *outgrow*

outhouse ['aʊthaʊs] *subst* **1** uthus **2** amer. utedass

outing ['aʊtɪŋ] *subst* utflykt

outlandish [aʊt'lændɪʃ] *adj* sällsam, besynnerlig

outlast [,aʊt'lɑːst] *verb* räcka längre än

outlaw I ['aʊtlɔː] *subst* **1** person laglös, fredlös **2** bandit
II ['aʊtlɔː] *verb* **1** ställa utom lagen, förklara fredlös **2** kriminalisera [~ *war*], förbjuda

outlay ['aʊtleɪ] *subst* utlägg, utgifter

outlet ['aʊtlet] *subst* **1** utlopp [*an* ~ *for one's energy*] **2** avlopp **3** marknad, avsättning [*an* ~ *for one's products*] **4** amer. elektr. vägguttag

outline I ['aʊtlaɪn] *subst* **1** kontur **2** skiss, utkast [*for till*]; översikt, sammandrag [*of* över, av]; *rough* ~ skiss, utkast; *in broad* ~ i stora drag **3** pl. ~*s* grunddrag, huvuddrag
II ['aʊtlaɪn] *verb* skissera

outlive [,aʊt'lɪv] *verb* överleva [~ *one's wife*]

outlook ['aʊtlʊk] *subst* **1** utsikt; ~ *on life* syn på livet **2** om framtid utsikter; *further* ~ om väder utsikterna för de närmaste dagarna **3** utkik; *on the* ~ på utkik

outlying ['aʊt,laɪɪŋ] *adj* avsides belägen

outmoded [,aʊt'məʊdɪd] *adj* omodern, urmodig

outnumber [,aʊt'nʌmbə] *verb* överträffa i antal, vara fler än

out-of-date [,aʊtəv'deɪt] *adj* omodern, gammalmodig

out-of-doors [,aʊtəv'dɔːz] *adv* utomhus, ute

out-of-print [,aʊtəv'prɪnt] *adj* utgången på förlaget, utsåld från förlaget

out-of-the-way [,aʊtəvðə'weɪ] *adj* **1** avsides belägen, avlägsen **2** ovanlig

out-of-work [ˌaʊtəvˈwɜːk] *adj* o. *subst*
arbetslös

out-patient [ˈaʊtˌpeɪʃənt] *subst*
poliklinikpatient, mottagningspatient;
out-patient's department el.
out-patient's clinic poliklinik

outpost [ˈaʊtpəʊst] *subst* mil. el. avlägset ställe
utpost

output [ˈaʊtpʊt] *subst* **1** produktion,
avkastning **2** elektr. el. radio. uteffekt **3** data.
utmatning

outrage I [ˈaʊtreɪdʒ] *subst* **1** våldshandling,
attentat **2** skandal [*this is an ~!*] **3** *sense of*
~ el. *~* upprördhet, indignation
II [ˈaʊtreɪdʒ] *verb* uppröra, chockera

outrageous [aʊtˈreɪdʒəs] *adj* skandalös,
upprörande, skändlig [*~ treatment*]

outran [ˌaʊtˈræn] imperf. av *outrun*

outreach [ˈaʊtriːtʃ] *adj*, *~ programme*
uppsökande program

outrider [ˈaʊtˌraɪdə] *subst* **1** förridare
2 föråkare, eskort

outright I [aʊtˈraɪt] *adv* **1** helt och hållet; på
fläcken [*he was killed ~*] **2** rent ut [*ask him*
~]
II [ˈaʊtraɪt] *adj* fullständig, total

outrun [ˌaʊtˈrʌn] (*outran outrun*) *verb*
1 springa om, springa förbi **2** löpa fortare
än

outset [ˈaʊtset] *subst* början, inledning; *at*
the ~ i början, vid början

outshine [ˌaʊtˈʃaɪn] (*outshone outshone*) *verb*
överglänsa

outshone [ˌaʊtˈʃɒn] imperf. o. perf. p. av
outshine

outside I [ˌaʊtˈsaɪd] *subst* **1** utsida, yttersida,
yta; ngts (ngns) yttre **2** *at the ~* på sin höjd
II [ˌaʊtˈsaɪd] *adj* **1** utvändig; ute-,
utomhus-; *the ~ world* yttervärlden
2 ytterst liten [*an ~ chance*]
III [ˌaʊtˈsaɪd] *adv* o. *prep* **1** ute; ut [*come ~!*],
utanför **2** utanpå

outsider [ˌaʊtˈsaɪdə] *subst* outsider,
utomstående, oinvigd

outsize I [ˈaʊtsaɪz] *subst* om t.ex. kläder extra
stor storlek
II [ˈaʊtsaɪz] *adj* extra stor

outskirts [ˈaʊtskɜːts] *subst pl* utkanter,
ytterområden; *on the ~ of the town* i
stadens utkant

outsourcing [ˈaʊtˌsɔːsɪŋ] *subst* ekon.
entreprenad, outsourcing

outspoken [aʊtˈspəʊkən] *adj* rättfram

outstanding [aʊtˈstændɪŋ] *adj*

1 framstående, enastående, iögonfallande
2 om fordringar etc. utestående, obetald

outstay [ˌaʊtˈsteɪ] *verb* stanna längre än [*~*
the other guests]

outstretched [ˈaʊtstretʃt] *adj*, *with ~*
arms med utsträckta armar

outstrip [ˌaʊtˈstrɪp] (*-pp-*) *verb* **1** distansera
2 överträffa

outvote [ˌaʊtˈvəʊt] *verb* rösta ner

outward I [ˈaʊtwəd] *adj* **1** utgående; *the ~*
journey el. *the ~ voyage* utresan **2** yttre,
utvändig; *his ~ appearance* hans yttre
II [ˈaʊtwəd] *adv* utåt, ut

outward-bound [ˌaʊtwədˈbaʊnd] *adj* om fartyg
utgående, på utgående

outwardly [ˈaʊtwədlɪ] *adv* **1** utåt, utvändigt,
utanpå **2** till det yttre

outwards [ˈaʊtwədz] *adv* utåt, ut

outweigh [ˌaʊtˈweɪ] *verb* uppväga, väga
tyngre än

outwit [ˌaʊtˈwɪt] (*-tt-*) *verb* överlista

oval [ˈəʊvəl] *adj* oval, äggformig

ovary [ˈəʊvərɪ] *subst* anat. äggstock

ovation [əˈveɪʃən] *subst* ovation, bifallsstorm

oven [ˈʌvn] *subst* ugn

ovenproof [ˈʌvnpruːf] *adj* ugnseldfast

ovenware [ˈʌvnweə] *subst* ugnseldfast gods

over [ˈəʊvə] *prep* o. *adv* över, ovanför,
ovanpå; under, i [*~ several days*]; om [*fight*
~ sth]; *~ and above* förutom, utöver; *~*
the years under årens lopp, med åren; *~*
and ~ again om och om igen, gång på
gång; *~ again* en gång till, om igen; *begin*
all ~ again börja om från början; *all ~*
överallt, helt och hållet; *that's him all ~*
det är typiskt han, det är så likt honom; *get*
it ~ el. *get it ~ and done with* få det gjort,
få det ur världen; *it's all ~ with him* det
är ute med honom; *go ~ there* gå dit bort;
ten times ~ tio gånger om

overabundance [ˌəʊvərəˈbʌndəns] *subst*
överflöd, övermått

overact [ˌəʊvərˈækt] *verb* teat. spela över

overall I [ˈəʊvərɔːl] *subst* **1** skyddsrock,
städrock **2** pl. *~s* blåställ, överdragskläder,
overall
II [ˌəʊvərˈɔːl] *adj* helhets- [*an ~ impression*];
samlad [*the ~ production*]; generell [*an ~*
wage increase]

over-anxious [ˌəʊvərˈæŋʃəs] *adj* alltför
ängslig, alltför ivrig

overarm [ˈəʊvərɑːm] *adv* sport., *bowl ~* göra
ett överarmskast

overate [ˌəʊvərˈet, amer. ˌəʊvərˈeɪt] imperf.
av *overeat*

overawe [,əuvər'ɔː] *verb* **1** injaga fruktan hos **2** imponera på

overbalance [,əuvə'bæləns] *verb* tappa balansen [*he overbalanced and fell*]

overbearing [,əuvə'beərɪŋ] *adj* högdragen

overboard ['əuvəbɔːd] *adv* sjö. överbord

overcame [,əuvə'keɪm] *imperf.* av *overcome*

overcast [,əuvə'kɑːst] *adj* mulen, molntäckt [*an ~ sky*]

overcharge [,əuvə'tʃɑːdʒ] *verb* ta för mycket betalt, ta för mycket betalt av

overcloud [,əuvə'klaud] *verb* **1** täcka med moln **2** bli molntäckt

overcoat ['əuvəkəut] *subst* överrock, ytterrock

overcome I [,əuvə'kʌm] (*overcame overcome*) *verb* **1** besegra [*~ an enemy*], övervinna **2** segra [*we shall ~*] **II** [,əuvə'kʌm] *perf p* o. *adj* överväldigad; utmattad [*by av*]

over-confident [,əuvə'kɒnfɪdənt] *adj* självsäker

overcook [,əuvə'kuk] *verb* koka för länge

overcrowded [,əuvə'kraudɪd] *adj* överbefolkad; överfull [*an ~ bus*]; trångbodd [*~ families*]

overdid [,əuvə'dɪd] *imperf.* av *overdo*

overdo [,əuvə'duː] (*overdid overdone*) *verb* **1** överdriva, göra för mycket av **2** steka (koka) *mat* för länge **3** *~ it* förta sig, överanstränga sig

overdone I [,əuvə'dʌn] *perf.* p. av *overdo* **II** [,əuvə'dʌn] *adj* för länge stekt, för länge kokt

overdose ['əuvədəus] *subst* överdos, för stor dos

overdraft ['əuvədrɑːft] *subst* bankterm överdrag, övertrassering

overdrive ['əuvədraɪv] *subst* bil. överväxel

overdue [,əuvə'djuː] *adj* **1** hand. förfallen **2** försenad [*the post is ~*] **3** vara behövlig; *a hair-cut is ~* det är dags att klippa håret

overeat [,əuvər'iːt] (*overate overeaten*) *verb* äta för mycket, föräta sig

overeaten [,əuvər'iːtn] *perf.* p. av *overeat*

overestimate I [,əuvər'estɪmeɪt] *verb* överskatta, övervärdera; beräkna för högt **II** [,əuvər'estɪmət] *subst* överskattning; alltför hög beräkning

overexertion [,əuvərɪg'zɜːʃən] *subst* överansträngning

overexpose [,əuvərɪk'spəuz] *verb* **1** utsätta för mycket **2** foto. överexponera

overfed [,əuvə'fed] *imperf.* o. *perf.* p. av *overfeed*

overfeed [,əuvə'fiːd] (*overfed overfed*) *verb* övergöda

overflew [,əuvə'fluː] *imperf.* av *overfly*

overflow [,əuvə'fləu] *verb* svämma över

overflown [,əuvə'fləun] *perf.* p. av *overfly*

overfly [,əuvə'flaɪ] (*overflew overflown*) *verb* mil. flyga över

overgrown [,əuvə'grəun] *adj* övervuxen, igenvuxen [*a garden ~ with weeds*]

overhanging [,əuvə'hæŋɪŋ] *adj* framskjutande, utskjutande [*an ~ cliff*]

overhaul I [,əuvə'hɔːl] *verb* **1** undersöka, se över; *have one's car overhauled* få sin bil genomgången **2** köra om, segla om [*~ another ship*] **II** ['əuvəhɔːl] *subst* undersökning, översyn

overhead I [,əuvə'hed] *adv* över huvudet; uppe i luften [*the clouds ~*]; ovanpå **II** ['əuvəhed] *adj*, *~ projector* overheadprojektor

overheads ['əuvəhedz] *subst pl* allmänna omkostnader, fasta utgifter

overhear [,əuvə'hɪə] (*overheard overheard*) *verb* få höra, råka få höra

overheard [,əuvə'hɜːd] *imperf.* o. *perf.* p. av *overhear*

overheat [,əuvə'hiːt] *verb* överhetta

overjoyed [,əuvə'dʒɔɪd] *adj* överlycklig

overkill ['əuvəkɪl] *subst* mil. överdödande-kapacitet totalförstöringskapacitet med kärnvapen

overland [,əuvə'lænd] *adv* på land; landvägen, till lands [*travel ~*]

overlap [,əuvə'læp] (*-pp-*) *verb* överlappa, delvis sammanfalla

overleaf [,əuvə'liːf] *adv* på nästa sida

overload [,əuvə'ləud] *verb* överlasta [*~ one's stomach*; *~ a car*]

overlook [,əuvə'luk] *verb* **1** se ut över; *a house overlooking the sea* ett hus med utsikt över havet; *my window ~s the park* mitt fönster vetter mot parken **2** förbise, inte märka **3** överse med [*~ a fault*]

overnight [,əuvə'naɪt] *adv* **1** *stay ~* övernatta **2** över en natt, på en enda natt [*it changed ~*]

overpass ['əuvəpɑːs] *subst* amer., se *flyover*

overpower [,əuvə'pauə] *verb* överväldiga

overpowering [,əuvə'pauərɪŋ] *adj* överväldigande; oemotståndlig

overran [,əuvə'ræn] *imperf.* av *overrun*

overrate [,əuvə'reɪt] *verb* övervärdera, överskatta; *an overrated film* en överreklamerad film

overreach [,əʊvə'riːtʃ] *verb* sträcka sig över; ~ *the mark* skjuta över målet; ~ *oneself* överskatta sig själv

overreact [,əʊvərɪ'ækt] *verb* överreagera

overridden [,əʊvə'rɪdn] perf. p. av *override*

override [,əʊvə'raɪd] (*overrode overridden*) *verb* sätta sig över, åsidosätta

overrode [,əʊvə'rəʊd] imperf. av *override*

overrule [,əʊvə'ruːl] *verb* **1** avvisa, åsidosätta {~ *a claim*} jur. ogilla **2** rösta ned {*overruled by the majority*}

overrun [,əʊvə'rʌn] (*overran overrun*) *verb* **1** översvämma {~ *with rats*}; härja; *overrun with weeds* övervuxen med ogräs **2** *we have* ~ *the time* vi har dragit över tiden {*by* med}

overseas I ['əʊvəsiːz] *adj* utländsk, från utlandet, till utlandet; ~ *trade* utrikeshandel

II [,əʊvə'siːz] *adv* på (från, till) andra sidan havet; utomlands

overseer ['əʊvəsɪə] *subst* förman, verkmästare, uppsyningsman

oversexed [,əʊvə'sekst] *adj* översexuell

overshadow [,əʊvə'ʃædəʊ] *verb* överskugga, kasta sin skugga över

overshoe ['əʊvəʃuː] *subst* galosch

overshoot [,əʊvə'ʃuːt] (*overshot overshot*) *verb*, ~ *the mark* skjuta över målet

overshot [,əʊvə'ʃɒt] imperf. o. perf. p. av *overshoot*

oversight ['əʊvəsaɪt] *subst* förbiseende; *by an* ~ genom ett förbiseende

oversimplify [,əʊvə'sɪmplɪfaɪ] *verb* förenkla alltför mycket {~ *a problem*}

oversize ['əʊvəsaɪz] *adj* o. **oversized** ['əʊvəsaɪzd] *adj* överdimensionerad, alltför stor

oversleep [,əʊvə'sliːp] (*overslept overslept*) *verb* försova sig

overslept [,əʊvə'slept] imperf. o. perf. p. av *oversleep*

overstaffed [,əʊvə'stɑːft] *adj* överbemannad; *the office is* ~ kontoret har för mycket personal

overstate [,əʊvə'steɪt] *verb* överdriva t.ex. påstående, uppgift; ange för högt

overstatement [,əʊvə'steɪtmənt] *subst* överdrift

overstep [,əʊvə'step] (-*pp*-) *verb*, ~ *the mark* gå för långt

overt [əʊ'vɜːt] *adj* öppen, uppenbar

overtake [,əʊvə'teɪk] (*overtook overtaken*) *verb* hinna upp, hinna ifatt; köra om, gå om

overtaken [,əʊvə'teɪkn] perf. p. av *overtake*

overtaking [,əʊvə'teɪkɪŋ] *subst* omkörning; ~ *lane* omkörningsfil

overthrew [,əʊvə'θruː] imperf. av *overthrow I*

overthrow I [,əʊvə'θrəʊ] (*overthrew overthrown*) *verb* störta, fälla {~ *the government*}

II ['əʊvəθrəʊ] *subst* störtande, fällande {*the* ~ *of a government*}

overthrown [,əʊvə'θrəʊn] perf. p. av *overthrow I*

overtime I ['əʊvətaɪm] *subst* övertid, övertidsarbete; övertidsersättning; *be on* ~ arbeta över

II ['əʊvətaɪm] *adj* övertids- {~ *work*}

III ['əʊvətaɪm] *adv* på övertid; *I'm working* ~ jag arbetar övertid

overtook [,əʊvə'tʊk] perf. p. av *overtake*

overture ['əʊvətjʊə] *subst* **1** musik. uvertyr **2** ofta pl. ~*s* närmanden, trevare

overturn [,əʊvə'tɜːn] *verb* **1** välta omkull, stjälpa omkull **2** välta, stjälpa **3** ogiltigförklara, ogilla

overweight ['əʊvəweɪt] *adj* överviktig

overwhelm [,əʊvə'welm] *verb* tynga ned {*overwhelmed with grief*}, överväldiga

overwhelming [,əʊvə'welmɪŋ] *adj* överväldigande, förkrossande {*an* ~ *victory*}

overwork I [,əʊvə'wɜːk, 'əʊvəwɜːk] *subst* för mycket arbete, överansträngning

II [,əʊvə'wɜːk] *verb* överanstränga {~ *oneself*}; överanstränga sig, arbeta för mycket

oviduct ['əʊvɪdʌkt] *subst* anat. äggledare

owe [əʊ] *verb* vara skyldig {~ *money*}

owing ['əʊɪŋ] *adj* **1** som ska betalas; *the amount* ~ skuldbeloppet **2** ~ *to* på grund av, genom {~ *to a mistake*}; *be* ~ *to* bero på, ha sin orsak i

owl [aʊl] *subst* uggla

own I [əʊn] *verb* äga {*I* ~ *this house*}; ~ *up* vard. erkänna

II [əʊn] *adj* **1** egen {*this is my* ~ *house*}; *she cooks her* ~ *meals* hon lagar sin mat själv; *he has a house of his* ~ han har eget hus; *on one's* ~ a) ensam, för sig själv {*he lives on his* ~} b) på egen hand {*he is able to work on his* ~} **2** *an* ~ *goal* sport. ett självmål

owner ['əʊnə] *subst* ägare

owner-occupied [,əʊnər'ɒkjʊpaɪd] *adj* som bebos av ägaren själv; ~ *houses* egnahem

ownership ['əʊnəʃɪp] *subst* äganderätt, ägande

ox [ɒks] (pl. *oxen* ['ɒksən]) *subst* oxe

oxeye ['ɒksaɪ] *subst,* ~ *daisy* blomma
  prästkrage
oxide ['ɒksaɪd] *subst* oxid
oxidization [ˌɒksɪdaɪ'zeɪʃən] *subst* oxidering
oxidize ['ɒksɪdaɪz] *verb* oxidera; oxideras
oxtail ['ɒksteɪl] *subst,* ~ *soup* oxsvanssoppa
oxygen ['ɒksɪdʒən] *subst* **1** syre **2** syrgas
oyster ['ɔɪstə] *subst* skaldjur ostron; ~
  mushroom svamp ostronskivling
oz. [aʊns, pl. 'aʊnsɪz] förk. för *ounce, ounces*
ozone ['əʊzəʊn, əʊ'zəʊn] *subst* ozon; ~
  layer ozonskikt
ozs. ['aʊnsɪz] förk. för *ounces*

Pp

P o. **p** [piː] *subst* P, p
p [sing. o. pl. piː] förk. för *penny, pence* [*40*~]
p. (förk. för *page*) s., sid.
pa [pɑː] *subst* vard. pappa
pace I [peɪs] *subst* **1** steg mått [*ten* ~*s away*]
  2 hastighet, fart, tempo, takt; *keep* ~ *with*
  hålla jämna steg med; *quicken one's* ~
  öka farten; *set the* ~ bestämma farten, dra
  vid löpning; *at a slow* ~ långsamt; *put sb*
  through his ~*s* låta ngn visa vad han går
  för
  II [peɪs] *verb* **1** ~ *up and down a room* gå
  av och an i ett rum **2** ~ *oneself* arbeta i
  egen takt, arbeta i sakta mak
pacemaker ['peɪsˌmeɪkə] *subst* **1** med.
  pacemaker **2** sport. farthållare, pacemaker
pacific I [pə'sɪfɪk] *adj* **1** fredlig **2** *the*
  Pacific Ocean Stilla havet
  II [pə'sɪfɪk] *subst,* *the Pacific* Stilla havet
pacifier ['pæsɪfaɪə] *subst* amer. tröstnapp
pacifism ['pæsɪfɪzəm] *subst* pacifism
pacifist ['pæsɪfɪst] *subst* pacifist, fredsivrare
pacify ['pæsɪfaɪ] *verb* **1** pacificera, återställa
  freden, återställa lugnet i [~ *a country*]
  2 lugna
pack I [pæk] *subst* **1** packe, knyte **2** amer.
  paket [*a* ~ *of cigarettes*] **3** samling [*a* ~ *of*
  liars], massa [*a* ~ *of lies*] **4** kortlek; *a* ~ *of*
  cards en kortlek **5** koppel [*a* ~ *of dogs*],
  flock, skock [*a* ~ *of wolves*]
  II [pæk] *verb* **1** packa, packa ned [~ *one's*
  things into a case] **2** packa ihop [~ *people*
  into a bus]; ~ *up* packa ner (in); *packed*
  with people fullpackad med folk
  3 emballera, packa in; *packed lunch*
  matsäck **4** ~ *off* skicka i väg [~ *the kids off*
  to school] **5** vard., ~ *it in!* lägg av!; ~ *up*
  a) lägga av [~ *up for the day*] b) säcka ihop,
  paja [*the TV has packed up*]; ~ *it up!* lägg
  av!
package ['pækɪdʒ] *subst* **1** packe, bunt; större
  paket kolli; ~ *deal* paketavtal; ~ *tour*
  paketresa **2** förpackning, emballage
packet ['pækɪt] *subst* mindre paket
packhorse ['pækhɔːs] *subst* packhäst,
  klövjehäst
packing ['pækɪŋ] *subst* **1** packning,
  förpackning **2** emballage

packing-case ['pækɪŋkeɪs] *subst* packlåda, packlår

packthread ['pækθred] *subst* segelgarn

pact [pækt] *subst* pakt, fördrag

1 pad I [pæd] *subst* **1** dyna **2** trampdyna, tass **3** vaddering; *shoulder* ~ axelvadd **4** sport. benskydd **5** skrivblock, block; *writing* ~ skrivunderlägg **6** färgdyna, stämpeldyna **7** lya bostad

II [pæd] (*-dd-*) *verb* **1** madrassera [*a padded cell*]; vaddera **2** ~ *out* fylla ut med fyllnadsgods [~ *out an essay*]

2 pad [pæd] (*-dd-*) *verb* tassa, traska [*the dog padded after her*]

padding ['pædɪŋ] *subst* **1** vaddering, stoppning **2** utfyllnad i t.ex. uppsats

1 paddle I ['pædl] *subst* **1** paddel **2** paddeltur **3** skovel på hjul

II ['pædl] *verb* paddla

2 paddle I ['pædl] *verb* plaska, plaska omkring

II ['pædl] *subst*, *have a* ~ bada fötterna

paddle steamer ['pædl,stiːmə] *subst* hjulångare

paddle wheel ['pædlwiːl] *subst* skovelhjul

paddock ['pædək] *subst* **1** paddock **2** sadelplats

padlock I ['pædlɒk] *subst* hänglås

II ['pædlɒk] *verb* sätta hänglås för

padre ['pɑːdrɪ] *subst* fältpräst

paediatrician [ˌpiːdɪəˈtrɪʃn] *subst* pediatriker, barnläkare

paediatrics [ˌpiːdɪˈætrɪks] (med verb i sing.) *subst* pediatrik

paedophile [ˌpiːdəfaɪl] *subst* pedofil

pagan I ['peɪɡən] *subst* hedning

II ['peɪɡən] *adj* hednisk

1 page [peɪdʒ] *subst* sida [~ *in a book*]

2 page [peɪdʒ] *verb* söka via högtalare, personsökare etc.

pageant ['pædʒənt] *subst* festtåg, parad

pageantry ['pædʒəntrɪ] *subst* pomp och ståt

pager ['peɪdʒə] *subst* personsökare

pagoda [pəˈɡəudə] *subst* pagod

paid [peɪd] imperf. o. perf. p. av *pay I*

pail [peɪl] *subst* hink

pain I [peɪn] *subst* **1** smärta, värk; *be in* ~ känna smärta, ha ont **2** pina, plåga; *he's a* ~ *in the neck* el. *he's a* ~ *in the ass* vard. han är en riktig plåga **3** pl. ~*s* möda; *take great* ~*s about* (*over, with*) *sth* el. *go to great* ~*s about* (*over, with*) *sth* göra sig stort besvär med ngt

II [peɪn] *verb* smärta, plåga

painful ['peɪnful] *adj* **1** smärtsam **2** pinsam

painkiller ['peɪnˌkɪlə] *subst* värktablett

painless ['peɪnləs] *adj* smärtfri, utan plågor

painstaking ['peɪnzˌteɪkɪŋ] *adj* omsorgsfull, noggrann

paint I [peɪnt] *subst* **1** målarfärg; *wet* ~*!* nymålat!; *a box of* ~*s* en färglåda **2** smink

II [peɪnt] *verb* **1** måla, stryka med målarfärg **2** sminka

paintball ['peɪntbɔːl] *subst* paintball

paintbox ['peɪntbɒks] *subst* färglåda

paintbrush ['peɪntbrʌʃ] *subst* målarpensel

painter ['peɪntə] *subst* målare

painting ['peɪntɪŋ] *subst* **1** målning, tavla **2** målning, måleri

paintwork ['peɪntwɜːk] *subst*, *the* ~ målningen, färgen; bil. lackeringen

pair I [peə] *subst* par; *a* ~ *of scissors* en sax; *in* ~*s* parvis

II [peə] *verb* **1** para samman; ~ *up* a) para samman b) slå sig ihop **2** ~ *off* para ihop, slå sig ihop

pajamas [pəˈdʒæməz] *subst* amer. pyjamas

Pakistan [ˌpɑːkɪˈstɑːn]

Pakistani I [ˌpɑːkɪˈstɑːnɪ] *adj* pakistansk

II [ˌpɑːkɪˈstɑːnɪ] *subst* pakistanare

pal [pæl] *subst* vard. kamrat, kompis

palace ['pælɪs] *subst* palats, slott

palatable ['pælətəbl] *adj* välsmakande

palate ['pælət] *subst* gom

palatial [pəˈleɪʃl] *adj* palatslik

palaver [pəˈlɑːvə] *subst* **1** palaver **2** ståhej, tjafs

pale I [peɪl] *adj* blek; ~ *ale* ljust öl

II [peɪl] *verb* blekna, bli blek

Palestine ['pæləstaɪn] Palestina

Palestinian I [ˌpæləˈstɪnɪən] *adj* palestinsk

II [ˌpæləˈstɪnɪən] *subst* palestinier

palette ['pælət] *subst* palett

pall [pɔːl] *subst* **1** bårtäcke **2** *a* ~ *of smoke* en mörk rökridå

pall-bearer ['pɔːlˌbeərə] *subst* kistbärare

pallet ['pælət] *subst* lastpall

pallid ['pælɪd] *adj* blek

pallor ['pælə] *subst* blekhet

pally ['pælɪ] *adj* vard. vänlig, kamratlig

1 palm I [pɑːm] *subst* handflata; *have sb in the* ~ *of one's hand* ha ngn helt i sin hand, få ngn dit man vill

II [pɑːm] *verb*, ~ *off sth on sb* pracka på ngn ngt

2 palm [pɑːm] *subst* palm, palmblad

palmist ['pɑːmɪst] *subst* spåkvinna

palmistry ['pɑːmɪstrɪ] *subst* konsten att spå i händerna

palmy ['pɑːmɪ] *adj*, ~ *days* storhetstid

palpitate ['pælpɪteɪt] *verb* klappa, slå [*his heart palpitated*]
palpitation [,pælpɪ'teɪʃən] *subst* hjärtklappning
paltry ['pɔːltrɪ] *adj* usel, futtig [*a ~ sum*]
pamper ['pæmpə] *verb* klema bort
pamphlet ['pæmflət] *subst* broschyr
1 pan [pæn] *subst* **1** kok. panna [*frying-pan*]
2 skål bäcken **3** ~ el. *lavatory* ~ wc-skål
2 pan [pæn] (*-nn-*) *verb* film. panorera
panacea [,pænə'sɪə] *subst* universalmedel, patentlösning
Panama [,pænə'mɑː] egennamn, *panama hat* panamahatt
Panamanian I [,pænə'meɪnjən] *subst* panaman
II [,pænə'meɪnjən] *adj* panamansk
Pan-American [,pænə'merɪkən] *adj* panamerikansk
pancake ['pænkeɪk] *subst* pannkaka; *Pancake Day* fettisdag, fettisdagen då man äter pannkakor
panda ['pændə] *subst* **1** zool. panda **2** ~ *car* vard., liten polisbil, radiobil
pandemonium [,pændɪ'məʊnjəm] *subst* tumult, kaos
pander ['pændə] *verb*, ~ *to* uppmuntra, underblåsa, vädja till [~ *to low tastes*]
pane [peɪn] *subst* glasruta
panel ['pænl] *subst* panel; ~ *discussion* paneldiskussion
panelling ['pænəlɪŋ] *subst* träpanel
pang [pæŋ] *subst* häftig smärta; ~*s of conscience* samvetskval
panic I ['pænɪk] *subst* panik
II ['pænɪk] (*panicked panicked*) *verb* gripas av panik; *don't ~!* ingen panik!
panicky ['pænɪkɪ] *adj* vard. panikslagen; *a ~ feeling* en känsla av panik
panicmonger ['pænɪk,mʌŋgə] *subst* panikmakare
panic-stricken ['pænɪk,strɪkən] *adj* o. **panic-struck** ['pænɪkstrʌk] *adj* panikslagen
pan loaf ['pænləʊf] *subst* amer. formbröd
panorama [,pænə'rɑːmə] *subst* panorama
pan-pipe ['pænpaɪp] *subst* panflöjt
pansy ['pænzɪ] *subst* **1** blomma pensé; *wild* ~ styvmorsviol **2** ngt åld. sl. (neds.) fikus, bög **3** vard. mes
pant [pænt] *verb* flämta, flåsa
pantalettes [,pæntə'lets] *subst pl* mamelucker
panther ['pænθə] *subst* panter djur
pantie ['pæntɪ] *subst* vard., pl. ~*s* trosor; ~ *girdle* byxgördel

pantihose ['pæntɪhəʊz] *subst* strumpbyxor

pantomime
I de flesta engelska städer spelar man en pantomim före och efter jul. Den handlar t.ex. om sagofigurer som Askungen, *Cinderella*, eller Jack och Bönstjälken, *Jack and the Beanstalk*. Den manliga huvudrollen, *the Principal Boy*, spelas av en ung kvinna. I de flesta pantomimer förekommer också en gammal dam, som spelas av en man, och en elaking. Varje gång han visar sig buar publiken.

pantomime ['pæntəmaɪm] *subst* **1** pantomim **2** julshow med musik o. dans
pantry ['pæntrɪ] *subst* skafferi
pants [pænts] *subst pl* **1** kalsonger; trosor; *scare the* ~ *off sb* skrämma slag på ngn **2** amer. vard. långbyxor
pantskirt ['pæntskɜːt] *subst* byxkjol
pantsuit ['pæntsuːt] *subst* amer. byxdress
pantyhose ['pæntɪhəʊz] *subst* strumpbyxor
papa [pə'pɑː, amer. 'pɑːpə] *subst* åld. el. amer. pappa
papacy ['peɪpəsɪ] *subst* påvedöme
papal ['peɪpl] *adj* påvlig
paper I ['peɪpə] *subst* **1** papper **2** tidning **3** skriftligt prov, skrivning **4** tapet, tapeter
II ['peɪpə] *verb* **1** tapetsera, sätta upp tapeter i (på) [~ *a room*] **2** ~ *over the cracks* släta över bristerna
paperback ['peɪpəbæk] *subst* paperback, pocketbok
paperbag ['peɪpəbæg] *adj*, ~ *cookery* stekning i smörat papper
paper carrier ['peɪpə,kærɪə] *subst* papperskasse
paper chain ['peɪpətʃeɪn] *subst* pappersgirland
paper clip ['peɪpəklɪp] *subst* gem
paperhanger ['peɪpə,hæŋə] *subst* tapetuppsättare; ungefär målare
paperhanging ['peɪpə,hæŋɪŋ] *subst* o. **papering** ['peɪpərɪŋ] *subst* tapetsering
paperweight ['peɪpəweɪt] *subst* brevpress
paperwork ['peɪpəwɜːk] *subst* skrivbordsarbete
paprika ['pæprɪkə, amer. pə'priːkə] *subst* paprika

par [pɑː] *subst, not up to* ~ vard. lite vissen, lite dålig; *be on a* ~ vara likställd; *your work isn't up to* ~ ditt arbete håller inte måttet
parable ['pærəbl] *subst* bibl. liknelse
parachute ['pærəʃuːt] *subst* fallskärm
parachutist ['pærəʃuːtɪst] *subst*
1 fallskärmshoppare **2** fallskärmsjägare

parade
I USA är det mycket vanligt med parader och karnevaler vid olika högtider. I processionerna körs ofta vagnar, *floats*, med fantasifulla figurer eller karikatyrer av berömda personer. En av de mest kända karnevalerna hålls under fastan, *Mardi Gras*, i New Orleans.

parade I [pə'reɪd] *subst* **1** parad; *fashion* ~ modevisning **2** mönstring
II [pə'reɪd] *verb* **1** paradera; låta paradera; mönstra **2** tåga; tåga igenom, promenera fram och tillbaka på **3** skylta med [~ *one's knowledge*]
parade ground [pə'reɪdgraʊnd] *subst* mil. exercisplats
paradise ['pærədaɪs] *subst* paradis; *live in a fool's* ~ leva i lycklig okunnighet; *bird of* ~ paradisfågel
paradox ['pærədɒks] *subst* paradox
paradoxical [,pærə'dɒksɪkl] *adj* paradoxal
paraffin ['pærəfɪn] *subst* fotogen; ~ *oil*
a) fotogen b) amer. paraffinolja
paragon ['pærəgən] *subst* mönster, förebild
paragraph ['pærəgrɑːf] *subst* nytt stycke, avsnitt
Paraguay ['pærəgwaɪ]
Paraguayan [,pærə'gwaɪən] *subst* paraguayare
parakeet ['pærəkiːt] *subst* slags liten papegoja, amer.ibland undulat
parallel I ['pærəlel] *adj* parallell
II ['pærəlel] *subst* **1** parallell; *have no* ~ saknar motstycke **2** geogr. breddgrad
paralyse ['pærəlaɪz] *verb* paralysera, förlama
paralysis [pə'ræləsɪs] *subst* förlamning
paralytic I [,pærə'lɪtɪk] *adj* paralytisk, förlamad
II [,pærə'lɪtɪk] *subst* paralytiker
paralyze ['pærəlaɪz] *verb* amer., se *paralyse*
paramedic [,pærə'medɪk] *subst* sjukvårdare
paramilitary [,pærə'mɪlɪtrɪ] *adj* paramilitär

paramount ['pærəmaʊnt] *adj* störst [*of* ~ *interest*]
paranoiac [,pærə'nɔɪæk] *subst* med. paranoiker
paranoid I ['pærənɔɪd] *adj* med. paranoid
II ['pærənɔɪd] *subst* med. paranoiker
parapet ['pærəpɪt] *subst* bröstvärn, balustrad
paraphernalia [,pærəfə'neɪljə] *subst* tillbehör, utrustning, attiraljer
paraphrase ['pærəfreɪz] *subst* omskrivning, parafras
parasite ['pærəsaɪt] *subst* parasit
parasitic [,pærə'sɪtɪk] *adj* parasitisk
parasol ['pærəsɒl] *subst* parasoll
paratrooper ['pærə,truːpə] *subst* fallskärmsjägare
paratroops ['pærətruːps] *subst pl* fallskärmstrupper
paratyphoid [,pærə'taɪfɔɪd] *subst* med. paratyfus
parboil ['pɑːbɔɪl] *verb* kok. förvälla
parcel ['pɑːsl] *subst* paket, packe, kolli
parch [pɑːtʃ] *verb* sveda, bränna, förtorka; *parched deserts* förtorkade öknar
parchment ['pɑːtʃmənt] *subst* **1** pergament **2** pergamentmanuskript, pergamentdokument
pardon I ['pɑːdn] *subst* **1** förlåtelse; *beg your* ~! el. ~! förlåt!, ursäkta!, hur sa? **2** benådning
II ['pɑːdn] *verb* **1** förlåta, ursäkta **2** benåda
pardonable ['pɑːdnəbl] *adj* förlåtlig
pare [peə] *verb* **1** skala [~ *an apple*] **2** klippa [~ *one's nails*]
parent ['peərənt] *subst* förälder, målsman; ~ *company* moderbolag
parentage ['peərəntɪdʒ] *subst* härkomst, härstamning
parental [pə'rentl] *adj* föräldra- [~ *authority*]; faderlig, moderlig; ~ *care* föräldraomsorg
parenthesis [pə'renθəsɪs] (pl. *parentheses* [pə'renθɪsiːz]) *subst* parentes
parenthetic [,pærən'θetɪk] *adj* o.
parenthetical [,pærən'θetɪkəl] *adj* parentetisk, inom parentes
parenthood ['peərənthʊd] *subst* föräldraskap
parents-in-law ['peərəntsɪnlɔː] *subst pl* svärföräldrar
parfait [,pɑː'feɪ] *subst* parfait slags glass
pariah [pə'raɪə, 'pærɪə] *subst* paria
parish ['pærɪʃ] *subst* socken, församling
parishioner [pə'rɪʃənə] *subst* församlingsbo
Parisian I [pə'rɪzjən] *adj* parisisk, pariser-
II [pə'rɪzjən] *subst* parisare, parisiska

parity ['pærətɪ] *subst* likhet, jämlikhet, paritet

park I [pɑːk] *subst* **1** park **2** *the* ~ vard. fotbollsplan, amer. bollplan, basebollplan; stadion

II [pɑːk] *verb* parkera

parka ['pɑːkə] *subst* **1** parkas **2** skinnanorak

park-and-ride [ˌpɑːkənd'raɪd] *adj, the* ~ *system* infartsparkering

parking ['pɑːkɪŋ] *subst* parkering; *No Parking* Parkering förbjuden; ~ *lot* amer. parkering, parkeringsområde; ~ *meter* parkeringsautomat; ~ *place* el. ~ *space* parkeringsplats; ~ *ticket* parkeringslapp om parkeringsöverträdelse

parky ['pɑːkɪ] *adj* vard. kylig [~ *air*; ~ *weather*]

parlance ['pɑːləns] *subst, in common* ~ i dagligt tal; *in legal* ~ på juridiskt språk

---

parliament

The Houses of Parliament har två kamrar: *the House of Commons*, underhuset, och *the House of Lords*, överhuset. The House of Commons har mest makt. Man stiftar lagar och utser regering. Dess medlemmar, *MPs*, väljs i allmänna val. I *the House of Lords*, överhuset, sitter adelsmän, biskopar och personer som gjort insatser för landet.

---

parliament ['pɑːləmənt] *subst* parlament, riksdag

parliamentary [ˌpɑːlə'mentrɪ] *adj* parlamentarisk

parlor ['pɑːlə] *subst* amer., se *parlour*

parlour ['pɑːlə] *subst* **1** sällskapsrum på t.ex. värdshus; mottagningsrum **2** amer. vardagsrum **3** salong [*beauty* ~]; bar [*ice cream* ~]

parlour game ['pɑːləgeɪm] *subst* sällskapsspel

Parmesan [ˌpɑːmɪ'zæn] *subst* parmesanost

parody I ['pærədɪ] *subst* parodi [*of* på]

II ['pærədɪ] *verb* parodiera

parole [pə'rəʊl] *subst* jur. villkorlig frigivning; *released on* ~ villkorligt frigiven

paroxysm ['pærəksɪzəm] *subst* paroxysm, häftigt anfall [*a* ~ *of laughter*; *a* ~ *rage*]

parquet ['pɑːkeɪ, 'pɑːkɪ, amer. pɑː'keɪ] *subst*

1 ~ el. ~ *flooring* parkett, parkettgolv **2** amer. parkett på t.ex. teater

parrot ['pærət] *subst* papegoja

parry ['pærɪ] *verb* parera, avvärja [~ *a blow*]

parse [pɑːz] *verb* ta ut satsdelarna i [~ *a sentence*]

parsimonious [ˌpɑːsɪ'məʊnjəs] *adj* gnidig

parsley ['pɑːslɪ] *subst* persilja

parsnip ['pɑːsnɪp] *subst* palsternacka

parson ['pɑːsn] *subst* vard. präst

parsonage ['pɑːsənɪdʒ] *subst* prästgård

part I [pɑːt] *subst* **1** del, avdelning, stycke; reservdel; *be* ~ *and parcel of* vara en väsentlig del av; *take in good* ~ inte ta illa upp; *take* ~ deltaga, medverka; *take sb's* ~ ta ngns parti; *for my* ~ för min del; *in* ~ delvis, till en del; *on his* ~ från hans sida **2** pl. ~*s* trakter, ort **3** teat. m.m. roll; *play a* ~ el. *act a* ~ spela en roll **4** amer. bena i håret

II [pɑːt] *verb* **1** skilja, skilja åt [*we tried to* ~ *them*] **2** skiljas [*from sb* från ngn], skiljas åt; gå åt olika håll; ~ *company* skiljas **3** dela; ~ *one's hair* kamma bena

partake [pɑː'teɪk] (*partook partaken*) *verb* delta; ~ *of* inta, förtära

partaken [pɑː'teɪkn] perf. p. av *partake*

part-exchange [ˌpɑːtɪks'tʃeɪndʒ] *subst* dellikvid; *take sth in* ~ ta ngt som dellikvid

partial ['pɑːʃl] *adj* **1** partiell, del- [~ *payment*] **2** partisk **3** *be* ~ *to* vara förtjust i

partiality [ˌpɑːʃɪ'ælətɪ] *subst* **1** partiskhet **2** smak, förkärlek

partially ['pɑːʃəlɪ] *adv* delvis

participant [pɑː'tɪsɪpənt] *subst* deltagare

participate [pɑː'tɪsɪpeɪt] *verb* delta

participation [pɑːˌtɪsɪ'peɪʃən] *subst* deltagande [~ *in a meeting*], medverkan

participator [pɑː'tɪsɪpeɪtə] *subst* deltagare, medverkande

participle ['pɑːtɪsɪpl] *subst* gram. particip; *the past* ~ perfekt particip; *the present* ~ presens particip

particle ['pɑːtɪkl] *subst* partikel

particular I [pə'tɪkjʊlə] *adj* **1** särskild, speciell [*in this* ~ *case*] **2** om person noggrann, kinkig [*about, as to, in* i fråga om, med]

II [pə'tɪkjʊlə] *subst* **1** pl. ~*s* närmare detaljer, närmare upplysningar **2** *in* ~ i synnerhet

particularly [pə'tɪkjʊlərlɪ] *adv* särskilt, speciellt, synnerligen [*be* ~ *glad*]

parting ['pɑːtɪŋ] *subst* **1** avsked **2** bena; *make a* ~ kamma bena

partisan [ˌpɑːtɪˈzæn] *subst* **1** mil. partisan, motståndsman **2** anhängare

partition I [pɑːˈtɪʃən] *subst* **1** delning **2** del, avdelning **3** mur, skiljevägg
II [pɑːˈtɪʃən] *verb* **1** dela **2** ~ *off* avdela

partly [ˈpɑːtlɪ] *adv* delvis, dels [~ *stupidity, ~ laziness*]

partner [ˈpɑːtnə] *subst* **1** kompanjon **2** kavaljer, dam **3** partner i ett homosexuellt förhållande **4** sambo **5** i spel medspelare, partner [*tennis* ~]

partnership [ˈpɑːtnəʃɪp] *subst* kompanjonskap

partook [pɑːˈtʊk] *imperf.* av *partake*

part-owner [ˌpɑːtˈəʊnə] *subst* delägare

partridge [ˈpɑːtrɪdʒ] *subst* rapphöna

part-time I [ˌpɑːtˈtaɪm] *adj* deltids- [~ *work*]
II [ˌpɑːtˈtaɪm] *adv* på deltid; *work* ~ ha deltid, arbeta deltid

part-timer [ˌpɑːtˈtaɪmə] *subst* deltidsarbetande, deltidsanställd

party [ˈpɑːtɪ] *subst* **1** parti **2** sällskap [*a* ~ *of tourists*]; *search* ~ spaningspatrull **3** bjudning [*tea* ~], fest, party; *birthday* ~ födelsedagskalas

party game [ˈpɑːtɪɡeɪm] *subst* sällskapslek

party line [ˌpɑːtɪˈlaɪn] *subst* polit. partilinje

party-political [ˌpɑːtɪpəˈlɪtɪkl] *adj* partipolitisk

party-politics [ˌpɑːtɪˈpɒlɪtɪks] *subst* partipolitik

pass I [pɑːs] *verb* **1** passera, gå (köra) förbi **2** spec. amer. köra om **3** om t.ex. tid gå [*time passed quickly*] **4** gå över, upphöra, försvinna [*the pain soon passed*] **5** gälla, gå, passera **6** antas om t.ex. parlamentsledamot **7** sport. el. kortsp. passa **8** tillbringa [~ *a pleasant evening*], fördriva [~ *the time*] **9** räcka, skicka [~ *the salt, please!*] **10** anta, godkänna [*passed by the censor*]; ~ *the Customs* gå igenom tullen **11** klara sig i examen, bli godkänd; bli godkänd i, klara [~ *an examination*] **12** föra, dra, låta fara [*over* ~]
II [pɑːs] *verb* med adv. o. prep.
pass away 1 gå bort, försvinna **2** dö, gå bort **3** ~ *away the time* fördriva tiden
pass by gå förbi
pass off 1 gå över, försvinna [*her anger will soon* ~ *off*] **2** *he tried to* ~ *himself off as a count* han försökte ge sig ut för att vara greve **3** ~ *sth off on sb* pracka på ngn ngt
pass on 1 gå vidare, fortsätta [~ *on to another subject*] **2** låta gå vidare [*read this and* ~ *it on*]

pass out vard. tuppa av, svimma
pass over 1 gå över **2** förbigå **3** räcka, överlämna [*to sb* till ngn, åt ngn]
pass round skicka omkring (runt), låta gå runt
III [pɑːs] *subst* **1** godkännande i examen; *a* ~ godkänt **2** passerkort, passersedel **3** sport. passning **4** bergspass; trång passage

passable [ˈpɑːsəbl] *adj* **1** farbar, framkomlig **2** skaplig, hjälplig

passage [ˈpæsɪdʒ] *subst* **1** färd, resa med båt el. flyg **2** genomresa **3** passage, genomgång, väg, gång **4** ställe i t.ex. text; avsnitt

passage way [ˈpæsɪdʒweɪ] *subst* passage

passenger [ˈpæsɪndʒə] *subst* passagerare

passer-by [ˌpɑːsəˈbaɪ] (pl. *passers-by* [ˌpɑːsəzˈbaɪ]) *subst* förbipasserande

passing I [ˈpɑːsɪŋ] *adj* **1** i förbigående [*a* ~ *remark*] **2** ~ *showers* övergående regn, övergående skurar; *a* ~ *whim* en tillfällig nyck
II [ˈpɑːsɪŋ] *subst, the* ~ *of time* tidens gång; *in* ~ i förbigående, i förbifarten

passion [ˈpæʃən] *subst* **1** passion, lidelse, kärlek **2** *fly into a* ~ el. *get into a* ~ bli ursinnig

passionate [ˈpæʃənət] *adj* passionerad

passive I [ˈpæsɪv] *adj* passiv; ~ *smoking* passiv rökning
II [ˈpæsɪv] *subst* gram., *the* ~ passiv

passivity [pæˈsɪvətɪ] *subst* passivitet

passkey [ˈpɑːskiː] *subst* huvudnyckel

Passover [ˈpɑːsˌəʊvə] *subst* judarnas påskhögtid

passport [ˈpɑːspɔːt] *subst* pass; ~ *to success* nyckeln till framgång

password [ˈpɑːswɜːd] *subst* lösenord

past I [pɑːst] *adj* gången, förfluten; *the* ~ *few days* de sista dagarna; *for some time* ~ sedan någon tid tillbaka
II [pɑːst] *subst* **1** *the* ~ det förflutna; *in the* ~ förr i världen; *it is a thing of the* ~ det tillhör det förflutna **2** gram., *the* ~ imperfekt
III [pɑːst] *prep* förbi, bortom; ~ *danger* utom fara; *at half* ~ *one* klockan halv två; *a quarter* ~ *two* en kvart över två
IV [pɑːst] *adv* förbi [*run* ~]

pasta [ˈpæstə, amer. ˈpɑːstə] *subst* kok. pasta

paste I [peɪst] *subst* **1** deg, massa [*almond* ~] **2** pasta [*tomato* ~]; bredbar pastej [*anchovy* ~] **3** klister, fotolim **4** oäkta ädelstenar, strass
II [peɪst] *verb,* ~ *up* el. ~ klistra upp

pasteboard [ˈpeɪstbɔːd] *subst* papp, kartong

pastel ['pæstəl] *subst* pastellfärg,
pastellmålning
pastern ['pæstən] *subst* karled på häst
pasteurize ['pɑːstʃəraɪz] *verb* pastörisera
pastille ['pæstəl] *subst* pastill, tablett
pastime ['pɑːstaɪm] *subst* tidsfördriv, nöje
pasting ['peɪstɪŋ] *subst* vard., *give sb a ~* ge
ngn stryk
pastmaster [,pɑːst'mɑːstə] *subst* mästare {*at*
i}
pastor ['pɑːstə] *subst* präst, pastor
pastoral ['pɑːstrəl] *adj* herde-, pastoral-,
pastoral
pastry ['peɪstrɪ] *subst* **1** bakelser, kakor
{*would you like some ~?*} **2** bakelse {*a plate
of pastries*} **3** smördeg
pastryboard ['peɪstrɪbɔːd] *subst* bakbord
pastrycook ['peɪstrɪkʊk] *subst* konditor
pasture ['pɑːstʃə] *subst* **1** bete t.ex. gräs
2 betesmark
pastureland ['pɑːstʃələænd] *subst* betesmark
pasty I ['pæstɪ] *subst* pirog vanligen med
köttfyllning, potatis, lök etc.
II ['peɪstɪ] *adj* degig, blekfet {*a ~
complexion*}
pasty-faced ['peɪstɪfeɪst] *adj* blekfet
pat I [pæt] *subst* **1** lätt slag; *a ~ on the back*
uppmuntrande gest en klapp på axeln **2** klick
{*a ~ of butter*}
II [pæt] (*-tt-*) *verb* **1** klappa; *~ sb on the
back* uppmuntra ngn ge ngn en klapp på
axeln **2** slå lätt {*rain patting on the roof*}
patch I [pætʃ] *subst* **1** lapp {*a jacket with
patches on the elbows*}, lapp för öga **2** fläck,
ställe **3** land; täppa {*a cabbage ~*}
II [pætʃ] *verb* lappa, laga; sätta en lapp på;
~ up lappa ihop
patch pocket [,pætʃ'pɒkɪt] *subst* påsydd
ficka
patchwork ['pætʃwɜːk] *subst*, *~ quilt*
lapptäcke
patchy ['pætʃɪ] *adj* vard. ojämn; *~ fog*
dimma här och var
pâté ['pæteɪ] *subst* paté, pastej; *~ de foie
gras* [də,fwɑː'grɑː] franska, äkta
gåsleverpastej
patent I ['peɪtənt] *adj* **1** klar, tydlig,
uppenbar **2** patenterad, patent- {*~
medicine*}
II ['peɪtənt, 'pætənt, amer. 'pætənt] *subst*
1 patent; patentbrev; patenträtt
2 privilegiebrev
III ['peɪtənt, amer. 'pætənt] *verb* patentera
patent leather [,peɪtənt'leðə] *subst*
lackskinn; *~ shoes* lackskor

paternal [pə't3ːnl] *adj* **1** faderlig **2** på
fädernet; *~ grandfather* farfar; *~
grandmother* farmor
paternity [pə't3ːnətɪ] *subst* faderskap
path [pɑːθ, pl. pɑːðz] *subst* **1** stig, gångstig;
gång {*garden ~*} **2** bana {*the moon's ~*}
pathetic [pə'θetɪk] *adj* patetisk, gripande;
it's ~! iron. det är beklämmande!
pathological [,pæθə'lɒdʒɪkl] *adj* patologisk,
sjuklig
pathologist [pə'θɒlədʒɪst] *subst* **1** patolog
2 obducent
pathology [pə'θɒlədʒɪ] *subst* patologi
pathway ['pɑːθweɪ] *subst* stig, gångstig
patience ['peɪʃəns] *subst* **1** tålamod **2** kortsp.
patiens; *play ~* lägga patiens
patient I ['peɪʃənt] *adj* tålig, tålmodig
II ['peɪʃənt] *subst* patient, sjukling
patio ['pætɪəʊ] (pl. *~s*) *subst* uteplats vid villa
patisserie [pə'tɪsərɪ] *subst* **1** konditori
2 bakelser
patriarch ['peɪtrɪɑːk] *subst* patriark
patriarchal [,peɪtrɪ'ɑːkl] *adj* patriarkalisk
patriot ['pætrɪət, 'peɪtrɪət] *subst* patriot
patriotic [,pætrɪ'ɒtɪk, ,peɪtrɪ'ɒtɪk] *adj*
patriotisk
patriotism ['pætrɪətɪzəm, 'peɪtrɪətɪzəm]
subst patriotism
patrol I [pə'trəʊl] *subst* patrullering; patrull;
~ car polisbil, radiobil
II [pə'trəʊl] (*-ll-*) *verb* patrullera
patrolman [pə'trəʊlmæn] *subst* amer.
1 patrullerande polis **2** vakt
patron ['peɪtrən] *subst* **1** beskyddare,
gynnare; *~ saint* skyddshelgon
2 stamkund, stamgäst
patronage ['pætrənɪdʒ] *subst* **1** beskydd
2 kundkrets, kunder
patronize ['pætrənaɪz] *verb* **1** behandla
nedlåtande **2** beskydda, gynna **3** vara kund
hos, vara stamgäst hos
patronizing ['pætrənaɪzɪŋ] *adj* nedlåtande
1 patter I ['pætə] *verb* **1** om regn smattra {*on
mot*} **2** om fotsteg tassa
II ['pætə] *subst* **1** om fotsteg tassande,
trippande **2** om regn smatter
2 patter I ['pætə] *verb* pladdra
II ['pætə] *subst* pladder
pattern ['pætən] *subst* **1** modell, mönster {*a
~ for a dress*} **2** varuprov, prov av tyg m.m.,
provbit **3** dekorativt mönster
patty ['pætɪ] *subst* liten pastej
paunch [pɔːntʃ] *subst* vard. kalaskula
pause I [pɔːz] *subst* paus, avbrott, uppehåll
II [pɔːz] *verb* göra en paus

pave [peɪv] *verb* stenlägga; ~ *the way for* bana väg för

pavement ['peɪvmənt] *subst* **1** trottoar **2** amer. belagd väg

pavilion [pə'vɪljən] *subst* **1** stort tält, utställningstält **2** paviljong **3** sport., ungefär klubbhus

paving-stone ['peɪvɪŋstəʊn] *subst* gatsten

paw I [pɔː] *subst* djurs tass
II [pɔː] **1** ~ *at* el. ~ krafsa på **2** tafsa på

1 pawn [pɔːn] *subst* **1** schack. bonde **2** redskap, bricka [*just* ~*s in the power game*] **2 pawn I** [pɔːn] *subst* pant; *be in* ~ vara pantsatt
II [pɔːn] *verb* pantsätta

pawnbroker ['pɔːn,brəʊkə] *subst* pantlånare; *pawnbroker's shop* el. *pawnbroker's* pantbank

pawnshop ['pɔːnʃɒp] *subst* pantbank

pawn ticket ['pɔːn,tɪkɪt] *subst* pantkvitto

pay I [peɪ] (*paid paid*) *verb* **1** betala; *put paid to sth* vard. sätta stopp för ngt **2** löna sig, vara lönande; *honesty* ~*s* hederlighet lönar sig
II [peɪ] (*paid paid*) *verb* med adv. o. prep.
pay back 1 betala igen, betala tillbaka **2** ta revansch ge betalt, ge igen
pay for betala, betala för, bekosta
pay off 1 betala till fullo, slutbetala [~ *off a loan*] **2** betala ut lön
III [peɪ] *subst* betalning, avlöning, lön

payable ['peɪəbl] *adj*, *make a cheque* ~ *to* ställa ut en check på

pay check ['peɪtʃek] *subst* amer. **1** lönebesked, lönecheck **2** lön [*a huge* ~]

pay cheque ['peɪtʃek] *subst* lönebesked, lönecheck

payday ['peɪdeɪ] *subst* avlöningsdag

paydesk ['peɪdesk] *subst* kassa i butik

payee [peɪ'iː] *subst* betalningsmottagare

paying ['peɪɪŋ] *adj* **1** lönande **2** betalande

payload ['peɪləʊd] *subst* nyttolast

payment ['peɪmənt] *subst* betalning

pay packet ['peɪ,pækɪt] *subst* lönekuvert

pay-per-view [,peɪpɜː'vjuː] tv. pay-per-view slags betal-tv där man betalar för speciella evenemang

payphone ['peɪfəʊn] *subst* telefonautomat

payroll ['peɪrəʊl] *subst* avlöningslista; ~ *tax* arbetsgivaravgift, löneskatt

pay station ['peɪ,steɪʃən] *subst* amer. telefonkiosk

pay telephone ['peɪ,telɪfəʊn] *subst* telefonautomat

pay television ['peɪ,telɪvɪʒən] *subst* o. **pay-TV** ['peɪ,tiːviː] *subst* betal-tv

PC [,piː'siː] förk. för *personal computer, Police Constable*

PE [,piː'iː] förk. för *physical education*

pea [piː] *subst* ärt, ärta; *as like as two* ~*s* så lika som två bär

peace [piːs] *subst* **1** fred, fredsslut; ~ *feeler* fredstrevare; ~ *negotiations* fredsförhandlingar; *make* ~ sluta fred [*with med*] **2** fred, frid, lugn, ro; ~ *and quiet* lugn och ro; *I want to have my meal in* ~ jag vill äta i lugn och ro; *leave in* ~ lämna i fred; *may he rest in* ~*!* må han vila i frid!

peaceful ['piːsfʊl] *adj* **1** fridfull, stilla **2** fredlig

peace-loving ['piːs,lʌvɪŋ] *adj* fredsälskande

peacemaker ['piːs,meɪkə] *subst* fredsstiftare

peach [piːtʃ] *subst* **1** persika **2** åld. el. vard. goding, söt flicka

peacock ['piːkɒk] *subst* påfågel

peahen ['piːhen] *subst* påfågel, påfågelshöna

peak [piːk] *subst* **1** spets; bergstopp **2** skärm, mösskärm **3** topp, höjdpunkt; *at* ~ *hours* vid högtrafik; *in the* ~ *of condition* i toppform

peaked [piːkt] *adj*, ~ *cap* skärmmössa

peal I [piːl] *subst* **1** klockringning, klockklang **2** skräll; ~ *of laughter* skallande skratt; ~ *of thunder* åskdunder
II [piːl] *verb* ringa

peanut ['piːnʌt] *subst* **1** jordnöt [~ *butter*] **2** vard., pl. ~*s* småpotatis, en struntsumma

pear [peə] *subst* päron

pearl [pɜːl] *subst* pärla

pearl-diver ['pɜːl,daɪvə] *subst* pärlfiskare

pearly ['pɜːlɪ] *adj* pärlliknande, pärlskimrande

peasant ['pezənt] *subst* **1** bonde spec. på den europeiska kontinenten; småbrukare; före subst. bond- [~ *girl*] **2** vard. lantis, bondtölp

peasantry ['pezəntrɪ] *subst* bönder

pease pudding [,piːz'pʊdɪŋ] *subst* kok. rätt av mosade gula ärter, skinka, ägg o. smör

pea-shooter ['piː,ʃuːtə] *subst* ärtbössa, ärtrör

pea soup [,piː'suːp] *subst* ärtsoppa

peat [piːt] *subst* torv

pebble ['pebl] *subst* kiselsten, småsten

peck [pek] *verb* picka på, hacka på; om fåglar picka; ~ *at* hacka på (i), picka på (i)

peckish ['pekɪʃ] *adj* vard. sugen, hungrig

peculiar [pɪ'kjuːljə] *adj* **1** egendomlig **2** särskild, speciell

peculiarity [pɪ,kjuːlɪ'ærətɪ] *subst* egenhet

peculiarly [pɪˈkjuːljəlɪ] *adv* särskilt; besynnerligt

pedagogical [ˌpedəˈɡɒdʒɪkl] *adj* pedagogisk

pedagogue [ˈpedəɡɒɡ] *subst* pedagog

pedagogy [ˈpedəɡɒdʒɪ] *subst* pedagogik

pedal I [ˈpedl] *subst* **1** pedal **2** vard., på t.ex. piano: *loud* ~ högerpedal; *soft* ~ vänsterpedal
II [ˈpedl] *adj* pedal-; ~ *cycle* trampcykel
III [ˈpedl] (-*ll*-) *verb* **1** trampa **2** använda pedal

pedant [ˈpedənt] *subst* pedant

pedantic [pɪˈdæntɪk] *adj* pedantisk

pedantry [ˈpedəntrɪ] *subst* pedanteri

peddle [ˈpedl] *verb* gå omkring och sälja; ~ *narcotics* langa narkotika

pedestal [ˈpedɪstl] *subst* **1** piedestal, sockel **2** hurts

pedestrian [pəˈdestrɪən] *subst* fotgängare; ~ *crossing* övergångsställe; ~ *precinct* område med gågator, gågata

pediatrics [ˌpiːdɪˈætrɪks] (med verb i sing.) *subst* pediatrik

pedicure [ˈpedɪkjʊə] *subst* pedikyr, fotvård

pedigree [ˈpedɪɡriː] *subst* stamträd, stamtavla; ~ *dog* rashund

pee I [piː] *subst* vard., *have a* ~ kissa
II [piː] *verb* vard. kissa

peek I [piːk] *verb* kika, titta [*at* på]
II [piːk] *subst*, *have a* ~ at el. *take a* ~ *at* ta en titt på

peek-a-boo [ˌpiːkəˈbuː] *interj* barnspr. tittut!

peel I [piːl] *subst* skal på t.ex. frukt
II [piːl] *verb* **1** skala t.ex. frukt; barka träd **2** vard., ~ *off* ta av sig kläderna **3** flagna, fjälla

1 peep I [piːp] *verb* om t.ex. fågelunge, råtta pipa
II [piːp] *subst* pip

2 peep I [piːp] *verb* **1** kika, titta [*at* på]; *peeping Tom* fönstertittare **2** titta fram, skymta fram
II [piːp] *subst* titt

peepshow [ˈpiːpʃəʊ] *subst* tittskåp

1 peer [pɪə] *verb* kisa, plira, kika

2 peer [pɪə] *subst* **1** like, jämlike; ~ *pressure* kamrattryck, grupptryck **2** pär medlem av högadeln i Storbritannien, ungefär adelsman

peerage [ˈpɪərɪdʒ] *subst* **1** *the* ~ pärerna, högadeln **2** pärsvärdighet, adelskap

peerless [ˈpɪələs] *adj* makalös, oförliknelig

peeve [piːv] *verb*, *peeved at* irriterad över

peevish [ˈpiːvɪʃ] *adj* retlig, vresig

peg [peɡ] *subst* **1** pinne, sprint; *take sb down a* ~ el. *take sb down a* ~ *or two* sätta ngn på plats **2** klädnypa **3** hängare [*hat peg*]; *off the* ~ vard. konfektionssydd

peke [piːk] *subst* vard. pekines hund

Pekinese [ˌpiːkɪˈniːz], amer. ˌpiːkɪˈniːs] (pl. lika) *subst* pekines hund

pelican [ˈpelɪkən] *subst* pelikan

pellet [ˈpelɪt] *subst* liten kula av trä, papper

pell-mell [ˌpelˈmel] *adv* huller om buller

pelmet [ˈpelmɪt] *subst* gardinkappa, kornisch

pelt [pelt] *verb* **1** kasta [~ *stones*]; ~ *with questions* bombardera med frågor **2** om regn, snö vräka **3** ~ *down the road* kuta nerför vägen

pelvis [ˈpelvɪs] *subst* anat. bäcken

1 pen I [pen] *subst* penna
II [pen] (-*nn*-) *verb* skriva, avfatta

2 pen [pen] *subst* **1** fålla **2** hönsbur

penal [ˈpiːnl] *adj*, ~ *code* strafflag

penalize [ˈpiːnəlaɪz] *verb* straffa

penalty [ˈpenltɪ] *subst* **1** straff, påföljd; vite, bötesstraff, böter **2** fotb., ~ *area* el. ~ *box* straffområde; ~ *kick* el. ~ straffspark; ~ *shoot-out* straffsparksläggning; *the* ~ *spot* straffpunkten **3** ishockey. utvisning; ~ *box* utvisningsbås

penance [ˈpenəns] *subst* penitens, bot

pence [pens] *subst* pl se *penny*

penchant [ˈpɒnʃɒn], amer. ˈpenʃənt] *subst* förkärlek [*for* för]

pencil [ˈpensl] *subst* **1** blyertspenna, penna, pensel [*eyebrow* ~]

pencil-sharpener [ˈpenslˌʃɑːpənə] *subst* pennvässare

pendant [ˈpendənt] *subst* hängsmycke

pending [ˈpendɪŋ] *prep* i avvaktan på [~ *his return*]; under loppet av

pendulum [ˈpendjʊləm] *subst* pendel

penetrate [ˈpenətreɪt] *verb* **1** tränga igenom, bryta igenom [~ *the enemy's lines*] **2** tränga in i, penetrera

penetrating [ˈpenətreɪtɪŋ] *adj* **1** genomträngande, skarp **2** skarpsinnig [~ *analysis*]

penetration [ˌpenɪˈtreɪʃən] *subst* genomträngande, inträngande

pen friend [ˈpenfrend] *subst* brevvän

penguin [ˈpeŋɡwɪn] *subst* pingvin

penicillin [ˌpenəˈsɪlɪn] *subst* penicillin

peninsula [pəˈnɪnsjʊlə] *subst* halvö

peninsular [pəˈnɪnsjʊlə] *adj* halvöliknande

penis [ˈpiːnɪs] *subst* penis

penitence [ˈpenɪtəns] *subst* botfärdighet, ånger

penitent [ˈpenɪtənt] *adj* botfärdig, ångerfull

penitentiary [ˌpenɪˈtenʃərɪ] *subst* amer. fängelse

penknife ['pennaɪf] (pl. *penknives* ['pennaɪvz]) *subst* fickkniv

pen name ['penneɪm] *subst* pseudonym

pennant ['penənt] *subst* vimpel, flagga som t.ex. mästerskapstecken

penniless ['penɪləs] *adj* utan ett öre, utfattig

penny ['penɪ] (pl. (*pennies* när mynten avses, el. *pence* när värdet avses) *subst* penny eng. mynt = 1/100 pund, amer. vard. encentslant; *a pretty* ~ en nätt summa; *they are ten (two) a* ~ det går tretton på dussinet; *spend a* ~ vard. gå på toa

penny-wise ['penɪwaɪz] *adj*, *be* ~ *and pound-foolish* låta snålheten bedra visheten

pen pal ['penpæl] *subst* vard. brevvän

pen-pusher ['pen,pʊʃə] *subst* vard. kontorsslav

pension I ['penʃən] *subst* pension
II ['penʃən] *verb* pensionera; ~ *off* ge pension

pensioner ['penʃənə] *subst* pensionär

pensive ['pensɪv] *adj* tankfull, fundersam

Pentagon

The Pentagon är det amerikanska försvarsdepartementets huvud-byggnad i Washington D.C. Häri-från leds de amerikanska militära styrkorna.

---

pentagon ['pentəgən] *subst* femhörning

pentathlete [pen'tæθliːt] *subst* sport. femkampare

pentathlon [pen'tæθlɒn] *subst* sport. femkamp

Pentecost ['pentɪkɒst] *subst* pingst, pingstdagen

penthouse ['penthaʊs] *subst* lyxig takvåning

pent-up ['pentʌp] *adj* undertryckt, återhållen [~ *emotions*], förträngd

penultimate [pə'nʌltɪmət] *adj* näst sista

peony ['pɪənɪ] *subst* pion blomma

people I ['piːpl] *subst* **1** folk [*the English* ~], nation, folkslag [*primitive* ~*s*] **2** människor, personer [*fifty* ~]; *the* ~ de breda lagren, den stora massan **3** vard. familj, anhöriga
II ['piːpl] *verb* befolka, bebo

pep I [pep] *subst* vard. fart, fräs, kläm
II [pep] (-*pp*-) *verb* vard., ~ *up* pigga upp, sätta fart på

pepper I ['pepə] *subst* **1** peppar **2** paprika

[*green* ~]
II ['pepə] *verb* peppra, peppra på

peppermint ['pepəmənt] *subst* **1** smakämne pepparmint **2** växt pepparmynta

peppery ['pepərɪ] *adj* **1** pepprig **2** hetsig, ettrig

pep-pill ['peppɪl] *subst* vard. uppiggande piller

peppy ['pepɪ] *adj* vard. ärtig, pigg, klämmig

pep talk ['peptɔːk] *subst* vard. kort uppmuntrande tal; peptalk, taktiksnack före tävling

per [pə] *prep* per, genom; ~ *annum* [pər'ænəm] per år; ~ *cent* [pə'sent] procent

perceive [pə'siːv] *verb* märka, uppfatta

percentage [pə'sentɪdʒ] *subst* procent

perceptible [pə'septəbl] *adj* märkbar

perception [pə'sepʃən] *subst* **1** iakttagelseförmåga **2** uppfattning

perceptive [pə'septɪv] *adj* insiktsfull

1 perch [pɜːtʃ] (pl. vanligen lika) *subst* abborre

2 perch I [pɜːtʃ] *subst* sittpinne, pinne för t.ex. höns
II [pɜːtʃ] *verb* flyga upp och sätta sig

percolator ['pɜːkəleɪtə] *subst* **1** kaffebryggare **2** filtreringsapparat, perkolator

percussion [pə'kʌʃən] *subst* slag, stöt; ~ *cap* knallhatt; ~ *instruments* musik. slagverk, slaginstrument

percussionist [pə'kʌʃənɪst] *subst* musik. batterist

peremptory [pə'remptrɪ] *adj* diktatorisk

perennial I [pə'renɪəl] *adj* om växt perenn, flerårig
II [pə'renɪəl] *subst* perenn växt

perfect I ['pɜːfɪkt] *adj* **1** perfekt, fulländad; *practice makes* ~ övning ger färdighet **2** fullständig, riktig, verklig [*he is a* ~ *pest*] **3** vard. perfekt, härlig [*a* ~ *day*] **4** gram., *the* ~ *tense* perfekt
II ['pɜːfɪkt] *subst* gram., *the present* ~ el. *the* ~ perfekt
III [pə'fekt] *verb* göra perfekt, fullända

perfection [pə'fekʃən] *subst* fulländning, perfektion; *to* ~ perfekt, på ett fulländat sätt

perfectionist [pə'fekʃənɪst] *subst* perfektionist

perforate ['pɜːfəreɪt] *verb* perforera

perforation [,pɜːfə'reɪʃən] *subst* perforering; tandning, tand på frimärke

perform [pə'fɔːm] *verb* **1** utföra [~ *a task*], uträtta **2** framföra, spela [~ *a piece of* *music;* ~ *a part in a play*], uppföra, ge [~ *a play*]

performance [pə'fɔːməns] *subst* **1** utförande, verkställande **2** prestation **3** föreställning [*a theatrical* ~], uppförande *av* t.ex. pjäs; uppträdande

performer [pə'fɔːmə] *subst* artist, uppträdande om person el. djur; aktör

performing [pə'fɔːmɪŋ] *adj* dresserad [~ *seal*]

perfume I ['pɜːfjuːm] *subst* **1** doft **2** parfym
II [pə'fjuːm] *verb* parfymera

perfunctory [pə'fʌŋktərɪ] *adj* slentrianmässig, mekanisk

perhaps [pə'hæps] *adv* kanske

peril ['perəl] *subst* fara; *at one's* ~ på egen risk

perilous ['perələs] *adj* farlig, riskabel

perimeter [pə'rɪmɪtə] *subst* omkrets

period ['pɪərɪəd] *subst* **1** period, tidsperiod; *for a* ~ *of two years* under två års tid **2** lektion, lektionstimme **3** spec. amer. punkt tecknet; *that's how it is,* ~*!* så är det och därmed basta!, punkt och slut! **4** menstruation, mens

periodic [,pɪərɪ'ɒdɪk] *adj* periodisk

periodical [,pɪərɪ'ɒdɪkl] *subst* tidskrift

peripheral [pə'rɪfrəl] *adj* yttre, perifer

periphery [pə'rɪfərɪ] *subst* utkant, periferi

periscope ['perɪskəʊp] *subst* periskop

perish ['perɪʃ] *verb* **1** omkomma; *be perishing with cold* frysa ihjäl **2** förstöras

perishables ['perɪʃəblz] *subst pl* om t.ex. matvaror färskvaror

peritonitis [,perɪtə'naɪtɪs] *subst* med. bukhinneinflammation, peritonit

perjury ['pɜːdʒərɪ] *subst* mened; *commit* ~ begå mened

perk [pɜːk] *subst* vard., pl. ~*s* extraförmåner

perky ['pɜːkɪ] *adj* käck, pigg

1 perm I [pɜːm] *subst* **1** permanent; *have a* ~ permanenta sig **2** permanentat hår
II [pɜːm] *verb* permanenta; ~ *one's hair* permanenta sig

2 perm [pɜːm] *subst* vard. system vid tippning; systemtips

permanence ['pɜːmənəns] *subst* beständighet

permanent ['pɜːmənənt] *adj* permanent, bestående [*of* ~ *value*]; varaktig, ordinarie; ~ *post* fast anställning; ~ *wave* permanent

permanently ['pɜːmənəntlɪ] *adv* varaktigt, beständigt, permanent

permeate ['pɜːmɪeɪt] *verb* **1** tränga igenom **2** genomsyra

permissible [pə'mɪsəbl] *adj* tillåtlig

permission [pə'mɪʃən] *subst* tillåtelse, lov; *by* ~ *of* med tillstånd av

permit I [pə'mɪt] (*tt*) *vərb* medge; *weather permitting* om vädret tillåter; *be permitted to* ha tillåtelse att
II ['pɜːmɪt] *subst* tillstånd; licens; passersedel; *fishing* ~ fiskekort; *work* ~ arbetstillstånd

permutation [,pɜːmjʊ'teɪʃən] *subst* systemtips

pernicious [pə'nɪʃəs] *adj* skadlig [*to* för]

peroxide [pə'rɒksaɪd] *subst* peroxid; ~ *of hydrogen* el. ~ vätesuperoxid

perpendicular [,pɜːpən'dɪkjʊlə] *adj* **1** lodrät, vertikal **2** vinkelrät

perpetrate ['pɜːpətreɪt] *verb* föröva, begå [~ *a crime*]

perpetrator ['pɜːpətreɪtə] *subst* gärningsman, förövare

perpetual [pə'petʃʊəl] *adj* ständig, evig [~ *chatter*]

perpetuate [pə'petʃʊeɪt] *verb* föreviga

perplex [pə'pleks] *verb* förvirra, förbrylla

perplexed [pə'plekst] *adj* förbryllad

perplexity [pə'pleksətɪ] *subst* förvirring

perquisite ['pɜːkwɪzɪt] *subst* extra förmån

persecute ['pɜːsɪkjuːt] *verb* förfölja

persecution [,pɜːsɪ'kjuːʃən] *subst* förföljelse; ~ *mania* förföljelsemani

persecutor ['pɜːsɪkjuːtə] *subst* förföljare

perseverance [,pɜːsɪ'vɪərəns] *subst* ihärdighet, uthållighet

persevere [,pɜːsɪ'vɪə] *verb* framhärda; ihärdigt fortsätta med

persevering [,pɜːsɪ'vɪərɪŋ] *adj* ihärdig, trägen

Persian I ['pɜːʃən] *adj* persisk; ~ *blinds* utvändiga persienner, spjälluckor; ~ *cat* perser katt; ~ *lamb* persian skinn; *the Persian Gulf* Persiska viken
II ['pɜːʃən] *subst* **1** persiska språket **2** perser katt

persist [pə'sɪst] *verb*, ~ *in* framhärda i; ~ *in doing sth* envisas med att göra ngt

persistence [pə'sɪstəns] *subst* framhärdande, ihärdighet

persistent [pə'sɪstənt] *adj* **1** ihärdig **2** ständig **3** efterhängsen

person ['pɜːsn] *subst* person; *in* ~ personligen

personage ['pɜːsənɪdʒ] *subst* betydande personlighet, person

personal ['pɜːsnəl] *adj* personlig, privat; ~ *column* i tidning personligt; ~ *computer* (förk. *PC*) persondator; ~ *life* privatliv; *a* ~ *matter* en privatsak; ~ *record* sport. personbästa; ~ *stereo* freestyle; *from* ~ *experience* av egen erfarenhet

personality [ˌpɜːsə'nælətɪ] *subst* personlighet

personally ['pɜːsnəlɪ] *adv* 1 personligen, för egen del 2 i egen person 3 personligt [*don't take it* ~]

personification [pɜːˌsɒnɪfɪ'keɪʃən] *subst* personifiering, förkroppsligande

personify [pɜː'sɒnɪfaɪ] *verb* personifiera, förkroppsliga

personnel [ˌpɜːsə'nel] *subst* personal; ~ *manager* personalchef

perspective [pə'spektɪv] *subst* perspektiv, syn

Perspex® ['pɜːspeks] *subst* Plexiglas®

perspicacious [ˌpɜːspɪ'keɪʃəs] *adj* klarsynt

perspiration [ˌpɜːspə'reɪʃən] *subst* svett, transpiration

perspire [pə'spaɪə] *verb* svettas

persuade [pə'sweɪd] *verb* 1 övertala, förmå 2 övertyga

persuasion [pə'sweɪʒən] *subst* 1 övertalning 2 övertygelse

persuasive [pə'sweɪsɪv] *adj* övertalande

pert [pɜːt] *adj* näsvis

pertain [pɜː'teɪn] *verb*, ~ *to* hänföra sig till

pertinent ['pɜːtɪnənt] *adj* relevant [*to* för]

perturb [pə'tɜːb] *verb* oroa, störa

Peru [pə'ruː]

perusal [pə'ruːzl] *subst* genomläsning

peruse [pə'ruːz] *verb* läsa igenom

Peruvian I [pə'ruːvjən] *adj* peruansk
 II [pə'ruːvjən] *subst* peruan

pervade [pə'veɪd] *verb* genomsyra, prägla

pervasive [pə'veɪsɪv] *adj* genomträngande, genomgripande

perverse [pə'vɜːs] *adj* motsträvig, tvär

perversion [pə'vɜːʃən] *subst* 1 förvrängning 2 perversitet, sexuell perversion

pervert I [pə'vɜːt] *verb* förvränga [~ *the truth*]
 II ['pɜːvɜːt] *subst* pervers individ

perverted [pə'vɜːtɪd] *perf p* o. *adj* 1 förvrängd 2 pervers, abnorm

pessary ['pesərɪ] *subst* 1 pessar 2 vagitorium

pessimism ['pesɪmɪzəm] *subst* pessimism

pessimist ['pesɪmɪst] *subst* pessimist

pessimistic [ˌpesɪ'mɪstɪk] *adj* pessimistisk

pest [pest] *subst* 1 om person el. sak plåga, plågoris 2 skadedjur, skadeinsekt

pester ['pestə] *verb* 1 besvära, trakassera 2 tjata på

pesticide ['pestɪsaɪd] *subst* bekämpningsmedel

pestle ['pesl] *subst* mortelstöt

pet I [pet] *subst* 1 sällskapsdjur 2 kelgris, älskling 3 före subst. älsklings-, favorit- [~ *phrase*]; sällskaps- [~ *dog*]; ~ *name* smeknamn; ~ *shop* zooaffär
 II [pet] (*-tt-*) *verb* kela med

petal ['petl] *subst* kronblad

peter ['piːtə] *verb* vard., ~ *out* ebba ut, sina

petition I [pə'tɪʃən] *subst* 1 begäran, anhållan 2 ansökan
 II [pə'tɪʃən] *verb* anhålla om

petitioner [pə'tɪʃənə] *subst* supplikant

petrel ['petrəl] *subst* stormfågel; *storm* ~ stormsvala

petrify ['petrɪfaɪ] *verb* förstena; *petrified with terror* lamslagen av skräck

petrochemical [ˌpetrəʊ'kemɪkl] *adj* petrokemisk

petrol ['petrəl] *subst* bensin

petroleum [pə'trəʊljəm] *subst* petroleum; ~ *jelly* vaselin

petticoat ['petɪkəʊt] *subst* underkjol

petting ['petɪŋ] *subst* vard. petting, hångel

petty ['petɪ] *adj* 1 liten, obetydlig, trivial; ~ *bourgeois* småborgare; ~ *cash* handkassa 2 småsint

petunia [pɪ'tjuːnjə] *subst* petunia blomma

pew [pjuː] *subst* kyrkbänk

pewter ['pjuːtə] *subst* 1 metall tenn 2 föremål tennkärl, tennsaker

phantom ['fæntəm] *subst* spöke, vålnad, fantom

pharmaceutical [ˌfɑːmə'sjuːtɪkl] *adj* farmaceutisk; *the* ~ *industry* läkemedelsindustrin

pharmacist ['fɑːməsɪst] *subst* apotekare, farmaceut

pharmacologist [ˌfɑːmə'kɒlədʒɪst] *subst* farmakolog

pharmacology [ˌfɑːmə'kɒlədʒɪ] *subst* farmakologi

pharmacy ['fɑːməsɪ] *subst* 1 apotek 2 vetensk. farmaci

phase I [feɪz] *subst* fas, skede, stadium
 II [feɪz] *verb*, ~ *out* gradvis avveckla, trappa ned

PhD o. **Ph.D.** [ˌpiːeɪtʃ'diː] (förk. för *Doctor of Philosophy*) fil.dr., FD

pheasant ['feznt] *subst* fasan

phenomenal [fə'nɒmɪnl] *adj* vard. fenomenal

phenomenon [fə'nɒmɪnən] (pl. *phenomena* [fə'nɒmɪnə]) *subst* fenomen

phew [fjuː] *interj* för att uttrycka utmattning el. lättnad puh!

phial ['faɪəl] *subst* liten medicinflaska, ampull

philanthropic [ˌfɪlən'θrɒpɪk] *adj* o.

philanthropical [ˌfɪlən'θrɒpɪkəl] *adj* filantropisk, människovänlig

philanthropist [fɪ'lænθrəpɪst] *subst* filantrop, människovän

philanthropy [fɪ'lænθrəpɪ] *subst* filantropi

philatelist [fɪ'lætəlɪst] *subst* filatelist, frimärkssamlare

Philippines ['fɪlɪpiːnz], *the* ~ Filippinerna

philistine ['fɪlɪstaɪn] *subst* **1** bracka
2 *Philistine* bibl. filisté

philosopher [fɪ'lɒsəfə] *subst* filosof

philosophical [ˌfɪlə'sɒfɪkl] *adj* filosofisk

philosophize [fɪ'lɒsəfaɪz] *verb* filosofera

philosophy [fɪ'lɒsəfɪ] *subst* filosofi

phlegm [flem] *subst* fysiol. slem

phlegmatic [fleg'mætɪk] *adj* flegmatisk, trög

phlox [flɒks] *subst* blomma flox

phobia ['fəʊbɪə] *subst* fobi, skräck

phoenix ['fiːnɪks] *subst* mytol. fågel Fenix

phone I [fəʊn] *subst* vard. (se *telephone* för ex.) telefon
II [fəʊn] *verb* vard. (se *telephone* för vidare ex.) ringa, telefonera; *I'll ~ back* jag ringer senare

phone booth ['fəʊnbuːð] *subst* o. **phone box** ['fəʊnbɒks] *subst* telefonkiosk

phone call ['fəʊnkɔːl] *subst* telefonsamtal

phonecard ['fəʊnkɑːd] *subst* telefonkort

phone-in ['fəʊnɪn] *subst* radio. el. tv. telefonväktarprogram program som lyssnare (tittare) kan ringa till

phone-tapping ['fəʊnˌtæpɪŋ] *subst* telefonavlyssning

phonetic [fə'netɪk] *adj* fonetisk; ~ *transcription* fonetisk skrift, fonetisk transkription

phonetician [ˌfəʊnɪ'tɪʃən] *subst* fonetiker

phonetics [fə'netɪks] (med verb i sing.) *subst* fonetik, ljudlära

phoney I ['fəʊnɪ] *adj* vard. falsk, bluff-, humbug-
II ['fəʊnɪ] *subst* vard. **1** bluff, humbug
2 bluff, bluffmakare

phonograph ['fəʊnəgræf] *subst* amer. grammofon

phosphate ['fɒsfeɪt] *subst* fosfat

phosphorus ['fɒsfərəs] *subst* fosfor

photo ['fəʊtəʊ] (pl. ~s) *subst* vard. foto, kort, bild

photocell ['fəʊtəsel] *subst* fotocell

photocopier ['fəʊtəʊˌkɒpɪə] *subst* kopieringsapparat

photoopy I ['fəʊtəˌkɒpɪ] *subst* kopia fotokopia
II ['fəʊtəˌkɒpɪ] *verb* kopiera

photoelectric [ˌfəʊtəʊɪ'lektrɪk] *adj* fotoelektrisk; ~ *cell* fotocell

photo finish [ˌfəʊtəʊ'fɪnɪʃ] *subst* fotofinish, målfoto

photogenic [ˌfəʊtə'dʒenɪk] *adj* fotogenisk; *she is* ~ hon gör sig bra på kort

photograph I ['fəʊtəgrɑːf] *subst* fotografi, foto, kort; *have one's ~ taken* fotografera sig
II ['fəʊtəgrɑːf] *verb* fotografera

photographer [fə'tɒgrəfə] *subst* fotograf

photographic [ˌfəʊtə'græfɪk] *adj* fotografisk

photography [fə'tɒgrəfɪ] *subst* fotografering, fotografi som konst

photostat I ['fəʊtəstæt] *subst* **1** fotostat fotokopieringsapparat **2** ~ *copy* el. ~ fotostatkopia
II ['fəʊtəstæt] (-*tt*-) *verb* fotostatkopiera

phrase [freɪz] *subst* fras, uttryck

phrase book ['freɪzbʊk] *subst* parlör

phraseology [ˌfreɪzɪ'ɒlədʒɪ] *subst* fraseologi

physical ['fɪzɪkl] *adj* **1** fysisk, materiell; ~ *violence* yttre våld **2** fysikalisk **3** fysisk, kroppslig [~ *beauty*], kropps- [~ *exercise*]; ~ *education* gymnastik; ~ *examination* hälsokontroll; ~ *training* gymnastik

physician [fɪ'zɪʃən] *subst* läkare

physicist ['fɪzɪsɪst] *subst* fysiker

physics ['fɪzɪks] (med verb i sing.) *subst* fysik som vetenskap

physio ['fɪzɪəʊ] (pl. ~s) *subst* vard. sjukgymnast

physiognomy [ˌfɪzɪ'ɒnəmɪ] *subst* fysionomi

physiological [ˌfɪzɪə'lɒdʒɪkl] *adj* fysiologisk

physiologist [ˌfɪzɪ'ɒlədʒɪst] *subst* fysiolog

physiology [ˌfɪzɪ'ɒlədʒɪ] *subst* fysiologi

physiotherapist [ˌfɪzɪə'θerəpɪst] *subst* sjukgymnast

physiotherapy [ˌfɪzɪə'θerəpɪ] *subst* fysioterapi, sjukgymnastik

physique [fɪ'ziːk] *subst* fysik [*a man of strong ~*], kroppsbyggnad

pianist ['piːænɪst, 'pjænɪst] *subst* pianist

piano [pɪ'ænəʊ] (pl. ~s) *subst* piano; *grand* ~ flygel; *upright* ~ upprätt piano i motsats till flygel; ~ *accordion* pianodragspel; *play a ~ duet* spela fyrhändigt

pianoforte [pɪˌænəʊˈfɔːtɪ] *subst* piano
piano-tuner [pɪˈænəʊˌtjuːnə] *subst*
pianostämmare
piccolo [ˈpɪkələʊ] (pl. ~s) *subst* musik.
pickolaflöjt
1 pick I [pɪk] *verb* **1** plocka [~ *flowers*]
2 peta [~ *one's teeth*], pilla på; ~ *at one's
food* peta i maten; ~ *a lock* dyrka upp ett
lås; ~ *one's nose* peta sig i näsan; ~ *sb's
pocket* stjäla ur ngns ficka **3** plocka
sönder, riva sönder; ~ *to pieces* plocka
sönder, riva sönder **4** hacka hål i (på); *they
always* ~ *on him* el. *they are always
picking on him* vard. de hackar alltid på
honom, de hoppar alltid på honom **5** välja
ut, plocka ut; ~ *and choose* välja och
vraka; ~ *holes in* finna fel i; ~ *a quarrel*
söka gräl; ~ *sides* välja lag; ~ *the winner*
satsa på rätt häst
II [pɪk] *verb* med adv. o. prep.
pick out välja, plocka ut
pick up 1 plocka upp **2** lägga sig till med
[~ *up a bad habit*] **3** hämta [*I'll* ~ *you up at
9 o'clock*] **4** krya på sig, repa sig; ~ *up
courage* repa mod **5** fånga upp; ta in, få in
[~ *up a radio station*]
III [pɪk] *subst* val något utvalt; *the* ~ det bästa,
eliten
2 pick [pɪk] *subst* spetshacka, korp
pickaback [ˈpɪkəbæk] *subst*, *give a child a*
~ låta ett barn rida på ryggen
pickaxe [ˈpɪkæks] *subst* spetshacka, korp
picked [pɪkt] *adj* utvald, handplockad
picket I [ˈpɪkɪt] *subst* strejkvakt, strejkvakter
II [ˈpɪkɪt] (-*tt*-) *verb* sätta ut strejkvakter vid
pickle [ˈpɪkl] *subst* lag för inläggning; pl. ~s
pickles
pickled [ˈpɪkld] *adj* marinerad; ~ *herring*
inlagd sill; ~ *onions* syltlök
pick-me-up [ˈpɪkmɪˌʌp] *subst* styrketår
pickpocket [ˈpɪkˌpɒkɪt] *subst* ficktjuv
pick-up [ˈpɪkʌp] *subst* **1** på skivspelare pickup;
~ *arm* tonarm **2** pickup liten, öppen varubil
picnic I [ˈpɪknɪk] *subst* picknick, utflykt; ~
hamper picknickkorg
II [ˈpɪknɪk] (*picnicked picnicked*) *verb* göra
en picknick
picnicker [ˈpɪknɪkə] *subst* picknickdeltagare
pictorial [pɪkˈtɔːrɪəl] *adj* illustrerad
picture I [ˈpɪktʃə] *subst* **1** bild, illustration
2 tavla, målning; porträtt **3** kort, foto
4 beskrivning, framställning **5** film; *the* ~s
vard. bio; *go to the* ~s gå på bio **6** *put sb
in the* ~ sätta in ngn i saken

II [ˈpɪktʃə] *verb* **1** avbilda, beskriva **2** ~ el. ~
to oneself föreställa sig
picture book [ˈpɪktʃəbʊk] *subst* bilderbok
picture card [ˈpɪktʃəkɑːd] *subst* kortsp. klätt
kort, målare
picture gallery [ˈpɪktʃəˌgælərɪ] *subst*
konstgalleri
picturegoer [ˈpɪktʃəˌgəʊə] *subst* biobesökare
picture postcard [ˌpɪktʃəˈpəʊstkɑːd] *subst*
vykort
picturesque [ˌpɪktʃəˈresk] *adj* pittoresk
piddle I [ˈpɪdl] *verb* vulg. pinka
II [ˈpɪdl] *subst* vulg. pink
pidgin [ˈpɪdʒɪn] *subst*, ~ *English*
pidginengelska starkt förenklat halvengelskt
blandspråk mellan personer med olika modersmål
pie [paɪ] *subst* **1** paj **2** *have a finger in the*
~ ha ett finger med i spelet; *it's as easy
as* ~ vard. det är en enkel match
piebald [ˈpaɪbɔːld] *adj* fläckig, skäckig häst
piece I [piːs] *subst* **1** stycke, bit [*a* ~ *of
bread*]; *a* ~ *of advice* ett råd; *a* ~ *of
furniture* en enstaka möbel; *a* ~ *of
information* en upplysning; *a* ~ *of news*
en nyhet; *break to* ~s slå i bitar; *fall to* ~s
falla i bitar, gå sönder; *go to* ~s gå sönder,
falla i bitar; *tear to* ~s slita i stycken
2 stycke, verk; *a* ~ *of music* ett
musikstycke **3** mynt [*a fifty-cent* ~; *a
five-penny* ~] **4** pjäs i schackspel
II [piːs] *verb*, ~ *together* sätta ihop, pussla
ihop
piecemeal [ˈpiːsmiːl] *adv* styckevis, bit för
bit
piecework [ˈpiːswɜːk] *subst* ackordsarbete
piecrust [ˈpaɪkrʌst] *subst* pajdegshölje
pied [paɪd] *adj* fläckig, skäckig [~ *horse*]

pier
Många engelska kuststäder har en
lång pir med olika affärer och att-
raktioner, där man kan roa sig. En
av de mest kända är piren i
Brighton på engelska sydkusten.

pier [pɪə] *subst* **1** pir, vågbrytare **2** brygga
pierce [pɪəs] *verb* **1** genomborra, borra hål i
2 pierca [*have one's ears* ~d]
piercing I [ˈpɪəsɪŋ] *subst* piercing på öron, i
tungan etc. **II** [ˈpɪəsɪŋ] *adj* genomträngande
[*a* ~ *cry*]
piety [ˈpaɪətɪ] *subst* fromhet
piffle [ˈpɪfl] *subst* vard. trams, strunt

piffling ['pɪflɪŋ] *adj* vard. fjantig; strunt-
pig [pɪg] *subst* gris; *make a ~ of oneself*
glufsa i sig, proppa i sig
pigeon ['pɪdʒɪn] *subst* fågel duva
pigeon-chested ['pɪdʒɪn,tʃestɪd] *adj*, *be ~*
ha hönsbröst små bröst
pigeonhole ['pɪdʒɪnhəʊl] *subst* fack i hylla för
meddelanden, post etc.
piggy ['pɪgɪ] *subst* vard. griskulting, barnspr.
nasse; *~ bank* spargris
piggyback ['pɪgɪbæk] *subst*, *give a child a*
~ låta ett barn rida på ryggen
pigheaded [,pɪg'hedɪd] *adj* tjurskallig, envis
piglet ['pɪglət] *subst* griskulting, barnspr.
nasse
pigment ['pɪgmənt] *subst* pigment, färgämne
pigmentation [,pɪgmən'teɪʃən] *subst*
pigmentering
pigskin ['pɪgskɪn] *subst* svinläder
pigsty ['pɪgstaɪ] *subst* svinsta
pigtail ['pɪgteɪl] *subst* råttsvans hårfläta
pike [paɪk] (pl. vanligen lika) *subst* gädda
pike-perch ['paɪkpɜːtʃ] (pl. vanligen lika) *subst*
gös
pikestaff ['paɪkstɑːf] *subst*, *as plain as a ~*
solklart
pilchard ['pɪltʃəd] *subst* större sardin, pilchard
1 pile I [paɪl] *subst* **1** hög, stapel, trave {*a ~ of*
books} **2** *atomic ~* atomreaktor,
kärnreaktor
II [paɪl] *verb*, *~* el. *~ up* stapla; samlas på
hög
2 pile [paɪl] *subst* lugg på t.ex. tyg
piles [paɪlz] *subst pl* med. hemorrojder
pilfer ['pɪlfə] *verb* snatta
pilfering ['pɪlfərɪŋ] *subst* snatteri
pilgrim ['pɪlgrɪm] *subst* pilgrim
pilgrimage ['pɪlgrɪmɪdʒ] *subst* pilgrimsfärd;
go on a göra en pilgrimsfärd
pill [pɪl] *subst* piller; *be on the ~* äta p-piller
pillar ['pɪlə] *subst* **1** pelare, stolpe
2 stöttepelare {*~s of society*}
pillar box ['pɪləbɒks] *subst* brevlåda
pillbox ['pɪlbɒks] *subst* pillerask, pillerburk
pillion ['pɪljən] *subst* på t.ex. motorcykel baksits
pillory I ['pɪlərɪ] *subst* skampåle
II ['pɪlərɪ] *verb* ställa vid skampålen
pillow ['pɪləʊ] *subst* huvudkudde; dyna
pillow case ['pɪləʊkeɪs] *subst* o. **pillow slip**
['pɪləʊslɪp] *subst* örngott
pilot I ['paɪlət] *subst* **1** sjö. lots **2** pilot,
flygare; *pilot's licence* flygcertifikat **3** *~*
scheme pilotprojekt
II ['paɪlət] *verb* **1** lotsa **2** föra **3** vara pilot på
flygplan

pilot boat ['paɪlətbəʊt] *subst* lotsbåt
pilot lamp ['paɪlətlæmp] *subst* kontrollampa
pilot light ['paɪlətlaɪt] *subst* **1** tändlåga på t.ex.
gasspis **2** kontrollampa, röd lampa
pimp [pɪmp] *subst* hallick, sutenör
pimple ['pɪmpl] *subst* finne, kvissla
pimply ['pɪmplɪ] *adj* finnig
PIN [pɪn] *subst* o. **PIN number** ['pɪn,nʌmbə]
subst bankterm personlig kod
pin I [pɪn] *subst* **1** knappnål; *be on ~s and*
needles sitta som på nålar **2** sport. kägla; *~*
alley kägelbana **3** sprint, stift
II [pɪn] (*-nn-*) *verb* **1** nåla fast, fästa med
knappnål el. stift {*to* vid}; *~ up a notice* sätta
upp ett anslag **2** *~ sb down* a) klämma
fast ngn b) få ngn att ge klart besked **3** *~*
one's hopes on sätta sitt hopp till
pinafore ['pɪnəfɔː] *subst* förkläde
pinball ['pɪnbɔːl] *subst*, *~ machine*
flipperautomat
pincers ['pɪnsəz] *subst pl* kniptång, hovtång
pinch I [pɪntʃ] *verb* **1** nypa, knipa ihop,
klämma **2** vard. knycka, stjäla **3** sl. haffa
arrestera
II [pɪntʃ] *subst* **1** nyp, nypning **2** *take sth*
with a ~ of salt ta ngt med en nypa salt; *~*
~ of snuff en pris snus **3** *at a ~* i nödfall
pincushion ['pɪn,kʊʃən] *subst* nåldyna
1 pine [paɪn] *verb* **1** tyna bort **2** tråna {*for*
efter}
2 pine [paɪn] *subst* **1** tall, pinje **2** virke furu
pineapple ['paɪn,æpl] *subst* ananas frukt
pine cone ['paɪnkəʊn] *subst* tallkotte
ping-pong ['pɪŋpɒŋ] *subst* vard. pingis
pinhead ['pɪnhed] *subst* knappnålshuvud
1 pinion ['pɪnjən] *verb* bakbinda, binda fast
armarna på
2 pinion ['pɪnjən] *subst* drev, litet kugghjul
pink I [pɪŋk] *subst* **1** mindre nejlika **2** skärt,
rosa
II [pɪŋk] *adj* skär, rosa
pinkie o. **pinky** ['pɪŋkɪ] *subst* spec. amer. vard.
lillfinger
pinnacle ['pɪnəkl] *subst* **1** spetsig bergstopp
2 höjdpunkt; *she had reached the ~ of*
her career hon stod på höjden av sin
karriär
pinpoint ['pɪnpɔɪnt] *verb* precisera {*~ the*
problem}
pinprick ['pɪnprɪk] *subst* nålstick, nålsting
pinstripe ['pɪnstraɪp] *subst* tygmönster
kritstreck
pint [paɪnt] *subst* ungefär halvliter mått för våta
varor; britt. = 1/8 *gallon* = 0,57 liter, amer. = 0,47
liter

pintable ['pɪn,teɪbl] *subst,* ~ *machine* flipperautomat

pin-up ['pɪnʌp] *subst* vard., ~ el. ~ *girl* pinuppa

pioneer [,paɪə'nɪə] *subst* pionjär, banbrytare

pious ['paɪəs] *adj* from, gudfruktig

1 pip [pɪp] *subst* kärna i t.ex. apelsin, äpple

2 pip [pɪp] (*-pp-*) *verb,* ~ *sb at the post* besegra på mållinjen

pipe [paɪp] *subst* **1** rör, ledning **2** för tobak pipa **3** musik. pipa; orgelpipa; ~*s of Pan* panflöjt; pl. ~*s* säckpipa

pipe-cleaner ['paɪp,kliːnə] *subst* piprensare

pipedream ['paɪpdriːm] *subst* önskedröm

pipeline ['paɪplaɪn] *subst* rörledning, pipeline

piper ['paɪpə] *subst* pipblåsare

pipe rack ['paɪpræk] *subst* pipställ

piping ['paɪpɪŋ] *adv,* ~ *hot* rykande varm

piquant ['piːkənt] *adj* **1** pikant **2** skarp

piracy ['paɪərəsɪ] *subst* sjöröveri

piranha [pə'rɑːnə] *subst* piraya fisk

pirate ['paɪərət] *subst* **1** pirat, sjörövare **2** pirat- [~ *TV*]; ~ *copy* piratkopia

pirouette [,pɪrʊ'et] *subst* piruett
II [,pɪrʊ'et] *verb* piruettera

Pisces ['paɪsiːz] stjärntecken Fiskarna

piss I [pɪs] *subst* vulg. **1** piss **2** *take the* ~ jävlas
II [pɪs] *verb* vulg. **1** pissa; *it's pissing down!* det öser ner! **2** ~ *off!* stick åt helvete!; *she pisses me off* hon gör mig jävligt förbannad

pissed [pɪst] *adj* vulg. **1** asfull **2** amer. skitförbannad

pissed-off [,pɪst'ɒf] *adj* vulg. **1** skitförbannad **2** utled på allting

piste [piːst] *subst* pist

pistil ['pɪstɪl] *subst* bot. pistill

pistol ['pɪstl] *subst* pistol

piston ['pɪstən] *subst* pistong, kolv

1 pit I [pɪt] *subst* **1** grop, hål i marken **2** fallgrop **3** gruvschakt; gruva **4** teat. bortre parkett; *orchestra* ~ orkesterdike
II [pɪt] (*-tt-*) *verb,* ~ *oneself against* el. ~ *one's strength against* mäta sina krafter med

2 pit I [pɪt] *subst* amer. kärna
II [pɪt] (*-tt-*) *verb* amer. kärna ur

pit-a-pat [,pɪtə'pæt] *subst* **1** hjärtas dunkande **2** regns smatter

1 pitch [pɪtʃ] *subst* **1** beck **2** kåda

2 pitch I [pɪtʃ] *verb* **1** sätta (ställa) upp i fast läge; slå upp, resa [~ *a tent*]; ~ *camp* slå läger **2** kasta, slänga; i baseball kasta **3** musik. stämma [*pitched too high*] **4** *pitched battle*

fältslag **5** om fartyg stampa; om flygplan tippa, kränga
II [pɪtʃ] *verb* med adv. o. prep.
pitch in vard. **1** hugga in **2** vara med, bidra
pitch into vard. **1** gå lös på **2** ta itu med
III [pɪtʃ] *subst* **1** grad [*a high ~ of efficiency*], topp; *at its highest* ~ på höjdpunkten; *he was roused to a* ~ *of frenzy* han blev utom sig av raseri **2** tonhöjd, tonläge; *absolute* ~ el. *perfect* ~ absolut gehör; *standard* ~ normalton **3** kast **4** fotbollsplan, plan **5** fast plats för t.ex. gatuförsäljning; *sales* ~ försäljarjargong

pitch-black [,pɪtʃ'blæk] *adj* kolsvart, becksvart

pitch-dark [,pɪtʃ'dɑːk] *adj* kolmörk, beckmörk

1 pitcher ['pɪtʃə] *subst* kanna, spec. amer. tillbringare; kruka, krus för t.ex. vatten

2 pitcher ['pɪtʃə] *subst* i baseball kastare

pitchfork I ['pɪtʃfɔːk] *subst* högaffel
II ['pɪtʃfɔːk] *verb* **1** lyfta (lassa) med högaffel **2** kasta

piteous ['pɪtɪəs] *adj* ömklig, ömkansvärd

pitfall ['pɪtfɔːl] *subst* fallgrop, fälla

pithead ['pɪthed] *subst* gruvöppning

pith helmet ['pɪθ,helmɪt] *subst* tropikhjälm

pitiable ['pɪtɪəbl] *adj* ömklig, sorglig

pitiful ['pɪtɪfʊl] *adj* **1** ömklig, sorglig, patetisk [*a ~ spectacle*] **2** ynklig, usel

pitiless ['pɪtɪləs] *adj* skoningslös

pittance ['pɪtəns] *subst* struntsumma, ringa penning

pitter-patter I [,pɪtə'pætə] *subst* **1** smatter [*the ~ of the rain*] **2** trippande, tassande
II [,pɪtə'pætə] *verb* trippa, tassa

pity I ['pɪtɪ] *subst* medlidande; *feel ~ for* tycka synd om, känna medlidande med; *have ~ on* el. *take ~ on* ha (hysa) medlidande med; *for pity's sake* för Guds skull; *it's a pity* det är (var) synd; *what a ~!* vad synd!
II ['pɪtɪ] *verb* tycka synd om

pivot ['pɪvət] *subst* **1** pivå, svängtapp, axeltapp **2** medelpunkt

pixie ['pɪksɪ] *subst* tomtenisse

pizza ['piːtsə] *subst* pizza

pizzeria [,piːtsə'riːə] *subst* pizzeria

placard ['plækɑːd] *subst* plakat, affisch; löpsedel

placate [plə'keɪt] *verb* blidka, försona

placatory [plə'keɪtərɪ] *adj* blidkande, försonande

place I [pleɪs] *subst* **1** ställe, plats; *at my ~* hemma hos mig; *put yourself in my ~*

sätt dig i min situation; *in* ~ *of* i stället för;
in ~*s* på sina ställen; *in your* ~ situation i
ditt ställe; *out of* ~ inte på sin plats,
olämplig; *feel out of* ~ känna sig
bortkommen; *the chair looks out of* ~
there stolen passar inte där; *all over the*
~ överallt, huller om buller; *take* ~ äga
rum **2** sittplats; *any* ~ el. *some* ~ amer.
någonstans; *change* ~*s* byta plats
3 utrymme
II [pleɪs] *verb* placera, sätta, ställa, lägga
place name ['pleɪsneɪm] *subst* ortnamn
placenta [plə'sentə] *subst* anat. moderkaka
placid ['plæsɪd] *adj* lugn, stilla [~ *life*], om
person mild
plagiarize ['pleɪdʒəraɪz] *verb* plagiera
plague I [pleɪg] *subst* pest, plåga
II [pleɪg] *verb* vard. plåga
plague-ridden ['pleɪg,rɪdn] *adj* pesthärjad
plague-stricken ['pleɪg,strɪkən] *adj*
pestsmittad
plaice [pleɪs] *subst* rödspätta
plaid [plæd] *subst* **1** pläd, schal buren till skotsk
dräkt **2** skotskrutigt tyg, skotskrutigt
mönster
plain I [pleɪn] *adj* **1** klar, tydlig; *the* ~ *truth*
den enkla sanningen; *it's* ~ *sailing* det är
ingen match, det är raka spåret **2** ärlig,
uppriktig [*with* mot]; ~ *dealing* rent spel;
~ *speaking* rent språk; *in* ~ *terms* rent
ut **3** osmyckad; enfärgad [~ *blue dress*]; ~
bread and butter smörgås utan pålägg,
smör och bröd; ~ *chocolate* mörk
choklad; ~ *clothes* civila kläder; ~
cooking enklare matlagning;
husmanskost **4** vanlig; om utseende alldaglig,
ful **5** slät, jämn, plan **6** kortsp., ~ *card*
hacka inte trumfkort eller klätt kort
II [pleɪn] *adv* rent ut sagt [*he is* ~ *stupid*]
III [pleɪn] *subst* slätt; jämn mark
plain-clothes ['pleɪnkləʊðz] *subst* civila
kläder; ~ *detective* civilklädd polis,
detektiv
plain-looking ['pleɪn,lʊkɪŋ] *adj*, *she is* ~
hon har ett alldagligt utseende
plainness ['pleɪnnəs] *subst* **1** tydlighet
2 enkelhet, alldaglighet
plaintiff ['pleɪntɪf] *subst* jur. kärande i civilmål
plaintive ['pleɪntɪv] *adj* klagande
plait I [plæt, amer. vanligen pleɪt] *subst* fläta av
hår
II [plæt, amer. vanligen pleɪt] *verb* fläta
plan I [plæn] *subst* plan; ~ *of campaign*
krigsplan; *according to* ~ enligt planerna,

planenligt
II [plæn] (-*nn*-) *verb* planera, planlägga
1 plane [pleɪn] *subst* platan träd
2 plane I [pleɪn] *subst* **1** plan yta, plan **2** nivå
3 flygplan
II [pleɪn] *adj* plan, slät
3 plane I [pleɪn] *subst* hyvel
II [pleɪn] *verb* hyvla
planet ['plænɪt] *subst* planet
planetarium [,plænə'teərɪəm] *subst*
planetarium
planetary ['plænətrɪ] *adj* planetarisk,
planet- [~ *system*]
plane tree ['pleɪntriː] *subst* platan
plank [plæŋk] *subst* planka, bräda
planner ['plænə] *subst* planerare [*town* ~]
plant I [plɑːnt] *subst* **1** planta, växt, ört
2 anläggning, fabrik
II [plɑːnt] *verb* **1** sätta, plantera [~ *a tree*],
så [~ *wheat*] **2** *he had planted the*
evidence han hade placerat ut falska bevis
plantation [plæn'teɪʃən] *subst* plantage
plaque [plæk] *subst* **1** platta, minnestavla
2 plack på tänder
plash [plæʃ] *subst* plask, plaskande
plasma ['plæzmə] *subst* kem., ~ *screen*
plasmaskärm tv-typ
plaster I ['plɑːstə] *subst* **1** murbruk, puts
2 gips; *she's in plaster* hon ligger gipsad
3 plåster
II ['plɑːstə] *verb* **1** putsa, rappa **2** gipsa
3 plåstra om **4** smeta på, smeta över, täcka
plasterer ['plɑːstərə] *subst* murare för
putsarbete
plastic I ['plæstɪk] *adj* **1** plast-, av plast
2 plastisk, formbar
II ['plæstɪk] *subst* plast
Plasticine® ['plæstɪsiːn] *subst* modellera
plastics ['plæstɪks] (med verb i sing.) *subst* plast
plastic wrap [,plæstɪk'ræp] *subst* plastfolie
plate I [pleɪt] *subst* **1** tallrik, fat; *small* ~
assiett; *have too much on one's* ~ vard.
ha fullt upp **2** kollekttallrik i kyrkan **3** platta,
plåt [*steel* ~*s*] **4** ~ el. *name* ~ namnskylt
5 lamell [*clutch* ~]; skylt
II [pleɪt] *verb* plätera, försilvra, förgylla
plateau ['plætəʊ] *subst* platå, högslätt
plateful ['pleɪtfʊl] *subst* tallrik mått
plate glass [,pleɪt'glɑːs] *subst* spegelglas
plate rack ['pleɪtræk] *subst* diskställ,
torkställ
platform ['plætfɔːm] *subst* **1** plattform,
perrong **2** estrad
platinum ['plætɪnəm] *subst* platina
platitude ['plætɪtjuːd] *subst* plattityd

platitudinous [ˌplætɪˈtjuːdɪnəs] *adj* banal
Platonic [pləˈtɒnɪk] *adj* platonisk [~ *love*]
platoon [pləˈtuːn] *subst* mil. pluton
plausible [ˈplɔːzəbl] *adj* plausibel, rimlig;
bestickande [~ *argument*]
play I [pleɪ] *verb* **1** leka **2** spela; ~ *for time*
försöka vinna tid, maska; ~ *in goal* stå i
mål **3** spela mot [*England played Brazil*]
II [pleɪ] *verb* med adv. o. prep.
  play about el. **play around** springa
  omkring och leka; *stop playing about*
  (*around*)! sluta upp och larva dig!; ~
  about with el. ~ *around with* leka med,
  fingra på
  play back: ~ *back a recorded tape* spela
  av ett inspelat band
  play down tona ner, avdramatisera
  play over spela igenom [~ *over a tape*]
  play up 1 vard. bråka, ställa till besvär
  2 förstora upp
III [pleɪ] *subst* **1** lek; spel **2** pjäs, skådespel,
teaterstycke **3** *be in full* ~ vara i full gång;
bring into ~ el. *call into* ~ sätta i gång,
sätta i rörelse **4** fritt spelrum; *have free* ~
ha fritt spelrum
playable [ˈpleɪəbl] *adj* spelbar
play-act [ˈpleɪækt] *verb* spela teater, låtsas
playback [ˈpleɪbæk] *subst* **1** avspelning,
uppspelning; ~ *head* avspelningshuvud på
bandspelare **2** tv. repris i slow-motion
player [ˈpleɪə] *subst* spelare
playfellow [ˈpleɪˌfeləʊ] *subst* lekkamrat
playful [ˈpleɪfʊl] *adj* lekfull, skämtsam
playgoer [ˈpleɪˌɡəʊə] *subst* teaterbesökare
playgoing [ˈpleɪˌɡəʊɪŋ] *adj* teaterbesökande
playground [ˈpleɪɡraʊnd] *subst* **1** skolgård
2 lekplats
playhouse [ˈpleɪhaʊs] *subst* teater
playing-card [ˈpleɪŋkɑːd] *subst* spelkort
playing-field [ˈpleɪŋfiːld] *subst* idrottsplan
playmaker [ˈpleɪˌmeɪkə] *subst* sport.
  playmaker, speluppläggare
playmate [ˈpleɪmeɪt] *subst* lekkamrat
play-off [ˈpleɪɒf] *subst* sport. **1** omspel
2 slutspel
playpen [ˈpleɪpen] *subst* barnhage, lekhage
playsuit [ˈpleɪsuːt] *subst* lekdräkt
plaything [ˈpleɪθɪŋ] *subst* leksak
playtime [ˈpleɪtaɪm] *subst* lektid, lekstund
playwright [ˈpleɪraɪt] *subst* dramatiker,
skådespelsförfattare
plaza [ˈplɑːzə] *subst* torg, öppen plats
PLC [ˌpiːelˈsiː] förk. för *public limited company*
plea [pliː] *subst* **1** försvar, ursäkt; *on the* ~ *of*
ill health med åberopande av dålig hälsa

2 vädjan; ~ *for mercy* vädjan om nåd
3 jur., parts påstående; svaromål; ~ *of*
guilty erkännande; ~ *of not guilty*
nekande; *put in a* ~ *of not guilty* neka till
brottet
plead [pliːd] *verb* jur. el. allm. **1** plädera, tala;
  ~ *with sb* vädja till ngn **2** ~ *guilty*
erkänna; ~ *not guilty* neka till brottet
pleasant [ˈpleznt] *adj* behaglig, angenäm
pleasantry [ˈplezntrɪ] *subst* skämt, lustighet
please [pliːz] *verb* **1** behaga, tilltala, glädja;
  as you ~ som du vill; *do it just to* ~ *me!*
gör det för min skull!; *hard to* ~ svår att
göra till lags; ~ *yourself!* som du vill!
  2 *coffee,* ~*!* kan jag få kaffe, tack!; ~
daddy! snälla pappa!; *yes* ~*!* el. ~*!* a) ja
tack! b) ja, varsågod!; *come in,* ~*!* var så
god och stig in!; ~ *give it to me,* ~*!* var
snäll och ge mig den!; *help me,* ~*!* hjälp
mig, snälla!
pleased [pliːzd] *adj* nöjd, belåten, glad [*at,*
about över, åt]; ~ *to meet you!* roligt att
träffas!
pleasing [ˈpliːzɪŋ] *adj* behaglig, angenäm
pleasurable [ˈpleʒərəbl] *adj* behaglig
pleasure [ˈpleʒə] *subst* välbehag, glädje [*to*
för], lust; *give* ~ *to sb* bereda ngn nöje,
bereda ngn glädje; *at* ~ efter behag; *with*
~ med nöje, gärna
pleasure boat [ˈpleʒəbəʊt] *subst* fritidsbåt
pleasure-loving [ˈpleʒəˌlʌvɪŋ] *adj*
nöjeslysten, njutningslysten
pleasure-seeker [ˈpleʒəˌsiːkə] *subst*
nöjeslysten person
pleasure trip [ˈpleʒətrɪp] *subst* nöjesresa
pleat [pliːt] *subst* veck, plissé
plebiscite [ˈplebɪsaɪt] *subst* folkomröstning
pledge I [pledʒ] *subst* löfte, utfästelse
II [pledʒ] *verb* **1** förbinda, förplikta **2** lova,
göra utfästelser om
plentiful [ˈplentɪfʊl] *adj* riklig, ymnig
plenty [ˈplentɪ] *subst* överflöd; ~ *of* massor
av; *there's* ~ *of time* det är gott om tid
plethora [ˈpleθərə] *subst* övermått, överflöd
pleurisy [ˈplʊərəsɪ] *subst* med.
lungsäcksinflammation
Plexiglas® [ˈpleksɪɡlɑːs] *subst* amer. plexiglas
plexus [ˈpleksəs] *subst,* *solar* ~ solarplexus
pliable [ˈplaɪəbl] *adj* böjlig, smidig, mjuk
pliers [ˈplaɪəz] *subst pl* plattång; kniptång,
avbitare; *a pair of* ~ en plattång, en
kniptång
plight [plaɪt] *subst* svårt tillstånd, svår
belägenhet
plimsolls [ˈplɪmsəlz] *subst pl* gymnastikskor

plinth [plɪnθ] *subst* plint under pelare, fot, sockel

plod [plɒd] (*-dd-*) *verb* **1** lunka; ~ *one's way* lunka sin väg fram **2** knoga; ~ *away* el. ~ *on* knoga 'på [*at sth* med ngt]

plodder ['plɒdə] *subst* plikttrogen arbetsmyra

plodding ['plɒdɪŋ] *adj* **1** trög **2** strövsam, trägen

1 plonk I [plɒŋk] *verb*, ~ el. ~ *down* släppa med en duns
II [plɒŋk] *adv* med en duns
2 plonk [plɒŋk] *subst* vard. rödtjut enklare vin

1 plot I [plɒt] *subst* **1** jordbit, land [*vegetable* ~], täppa **2** tomt
II [plɒt] (*-tt-*) *verb* kartlägga; lägga ut [~ *a ship's course*]

2 plot I [plɒt] *subst* **1** komplott **2** intrig, handling i t.ex. roman
II [plɒt] (*-tt-*) *verb* konspirera, sammansvärja sig [*against* mot]

plotter ['plɒtə] *subst* konspiratör, ränksmidare

plough I [plaʊ] *subst* **1** plog **2** astron., *the Plough* Karlavagnen
II [plaʊ] *verb* plöja

ploughman's lunch
Ploughman's lunch är en enkel måltid, som serveras på exempelvis pubar. Den består av smör, bröd, ost, sallad och pickles. Till *ploughman's lunch* dricker man vanligtvis öl.

ploughman ['plaʊmən] *subst* plöjare; *ploughman's* el. *ploughman's lunch* lunchtallrik med bröd, ost, pickles

ploughshare ['plaʊʃeə] *subst* plogbill

plover ['plʌvə] *subst* brockfågel; *golden* ~ ljungpipare; *ringed* ~ större strandpipare

plow [plaʊ] o. **plowman** ['plaʊmən] o. **plowshare** ['plaʊʃeə], amer., se *plough* etc.

ploy [plɔɪ] *subst* vard. ploj, påhitt, knep

pluck I [plʌk] *verb* **1** plocka [~ *a flower*; ~ *a chicken*]; ~ *up courage* ta mod till sig **2** rycka, dra
II [plʌk] *subst* vard. mod

plucky ['plʌkɪ] *adj* vard. modig, djärv

plug I [plʌg] *subst* **1** propp, tapp, plugg **2** tekn. stickpropp
II [plʌg] (*-gg-*) *verb* **1** plugga igen **2** ~ *in* elektr. koppla in [~ *in the radio*] **3** ~ *away at* vard. knoga 'på med

plughole ['plʌghəʊl] *subst* avloppshål i t.ex. badkar

plum [plʌm] *subst* **1** plommon **2** vard. läckerbit, godbit

plumage ['pluːmɪdʒ] *subst* fjäderdräkt, fjädrar

plumber ['plʌmə] *adj* rörmontör, rörläggare

plumbing ['plʌmɪŋ] *subst* **1** rörsystem **2** rörarbete

plum cake ['plʌmkeɪk] *subst* russinkaka

plume I [pluːm] *subst* plym; *borrowed* ~*s* lånta fjädrar; *a* ~ *of smoke* ett rökmoln
II [pluːm] *verb* **1** pryda med fjädrar (plymer) **2** om fågel putsa [~ *itself*] **3** ~ *oneself* stoltsera [*on* med]

1 plump [plʌmp] *adj* fyllig, knubbig; välgödd [~ *chicken*]

2 plump [plʌmp] *verb*, ~ *for* rösta på, fastna för [~ *for one alternative*]

plunder ['plʌndə] *verb* plundra, skövla

plunderer ['plʌndərə] *subst* plundrare, rövare

plunge I [plʌndʒ] *verb* **1** störta sig, rusa, dyka ner **2** störta, kasta, stöta [*into* in i, ner i], doppa ner **3** rasa [*the pond plunged*]
II [plʌndʒ] *subst* språng, dykning; *take the* ~ ta steget fullt ut

pluperfect [ˌpluːˈpɜːfɪkt] *subst* gram., *the* ~ pluskvamperfekt

plural I ['plʊərəl] *adj* gram. plural
II ['plʊərəl] *subst* gram., ~ el. *the* ~ plural

plus I [plʌs] *subst* plus, plustecken
II [plʌs] *prep* plus [*one* ~ *one*]

plush [plʌʃ] *subst* plysch

Pluto ['pluːtəʊ] astron. el. mytol. Pluto

plutocrat ['pluːtəkræt] *subst* plutokrat

plutonium [pluːˈtəʊnjəm] *subst* kem. plutonium

1 ply [plaɪ] *subst* i sammansättningar -dubbel, -skiktad [*three-ply wood*], -trådig [*three-ply wool*]

2 ply [plaɪ] *verb* **1** ~ *sb with food and drink* rikligt traktera ngn; ~ *sb with drink* truga i ngn sprit **2** göra regelbundna turer, gå mellan två platser; trafikera

plywood ['plaɪwʊd] *subst* plywood, kryssfaner

p.m.
p.m. är en förkortning för latinets *post meridiem* som betyder efter middagen, e.m.

p.m. [ˌpiːˈem] förk. e.m., på eftermiddagen, på kvällen

pneumatic [njʊˈmætɪk] adj pneumatisk, trycklufts- [~ drill], luft-, luftfylld

pneumonia [njʊˈməʊnjə] subst med. lunginflammation

1 poach [pəʊtʃ] verb pochera [poached eggs]

2 poach [pəʊtʃ] verb tjuvjaga, tjuvfiska

poacher [ˈpəʊtʃə] subst tjuvskytt, tjuvfiskare

poaching [ˈpəʊtʃɪŋ] subst tjuvskytte, tjuvfiske

P.O. box [ˌpiːˈəʊbɒks] subst postbox

pocked [pɒkt] adj koppärrig

pocket I [ˈpɒkɪt] subst **1** ficka; fick-, i fickformat; ~ *calculator* miniräknare; *have sb in one's* ~ ha ngn helt i sin hand; *I'm £10 out of* ~ jag har gått back tio pund [by, over på] **2** i biljardbord hål **3** flyg., ~ el. *air* ~ luftgrop

II [ˈpɒkɪt] verb **1** stoppa i fickan, tjäna [he pocketed a large sum] **2** svälja [~ one's pride], finna sig i [~ an insult]

pocketbook [ˈpɒkɪtbʊk] subst **1** anteckningsbok **2** plånbok **3** amer. pocketbok **4** amer., kvinnas portmonnä

pocketful [ˈpɒkɪtfʊl] subst, a ~ of en ficka (fickan) full med

pocketknife [ˈpɒkɪtnaɪf] subst fickkniv

pocket money [ˈpɒkɪtˌmʌnɪ] subst fickpengar, veckopeng

pocket-size [ˈpɒkɪtsaɪz] adj o. **pocket-sized** [ˈpɒkɪtsaɪzd] adj i fickformat

pock mark [ˈpɒkmɑːk] subst koppärr

pock marked [ˈpɒkmɑːkt] adj koppärrig

pod [pɒd] subst fröskida, balja, kapsel

podgy [ˈpɒdʒɪ] adj vard. knubbig, rultig

podiatrist [pəˈdaɪətrɪst] subst amer., se *chiropodist*

podiatry [pəˈdaɪətrɪ] subst amer., se *chiropody*

poem [ˈpəʊɪm] subst dikt, vers

poet [ˈpəʊɪt] subst diktare, skald, poet

poetic [pəʊˈetɪk] adj o. **poetical** [pəʊˈetɪkəl] adj poetisk; diktar-, skalde- [~ talent]; *in poetic form* i versform; *Keats' poetical works* Keats' samlade dikter

poetry [ˈpəʊətrɪ] subst poesi, diktning

poignant [ˈpɔɪnjənt] adj gripande, bitter

poinsettia [pɔɪnˈsetjə] subst bot., blomma julstjärna

point I [pɔɪnt] subst **1** punkt, prick; *the fine (finer)* ~*s of the game* spelets finesser; ~ *of contact* beröringspunkt; *up to a* ~ till en viss grad; *when it came to the* ~ när det kom till kritan; *I was on the* ~ *of leaving* jag skulle just gå **2** grad, punkt;

decimal ~ decimalkomma; *one* ~ *five* (1.5, 1·5) ett komma fem (1,5); *boiling* ~ kokpunkt **3** streck på kompass **4** poäng i sport m.m. **5** huvudsak, poäng [the ~ of the story]; ~ *of view* åsikt; *the* ~ *is that...* saken är den att...; *the* ~ *was to* huvudsaken var att; *that's not the* ~ det är inte det saken gäller; *she's got a* ~ *there* det ligger ngt i vad hon säger; *make a* ~ *of* vara noga med, hålla styvt på; *it's quite beside the* ~ det har inte alls med saken att göra; *be to the* ~ vara saklig; *come to the* ~ el. *get to the* ~ komma till saken **6** mening, nytta; *there's no* ~ *in doing that* det är ingen mening med att göra det; *is there any* ~ *in it?* är det någon idé? **7** vägguttag

II [pɔɪnt] verb **1** peka med, rikta, sikta med [at, towards mot, på] **2** ~ *out* a) peka ut, peka på b) påpeka, framhålla **3** peka [at mot; towards i riktning mot]; ~ *to* peka på, tyda på

point-blank [ˌpɔɪntˈblæŋk] adv rakt, direkt, rakt på sak [tell sb ~]; *he refused* ~ han vägrade blankt; *shoot* ~ skjuta på nära håll

pointed [ˈpɔɪntɪd] adj **1** spetsig **2** skarp [a ~ remark]; tydlig

pointer [ˈpɔɪntə] subst **1** pekpinne **2** visare på t.ex. klocka, våg **3** pointer slags fågelhund **4** tips, förslag

pointless [ˈpɔɪntləs] adj **1** meningslös **2** utan poäng **3** utan spets, utan udd

poise I [pɔɪz] subst **1** jämvikt, balans **2** hållning

II [pɔɪz] verb bringa i jämvikt, balansera

poised [pɔɪzd] perf p o. adj **1** samlad, värdig, i jämvikt **2** balanserande [a ball ~ on the nose of a seal], svävande

poison I [ˈpɔɪzn] subst gift; ~ *pen* anonym brevskrivare av smädebrev; *hate like* ~ avsky som pesten

II [ˈpɔɪzn] verb förgifta

poisoner [ˈpɔɪzənə] subst giftmördare

poisonous [ˈpɔɪzənəs] adj giftig

poison-pen [ˈpɔɪznpen] adj, ~ *letter* anonymt smädebrev

1 poke [pəʊk] subst, *buy a pig in a* ~ köpa grisen i säcken

2 poke I [pəʊk] verb **1** knuffa till, peta på **2** röra om i t.ex. eld **3** ~ *fun at* driva med; ~ *one's nose into other people's affairs (business)* lägga näsan i blöt **4** peta; sticka fram

II [pəʊk] subst stöt, knuff; *give the fire a* ~ röra om i brasan

1 poker [ˈpəʊkə] subst kortsp. poker

2 poker ['pəʊkə] *subst* eldgaffel
poker-faced ['pəʊkəfeɪst] *adj* med
  pokeransikte
poky ['pəʊkɪ] *adj* vard. trång [*a* ~ *room*]
Poland ['pəʊlənd] Polen
polar ['pəʊlə] *adj* polar; ~ *bear* isbjörn; ~
  circle polcirkel
polarity [pəʊ'lærətɪ] *subst* polaritet
polarization [,pəʊlərɑɪ'zeɪʃən] *subst* fys.
  polarisation
polarize ['pəʊlərɑɪz] *verb* polarisera
Pole [pəʊl] *subst* polack
1 pole [pəʊl] *subst* **1** påle, stolpe, stång, stake
  2 sport. stav
2 pole [pəʊl] *subst* pol
pole-axe I ['pəʊlæks] *subst* slaktyxa
  II ['pəʊlæks] *verb* klubba ner
polecat ['pəʊlkæt] *subst* iller, spec. amer.
  skunk
polemic [pə'lemɪk] *subst*, ~*s* polemik
polemical [pə'lemɪkl] *adj* polemisk
Pole star ['pəʊlstɑ:] *subst*, *the* ~ Polstjärnan
pole vault ['pəʊlvɔ:lt] *subst* sport. stavhopp
police I [pə'li:s] *subst* polis myndighet [*the* ~
  have caught him], poliser [*several hundred*
  ~]; ~ *constable* polisman; ~ *court*
  polisdomstol; ~ *force* poliskår; ~ *officer*
  polisman
  II [pə'li:s] *verb* bevaka, kontrollera
policeman [pə'li:smən] (pl. *policemen*
  [pə'li:smən]) *subst* polis; *policeman's*
  badge polisbricka
policewoman [pə'li:s,wʊmən] (pl.
  policewomen [pə'li:s,wɪmɪn]) *subst* kvinnlig
  polis
1 policy ['pɒlɪsɪ] *subst* politik [*foreign* ~],
  policy [*a new company* ~]; linje, hållning;
  honesty is the best ~ ordspr. ärlighet varar
  längst; *pursue a* ~ föra en politik
2 policy ['pɒlɪsɪ] *subst*, *insurance* ~ el. ~
  försäkringsbrev
polio ['pəʊlɪəʊ] *subst* med. polio
Polish I ['pəʊlɪʃ] *adj* polsk
  II ['pəʊlɪʃ] *subst* polska språket
polish I ['pɒlɪʃ] *subst* **1** polering, putsning
  2 glans, polityr **3** stil **4** polermedel,
  putsmedel, polish; *nail* ~ nagellack; *shoe*
  ~ skokräm
  II ['pɒlɪʃ] *verb* **1** polera, putsa, slipa **2** putsa
  förbättra
  III ['pɒlɪʃ] *verb* med adv. o. prep.
polish up vard. bättra på [~ *up one's*
  French]
polish off klara av [~ *off a job*], expediera

[~ *off an opponent*]; svepa, sätta i sig [~ *off*
  a bottle of wine]
polished ['pɒlɪʃt] *adj* **1** polerad **2** kultiverad
polishing ['pɒlɪʃɪŋ] *adj* poler-, puts- [~
  cloth]
polite [pə'lɑɪt] *adj* artig, hövlig [*to* mot]
politic ['pɒlɪtɪk] *adj* klok, försiktig

---

political
De största politiska partierna i
Storbritannien är *the Labour Party*
(*Labour*), arbetarpartiet, *the Conserv-*
ative Party (*Conservatives, Tories*),
det moderata partiet, och *the*
Liberal Party, det liberala partiet. I
USA finns två stora partier: *the*
Democratic Party (*the Democrats*),
demokratiska partiet (demokra-
terna) och *the Republican Party* (*the*
Republicans), republikanska partiet
(republikanerna).

---

political [pə'lɪtɪkl] *adj* politisk
politician [,pɒlɪ'tɪʃən] *subst* politiker
politics ['pɒlɪtɪks] (med verb i sing.; i betydelse 2
  med verb i pl.) *subst* **1** politik **2** politisk åsikt
polka ['pɒlkə] *subst* polka dans el. melodi
poll I [pəʊl] *subst* **1** röstetal, röstsiffror,
  röstning; *heavy* ~ stort valdeltagande; *go*
  to the ~*s* gå till val **2** undersökning
  [*Gallup* ~]; ~ *rating* opinionssiffror;
  public opinion ~ opinionsundersökning
  II [pəʊl] *verb* **1** få antal röster vid val [*he polled*
  3,000 votes] **2** tillfråga, intervjua i
  opinionsundersökning
pollen ['pɒlən] *subst* pollen, frömjöl; ~
  count pollenrapport för allergiker
pollinate ['pɒlɪneɪt] *verb* pollinera
polling-booth ['pəʊlɪŋbu:ð] *subst* valbås
polling-day ['pəʊlɪŋdeɪ] *subst* valdag
polling-station ['pəʊlɪŋ,steɪʃən] *subst*
  vallokal
pollster ['pəʊlstə] *subst*
  opinionsundersökare
pollutant [pə'lu:tənt] *subst* miljöfarligt
  ämne, förorening
pollute [pə'lu:t] *verb* förorena, smutsa ned
pollution [pə'lu:ʃən] *subst* förorening,
  nedsmutsning, miljöförstöring
polo ['pəʊləʊ] *subst* sport. polo [*water* ~]
polo neck ['pəʊləʊnek] *subst* **1** polokrage
  2 polotröja

polyester [ˌpɒlɪ'estə] *subst* polyester
polygamist [pə'lɪgəmɪst] *subst* polygamist
polygamous [pə'lɪgəməs] *adj* polygam
polygamy [pə'lɪgəmɪ] *subst* polygami,
månggifte
polysyllable ['pɒlɪˌsɪləbl] *subst* flerstavigt ord
polytechnic [ˌpɒlɪ'teknɪk] *subst* högskola för
teknisk yrkesutbildning
polythene ['pɒlɪθiːn] *subst* polyeten,
etenplast
polyunsaturated [ˌpɒlɪʌn'sætʃʊreɪtɪd] *adj*
fleromättad [~ *fats*]
pomegranate ['pɒmɪˌgrænɪt] *subst*
granatäpple
Pomeranian [ˌpɒmə'reɪnjən] *subst* hund
dvärgspets
pomp [pɒmp] *subst* pomp, ståt, prakt; ~ *and
circumstance* pomp och ståt
pompon ['pɒmpɒn] *subst* rund tofs
pomposity [pɒm'pɒsətɪ] *subst* uppblåsthet
pompous ['pɒmpəs] *adj* uppblåst, pompös
ponce [pɒns] *subst* vard. hallick, sutenör
pond [pɒnd] *subst* damm; tjärn, liten sjö
ponder ['pɒndə] *verb* grubbla, fundera [*on,
over* på, över]
ponderous ['pɒndərəs] *adj* tung, klumpig
pontiff ['pɒntɪf] *subst* högtidligt påve
1 pontoon [pɒn'tuːn] *subst* ponton
2 pontoon [pɒn'tuːn] *subst* kortsp. tjugoett
pony ['pəʊnɪ] *subst* ponny, liten häst
pony-tail ['pəʊnɪteɪl] *subst* hästsvans frisyr
poo [puː] *subst* barnspr. bajs; *do a* ~ bajsa
pooch [puːtʃ] *subst* vard. jycke hund
poodle ['puːdl] *subst* hund pudel
poof [pʊf] *subst* o. **poofter** ['pʊftə] *subst* sl.
(neds.) **1** bög **2** verklig mes
pooh [puː] *interj* för att uttrycka förakt asch!,
äsch!
pooh-pooh [ˌpuː'puː] *verb* rynka på näsan åt,
bagatellisera, avfärda [*he pooh-poohed the
idea*]
1 pool [puːl] *subst* **1** pöl **2** damm, bassäng
3 swimmingpool
2 pool I [puːl] *subst* **1** reserv, förråd; *typing
~* skrivcentral **2** *the football ~s* ungefär
tipstjänst; *~s coupon* tipskupong; *do the
~s* tippa; *win on the ~s* vinna på tipset
3 pool el. slags biljard
II [puːl] *verb* slå samman, slå ihop [*~ one's
resources*]
poop I [puːp] *subst* spec. amer. barnspr. bajs
II [puːp] *verb* spec. amer. barnspr. bajsa
poor [pʊə] *adj* **1** fattig [*in* på]; *the ~* de
fattiga **2** klen, ringa [*a ~ consolation*];

knapp, dålig **3** stackars, ynklig, usel; ~
me! stackars mig!
poorly I ['pʊəlɪ] *adj* krasslig
II ['pʊəlɪ] *adv* fattigt, klent, dåligt
1 pop I [pɒp] *interj* o. *adv* pang, paff
II [pɒp] *subst* **1** knall, smäll **2** vard.
läskedryck
III [pɒp] (*-pp-*) *verb* **1** smälla, knalla
2 stoppa; ~ *one's head out of the
window* sticka ut huvudet genom fönstret
IV [pɒp] (*-pp-*) *verb* med adv. o. prep.
pop along kila över, titta in
pop in titta in
pop off kila i väg
pop out titta fram; *his eyes were
popping out of his head* ögonen stod på
skaft på honom
pop up dyka upp
2 pop I [pɒp] *adj* vard. pop- [*~ art*]; populär
II [pɒp] *subst* vard. pop
3 pop [pɒp] *subst* spec. amer. vard. pappa
popcorn ['pɒpkɔːn] *subst* popcorn
pope [pəʊp] *subst* påve
Popeye ['pɒpaɪ] Karl Alfred seriefigur
popgun ['pɒpgʌn] *subst* barns luftbössa,
korkbössa
poplar ['pɒplə] *subst* poppel träd
poplin ['pɒplɪn] *subst* poplin tyg
poppa ['pɒpə] *subst* amer. vard. pappa
poppy ['pɒpɪ] *subst* vallmo
poppycock ['pɒpɪkɒk] *subst* vard. struntprat
Popsicle® ['pɒpsɪkəl] *subst* spec. amer.
isglasspinne
pop-top I ['pɒptɒp] *adj* med rivöppnare [*a ~
beer can*]
II ['pɒptɒp] *subst* rivöppnare
popular ['pɒpjʊlə] *adj* **1** populär [*a ~ song*],
omtyckt **2** folk-, allmän; ~ *opinion*
folkopinionen
popularity [ˌpɒpjʊ'lærətɪ] *subst* popularitet
popularize ['pɒpjʊləraɪz] *verb* popularisera
popularly ['pɒpjʊləlɪ] *adv* **1** allmänt
2 populärt
populate ['pɒpjʊleɪt] *verb* befolka
population [ˌpɒpjʊ'leɪʃən] *subst* befolkning
populous ['pɒpjʊləs] *adj* folkrik, tätbefolkad
pop-up ['pɒpʌp] **1** ~ *toaster* brödrost med
lyftfunktion **2** ~ *picture book*
popupp-bok med bilder som reser sig när boken
öppnas
porcelain ['pɔːslɪn] *subst* finare porslin
porch [pɔːtʃ] *subst* överbyggd entré,
förstukvist, spec. amer. veranda
porcupine ['pɔːkjʊpaɪn] *subst* piggsvin
1 pore [pɔː] *subst* por

2 pore [pɔː] *verb* stirra; ~ *over* studera noga

pork [pɔːk] *subst* griskött, fläsk spec. osaltat

pork chop [ˌpɔːk'tʃɒp] *subst* fläskkotlett

porker ['pɔːkə] *subst* gödsvin

porky ['pɔːkɪ] *adj* vard. fläskig, fet

porn [pɔːn] *subst* o. **porno** ['pɔːnəʊ] *subst* vard. porr

pornographic [ˌpɔːnə'græfɪk] *adj* pornografisk

pornography [pɔː'nɒgrəfɪ] *subst* pornografi

porous ['pɔːrəs] *adj* porös, full av porer

porpoise ['pɔːpəs] *subst* tumlare däggdjur

porridge ['pɒrɪdʒ] *subst* havregrynsgröt

1 port [pɔːt] *subst* portvin

2 port [pɔːt] *subst* hamn, hamnstad

3 port [pɔːt] *subst* sjö. babord

portable ['pɔːtəbl] *adj* bärbar, portabel

portal ['pɔːtl] *subst* portal, valvport

porter ['pɔːtə] *subst* **1** bärare, stadsbud vid järnvägsstation **2** portvakt, dörrvakt; vaktmästare; portier

porterhouse ['pɔːtəhaʊs] *subst,* ~ *steak* tjock skiva av rostbiff

portfolio [ˌpɔːt'fəʊljəʊ] (pl. ~s) *subst* portfölj

porthole ['pɔːthəʊl] *subst* sjö. hyttventil, fönster på flygplan

portion ['pɔːʃən] *subst* **1** portion **2** del, stycke **3** andel, lott

portly ['pɔːtlɪ] *adj* korpulent, fetlagd

portrait ['pɔːtrət] *subst* porträtt, bild

portray [pɔː'treɪ] *verb* porträttera, avbilda

portrayal [pɔː'treɪəl] *subst* **1** porträtt, bild **2** framställning, tolkning

Portugal ['pɔːtjʊgl]

Portuguese I [ˌpɔːtjʊ'giːz] *adj* portugisisk **II** [ˌpɔːtjʊ'giːz] *subst* **1** (pl. lika) portugis **2** portugisiska språket

port wine [ˌpɔːt'waɪn] *subst* portvin

pose I [pəʊz] *subst* **1** pose, attityd **2** posering **II** [pəʊz] *verb* **1** lägga fram {~ *a question*}; ~ *a threat* utgöra ett hot **2** posera; göra sig till; ~ *as* ge sig ut för

poseur [pəʊ'zɜː] *subst* posör

posh [pɒʃ] *adj* vard. flott {*a* ~ *hotel*}

position I [pə'zɪʃən] *subst* **1** position, ställning **2** läge, plats **II** [pə'zɪʃən] *verb* placera

positive ['pɒzətɪv] *adj* **1** positiv **2** säker {*of* på}, övertygad {*of* om} **3** riktig, verklig; *he is a* ~ *nuisance* han är verkligen urjobbig; ~ *discrimination* positiv särbehandling

positively ['pɒzətɪvlɪ] *adv* **1** positivt **2** säkert **3** verkligen, faktiskt

posse ['pɒsɪ] *subst* polisstyrka, polisuppbåd i USA

possess [pə'zes] *verb* äga, ha; *what possessed you to do it?* vad var det som fick dig att göra det?

possessed [pə'zest] *perf p* o. *adj* besatt; *like one* ~ som en besatt

possession [pə'zeʃən] *subst* **1** besittning, innehav, ägo; *take* ~ *of* ta i besittning **2** egendom; pl. ~*s* ägodelar

possessive I [pə'zesɪv] *adj* **1** hagalen; härsklysten **2** gram. possessiv; *the* ~ *case* genitiv **II** [pə'zesɪv] *subst* gram., *the* ~ genitiv

possessor [pə'zesə] *subst* ägare

possibility [ˌpɒsə'bɪlətɪ] *subst* möjlighet {*of* av, till}

possible ['pɒsəbl] *adj* möjlig; eventuell; *if* ~ om möjligt; *as far as* ~ så långt det går

possibly ['pɒsəblɪ] *adv* **1** möjligen, eventuellt; *I cannot* ~ *do it* jag kan omöjligen göra det, det finns ingen chans att jag kan göra det; *could you* ~... skulle du kanske kunna... **2** kanske, mycket möjligt

post- [pəʊst] *prefix* efter-, post- {*post-Victorian*}

1 post [pəʊst] *subst* post vid t.ex. dörr; stolpe; *the finishing* ~ el. *the winning* ~ sport. mållinjen

2 post I [pəʊst] *subst* befattning, post, plats, tjänst **II** [pəʊst] *verb* postera, kommendera {*to* till}

3 post I [pəʊst] *subst* post t.ex. brev; ~ *free* portofritt; *by* ~ med posten, per post **II** [pəʊst] *verb* posta, skicka; *keep me posted* håll mig à jour

postage ['pəʊstɪdʒ] *subst* porto; ~ *rate* posttaxa, porto; ~ *stamp* frimärke

postal ['pəʊstl] *adj* post-, postal; ~ *giro service* postgiro; ~ *order* postanvisning anvisning översänd i kuvert på fixerat lägre belopp; ~ *vote* poströst

postcard ['pəʊstkɑːd] *subst* **1** frankerat postkort **2** ~ el. *picture* ~ vykort

postcode ['pəʊstkəʊd] *subst* postnummer

poster ['pəʊstə] *subst* poster, affisch

poste restante [ˌpəʊst'restɒnt] *subst* o. *adv* poste restante

posterity [pɒ'sterətɪ] *subst* efterkommande; eftervärlden; *go down to* ~ gå till eftervärlden

post-graduate I [ˌpəʊst'grædjʊət] *adj* efter avlagd första examen vid universitet; ~ *studies* forskarutbildning

II [,pəʊst'grædjʊət] *subst* forskarstuderande

posthumous ['pɒstjʊməs] *adj* postum

post-it ['pəʊstɪt] *adj*, ~ *note* post-it klisterlapp

postman ['pəʊstmən] (pl. *postmen* ['pəʊstmən]) *subst* brevbärare

postmark ['pəʊstmɑːk] *subst* poststämpel

postmarked ['pəʊstmɑːkt] *adj* stämplad, poststämplad

postmaster ['pəʊst,mɑːstə] *subst* postmästare; postföreståndare

postmistress ['pəʊst,mɪstrəs] *subst* kvinnlig postmästare, postföreståndare

postmortem [,pəʊst'mɔːtəm] *subst* obduktion

post office ['pəʊst,ɒfɪs] *subst* postkontor; *the* ~ postverket

post-paid [,pəʊst'peɪd] *adv* portofritt, inklusive porto

postpone [pəʊst'pəʊn] *verb* skjuta upp, senarelägga

postponement [pəʊst'pəʊnmənt] *subst* uppskjutande, bordläggning

postscript ['pəʊsskrɪpt] *subst* postskriptum

posture ['pɒstʃə] *subst* kroppsställning, hållning

post-war [,pəʊst'wɔː] *adj* efterkrigs-

posy ['pəʊzi] *subst* liten bukett

pot I [pɒt] *subst* **1** kruka, burk [*a* ~ *of jam*], pyts [*paint* ~] **2** gryta **3** kanna [*a teapot*] **4** vard. massa [*make a* ~ *of money*] **5** kortsp. pott **6** sl. hasch, knark **7** potta, nattkärl **8** *go to* ~ vard. gå åt pipan; *keep the* ~ *boiling* hålla grytan kokande, hålla det hela igång

II [pɒt] (-*tt*-) *verb* lägga in, konservera [*potted shrimps*]

potassium [pə'tæsjəm] *subst* kem. kalium; ~ *cyanide* cyankalium

potato [pə'teɪtəʊ] (pl. *potatoes*) *subst* potatis

potbellied ['pɒt,belɪd] *adj*, *be* ~ ha kalaskula

potbelly ['pɒt,belɪ] *subst* vard. kalaskula

potboiler ['pɒt,bɔɪlə] *subst* vard. beställningsarbete, dussinroman

potency ['pəʊtənsɪ] *subst* fysiol. potens

potent ['pəʊtənt] *adj* **1** mäktig, kraftig, stark **2** fysiol. potent

potentate ['pəʊtənteɪt] *subst* potentat

potential I [pə'tenʃl] *adj* potentiell

II [pə'tenʃl] *subst* potential

pot herb ['pɒthɜːb] *subst* köksväxt

pot-holder ['pɒt,həʊldə] *subst* grytlapp

pot-hole ['pɒthəʊl] *subst* grop, potthål

potion ['pəʊʃən] *subst* dryck med giftiga el. magiska egenskaper [*love-potion*]

pot luck [,pɒt'lʌk] *subst*, *take* ~ chansa; hålla tillgodo med vad huset förmår

potpourri [,pəʊ'pʊriː, ,pəʊpʊ'riː] *subst* musik. potpurri

pot roast ['pɒtrəʊst] *subst* grytstek

pot shot [,pɒt'ʃɒt] *subst* vard., *take a* ~ *at sb* skjuta på måfå på ngn

potted ['pɒtɪd] *perf p* o. *adj* **1** sammandragen, förkortad [*a* ~ *version of the film*] **2** ~ *shrimps* konserverade räkor, räkor på burk

1 potter ['pɒtə] *verb*, ~ *about* knåpa, pyssla, pilla [*at* med]

2 potter ['pɒtə] *subst* krukmakare; *potter's wheel* drejskiva

pottery ['pɒtərɪ] *subst* **1** porslinsfabrik; krukmakeri **2** porslin; lergods

potty ['pɒtɪ] *adj* vard. **1** futtig [~ *sum of money*] **2** knasig, tokig

pouch [paʊtʃ] *subst* **1** liten påse, pung [*tobacco* ~] **2** t.ex. pungdjurs pung

pouf [pʊf] **1** puff, möbel **2** se *poof*

poulterer ['pəʊltərə] *subst* fågelhandlare, vilthandlare

poultry ['pəʊltrɪ] *subst* fjäderfä, fågel, höns

poultry farm ['pəʊltrɪfɑːm] *subst* hönsfarm

pounce [paʊns] *verb*, ~ *on* slå ner på, kasta sig över

1 pound [paʊnd] *subst* **1** pund vanligen (= 16 ounces = 454 gram) **2** pund (= 100 *pence*)

2 pound [paʊnd] *verb* dunka, banka, bulta [*at, on* på, i]

pour [pɔː] *verb* **1** hälla, ösa; ~ *out* hälla ut, hälla upp, servera [~ *a cup of tea*] **2** strömma, forsa; välla; *it's pouring* el. *it's pouring down* det regnet öser ner; *pouring rain* hällande regn

pout [paʊt] *verb* truta med munnen

poverty ['pɒvətɪ] *subst* fattigdom **1** *live below the* ~ *line* leva under existensminimum **2** ~ *trap* social fälla, bidragsfälla

poverty-stricken ['pɒvətɪ,strɪkn] *adj* utfattig, utarmad

POW [,piː'əʊ'dʌbljʊ] (förk. för *prisoner of war*) krigsfånge

powder I ['paʊdə] *subst* **1** pulver **2** puder

II ['paʊdə] *verb* **1** pudra, beströ **2** pulvrisera; *powdered milk* torrmjölk

powder-compact ['paʊdə,kɒmpækt] *subst* puderdosa

powder puff ['paʊdəpʌf] *subst* pudervippa

powder room ['paʊdəruːm] *subst* damrum

power ['pauə] *subst* **1** förmåga; *I will do everything in my* ~ jag ska göra allt som står i min makt **2** makt; *naval* ~ sjömakt; ~ *politics* maktpolitik; *be in sb's* ~ vara i ngns våld; *come to* ~ komma till makten **3** kraft, styrka [*the* ~ *of a lens*]; ~ *failure* strömavbrott; ~ *mower* motorgräsklippare

power-assisted [,pauərə'sɪstɪd] *adj* servo- [~ *brakes*]

power brake ['pauəbreɪk] *subst* servobroms

power cut ['pauəkʌt] *subst* strömavbrott, avstängning av elen

power drill ['pauədrɪl] *subst* elektrisk borr, borrmaskin

power-driven ['pauə,drɪvn] *adj* motordriven, eldriven

powerful ['pauəful] *adj* mäktig [*a* ~ *nation*]; kraftig [*a* ~ *blow*], stark [*a* ~ *engine*]

powerhouse ['pauəhaus] *subst* kraftverk, kraftstation

powerless ['pauələs] *adj* maktlös, kraftlös

power mains ['pauəmeinz] *subst pl* elnät

power mower ['pauə,məuə] *subst* motorgräsklippare

power pack ['pauəpæk] *subst* nätdel, nätanslutningsaggregat

power plant ['pauəplɑːnt] *subst* kraftverk, kraftanläggning

power-seeking ['pauə,siːkɪŋ] *adj* maktlysten

power station ['pauə,steɪʃən] *subst* **1** elverk **2** kraftanläggning, kraftverk

power-steering ['pauə,stɪərɪŋ] *subst* bil. servostyrning

pp. (förk. för *pages*) sidor

PR [,piː'ɑː] (förk. för *public relations*) PR

practicable ['præktɪkəbl] *adj* genomförbar

practical ['præktɪkl] *adj* **1** praktisk **2** genomförbar [*a* ~ *scheme*]

practically ['præktɪkəlɪ] *adv* **1** praktiskt, i praktiken **2** praktiskt taget

practice I ['præktɪs] *subst* **1** praktik [*theory and* ~]; *put sth into* ~ tillämpa ngt i praktiken **2** praxis, bruk, sed, vana; *make a* ~ *of* ta för vana att **3** träning; ~ *makes perfect* övning ger färdighet; *I am out of* ~ jag är otränad **4** läkares el. advokats praktik **5** pl. ~*s* tricks, knep; tvivelaktiga metoder **II** ['præktɪs] *verb* amer., se *practise*

practise ['præktɪs] *verb* **1** öva sig i, öva [~ *the piano*]; träna **2** praktisera, tillämpa, utöva [~ *a profession*]; ~ *what one preaches* leva som man lär

practised ['præktɪst] *adj* skicklig, rutinerad

practising ['præktɪsɪŋ] *adj* praktiserande; ~ *Jew* en ortodox jude

practitioner [præk'tɪʃənə] *subst* praktiserande läkare

pragmatic [præg'mætɪk] *adj* pragmatisk

Prague [prɑːg] Prag

prairie ['preərɪ] *subst* prärie

praise I [preɪz] *verb* berömma, prisa, lovorda **II** [preɪz] *subst* beröm, lovord

praiseworthy ['preɪz,wɜːðɪ] *adj* lovvärd

pram [præm] *subst* barnvagn

prance [prɑːns] *verb* om häst dansa på bakbenen; om person kråma sig

prank [præŋk] *subst* spratt, upptåg; *play a* ~ *on sb* spela ngn ett spratt

prattle I ['prætl] *verb* pladdra **II** ['prætl] *subst* pladder

prawn [prɔːn] *subst* räka

pray [preɪ] *verb* be, bönfalla [*for om*]

prayer [preə] *subst* bön [*for om*]

preach [priːtʃ] *verb* predika

preacher ['priːtʃə] *subst* predikant, predikare

preamble [priː'æmbl] *subst* inledning, ingress

preamplifier [,priː'æmplɪfaɪə] *subst* elektr. förförstärkare

prearrange [,priːə'reɪndʒ] *verb* ordna på förhand

precarious [prɪ'keərɪəs] *adj* osäker, prekär

precaution [prɪ'kɔːʃən] *subst* försiktighet; *take* ~*s* vidta försiktighetsåtgärder

precautionary [prɪ'kɔːʃnərɪ] *adj* försiktighets-; ~ *measures* försiktighetsåtgärder

precede [prɪ'siːd] *verb* föregå; gå före

precedence ['presɪdəns] *subst* företräde; *take* ~ *over* gå före, ha företräde framför; *order of* ~ rangordning

precedent ['presɪdənt] *subst* tidigare fall; jur. prejudikat; *it is without* ~ det saknar motstycke

preceding [prɪ'siːdɪŋ] *adj* föregående

precept ['priːsept] *subst* föreskrift, regel

precinct ['priːsɪŋkt] *subst* **1** område; *pedestrian* ~ område med gågator, gågata **2** amer. polisdistrikt

precious ['preʃəs] *adj* dyrbar, kostbar, värdefull; ~ *stone* ädelsten

precipice ['presɪpɪs] *subst* brant, stup

precipitate [prɪ'sɪpɪtət] *adj* brådstörtad

precipitous [prɪ'sɪpɪtəs] *adj* tvärbrant

precis ['preɪsiː] *subst* sammandrag, resumé

precise [prɪ'saɪs] *adj* exakt, precis

precisely [prɪ'saɪslɪ] *adv* exakt, precis

precision [prɪ'sɪʒən] *subst* precision
precocious [prɪ'kəʊʃəs] *adj* brådmogen
precocity [prɪ'kɒsətɪ] *subst* brådmogenhet
preconceive [ˌpriːkən'siːv] *verb*,
preconceived ideas el. *preconceived
opinions* förutfattade meningar
precondition [ˌpriːkən'dɪʃən] *subst*
nödvändig förutsättning
predecessor ['priːdɪsesə] *subst* företrädare
predestine [prɪ'destɪn] *verb* förutbestämma
predetermine [ˌpriːdɪ'tɜːmɪn] *verb*
förutbestämma
predicament [prɪ'dɪkəmənt] *subst* obehaglig
situation; läge, tillstånd
predicate ['predɪkət] *subst* gram. predikat,
predikatsdel
predict [prɪ'dɪkt] *verb* förutsäga, spå
predictable [prɪ'dɪktəbl] *adj* förutsägbar
prediction [prɪ'dɪkʃən] *subst* förutsägelse
predilection [ˌpriːdɪ'lekʃən] *subst* förkärlek
predispose [ˌpriːdɪ'spəʊz] *verb*, *be
predisposed to* vara mottaglig för
predisposition ['priːˌdɪspə'zɪʃən] *subst*
mottaglighet, benägenhet, anlag [*to* för]
predominance [prɪ'dɒmɪnəns] *subst*
1 dominans; *have* ~ dominera **2** övervikt
predominant [prɪ'dɒmɪnənt] *adj*
dominerande, övervägande, rådande
predominate [prɪ'dɒmɪneɪt] *verb*
1 dominera **2** vara förhärskande
pre-eminent [prɪ'emɪnənt] *adj* mest
framstående
preen [priːn] *verb* om fågel putsa [~ *its
feathers*]; ~ *oneself* om person snygga till sig
prefab ['priːfæb] *subst* (förk. för *prefabricated
house*) se ex. under *prefabricate*
prefabricate [ˌpriː'fæbrɪkeɪt] *verb*,
prefabricated house monteringshus,
elementhus
preface I ['prefəs] *subst* förord, inledning
II ['prefəs] *verb* inleda
prefatory ['prefətrɪ] *adj* inledande
prefect ['priːfekt] *subst* i vissa brittiska skolor
ungefär ordningsman
prefer [prɪ'fɜː] (-*rr*-) *verb* föredra [*to*
framför]
preferable ['prefərəbl] *adj* som är att föredra
preferably ['prefərəblɪ] *adv* företrädesvis,
helst [~ *today*]
preference ['prefərəns] *subst* **1** förkärlek
[*have a* ~ *for Italian food*] **2** företräde [*over*
framför]; *in* ~ *to* framför [*in* ~ *to all others*]
prefix ['priːfɪks] *subst* förstavelse, prefix
pregnancy ['pregnənsɪ] *subst* graviditet,
havandeskap; om djur dräktighet

pregnant ['pregnənt] *adj* gravid, havande;
om djur dräktig
prehistoric [ˌpriːhɪ'stɒrɪk] *adj* o.
prehistorical [ˌpriːhɪ'stɒrɪkəl] *adj*
förhistorisk, urtids- [~ *animals*]; ~ *times*
forntid
prejudice I ['predʒudɪs] *subst* fördomar
II ['predʒudɪs] *verb* inge ngn fördomar; ~
sb's case skada ngns sak
prejudiced ['predʒudɪst] *adj* fördomsfull
preliminary I [prɪ'lɪmɪnərɪ] *adj* preliminär,
inledande
II [prɪ'lɪmɪnərɪ] *subst* pl. *preliminaries*
förberedelser
prelude ['preljuːd] *subst* förspel, upptakt
premarital [prɪ'mærɪtl] *adj* föräktenskaplig
[~ *relations*]
premature [ˌpremə'tjʊə] *adj* **1** för tidig [~
death] **2** förhastad [*a* ~ *conclusion*]
prematurely [ˌpremə'tjʊəlɪ] *adv* **1** för tidigt,
i förtid; i otid **2** förhastat
premeditated [prɪ'medɪteɪtɪd] *adj* överlagd
[~ *murder*]
premeditation [prɪˌmedɪ'teɪʃən] *subst*
uppsåt, berått mod
premier I ['premɪə, amer. prɪ'mɪə] *adj* första
[~ *place*]; främsta, förnämst; *the* ~ *league*
fotb. elitserie i England
II ['premɪə] *subst* premiärminister
première ['premɪeə, amer. prɪ'mɪə] *subst*
premiär
Premiership ['premjəʃɪp] *subst*, *the* ~
elitserien i fotboll i England
premise ['premɪs] *subst* pl. ~*s* fastigheter,
lokaler
premium ['priːmjəm] *subst*
försäkringspremie
premonition [ˌpriːmə'nɪʃən] *subst* föraning
preoccupation [prɪˌɒkjʊ'peɪʃən] *subst*
1 upptagenhet **2** främsta intresse, intresse
[*his main* ~ *was music*]
preoccupied [prɪ'ɒkjʊpaɪd] *adj* helt
upptagen [*with* av], djupt försjunken [*with*
i]
prepaid ['priːpeɪd] *adj*, *a* ~ *letter* ett
frankerat kuvert
preparation [ˌprepə'reɪʃən] *subst*
1 förberedelse [*make* ~*s*]; färdigställande
2 tillagning, tillredning [~ *of food*];
framställning [*the* ~ *of a vaccine*]
preparatory [prɪ'pærətrɪ] *adj*
1 förberedande; för- [~ *work*] **2** ~ *to* som
en förberedelse för, inför **3** ~ *school*
a) privat, förberedande skola för inträde i

'public schools' b) i USA högre internatskola för
inträde i college

prepare [prɪ'peə] *verb* **1** förbereda
2 preparera, göra i ordning; laga [~ *food*]
3 förbereda sig, göra sig i ordning; ~ *for
an exam* läsa på en examen

prepared [prɪ'peəd] *adj* **1** förberedd,
beredd, inställd [*for* på; *to do sth* på att göra
ngt] **2** beredd, villig [*I'm not* ~ *to*...]

preparedness [prɪ'peədnəs, prɪ'peərɪdnəs]
subst beredskap

prepay [,pri:'peɪ] *verb* betala i förväg

preponderance [prɪ'pɒndərəns] *subst*
övervikt, övervägande antal [*of* på]

preposition [,prepə'zɪʃən] *subst* gram.
preposition

preposterous [prɪ'pɒstərəs] *adj* orimlig,
befängd

prep school ['prepsku:l] *subst* se *preparatory 1*

prepuce ['pri:pju:s] *subst* förhud på penis

prerequisite [,pri:'rekwɪzɪt] *subst*
förutsättning

prerogative [prɪ'rɒgətɪv] *subst* prerogativ
[*royal* ~], privilegium, företrädesrätt

preschool I ['pri:sku:l] *adj* förskole- [~ *age*]
II ['pri:sku:l] *subst* förskola

prescribe [prɪ'skraɪb] *verb* föreskriva; med.
ordinera

prescription [prɪ'skrɪpʃən] *subst* med. recept;
be obtainable on ~ el. *be on* ~ vara
receptbelagd; *make up a* ~ expediera ett
recept

presence ['prezns] *subst* närvaro; närhet; ~
of mind sinnesnärvaro; *she made her* ~
felt hon uppmärksammades av alla; *in the*
~ *of danger* i farans stund

1 present I ['preznt] *adj* **1** närvarande [*at*
vid]; *those* ~ el. *the people* ~ de
närvarande **2** nuvarande, innevarande [*the*
~ *month*], nu pågående, aktuell [*the* ~
boom] **3** gram., *the* ~ *tense* presens
II ['preznt] *subst* **1** *the* ~ nuet; *at* ~ för
närvarande; *for the* ~ för närvarande, tills
vidare **2** gram., *the* ~ presens; ~
continuous progressiv presensform

2 present I ['preznt] *subst* present, gåva
II [prɪ'zent] *verb* **1** överlämna [*to* åt, till],
räcka fram **2** lägga fram [~ *a plan*],
presentera, lämna in **3** teat. uppföra,
framföra [~ *a play*] **4** presentera, föreställa
[*allow me to* ~ *my wife*] **5** *an opportunity
presented itself* ett tillfälle erbjöds

presentable [prɪ'zentəbl] *adj* **1** som kan
läggas fram **2** presentabel

presentation [,prezən'teɪʃən] *subst*.

1 presentation av ngn [*to* för]
2 framläggande; utformning
3 överlämnande [*the* ~ *of a gift*] **4** teat.
uppförande, framförande [*the* ~ *of a new
play*]

present-day ['prezntdeɪ] *adj* nutidens

presenter [prɪ'zentə] *subst* tv.
programledare, presentatör

presentiment [prɪ'zentɪmənt] *subst* föraning

presently ['prezntlɪ] *adv* **1** snart, inom kort;
kort därefter **2** för närvarande

preservation [,prezə'veɪʃən] *subst*
1 bevarande, bibehållande; konservering
2 vård, fridlysning

preservative [prɪ'zɜ:vətɪv] *subst*
konserveringsmedel

preserve I [prɪ'zɜ:v] *verb* **1** bevara, skydda
[*from* för] **2** konservera [~ *fruit*], lägga in,
sylta
II [prɪ'zɜ:v] *subst* **1** ofta pl. ~*s* sylt;
marmelad; konserverad frukt; *raspberry*
(*strawberry* etc.) ~ finare hallonsylt
(jordgubbssylt etc.) **2** *nature* ~
naturreservat

preset [,pri:'set] *adj* förinställd

pre-shrunk [,pri:'ʃrʌŋk] *adj* krympfri

preside [prɪ'zaɪd] *verb* presidera, sitta som
ordförande [*at, over* vid]

presidency ['prezɪdənsɪ] *subst*

---

president
Den amerikanska presidenten väljs
vart fjärde år. Ingen president kan
sitta mer än två perioder. Alla pre-
sidenter har hittills varit män. Till
de mest kända hör:
- *George Washington* som blev
  USA:s första president 1789 och
  gav namn åt USA:s huvudstad.
- *Abraham Lincoln* som avskaffade
  slaveriet. Han mördades 1865.
- *Franklin D. Roosevelt* som genom-
  förde sociala förändringar. Han är
  den enda president som suttit mer
  än två perioder.
- *J.F. Kennedy* som genomförde
  vissa sociala förändringar. Han
  misslyckades med en invasion av
  Kuba. 1963 sköts han till döds i
  Dallas.

1 presidentskap, presidentämbete
2 presidentperiod
president ['prezɪdənt] *subst* **1** president
2 amer. verkställande direktör
presidential [ˌprezɪ'denʃl] *adj* president- [~ *candidate*]
press I [pres] *subst* **1** tryckning, press, tryck;
at the ~ of a button när man trycker på
en knapp **2** press [*a hydraulic ~*]
3 pressande, pressning av t.ex. kläder
4 tryckpress; tryckeri, tidningspress
II [pres] *verb* **1** pressa [~ *one's trousers*]; ·
trycka [~ *sb's hand*]; krama, klämma; ~
the button trycka på knappen **2** pressa,
försöka tvinga [~ *sb to do sth*] **3** ansätta [*be hard pressed*]; *be pressed for* ha ont om
[*be pressed for time*] **4** pressa, trycka [*on på*]
5 ~ *for* yrka på [~ *for higher wages*] **6** ~ *on*
el. ~ *forward* pressa på, tränga sig fram,
skynda framåt
press agency ['pres,eɪdʒənsɪ] *subst*
nyhetsbyrå
press box ['presbɒks] *subst* pressbås,
pressläktare
press-clipping ['pres,klɪpɪŋ] *subst* o.
press-cutting ['pres,kʌtɪŋ] *subst*
tidningsurklipp, pressklipp
press gallery ['pres,gælərɪ] *subst*
pressläktare
pressie ['prezɪ] *subst* vard. förk. för **2** *present I*
pressing ['presɪŋ] *adj* brådskande [~
business]; trängande [~ *need*]
press-stud ['prestʌd] *subst* tryckknapp
press-up ['presʌp] *subst* gymn. armhävning
från golvet
pressure ['preʃə] *subst* **1** tryck [*blood ~*],
tryckning [~ *of the hand*]; press [*work under ~*]; *high* ~ högtryck **2** *put* ~ *on sb*
el. *bring* ~ *to bear on sb* utöva
påtryckningar på ngn
pressure cabin ['preʃə,kæbɪn] *subst*
tryckkabin
pressure-cooker ['preʃə,kʊkə] *subst*
tryckkokare
pressure gauge ['preʃəgeɪdʒ] *subst*
manometer, tryckmätare
pressure group ['preʃəgruːp] *subst*
påtryckningsgrupp
pressurize ['preʃəraɪz] *verb* **1** sätta tryck på,
utöva påtryckningar på **2** *pressurized cabin* tryckkabin
prestige [pre'stiːʒ] *subst* prestige, anseende
prestigious [pre'stɪdʒəs] *adj* prestigefylld,
prestigebetonad

presumably [prɪ'zjuːməblɪ] *adv*
förmodligen
presume [prɪ'zjuːm] *verb* förmoda
presumption [prɪ'zʌmpʃən] *subst*
1 förmodan **2** övermod, arrogans
presumptuous [prɪ'zʌmptjʊəs] *adj*
självsäker, övermodig, arrogant
presuppose [ˌpriːsə'pəʊz] *verb* förutsätta
pretence [prɪ'tens] *subst* **1** förevändning,
svepskäl; falskt sken [*a ~ of friendship*];
under false ~s under falska
förespeglingar **2** pretentioner
pretend [prɪ'tend] *verb* **1** låtsas **2** göra
anspråk på, göra gällande
pretense [prɪ'tens] *subst* amer. = *pretence*
pretensions [prɪ'tenʃən] *subst pl* anspråk [*to på*]; pretentioner
pretentious [prɪ'tenʃəs] *adj* pretentiös
pretext ['priːtekst] *subst* förevändning
pretty I ['prɪtɪ] *adj* söt [*a ~ girl*], näpen; *a ~ mess* iron. en skön röra; *a ~ penny* el. *a ~ sum* en nätt summa, en vacker slant
II ['prɪtɪ] *adv* vard. rätt, ganska; ~ *much the same* praktiskt taget detsamma,
ungefär detsamma
pretty-pretty [ˌprɪtɪ'prɪtɪ] *adj* vard. snutfager,
kysstäck; om färg sötsliskig
pretzel ['pretsl] *subst* kok. saltkringla
prevail [prɪ'veɪl] *verb* **1** råda, vara
förhärskande, vara allmänt utbredd **2** ~ *on*
förmå, övertala
prevailing [prɪ'veɪlɪŋ] *adj* rådande [~
winds], förhärskande [*the ~ opinion*]
prevalence ['prevələns] *subst* allmän
förekomst, utbredning
prevalent ['prevələnt] *adj* rådande,
förhärskande
prevent [prɪ'vent] *verb* hindra, förebygga
preventable [prɪ'ventəbl] *adj* som kan
hindras, hindra
prevention [prɪ'venʃən] *subst* förhindrande,
förebyggande; ~ *is better than cure*
ordspr. bättre förekomma än förekommas;
the ~ of cruelty to animals ungefär
djurskydd
preventive [prɪ'ventɪv] *adj* preventiv,
hindrande, förebyggande; ~ *measures*
förebyggande åtgärder; ~ *medicine*
profylax
preview ['priːvjuː] *subst* förhandsvisning
previous ['priːvjəs] *adj* föregående, tidigare
previously ['priːvjəslɪ] *adv* förut, tidigare
pre-war ['priːwɔː] *adj* förkrigs-, före kriget
prey I [preɪ] *subst* rov, byte; *be a ~ to* vara
ett offer för; *bird of* ~ rovfågel

ll [preɪ] *verb* **1** ~ *on* jaga, leva på **2** ~ *on sb's mind* tynga på ngn
prezzie ['prezɪ] *subst* vard. förk. för *2 present I*
price [praɪs] *subst* pris; *asking* ~ begärt pris; *at any* ~ till varje pris; *at reduced* ~*s* till nedsatta priser
price freeze ['praɪsfriːz] *subst* prisstopp
priceless ['praɪsləs] *adj* **1** ovärderlig **2** vard. obetalbar
pricey ['praɪsɪ] *adj* vard. dyrbar, dyr
prick l [prɪk] *subst* **1** stick, styng, sting; ~*s of conscience* samvetskval **2** vulg. kuk
ll [prɪk] *verb* **1** sticka; sticka hål i [~ *a balloon*]; ~ *one's finger* sticka sig i fingret **2** ~ *one's ears* el. ~ *up one's ears* spetsa öronen
prickle ['prɪkl] *verb* sticka; stickas
prickly ['prɪklɪ] *adj* **1** taggig **2** stickande känsla; ~ *heat* med. hetblemmor
pride l [praɪd] *subst* stolthet [*in* över]; *take* ~ *in* el. *take a* ~ *in* känna stolthet över, sätta sin ära i
ll [praɪd] *verb*, ~ *oneself on* vara stolt över
priest [priːst] *subst* präst; *woman* ~ kvinnlig präst
priestess ['priːstes] *subst* prästinna
priesthood ['priːsthʊd] *subst* prästerskap
prig [prɪg] *subst* självgod typ
priggish ['prɪgɪʃ] *adj* självgod, petig
prim [prɪm] *adj* **1** prydlig [*a* ~ *garden*] **2** pryd
prima donna [ˌpriːmə'dɒnə] *subst* primadonna
primarily ['praɪmərəlɪ] *adv* **1** primärt, ursprungligen **2** huvudsakligen
primary ['praɪmərɪ] *adj* **1** primär, ursprunglig; ~ *school* lågstadieskola: britt., ungefär 6-årig grundskola för åldrarna 5—11, amer., ungefär 3-årig el. 4-årig grundskola **2** huvudsaklig

prime minister
Den brittiske premiärministern är ledaren för det parti som har regeringsmakten, dvs. mest platser i *the House of Commons*, underhuset. Han eller hon är alltid själv medlem av parlamentet.

prime l [praɪm] *adj* **1** främsta; ~ *minister* premiärminister, statsminister **2** prima, förstklassig **3** primär, ursprunglig
ll [praɪm] *subst*, *in one's* ~ el. *in the* ~ *of*

life i sin krafts dagar, i sina bästa år; *he is past his* ~ han har sina bästa år bakom sig
lll [praɪm] *verb* **1** instruera [~ *a witness*] **2** grundmåla
primer ['praɪmə] *subst* **1** nybörjarbok **2** vid målning grundfärg
primitive ['prɪmɪtɪv] *adj* primitiv
primp [prɪmp] *verb* snofsa upp sig
primrose ['prɪmrəʊs] *subst* primula, viva, jordviva
primula ['prɪmjʊlə] *subst* blomma primula
Primus® ['praɪməs] *subst*, ~ *stove* primuskök®
prince [prɪns] *subst* **1** prins; ~ *consort* prinsgemål **2** furste
princely ['prɪnslɪ] *adj* furstlig
princess [prɪn'ses] *subst* **1** prinsessa **2** furstinna
principal l ['prɪnsəpl] *adj* huvudsaklig, främsta, förnämst; ~ *parts of a verb* ett verbs tema
ll ['prɪnsəpl] *subst* **1** chef **2** skol. rektor
principally ['prɪnsəplɪ] *adv* huvudsakligen, i främsta rummet
principle ['prɪnsəpl] *subst* princip; *on* ~ av princip
print l [prɪnt] *subst* **1** tryck; *large* ~ stor stil; *small* ~ liten stil, fin stil; *get into* ~ gå i tryck; *out of* ~ utsåld **2** avtryck [~ *of a foot*], märke, spår **3** konst. avtryck, tryck **4** foto. kopia
ll [prɪnt] *verb* **1** trycka bok; publicera; *printed matter* trycksaker **2** skriva med tryckstil, texta **3** foto. kopiera
printable ['prɪntəbl] *adj* tryckbar
printer ['prɪntə] *subst* **1** boktryckare, tryckeriarbetare; *printer's error* tryckfel **2** data. skrivare, printer
printhead ['prɪnthed] *subst* data. skrivhuvud
printing ['prɪntɪŋ] *subst* tryck, tryckning [*second* ~]; kopiering
printing-house ['prɪntɪŋhaʊs] *subst* tryckeri
printing-ink ['prɪntɪŋɪŋk] *subst* trycksvärta
printing-press ['prɪntɪŋpres] *subst* tryckpress
printout ['prɪntaʊt] *subst* data. utskrift
prior l ['praɪə] *adj* **1** föregående **2** tidigare [*to* än]
ll ['praɪə] *adv*, ~ *to* före [~ *to his marriage*]; ~ *to leaving he...* innan han gav sig i väg...
priority [praɪ'ɒrətɪ] *subst* prioritet, företräde, förtur [*over* framför]; *give* ~ *to* prioritera; *take* ~ *over* gå före
prism ['prɪzəm] *subst* prisma

prison ['prɪzn] *subst* fängelse,
fångvårdsanstalt
prison camp ['prɪznkæmp] *subst* fångeläger
prisoner ['prɪznə] *subst* fånge; ~ *of war*
krigsfånge
prison guard [,prɪzn'gɑːd] *subst* fångvaktare
privacy ['prɪvəsɪ, 'praɪvəsɪ] *subst* avskildhet,
privatliv; *in* ~ i enrum
private I ['praɪvət] *adj* **1** privat, personlig
[*my* ~ *opinion*]; enskild; ~ *bar* finare
avdelning på en pub **2** avskild; ~ *number*
tele. hemligt nummer; ~ *parts* könsdelar;
keep ~ hemlighålla
II ['praɪvət] *subst* **1** mil. menig **2** *in* ~ privat,
enskilt
privately ['praɪvətlɪ] *adv* privat, personligt;
enskilt; ~ *owned* privatägd
privation [praɪ'veɪʃən] *subst* umbäranden
privatize ['praɪvətaɪz] *verb* privatisera
privet ['prɪvɪt] *subst* växt liguster
privilege I ['prɪvəlɪdʒ] *subst* privilegium
II ['prɪvəlɪdʒ] *verb* privilegiera
privileged ['prɪvəlɪdʒd] *adj* privilegierad
privy I ['prɪvɪ] *adj* **1** ~ *to* medveten om,
invigd
II ['prɪvɪ] *subst* toalett, utedass
1 prize I [praɪz] *subst* **1** pris; premie
2 lotterivinst; *the first* ~ högsta vinsten
II [praɪz] *verb* värdera högt
2 prize [praɪz] *verb*, ~ *up* el. ~ *open* bända
upp
prizefight ['praɪzfaɪt] *subst*
proffsboxningsmatch
prizefighter ['praɪz,faɪtə] *subst* proffsboxare
prize-giving ['praɪz,gɪvɪŋ] *subst*
prisutdelning
prize money ['praɪz,mʌnɪ] *subst* prissumma
prizewinner ['praɪz,wɪnə] *subst* pristagare
1 pro I [prəʊ] *prefix* **1** pro-; *pro-British*
brittiskvänlig, probrittisk **2** pro-
[*proconsul*]
II [prəʊ] *subst*, *the* ~*s and cons* skälen för
och emot
2 pro [prəʊ] (pl. ~*s*) *subst* **1** vard. proffs [*a golf*
~] **2** sl. fnask
probability [,prɒbə'bɪlətɪ] *subst* sannolikhet
probable ['prɒbəbl] *adj* sannolik, trolig
probably ['prɒbəblɪ] *adv* troligen
probation [prəʊ'beɪʃən] *subst* **1** prov [*two*
years on ~] **2** jur., *be put on* ~ dömas till
skyddstillsyn, få villkorlig dom; ~ *officer*
övervakare
probationer [prəʊ'beɪʃnə] *subst* elev; novis;
~ *nurse* el. ~ sjuksköterskeelev

probe I [prəʊb] *subst* **1** sond **2** undersökning
II [prəʊb] *verb* **1** sondera **2** tränga in [*into* i]
problem ['prɒbləm] *subst* problem
procedure [prə'siːdʒə] *subst* procedur,
förfarande, förfaringssätt
proceed [prə'siːd] *verb* **1** fortsätta **2** ~ *to* +
inf. börja [*he proceeded to get angry*], övergå
till att
proceeding [prə'siːdɪŋ] *subst* **1** förfarande,
förfaringssätt, procedur **2** pl. ~*s*
a) förehavanden b) i t.ex. domstol, sällskap
förhandlingar; *take legal* ~*s against*
vidta lagliga åtgärder mot
proceeds ['prəʊsiːdz] *subst pl* intäkter
process I ['prəʊses] *subst* **1** förlopp; *in the*
~ *of construction* under byggnad; *I'm*
still in the ~ *of moving* jag håller
fortfarande på med att flytta **2** process
[*chemical processes*] tekn. metod [*the*
Bessemer ~]
II ['prəʊses] *verb* tekn. el. data. behandla,
bearbeta; *processed cheese* smältost
procession [prə'seʃən] *subst* procession
proclaim [prə'kleɪm] *verb* proklamera,
tillkännage, kungöra
proclamation [,prɒklə'meɪʃən] *subst*
proklamation, tillkännagivande
procure [prə'kjʊə] *verb* skaffa, skaffa fram
prod I [prɒd] (-*dd*-) *verb*, ~ *at* el. ~ stöta till
II [prɒd] *subst* stöt
prodigious [prə'dɪdʒəs] *adj* fenomenal
prodigy ['prɒdɪdʒɪ] *subst*, *infant* ~ el. ~
underbarn
produce I [prə'djuːs] *verb* **1** producera,
framställa, tillverka **2** framkalla [~ *a*
reaction] **3** skaffa fram [~ *a witness*]; lägga
fram **4** teat. uppföra; film. producera
II ['prɒdjuːs] *subst* produkter av jordbruk
[*garden* ~], varor
producer [prə'djuːsə] *subst* producent
product ['prɒdʌkt] *subst* produkt, vara
production [prə'dʌkʃən] *subst* **1** produktion,
framställning, tillverkning **2** produkt,
alster **3** framskaffande, framläggande
4 teat. uppsättning; uppförande; film.
inspelning
productive [prə'dʌktɪv] *adj* produktiv
productivity [,prɒdʌk'tɪvətɪ] *subst*
produktivitet [*increase* ~];
produktionsförmåga
prof [prɒf] *subst* vard. profet professor
profane I [prə'feɪn] *adj* **1** profan, världslig
2 vanvördig, hädisk; ~ *language* litt.
svordomar
II [prə'feɪn] *verb* vanhelga

profess [prə'fes] *verb* **1** tillkännage, förklara sig ha [*he professed interest in my welfare*] **2** göra anspråk på, ge sig ut för [*~ to be an authority on*...] **3** bekänna sig till [*~ Christianity*]

profession [prə'feʃən] *subst* yrke med högre utbildning; *by* ~ till yrket; *the legal* ~ advokatkåren

professional I [prə'feʃnəl] *adj* yrkes- [*a ~ politician*], förvärvs- [*~ life*], yrkesmässig; professionell **II** [prə'feʃnəl] *subst* **1** professionell, proffs **2** yrkesman, fackman

professor [prə'fesə] *subst* professor [*of i*]

professorship [prə'fesəʃɪp] *subst* professur [*in i*]

proffer ['prɒfə] *verb* räcka fram, erbjuda

proficiency [prə'fɪʃənsɪ] *subst* färdighet, skicklighet; *certificate of* ~ kompetensbevis

proficient [prə'fɪʃənt] *adj* skicklig, kunnig

profile ['prəʊfaɪl] *subst* profil; *keep a low* ~ ligga lågt, hålla en låg profil

profit I ['prɒfɪt] *subst* **1** vinst, förtjänst **2** *derive* ~ *from* dra nytta av, dra fördel av **II** ['prɒfɪt] *verb*, ~ *by* el. ~ *from* ha nytta av, utnyttja; vinna på, tjäna på

profitable ['prɒfɪtəbl] *adj* **1** nyttig, givande **2** vinstgivande, lönsam, lönande

profiteer I [ˌprɒfɪ'tɪə] *subst* profitör **II** [ˌprɒfɪ'tɪə] *verb* profitera, ockra

profiteering [ˌprɒfɪ'tɪərɪŋ] *subst* svartabörsaffärer, ocker

profitmonger ['prɒfɪtˌmʌŋgə] *subst* profitör

profligate ['prɒflɪgət] *adj* utsvävande

profound [prə'faʊnd] *adj* **1** djup [*~ anxiety*], djupsinnig; grundlig, djupgående **2** outgrundlig [*~ mysteries*]

profundity [prə'fʌndətɪ] *subst* djup, djupsinnighet

profuse [prə'fjuːs] *adj* ymnig, riklig

profusion [prə'fjuːʒən] *subst* överflöd, rikedom

progenitor [prəʊ'dʒenɪtə] *subst* stamfader

progeny ['prɒdʒənɪ] *subst* avkomma

prognosis [prɒg'nəʊsɪs] (pl. *prognoses* [prɒg'nəʊsiːz]) *subst* prognos

program I ['prəʊgræm] *subst* **1** data. program **2** spec. amer., se *programme I* **II** ['prəʊgræm] (-*mm*-) *verb* **1** data. programmera **2** spec. amer., se *programme II*

programme I ['prəʊgræm] *subst* program **II** ['prəʊgræm] *verb* göra upp program för, planlägga

progress I ['prəʊgres, amer. 'prɒgrəs] (utan pl.) *subst* framsteg, framåtskridande, utveckling; *in* ~ på gång, under utförande, under arbete **II** [prə'gres] *verb* **1** göra framsteg, utvecklas **2** gå framåt

progression [prə'greʃən] *subst* **1** fortgång; *in* ~ i följd **2** progression

progressive I [prə'gresɪv] *adj* **1** progressiv, framstegsvänlig [*~ policy*] **2** gradvis tilltagande; *on a* ~ *scale* i stigande skala **3** gram., ~ *tense* progressiv form, pågående form **II** [prə'gresɪv] *subst* framstegsvän

prohibit [prə'hɪbɪt] *verb* förbjuda

prohibition [ˌprəʊhɪ'bɪʃən] *subst* förbud

project I [prə'dʒekt] *verb* **1** projicera; skjuta ut [*~ missiles*] **2** skjuta fram; *projecting* framskjutande **II** ['prɒdʒekt] *subst* projekt

projectile [prə'dʒektaɪl, amer. prə'dʒektl] *subst* projektil

projection [prə'dʒekʃən] *subst* **1** projektion **2** utslungande, utskjutande

projector [prə'dʒektə] *subst* apparat projektor

proletarian [ˌprəʊlə'teərɪən] *subst* proletär

proletariat [ˌprəʊlə'teərɪət] *subst* proletariat

pro-lifer [prəʊ'laɪfə] *subst* abortmotståndare

proliferate [prə'lɪfəreɪt] *verb* föröka sig, sprida sig

prolific [prə'lɪfɪk] *adj* produktiv

prologue ['prəʊlɒg] *subst* prolog, förspel

prolong [prə'lɒŋ] *verb* förlänga, dra ut, dra ut på

prolongation [ˌprəʊlɒŋ'geɪʃən] *subst* förlängning

promenade I [ˌprɒmə'nɑːd] *subst* promenad **II** [ˌprɒmə'nɑːd] *verb* promenera; promenera på [*~ the streets*]

prominence ['prɒmɪnəns] *subst* **1** framträdande plats; bemärkthet **2** utsprång

prominent ['prɒmɪnənt] *adj* **1** utstående [*~ eyes*], utskjutande **2** framstående, prominent

promiscuity [ˌprɒmɪ'skjuːətɪ] *subst* promiskuitet

promiscuous [prə'mɪskjʊəs] *adj* promiskuös; ~ *sexual relations* tillfälliga sexuella förbindelser

promise I ['prɒmɪs] *subst* löfte [*of* om]; *of great* ~ el. *full of* ~ mycket lovande **II** ['prɒmɪs] *verb* lova, utlova; *be promised sth* få (ha fått) löfte om ngt

promising ['prɒmɪsɪŋ] *adj* lovande

promote [prə'məʊt] *verb* **1** befordra **2** sport. flytta upp **3** främja, gynna **4** göra reklam för, lansera

promoter [prə'məʊtə] *subst* **1** främjare; upphovsman [*of till*] **2** sport. promotor

promotion [prə'məʊʃən] *subst* **1** befordran, avancemang **2** sport. uppflyttning **3** främjande, befordran; ~ *campaign* säljkampanj

prompt I [prɒmpt] *adj* snabb, omgående, prompt; *take ~ action* vidta snabba åtgärder

II [prɒmpt] *verb* **1** driva [*he was prompted by patriotism*], förmå **2** teat. sufflera **3** lägga orden i munnen på, påverka [*~ a witness*] **4** föranleda [*what prompted his resignation?*], framkalla, diktera

prompter ['prɒmptə] *subst* teat. sufflör

promulgate ['prɒmɔlgeɪt] *verb* utfärda, kungöra

prone [prəʊn] *adj* **1** framåtlutad; utsträckt; *in a ~ position* liggande på magen **2** *be ~ to* vara benägen för

prong [prɒŋ] *subst* på t.ex. gaffel klo, spets, udd

pronoun ['prəʊnaʊn] *subst* gram. pronomen

pronounce [prə'naʊns] *verb* **1** uttala **2** avkunna, fälla [*~ judgement*] **3** förklara; *I now ~ you man and wife* härmed förklarar jag er för äkta makar

pronounceable [prə'naʊnsəbl] *adj* möjlig att uttala

pronounced [prə'naʊnst] *adj* **1** uttalad **2** tydlig, avgjord [*a ~ difference*]

pronouncement [prə'naʊnsmənt] *subst* uttalande, förklaring

pronouncing [prə'naʊnsɪŋ] *subst*, ~ *dictionary* uttalsordbok

pronunciation [prə,nʌnsɪ'eɪʃən] *subst* uttal

proof I [pruːf] *subst* **1** bevis [*of* på, för] **2** pl. ~*s* korrektur

II [pruːf] *adj* **1** motståndskraftig [*against* mot] **2**-i sammansättningar -tät [*waterproof*], -säker [*bombproof*]

proofread ['pruːfriːd] (*proofread proofread* båda ['pruːfred]) *verb* korrekturläsa

prop I [prɒp] *subst* stötta, stöd

II [prɒp] (*-pp-*) *verb*, ~ *up* stötta upp

propaganda [,prɒpə'gændə] *subst* propaganda

propagandist [,prɒpə'gændɪst] *subst* propagandist

propagate ['prɒpəgeɪt] *verb* propagera för, sprida [*~ ideals*]

propagation [,prɒpə'geɪʃən] *subst* spridning

propel [prə'pel] (*-ll-*) *verb* driva; *propelling pencil* stiftpenna, skruvpenna

propellant [prə'pelənt] *subst* drivmedel

propeller [prə'pelə] *subst* propeller

propensity [prə'pensətɪ] *subst* benägenhet

proper ['prɒpə] *adj* **1** riktig, rätt [*in the ~ way*]; tillbörlig, vederbörlig **2** anständig, passande **3** egentlig; *London ~ det* egentliga London **4** gram., ~ *noun* egennamn **5** vard. riktig [*a ~ idiot*]

properly ['prɒpəlɪ] *adv* **1** riktigt; ordentligt; lämpligt [*~ dressed*]; ~ *speaking* egentligen **2** vard. riktigt, ordentligt

property ['prɒpətɪ] *subst* **1** egendom, ägodelar; *a man of ~* en förmögen man **2** fastighet, ägor, lösöre **3** teat., pl. *properties* rekvisita

property-owner ['prɒpətɪ,əʊnə] *subst* fastighetsägare

prophecy ['prɒfəsɪ] *subst* profetia, spådom

prophesy ['prɒfəsaɪ] *verb* profetera, spå

prophet ['prɒfɪt] *subst* **1** profet **2** siare, spåman

prophetic [prə'fetɪk] *adj* profetisk

prophylaxis [,prɒfɪ'læksɪs] *subst* med. profylax

propjet ['prɒpdʒet] *adj* turboprop- [*~ engine*]

proportion [prə'pɔːʃən] *subst* **1** proportion; *be out of all ~ to* inte stå i rimlig proportion till **2** del [*a large ~ of the population*], andel

proportional [prə'pɔːʃnəl] *adj* proportionell

proportionate [prə'pɔːʃənət] *adj* proportionerlig, proportionell [*to* mot, till]; *be ~ to* stå i proportion till

proposal [prə'pəʊzl] *subst* **1** förslag **2** frieri, giftermålsanbud

propose [prə'pəʊz] *verb* **1** föreslå **2** lägga fram **3** ämna, tänka [*I ~ to start early*] **4** fria [*to* till]

proposition [,prɒpə'zɪʃən] *subst* **1** påstående **2** förslag **3** vard. affär [*a paying ~*]

propound [prə'paʊnd] *verb* lägga fram, föreslå [*~ a scheme*]

proprietary [prə'praɪətrɪ] *adj*, ~ *goods* märkesvaror

proprietor [prə'praɪətə] *subst* ägare, innehavare

propriety [prə'praɪətɪ] *subst* anständighet

props [prɒps] *subst* pl teat. vard. rekvisita

propulsion [prə'pʌlʃən] *subst* framdrivning; *jet ~* jetdrift

prosaic [prə'zeɪɪk] *adj* prosaisk, enformig

prose [prəʊz] *subst* prosa

prosecute ['prɒsɪkjuːt] *verb* **1** åtala;
offenders will be prosecuted
överträdelse beivras **2** väcka åtal
prosecution [,prɒsɪ'kjuːʃən] *subst* åtal;
director of public ~*s* allmän åklagare;
the ~ åklagarsidan
prosecutor ['prɒsɪkjuːtə] *subst* åklagare;
public ~ allmän åklagare
prospect I ['prɒspekt] *subst* utsikt,
möjlighet; pl. ~*s* framtidsutsikter
II [prə'spekt] *verb* prospektera, leta [*for*
efter]
prospective [prə'spektɪv] *adj* framtida [~
profits]; blivande [~ *son-in-law*]; ~ *buyer*
eventuell köpare
prospectus [prə'spektəs] *subst* prospekt,
broschyr; program för kurs
prosper ['prɒspə] *verb* ha framgång,
blomstra
prosperity [prɒ'sperətɪ] *subst* välstånd [*live
in* ~], välmåga; blomstring; *time of* ~
blomstringstid
prosperous ['prɒspərəs] *adj* blomstrande,
välmående, välbärgad
prostate ['prɒsteɪt] *subst*, ~ *gland* prostata
prostitute I ['prɒstɪtjuːt] *subst* prostituerad,
fnask
II ['prɒstɪtjuːt] *verb*, ~ *oneself* prostituera
sig
prostitution [,prɒstɪ'tjuːʃən] *subst*
prostitution
prostrate ['prɒstreɪt] *adj* **1** framstupa [*fall
*~], utsträckt [*lie* ~], liggande **2** slagen,
nedbruten
protagonist [prə'tægənɪst] *subst*
huvudperson i ett drama
protect [prə'tekt] *verb* skydda [*from, against*
för, mot], beskydda
protection [prə'tekʃən] *subst* skydd, beskydd
protective [prə'tektɪv] *adj* **1** skyddande
2 beskyddande [*towards* emot]
protector [prə'tektə] *subst* beskyddare
protégé ['prəuteʒeɪ] *subst* skyddsling,
protegé
protein ['prəutiːn] *subst* protein
protest I ['prəutest] *subst* protest
II [prə'test] *verb* protestera
Protestant I ['prɒtɪstənt] *subst* relig.
protestant
II ['prɒtɪstənt] *adj* relig. protestantisk
protocol ['prəutəkɒl] *subst* protokoll
prototype ['prəutətaɪp] *subst* prototyp,
förebild
protract [prə'trækt] *verb* dra ut på [~ *a visit*]
protracted [prə'træktɪd] *adj* utdragen

protractor [prə'træktə] *subst* gradskiva
protrude [prə'truːd] *verb* sticka fram, skjuta
ut
protruding [prə'truːdɪŋ] *adj* framskjutande,
utstående [~ *ears*; ~ *eyes*]
proud I [praud] *adj* stolt [*of* över]
II [praud] *adv* vard., *do sb* ~ hedra ngn; *the
Browns did us* ~ familjen Brown slog
verkligen på stort
prove [pruːv] *verb* **1** bevisa, styrka; *the
exception* ~*s the rule* undantaget
bekräftar regeln **2** ~ *to be* el. ~ visa sig vara
proven ['pruːvən] *adj* välkänd, erkänd,
beprövad
proverb ['prɒvɜːb] *subst* ordspråk
proverbial [prə'vɜːbɪəl] *adj*
1 ordspråksmässig **2** legendarisk
provide [prə'vaɪd] *verb* **1** skaffa, sörja för, stå
för; ~ *oneself with* skaffa sig, förse sig
med **2** ge [*the tree* ~*s shade*], utgöra **3** ~
against vidta åtgärder mot; ~ *for* vidta
åtgärder för, försörja [~ *for a large family*],
sörja för [*he* ~*s for his son's education*]; ~
for oneself försörja sig
provided [prə'vaɪdɪd] *konj*, ~ *that* el. ~
förutsatt att, om bara, såvida
providence ['prɒvɪdəns] *subst* försynen
providing [prə'vaɪdɪŋ] *konj*, ~ *that* el. ~
förutsatt att, såvida
province ['prɒvɪns] *subst* **1** provins, landskap
2 pl. *the* ~*s* landsorten
provincial I [prə'vɪnʃl] *adj* **1** regional
2 provinsiell, lantlig
II [prə'vɪnʃl] *subst* landsortsbo
provision [prə'vɪʒən] *subst*
1 tillhandahållande **2** pl. ~*s* livsmedel,
matvaror, proviant; ~ *shop* matvaruaffär
provisional [prə'vɪʒnəl] *adj* provisorisk
provocation [,prɒvə'keɪʃən] *subst*
provokation; *on the slightest* ~ vid
minsta anledning
provocative [prə'vɒkətɪv] *adj* utmanande
provoke [prə'vəuk] *verb* **1** reta upp
2 framkalla; väcka [~ *indignation*]
3 provocera
prow [prau] *subst* förstäv framstam
prowess ['prauɪs] *subst* **1** tapperhet
2 skicklighet
prowl I [praul] *verb* stryka omkring; stryka
omkring i (på)
II [praul] *subst*, *be on the* ~ el. *go on the* ~
stryka omkring [*for* efter]
prowler ['praulə] *subst* person (djur) som
stryker omkring
proximity [prɒk'sɪmətɪ] *subst* närhet

proxy ['prɒksɪ] *subst*, *by* ~ genom fullmakt, genom ombud

prude [pru:d] *subst* pryd människa

prudence ['pru:dəns] *subst* klokhet

prudent ['pru:dənt] *adj* klok, försiktig

prudery ['pru:dərɪ] *subst* prydhet

prudish ['pru:dɪʃ] *adj* pryd

1 prune [pru:n] *subst* **1** frukt sviskon **2** torkat katrinplommon

2 prune [pru:n] *verb* **1** beskära, tukta t.ex. träd {ofta ~ *down*}; klippa {~ *a hedge*} **2** skära ner {~ *an essay*}; rensa {*of* från}

Prussia ['prʌʃə] Preussen

Prussian ['prʌʃən] *subst* preussare

prussic ['prʌsɪk] *adj* kem., ~ *acid* blåsyra

1 pry [praɪ] *verb* **1** ~ *open* bända upp **2** ~ *a secret out of sb* lirka ur ngn en hemlighet

2 pry [praɪ] *verb* snoka {*about* omkring} {~ *into sb's affairs*}

prying ['praɪɪŋ] *adj* snokande, nyfiken

PS [,pi:'es] (förk. för *postscript*) PS, postskriptum i brev

psalm [sɑ:m] *subst* psalm i Psaltaren

pseud ['sju:d] *subst* vard. bluff, humbug

pseudo ['sju:dəʊ] *prefix* sken- {*pseudo-democracy*}, pseudo- {*pseudo-classic*}, falsk, oäkta

pseudonym ['sju:dənɪm] *subst* pseudonym påhittat namn

psych [saɪk] *verb* vard. **1** psykoanalysera **2** ~ *out* psyka; ~ *up* peppa upp; *be psyched up* vara laddad, vara i högform

psyche ['saɪkɪ] *subst* psyke

psychedelic [,saɪkə'delɪk] *adj* psykedelisk

psychiatric [,saɪkɪ'ætrɪk] *adj* psykiatrisk

psychiatrist [saɪ'kaɪətrɪst] *subst* psykiater

psychiatry [saɪ'kaɪətrɪ] *subst* psykiatri

psychic ['saɪkɪk] *adj* **1** psykisk, själslig **2** *be* ~ vara synsk

psychoanalyse [,saɪkəʊ'ænəlaɪz] *verb* psykoanalysera

psychoanalysis [,saɪkəʊə'næləsɪs] *subst* psykoanalys

psychoanalyst [,saɪkəʊ'ænəlɪst] *subst* psykoanalytiker

psychological [,saɪkə'lɒdʒɪkl] *adj* psykologisk

psychologist [saɪ'kɒlədʒɪst] *subst* psykolog

psychology [saɪ'kɒlədʒɪ] *subst* psykologi

psychopath ['saɪkəpæθ] *subst* psykopat

psychopathic [,saɪkə'pæθɪk] *adj* psykopatisk

PT [,pi:'ti:] förk. för *physical training*

pt. förk. för *pint*

ptarmigan ['tɑ:mɪgən] *subst*, ~ el. amer. *rock* ~ fjällripa

PTO [,pi:ti:'əʊ] (förk. för *please turn over*) v.g.v., var god vänd!

pub [pʌb] *subst* vard. (kortform för *public house*) pub

pub-crawl I ['pʌbkrɔ:l] *subst* pubrunda; *go on a* ~ göra en pubrunda

II ['pʌbkrɔ:l] *verb*, *go pub-crawling* göra en pubrunda

puberty ['pju:bətɪ] *subst* pubertet

pubic ['pju:bɪk] *adj* blygd-; ~ *hairs* könshår

---

public school

Public schools är i England avgiftsbelagda privatskolor. Oftast bor och äter eleverna på skolan. Många *public schools* har gott rykte och det anses mycket fint att ha gått på någon av de kända som t.ex. *Eton*, *Rugby*, *Harrow* eller *Winchester*. De flesta engelska barn går emellertid i avgiftsfria statliga skolor, *state schools*. I USA och Skottland är *public schools* avgiftsfria, statliga skolor. De fungerar ungefär som våra grundskolor.

---

public I ['pʌblɪk] *adj* **1** offentlig {~ *building*}, allmän {~ *holiday*}; stats- {~ *finances*}; *make* ~ offentliggöra; ~ *address system* högtalaranläggning, högtalare t.ex. på flygplats; ~ *bar* enklare avdelning på en pub; ~ *enemy* samhällsfiende; ~ *house* pub; ~ *library* offentligt bibliotek; ~ *limited company* (förk. *PLC*) börsnoterat aktiebolag; ~ *opinion* allmänna opinionen, folkopinionen; ~ *opinion poll* opinionsundersökning; ~ *relations* PR, public relations; ~ *relations officer* PR-man; ~ *sector* offentlig sektor; ~ *school* a) britt. 'public school' exklusivt privatinternat b) amer. allmän skola

II ['pʌblɪk] *subst* allmänhet, publik; *in* ~ offentligt; *open to the* ~ öppen för allmänheten; *the general* ~ den stora allmänheten

publican ['pʌblɪkən] *subst* pubinnehavare

publication [,pʌblɪ'keɪʃən] *subst* **1** publicering, utgivning **2** tryckalster, skrift **3** offentliggörande

publicity [pʌb'lɪsətɪ] *subst* **1** publicitet,

offentlighet **2** reklam; ~ *agent* manager för artist

publicize ['pʌblɪsaɪz] *verb* offentliggöra, ge publicitet åt

publicly ['pʌblɪklɪ] *adv* offentligt

publish ['pʌblɪʃ] *verb* **1** publicera, ge ut **2** offentliggöra

publisher ['pʌblɪʃə] *subst* förläggare; utgivare [*newspaper* ~]

publishing ['pʌblɪʃɪŋ] *subst* förlagsverksamhet; ~ *house* el. ~ *firm* förlag

puck [pʌk] *subst* puck i ishockey

pucker ['pʌkə] *verb*, ~ *up* el. ~ rynka, vecka

pudding ['pʊdɪŋ] *subst* **1** pudding; efterrätt; *black* ~ blodkorv, blodpudding; *rice* ~ risgrynsgröt **2** efterrätt

puddle ['pʌdl] *subst* pöl, vattenpuss

pudenda [pju:'dendə] *subst pl* latin yttre könsorgan spec. kvinnans

pudgy ['pʌdʒɪ] *adj* knubbig, rultig

puerile ['pjʊəraɪl], amer. 'pjʊərl] *adj* barnslig

puerility [pjʊə'rɪlətɪ] *subst* barnslighet

puff I [pʌf] *subst* **1** pust, puff **2** bloss [*a* ~ *at a pipe*] **3** sömnad puff **4** kok., *cream* ~ petit-chou; *jam* ~ smörbakelse med sylt i; ~ *pastry* smördeg
II [pʌf] *verb* **1** pusta, flåsa, flämta **2** blåsa i stötar; blåsa [~ *out a candle*] **3** bolma; bolma på [~ *a cigar*]; ~ *away at a cigar* bolma på en cigarr **4** ~ *up* svälla upp, svullna **5** ~ *out* blåsa upp [~ *out one's cheeks*]; ~ *up* blåsa upp; *puffed up* uppblåst, pösig

puffin ['pʌfɪn] *subst* lunnefågel

puff-puff ['pʌfpʌf] *subst* barnspr. tuff-tufftåg

puffy ['pʌfɪ] *adj* uppsvälld, svullen; påsig, pösig

pug [pʌg] *subst*, ~ el. ~ *dog* mops hundras

pugnacious [pʌg'neɪʃəs] *adj* stridslysten

pug nose ['pʌgnəʊz] *subst* trubbnäsa

puke [pju:k] *verb* vard. spy, kräkas

pulka ['pʌlkə] *subst* pulka

pull I [pʊl] *verb* **1** dra, rycka, hala; dra ut [~ *a tooth*] **2** sträcka [~ *a muscle*]
II [pʊl] *verb* med adv. o. prep.

pull apart 1 rycka isär, plocka isär **2** göra ner kritisera

pull down riva ned, dra ner

pull in 1 dra in **2** bromsa in **3** ~ *in at* stanna till i (hos)

pull off 1 dra av sig, ta av sig **2** vard. klara av [*he'll* ~ *it off*]

pull out 1 dra ut [~ *out a tooth*]; ta ur; dra fram **2** dra sig tillbaka [*the troops pulled out*

of the country] **3** dra sig ur [~ *out of the business deal*] **4** köra ut [*the train pulled out of the station*]; svänga ut

pull over köra in till trottoarkanten

pull through klara sig [*she pulled through after her long illness*]

pull together: ~ *oneself together* ta sig samman; ta sig i kragen

pull up 1 dra upp, rycka upp **2** stanna [*he pulled up the car*]

III [pʊl] *subst* **1** drag, ryckning, tag **2** klunk, drag, bloss; *take a* ~ *at one's pipe* dra ett bloss på pipan

pulley ['pʊlɪ] *subst* block, trissa

pull-out I ['pʊlaʊt] *subst* **1** utvikningssida **2** tillbakadragande [~ *of troops*]
II ['pʊlaʊt] *adj* utdrags- [~ *bed*]

pullover ['pʊl,əʊvə] *subst* pullover

pull-tab ['pʊltæb] *subst* rivöppnare på burk

pull-up ['pʊlʌp] *subst* **1** rastställe, kafé vid bilväg **2** gymn. armhävning från t.ex. trapets

pulp I [pʌlp] *subst* **1** mos, massa, gröt **2** fruktkött **3** pappersmassa **4** ~ *fiction* skräplitteratur
II [pʌlp] *verb* mosa

pulpit ['pʊlpɪt] *subst* predikstol

pulsate [pʌl'seɪt] *verb* pulsera, vibrera

pulse [pʌls] *subst* puls, pulsslag

pulverize ['pʌlvəraɪz] *verb* pulvrisera, krossa

puma ['pju:mə] *subst* puma djur

pumice stone ['pʌmɪsstəʊn] *subst* pimpsten

pummel ['pʌml] (*-ll-*) *verb* puckla på, mörbulta

1 pump [pʌmp] *subst pl.* ~*s* a) släta herrskor b) amer. dampumps c) gymnastikskor

2 pump I [pʌmp] *subst* pump
II [pʌmp] *verb* pumpa

pumpkin ['pʌmpkɪn] *subst* växt pumpa

pun I [pʌn] *subst* ordlek, vits
II [pʌn] (*-nn-*) *verb* vitsa

Punch [pʌntʃ], ~ *and Judy show* ungefär kasperteater; *as pleased as* ~ vard. storbelåten; *as proud as* ~ vard. jättestolt

1 punch I [pʌntʃ] *subst* **1** puns, stans **2** hålslag **3** biljettång
II [pʌntʃ] *verb* stansa [~ *holes*], klippa [~ *tickets*]

2 punch I [pʌntʃ] *subst* **1** knytnävsslag **2** vard. snärt, sting
II [pʌntʃ] *verb* puckla på, slå till; *I punched him on the nose* jag klippte till honom på näsan

3 punch [pʌntʃ] *subst* **1** bål **2** *Swedish* ~ punsch

punchbag ['pʌntʃbæg] *subst* boxn. sandsäck

punchball ['pʌntʃbɔːl] *subst* boxn. boxboll
punchbowl ['pʌntʃbəʊl] *subst* bål skål
punch-drunk [ˌpʌntʃ'drʌŋk] *adj* boxn.
punch-drunk, omtöcknad
punch-up ['pʌntʃʌp] *subst* vard. råkurr,
slagsmål
punctual ['pʌŋktjʊəl] *adj* punktlig
punctuality [ˌpʌŋktjʊ'ælətɪ] *subst*
punktlighet
punctuate ['pʌŋktjʊeɪt] *verb* interpunktera,
kommatera
punctuation [ˌpʌŋktjʊ'eɪʃən] *subst*
interpunktion, kommatering; ~ *mark*
skiljetecken
puncture I ['pʌŋktʃə] *subst* punktering
II ['pʌŋktʃə] *verb* punktera; få punktering
på
pundit ['pʌndɪt] *subst* skämts. förståsigpåare
pungent ['pʌndʒənt] *adj* skarp, besk, frän
punish ['pʌnɪʃ] *verb* straffa, bestraffa
punishment ['pʌnɪʃmənt] *subst* **1** straff,
bestraffning **2** vard. stryk
punk [pʌŋk] *subst* vard. **1** person liten skit,
nolla **2** råskinn, buse **3** punk stil
punk rocker [pʌŋk'rɒkə] *subst* vard. punkare
punnet ['pʌnɪt] *subst* spånkorg, kartong för
bär
punt I [pʌnt] *subst* stakbåt
II [pʌnt] *verb* staka en stakbåt
1 punter ['pʌntə] *subst* båtstakare
2 punter ['pʌntə] *subst* **1** satsare, spelare i
hasardspel **2** vard. kund, konsument
3 vadhållare, tippare
puny ['pjuːnɪ] *adj* ynklig, liten, klen
pup [pʌp] *subst* valp, hundvalp
1 pupil ['pjuːpl] *subst* elev, lärjunge
2 pupil ['pjuːpl] *subst* anat. pupill
puppet ['pʌpɪt] *subst* marionett, docka
puppet theatre ['pʌpɪtˌθɪətə] *subst*
dockteater, marionetteater
puppy ['pʌpɪ] *subst* hundvalp
purchase I ['pɜːtʃəs] *subst* köp, inköp
II ['pɜːtʃəs] *verb* köpa, förvärva;
purchasing power köpkraft
purchaser ['pɜːtʃəsə] *subst* köpare
pure [pjʊə] *adj* **1** ren, oblandad, äkta; ~ *silk*
helsiden **2** ren, idel, bara [*it's* ~ *envy*]
purée ['pjʊəreɪ] *subst* kok. puré
purely ['pjʊəlɪ] *adv* enbart, helt och hållet; ~
by accident av en ren händelse
purgative ['pɜːgətɪv] *subst* laxermedel
purgatory ['pɜːgətərɪ] *subst* skärseld,
prövning
purge I [pɜːdʒ] *verb* **1** rena [*of* från] **2** polit.

rensa upp i [~ *a party*]
II [pɜːdʒ] *subst* **1** rening **2** polit. utrensning
purification [ˌpjʊərɪfɪ'keɪʃən] *subst* rening,
renande
purify ['pjʊərɪfaɪ] *verb* rena; renas
puritan I ['pjʊərɪtən] *subst* puritan
II ['pjʊərɪtən] *adj* puritansk
puritanical [ˌpjʊərɪ'tænɪkl] *adj* puritansk
purity ['pjʊərɪtɪ] *subst* renhet
purl [pɜːl] *subst* avig maska i stickning
purloin [pɜː'lɔɪn] *verb* stjäla, snatta
purple I ['pɜːpl] *subst* purpur
II ['pɜːpl] *adj* purpurfärgad, mörklila,
purpurröd
purport [pə'pɔːt] *verb* påstå sig [*to be* vara]
purpose ['pɜːpəs] *subst* **1** syfte, avsikt,
mening; *for cooking* ~*s* till matlagning;
for all practical ~*s* i praktiken; *on* ~ med
avsikt, med flit **2** mål [*a* ~ *in life*]
purposeful ['pɜːpəsfʊl] *adj* målmedveten
purposely ['pɜːpəslɪ] *adv* med avsikt, med
flit
purr I [pɜː] *verb* katts spinna
II [pɜː] *subst* om katt spinnande
purse I [pɜːs] *subst* portmonnä, börs, amer.
handväska, portmonnä
II [pɜːs] *verb* rynka, dra ihop [~ *one's brows*]
purser ['pɜːsə] *subst* sjö. el. flyg. purser
purse strings ['pɜːsstrɪŋz] *subst pl*, *hold the*
~ ha hand om kassan
pursue [pə'sjuː] *verb* **1** förfölja, jaga
2 fullfölja
pursuer [pə'sjuːə] *subst* förföljare
pursuit [pə'sjuːt] *subst* **1** förföljelse [*of* av],
jakt [*of* på]; *be in* ~ *of* vara på jakt efter
2 sysselsättning, syssla
purveyor [pɜː'veɪə] *subst* leverantör
pus [pʌs] *subst* med. var
push I [pʊʃ] *verb* **1** skjuta, skjuta 'på, leda [~
a bike] **2** dra [~ *a pram*], knuffa till, stöta
till, driva **3** knuffas [*don't* ~*!*], tränga sig
[*she pushed past me*]; ~ *one's way* tränga
sig fram **4** trycka på [~ *a button*] **5** pressa,
tvinga; *be pushed for time* ha ont om tid
6 sl. langa [~ *drugs*]
II [pʊʃ] *verb* med adv. o. prep. kila
push around *verb* köra med [*she always
pushes me around*]
push in tränga sig före
push off: ~ *off!* stick!
push on 1 köra vidare, gå vidare [*to* till]
2 skynda på [~ *on with one's work*]
push over knuffa omkull
push through driva igenom

III [pʊʃ] *subst* **1** knuff, puff, stöt **2** vard. framåtanda

pushbike ['pʊʃbaɪk] *subst* trampcykel

pushbutton ['pʊʃˌbʌtn] *subst* tryckknapp; ~ *tuning* tryckknappsinställning; ~ *telephone* knapptelefon

pushcart ['pʊʃkɑːt] *subst* **1** kärra **2** kundvagn **3** barnstol på hjul

pushchair ['pʊʃ-tʃeə] *subst* sittvagn

pusher ['pʊʃə] *subst* **1** gåpåare **2** sl. langare; *drug* ~ knarklangare

pushover ['pʊʃˌəʊvə] *subst* vard. **1** smal sak, enkel match **2** lätt byte

push-up ['pʊʃʌp] *subst* **1** armhävning från golvet **2** ~ el. ~ *bra* pushup-behå

puss [pʊs] *subst* kisse; *puss! puss!* kiss! kiss!

1 pussy ['pʊsɪ] *subst* kissekatt, kissemiss

2 pussy ['pʊsɪ] *subst* vulg. fitta, mus

pussycat ['pʊsɪkæt] *subst* kissekatt, kissemisse

pussy willow ['pʊsɪˌwɪləʊ] *subst* sälg

put I [pʊt] *(put put) (putting)* *verb* **1** lägga, sätta, ställa **2** stoppa, sticka [~ *sth into one's pocket*] **3** hälla, slå [~ *milk in the tea*] **4** ~ *sb to* förorsaka ngn [~ *sb to expense*]; ~ *oneself to* göra sig, skaffa sig, dra på sig [~ *oneself to a lot of trouble*] **5** uppskatta, beräkna [*at till*], värdera [*at till*] **6** uttrycka, säga [*it can be* ~ *in a few words*], framställa [~ *the matter clearly*]; ställa, rikta [~ *a question to sb*] **7** hålla, satsa, sätta [~ *money on a horse*] **8** sjö., ~ *into port* söka hamn; ~ *to sea* löpa ut, sticka till sjöss

II [pʊt] *(put put) (putting)* *verb* med adv. o. prep.

put across vard. föra fram, få fram [*he has plenty to say but he can't* ~ *it across*]

put aside **1** lägga bort, lägga ifrån sig **2** lägga undan [~ *aside a bit of money*]

put away **1** lägga undan, lägga ifrån sig **2** vard. avliva [*my dog had to be* ~ *away*]

put back **1** lägga tillbaka **2** vrida tillbaka, ställa tillbaka [~ *the clock back*]

put by lägga undan, spara [~ *money by*]

put down **1** lägga ned, lägga ifrån sig; sätta av, släppa av [~ *me down at the corner*] **2** slå ned, kuva [~ *down a rebellion*] **3** anteckna, skriva upp **4** ~ *down to* tillskriva, skylla på [*she* ~*s it down to the weather*]

put forward **1** lägga fram, framställa; föreslå; ~ *forward a proposal* lägga fram ett förslag **2** vrida fram, ställa fram [~ *the clock forward*]

put in 1 lägga in, installera [~ *in central*

heating], sticka in **2** lägga ner [~ *in a lot of work*] **3** skjuta in **4** lämna in, ge in; ~ *in for* ansöka om [*he* ~ *in for the job*] **5** sjö. löpa in [~ *in to harbour*]

put off 1 lägga bort (av); sätta av, släppa av [*he* ~ *me off at the station*] **2** skjuta upp, vänta med **3** vard. distrahera; stöta [*his manners* ~ *me off*]; få att tappa lusten

put on 1 lägga på, sätta på [~ *the lid on*]; sätta på, ta på [~ *on one's coat*] **2** öka [~ *on speed*]; ~ *on weight* gå upp i vikt **3** sätta i gång; ~ *on the clock* ställa (vrida) fram klockan **4** sätta på [~ *on the radio*]; ~ *on the light* tända ljuset **5** ~ *on to* tele. koppla till; *please* ~ *me on to …* kan jag få …

put out 1 lägga ut, lägga fram; räcka fram [~ *out one's hand*], räcka ut [~ *out one's tongue*]; hänga ut [~ *out flags*] **2** köra ut, kasta ut; ~ *sb out of his misery* göra slut på ngns lidanden; ~ *sb out of the way* röja ngn ur vägen **3** släcka [~ *out the fire*; ~ *out the light*] **4** göra ngn stött; störa [*the interruptions* ~ *me out*] **5** ~ *oneself out* göra sig besvär **6** sticka ut [*to sea* till sjöss]

put together lägga ihop, lägga samman; sätta ihop, montera [~ *together a machine*]

put up 1 sätta upp; slå upp, resa [~ *up a tent*]; ställa upp [~ *up a team*] **2** räcka upp, sträcka upp [~ *up one's hand*]; slå upp, fälla upp [~ *up one's umbrella*], hissa [~ *up a flag*] **3** höja, driva upp [~ *up the price*] **4** utbjuda [~ *up for sale*] **5** hysa, ta emot [~ *sb up for the night*]; ~ *up at a hotel* ta in på ett hotell **6** ~ *up with* stå ut med, finna sig i, tåla, tolerera

putrefaction [ˌpjuːtrɪ'fækʃən] *subst* förruttnelse, röta

putrefy ['pjuːtrɪfaɪ] *verb* ruttna, bli rutten

putrid ['pjuːtrɪd] *adj* **1** rutten **2** vard. urusel

putt I [pʌt] *verb* golf. putta

II [pʌt] *subst* golf. putt

putting-green ['pʌtɪŋgriːn] *subst* golf. **1** inslagsplats **2** minigolfbana

putty ['pʌtɪ] *subst* kitt, spackel

put-up ['pʊtʌp] *adj*, *it's a* ~ *job* det är ett beställningsjobb

put-you-up ['pʊtjuʌp] *subst* bäddsoffa

puzzle I ['pʌzl] *verb* förbrylla; ~ *one's head* bry sin hjärna [*over, about* med]; ~ *out* lista ut, fundera ut

II ['pʌzl] *subst* **1** gåta **2** pussel

puzzling ['pʌzlɪŋ] *adj* förbryllande, gåtfull

pygmy ['pɪgmɪ] *subst* pygmé, dvärg

pyjamas [pə'dʒɑːməz] *subst pl* pyjamas; *a pair of* ~ en pyjamas

pylon ['paɪlən] *subst* kraftledningsstolpe;
 radio ~ radiomast
pyramid ['pɪrəmɪd] *subst* pyramid
pyre ['paɪə] *subst* bål spec. för likbränning
Pyrenees [ˌpɪrə'niːz] *subst pl*, *the* ~
 Pyrenéerna
pyromaniac [ˌpaɪrə'meɪnɪæk] *subst* pyroman
python ['paɪθən] *subst* pytonorm

Qq

Q o. **q** [kjuː] *subst* Q, q
1 quack I [kwæk] *verb* om ankor snattra; om
 personer tjattra
  II [kwæk] *subst* snatter
2 quack [kwæk] *subst* kvacksalvare,
 charlatan
quad [kwɒd] *subst* **1** gård i college **2** vard.
 fyrling
quadrangle ['kwɒdræŋgl] *subst* **1** geom.
 fyrhörning, fyrkant **2** gård i college
quadrilateral I [ˌkwɒdrɪ'lætrəl] *subst*
 fyrsiding
  II [ˌkwɒdrɪ'lætrəl] *adj* fyrsidig
quadruped ['kwɒdrʊped] *subst* fyrfotadjur
quadruple ['kwɒdrʊpl] *adj* fyrdubbel,
 fyrfaldig
quadruplet ['kwɒdrʊplət] *subst* fyrling
quagmire ['kwægmaɪə] *subst* gungfly, moras
quail [kweɪl] *subst* fågel vaktel
quaint [kweɪnt] *adj* **1** pittoresk [*a* ~ *old
 house*] **2** befängd [*a* ~ *idea*]
quake [kweɪk] *verb* skaka, skälva, darra
Quaker ['kweɪkə] *subst* relig. kväkare
qualification [ˌkwɒlɪfɪ'keɪʃən] *subst*
 1 kvalifikation, merit; egenskap **2** villkor,
 krav [~*s for membership*]
qualified ['kwɒlɪfaɪd] *adj* kvalificerad,
 kompetent, meriterad [*for* för], behörig
qualify ['kwɒlɪfaɪ] *verb* **1** kvalificera,
 meritera, berättiga [*for* till], kvalificera sig,
 meritera sig; *qualifying match* sport.
 kvalificeringsmatch, kvalmatch [*for* för]
qualitative ['kwɒlɪtətɪv] *adj* kvalitativ
quality ['kwɒlətɪ] *subst* **1** kvalitet; ~ *time* tid
 man ägnar åt familjen; *the* ~ *of life*
 livskvalité **2** egenskap [*he has many good
 qualities*]
qualm [kwɑːm] *subst*, ~*s* el. ~*s of
 conscience* samvetskval
quandary ['kwɒndərɪ] *subst* bryderi,
 dilemma [*be in a* ~]
quantitative ['kwɒntɪtətɪv] *adj* kvantitativ
quantity ['kwɒntətɪ] *subst* **1** kvantitet,
 mängd; *she is an unknown* ~ hon är ett
 oskrivet blad
quarantine ['kwɒrəntiːn] *subst* karantän
quarrel I ['kwɒrəl] *subst* gräl; *pick a* ~

mucka gräl

II ['kwɒrəl] (-ll-, amer. -l-) verb gräla

quarrelsome ['kwɒrəlsəm] adj grälsjuk

1 quarry ['kwɒrɪ] subst villebråd

2 quarry ['kwɒrɪ] subst stenbrott; slate ~ skifferbrott

quart [kwɔːt] subst quart rymdmått för våta varor, britt. = 2 pints = 1,136 liter, amer. = 0,946 liter

quarter I ['kwɔːtə] subst **1** fjärdedel; a ~ of a century ett kvartssekel **2** a ~ of an hour en kvart, en kvarts timme; a ~ past ten el. amer. a ~ after ten kvart över tio; a ~ to ten el. amer. a ~ of ten kvart i tio **3** kvartal **4** mått el. ungefär ett hekto [a ~ of sweets] **5** amer. 25 cent **6** kvarter [a slum ~] **7** håll; hear sth from a reliable ~ höra ngt från säkert håll; in high ~s på högre ort; in some ~s på sina håll **8** pl. ~s logi, bostad; spec. mil. kvarter, förläggning; take up one's ~s inkvartera sig

II ['kwɔːtə] verb **1** dela i fyra delar **2** mil. inkvartera [on sb, with sb hos ngn]

quarterdeck ['kwɔːtədek] subst sjö. halvdäck, akterdäck

quarter-final [ˌkwɔːtə'faɪnl] subst sport. kvartsfinal

quarterly I ['kwɔːtəlɪ] adj kvartals-
II ['kwɔːtəlɪ] adv kvartalsvis

quartet [kwɔː'tet] subst kvartett äv. musik.

quarto ['kwɔːtəʊ] (pl. ~s) subst kvartsformat

quartz [kwɔːts] subst kvarts mineral; ~ clock el. ~ watch kvartsur; ~ crystal kvartskristall

quash [kwɒʃ] verb **1** jur. ogilla, ogiltigförklara **2** krossa, kuva [~ a rebellion]

quasi ['kwɑːzɪ] prefix halv- [quasi-official], halvt; kvasi-

quay [kiː] subst kaj

quayside ['kiːsaɪd] subst kajområde

queasy ['kwiːzɪ] adj illamående

queen [kwiːn] subst **1** drottning **2** schack. drottning, dam **3** kortsp. dam; ~ of hearts hjärterdam

queer I [kwɪə] adj **1** illamående; I feel a bit ~ jag känner mig lite konstig **2** ngt åld. konstig, underlig
II [kwɪə] subst neds. sl. fikus, bög

quell [kwel] verb kuva [~ a rebellion]

quench [kwentʃ] verb släcka [~ a fire]; ~ one's thirst släcka törsten

query I ['kwɪərɪ] subst **1** fråga, förfrågan; raise a ~ väcka en fråga **2** frågetecken som sätts i marginal
II ['kwɪərɪ] verb **1** fråga om **2** ifrågasätta

quest [kwest] subst sökande [for efter]; in ~ of på jakt efter

question I ['kwestʃən] subst fråga, spörsmål; there is no ~ about it det råder inget tvivel om det; call into ~ ifrågasätta; it is out of the ~ det kommer aldrig i fråga; without ~ utan tvekan
II ['kwestʃən] verb **1** fråga, ställa frågor till **2** förhöra [he was questioned by the police] **3** ifrågasätta

questionable ['kwestʃənəbl] adj tvivelaktig, diskutabel

questioning I ['kwestʃənɪŋ] adj frågande [a ~ look]
II ['kwestʃənɪŋ] subst förhör; take sb in for ~ ta ngn till polisstationen för förhör

question-mark ['kwestʃənmɑːk] subst frågetecken

questionnaire [ˌkwestʃə'neə] subst frågeformulär

queue I [kjuː] subst kö; jump the ~ vard. tränga sig före i kön
II [kjuː] verb, ~ up el. ~ köa [for för, till]

quibble I ['kwɪbl] subst **1** spetsfundighet **2** mindre anmärkning
II ['kwɪbl] verb, ~ about käbbla om

quick I [kwɪk] adj snabb, hastig, kvick
II [kwɪk] adv vard. fort, kvickt, snabbt [come ~!]

quicken ['kwɪkən] verb **1** påskynda, öka; ~ one's pace öka farten, öka takten **2** bli hastigare

quick-freeze [ˌkwɪk'friːz] (quick-froze quick-frozen) verb snabbfrysa, djupfrysa

quick-froze [ˌkwɪk'frəʊz] imperf. av quick-freeze

quick-frozen [ˌkwɪk'frəʊzn] perf. p. av quick-freeze

quickie ['kwɪkɪ] subst vard. snabbis snabb drink snabbt samlag kort fråga

quickly ['kwɪklɪ] adv snabbt, hastigt, fort

quicksand ['kwɪksænd] subst kvicksand

quicksilver ['kwɪkˌsɪlvə] subst **1** åld., se mercury **2** he is like ~ han är som ett kvicksilver

quick-tempered [ˌkwɪk'tempəd] adj häftig, lättretad

quid [kwɪd] (pl. lika) subst vard. pund [ten ~]

quiet I ['kwaɪət] adj **1** lugn, stilla, tyst; be ~! var tyst!; keep sth ~ hålla tyst med ngt; on the ~ vard. i hemlighet, i smyg **2** stillsam, tystlåten **3** lugn, diskret [~ colours]
II ['kwaɪət] subst stillhet, lugn; tystnad; in peace and ~ i lugn och ro

quieten ['kwaɪətn] *verb* lugna [~ *a baby*],
stilla, få tyst på; ~ *down* lugna sig; tystna
quilt [kwɪlt] *subst* täcke; ~ *cover* påslakan;
continental ~ el. ~ duntäcke
quince [kwɪns] *subst* frukt kvitten
quinine [kwɪ'niːn, amer. 'kwaɪnaɪn] *subst* kem.
kinin
quintet [kwɪn'tet] *subst* kvintett äv. musik.
quisling ['kwɪzlɪŋ] *subst* quisling,
landsförrädare
quit I [kwɪt] *adj* fri, befriad [*of* från]
II [kwɪt] (*quitted quitted* el. *quit quit*) (*-tt-*)
verb **1** lämna [~ *the country*], sluta på [~
one's job] **2** sluta upp med, lägga av [*doing
sth* att göra ngt] **3** flytta om hyresgäst; sluta
[~ *because of poor pay*]; *give sb notice to
~* säga upp ngn; *get notice to ~* bli
uppsagd

> **quite**
> Skilj mellan *quiet* <u>tyst</u>, *quit* <u>lämna</u>
> och *quite* <u>alldeles</u>, <u>ganska</u>. Ibland
> måste sammanhanget avgöra vad
> som egentligen menas med *quite*,
> t.ex. *quite impossible* <u>fullständigt
> omöjlig</u>, *quite good* <u>ganska bra</u>.

quite [kwaɪt] *adv* **1** alldeles, helt [~
impossible], helt [*she is ~ young*], mycket
[~ *possible*]; ~ *another thing* en helt
annan sak; *she is ~ a child* hon är bara
barnet; *when ~ a child* redan som barn;
~ *the best* det allra bästa **2** ganska, rätt,
nog så; *that I can ~ believe* det tror jag
gärna; *I don't ~ know* jag vet inte riktigt;
not ~ six weeks knappt sex veckor **3** ~
so! el. ~*!* alldeles riktigt!
quits [kwɪts] *adj* kvitt [*we are ~ now*]
quiver I ['kwɪvə] *verb* darra, skälva [*with* av]
II ['kwɪvə] *subst* **1** darrning, skalv **2** koger
quiz [kwɪz] *subst* frågesport, frågelek
quizmaster ['kwɪz,mɑːstə] *subst*
frågesportsledare
quoits [kwɔɪts] med verb i sing. *subst* sport.
ringkastning, quoits
quota ['kwəʊtə] *subst* kvot, fördelningskvot
quotation [kwəʊ'teɪʃən] *subst* **1** citat,
citerande; ~ *mark* citationstecken,
anföringstecken **2** hand. kurs [*for* på];
notering; *get a ~* få ett kostnadsförslag
quote I [kwəʊt] *verb* **1** citera, anföra **2** hand.
notera

II [kwəʊt] *subst* vard. **1** citat **2** pl. ~*s*
citationstecken, anföringstecken

Rr

R o. **r** [ɑː] *subst* R, r
rabbi ['ræbaɪ] *subst* rabbin ledare i judisk
församling
rabbit ['ræbɪt] *subst* **1** kanin, amer. ibland hare
2 amer. hare, pacemaker i löpning **3** hare
attrapp vid hundkapplöpning
rabbit hutch ['ræbɪthʌtʃ] *subst* kaninbur
rabble ['ræbl] *subst*, *the* ~ pöbeln, patrasket
rabid ['ræbɪd] *adj* **1** rabiat, fanatisk
2 rabiessmittad
rabies ['reɪbiːz] *subst* med. rabies
raccoon [rə'kuːn] *subst* tvättbjörn, sjubb
1 race [reɪs] *subst* ras *[the white* ~]; stam,
släkte; *the human* ~ människosläktet
2 race I [reɪs] *subst* kapplöpning,
kappkörning; *the* ~s kapplöpningarna;
flat ~ slätlopp; *a* ~ *against time* en
kapplöpning med tiden; *run a* ~ springa i
kapp
II [reɪs] *verb* **1** springa i kapp, delta i
kapplöpningar **2** springa (löpa, köra) i
kapp med **3** rusa *[*~ *home]*
racecourse ['reɪskɔːs] *subst*
kapplöpningsbana
racegoer ['reɪsˌɡəʊə] *subst*, *he is a* ~ han går
ofta på hästkapplöpningar
racehorse ['reɪshɔːs] *subst* kapplöpningshäst
racetrack ['reɪstræk] *subst* **1** löparbana
2 racerbana **3** hästkapplöpningsbana
racial ['reɪʃl] *adj* ras-; ~ *discrimination*
rasdiskriminering
racing ['reɪsɪŋ] *subst* kapplöpning,
hastighetstävling; tävlings-; *a* ~ *driver* en
racerförare
racism ['reɪsɪzəm] *subst* rasism
racist ['reɪsɪst] *subst* rasist
1 rack I [ræk] *subst* **1** ställ *[pipe* ~]; för att
hänga tvätt på ställning; *off the* ~ amer. vard.
konfektionssydd **2** hylla *[hat* ~];
bagagehylla **3** *be on the* ~ ligga på
sträckbänken
II [ræk] *verb* pina, plåga; ~ *one's brains*
bry sin hjärna
2 rack [ræk] *subst*, *go to* ~ *and ruin* a) falla
sönder b) gå åt pipan
1 racket ['rækɪt] *subst* sport. racket
2 racket ['rækɪt] *subst* **1** oväsen, larm; *kick
up a* ~ vard. föra ett förfärligt oväsen **2** vard.

skoj, bluff; skumraskaffär; *it's a proper* ~
det är rena rama bluffen
racketeer [ˌrækɪ'tɪə] *subst* vard. svindlare,
skojare
racketeering [ˌrækɪ'tɪərɪŋ] *subst* vard. skoj,
fiffel; organiserad utpressning
radar ['reɪdɑː] *subst* radar, radarsystem
radial I ['reɪdɪəl] *adj* radial *[*~ *tyre]*
II ['reɪdɪəl] *subst* radialdäck
radiance ['reɪdjəns] *subst* strålglans
radiant ['reɪdjənt] *adj* strålande *[a* ~ *smile]*
radiate ['reɪdɪeɪt] *verb* **1** utstråla *[*~ *energy;*
~ *happiness]* **2** stråla, stråla ut *[roads
radiating from Oxford]*
radiation [ˌreɪdɪ'eɪʃən] *subst* strålning,
radioaktivitet
radiator ['reɪdɪeɪtə] *subst* **1** värmeelement,
radiator **2** kylare på bil
radical I ['rædɪkl] *adj* radikal,
genomgripande *[*~ *changes]*
II ['rædɪkəl] *subst* polit. radikal
radii ['reɪdɪaɪ] *subst pl* av *radius*
radio I ['reɪdɪəʊ] (pl. ~s) *subst* radio,
radioapparat, radiomottagare; ~ *patrol
car* radiobil hos polisen; *listen to the* ~
lyssna på radio
II ['reɪdɪəʊ] *verb* radiotelegrafera till
radioactive [ˌreɪdɪəʊ'æktɪv] *adj* radioaktiv
radioactivity [ˌreɪdɪəʊæk'tɪvətɪ] *subst*
radioaktivitet
radio-operator [ˌreɪdɪəʊ'ɒpəreɪtə] *subst*
radiotelegrafist
radiotherapy [ˌreɪdɪəʊ'θerəpɪ] *subst*
stråkbehandling
radish ['rædɪʃ] *subst* rädisa; *black* ~ rättika
radium ['reɪdjəm] *subst* kem. radium
radius ['reɪdjəs] (pl. *radii* ['reɪdɪaɪ]) *subst*
radie
radon ['reɪdɒn] *subst* kem. radon
RAF [ˌɑːreɪ'ef] (förk. för *Royal Air Force*)
brittiska flygvapnet
raffia ['ræfɪə] *subst* rafiabast
raffle I ['ræfl] *subst* tombola, lotteri; ~ *ticket*
lott
II ['ræfl] *verb* lotta ut genom tombola, lotta
bort
raft [rɑːft] *subst* **1** flotte *[a rubber* ~]
2 timmerflotte
rag [ræɡ] *subst* **1** trasa **2** vard. tidningsblaska
ragamuffin ['ræɡəˌmʌfɪn] *subst*
rännstensunge
rage I [reɪdʒ] *subst* **1** raseri; *be in a* ~ vara
rasande; *fly into a* ~ bli rasande **2** *be the*
~ el. *be all the* ~ vard. vara sista skriket
II [reɪdʒ] *verb* rasa, härja

ragged ['rægɪd] *adj* **1** trasig, söndersliten
2 ryckig, ojämn [*a ~ performance*]
raglan ['ræglən] *subst* raglan; ~ *sleeve*
raglanarm
ragout [ræ'guː] *subst* kok. ragu
raid I [reɪd] *subst* **1** räd, plundringståg
2 kupp [*on* mot]; razzia [*on* mot, i]
II [reɪd] *verb* **1** göra en räd mot, plundra
2 göra en razzia mot
raider ['reɪdə] *subst* **1** deltagare i räd
2 kommandosoldat
rail [reɪl] *subst* **1** stång i t.ex. räcke; ledstång,
räcke; *curtain* ~ gardinstång; *towel* ~
handduksstång **2** sjö. reling **3** skena, räls;
by ~ med järnväg; *go off the* ~*s* spåra ur,
komma i olag
railcard ['reɪlkɑːd] *subst* rabattkort på tåg
railing ['reɪlɪŋ] *subst* pl. ~*s* järnstaket, räcke
railroad ['reɪlrəʊd] *subst* amer., se *railway*
railway ['reɪlweɪ] *subst* järnväg; järnvägs- [~
station]; ~ *yard* bangård; *by* ~ med (på)
järnväg
rain I [reɪn] *subst* regn, regnväder; *freezing*
~ underkylt regn; *right as* ~ vard. prima,
frisk som en nötkärna
II [reɪn] *verb* **1** regna **2** hagla [*the blows
rained on him*]; strömma [*tears rained down
her cheeks*] **3** ösa, låta hagla; ~ *blows on a
person* låta slagen hagla över en person; *it
never* ~*s but it pours* ordspr. en olycka
kommer sällan ensam; *it's raining cats
and dogs* el. *it's raining buckets* regnet
står som spön i backen
rainbow ['reɪnbəʊ] *subst* regnbåge
raincheck ['reɪntʃek] *subst* **1** amer.
ersättningsbiljett för evenemang som inställs på
grund av regn; tillgodokvitto **2** *I'll take a* ~
on that jag får ha det till godo
raincoat ['reɪnkəʊt] *subst* regnrock
rainfall ['reɪnfɔːl] *subst* **1** regn, regnskur
2 regnmängd, nederbörd
rainproof ['reɪnpruːf] *adj* regntät, vattentät
rainy ['reɪnɪ] *adj* regnig, regn- [~ *season*]
raise I [reɪz] *verb* **1** resa, lyfta, resa upp, ta
upp; hissa (dra) upp; ~ *one's hand
against sb* lyfta sin hand mot ngn hota ngn;
~ *one's eyebrows* höja på ögonbrynen;
~ *one's glass to sb* höja sitt glas för ngn,
dricka ngn till; ~ *one's hat to sb* lyfta på
hatten för ngn **2** höja [~ *prices*]; ~ *one's
voice* höja rösten **3** uppföra, resa [~ *a
monument*] **4** föda upp [~ *cattle*], odla; ~
children spec. amer. uppfostra barn; ~ *a
family* amer. bilda familj, skaffa barn
5 uppväcka [~ *from the dead*]; frammana

[~ *spirits*]; ~ *hell* el. ~ *the roof* vard. föra
ett helvetes liv, röra upp himmel och jord
6 orsaka, väcka [~ *sb's hopes*]; ~ *the
alarm* slå larm; ~ *a laugh* framkalla
skratt **7** lägga fram, framställa [~ *a claim*],
väcka, ta upp [~ *a question*] **8** samla, samla
ihop; ~ *money* skaffa pengar; ~ *a loan* ta
ett lån **9** häva [~ *an embargo*]
II [reɪz] *subst* spec. amer. lönelyft,
löneförhöjning
raisin ['reɪzn] *subst* russin
1 rake I [reɪk] *subst* räfsa, kratta; *thin as a* ~
smal som en sticka
II [reɪk] *verb* räfsa, kratta; ~ *in a lot of
money* håva in en massa pengar, tjäna
storkovan; ~ *together* el. ~ *up* räfsa ihop;
skrapa ihop; ~ *up the past* riva upp det
förflutna
2 rake [reɪk] *subst* rumlare, rucklare
rally I ['rælɪ] *verb* **1** samla, samla ihop
2 samlas, samla sig; ~ *to sb's defence*
komma till ngns försvar; *rallying point*
samlingspunkt **3** samla nya krafter
II ['rælɪ] *subst* **1** samling **2** möte [*a peace* ~],
massmöte **3** rally [*a motor* ~] **4** sport.
slagväxling, lång boll, bollduell
RAM [ræm] (förk. för *Random Access
Memory*) data. RAM, RAM-minne
ram I [ræm] *subst* bagge; om person bock [*he is
an old* ~]
II [ræm] (-*mm*-) *verb* **1** slå ned, stöta ned; ~
sth into sb's head slå in ngt i huvudet på
ngn **2** vard. stoppa, proppa [~ *clothes into a
bag*] **3** ramma [~ *a ship*]
ramble I ['ræmbl] *verb* ströva omkring,
vandra omkring; ~ *on* pladdra på
II ['ræmbl] *subst* strövtåg, vandring utan mål
rambler ['ræmblə] *subst* **1** vandrare **2** blomma
klängros
ramification [ˌræmɪfɪ'keɪʃən] *subst*
1 förgrening **2** följd, komplikation
ramp [ræmp] **1** *subst* ramp **2** uppfart, nerfart
3 farthinder
rampant ['ræmpənt] *adj* grasserande; *be* ~
sprida sig, härja, frodas
rampart ['ræmpɑːt] *subst* fästningsvall
ramshackle ['ræmˌʃækl] *adj* fallfärdig
ran [ræn] *imperf.* o. *perf.* p. av *run I*
ranch [rɑːntʃ, amer. ræntʃ] *subst* i USA ranch,
farm
rancher ['rɑːntʃə, amer. 'ræntʃə] *subst*
1 ranchägare **2** rancharbetare
rancid ['rænsɪd] *adj* härsken
rancour ['ræŋkə] *subst* hätskhet, agg
random I ['rændəm] *subst*, *at* ~ på måfå

ll ['rændəm] *adj* på måfå; *a ~ bullet* en förlupen kula; *a random remark* ett lösryckt yttrande; *~ sample* stickprov

randy ['rændɪ] *adj* vard. kåt

rang [ræŋ] *imperf.* o. *perf.* p av *l ring l*

range l [reɪndʒ] *subst* **1** rad, räcka; *~ of mountains* bergskedja **2** ~ el. *rifle* ~ skjutbana **3** räckvidd, omfång, aktionsradie; avstånd; *frequency* ~ frekvensområde; *medium* ~ medeldistans; *price* ~ prisklass; *at long* ~ på långt håll; *at short* ~ på nära håll; *a wide* ~ *of colours* en vidsträckt färgskala; ett stort urval av färger; *a wide* ~ *of topics* ett brett ämnesurval **4** *out of* ~ *of* el. *beyond* ~ *of* utom skotthåll för; *within* ~ *of* inom skotthåll för **5** amer. spis **6** amer. betesmark

ll [reɪndʒ] *verb* **1** ställa i rad **2** klassificera; inordna **3** ströva i, vandra i **4** sträcka sig, löpa **5** ha sin plats, ligga [*with* bland, jämte] **6** variera inom vissa gränser; *children ranging in age from two to twelve* barn i åldern mellan två och tolv år **7** nå, ha en räckvidd av

range-finder ['reɪndʒ,faɪndə] *subst* **1** mil. el. foto. avståndsmätare

1 rank l [ræŋk] *subst* **1** rad, räcka **2** mil. led; *the ~s* el. *the ~ and file* a) mil. de meniga, manskapet b) gemene man, de djupa leden; *close ~s* sluta leden, hålla ihop; *rise from the ~s* arbeta sig upp **3** rang; mil. grad [*military ~s*]

ll [ræŋk] *verb* **1** ställa upp i led **2** placera, inordna [*among, with* bland, jämte]; klassificera, ha rang [*as, with* som, av]; räknas [*among, with* bland]; *~ above* ha högre rang än **3** sport. ranka; rankas

2 rank [ræŋk] *adj* **1** yppig, tät **2** grov [*~ injustice*] **3** fullkomlig [*a ~ outsider*]

ranking ['ræŋkɪŋ] *subst* rang, rangordning, rankinglista

ransack ['rænsæk] *verb* **1** leta igenom, undersöka **2** plundra

ransom l ['rænsəm] *subst* lösen

ll ['rænsəm] *verb* frige mot lösen

rant [rænt] *verb* gorma; *~ and rave* gorma och skrika

rap l [ræp] *subst* **1** rapp, smäll, slag, knackning; *a ~ at the door* det knackade på dörren **2** amer. sl., *a murder ~* en mordanklagelse; *a ten-year ~* ett tioårigt fängelsestraff **3** *take the ~ for* vard. få skulden för

ll [ræp] (*-pp-*) *verb* slå, smälla; knacka, knacka på [*~ at (on) the door*]

rape l [reɪp] *verb* våldta

ll [reɪp] *subst* våldtäkt

rapid l ['ræpɪd] *adj* hastig, snabb, rask

ll ['ræpɪd] *subst* pl. *~s* fors

rapidity [rə'pɪdətɪ] *subst* hastighet, snabbhet

rapier ['reɪpɪə] *subst* svärd värja

rapist ['reɪpɪst] *subst* våldtäktsman

rapping ['ræpɪŋ] *subst* rapping sångliknande snabbprat till rockmusik

rapt [ræpt] *adj* hänryckt

rapture ['ræptʃə] *subst* hänryckning, extas

1 rare [reə] *adj* sällsynt

2 rare [reə] *adj* lätt stekt, blodig [*I like my steak* (biff) *~*]

rarely ['reəlɪ] *adv* sällan; sällsynt

raring ['reərɪŋ] *adj* vard., *they were ~ to go* de var heltända på att börja (gå)

rarity ['reərətɪ] *subst* sällsynthet, raritet

rascal ['rɑːskl] *subst* **1** lymmel **2** skämts. rackare

1 rash [ræʃ] *subst* med. hudutslag

2 rash [ræʃ] *adj* obetänksam, förhastad

rasher ['ræʃə] *subst*, *a ~ of bacon* el. *a ~* tunn baconskiva

rasp l [rɑːsp] *subst* **1** rasp, grov fil **2** raspande

ll [rɑːsp] *verb* skorra, skorra i; *a rasping voice* en skrovlig röst

raspberry ['rɑːzbərɪ, amer. 'ræzberɪ] *subst* **1** hallon **2** sl. föraktfull fnysning; *blow sb a ~* el. *give sb the (a) ~* fnysa föraktfullt åt ngn, bua ut ngn

rat l [ræt] *subst* **1** råtta; *smell a ~* vard. ana oråd **2** *he's a ~* vard. han är en skitstövel

ll [ræt] (*-tt-*) *verb*, *~ on* tjalla på

rate l [reɪt] *subst* **1** hastighet, fart; *at a fast ~* i full fart, i snabb takt; *at any ~* i alla fall; *at that ~* i så fall **2** taxa, kurs; *~ of exchange* växelkurs; *~ of interest* räntesats; *letter postage ~* brevporto

ll [reɪt] *adj* **1** uppskattta, värdera, taxera [*at till*] **2** räkna [*I ~ him among my friends*] **3** räknas [*as* för, som]

rather ['rɑːðə] *adv* **1** hellre, helst, snarare; *I'd ~ not* helst inte **2** rätt, ganska [*~ pretty*]; *I ~ like it* jag tycker faktiskt rätt bra om det **3** vard., som svar ja visst, jo visst; om!

ratify ['rætɪfaɪ] *verb* ratificera

rating ['reɪtɪŋ] *subst* värdering; *~s* tv. etc. tittarsiffror; *the falling ~s* de vikande tittarsiffror

ratio ['reɪʃɪəʊ] (pl. *~s*) *subst* förhållande, proportion

ration I ['ræʃn] *subst* ranson, tilldelning
II ['ræʃən] *verb* ransonera
rational ['ræʃnəl] *adj* rationell
rationalize ['ræʃnəlaɪz] *verb* rationalisera
rat race ['rætreɪs] *subst* vard. karriärjakt
rattle I ['rætl] *subst* **1** skallra [*a baby's ~*],
harskramla **2** skrammel **3** rossling
II ['rætl] *verb* **1** skramla, rassla, smattra [*the
machine-gun rattled*] **2** ~ *on* el. ~ *away*
pladdra 'på **3** skramla med; skaka [*the wind
rattled the windows*] **4** rabbla; ~ *off* rabbla
upp **5** *rattled* något skakad, nervös
rattlesnake ['rætlsneɪk] *subst* skallerorm
raucous ['rɔːkəs] *adj* hes, skrovlig [*a ~
voice*]
ravage I ['rævɪdʒ] *verb* **1** härja, ödelägga,
hemsöka [*a country ravaged by war*]
2 plundra
II ['rævɪdʒ] *subst* ödeläggelse; pl. *~s*
härjning, härjningar
rave I [reɪv] *verb* **1** yra **2** rasa [*against, at
mot*] **3** tala med hänförelse [*about, over
om*]
II [reɪv] *subst* vard. **1** entusiastiskt beröm;
begeistring **2** rejv [*~ culture*], rejvparty
raven ['reɪvn] *subst* fågel korp
ravenous ['rævənəs] *adj* **1** glupsk [*for* efter,
på] **2** vard. hungrig som en varg
rave-up ['reɪvʌp] *subst* vard. röjarskiva,
hålligång
ravine [rə'viːn] *subst* ravin, bergsklyfta
raving I ['reɪvɪŋ] *adj* yrande; *a ~ lunatic* en
fullständig galning
II ['reɪvɪŋ] *adv* vard. spritt språngande [*~
mad*]; *he's a ~ lunatic* han är helgalen
III ['reɪvɪŋ] *subst* pl. *~s* yrande [*the ~s of a
madman*]
ravish ['rævɪʃ] *verb*, *ravished by* hänförd
av
ravishing ['rævɪʃɪŋ] *adj* hänförande,
förtjusande
raw [rɔː] *adj* **1** rå, obearbetad **2** grön,
otränad, oerfaren [*~ recruit*] **3** oläkt,
blodig [*a ~ wound*]; *get a ~ deal* vara (bli)
orättvist behandlad
1 ray [reɪ] *subst* fisk rocka
2 ray [reɪ] *subst* stråle; *a ~ of hope* en
strimma av hopp; *a ~ of sunshine* en
solstråle
rayon ['reɪɒn] *subst* textil. rayon
raze [reɪz] *verb*, *~ to the ground* jämna
med marken
razor ['reɪzə] *subst* rakkniv; rakapparat
razor blade ['reɪzəbleɪd] *subst* rakblad
RC [ˌɑːˈsiː] förk. för *Red Cross, Roman Catholic*

Rd. förk. för *Road*
're [ə] = *are* [*they're; we're*]

---

re-
Med hjälp av förstavelsen *re-* kan
man bilda ord som får betydelsen
igen, om, åter:
write – rewrite
skriva – skriva om
turn – return
vända – återvända

---

reach I [riːtʃ] *verb* **1** sträcka; ~ *out for* el. ~
for sträcka sig efter **2** räcka, ge **3** nå, räcka;
nå upp till; komma (nå) fram till; ~ *a
decision* komma fram till ett beslut; *as
far as the eye can* ~ så långt ögat når
II [riːtʃ] *subst* räckvidd t.ex. boxares; *out of* ~
utom räckhåll [*of sb* för ngn]; *within* ~
inom räckhåll [*of sb* för ngn]; *within easy
~ of the station* på bekvämt avstånd från
stationen
react [rɪˈækt] *verb* reagera [*to* för, på]
reaction [rɪˈækʃn] *subst* reaktion
reactionary [rɪˈækʃənrɪ] *adj* o. *subst*
reaktionär
reactor [rɪˈæktə] *subst*, *nuclear ~*
kärnreaktor
read I [riːd] imperf. o. perf. p. red] *verb* **1** läsa
[*in* i; *of, about* om], läsa upp, läsa högt [*to
sb* för ngn]; studera; ~ *sb's hand* läsa i
ngns hand, spå ngn i handen; ~ *aloud* läsa
högt; ~ *out* läsa upp; ~ *out aloud* läsa
högt **2** läsa, studera; ~ *law* läsa juridik
3 stå [*what does it ~ on that sign?*], lyda, låta
[*it ~s better now*] **4** visa [*the thermometer ~s
10°*]
II [red] *adj* o. perf p, *be well* ~ vara beläst
III [riːd] *subst* lässtund [*a quiet ~*]; *a good ~*
i reklam etc. trevlig läsning
readable ['riːdəbl] *adj* **1** läslig [*~
handwriting*] **2** läsvärd [*~ book*]
reader ['riːdə] *subst* **1** läsare **2** uppläsare
3 läsebok **4** univ., ungefär docent **5** lektör
[*publisher's ~*]
readily ['redəlɪ] *adv* **1** villigt, gärna **2** raskt,
med lätthet [*~ recognize sth*]
readiness ['redɪnəs] *subst* **1** villighet
2 beredskap; *in* ~ i beredskap, redo
reading ['riːdɪŋ] *subst* **1** läsning; *a man of
wide* ~ en mycket beläst man **2** lektyr,
läsmaterial **3** avläsning på instrument;
barometer ~ barometerstånd

4 uppläsning [~s *from Shakespeare*], recitation **5** behandling av lagförslag i parlamentet

reading-lamp ['riːdɪŋlæmp] *subst* läslampa

reading-room ['riːdɪŋruːm] *subst* läsesal, läsrum

readjust [ˌriːə'dʒʌst] *verb* rätta till; ställa om [~ *one's watch*]

ready ['redɪ] *adj* **1** färdig, klar, redo, beredd [*for* på, för, till]; villig [~ *to forgive*]; ~ *money* reda pengar; *get* ~ el. *get oneself* ~ göra sig i ordning, göra sig klar; bereda sig [*for* på, för]; *get* ~, *get set, go!* el. ~, *steady, go!* på era platser (klara), färdiga, gå! **2** snar, benägen [*don't be so* ~ *to find fault*]

ready-cooked [ˌredɪ'kʊkt] *adj* färdiglagad

ready-made I [ˌredɪ'meɪd] *adj* färdigsydd, färdiggjord, konfektionssydd **II** [ˌredɪ'meɪd] *subst* konfektionskostym; konfektionssytt plagg

real I [rɪəl] *adj* **1** verklig, faktisk, reell; *get* ~! vard. var inte dum!, lägg av!; *in* ~ *earnest* på fullt allvar **2** äkta [~ *pearls*] **3** ~ *estate* fast egendom; ~ *estate agent* amer. fastighetsmäklare **II** [rɪəl] *adv* vard. riktigt, verkligt [*have a* ~ *good time*]

realist ['rɪəlɪst] *subst* realist

realistic [rɪə'lɪstɪk] *adj* realistisk

reality [rɪ'ælətɪ] *subst* verklighet; *in* ~ i verkligheten

realize ['rɪəlaɪz] *verb* **1** inse, fatta **2** förverkliga

really ['rɪəlɪ] *adv* **1** verkligen, faktiskt **2** riktigt, verkligt [~ *good*]

realm [relm] *subst* litt. konungarike; *the* ~ *of the imagination* fantasins värld

reap [riːp] *verb* bärga [~ *the harvest*], skörda

reaper ['riːpə] *subst* **1** skördearbetare **2** skördemaskin

reappear [ˌriːə'pɪə] *verb* visa sig igen

1 rear [rɪə] *verb* **1** föda upp [~ *cattle*] **2** uppfostra [~ *a child*] **3** lyfta på [*the snake reared its head*]

2 rear [rɪə] *subst* **1** bakre del, bakdel, baksida; *at the* ~ *of* på baksidan av, bakom **2** före subst. bak- [~ *axle*]

rear lamp ['rɪəlæmp] *subst* bil. baklykta

rearm [ˌriː'ɑːm] *verb* återupprusta [*the country rearmed after 1933*]

rearmament [riː'ɑːməmənt] *subst* återupprustning

rearmost ['rɪəməʊst] *adj* längst bak

rearrange [ˌriːə'reɪndʒ] *verb* ordna om, arrangera om

rear-view ['rɪəvjuː] *adj*, ~ *mirror* backspegel

reason I ['riːzn] *subst* **1** skäl, anledning, grund; *the* ~ *why* skälet till **2** förnuft, there is some ~ *in that* det verkar rimligt; *it stands to* ~ det är självklart; *give the* ~ *for* motivera; *she complains, and with* ~ hon klagar och det med rätta; *prices are within* ~ priserna är rimliga **II** ['riːzn] *verb* resonera, resonera som så

reasonable ['riːzənəbl] *adj* **1** förnuftig, förståndig **2** rimlig, skälig [*a* ~ *price*] **3** skaplig, hygglig [*a* ~ *salary*]

reasoning ['riːzənɪŋ] *subst* resonemang

reassurance [ˌriːə'ʃʊərəns] *subst* lugnande försäkran, uppmuntran

reassure [ˌriːə'ʃʊə] *verb* lugna, uppmuntra

reassuring [ˌriːə'ʃʊərɪŋ] *adj* lugnande

rebate ['riːbeɪt] *subst* **1** rabatt, avdrag **2** återbäring [*tax* ~]

rebel I ['rebl] *subst* rebell, upprorsman; rebell- [*the* ~ *forces*] **II** [rɪ'bel] (-*ll*-) *verb* göra uppror

rebellion [rɪ'beljən] *subst* uppror [*against* mot]; *rise in* ~ göra uppror

rebellious [rɪ'beljəs] *adj* upprorisk, rebellisk

rebirth [ˌriː'bɜːθ] *subst* pånyttfödelse [*the* ~ *of nationalism*]

rebound I [rɪ'baʊnd] *verb* studsa tillbaka **II** ['riːbaʊnd] *subst* studs

rebuff I [rɪ'bʌf] *subst* bakslag, bakläxa **II** [rɪ'bʌf] *verb* avvisa, snäsa av

rebuild [ˌriː'bɪld] (*rebuilt rebuilt*) *verb* **1** åter bygga upp **2** bygga om

rebuilt [ˌriː'bɪlt] *imperf.* o. *perf.* p. *av rebuild*

rebuke I [rɪ'bjuːk] *verb* tillrättavisa **II** [rɪ'bjuːk] *subst* tillrättavisning, skrapa

recall I [rɪ'kɔːl] *verb* **1** kalla tillbaka, kalla hem, återkalla **2** erinra sig, minnas **3** upphäva [~ *a decision*] **II** [rɪ'kɔːl] *subst* **1** tillbakakallande, hemkallande **2** återkallande, upphävande; *past* ~ el. *beyond* ~ oåterkallelig, oåterkalleligt

recapture I [ˌriː'kæptʃə] *verb* återta, återerövra **II** [ˌriː'kæptʃə] *subst* återtagande, återerövring

recede [rɪ'siːd] *verb* träda, tillbaka, dra sig tillbaka; *a receding chin* en vek haka; *a receding forehead* en sluttande panna

receipt [rɪ'siːt] *subst* **1** kvitto [*for* på] **2** pl. ~*s*

intäkter **3** mottagande; *on ~ of* vid
mottagandet
receive [rɪˈsiːv] *verb* **1** ta emot, motta
2 erhålla **3** få
receiver [rɪˈsiːvə] *subst* **1** mottagare **2** *~ of
stolen goods* el. *~* hälare **3** elektr.
mottagare, mottagningsapparat
4 telefonlur
recent [ˈriːsnt] *adj* ny, färsk {*~ news*}; *in ~
years* el. *during ~ years* under senare år
recently [ˈriːsntlɪ] *adv* nyligen
receptacle [rɪˈseptəkl] *subst* behållare
reception [rɪˈsepʃən] *subst* **1** mottagande,
mottagning; *~ desk* reception på hotell
2 radio. mottagningsförhållanden
receptionist [rɪˈsepʃənɪst] *subst*
receptionist, portier
receptive [rɪˈseptɪv] *adj* receptiv, mottaglig
{*to* för}
recess [rɪˈses] *subst* **1** vrå; nisch, alkov
2 uppehåll, ferier, amer. rast
recession [rɪˈseʃən] *subst*
konjunkturnedgång, lågkonjunktur
recharge [ˌriːˈtʃɑːdʒ] *verb* elektr. ladda om,
ladda upp; *~ one's batteries* ladda (ladda
om) batterierna hämta krafter
rechargeable [ˌriːˈtʃɑːdʒəbl] *adj*
uppladdningsbar {*~ shaver*; *~ battery*}
recipe [ˈresɪpɪ] *subst* kok. recept
recipient [rɪˈsɪpɪənt] *subst* mottagare person
reciprocal [rɪˈsɪprəkl] *adj* ömsesidig,
reciprok
reciprocate [rɪˈsɪprəkeɪt] *verb* **1** göra en
gentjänst **2** gengälda, återgälda
recital [rɪˈsaɪtl] *subst* **1** recitation
2 uppläsning; musik. solistuppförande
recitation [ˌresɪˈteɪʃən] *subst* recitation,
uppläsning
recite [rɪˈsaɪt] *verb* recitera, läsa upp
reciter [rɪˈsaɪtə] *subst* recitatör, uppläsare
reckless [ˈrekləs] *adj* hänsynslös, vårdslös;
~ driving vårdslöshet i trafiken
reckon [ˈrekən] *verb* **1** räkna; *~ up* räkna
ihop, räkna samman; *~ with* räkna med,
ta med i beräkningen **2** beräkna,
uppskatta, bedöma **3** räkna, anse {*as
som*}; räknas {*he ~s among the best*} **4** vard.
tycka; *she is pretty good I ~* hon är
ganska bra tycker jag **5** anta, förmoda; *~
on* räkna på, lita på, räkna med
reckoning [ˈrekənɪŋ] *subst* **1** räkning,
uppräkning, beräkning **2** räkenskap; *the
day of ~* räkenskapens dag
reclaim [rɪˈkleɪm] *verb* återvinna, odla upp
{*~ land*}

recline [rɪˈklaɪn] *verb* **1** vila, luta tillbaka
2 luta sig tillbaka, lägga sig, ligga (sitta)
tillbakalutad
recognition [ˌrekəgˈnɪʃən] *subst*
1 erkännande; *receive ~* el. *meet with ~*
få erkännande **2** igenkännande; *beyond ~*
el. *past ~* oigenkännlig
recognizable [ˌrekəgˈnaɪzəbl] *adj*
igenkännlig {*by sth* på ngt}
recognize [ˈrekəgnaɪz] *verb* **1** känna igen {*by
sth* på ngt} **2** erkänna {*~ a new government*}
3 inse {*he recognized the danger*}
recoil I [rɪˈkɔɪl] *verb* **1** rygga tillbaka {*from
för*} **2** studsa tillbaka; mil. rekylera
II [rɪˈkɔɪl] *subst* återstuds; mil. rekyl
recollect [ˌrekəˈlekt] *verb* erinra sig, minnas
recollection [ˌrekəˈlekʃən] *subst* håkomst,
minne; pl. *~s* minnen; *to the best of my ~*
såvitt jag kan påminna mig
recommence [ˌriːkəˈmens] *verb* börja på
nytt
recommend [ˌrekəˈmend] *verb*
1 rekommendera **2** råda
recommendation [ˌrekəmenˈdeɪʃən] *subst*
rekommendation
recompense I [ˈrekəmpens] *verb* gottgöra,
ersätta
II [ˈrekəmpens] *subst* gottgörelse, ersättning
reconcile [ˈrekənsaɪl] *verb* **1** försona **2** *~
oneself with* förlika sig med
reconciliation [ˌrekənsɪlɪˈeɪʃən] *subst*
försoning
reconnaissance [rɪˈkɒnɪsəns] *subst* mil.
spaning, rekognoscering
reconnoitre [ˌrekəˈnɔɪtə] *verb* mil. spana,
rekognoscera
reconsider [ˌriːkənˈsɪdə] *verb* på nytt
överväga, ta under omprövning
reconstruct [ˌriːkənˈstrʌkt] *verb*
1 rekonstruera {*~ a crime*} **2** bygga om,
ombilda
record I [ˈrekɔːd] *subst* **1** förteckning,
register; *off the ~* a) inofficiellt, utom
protokollet b) improviserat {*she spoke off the
~*}; *the greatest tennis player on ~* den
störste tennisspelare som funnits; *it is the
worst on ~* det är det värsta som någonsin
funnits **2** vitsord, meritlista; *a clean ~* ett
fläckfritt förflutet; *have a criminal ~* vara
tidigare straffad **3** sport. rekord; *beat the ~*
el. *break the ~* slå rekord
4 grammofonskiva, skiva
II [rɪˈkɔːd] *verb* **1** protokollföra **2** återge
3 spela (sjunga, tala) in på band **4** om
termometer m.m. registrera, visa

recorder [rɪ'kɔːdə] *subst*
1 inspelningsapparat **2** musik. blockflöjt
recording [rɪ'kɔːdɪŋ] *subst* **1** registrering,
protokollförande **2** radio., film. m.m.
inspelning
record-player ['rekɔːd‚pleɪə] *subst*
skivspelare
recount I [i betydelse 1 rɪ'kaʊnt, i betydelse 2
‚riː'kaʊnt] *verb* **1** berätta **2** räkna om [~ *the
votes*]
II ['riːkaʊnt] *subst* omräkning
recover [rɪ'kʌvə] *verb* **1** återvinna, återfå [~
one's health] **2** hämta (repa) sig; tillfriskna;
he has recovered han är återställd
re-cover [‚riː'kʌvə] *verb* **1** åter täcka **2** klä
om, förse med nytt överdrag
recovery [rɪ'kʌvərɪ] *subst* **1** återvinnande
2 återställande, tillfrisknande,
återhämtning; *make a quick* ~ återhämta
sig snabbt
re-create [‚riːkrɪ'eɪt] *verb* skapa på nytt
recreation [‚rekrɪ'eɪʃən] *subst* rekreation,
förströelse; ~ *ground*
a) rekreationsområde, fritidsområde
b) idrottsplats; ~ *room* gillestuga,
hobbyrum
recruit I [rɪ'kruːt] *subst* rekryt
II [rɪ'kruːt] *verb* rekrytera, värva; värva
rekryter; *recruiting officer*
rekryteringsofficer
rectangle ['rektæŋgl] *subst* rektangel
rectangular [rek'tæŋgjʊlə] *adj* rektangulär
rectify ['rektɪfaɪ] *verb* rätta till, korrigera
rector ['rektə] *subst* kyrkoherde
rectory ['rektərɪ] *subst* prästgård
rectum ['rektəm] *subst* anat. ändtarm
recuperate [rɪ'kjuːpəreɪt] *verb* hämta sig,
repa sig
recur [rɪ'kɜː] (*-rr-*) *verb* återkomma,
upprepas
recurrent [rɪ'kʌrənt] *adj* återkommande
recycle [‚riː'saɪkl] *verb* tekn. återvinna
red I [red] *adj* röd; *as* ~ *as a beetroot* el. *as*
~ *as a lobster* röd som en kokt kräfta; *a* ~
herring vard. avledande manöver, falskt
spår; ~ *tape* byråkrati
II [red] *subst* rött
redbreast ['redbrest] *subst*, *robin* ~ rödhake
redden ['redn] *verb* **1** färga röd **2** rodna
reddish ['redɪʃ] *adj* rödaktig
redecorate [‚riː'dekəreɪt] *verb* måla och
tapetsera om; nytapetsera
redeem [rɪ'diːm] *verb* **1** gottgöra, sona **2** lösa
ut [~ *pawned rings*]

red-handed [‚red'hændɪd] *adj*, *catch sb* ~ ta
ngn på bar gärning
redhead ['redhed] *subst* vard. rödhårig person
red-hot [‚red'hɒt] *adj* glödhet
redid [‚rɪ'dɪd] imperf. av *redo*
redirect [‚riːdɪ'rekt] *verb* **1** eftersända [~
letters] **2** dirigera om [~ *the traffic*]
rediscover [‚riːdɪs'kʌvə] *verb* återupptäcka
redistribute [‚riːdɪs'trɪbjʊt] *verb* dela ut på
nytt, distribuera på nytt, omfördela
redo [‚riː'duː] (*redid redone*) *verb* göra om
redone [‚riː'dʌn] perf. p. av *redo*
redouble [rɪ'dʌbl] *verb* fördubbla; ~ *one's
efforts* fördubbla sina ansträngningar
redress [rɪ'dres] *verb* **1** återställa [~ *the
balance*] **2** gottgöra [~ *a wrong*]
reduce [rɪ'djuːs] *verb* **1** reducera, minska,
sätta ned, sänka [~ *the price*] **2** förminska;
reduceras, minskas **3** banta, gå ned i vikt
4 försätta [*to* i ett tillstånd]; bringa [*to* till]; ~
to ashes lägga i aska; ~ *to the ranks*
degradera till menig
reduction [rɪ'dʌkʃən] *subst* **1** reducering,
minskning, förminskning **2** nedsättning,
rabatt; *sell at a* ~ sälja till nedsatt pris
redundant [rɪ'dʌndənt] *adj* **1** överflödig,
övertalig [~ *workers*] **2** friställd; *be made*
~ friställas
reduplicate [rɪ'djuːplɪkeɪt] *verb* fördubbla
reed [riːd] *subst* **1** vasstrå, vassrör **2** musik
rörblad i blåsinstrument
re-educate [‚riː'edjʊkeɪt] *verb* omskola
reef [riːf] *subst* rev
reek [riːk] *verb* lukta illa, stinka
reel I [riːl] *subst* rulle, spole [~ *of film*]; ~ *of
cotton* trådrulle; *off the* ~ vard. i ett svep
II [riːl] *verb* **1** rulla upp, spola upp på rulle
2 ~ *off* rabbla upp [~ *off a list of names*]
3 virvla, snurra runt; *my brain is reeling*
det går runt i huvudet på mig **4** ragla,
vackla
re-elect [‚riːɪ'lekt] *verb* välja om, återvälja
re-election [‚riːɪ'lekʃən] *subst* omval, återval
re-enter [‚riː'entə] *verb* gå, komma in igen,
åter gå (komma) in i
re-examine [‚riːɪg'zæmɪn] *verb* på nytt
undersöka (granska, förhöra, examinera)
ref I [ref] vard. sport. (kortform av *referee*) *subst*
domare
II [ref] vard. sport. (kortform av *referee*) (*-ff-*)
verb döma
refer [rɪ'fɜː] (*-rr-*) *verb* hänskjuta, hänvisa [*to*
till]; ~ *to* a) hänvisa till, referera till,
åberopa b) vända sig till c) syfta på, hänföra
sig till

referee
Domaren i basketboll, boxning, fotboll, ishockey, rugby, squash, brottning och några andra sporter kallas *referee*. Så kallas också över-domaren i tennis. I t.ex. badminton, cricket eller tennis kallas domaren *umpire*.

referee I [ˌrefəˈriː] *subst* **1** sport. domare **2** referens person
II [ˌrefəˈriː] *verb* sport. döma
reference [ˈrefərəns] *subst* **1** hänvisning [*to* till]; åberopande **2** anspelning, syftning; *make ~ to* omnämna **3** hänvändelse [*to* till]; *~ book* uppslagsbok, uppslagsverk; *~ library* referensbibliotek **4** referens dokument el. person; tjänstgöringsbetyg
referendum [ˌrefəˈrendəm] *subst* referendum, folkomröstning
referral [rɪˈfɜːrl] *subst* med. **1** remiss **2** remittering, remitterad patient
refill I [ˌriːˈfɪl] *verb* **1** åter fylla med bensin; tanka
II [ˈriːfɪl] *subst* **1** påfyllning, refill **2** patron till kulpenna
refine [rɪˈfaɪn] *verb* **1** raffinera [*~ sugar*], förädla, rena **2** förfina
refinement [rɪˈfaɪnmənt] *subst* **1** raffinering, rening **2** förfining, elegans; raffinemang
refinery [rɪˈfaɪnərɪ] *subst* raffinaderi [*oil ~*]
reflect [rɪˈflekt] *verb* **1** återspegla **2** reflektera, reflektera, fundera, tänka efter
reflection [rɪˈflekʃən] *subst* **1** reflektering **2** spegelbild, bild **3** reflexion, eftertanke
reflector [rɪˈflektə] *subst* reflektor
reflex I [ˈriːfleks] *subst* reflex, reflexrörelse
II [ˈriːfleks] *adj* reflekterad; reflex- [*~ action*]
reflexive I [rɪˈfleksɪv] *adj* gram. reflexiv
II [rɪˈfleksɪv] *subst* gram.
1 reflexivpronomen **2** reflexivt verb
reform I [rɪˈfɔːm] *verb* **1** reformera, förbättra **2** bättra sig **3** omvända [*~ a sinner*]
II [rɪˈfɔːm] *subst* reform, förbättring
reformation [ˌrefəˈmeɪʃən] *subst* förbättring, reform
reformer [rɪˈfɔːmə] *subst* reformvän, reformivrare
1 refrain [rɪˈfreɪn] *subst* refräng
2 refrain [rɪˈfreɪn] *verb* avhålla sig, avstå [*~ from hostile action*]; *please ~ from smoking* rökning undanbedes

refresh [rɪˈfreʃ] *verb* **1** friska upp, liva upp, pigga upp; *~ oneself* styrka sig, pigga upp sig, förfriska sig; *~ one's memory* friska upp minnet
refresher [rɪˈfreʃə] *adj*, *~ course* fortbildningskurs, repetitionskurs
refreshing [rɪˈfreʃɪŋ] *adj* **1** uppfriskande, uppiggande, stärkande [*a ~ sleep*]; läskande [*a ~ drink*] **2** välgörande
refreshment [rɪˈfreʃmənt] *subst* vanligen pl. *~s* förfriskningar; *~ car* byffévagn
refrigerate [rɪˈfrɪdʒəreɪt] *verb* kyla, kyla av; *keep refrigerated* förvaras i kylskåp
refrigeration [rɪˌfrɪdʒəˈreɪʃən] *subst* kylning, avkylning
refrigerator [rɪˈfrɪdʒəreɪtə] *subst* kylskåp
refuel [ˌriːˈfjʊəl] (-*ll*-, amer. -*l*-) *verb* tanka, fylla på
refuge [ˈrefjuːdʒ] *subst* skydd; *seek ~* söka skydd [*from* undan, från]; *take ~* ta sin tillflykt [*in* till]
refugee [ˌrefjʊˈdʒiː] *subst* flykting
refund I [riːˈfʌnd] *verb* återbetala
II [ˈriːfʌnd] *subst* återbetalning, ersättning
refurbish [riːˈfɜːbɪʃ] *verb* renovera
refusal [rɪˈfjuːzl] *subst* **1** vägran **2** avslag
refuse I [rɪˈfjuːz] *verb* vägra, neka
II [ˈrefjuːs] *subst* skräp, avfall, sopor; *~ collector* sophämtare, renhållningsarbetare
refute [rɪˈfjuːt] *verb* vederlägga, motbevisa
regain [rɪˈgeɪn] *verb* återfå, återvinna
regal [ˈriːgl] *adj* kunglig [*~ splendour*]
regalia [rɪˈgeɪljə] *subst pl* regalier, insignier
regard I [rɪˈgɑːd] *verb* anse, betrakta; *as ~s* vad beträffar, beträffande
II [rɪˈgɑːd] *subst* **1** *in this ~* i detta avseende; *with ~ to* med avseende på, angående **2** hänsyn; *have ~ for* hysa aktning för; *pay ~ to* ta hänsyn till; *out of ~ for* av hänsyn till **3** pl. *~s* hälsningar; *kind ~s* hjärtliga hälsningar; *give him my best ~s* hälsa honom så mycket från mig
regarding [rɪˈgɑːdɪŋ] *prep* beträffande
regardless [rɪˈgɑːdləs] *adj* utan hänsyn; *~ of expense* utan hänsyn till kostnader
regatta [rɪˈgætə] *subst* regatta, kappsegling
regency [ˈriːdʒənsɪ] *subst* regentskap
regent [ˈriːdʒənt] *subst* regent
reggae [ˈregeɪ] *subst* reggae västindisk popmusik
regime [reɪˈʒiːm] *subst* regim, styrelse
regiment [ˈredʒɪmənt] *subst* mil. regemente
region [ˈriːdʒən] *subst* region, område, trakt
regional [ˈriːdʒnəl] *adj* regional

register I ['redʒɪstə] *subst* **1** register, förteckning; *class* ~ skol. klassbok; *hotel* ~ hotelliggare; *parish* ~ kyrkobok **2** registreringsapparat; *cash* ~ kassaapparat
II ['redʒɪstə] *verb* **1** registrera, anteckna, skriva in; *registered nurse* legitimerad sjuksköterska; *registered trade mark* inregistrerat varumärke **2** skriva in sig [~ *at a hotel*], anmäla sig [~ *for a course*]; registrera sig **3** post. rekommendera; *registered post* el. *registered mail* rekommenderat brev **4** om mätare, instrument visa, visa på
registrar ['redʒɪstrɑː] *subst* **1** registrator **2** borgerlig vigselförrättare; *get married before the* ~ gifta sig borgerligt
registration [,redʒɪ'streɪʃən] *subst* **1** registrering, inskrivning **2** post. rekommendering
regret I [rɪ'gret] (*-tt-*) *verb* **1** beklaga; *we* ~ *to inform you* vi måste tyvärr meddela **2** ångra [*I* ~ *what I said*]
II [rɪ'gret] *subst* **1** ledsnad [*at* över], beklagande; *much to my* ~ *she never came back* till min stora sorg kom hon aldrig tillbaka **2** ånger [*at* över]
regrettable [rɪ'gretəbl] *adj* beklaglig
regular I ['regjʊlə] *adj* **1** regelbunden, regelmässig, reguljär; *at* ~ *intervals* med jämna mellanrum; *on a* ~ *basis* på bestämda tider **2** fast, stadig [~ *work*]; ~ *customer* stamkund, fast kund **3** vard. riktig [*a* ~ *hero*] **4** normal, medelstor
II ['regjʊlə] *subst* **1** vanligen pl. ~*s* reguljära trupper **2** vard. stamkund
regularity [,regjʊ'lærəti] *subst* regelbundenhet
regulate ['regjʊleɪt] *verb* reglera, justera, ställa in [~ *a watch*]
regulation [,regjʊ'leɪʃən] *subst* **1** reglering **2** regel, föreskrift, bestämmelse; pl. ~*s* a) regler, ordningsstadga b) reglemente, förordning [*traffic* ~*s*] **3** före subst. reglementsenlig, föreskriven [~ *size*]
rehab ['riːhæb] vard. (förk. för *rehabilitation*); *a* ~ *programme* rehabiliteringsprogram för alkoholister etc.
rehabilitate [,riːə'bɪlɪteɪt] *verb* rehabilitera, återanpassa
rehabilitation ['riːə,bɪlɪ'teɪʃən] *subst* rehabilitering, återanpassning
rehash I ['riːhæʃ] *subst* hopkok, omstuvning [*a*~ *of a newspaper article*]
II [,riː'hæʃ] *verb* stuva om, servera i ny form

rehearsal [rɪ'hɜːsl] *subst* repetition; *dress* ~ generalrepetition
rehearse [rɪ'hɜːs] *verb* **1** repetera, studera in [~ *a part*; ~ *a play*] **2** öva
reign I [reɪn] *subst* regering, regeringstid; ~ *of terror* skräckvälde
II [reɪn] *verb* **1** regera, härska [*over* över]; *reigning champion* regerande mästare **2** råda
rein I [reɪn] *subst* **1** tygel; *give a horse the* ~ el. *give a horse a free* ~ ge en häst lösa tyglar; *keep a tight* ~ *on sb* hålla ngn i strama tyglar **2** pl. ~*s* sele för barn
II [reɪn] *verb* tygla
reindeer ['reɪndɪə] (pl. lika) *subst* djur ren
reinforce [,riːɪn'fɔːs] *verb* **1** förstärka **2** *reinforced concrete* armerad betong
reinforcement [,riːɪn'fɔːsmənt] *subst* **1** förstärkning **2** tekn. armering
reintroduce ['riː,ɪntrə'djuːs] *verb* återinföra
reintroduction ['riː,ɪntrə'dʌkʃən] *subst* återinföring, återinförande [*the* ~ *of capital punishment*]
reject I [rɪ'dʒekt] *verb* **1** förkasta, avslå, avvisa; kassera **2** refusera vägra att publicera
II ['riːdʒekt] *subst* utskottsvara, defekt vara
rejection [rɪ'dʒekʃən] *subst* **1** förkastande, avslag **2** kassering
rejoice [rɪ'dʒɔɪs] *verb* glädjas, fröjdas [*at, in* över]
rejoicing [rɪ'dʒɔɪsɪŋ] *subst* glädje, fröjd, jubel
rejoin [,riː'dʒɔɪn] *verb* **1** sammanfoga igen **2** återförena sig med
relapse I [rɪ'læps] *verb* **1** återfalla **2** med. få återfall
II [rɪ'læps] *subst* med. återfall
relate [rɪ'leɪt] *verb* **1** berätta; ~ *to* hänföra sig till; *relating to* angående
related [rɪ'leɪtɪd] *adj* besläktad, släkt [*to* med]; *be* ~ *to* ha att göra med
relation [rɪ'leɪʃən] *subst* **1** relation, förhållande **2** vanligen pl. ~*s* a) förhållande, relationer b) förbindelse, förbindelser; *break off* ~*s with sb* säga upp bekantskapen med ngn; *break off diplomatic* ~*s* avbryta de diplomatiska förbindelserna **3** släkting
relationship [rɪ'leɪʃənʃɪp] *subst* **1** förhållande, relation, samband [*to* med] **2** släktskap
relative I ['relətɪv] *adj* **1** relativ **2** ~ *to* som hänför sig till, som står i samband med
II ['relətɪv] *subst* släkting
relax [rɪ'læks] *verb* **1** koppla av, slappna av; *feel relaxed* känna sig avspänd; ~*!* ta det

lugnt! **2** slappna av i [~ *one's muscles*];
lossa, lossa på [~ *one's hold*] **3** släppa efter
på [~ *discipline*]; lätta på [~ *restrictions*]
4 minska [~ *one's efforts*]

relaxation [ˌriːlækˈseɪʃən] *subst*
1 avkoppling **2** slappnande **3** lindring;
mildrande

relaxing [rɪˈlæksɪŋ] *adj* avslappnande

relay I [ˈriːleɪ] *subst* **1** skift [*work in* ~s],
arbetslag, omgång, ombyte **2** sport., ~ *race*
el. ~ stafettlopp **3** elektr. relä
II [ˈriːleɪ] *verb* radio. återutsända

release I [rɪˈliːs] *subst* **1** frigivning,
frisläppande **2** släppande, frigörande
3 tillkännagivande, publicering; *press* ~
pressmeddelande
II [rɪˈliːs] *verb* **1** frige, släppa **2** släppa [~
one's hold], lossa på [~ *the handbrake*];
frigöra; ~ *a bomb* fälla en bomb **3** befria,
lösa [~ *sb from an obligation*] **4** släppa ut
[~ *a film*]

relegate [ˈreləgeɪt] *verb* **1** degradera **2** sport.
flytta ned

relegation [ˌreləˈgeɪʃən] *subst* **1** degradering
2 sport. nedflyttning

relent [rɪˈlent] *verb* vekna, ge efter

relentless [rɪˈlentləs] *adj* obeveklig,
oförsonlig

relevant [ˈreləvənt] *adj* relevant [*to* för, i]

reliability [rɪˌlaɪəˈbɪlətɪ] *subst* pålitlighet

reliable [rɪˈlaɪəbl] *adj* pålitlig

reliance [rɪˈlaɪəns] *subst* **1** tillit, förtröstan
2 beroende [*on* av]

reliant [rɪˈlaɪənt] *adj* **1** tillitsfull **2** beroende
[*on* av]

relic [ˈrelɪk] *subst* **1** relik **2** kvarleva, minne
[*of* från] **3** pl. ~s kvarlevor, stoft

relief [rɪˈliːf] *subst* **1** lättnad, lindring
2 understöd, bistånd, hjälp, amer.
socialhjälp; ~ *work* beredskapsarbete
3 lättnad [*tax* ~] **4** undsättning; befrielse
5 avlösning, vaktombyte; *run a* ~ *train*
sätta in ett extratåg **6** omväxling; *by way
of* ~ som omväxling **7** ~ *map* reliefkarta;
stand out in bold ~ *against* avteckna sig
skarpt mot; *throw into strong* ~ starkt
framhäva

relieve [rɪˈliːv] *verb* **1** lätta, lugna; lindra [~
suffering], mildra; ~ *one's feelings* ge luft
åt sina känslor, avreagera sig
2 understödja, bistå, hjälpa **3** undsätta,
befria [~ *a town*] **4** avlösa [~ *the guard*]
5 ge omväxling åt, variera **6** ~ *oneself*
uträtta sina behov **7** ~ *sb of sth* a) avbörda
ngn ngt, lasta av ngn ngt b) befria ngn från

ngt [~ *sb of his duties*] c) frånta ngn ngt [~
sb of his command]

religion [rɪˈlɪdʒən] *subst* **1** religion; *minister
of* ~ präst **2** skol. religionskunskap

religious
I England får alla barn någon form
av religionsundervisning, *religious
instruction*, i skolan. I USA är
religionsundervisning inte tillåten i
state schools, allmänna skolor.
Däremot finns det privata skolor,
t.ex. katolska, som grundas på en
religiös tro.

religious [rɪˈlɪdʒəs] *adj* religiös

relinquish [rɪˈlɪŋkwɪʃ] *verb* **1** lämna ifrån sig;
överge [~ *a plan*] **2** släppa [~ *one's hold*]

relish I [ˈrelɪʃ] *subst* **1** välbehag, aptit, lust
[*she did it with* ~] **2** kok., tillbehör såsom
pickles, kryddsås [*tomato* ~]
II [ˈrelɪʃ] *verb* njuta av, uppskatta

reload [ˌriːˈləʊd] *verb* **1** lasta om **2** ladda om

reluctance [rɪˈlʌktəns] *subst* motvillighet [*to*
mot]

reluctant [rɪˈlʌktənt] *adj* motvillig, ovillig

rely [rɪˈlaɪ] *verb*, ~ *on* lita på

remade [ˌriːˈmeɪd] imperf. o. perf. p. av *remake*

remain [rɪˈmeɪn] *verb* **1** finnas kvar, bli kvar;
it ~s *to be seen* det återstår att se **2** förbli

remainder [rɪˈmeɪndə] *subst* återstod, rest

remains [rɪˈmeɪnz] *subst pl* kvarlevor, rester

remake [ˌriːˈmeɪk] (*remade remade*) *verb* göra
om

remark I [rɪˈmɑːk] *subst* anmärkning,
yttrande; *pass* ~s *on* kommentera
II [rɪˈmɑːk] *verb* anmärka, yttra; ~ *on*
kommentera

remarkable [rɪˈmɑːkəbl] *adj* märklig

remarry [ˌriːˈmærɪ] *verb* gifta om sig

remedial [rɪˈmiːdɪəl] *adj* hjälp-, stöd- [~
measures; ~ *teaching*]; ~ *class* specialklass

remedy I [ˈremədɪ] *subst* **1** botemedel,
läkemedel [*for* för, mot] **2** hjälpmedel, bot
II [ˈremədɪ] *verb* bota, avhjälpa

remember [rɪˈmembə] *verb* minnas, komma
ihåg; ~ *me to them* hälsa dem från mig

remembrance [rɪˈmembrəns] *subst* minne,
håkomst; *in* ~ *of* till minne av

remind [rɪˈmaɪnd] *verb* påminna, erinra [*of*
om]; *which* ~s *me* apropå det, förresten

reminder [rɪˈmaɪndə] *subst* påminnelse

reminiscence [ˌremɪˈnɪsns] *subst* minne, hågkomst
reminiscent [ˌremɪˈnɪsnt] *adj*, ~ *of* som påminner om
remnant [ˈremnənt] *subst* **1** lämning, rest **2** stuvbit
remodel [ˌriːˈmɒdl] (*-ll-*, amer. *-l-*) *verb* omforma, ombilda
remorse [rɪˈmɔːs] *subst* samvetskval, ånger
remote [rɪˈməʊt] *adj* **1** avlägsen i tid, i rum **2** fjärran, avsides belägen; ~ *control* fjärrstyrning, fjärrkontroll; *a* ~ *possibility* en ytterst liten möjlighet **3** om person, sätt otillgänglig
remote-controlled [rɪˌməʊtkənˈtrəʊld] *adj* fjärrstyrd, fjärrmanövrerad {~ *aircraft*}
remotely [rɪˈməʊtlɪ] *adv* avlägset, fjärran
removal [rɪˈmuːvl] *subst* **1** flyttande, flyttning; ~ *van* flyttbil **2** avlägsnande; *the* ~ *of stains* fläckbortagning
remove [rɪˈmuːv] *verb* **1** flytta, flytta bort, förflytta; föra bort; ~ *furniture* flytta möbler **2** avlägsna, ta bort {~ *stains*}; ta av {~ *one's coat*}
remover [rɪˈmuːvə] *subst* **1** *furniture* ~ flyttkarl **2** *stain* ~ borttagningsmedel
remunerate [rɪˈmjuːnəreɪt] *verb* **1** ersätta **2** belöna
remuneration [rɪˌmjuːnəˈreɪʃən] *subst* **1** ersättning **2** belöning
renaissance [rəˈneɪsəns] *subst* renässans
rename [ˌriːˈneɪm] *verb* ge nytt namn åt, döpa om
render [ˈrendə] *verb* **1** återge t.ex. roll; tolka, framställa **2** överlämna; ~ *an account of* lämna redovisning för, ge en redogörelse för; ~ *assistance* lämna hjälp
rendezvous [ˈrɒndɪvuː, amer. ˈrɑːndeɪvuː] *subst* rendezvous, möte, träff
renegade [ˈrenɪɡeɪd] *subst* avfälling
renegotiate [ˌriːnɪˈɡəʊʃɪeɪt] *verb* omförhandla
renegotiation [ˌriːnɪɡəʊʃɪˈeɪʃən] *subst* omförhandling
renew [rɪˈnjuː] *verb* förnya
renewal [rɪˈnjuːəl] *subst* förnyande
renounce [rɪˈnaʊns] *verb* avsäga sig, ge upp
renovate [ˈrenəveɪt] *verb* renovera
renovation [ˌrenəˈveɪʃən] *subst* renovering
renown [rɪˈnaʊn] *subst* rykte, ryktbarhet
renowned [rɪˈnaʊnd] *adj* ryktbar
rent I [rent] *subst* hyra
II [rent] *verb* **1** hyra **2** hyra ut
rental [ˈrentl] *subst* **1** hyra; *car* ~ biluthyrning **2** avgift

renunciation [rɪˌnʌnsɪˈeɪʃən] *subst* **1** avsägelse **2** förnekande
reopen [ˌriːˈəʊpən] *verb* **1** åter öppna, öppnas igen **2** återuppta {~ *negotiations*}
reorganize [ˌriːˈɔːɡənaɪz] *verb* omorganisera
repaid [riːˈpeɪd] se *repay*
repair I [rɪˈpeə] *verb* reparera, laga
II [rɪˈpeə] *subst* **1** reparation, lagning; ~ *kit* reparationslåda; ~ *shop* reparationsverkstad; *beyond* ~ omöjlig att reparera, ohjälpligt förfallen **2** skick; *in good* ~ i gott skick
reparation [ˌrepəˈreɪʃən] *subst* pl. ~*s* skadestånd
repartee [ˌrepɑːˈtiː] *subst* kvick replik; *be good at* ~ vara slagfärdig
repast [rɪˈpɑːst] *subst* litt. el. skämts. måltid {*a light* ~}
repatriate I [riːˈpætrɪeɪt] *verb* repatriera
II [riːˈpætrɪət] *subst*, *a* ~ en repatrierad
repatriation [ˌriːpætrɪˈeɪʃən] *subst* repatriering, hemsändning
repay [riːˈpeɪ] (*repaid repaid*) *verb* **1** återbetala, betala tillbaka **2** återgälda; löna, gottgöra {*for* för}
repayment [riːˈpeɪmənt] *subst* återbetalning
repeal I [rɪˈpiːl] *verb* återkalla, upphäva
II [rɪˈpiːl] *subst* återkallelse, upphävande
repeat I [rɪˈpiːt] *verb* **1** upprepa, repetera **2** föra vidare {*don't* ~ *this to anyone*} **3** radio. el. tv. ge i repris **4** *onions* ~ *on me* jag får uppstötningar av lök
II [rɪˈpiːt] *subst* **1** upprepning **2** radio. el. tv. repris
repeatedly [rɪˈpiːtɪdlɪ] *adv* upprepade gånger, gång på gång
repel [rɪˈpel] (*-ll-*) *verb* **1** driva tillbaka, slå tillbaka {~ *an attack*} **2** stå emot, avvisa {~ *moisture*} **3** verka frånstötande på, stöta bort
repellent [rɪˈpelənt] *adj* **1** frånstötande, motbjudande **2** *mosquito* ~ myggmedel
repent [rɪˈpent] *verb* ångra; ångra sig
repentance [rɪˈpentəns] *subst* ånger
repentant [rɪˈpentənt] *adj* ångerfull
repercussion [ˌriːpəˈkʌʃən] *subst* pl. ~*s* återverkningar, efterdyningar
repertoire [ˈrepətwɑː] *subst* repertoar
repetition [ˌrepəˈtɪʃən] *subst* upprepning
repetitive [rɪˈpetətɪv] *adj* **1** upprepande **2** enformig, tjatig
rephrase [ˌriːˈfreɪz] *verb* formulera om
replace [rɪˈpleɪs] *verb* **1** sätta (ställa, lägga) tillbaka **2** ersätta, byta ut
replaceable [rɪˈpleɪsəbl] *adj* ersättlig

replacement [rɪ'pleɪsmənt] *subst*
1 återställande **2** ersättare **3** ersättning
replay I [ˌriː'pleɪ] *verb* spela om
II ['riːpleɪ] *subst* **1** sport. omspel **2** tv. repris i slow-motion
replenish [rɪ'plenɪʃ] *verb* åter fylla, fylla på
replica ['replɪkə] *subst* spec. konst. exakt kopia
reply I [rɪ'plaɪ] *verb* svara; ~ *to* svara på, besvara
II [rɪ'plaɪ] *subst* svar, genmäle, replik; ~ *paid* på brev svar betalt
report I [rɪ'pɔːt] *verb* **1** rapportera {*on* om}, meddela, anmäla; anmäla sig {*to* hos}; *it is reported that* det berättas att; ~ *sb sick* sjukanmäla ngn; ~ *sick* sjukanmäla sig; ~ *for duty* inställa sig till tjänstgöring **2** ~ *on* referera {~ *on a match*}
II [rɪ'pɔːt] *subst* **1** rapport, redogörelse {*on, about* om, över} **2** referat, reportage {*on, of* av, över, om} **3** skol. terminsbetyg; ~ *card* amer. skriftligt betyg **4** knall, smäll
reportage [ˌrepɔ'tɑːʒ] *subst* reportage
reporter [rɪ'pɔːtə] *subst* reporter
repose [rɪ'pəʊz] *verb* o. *subst* vila
reprehensible [ˌreprɪ'hensəbl] *adj* klandervärd, förkastlig
represent [ˌreprɪ'zent] *verb* **1** representera **2** föreställa
representation [ˌreprɪzen'teɪʃən] *subst* framställande; framställning
representative I [ˌreprɪ'zentətɪv] *adj* representativ, typisk {*of* för}
II [ˌreprɪ'zentətɪv] *subst* representant
repress [rɪ'pres] *verb* kväva {~ *a revolt*}
repression [rɪ'preʃən] *subst* förtryck
reprieve I [rɪ'priːv] *verb* **1** ge anstånd **2** benåda
II [rɪ'priːv] *subst* **1** anstånd **2** benådning
reprimand I ['reprɪmɑːnd] *subst* tillrättavisning
II ['reprɪmɑːnd] *verb* tillrättavisa
reprint I [ˌriː'prɪnt] *verb* trycka om
II ['riːprɪnt] *subst* omtryck, nytryck
reprisal [rɪ'praɪzl] *subst* vedergällning; pl. ~*s* repressalier
reproach I [rɪ'prəʊtʃ] *subst* förebråelse; *beyond* ~ oklanderlig
II [rɪ'prəʊtʃ] *verb* förebrå {*for, with* för}
reproachful [rɪ'prəʊtʃfʊl] *adj* förebrående
reproduce [ˌriːprə'djuːs] *verb* **1** reproducera {~ *a picture*}, återge {~ *a sound*} **2** biol. fortplanta, fortplanta sig, reproducera
reproduction [ˌriːprə'dʌkʃən] *subst* **1** återgivning, reproduktion **2** biol. fortplantning

reproductive [ˌriːprə'dʌktɪv] *adj* reproducerande; fortplantnings- {~ *organs*}
reptile ['reptaɪl] *subst* reptil, kräldjur
republic [rɪ'pʌblɪk] *subst* republik

Republic of Ireland (Eire)
HUVUDSTAD: Dublin (ca 1 milj.)
FOLKMÄNGD: 3,9 milj.
YTA: 70 285 km² (något mindre än Götaland).
SPRÅK: engelska, iriska, *Irish* eller *Gaelic*, som fortfarande är första-språk särskilt i västra Irland.
RELIGION: romersk katolsk.
Irländska republiken gränsar i norr till Nordirland, som är en del av *the United Kingdom*. Huvudnäringar är lantbruk, turism och modern datorteknologi.

republican I [rɪ'pʌblɪkən] *adj* republikansk
II [rɪ'pʌblɪkən] *subst* republikan
repudiate [rɪ'pjuːdɪeɪt] *verb* tillbakavisa
repugnance [rɪ'pʌgnəns] *subst* motvilja, ovilja
repugnant [rɪ'pʌgnənt] *adj* motbjudande
repulse [rɪ'pʌls] *verb* slå tillbaka, driva tillbaka
repulsion [rɪ'pʌlʃən] *subst* avsky, motvilja
repulsive [rɪ'pʌlsɪv] *adj* motbjudande
reputable ['repjutəbl] *adj* ansedd {*a* ~ *firm*}
reputation [ˌrepju'teɪʃən] *subst* rykte, anseende; *have the* ~ *of being* ... ha rykte om sig att vara ...; *make a* ~ *for oneself* göra sig ett namn
repute I [rɪ'pjuːt] *verb*, *be reputed to be* anses vara
II [rɪ'pjuːt] *subst* rykte, anseende
request I [rɪ'kwest] *subst* **1** anhållan, begäran, anmodan; *by* ~ på begäran; *no flowers on* ~ blommor undanbedes **2** ~ *stop* busshållplats där bussen stannar på anmodan
II [rɪ'kwest] *verb* **1** anhålla om **2** anmoda, be
requiem ['rekwɪem] *subst* relig. el. musik. rekviem, själamässa
require [rɪ'kwaɪə] *verb* **1** behöva, fordra **2** kräva, begära {*do as he* ~*s*}
requirement [rɪ'kwaɪəmənt] *subst* **1** behov **2** krav, anspråk; pl. ~*s* fordringar {*for* för}

requisite I ['rekwɪzɪt] *adj* erforderlig
II ['rekwɪzɪt] *subst* nödvändig sak; *toilet ~s*
toalettartiklar
reread [ˌriː'riːd] (*reread reread* båda
[ˌriː'red]) *verb* läsa 'om
rescue I ['reskjuː] *verb* rädda, undsätta
II ['reskjuː] *subst* räddning, undsättning; ~
party räddningspatrull
research I [rɪ'sɜːtʃ] *subst* forskning,
undersökning; *do ~* forska
II [rɪ'sɜːtʃ] *verb* forska
researcher [rɪ'sɜːtʃə] *subst* o.
research-worker [rɪ'sɜːtʃˌwɜːkə] *subst*
forskare
resell [ˌriː'sel] (*resold resold*) *verb* återförsälja
resemblance [rɪ'zembləns] *subst* likhet [*to*
med]; *bear a ~ to* påminna om
resemble [rɪ'zembl] *verb* likna, påminna om
resent [rɪ'zent] *verb* bli förbittrad över, ta
illa vid sig av [*~ a remark*]
resentful [rɪ'zentfʊl] *adj* förbittrad, stött
resentment [rɪ'zentmənt] *subst* förbittring
reservation [ˌrezə'veɪʃən] *subst*
1 reservation, förbehåll **2** beställning,
bokning
reserve I [rɪ'zɜːv] *verb* **1** reservera, spara; ~
a seat for sb hålla en plats åt ngn
2 reservera, boka [*~ seats on a train*]
II [rɪ'zɜːv] *subst* **1** reserv **2** sport. reserv; ~
team B-lag **3** viltreservat **4** hos person
tillbakadragenhet
reserved [rɪ'zɜːvd] *perf p* o. *adj* **1** om person
reserverad, tillbakadragen **2** reserverad [*a
~ seat*]
reservoir ['rezəvwɑː] *subst* reservoar,
behållare
reshuffle I [ˌriː'ʃʌfl] *verb* **1** blanda om kort
2 polit.m.m. möblera om, möblera om i,
ombilda
II [ˌriː'ʃʌfl] *subst* **1** omblandning av kort
2 polit. m.m. ommöblering, ombildning [*a
Cabinet ~*]
reside [rɪ'zaɪd] *verb* vistas, bo
residence ['rezɪdəns] *subst* **1** vistelse,
uppehåll; ~ *permit* uppehållstillstånd;
take up one's ~ in a place bosätta sig på
en plats **2** *place of ~* hemvist **3** bostad;
formellt residens
resident ['rezɪdənt] *subst* **1** bofast, bosatt
2 gäst på hotell
residential [ˌrezɪ'denʃl] *adj* villa-; ~ *suburb*
villaförort
residue ['rezɪdjuː] *subst* återstod, rest
resign [rɪ'zaɪn] *verb* **1** avsäga sig, avgå från

2 avgå, ta avsked [*from* från] **3** resignera
[*to* inför]
resignation [ˌrezɪg'neɪʃən] *subst* **1** avsägelse,
avgång; *hand in one's ~* lämna in sin
avskedsansökan **2** resignation [*to* inför]
resigned [rɪ'zaɪnd] *adj* **1** resignerad; *be ~ to*
finna sig i **2** avgången ur tjänst
resilient [rɪ'zɪliənt] *adj* elastisk, spänstig
resin ['rezɪn] *subst* kåda, harts
resist [rɪ'zɪst] *verb* **1** stå emot; göra
motstånd, göra motstånd emot **2** tåla [*~
heat*]
resistance [rɪ'zɪstəns] *subst* motstånd [*to*
mot]; motståndskraft
resistant [rɪ'zɪstənt] *adj* motståndskraftig
[*to* mot]
resold [ˌriː'səʊld] imperf. o. perf. p. av *resell*
resolute ['rezəluːt] *adj* resolut, beslutsam
resolution [ˌrezə'luːʃən] *subst*
1 beslutsamhet **2** föresats; *New Year's ~*
nyårslöfte **3** *pass a ~* anta en resolution
resolve I [rɪ'zɒlv] *verb* **1** besluta **2** besluta
sig för; besluta sig [*on* för] **3** lösa [*~ a
problem*] **4** lösa upp
II [rɪ'zɒlv] *subst* beslut, föresats
resonance ['rezənəns] *subst* resonans, djup
klang
resonant ['rezənənt] *adj* **1** resonansrik,
klangfull **2** ljudlig; ekande
resort I [rɪ'zɔːt] *verb*, ~ *to* a) ta sin tillflykt
till b) tillgripa [*~ to force*]
II [rɪ'zɔːt] *subst* **1** *have ~ to* a) ta sin tillflykt
till b) tillgripa; *in the last ~* som en sista
utväg, i nödfall **2** tillflyktsort,
rekreationsort; *health ~* kurort,
rekreationsort; *seaside ~* badort
resound [rɪ'zaʊnd] *verb* genljuda;
resounding rungande, dunder- [*a
resounding success*]
resource [rɪ'sɔːs, rɪ'zɔːs] *subst* **1** pl. *~s*
resurser, tillgångar; *natural ~s*
naturtillgångar **2** fyndighet; *leave sb to
his own ~s* låta ngn sköta sig själv
respect I [rɪ'spekt] *subst* **1** respekt, aktning,
vördnad [*for* för] **2** hänsyn; *pay ~ to* ta
hänsyn till **3** avseende; *in many ~s* i
många avseenden; *with ~ to* med
avseende på **4** *pay one's last ~s* hedra
ngns minne
II [rɪ'spekt] *verb* respektera; ta hänsyn till
respectability [rɪˌspektə'bɪlətɪ] *subst*
anständighet, aktningsvärdhet
respectable [rɪ'spektəbl] *adj* **1** respektabel,
väl ansedd [*a ~ firm*]; anständig [*a ~ girl*]

2 ansenlig [*a ~ sum of money*]; hygglig, hyfsad

respectful [rɪ'spektfʊl] *adj* aktningsfull, vördsam

respective [rɪ'spektɪv] *adj* respektive

respectively [rɪ'spektɪvlɪ] *adv* var för sig; *they got £5 and £10* ~ de fick 5 respektive 10 pund

respiration [ˌrespə'reɪʃən] *subst* andning, andhämtning; *artificial* ~ konstgjord andning

respirator ['respɪreɪtə] *subst* respirator

resplendent [rɪ'splendənt] *adj* glänsande, praktfull

respond [rɪ'spɒnd] *verb* **1** svara [*to på*] **2** reagera positivt på

response [rɪ'spɒns] *subst* **1** svar; *in* ~ *to* som svar på **2** gensvar, respons; *meet with* ~ få respons

responsibility [rɪˌspɒnsə'bɪlətɪ] *subst* ansvar [*to* inför; *for* för], ansvarighet; *on one's own* ~ på eget ansvar

responsible [rɪ'spɒnsəbl] *adj* **1** ansvarig [*for* för; *to* inför]; ansvarsfull; *make oneself* ~ *for* ta på sig ansvaret för **2** vederhäftig, solid

responsive [rɪ'spɒnsɪv] *adj* mottaglig

1 rest I [rest] *subst* **1** vila, lugn, ro; *a* ~ vilopaus; *have a* ~ vila sig; *set sb's mind at* ~ lugna ngns farhågor **2** stöd [*a foot* ~] **3** musik. paustecken

II [rest] *verb* **1** vila, vila sig [*from* efter]; *I feel rested* jag känner mig utvilad **2** ~ *with sb* ligga hos ngn, ligga i ngns händer **3** *God* ~ *his soul!* må han vila i frid! **4** vila, stödja [~ *one's elbows on the table*]

2 rest [rest] *subst*, *the* ~ resten, återstoden; *as to the* ~ el. *as for the* ~ vad det övriga beträffar

rest area ['rest ˌeərɪə] *subst* trafik. amer. rastplats

restaurant ['restərɒnt, 'restərɑːnt] *subst* restaurang

restaurant-car ['restrəntkɑː] *subst* restaurangvagn

restful ['restfʊl] *adj* vilsam, fridfull

rest home ['resthəʊm] *subst* ålderdomshem

resting-place ['restɪŋpleɪs] *subst* **1** rastplats **2** viloplats; *last* ~ sista vilorum grav

restive ['restɪv] *adj* otålig

restless ['restləs] *adj* rastlös, nervös, otålig

restoration [ˌrestə'reɪʃən] *subst* **1** återställande; återupprättande; återlämnande **2** restaurering, renovering

restore [rɪ'stɔː] *verb* **1** återställa; återlämna

[~ *stolen property*]; återupprätta; ~ *to life* återkalla till livet **2** restaurera, renovera **3** återinsätta [*to* i]; ~ *sb to power* återföra ngn till makten

restrain [rɪ'streɪn] *verb* hindra, avhålla [*from* från]; ~ *oneself* behärska sig

restraint [rɪ'streɪnt] *subst* **1** tvång; band [*on* på]; hinder; *throw off all* ~ kasta alla hämningar; *without* ~ ohämmat, fritt **2** *exercise* ~ el. *show* ~ visa återhållsamhet

restrict [rɪ'strɪkt] *verb* inskränka, begränsa

restriction [rɪ'strɪkʃən] *subst* inskränkning, begränsning, restriktion

rest room ['restruːm] *subst* amer. toalett på t.ex. restaurang, teater

result I [rɪ'zʌlt] *verb* **1** vara (bli) resultatet [*from* av]; *the resulting war* det krig som blev följden **2** ~ *in* resultera i

II [rɪ'zʌlt] *subst* resultat; *as a* ~ *of* till följd av

resume [rɪ'zjuːm] *verb* återuppta; återupptas

résumé ['rezjʊmeɪ] *subst* **1** resumé, sammanfattning **2** amer. levnadsbeskrivning, meritförteckning

resumption [rɪ'zʌmpʃən] *subst* återupptagande

resurrect [ˌrezə'rekt] *verb* **1** uppväcka från de döda **2** återuppliva

resurrection [ˌrezə'rekʃən] *subst* uppståndelse från de döda

retail I ['riːteɪl] *subst* detaljhandel, minuthandel

II ['riːteɪl] *adj* detalj-, minut- [~ *trade*]

III ['riːteɪl] *adv*, *buy* ~ köpa i minut

IV [riː'teɪl] *verb* **1** sälja (säljas) i minut **2** berätta i detalj, återge [~ *a story*]

retailer ['riːteɪlə] *subst* detaljist, detaljhandlare

retain [rɪ'teɪn] *verb* hålla kvar, behålla

retake I [ˌriː'teɪk] (*retook retaken*) *verb* **1** återta, återerövra **2** ta om film el. bild

II ['riːteɪk] *subst* omtagning av film el. bild

retaken [ˌriː'teɪkn] perf. p. av *retake I*

retaliate [rɪ'tælɪeɪt] *verb* ge igen, hämnas

retaliation [rɪˌtælɪ'eɪʃən] *subst* vedergällning

retard [rɪ'tɑːd] *verb* försena, fördröja; *mentally retarded* psykiskt utvecklingsstörd

retell [ˌriː'tel] (*retold retold*) *verb* återberätta

retention [rɪ'tenʃən] *subst* **1** kvarhållande **2** bibehållande, bevarande

reticent ['retɪsənt] *adj* tystlåten, förtegen

retina ['retɪnə] *subst* ögats näthinna, retina

retinue ['retɪnjuː] *subst* följe, svit
retire [rɪ'taɪə] *verb* **1** dra sig tillbaka [*to, into*
till] **2** mil. retirera **3** gå i pension **4** skämts.
gå till sängs
retired [rɪ'taɪəd] *adj* **1** tillbakadragen [*lead a*
~ life] **2** avgången, pensionerad
retirement [rɪ'taɪəmənt] *subst* **1** avskildhet;
live in ~ leva tillbakadraget **2** avgång,
pensionering; *~ age* pensionsålder; *~*
pension ålderspension
retiring [rɪ'taɪərɪŋ] *adj* tillbakadragen
retold [,riː'təʊld] imperf. o. perf. p. av *retell*
retook [,riː'tʊk] imperf. av *retake I*
retort I [rɪ'tɔːt] *verb* svara skarpt; replikera
II [rɪ'tɔːt] *subst* svar; skarpt genmäle
retouch [,riː'tʌtʃ] *verb* retuschera
retrace [rɪ'treɪs] *verb* följa tillbaka spår m.m.;
~ one's steps gå samma väg tillbaka
retract [rɪ'trækt] *verb* **1** dra tillbaka, dra in
[*the cat retracted its claws*], fälla in **2** ta
tillbaka [*~ a statement*]
retraining [,riː'treɪnɪŋ] *subst* omskolning
retread [,riː'tred] *verb* regummera [*~ a tyre*]
retreat I [rɪ'triːt] *subst* **1** reträtt, återtåg;
beat a hasty ~ hastigt slå till reträtt;
sound the ~ blåsa till reträtt **2** tillflykt
II [rɪ'triːt] *verb* retirera, slå till reträtt
retribution [,retrɪ'bjuːʃən] *subst*
vedergällning; straff
retrieve [rɪ'triːv] *verb* **1** återfå, få tillbaka
2 jakt., om hundar apportera
retriever [rɪ'triːvə] *subst* **1** om hund apportör
2 retriever hundras
return I [rɪ'tɜːn] *verb* **1** återvända,
återkomma **2** ställa (lägga, sätta) tillbaka
3 returnera, återlämna, lämna tillbaka [*~*
a borrowed book]
II [rɪ'tɜːn] *subst* **1** återkomst, hemkomst,
återvändande; *~ ticket* turochreturbiljett;
day ~ endagsbiljett; *many happy ~s of*
the day! el. *many happy ~s!* har den
äran!; *by ~ of post* per omgående
2 återsändande, återlämnande [*the ~ of a*
book] **3** besvarande; *~ game* el. *~ match*
returmatch; *~ visit* svarsvisit; *in ~* i
gengäld **4** *income-tax ~* självdeklaration
returnable [rɪ'tɜːnəbl] *adj* retur-; *~ bottle*
returflaska
reunification [,riːjuːnɪfɪ'keɪʃən] *subst*
återförening
reunion [,riː'juːnjən] *subst* **1** återförening
2 sammankomst, samkväm
reunite [,riːjuː'naɪt] *verb* återförena;
återförenas

re-use [,riː'juːz] *verb* använda på nytt,
återanvända
Rev. förk. för *Reverend*
rev I [rev] *verb* vard., ~ *an engine* rusa en
motor; *~ up* el. ~ om motor rusa
II [rev] *subst* vard. varv; ~ *counter*
varvräknare
revaluation [,riːvæljʊ'eɪʃən] *subst*
1 revalvering av valuta; uppskrivning
2 omvärdering
revalue [,riː'væljuː] *verb* **1** revalvera valuta
2 omvärdera
reveal [rɪ'viːl] *verb* avslöja, röja, yppa
revel I ['revl] (*-ll-*, amer. *-l-*) *verb* festa, festa
om; ~ *in* frossa i, gotta sig åt
II ['revl] *subst* pl. *~s* fest, festande
revelation [,revə'leɪʃən] *subst* avslöjande,
uppdagande
revelry ['revlrɪ] *subst* festande, svirande
revenge I [rɪ'vendʒ] *verb*, ~ *oneself on sb*
hämnas på ngn
II [rɪ'vendʒ] *subst* hämnd [*on, upon* på; *for*
för]; revansch; *take one's ~* ta hämnd;
take ~ on sb hämnas på ngn
revengeful [rɪ'vendʒful] *adj* hämndlysten
revenue ['revənjuː] *subst* statsinkomster,
inkomster
reverberate [rɪ'vɜːbəreɪt] *verb* genljuda
reverence ['revərəns] *subst* vördnad
reverend ['revərənd] *adj* i kyrkliga titlar (förk.
ofta *Rev.*); *the Reverend J. Smith* pastor
(kyrkoherde) J. Smith
reverie ['revərɪ] *subst* dagdröm; *lost in a ~*
försjunken i drömmar
reversal [rɪ'vɜːsl] *subst* omkastning,
omsvängning [*a ~ of public opinion*]
reverse I [rɪ'vɜːs] *adj* motsatt [*~ direction*],
omvänd, bakvänd, omkastad; *~ gear*
backväxel; *the ~ side* baksidan; *in ~*
order i omvänd ordning
II [rɪ'vɜːs] *subst* **1** motsats; *just the ~* el.
quite the ~ alldeles tvärtom; *the very ~*
raka motsatsen [*of* till, mot] **2** baksida,
avigsida **3** *suffer a ~* röna motgång, lida
ett nederlag **4** bil. back; *put the car in ~*
lägga i backen
III [rɪ'vɜːs] *verb* **1** vända, vända på; backa
[*~ one's car*]; ~ *the charges* tele. låta
mottagaren betala samtalet **2** ändra, kasta
om; ~ *the order* kasta om ordningen
3 vända, slå om [*the trend has reversed*]
reversible [rɪ'vɜːsəbl] *adj* vändbar,
omkastbar
revert [rɪ'vɜːt] *verb* återgå, gå tillbaka [*~ to*
an earlier stage]; återkomma [*to* till]

review I [rɪ'vjuː] *subst* **1** granskning; *in the period under* ~ under den aktuella perioden; *come under* ~ tas upp till granskning **2** översikt [*of* över, av]; återblick [*of* på] **3** mil. inspektion, mönstring **4** recension, anmälan av bok **II** [rɪ'vjuː] *verb* **1** granska på nytt **2** överblicka, låta passera revy **3** mil. mönstra, inspektera [~ *the troops*] **4** recensera, anmäla bok

reviewer [rɪ'vjuːə] *subst* recensent, anmälare

revile [rɪ'vaɪl] *verb* smäda, skymfa

revise [rɪ'vaɪz] *verb* **1** revidera; omarbeta, bearbeta **2** skol. repetera

revision [rɪ'vɪʒən] *subst* **1** revidering, omarbetning, bearbetning **2** skol. repetition

revisit [ˌriː'vɪzɪt] *verb* besöka igen

revitalize [ˌriː'vaɪtəlaɪz] *verb* vitalisera, ge ny livskraft

revival [rɪ'vaɪvl] *subst* **1** återupplivande **2** återuppvaknande till sans, liv **3** repris, återupptagande [~ *of a play*] **4** ~ *meeting* väckelsemöte

revive [rɪ'vaɪv] *verb* **1** återuppliva, åter få liv i **2** vakna till liv igen, kvickna till **3** göra en nyuppsättning [~ *a play*]

revoke [rɪ'vəʊk] *verb* återkalla, dra in [~ *a driving licence*]

revolt I [rɪ'vəʊlt] *verb* **1** revoltera, göra uppror, göra revolt **2** uppröra; *be revolted* känna avsky [*by* vid, över] **II** [rɪ'vəʊlt] *subst* revolt, uppror, resning [*against* mot]

revolting [rɪ'vəʊltɪŋ] *adj* motbjudande, äcklig

revolution [ˌrevə'luːʃən] *subst* **1** revolution [*the French Revolution*] **2** rotation kring en axel, varv

revolutionary I [ˌrevə'luːʃənərɪ] *adj* revolutionär **II** [ˌrevə'luːʃənərɪ] *subst* revolutionär

revolutionize [ˌrevə'luːʃənaɪz] *verb* revolutionera

revolve [rɪ'vɒlv] *verb* vrida sig, rotera

revolver [rɪ'vɒlvə] *subst* revolver

revolving [rɪ'vɒlvɪŋ] *adj* roterande; ~ *chair* kontorsstol, svängstol; ~ *door* svängdörr

revue [rɪ'vjuː] *subst* teat. revy

revulsion [rɪ'vʌlʃən] *subst* motvilja [*against* mot]

reward I [rɪ'wɔːd] *subst* belöning, hittelön; *offer a* ~ *of £500* utfästa en belöning på 500 pund **II** [rɪ'wɔːd] *verb* belöna

rewarding [rɪ'wɔːdɪŋ] *adj* givande, tacksam, lönande

rewind [ˌriː'waɪnd] (*rewound rewound*) *verb* spola tillbaka film, band m.m.

reword [ˌriː'wɜːd] *verb* formulera om

rewound [ˌriː'waʊnd] imperf. o. perf. p. av *rewind*

rewrite [ˌriː'raɪt] (*rewrote rewritten*) *verb* skriva om

rewritten [ˌriː'rɪtn] perf. p. av *rewrite*

rewrote [ˌriː'rəʊt] imperf. av *rewrite*

rhapsody ['ræpsədɪ] *subst* **1** rapsodi **2** *go into rhapsodies over* råka i extas över

rhetoric ['retərɪk] *subst* retorik, vältalighet

rhetorical [rɪ'tɒrɪkl] *adj* retorisk

rheumatic [ruː'mætɪk] *adj* med. reumatisk

rheumatism ['ruːmətɪzəm] *subst* med. reumatism

rheumatoid ['ruːmətɔɪd] *adj* med. reumatoid; ~ *arthritis* ledgångsreumatism

Rhine [raɪn] *subst, the* ~ Rhen

rhino ['raɪnəʊ] (pl. ~s) *subst* vard. kortform för *rhinoceros*

rhinoceros [raɪ'nɒsərəs] *subst* noshörning

Rhodes [rəʊdz] Rhodos

rhododendron [ˌrəʊdə'dendrən] *subst* buske rhododendron

rhubarb ['ruːbɑːb] *subst* kok. rabarber

rhyme I [raɪm] *subst* rim; *nursery* ~ barnramsa, barnkammarrim **II** [raɪm] *verb* rimma

---

rhyming slang

Cockney talas i London. Ett inslag i denna form av engelska är *rhyming slang*. Man använder ord och fraser som rimmar på det ord som man egentligen menar. *Plates of meat* och *loaf of bread* är *rhyming slang* för *feet* respektive *head. Use your loaf!* betyder <u>Använd skallen!</u>

---

rhythm ['rɪðəm] *subst* rytm, takt

rhythmic ['rɪðmɪk] *adj* o. **rhythmical** ['rɪðmɪkəl] *adj* rytmisk

rib [rɪb] *subst* **1** anat. revben; *poke* (*dig*) *sb in the* ~*s* puffa (stöta) till ngn i sidan **2** högrev av nötkött; rygg av kalv, lamm; ~*s of pork* kok. revbensspjäll

ribbon ['rɪbən] *subst* band, remsa, strimla; *torn to* ~*s* i trasor

rice [raɪs] *subst* kok. ris, risgryn; ~ *pudding* risgrynsgröt

rich [rɪtʃ] *adj* **1** rik [*in* på], förmögen **2** riklig, stor [~ *vocabulary*] **3** fet, kraftig [~ *food*], mäktig [~ *cake*]

riches ['rɪtʃɪz] *subst pl* rikedom, rikedomar

richly ['rɪtʃlɪ] *adv* rikt; rikligt, rikligen

rickets ['rɪkɪts] *subst* med. rakitis

rickety ['rɪkətɪ] *adj* rankig [~ *chair*], ranglig, skranglig

ricochet ['rɪkəʃeɪ, 'rɪkəʃet] *verb* rikoschettera

rid [rɪd] (*rid rid*) (*ridding*) *verb* befria, göra fri, rensa [*of* från]; ~ *oneself of* bli fri från, göra sig kvitt; *get* ~ *of* bli av med, göra sig av med

ridden ['rɪdn] **1** perf. p. av *ride* **2** i sammansättningar -härjad [*crisis-ridden*], ansatt av, plågad av [*fear-ridden*]

1 riddle ['rɪdl] *subst* gåta

2 riddle ['rɪdl] *verb* genomborra

ride I [raɪd] (*rode ridden*) *verb* **1** rida, rida på **2** åka [~ *a bicycle*], köra [~ *a motorcycle*] **II** [raɪd] *subst* **1** ritt, ridtur **2** åktur, tur [*bus-ride*], resa, färd; *go for a* ~ göra en ridtur (åktur), göra en åktur

rider ['raɪdə] *subst* **1** ryttare **2** i sammansättningar -åkare [*cycle* ~]

ridge [rɪdʒ] *subst* rygg, kam; upphöjd rand; ~ *of high pressure* meteor. högtrycksrygg

ridicule I ['rɪdɪkjuːl] *subst* åtlöje, löje; *hold up to* ~ el. *expose to* ~ göra till ett åtlöje **II** ['rɪdɪkjuːl] *verb* förlöjliga

ridiculous [rɪ'dɪkjʊləs] *adj* löjlig, absurd

riding ['raɪdɪŋ] *subst* ridning, ridsport; *Little Red Riding Hood* Rödluvan

rife [raɪf] *adj* **1** *be* ~ grassera, vara utbredd **2** ~ *with* full av

riff-raff ['rɪfræf] *subst* slödder, pack, patrask

1 rifle ['raɪfl] *verb* rota igenom för att stjäla

2 rifle ['raɪfl] *subst* gevär, bössa

rifle range ['raɪflreɪndʒ] *subst* skjutbana

rift [rɪft] *subst* spricka, klyfta

1 rig [rɪg] (*-gg-*) *verb* fixa; ~ *an election* bedriva valfusk

2 rig [rɪg] (*-gg-*) *verb* **1** sjö. rigga, tackla **2** ~ *out* utrusta, ekipera

1 right I [raɪt] *adj* **1** rätt, riktig; rättmätig; ~*?* va?, eller hur?; *the* ~ *change* jämna pengar; *get on the* ~ *side of sb* komma på god fot med ngn; *do the* ~ *thing by sb* handla rätt mot ngn; *is this* ~ *for . . . ?* är det här rätt väg till . . . ?; *that's* ~*!* just det!, det var rätt!, det stämmer!; ~ *you are!* el. ~ *oh!* vard. OK!, kör för det!; *put* ~

a) ställa till rätta b) ställa i ordning c) reparera, rätta till, avhjälpa fel **2** om vinkel rät; *at* ~ *angles with* i rät vinkel mot **II** [raɪt] *adv* **1** rätt, rakt; ~ *ahead* rakt fram **2** just, precis [~ *here*]; genast, strax [*I'll be* ~ *back*]; ~ *away* genast, strax, utan vidare, direkt; ~ *now* a) just nu b) ögonblickligen **3** alldeles, helt, ända [~ *to the bottom*] **4** rätt, riktigt **III** [raɪt] *subst* **1** rätt [~ *and wrong*]; *by* ~*s* rätteligen **2** rättighet, rätt [*to* till]; *fishing* ~*s* fiskerätt; *all* ~*s reserved* med ensamrätt; *human* ~*s* de mänskliga rättigheterna; ~ *of way* a) förkörsrätt b) allemansrätt till väg; *by* ~ *of* i kraft av, på grund av; *he is quite within his* ~*s* han är i sin fulla rätt **3** *the* ~*s and wrongs of the case* de olika sidorna av saken **IV** [raɪt] *verb* räta upp [~ *a car*], få på rätt köl [~ *a boat*]; *things will* ~ *themselves* det kommer att rätta sig till

2 right I [raɪt] *adj* höger; ~ *hand* a) höger hand b) högra hand [*he is my* ~ *hand*]; ~ *turn* högersväng **II** [raɪt] *adv* till höger [*of* om], åt höger; ~ *and left* till höger och vänster, från alla håll; ~ *turn!* mil. höger om!; *turn* ~ svänga till höger **III** [raɪt] *subst* höger sida, höger hand; *the Right* polit. högern; *on your* ~ till höger om dig

right-about ['raɪtəbaʊt] *adv*, ~ *turn!* helt höger om!

right-angled ['raɪt,æŋgld] *adj* rätvinklig

righteous ['raɪtʃəs] *adj* **1** rättfärdig, rättskaffens **2** rättmätig [~ *indignation*]

rightful ['raɪtfʊl] *adj* rättmätig, rätt

right-hand ['raɪthænd] *adj* höger-; *his* ~ *man* hans högra hand

right-handed [,raɪt'hændɪd] *adj* högerhänt

right-hander [,raɪt'hændə] *subst* **1** högerhänt person; sport. högerhandsspelare **2** högerslag

rightly ['raɪtlɪ] *adv* **1** rätt, riktigt [*I don't* ~ *know*]; ~ *or wrongly* med rätt eller orätt **2** med rätta [~ *proud of his work*]

right-minded [,raɪt'maɪndɪd] *adj* rättsinnad [~ *people*]

righto [,raɪt'əʊ] *interj* vard. OK!, kör för det!

rightwards ['raɪtwədz] *adv* till höger, åt höger

right-wing ['raɪtwɪŋ] *adj* höger- [~ *party*], högerorienterad [~ *views*]

rigid ['rɪdʒɪd] *adj* **1** stel, styv **2** rigid, sträng, strikt

rigidity [rɪ'dʒɪdətɪ] *subst* **1** styvhet, stelhet **2** stränghet

rigmarole ['rɪgmərəʊl] *subst* **1** svammel, ramsa **2** omständlig procedur

rigorous ['rɪgərəs] *adj* **1** rigorös, sträng **2** bister, hård [~ *climate*]

rigour ['rɪgə] *subst* stränghet, hårdhet; pl. ~*s* strapatser; *the* ~*s of winter* den stränga vinterkylan

rile [raɪl] *verb* vard. reta, reta upp, irritera

rim [rɪm] *subst* **1** kant, fals, rand **2** fälg

rime [raɪm] *subst* rimfrost

rimless ['rɪmləs] *adj*, ~ *spectacles* glasögon utan bågar

rind [raɪnd] *subst* skal [~ *of a melon*]; svål [*bacon* ~]; kant, skalk [*cheese* ~]

1 ring I [rɪŋ] (*rang rung*) *verb* **1** ringa, klinga; ringa med (i, på) klocka m.m.; *that* ~*s a bell* det låter bekant; ~ *false* klinga falskt; *his story* ~*s true* hans historia låter sann **2** ringa till, ringa upp [ofta ~ *up*]; ~ *off* tele. ringa av, lägga på luren **3** genljuda [~ *in sb's ears*] **4** slå [*the bell* ~*s the hours*]
II [rɪŋ] *subst* ringning, signal; *there's a* ~ *at the door* det ringer på dörren; *give me a* ~ *sometime* slå en signal någon gång

2 ring I [rɪŋ] *subst* **1** ring äv. boxn.; *run* ~*s round sb* vard. besegra ngn hur lätt som helst **2** liga [*spy* ~]
II [rɪŋ] *verb* ringa, ringmärka

ringleader ['rɪŋˌliːdə] *subst* anstiftare, upprorsledare

ringmaster ['rɪŋˌmɑːstə] *subst* cirkusdirektör

ring-opener ['rɪŋˌəʊpənə] *subst* rivöppnare på burk

ring ouzel ['rɪŋˌuːzl] *subst* fågel ringtrast

ring-pull ['rɪŋpʊl] *subst* rivöppnare på burk

ring road ['rɪŋrəʊd] *subst* kringfartsled

ring-rusty ['rɪŋˌrʌstɪ] *adj* ringrostig

ringworm ['rɪŋwɜːm] *subst* med. revorm

rink [rɪŋk] *subst* bana för ishockey, skridskoåkning

rinse I [rɪns] *verb* skölja, skölja av; ~ *out* el. ~ skölja ur
II [rɪns] *subst* **1** sköljning; *give sth a* ~ skölja av ngt **2** sköljmedel; *hair* ~ toningsvätska

riot I ['raɪət] *subst* **1** upplopp, tumult; pl. ~*s* kravaller; ~ *police* kravallpolis **2** *run* ~ a) härja, skena i väg [*his imagination runs* ~] b) växa ohejdat
II ['raɪət] *verb* ställa till upplopp (kravaller)

rioter ['raɪətə] *subst* upprorsmakare, deltagare i upplopp

riotous ['raɪətəs] *adj* tumultartad, kravallartad

rip [rɪp] (-*pp*-) *verb* riva, slita, fläka, skära [*open*, *up* upp; *off* av, loss]; *let it* ~ sätt full fart!

ripcord ['rɪpkɔːd] *subst* utlösningslina på fallskärm

ripe [raɪp] *adj* mogen

ripen ['raɪpən] *verb* mogna

rip-off ['rɪpɔf] *subst* vard., *it's a* ~ det är rena rövarpriset

ripple I ['rɪpl] *verb* **1** om t.ex. vattenyta krusa sig **2** porla
II ['rɪpl] *subst* **1** krusning på vattnet **2** porlande; *a* ~ *of laughter* ett porlande skratt

rise I [raɪz] (*rose risen*) *verb* **1** resa sig, resa sig upp, stiga upp, gå upp **2** stiga, höja sig; *the glass is rising* barometern stiger; ~ *to the occasion* vara situationen vuxen **3** resa sig, göra uppror **4** stiga i graderna, avancera; ~ *to be a general* avancera till general; ~ *in the world* komma upp sig här i världen **5** uppkomma, uppstå [*from av*] **6** kok. jäsa om bröd
II [raɪz] *subst* **1** stigning [*a* ~ *in the ground*], upphöjning **2** stigande, tilltagande, stegring, ökning **3** löneförhöjning **4** uppgång; *give* ~ *to* ge upphov till; *the* ~ *of industrialism* industrialismens genombrott

risen ['rɪzn] perf. p. av *rise I*

riser ['raɪzə] *subst*, *be an early* ~ vara morgontidig; *be a late* ~ ligga länge på morgnarna

rising I ['raɪzɪŋ] *adj* stigande; *the* ~ *generation* det uppväxande släktet; *a* ~ *young politician* en kommande ung politiker
II ['raɪzɪŋ] *subst* **1** resning, uppror **2** uppstigning

risk I [rɪsk] *subst* risk, fara; *run a* ~ löpa en risk; *be at* ~ stå på spel
II [rɪsk] *verb* riskera; våga; ~ *one's life* el. ~ *one's neck* vard. våga livet

risky ['rɪskɪ] *adj* riskabel

risotto [rɪ'zɒtəʊ] (pl. ~*s*) *subst* kok. risotto

rissole ['rɪsəʊl] *subst* kok. krokett; flottyrkokt risoll

rite [raɪt] *subst* rit, ceremoni

ritual I ['rɪtʃʊəl] *adj* rituell
II ['rɪtʃʊəl] *subst* ritual

rival I ['raɪvl] *subst* rival, konkurrent, medtävlare
II ['raɪvl] *adj* rivaliserande, konkurrerande
III ['raɪvl] (-*ll*-) *verb* tävla med, rivalisera med

rivalry ['raɪvəlrɪ] *subst* rivalitet, konkurrens
river ['rɪvə] *subst* flod
rivet I ['rɪvɪt] *subst* nit
  II ['rɪvɪt] *verb* nita, nita fast; ~ *one's eyes on* fästa blicken på
Riviera [ˌrɪvɪ'eərə] *subst, the* ~ Rivieran
RN [ˌɑːr'en] *förk.* för *Royal Navy*
roach [rəʊtʃ] *subst* fisk mört

roads
I ENGLAND:
M = motorväg, t.ex. *M1, M2*
A = större väg, t.ex. *A10, A12*
B = mindre väg, t.ex. *B1011, B2022*
I USA:
Interstate = motorväg mellan stater, t.ex. *Interstate 1*
expressway = motorväg
highway = motorväg, större väg
freeway = avgiftsfri motorväg
route = större landsväg, t.ex. *Route 66*

road [rəʊd] *subst* väg, landsväg; körbana; ~ *rage* bråk i trafiken som urartar till våld; *Road Up* på skylt vägarbete; *one for the* ~ vard. en färdknäpp
roadblock ['rəʊdblɒk] *subst* trafik. vägspärr
road-holding ['rəʊdˌhəʊldɪŋ] *adj,* ~ *ability* väghållning
roadhouse ['rəʊdhaʊs] *subst* finare värdshus vid landsvägen
roadmap ['rəʊdmæp] *subst* vägkarta
roadside ['rəʊdsaɪd] *subst* **1** vägkant, vägens sida **2** före subst. vid vägen [*a ~ inn*]
roadsign ['rəʊdsaɪn] *subst* **1** vägmärke, trafikskylt **2** vägvisare
roadtest ['rəʊdtest] *subst* provkörning på väg av bil m.m.
roadway ['rəʊdweɪ] *subst* körbana, vägbana
roadworks ['rəʊdwɜːks] *subst pl* vägarbete
roadworthy ['rəʊdˌwɜːðɪ] *adj* bil. trafikduglig, i körbart skick
roam [rəʊm] *verb* ströva omkring, ströva igenom
roar I [rɔː] *subst* **1** rytande, vrål; ~ *of laughter* skrattsalva **2** dån, larm, brus [*the ~ of the traffic*]
  II [rɔː] *verb* **1** ryta; vråla [~ *with pain*]; tjuta, gallskrika; ~ *with laughter* gapskratta **2** dåna, larma, brusa

roast I [rəʊst] *verb* **1** steka, ugnsteka; stekas **2** rosta [~ *coffee beans*]
  II [rəʊst] *subst* stek
  III [rəʊst] *adj* **1** stekt; ~ *beef* rostbiff; oxstek; ~ *potatoes* ugnstekt potatis **2** rostad
rob [rɒb] (*-bb-*) *verb* plundra, råna, bestjäla [*of* på]
robber ['rɒbə] *subst* rånare
robbery ['rɒbərɪ] *subst* rån
robe [rəʊb] *subst* **1** pl. ~*s* ämbetsdräkt **2** galaklänning **3** badrock, amer. morgonrock
robin ['rɒbɪn] *subst* rödhake, amer. vandringstrast, rödtrast; ~ *redbreast* rödhake
robot ['rəʊbɒt] *subst* robot; ~ *pilot* autopilot
robust [rə'bʌst] *adj* **1** robust, kraftig; *have a ~ appetite* ha frisk aptit; *a ~ plant* en härdig växt
1 rock [rɒk] *subst* **1** klippa, skär; *be on the* ~*s* vard. vara pank; *whisky on the* ~*s* whisky med is **2** stenblock, klippblock **3** amer. sten i allm. [*throw ~s*] **4** berg, berggrund [*a house built on ~*] **5** bergart **6** ungefär polkagrisstång
2 rock [rɒk] *verb* **1** vagga, gunga, vyssja **2** skaka; ~ *the boat* ställa till trassel; ~ *with laughter* skaka av skratt
3 rock [rɒk] *subst* musik. rock, rockmusik
rock-bottom [ˌrɒk'bɒtəm] *subst* vard. absoluta botten; *hit* ~ el. *reach* ~ nå botten
rock cake ['rɒkkeɪk] *subst* hastbulle med russin
rock-climbing ['rɒkˌklaɪmɪŋ] *subst* bergbestigning, alpinism
rock crystal [ˌrɒk'krɪstl] *subst* bergkristall
rocker ['rɒkə] *subst* med på vagga, gunga, gungstol
rockery ['rɒkərɪ] *subst* stenparti i trädgård
1 rocket I ['rɒkɪt] *subst* raket; ~ *missile* raketvapen; ~ *propulsion* raketdrift
  II ['rɒkɪt] *verb* **1** flyga som en raket **2** skjuta i höjden [*prices rocketed*]
2 rocket ['rɒkɪt] *subst* rucola, rucolasallad
rocket-assisted ['rɒkɪtəˌsɪstɪd] *adj,* ~ *take-off* raketstart
rock garden ['rɒkˌgɑːdn] *subst* stenparti
Rockies ['rɒkɪz] *subst pl, the* ~ vard., se *the Rocky Mountains*
rocking-chair ['rɒkɪŋtʃeə] *subst* gungstol
rocking-horse ['rɒkɪŋhɔːs] *subst* gunghäst
rocky ['rɒkɪ] *adj* klippig; stenig

Rocky Mountains [ˌrɒkɪˈmaʊntɪnz] *subst pl,* *the* ~ Klippiga bergen

rococo [rəˈkəʊkəʊ] *subst* konststil rokoko

rod [rɒd] *subst* **1** käpp, stång **2** metspö **3** spö, ris

rode [rəʊd] imperf. av *ride I*

rodent [ˈrəʊdənt] *subst* zool. gnagare

rodeo [rəˈdeɪəʊ] (pl. ~*s*) *subst* rodeo riduppvisning

1 roe [rəʊ] *subst* rom, fiskrom; *soft* ~ mjölke

2 roe [rəʊ] *subst* rådjur

rogue [rəʊg] *subst* **1** rackare, skojare **2** lymmel

roguish [ˈrəʊgɪʃ] *adj* **1** skurkaktig **2** skälmsk

role [rəʊl] *subst* roll; uppgift, funktion; ~ *model* rollmodel, förebild; ~ *play* rollspel

roll I [rəʊl] *subst* **1** rulle; *be on a* ~ ha flyt, vara i ett stim **2** valk [~*s of fat*] **3** småfranska, fralla **4** lista, förteckning, register **5** rullande, rullning

II [rəʊl] *verb* **1** rulla **2** rulla sig, vältra sig; ~ *in luxury* vard. vältra sig i lyx; *he's rolling in money* vard. han har pengar som gräs **3** kavla, kavla ut, valsa ut **4** om t.ex. åska mullra **5** sjö. rulla

III [rəʊl] *verb* med adv. o. prep.

roll along 1 rulla vägen fram **2** vard. rulla på gå stadigt framåt

roll in rulla in; strömma in [*offers of help were rolling in*], strömma till

roll on: ~ *on Friday!* om det ändå vore fredag!

roll out kavla ut, valsa ut; ~ *up* **1** rulla ihop sig **2** komma tågande; *Roll up! Roll up!* på t.ex. tivoli välkomna hit mina damer och herrar!

rollcall [ˈrəʊlkɔːl] *subst* upprop

rolled gold [ˌrəʊldˈgəʊld] *subst* gulddoublé

roller blades [ˈrəʊləbleɪdz] *subst* roller blades

roller-coaster [ˈrəʊləˌkəʊstə] *subst* berg-och-dalbana

roller-skate I [ˈrəʊləskeɪt] *subst* rullskridsko **II** [ˈrəʊləskeɪt] *verb* åka rullskridsko

rolling [ˈrəʊlɪŋ] *adj* **1** rullande **2** vågig; ~ *country* ett böljande landskap

rolling-pin [ˈrəʊlɪŋpɪn] *subst* brödkavel

roll-neck [ˈrəʊlnek] *subst,* ~ *sweater* polotröja

roll-on [ˈrəʊlɒn] *subst* **1** resårgördel **2** roll-on; t.ex. deodorant

roll-top [ˈrəʊltɒp] *subst,* ~ *desk* jalusiskrivbord

ROM [rɒm] (förk. för *read only memory*) data. ROM

Roman I [ˈrəʊmən] *adj* romersk, romar- [*the* ~ *Empire*]; ~ *Catholic* romersk-katolsk; romersk katolik; ~ *numerals* romerska siffror

II [ˈrəʊmən] *subst* romare

romance [rəˈmæns] *subst* **1** romantik **2** romans kärlekshistoria **3** äventyrsroman

Romania [rəʊˈmeɪnjə] Rumänien

Romanian I [rəʊˈmeɪnjən] *adj* rumänsk **II** [rəʊˈmeɪnjən] *subst* **1** rumän **2** rumänska språket

romantic I [rəˈmæntɪk] *adj* romantisk **II** [rəˈmæntɪk] *subst* romantiker

romanticism [rəˈmæntɪsɪzəm] *subst* romantik

romanticize [rəˈmæntɪsaɪz] *verb* romantisera, vara romantisk; svärma

Rome [rəʊm] Rom; *the Church of* ~ romersk-katolska kyrkan; *when in* ~ *do as the Romans do* ordspr. man får ta seden dit man kommer

romp [rɒmp] *verb* **1** stoja, leka vilt, tumla om **2** vard., ~ *in* el. ~ *home* i kapplöpning vinna lätt

romper [ˈrɒmpə] *subst* pl. ~*s* sparkbyxor, sparkdräkt

roof I [ruːf] *subst* tak, yttertak, hustak; *the* ~ *of the mouth* gommen; *hit the* ~ vard. gå i taket av ilska

II [ruːf] *verb* **1** lägga tak på, taklägga **2** ge husrum åt, hysa

roof garden [ˈruːfˌgɑːdn] *subst* **1** takträdgård, takterrass **2** takservering

roofing [ˈruːfɪŋ] *subst* takläggning, taktäckningsmaterial

roof rack [ˈruːfræk] *subst* takräcke på bil

1 rook [rʊk] *subst* fågel råka

2 rook [rʊk] *subst* schack. torn

rookie [ˈrʊkɪ] *subst* vard. **1** gröngöling, novis **2** spec. amer. sport. nybörjare

room [ruːm, rʊm] *subst* **1** rum i hus; *ladies'* ~ damrum, damtoalett; *men's* ~ herrtoalett; *set of* ~*s* våning **2** pl. ~*s* hyresrum **3** plats, rum, utrymme; *standing* ~ ståplats, ståplatser; *there's no* ~ *for the table* bordet får inte plats; *there's plenty of* ~ det är gott om plats; *make* ~ *for* lämna plats för

roommate [ˈruːmmeɪt] *subst* **1** rumskamrat **2** sambo

room service [ˈruːmˌsɜːvɪs] *subst* rumservice på hotell

roomy [ˈruːmɪ] *adj* rymlig

roost I [ruːst] *subst* hönspinne; *rule the* ~

vard. vara herre på täppan
II [ruːst] *verb* om fågel slå sig ner
rooster ['ruːstə] *subst* tupp
root I [ruːt] *subst* **1** rot; ~ *beer* spec. amer.
läskedryck smaksatt med växtextrakt; *the*
~ *cause* grundorsaken; ~ *filling*
rotfyllning i tand; *take* ~ slå rot, få rotfäste;
be at the ~ *of* vara roten och upphovet till;
pull (tear) up by the ~s rycka upp med
roten (rötterna) **2** mat. rot; *square* ~
kvadratrot
II [ruːt] *verb* **1** slå rot; *deeply rooted* djupt
rotad; inrotad; *be rooted in* ha sin grund i
2 ~ *out* utrota
rope I [rəʊp] *subst* **1** rep, lina, tåg; *know the*
~s vard. känna till knepen; *give sb plenty*
of ~ ge ngn fria tyglar, ge ngn fritt spelrum;
be at the end of one's ~ amer. inte orka
mer; *be on the* ~s hänga på fallrepet, vara
illa ute **2** ~ *of pearls* pärlband,
pärlhalsband
II [rəʊp] *verb* **1** binda med rep **2** ~ *in*
inhägna med rep; ~ *off* spärra av med rep
3 vard., ~ *sb in* få ngn att hjälpa till, förmå
ngn att vara med
rope-walker ['rəʊp‚wɔːkə] *subst* lindansare
rosary ['rəʊzərɪ] *subst* relig. radband
1 rose [rəʊz] *imperf.* av *rise I*
2 rose I [rəʊz] *subst* **1** blomma ros; *not all* ~s
el. *not a bed of* ~s ingen dans på rosor
2 rosa, rosenrött
II [rəʊz] *adj* **1** i sammansättningar ros-, rosen-
[*rosebush*] **2** rosa, rosenröd
rosebud ['rəʊzbʌd] *subst* rosenknopp
rosebush ['rəʊzbʊʃ] *subst* rosenbuske
rosehip ['rəʊzhɪp] *subst* bot. nypon
rosemary ['rəʊzmərɪ] *subst* krydda rosmarin
rosette [rə'zet] *subst* rosett
rostrum ['rɒstrəm] *subst* **1** talarstol, podium
2 prispall
rosy ['rəʊzɪ] *adj* **1** rosig, rödblommig
2 rosenfärgad, rosenröd **3** ljus [*a* ~ *future*]
4 i sammansättningar rosen-
rosy-cheeked ['rəʊzɪtʃiːkt] *adj* rosenkindad
rot I [rɒt] (-tt-) *verb* **1** ruttna **2** få att ruttna
II [rɒt] *subst* röta, ruttenhet; förruttnelse
rota ['rəʊtə] *subst* tjänstgöringslista
rotate [rəʊ'teɪt] *verb* **1** rotera, svänga [~
round an axis]; låta rotera **2** växla, gå runt;
låta växla; ~ *crops* bedriva växelbruk
rotation [rəʊ'teɪʃən] *subst* **1** rotation; varv
2 turordning; *in* ~ i tur och ordning,
växelvis **3** lantbr., *crop* ~ växelbruk
rote [rəʊt] *subst*, *by* ~ utantill [*know by* ~]
rotten ['rɒtn] *adj* **1** rutten, skämd **2** vard.

urusel [~ *weather*], vissen [*feel* ~]; *what* ~
luck! en sån förbaskad otur!
rouble ['ruːbl] *subst* myntenhet rubel
rouge I [ruːʒ] *subst* rouge
II [ruːʒ] *verb* sminka sig med rouge, lägga
på rouge
rough I [rʌf] *adj* **1** grov, ojämn, sträv
2 gropig [*a* ~ *sea*] **3** hårdhänt, omild [~
handling]; ~ *play* sport. ojust spel, ruff;
have a ~ *time* el. *have a* ~ *time of it* vard.
ha det svårt **4** ohyfsad, råbarkad; *a* ~
customer en rå typ **5** rå, oslipad [*a* ~
diamond] **6** grov; ~ *copy* kladd, koncept;
~ *outline* skiss, utkast; *in* ~ *outlines* i
grova drag **7** ungefärlig; *a* ~ *estimate* en
ungefärlig beräkning; *a* ~ *guess* en lös
gissning
II [rʌf] *adv* grovt, hårt; *play* ~ spela ojust,
ruffa
III [rʌf] *verb*, ~ *it* slita ont, leva primitivt
roughage ['rʌfɪdʒ] *subst* **1** fiberrik kost
2 kostfiber
rough-and-ready [‚rʌfnd'redɪ] *adj* **1** grov,
ungefärlig; *a* ~ *estimate* en grov
beräkning **2** om person rättfram
roughen ['rʌfən] *verb* göra grov, bli grov
roughly ['rʌflɪ] *adv* **1** grovt; *treat* ~
behandla omilt, behandla hårt **2** cirka,
ungefär; ~ *speaking* i stort sett
roughneck ['rʌfnek] *subst* vard. ligist, hårding
roulade [ruː'lɑːd] *subst* kok. rulad
roulette [rʊ'let] *subst* hasardspel rulett
round I [raʊnd] *adj* rund, jämn, avrundad [*a*
~ *sum*]; ungefärlig [*a* ~ *estimate*]
II [raʊnd] *subst* **1** ; rond, runda, tur; *the*
postman's ~ brevbärarens utbärningstur;
go el. *do the* ~s a) göra sin
inspektionsrunda b) gå runt, cirkulera
c) grassera, härja [*flu is going the* ~s]; *go*
the ~ *of* a) gå runt i b) gå laget runt bland;
make one's ~s gå ronden **2** omgång,
varv; ~ *of ammunition* mil. a) skottsalva
b) skott [*he had three* ~s *of ammunition left*];
a ~ *of applause* en applåd; *stand a* ~ *of*
drinks bjuda på en omgång drinkar
3 sport. rond, omgång; *a* ~ *of golf* en
golfrunda **4** ring, krets **5** skiva av bröd; *a* ~
of toast en skiva rostat bröd
III [raʊnd] *adv* **1** runt [*show sb* ~], omkring,
runtom; ~ *about* runtomkring, runtom;
all ~ runtom; överallt; överlag, laget runt;
the first time ~ i första vändan; *all the*
year ~ hela året, året runt (om); *don't*
turn ~! vänd dig inte om! **2** hit, över [*he*
came ~ *one evening*]; *ask sb* ~ be ngn hem

till sig **3** ~ *about* omkring [~ *about lunchtime*]
IV [raʊnd] *prep* om [*he had a scarf* ~ *his neck*], runt, omkring, kring [*sit* ~ *the table*]; runtom; ~ *the clock* dygnet runt
V [raʊnd] *verb* **1** göra rund, runda [~ *the lips*]; ~ *off* a) runda t.ex. hörn b) runda av summa c) avrunda, avsluta [~ *off an evening*] **2** runda, svänga om, svänga runt [~ *a street corner*], gå (fara, segla) runt; sjö. dubblera [~ *a cape*] **3** ~ *up* samla ihop, driva ihop [~ *up the cattle*], mobilisera, samla [~ *up volunteers*] **4** ~ *out* bli fylligare, bli rundare [*her figure is beginning to* ~ *out*] **5** ~ *on sb* fara ut mot ngn
roundabout I ['raʊndəbaʊt] *adj* omständlig; *use* ~ *methods* gå omvägar; ~ *way* omväg; *in a* ~ *way* indirekt, på omvägar
II ['raʊndəbaʊt] *subst* **1** karusell **2** trafik. rondell
round-table [,raʊnd'teɪbl] *adj* rundabords-
round-the-clock ['raʊndðəklɒk] *adj* dygnslång; ~ *service* dygnetruntservice
round-trip ['raʊndtrɪp] *adj* amer. turochretur- [*a* ~ *ticket*]
round-up ['raʊndʌp] *subst* **1** mobiliserande **2** razzia [*of* bland] **3** sammandrag [*a news* ~]; *Sports* ~ radio. el. tv. sportextra
rouse [raʊz] *verb* **1** väcka; rycka upp [*from* ur] **2** egga, elda upp [~ *the masses*]; reta upp [~ *sb to anger*]; *he is terrible when roused* han är hemsk när han är uppretad **3** ~ *oneself* rycka upp sig, vakna upp
rousing ['raʊzɪŋ] *adj* väckande, eldande [*a* ~ *speech*], medryckande; *a* ~ *welcome* ett översvallande välkomnande
rout I [raʊt] *subst* vild flykt; sammanbrott, nederlag; *put to* ~ driva på flykten
II [raʊt] *verb* driva på flykten, fullständigt besegra
route I [ruːt] *subst* rutt, väg, led; marschrutt; *on* ~ *number 50* buss på linje 50
II [ruːt] *verb* sända viss väg, dirigera
routine I [ruːˈtiːn] *subst* **1** rutin, slentrian; *office* ~ kontorsrutiner **2** teat. nummer på repertoaren [*a dance* ~]
II [ruːˈtiːn] *adj* rutinmässig, slentrianmässig
rove [rəʊv] *verb* **1** ströva omkring, vandra **2** ströva omkring i
roving ['rəʊvɪŋ] *adj* kringströvande, irrande; ~ *ambassador* resande ambassadör; ~ *reporter* flygande reporter
1 row [rəʊ] *subst* **1** rad, räcka, länga [*a* ~ *of houses*]; led **2** bänkrad **3** i stickning varv

2 row I [rəʊ] *verb* ro
II [rəʊ] *subst* roddtur
3 row I [raʊ] *subst* **1** oväsen, bråk; *stop that* ~! för inte ett sånt liv! **2** gräl, bråk; *have a* ~ bråka, gräla
II [raʊ] *verb* **1** väsnas, bråka **2** gräla
rowan ['rəʊən] *subst* träd rönn
rowanberry ['rəʊən,berɪ] *subst* rönnbär
rowdy I ['raʊdɪ] *subst* bråkmakare, råskinn
II ['raʊdɪ] *adj* bråkig, våldsam [~ *scenes*]
rower ['rəʊə] *subst* roddare
rowing ['rəʊɪŋ] *subst* rodd; ~ *match* kapprodd
rowing-boat ['rəʊɪŋbəʊt] *subst* roddbåt
rowlock ['rɒlək, 'rəʊlɒk] *subst* årtull, årklyka
royal ['rɔɪəl] *adj* kunglig; *the* ~ *speech* trontalet
royalist I ['rɔɪəlɪst] *subst* rojalist
II ['rɔɪəlɪst] *adj* rojalistisk
royalistic [,rɔɪəˈlɪstɪk] *adj* rojalistisk
royalty ['rɔɪəltɪ] *subst* **1** kunglighet **2** royalty
RSPCA ['ɑːr,esˈpiː,siːˈeɪ] (förk. för *Royal Society for the Prevention of Cruelty to Animals*) brittiska djurskyddsföreningen
rub I [rʌb] (*-bb-*) *verb* gnida, gno, gnugga; ~ *shoulders with* a) umgås med b) neds. frottera sig med; ~ *sb up the wrong way* stryka ngn mothårs
II [rʌb] (*-bb-*) *verb* med adv. o. prep.
rub down gnida ren; slipa av, putsa av
rub in gnida in; *don't* ~ *it in!* du behöver inte tjata om det!, du behöver inte alltid påminna mig om det!
rub off gnida av, putsa av, sudda ut; sudda ren
rub out sudda ut, sudda bort, gnida av, gnida bort
rub up putsa, polera
III [rʌb] *subst* **1** gnidning; *give the silver a* ~! putsa upp silvret! **2** *there's the* ~! det är där problemet ligger!
1 rubber ['rʌbə] *subst* kortsp. robbert; spel
2 rubber ['rʌbə] *subst* **1** kautschuk; radergummi; ~ *bullet* gummikula **2** amer. vard. gummi kondom
rubber band [,rʌbəˈbænd] *subst* gummisnodd
rubber-stamp I [,rʌbəˈstæmp] *subst* gummistämpel
II [,rʌbəˈstæmp] *verb* stämpla, vard. godkänna utan vidare
rubbery ['rʌbərɪ] *adj* seg som gummi, gummiartad
rubbish I ['rʌbɪʃ] *subst* **1** avfall **2** skräp,

smörja **3** struntprat
II ['rʌbɪʃ] *verb* racka ner, göra ner
rubbish heap ['rʌbɪʃhiːp] *subst* skräphög
rubbishy ['rʌbɪʃɪ] *adj* skräpig
rubble ['rʌbl] *subst* **1** stenflis; *a heap of* ~ en grushög **2** spillror
rub-down ['rʌbdaʊn] *subst* **1** gnidning, putsning; *a cold* ~ en kall avrivning
ruby I ['ruːbɪ] *subst* **1** ädelsten rubin **2** rubinrött
II ['ruːbɪ] *adj* rubinröd; ~ *lips* purpurröda läppar
rucksack ['rʌksæk] *subst* ryggsäck
rudder ['rʌdə] *subst* roder; flyg. sidoroder
ruddy ['rʌdɪ] *adj* rödblommig [*a* ~ *complexion*]; rödaktig
rude [ruːd] *adj* **1** ohyfsad, oartig **2** grov [~ *remarks*], oanständig [~ *jokes*] **3** häftig [*a* ~ *shock*]
rudiment ['ruːdɪmənt] *subst* **1** rudiment, ansats [*of* till] **2** pl. ~*s* första grunder
rudimentary [ˌruːdɪˈmentərɪ] *adj* **1** rudimentär **2** elementär
ruffian ['rʌfjən] *subst* råskinn, buse
ruffle ['rʌfl] *verb* **1** rufsa till [~ *sb's hair*]; burra upp [*the bird ruffled its feathers*] **2** röra upp, krusa **3** ~ *sb's temper* förarga ngn; *be ruffled* bli stött **4** rynka, vecka
rug [rʌg] *subst* **1** liten matta **2** filt, pläd

---

rugby
Rugby spelades första gången 1823 på den kända privatskolan *Rugby*. Det spelas med en oval boll och man får använda händerna. England spelar landskamper mot t.ex. Australien, Sydafrika, Nya Zeeland och Frankrike. Amerikansk och australisk fotboll är varianter av *rugby*.

---

rugby ['rʌgbɪ] *subst* rugby
rugged ['rʌgɪd] *adj* **1** ojämn; oländig, kuperad [~ *country*] **2** fårad, grov [*a* ~ *face*] **3** sträv, kärv, barsk [*a* ~ *old peasant*] **4** kraftig, robust [~ *physique*]
rugger ['rʌgə] *subst* vard. rugby
ruin I ['rʊɪn] *subst* **1** ruin, ruiner **2** ruin, undergång, förfall
II ['rʊɪn] *verb* **1** ödelägga, förstöra **2** ruinera **3** störta i fördärvet **4** fördärva, förstöra [~ *one's health*; *you've ruined the cake!*]

ruination [rʊɪˈneɪʃən] *subst* **1** ödeläggelse **2** ruin, fördärv
ruined ['rʊɪnd] *adj* **1** förfallen, i ruiner **2** ruinerad **3** fördärvad, förstörd, ödelagd
rule I [ruːl] *subst* **1** regel, bestämmelse, föreskrift; *as a* ~ i regel; *the* ~*s of the game* spelreglerna **2** styre, välde [*under British* ~]; regering **3** tumstock, måttstock
II [ruːl] *verb* **1** regera över, styra, härska över **2** regera, härska [*over* över]; råda **3** fastställa, förordna, bestämma; ~ *out* utesluta **4** linjera; *ruled paper* linjerat papper **5** hand., om t.ex. pris gälla, råda [*ruling prices*]
ruler ['ruːlə] *subst* **1** härskare [*of* över] **2** linjal
rum [rʌm] *subst* rom dryck
rumba I ['rʌmbə] *subst* dans rumba
II ['rʌmbə] *verb* dansa rumba
rumble I ['rʌmbl] *verb* mullra; om mage kurra
II ['rʌmbl] *subst* mullrande
ruminate ['ruːmɪneɪt] *verb* **1** idissla **2** grubbla, fundera [*about* på, över]
rummage ['rʌmɪdʒ] *verb* **1** leta igenom, rota igenom **2** leta, rota [*in, through* igenom]
rummy ['rʌmɪ] *subst* rummy slags kortspel
rumour I ['ruːmə] *subst* rykte [*a false* ~]
II ['ruːmə] *verb*, *it is rumoured that* det ryktas att
rumour-monger ['ruːməˌmʌŋgə] *subst* ryktesspridare
rump [rʌmp] *subst* bakdel, rumpa
rumple ['rʌmpl] *verb* skrynkla ned
rumpsteak [ˌrʌmpˈsteɪk] *subst* rumpstek
rumpus ['rʌmpəs] *subst* vard. bråk, uppträde
run I [rʌn] (*ran run*) (*running*) *verb* **1** springa, löpa; ~ *errands* springa ärenden [*for* åt, för] **2** polit. m.m. ställa upp, kandidera [*for* till] **3** glida, löpa, rulla, köra **4** om t.ex. maskin gå, vara i gång, vara på; *leave the engine running* låta motorn gå på tomgång **5** gå, köra [*the buses* ~ *every five minutes*] **6** om t.ex. färg fälla [*these colours won't* ~]; flyta ut, flyta omkring **7** rinna, droppa [*your nose is running*], flyta, flöda; om sår vätska sig, vara sig **8** ~ *dry* torka ut, sina ut; ~ *high* a) om tidvatten, pris m.m. stiga högt b) om t.ex. känslor svalla; ~ *low* te slut, tryta [*supplies are running low*] **9** löpa, gälla [*the contract* ~*s for three years*] **10** pågå, gå; *the play ran for six months* pjäsen gick i sex månader **11** lyda, låta; *it* ~*s as follows* det lyder som följer **12** *my stocking has* ~ det har gått en maska på min strumpa **13** springa i kapp med [*I ran*

him to the corner] **14** driva [~ *a business*];
leda, styra [~ *a country*]; sköta, förestå; ~
a course hålla en kurs **15** köra, skjutsa
[*I'll* ~ *you home in my car*] **16** låta glida,
dra, fara med, köra [~ *one's fingers through
one's hair*] **17** hålla (sätta) i gång; ~ *a film*
visa en film; ~ *a tape* spela ett band
18 köra med, sätta in [~ *extra buses*]
19 låta rinna, tappa [~ *water into a
bath-tub*] **20** *a car that is expensive to* ~
en bil som är dyr i drift; ~ *a temperature*
vard. ha feber
II [rʌn] (*ran run*) (*running*) *verb* med adv. o.
prep.
run about springa (löpa, fara) omkring
run across 1 gå (löpa) tvärs över **2** stöta
på, träffa på
run against 1 stöta 'på, träffa på, stöta
ihop med **2** rusa emot **3** sport. m.m. tävla
(springa) mot; ställa upp mot
run aground gå (segla) på grund
run along! vard. i väg med dig!
run away springa i väg (bort); rymma
run down 1 springa (löpa, fara, rinna) ner
(nedför) **2** *feel* ~ *down* känna sig trött och
nere **3** ta slut, köra slut på; *the battery
has* ~ *down* batteriet är slut **4** köra över,
köra ner i trafiken **5** tala illa om, racka ner på
run for 1 springa till, springa efter **2** ~ *for
it* vard. skynda sig, springa fort; ~ *for one's
life* springa för livet **3** polit. m.m. ställa upp
som, kandidera till [~ *for president*]
run in 1 rusa in **2** *it* ~*s in the family* det
ligger i släkten **3** köra in [~ *in a new car*; ~
in an engine]; *running in* om bil under
inkörning
run into 1 köra 'på (in i, emot), rusa in i
(emot) **2** stöta 'på, träffa på **3** råka in i,
stöta på; försätta i [*it ran him into
difficulties*]; ~ *into debt* råka i skuld
run off 1 springa sin väg **2** trycka; köra,
dra [~ *off fifty copies*] **3** köra, spela [~ *off a
tape*]
run on 1 gå 'på, springa vidare, köra vidare
2 fortsätta, löpa vidare **3** gå på, drivas med
[~ *on petrol*]
run out 1 springa ut, löpa ut **2** löpa (gå)
ut; hålla på att ta slut, börja sina (tryta)
run over 1 rinna över, flöda över **2** köra
över; *he was* ~ *over* han blev överkörd
run through 1 gå igenom, löpa igenom
2 genomborra [~ *sb through with a sword*]
run to 1 skynda till [~ *to his help*] **2** uppgå
till; omfatta [*the story* ~*s to 5,000 words*],
komma upp till (i) **3** vard. ha råd med

run up 1 springa uppför **2** skjuta i höjden;
~ *up a debt* skaffa sig skulder **3** om pris ~
up to uppgå till **4** ~ *up against* stöta på
[~ *up against difficulties*], träffa på, råka in i
III [rʌn] *subst* **1** löpning, lopp; *on the* ~ vard.
på flykt, på rymmen **2** sport., i t.ex. kricket
'run', poäng **3** kort färd; *a* ~ *in the car* en
biltur **4** rutt, väg, runda **5** serie, följd,
räcka [*a* ~ *of misfortunes*]; *have a good* ~
ha framgång, gå bra; *a* ~ *of bad luck*
ständig otur; *a* ~ *of good luck* ständig tur;
in the long ~ i längden, på lång sikt
6 plötslig efterfrågan, ökad efterfrågan;
there was a ~ *on the bank* det blev
rusning till banken för att få ut innestående
pengar **7** vard. fritt tillträde, tillgång [*of till*]
8 maska på t.ex. strumpa
rundown ['rʌndaʊn] *adj* **1** slutkörd;
nedgången; medtagen **2** förfallen
rune [ruːn] *subst* runa
1 rung [rʌŋ] perf. p. av *1 ring I*
2 rung [rʌŋ] *subst* pinne på stege; steg
runner ['rʌnə] *subst* **1** sport. m.m. löpare
2 smugglare ofta i sammansättningar [*gun-
runner*] **3** bordlöpare **4** med på släde; skrid-
skoskena **5** bot., *scarlet* ~ el. ~ *bean* ro-
senböna **6** tekn. löpring, löprulle; glidstång
runner-up [ˌrʌnər'ʌp] (pl. *runners-up*
[ˌrʌnəz'ʌp]) *subst*, *be* ~ komma på andra
plats
running I ['rʌnɪŋ] *pres p* o. *adj* **1** löpande,
springande; *take a* ~ *jump* hoppa med
ansats; *take a* ~ *jump!* el. *take a* ~ *jump
at yourself!* vard. släng dig i väggen!; ~
mate a) i kapplöpning draghjälp b) amer.
'parhäst', vicepresidentkandidat; *in good*
~ *order* körklar och i gott skick; ~ *time*
films speltid **2** rinnande [~ *water*], flytande,
löpande; i rad, i sträck [*three times* ~]; ~
commentary direktreferat i radio el. tv; ~
expenses löpande utgifter,
driftskostnader
II ['rʌnɪŋ] *subst* **1** springande, löpande;
lopp; *make the* ~ a) vid löpning bestämma
farten b) ha initiativet; *be in the* ~ vara
med i leken, vara med i tävlingen; *be out
of the* ~ vara ur leken, vara ur spelet
2 gång [*the smooth* ~ *of an engine*]
3 körförhållanden, löpningsförhållanden,
bana [*the* ~ *is good*]; före, drivande, drift;
skötsel
running-board ['rʌnɪŋbɔːd] *subst* fotsteg på bil
running-in [ˌrʌnɪŋ'ɪn] *subst* inkörning av bil
runproof ['rʌnpruːf] *adj* masksäker [~
stockings]

run-up ['rʌnʌp] *subst* **1** sport. sats, ansats
2 inledning, upptakt [*the* ~ *to the election*]
runway ['rʌnweɪ] *subst* flyg. startbana,
landningsbana
rupture I ['rʌptʃə] *subst* **1** bristning i muskel
m.m. **2** brytande; brytning [*a diplomatic* ~]
3 med. bråck
II ['rʌptʃə] *verb* **1** brista **2** spräcka, spränga
rural ['rʊərəl] *adj* lantlig; lantbruks-; ~
district landskommun; ~ *life* lantliv,
lantlivet; *in* ~ *districts* på landsbygden
ruse [ruːz] *subst* list, knep, fint
1 rush [rʌʃ] *subst* bot. säv
2 rush I [rʌʃ] *verb* **1** rusa, störta [*into* in i, i];
~ *and tear* jäkta; ~ *at* rusa 'på, rusa mot
2 forsa, rusa, brusa **3** störta, driva; rusa i
väg med, föra i all hast [*he was rushed to
hospital*] **4** ~ *on* el. ~ *up* el. ~ forcera, driva
'på, skynda (jäkta) på; ~ *sb off his feet*
bringa ngn ur fattningen; *don't* ~ *me!*
jäkta mig inte!
II [rʌʃ] *subst* **1** rusning, rush, tillströmning
[*on, to, into* till]; *the Christmas* ~
julrushen, julbrådskan; *gold* ~ guldrush,
guldfeber **2** jäkt, jäktande, brådska; ~ *and
tear* jäkt, brådska; *be in a* ~ ha det jäktigt
rush hour ['rʌʃˌaʊə] *subst, the* ~ rusningstid,
rusningstiden; ~ *traffic* rusningstrafik

Rushmore ['rʌʃmɔː]
Mount Rushmore är ett känt monument i *South Dakota*, där de fyra
presidenterna Washington,
Jefferson, Lincoln och Theodore
Roosevelt är avbildade. Deras
porträtt har huggits in i jätteformat
i en brant klippvägg.

---

rusk [rʌsk] *subst* skorpa bakverk
russet I ['rʌsɪt] *adj* rödbrun, gulbrun
II ['rʌsɪt] *subst* rödbrunt, gulbrunt
Russia ['rʌʃə] Ryssland
Russian I ['rʌʃən] *adj* rysk; ~ *salad*
legymsallad
II ['rʌʃən] *subst* **1** ryss; ryska **2** ryska språket
russula ['rʌsjʊlə] *subst* svamp kremla
rust I [rʌst] *subst* rost
II [rʌst] *verb* rosta; göra rostig
rustic I ['rʌstɪk] *adj* lantlig, bonde-, rustik
II ['rʌstɪk] *subst* lantbo
rustle I ['rʌsl] *verb* **1** prassla, rassla; prassla
(rassla) med **2** amer. vard. stjäla boskap;
stjäla [~ *cattle*] **3** ~ *up* vard. fixa [~ *up some
food*]
II ['rʌsl] *subst* prassel, rassel, sus
rustler ['rʌslə] *subst* amer. boskapstjuv
rustproof ['rʌstpruːf] *adj* rostbeständig,
rostfri
rusty ['rʌstɪ] *adj* **1** rostig **2** om person rostig,
otränad [*a bit* ~ *at tennis*]; *get* ~ komma ur
form, bli ringrostig
1 rut [rʌt] *subst* brunst
2 rut [rʌt] *subst* hjulspår; *get into a* ~ fastna
i slentrian
ruthless ['ruːθləs] *adj* skoningslös,
hänsynslös
rye [raɪ] *subst* **1** råg **2** i USA el. Canada: ~ el. ~
whiskey whisky gjord på råg **3** rågbröd
rye bread ['raɪbred] *subst* rågbröd
Ryvita® [raɪ'viːtə] *subst* slags knäckebröd

Ss

1 S o. **s** [es] *subst* S, s
2 S (förk. för *south, southern*) S
$ = *dollar* o. *dollars*
's = *has* [*what's he done?*]; *is* [*it's*]; *does*
[*what's he want?*]; *us* [*let's see*]
Sabbath ['sæbəθ] *subst* sabbat
sable ['seɪbl] *subst* **1** djur sobel **2** sobelpäls
sabotage I ['sæbətɑːʒ] *subst* sabotage
  II ['sæbətɑːʒ] *verb* sabotera, utföra
  sabotage mot
saboteur [ˌsæbə'tɜː] *subst* sabotör
sabre ['seɪbə] *subst* sabel
sabre-rattling ['seɪbəˌrætlɪŋ] *subst*
  vapenskrammel
sachet ['sæʃeɪ, amer. sæ'ʃeɪ] *subst*
  1 plastkudde med t.ex. schampo
  2 portionspåse för t.ex. te
sack I [sæk] *subst* **1** säck **2** vard., *get the ~* få
  sparken; *give sb the ~* sparka ngn; *hit the*
  ~ krypa till kojs
  II [sæk] *verb* vard. ge sparken; *she was*
  sacked hon fick sparken
sacking ['sækɪŋ] *subst* säckväv
sacred ['seɪkrɪd] *adj* **1** helig, sakral [*~*
  music] **2** andlig [*~ songs*], kyrko- [*~ music*]
sacrifice I ['sækrɪfaɪs] *subst* **1** offer
  2 uppoffring [*make ~s*]
  II ['sækrɪfaɪs] *verb* **1** offra **2** uppoffra
sacrilege ['sækrɪlɪdʒ] *subst* relig. helgerån,
  vanhelgande
sad [sæd] *adj* **1** ledsen, sorgsen **2** vard.
  sorglig; *~ to say* sorgligt nog
sadden ['sædn] *verb* göra ledsen, göra
  sorgsen
saddle I ['sædl] *subst* sadel
  II ['sædl] *verb* sadla
saddlebag ['sædlbæg] *subst* **1** sadelficka,
  sadelpåse **2** verktygsväska på cykel
  3 cykelväska
sadism ['seɪdɪzəm] *subst* sadism
sadist ['seɪdɪst] *subst* sadist
sadistic [sə'dɪstɪk] *adj* sadistisk
sadly ['sædlɪ] *adv* **1** sorgset **2** tråkigt nog; *be*
  ~ in need of vara i stort behov av
sae [ˌeseɪ'iː] förk. för *stamped-addressed*
  envelope, self-addressed envelope
safari [sə'fɑːrɪ] *subst* safari
safe I [seɪf] *adj* **1** säker, trygg, utom fara

2 riskfri, ofarlig; *at a ~ distance* på
behörigt avstånd; *to be on the ~ side* för
att vara på den säkra sidan, för säkerhets
skull; *~ and sound* välbehållen, oskadd; i
gott behåll
  II [seɪf] *subst* **1** kassaskåp **2** amer. vard.
  gummi kondom
safe conduct [ˌseɪf'kɒndʌkt] *subst* fri lejd
safe-deposit ['seɪfdɪˌpɒzɪt] *subst*, *~ box*
  bankfack, förvaringsfack
safeguard I ['seɪfgɑːd] *subst* garanti,
  säkerhet, skydd
  II ['seɪfgɑːd] *verb* garantera, säkra, trygga
safely ['seɪflɪ] *adv* säkert, tryggt
safe sex [ˌseɪf'seks] *subst* säker sex
safety ['seɪftɪ] *subst* säkerhet, trygghet;
  Safety First säkerheten framför allt
safety belt ['seɪftɪbelt] *subst* säkerhetsbälte,
  bilbälte
safety catch ['seɪftɪkætʃ] *subst* **1** säkring på
  vapen; *release the ~* osäkra t.ex. vapnet
  2 säkerhetshake på fönster, dörr
safety curtain ['seɪftɪˌkɜːtn] *subst* teat.
  järnridå
safety-deposit ['seɪftɪdɪˌpɒzɪt] *subst* se
  safe-deposit
safety glass ['seɪftɪglɑːs] *subst* splitterfritt
  glas
safety helmet ['seɪftɪˌhelmɪt] *subst*
  cykelhjälm
safety island ['seɪftɪˌaɪlənd] *subst* amer. trafik.
  refug
safety pin ['seɪftɪpɪn] *subst* säkerhetsnål
safety razor ['seɪftɪˌreɪzə] *subst* rakhyvel
safety valve ['seɪftɪvælv] *subst*
  säkerhetsventil
saffron ['sæfrən] *subst* kok. saffran
sag [sæg] (*-gg-*) *verb* svikta, ge efter; sjunka;
  sagging breasts hängbröst
1 sage [seɪdʒ] *subst* krydda salvia
2 sage [seɪdʒ] *subst* vis man
Sagittarius [ˌsædʒɪ'teərɪəs] stjärntecken
  Skytten
sago ['seɪgəʊ] *subst* kok. sago; sagogryn
Sahara [sə'hɑːrə] *subst*, *the ~* Sahara
said I [sed] imperf. o. perf. p. av *say I*
  II [sed] *adj* jur. sagd, nämnd [*the ~ Mr.*
  Smith]
sail I [seɪl] *subst* segel; *make ~ for* el. *set ~*
  for avsegla till
  II [seɪl] *verb* segla, segla på
sailing ['seɪlɪŋ] *subst* **1** segling; avsegling;
  list of ~s båtturlista **2** *it's plain ~* det går
  lekande lätt
sailing boat ['seɪlɪŋbəʊt] *subst* segelbåt

sailing ship ['seɪlɪŋˌʃɪp] *subst* o. **sailing vessel** ['seɪlɪŋˌvesl] *subst* segelfartyg
sailor ['seɪlə] *subst* sjöman; *be a bad* ~ ha lätt för att bli sjösjuk
sailplaning ['seɪlˌpleɪnɪŋ] *subst* segelflygning

saint
• *Saint Andrew* är Skottlands nationalhelgon. *St Andrew's Day* (30 november) är den skotska nationaldagen.
• *Saint David* är Wales nationalhelgon. *St David's Day* (1 mars) är den walesiska nationaldagen.
• *Saint George* är Englands nationalhelgon. *St George's Day* (23 april) är den engelska nationaldagen.
• *Saint Patrick* är Irländska republikens nationalhelgon. *St Patrick's Day* (17 mars) är den irländska nationaldagen.

saint [seɪnt, obetonat snt] *subst* **1** helgon; *Saint* framför namn (förk. *St.*) Sankt, Sankta, Helige, Heliga; *St. Peter* sankte Per
sake [seɪk] *subst, for sb's* ~ för ngns skull; *for God's* ~! för Guds skull!; *for sth's* ~ för ngts skull; *die for the* ~ *of one's country* dö för sitt fosterland
salad ['sæləd] *subst* sallad, grönsallad; *fruit* ~ fruktsallad
salami [sə'lɑːmɪ] *subst* kok. salami
salary ['sælərɪ] *subst* månadslön, årslön
sale [seɪl] *subst* **1** försäljning; ~*s manager* försäljningschef; *for* ~ el. *on* ~ till salu; *put up for* ~ el. *offer for* ~ salubjuda **2** realisation, rea; *bargain* ~ utförsäljning till vrakpriser; *clearance* ~ utförsäljning, lagerrensning
salesclerk ['seɪlzklɜːk] *subst* amer. expedit, affärsbiträde
salesman ['seɪlzmən] (pl. *salesmen* ['seilzmən]) *subst* **1** försäljare för firma; representant **2** amer. försäljare, expedit, affärsbiträde
salesperson ['seɪlzˌpɜːsn] *subst* **1** försäljare; för firma representant **2** amer. expedit
sales rep ['seɪlzrep] *subst* vard. förk. för *sales representative*
sales representative ['seɪlzˌreprɪ'zentətɪv] *subst* försäljare, handelsresande

salient ['seɪljənt] *adj* framträdande [~ *features*]
saliva [sə'laɪvə] *subst* saliv
1 sallow ['sæləʊ] *subst* bot. sälg
2 sallow ['sæləʊ] *adj* spec. om hy gulblek
salmon ['sæmən] *subst* fisk lax
salmon trout ['sæməntraʊt] *subst* fisk laxöring
salon ['sælɒn] *subst* salong [*beauty* ~]
saloon [sə'luːn] *subst* **1** salong [*shaving* ~]; *the* ~ *bar* i pub den 'finaste' avdelningen **2** amer. krog, bar
saloon car [sə'luːnkɑː] *subst* bil. sedan
salt I [sɔːlt] *subst* salt; *not be worth one's* ~ inte göra skäl för sig; *take sth with a grain of* ~ el. *take sth with a pinch of* ~ ta ngt med en nypa salt
II [sɔːlt] *verb* salta
saltcellar ['sɔːltˌselə] *subst* saltkar
salt shaker ['sɔːltˌʃeɪkə] *subst* amer. saltkar
salty ['sɔːltɪ] *adj* salt, saltaktig, salthaltig
salute I [sə'luːt] *subst* **1** hälsning med gest **2** mil. honnör; salut
II [sə'luːt] *verb* **1** hälsa **2** mil. göra honnör för, hälsa med salut, göra honnör
salvage I ['sælvɪdʒ] *subst* bärgning, räddning från skeppsbrott
II ['sælvɪdʒ] *verb* bärga, rädda från skeppsbrott
salvation [sæl'veɪʃən] *subst* räddning [*tourism was their* ~], frälsning; *the Salvation Army* Frälsningsarmén
salve [sælv, amer. sæv] *subst* sårsalva
salver ['sælvə] *subst* serveringsbricka
Samaritan [sə'mærɪtn] *subst, a Good* ~ bibl. den barmhärtige samariten; *a good* ~ en barmhärtig samarit en person som osjälviskt hjälper andra som är i nöd
same [seɪm] *adj* o. *adv* o. *pron, the* ~ samma; densamma, detsamma, desamma; samma sak [*it is the* ~ *with me*]; likadan [*they all look the* ~]; lika, likadant; *the* ~ *to you!* tack detsamma!, iron. det kan du vara själv!; *he is the* ~ *as ever* han är sig lik; *all the* ~ i alla fall [*thank you all the* ~], ändå; *it's all the* ~ *to me* det gör mig detsamma
sample I ['sɑːmpl] *subst* **1** prov; *blood* ~ blodprov **2** varuprov, provbit; provexemplar **3** smakprov, exempel [*of* på]
II ['sɑːmpl] *verb* ta prov (stickprov) på; provsmaka
Samson ['sæmsn] bibl. Simson
sanction I ['sæŋkʃən] *subst* **1** bifall, godkännande, tillstånd av myndighet **2** sanktion [*economic* ~s]

II ['sæŋkʃən] *verb* **1** bifalla, godkänna, ge tillstånd till **2** sanktionera, stadfästa

sanctity ['sæŋktətɪ] *subst* helighet; *the ~ of private life* privatlivets helgd

sanctuary ['sæŋktjʊərɪ] *subst* **1** asyl, fristad; *take ~* söka sin tillflykt **2** *wild life ~* djurreservat

sand I [sænd] *subst* **1** sand; *bury one's head in the ~* sticka huvudet i sanden inte vilja ta itu med ett problem **2** pl. *~s* sandstrand, sandrev

II [sænd] *verb* sanda

sandal ['sændl] *subst* sandal

sandbag ['sændbæg] *subst* sandsäck, sandpåse

sandbox ['sændbks] *subst* amer., se *sandpit*

sandcastle ['sænd,kɑːsl] *subst* barns sandslott

sand dune ['sændjuːn] *subst* sanddyn

sandglass ['sændglɑːs] *subst* timglas

sandpaper I ['sænd,peɪpə] *subst* sandpapper

II ['sænd,peɪpə] *verb* sandpappra, slipa

sandpit ['sændpɪt] *subst* **1** sandlåda för barn **2** sandtag, sandgrop

sandwich ['sænwɪdʒ, 'sænwɪtʃ] *subst* dubbelsmörgås med pålägg mellan; *open ~* enkel smörgås med pålägg

sandy ['sændɪ] *adj* **1** sandig, sand- **2** sandfärgad; om hår rödblond

sane [seɪn] *adj* **1** vid sina sinnens fulla bruk **2** sund, förnuftig

sang [sæŋ] imperf. av *sing*

sanitary ['sænətərɪ] *adj* sanitär, hälsovårds-, sundhets-; hygienisk; *~ towel* el. amer. *~ napkin* dambinda

sanitation [,sænɪ'teɪʃən] *subst* sanitär utrustning, sanitära anläggningar

sanity ['sænətɪ] *subst* **1** mental hälsa **2** sunt förstånd

sank [sæŋk] imperf. av *sink*

Santa Claus
Santa Claus eller *Santa* är ett annat namn på *Father Christmas*.

Santa Claus ['sæntəklɔːz] *subst* jultomten

sap I [sæp] *subst* **1** sav, växtsaft **2** amer. sl. dumbom

II [sæp] (*-pp-*) *verb* försvaga [*~ sb's energy*]

sapphire ['sæfaɪə] *subst* ädelsten safir

sarcasm ['sɑːkæzəm] *subst* sarkasm, spydighet

sarcastic [sɑː'kæstɪk] *adj* sarkastisk, spydig

sardine [sɑː'diːn] *subst* sardin; *be packed like ~s* stå (sitta) som packade sillar

Sardinia [sɑː'dɪnjə] Sardinien

Sardinian [sɑː'dɪnjən] *subst* sard, sardinare

sash [sæʃ] *subst* **1** skärp; gehäng **2** fönsterram

sash windows [,sæʃ'wɪndəʊz] *subst* skjutfönster rörlig uppåt o. nedåt

sat [sæt] imperf. o. perf. p. av *sit*

Satan ['seɪtən]

satanic [sə'tænɪk] *adj* satanisk, djävulsk

satchel ['sætʃəl] *subst* skolväska med axelrem

satellite ['sætəlaɪt] *subst* **1** satellit **2** tv. satellit; *~ broadcast* satellitsändning; *~ dish* parabolantenn

satin ['sætɪn] *subst* satäng, satin

satire ['sætaɪə] *subst* satir [*on, over* över]

satirical [sə'tɪrɪkl] *adj* satirisk

satirist ['sætərɪst] *subst* satiriker

satirize ['sætəraɪz] *verb* satirisera över

satisfaction [,sætɪs'fækʃən] *subst* **1** tillfredsställelse, belåtenhet **2** tillfredsställande **3** ekon. el. jur. gottgörelse

satisfactory [,sætɪs'fæktərɪ] *adj* tillfredsställande [*to* för], nöjaktig

satisfied ['sætɪsfaɪd] *perf* p o. *adj* **1** tillfredsställd, nöjd, belåten **2** övertygad [*about, as to* om; *that* om att]

satisfy ['sætɪsfaɪ] *verb* **1** tillfredsställa, tillgodose **2** mätta [*~ sb*] **3** övertyga [*that* om att]

satisfying ['sætɪsfaɪŋ] *adj* **1** tillfredsställande **2** tillräcklig; mättande

saturate ['sætʃəreɪt] *verb* **1** genomdränka, göra genomblöt **2** mätta; *saturated fats* mättade fetter

saturation [,sætʃə'reɪʃən] *subst* mättande, mättning

Saturday ['sætədeɪ, 'sætədɪ] *subst* lördag; *last ~* i lördags

Saturn ['sætən] astron. el. mytol. Saturnus

sauce [sɔːs] *subst* **1** sås, mos [*apple ~*] **2** vard., *none of your ~!* var lagom fräck!

saucepan ['sɔːspən] *subst* kastrull

saucer ['sɔːsə] *subst* tefat, kaffefat

saucy ['sɔːsɪ] *adj* vard. uppkäftig

Saudi ['saʊdɪ, 'sɔːdɪ] *subst* saudier

Saudi Arabia [,saʊdɪə'reɪbɪə, ,sɔːdɪə'reɪbɪə] Saudi-Arabien

Saudi Arabian [,saʊdɪə'reɪbɪən, ,sɔːdɪə'reɪbɪən] *subst* saudier, saudiarab

sauna ['sɔːnə, 'saʊnə] *subst* bastu

saunter ['sɔːntə] *verb* flanera, slänta

sausage ['sɒsɪdʒ] *subst* **1** korv; *~ roll* slags

korvpirog, inbakad korv **2** vard., *sweet little* ~ till ett barn lilla gullungen
sauté I ['səʊteɪ, 'sɔːteɪ] *subst* kok. sauté
II ['səʊteɪ, 'sɔːteɪ] *verb* kok. sautera, bryna
III ['səʊteɪ, 'sɔːteɪ] kok. *adj* sauterad, brynt
savage I ['sævɪdʒ] *adj* vild [~ *beast*], barbarisk
II ['sævɪdʒ] *subst* vilde
savagery ['sævɪdʒərɪ] *subst* råhet, grymhet
save I [seɪv] *verb* **1** rädda, skydda; *God ~ the King (Queen)!* Gud bevare konungen (drottningen)!; *I can't sing to ~ my life* jag kan inte sjunga för fem öre **2** spara; ~ el. ~ *up* spara pengar **3** sport. rädda **4** relig. frälsa
II [seɪv] *subst* sport. räddning; *a great ~* en paradräddning
III [seɪv] *prep* o. *konj* litt. utom, så när som på [*all ~ him*]; ~ *for* så när som på
saving I ['seɪvɪŋ] *adj* **1** räddande; ~ *feature* el. ~ *grace* försonande drag **2** sparsam, ekonomisk **3** i sammansättningar -besparande [*labour-saving*]
II ['seɪvɪŋ] *subst* **1** sparande **2** besparing; pl. ~*s* besparingar, sparmedel
savings account ['seɪvɪŋzə,kaʊnt] *subst* sparkonto
savings bank ['seɪvɪŋzbæŋk] *subst* sparbank
saviour ['seɪvjə] *subst* **1** frälsare **2** räddare
savour I ['seɪvə] *subst* smak
II ['seɪvə] *verb* njuta av
savoury I ['seɪvərɪ] *adj* välsmakande, kryddad, pikant
II ['seɪvərɪ] *subst* aptitretare, smårätt
1 saw [sɔː] imperf. av *2 see*
2 saw I [sɔː] *subst* såg
II [sɔː] *(sawed sawn) verb* såga
sawdust ['sɔːdʌst] *subst* sågspån
sawn [sɔːn] perf. p. av *2 saw II*
sax [sæks] *subst* vard. sax saxofon
saxophone ['sæksəfəʊn] *subst* saxofon
saxophonist ['sæksəfəʊnɪst, ˌsæk'sɒfənɪst] *subst* saxofonist
say I [seɪ] *(said said) verb* **1** säga; *I ~* a) hör du, säg mig [*I ~, do you want this?*] b) för att uttrycka överraskning jag måste säga att, vet du vad [*I ~, that's a pretty dress!*]; *I should ~ so!* det tror jag det!; *you don't ~!* el. *you don't ~ so!* vad 'säger du!; *it ~s in the paper* det står i tidningen; *he is said to be the only one who...* el. *they ~ he is the only one who...* han skall (lär) vara den ende som...; *having said that...* å andra sidan...; *no sooner said than done* sagt och gjort; *when all is said and*

done el. *after all is said and done* när allt kommer omkring **2** läsa, be [~ *a prayer*]
II [seɪ] *subst, have one's ~* säga sin mening; *he has no ~* han har ingenting att säga till om
saying ['seɪɪŋ] *pres p* o. *subst* **1** *as the ~ goes* som man brukar säga; *that is ~ too much* det är för mycket sagt; *that goes without ~* det säger sig självt **2** ordstäv, ordspråk
says [sez] presens av *say I*; *he/she/it ~* han/hon/den säger; se vidare *say I*
say-so ['seɪsəʊ] *subst* vard. **1** påstående **2** tillåtelse [*on the doctor's ~*]
scab [skæb] *subst* **1** sårskorpa **2** vard. strejkbrytare
scabbard ['skæbəd] *subst* skida, slida för svärd
scabies ['skeɪbiːz] *subst* med. skabb
scaffold ['skæfəld] *subst* **1** byggnadsställning **2** schavott för avrättning
scaffolding ['skæfəldɪŋ] *subst* byggnadsställning
scald [skɔːld] *verb* skålla, bränna
1 scale [skeɪl] *subst* vågskål; ~ pl. ~*s* våg; *a pair of ~s* en våg
2 scale I [skeɪl] *subst* **1** skala; *on a large ~* i stor skala **2** gradindelning **3** musik. skala; *practise ~s* öva skalor
II [skeɪl] *verb* **1** klättra uppför **2** ~ *down* minska, kapa ned
3 scale [skeɪl] *subst* fjäll
scallop ['skɒləp, 'skæləp, amer. 'skæləp] *subst* zool. kammussla; kok. pilgrimsmusslor
scalp I [skælp] *subst* **1** hårbotten **2** skalp
II [skælp] *verb* skalpera
scamper ['skæmpə] *verb* kila i väg, kuta i väg
scan I [skæn] *(-nn-) verb* **1** granska, studera **2** skumma [~ *a newspaper*] **3** t.ex. med radar avsöka **4** med. scanna
II [skæn] *subst* **1** data. avsökning **2** med. scanundersökning, scanning
scandal ['skændl] *subst* **1** skandal **2** skvaller
scandalmonger ['skændlˌmʌŋgə] *subst* skandalspridare
scandalous ['skændələs] *adj* skandalös, skamlig
Scandinavia [ˌskændɪ'neɪvjə] Skandinavien, Norden
Scandinavian I [ˌskændɪ'neɪvjən] *adj* skandinavisk, nordisk
II [ˌskændɪ'neɪvjən] *subst* skandinav, nordbo
Scania ['skeɪnɪə] Skåne
scanner ['skænə] *subst* data. el. med. avsökare, scanner

scanning ['skænɪŋ] *subst* **1** data. avsökning **2** med. scanundersökning, scanning

scant [skænt] *adj* knapp, ringa [*a ~ amount*]; *pay ~ attention to* ta föga notis om

scanty ['skæntɪ] *adj* knapp [*~ supply*]; ringa, klen, torftig, knapphändig

scapegoat ['skeɪpgəʊt] *subst* syndabock

scar I [skɑː] *subst* ärr
II [skɑː] (*-rr-*) *verb* tillfoga ärr, ärras

scarce [skeəs] *adj* **1** otillräcklig; *money is ~* det är ont om pengar; *make oneself ~* vard. försvinna, smita, dunsta **2** sällsynt [*such stamps are ~*]

scarcely ['skeəslɪ] *adv* knappt [*she is ~ twenty*], knappast; *~ ever* nästan aldrig

scarcity ['skeəsətɪ] *subst* brist, knapphet

scare I [skeə] *verb* skrämma
II [skeə] *subst* skräck; *get a ~* bli skrämd; *give sb a ~* skrämma ngn

scarecrow ['skeəkrəʊ] *subst* fågelskrämma

scared [skeəd] *adj* skraj, rädd; *~ stiff* döskraj, livrädd

scarf [skɑːf] *subst* scarf, halsduk

scarlatina [,skɑːlə'tiːnə] *subst* med. scharlakansfeber

scarlet I ['skɑːlət] *subst* scharlakansrött
II ['skɑːlət] *adj* scharlakansröd; *~ fever* scharlakansfeber; *~ runner bean* el. *~ runner* bot. rosenböna

scarred [skɑːd] *adj* **1** ärrig **2** märkt

scary ['skeərɪ] *adj* vard. hemsk, skrämmande, barnspr. läskig

scathing ['skeɪðɪŋ] *adj* skarp, bitande [*~ criticism*]

scatter ['skætə] *verb* **1** sprida, strö ut [*~ seeds*], strö omkring **2** skingra [*~ a crowd*] **3** *~ a road with gravel* grusa en väg

scattered ['skætəd] *adj* spridd, strödd

scenario [sə'nɑːrɪəʊ, amer. sə'nærɪəʊ] (pl. *~s*) *subst* film. scenario

scene [siːn] *subst* **1** scen; *behind the ~s* bakom kulisserna, bakom scenen **2** skådeplats; *the ~ of the crime* brottsplatsen **3** uppträde; *make a ~* ställa till en scen, ställa till en skandal

scenery ['siːnərɪ] *subst* **1** teat. sceneri, scenbilder **2** vacker natur [*admire the ~*], landskap, scenerier

scent I [sent] *verb* **1** vädra, känna vittring av [*~ a hare*], vädra, ana [*~ trouble*] **2** parfymera; uppfylla med doft
II [sent] *subst* **1** doft, lukt **2** enkel parfym **3** väderkorn; *get ~ of* få väderkorn på; *put sb on the wrong ~* leda ngn på villospår

scented ['sentɪd] *adj* parfymerad, doftande

sceptical ['skeptɪkl] *adj* skeptisk

scepticism ['skeptɪsɪzəm] *subst* skepsis

sceptre ['septə] *subst* spira

schedule I ['ʃedjuːl, spec. amer. 'skedʒʊl] *subst* schema, tidtabell; *have a full ~* vara fullbokad, vara mycket upptagen; *be behind ~* vara försenad, ligga efter
II ['ʃedjuːl, spec. amer. 'skedʒʊl] *verb* planera; *it is scheduled for tomorrow* det ska enligt planerna ske i morgon; *scheduled flights* reguljära flygturer

scheme I [skiːm] *subst* **1** plan, projekt **2** intrig
II [skiːm] *verb* intrigera

schemer ['skiːmə] *subst* intrigmakare

scheming ['skiːmɪŋ] *adj* beräknande, intrigant

schism ['skɪzəm] *subst* schism, söndring, splittring

schizophrene [,skɪtsəʊ'friːn] *adj* o. *subst* psykol. schizofren

schizophrenia [,skɪtsə'friːnjə] *subst* psykol. schizofreni

schizophrenic [,skɪtsəʊ'frenɪk] *adj* o. *subst* psykol. schizofren person

schmuck [ʃmʌk] *subst* spec. amer. vard. tönt, nolla, tölp

schnitzel ['ʃnɪtsl] *subst* kok. schnitzel

schnorkel ['ʃnɔːkl] *subst* snorkel

scholar ['skɒlə] *subst* **1** vetenskapsman **2** lärd person

scholarly ['skɒləlɪ] *adj* **1** lärd **2** vetenskaplig

scholarship ['skɒləʃɪp] *subst* **1** lärdom **2** vetenskaplig noggrannhet **3** skol. el. univ. stipendium; *travelling ~* resestipendium

1 school [skuːl] *subst* **1** skola; *go to ~* gå i skolan; *leave ~* sluta skolan **2** före subst. skol- [*~ meals*] **3** univ. fakultet

2 school [skuːl] *subst* stim; *a ~ of fish* ett fiskstim

schoolboy ['skuːlbɔɪ] *subst* skolpojke

schoolfellow ['skuːl,feləʊ] *subst* skolkamrat

schoolgirl ['skuːlgɜːl] *subst* skolflicka

schoolmaster ['skuːl,mɑːstə] *subst* manlig lärare

schoolmate ['skuːlmeɪt] *subst* skolkamrat

schoolmistress ['skuːl,mɪstrɪs] *subst* lärarinna, lärare

schoolroom ['skuːlruːm] *subst* skolrum, skolsal

schoolteacher ['skuːl,tiːtʃə] *subst* lärare

schooner ['skuːnə] *subst* sjö. skonert, skonare

sciatica [saɪ'ætɪkə] *subst* med. ischias

science ['saɪəns] *subst* vetenskap, naturvetenskap

scientific [ˌsaɪən'tɪfɪk] *adj* vetenskaplig, naturvetenskaplig

scientist ['saɪəntɪst] *subst* vetenskapsman, naturvetenskapsman

sci-fi [ˌsaɪ'faɪ] *subst* (förk. för *science fiction*) sf

scissors ['sɪzəz] *subst* sax; *a pair of* ~ el. ibland *a* ~ en sax

1 scoff [skɒf] *verb* vard. glufsa i sig

2 scoff [skɒf] *verb,* ~ *at* driva med, håna

scold [skəʊld] *verb* skälla på, skälla ut

scolding ['skəʊldɪŋ] *subst* utskällning [*get a* ~]

scone [skɒn, skəʊn, amer. skəʊn] *subst* kok. scones

scoop I [sku:p] *subst* **1** skopa **2** scoop, toppnyhet i tidning **3** kula glass [*two ~s, please!*]
II [sku:p] *verb* ösa, skopa [~ *up*], skyffla

scooter ['sku:tə] *subst* **1** sparkcykel **2** med motor skoter

---

schools

I England
Engelska barn har skolplikt från 5 till 16 års ålder.

KLASS	ÅLDER	BETECKNING
1–6	5–11	*primary school*
7–11	12–16	*secondary school*
12–13	17–18	*sixth form college* (ej obligatoriskt)

Alla elever tar examen vid 16 års ålder. Den kallas *GCSE, General Certificate of Secondary Education.* De elever som vill studera vidare på universitet måste avlägga en slags avgångsexamen, *A-levels*, vanligen i tre ämnen.

I USA
Amerikanska barn har skolplikt från 6 till 14–16 års ålder beroende på vilken stat de bor i.

KLASS	ÅLDER	BETECKNING
1–6	6–11	*elementary school*
7–8	12–13	*junior high school*
9–12	14–17	*high school*

Eleverna får ett avgångsbetyg, *high school diploma*, vid en officiell ceremoni, *graduation*.

---

scope [skəʊp] *subst* **1** vidd, omfattning, omfång; *it is beyond the* ~ *of this book* det faller utanför ramen för den här boken **2** spelrum; *have free* ~ ha fritt spelrum

scorch [skɔ:tʃ] *verb* sveda, bränna, förbränna

scorcher ['skɔ:tʃə] *subst* vard., *yesterday was a* ~ i går var det jätte varmt

scorching ['skɔ:tʃɪŋ] *adj* stekhet [*a ~ day*]; *the sun is* ~ solen steker

score I [skɔ:] *subst* **1** räkning, skuld; *settle old ~s* ge betalt för gammal ost **2** sport. m.m. ställning [*the ~ was 2-1*]; *what's the ~?* hur är ställningen?, hur står det?; *the final* ~ slutställningen, slutresultatet **3** poängräkning **4** tjog; *a* ~ *of people* ett tjugotal människor; *~s of* massvis med **5** musik. partitur
II [skɔ:] *verb* **1** föra räkning över **2** vinna, kunna notera [~ *a success* (framgång)]; *who scored?* vem gjorde mål?; ~ *a goal* göra mål **3** sl., ~ *drugs* fixa knark

scoreboard ['skɔ:bɔ:d] *subst* sport. poängtavla, resultattavla

scorn I [skɔ:n] *subst* förakt, hån; *be put to* ~ bli hånad
II [skɔ:n] *verb* förakta, håna

scornful ['skɔ:nful] *adj* föraktfull, hånfull

Scorpio ['skɔ:pɪəʊ] stjärntecken Skorpionen

scorpion ['skɔ:pjən] *subst* djur skorpion

Scot [skɒt] *subst* skotte; *the ~s* skottarna

Scotch I [skɒtʃ] *adj* skotsk
II [skɒtʃ] *subst* vard. **1** *the* ~ skottarna **2** skotska eng. dialekt **3** skotsk whisky

Scotchman ['skɒtʃmən] (pl. *Scotchmen* ['skɒtʃmən]) *subst* vard. skotte

Scotchwoman ['skɒtʃˌwʊmən] (pl.

Scotland
HUVUDSTAD: Edinburgh (760 000).
FOLKMÄNGD: ca 5 milj.
YTA: 78 783 km^2 (något mindre än Götaland).
SPRÅK: engelska och skotska.
Skottland är en del av *United Kingdom*, men har delvis egna lagar och ett eget utbildningssystem. Många människor förknippar Skottland med insjöar, *lochs*, och berg. En stor inkomstkälla är Nordsjööljan.

Scotchwomen ['skɒtʃ,wɪmɪn]) *subst* vard. skotska

Scotland ['skɒtlənd] Skottland; ~ *Yard* el. *New* ~ *Yard* Londonpolisens högkvarter

Scots I [skɒts] *adj* skotsk

II [skɒts] *subst* **1** skotska eng. dialekt **2** pl. av *Scot*

Scotsman ['skɒtsmən] (pl. *Scotsmen* ['skɒtsmən]) *subst* skotte

Scotswoman ['skɒts,wʊmən] (pl. *Scotswomen* ['skɒts,wɪmɪn]) *subst* skotska

Scottish I ['skɒtɪʃ] *adj* skotsk

II ['skɒtɪʃ] *subst* skotska eng. dialekt

scoundrel ['skaʊndrəl] *subst* skurk, bov

1 scour I ['skaʊə] *verb* skura, skrubba ren [~ *a saucepan*]

II ['skaʊə] *subst* skurning; *give sth a good* ~ skura av ngt ordentligt

2 scour ['skaʊə] *verb* leta igenom [~ *the woods*]

scourge I [skɜːdʒ] *subst* gissel, hemsökelse, plågoris

II [skɜːdʒ] *verb* gissla, hemsöka

scouring-powder ['skaʊrɪŋ,paʊdə] *subst* skurpulver

scout I [skaʊt] *subst* **1** mil. spanare **2** ungefär juniorscout 11—12 år; patrullscout 13—15 år; *cub* ~ miniorscout; *girl* ~ amer. flickscout **3** *talent* ~ talangscout

II [skaʊt] *verb*, ~ *about for* el. ~ *around for* spana efter, söka efter

scoutmaster ['skaʊt,mɑːstə] *subst* scoutledare

scowl I [skaʊl] *verb* se bister ut; ~ *at* blänga på

II [skaʊl] *subst* bister uppsyn, bister blick

Scrabble® ['skræbl] *subst* Alfapet® slags bokstavsspel

scraggy ['skrægɪ] *adj* mager, tanig, skinntorr

scramble I ['skræmbl] *verb* **1** klättra **2** rusa [*they scrambled for the door*]; slåss, kivas [*for* om] **3** hafsa; ~ *to one's feet* resa sig hastigt **4** blanda; *scrambled eggs* äggröra **5** förvränga

II ['skræmbl] *subst* **1** klättring **2** rusning **3** virrvarr

1 scrap I [skræp] *subst* **1** bit, stycke, smula; *not a* ~ inte ett dugg; *a* ~ *of paper* en papperslapp **2** pl. ~*s* matrester, smulor **3** skrot

II [skræp] (-*pp*-) *verb* **1** skrota [~ *a ship*] **2** vard. kassera, slopa, spola

2 scrap I [skræp] *subst* vard. slagsmål

II [skræp] (-*pp*-) *verb* vard. slåss

scrapbook ['skræpbʊk] *subst* urklippsalbum, urklippsbok

scrape I [skreɪp] *verb* **1** skrapa, skrapa mot; ~ *together* skrapa ihop, rafsa ihop **2** skrapa med [~ *one's feet*] **3** ~ *through* vard. klara sig med nöd och näppe **4** *bow and* ~ krusa och buga [*to sb* för ngn]

II [skreɪp] *subst* **1** skrapning, skrapande **2** vard. knipa, klämma [*get into a* ~]

scrap heap ['skræphiːp] *subst* skrothög

scrap iron ['skræp,aɪən] *subst* järnskrot

scrap metal ['skræp,metl] *subst* metallskrot

scrappy ['skræpɪ] *adj* hoprafsad, osammanhängande

scrapyard ['skræpjɑːd] *subst* skrotupplag

scratch I [skrætʃ] *verb* **1** klösa, riva, rispa, repa **2** klösas, rivas; *get scratched* riva sig **3** klia, klia på; ~ el. ~ *oneself* klia sig **4** rista in [~ *one's name on glass*] **5** krafsa, skrapa [~ *at the door*]

II [skrætʃ] *subst* **1** skråma, rispa, repa **2** klösning **3** *start from* ~ börja om från början; *not be up to* ~ inte hålla måttet

scratch card ['skrætʃkɑːd] *subst* skraplott

scrawl I [skrɔːl] *verb* klottra

II [skrɔːl] *subst* klotter

scream I [skriːm] *verb* skrika, tjuta

II [skriːm] *subst* skrik, tjut

screech I [skriːtʃ] *verb* **1** gallskrika **2** gnissla [*the brakes screeched*]

II [skriːtʃ] *subst* gallskrik

screen I [skriːn] *subst* **1** skärm, fasad **2** duk [*cinema* ~]; *television* ~ tv-ruta, bildruta; *viewing* ~ bildskärm **3** film., före subst. film- [~ *actor*]; *the* ~ *version* filmversionen; *on the* ~ på filmduken, på vita duken

II [skriːn] *verb* **1** skydda, skyla, dölja [*from* för, *mot*] **2** skärma av **3** granska, kontrollera **4** med. undersöka, testa; ~ *for* testa för [~ *for cancer*] **5** visa på bio, i tv; filmatisera

screening ['skriːnɪŋ] *subst* **1** sållning [*a* ~ *of candidates*] **2** systematisk undersökning [~ *for breast cancer*]

screenplay ['skriːnpleɪ] *subst* **1** filmmanus

screen saver ['skriːn,seɪvə] *subst* data. skärmsläckare

screw I [skruː] *subst* **1** skruv **2** *put the* ~*s on* vard. sätta press på

II [skruː] *verb* **1** skruva; ~ *down* skruva igen **2** ~ *up* sl. klanta till det [*you've screwed it up*] **3** vulg. knulla

screwdriver ['skruː,draɪvə] *subst* skruvmejsel

screw top ['skruːtɒp] *subst* skruvlock

scribble I ['skrɪbl] *verb* klottra
II ['skrɪbl] *subst* klotter
scribbling-block ['skrɪblɪŋblɒk] *subst* o.
scribbling-pad ['skrɪblɪŋpæd] *subst*
kladdblock, anteckningsblock
script [skrɪpt] *subst* film. el. radio. manus; ~
girl scripta
scripture ['skrɪptʃə] *subst*, *the Holy
Scriptures* el. *the Scriptures* den heliga
skrift, Bibeln
scriptwriter ['skrɪpt,raɪtə] *subst* film. el. radio.
manusförfattare
scroll I [skrəʊl] *subst* skriftrulle
II [skrəʊl] *verb* data. el. tv. bläddra, rulla
scrounge [skraʊndʒ] *verb* vard. snylta sig till
scrounger ['skraʊndʒə] *subst* vard. snyltare
1 scrub I [skrʌb] (*-bb-*) *verb* skura, skrubba
II [skrʌb] *subst*, *it needs a good* ~ den
behöver skuras (skrubbas) ordentligt
2 scrub [skrʌb] *subst* buskskog, busksnår
scrubbing-brush ['skrʌbɪŋbrʌʃ] *subst*
skurborste
scruff [skrʌf] *subst*, *the* ~ *of the neck*
nackskinnet
scruffy ['skrʌfɪ] *adj* vard. sjaskig, sjabbig
scruple ['skru:pl] *subst* pl. ~*s* skrupler; *have*
~*s about* ha samvetsbetänkligheter mot
scrupulous ['skru:pjʊləs] *adj* **1** nogräknad,
noga **2** samvetsgrann, noggrann
scrutinize ['skru:tɪnaɪz] *verb* fingranska
scrutiny ['skru:tɪnɪ] *subst* fingranskning
scuba ['sku:bə] *subst* dykapparat; ~ *diving*
sportdykning med andningsapparat
scuffle ['skʌfl] *subst* slagsmål, handgemäng
scullery ['skʌlərɪ] *subst* diskrum, grovkök
sculptor ['skʌlptə] *subst* skulptör,
bildhuggare
sculptress ['skʌlptrəs] *subst* skulptris
sculpture I ['skʌlptʃə] *subst* skulptur
II ['skʌlptʃə] *verb* skulptera
scum I [skʌm] *subst* **1** skum vid kokning
2 hinna på stillastående vatten **3** person; avskum
II [skʌm] (*-mm-*) *verb* skumma, skumma av
scurf [skɜ:f] *subst* skorv, mjäll
scurry ['skʌrɪ] *verb* kila, rusa, jäkta
scuttle ['skʌtl] *verb* sjö. borra i sank
scythe [saɪð] *subst* lie
SE (förk. för *south-east, south-eastern*) SO, SÖ
sea [si:] *subst* **1** hav [*the Caspian Sea*], sjö
[*the North Sea*]; *there is a heavy* ~ el.
there is a high ~ det är hög sjö; *at* ~ till
sjöss, till havs, på havet (sjön); *I'm all at*
~ vard. jag förstår inte ett dugg; *by* ~
sjöledes, sjövägen [*go by* ~]; *go to* ~ gå till
sjöss, bli sjöman; *put to* ~ a) om fartyg löpa
ut, avsegla b) sjösätta **2** före subst. sjö- [~
scout]
sea anemone ['si:ə,nemənɪ] *subst*
havsanemon koralldjur
sea bathing ['si:,beɪðɪŋ] *subst* havsbad
seaborne ['si:bɔ:n] *adj* sjöburen [~ *goods*]
seafarer ['si:,feərə] *subst* sjöfarare
seafaring ['si:,feərɪŋ] *adj* sjöfarande
seafood ['si:fu:d] *subst* fisk och skaldjur
seafront ['si:frʌnt] *subst* sjösida av ort;
strandpromenad
seagull ['si:gʌl] *subst* fiskmås
1 seal [si:l] *subst* djur säl
2 seal I [si:l] *subst* sigill; försegling,
plombering; *put the* ~ *of one's approval
on sth* sanktionera ngt
II [si:l] *verb* **1** sätta sigill på (under) [~ *a
document*]; ~ *down* el. ~ försegla, klistra
igen, lacka igen [~ *a letter*] **2** besegla [*his
fate is sealed*]; avgöra [*this sealed his fate*]
3 tillsluta, försluta; klistra igen, täta [~ *up
a window*]; ~ *off* spärra av
sea level ['si:,levl] *subst* vattenstånd i havet;
above ~ över havet, över havsytan
sealing-wax ['si:lɪŋwæks] *subst* sigillack,
lack; *stick of* ~ lackstång
sea lion ['si:,laɪən] *subst* sjölejon
sealskin ['si:lskɪn] *subst* sälskinn
seam I [si:m] *subst* **1** söm; *be bursting at
the* ~*s* spricka (gå upp) i sömmarna, vara
sprängfull; *split at the* ~ spricka (gå upp) i
sömmen **2** fog, skarv
II [si:m] *verb* **1** förse med en söm
2 *seamed* fårad; *a face seamed with
care* ett ansikte fårat av bekymmer
seaman ['si:mən] (pl. *seamen* ['si:mən]) *subst*
sjöman
seamanship ['si:mənʃɪp] *subst* sjömanskap
seamark ['si:mɑ:k] *subst* **1** sjömärke
2 högvattenlinje
sea mile ['si:maɪl] *subst* sjömil, nautisk mil
seamstress ['semstrəs, amer. 'si:mstrəs]
subst sömmerska
seamy ['si:mɪ] *adj*, ~ *side* avigsida av plagg;
the ~ *side of life* livets skuggsida
seance ['seɪɑ:ns] *subst* seans
sea nymph ['si:nɪmf] *subst* havsnymf
seaplane ['si:pleɪn] *subst* sjöflygplan
seaport ['si:pɔ:t] *subst* hamnstad, sjöstad
search I [sɜ:tʃ] *verb* **1** söka igenom, leta
igenom, leta i, söka i [*for* efter]
2 kroppsvisitera, visitera [~ *a ship*]; ~ *me!*
ingen aning! **3** söka, leta, spana [*for* efter]
II [sɜ:tʃ] *subst* **1** sökande, letande, spaning
[*for, after* efter]; *people in* ~ *of*

adventure folk som söker äventyr
2 genomsökning **3** kroppsvisitation
searching I ['sɜːtʃɪŋ] *adj* **1** forskande,
spanande [*a ~ look*] **2** ingående [*a ~ test*]
II ['sɜːtʃɪŋ] *subst* sökande, letande
searchlight ['sɜːtʃlaɪt] *subst* strålkastare,
strålkastarljus
search party ['sɜːtʃ,pɑːtɪ] *subst*
spaningspatrull
search warrant ['sɜːtʃ,wɒrənt] *subst*
husrannsakningsorder
seashell ['siːʃel] *subst* snäckskal, musselskal
seashore ['siːʃɔː] *subst* havsstrand
seasick ['siːsɪk] *adj* sjösjuk
seasickness ['siː,sɪknəs] *subst* sjösjuka
seaside ['siːsaɪd] *subst* **1** kust; **go to the ~
for one's holidays** åka till kusten (en
badort) på semestern **2** före subst. kust- [*~
town*]; strand-; **~ resort** badort

Season's Greetings
Season's Greetings är en vanlig jul-
hälsning på julkort. Många män-
niskor föredrar att skicka julkort
med texten *Season's Greetings* i stäl-
let för *Merry Christmas*, i synnerhet
till vänner som har en annan reli-
gion än kristendomen.

---

season I ['siːzn] *subst* **1** årstid [*the four ~s*];
the rainy ~ regntiden i tropikerna **2** säsong;
oysters are in ~ det är säsong för ostron,
det är ostrontid; *season's greetings* God
Helg
II ['siːzn] *verb* **1** låta mogna; *a seasoned
pipe* en inrökt pipa **2** krydda [*~food*];
smaksätta, salta och peppra; *highly
seasoned* starkt kryddad
seasonal ['siːznəl] *adj* säsong- [*~ work*],
säsongbetonad [*~ trade*]
seasoning ['siːzənɪŋ] *subst* **1** krydda,
smaktillsats **2** kryddning, smaksättning
season ticket ['siːzn,tɪkɪt] *subst*
säsongskort; *monthly ~* månadskort
seat I [siːt] *subst* **1** sittplats, plats, säte; *keep
one's ~* sitta kvar; *take a ~* sätta sig, sitta
ned; *please take a ~!* var så god och sitt!;
take one's ~ inta sin plats; *this ~ is
taken* den här platsen är upptagen **2** plats,
biljett [*book four ~s for 'Hamlet'*]; *~
reservation* sittplatsbeställning; sittplats
3 sits på möbel **4** bak, stuss; *the ~ of the
trousers* (amer. *pants*) byxbaken **5** plats,

mandat
II [siːt] *verb* **1** sätta, placera, låta sitta **2** ta
plats, sätta sig [*please be seated!*] **3** ha plats
för, rymma [*the car ~s 5 people*]
seat belt ['siːtbelt] *subst* säkerhetsbälte,
bilbälte
seated ['siːtɪd] *perf p* o. *adj* **1** sittande [*~ on a
chair*] **2** i sammansättningar -sitsig [*a
two-seated plane*]
seater ['siːtə] *subst* i sammansättningar -sitsigt
fordon [*two-seater*]
sea urchin ['siː,ɜːtʃɪn] *subst* sjöborre
vattenlevande djur
seaward ['siːwəd] *adv* o. **seawards**
['siːwədz] *adv* mot havet
seaweed ['siːwiːd] *subst* sjögräs
seaworthy ['siː,wɜːðɪ] *adj* sjöduglig,
sjövärdig
secateurs [,sekə'tɜːz] *subst pl* sekatör,
trädgårdssax; *a pair of ~* en sekatör, en
trädgårdssax
secluded [sɪ'kluːdɪd] *adj* avskild, avsides
belägen
seclusion [sɪ'kluːʒən] *subst* avskildhet,
tillbakadragenhet
1 second I ['sekənd] *adj* o. *räkn* andra, andre;
andra-; *in the ~ place* i andra rummet, i
andra hand, för det andra; *be ~ in
command* ha näst högsta befälet; *be ~ to
none* inte stå någon efter
II ['sekənd] *adv* **1** näst [*the ~ largest thing*]
2 andra klass [*travel ~*] **3** *come ~* komma
tvåa; *finish ~* komma (bli) tvåa
III ['sekənd] *subst* **1** sport. tvåa,
andraplacering **2** sekundant [*~ in a duel*]
boxn. sekond
IV ['sekənd] *verb* **1** understödja, ansluta sig
till [*~ a proposal*] **2** vara sekundant åt; boxn.
vara sekond åt
2 second ['sekənd] *subst* sekund; ögonblick;
~ hand sekundvisare; se *2 minute 1* för ex.
secondary ['sekəndrɪ] *adj* sekundär;
underordnad [*of ~ importance*]; *~ school*
obligatorisk skola för elever mellan 11 och 16 el. upp
till 18 år
second-best I [,sekənd'best] *adj* näst bäst
[*my ~ suit*]
II [,sekənd'best] *adv* näst bäst; *come off ~*
dra det kortaste strået
second-class [,sekənd'klɑːs] *adj*
andraklass-, andra klassens [*a ~ hotel*]
second-hand I [,sekənd'hænd] före subst.
'sekəndhænd] *adj* begagnad [*~ clothes*];
andrahands- [*~ information*]; *~ bookshop*
antikvariat

II [ˌsekənd'hænd] *adv* i andra hand {*get news* ~}

secondly ['sekəndlɪ] *adv* för det andra

second-rate [ˌsekənd'reɪt, före subst. 'sekəndreɪt] *adj* andra klassens, medelmåttig

secrecy ['siːkrəsɪ] *subst* **1** sekretess **2** hemlighetsmakeri; *in* ~ i hemlighet, i tysthet

secret I ['siːkrət] *adj* hemlig; lönn- {~ *door*}; dold {*a* ~ *place*}; ~ *service* polit. underrättelsetjänst
II ['siːkrət] *subst* hemlighet; *keep sth a* ~ *from sb* hålla ngt hemligt för ngn; *let sb into a* ~ inviga ngn i en hemlighet

secretarial [ˌsekrə'teərɪəl] *adj* sekreterar- {~ *work*}

secretariat [ˌsekrə'teərɪət] *subst* sekretariat

secretary ['sekrətrɪ] *subst* **1** sekreterare **2** polit. minister

secretary-general [ˌsekrətrɪ'dʒenrəl] (pl. *secretaries-general*) *subst* generalsekreterare

secrete [sɪ'kriːt] *verb* avsöndra, utsöndra

secretion [sɪ'kriːʃən] *subst* avsöndring, utsöndring

secretive ['siːkrətɪv] *adj* hemlighetsfull

secretly ['siːkrətlɪ] *adv* hemligt, i hemlighet, i tysthet

sect [sekt] *subst* relig. m.m. sekt

section ['sekʃən] *subst* **1** del, sektion, stycke; *the sports* ~ *of a newspaper* sportsidorna i en tidning **2** snitt, genomskärning **3** område, sektor {*the industrial* ~ *of a country*}

sector ['sektə] *subst* mat. el. mil. sektor; *the public* ~ den offentliga sektorn

secular ['sekjʊlə] *adj* **1** världslig **2** utomkyrklig, sekulär {~ *priest*}

secure I [sɪ'kjʊə] *adj* **1** säker, trygg, skyddad {*from, against* för, emot}; *a* ~ *future* en tryggad framtid **2** i säkert förvar, i säkerhet
II [sɪ'kjʊə] *verb* **1** säkra, säkerställa, trygga **2** säkra, göra fast {~ *the doors*}; binda fast {~ *a prisoner*}; fästa **3** försäkra sig om, skaffa, lyckas skaffa sig

security [sɪ'kjʊərətɪ] *subst* **1** trygghet {*the child lacks* ~}; säkerhet **2** före subst. säkerhets- {~ *risk*}; *the Security Council* säkerhetsrådet i FN; ~ *precautions* säkerhetsanordningar, säkerhetsåtgärder **3** hand. säkerhet, borgen {*lend money on* ~} **4** värdepapper; *government* ~ statsobligation

sedan [sɪ'dæn] *subst* bil. sedan

sedate I [sɪ'deɪt] *adj* stillsam, sansad, stadig
II [sɪ'deɪt] *verb*, *she has been sedated* hon har fått lugnande medel

sedative ['sedətɪv] *subst* lugnande medel

sedentary ['sedəntərɪ] *adj* stillasittande {*a* ~ *life*}

sediment ['sedɪmənt] *subst* sediment, fällning, bottensats

seduce [sɪ'djuːs] *verb* förföra

seducer [sɪ'djuːsə] *subst* förförare

seductive [sɪ'dʌktɪv] *adj* förförisk

1 see [siː] *subst* stift, biskopssäte

2 see I [siː] (*saw seen*) *verb* **1** se; se på, titta på, se efter, titta efter {*I'll* ~ *who it is*}, kolla; se till, ordna; *we'll* ~! vi får väl se!; ~ *you don't fall!* akta dig så att du inte faller!; *nobody was to be seen* ingen syntes till; *you'd better have it seen to* hos läkare etc. det är bäst du får det omskött **2** förstå, inse, se {*I can't* ~ *the use of it*}; *oh, I* ~ å, jag förstår; *I was there, you* ~ jag var där förstår du **3** hälsa 'på, besöka; gå till, söka {*you must* ~ *a doctor about it*}; *I'm seeing him tonight* jag ska träffa honom i kväll; *I'll be seeing you!* el. ~ *you later!* vard. vi ses!, hej så länge! **4** följa {*he saw me home*}; ~ *sb off* vinka av ngn a) kortsp. syna
II [siː] (*saw seen*) *verb* med adv. o. prep.
see about sköta om, ta hand om; *we'll* ~ *about that!* a) det sköter vi om! b) det får vi allt se!, det ska vi nog bli två om!
see from se i, se av, se på {*I* ~ *from the letter that*...}
see into titta närmare på, undersöka
see over se på, inspektera
see through 1 genomskåda **2** slutföra **3** *this will* ~ *you through* på det här klarar du dig
see to ta hand om, sköta, ordna; ~ *to it that*... se till att...

seed I [siːd] *subst* **1** frö; pl. ~*s* frö, utsäde, säd {*a packet of* ~*s*} **2** kärna {*raisin* ~*s*} **3** sport. seedad spelare; *he is No. 1* ~ han är seedad som etta
II [siːd] *verb* **1** så, beså **2** kärna ur {~ *raisins*} **3** sport. seeda

seedcake ['siːdkeɪk] *subst* sockerkaka med kummin

seedless ['siːdləs] *adj* kärnfri {~ *raisins*}

seedy ['siːdɪ] *adj* **1** vard. sjaskig, sjabbig **2** vard. krasslig

seeing I ['siːɪŋ] *subst* **1** seende; ~ *is believing* att se är att tro **2** syn
II ['siːɪŋ] *konj*, ~ *that* el. ~ eftersom, med tanke på att

Seeing-Eye® ['siːɪŋaɪ] *adj*, ~ *dog* amer., se *guide dog* under *guide*

seek [siːk] (*sought sought*) *verb* **1** söka [~ *one's fortune*]; sträva efter [~ *fame*]; ~ *sb's advice* söka råd hos ngn; ~ *out sb* söka upp ngn; ~ *for* söka, söka efter; *be sought after* vara eftersökt **2** söka sig till, uppsöka [~ *the shade*] **3** ~ *to do sth* försöka göra ngt

seem [siːm] *verb* verka, verka vara, tyckas, se ut [*it isn't as easy as it* ~*s*]; verka vara; ~ *to* tyckas [*he* ~*s to know everybody*], verka, förefalla; *I* ~ *to recall* jag tycker mig minnas; *it* ~*s that no one knew* ingen tycktes veta; *it would* ~ *that* det kunde tyckas att; *it* ~*s to me that* jag tycker nog att; *so it* ~*s* det verkar så, det ser så ut

seeming ['siːmɪŋ] *adj* skenbar, låtsad

seemingly ['siːmɪŋlɪ] *adv* **1** till synes **2** tydligen

seemly ['siːmlɪ] *adj* passande, tillbörlig

seen [siːn] perf. p. av *2 see*

seep [siːp] *verb* sippra, droppa

seesaw I ['siːsɔː] *subst* gungbräde
II ['siːsɔː] *adj* vacklande [~ *policy*]
III ['siːsɔː] *verb* **1** gunga gungbräde; gunga upp och ned **2** svänga fram och tillbaka

seethe [siːð] *verb* sjuda, koka

see-through ['siːθruː] *adj* genomskinlig [*a* ~ *blouse*]

segment ['segmənt] *subst* **1** segment [~ *of a circle*]; del **2** klyfta [*orange* ~]

segregate ['segrɪgeɪt] *verb* skilja åt, segregera

segregation [ˌsegrɪ'geɪʃən] *subst* åtskiljande, segregation; *racial* ~ rassegregation, rasåtskillnad

seismograph ['saɪzməɡrɑːf] *subst* seismograf

seismological [ˌsaɪzmə'lɒdʒɪkl] *adj* seismologisk

seize [siːz] *verb* **1** gripa, fatta [~ *sb's hand*], ta tag i; *be seized with apoplexy* drabbas av ett slaganfall **2** gripa, ta fast, fånga **3** inta, erövra [~ *a fortress*] **4** ta i beslag, beslagta [~ *smuggled goods*] **5** ~ *on* gripa tag i; nappa på [~ *on an offer*] **6** ~ *up* el. ~ om motor skära ihop

seizure ['siːʒə] *subst* **1** gripande **2** beslagtagande **3** anfall [*an epileptic* ~]

seldom ['seldəm] *adv* sällan

select I [sə'lekt] *adj* **1** vald [~ *poems*], utvald **2** utsökt, exklusiv [*a* ~ *club*]
II [sə'lekt] *verb* välja, välja ut; *selected poems* valda dikter

selection [sə'lekʃən] *subst* **1** utväljande, val; uttagning **2** urval; sortiment **3** ~*s from Shakespeare* Shakespeare i urval

selenium [sɪ'liːnjəm] *subst* kem. selen

self [self] (pl. *selves* [selvz]) *subst* o. *pron* **1** jag [*he showed his true* ~] **2** hand., *pay* ~ betala till mig själv; *cheque drawn to* ~ check ställd till egen order

self-adhesive [ˌselfəd'hiːsɪv] *adj* självhäftande

self-assured [ˌselfə'ʃʊəd] *adj* självsäker

self-centred [ˌself'sentəd] *adj* självupptagen, egocentrisk

self-confidence [ˌself'kɒnfɪdəns] *subst* självförtroende, självtillit

self-confident [ˌself'kɒnfɪdənt] *adj* full av självförtroende; självsäker

self-conscious [ˌself'kɒnʃəs] *adj* generad, förlägen, osäker

self-contained [ˌselfkən'teɪnd] *adj* komplett; självständig

self-control [ˌselfkən'trəʊl] *subst* självbehärskning

self-defence [ˌselfdɪ'fens] *subst* självförsvar

self-drive [ˌself'draɪv] *adj*, ~ *car hire* biluthyrning

self-evident [ˌself'evɪdənt] *adj* självklar

self-explanatory [ˌselfɪk'splænətrɪ] *adj* självförklarande, självklar

self-important [ˌselfɪm'pɔːtənt] *adj* viktig, dryg

self-indulgent [ˌselfɪn'dʌldʒənt] *adj* njutningslysten

self-inflicted [ˌselfɪn'flɪktɪd] *adj* självförvållad [*a* ~ *wound*]

self-interest [ˌself'ɪntrəst] *subst* egennytta

selfish ['selfɪʃ] *adj* självisk, egoistisk

self-made [ˌself'meɪd, före subst. 'selfmeɪd] *adj* selfmade, som själv har arbetat sig upp [*a* ~ *woman*]

self-pity [ˌself'pɪtɪ] *subst* självömkan

self-possessed [ˌselfpə'zest] *adj* behärskad, lugn

self-preservation ['selfˌprezə'veɪʃən] *subst*, *instinct of* ~ självbevarelsedrift

self-raising [ˌself'reɪzɪŋ] *adj* självjäsande; ~ *flour* mjöl blandat med bakpulver

self-respect [ˌselfrɪ'spekt] *subst* självaktning

self-respecting [ˌselfrɪ'spektɪŋ] *adj* med självaktning [*no* ~ *man*]

self-righteous [ˌself'raɪtʃəs] *adj* självgod

self-sacrifice [ˌself'sækrɪfaɪs] *subst* självuppoffring

selfsame ['selfseɪm] *adj*, *the* ~ precis samma

self-satisfied [ˌself'sætɪsfaɪd] *adj*
självbelåten

self-service [ˌself'sɜːvɪs] *subst*
självbetjäning, självservering; ~ *store* el. ~
snabbköp, självbetjäningsaffär

self-sufficient [ˌselfsə'fɪʃənt] *adj*
1 självförsörjande **2** självtillräcklig

self-supporting [ˌselfsə'pɔːtɪŋ] *adj*
självförsörjande

self-taught [ˌself'tɔːt] *adj* självlärd

self-timer [ˌself'taɪmə] *subst* foto.
självutlösare

self-willed [ˌself'wɪld] *adj* egensinnig

sell I [sel] (*sold sold*) *verb* **1** sälja; föra, ha
[*this shop ~s my favourite brand*]; ~ *sb*
down the river förråda ngn **2** säljas, gå
[*at, for* för]; ~ *like hot cakes* gå åt som
smör i solsken
II [sel] (*sold sold*) *verb* med adv. o. prep.
sell off realisera bort, slumpa bort
sell out: *the book is sold out* boken är
slutsåld

seller ['selə] *subst* säljare; i sammansättningar
-handlare [*bookseller*]

selves [selvz] *subst pl* av *self*

semantic [sɪ'mæntɪk] *adj* semantisk

semaphore I ['seməfɔː] *subst* **1** semafor
2 semaforering
II ['seməfɔː] *verb* semaforera

semblance ['sembləns] *subst* sken; *some ~
of normality* något som liknar det
normala

semen ['siːmən] *subst* sädesvätska

semester [sə'mestə] *subst* univ. el. skol. (i USA)
termin

semicircle ['semɪˌsɜːkl] *subst* halvcirkel

semicircular [ˌsemɪ'sɜːkjʊlə] *adj*
halvcirkelformig

semicolon [ˌsemɪ'kəʊlən] *subst* semikolon

semidetached [ˌsemɪdɪ'tætʃt] *adj* om hus
sammanbyggd på en sida; *a ~ house* ena
hälften av ett parhus, en parvilla

semifinal [ˌsemɪ'faɪnl] *subst* sport. semifinal

semifinalist [ˌsemɪ'faɪnəlɪst] *subst* sport.
semifinalist

seminar ['semɪnɑː] *subst* univ. seminarium

semiprecious [ˌsemɪ'preʃəs] *adj*, ~ *stone*
halvädelsten

Semitic [sɪ'mɪtɪk] *adj* semitisk

semitropical [ˌsemɪ'trɒpɪkl] *adj* subtropisk

semolina [ˌsemə'liːnə] *subst* kok.
semolinagryn, mannagryn

senate
Den amerikanska senaten består av
100 senatorer. I varje delstat, oav-
sett folkmängd, väljer invånarna
två senatorer.

senate ['senət] *subst* senat

senator ['senətə] *subst* senator

send I [send] (*sent sent*) *verb* **1** skicka, sända;
the rain sent them hurrying home
regnet fick dem att skynda sig hem; *the
lecture sent me to sleep* föreläsningen
fick mig att somna; ~ *word* låta meddela;
~ *for* skicka efter [~ *for a doctor*], hämta;
rekvirera **2** göra [*he ~s me crazy*]
II [send] (*sent sent*) *verb* med adv. o. prep.
send away 1 skicka bort **2** ~ *away for*
skriva efter [~ *away for a poster to put on
your wall*]
send off 1 avsända [~ *off a letter*],
expediera **2** sport. utvisa [~ *a player off*] **3** ~
sb off vinka av ngn
send on sända (skicka) vidare, eftersända
send round to sb skicka över till ngn
send up 1 sända (skicka) upp [~ *up a
rocket*], sända (skicka) ut **2** driva upp,
pressa upp [~ *prices up*]

sender ['sendə] *subst* avsändare

send-off ['sendɒf] *subst* avsked

send-up ['sendʌp] *subst* vard. parodi,
förlöjligande

senile ['siːnaɪl] *adj* senil, ålderdomssvag

senility [sə'nɪlətɪ] *subst* senilitet,
ålderdomssvaghet

senior I ['siːnjə] *adj* **1** äldre [*to* än]; den
äldre, senior [*John Smith, Senior*] **2** ~
citizen pensionär, ålderspensionär, senior
3 högre i rang; överordnad
II ['siːnjə] *subst* äldre i tjänsten; äldre medlem

seniority [ˌsiːnɪ'ɒrətɪ] *subst* tjänsteålder; *by*
~ efter tjänsteålder

senna ['senə] *subst* senna, sennablad

sensation [sen'seɪʃən] *subst* **1** förnimmelse,
känsla [*a ~ of cold*] **2** *cause a great ~*
väcka stort uppseende

sensational [sen'seɪʃnəl] *adj* sensationell,
uppseendeväckande

sensationalism [sen'seɪʃənəlɪzəm] *subst*
sensationsmakeri, sensationalism

sense I [sens] *subst* **1** sinne [*the five ~s*]; *the
~ of hearing* hörselsinnet; *a sixth* ~ ett
sjätte sinne; *nobody in their ~s* ingen
vettig människa; *are you out of your ~s?*

är du från vettet?; *come to one's* ~*s*
a) komma till besinning b) återfå
medvetandet **2** känsla [*of* av, för]; ~ *of*
humour sinne för humor **3** vett, förstånd;
common ~ sunt förnuft; *he ought to*
have had more ~ han borde haft bättre
förstånd; *there is no* ~ *in waiting* det är
ingen mening att vänta **4** betydelse,
bemärkelse; *it does not make* ~ jag fattar
det inte; det stämmer inte; *in the strict* ~
of the word i ordets egentliga mening
II [sens] *verb* känna, ha på känn
senseless ['sensləs] *adj* **1** meningslös
2 medvetslös
sensibility [,sensə'bɪlətɪ] *subst* känslighet [*to*
för], sensibilitet
sensible ['sensəbl] *adj* **1** förståndig,
förnuftig, klok, vettig [~ *shoes*]
2 medveten [*of* om; *that* om att]
sensitive ['sensətɪv] *adj* känslig [*to* för];
ömtålig [*a* ~ *skin*]; sensibel
sensitivity [,sensə'tɪvətɪ] *subst* känslighet,
sensibilitet
sensual ['sensjʊəl] *adj* sensuell [~ *lips*]
sensuality [,sensju'ælətɪ] *subst* sensualitet
sensuous ['sensjʊəs] *adj* sinnes- [~
impressions], känslig
sent [sent] imperf. o. perf. p. av *send*
sentence I ['sentəns] *subst* **1** jur. dom; *serve*
one's ~ avtjäna sitt straff; *under* ~ *of*
death dödsdömd **2** gram. mening, sats
II ['sentəns] *verb* döma [*to* till]
sentiment ['sentɪmənt] *subst* **1** känsla;
känslosamhet **2** pl. ~*s* uppfattning, mening
sentimental [,sentɪ'mentl] *adj* sentimental,
känslosam; ~ *value* affektionsvärde
sentimentalist [,sentɪ'mentəlɪst] *subst*
sentimentalist
sentimentality [,sentɪmen'tælətɪ] *subst*
sentimentalitet
sentinel ['sentɪnl] *subst* vaktpost
sentry ['sentrɪ] *subst* vaktpost; *stand* ~ stå
på vakt
sentry box ['sentrɪbɒks] *subst* vaktkur
separate I ['seprət] *adj* **1** skild [*from* från],
avskild **2** enskild, särskild [*each* ~ *case*],
separat
II ['sepəreɪt] *verb* **1** skilja, skiljas, skilja åt
2 avskilja, särskilja **3** separera
separately ['seprətlɪ] *adv* separat
separation [,sepə'reɪʃən] *subst* **1** skiljande
[*from* från], frånskiljande, särskiljande,
separering **2** *legal* ~ av domstol ådömd
hemskillnad

9/11 (**nine eleven**)
Den 11 september 2001 genom-
förde islamistiska extremister en
rad självmordsattacker mot olika
mål i USA. På morgonen kapade
de fyra passagerarflygplan. Två av
dessa flögs mot New Yorks högsta
skyskrapor, *World Trade Center* (*the*
Twin Towers). Planen genombor-
rade tornen, som började brinna.
En dryg timme senare störtade det
södra tornet samman. Ett tredje
plan träffade en flygel på *Pentagon*,
USA:s försvarshögkvarter i Wash-
ington. Det fjärde planet missade
sitt mål och störtade nära en skola i
en liten ort i Pennsylvania. Nästan
3 000 människor dödades i attack-
erna.

September [sep'tembə] *subst* september
septic ['septɪk] *adj* septisk, infekterad [*a* ~
wound]
sequel ['siːkwəl] *subst* **1** följd, resultat [*to*
av] **2** fortsättning [*to* på]
sequence ['siːkwəns] *subst* **1** ordningsföljd,
ordning [*in rapid* ~], serie; ~ *of events*
händelseförlopp **2** film. sekvens
sequin ['siːkwɪn] *subst* paljett prydnad på plagg
Serb I [sɜːb] *adj* serbisk
II [sɜːb] *subst* **1** serb **2** serbiska
Serbia ['sɜːbjə] Serbien
serenade I [,serə'neɪd] *subst* musik. serenad
II [,serə'neɪd] *verb* ge serenad för; ge
serenad
serene [sə'riːn] *adj* lugn [~ *look*], fridfull
serenity [sə'renətɪ] *subst* lugn, fridfullhet
serge [sɜːdʒ] *subst* tyg cheviot [*blue* ~]
sergeant ['sɑːdʒənt] *subst* **1** mil., ungefär
sergeant inom armén el. flyget, amer. överfurir
inom armén, korpral inom flyget; ~ *major*
fanjunkare; *flight* ~ fanjunkare inom flyget
2 *police* ~ ungefär polisinspektör; grad mellan
constable o. *inspector*
serial I ['sɪərɪəl] *adj* **1** i serie; ~ *killer* el. ~
murderer seriemördare förövare av en rad
mord; ~ *murder* seriemord; ~ *number*
serienummer **2** serie-; som publiceras
häftesvis; ~ *story* följetong
II ['sɪərɪəl] *subst* följetong; avsnitt av en serie i
t.ex. radio

serialize ['sɪərɪəlaɪz] *verb* **1** publicera som följetong **2** tv. sända som en serie

---

series

Ordet *series* används om tv- eller radioserier som handlar om samma personer och där varje avsnitt är en avslutad episod. Ordet *serial* används om fortsättningserier.

---

series ['sɪəriːz] (pl. lika) *subst* **1** serie, rad, räcka **2** tv. el. radio. serie

serious ['sɪərɪəs] *adj* **1** allvarlig [*a ~ attempt*], allvarsam; *are you ~?* menar du allvar? **2** seriös, verklig

seriously ['sɪərɪəslɪ] *adv* allvarligt, allvarligt talat; *quite ~* på fullt allvar; *take ~* ta på allvar

serious-minded ['sɪərɪəs,maɪndɪd] *adj* allvarligt sinnad

seriousness ['sɪərɪəsnəs] *subst* allvar, allvarlighet; *in all ~* på fullt allvar

sermon ['sɜːmən] *subst* predikan

serpent ['sɜːpənt] *subst* orm

serrated [sə'reɪtɪd] *adj* sågtandad [*~ edge*]

servant ['sɜːvənt] *subst* **1** tjänare; pl. *~s* tjänare, tjänstefolk; *domestic ~* hembiträde, tjänsteflicka; betjänt **2** *civil ~* statstjänsteman, tjänsteman inom civilförvaltningen

servant girl ['sɜːvəntgɜːl] *subst* tjänsteflicka, hembiträde

serve I [sɜːv] *verb* **1** tjäna **2** servera; *dinner is served* middagen är serverad; *refreshments were served* det bjöds på förfriskningar; *are you being served?* på restaurang är det beställt?; *~ at table* servera; *serving hatch* serveringslucka **3** expediera; *are you being served?* är det tillsagt?, vara expedit **4** förse, försörja **5** duga till, passa; *~s you right!* el. *~ you right!* rätt åt dig!, där fick du! **6** *~ one's sentence* el. *~ time* avtjäna sitt straff, sitta i fängelse **7** sport. serva **8** tjänstgöra, tjäna, göra tjänst; *~ on a committee (jury)* vara medlem av en kommitté (jury), sitta i kommitté (jury) **9** fungera, duga, passa, tjäna [*as, for* som, till]

II [sɜːv] *subst* sport. serve

service I ['sɜːvɪs] *subst* **1** tjänst, tjänstgöring; *On His (Her) Majesty's Service* påskrift tjänste; *military ~* militärtjänst **2** *health ~* hälsovård; *the postal ~s* postväsendet;

social ~s socialvård, socialvården **3** regelbunden översyn, service [*take the car in for ~*]; *~ station* bensinstation **4** servering, betjäning, service [*the ~ was poor*]; *~ charge* el. *~* serveringsavgift, betjäningsavgift **5** servis [*dinner-service*] **6** tjänst [*you have done me a ~*]; hjälp; nytta [*it may be of great ~ to you*] **7** trafik. förbindelse, linje; *air ~s* trafikflyg; *postal ~* postförbindelse **8** kyrkl. gudstjänst, mässa, förrättning, akt **9** sport. serve

II ['sɜːvɪs] *verb* ta in för service, serva [*~ a car*]

serviceman ['sɜːvɪsmən] (pl. *servicemen* ['sɜːvɪsmən]) *subst* militär

serviette [,sɜːvɪ'et] *subst* servett

servile ['sɜːvaɪl] *adj* **1** servil, krypande **2** slavisk [*~ obedience*]

servitude ['sɜːvɪtjuːd] *subst* **1** träldom, slaveri **2** *penal ~* straffarbete

servo ['sɜːvəʊ] (pl. *~s*) *subst* tekn. vard. servo; *~ brakes* bil. servobroms

servo-assisted [,sɜːvəʊə'sɪstɪd] *adj*, *~ brakes* bil. servobroms

session ['seʃən] *subst* **1** session, sammanträde **2** *recording ~* inspelning; *training ~* träningspass

set I [set] (*set set*) (*setting*) *verb* **1** sätta, ställa [*~ one's watch*, *~ one's alarm*]; infatta [*~ in gold*]; **2** bestämma, fastställa; förelägga, ge [*~ sb a task*] **3** teat. m.m., *the scene is ~ in France* scenen är förlagd till Frankrike **4** musik., *~ sth to music* sätta musik till ngt, tonsätta ngt **5** skol., *~ a test* sätta ihop en skrivning **6** med. återföra i rätt läge [*~ a broken bone*] **7** om solen, månen gå ner [*the sun ~s at 8*] **8** stelna [*the jelly has not ~ yet*], hårdna **9** duka [*a table ~ for four*]

II [set] (*set set*) (*setting*) *verb* med adv. o. prep.

set about 1 ta itu med [*~ about a task*] **2** vard. gå lös på

set aside 1 lägga undan, sätta av, anslå [*for* till, för] **2** bortse från; *setting aside...* bortsett från...

set back vard. kosta; *it ~ me back five pounds* jag gick back fem pund

set down sätta ner

set in börja, inträda, falla på [*darkness ~ in*]

set off 1 ge sig i väg [*~ off on a journey*], starta, avresa [*for* till] **2** framkalla [*the explosion was ~ off by...*] **3** sätta i gång, starta, utlösa [*~ off a chain reaction*] **4** framhäva [*the white dress ~ off her suntan*]

set out ge sig av, ge sig ut (i väg) [*~ out on*

a journey], starta, avresa [*for till*]
set to hugga i; ~ *to work* sätta i gång
set up 1 sätta upp, ställa upp, resa [~ *up a ladder*]; slå upp [~ *up a tent*] **2** upprätta [~ *up an institution*], anlägga [~ *up a factory*], grunda, inrätta; införa [~ *up a new system*]; tillsätta [~ *up a committee*] **3** etablera sig [~ *up as a businessman*]
III [set] *perf p* o. *adj* **1** fast, fastställd [~ *price*]; bestämd [~ *rules*]; *a ~ phrase* en stående fras, ett talesätt **2** belägen [*a town ~ on a hill*] **3** *be ~ on* a) vara fast besluten b) ha slagit in på [*he is ~ on a dangerous course*] **4** vard. klar, färdig; *all ~* allt klart; *get ~!* sport. färdiga! [*on your marks! get ~! go!*]
IV [set] *subst* **1** uppsättning, set, sats; *a chess ~* ett schackspel; *a ~ of golf clubs* ett golfset; *a ~ of lectures* en serie föreläsningar; *a ~ of underwear* en omgång underkläder **2** grupp; krets, kotteri, klick **3** apparat [*radio ~*; *TV ~*] **4** i tennis set
setback ['setbæk] *subst* bakslag, motgång
set piece [ˌset'piːs] *subst* **1** teat. kuliss **2** sport. fast situation
set point [ˌset'pɔɪnt] *subst* i tennis setboll
set square ['setskweə] *subst* geom. vinkelhake
settee [se'tiː] *subst* soffa
setter ['setə] *subst* setter fågelhund
setting ['setɪŋ] *subst* **1** infattning för t.ex. ädelstenar **2** iscensättning, uppsättning **3** ram, inramning [*a beautiful ~ for the procession*]; miljö, omgivning **4** himlakropps nedgång [*the ~ of the sun*]
setting lotion ['setɪŋˌləʊʃən] *subst* läggningsvätska
settle I ['setl] *verb* **1** sätta till rätta, sätta sig till rätta, slå sig ner **2** bosätta sig, slå sig ner **3** lägga sig [*the dust settled on the furniture*] **4** kolonisera [*the country was settled by the English*] **5** fastställa, bestämma [~ *a date*] **6** avgöra [*that ~s the matter*], göra slut på [~ *a quarrel*], ordna, klara upp; *that ~s it!* a) det avgör saken! b) nu har jag fått nog!; *~ a conflict* lösa en konflikt **7** betala, göra upp [*can I ~ my account?*] **8** om väder stabilisera sig **9** lugna [*it ~s the nerves*]; *~ down* a) slå sig ner; *marry and ~ down* gifta sig och slå sig till ro b) lugna sig, lägga sig [*the excitement settled down*]; *she is settling down to her new job* hon börjar komma in i sitt nya arbete
II ['setl] *verb* med adv. o. prep.

settle for 1 bestämma sig för [*she settled for the red curtains*] **2** nöja sig med [*you'll have to ~ for a cheaper car*]; *~ up* göra upp [~ *up differences*], betala [~ *up the bill*]
settled ['setld] *adj* **1** avgjord, bestämd, uppgjord; *the bill is ~* räkningen är betald **2** fast, stadgad, stadig; om väder lugn och vacker **3** bebodd; *a thinly ~ area* ett glest bebyggt område
settlement ['setlmənt] *subst* **1** avgörande, uppgörelse; lösning av en konflikt; förlikning **2** fastställande; överenskommelse, avtal **3** betalning [*the ~ of a bill*] **4** bosättning, bebyggelse; kolonisering
settler ['setlə] *subst* nybyggare, kolonist
set-up ['setʌp] *subst* uppbyggnad, struktur, organisation; situation
seven ['sevn] *räkn* o. *subst* sjua
seventeen [ˌsevn'tiːn] *räkn* o. *subst* sjutton
seventeenth [ˌsevn'tiːnθ] *räkn* o. *subst* sjuttonde; sjuttondel
seventh ['sevnθ] *räkn* o. *subst* sjunde; sjundedel
seventieth ['sevntɪəθ] *räkn* o. *subst* sjuttionde; sjuttiondel
seventy ['sevntɪ] *räkn* o. *subst* **1** sjuttio **2** sjuttiotal; *in the seventies* på sjuttiotalet
sever ['sevə] *verb* avskilja; hugga av, bryta av
several ['sevrəl] *adj* o. *pron* flera, åtskilliga
severe [sɪ'vɪə] *adj* sträng, hård, svår
severely [sɪ'vɪəlɪ] *adv* strängt, hårt; *~ wounded* svårt sårad
severity [sə'verətɪ] *subst* stränghet, hårdhet; *the ~ of the winter in Canada* den stränga vintern i Kanada
Seville [sə'vɪl] Sevilla; *~ orange* pomerans
sew [səʊ] (imperf. *sewed*, perf. p. *sewn* el. *sewed*) *verb* sy; *~ on* sy fast, sy i; *~ up*; sy ihop, sy igen
sewer ['suːə, 'sjʊə] *subst* kloak, avloppsledning
sewing ['səʊɪŋ] *subst* sömnad, sömnadsarbete
sewing-machine ['səʊɪŋməˌʃiːn] *subst* symaskin
sewing-needle ['səʊɪŋˌniːdl] *subst* synål
sewn [səʊn] perf. p. av *sew*
sex [seks] *subst* **1** kön; *the fair ~* det täcka könet **2** sex, erotik; *have ~* älska, ligga med varandra **3** före subst. köns- [~ *hormone*], sexuell, sex-; *~ equality* jämställdhet mellan könen; *~ maniac* sexgalning
sexiness ['seksɪnəs] *subst* sexighet

sexism ['seksɪzəm] *subst* sexism, könsdiskriminering

sex-starved ['seksstɑːvd] *adj* sexuellt utsvulten, sexhungrig

sexual ['seksjʊəl] *adj* sexuell; ~ *abuse* sexualövergrepp; ~ *desire* könsdrift; ~ *intercourse* samlag; ~ *offender* sexualförbrytare; ~ *organs* könsorgan

sexuality [ˌseksjʊ'ælətɪ] *subst* sexualitet

sexy ['seksɪ] *adj* vard. **1** sexig **2** häftig, spännande [~ *places to visit*]

sh [ʃː] *interj* sch!, hysch!

shabby ['ʃæbɪ] *adj* **1** sjabbig, sjaskig **2** tarvlig [~ *trick*]

shack [ʃæk] *subst* timmerkoja, hydda

shackle ['ʃækl] *subst* pl. ~*s* bojor, fjättrar

shade I [ʃeɪd] *subst* **1** skugga [*30° in the ~*]; *throw into the* ~ el. *put into the* ~ ställa i skuggan **2** nyans; färgton **3** aning, smula [*I am a ~ better today*] **4** vard., ~*s* solbrillor **5** amer. rullgardin
II [ʃeɪd] *verb* skugga, skugga för

shadow I ['ʃædəʊ] *subst* skugga [*the ~ of a man on the wall*]; ~ *cabinet* oppositionens skuggkabinett, skuggregering; *beyond* (*without*) *a ~ of doubt* utan skuggan av ett tvivel
II ['ʃædəʊ] *verb* skugga [*the detective shadowed him*]

shadowy ['ʃædəʊɪ] *adj* **1** skuggig **2** skugglik, overklig

shady ['ʃeɪdɪ] *adj* **1** skuggig, skuggande [*a ~ tree*] **2** vard. skum; *a ~ customer* en skum figur

shaft [ʃɑːft] *subst* **1** skaft på spjut, vissa verktyg m.m. **2** schakt i gruva m.m.; trumma [*lift ~*]; ~ el. *ventilating ~* lufttrumma

shaggy ['ʃægɪ] *adj* lurvig; buskig [~ *eyebrows*]

shake I [ʃeɪk] (*shook shaken*) *verb* **1** skaka, skaka ur; ~ *oneself* skaka på sig; ~ *hands* skaka hand; ~ *hands on sth* ta varandra i hand på ngt; ~ *one's head* skaka på huvudet [*over, at åt*] **2** skaka, göra upprörd; *he was shaken by the news* han blev skakad av nyheten **3** få att skaka (skälva, darra) **4** skaka, skälva, darra [*with av*]
II [ʃeɪk] *subst* skakning; skälvning, darrning; *give it a good ~!* skaka om ordentligt!

shaken ['ʃeɪkən] perf. p. av *shake I*

shaky ['ʃeɪkɪ] *adj* **1** skakig, darrande **2** ostadig, ranglig [*a ~ old table*]; vacklande [*a ~ government*] **3** svag [*my English is a bit ~*]

shall [ʃæl, obetonat ʃəl] (imperf. *should*, se detta ord) *hjälpverb* presens ska; *I ~ meet him tomorrow* jag träffar (ska träffa) honom i morgon

shallot [ʃə'lɒt] *subst* grönsak schalottenlök

shallow ['ʃæləʊ] *adj* **1** grund [~ *water*]; flat [*a ~ dish*] **2** ytlig [*a ~ person; a ~ argument*]

sham I [ʃæm] (-*mm*-) *verb* simulera, hyckla, låtsas
II [ʃæm] *subst* **1** hyckleri, humbug, bluff **2** imitation [*these pearls are ~s*] **3** bluffmakare, humbug
III [ʃæm] *adj* låtsad, fingerad, sken- [*a ~ attack*], oäkta [~ *pearls*]

shame I [ʃeɪm] *subst* skam, blygsel; vanära; ~ *on you!* fy skam!; *what a ~!* så tråkigt!, vad synd!; *she has no sense of ~* hon har ingen skam i kroppen; *put sb to ~* a) skämma ut ngn b) ställa ngn i skuggan; *be put to ~* få stå där med skammen
II [ʃeɪm] *verb* **1** få att skämmas **2** skämma ut, dra vanära över

shamefaced ['ʃeɪmfeɪst] *adj* skamsen

shamefacedly [ˌʃeɪm'feɪstlɪ, ˌʃeɪm'feɪsɪdlɪ] *adv* skamset

shameful ['ʃeɪmfʊl] *adj* skamlig, neslig

shameless ['ʃeɪmləs] *adj* skamlös, fräck

shammy ['ʃæmɪ] *subst,* ~ *leather* el. ~ sämskskinn

Shakespeare

William Shakespeare (1564–1616) är världslitteraturens främsta dramatiker. Han skrev <u>tragedier</u>, *tragedies*, t.ex. *Hamlet, Othello, Macbeth, Romeo and Juliet,* <u>komedier</u>, *comedies*, t.ex. *A Midsummer Night's Dream, Twelfth Night,* <u>Trettondagsafton</u>, och <u>historiska dramer</u>, *historical plays*, t.ex. *Richard III, Henry V.*

The Royal Shakespeare Company spelar hans pjäser i London och Stratford-on-Avon, där han föddes och ligger begravd. Shakespeare spelade i många år på teatern *the Globe* i London. En kopia av denna teater har byggts upp på nästan samma historiska plats på Themsens södra strand.

shampoo I [ʃæmˈpuː] *verb* schamponera
II [ʃæmˈpuː] (pl. ~s) *subst* **1** schamponering;
give sb a ~ schamponera ngn; *a* ~ *and
set* tvättning och läggning **2** schampo,
schamponeringsmedel

> **shamrock**
> *The Shamrock*, treklövern, är den
> Irländska republikens nationalsym-
> bol.

shamrock [ˈʃæmrɒk] *subst* växt treklöver
Irlands nationalemblem
shandy [ˈʃændɪ] *subst* en blandning av öl och
sockerdricka
shan't [ʃɑːnt] = *shall not*
shape I [ʃeɪp] *subst* **1** form, fason; *in any* ~
or form i någon form; *get out of* ~ förlora
formen **2** tillstånd, skick; *his finances are
in good* ~ hans ekonomi är bra; *he is in
good* ~ han är i fin form, han har bra
kondis
II [ʃeɪp] *verb* forma; skapa, gestalta;
shaped like a pear päronformig; *he is
shaping up* han artar sig, han tar sig
shapeless [ˈʃeɪpləs] *adj* formlös, oformlig
shapeliness [ˈʃeɪplɪnəs] *subst* vacker form
shapely [ˈʃeɪplɪ] *adj,* ~ *legs* välsvarvade ben
share I [ʃeə] *subst* **1** del, andel; *have a* ~ *in*
a) vara medansvarig i b) få del av **2** aktie
II [ʃeə] *verb* **1** dela {*with sb* med ngn}; ha
del i **2** ~ *out* el. ~ dela ut, fördela **3** ~ *in*
dela; ha del i, vara delaktig i
shareholder [ˈʃeəˌhəʊldə] *subst* aktieägare;
shareholder's meeting bolagsstämma
shareware [ˈʃeəweə] *subst* data. shareware,
spridprogram
1 shark [ʃɑːk] *subst* fisk haj
2 shark [ʃɑːk] *subst* vard. börshaj,
bondfångare
sharp I [ʃɑːp] *adj* **1** skarp, vass **2** markant,
klar **3** stark {*a* ~ *rise; a* ~ *taste*}, syrlig {*a* ~
flavour} **4** vaken, intelligent, pigg **5** musik.
höjd en halv ton; med #-förtecken; *A* ~
m.fl., se under resp. bokstav **6** musik. en halv ton
för hög
II [ʃɑːp] *subst* musik. kors, #-förtecken, #; ~*s
and flats* svarta tangenter på t.ex. piano
III [ʃɑːp] *adv* **1** på slaget, prick {*at six
o'clock* ~} **2** skarpt; tvärt {~ *left*}; *look* ~*!*
sno på!, raska på!
sharpen [ˈʃɑːpən] *verb* göra skarp, göra vass,
skärpa, vässa, slipa

sharpener [ˈʃɑːpnə] *subst* pennvässare
sharpness [ˈʃɑːpnəs] *subst* skärpa
sharp-shooter [ˈʃɑːpˌʃuːtə] *subst* prickskytt
sharp-sighted [ˌʃɑːpˈsaɪtɪd] *adj* skarpsynt
sharp-witted [ˌʃɑːpˈwɪtɪd] *adj* skarpsinnig
shatter [ˈʃætə] *verb* **1** splittra, krossa
2 splittras, krossas; *be shattered* a) vara
förkrossad b) vara alldeles slut
shattering [ˈʃætərɪŋ] *adj* **1** förödande {*a* ~
defeat} **2** öronbedövande {*a* ~ *noise*}
shatterproof [ˈʃætəpruːf] *adj* splitterfri
shave I [ʃeɪv] *verb* (imperf. *shaved*, perf. p.
shaved el. spec. som adj. *shaven*) **1** raka {~
one's beard; ~ *sb*}; *get shaved* raka sig, bli
rakad **2** ~ *off* el. ~ skrapa av, hyvla av
3 snudda vid **4** raka sig
II [ʃeɪv] *subst* **1** rakning; *have a* ~ raka sig
2 vard., *it was a close* ~ el. *it was a
narrow* ~ det var nära ögat; *he had a
close* ~ el. *he had a narrow* ~ han hann
undan med knapp nöd
shaven I [ˈʃeɪvn] perf. p. av *shave I*
II [ˈʃeɪvn] *adj* rakad; *clean-shaven*
slätrakad
shaver [ˈʃeɪvə] *subst* rakapparat {*electric* ~}
shaving [ˈʃeɪvɪŋ] *subst* **1** rakning; före subst.
rak- {~ *brush;* ~ *cream*}; ~ *foam*
raklödder; ~ *stick* raktvål **2** pl. ~*s*
hyvelspån
shawl [ʃɔːl] *subst* sjal, schal
she I [ʃiː, obetonat ʃɪ] (objektsform *her*) *pron*
hon; om fartyg, bil, land m.m. den, det
II [ʃiː] (pl. ~*s*) *subst* hona; hon {*the child is a*
~}
III [ʃiː, obetonat ʃɪ] *adj* i sammansättningar vid
djurnamn hon-, -hona {*she-fox*}
sheaf [ʃiːf] (pl. *sheaves* [ʃiːvz]) *subst* bunt {*a*
~ *of papers*}
shear [ʃɪə] (imperf. *sheared*, perf. p. *shorn* el.
sheared) *verb* **1** klippa {~ *sheep*}; klippa av;
skära
shears [ʃɪəz] *subst pl* sax, trädgårdssax etc.; *a
pair of* ~ en sax
sheath [ʃiːθ] (pl. ~*s* [ʃiːðz]) *subst* **1** slida,
skida, balja; fodral **2** kondom
sheath knife [ˈʃiːθnaɪf] *subst* slidkniv
sheaves [ʃiːvz] *subst pl* av *sheaf*
she'd [ʃiːd] = *she had* o. *she would*
1 shed [ʃed] *subst* skjul; stall {*engine* ~}
2 shed [ʃed] (*shed shed*) (*shedding*) *verb*
1 utgjuta {~ *blood*}; *blood will be* ~ blod
kommer att flyta; ~ *tears* fälla tårar **2** fälla
{~ *leaves*}, tappa **3** sprida {~ *warmth*}; ~
light on sprida ljus över, belysa
she-devil [ˈʃiːˌdevl] *subst* djävulsk kvinna

sheen [ʃiːn] *subst* glans [*the ~ of silk*], lyster
sheep [ʃiːp] (pl. lika) *subst* får
sheepdog ['ʃiːpdɒg] *subst* fårhund
sheepfaced ['ʃiːpfeɪst] *adj* förlägen, generad
sheep farmer ['ʃiːp,fɑːmə] *subst* fåruppfödare
sheepfold ['ʃiːpfəʊld] *subst* fårfålla
sheepish ['ʃiːpɪʃ] *adj* förlägen, generad
1 sheer [ʃɪə] *adj* **1** ren [*~ nonsense; ~ waste*]
2 mycket tunn; *~ material* skirt tyg
3 tvärbrant [*a ~ rock*]
2 sheer [ʃɪə] *verb*, *~ away from sb* undvika ngn
sheet [ʃiːt] *subst* **1** lakan **2** tunn plåt [*~ of metal*], tunn skiva [*~ of glass*]; *~ metal* plåt **3** blad [*map-sheet*]; *some ~s of paper* några papper, några pappersark; *~ music* notblad **4** *~ lightning* ytblixt, ytblixtar; *~ of water* vidsträckt vattenyta **5** *keep a clean ~* sport. hålla nollan
sheik o. **sheikh** [ʃeɪk, ʃiːk] *subst* shejk, schejk
shelf [ʃelf] (pl. *shelves* [ʃelvz]) *subst* **1** hylla **2** avsats, klipphylla
shell I [ʃel] *subst* **1** hårt skal **2** snäcka **3** ärtskida **4** mil. granat **5** mil. patron
II [ʃel] *verb* **1** skala [*~ shrimps*]; *~ peas* sprita ärtor **2** mil. bombardera, beskjuta med granater
she'll [ʃiːl] = *she will* o. *she shall*
shellac [ʃə'læk, 'ʃelæk] *subst* schellack
shellfish ['ʃelfɪʃ] *subst* skaldjur
shelter I ['ʃeltə] *subst* skydd; *air-raid ~* skyddsrum; *bus ~* busskur
II ['ʃeltə] *verb* **1** skydda, ge skydd **2** ta skydd
shelve [ʃelv] *verb* bordlägga, skrinlägga
shelves [ʃelvz] *subst* pl se *shelf*
shepherd ['ʃepəd] *subst* fåraherde; *shepherd's pie* kok. köttfärs med potatismos bakat i ugn
shepherd boy ['ʃepədbɔɪ] *subst* vallpojke
shepherd dog ['ʃepəddɒg] *subst* vallhund
shepherdess ['ʃepədes] *subst* herdinna
sherbet ['ʃɜːbət] *subst* **1** *~ powder* el. *~ tomtebrus* **2** kok. sorbet
sheriff ['ʃerɪf] *subst* sheriff lokal polischef
sherry ['ʃerɪ] *subst* sherry
she's [ʃiːz, ʃɪz] = *she is; she has*
Shetland I ['ʃetlənd] geogr., *the ~s* el. *the ~ Islands* Shetlandsöarna
II ['ʃetlənd] *adj* geogr. shetlands- [*~ pony; ~ wool*]
shield I [ʃiːld] *subst* sköld
II [ʃiːld] *verb* skydda [*from* mot]

shift I [ʃɪft] *verb* **1** skifta, flytta, flytta om **2** växla, ändra sig; *he shifted in his seat* han ändrade ställning; *~ gears* bil. växla; *he shifted into second gear* han lade in tvåans växel
II [ʃɪft] *subst* **1** förändring, ombyte, skifte; växling **2** arbetsskift **3** växelspak
shilling ['ʃɪlɪŋ] *subst* shilling förr eng. mynt = 1/20 pund
shimmer I ['ʃɪmə] *verb* skimra
II ['ʃɪmə] *subst* skimmer
shin I [ʃɪn] *subst* skenben, smalben
II [ʃɪn] (-nn-) *verb*, *~ up a tree* klättra uppför ett träd
shinbone ['ʃɪnbəʊn] *subst* skenben
shine I [ʃaɪn] (*shone shone*) *verb* **1** skina, lysa, glänsa; *a shining example* ett lysande exempel **2** putsa [*~ shoes*]
II [ʃaɪn] *subst* glans, sken, blankhet
shingle ['ʃɪŋgl] *subst* klappersten på sjöstrand
shingles ['ʃɪŋglz] *subst* med. bältros
shinguard ['ʃɪngɑːd] *subst* o. **shinpad** ['ʃɪnpæd] *subst* sport. benskydd
shiny ['ʃaɪnɪ] *adj* skinande, glänsande; blankputsad [*~ shoes*]; klar, blank [*a ~ nose*]
ship I [ʃɪp] *subst* skepp, fartyg
II [ʃɪp] (-pp-) *verb* **1** skeppa, ta ombord [*~ goods; ~ passengers*] **2** sända, transportera [*~ goods by boat*], avlasta, skeppa
shipbuilder ['ʃɪp,bɪldə] *subst* skeppsbyggare
shipload ['ʃɪpləʊd] *subst* skeppslast, fartygslast
shipmate ['ʃɪpmeɪt] *subst* skeppskamrat
shipment ['ʃɪpmənt] *subst* **1** inskeppning **2** sändning, transport, skeppslast
shipowner ['ʃɪp,əʊnə] *subst* skeppsredare
shipping ['ʃɪpɪŋ] *subst* **1** sjöfart; *~ company* rederi; *~ route* trad **2** skeppning, sändande
shipshape ['ʃɪpʃeɪp] *adj* snygg och prydlig
shipwreck I ['ʃɪprek] *subst* skeppsbrott, förlisning
II ['ʃɪprek] *verb* komma att förlisa; *shipwrecked* skeppsbruten; *be shipwrecked* lida skeppsbrott, förlisa
shipyard ['ʃɪpjɑːd] *subst* skeppsvarv
shirk [ʃɜːk] *verb* **1** dra sig undan, smita från **2** smita
shirt [ʃɜːt] *subst* skjorta; sport. tröja [*football ~*]
shirtblouse ['ʃɜːtblaʊz] *subst* skjortblus
shirtfront ['ʃɜːtfrʌnt] *subst* skjortbröst
shirtsleeve ['ʃɜːtsliːv] *subst* skjortärm
shirty ['ʃɜːtɪ] *adj* arg, ilsken

shish kebab [ˌʃɪʃkəˈbæb] *subst* kok. shishkebab, grillspett

shit I [ʃɪt] *subst* vulg. skit

II [ʃɪt] (*shit shit* el. *shitted shitted*) (*shitting*) *verb* vulg. skita

III [ʃɪt] *interj* vulg. fan också!, jävlar!; *holy ~!* fan också!

shiver I [ˈʃɪvə] *verb* darra, skälva, huttra, rysa [~ *with cold*]

II [ˈʃɪvə] *subst* darrning, skälvning, rysning; *it gives me the ~s* vard. det får mig att rysa

shivery [ˈʃɪvərɪ] *adj* darrig; *be ~* rysa, skaka

shoal I [ʃəʊl] *subst* **1** stim [*a ~ of herring*] **2** massa, mängd; *in ~s* i massor

II [ʃəʊl] *verb*, *shoaling fish* stimfisk

1 shock [ʃɒk] *subst*, *a ~ of hair* en kalufs

2 shock I [ʃɒk] *subst* **1** våldsam stöt; *~ wave* stötvåg, chockvåg, tryckvåg **2** chock

II [ʃɒk] *verb* uppröra, chockera

shock-absorber [ˈʃɒkəbˌsɔːbə] *subst* stötdämpare

shocking [ˈʃɒkɪŋ] *adj* upprörande, chockerande, vard. förskräcklig [*a ~ blunder*]

shockproof [ˈʃɒkpruːf] *adj* stötsäker

shod [ʃɒd] imperf. o. perf. p. av *shoe II*

shoddy [ˈʃɒdɪ] *adj* **1** sjabbig, sjaskig **2** hafsig, slarvig [~ *work*]

shoe I [ʃuː] *subst* sko; spec. lågsko; *I wouldn't be in her ~s* jag skulle inte vilja vara i hennes kläder (skor)

II [ʃuː] (*shod shod*) *verb* sko [~ *a horse*]

shoehorn [ˈʃuːhɔːn] *subst* skohorn

shoelace [ˈʃuːleɪs] *subst* skosnöre, skorem

shoemaker [ˈʃuːˌmeɪkə] *subst* skomakare

shoestring [ˈʃuːstrɪŋ] *subst* amer. skosnöre; *start a business on a ~* starta ett företag med små medel

shoetree [ˈʃuːtriː] *subst* skoblock

shone [ʃɒn] imperf. o. perf. p. av *shine I*

shook [ʃʊk] imperf. av *shake I*

shoot I [ʃuːt] (*shot shot*) *verb* **1** skjuta [*at* på, mot] **2** rusa, susa [*he shot past me*] **3** filma; spela in [~ *a film*] **4** ~*!* vard. kör på!, sätt igång! **5** kasta [~ *a glance at sb*]

II [ʃuːt] (*shot shot*) *verb* med adv. o. prep.

shoot down 1 skjuta ned [~ *down a plane*] **2** göra ned [~ *sb down in an argument*]

shoot off 1 fara i väg **2** ~ *off one's mouth* el. ~ *one's mouth off* vard. pladdra, snacka skit

shoot up 1 rusa i höjden [*prices shot up*] **2** skjuta sönder, skjuta vilt omkring sig

III [ʃuːt] *subst* bot. skott

shooting [ˈʃuːtɪŋ] *subst* **1** skjutande; före subst.

skjut- [~ *practice*]; ~ *incident* skottintermezzo **2** jakt **3** filmning, skjutning

shooting-gallery [ˈʃuːtɪŋˌgælərɪ] *subst* täckt skjutbana

shooting-range [ˈʃuːtɪŋreɪndʒ] *subst* skjutbana

shooting-star [ˈʃuːtɪŋstɑː] *subst* stjärnskott, stjärnfall

shoot-out [ˈʃuːtaʊt] *subst* **1** eldstrid **2** fotb., *penalty ~* straffsparksläggning efter förlängning

shop I [ʃɒp] *subst* **1** affär, butik; *set up ~* öppna affär, öppna eget; *shut up ~* vard. slå igen butiken sluta; *all over the ~* vard. i en enda röra, åt alla håll **2** verkstad, fabrik **3** vard., *talk ~* prata jobb

II [ʃɒp] (-*pp*-) *verb* **1** göra sina inköp, handla, shoppa; *go shopping* gå ut och handla, gå ut och shoppa

shop assistant [ˈʃɒpəˌsɪstənt] *subst* affärsbiträde, expedit

shopfloor [ˌʃɒpˈflɔː] *subst*, *the ~* verkstadsgolvet

shopfront [ˈʃɒpfrʌnt] *subst* skyltfönster

shopkeeper [ˈʃɒpˌkiːpə] *subst* butiksinnehavare, affärsinnehavare

shoplifter [ˈʃɒpˌlɪftə] *subst* snattare

shoplifting [ˈʃɒpˌlɪftɪŋ] *subst* snatteri

shopper [ˈʃɒpə] *subst* person som är ute och handlar (shoppar)

shopping [ˈʃɒpɪŋ] *subst* inköp, shopping; *do some ~* göra några inköp, handla (shoppa) lite; ~ *bag* shoppingväska, shoppingbag; ~ *centre* affärscentrum, köpcentrum; ~ *mall* gågata med affärer, köpcentrum

shopsoiled [ˈʃɒpsɔɪld] *adj* butiksskadad

shop steward [ˈʃɒpˌstjʊəd] *subst* arbetares förtroendeman; fackligt ombud

shopwalker [ˈʃɒpˌwɔːkə] *subst* **1** butikskontrollant **2** varuhusvärd, varuhusvärdinna

shopwindow [ˌʃɒpˈwɪndəʊ] *subst* skyltfönster, butiksfönster

shore [ʃɔː] *subst* strand; *a rocky ~* en klippig kust; ~ *leave* sjö. landpermission

shorn [ʃɔːn] perf. p. av *shear*

short I [ʃɔːt] *adj* **1** kort, kortvarig, kortvuxen [*a ~ man*]; ~ *for* förkortning för; ~ *cut* genväg; ~ *sight* närsynthet; ~ *story* novell; *fuel is in ~ supply* det är knapp tillgång på bränsle; ~ *temper* häftigt humör; *cut sb* (*sth*) ~ avbryta ngn (ngt); *we are £5 ~* det fattas 5 pund för oss **2** ~

of a) otillräckligt försedd med b) så när
som på, utom; ~ *of breath* andfådd; *little*
~ *of* närapå, snudd på [*little* ~ *of a*
scandal]; *be* ~ *of* ha ont om, ha brist på
3 kort, tvär, brysk [*with* mot]
II [ʃɔɪt] *adv* **1** tvärt, plötsligt **2** *fall* ·· *of* inte
gå upp mot, inte motsvara; *go* ~ bli utan
[*of sth* ngt]; *run* ~ lida brist [*of* på]
III [ʃɔːt] *subst* **1** pl. ~*s* shorts, kortbyxor
2 *for* ~ för korthetens skull; kort och gott;
in ~ kort sagt **3** vard. kortslutning
shortage ['ʃɔːtɪdʒ] *subst* brist, knapphet
shortbread ['ʃɔːtbred] *subst* o. **shortcake**
['ʃɔːtkeɪk] *subst* mördegskaka
short circuit [ˌʃɔːt'sɜːkɪt] *subst* kortslutning
shortcoming ['ʃɔːtˌkʌmɪŋ] *subst* brist, fel
shortcrust ['ʃɔːtkrʌst] *adj*, ~ *pastry*
mördeg
shorten ['ʃɔːtn] *verb* **1** förkorta, göra
kortare, korta av, ta av **2** lägga upp t.ex.
byxor **3** bli kortare
shortfall ['ʃɔːtfɔːl] *subst* ekon. underskott
shorthand ['ʃɔːthænd] *subst* stenografi; ~
typist stenograf och maskinskriverska;
take sth down in ~ stenografera ngt
short-list [ˌʃɔːt'lɪst] *verb* sätta upp på den
slutgiltiga listan
short-lived [ˌʃɔːt'lɪvd] *adj* kortlivad,
kortvarig
shortly ['ʃɔːtlɪ] *adv* kort [~ *after*], strax [~
before noon]; inom kort
short-range [ˌʃɔːt'reɪndʒ] *adj* **1** kortdistans-
2 kortsiktig [~ *plans*]
short-sighted [ˌʃɔːt'saɪtɪd] *adj* **1** närsynt
2 kortsynt
short-staffed [ˌʃɔːt'stɑːft] *adj*
underbemannad
short-tempered [ˌʃɔːt'tempəd] *adj*
obehärskad, häftig, lättretad
shortwave ['ʃɔːtweɪv] *subst* radio. kortvåg
1 shot I [ʃɒt] imperf. o. perf. p. av *shoot I*
II [ʃɒt] *adj* **1** vattrad [~ *silk*] **2** *get* ~ *of sth*
(*sb*) vard. bli kvitt ngt (ngn) [*I'm glad to get*
~ *of her*]
2 shot [ʃɒt] *subst* **1** skott [*at* mot, på, efter];
blank ~ löst skott; *he was off like a* ~
vard. han for i väg som ett skott (en pil); *he*
did it like a ~ vard. han gjorde det på
stubben **2** (pl. lika) kula **3** skytt **4** foto, kort
5 vard., *give sth one's best* ~ göra så bra
man kan; *have a* ~ *at it!* gör ett försök!; *a*
~ *in the dark* en vild gissning; *long* ~
chansning; *not by a long* ~ inte på långt
när **6** sport. skott, boll **7** sport. kula; *put the*
~ stöta kula; *putting* ['pʊtɪŋ] *the* ~

kulstötning, kula **8** *big* ~ vard. höjdare,
pamp **9** *call the* ~*s* vara den som
bestämmer [*I'm the one who calls the* ~*s*]
shotgun ['ʃɒtgʌn] *subst* hagelgevär
shot-put ['ʃɒtpʊt] *subst* sport. kulstötning
shotputter ['ʃɒtˌpʊtə] *subst* kulstötare
should [ʃʊd, obetonat ʃəd] *hjälpverb* (imperf. av
shall) skulle; borde, bör [*you* ~ *see a*
doctor]; ska [*it is surprising that he* ~ *be so*
foolish]
shoulder I ['ʃəʊldə] *subst* **1** skuldra, axel; ~
of mutton fårbog **2** vägkant
II ['ʃəʊldə] *verb* **1** lägga över axeln [~ *a*
burden], axla; ~ *arms!* mil. på axel gevär!
2 ~ *one's way* knuffa sig fram **3** ta på sig
[~ *the blame*]
shoulder bag ['ʃəʊldəbæg] *subst* axelväska
shoulder belt ['ʃəʊldəbelt] *subst* axelgehäng
shoulder blade ['ʃəʊldəbleɪd] *subst*
skulderblad
shouldered ['ʃəʊldəd] *perf p* o. *adj* i
sammansättningar -axlad [*broad-shouldered*]
shoulder strap ['ʃəʊldəstræp] *subst* **1** mil.
axelklaff **2** axelrem **3** axelband på damplagg
shouldn't ['ʃʊdnt] = *should not*
shout I [ʃaʊt] *verb* skrika, ropa, gapa och
skrika; ~ *down sb* överrösta ngn
II [ʃaʊt] *subst* skrik, rop
shouting ['ʃaʊtɪŋ] *subst* skrik, skrikande
shove I [ʃʌv] *verb* **1** skjuta, knuffa **2** skjutas,
knuffas **3** stoppa [*he shoved the letters into*
his pocket]
II [ʃʌv] *subst* knuff, stöt, skjuts
shovel I ['ʃʌvl] *subst* skovel, skyffel
II ['ʃʌvl] *verb* skovla, skyffla, skotta
show I [ʃəʊ] (*showed shown*) *verb* **1** visa, visa
fram, visa upp [~ *one's passport*]; ~ *one's*
hand bekänna färg; *that just* ~*s you!*
vard. där ser du!; *that'll* ~ *them!* vard. då
ska dom få se! **2** visa sig, synas, vara (bli)
synlig **3** visa; följa [~ *sb to the door*]; ~ *sb*
the door visa ngn på dörren **4** påvisa,
bevisa [*we have shown that the story is false*]
5 visas, spelas, gå [*the film is showing at the*
Grand]
II [ʃəʊ] (*showed shown*) *verb* med adv. o. prep.
show off 1 visa upp, vilja briljera (skryta)
med **2** skryta, göra sig till
show up 1 visa upp **2** avslöja [~ *up a*
fraud] **3** synas tydligt, framträda **4** vard. visa
sig, dyka upp
III [ʃəʊ] *subst* **1** utställning [*flower* ~];
uppvisning [*fashion* ~]; teaterföreställning,
revy, show; *a* ~ *of hands*
handuppräckning; *good* ~*!* bravo!, fint!;

give the ~ away avslöja alltihop; *put up a good ~* göra mycket bra ifrån sig; *be on ~* vara utställd, kunna beses; *run the ~* basa för det hela **2** ståt, prål

show biz ['ʃəʊbɪz] *subst* vard. showbusiness, nöjesbranschen

show business ['ʃəʊˌbɪznəs] *subst* showbusiness, nöjesbranschen

showcase ['ʃəʊkeɪs] *subst* monter, utställningsskåp

showdown ['ʃəʊdaʊn] *subst* uppgörelse, kraftmätning

shower I ['ʃaʊə] *subst* **1** skur **2** dusch; *~ cream* el. *~ gel* duschkräm **3** amer. lysningsmottagning
II ['ʃaʊə] *verb* **1** falla i skurar, strömma ned, regna [ofta *~ down*] **2** låta regna ned; *~ gifts on sb* överhopa ngn med gåvor **3** duscha, duscha över

shower bath ['ʃaʊəbɑːθ] *subst* dusch

showerproof ['ʃaʊəpruːf] *adj* regntät

showery ['ʃaʊərɪ] *adj* regnig, regn-

showgirl ['ʃəʊgɜːl] *subst* balettflicka

show-jumping ['ʃəʊˌdʒʌmpɪŋ] *subst* hinderhoppning

shown [ʃəʊn] perf. p. av *show I*

showpiece ['ʃəʊpiːs] *subst* turistattraktion, paradnummer

showroom ['ʃəʊruːm] *subst* utställningslokal

show window ['ʃəʊ ˌwɪndəʊ] *subst* skyltfönster

showy ['ʃəʊɪ] *adj* grann, prålig; flärdfull

shrank [ʃræŋk] imperf. av *shrink*

shred I [ʃred] *subst* remsa, strimla; *not a ~ of evidence* inte en tillstymmelse till bevis; *in ~s* i trasor, söndertrasad
II [ʃred] (-dd-) *verb* skära (klippa) i remsor, strimla; *shredded tobacco* finskuren tobak; *shredded wheat* slags vetekudde som äts med mjölk till frukost

shredder ['ʃredə] *subst* **1** rivjärn, råkostkvarn **2** dokumentförstörare

shrew [ʃruː] *subst* **1** argbigga **2** näbbmus

shrewd [ʃruːd] *adj* skarpsinnig, klipsk [a ~ remark], klok; slug, smart

shrewmouse ['ʃruːmaʊs] (pl. *shrewmice* ['ʃruːmaɪs]) *subst* djur näbbmus

shriek I [ʃriːk] *verb* gallskrika; tjuta [~ with laughter]
II [ʃriːk] *subst* gallskrik

shrill [ʃrɪl] *adj* gäll, genomträngande [a ~ cry]

shrimp [ʃrɪmp] *subst* **1** tångräka, amer. tångräka, större räka **2** person puttefnask, plutt

shrine [ʃraɪn] *subst* **1** relikskrin, helgonskrin **2** helgedom

shrink I [ʃrɪŋk] (*shrank shrunk*) *verb* **1** krympa [*the shirt will not ~*], komma att krympa, få att krympa; *~ in size* bli mindre **2** *~ back* el. *~ rygga tillbaka* [at vid, för]; *~ from doing sth* dra sig för att göra ngt
II [ʃrɪŋk] *subst* vard. hjärnskrynklare psykiatriker

shrinkage ['ʃrɪŋkɪdʒ] *subst* krympning; *allow for ~* beräkna krympmån

shrinkproof ['ʃrɪŋkpruːf] *adj* krympfri

shrivel ['ʃrɪvl] (-ll-, amer. -l-) *verb*, *~ up* el. *~ skrumpna*, skrynkla ihop sig

shroud I [ʃraʊd] *subst* **1** svepning **2** hölje, slöja [a ~ of mystery]
II [ʃraʊd] *verb* **1** svepa lik **2** hölja, dölja [*shrouded in fog*]; *shrouded in mystery* höljd i dunkel

Shrove [ʃrəʊv] *subst*, *~ Sunday* fastlagssöndag, fastlagssöndagen; *~ Tuesday* fettisdag, fettisdagen

shrub [ʃrʌb] *subst* buske

shrubbery ['ʃrʌbərɪ] *subst* buskage

shrug I [ʃrʌg] (-gg-) *verb*, *~ one's shoulders* rycka på axlarna [at åt]
II [ʃrʌg] (-gg-) *verb* med adv. o. prep. **shrug off 1** avfärda med en axelryckning **2** skaka av sig
III [ʃrʌg] *subst*, *a ~ of the shoulders* el. *a ~* en axelryckning

shrunk [ʃrʌŋk] perf. p. av *shrink*

shrunken ['ʃrʌŋkən] *adj* hopfallen, insjunken [~ cheeks]

shudder I ['ʃʌdə] *verb* rysa, bäva, skälva
II ['ʃʌdə] *subst* rysning, skälvning; *give a ~* rysa till

shuffle I ['ʃʌfl] *verb* **1** gå släpande, hasa, lunka, lufsa; *~ one's feet* släpa med fötterna **2** kortsp. blanda
II ['ʃʌfl] *subst* **1** släpande; hasande **2** kortsp. blandande; *it's your ~* det är din tur att blanda

shun [ʃʌn] (-nn-) *verb* undvika

shunt [ʃʌnt] *verb* **1** järnv. växla [~ a train on to a sidetrack] **2** elektr. shunta

shut I [ʃʌt] (*shut shut*) (*shutting*) *verb* **1** stänga [~ a door]; stänga av; fälla ned, fälla igen [~ a lid]; slå igen [~ a book]; *~ one's eyes* blunda; *~ one's eyes to* blunda för **2** stängas, slutas till, gå att stänga [*the door ~s easily*]
II [ʃʌt] (*shut shut*) (*shutting*) *verb* med adv. o. prep.

shut down slå igen, stänga, stängas [~ *down a lid; the factory has* ~ *down*], lägga ned [~ *down a factory*]
shut in stänga inne, innesluta
shut off 1 stänga av **2** utestänga, utesluta
shut out etänga ute; utesluta [*from* ur]; *the trees* ~ *out the view* träden skymmer utsikten
shut to stänga till [~ *a door to*]
shut up 1 stänga till, bomma igen [~ *up a house*]; stänga, stängas, stängas till **2** låsa in **3** ~ *sb up* tysta ned ngn **4** ~ *up!* vard. håll käften!
shutdown ['ʃʌtdaʊn] *subst* stängning [~ *of a factory*]
shutter ['ʃʌtə] *subst* **1** fönsterlucka; rulljalusi; *put up the* ~s stänga fönsterluckorna, vard. slå igen butiken **2** foto. slutare; ~ *release* utlösare
shuttle ['ʃʌtl] *subst* **1** skyttel, skottspole **2** pendelbuss, pendeltåg; matarbuss; ~ *service* skytteltrafik, pendeltrafik
shuttlecock ['ʃʌtlkɒk] *subst* badmintonboll
shy [ʃaɪ] *adj* skygg, blyg [*of* för]; *fight* ~ *of* dra sig för, gå ur vägen för [*fight* ~ *of sb*]
Siamese [ˌsaɪə'miːz] *adj* **1** hist. siamesisk **2** ~ el. ~ *cat* siames, siameskatt; ~ *twins* siamesiska tvillingar
Siberia [saɪ'bɪərɪə] Sibirien
Siberian [saɪ'bɪərɪən] *adj* sibirisk
Sicilian I [sɪ'sɪljən] *adj* siciliansk
II [sɪ'sɪljən] *subst* sicilianare
Sicily ['sɪsəlɪ] Sicilien
sick I [sɪk] *adj* **1** sjuk före subst. [*her* ~ *husband*]; spec. amer. vanligen som predikatsfyllnad [*she has been* ~ *for a long time*]; *be* ~ a) må illa, kräkas b) amer. vara sjuk; *be* ~ *at* (*to, in*) *one's stomach* amer. må illa; *feel* ~ a) känna sig illamående, må illa b) amer. känna sig sjuk; *report* ~ sjukanmäla sig; *the* ~ de sjuka **2** sjuklig, makaber [*a* ~ *joke*]; ~ *humour* sjuk humor **3** ~ *and tired of* grundligt led på (åt); *you make me* ~ jag mår illa bara jag ser dig
II [sɪk] *verb*, ~ *up* vard. spy, spy upp
sick benefit ['sɪkˌbenɪfɪt] *subst* sjukpenning
sicken ['sɪkən] *verb* **1** insjukna, börja bli sjuk [*the child is sickening for something*] **2** göra illamående, äckla
sickening ['sɪkənɪŋ] *adj* vidrig, beklämmande [*a* ~ *sight*], äcklig
sickle ['sɪkl] *subst* skära skörderedskap
sick leave ['sɪkliːv] *subst* sjukledighet, sjukpermission

sick list ['sɪklɪst] *subst*, *be on the* ~ vara sjukskriven
sickly I ['sɪklɪ] *adv* sjukligt
II ['sɪklɪ] *adj* **1** sjuklig [*a* ~ *child*] **2** matt, blek **3** äcklig [*a* ~ *taste*]; sötsliskig [~ *sentimentality*]
sickness ['sɪknəs] *subst* **1** sjukdom; ~ *benefit* sjukpenning **2** kväljningar, illamående; kräkningar
sick pay ['sɪkpeɪ] *subst* sjuklön
side I [saɪd] *subst* sida; håll, kant; sport. lag; sido- [*a* ~ *door*], sid-; *take* ~*s* ta parti, ta ställning [*with sb* för ngn]; *at the* ~ *of* bredvid, vid sidan av; *at sb's* ~ vid ngns sida; ~ *by* ~ sida vid sida, bredvid varandra; *on all* ~s på (från) alla sidor, på alla håll och kanter; *on one* ~ a) på en sida b) avsides [*take sb on one* ~]; *on the* ~ vid sidan 'om [*earn money on the* ~]; *look on the bright* ~ *of life* se livet från den ljusa sidan; *a bit on the large* (*big*) ~ lite väl stor; *he's a bit on the old* ~ han är rätt gammal; *put sth to one* ~ lägga ngt åt sidan, lägga undan ngt
II [saɪd] *verb*, ~ *with sb* ta parti för ngn
sideboard ['saɪdbɔːd] *subst* **1** byffé, skänk, sideboard **2** pl. ~*s* vard. polisonger
sideburns ['saɪdbɜːnz] *subst pl* spec. amer. vard. polisonger
sidecar ['saɪdkɑː] *subst* sidvagn till motorcykel
side effect ['saɪdɪˌfekt] *subst* **1** med. biverkan; pl. ~*s* biverkningar **2** allm. biverkan, sidoeffekt
side glance ['saɪdglɑːns] *subst* sidoblick
sidelight ['saɪdlaɪt] *subst* **1** sidoljus, sidobelysning **2** *throw interesting* ~*s on sth* ge intressanta glimtar av ngt
sideline ['saɪdlaɪn] *subst* **1** sport. sidlinje; *from the* ~*s* från åskådarplats **2** bisyssla, extraknäck
sidelong ['saɪdlɒŋ] *adj* sido- [*a* ~ *glance*]
side-on ['saɪdɒn] *adj* bil., ~ *collision* sidokollision
side plate ['saɪdpleɪt] *subst* assiett
sideshow ['saɪdʃəʊ] *subst* stånd, bod på t.ex. nöjesfält
side-splitting ['saɪdˌsplɪtɪŋ] *adj* hejdlöst rolig [*a* ~ *farce*]; hejdlös
sidestep ['saɪdstep] (-*pp*-) *verb* förbigå, undvika, kringgå
sidestreet ['saɪdstriːt] *subst* sidogata
sidetrack I ['saɪdtræk] *subst* sidospår
II ['saɪdtræk] *verb* leda in på ett sidospår

sidewalk
Trottoar heter *pavement* på brittisk
engelska. Lägg märke till att *pave-
ment* betyder belagd väg på ameri-
kansk engelska.

sidewalk ['saɪdwɔːk] *subst* amer. trottoar
sideward ['saɪdwəd] *adj* åt sidan
sidewards ['saɪdwədz] *adv* åt sidan
sideways I ['saɪdweɪz] *adv* från sidan
[*viewed* ~]; åt sidan, i sidled [*jump* ~]; på
snedden
II ['saɪdweɪz] *adj* åt sidan [*a* ~ *movement*],
sido- [*a* ~ *glance*]
sidewhiskers ['saɪd,wɪskəz] *subst pl*
polisonger
siding ['saɪdɪŋ] *subst* järnv. sidospår,
växelspår
siege [siːdʒ] *subst* belägring; *state of* ~
belägringstillstånd
siesta [sɪ'estə] *subst*, *take a* ~ ta siesta, sova
middag
sieve I [sɪv] *subst* såll, sikt; *he has a
memory like a* ~ han har ett riktigt
hönsminne
II [sɪv] *verb* sålla, sikta
sift [sɪft] *verb* sålla; sikta [~ *flour*]; sovra
sifter ['sɪftə] *subst* sikt [*flour-sifter*]; ströare
sigh I [saɪ] *verb* **1** sucka [*for* efter] **2** längta
tillbaka till
II [saɪ] *subst* suck
sight I [saɪt] *subst* **1** syn, synförmåga **2** åsyn,
anblick; *catch* ~ *of* få syn på; *lose* ~ *of*
förlora ur sikte; *on* ~ på fläcken [*shoot sb on*
~]; *play at* ~ musik. spela från bladet,
spela prima vista; *at first* ~ vid första
anblicken; *love at first* ~ kärlek vid första
ögonkastet **3** synhåll, sikte; *be in* ~ *of sth*
el. *within* ~ *of sth* ha ngt i sikte, ha ngt
inom synhåll, sikta ngt [*we were in* ~ *of
land*]; *the end of the war was in* ~ man
började skönja slutet på kriget; *be out of* ~
vara utom synhåll [*of sb* för ngn]; *out of* ~,
out of mind ordspr. ur syn ur sinn; *keep
out of* ~ hålla sig gömd, inte visa sig **4** syn
[*a sad* ~], sevärdhet [*see the* ~*s of the town*]
5 sikte på skjutvapen etc. **6** vard. massa,
mängd; *a damned* ~ *better* bra mycket
bättre
II [saɪt] *verb* **1** spec. sjö. sikta [~ *land*] **2** rikta
in [~ *a gun at*]
sight-read ['saɪtriːd] (*sight-read sight-read*

både ['saɪtred]) *verb* spela från bladet,
sjunga från bladet
sight-reader ['saɪt,riːdə] *subst*, *be a good* ~
vara skicklig i att spela (sjunga) från bladet
sightseeing I ['saɪt,siːɪŋ] *pres p*, *go* ~ gå
(åka) på sightseeing
II ['saɪt,siːɪŋ] *subst* sightseeing; *a* ~ *tour* en
sightseeingtur
sightseer ['saɪt,siːə] *subst* person på
sightseeing, turist
sign I [saɪn] *subst* **1** tecken, symbol; *there is
every* ~ *that* allt tyder på att; *bear* ~*s of*
bära spår av, bära märken efter; *make the*
~ *of the cross* göra korstecknet; *make
no* ~ inte ge något tecken ifrån sig **2** skylt
[*street* ~*s*], märke [*warning* ~*s*]
II [saɪn] *verb* **1** underteckna, skriva under
(på), skriva sitt namn **2** engagera, värva [~
a new footballer] **3** ge tecken åt [~ *sb to
stop*]; ~ *for* kvittera ut
III [saɪn] *verb* med adv. o. prep.
sign for sport. skriva på [~ *for Spurs*]
sign off radio. sluta sändningen
sign on 1 anställa [~ *on workers*],
engagera [~ *on actors*], värva, ta
anställning **2** anmäla sig, skriva in sig
signal I ['sɪgnl] *subst* signal, tecken
II ['sɪgnl] (*-ll-*, amer. *-l-*) *verb* signalera; ~ *to
sb* el. ~ *sb* signalera till ngn, ge tecken åt
ngn
signal box ['sɪgnəlbɒks] *subst* järnv. ställverk
signature ['sɪgnətʃə] *subst* **1** signatur,
namnteckning **2** underskrift
signboard ['saɪnbɔːd] *subst* skylt,
anslagstavla
signet ring ['sɪgnɪtrɪŋ] *subst* klackring
significance [sɪg'nɪfɪkəns] *subst* **1** mening,
innebörd **2** vikt, betydelse
significant [sɪg'nɪfɪkənt] *adj* **1** menande [*a*
~ *look*] **2** betecknande [*of* för]
3 betydelsefull
signify ['sɪgnɪfaɪ] *verb* antyda, beteckna,
betyda
signpost I ['saɪnpəʊst] *subst* vägvisare,
vägskylt
II ['saɪnpəʊst] *verb*, *the roads are well
signposted* vägarna är väl skyltade
silence I ['saɪləns] *subst* tystnad, tysthet; ~*!*
tyst!, tysta!
II ['saɪləns] *verb* tysta, tysta ned, få tyst på
silencer ['saɪlənsə] *subst* tekn. ljuddämpare
silent ['saɪlənt] *adj* tyst [~ *footsteps*],
tystlåten; *be* ~ tiga; *become* ~ tystna; ~
movie stumfilm
silhouette [,sɪlʊ'et] *subst* silhuett, skuggbild

silicone ['sılıkəυn] subst silikon, kisel [~ chip]; ~ breast silikonbröst
silicosis [ˌsɪlɪ'kəυsɪs] subst med. silikos
silk [sɪlk] subst **1** silke, siden; artificial ~ konstsilke; konstsiden; pure ~ helsilke, helsiden **2** sidentyg
silken ['sɪlkən] adj silkeslen
silkworm ['sɪlkwɜːm] subst silkesmask
silky ['sɪlkɪ] adj silkeslen, silkesmjuk
sill [sɪl] subst **1** fönsterbräde **2** tröskel t.ex. i bil
silly ['sɪlɪ] adj dum, enfaldig
silver ['sɪlvə] subst **1** silver; ~ anniversary 25-årsdag, 25-årsjubileum; ~ birch björk; ~ fir silvergran; ~ jubilee 25-årsjubileum; ~ paper stanniolpapper; ~ plate a) bordssilver b) nysilver, pläter **2** bordssilver
silver-plated [ˌsɪlvə'pleɪtɪd] adj försilvrad, pläterad
silversmith ['sɪlvəsmɪθ] subst silversmed
silvery ['sɪlvərɪ] adj silverliknande, silver-
similar ['sɪmɪlə] adj lik [to sb ngn; to sth ngt], liknande; likadan, dylik
similarity [ˌsɪmɪ'lærətɪ] subst likhet
similarly ['sɪmɪləlɪ] adv på liknande sätt
simile ['sɪmɪlɪ] subst liknelse
simmer ['sɪmə] verb småkoka, puttra
simple ['sɪmpl] adj **1** enkel, lätt **2** anspråkslös, enkel, okonstlad **3** enfaldig, godtrogen
simple-minded [ˌsɪmpl'maɪndɪd] adj godtrogen, enfaldig, naiv
simpleton ['sɪmpltən] subst dummerjöns, dumbom
simplicity [sɪm'plɪsətɪ] subst **1** enkelhet **2** lätthet, enkelhet [the ~ of a problem]
simplification [ˌsɪmplɪfɪ'keɪʃən] subst förenkling
simplify ['sɪmplɪfaɪ] verb förenkla
simply ['sɪmplɪ] adv **1** enkelt **2** helt enkelt, rent av [~ impossible]; bara [~ add hot water]
simultaneous [ˌsɪməl'teɪnjəs] adj samtidig
sin I [sɪn] subst synd, försyndelse
II [sɪn] (-nn-) verb synda
since I [sɪns] adv **1** sedan dess [I have not been there ~]; ever ~ alltsedan dess **2** sedan [how long ~ is it?]
II [sɪns] prep alltsedan, alltifrån
III [sɪns] konj **1** sedan; ever ~ alltsedan, ända sedan [ever ~ I left] **2** eftersom [~ you are here]
sincere [sɪn'sɪə] adj uppriktig
sincerely [sɪn'sɪəlɪ] adv uppriktigt; Yours ~ i brevslut Din tillgivne, Er tillgivne

sincerity [sɪn'serətɪ] subst uppriktighet
sinew ['sɪnjuː] subst anat. sena
sinewy ['sɪnjuːɪ] adj senig
sinful ['sɪnfʊl] adj syndfull, syndig
sing [sɪŋ] (sang sung) verb sjunga; ~ out of tune sjunga falskt; ~ sb's praises lovorda ngn
singe [sɪndʒ] verb sveda, bränna [~ cloth]
singer ['sɪŋə] subst sångare, sångerska
single I ['sɪŋgl] adj **1** enda [not a ~ man] **2** enkel, odelad; ~ bed enkelsäng; in ~ file på ett led; ~ room enkelrum; ~ ticket enkelbiljett **3** ogift [a ~ man; a ~ woman] **4** ~ currency gemensam valuta
II ['sɪŋgl] subst **1** sport., ~s singel, singelmatch; men's ~s herrsingel **2** enkel **3** cd-skiva singel
III ['sɪŋgl] verb, ~ out välja ut, peka ut, skilja ut
single-breasted [ˌsɪŋgl'brestɪd] adj enkelknäppt [a ~ suit]
single-handed [ˌsɪŋgl'hændɪd] adv på egen hand, ensam
single-minded [ˌsɪŋgl'maɪndɪd] adj målmedveten
singsong I ['sɪŋsɒŋ] subst **1** sångstund; a ~ allsång **2** in a ~ i en enformig ton
II ['sɪŋsɒŋ] adj halvsjungande [in a ~ voice]
singular I ['sɪŋgjʊlə] adj **1** enastående **2** egendomlig, besynnerlig **3** gram. singular
II ['sɪŋgjʊlə] subst gram., ~ el. the ~ singular
singularity [ˌsɪŋgjʊ'lærətɪ] subst **1** sällsynthet, egendomlighet **2** egenhet
sinister ['sɪnɪstə] adj **1** olycksbådande **2** elak, ond
sink I [sɪŋk] (sank sunk) verb **1** sjunka; sänka sig, sänka sig ned **2** sänka [~ a ship], få att sjunka, låta sjunka; ~ one's teeth into sätta tänderna i **3** avta, minska, minskas; falla, dala [prices have sunk]
II [sɪŋk] subst **1** diskho; ~ tidy avfallskorg **2** avloppsrör **3** avfallskorg; ~ unit diskbänk, avloppsbrunn
sinusitis [ˌsaɪnə'saɪtɪs] subst med. bihåleinflammation
sip I [sɪp] (-pp-) verb läppja på, smutta på
II [sɪp] subst smutt
siphon I ['saɪfən] subst **1** hävert **2** ~ bottle el. ~ sifon
II ['saɪfən] verb, ~ off suga upp, tappa upp
sir [sɜː, obetonat sə] subst **1** i tilltal, ofta utan motsvarighet i svenskan min herre, sir, skol. magistern; can I help you, ~? kan jag hjälpa er?; Dear Sir el. Dear Sirs inledning i formella brev: utan motsvarighet i svenskan **2** Sir

före förnamnet som titel åt *baronet* el. *knight* sir
[*Sir Paul McCartney, Sir Paul*]
sire ['saɪə] *subst* om djur, spec. hästar fader
siren ['saɪərən] *subst* **1** mytol. siren **2** siren
signalapparat
sirloin ['sɜːlɔɪn] *subst* kok. ländstycke; ~ *of beef* dubbelbiff; ~ *steak* utskuren biff, rostbiff
sister ['sɪstə] *subst* **1** syster **2** syster, avdelningssköterska sjukssköterska
sisterhood ['sɪstəhʊd] *subst* systerskap
sister-in-law ['sɪstərɪnlɔː] (pl. *sisters-in-law* ['sɪstəzɪnlɔː]) *subst* svägerska
sit I [sɪt] (*sat sat*) (*sitting*) *verb* **1** sitta, sätta sig; *be sitting pretty* vard. a) ha det bra b) ligga bra till; ~ *at table* sitta till bords; ~ *for an examination* gå upp i en examen (tentamen); ~ *on the bench* jur. sitta som (vara) domare **2** om t.ex. parlament, domstol hålla sammanträde, sammanträda **3** om fåglar ligga, ruva [~ *on eggs*]
II [sɪt] (*sat sat*) (*sitting*) *verb* med adv. o. prep.
sit back 1 sätta sig till rätta; vila sig, koppla av **2** sitta med armarna i kors
sit down sätta sig, slå sig ned; ~ *down to dinner* sätta sig till bords
sit in 1 närvara [*on* vid], deltaga; ~ *in on a meeting* deltaga i ett möte **2** sittstrejka
sit through sitta (stanna) kvar till slutet
sit up 1 sitta upprätt **2** sitta uppe [~ *up late*] **3** sätta sig upp [~ *up in bed*]
sitcom ['sɪtkɒm] *subst* vard. situationskomedi
sit-down ['sɪtdaʊn] *adj* **1** ~ *strike* sittstrejk **2** sittande [*a* ~ *supper*]
site I [saɪt] *subst* **1** tomt; *building* ~ byggplats **2** plats; *the* ~ *of the murder* mordplatsen
II [saɪt] *verb* placera, förlägga
sit-in ['sɪtɪn] *subst* **1** sittstrejk **2** ockupation
sitting ['sɪtɪŋ] *subst* **1** sittande; sitting, posering [~ *for a painter*] **2** sammanträde, session **3** *at one* ~ i ett sträck; på en gång, vid en sittning
sitting room ['sɪtɪŋruːm] *subst* **1** vardagsrum **2** sittplats, sittplatser, sittutrymme
situated ['sɪtjʊeɪtɪd] *adj* **1** belägen; *be* ~ ligga, vara belägen **2** *comfortably* ~ välsituerad
situation [ˌsɪtjʊ'eɪʃən] *subst* **1** läge, belägenhet **2** situation, läge [*the political* ~] **3** plats, anställning; ~*s vacant* rubrik lediga platser
six [sɪks] *räkn* o. *subst* **1** sex; *it is* ~ *of one and half a dozen of the other* det är

hugget som stucket **2** sexa; *at sixes and sevens* a) i en enda röra b) villrådig
six-footer [ˌsɪks'fʊtə] *subst* vard. sex fot (ungefär 180 cm) lång person
sixteen [ˌsɪks'tiːn] *räkn* o. *subst* sexton
sixteenth [ˌsɪks'tiːnθ] *räkn* o. *subst* sextonde; sextondel
sixth [sɪksθ] *räkn* o. *subst* sjätte; sjättedel
sixtieth ['sɪkstɪəθ] *räkn* o. *subst* sextionde; sextiondel
sixty ['sɪkstɪ] *räkn* o. *subst* **1** sextio **2** sextiotal; *in the sixties* på sextiotalet
size I [saɪz] *subst* storlek, mått, format, nummer
II [saɪz] *verb*, ~ *up* mäta, värdera, bedöma [~ *up one's chances*]
sizzle I ['sɪzl] *verb* fräsa [*sausages sizzling in the pan*]
II ['sɪzl] *subst* fräsande
1 skate I [skeɪt] *subst* **1** skridsko **2** rullskridsko
II [skeɪt] *verb* **1** åka skridsko **2** åka rullskridsko
2 skate [skeɪt] *subst* fisk slätrocka
skateboard ['skeɪtbɔːd] *subst* skateboard
skater ['skeɪtə] *subst* **1** skridskoåkare **2** rullskridskoåkare
skating ['skeɪtɪŋ] *subst* **1** skridskoåkning **2** rullskridskoåkning
skein [skeɪn] *subst* härva [*a* ~ *of wool*]
skeleton ['skelɪtn] *subst* skelett
skeptical ['skeptɪkl] *adj* o. **skepticism** ['skeptɪsɪzm] *subst* amer., se *sceptical* o. *scepticism*
sketch I [sketʃ] *subst* **1** skiss, utkast **2** teat. sketch
II [sketʃ] *verb* skissera, göra utkast till
sketchy ['sketʃɪ] *adj* skissartad, knapphändig
skewer [skjuːə] *subst* stekspett, grillspett
ski I [skiː] *subst* skida; ~ *boots* skidpjäxor; ~ *stick* el. amer. ~ *pole* skidstav
II [skiː] *verb* åka skidor; *go skiing* åka skidor
skid I [skɪd] *subst* **1** slirning, sladd, sladdning; *put the* ~*s under* a) sätta p för, sabba b) sätta fart på
II [skɪd] (*-dd-*) *verb* slira, sladda
skidpan ['skɪdpæn] *subst* halkbana för träningskörning
skier ['skiːə] *subst* skidåkare, skidlöpare
skiff [skɪf] *subst* eka, jolle
skiing ['skiːɪŋ] *subst* skidåkning, skidsport
ski-jumping ['skiːˌdʒʌmpɪŋ] *subst* backhoppning

skilful ['skɪlfʊl] *adj* skicklig, duktig

skill [skɪl] *subst* skicklighet, händighet

skilled [skɪld] *adj* **1** skicklig, duktig
2 yrkesskicklig; ~ *worker* yrkesarbetare

skim [skɪm] (*-mm-*) *verb* **1** skumma [~ *milk*]
2 glida fram över; glida fram **3** ögna
igenom, skumma [~ *a book*]; ~ *through
the newspaper* ögna igenom tidningen

skimpy ['skɪmpɪ] *adj* knapp; för liten, för
trång [*a ~ dress*]

skin I [skɪn] *subst* **1** hud, skinn; *next to the
~* närmast kroppen; *get under sb's ~*
vard. irritera ngn **2** skal [*banana ~*]
II [skɪn] (*-nn-*) *verb* **1** flå, dra av huden
(skinnet) på [~ *a rabbit*], skala **2** [~ *a
banana*]; *keep one's eyes skinned* vard.
hålla ögonen öppna

skindiver ['skɪn,daɪvə] *subst* sportdykare

skindiving ['skɪn,daɪvɪŋ] *subst* sportdykning

skinflint ['skɪnflɪnt] *subst* gnidare, snåljåp

skinny ['skɪnɪ] *adj* skinntorr, mager

skinny-dipper ['skɪnɪ,dɪpə] *subst* vard.
nakenbadare

1 skip I [skɪp] (*-pp-*) *verb* **1** hoppa [~ *from
one subject to another*], skutta; ~ *over*
hoppa (skutta) över; ~ *it!* vard. strunt i det!
2 hoppa rep
II [skɪp] *subst* hopp, skutt

2 skip [skɪp] *subst* sopcontainer, container

skipper ['skɪpə] *subst* **1** skeppare **2** sport.
lagkapten; lagledare

skipping-rope ['skɪpɪŋrəʊp] *subst* hopprep

skirt I [skɜːt] *subst* **1** kjol **2** *a bit of ~* vard.
fruntimmer, brud
II [skɜːt] *verb* kanta, löpa längs utmed

skirting-board ['skɜːtɪŋbɔːd] *subst* golvlist

ski-run ['skiːrʌn] *subst* skidbacke; skidspår

skit [skɪt] *subst* sketch; satir, parodi

skittle ['skɪtl] *subst* **1** kägla **2** ~*s* (med verb i
sing.) kägelspel

skull [skʌl] *subst* skalle; ~ *and crossbones*
dödskalle med två korslagda benknotor
dödssymbol

skullcap ['skʌlkæp] *subst* kalott

skunk [skʌŋk] *subst* **1** djur skunk **2** vard. kräk

sky [skaɪ] *subst*, ~ pl. *skies* himmel; *the
sky's the limit* det finns ingen gräns,
hur mycket som helst

sky-blue [,skaɪ'bluː] *adj* himmelsblå

sky-borne ['skaɪbɔːn] *adj* luftburen,
flygburen [~ *troops*]

sky-high [,skaɪ'haɪ] *adj* o. *adv* vard. skyhög,
skyhögt; *blow ~* spränga i luften

skyjack ['skaɪdʒæk] *verb* kapa flygplan

skyjacker ['skaɪ,dʒækə] *subst*
flygplanskapare

skylark ['skaɪlɑːk] *subst* fågel sånglärka

skylight ['skaɪlaɪt] *subst* takfönster

skyline ['skaɪlaɪn] *subst* **1** horisont **2** kontur,
silluett [*the ~ of New York*]

skyscraper ['skaɪ,skreɪpə] *subst* skyskrapa

skysign ['skaɪsaɪn] *subst* ljusreklamskylt

skywards ['skaɪwədz] *adv* mot himlen

skywriting ['skaɪ,raɪtɪŋ] *subst* rökskrift från
flygplan

slab [slæb] *subst* **1** platta [~ *of stone*], häll
2 tjock skiva [~ *of cheese*]

slack I [slæk] *adj* **1** slö, loj **2** slapp [~
discipline], slak **3** stilla, död [*the ~ season*];
trög [*trade is ~*]
II [slæk] *subst* pl. ~*s* slacks, fritidsbyxor

slacken ['slækən] *verb* **1** minska [~ *one's
efforts*], sakta [~ *the speed*] **2** släppa på,
lossa på

slacker ['slækə] *subst* vard. slöfock, latmask

slain [sleɪn] perf. p. av *slay*

slalom ['slɑːləm] *subst* sport. slalom; *giant ~*
storslalom

slam I [slæm] (*-mm-*) *verb*, ~ el. ~ *to* slå
(smälla) igen, slås (smällas) igen; ~ *on the
brakes* vard. tvärbromsa
II [slæm] *subst* smäll

slammer ['slæmə] *subst* vard., *in the ~* på
kåken, i finkan

slander I ['slɑːndə] *subst* förtal, skvaller
II ['slɑːndə] *verb* **1** jur. förtala **2** baktala

slanderer ['slɑːndərə] *subst* **1** förtalare
2 baktalare

slanderous ['slɑːndərəs] *adj* **1** jur.
ärekränkande om förtal **2** skvalleraktig [~
tongue]

slang [slæŋ] *subst* slang

slangy ['slæŋɪ] *adj* slangartad, full av slang

slant [slɑːnt] *verb* **1** slutta, luta **2** göra
lutande, göra sned **3** vinkla [~ *the news*]

slap I [slæp] (*-pp-*) *verb* smälla 'till, daska
'till; ~ *sb on the back* dunka ngn i ryggen;
~ *sb's face* slå ngn i ansiktet
II [slæp] *subst* smäll, slag; *a ~ on the back*
en dunk i ryggen

slap-bang [,slæp'bæŋ] *adv* vard. pang, bums

slapdash ['slæpdæʃ] *adv* o. *adj* vard. hafsigt;
hafsig

slapstick ['slæpstɪk] *subst* slapstick, buskis

slap-up ['slæpʌp] *adj* vard. flott [*a ~ dinner*]

slash I [slæʃ] *verb* **1** rista upp, skära sönder
2 vard. sänka kraftigt [~ *prices*] **3** ~ *at* slå
mot, piska mot

II [slæʃ] *subst* **1** hugg, slag **2** djup skåra **3** snedstreck

slate [sleɪt] *subst* **1** skiffer **2** skifferplatta, takskiffer **3** griffeltavla

slaughter I [ˈslɔːtə] *subst* **1** slakt, slaktande **2** massaker

II [ˈslɔːtə] *verb* **1** slakta **2** massakrera **3** racka ner på

slaughterhouse [ˈslɔːtəhaʊs] *subst* slakteri, slakthus

Slav [slɑːv] *subst* slav medlem av ett folkslag

slave I [sleɪv] *subst* slav, slavinna

II [sleɪv] *verb* slava, träla {*at* med, på}

slave-driver [ˈsleɪvˌdraɪvə] *subst* slavdrivare

slavery [ˈsleɪvərɪ] *subst* slaveri

slave trade [ˈsleɪvtreɪd] *subst* slavhandel

slave traffic [ˈsleɪvˌtræfɪk] *subst* slavhandel

slavish [ˈsleɪvɪʃ] *adj* slavisk

Slavonic I [sləˈvɒnɪk] *adj* slavisk

II [sləˈvɒnɪk] *subst* slaviska språk

slay [sleɪ] (*slew slain*) *verb* litt. dräpa, slå ihjäl

slayer [ˈsleɪə] *subst* vard. mördare, baneman

sleaze [sliːz] *subst* skumraskaffärer, sjabbighet

sled [sled] *subst* släde, kälke

sledge [sledʒ] *subst* släde, kälke

sledge-hammer [ˈsledʒˌhæmə] *subst* slägga

sleek [sliːk] *adj* **1** om hår el. skinn slät, glatt **2** elegant {*a ~ car*}

sleep I [sliːp] (*slept slept*) *verb* sova; ~ *it off* sova ruset av sig; ~ *together* ligga med varandra; ~ *with* ligga med, hoppa i säng med

II [sliːp] *subst* sömn; *try to get some ~!* försök att sova lite!; *I have had a good ~* jag har sovit gott; *I won't lose any ~ over that* jag kommer inte att ligga sömnlös för det; *drop off to ~* somna 'till; *go to ~* somna; *my leg has gone to ~* mitt ben har domnat; *lack of ~* sömnbrist

sleeping [ˈsliːpɪŋ] *adj o. subst* sovande, sömn-; ~ *accommodation* sovplatser, sängplatser; ~ *policeman* trafik. fartgupp, farthinder; *the Sleeping Beauty* Törnrosa

sleeping-bag [ˈsliːpɪŋbæg] *subst* **1** sovsäck; *sheet* ~ reselakan, lakanspåse **2** sovpåse

sleeping-car [ˈsliːpɪŋkɑː] *subst* o.

sleeping-carriage [ˈsliːpɪŋˌkærɪdʒ] *subst* järnv. sovvagn

sleeping-compartment [ˈsliːpɪŋkəmˌpɑːtmənt] *subst* järnv. sovkupé

sleeping-pill [ˈsliːpɪŋpɪl] *subst* sömntablett

sleepless [ˈsliːpləs] *adj* sömnlös, vaken

sleepwalker [ˈsliːpˌwɔːkə] *subst* sömngångare

sleepwalking [ˈsliːpˌwɔːkɪŋ] *subst* att gå i sömnen

sleepy [ˈsliːpɪ] *adj* sömnig

sleet [sliːt] *subst* snöblandat regn, snöslask

sleeve [sliːv] *subst* ärm; *laugh up one's ~* skratta i mjugg; *have sth up one's ~* ha ngt i bakfickan

sleigh [sleɪ] *subst* släde; kälke

slender [ˈslendə] *adj* smärt, smal, slank

slept [slept] imperf. o. perf. p. av *sleep I*

sleuth [sluːθ] *subst* vard. deckare, spårhund

sleuth-hound [ˈsluːθhaʊnd] *subst* blodhund, spårhund

slew [sluː] imperf. av *slay*

slice I [slaɪs] *subst* **1** skiva {*a ~ of bread*}; ~ *of bread and butter* smörgås **2** del, andel {*a ~ of the profits*}, stycke **3** stekspade, fiskspade **4** tårtspade

II [slaɪs] *verb* **1** ~ el. ~ *up* skära upp i skivor, skiva **2** sport., ~ *a ball* skruva en boll

slick [slɪk] *adj* **1** glättad, driven {~ *style*} **2** smart {~ *salesman*}

slid [slɪd] imperf. o. perf. p. av *slide I*

slide I [slaɪd] (*slid slid*) *verb* **1** glida, rutscha, kana; *let things* ~ allting **2** skjuta, skjuta fram (in) **3** sticka {*he slid a coin into my hand*}

II [slaɪd] *subst* **1** glidning, glidande **2** isbana, kana; glidbana, rutschbana **3** diapositiv, diabild; ~ *projector* småbildsprojektor; *colour* ~ färgdia **4** hårspänne

sliding [ˈslaɪdɪŋ] *adj* glidande; ~ *door* skjutdörr; ~ *roof* soltak, skjutbart tak; ~ *tackle* fotb. glidtackling

slight I [slaɪt] *adj* **1** spenslig, späd **2** klen, bräcklig {~ *foundation*} **3** lätt {~ *cold*}, lindrig, ringa; *not the slightest doubt* inte det minsta tvivel; *not in the slightest* inte på minsta sätt

II [slaɪt] *verb* ringakta, nonchalera

slightly [ˈslaɪtlɪ] *adv* lätt {~ *injured*; *touch sth* ~}, svagt, något {~ *better*}

slim I [slɪm] *adj* smal, slank, tunn

II [slɪm] (-*mm*-) *verb* **1** banta **2** göra smal, göra slank

slime [slaɪm] *subst* **1** slem **2** dy, gyttja

slimming [ˈslɪmɪŋ] *subst* bantning

slimy [ˈslaɪmɪ] *adj* **1** slemmig **2** dyig, gyttjig **3** inställsam, hal

sling I [slɪŋ] (*slung slung*) *verb* slunga, slänga, kasta

II [slɪŋ] *subst* **1** slunga; slangbåge **2** med.

mitella; *carry one's arm in a* ~ ha armen
i band

slink [slɪŋk] (*slunk slunk*) *verb* smyga, smyga
sig, slinka [~ *away*; ~ *off*; ~ *in*]

slip I [slɪp] (*-pp-*) *verb* **1** glida, halka, halka
omkull; ~ *up* halka; *the name has
slipped my mind* namnet har fallit mig ur
minnet **2** smyga, smyga sig, slinka [~
away; ~ *out*; ~ *past*]; ~ *along* (*across,
round, over*) *to* vard. kila i väg till, kila
över till **3** göra fel; ~ *up* vard. dabba sig,
göra en tabbe **4** låta glida, sätta [~ *a ring on
to a finger*], sticka [~ *a coin into sb's hand*];
~ *into* dra på sig, ta på sig [~ *into a
nightie*]; ~ *one's clothes off* slänga (dra)
av sig kläderna; ~ *on one's clothes* dra på
sig kläderna **5** undkomma, undslippa [~
one's captors]

II [slɪp] *subst* **1** glidning, halkning **2** fel,
lapsus; ~ *of the pen* skrivfel; ~ *of the
tongue* felsägning **3** örngott
4 underklänning, underkjol **5** bit, stycke;
~ *of paper* pappersremsa, papperslapp

slipper ['slɪpə] *subst* toffel, slipper

slippery ['slɪpərɪ] *adj* hal, glatt

slipshod ['slɪpʃɒd] *adj* slarvig, hafsig

slip-up ['slɪpʌp] *subst* vard. tabbe, fel

slit I [slɪt] (*slit slit*) (*slitting*) *verb* skära upp,
sprätta upp, fläka upp

II [slɪt] *subst* **1** reva, skåra, snitt **2** sprund
3 springa, öppning

slither ['slɪðə] *verb* hasa, halka, glida

sloe [sləʊ] *subst* **1** slånbuske **2** slånbär

slog [slɒg] (*-gg-*) *verb* **1** sport. slugga, dänga
'till **2** knoga; ~ *away* knoga 'på, knega
vidare

slogan ['sləʊgən] *subst* slogan, slagord

sloop [slu:p] *subst* sjö. slup enmastat segelfartyg

slop I [slɒp] *subst* **1** pl. ~*s* slaskvatten,
diskvatten

II [slɒp] (*-pp-*) *verb*, ~ *over* skvalpa över

slope I [sləʊp] *subst* **1** lutning **2** sluttning,
backe

II [sləʊp] *verb* slutta, luta

sloping ['sləʊpɪŋ] *adj* sluttande, lutande

sloppy ['slɒpɪ] *adj* vard. **1** hafsig, slafsig
2 sentimental, pjollrig

slosh [slɒʃ] *verb* kladda 'på [~ *paint*];
skvätta

slot [slɒt] *subst* **1** springa **2** myntinkast
3 brevinkast **4** nisch, lucka [*find a ~ for a
programme on TV*]

slot machine ['slɒtmə‚ʃi:n] *subst*
1 varuautomat **2** spelautomat

slouch I [slaʊtʃ] *verb* gå (stå, sitta)
hopsjunken; ~ *about* stå och hänga

II [slaʊtʃ] *subst* vard., *he's no* ~ han är inte
bortkommen minsann!

slouch hat [‚slaʊtʃ'hæt] *subst* slokhatt

Slovak ['sləʊvæk] *subst* **1** slovak; *the* ~
Republic Slovakiska republiken,
Slovakien **2** slovakiska språket

Slovakia [sləʊ'vækɪə] Slovakien

Slovakian [sləʊ'vækɪən] *adj* slovakisk

Slovene ['sləʊvi:n, slə'vi:n] *subst* sloven

Slovenia [sləʊ'vi:njə] Slovenien

Slovenian [slə'vi:njən] *adj* slovensk

slovenly ['slʌvnlɪ] *adj* slarvig, hafsig

slow I [sləʊ] *adj* långsam, sakta; *be* ~ gå
efter, gå för sakta [*be ten minutes* ~]; *in* ~
motion i slow-motion, i ultrarapid

II [sləʊ] *adv* långsamt, sakta; *go* ~ a) gå
(springa, köra) sakta b) maska vid
arbetskonflikt c) om klocka gå efter

III [sləʊ] *verb* **1** ~ *down* el. ~ *up* sänka
farten, sakta in **2** försena, fördröja

slowcoach ['sləʊkəʊtʃ] *subst* vard. slöfock,
sölkorv

slowly ['sləʊlɪ] *adv* långsamt, sakta

slow-motion [‚sləʊ'məʊʃən] *adj*, *a* ~ *film* en
film i slow-motion, en film i ultrarapid

sludge [slʌdʒ] *subst* gyttja, slam

1 slug [slʌg] *subst* snigel utan skal

2 slug [slʌg] *subst* kula till skjutvapen

sluggish ['slʌgɪʃ] *adj* **1** lat, långsam, trög
2 trögflytande; trög [~ *market*]

slum [slʌm] *subst* **1** slumkvarter; *turn into a*
~ el. *become a* ~ förslummas **2** *the* ~*s*
slummen

slumber I ['slʌmbə] *verb* slumra

II ['slʌmbə] *subst* slummer

slummy ['slʌmɪ] *adj* förslummad

slump I [slʌmp] *subst* prisfall, lågkonjunktur

II [slʌmp] *verb* **1** rasa [*prices slumped*]
2 sjunka ner, sjunka ihop [*she slumped into
a chair*]

slung [slʌŋ] imperf. o. perf. p. av *sling I*

slunk [slʌŋk] imperf. o. perf. p. av *slink*

slurp [slɜ:p] *verb* **1** sörpla i sig **2** sörpla

slush [slʌʃ] *subst* snösörja, snöslask

slushy ['slʌʃɪ] *adj* slaskig

slut [slʌt] *subst* slarva, slampa

sluttish ['slʌtɪʃ] *adj* slarvig, slampig

sly [slaɪ] *adj* slug, listig; *a* ~ *dog* vard. en
filur; *on the* ~ i smyg

1 smack I [smæk] *subst* **1** smack, smackning
[~ *of the lips*] **2** smäll, slag; *a* ~ *in the eye*
el. *a* ~ *in the face* vard. ett slag i ansiktet

II [smæk] *verb* **1** smälla, smälla till, daska,
daska till, smiska **2** smacka med [~ *one's*

lips]
III [smæk] *adv* vard. rakt, tvärt, precis
2 smack [smæk] *verb,* ~ *of* smaka ha en
anstrykning av [*it* ~ *of racism*]

small I [smɔːl] *adj* liten; pl. små; ~ *change*
småpengar, växel; ~ *talk* småprat, kallprat
II [smɔːl] *subst* **1** *the* ~ *of the back*
korsryggen **2** pl. ~*s* underkläder; småtvätt
smallholder ['smɔːl,həʊldə] *subst*
småbrukare
smallish ['smɔːlɪʃ] *adj* ganska liten, rätt så
liten
small-minded [,smɔːl'maɪndɪd] *adj*
småaktig, småsint
smallpox ['smɔːlpɒks] *subst* med.
smittkoppor
smarmy ['smɑːmɪ] *adj* inställsam [~ *type of*
person]
smart I [smɑːt] *adj* **1** skärpt, duktig; pigg,
vaken [~ *lad*] **2** stilig, flott, snofsig
3 smart, skicklig [~ *politics*] **4** fashionabel,
fin **5** skarp, svidande [~ *blow*] **6** rask,
snabb [*at a* ~ *pace*]
II [smɑːt] *verb* göra ont, svida; ha ont,
plågas; ~ *under* lida av, plågas av
smart card ['smɑːtkɑːd] *subst* smartcard
smarten ['smɑːtn] *verb* snygga upp; ~ *up*
göra sig fin
smash I [smæʃ] *verb* **1** ~ el. ~ *up* slå sönder,
krossa **2** ~ el. ~ *to pieces* gå sönder, gå i
kras, krossas **3** ~ *into* krocka med; ~ *up*
kvadda, krossa **4** sport. smasha
II [smæʃ] *subst* **1** slag, smäll; brak [*fall with*
a ~] **2** krock, kollision; krasch **3** sport.
smash
smash-and-grab [,smæʃən'græb] *adj,* **there**
was a ~ **raid** tjuvarna krossade
skyltfönstret och tog sakerna (varorna)
smashhit ['smæʃhɪt] *subst* vard. **1** jättesuccé,
dundersuccé **2** succémelodi
smattering ['smætərɪŋ] *subst,* **he has a** ~ **of**
French han talar lite franska
smear I [smɪə] *subst* **1** fläck, fettfläck
2 smutskastning, förtal
II [smɪə] *verb* **1** smeta, smeta ner
2 smutskasta, förtala
smell I [smel] (*smelt smelt*) *verb* **1** känna
lukten av **2** lukta på [~ *a rose*] **3** ~ *of* lukta
[*you* ~ *of garlic*]
II [smel] *subst* lukt; *I noticed a* ~ *of gas* jag
kände lukten av gas
smelly ['smelɪ] *adj* vard. illaluktande,
stinkande
smelt [smelt] imperf. o. perf. p. av *smell I*
smile I [smaɪl] *verb* le, småle [*at* åt]

II [smaɪl] *subst* leende; *he was all* ~*s* han
var idel leende
smith [smɪθ] *subst* smed
smithereens [,smɪðə'riːnz] *subst* pl vard.
småbitar; *smash to* ~ slå i tusen bitar
smithy ['smɪðɪ] *subst* smedja
smock [smɒk] *subst* skyddsrock
smog [smɒg] *subst* smog, rökblandad dimma
smoke I [sməʊk] *subst* **1** rök **2** vard. rök, bloss
[*long for a* ~]
II [sməʊk] *verb* **1** ryka [*the chimney* ~*s*], osa
[*the lamp* ~*s*] **2** röka [*may I* ~?]; *smoked*
ham rökt skinka
smokefree ['sməʊkfriː] *adj,* ~ *area* el. ~
zone rökfritt område på t.ex. arbetsplats
smoker ['sməʊkə] *subst* **1** rökare; *a heavy* ~
en storrökare **2** vard. rökkupé
smokescreen ['sməʊkskriːn] *subst* mil.
rökslöja, rökridå
smoking I ['sməʊkɪŋ] *adj* **1** rökande
2 rykande
II ['sməʊkɪŋ] *subst* rökande; *no* ~ *allowed*
el. *no* ~ rökning förbjuden
smoking-compartment
['sməʊkɪŋkəm,pɑːtmənt] *subst* rökkupé
smoking-room ['sməʊkɪŋruːm] *subst* rökrum
smoky ['sməʊkɪ] *adj* **1** rykande [*a* ~
chimney] **2** rökfylld, rökig [*a* ~ *room*]
3 röklik, rök- [*a* ~ *taste*]
smooth I [smuːð] *adj* **1** slät, jämn [*a* ~
surface]; blank [~ *paper*] **2** len, fin, slät [~
skin] **3** lugn, stilla [*a* ~ *sea; a* ~ *crossing*]
4 välblandad, slät, jämn **5** mild, mjuk [~
wine; a ~ *voice*]
II [smuːð] *verb* **1** göra jämn, göra slät,
jämna **2** ~ el. ~ *down* släta 'till; ~ *out* släta
ut, jämna ut; ~ *over* släta över
smother ['smʌðə] *verb* **1** kväva **2** täcka;
smothered with sauce dränkt i sås
smoulder ['sməʊldə] *verb* ryka, pyra
SMS [,esem'es] *subst* sms; *send an* ~
message skicka ett sms
smudge I [smʌdʒ] *subst* smutsfläck, suddigt
märke
II [smʌdʒ] *verb* sudda ner, kladda ner
smug [smʌg] *adj* självbelåten; trångsynt
smuggle ['smʌgl] *verb* smuggla
smuggler ['smʌglə] *subst* smugglare
smuggling ['smʌglɪŋ] *subst* smuggling
snack [snæk] *subst* matbit, lätt mål; ~*s*
tilltugg till drinkar etc.
snack bar ['snækbɑː] *subst* snackbar,
lunchbar
snag [snæg] *subst* stötesten; *there's a* ~ *in*

it somewhere det finns en hake någonstans

snail [sneɪl] *subst* snigel med skal

snake [sneɪk] *subst* orm

snake-bite ['sneɪkbaɪt] *subst* ormbett

snap I [snæp] (*-pp-*) *verb* **1** nafsa, snappa, hugga [*at* efter]; ~ *up* nafsa (nappa) åt sig, snappa upp **2** fräsa, fara ut [*she snapped at him*] **3** ~ el. ~ *off* a) gå av (itu), brytas av (itu) b) bryta av (itu); slita av [~ *a thread*] **4** knäppa, knäppa till; knäppa med [~ *one's fingers*], smälla med [~ *a whip*]; ~ *shut* smälla igen **5** vard., ~ *into it* raskt ta itu med saken; *try to* ~ *out of it!* försök att komma över det!
II [snæp] *subst* **1** knäpp, knäppande [*a ~ with one's fingers*] **2** knäck; smäll [*the oar broke with a ~*] **3** tryckknapp

snapdragon ['snæpˌdrægən] *subst* lejongap blomma

snap-fastener ['snæpˌfɑːsnə] *subst* tryckknapp

snappy ['snæpɪ] *adj* kvick; *make it* ~*!* vard. raska på!

snapshot ['snæpʃɒt] *subst* foto. kort, snapshot

snare I [sneə] *subst* snara
II [sneə] *verb* snärja, snara

snarl I [snɑːl] *verb* morra
II [snɑːl] *subst* morrande

snatch I [snætʃ] *verb* rycka till sig, gripa
II [snætʃ] *subst* hugg, grepp

sneak I [sniːk] *verb* **1** smyga, smyga sig **2** skol. sl. skvallra
II [sniːk] *subst* skol. sl. skvallerbytta
III [sniːk] *adj* överrasknings- [~ *raid*], smyg-

sneakers ['sniːkəz] *subst pl* amer. gymnastikskor, tennisskor

sneer I [snɪə] *verb* **1** hånle [*at* åt] **2** ~ *at* håna
II [snɪə] *subst* **1** hånleende **2** hån

sneering ['snɪərɪŋ] *adj* hånfull

---

sneeze
När en person nyser hör man ibland att någon säger *God bless you!* eller (amer.) *Gesundheit!* Den som nyst svarar då vanligen *Thank you.*

---

sneeze I [sniːz] *verb* nysa; *it's not to be*

sneezed at! det är inte så illa!
II [sniːz] *subst* nysning

sniff I [snɪf] *verb* **1** vädra, lukta [*at* på], sniffa **2** snörvla **3** fnysa, rynka på näsan [*at* åt] **4** andas in; sniffa på; lukta på
II [snɪf] *subst* **1** snörvling **2** andetag; sniff

sniffer ['snɪfə] *subst* vard. **1** sniffare **2** ~ *dog* narkotikahund

snifter ['snɪftə] *subst* **1** aromglas **2** sup

snigger I ['snɪgə] *verb* fnissa
II ['snɪgə] *subst* fnissande

snip [snɪp] (*-pp-*) *verb* klippa 'av, knipsa 'av

snipe I [snaɪp] *subst* fågel beckasin; snäppa
II [snaɪp] *verb* mil. skjuta (döda) från bakhåll

sniper ['snaɪpə] *subst* mil. krypskytt

snitch I [snɪtʃ] *subst* tjallare
II [snɪtʃ] *verb* tjalla

snivel I ['snɪvl] (*-ll-*) *verb* **1** snörvla **2** snyfta

snob [snɒb] *subst* snobb

snobbery ['snɒbərɪ] *subst* snobberi

snobbish ['snɒbɪʃ] *adj* snobbig

snook [snuːk] *subst* vard., *cock a* ~ *at* räcka lång näsa åt

snooker ['snuːkə] *subst* snooker slags biljard

snoop [snuːp] *verb* vard. snoka, spionera

snooper ['snuːpə] *subst* vard. snokare, spion

snooty ['snuːtɪ] *adj* vard. snorkig, mallig

snooze I [snuːz] *verb* vard. ta sig en lur
II [snuːz] *subst* vard. tupplur

snore I [snɔː] *verb* snarka
II [snɔː] *subst* snarkning

snorkel ['snɔːkl] *subst* snorkel

snort I [snɔːt] *verb* **1** fnysa **2** frusta
II [snɔːt] *subst* fnysning

snot [snɒt] *subst* vard. snor

snotty ['snɒtɪ] *adj* vard. **1** snorig **2** snorkig

snout [snaʊt] *subst* nos, tryne

snow I [snəʊ] *subst* snö; snöfall
II [snəʊ] *verb* snöa

snowball I ['snəʊbɔːl] *subst* snöboll
II ['snəʊbɔːl] *verb* kasta snöboll; kasta snöboll på

snow-blower ['snəʊˌbləʊə] *subst* snöslunga

snowboard ['snəʊbɔːd] *subst* snowboard

snowboarding ['snəʊˌbɔːdɪŋ] *subst* sport. snowboardåkning

snow-bound ['snəʊbaʊnd] *adj* insnöad

snow-capped ['snəʊkæpt] *adj* snötäckt [~ *mountains*]

snowdrift ['snəʊdrɪft] *subst* snödriva

snowdrop ['snəʊdrɒp] *subst* blomma snödroppe

snowfall ['snəʊfɔːl] *subst* snöfall

snowflake ['snəʊfleɪk] *subst* snöflinga

snowman ['snəʊmæn] *subst* snögubbe

snowmobile ['snəʊməˌbiːl] *subst* snöskoter
snowstorm ['snəʊstɔːm] *subst* snöstorm
snowsuit ['snəʊsuːt] *subst* vinteroverall för
småbarn
snowtyre ['snəʊˌtaɪə] *subst* vinterdäck
snowy ['snəʊɪ] *adj* snöig, snötäckt
Snr. o. **snr.** ['siːnjə] (förk. för *senior*) sr, s:r
snub I [snʌb] (*-bb-*) *verb* snäsa av, snoppa av
II [snʌb] *subst* avsnäsning, avsnoppning
III [snʌb] *adj*, ~ *nose* trubbnäsa
snub-nosed ['snʌbnəʊzd] *adj* trubbnäst
1 snuff [snʌf] *subst* luktsnus, snus; *a pinch
of* ~ en pris snus
2 snuff [snʌf] *verb* snoppa, putsa [~ *a
candle*]; ~ *out* släcka med t.ex. ljussläckare
snuffbox ['snʌfbɒks] *subst* snusdosa
snug [snʌg] *adj* trivsam, mysig; *be* ~ *in bed*
ha det varmt och skönt i sängen
snuggle ['snʌgl] *verb*, ~ *up to* el. ~ *up
against* trycka sig intill
so I [səʊ] *adv* **1** så, på det här sättet; *it's* ~
kind of you! det var mycket vänligt av
dig!; *is that* ~*?* jaså?, säger du det?; *if* ~ i
så fall **2** det; *I'm afraid* ~ jag är rädd för
det; *I believe* ~ jag tror det; *I told you* ~*!*
vad var det jag sa!; *It was cold yesterday.
– So it was.* Det var kallt i går. – Ja, det var
det; *he's hungry and* ~ *am I* han är
hungrig och det är jag också (med)
II [səʊ] *konj* **1** så, och därför, varför [*she
asked me to go,* ~ *I went*] **2** i utrop så, jaså,
alltså [~ *you're back again!*]; ~ *there!* så
det så!; ~ *what?* än sen då?
soak I [səʊk] *verb* **1** blöta, lägga i blöt **2** göra
genomvåt; *soaked through* genomvåt,
genomblöt
II [səʊk] *subst* **1** genomblötning
2 blötläggning; *give a* ~ el. *put in* ~ lägga i
blöt
soaking I ['səʊkɪŋ] *subst* uppblötning;
blötläggning
II ['səʊkɪŋ] *adv*, ~ *wet* genomvåt
so-and-so ['səʊənsəʊ] *subst* **1** den och den,
det eller det **2** neds. typ, fårskalle [*that old
*~]
soap I [səʊp] *subst* tvål; såpa; *a* ~ en tvålsort;
a cake of ~ el. *a piece of* ~ el. *a tablet of* ~
en tvål; ~ *opera* vard. såpopera
II [səʊp] *verb* tvåla, tvåla in
soapdish ['səʊpdɪʃ] *subst* tvålkopp, tvålfat
soapflakes ['səʊpfleɪks] *subst pl* tvållflingor
soapsuds ['səʊpsʌdz] *subst pl* tvållödder,
såplödder
soar [sɔː] *verb* flyga högt, sväva högt, stiga

soaring ['sɔːrɪŋ] *adj* ständigt stigande,
skyhög
sob I [sɒb] (*-bb-*) *verb* snyfta
II [sɒb] *subst* snyftning, snyftande
sober I ['səʊbə] *adj* **1** nykter; *become* ~
nyktra till **2** måttfull; sober, diskret [~
colours]
II ['səʊbə] *verb*, ~ *up* el. ~ *down* a) nyktra
till, bli nykter b) få nykter
so-called [ˌsəʊ'kɔːld, före subst. 'səʊkɔːld] *adj*
s.k., så kallad
soccer ['sɒkə] *subst* vard. (kortform för
Association football) vanlig fotboll i motsats till
rugby el. amerikansk fotboll
sociable ['səʊʃəbl] *adj* sällskaplig, gemytlig
social ['səʊʃl] *adj* **1** social, social-;
samhällelig, samhälls-; ~ *climber* streber;
the ~ *services* socialvården,
socialtjänsten; ~ *worker* socialarbetare;
be on ~ *security* få bidrag, leva på bidrag
2 sällskaplig; sällskaps- [~ *talents*]
socialism ['səʊʃəlɪzəm] *subst* socialism
socialist I ['səʊʃəlɪst] *subst* socialist; ibland
socialdemokrat
II ['səʊʃəlɪst] *adj* socialistisk, socialist-;
ibland socialdemokratisk
society [sə'saɪətɪ] *subst* **1** samhälle,
samhället **2** samfund, sällskap, förening
3 societet, societeten, sällskapslivet
sociologist [ˌsəʊʃɪ'ɒlədʒɪst] *subst* sociolog
sociology [ˌsəʊʃɪ'ɒlədʒɪ] *subst* sociologi
1 sock [sɒk] *subst* kortstrumpa, socka; *pull
one's* ~*s up* vard. skärpa sig
2 sock I [sɒk] *subst* vard., *a* ~ *on the jaw* en
snyting
II [sɒk] *verb* vard. slå, dänga till; ~ *sb on the
jaw* ge ngn en snyting
socket ['sɒkɪt] *subst* **1** anat., *eye* ~ ögonhåla
2 hållare, sockel, fattning [*lamp* ~]
3 vägguttag
1 sod [sɒd] *subst* gräsmark, grästorv
2 sod I [sɒd] *subst* vulg. jävel, knöl
II [sɒd] (*-dd-*) *verb* vulg. **1** ~ *it!* fan också!
2 ~ *about* larva omkring; ~ *off!* stick för
helvete!
soda ['səʊdə] *subst* **1** soda; *bicarbonate of*
~ bikarbonat **2** sodavatten; *a whisky and*
~ en whiskygrogg **3** amer. läsk
soda fountain ['səʊdəˌfaʊntən] *subst* ungefär
glassbar
sodium ['səʊdjəm] *subst* kem. natrium
sofa ['səʊfə] *subst* soffa
soft [sɒft] *adj* **1** mjuk; lös; *have a* ~ *spot
for* vara svag för; ~ *toy* gosedjur **2** dämpad
[~ *light*; ~ *music*], mild; ~ *pedal* musik.

vard. vänsterpedal **3** ~ *drink* läskedryck
4 lätt, lindrig [~ *job*] **5** vard. mjäkig, vek
soft-boiled [ˌsɒftˈbɔɪld] *adj* löskokt [~ *eggs*]
soften [ˈsɒfn] *verb* **1** mjuka upp, göra mjuk;
~ *sb up* mjuka upp ngn **2** dämpa, mildra,
lindra
soft-hearted [ˌsɒftˈhɑːtɪd] *adj* godhjärtad
software [ˈsɒftweə] *subst* data. mjukvara,
programvara
soggy [ˈsɒgɪ] *adj* blöt, uppblött
1 soil [sɔɪl] *subst* **1** jord, jordmån, mull,
mylla **2** mark [*on foreign* ~]
2 soil [sɔɪl] *verb* smutsa, smutsa ner, solka,
solka ner; *soiled linen* smutskläder,
smutstvätt
solace [ˈsɒləs] *subst* tröst
solar [ˈsəʊlə] *adj* **1** sol- [~ *system*; ~ *energy*]
2 ~ *plexus* [ˌsəʊləˈpleksəs] anat. el. boxn.
solarplexus
solarium [səˈleərɪəm] *subst* solarium
sold [səʊld] imperf. o. perf. p. av *sell*
solder [ˈsɒldə, ˈsəʊldə] *verb* löda
soldier [ˈsəʊldʒə] *subst* **1** soldat **2** militär,
krigare [*a great* ~]
1 sole I [səʊl] *subst* **1** skosula; fotsula **2** fisk
sjötunga
II [səʊl] *verb* sula, halvsula
2 sole [səʊl] *adj* enda, ensam i sitt slag; ~
agent el. ~ *distributor* ensamförsäljare
solecism [ˈsɒlɪsɪzəm] *subst* språkfel, groda
solely [ˈsəʊllɪ] *adv* **1** ensam [~ *responsible*]
2 endast, uteslutande, blott
solemn [ˈsɒləm] *adj* högtidlig, allvarlig
solemnity [səˈlemnətɪ] *subst* högtidlighet
solicit [səˈlɪsɪt] *verb* **1** enträget be, hemställa
hos **2** om prostituerad antasta kunder, antasta
solicitor [səˈlɪsɪtə] *subst* i underrätt advokat
som ger råd i juridiska frågor
solicitude [səˈlɪsɪtjuːd] *subst* **1** överdriven
omsorg **2** oro, ängslan [*for* för]
solid I [ˈsɒlɪd] *adj* **1** fast [~ *fuel*]; ~ *food* fast
föda; *frozen* ~ hårdfrusen **2** solid; ~ *gold*
massivt guld **3** bastant, stadig [*a* ~ *meal*];
stark, kraftig **4** obruten,
sammanhängande; *two* ~ *hours* två
timmar i sträck, två hela timmar; *a* ~
day's work en hel dags arbete
II [ˈsɒlɪd] *subst* **1** fys. fast kropp **2** pl. ~*s* fast
föda
solidarity [ˌsɒlɪˈdærətɪ] *subst* solidaritet,
samhörighetskänsla
solidify [səˈlɪdɪfaɪ] *verb* **1** göra fast **2** övergå
till fast form, bli fast
solidity [səˈlɪdətɪ] *subst* **1** fasthet **2** soliditet
soliloquy [səˈlɪləkwɪ] *subst* spec. teat. monolog

solitaire [ˌsɒlɪˈteə] *subst* amer. kortsp. patiens
solitary [ˈsɒlɪtrɪ] *adj* **1** ensam [*a* ~
traveller]; ~ *confinement* placering i
isoleringscell **2** enslig **3** enda [*not a* ~ *one*]
solitude [ˈsɒlɪtjuːd] *subst* ensamhet,
avskildhet
solo I [ˈsəʊləʊ] (pl. ~*s*) *subst* **1** musik. solo
2 solouppträdande, solonummer
II [ˈsəʊləʊ] *adj* solo-, ensam- [~ *flight*]
III [ˈsəʊləʊ] *adv* solo, ensam [*fly* ~]
soloist [ˈsəʊləʊɪst] *subst* solist
solstice [ˈsɒlstɪs] *subst* solstånd [*summer* ~;
winter ~]
soluble [ˈsɒljʊbl] *adj* **1** upplösbar, löslig [~
in water] **2** lösbar [*a* ~ *problem*]
solution [səˈluːʃən] *subst* **1** lösande, lösning
[*the* ~ *of a problem*]; upplösning **2** kem.
lösning
solve [sɒlv] *verb* lösa [~ *a problem*], tyda
sombre [ˈsɒmbə] *adj* mörk, dyster
sombrero [sɒmˈbreərəʊ] (pl. ~*s*) *subst*
sombrero
some I [sʌm, obetonat səm] *pron* **1** någon,
något, några **2** viss [*it is open on* ~ *days*]
3 en del [~ *of it was spoilt*], somlig **4** litet
[*would you like* ~ *more?*]; ~ *day* någon dag,
en dag; ~ *people* somliga, en del
5 åtskillig, en hel del [*that will take* ~
courage]; *for* ~ *time yet* än på ett bra tag
6 vard., *that was* ~ *party!* det kan man
verkligen kalla en fest!
II [sʌm, obetonat səm] *adv* framför räkneord etc.
ungefär, omkring, en [~ *twenty minutes*]; ~
dozen people ett dussintal människor
somebody I [ˈsʌmbədɪ] *pron* någon; ~ *or*
other någon, någon vem det nu är (var)
II [ˈsʌmbədɪ] *subst*, *he thinks he is* ~ han
tror att han är något
somehow [ˈsʌmhaʊ] *adv* **1** ~ el. ~ *or other*
på något sätt, på ett eller annat sätt **2** av
någon anledning [*she never liked me,* ~]
someone [ˈsʌmwʌn] *pron* = *somebody I*
somersault [ˈsʌməsɔːlt] *subst*, *turn a* ~ el.
do a ~ slå en kullerbytta, slå en volt
something [ˈsʌmθɪŋ] *pron* o. *subst* något,
någonting; ~ *or other* någonting,
någonting vad det nu är (var); ~ *of the*
kind el. ~ *of the sort* någonting ditåt,
något åt det hållet; *you've got* ~ *there!*
där sa du någonting!
sometime [ˈsʌmtaɪm] *adv* någon gång; ~ *or*
other någon gång, någon gång i framtiden
sometimes [ˈsʌmtaɪmz] *adv* ibland
somewhat [ˈsʌmwɒt] *adv* något, rätt,
ganska

somewhere ['sʌmweə] *adv* någonstans; ~ *else* någon annanstans; ~ *or other* någonstans; ~ *about Christmas* el. ~ *round Christmas* vid jultiden

somnolent ['sɒmnələnt] *adj* sömnig, dåsig

son [sʌn] *subst* **1** son; ~ *of a bitch* spec. amer. vard. jävel, knöl **2** i tilltal min gosse

sonata [sə'nɑːtə] *subst* musik. sonat

song [sɒŋ] *subst* sång, visa; *buy sth for a* ~ köpa ngt för en spottstyver; *make a* ~ *and dance about* göra stor affär av

song hit ['sɒŋhɪt] *subst* schlager

son-in-law ['sʌnɪnlɔː] (pl. *sons-in-law* ['sʌnzɪnlɔː]) *subst* svärson, måg

sonnet ['sɒnɪt] *subst* dikt sonett

sonny ['sʌnɪ] *subst* vard., tilltal lille gosse, min lille gosse

sonorous ['sɒnərəs] *adj* klangfull, fyllig

soon [suːn] *adv* **1** snart, strax; *as ~ as* el. *so ~ as* så snart (fort) som; *too ~* för tidigt; ~ *after* a) kort därefter b) kort efter att **2** *just as ~* el. *as ~* lika gärna; *I would just as ~ not go there* jag skulle helst vilja slippa gå dit; *we will ~ be there* vi är snart framme

sooner ['suːnə] *adv* **1** tidigare; ~ *or later* förr eller senare; *the ~ the better* ju förr dess bättre; *no ~ did we sit down than* vi hade knappt satt oss förrän; *no ~ said than done* sagt och gjort **2** hellre, snarare [*I'd ~ stay at home*]

soot [sʊt] *subst* sot

soothe [suːð] *verb* **1** lugna **2** lindra

soothing ['suːðɪŋ] *adj* lugnande, lindrande

sooty ['sʊtɪ] *adj* sotig

sop [sɒp] (-pp-) *verb*, ~ *up* suga upp, torka upp [~ *up water with a towel*]

sophisticated [sə'fɪstɪkeɪtɪd] *adj* **1** sofistikerad, raffinerad **2** sinnrik, avancerad

sophistication [sə,fɪstɪ'keɪʃən] *subst* **1** raffinemang **2** förfining, finesser

sopping ['sɒpɪŋ] *adv*, ~ *wet* genomblöt

soppy ['sɒpɪ] *adj* vard. fånig, blödig

soprano [sə'prɑːnəʊ] (pl. ~s) *subst* musik. sopran

sorbet ['sɔːbeɪ] *subst* sorbet

sordid ['sɔːdɪd] *adj* **1** eländig **2** tarvlig

sore I [sɔː] *adj* **1** öm [~ *feet*]; inflammerad; *a sight for ~ eyes* en fröjd för ögat; *have a ~ throat* ha ont i halsen **2** känslig, ömtålig [*a ~ point*] **3** spec. amer. vard. irriterad, förargad

II [sɔː] *subst* ont ställe, ömt ställe; sår

sorrow I ['sɒrəʊ] *subst* sorg, bedrövelse

II ['sɒrəʊ] *verb* sörja

sorrowful ['sɒrəfʊl] *adj* sorgsen, sorglig

sorry ['sɒrɪ] *adj* **1** ledsen; *so ~!* el. ~*!* förlåt!, ursäkta mig!, ursäkta!; *I'm very ~ to hear it* det var tråkigt att höra; *I feel ~ for you* jag tycker synd om dig; *you'll be ~ for this!* det här kommer du att få ångra! **2** ynklig [*a ~ sight*], eländig [*a ~ performance*], dålig

sort I [sɔːt] *subst* sort, slag, typ; *he is a good* ~ el. *he is a decent* ~ vard. han är bussig; ~ *of* vard. liksom, på något vis; *all ~s of things* alla möjliga saker; *that ~ of thing* sådant där; *what ~ of* vad för slags (sorts); hurdan; *nothing of the* ~ inte alls så; som svar visst inte!, inte alls!; *something of the* ~ något sådant; *out of ~s* a) krasslig, vissen b) ur gängorna, nere

II [sɔːt] *verb* sortera, ordna; ~ *out* sortera, sortera ut, vard. ordna upp, reda upp [~ *out one's problems*]; *things will ~ themselves out* vard. det ordnar sig; *get oneself sorted out* vard. rycka upp sig, få ordning på tillvaron

SOS [,esəʊ'es] *subst* **1** SOS; ~ *signal* el. ~ nödsignal **2** personligt meddelande

so-so ['səʊsəʊ] *adj* o. *adv* vard. skaplig, skapligt, sådär

soufflé ['suːfleɪ, amer. sʊ'fleɪ] *subst* kok. sufflé

sought [sɔːt] *imperf.* o. *perf.* p. av *seek*

soul [səʊl] *subst* själ; *poor ~* stackars människa

soul-destroying ['səʊldɪ,strɔɪɪŋ] *adj* själsdödande [~ *work*]

soul-searching ['səʊl,sɜːtʃɪŋ] *subst* självrannsakan

soul-stirring ['səʊl,stɜːrɪŋ] *adj* gripande

1 sound I [saʊnd] *adj* **1** frisk [~ *teeth*], sund **2** klok, sund, riktig **3** säker, solid [*a ~ investment*] **4** grundlig; *a ~ thrashing* ett ordentligt kok stryk **5** om sömn djup; *a ~ sleep* djup sömn

II [saʊnd] *adv* sunt; *be ~ asleep* sova djupt, sova gott

2 sound I [saʊnd] *subst* **1** ljud; *within ~* inom hörhåll [*of* för] **2** ton, klang; *I don't like the ~ of it* det låter inte bra, det låter oroande

II [saʊnd] *verb* **1** ljuda, tona, klinga **2** låta [*the music ~s beautiful*] **3** låta ljuda, blåsa, blåsa i [~ *a trumpet*]; ~ *the alarm* slå larm; ~ *the all-clear* ge 'faran över' **4** spec. mil. blåsa till, beordra; ~ *an alarm* el. ~ *the alarm* slå alarm, blåsa alarm

3 sound [saʊnd] *verb* sondera, pejla

4 sound [saʊnd] *subst* sund

sound barrier ['saʊnd,bærɪə] *subst* ljudvall; *break the* ~ spränga ljudvallen

sound effects ['saʊndɪ,fekts] *subst pl* ljudeffekter

sounding ['saʊndɪŋ] *subst* sondering, pejling

soundproof I ['saʊndpruːf] *adj* ljudtät, ljudisolerande
II ['saʊndpruːf] *verb* ljudisolera

soundwave ['saʊndweɪv] *subst* ljudvåg

soup [suːp] *subst* kok. soppa; *thick* ~ redd soppa; *be in the* ~ vard. ha råkat i klistret, sitta illa till

soup plate ['suːppleɪt] *subst* sopptallrik, djup tallrik

sour I ['saʊə] *adj* sur, syrlig; *go* ~ a) surna b) gå snett
II ['saʊə] *verb* **1** göra sur, förbittra

source [sɔːs] *subst* källa; ~ *of energy* energikälla; *from a reliable* ~ ur säker källa

south I [saʊθ] *subst* **1** söder, syd; *to the* ~ *of* söder om **2** *the South* södern, sydliga länder; södra delen; *the South* i USA Södern, sydstaterna
II [saʊθ] *adj* sydlig, södra, söder-; *South America* Sydamerika; *the South Pole* sydpolen
III [saʊθ] *adv* mot söder, åt söder, söderut; ~ *of* söder om

southbound ['saʊθbaʊnd] *adj* sydgående

south-east I [,saʊθ'iːst] *subst* sydost, sydöst
II [,saʊθ'iːst] *adj* sydöstlig, sydostlig, sydöstra
III [,saʊθ'iːst] *adv* mot (i) sydost; ~ *of* sydost om

south-easterly [,saʊθ'iːstəlɪ] *adj* sydostlig

south-eastern [,saʊθ'iːstən] *adj* sydostlig

southerly ['sʌðəlɪ] *adj* sydlig

southern ['sʌðən] *adj* **1** sydlig, södra, söder- **2** sydländsk

southerner ['sʌðənə] *subst* person från södra delen av landet (ett land); sydlänning; i USA sydstatare

southernmost ['sʌðənməʊst] *adj* sydligast

southward I ['saʊθwəd] *adj* sydlig
II ['saʊθwəd] *adv* mot söder

southwards ['saʊθwədz] *adv* mot söder, söderut

south-west I [,saʊθ'west] *subst* sydväst
II [,saʊθ'west] *adj* sydvästlig, sydvästra
III [,saʊθ'west] *adv* mot (i) sydväst; ~ *of* sydväst om

south-western [,saʊθ'westən] *adj* sydvästlig, sydvästra

souvenir [,suːvə'nɪə] *subst* souvenir, minne, minnesgåva

sou'-wester [saʊ'westə] *subst* sydväst huvudbonad

sovereign I ['sɒvrən] *adj* **1** högst, högsta [~ *power*] **2** suverän [*a* ~ *state*]
II ['sɒvrən] *subst* monark, regent

sovereignty ['sɒvrəntɪ] *subst* **1** suveränitet, högsta makt **2** överhöghet

Soviet ['səʊvɪət] *adj* sovjetisk; *the* ~ *Union* hist. Sovjetunionen

1 sow [səʊ] (imperf. *sowed*, perf. p. *sown* el. *sowed*) *verb* så; *as a man* ~*s, so shall he reap* ordspr. som man sår får man skörda; ~ *a field with wheat* så vete på en åker

2 sow [saʊ] *subst* sugga

sown [səʊn] perf. p. av *1 sow*

soy [sɔɪ] *subst* **1** soja, sojasås; ~ *sauce* soja, sojasås **2** sojaböna

soya ['sɔɪə] *subst* **1** sojaböna **2** ~ *sauce* soja, sojasås

soya bean ['sɔɪəbiːn] *subst* o. **soybean** ['sɔɪbiːn] *subst* sojaböna

spa [spɑː] *subst* **1** brunnsort **2** hälsobrunn

space I [speɪs] *subst* **1** rymd, rymden; *outer* ~ yttre rymden; ~ *shuttle* rymdfärja; ~ *trip* rymdfärd **2** utrymme, plats, mellanrum; *blank* ~ tomrum, lucka; *living* ~ livsrum; *the wide open* ~*s* de stora vidderna; *it takes up too much* ~ det tar för mycket plats **3** ~ *of time* tidrymd; *for (in) the* ~ *of a month* under en månad
II [speɪs] *verb* göra mellanrum mellan; ~ *out* placera ut; sprida, sprida ut

spacecraft ['speɪskrɑːft] (pl. lika) *subst* rymdfarkost, rymdskepp

spaceman ['speɪsmæn] (pl. *spacemen* ['speɪsmən]) *subst* rymdfarare, astronaut, kosmonaut

spaceprobe ['speɪsprəʊb] *subst* rymdsond

space-saving ['speɪs,seɪvɪŋ] *adj* utrymmessparande, utrymmessnål

spaceship ['speɪsʃɪp] *subst* rymdskepp

spacesuit ['speɪssuːt] *subst* rymddräkt

space travel ['speɪs,trævl] *subst* rymdfärder

spacious ['speɪʃəs] *adj* rymlig

1 spade [speɪd] *subst* kortsp. spaderkort; pl. ~*s* spader

2 spade [speɪd] *subst* spade; *call a spade a spade* nämna en sak vid dess rätta namn

spadeful ['speɪdfʊl] *subst* spade mått

spadework ['speɪdwɜːk] *subst* förarbete, grovarbete

spaghetti [spə'getɪ] *subst* spaghetti

Spain [speɪn] Spanien

span I [spæn] *subst* **1** avstånd mellan tumme och lillfinger utspärrade **2** brospann, valv **3** spännvidd, räckvidd; flyg. vingbredd **4** tidrymd; *life* ~ levnadstid, livstid **II** [spæn] (*-nn-*) *verb* om t.ex. bro spänna över, leda över [~ *a river*]; omspänna, spänna över, nå över

spangle ['spæŋgl] *subst* paljett; pl. ~*s* glitter

Spaniard ['spænjəd] *subst* spanjor; spanjorska

spaniel ['spænjəl] *subst* spaniel hundras

Spanish I ['spænɪʃ] *adj* spansk; ~ *chestnut* ätlig kastanj; ~ *onion* stor gul steklök, spansk lök **II** ['spænɪʃ] *subst* **1** spanska språket **2** *the* ~ spanjorerna **3** vard. lakrits

spank I [spæŋk] *verb* ge smäll, ge smisk, daska till; *be spanked* få smäll, få smisk **II** [spæŋk] *subst* smäll, dask

spanking ['spæŋkɪŋ] *subst* smäll, smisk; *give a* ~ ge smäll, ge smisk

spanner ['spænə] *subst* skruvnyckel; *adjustable* ~ skiftnyckel; *throw a* ~ *into the works* sätta en käpp i hjulet

spar I [spɑː] (*-rr-*) *verb* sparra, träningsboxas **II** [spɑː] *subst* sparring, träningsboxning

spare I [speə] *adj* ledig, extra, reserv- [*a* ~ *key*; ~ *parts*]; ~ *bed* extrasäng; ~ *cash* pengar som blir över, pengar över; ~ *room* el. ~ *bedroom* gästrum; ~ *time* fritid **II** [speə] *verb* **1** avvara, undvara [*can you* ~ *a pound?*]; *can you* ~ *me a few minutes?* har du några minuter över?; *he caught the train with a few minutes to* ~ han hann med tåget med några minuters marginal **2** skona [~ *sb's life*; ~ *feelings*] **3** bespara [*sb sth* ngn ngt], förskona [*sb sth* ngn från ngt] **4** spara på; ~ *no pains* inte sky någon möda **III** [speə] *subst* reservdel, lös del

spareribs [,speə'rɪbz] *subst* kok. revbensspjäll

spark I [spɑːk] *subst* gnista [*a* ~ *of hope*] **II** [spɑːk] *verb* gnistra; ~ *off* el. ~ utlösa, vara den tändande gnistan till

sparking plug ['spɑːkɪŋplʌg] *subst* tändstift

sparkle I ['spɑːkl] *verb* **1** gnistra, spraka; briljera; *sparkling eyes* strålande ögon **2** om vin moussera, pärla **II** ['spɑːkl] *subst* **1** gnistrande, sprakande, briljans **2** pärlande

sparkler ['spɑːklə] *subst* fyrverkeri, tomtebloss

spark plug ['spɑːkplʌg] *subst* tändstift

sparring-partner ['spɑːrɪŋ,pɑːtnə] *subst* sparringpartner

sparrow ['spærəʊ] *subst* sparv

sparse [spɑːs] *adj* gles [*a* ~ *population*]

Spartan ['spɑːtən] *adj* spartansk

spasm ['spæzəm] *subst* **1** spasm, kramp **2** anfall [*a* ~ *of coughing*]

spasmodic [spæz'mɒdɪk] *adj* spasmodisk, ryckvis

spastic I ['spæstɪk] *adj* spastisk **II** ['spæstɪk] *subst* spastiker

spat [spæt] imperf. o. perf. p. av *2 spit I*

spate [speɪt] *subst* ström [*a* ~ *of letters*]

spatter I ['spætə] *verb* stänka ned; stänka **II** ['spætə] *subst* stänkande; stänk

spatula ['spætjʊlə] *subst* **1** spatel **2** kok. stekspade

spawn I [spɔːn] *verb* lägga rom, ägg (om t.ex. fiskar); yngla, leka, lägga rom **II** [spɔːn] *subst* rom, ägg av vissa skaldjur

speak [spiːk] (*spoke spoken*) *verb* **1** tala; *so to* ~ så att säga; *speaking!* i telefon det är jag som talar; *Smith speaking!* i telefon det här är Smith!; *seriously speaking* allvarligt talat; *strictly speaking* strängt taget, egentligen; *speaking of* på tal om, apropå; *not to* ~ *of* för att nu inte tala om (nämna); *nothing to* ~ *of!* inget att tala om!; ~ *to* a) tilltala, tala till b) säga 'åt, säga 'till, tala allvar med [*you had better* ~ *to the boy*] **2** säga, yttra; ~ *the truth* säga sanningen; tala sanning; ~ *out* tala ut, säga sin mening; ~ *up* a) tala högre b) tala ut; ~ *up for* ta i försvar

speaker ['spiːkə] *subst* **1** talare [*a fine* ~]; *Speaker* i parlament talman **2** högtalare

speaking ['spiːkɪŋ] *adj* o. *subst* talande, tal-, i sammansättningar -talande [*English-speaking*]; *the Speaking Clock* tele. Fröken Ur; *a* ~ *part* en talroll; *they are not on* ~ *terms* de är osams

spear I [spɪə] *subst* spjut **II** [spɪə] *verb* genomborra med spjut

spearmint ['spɪəmɪnt] *subst* tuggummi med mintsmak

special I ['speʃl] *adj* speciell, särskild [~ *reasons*]; special-, extra-; ~ *delivery* express; ~ *edition* extraupplaga, extranummer; ~ *offer* extrapris **II** ['speʃl] *subst*, *today's* ~ dagens rätt på matsedel

specialist ['speʃəlɪst] *subst* specialist

speciality [,speʃɪ'ælətɪ] *subst* **1** utmärkande drag, egendomlighet **2** specialitet

specialize ['speʃəlaɪz] *verb* specialisera sig

[*in, on* på, inom]; *specialized*
specialiserad

specially ['speʃəlɪ] *adv* särskilt, speciellt

specialty ['speʃəltɪ] *subst* amer., se *speciality*

species ['spiːʃiːz] (pl. lika) *subst* **1** art; *the ~*
el. *the human ~* människosläktet; *the*
origin of ~ arternas uppkomst **2** slag,
sort, typ

specific [spə'sɪfɪk] *adj* **1** bestämd,
specificerad, speciell [*a ~ purpose*]
2 specifik, speciell

specification [ˌspesɪfɪ'keɪʃən] *subst*
1 specificering **2** ~ pl. *~s* specifikation

specify ['spesɪfaɪ] *verb* specificera [*the sum*
specified], i detalj ange, noga uppge

specimen ['spesɪmən] *subst* **1** prov,
provexemplar, provbit [*of* på, av]
2 exemplar

speck [spek] *subst* liten fläck, prick; *a ~ of*
dust ett dammkorn

speckled ['spekld] *adj* fläckig, spräcklig

specs [speks] *subst pl* vard. (kortform av *spectacle*
2) brillor

spectacle ['spektəkl] *subst* **1** syn, anblick [*a*
charming ~]; *make a ~ of oneself* göra sig
löjlig, göra sig till åtlöje **2** pl. *~s* glasögon
[*a pair of ~s*]

spectacular [spek'tækjʊlə] *adj* effektfull,
praktfull, spektakulär

spectator [spek'teɪtə, amer. 'spekteɪtə] *subst*
åskådare

spectre ['spektə] *subst* spöke, vålnad

speculate ['spekjʊleɪt] *verb* spekulera

speculation [ˌspekjʊ'leɪʃən] *subst*
spekulation

speculator ['spekjʊleɪtə] *subst* spekulant

sped [sped] imperf. o. perf. p. av *speed II*

speech [spiːtʃ] *subst* **1** tal, talförmåga; *~*
bubble (*balloon*) pratbubbla; *~*
impediment talfel; *freedom of ~*
yttrandefrihet **2** tal; *after-dinner ~*
middagstal; *make a ~* el. *deliver* (*give*) *a*
~ hålla tal, hålla ett anförande [*on, about*
om, över] **3** teat. replik

speechless ['spiːtʃləs] *adj* mållös, stum

speech-training ['spiːtʃˌtreɪnɪŋ] *subst*
talträning, talteknik

speed I [spiːd] *subst* **1** fart, hastighet, tempo;
at full ~ el. *at top ~* i (med) full fart, med
full fräs **2** på cykel etc. växel [*a three-speed*
bicycle] **3** sl. tjack amfetamin
II [spiːd] (*sped sped*; i betydelse 2 *speeded*
speeded) *verb* **1** rusa, rusa i väg, ila **2** köra för
fort; *~ up* a) öka farten, öka takten b) sätta
fart på, skynda på

speedboat ['spiːdbəʊt] *subst* snabb
motorbåt, racerbåt

speed bump ['spiːdbʌmp] *subst* o. **speed**
hump ['spiːdhʌmp] *subst* trafik. farthinder,
fartgrupp

speed indicator ['spiːdˌɪndɪkeɪtə] *subst*
hastighetsmätare

speeding ['spiːdɪŋ] *subst* fortkörning

speed limit ['spiːdˌlɪmɪt] *subst* fartgräns,
maximihastighet; hastighetsbegränsning

speedometer [spɪ'dɒmɪtə] *subst*
hastighetsmätare

speedway ['spiːdweɪ] *subst* speedwaybana;
~ racing speedway

speedy ['spiːdɪ] *adj* hastig, snabb, snar [*a ~*
recovery]

1 spell [spel] (*spelt spelt*) *verb* **1** stava, stava
till; bokstavera; *~ out* tyda, förklara klart
och tydligt [*let me ~ out what this means to*
your career] **2** innebära, betyda [*it ~s ruin*]

2 spell [spel] *subst* **1** trollformel
2 förtrollning; *be under the ~ of sb* vara
förtrollad av ngn; vara i ngns våld

3 spell [spel] *subst* **1** skift [*~ of work*],
omgång **2** kort period, tid [*a cold ~*]

spellbound ['spelbaʊnd] *adj* trollbunden

spell-checker ['spelˌtʃekə] *subst* data.
stavningsprogram

speller ['spelə] *subst, I am a bad ~* jag är
dålig på att stava

spelling ['spelɪŋ] *subst* stavning; *~ mistake*
stavfel

spelling-bee ['spelɪŋbiː] *subst* stavningslek,
stavningstävling

spelt [spelt] imperf. o. perf. p. av *1 spell*

spend [spend] (*spent spent*) *verb* **1** ge ut,
lägga ut pengar; göra av med, spendera; *~*
freely strö pengar omkring sig; *~ a penny*
vard. gå på toa **2** använda tid, krafter m.m.;
lägga ned, offra [*on, in* på] **3** tillbringa [*~ a*
whole evening over a job], fördriva

spender ['spendə] *subst* slösare

spending ['spendɪŋ] *subst* utgifter; *~ power*
köpkraft

spendthrift I ['spendθrɪft] *subst* slösare
II ['spendθrɪft] *adj* slösaktig

spent I [spent] imperf. av *spend*
II [spent] *perf p* o. *adj* förbrukad, förbi, slut;
time well ~ väl använd tid

sperm [spɜːm] *subst* **1** sperma, sädesvätska
2 spermie, sädescell

sperm whale ['spɜːmweɪl] *subst* kaskelot

spew [spjuː] *verb* spy, spy upp, spy ut

sphere [sfɪə] *subst* **1** sfär, klot, glob, kula
2 sfär, område; *~ of activity*

verksamhetsområde; ~ *of influence*
intressesfär
spherical ['sferɪkl] *adj* sfärisk, klotrund
sphinx [sfɪŋks] *subst* sfinx
spice I [spaɪs] *subst* krydda, kryddor;
variety is the ~ of life ombyte förnöjer
II [spaɪs] *verb* krydda
spick-and-span [ˌspɪkən'spæn] *adj* snygg
och prydlig
spicy ['spaɪsɪ] *adj* **1** kryddad, aromatisk
2 pikant, mustig {*a ~ story*}
spider ['spaɪdə] *subst* spindel; *spider's web*
spindelväv, spindelnät
spike [spaɪk] *subst* **1** pigg, spets **2** spik,
brodd under sko **3** dubb
spill [spɪl] (*spilt spilt*) *verb* **1** spilla ut, stjälpa
ut **2** utgjuta {*~ blood*}
spilt [spɪlt] *imperf. o. perf. p. av spill*
spin I [spɪn] (*spun spun*) (*spinning*) *verb*
1 spinna **2** ~ *a yarn* vard. dra en historia; ~
out dra ut på {*~ out a discussion*} **3** vard.
vinkling {*put a positive ~ on the news*}
4 snurra runt, snurra med {*~ a top*};
skruva boll; ~ *a coin* singla slant **5** ~ *along*
glida fram, flyta fram, susa fram
II [spɪn] *subst* **1** snurrande; skruv på boll; flyg.
spinn; *flat* ~ flyg. flatspinn; *put ~ on a
ball* skruva en boll; *be in a flat ~* varken
veta ut eller in **2** vard. liten åktur {*go for a ~
in a car*}
spinach ['spɪnɪdʒ, 'spɪnɪtʃ] *subst* spenat
spinal ['spaɪnl] *adj* ryggrads-; ~ *column*
ryggrad; ~ *cord* ryggmärg
spindle ['spɪndl] *subst* **1** textil. spindel, rulle,
spole **2** tekn. spindel, axel, axeltapp
spin doctor ['spɪnˌdɒktə] *subst* vard.
nyhetsfrisör en som tillrättalägger nyheter åt
makthavare
spin-drier ['spɪnˌdraɪə] *subst* centrifug för tvätt
spin-dry [ˌspɪn'draɪ] *verb* centrifugera tvätt
spine [spaɪn] *subst* **1** ryggrad **2** tagg
3 bokrygg
spineless ['spaɪnləs] *adj* ryggradslös, mesig
spin-off ['spɪnɒf] *subst* biprodukt, sidoeffekt
spinster ['spɪnstə] *subst* **1** jur. ogift kvinna
2 gammal fröken; *old ~* gammal fröken,
nucka
spiral I ['spaɪrəl] *adj* spiralformig, spiral- {*~
spring*}; ~ *staircase* spiraltrappa;
spiralling prices stigande priser
II ['spaɪrəl] *subst* spiral
spire ['spaɪə] *subst* tornspira, spira
spirit I ['spɪrɪt] *subst* **1** ande, själ, kraft {*the
leading ~s*}; *evil ~* ond ande; *the Holy
Spirit* den Helige Ande; *the ~ is willing*

but the flesh is weak ordspr. anden är
villig, men köttet är svagt **2** ande, spöke
3 anda, stämning, sinnelag; *that's the ~!*
så ska det låta! **4** pl. ~*s* humör,
sinnesstämning; *good ~s* gott humör; *in
high ~s* på gott humör; *keep up one's ~s*
hålla modet uppe, hålla humöret uppe
5 andemening; *the ~ of the law* lagens
anda **6** pl. ~*s* sprit, spritvaror
II ['spɪrɪt] *verb*, ~ *away* smussla bort, trolla
bort
spirited ['spɪrɪtɪd] *adj* livlig, livfull
spiritual I ['spɪrɪtjʊəl] *adj* andlig, själslig
II ['spɪrɪtjʊəl] *subst* spiritual religiös sång
spiritualism ['spɪrɪtjʊəlɪzəm] *subst*
spiritualism, spiritism
spiritualist ['spɪrɪtjʊəlɪst] *subst* spiritualist,
spiritist
1 spit I [spɪt] *subst* stekspett
II [spɪt] (*-tt-*) *verb* sätta på spett
2 spit I [spɪt] (*spat spat*) (*-tt-*) *verb* **1** spotta
{*~ on the floor*}; ~ *at* el. ~ *on* spotta på (åt)
2 stänka och fräsa i stekpanna **3** vard. stänka,
småregna {*it's spitting*} **4** ~ *out* spotta ut; ~
it out! kläm fram med det! **5** *he's the
spitting image of his dad* han är sin
pappa upp i dagen
II [spɪt] *subst* spott
spite I [spaɪt] *subst* ondska, illvilja; agg; *in ~
of* trots; *in ~ of myself* mot min vilja
II [spaɪt] *verb* jäklas med, reta
spiteful ['spaɪtfʊl] *adj* ondskefull, elak
spittle ['spɪtl] *subst* spott, saliv
splash I [splæʃ] *verb* **1** stänka ned {*~ with
mud*}; stänka, skvätta {*~ paint all over one's
clothes*}; skvätta ut **2** plaska, skvalpa **3** ~
one's money about vard. strö pengar
omkring sig
II [splæʃ] *subst* **1** plaskande, skvalpande,
plask, skvalp; *make a ~* vard. väcka
uppseende **2** skvätt, stänk **3** färgstänk; ~
of colour upplivande detalj färgklick
III [splæʃ] *interj* o. *adv* plask!; pladask, plums
splendid ['splendɪd] *adj* **1** praktfull, härlig,
präktig **2** vard. finfin, utmärkt
splendour ['splendə] *subst* glans, prakt, ståt
splice [splaɪs] *verb* splitsa rep; skarva ihop
film, band m.m.
splint [splɪnt] *subst* med. spjäla, skena
splinter ['splɪntə] *subst* **1** flisa, skärva {*~ of
glass*}, splitter **2** sticka
splinterproof ['splɪntəpruːf] *adj* splitterfri
split I [splɪt] (*split split*) (*splitting*) *verb*
1 splittra, klyva, spränga; ~ *hairs* ägna sig
åt hårklyverier **2** splittras, klyvas {*into i*};

my head is splitting det sprängvärker i huvudet på mig; ~ *up* a) klyva sig, dela sig; *splitting the vote* orsaka splittring bland väljarna b) vard. skiljas, separera 3 dela [*with* med], vard. dela på bytet, dela på vinsten; dela upp, dela på; ~ *on* vard. tjalla på ngn
II [splɪt] *subst* 1 splittring, spricka 2 *do the* ~*s* gå ned i spagat
split-second [ˌsplɪt'sekənd] *adj* på sekunden [~ *timing*]
split second [ˌsplɪt'sekənd] *subst* bråkdel av en sekund
splitting ['splɪtɪŋ] *adj*, *a* ~ *headache* en sprängande huvudvärk
splutter ['splʌtə] *verb* 1 snubbla på orden 2 spotta och fräsa
spoil I [spɔɪl] *subst* pl. ~*s* rov, byte [*share the* ~*s*]
II [spɔɪl] (*spoilt spoilt* el. *spoiled spoiled*) *verb* 1 förstöra, fördärva 2 skämma bort [~ *a child*]
spoilsport ['spɔɪlspɔːt] *subst* vard. glädjedödare
spoilt [spɔɪlt] *imperf.* o. *perf.* p. av *spoil II*
1 **spoke** [spəʊk] *imperf.* av *speak*
2 **spoke** [spəʊk] *subst* eker i hjul; *put a* ~ *in sb's wheel* sätta en käpp i hjulet för ngn
spoken I ['spəʊkən] *perf.* p. av *speak*
II ['spəʊkən] *adj* talad, muntlig; ~ *English* engelskt talspråk
spokesman ['spəʊksmən] (pl. *spokesmen* ['spəʊksmən]) *subst* talesman [*of*, *for* för]
sponge I [spʌndʒ] *subst* tvättsvamp
II [spʌndʒ] *verb* 1 vard. snylta [*on sb* på ngn] 2 ~ el. ~ *down* el. ~ *over* tvätta (torka) av med svamp; ~ *up* suga upp med svamp
sponge bag ['spʌndʒbæg] *subst* necessär
sponge cake ['spʌndʒkeɪk] *subst* lätt sockerkaka
sponger ['spʌndʒə] *subst* vard. snyltgäst
spongy ['spʌndʒɪ] *adj* svampig, svampaktig
sponsor I ['spɒnsə] *subst* 1 sponsor, garant 2 fadder vid dop 3 radio. el. tv. sponsor, annonsör
II ['spɒnsə] *verb* sponsra, vara sponsor för; stå bakom
spontaneity [ˌspɒntə'niːətɪ] *subst* spontanitet
spontaneous [spɒn'teɪnjəs] *adj* spontan
spook [spuːk] *subst* vard. spöke
spooky ['spuːkɪ] *adj* vard. spöklik, kuslig
spool I [spuːl] *subst* spole, rulle
II [spuːl] *verb* spola
spoon [spuːn] *subst* sked, skopa

spoonfed ['spuːnfed] *imperf.* o. *perf.* p. av *spoonfeed*
spoonfeed ['spuːnfiːd] (*spoonfed spoonfed*) *verb* 1 mata med sked 2 servera allt på fat, mata som småbarn [~ *the students*]
spoonful ['spuːnfʊl] *subst* sked mått, *a* ~ *of* en sked, en sked med
sporadic [spə'rædɪk] *adj* sporadisk, spridd
sport I [spɔːt] *subst* 1 sport, idrott, idrottsgren; pl. ~*s* a) koll. sport; idrott b) idrottstävling, idrottstävlingar [*school* ~*s*]; *athletic* ~*s* friidrott; ~*s car* sportbil; ~*s ground* idrottsplats; ~*s jacket* blazer, kavaj; sportjacka
II [spɔːt] *verb* vard. ståta med, skylta med [~ *a rose in one's buttonhole*]
sporting ['spɔːtɪŋ] *adj* 1 sportig 2 sport-, idrotts- [*a* ~ *event*] 3 sportslig
sportsman ['spɔːtsmən] (pl. *sportsmen* ['spɔːtsmən]) *subst* 1 idrottsman 2 jägare, fiskare
sportsmanlike ['spɔːtsmənlaɪk] *adj* sportsmannamässig
sportsmanship ['spɔːtsmənʃɪp] *subst* sportsmannaanda, renhårighet
sportswear ['spɔːtsweə] *subst* sportkläder
sporty ['spɔːtɪ] *adj* vard. sportig, hurtig
spot I [spɒt] *subst* 1 fläck; ~ *remover* fläckurtagningsmedel 2 prick på tärning, kort m.m. 3 finne, blemma 4 plats, ställe [*a lovely* ~]; punkt; *tender* ~ öm punkt; ~ *fine* ungefär ordningsbot; *be in a tight* ~ vard. vara i knipa; *have a soft* ~ *for* vara svag för; *on the* ~ på platsen, på ort och ställe; på stället, på fläcken [*act on the* ~] 5 droppe, stänk [~*s of rain*]; *a* ~ *of bother* lite trassel; *a* ~ *of lunch* lite lunch 6 ~ *cash* kontant betalning vid leverans
II [spɒt] (-*tt*-) *verb* 1 *the floor was spotted with paint* det var fullt med fläckar på golvet 2 få syn på, känna igen, upptäcka; ~ *talent* upptäcka begåvning; ~ *the winner* tippa vem som vinner
spot-check ['spɒtʃek] *subst* stickprov, flygande kontroll
spotless ['spɒtləs] *adj* fläckfri, skinande ren
spotlight ['spɒtlaɪt] *subst* 1 spotlight, strålkastare 2 strålkastarljus, sökarljus; *be in the* ~ stå i rampljuset
spot-on [ˌspɒt'ɒn] *adj* vard. på pricken, exakt
spotted ['spɒtɪd] *adj* fläckig, prickig, fläckad
spotty ['spɒtɪ] *adj* 1 fläckig, prickig 2 finnig
spouse [spaʊs, spaʊz] *subst* jur. äkta make, äkta maka

spout I [spaʊt] *verb* spruta, spruta ut
 II [spaʊt] *subst* pip [*the ~ of a teapot*]
sprain I [spreɪn] *verb* vricka, stuka [*~ one's ankle*]
 II [spreɪn] *subst* vrickning, stukning
sprang [spræŋ] imperf. av *1 spring I*
sprat [spræt] *subst* skarpsill; *canned ~s* el.
 tinned ~s ansjovis i burk
sprawl [sprɔːl] *verb* **1** sträcka (breda) ut sig,
 vräka sig; *be sent sprawling* vräkas
 omkull **2** breda ut sig, sprida ut sig; om
 handstil m.m. spreta åt alla håll **3** spreta med
 [*~ one's legs*]
sprawling ['sprɔːlɪŋ] *adj* **1** ojämn, spretig [*a
 ~ hand*] **2** utspridd [*~ suburbs*]
1 spray I [spreɪ] *subst* **1** stänk [*the ~ of a
 waterfall*]; yrande skum [*sea ~*], stråle,
 dusch **2** sprej, sprejflaska
 II [spreɪ] *verb* spreja; bespruta, spruta [*sb
 with sth* ngt på ngn]
2 spray [spreɪ] *subst* blomklase; liten bukett
spread I [spred] (*spread spread*) *verb* **1** breda
 ut, sprida ut, sträcka ut; spänna ut [*the bird
 ~ its wings*]; sträcka ut **2** stryka, breda [*on
 på*]; täcka [*with med*] **3** sprida [*~ disease;
 ~ knowledge*] **4** ~ el. ~ *out* breda ut sig,
 sprida sig; sträcka sig [*a desert spreading for
 hundreds of miles*] **5** vara lätt att breda på
 [*butter ~s easily*]
 II [spred] *subst* **1** utbredning, spridning
 2 utsträckning, vidd, omfång [*the ~ of an
 arch*] **3** vard. kalas *4 middle-aged* ~ vard.
 gubbfläsk, gumfläsk **5** bredbart pålägg
 [*cheese ~; chocolate ~*]
spreadeagle [ˌspred'iːgl] *verb* sträcka ut
spree [spriː] *subst* vard. **1** fest, festande; *go
 on the ~* el. *go out on the ~* gå ut och festa
 2 *go on a buying ~* gripas av köpraseri
sprig [sprɪg] *subst* kvist [*a ~ of parsley*]
sprightly ['spraɪtlɪ] *adj* livlig, pigg, glad
1 spring I [sprɪŋ] (*sprang sprung*) *verb*
 1 hoppa [*~ out of bed; ~ over a gate*], rusa
 [*at sb på* ngn], fara, flyga [*~ up from one's
 chair*]; *the doors sprang open* dörrarna
 flög upp; ~ *to one's feet* rusa upp **2** rinna,
 spruta; *tears sprang to her eyes* hennes
 ögon fylldes av tårar **3** ~ el. ~ *up* a) om växter
 spira, skjuta upp b) dyka upp; *industries
 sprang up in the suburbs* industrier
 växte snabbt upp i förorterna **4** spränga [*~
 a mine*], utlösa; ~ *a trap* få en fälla att slå
 igen [*upon om*] **5** ~ *sth on sb* överraska
 ngn med ngt
 II [sprɪŋ] *subst* **1** språng, hopp **2** källa [*hot
 ~*]; *medicinal ~* hälsobrunn **3** fjäder [*the

~ *of a watch*]; resår; pl. ~*s* fjädring; ~
 mattress resårmadrass
2 spring [sprɪŋ] *subst* vår; se *summer* för ex.
spring balance [ˌsprɪŋ'bæləns] *subst*
 fjädervåg
springboard ['sprɪŋbɔːd] *subst*
 1 språngbräda **2** trampolin, svikt
spring-clean ['sprɪŋkliːn] *verb* vårstäda,
 storstäda
spring-cleaning ['sprɪŋˌkliːnɪŋ] *subst*
 vårstädning, storstädning
spring roll [ˌsprɪŋ'rəʊl] *subst* kok. vårrulle
springtime ['sprɪŋtaɪm] *subst* vår
springy ['sprɪŋɪ] *adj* fjädrande, spänstig
sprinkle I ['sprɪŋkl] *verb* **1** strö; ~ *a cake
 with sugar* strö socker på en kaka
 2 stänka, bestänka [*~ water on the flowers*]
 II ['sprɪŋkl] *subst* stänk [*a ~ of rain*]
sprinkler ['sprɪŋklə] *subst* **1** vattenspridare;
 sprinkler; stril **2** stänkflaska **3** vattenvagn
sprinkling ['sprɪŋklɪŋ] *subst, a ~ of* a) ett
 inslag av b) en gnutta
sprint I [sprɪnt] *verb* sport. sprinta, spurta
 II [sprɪnt] *subst* sport. **1** sprinterlopp **2** spurt,
 slutspurt
sprinter ['sprɪntə] *subst* sport. sprinterlöpare
sprite [spraɪt] *subst* fe; älva; tomte
sprout I [spraʊt] *verb* **1** gro, spira, skjuta
 skott **2** anlägga, lägga sig till med
 II [spraʊt] *subst* skott, grodd
1 spruce [spruːs] *adj* prydlig, fin, nätt
2 spruce [spruːs] *subst* träd gran
sprung I [sprʌŋ] perf. p. av *1 spring I*
 II [sprʌŋ] *adj*, ~ *bed* resårsäng
spry [spraɪ] *adj* rask, hurtig, pigg
spun I [spʌn] imperf. o. perf. p. av *spin I*
 II [spʌn] *adj* spunnen; ~ *glass* glasfibrer
spunk [spʌŋk] *subst* **1** vard. mod; fart, liv [*he
 has no ~*] **2** vulg. sats sädesvätska
spunky ['spʌŋkɪ] *adj* modig; klämmig
spur I [spɜː] *subst* sporre, eggelse; *on the ~
 of the moment* utan närmare eftertanke,
 spontant
 II [spɜː] (-*rr*-) *verb*, ~ *on* sporra, egga [*into,
 to* till], driva på
spurn [spɜːn] *verb* försmå, förakta
1 spurt I [spɜːt] *verb* spurta
 II [spɜːt] *subst* spurt
2 spurt I [spɜːt] *verb* spruta, spruta ut
 II [spɜːt] *subst* stråle
sputter I ['spʌtə] *verb* spotta när man talar; ~
 out fräsa till och slockna [*the candle
 sputtered out*]
 II ['spʌtə] *subst* spottande, sprättande,
 fräsande

spy I [spaɪ] *verb* spionera [*on* på]

II [spaɪ] *subst* spion

spy ring ['spaɪrɪŋ] *subst* spionliga

sq. ft. förk. för *square foot, square feet*

sq. in. förk. för *square inch, square inches*

sq. m. förk. för *square metre* (*metres*), *square mile* (*miles*)

squabble I ['skwɒbl] *subst* käbbel

II ['skwɒbl] *verb* käbbla

squad [skwɒd] *subst* **1** mil. grupp **2** trupp, skara, patrull; *fraud* ~ bedrägerirotel; ~ *car* polisbil **3** sport. trupp

squadron ['skwɒdrən] *subst* **1** mil. skvadron inom kavalleriet; eskader inom flottan; division inom flyget; ~ *leader* major vid flyget

squalid ['skwɒlɪd] *adj* snuskig, eländig

squall [skwɔːl] *subst* stormby

squalor ['skwɒlə] *subst* snusk, elände

squander ['skwɒndə] *verb* slösa bort, ödsla bort

square I [skweə] *subst* **1** fyrkant, ruta, kvadrat; *we are back to* ~ *one* vi är tillbaka på ruta ett **2** torg; fyrkantig öppen plats; *barrack* ~ mil. kaserngård

II [skweə] *adj* **1** fyrkantig; *a room four metres* ~ ett rum som mäter fyra meter i kvadrat; ~ *dance* kontradans av 4 par; ~ *foot* kvadratfot; ~ *root* kvadratrot **2** reglerad, balanserad [*get one's accounts* ~] **3** jämn, kvitt; *get* ~ *with* vard. göra upp med [*get* ~ *with one's creditors*] **4** renhårig, ärlig; *get a* ~ *deal* bli rättvist behandlad **5** ~ *meal* stadig måltid

III [skweə] *verb* **1** ruta; *squared paper* rutigt papper **2** mat. upphöja i kvadrat [~ *a number*] **3** göra upp, betala; ~ el. ~ *up* [*it's time I squared up with you*] **4** passa ihop, stämma överens [*with* med]

1 squash I [skwɒʃ] *verb* krama sönder, klämma sönder, krossa, platta till [*sit on a hat and* ~ *it*]; ~ *one's finger in a door* klämma fingret i en dörr

II [skwɒʃ] *subst* **1** squash dryck [*lemon* ~] **2** sport. squash

2 squash [skwɒʃ] *subst* squash slags pumpa

squat I [skwɒt] (*-tt-*) *verb* **1** sitta på huk, huka sig, huka sig ned **2** ockupera ett hus som står tomt

II [skwɒt] *adj* kort och tjock, satt

squatter ['skwɒtə] *subst* husockupant

squatting ['skwɒtɪŋ] *subst* husockupation

squawk I [skwɔːk] *verb* spec. om fåglar skria

II [skwɔːk] *subst* skri, gällt skrik

squeak I [skwiːk] *verb* **1** pipa om t.ex. råttor; skrika gällt; gnissla, gnälla om t.ex. gångjärn;

knarra om t.ex. skor

II [skwiːk] *subst* **1** pip; gällt skrik; gnissel, gnisslande, gnäll, knarr **2** vard., *it was a narrow* ~ det var nära ögat

squeaky ['skwiːkɪ] *adj* **1** pipig; gnisslig; knarrig **2** ~ *clean* a) skinande blank b) oantastlig, med fläckfritt rykte

squeal I [skwiːl] *verb* **1** skrika gällt o. utdraget; skria; *squealing brakes* gnisslande (skrikande) bromsar **2** sl. tjalla

II [skwiːl] *subst* skrik, skri; gnissel

squeamish ['skwiːmɪʃ] *adj* **1** överkänslig, pryd **2** kräsen, kinkig

squeeze I [skwiːz] *verb* **1** krama, klämma, klämma på, pressa; ~ *one's finger* klämma sig i fingret; ~ *sb's hand* trycka ngns hand hårt **2** klämma, pressa in, pressa ned [~ *things into a box*]; *he squeezed in between us* han klämde sig in mellan oss

II [skwiːz] *subst* **1** kram, kramning, tryck, press; hopklämning; *it was a tight* ~ a) vard. det var väldigt trångt b) det var nära ögat **2** ekon. åtstramning [*credit* ~]

squeezer ['skwiːzə] *subst* fruktpress

squelch I [skweltʃ] *verb* klafsa, slafsa

II [skweltʃ] *subst* klafs, smask

squidgy ['skwɪdʒɪ] *adj* vard. kladdig, geggig

squint I [skwɪnt] *subst* **1** vindögdhet; *have a* ~ vara vindögd **2** vard., *have a* ~ *at* ta en titt på

II [skwɪnt] *verb* **1** vara vindögd **2** vard. skela, snegla [*at* på]

squint-eyed ['skwɪntaɪd] *adj* vindögd

squire ['skwaɪə] *subst* **1** godsägare **2** vard., ~*!* herrn! utan motsvarighet i svenskan

squirm I [skwɜːm] *verb* **1** vrida sig, skruva på sig **2** våndas, pinas

II [skwɜːm] *subst* skruvande

squirrel ['skwɪrəl] *subst* ekorre

squirt I [skwɜːt] *verb* spruta ut med tunn stråle

II [skwɜːt] *subst* tunn stråle [~ *of water*]

sq. yd. förk. för *square yard*

Sr. o. sr. (förk. för *senior*) sr, s:r

Sri Lanka [ˌsrɪ'læŋkə]

SS o. S/S förk. för *steamship*

1 St. [snt] (förk. för *saint*) S:t, S:ta

2 St. förk. för *street*

stab I [stæb] (*-bb-*) *verb* **1** sticka ned, genomborra **2** sticka, köra [~ *a weapon into*]; ~ *sb in the back* angripa lömskt falla ngn i ryggen

II [stæb] *subst* **1** stick, sting; *a* ~ *in the back* lömskt angrepp en dolkstöt i ryggen **2** plötslig smärta; sting [*a* ~ *of pain*]

stability [stə'bɪlətɪ] *subst* stabilitet, stadga

stabilization [ˌsteɪbɪlaɪˈzeɪʃən] *subst*
stabilisering
stabilize [ˈsteɪbəlaɪz] *verb* stabilisera
stabilizer [ˈsteɪbəlaɪzə] *subst* flyg. el. sjö.
stabilisator
1 stable [ˈsteɪbl] *adj* stabil, stadig, fast
2 stable [ˈsteɪbl] *subst* **1** stall; pl. ~s stall,
stallbyggnad **2** stall grupp racerförare med
gemensam manager el. uppsättning hästar
staccato I [stəˈkɑːtəʊ] *adv* **1** musik. stackato
2 stackato, stötvis
II [stəˈkɑːtəʊ] (pl. ~s) *subst* musik. stackato
stack I [stæk] *subst* **1** stack av t.ex. hö **2** trave
[*a ~ of books*], stapel [*a ~ of boards*], hög [*a
~ of papers*] **3** skorstensgrupp av
sammanbyggda pipor; skorsten på ångbåt, ånglok
m.m.
II [stæk] *verb*, ~ el. ~ *up* stapla, stapla upp,
trava
stadium [ˈsteɪdjəm] *subst* stadion,
idrottsarena
staff I [stɑːf] *subst* **1** stav; *the ~ of life*
brödet **2** flaggstång **3** personal [*office ~*],
stab; ~ *room* lärarrum, personalrum;
teaching ~ lärarkår, lärarpersonal;
temporary ~ extrapersonal **4** mil. stab
II [stɑːf] *verb* skaffa (anställa) personal till,
bemanna
stag [stæg] *subst* kronhjort hanne
stage I [steɪdʒ] *subst* **1** teat. scen, skådeplats;
~ *direction* scenanvisning; ~
management regi; *the French* ~ den
franska teatern **2** stadium, skede [*at an
early ~*]; *rocket* ~ raketsteg **3** etapp; *by
easy ~s* i korta etapper, i små portioner
II [steɪdʒ] *verb* **1** sätta upp, iscensätta [~ *a
play*]; uppföra **2** arrangera, organisera; ~ *a
comeback* göra comeback
stagecoach [ˈsteɪdʒkəʊtʃ] *subst* diligens
stage designer [ˈsteɪdʒdɪˌzaɪnə] *subst*
scenograf; teat. scendekoratör
stage direction [ˈsteɪdʒdɪˌrekʃən] *subst*
scenanvisning
stage effect [ˈsteɪdʒɪˌfekt] *subst* teatereffekt
stage fright [ˈsteɪdʒfraɪt] *subst* rampfeber
stage hand [ˈsteɪdʒhænd] *subst* scenarbetare
stage manager [ˈsteɪdʒˌmænɪdʒə] *subst*
inspicient, regiassistent; tv. studioman
stage-struck [ˈsteɪdʒstrʌk] *adj* teaterbiten
stage whisper [ˌsteɪdʒˈwɪspə] *subst*
teaterviskning
stagger I [ˈstægə] *verb* **1** vackla, ragla,
stappla **2** få att vackla, förbluffa, skaka
3 sprida [~ *lunch hours*]

II [ˈstægə] *subst* vacklande, ragling,
stapplande; vacklande gång
staggering [ˈstægərɪŋ] *adj* **1** vacklande,
raglande **2** ~ *blow* dråpslag
3 häpnadsväckande
stagnant [ˈstægnənt] *adj* **1** stillastående [~
water] **2** stagnerande; *become* ~ stagnera
stagnate [stægˈneɪt] *verb* stagnera, stå stilla
stagnation [stægˈneɪʃən] *subst* stagnation,
stillastående
stag party [ˈstæɡˌpɑːtɪ] *subst* o. **stag night**
[ˈstægnaɪt] *subst* vard. svensexa
staid [steɪd] *adj* stadgad och gammalmodig
[*a ~ old bachelor*]
stain I [steɪn] *verb* **1** fläcka, fläcka ned;
befläcka [~ *one's reputation*] **2** färga [~
cloth]; betsa [~ *wood*]; *stained glass*
målat glas ofta med inbrända färger **3** få fläckar
II [steɪn] *subst* **1** fläck; ~ *remover*
fläckurtagningsmedel **2** färgämne; bets
stained-glass [ˈsteɪndglɑːs] *adj*, ~ *window*
fönster med målat glas ofta med inbrända färger
stainless [ˈsteɪnləs] *adj* **1** fläckfri,
obefläckad [*a ~ reputation*] **2** rostfri [~
steel]
stair [steə] *subst* **1** trappsteg **2** vanligen ~s
trappa spec. inomhus [*winding ~s*],
trappuppgång; *a flight of ~s* en trappa
staircase [ˈsteəkeɪs] *subst* trappa,
trappuppgång; *spiral* ~ spiraltrappa
stairhead [ˈsteəhed] *subst* översta
trappavsats
stake I [steɪk] *subst* **1** stake **2** hist., *be burnt
at the* ~ brännas på bål **3** ~ pl. ~s insats vid
t.ex. vad; *my honour is at* ~ min heder står
på spel; *play for high ~s* spela högt **4** del,
andel [*have a ~ in an undertaking*]
II [steɪk] *verb* **1** ~ *out* staka ut [~ *out an
area*]; ~ *out a claim* resa anspråk **2** sätta
på spel, riskera [~ *one's future*], satsa
stale [steɪl] *adj* **1** gammal [~ *bread*], unken
[~ *air*], avslagen, fadd **2** förlegad, gammal
[~ *news*], sliten [~ *jokes*] **3** övertränad,
speltrött
stalemate I [ˈsteɪlmeɪt] *subst* **1** schack.
pattställning **2** dödläge
II [ˈsteɪlmeɪt] *verb* **1** schack. göra patt
2 stoppa; få att gå i baklås
1 stalk [stɔːk] *subst* bot. stjälk, stängel, skaft
2 stalk [stɔːk] *verb* **1** skrida, skrida fram; ~
out ilsket marchera ut **2** smyga sig; sprida
sig långsamt [*famine stalked through the
country*] **3** smyga sig på [~ *an enemy*];
sprida sig långsamt genom
stalker [ˈstɔːkə] *subst* person som

trakasserar och förföljer en annan
människa, stalker

stalking ['stɔːkɪŋ] *subst* förföljelse och
trakassering av en annan människa

1 stall [stɔːl] *verb* **1** vard. slingra sig, komma
med undanflykter; maska **2** bil. tjuvstanna

2 stall [stɔːl] *subst* **1** spilta, bås **2** stånd;
bord, disk för varor **3** teat. parkettplats;
orchestra ~s främre parkett; *in the ~s* på
parkett **4** kyrkl. korstol **5** fingertuta **6** motor.
tjuvstopp

stallion ['stæljən] *subst* hingst

stalwart I ['stɔːlwət] *adj* ståndaktig, trogen
II ['stɔːlwət] *subst* spec. polit. trogen
anhängare

stamen ['steɪmen] *subst* bot. ståndare

stamina ['stæmɪnə] *subst* uthållighet

stammer I ['stæmə] *verb* stamma; ~ el. ~ *out*
stamma fram
II ['stæmə] *subst* stamning

stamp I [stæmp] *verb* **1** stampa [~ *on the
floor*]; trampa, klampa **2** stampa med [~
one's foot] **3** ~ *out* a) trampa ut [~ *out a
fire*] b) utrota [~ *out a disease*] c) krossa, slå
ned [~ *out a rebellion*] **4** stämpla [~ *sb as a
liar*], trycka [~ *patterns on cloth*]
5 frankera, sätta frimärke på [~ *a letter*]
6 prägla, inprägla; ~ *on one's memory*
inpränta i ngn
II [stæmp] *subst* **1** stampande, stamp
2 stämpel **3** frimärke; *book of ~s*
frimärkshäfte **4** slag, sort, kaliber [*men of
his ~*]

stamp-collector ['stæmpkə,lektə] *subst*
frimärkssamlare

stamp duty ['stæmp,djuːtɪ] *subst*
stämpelavgift

stampede I [stæm'piːd] *subst* vild flykt,
panik
II [stæm'piːd] *verb* **1** råka i vild flykt, fly i
panik **2** störta, rusa **3** hetsa [~ *sb into sth*]

stamping-ground ['stæmpɪŋgraʊnd] *subst*
vard. tillhåll, ställe [*my favourite ~*]

stamp pad ['stæmppæd] *subst* stämpeldyna

stance [stæns, stɑːns] *subst* **1** stance,
slagställning i golf m.m. **2** ekon. ställning
3 inställning, attityd

stand I [stænd] (*stood stood*) *verb* **1** stå; ~ *to
lose* riskera att förlora; ~ *to win* el. ~ *to
gain* ha utsikt att kunna vinna; *as it now
~s, the text is ambiguous* som texten
nu lyder är den tvetydig; *I want to know
where I* ~ jag vill ha klart besked; *she
doesn't ~ a chance* hon har ingen chans

2 stå upp [*we stood, to see better*] **3** ligga,
vara belägen **4** stå kvar, stå fast, stå [*let the
words ~*] **5** stå sig, fortfarande gälla **6** stå,
förhålla sig; *as matters now ~* som saken
nu förhåller sig **7** mäta, vara [*he ~s six feet
in his socks*] **8** ställa, ställa upp, resa, resa
upp [*~ a ladder against a wall*] **9** tåla, stå ut
med [*I can't ~ her*] **10** bjuda på; ~ *sb to
dinner* bjuda ngn på middag
II [stænd] (*stood stood*) *verb* med adv. o. prep.
stand at uppgå till [*the number ~s at 50*]
stand back 1 dra sig bakåt, stiga tillbaka
2 *the house ~s back from the road*
huset ligger en bit från vägen
stand by 1 stå bredvid, bara stå och se på
2 hålla sig i närheten, stå redo; ~ *by for
further news* avvakta ytterligare nyheter
3 bistå [*~ by one's friends*], stödja **4** stå fast
vid [*~ by one's promise*]
stand for 1 stå för, betyda [*what do these
initials ~ for?*] **2** kämpa för [*~ for liberty*]
3 kandidera för, ställa upp som kandidat
till **4** vard. finna sig i [*I won't ~ for that*]
stand in: ~ *in for* hoppa in för, vikariera
för
stand on hålla på [*~ on one's dignity; ~ on
one's rights*]
stand out 1 stå ut, skjuta fram; framträda,
avteckna sig; *it ~s out a mile* det syns
(märks) lång väg **2** vara framstående,
utmärka sig; ~ *out in a crowd* skilja sig
från mängden **3** ~ *out for* hålla fast vid [*~
out for a demand*]; hålla på [*~ out for one's
rights*]; kräva, yrka på [*~ out for more pay*]
stand up 1 stiga upp, stå upp **2** ~ *up for*
försvara, hålla på [*~ up for one's rights*], ta
parti för; ~ *up for yourself!* stå 'på dig!
3 ~ *up to* trotsa, sätta sig upp mot
stand with ligga till hos [*how do you ~ with
the boss?*]
III [stænd] *subst* **1** motstånd, försök till
motstånd [*his last ~*]; *make a ~* hålla
stånd, kämpa **2** ställning; *take a ~* ta
ställning [*on i*] **3** stånd, kiosk,
åskådarläktare **4** amer. vittnesbås; *take the
~* avlägga vittnesmål

standard I ['stændəd] *subst* **1** standardmått,
standard, norm, måttstock, nivå; ~ *of
living* levnadsstandard; *below the ~*
under det normala, undermålig; *come up
to ~* el. *be up to ~* hålla måttet **2** standar
[*the royal ~*], fana **3** ~ *lamp* golvlampa
II ['stændəd] *adj* standard-, normal- [~
time; ~ weights], normal; *Standard
English* engelskt riksspråk

standard-bearer ['stændəd,beərə] *subst* fanbärare, banerförare

standardization [,stændədaɪ'zeɪʃən] *subst* standardisering, normalisering

standardize ['stændədaɪz] *verb* standardisera, normalisera

standby ['stændbaɪ] *subst* **1** reserv, ersättare **2** gammal favorit, säkert kort, stöd **3** *on* ~ i beredskap

stand-in ['stændɪn] *subst* stand-in, ersättare, vikarie

standing I ['stændɪŋ] *adj* **1** stående, upprättstående; stillastående **2** stående {*a* ~ *army*; *a* ~ *joke*} **II** ['stændɪŋ] *subst* **1** stående; ~ *room* ståplats, ståplatser **2** ställning, status, anseende; *a man of high* ~ en mycket ansedd man **3** *of long* ~ av gammalt datum, långvarig

stand-offish [,stænd'ɒfɪʃ] *adj* om person reserverad

standpoint ['stændpɔɪnt] *subst* ståndpunkt

standstill ['stændstɪl] *subst* stillastående, stopp; *be at a* ~ stå stilla; *bring to a* ~ stanna, få att stanna; *come to a* ~ stanna, stanna av

stank [stæŋk] *imperf.* av *stink I*

stanza ['stænzə] *subst* strof i dikt

1 staple I ['steɪpl] *subst* häftklammer **II** ['steɪpl] *verb* häfta, häfta samman

2 staple ['steɪpl] *adj* huvudsaklig {~ *food*}; ~ *commodity* stapelvara

stapler ['steɪplə] *subst* häftapparat

---

star

Den amerikanska flaggan kallas *the Stars and Stripes*, Stjärnbaneret. Den har 50 vita stjärnor som representerar de femtio delstaterna och sju röda och sex vita ränder som representerar de 13 ursprungliga staterna.

---

star I [stɑː] *subst* **1** stjärna; *the Stars and Stripes* stjärnbaneret USA:s flagga; *one's lucky* ~*s that* tacka sin lyckliga stjärna att **2** film., sport. m.m. stjärna; ~ *turn* huvudnummer, paradnummer **3** ~ *sign* astrol. stjärntecken **II** [stɑː] (*-rr-*) *verb* teat. el. film. presentera i huvudrollen, spela huvudrollen; *a film starring*... en film med... i huvudrollen

starboard ['stɑːbəd] *subst* sjö. styrbord

starch [stɑːtʃ] *subst* stärkelse

starched [stɑːtʃt] *adj* stärkt med stärkelse

starchy ['stɑːtʃɪ] *adj* stärkelsehaltig {~ *food*}

stare I [steə] *verb* stirra, stirra på **II** [steə] *subst* stirrande blick, stirrande

starfish ['stɑːfɪʃ] *subst* sjöstjärna

stark [stɑːk] *adv*, ~ *naked* spritt naken

starkers ['stɑːkəz] *adj* vard. näck

starlight ['stɑːlaɪt] *subst* stjärnljus; *by* ~ i stjärnljus

starling ['stɑːlɪŋ] *subst* stare

star-spangled ['stɑː,spæŋgld] *adj, the Star-Spangled Banner* stjärnbaneret USA:s flagga

start I [stɑːt] *verb* **1** börja, starta; *to* ~ *with* a) för det första b) till att börja med; *starting May 1st*... med början den 1 maj... **2** starta, ge sig i väg, sätta igång; *let's get started!* nu sätter vi igång!; *I can't get the engine started* jag kan inte få igång (starta) motorn **3** rycka till, haja till **4** *the tears started to her eyes* hon fick tårar i ögonen; ~ *a fire* tända en eld; ~ *sb in life* hjälpa fram ngn; *his uncle started him in business* hans farbror hjälpte honom att etablera sig **II** [stɑːt] *subst* **1** början, start; avfärd; *make a fresh* ~ börja om från början; *for a* ~ vard. för det första **2** försprång {*a few metres'* ~} **3** startplats, start **4** *give a* ~ rycka till, haja till; *by fits and* ~*s* ryckvis, stötvis

starter ['stɑːtə] *subst* **1** sport. starter start-ledare; *a* ~ en av de startande **2** bil. startkontakt, startknapp **3** *as a* ~ el. *for* ~*s* vard. som en början; *have oysters as a* ~ el. *have oysters for* ~*s* ha ostron som förrätt

starting ['stɑːtɪŋ] *adj* **1** startande **2** begynnelse-; ~ *pay* begynnelselön; utgångs- {~ *position*}

starting-block ['stɑːtɪŋblɒk] *subst* sport. startblock

starting-line ['stɑːtɪŋlaɪn] *subst* sport. startlinje

starting-point ['stɑːtɪŋpɔɪnt] *subst* utgångspunkt

starting-post ['stɑːtɪŋpəʊst] *subst* i kapplöpning startstolpe; startlinje

startle ['stɑːtl] *verb* **1** få att hoppa till, skrämma; *be startled* bli förskräckt {*by* över} **2** skrämma upp {~ *a deer*}

startling ['stɑːtlɪŋ] *adj* häpnadsväckande, alarmerande {~ *news*}

starvation [stɑː'veɪʃən] *subst* svält

starve [stɑːv] *verb* **1** svälta, hungra; ~ *to*

death svälta ihjäl; ***I'm simply starving***
vard. jag håller på att svälta ihjäl, jag är
döhungrig (utsvulten); ~ ***for*** hungra efter
2 låta svälta; ~ ***sb to death*** låta ngn svälta
ihjäl

starved [staːvd] *adj* utsvulten; ~ ***to death***
ihjälsvulten; ***be*** ~ ***of*** vara svältfödd på

starving ['staːvɪŋ] *adj* svältande, utsvulten;
I'm starving! jag är jättehungrig!

state
USA består av 50 delstater och *the
District of Columbia*. Varje delstat
fattar egna beslut när det gäller
skola, dödsstraff m.m.

state I [steɪt] *subst* **1** tillstånd, skick [*in a
bad* ~]; situation; ~ ***of alarm***
a) larmberedskap b) oro, ängslan; ~ ***of
health*** hälsotillstånd; ~ ***of mind***
sinnestillstånd; ~ ***of readiness***
stridsberedskap; ***the*** ~ ***of things*** el. ***the*** ~
of affairs förhållandena; ***what a*** ~ ***you
are in!*** vard. vad du ser ut!; ***get into a*** ~
vard. hetsa upp sig **2** stat, delstat; ***the State***
Staten; ***the States*** Staterna Förenta staterna;
the welfare ~ välfärdssamhället; ***the
State Department*** i USA
utrikesdepartementet; ~ ***visit*** statsbesök
3 stånd, ställning; ***married*** ~ gift stånd
II [steɪt] *verb* **1** uppge, påstå, framlägga,
framföra [~ *one's opinion*] **2** konstatera

stated ['steɪtɪd] *perf p* o. *adj* påstådd, angiven

stately ['steɪtlɪ] *adj* ståtlig, storslagen

statement ['steɪtmənt] *subst* **1** uttalande; *a*
~ *to the Press* ett pressmeddelande;
make a ~ göra ett uttalande **2** påstående
3 rapport, redovisning

statesman ['steɪtsmən] *subst* statsman

statesmanship ['steɪtsmənʃɪp] *subst*
statskonst, statsmannaskicklighet

static ['stætɪk] *adj* statisk [~ *electricity*]

station I ['steɪʃən] *subst* **1** station **2** stånd,
rang **3** mil. bas; ***naval*** ~ flottbas
II ['steɪʃən] *verb* stationera, förlägga [~ *a
regiment*]; postera

stationary ['steɪʃənrɪ] *adj* stillastående [~
train]; stationär

stationer ['steɪʃənə] *subst* pappershandlare;
stationer's pappershandel

stationery ['steɪʃənrɪ] *subst* skrivmaterial,
kontorsmateriel; skrivpapper

stationmaster ['steɪʃən,maːstə] *subst*
stationsinspektor, stationschef, stins

station wagon ['steɪʃən,wægən] *subst* spec.
amer. herrgårdsvagn, kombi

statistic [stə'tɪstɪk] *adj* o. **statistical**
[stə'tɪstɪkəl] *adj* statistisk

statistics [stə'tɪstɪks] (som vetenskap med verb
i sing., annars pl.) *subst* statistik, statistiken

The Statue of Liberty
På en ö i New Yorks hamn står
Frihetsgudinnan, *the Statue of
Liberty*, 93 meter hög. Statyn
skänktes till USA av Frankrike
1884 som ett monument över den
franska och den amerikanska revo-
lutionen.

statue ['stætʃuː] *subst* staty; ***the Statue of
Liberty*** frihetsgudinnan staty i New Yorks
hamn

statuette [,stætjʊ'et] *subst* statyett

stature ['stætʃə] *subst* längd; ***short in*** ~
liten till växten

status ['steɪtəs] *subst* ställning, status, rang

statute ['stætjuːt] *subst* skriven lag stiftad av
parlament; författning

staunch [stɔːntʃ] *adj* trofast, pålitlig

stave [steɪv] *verb*, ~ ***off*** avvärja [~ *off defeat*;
~ *off ruin*]

stay I [steɪ] *verb* **1** stanna, stanna kvar; ~ ***in
bed late in the morning*** ligga länge på
morgonen **2** tillfälligt bo [~ *at a hotel*]; ~
with bo hos, stanna **3** förbli, hålla sig [~
calm]; ***if the weather*** ~ ***s fine*** om det
vackra vädret håller i sig; ***staying power***
uthållighet **4** hejda [~ *the progress of a
disease*]
II [steɪ] *verb* med adv. o. prep.
stay away hålla sig borta
stay behind stanna kvar
stay on stanna kvar
stay out stanna ute; utebli, hålla sig borta
stay up stanna (vara, sitta) uppe inte lägga
sig
III [steɪ] *subst* uppehåll, vistelse

stay-up ['steɪʌp] *subst* pl. ~***s*** stay-up
strumpor

St. Bernard [snt'bɜːnəd] *subst*
sanktbernhardshund

STD [,estiː'diː] **1** förk. för *subscriber trunk
dialling* **2** (förk. för *sexually transmitted
disease*) sexuellt överförd sjukdom

steadfast ['stedfɑːst] *adj* stadig, ståndaktig

steady I ['stedɪ] *adj* **1** stadig [*a ~ table*], fast, solid, stabil [*a ~ foundation*]; stadgad **2** jämn [*a ~ speed*], stadig [*a ~ improvement*]
II ['stedɪ] *adv* stadigt [*stand ~*]; *go ~* vard. kila stadigt
III ['stedɪ] *interj* ta det lugnt!
IV ['stedɪ] *verb* göra stadig, lugna; stabilisera [*~ prices*]; *~ one's nerves* lugna nerverna

steady-going ['stedɪ,ɡəʊɪŋ] *adj* stadgad

> **steak and kidney pie**
> *Steak and kidney pie*, biff- och njur-
> paj, anses som en typisk engelsk
> maträtt. Den serveras ofta som
> lunchmat på pubar.

steak [steɪk] *subst* biff, stekt köttskiva
steal [stiːl] (*stole stolen*) *verb* **1** stjäla; *~ a glance at* kasta en förstulen blick på **2** smyga, smyga sig [*away* undan, bort]
stealing ['stiːlɪŋ] *subst* stöld, tjuveri
stealth [stelθ] *subst*, *by ~* i smyg
stealthy ['stelθɪ] *adj* förstulen [*~ glance*], smygande
steam I [stiːm] *subst* **1** ånga; *full ~ ahead!* full fart framåt!; *at full ~* el. *full ~* för full maskin; *let off ~* a) släppa ut ånga b) avreagera sig, lätta på trycket **2** imma [*~ on the windows*]
II [stiːm] *verb* **1** *~ up* bli immig **2** ånga **3** ångkoka
steam engine ['stiːm,endʒɪn] *subst* **1** ångmaskin **2** ånglok
steamer ['stiːmə] *subst* **1** ångare, ångfartyg **2** ångkokare
steam iron ['stiːm,aɪən] *subst* ångstrykjärn
steamroller ['stiːm,rəʊlə] *subst* ångvält
steamship ['stiːmʃɪp] *subst* ångfartyg
steel [stiːl] *subst* stål
steelworks ['stiːlwɜːks] (med verb i sing.; pl. lika) *subst* stålverk
1 steep [stiːp] *verb* lägga i blöt, genomdränka; *~ in vinegar* lägga i ättika
2 steep [stiːp] *adj* **1** brant [*~ hill*] **2** vard. otrolig, orimlig [*~ price*]
steeple ['stiːpl] *subst* spetsigt kyrktorn, tornspira
steeplechase ['stiːplt ʃeɪs] *subst* sport. **1** hästsport steeplechase **2** hinderlöpning
steer [stɪə] *verb* **1** styra [*~ a car*], [*for* till,

mot], manövrera [*~ a ship*]; *~ clear of* undvika **2** lotsa [*~ a bill through Parliament*]
steerage ['stɪərɪdʒ] *subst* sjö. **1** styrning **2** mellandäck, tredje klass [*~ passenger*]
steering-column ['stɪərɪŋ,kɒləm] *subst* bil. rattstång
steering-lock ['stɪərɪŋlɒk] *subst* bil. rattlås
steering-wheel ['stɪərɪŋwiːl] *subst* bil. ratt
1 stem [stem] *subst* **1** stjälk, stam, stängel **2** skaft **3** hög fot på glas **4** sjö. stäv, för, förstäv; *from ~ to stern* från för till akter
II [stem] (*-mm-*) *verb*, *~ from* härröra från
2 stem [stem] (*-mm-*) *verb* stämma, stoppa, hejda
stench [stentʃ] *subst* stank
stencil I ['stensl] *subst* konst.m.m. schablon
II ['stensl] *verb* schablonera
stenographer [ste'nɒɡrəfə] *subst* amer. stenograf och maskinskriverska
stenography [ste'nɒɡrəfɪ] *subst* amer. stenografi
step I [step] *subst* **1** steg [*walk with slow ~s*]; danssteg; *a ~ in the right direction* ett steg i rätt riktning; *keep ~* hålla takten, gå i takt; *keep in ~ with* el. *keep ~ with* hålla jämna steg med, gå i takt med; *watch one's ~* el. *mind one's ~* se sig för, se sig noga för, se upp; *~ by ~* steg för steg, gradvis; *in ~* i takt; *out of ~* i otakt **2** åtgärd; *take ~s* vidta åtgärder **3** trappsteg, trappa; pl. *~s* yttertrappa; trappstege; *a flight of ~s* en trappa **4** stegpinne, fotsteg; pl. *~s* trappstege
II [step] (*-pp-*) *verb* stiga, kliva, gå, trampa [*~ on the brake*]; *~ this way!* var så god, den här vägen!; *~ into a car* kliva in i en bil
III [step] (*-pp-*) *verb* med adv. o. prep.
step aside stiga åt sidan, kliva åt sidan
step down 1 stiga ner **2** träda tillbaka **3** gradvis minska, sänka [*~ down production*]
step forward stiga fram, träda fram
step in 1 stiga in, stiga på **2** ingripa
step inside stiga (kliva, gå) in
step off stega upp, stega ut
step on it vard. **1** bil. gasa på **2** skynda på
step out stega upp, stega ut
step up driva upp, öka, intensifiera
stepbrother ['step,brʌðə] *subst* styvbror
stepchild ['steptʃaɪld] (pl. *stepchildren* ['step,tʃɪldrən]) *subst* styvbarn
step dance ['stepdɑːns] *subst* stepp, steppdans

stepdaughter ['step‚dɔːtə] *subst* styvdotter

stepfather ['step‚fɑːðə] *subst* styvfar

stepladder ['step‚lædə] *subst* trappstege

stepmother ['step‚mʌðə] *subst* styvmor

steppe [step] *subst* stäpp, grässlätt

stepping-stone ['stepɪŋstəʊn] *subst*
1 klivsten över t.ex. vatten **2** språngbräde [~ *to promotion*]

stepsister ['step‚sɪstə] *subst* styvsyster

stepson ['stepsʌn] *subst* styvson

stereo I ['sterɪəʊ] *adj* stereo-, stereofonisk
II ['sterɪəʊ] (pl. ~s) *subst* stereo,
stereoanläggning

stereophonic [‚sterɪə'fɒnɪk] *adj*
stereofonisk, stereo-

stereotype ['sterɪətaɪp] *subst* stereotyp

sterile ['steraɪl, amer. 'sterəl] *adj* steril,
ofruktbar

sterility [ste'rɪlətɪ] *subst* sterilitet,
ofruktbarhet

sterilization [‚steralaɪ'zeɪʃən] *subst*
sterilisering

sterilize ['sterəlaɪz] *verb* sterilisera

sterling I ['stɜːlɪŋ] *subst* sterling eng.
myntvärde, myntenhet [*five pounds* ~]
II ['stɜːlɪŋ] *adj* **1** sterling- [~ *silver*] **2** äkta,
gedigen [~ *qualities*]

1 stern [stɜːn] *adj* sträng [*a* ~ *father; a* ~ *look*], barsk, bister

2 stern [stɜːn] *subst* sjö. akter, akterspegel

steroid ['sterɔɪd] *subst* kem. steroid

stethoscope ['steθəskəʊp] *subst* med.
stetoskop

stevedore ['stiːvədɔː] *subst* stuveriarbetare,
hamnarbetare

stew I [stjuː] *verb* småkoka
II [stjuː] *subst* ragu, gryta; *Irish* ~ irländsk
fårgryta

steward [stjʊəd] *subst* **1** sjö., flyg. m.m.
steward, uppassare **2** funktionär vid t.ex.
tävling

stewardess [‚stjʊə'des] *subst* sjö., flyg. m.m.
stewardess, flygvärdinna, bussvärdinna,
tågvärdinna

stewed [stjuːd] *adj* kokt; ~ *beef* ungefär
köttgryta, kalops; ~ *fruit* kompott t.ex.
kokta katrinplommon

1 stick [stɪk] *subst* **1** pinne, kvist **2** käpp
[*walk with a* ~], stav [*ski* ~]; klubba
[*hockey* ~]; *get hold of the wrong end of
the* ~ vard. få alltsammans om bakfoten;
get a lot of ~ få en massa stryk; *give sb* ~
vard. ge ngn på nöten **3** stång, bit; ~ *of
celery* selleristjälk; *a* ~ *of chalk* en krita;
a ~ *of chewing-gum* ett tuggummi; *a* ~

of dynamite en dynamitgubbe; *a* ~ *of
sealing-wax* en lackstång

2 stick I [stɪk] (*stuck stuck*) *verb* **1** sticka,
köra [~ *a fork into a potato*]; stoppa [~
one's hands into one's pockets]; sätta, ställa,
lagga [*you can* ~ *it anywhere you like*]
2 klistra, klistra upp, fästa, limma fast; ~
no bills! affischering förbjuden!; ~ *a
stamp on a letter* sätta ett frimärke på ett
brev **3** vard. stå ut med, tåla [*I can't* ~ *that
fellow!*] **4** *I got stuck* vard. jag blev ställd,
jag körde fast; *be stuck for* sakna, plötsligt
stå där utan; *be stuck with* vard. få på
halsen, få dras med **5** sitta fast, fastna [*the
key stuck in the lock*], sätta sig fast [*the door
has stuck*], kärva **6** klibba fast **7** ~ *around*
vard. dröja kvar, stanna kvar
II [stɪk] (*stuck stuck*) *verb* med adv. o. prep.

stick at vard. hålla på med, ligga i med [~
at one's work]; ~ *at nothing* inte sky några
medel

stick by sb vard. vara lojal mot ngn

stick out 1 räcka ut [~ *one's tongue out*],
sticka ut; skjuta ut; puta ut **2** hålla ut,
härda ut **3** *it* ~*s out a mile* vard. det syns
lång väg **4** ~ *out for higher wages* envist
hålla fast vid sina krav på högre lön

stick to hålla sig till [~ *to the point*; ~ *to the
truth*]; ~ *to one's promise* el. ~ *to one's
word* hålla sitt löfte

stick together vard. hålla ihop

stick up sticka upp, skjuta upp; ~ *up for*
vard. försvara, ta i försvar, stödja [~ *up for a
friend*]

sticker ['stɪkə] *subst* gummerad etikett,
klistermärke, dekal

sticking-plaster ['stɪkɪŋ‚plɑːstə] *subst*
häftplåster

stickleback ['stɪklbæk] *subst* fisk spigg

stickler ['stɪklə] *subst* pedant; *be a* ~ *for
etiquette* hålla strängt på etiketten

stick-on ['stɪkɒn] *adj* gummerad,
självhäftande [~ *labels*]

stick-up ['stɪkʌp] *subst* vard. rånöverfall,
rånkupp

sticky I ['stɪkɪ] *adj* **1** klibbig, kladdig **2** om
väder tryckande, klibbig **3** besvärlig, kinkig
[*a* ~ *problem*]
II ['stɪkɪ] *subst* vard. duttlapp, post-it

stiff I [stɪf] *subst* döing lik
II [stɪf] *adj* **1** styv [~ *collar*], stel [~ *legs*]; ~
brush hård borste; *keep a* ~ *upper lip*
bita ihop tänderna, inte förändra en min
2 stram, stel [*a* ~ *manner*]; *a* ~ *whisky* en
stor (stadig) whisky **3** hård [~ *competition*],

skarp [*a* ~ *protest*] **4** vard. styv, dryg, jobbig
[*a* ~ *walk*], svår, besvärlig [*a* ~ *climb; a* ~
task], seg
III [stɪf] *adv*, **bore sb** ~ tråka ut ngn, tråkas
ihjäl ngn; *frozen* ~ stelfrusen
stiffen ['stɪfn] *verb* **1** göra styv **2** styvna,
stelna, hårdna
stifle ['staɪfl] *verb* kväva
stifling ['staɪflɪŋ] *adj* kvävande [~ *heat*]
stigmatize ['stɪgmətaɪz] *verb* brännmärka,
stämpla [~ *sb as a traitor*]
stile [staɪl] *subst* klivstätta
stiletto [stɪ'letəʊ] (pl. ~*s*) *subst* stilett; ~
heels stilettklackar
1 still I [stɪl] *adj* stilla, tyst; *keep* ~ hålla sig
stilla
II [stɪl] *subst* foto. stillbild; reklambild ur film
III [stɪl] *konj* likväl, ändå, dock
2 still [stɪl] *subst* **1** destillationsapparat
2 bränneri
3 still [stɪl] *adv* **1** tyst och stilla [*sit* ~]
2 ännu, fortfarande [*he is* ~ *busy*]; *when* ~
a child redan som barn **3** vid komparativ
ännu [~ *better*]
stillbirth ['stɪlbɜːθ] *subst* **1** dödfödsel
2 dödfött barn
stillborn ['stɪlbɔːn] *adj* dödfödd
still life [ˌstɪl'laɪf] (pl. *still lifes*) *subst* konst.
stilleben
stilt [stɪlt] *subst* stylta
stilted ['stɪltɪd] *adj* om t.ex. stil uppstyltad
stimulant ['stɪmjʊlənt] *subst* stimulerande
medel; *act as a* ~ ge stimulans åt
stimulate ['stɪmjʊleɪt] *verb* stimulera, egga
stimulation [ˌstɪmjʊ'leɪʃən] *subst* stimulans
stimulus ['stɪmjʊləs] (pl. *stimuli*
['stɪmjʊliː]) *subst* stimulans, drivfjäder
sting I [stɪŋ] *subst* **1** gadd **2** stick, sting,
styng, bett av t.ex. insekt; *take the* ~ *out of*
bryta udden av
II [stɪŋ] (*stung stung*) *verb* sticka, stinga
[*stung by a bee*], svida, stickas; om nässla
bränna, brännas
stinging-nettle ['stɪŋɪŋˌnetl] *subst*
brännässla
stingy ['stɪndʒɪ] *adj* snål, knusslig, närig
stink I [stɪŋk] (*stank stunk*) *verb* stinka; ~ *of*
stinka av, lukta; ~ *out* förpesta luften i,
förpesta
II [stɪŋk] *subst* **1** stank, dålig lukt **2** vard.
ramaskri
stinker ['stɪŋkə] *subst* vard. **1** äckel, kräk
2 hård nöt att knäcka, något ursvårt
stinking ['stɪŋkɪŋ] *adj* stinkande

stint [stɪnt] *verb* snåla med, vara snål mot; ~
oneself snåla
stipulate ['stɪpjʊleɪt] *verb* stipulera,
fastställa [~ *a price*]; avtala
stipulation [ˌstɪpjʊ'leɪʃən] *subst* stipulation,
stipulering, bestämmelse, villkor i t.ex.
kontrakt
stir I [stɜː] (-*rr*-) *verb* **1** röra, sätta i rörelse;
~ *the imagination* sätta fantasin i
rörelse; *a breeze stirred the lake* en lätt
vind krusade sjön; ~ *oneself* sätta i gång,
rycka upp sig; ~ *up* a) hetsa upp b) väcka
[~ *up interest*] c) sätta i gång, ställa till [~
up trouble], ställa till med bråk **2** röra, röra
i, röra om i [~ *the fire*; ~ *the porridge*] **3** röra
sig [*not a leaf stirred*], börja röra på sig; *he
never stirred out of the house* han gick
aldrig ut
II [stɜː] *subst*, *make a great* ~ el. *create a
great* ~ åstadkomma stor uppståndelse
stirring ['stɜːrɪŋ] *adj* rörande, gripande,
spännande [~ *events*]
stirrup ['stɪrəp] *subst* stigbygel
stitch I [stɪtʃ] *subst* **1** stygn; *a* ~ *in time
saves nine* ordspr. bättre stämma i bäcken
än i ån **2** maska i t.ex. stickning; *drop a* ~
tappa en maska **3** *she didn't have a* ~ *on*
vard. hon hade inte en tråd på sig **4** håll i
sidan; *I was in stitches* jag skrattade så
jag höll på att dö
II [stɪtʃ] *verb* sy, sticka söm; brodera; ~
together el. ~ sy ihop; ~ *on* sy fast, sy på;
~ *up* sy ihop
stoat [stəʊt] *subst* djur hermelin, lekatt
stock I [stɒk] *subst* **1** lager, förråd; *take* ~
a) göra en inventering b) granska läget;
have in ~ el. *keep in* ~ lagerföra, ha i
lager; *be out of* ~ vara slut, vara slut på
lagret **2** ekon. aktier; ~*s and shares* el. ~*s*
börspapper, fondpapper **3** härstamning,
släkt [*of Dutch* ~] **4** blomma lövkoja
5 buljong, spad **6** boskap,
kreatursbesättning
II [stɒk] *adj* **1** stereotyp, klichéartad [~
situations]; ~ *example* typexempel; ~
sizes standardstorlekar **2** ~ *exchange* el.
~ *market* börs, fondbörs
III [stɒk] *verb* **1** fylla med lager [~ *the
shelves*]; *well stocked with* välförsedd
med, välsorterad i (med) **2** lagerföra, ha på
lager; ~ *up* fylla på lagret av
stockade [stɒ'keɪd] *subst* palissad, pålverk
stockbroker ['stɒkˌbrəʊkə] *subst*
fondmäklare, börsmäklare
stockfish ['stɒkfɪʃ] *subst* stockfisk, lutfisk

stockholder ['stɒkˌhəʊldə] *subst* spec. amer.
aktieägare; *stockholders' meeting* el.
meeting of ~s bolagsstämma
Stockholm ['stɒkhəʊm]
stocking ['stɒkɪŋ] *subst* lång strumpa
stock-still [ˌstɒk'stɪl] *adj* alldeles stilla
stocktaking ['stɒkˌteɪkɪŋ] *subst* hand. m.m.
lagerinventering
stocky ['stɒkɪ] *adj* undersätsig, satt
stodgy ['stɒdʒɪ] *adj* **1** om mat tung, mastig [*a
~ pudding*] **2** vard. tråkig [*a ~ book*]
stoke [stəʊk] *verb* elda, sköta elden i [*~ a
furnace*]; *~ the fire* sköta elden; *~ up* förse
med bränsle
stoker ['stəʊkə] *subst* eldare
stole [stəʊl] imperf. av *steal*
stolen ['stəʊlən] perf. p. av *steal*
stolid ['stɒlɪd] *adj* trög, slö
stomach I ['stʌmək] *subst* **1** magsäck, mage,
buk; *on an empty ~* på fastande mage; *~
trouble* magbesvär
II ['stʌmək] *verb* **1** kunna äta, tåla **2** tåla,
smälta [*~ an insult*]
stomach ache ['stʌməkeɪk] *subst* magvärk; *I
have got ~* el. *I have got a ~* jag har ont i
magen
stone I [stəʊn] *subst* **1** sten; *precious ~*
ädelsten; *the Stone Age* stenåldern; *leave
no ~ unturned* pröva alla medel, pröva
alla vägar **2** kärna i stenfrukt **3** (pl. vanligen
stone) viktenhet = 14 *pounds* (6,36 kg) [*he weighs
11 ~*; *he weighs 11 ~s*]
II [stəʊn] *verb* **1** stena, kasta sten på **2** kärna
ur stenfrukt
stone-cold [ˌstəʊn'kəʊld] *adj* iskall
stone-dead [ˌstəʊn'ded] *adj* stendöd
stone-deaf [ˌstəʊn'def] *adj* stendöv
stoneware ['stəʊnweə] *subst* stengods
stony ['stəʊnɪ] *adj* **1** stenig [*~ road*]
2 stenhård, isande [*~ silence*]
stony-broke [ˌstəʊnɪ'brəʊk] *adj* sl. luspank
stood [stʊd] imperf. o. perf. p. av *stand I*
stooge [stuːdʒ] *subst* **1** ungefär 'skottavla'
hjälpaktör till komiker **2** vard. underhuggare,
strykpojke
stool [stuːl] *subst* **1** stol utan ryggstöd; pall; *fall
between two ~s* sätta sig mellan två stolar
2 med. avföring
stool pigeon ['stuːlˌpɪdʒən] *subst* **1** lockfågel
2 vard. tjallare
1 stoop I [stuːp] *verb* **1** luta sig, böja sig, luta
sig ned, böja sig ned [*ofta ~ down*]
2 nedlåta sig [*~ to telling lies*]
II [stuːp] *subst* kutryggighet; *with a ~*
kutryggig

2 stoop [stuːp] *subst* amer. öppen veranda
stop I [stɒp] (*-pp-*) *verb* **1** stoppa, stanna,
hindra; *~ thief!* ta fast tjuven!; *~ at
nothing* inte sky några medel; *~ by for a
chat* titta in för en pratstund; *~ dead*
tvärstanna; *~ over* stanna över [*at i, vid*]
2 sluta, sluta med [*~ that nonsense!*]; *~ it!*
sluta!, låt bli!, lägg av!; *~ work* a) sluta
arbeta b) lägga ner arbetet **3** ~ el. *~ up*
stoppa igen, proppa igen, täppa till (igen)
[*~ a leak*]; *~ one's ears* hålla för öronen;
my nose is stopped up jag är täppt i
näsan; *the pipe is stopped up* röret är
igentäppt **4** om ljud m.m. sluta, upphöra
5 vard. stanna [*~ at home*], bo [*~ at a
hotel*]; *~ the night* stanna över, ligga över;
~ for stanna kvar till [*won't you ~ for
dinner?*]; *he is stopping here for a week*
han bor här en vecka; *~ up late* stanna
uppe länge
II [stɒp] *subst* **1** stopp, uppehåll, avbrott;
come to a full ~ avstanna helt; göra halt;
put a ~ to sätta stopp för, sätta p för
2 hållplats [*bus ~*] **3** skiljetecken; *full ~*
punkt
stopgap ['stɒpgæp] *subst* **1** tillfällig åtgärd,
nödlösning **2** ersättare
stop-light ['stɒplaɪt] *subst* trafik. **1** stoppljus,
rött ljus, amer. trafikljus **2** bromsljus
stop-over ['stɒpˌəʊvə] *subst* avbrott,
uppehåll
stoppage ['stɒpɪdʒ] *subst* **1** tilltäppning
2 avbrytande, avbrott, stopp, stockning
3 driftstörning, driftstopp
4 arbetsnedläggelse
stopper ['stɒpə] *subst* propp i t.ex. flaska; plugg
stop-press ['stɒppres] *subst* ~ *news* el. ~
presstopp när man avbryter en tidnings
pressläggning för att man vill komplettera med
nyinkommet material
stopwatch ['stɒpwɒtʃ] *subst* stoppur,
tidtagarur
storage ['stɔːrɪdʒ] *subst* **1** lagring,
magasinering; *~ battery* elektr.
ackumulator, batteri **2** magasinsutrymme,
lagerutrymme; lagringskapacitet **3** data.
minne [*~ capacity*]
store I [stɔː] *subst* **1** förråd, lager; pl. *~s*
förråd [*military ~s*] **2** magasin, förrådshus
3 vanligen *~s* varuhus **4** spec. amer. butik,
affär; *general ~s* lanthandel **5** *think of
all the good things in ~ for you* tänk på
allt det trevliga som väntar dig; *set great
~ by* sätta stort värde på
II [stɔː] *verb* **1** lägga upp lager av, samla på

lager, lagra **2** förvara, magasinera [~ *furniture*] **3** elektr. m.m. ackumulera
storehouse ['stɔːhaʊs] *subst* magasin, förrådshus
storekeeper ['stɔː,kiːpə] *subst* amer. butiksinnehavare
storeroom ['stɔːruːm] *subst* **1** förrådsrum; skräpkammare; vindskontor **2** lagerlokal
storey ['stɔːrɪ] *subst* våning, våningsplan, etage; *on the first* ~ en trappa upp, amer. på nedre botten
storeyed ['stɔːrɪd] *adj* i sammansättningar med... våningar, -vånings- [*a three-storeyed house*]
stork [stɔːk] *subst* fågel stork
storm I [stɔːm] *subst* **1** oväder, svår storm; *a ~ of applause* stormande applåder; *a ~ in a teacup* en storm i ett vattenglas **2** störtskur, skur **3** spec. mil. stormning; *take by* ~ ta med storm
II [stɔːm] *verb* **1** rasa [*at* över, mot]; *she stormed out of the room* rasande rusade hon ut ur rummet
stormy ['stɔːmɪ] *adj* stormig
story ['stɔːrɪ] *subst* **1** historia, berättelse **2** *short* ~ novell; handling i t.ex. bok, film **3** *tell stories* tala osanning, skämta
story book ['stɔːrɪbʊk] *subst* sagobok
story-teller ['stɔːrɪ,telə] *subst* historieberättare, sagoberättare
story-writer ['stɔːrɪ,raɪtə] *subst* **1** novellförfattare **2** sagoförfattare
stout I [staʊt] *adj* stark, kraftig, robust; om person bastant, tjock
II [staʊt] *subst* ungefär porter
stove [stəʊv] *subst* **1** kamin **2** amer. spis
stow [stəʊ] *verb* stuva, stuva in, packa; ~ *away* a) stuva undan b) gömma sig ombord, fara som fripassagerare
stowaway ['stəʊəweɪ] *subst* fripassagerare
straddle ['strædl] *verb* sitta grensle, sitta grensle på
straggle ['strægl] *verb* **1** ligga utspridd, spreta, bre ut sig **2** bli efter, släntra
straggler ['stræglə] *subst* eftersläntrare
straggling ['stræglɪŋ] *adj* **1** eftersläntrande **2** som sprider sig åt olika håll, spretig
straight I [streɪt] *adj* **1** rak [*a ~ line*], rät; *put* ~ rätta till **2** i följd, rak [*ten ~ wins*] **3** *get* ~ el. *put* ~ få ordning på, få rätsida på, ordna upp [*get one's affairs ~*] **4** uppriktig, ärlig, öppenhjärtig [*a ~ answer*] **5** ärlig, hederlig
II [streɪt] *adv* **1** rakt, rätt [*~ up*; *~ through*], mitt, tvärs [*~ across the street*] **2** rak, rakt,

upprätt; *stand* ~ stå upprätt **3** *~ on* rakt fram; *sit up* ~ sitta rak, rätt, riktigt; logiskt [*think ~*] **4** direkt, raka vägen [*go ~ to London*], rakt [*he went ~ into...*]; genast **5** vard. hederligt [*live ~*]; *go* ~ föra ett hederligt liv **6** ~ *away* genast, på ögonblicket; tvärt **7** ~ *out* el. ~ direkt, rent ut [*I told him ~ that...*; *I told him ~ out that...*]
III [streɪt] *subst* raksträcka
straightaway [,streɪtə'weɪ] *adv* genast
straighten ['streɪtn] *verb* räta, räta ut; rätta till [*~ one's tie*; ~ *one's back*], räta på ryggen; ~ *out* räta ut; *it will* ~ *itself out* det ordnar sig
straightforward [,streɪt'fɔːwəd] *adj* **1** uppriktig, ärlig, rättfram **2** enkel, okomplicerad [*a ~ problem*]; normal
strain I [streɪn] *verb* **1** spänna, sträcka **2** anstränga sig till det yttersta, överanstränga; ~ *one's ears* lyssna spänt; ~ *every nerve* anstränga sig till det yttersta; ~ *oneself* överanstränga sig **3** slita på **4** med. sträcka [~ *a muscle*] **5** sila, filtrera frukt, bär etc.; passera **6** ~ *at* slita med, dra allt vad man kan i
II [streɪn] *subst* **1** spänning, tryck **2** anströngning, påfrestning [*on* för]; press, stress [*the ~ of modern life*]; överanstrångning; *mental* ~ psykisk påfrestning; *nervous* ~ nervpress, stress; *be a* ~ *on sth* fresta på ngt; *it's a* ~ *on the eyes* det är anstrångande för ögonen; *it's a* ~ *on my nerves* det sliter på nerverna; *put a great* ~ *on* hårt anstränga **3** vanligen pl. ~*s* toner, musik
strained [streɪnd] *adj* spänd, anströngd
strainer ['streɪnə] *subst* sil [*tea ~*]
strait [streɪt] *subst* **1** ~ el. ~*s* sund **2** pl. ~*s* trångmål; *in financial* ~*s* i penningknipa
straiten ['streɪtn] *verb*, *be in straitened circumstances* ha det dåligt ställt ekonomiskt
straitjacket ['streɪt,dʒækɪt] *subst* tvångströja
straitlaced [,streɪt'leɪst, före subst. 'streɪtleɪst] *adj* trångbröstad, bigott, pryd
1 strand [strænd] *subst* **1** tråd; *a ~ of hair* en hårslinga **2** repsträng
2 strand [strænd] *verb* sätta på grund [~ *a ship*]; *be stranded* stranda, sitta fast; *be left stranded* el. *be stranded* vara strandsatt
strange [streɪndʒ] *adj* **1** främmande

2 egendomlig, underlig; ~ *to say* egendomligt nog, underligt nog

strange-looking ['streɪndʒ͵lʊkɪŋ] *adj* med ett egendomligt utseende

stranger ['streɪndʒə] *subst* främling; pl. ~**s** främlingar, främmande människor, obekanta

strangle ['stræŋgl] *verb* **1** strypa **2** kväva **3** förkväva

stranglehold ['stræŋglhəʊld] *subst* **1** sport. strupgrepp **2** järngrepp; *put a ~ on* strypa åt

strangulate ['stræŋgjʊleɪt] *verb* strypa

strangulation [͵stræŋgjʊ'leɪʃən] *subst* strypning

strap I [stræp] *subst* **1** rem, band, packrem; *watch* ~ klockarmband **2** stropp **3** strigel **II** [stræp] (*-pp-*) *verb* spänna fast med en rem (remmar)

strapping ['stræpɪŋ] *adj* vard. stor och kraftig

strata ['strɑːtə, 'streɪtə] *subst pl* av *stratum*

stratagem ['strætədʒəm] *subst* list, fint, knep

strategic [strə'tiːdʒɪk] *adj* o. **strategical** [strə'tiːdʒɪkəl] *adj* strategisk

strategist ['strætədʒɪst] *subst* strateg

strategy ['strætədʒɪ] *subst* strategi, taktik

stratosphere ['strætəsfɪə] *subst* stratosfär

stratum ['strɑːtəm] (pl. *strata* ['strɑːtə]) *subst* geologiterm skikt, lager

straw I [strɔː] *subst* **1** strå, halmstrå; *it* (*that*) *was the last* ~ ordspr. det var droppen som kom bägaren att rinna över; *clutch* (*grasp*) *at a* ~ gripa efter ett halmstrå **2** halm **3** sugrör **II** [strɔː] *adj* halm- [~ *hat*]

strawberry ['strɔːbərɪ] *subst* jordgubbe; *wild* ~ skogssmultron, smultron

stray I [streɪ] *verb* **1** gå vilse **2** glida, vandra [*his hand strayed towards his pocket*] **II** [streɪ] *subst* vilsekommet djur **III** [streɪ] *adj* **1** kringdrivande, vilsekommen [~ *cattle*], herrelös [*a* ~ *cat*; *a* ~ *dog*] **2** tillfällig, strö- [*a* ~ *customer*]; förlupen [*a* ~ *bullet*]

streak I [striːk] *subst* **1** strimma, rand, streck; ~ *of lightning* blixt; *like a* ~ *of lightning* som en oljad blixt **2** drag, inslag [*there is a* ~ *of cruelty in him*] **II** [striːk] *verb* vard. **1** susa, svepa [*the car streaked along*] **2** springa näck offentligt för att väcka uppseende

streaker ['striːkə] *subst* vard. en som springer näck offentligt för att väcka uppseende

streaky ['striːkɪ] *adj* strimmig, randig [~ *bacon*]

stream I [striːm] *subst* ström, å, bäck; *a constant* (*continuous*) ~ *of people* en jämn ström av folk **II** [striːm] *verb* **1** strömma, rinna, flöda [*sweat was streaming down his face*] **2** ~ *with* rinna av, drypa av

streamer ['striːmə] *subst* **1** vimpel **2** serpentin, remsa

streamline I ['striːmlaɪn] *subst* strömlinje, strömlinjeform **II** ['striːmlaɪn] *verb* strömlinjeforma; *streamlined* strömlinjeformad [*streamlined cars*]

street [striːt] *subst* gata; *they are not in the same* ~ vard. de står inte i samma klass; *be on the ~s* om prostituerad gå på gatan; *walk the ~s* a) vara hemlös b) om prostituerad gå på gatan; *it's just up* (amer. *down*) *my street* vard. det passar mig precis; *be streets ahead of sb* vard. ligga långt före ngn

streetcar ['striːtkɑː] *subst* amer. spårvagn

street-cleaner ['striːt͵kliːnə] *subst* gatsopare

streetdoor ['striːtdɔː] *subst* port, ytterdörr

streetlamp ['striːtlæmp] *subst* gatlykta

streetlighting ['striːt͵laɪtɪŋ] *subst* gatubelysning

street-sweeper ['striːt͵swiːpə] *subst* gatsopare

street-walker ['striːt͵wɔːkə] *subst* gatflicka

streetwise ['striːtwaɪz] *adj* gatusmart, som har gått livets hårda skola

strength [streŋθ] *subst* **1** styrka, kraft, krafter; *armed* ~ väpnad styrka; ett lands krigsmakt; *go from* ~ *to* ~ gå från klarhet till klarhet; *on the* ~ *of* på grund av, på [*on the* ~ *of his recommendation*] **2** styrka, stark sida [*one of his* ~*s is . . .*] **3** styrka, numerär [*the* ~ *of the enemy*]; *be below* ~ vara underbemannad; *in great* ~ el. *in* ~ i stort antal; *be in full* ~ el. *be up to* ~ vara fulltalig

strengthen ['streŋθən] *verb* **1** stärka, styrka **2** förstärka, förstärkas

strenuous ['strenjʊəs] *adj* **1** ansträngande, påfrestande [~ *work*] **2** energisk, ihärdig [*make* ~ *efforts*]

stress I [stres] *subst* **1** tryck; psykol. stress; *be suffering from* ~ vara stressad; *a state of* ~ stresstillstånd **2** vikt; *lay* ~ *on* framhålla, betona, lägga vikt vid **3** betoning, tryck, accent [*the* ~ *is on the first syllable*] **4** spänning, tryck, belastning

ll [stres] *verb* **1** betona, understryka **2** fonet. betona **3** ~ *out* stressa; *I feel stressed out* jag känner mig stressad

stressful ['stresfʊl] *adj* stressande, stressig [*a ~ day at work*]

stress mark ['stresmɑːk] *subst* accenttecken

stretch l [stretʃ] *verb* **1** spänna [*~ a rope*], sträcka, tänja ut; sträcka ut; sträcka på [*~ one's neck*]; ~ *one's legs* sträcka på benen **2** sträcka på sig [*~ and yawn*], sträcka på benen **3** sträcka sig [*the wood stretches for miles*] **4** tänja sig, töja ut sig; gå att töja ut [*rubber stretches easily*]
ll [stretʃ] *subst* **1** sträcka, trakt, område [*a ~ of meadow*] **2** *at a ~* i ett sträck; *at full ~* för fullt
lll [stretʃ] *adj*, ~ *nylon* stretchnylon; ~ *tights* strumpbyxor

stretchable ['stretʃəbl] *adj* tänjbar, töjbar

stretcher ['stretʃə] *subst* bår

stretcher-bearer ['stretʃə,beərə] *subst* bårbärare

strew [struː] *verb* strö, strö ut; beströ

stricken ['strɪkən] *adj* olycksdrabbad [*a ~ area*]; ~ *with panic* gripen av panik

strict [strɪkt] *adj* sträng [*with* mot], strikt [*with* mot]; *in a ~ sense* i egentlig mening

strictly ['strɪktlɪ] *adv* **1** strängt [*~ forbidden*]; strikt **2** i egentlig mening; ~ *speaking* strängt taget

stridden ['strɪdn] perf. p. av *stride I*

stride l [straɪd] (*strode stridden*) *verb* kliva, stega, gå med långa steg [*~ off*; *~ away*]
ll [straɪd] *subst* långt steg, kliv; *make great ~s* göra stora framsteg; *get into one's ~* börja komma i gång; *take sth in one's ~* ta ngt med fattning; *throw sb off his ~* el. *throw sb out of ~* få ngn att förlora fattningen

strife [straɪf] *subst* stridighet, missämja, strid; *industrial ~* konflikter på arbetsmarknaden; *political ~* politiska strider

strike l [straɪk] (*struck struck*) *verb* **1** slå, slå till, slå på; ~ *dumb* göra stum; ~ *while the iron is hot* smida medan järnet är varmt **2** träffa [*the blow struck him on the chin*]; drabba, hemsöka **3** slå (stöta, köra) emot [*the car struck a tree*] sjö. stöta på, gå på [*the ship struck a mine*]; ~ *bottom* få bottenkänning **4** träffa på, upptäcka [*~ gold*] **5** slå, frappera; *what struck me was...* det som slog mig var... **6** förefalla, tyckas; *it ~s me as the best* det verkar vara det bästa **7** stryka [*~ a name from the list*; *~ sb off the register*] **8** sjö. stryka [*~ sail*] **9** avsluta, göra upp; ~ *a bargain* träffa ett avtal **10** slå, stöta [*against sth* emot ngt]; ~ *at* slå efter, angripa; *~ lucky* ha tur **11** om klocka slå [*the clock struck four*] **12** mil. anfalla **13** strejka **14** slå ned [*the lightning struck*]
ll [straɪk] (*struck struck*) *verb* med adv. o. prep.
strike back slå igen, slå tillbaka
strike off 1 hugga av, slå av **2** stryka [*~ off a name from the list*]
strike out stryka, stryka ut, stryka över [*~ out a name*; *~ out a word*]
strike up 1 inleda, knyta [*~ up a friendship*] **2** stämma upp, spela upp [*the band struck up a waltz*]
lll [straɪk] *subst* **1** strejk; *~ fund* strejkkassa; *general ~* storstrejk, generalstrejk; *sympathetic ~* sympatistrejk; *call a ~* utlysa strejk; *be out on ~* el. *be on ~* strejka; *go out on ~* el. *come out on ~* gå i strejk, lägga ner arbetet **2** mil., *nuclear ~* kärnvapenanfall

strike-breaker ['straɪk,breɪkə] *subst* strejkbrytare

striker ['straɪkə] *subst* **1** strejkare, strejkande **2** fotb. anfallsspelare

striking ['straɪkɪŋ] *adj* slående, påfallande, markant [*a ~ likeness*] **2** *within ~ distance* inom skotthåll; *we are within ~ distance of a peace agreement* vi har ett fredsavtal inom räckhåll

strikingly ['straɪkɪŋlɪ] *adv* slående, påfallande [*~ beautiful*]; markant

string l [strɪŋ] *subst* **1** snöre; *piece of ~* snöre **2** sträng [*the ~s of a violin*], sena [*the ~s of a tennis racket*]; pl. *~s* stråkinstrument, stråkar **3** före subst. stråk- [*~ orchestra*], sträng- [*~ instruments*] **4** *pull the ~s* hålla (dra) i trådarna; *pull ~s* använda sitt inflytande, mygla; *without ~s* vard. utan några förbehåll **5** ~ *of pearls* pärlhalsband; *a ~ of onions* en lökfläta **6** serie, följd [*a ~ of events*]; kedja [*a ~ of hotels*]
ll [strɪŋ] (*strung strung*) *verb* **1** stränga [*~ a racket*; *~ a violin*] **2** ~ *up* el. ~ hänga upp på t.ex. snöre **3** behänga [*a room strung with decorations*] **4** trä upp på band, trä upp på snöre [*~ pearls*]; ~ *together* sätta ihop [*~ words together*] **5** snoppa, rensa [*~ beans*] **6** ~ *along with* vard. hålla ihop med; ~ *together* hänga ihop

string bag ['strɪŋbæg] *subst* nätkasse

string bean [ˌstrɪŋ'biːn] *subst* skärböna
stringed [strɪŋd] *adj*, ~ *instrument*
stränginstrument
stringent ['strɪndʒənt] *adj* **1** sträng [~ *rules*]
2 strängt logisk, stringent
stringy ['strɪŋɪ] *adj* trådig, senig [~ *meat*]
1 strip [strɪp] (*-pp-*) *verb* **1** skrapa av (bort),
skala av (bort) **2** skrapa ren, plocka ren [*of*
från, på]; ~ *sb of sth* beröva ngn ngt **3** klä
av, klä av sig, strippa; ~ *off* ta av sig
2 strip [strɪp] *subst* **1** remsa [*a* ~ *of cloth*],
list, skena [*a* ~ *of metal*], stycke **2** serie;
comic ~ skämtserie, tecknad serie; *film* ~
bildband **3** sport. vard. lagdräkt; *away* ~
lagdräkt på bortamatcher
stripe I [straɪp] *subst* **1** rand, strimma **2** mil.
streck i gradbeteckning
II [straɪp] *verb* göra randig
striped [straɪpt] *adj* randig, strimmig
strip-lighting ['strɪpˌlaɪtɪŋ] *subst*
lysrörsbelysning
stripper ['strɪpə] *subst* vard., striptease-artist
strippa
strippoker [ˌstrɪp'pəʊkə] *subst* klädpoker
striptease I ['strɪptiːz] *subst* striptease
II ['strɪptiːz] *verb* göra striptease strippa
strive [straɪv] (*strove striven*) *verb* sträva,
bemöda sig
striven ['strɪvn] perf. p. av *strive*
strode [strəʊd] imperf. av *stride I*
1 stroke [strəʊk] *subst* **1** slag [*the* ~ *of a*
hammer] **2** klockslag **3** med. stroke,
slaganfall **4** tekn. kolvslag, slaglängd, takt
[*four-stroke engine*] **5** i bollspel slag; simn.
simtag, årtag; *do the butterfly* ~ simma
fjärilsim **6** streck [*thin* ~*s*]; *with a* ~ *of the*
pen med ett penndrag **7** drag, grepp [*a*
masterly ~]; *do a good* ~ *of business*
göra en bra affär; *that was a* ~ *of genius*
det var ett snilledrag; *what a* ~ *of luck!* en
sådan tur!; *he doesn't do a* ~ el. *he*
doesn't do a ~ *of work* han gör inte ett
handtag
2 stroke I [strəʊk] *verb* stryka, smeka [~ *a*
cat]; ~ *one's beard* stryka sig om skägget;
~ *sb the wrong way* stryka ngn mothårs
II [strəʊk] *subst* strykning, smekning
stroll I [strəʊl] *verb* promenera, flanera
II [strəʊl] *subst* promenad; *be out for a* ~
vara ute och promenera
stroller ['strəʊlə] *subst* **1** flanör **2** spec. amer.
sittvagn, paraplyvagn för barn
strong I [strɒŋ] *adj* **1** stark, kraftig **2** stor
[*there is a* ~ *likelihood that…*] **3** ivrig, varm
[~ *supporters*]

II [strɒŋ] *adv* starkt, kraftigt [*smell* ~]; *be*
still going ~ vard. ännu vara i sin fulla
kraft; vara i full gång
stronghold ['strɒŋhəʊld] *subst* fäste, borg
strongly ['strɒŋlɪ] *adv* starkt, kraftigt; på det
bestämdaste [*I* ~ *advise you to go*]
strong room ['strɒŋruːm] *subst* kassavalv
strong-willed [ˌstrɒŋ'wɪld] *adj* viljestark
strove [strəʊv] imperf. av *strive*
struck [strʌk] imperf. o. perf. p. av *strike I*
structure ['strʌktʃə] *subst* **1** struktur
2 byggnadsverk
struggle I ['strʌgl] *verb* **1** kämpa, strida,
brottas **2** streta, knoga [~ *up a hill*], arbeta
sig, kämpa sig [~ *through a book*]; ~ *along*
knaggla sig fram
II ['strʌgl] *subst* kamp, strid; kämpande;
they put up a ~ de bjöd motstånd
strum [strʌm] (*-mm-*) *verb* klinka [~ *on the*
piano], knäppa [~ *on the banjo*]
strung [strʌŋ] imperf. o. perf. p. av *string II*
strut [strʌt] (*-tt-*) *verb* stoltsera, kråma sig
stub I [stʌb] *subst* **1** stump; *cigarette* ~
cigarettstump, cigarettfimp **2** stubbe
3 talong, stam på t.ex. biljetthäfte
II [stʌb] (*-bb-*) *verb* **1** ~ *one's toe* stöta tån
2 ~ *out* el. ~ fimpa [~ *a cigarette*]
stubble ['stʌbl] *subst* **1** stubb på åker
2 skäggstubb
stubborn ['stʌbən] *adj* envis [*a* ~ *illness*],
hårdnackad [~ *resistance*]; ~ *as a mule*
envis som synden
stubby ['stʌbɪ] *adj* **1** stubbig **2** kort och
bred; knubbig [~ *fingers*], satt
stuck [stʌk] imperf. o. perf. p. av *2 stick*
stuck-up [ˌstʌk'ʌp] *adj* vard. mallig, uppblåst
1 stud [stʌd] *subst* **1** stall uppsättning hästar
[*racing* ~] **2** stuteri **3** avelshingst **4** vard.
hingst, tjur sexig viril man
2 stud I [stʌd] *subst* **1** lös kragknapp; *shirt*
~ el. ~ skjortknapp, bröstknapp **2** stift,
spik **3** dobb; på t.ex. däck dubb
II [stʌd] (*-dd-*) *verb* **1** besätta (beslå) med
stift **2** dubba [*studded tyres*] **3** späcka [*a*
book studded with quotations]; *studded*
with jewels juvelbesatt
student ['stjuːdənt] *subst* studerande
[*medical* ~]; student [*university* ~*s*], spec.
amer. elev; ~ *counselling*
studierådgivning, studievägledning
studied ['stʌdɪd] *adj* medveten, överlagd,
avsiktlig [~ *insult*]; utstuderad
studio ['stjuːdɪəʊ] *subst* ateljé, studio; pl. ~*s*
filmstad; *film* ~ filmateljé, filmstudio

studious ['stjuːdjəs] *adj* flitig, flitig i sina studier

study I ['stʌdɪ] *subst* **1** studier [*fond of* ~], studerande; ~ **circle** studiecirkel; **make a** ~ **of sth** studera ngt, bemöda sig om ngt **2** undersökning [*a* ~ *of eating habits*] **3** arbetsrum, läsrum; **headmaster's** ~ rektorsexpedition **4** musik. etyd
II ['stʌdɪ] *verb* **1** studera, läsa [~ *medicine*], lära sig; ~ **a part** studera (lära) in en roll **2** undersöka, granska **3** vara mån om [~ *one's own interests*]

stuff I [stʌf] *subst* **1** material, ämne; materia; **the same old** ~ det gamla vanliga; **it's poor** ~ det är ingenting att ha; **some sticky** ~ något klibbigt **2** vard. saker, grejor [*I've packed my* ~]; **do your** ~! visa vad du kan!; **he knows his** ~ han kan sin sak; ~ **and nonsense** struntprat
II [stʌf] *verb* **1** stoppa [~ *a cushion*], proppa full, stoppa full [*with* med]; ~ **oneself with food** proppa i sig mat **2** ~ **up** el. ~ täppa till; **my nose is stuffed up** jag är täppt i näsan **3** stoppa upp [~ *a bird*] **4** kok. fylla, färsera

stuffed [stʌft] *adj* **1** stoppad; fullstoppad, fullproppad [~ *with facts*] **2** kok. fylld [~ *turkey*], färserad **3** uppstoppad [~ *birds*]

stuffing ['stʌfɪŋ] *subst* **1** stoppning, uppstoppning **2** kok. fyllning [*turkey* ~], färs, inkråm

stuffy ['stʌfɪ] *adj* **1** instängd, kvav **2** täppt [~ *nose*]

stumble ['stʌmbl] *verb* **1** snava, snubbla; ~ **across** råka på, stöta på **2** stappla **3** staka sig, stamma

stumbling-block ['stʌmblɪŋblɒk] *subst* stötesten [*to sb* för ngn]

stump I [stʌmp] *subst* stump, stubbe
II [stʌmp] *verb*, **the question stumped him** vard. han gick bet på frågan

stun [stʌn] (*-nn-*) *verb* **1** bedöva [~ *sb with a blow*] **2** överväldiga, förbluffa, chocka

stung [stʌŋ] *imperf. o. perf. p. av sting II*

stunk [stʌŋk] *perf. p. av stink I*

stunning ['stʌnɪŋ] *adj* **1** bedövande [*a* ~ *blow*]; chockande **2** vard. fantastisk [*a* ~ *performance*] **3** jättesnygg

stunt [stʌnt] *subst* vard. **1** konstnummer, trick; **acrobatic** ~**s** akrobatkonster **2** jippo [*it's just a* ~]

stunted ['stʌntɪd] *adj* förkrympt; **be** ~ vara hämmad i växten

stupefy ['stjuːpɪfaɪ] *verb* **1** bedöva, göra omtöcknad; **stupefied with drink**

omtöcknad av alkohol **2** göra häpen (bestört)

stupendous [stjuˈpendəs] *adj* häpnadsväckande, förbluffande, kolossal

stupid ['stjuːpɪd] *adj* dum, enfaldig

stupidity [stjuˈpɪdətɪ] *subst* dumhet, enfald

stupor ['stjuːpə] *subst* dvala, omtöcknat tillstånd; **in a drunken** ~ redlöst berusad

sturdy ['stɜːdɪ] *adj* robust, kraftig

sturgeon ['stɜːdʒən] *subst* fisk stör

stutter I ['stʌtə] *verb* stamma
II ['stʌtə] *subst* stamning

1 sty [staɪ] *subst* svinstia

2 sty o. **stye** [staɪ] *subst* med. vagel

style I [staɪl] *subst* **1** stil, stilart; **do things in** ~ slå på stort, leva på stor fot; **live in** ~ leva flott **2** mode; **dressed in the latest** ~ klädd efter senaste modet
II [staɪl] *verb* **1** formge, designa [~ *cars*; ~ *dresses*]; ~ **sb's hair** lägga frisyr på ngn, styla håret på ngn **2** titulera [*he is styled 'Colonel'*]

stylish ['staɪlɪʃ] *adj* **1** stilfull, stilig **2** moderiktig

stylize ['staɪlaɪz] *verb* stilisera

styptic ['stɪptɪk] *adj* blodstillande; ~ **pencil** alunstift

suave [swɑːv] *adj* förbindlig, älskvärd

sub [sʌb] vard. kortform av subscription, substitute

subcommittee ['sʌbkəˌmɪtɪ] *subst* underutskott, underkommitté

subconscious I [ˌsʌbˈkɒnʃəs] *adj* undermedveten
II [ˌsʌbˈkɒnʃəs] *subst* undermedvetande; **the** ~ det undermedvetna

subcontinent [ˌsʌbˈkɒntɪnənt] *subst* subkontinent [*the Indian* ~]

subdivision ['sʌbdɪˌvɪʒən] *subst* underavdelning

subdue [səbˈdjuː] *verb* underkuva [~ *a country*], kuva, dämpa

subdued [səbˈdjuːd] *adj* **1** underkuvad **2** dämpad [~ *light*], diskret [~ *colours*]; återhållsam

subheading ['sʌbˌhedɪŋ] *subst* underrubrik

subject I ['sʌbdʒɪkt] *subst* **1** undersåte; **he is a British** ~ han är engelsk medborgare **2** ämne i skola **3** samtalsämne **change the** ~ byta samtalsämne; **on the** ~ **of** angående, om; ~ **of** föremål för **4** gram. subjekt
II ['sʌbdʒɪkt] *adj*, ~ **to** underkastad [~ *to changes*]; **be** ~ **to** a) utsättas för b) ha anlag för, lida av [*be* ~ *to headaches*]; **be** ~ **to duty** vara tullpliktig

III ['sʌbdʒɪkt] *adv*; ~ *to* under
förutsättning av; ~ *to your approval*
under förutsättning av ert godkännande;
med förbehåll för [~ *to alterations*]
IV [səb'dʒekt] *verb*, *be subjected to* vara
utsatt för, vara föremål för, drabbas av
subjection [səb'dʒekʃən] *subst*
underkuvande; underkastelse [*to* under],
beroende [*to* av]
subjective [səb'dʒektɪv] *adj* subjektiv
subject matter ['sʌbdʒɪkt,mætə] *subst*
innehåll, stoff [*the* ~ *of the book*]
subjugate ['sʌbdʒʊgeɪt] *verb* underkuva
subjunctive [səb'dʒʌŋktɪv] *subst* gram.
konjunktiv; *in the* ~ i konjunktiv
sublet [,sʌb'let] (*sublet sublet*) (*-tt-*) *verb* hyra
ut i andra hand
sublime I [sə'blaɪm] *adj* storslagen
II [sə'blaɪm] *subst* storslagenhet
sub-machine-gun [,sʌbmə'ʃiːngʌn] *subst*
kulsprutepistol, kpist
submarine [,sʌbmə'riːn] *subst* ubåt
submerge [səb'mɜːdʒ] *verb* doppa ner,
sänka ner i vatten **1** dyka ner **2** översvämma,
sätta under vatten
submerged [səb'mɜːdʒd] *adj*, *be* ~ vara
(stå) under vatten
submersion [səb'mɜːʃən] *subst* nedsänkning
submission [səb'mɪʃən] *subst*
1 underkastelse [*to* under]
2 framläggande, föredragning,
föreläggande
submissive [səb'mɪsɪv] *adj* undergiven,
foglig
submit [səb'mɪt] (*-tt-*) *verb* **1** ~ *to* utsätta
för; ~ *oneself to* underkasta sig
2 framlägga, föredra, presentera [~ *one's
plans*]; ~ *a report to sb* avge rapport för
ngn **3** ge vika
subnormal [,sʌb'nɔːml] *adj* som är under
det normala [~ *temperatures*]
subordinate I [sə'bɔːdənət] *adj*
1 underordnad [*a* ~ *position*]; lägre [*a* ~
officer], underlydande; bi- [*a* ~ *role*] **2** ~
clause gram. bisats
II [sə'bɔːdənət] *subst* underordnad [*his* ~*s*]
III [sə'bɔːdɪneɪt] *verb* underordna [*to*
under]; sätta i andra hand [~ *one's private
interests*]
subplot ['sʌbplɒt] *subst* sidohandling i roman
subpoena I [səb'piːnə] *subst* jur. åliggande
med vite att inställa sig
II [səb'piːnə] *verb* jur. kalla inför rätta
subscribe [səb'skraɪb] *verb* **1** teckna sig för,
teckna **2** prenumerera, abonnera [~ *to a*

newspaper] **3** ge bidrag **4** ~ *to* skriva under
[~ *to an agreement*] **5** ansluta sig till, dela
[~ *to sb's views*]
subscriber [səb'skraɪbə] *subst*
1 prenumerant [~ *to a newspaper*];
abonnent **2** bidragsgivare
subscription [səb'skrɪpʃən] *subst*
1 prenumeration, abonnemang [*to* på];
take out a ~ *for* prenumerera på
2 prenumerationsavgift, medlemsavgift
3 teckning, undertecknande; ~ *of shares*
teckning av aktier **4** insamling [*to* till];
start a ~ el. *raise a* ~ sätta i gång en
insamling
subsequent ['sʌbsɪkwənt] *adj* följande,
efterföljande
subsequently ['sʌbsɪkwəntlɪ] *adv* därefter,
sedan, efteråt
subside [səb'saɪd] *verb* **1** sjunka undan [*the
flood has subsided*]; sjunka, sätta sig [*the
house will* ~] **2** avta, lägga sig [*the wind
began to* ~]
subsidiary I [səb'sɪdjərɪ] *adj* **1** sido- [~
theme]; ~ *character* bifigur; ~ *company*
dotterbolag **2** underordnad [*to sth* ngt]
II [səb'sɪdjərɪ] *subst* dotterbolag,
dotterföretag
subsidize ['sʌbsɪdaɪz] *verb* subventionera,
understödja; *subsidized* subventionerad
subsidy ['sʌbsɪdɪ] *subst* subvention,
statsunderstöd
subsistence [səb'sɪstəns] *subst* uppehälle,
utkomst; *means of* ~ existensmedel; ~
allowance traktamente
substance ['sʌbstəns] *subst* **1** ämne, stoff;
substans [*a chalky* ~] **2** huvudinnehåll,
innebörd [*the* ~ *of a speech*]
substandard [,sʌb'stændəd] *adj*
undermålig; om språk ovårdad
substantial [səb'stænʃl] *adj* **1** verklig,
påtaglig **2** avsevärd, betydande,
omfattande [~ *improvement*] **3** stadig,
bastant [*a* ~ *meal*]
substantially [səb'stænʃəlɪ] *adv*
väsentligen, i allt väsentligt
substantiate [səb'stænʃɪeɪt] *verb* bestyrka
substantive ['sʌbstəntɪv] *subst* gram.
substantiv
substitute I ['sʌbstɪtjuːt] *subst*
1 ställföreträdare, ersättare, vikarie; sport.
avbytare, reserv; *the substitute's bench*
sport. avbytarbänken **2** ersättning, surrogat
II ['sʌbstɪtjuːt] *verb* **1** sätta i stället [*for*
för]; ~ *beer for wine* ersätta vin med öl

2 vikariera, vara ersättare, vara avbytare [*for* för]
substitution [ˌsʌbstɪˈtjuːʃən] *subst* **1** utbyte **2** sport. byte **3** ersättande; ersättning
subtenant [ˌsʌbˈtenənt] *subst* hyresgäst i andra hand; *be a* ~ hyra i andra hand
subterfuge [ˈsʌbtəfjuːdʒ] *subst* undanflykt, förevändning
subterranean [ˌsʌbtəˈreɪnjən] *adj* underjordisk
subtitle I [ˈsʌbˌtaɪtl] *subst* **1** undertitel **2** film., pl. ~**s** text [*an English film with Swedish* ~*s*]
II [ˈsʌbˌtaɪtl] *verb* **1** förse med en undertitel **2** film. texta
subtle [ˈsʌtl] *adj* **1** subtil, hårfin [*a* ~ *difference*]; obestämbar [*a* ~ *charm*], diskret [*a* ~ *perfume*] **2** utstuderad, raffinerad [~ *methods*] **3** vaken [*a* ~ *observer*]
subtlety [ˈsʌtltɪ] *subst* **1** subtilitet, hårfinhet **2** skärpa, skarpsinne
subtract [səbˈtrækt] *verb* subtrahera, dra ifrån [~ *6 from 9*], dra av
subtraction [səbˈtrækʃən] *subst* subtraktion
subtropical [ˌsʌbˈtrɒpɪkl] *adj* subtropisk
suburb [ˈsʌbɜːb] *subst* förort, förstad [*of* till]; *garden* ~ villaförort, villastad, trädgårdsstad
suburban [səˈbɜːbən] *adj* **1** förorts-, förstads-; ~ *area* a) förortsområde b) ytterområde **2** neds. småstadsaktig
suburbanite [səˈbɜːbənaɪt] *subst* förortsbo
suburbia [səˈbɜːbɪə] *subst* ngt neds. förorterna; förortsmentalitet; förortsliv
subversion [səbˈvɜːʃən] *subst* omstörtning
subversive [səbˈvɜːsɪv] *adj* omstörtande; ~ *activity* omstörtande verksamhet
subway [ˈsʌbweɪ] *subst* **1** gångtunnel **2** amer. tunnelbana
sub-zero [ˌsʌbˈzɪərəʊ] *adj* under noll grader
succeed [səkˈsiːd] *verb* **1** lyckas [*the attack succeeded*], ha framgång; *she succeeded in doing it* hon lyckades göra det; *nothing* ~*s like success* ordspr. den ena framgången drar den andra med sig **2** ~ *to* överta, ärva [~ *to an estate*]; ~ *to the throne* överta tronen **3** komma efter, efterträda [*who will* ~ *him as prime minister?*]
success [səkˈses] *subst* framgång, lycka [*with varying* ~], succé; ~ *story* framgångssaga; *make a* ~ *of* lyckas med; *meet with* ~ ha framgång, göra succé
successful [səkˈsesfʊl] *adj* framgångsrik,

lyckosam, lyckad [~ *experiments*]; succé- [~ *play*]; godkänd [~ *candidates*]
succession [səkˈseʃən] *subst* **1** följd, rad [*a* ~ *of years*], serie, ordning, ordningsföljd; *in* ~ i följd, i rad **2** arvföljd, tronföljd
successive [səkˈsesɪv] *adj* på varandra följande; successiv [~ *changes*]; *three* ~ *days* tre dagar i rad
successor [səkˈsesə] *subst* efterträdare, efterföljare [*to sb* till ngn]; ~ *to the throne* tronföljare
succumb [səˈkʌm] *verb* duka under [*to* för], ge efter, falla [~ *to flattery*]
such [sʌtʃ] *adj* o. *pron* **1** sådan [~ *books*]; *there is* ~ *a draught* det drar så; *I've never heard of* ~ *a thing!* jag har aldrig hört på maken!; *I shall do no* ~ *thing* det gör jag definitivt inte; *some* ~ *thing* något sådant, något liknande; ~ *and* ~ den och den [~ *and* ~ *a day*]; *as* ~ som sådan, i sig [*I like the work as* ~] **2** så [~ *big books*; ~ *long hair*]; *we had* ~ *fun* vi hade verkligen roligt **3** ~ *as* sådan som; som t.ex., som, såsom [*vehicles* ~ *as cars*]; ~ *books as these* sådana här böcker; *have you* ~ *a thing as a stamp?* har du möjligen ett frimärke?; *there are no* ~ *things as ghosts* det finns inga spöken; ~ *as it is* sådan den nu är
suchlike [ˈsʌtʃlaɪk] *adj* o. *pron* sådan, liknande, dylik; *and* ~ *things* el. *and* ~ och dylikt, o.d.
suck I [sʌk] *verb* **1** suga, suga på; ~ *at one's pipe* suga på sin pipa **2** dia **3** *it* ~*s* sl. det är skitdåligt (botten)
II [sʌk] *subst* **1** sugning, sug [*at* på]; *have a* ~ *at sth* suga på ngt **2** *give* ~ *to* amma
sucking-pig [ˈsʌkɪŋpɪg] *subst* spädgris, digris
suckle [ˈsʌkl] *verb* dia, ge di, amma
suction [ˈsʌkʃən] *subst* insugning; sug, utsug
Sudan [sʊˈdɑːn, sʊˈdæn], *the* ~ Sudan
sudden I [ˈsʌdn] *adj* plötslig, oväntad
II [ˈsʌdn] *subst*, *all of a* ~ helt plötsligt
suddenly [ˈsʌdnlɪ] *adv* plötsligt, med ens
suds [sʌdz] *subst pl* lödder av tvål, såpa
sue [sjuː, suː] *verb* jur. **1** stämma, åtala **2** processa [*for* om, för att få]; väcka åtal [*threaten to* ~]; ~ *for a divorce* begära skilsmässa
suede [sweɪd] *subst* mockaskinn
suet [ˈsʊɪt] *subst* njurtalg
suffer [ˈsʌfə] *verb* **1** lida, plågas [*from* av], drabbas av, få utstå [~ *punishment*]; ~ *damage* ta skada; ~ *pain* ha smärtor; ~

for få lida för **2** undergå, genomgå [~ *change*] **3** tåla

sufferer ['sʌfərə] *subst* lidande person; *hay-fever* ~*s* de som lider av hösnuva; *he will be the* ~ det blir han som blir lidande

suffering ['sʌfəriŋ] *subst* o. *adj* lidande

suffice [sə'faɪs] *verb* vara nog, räcka, räcka till; vara tillräcklig för

sufficiency [sə'fɪʃənsɪ] *subst* tillräcklig mängd [*of* av]; tillräcklighet

sufficient I [sə'fɪʃənt] *adj* tillräcklig; *be* ~ räcka [*for* till, för]
II [sə'fɪʃənt] *subst*, *be* ~ *of an expert to decide* vara tillräckligt mycket expert för att bestämma

suffix
Suffix betyder ändelse. En del ändelser används för att bilda nya ord, t.ex.

-able	*washable*	tvättbar
-er	*dancer*	dansare
-ly	*cleverly*	skickligt
-ness	*goodness*	godhet

suffix ['sʌfɪks] *subst* gram. suffix, ändelse

suffocate ['sʌfəkeɪt] *verb* kväva; kvävas

suffocating ['sʌfəkeɪtɪŋ] *adj* kvävande, kvalmig, kvav

suffocation [ˌsʌfə'keɪʃən] *subst* kvävning

sugar I ['ʃʊgə] *subst* **1** socker; *brown* ~ farinsocker **2** vard. sötnos, älskling
II ['ʃʊgə] *verb* sockra, sockra i, sockra på; ~ *the pill* sockra det beska pillret

sugar almonds [ˌʃʊgər'ɑːməndz] *subst pl* dragerade mandlar

sugar basin ['ʃʊgə,beɪsn] *subst* sockerskål

sugar beet ['ʃʊgəbiːt] *subst* sockerbeta

sugar bowl ['ʃʊgəbəʊl] *subst* sockerskål

sugar candy ['ʃʊgə,kændɪ] *subst* kandisocker

sugar cane ['ʃʊgəkeɪn] *subst* sockerrör

sugar daddy ['ʃʊgə,dædɪ] *subst* vard. äldre rik beundrare (älskare) till ung flicka

sugar-free ['ʃʊgəfriː] *adj* sockerfri

sugary ['ʃʊgərɪ] *adj* sockrad, sockrig; sockerhaltig

suggest [sə'dʒest, amer. səg'dʒest] *verb* **1** föreslå [~ *sb for a job*] **2** antyda, påminna om, väcka tanken på

suggestible [sə'dʒestəbl, amer. səg'dʒestəbl] *adj* lättpåverkad, lättsuggererad

suggestion [sə'dʒestʃən, amer. səg'dʒestʃən] *subst* **1** förslag [~*s for improvement*] **2** antydan, vink; uppslag

suggestive [sə'dʒestɪv, amer. səg'dʒestɪv] *adj* tankeväckande, uppslagsrik; suggestiv; *be* ~ *of* vacka tanken på, tyda på, vittna om

suicidal [suːɪ'saɪdl] *adj* självmords- [~ *tendencies*]

suicide ['suːɪsaɪd] *subst* självmord; *commit* ~ begå självmord

suit I [suːt, sjuːt] *subst* **1** dräkt [*spacesuit*]; *man's* ~ el. ~ kostym; *woman's* ~ dräkt; *a* ~ *of armour* en rustning; *a* ~ *of clothes* en hel kostym; *dress* ~ högtidsdräkt, frack; *two-piece* ~ a) kostym kavaj o. byxor b) tvådelad dräkt **2** kortsp. färg; *follow* ~ a) kortsp. bekänna färg b) följa exemplet, göra likadant **3** rättegång, mål; *file a* ~ *against sb* börja process mot ngn
II [suːt, sjuːt] *verb* **1** passa, vara lämplig för; *will tomorrow* ~ *you?* passar det i morgon?; *you can't* ~ *everybody* man kan inte vara alla till lags; ~ *yourself!* som du vill! **2** klä [*white* ~*s her*] **3** anpassa [*to* efter]

suitability [ˌsuːtə'bɪlətɪ, ˌsjuːtə'bɪlətɪ] *subst* lämplighet [*for* för]

suitable ['suːtəbl, 'sjuːtəbl] *adj* passande, lämplig [*to, for* för, till]; *be* ~ passa, duga

suitably ['suːtəblɪ, 'sjuːtəblɪ] *adv* lämpligt, passande, riktigt, rätt

suitcase ['suːtkeɪs, 'sjuːtkeɪs] *subst* resväska

suite [swiːt] *subst* **1** svit, följe, uppvaktning **2** *a* ~ *of furniture* ett möblemang, en möbel **3** soffgrupp; *a three-piece* ~ en soffgrupp i tre delar **4** svit [*a* ~ *at a hotel*]

suited ['suːtɪd, 'sjuːtɪd] *adj* **1** lämplig, passande, lämpad [*for, to* för]; *they are well* ~ *to each other* de passar bra ihop **2** anpassad, avpassad [*to* efter]

sulfate ['sʌlfeɪt] *subst* o. **sulfur** ['sʌlfə] *subst* o. **sulfuric** ['sʌl'fjʊərɪk] *adj* amer., se *sulphate*, *sulphur* o. *sulphuric*

sulk [sʌlk] *verb* tjura, vara sur

sulky ['sʌlkɪ] *adj* sur, tjurig

sullen ['sʌlən] *adj* surmulen, butter

sulphate ['sʌlfeɪt] *subst* sulfat

sulphur ['sʌlfə] *subst* svavel

sulphuric [sʌl'fjʊərɪk] *adj*, ~ *acid* svavelsyra

sultan ['sʌltən] *subst* sultan

sultana [sʌl'tɑːnə] *subst* **1** sultaninna
2 sultanrussin
sultry ['sʌltrɪ] *adj* kvav, kvalmig
sum I [sʌm] *subst* **1** summa
2 penningsumma, belopp
3 matematikexempel, matematikuppgift;
pl. ~*s* matematik; *do* ~*s* lösa
räkneuppgifter
II [sʌm] (-*mm*-) *verb* summera, addera [*up*
ihop]; ~ *up* a) sammanfatta; göra en
sammanfattning b) bedöma, bilda sig en
uppfattning om; *to* ~ *up*
sammanfattningsvis
summarize ['sʌmərɑɪz] *verb* sammanfatta,
göra (vara) en sammanfattning av
summary ['sʌmərɪ] *subst* sammanfattning,
sammandrag
summer ['sʌmə] *subst* sommar; *last* ~ förra
sommaren, i somras; *this* ~ den här
sommaren, i sommar; *in the* ~ el. *in* ~ på
sommaren; *in the* ~ *of 2004* sommaren
2004; *in the early* ~ el. *in early* ~ på
försommaren, tidigt på sommaren; *in the
late* ~ el. *in late summer* på
sensommaren, sent på sommaren;
children's ~ *camp* el. ~ *camp*
barnkoloni
summer-house ['sʌməhaʊs] *subst* **1** lusthus,
paviljong **2** sommarhus, sommarställe
summertime ['sʌmətaɪm] *subst* sommar,
sommartid; *in the* ~ el. *in* ~ på sommaren,
under sommaren
summery ['sʌmərɪ] *adj* sommarlik
summit ['sʌmɪt] *subst* **1** topp, spets [*the* ~ *of
a mountain*] **2** topp-; ~ *meeting* toppmöte
summon ['sʌmən] *verb* **1** kalla, kalla på,
tillkalla; kalla in [~ *Parliament*]; ~ *a
meeting* sammankalla ett möte **2** jur.
instämma, kalla, kalla in [~ *sb as a
witness*]; ~ *sb before court* el. ~ *sb*
stämma ngn inför rätta **3** ~ *up* el. ~ samla,
uppbåda; ~ *one's courage* samla mod
summons ['sʌmənz] *subst* **1** kallelse,
inkallelse; jur. **2** stämning; *serve a* ~ *on sb*
delge ngn stämning
sumptuous ['sʌmptjʊəs] *adj* överdådig
sum-total [ˌsʌm'təʊtl] *subst* slutsumma
sun I [sʌn] *subst* sol, solsken; *everything
under the* ~ allt mellan himmel och jord
II [sʌn] (-*nn*-) *verb* sola; ~ *oneself* sola sig
sunbath ['sʌnbɑːθ] *subst* solbad
sunbathe ['sʌnbeɪð] *verb* solbada
sunbeam ['sʌnbiːm] *subst* solstråle
sunblind ['sʌnblaɪnd] *subst* markis, jalusi
sunburn ['sʌnbɜːn] *subst* solsveda

sunburned ['sʌnbɜːnd] *adj* o. **sunburnt**
['sʌnbɜːnt] *adj* bränd av solen
sundae ['sʌndeɪ] *subst* glasscoupe med
garnering

Sunday lunch
På söndagarna äter man i England
ofta en traditionell *Sunday lunch*
(*Sunday dinner*) som kan bestå av
roast beef, helstekt rostbiff, och
Yorkshire pudding, slags ugnspann-
kaka, eller *roast of lamb,* lammstek,
med *mint sauce,* myntasås, *roast
potatoes,* rostad potatis, *vegetables,*
grönsaker och *a sweet,* en efterrätt.

Sunday ['sʌndeɪ, 'sʌndɪ] *subst* söndag; *last*
~ i söndags
sundeck ['sʌndek] *subst* soldäck
sundial ['sʌndaɪəl] *subst* solur, solvisare
sundown ['sʌndaʊn] *subst*, *at* ~ i
solnedgången, vid solnedgången
sundry ['sʌndrɪ] *adj* diverse [~ *items*],
varjehanda; *all and* ~ alla och envar
sunflower ['sʌnˌflaʊə] *subst* solros
sung [sʌŋ] perf. p. av *sing*
sunglasses ['sʌnˌglɑːsɪz] *subst pl* solglasögon
sunhelmet ['sʌnˌhelmɪt] *subst* tropikhjälm
sunk [sʌŋk] *adj* o. *perf p* (av *sink*) nedsänkt,
sänkt, sjunken; *we are* ~ *if that happens*
vard. vi är sålda om det händer
sunken ['sʌŋkən] *adj* **1** sjunken, nedsänkt
2 insjunken [~ *eyes*], infallen [~ *cheeks*]
sunlamp ['sʌnlæmp] *subst* sollampa,
kvartslampa
sunlight ['sʌnlaɪt] *subst* solljus
sunlit ['sʌnlɪt] *adj* solbelyst, solig
sunny ['sʌnɪ] *adj* solig; sol- [~ *day*]; *look on
the* ~ *side of things* el. *look on the* ~
side se allt från den ljusa sidan
sunray ['sʌnreɪ] *subst* **1** solstråle **2** ~
treatment behandling; ultraviolett strålning
sunrise ['sʌnraɪz] *subst*, *at* ~ i
soluppgången, vid soluppgången
sunroof ['sʌnruːf] *subst* soltak på bil
sunscreen ['sʌnskriːn] *subst* solskyddskräm
sunset ['sʌnset] *subst* solnedgång; *at* ~ i
solnedgången, vid solnedgången
sunshade ['sʌnʃeɪd] *subst* **1** parasoll
2 markis **3** solskärm
sunshield ['sʌnʃiːld] *subst* solskydd i bil
sunshine ['sʌnʃaɪn] *subst* solsken
sunspot ['sʌnspɒt] *subst* astron. solfläck

sunstroke ['sʌnstrəʊk] *subst* solsting
sunsuit ['sʌnsuːt, 'sʌnsjuːt] *subst* soldräkt
suntan I ['sʌntæn] *subst* solbränna; ~ *lotion*
sololja
II ['sʌntæn] (*-nn-*) *verb* bli solbränd
sunup ['ʌnʌp] *subst* spec. amer. soluppgång

> **Super Bowl**
> *The Super Bowl* kallas finalspelet i
> amerikansk fotboll. Det spelas i
> januari och vinnarna av de två
> serierna möts i en avgörande match
> om det amerikanska mästerskapet.

super ['suːpə] *adj* vard. toppen, jättefin
superabundance [,suːpərə'bʌndəns] *subst*
överflöd, riklighet [*of* på, av]
superb [suː'pɜːb] *adj* storartad, enastående
[*a* ~ *view*], ypperlig, utmärkt
supercilious [,suːpə'sɪlɪəs] *adj* högdragen,
överlägsen, övermodig
superficial [,suːpə'fɪʃl] *adj* ytlig
superficiality [,suːpə,fɪʃɪ'ælətɪ] *subst*
ytlighet
superfluous [suː'pɜːfluəs] *adj* överflödig,
onödig; ~ *hair* generande hårväxt
superhuman [,suːpə'hjuːmən] *adj*
övermänsklig
superintend [,suːpərɪn'tend] *verb* övervaka,
tillse, hålla uppsikt över
superintendence [,suːpərɪn'tendəns] *subst*
överinseende, tillsyn, uppsikt
superintendent [,suːpərɪn'tendənt] *subst*
överintendent, ledare, direktör för
ämbetsverk; *police* ~ el. ~ poliskommissarie,
kommissarie
superior I [suː'pɪərɪə] *adj* **1** högre i rang [*to*
än] **2** överlägsen [*to sb* ngn] **3** extra prima
[*~ quality*] **4** överlägsen, högdragen [*a* ~
air; a ~ *attitude*]
II [suː'pɪərɪə] *subst* överordnad [*my* ~*s*]
superiority [suː,pɪərɪ'ɒrətɪ] *subst*
överlägsenhet [*to* över]; *his* ~ *in rank*
hans överordnade ställning
superjet ['suːpədʒet] *subst* överljudsplan
superlative I [suː'pɜːlətɪv] gram. *adj*
1 förträfflig, enastående **2** superlativ; *the*
~ *degree* superlativ
II [suː'pɜːlətɪv] gram. *subst, in the* ~ i
superlativ
superman ['suːpəmæn] (pl. *supermen*
['suːpəmen]) *subst* **1** övermänniska **2** vard.
stålman; *Superman* Stålmannen seriefigur

supermarket ['suːpə,mɑːkɪt] *subst* stort
snabbköp
supernatural [,suːpə'nætʃrəl] *adj*
övernaturlig
superpower ['suːpə,paʊə] *subst* supermakt
supersede [,suːpə'siːd] *verb* **1** ersätta [*CDs
have superseded gramophone records*], avlösa
2 efterträda [*~ sb as chairman*]
supersensitive [,suːpə'sensətɪv] *adj*
överkänslig
supersonic [,suːpə'sɒnɪk] *adj* överljuds- [*~
aircraft*]
superstition [,suːpə'stɪʃən] *subst*
vidskepelse, vidskeplighet
superstitious [,suːpə'stɪʃəs] *adj* vidskeplig
superstore ['suːpəstɔː] *subst* stormarknad
supervise [,suːpəvaɪz] *verb* övervaka, tillse,
ha tillsyn över
supervision [,suːpə'vɪʒən] *subst*
överinseende, övervakning, tillsyn
supervisor ['suːpəvaɪzə] *subst* **1** övervakare;
tillsyningsman; arbetsledare; föreståndare i
t.ex. varuhus; kontrollant **2** skol. handledare,
studieledare
supervisory [,suːpə'vaɪzərɪ] *adj*
övervakande, övervaknings-, tillsyns- [*~
duties*]
supper ['sʌpə] *subst* kvällsmat [*have cold
meat for* ~], kvällsmål, supé
suppertime ['sʌpətaɪm] *subst* dags för
kvällsmat
supplant [sə'plɑːnt] *verb* ersätta
[*gramophone records have been supplanted by
CDs*], avlösa
supple ['sʌpl] *adj* böjlig, mjuk, smidig
supplement I ['sʌplɪmənt] *subst*
supplement, tillägg; bilaga, bihang
II ['sʌplɪment] *verb* öka, öka ut [*~ one's
income*], komplettera
supplementary [,sʌplɪ'mentərɪ] *adj*
tilläggs-, kompletterande, supplement- [*~
volume*]
supply I [sə'plaɪ] *verb* **1** skaffa [*~ proof*] spec.
hand. tillhandahålla, leverera [*~ sth to sb*];
~ *sb with sth* förse ngn med ngt **2** fylla,
fylla ut, täcka [*~ a want*], ersätta [*~ a
deficiency*]; ~ *a demand* tillfredsställa ett
behov
II [sə'plaɪ] *subst* **1** tillförsel, anskaffning,
leverans [*~ of goods*] **2** tillgång [*~ of food*],
förråd, lager [*a large* ~ *of shoes*]; ~ *and
demand* ekon. tillgång och efterfrågan;
medical supplies medicinska
förnödenheter **3** pl. *supplies* mil. proviant
support I [sə'pɔːt] *verb* **1** stötta, stödja;

uppehålla [*too little food to ~ life*]; *the*
bridge is not strong enough to ~ heavy
vehicles bron är inte tillräckligt stark för
att bära tung trafik **2** stödja, understödja,
backa upp [*~ a party*], främja, gynna
3 hålla på [*~ Arsenal*] **4** försörja [*can he ~*
himself?]
II [sə'pɔːt] *subst* **1** stöd; *arch ~*
hålfotsinlägg **2** understöd, hjälp; *in ~ of*
som stöd för **3** underhåll, försörjning;
means of ~ utkomstmöjligheter
supporter [sə'pɔːtə] *subst* **1** anhängare,
supporter
supportive [sə'pɔːtɪv] *adj*, *she has been*
very ~ hon har ställt upp mycket, hon har
varit ett verkligt stöd
suppose [sə'pəʊz] *verb* anta, förmoda; *~ he*
comes? tänk om han kommer?; *~ we*
went for a walk? hur skulle det vara om
vi tog en promenad?; *I ~ so* jag förmodar
det, jag antar det; *I ~ not* el. *I don't ~ so*
jag tror inte det; *he is ill, I ~* han är sjuk,
antar jag; han är nog sjuk; han är väl sjuk;
he is supposed to be rich han lär (ska)
vara rik; *I am supposed to be there at*
five jag ska vara där klockan fem
supposing [sə'pəʊzɪŋ] *konj* antag att; *~ it*
rains? tänk om det skulle regna?
supposition [,sʌpə'zɪʃən] *subst* antagande,
förmodan, tro
suppository [sə'pɒzɪtərɪ] *subst* med. stolpiller
suppress [sə'pres] *verb* **1** undertrycka, kuva,
kväva [*~ a rebellion*] **2** dra in [*~ a*
publication]; förbjuda, bannlysa [*~ a party*]
3 förtiga [*~ the truth*]
suppression [sə'preʃən] *subst*
1 undertryckande, kuvande
2 förbjudande, bannlysning av t.ex. parti
3 förtigande; psykol. bortträngning
suppressor [sə'presə] *subst*, *noise ~*
störningsskydd
supremacy [sʊ'preməsɪ] *subst* **1** överhöghet
2 ledarställning **3** överlägsenhet
supreme [sʊ'priːm] *adj* **1** högst, över-,
suverän; *~ command* högsta kommando,
högsta befäl; *~ commander*
överbefälhavare; *the Supreme Court*
högsta domstolen i USA **2** enastående,
oförliknelig
surcharge ['sɜːtʃɑːdʒ] *subst* tilläggsavgift,
extraavgift
sure I [ʃʊə, ʃɔː] *adj* säker; *be ~ of oneself*
vara självsäker; *he is ~ to succeed* han
kommer säkert att lyckas; *be ~ to come* el.
be ~ you come se till att du kommer; *to*

be ~ naturligtvis; *I don't know, I'm ~*
det vet jag faktiskt inte; *make ~* förvissa
sig, försäkra sig [*of* om; *that* om att], se till,
kontrollera; *to make ~* för säkerhets skull;
know for ~ veta säkert
II [ʃʊə, ʃɔː] *adv* **1** *~ enough* alldeles
säkert, mycket riktigt [*~ enough, there he*
was] **2** *as ~ as* så säkert som **3** spec. amer.
vard. verkligen, minsann [*he ~ can play*
football]; *~!* visst!
sure-fire ['ʃʊə,faɪə] *adj* vard. bergsäker [*a ~*
winner]
surely ['ʃʊəlɪ] *adv* **1** säkert [*slowly but ~*],
säkerligen [*he will ~ fail*] **2** verkligen,
minsann [*you are ~ right*] **3** väl, nog; *~*
that's impossible det är väl inte möjligt
surety ['ʃʊərətɪ] *subst* **1** säkerhet, borgen
2 borgensman
surf I [sɜːf] *subst* bränning, bränningar,
vågsvall
II [sɜːf] *verb* **1** sport. surfa **2** data., *~ the net*
surfa på nätet
surface I ['sɜːfɪs] *subst* yta, utsida; *on the ~*
på ytan, ytligt sett
II ['sɜːfɪs] *adj* yt- [*~ soil*]; dag- [*~ mining*];
~ mail ytpost
III ['sɜːfɪs] *verb* stiga (dyka) upp till ytan
surfboard ['sɜːfbɔːd] *subst* surfingbräda
surfeit ['sɜːfɪt] *subst* övermått, överflöd [*of*
på]
surfing ['sɜːfɪŋ] *subst* surfing
surge I [sɜːdʒ] *verb* svalla, bölja; forsa [*water*
surged into the boat], strömma till, välla
fram
II [sɜːdʒ] *subst* brottsjö, svallvåg; vågsvall,
bränningar [*the ~ of the sea*]
surgeon ['sɜːdʒən] *subst* kirurg; *dental ~*
tandläkare
surgery ['sɜːdʒərɪ] *subst* **1** kirurgi **2** läkares,
tandläkares mottagning; *~ hours*
mottagningstid
surgical ['sɜːdʒɪkl] *adj* kirurgisk; *~*
appliances a) kirurgiska instrument

The Supreme Court
The Supreme Court, USA:s högsta
domstol, består av en huvuddo-
mare, *chief justice*, och åtta andra
domare, *justices*. De utses av sena-
ten och sitter kvar så länge de själva
vill. *The Supreme Court* avgör själv
vilka fall som ska tas upp.

b) stödbandage; ~ **boot** el. ~ **shoe** ortopedisk sko; ~ **spirit** desinfektionssprit

surly ['sɜ:lɪ] adj butter, vresig, sur

surmise I [sə'maɪz] verb gissa, förmoda, anta

II ['sɜɪmaɪz] subst gissning, förmodan, antagande

surmount [sə'maʊnt] verb **1** övervinna [~ a difficulty] **2** bestiga [~ a hill];
surmounted by krönt med, täckt av

surname ['sɜ:neɪm] subst efternamn

surpass [sə'pɑ:s] verb överträffa

surplus ['sɜ:pləs] subst överskott

surprise I [sə'praɪz] subst överraskning; förvåning [at över]; **take by** ~ överrumpla, överraska; **much to my** ~ till min stora förvåning

II [sə'praɪz] verb **1** överraska, förvåna **2** överrumpla [~ the enemy]

surprising [sə'praɪzɪŋ] adj överraskande

surprisingly [sə'praɪzɪŋlɪ] adv överraskande, förvånansvärt [~ good]

surrealistic [sə,rɪə'lɪstɪk] adj konst. surrealistisk

surrender I [sə'rendə] verb ge sig, överlämna sig [~ to the enemy]

II [sə'rendə] subst överlämnande, utlämnande

surreptitious [,sʌrəp'tɪʃəs] adj förstulen [a ~ glance]

surreptitiously [,sʌrəp'tɪʃəslɪ] adv i smyg

surround [sə'raʊnd] verb **1** omge, innesluta, omsluta **2** omringa

surrounding [sə'raʊndɪŋ] adj omgivande, kringliggande

surroundings [sə'raʊndɪŋz] subst pl omgivning, omgivningar; miljö

surveillance [sɜ:'veɪləns] subst bevakning [of över, av], uppsikt [of över]; ~ **camera** övervakningskamera; se äv. CCTV 1

survey I [sə'veɪ] verb **1** överblicka **2** granska, syna **3** besiktiga

II ['sɜ:veɪ] subst **1** överblick [of över], översikt [of över, av] **2** uppmätning, kartläggning **3** undersökning [a statistical ~] **4** besiktning

surveyor [sə'veɪə] subst lantmätare

survival [sə'vaɪvl] subst **1** överlevnad **2** kvarleva

survive [sə'vaɪv] verb överleva

surviving [sə'vaɪvɪŋ] adj överlevande; **the** ~ **relatives** de efterlevande

survivor [sə'vaɪvə] subst, **the** ~**s** de överlevande

susceptibility [sə,septə'bɪlətɪ] subst mottaglighet

susceptible [sə'septəbl] adj mottaglig

suspect I [sə'spekt] verb misstänka [of för]; **I suspected as much** jag anade det, jag misstänkte det

II ['sʌspekt] subst, a ~ en misstänkt person, en misstänkt

suspend [sə'spend] verb **1** hänga, hänga upp; ~ **sth from the ceiling** hänga ngt i taket; **be suspended** vara upphängd **2** suspendera, tills vidare avstänga, utesluta [~ a member from a club]; ~ **sb's driving licence** dra in ngns körkort tills vidare **3** inställa; ~ **hostilities** inställa fientligheterna

suspender [sə'spendə] subst **1** strumpeband; ~ **belt** strumpebandshållare **2** pl. ~**s** amer. hängslen [a pair of ~s]

suspense [sə'spens] subst spänning, spänd väntan; **keep sb in** ~ hålla ngn i ovisshet

suspension [sə'spenʃən] subst **1** upphängning; ~ **bridge** hängbro **2** suspendering, tillfällig avstängning från t.ex. tjänstgöring sport.; avstängning **3** tillfälligt upphävande; ~ **of hostilities** inställande av fientligheterna

suspicion [sə'spɪʃən] subst **1** misstanke; **be above** ~ vara höjd över alla misstankar **2** misstänksamhet; aning [of sth om ngt] **3** antydan, skymt [a ~ of irony]

suspicious [sə'spɪʃəs] adj **1** misstänksam, misstrogen [about, of mot] **2** misstänkt, skum [a ~ affair]

suss [sʌs] verb vard. **1** misstänka **2** ~ el. ~ **out** komma underfund med, kolla in

sussed [sʌst] adj vard. välinformerad, med på noterna [the boys are ~]; **I've got him** ~ jag vet vad han går för

sustain [sə'steɪn] verb **1** ~ **life** uppehålla livet **2** utstå, lida [~ damage]; ådra sig [~ severe injuries] **3** musik. hålla ut [~ a note] **4** jur. godta, godkänna; **objection sustained!** protesten godkänns!

sustained [sə'steɪnd] adj ihållande, oavbruten [~ applause] musik. uthållen [a ~ note]

sustenance ['sʌstənəns] subst näring, föda

SW (förk. för south-west, south-western) SV

swab I [swɒb] subst **1** med. bomullstuss, tork **2** med. odling **3** svabb, skurtrasa

II [swɒb] (-bb-) verb **1** med. rengöra med bomullstuss, torka **2** svabba, torka med våt trasa

swagger I ['swægə] verb **1** stoltsera, kråma

sig **2** skrävla
II ['swægə] *subst* **1** stoltserande, mallighet
2 skrävel
swaggering ['swægərɪŋ] *adj* **1** stoltserande,
mallig **2** skrytsam
1 swallow ['swɒləʊ] *subst* svala; spec.
ladusvala; ~ *dive* simn. svanhopp; *one* ~
does not make a summer ordspr. en svala
gör ingen sommar
2 swallow ['swɒləʊ] *verb* **1** svälja; ~ *up* el. ~
a) svälja, äta upp b) sluka, äta upp [*the
expenses* ~ *up the earnings*] c) uppsluka [*as if
swallowed up by the earth*] **2** tro på, gå 'på
[*he will* ~ *anything you tell him*]
swam [swæm] imperf. av *swim I*
swamp I [swɒmp] *subst* träsk, kärr
II [swɒmp] *verb* **1** översvämma, sätta under
vatten **2** fylla med vatten, sänka [*a wave
swamped the boat*] **3** översvämma [*foreign
goods* ~ *the market*]; *be swamped by* vara
överhopad med
swampy ['swɒmpɪ] *adj* sumpig, träskartad
swan [swɒn] *subst* svan; simn. amer. svanhopp
swank I [swæŋk] *subst* vard. **1** mallighet,
snobberi **2** skrytmåns
II [swæŋk] *verb* vard. snobba, malla sig
swanky ['swæŋkɪ] *adj* vard. **1** mallig **2** flott,
vräkig [*a* ~ *car*]
swansong ['swɒnsɒŋ] *subst* svanesång
swap I [swɒp] (*-pp-*) *verb* vard. byta [*for* mot]
[~ *stamps*]; utbyta [~ *ideas*]; ~ *places*
byta plats
II [swɒp] *subst* vard. byte [*for* mot]
swarm I [swɔːm] *subst* svärm
II [swɔːm] *verb* svärma, skocka sig, trängas
[*they swarmed round him*]; strömma; *the
place swarmed with people* stället
kryllade av folk
swarthy ['swɔːðɪ] *adj* svartmuskig, mörk
swastika ['swɒstɪkə] *subst* hakkors, svastika
swat [swɒt] (*-tt-*) *verb* smälla, smälla till [~
flies]
swathe [sweɪð] *verb* linda om, svepa in,
hölja [*swathed in fog*]
sway [sweɪ] *verb* **1** svänga, vaja [~ *to and
fro*], svaja, vackla till **2** härska **3** få att
svänga (gunga), få att svaja [*the wind
swayed the tops of the trees*]; ~ *one's hips*
svänga på höfterna **4** påverka, inverka på;
be swayed by one's feelings låta sig
styras av sina känslor
sway-backed ['sweɪbækt] *adj* svankryggig
spec. om häst
swear [sweə] (*swore sworn*) *verb* **1** svära [*to
på*]; bedyra [*he swore he was innocent*],

försäkra; ~ *the oath* avlägga ed; ~ *by* tro
blint på **2** ~ *'in a witness* låta ett vittne
avlägga ed **3** svära begagna svordomar [*at
över, åt*]
swearword ['sweəwɜːd] *subst* svordom,
svärord
sweat I [swet] *subst* **1** svett; *by the* ~ *of
one's brow* i sitt anletes svett; *it was a
bit of a* ~ det var svettigt; *no sweat!* inga
problem!, ingen fara! **2** svettning; *be in a
~ a) bada i svett b) vara mycket nervös; *be
in a cold* ~ kallsvettas
II [swet] *verb* svettas; *sweated labour* hårt
arbete till svältlöner
sweatband ['swetbænd] *subst* **1** svettrem i
hatt **2** svettband, pannband för t.ex.
tennisspelare
sweater ['swetə] *subst* sweater, ylletröja
sweat pants ['swetpænts] *subst pl* mysbyxor
sweatshirt ['swetʃɜːt] *subst* collegetröja,
sweatshirt
sweatsuit ['swetsuːt] *subst* träningsoverall
sweaty ['swetɪ] *adj* **1** svettig **2** jobbig
Swede [swiːd] *subst* **1** svensk **2** *swede*
grönsak kålrot
Sweden ['swiːdn] Sverige
Swedish I ['swiːdɪʃ] *adj* svensk
II ['swiːdɪʃ] *subst* svenska språket
sweep I [swiːp] (*swept swept*) *verb* **1** sopa,
feja; ~ *clean* sopa ren; ~ *out* sopa rent i
(på); ~ *the chimney* sota skorstenen
2 svepa, fara, komma susande [*along* fram;
over fram, över], sträcka (utbreda) sig **3** ~
along rycka med sig; ~ *aside* fösa åt
sidan; ~ *away* sopa bort (undan), rycka
bort (undan); *be swept off one's feet*
a) ryckas med, tas med storm b) kastas
omkull **4** svepa fram över, dra fram över
(genom) **5** dragga
II [swiːp] *subst* **1** sopning; *give the room a
good* ~ sopa ordentligt i rummet; *make a
clean* ~ göra rent hus [*of* med] **2** *at one* ~
el. *in one* ~ i ett svep, i ett drag **3** sotning
4 person sotare
sweeper ['swiːpə] *subst* **1** sopare person
[*street-sweepers*] **2** sopmaskin; mattsopare
3 fotb. sopkvast, libero
sweeping I ['swiːpɪŋ] *subst* **1** sopning,
sopande **2** sotning **3** draggning
II ['swiːpɪŋ] *adj* **1** vittgående [~ *reforms*],
kraftig [~ *reductions in prices*];
förkrossande [*a* ~ *victory*]; ~ *statements*
el. ~ *generalizations* generaliseringar
2 svepande [*a* ~ *gesture*]
sweet I [swiːt] *adj* **1** söt **2** färsk, frisk;

behaglig, ljuvlig, härlig **3** söt [*a ~ dress*], näpen [*a ~ baby*] **4** rar, älskvärd; *it was ~ of you* det var väldigt snällt av dig
II [swiːt] *subst* **1** karamell, sötsak, godsak; pl. *~s* snask, godis **2** söt efterrätt, dessert
sweeten ['swiːtn] *verb* **1** göra söt, söta
sweetener ['swiːtnə] *subst* **1** sötningsmedel **2** vard. muta
sweetheart ['swiːthɑːt] *subst*, *~!* älskling!, sötnos!
sweetie ['swiːtɪ] *subst* **1** *~s* karamell, sötsak **2** vard., *~ pie* el. *~* sötnos, älskling
sweet pea [ˌswiːt'piː] *subst* blomma luktärt
sweetshop ['swiːtʃɒp] *subst* godisaffär
sweet-tempered [ˌswiːt'tempəd] *adj* älskvärd, godmodig
sweet-toothed [ˌswiːt'tuːθt] *adj* svag för sötsaker
sweet william [ˌswiːt'wɪljəm] *subst* borstnejlika
swell I [swel] (*swelled swollen*) *verb* **1** svälla, svullna, svullna upp, bulna **2** svälla [*his heart swelled with pride*] **3** stegras, öka
II [swel] *adj* vard. flott, toppenbra
swelling ['swelɪŋ] *subst* svällande, svullnande, svullnad
sweltering ['sweltərɪŋ] *adj* tryckande, kvävande [*~ heat*]; stekhet [*a ~ day*]
swept [swept] imperf. o. perf. p. av *sweep I*
swerve I [swɜːv] *verb* vika av från sin kurs, gira, svänga åt sidan
II [swɜːv] *subst* vridning, sväng (kast) åt sidan
swift I [swɪft] *adj* snabb, hastig
II [swɪft] *subst* fågel tornsvala
swig I [swɪg] (*-gg-*) *verb* vard. stjälpa i sig, halsa [*~ beer*]
II [swɪg] *subst* vard. klunk, slurk
swill [swɪl] *verb* skölja, spola, skölja ur (av); *~ down* skölja ned
swim I [swɪm] (*swam swum*) (*swimming*) *verb* **1** simma, simma över [*~ the English Channel*]; *go swimming* gå och bada **2** snurra; *everything swam before his eyes* allt gick runt för honom
II [swɪm] *subst* **1** simtur, bad; *go for a ~* gå och bada **2** *be in the ~* vara med i svängen
swimmer ['swɪmə] *subst* simmare
swimming ['swɪmɪŋ] *subst* simning
swimming-bath ['swɪmɪŋbɑːθ] *subst* simbassäng; pl. *~s* a) simbassänger b) simhall, simbad
swimming-costume ['swɪmɪŋˌkɒstjuːm] *subst* baddräkt, simdräkt

swimmingly ['swɪmɪŋlɪ] *adv* lekande lätt, som smort [*everything went ~*]
swimming-pool ['swɪmɪŋpuːl] *subst* simbassäng, swimmingpool
swimming trunks ['swɪmɪŋtrʌŋks] *subst pl* badbyxor
swimsuit ['swɪmsuːt, 'swɪmsjuːt] *subst* baddräkt, simdräkt
swindle I ['swɪndl] *verb* bedra, lura, svindla
II ['swɪndl] *subst* svindel, skoj, bluff
swindler ['swɪndlə] *subst* svindlare, skojare
swine [swaɪn] (pl. lika) *subst* svin djur el. person
swing I [swɪŋ] (*swung swung*) *verb* **1** svänga, pendla, vagga, vicka, gunga [*~ sb in a hammock*]; dingla **2** musik. vard. swinga, dansa swing; *~ it* spela swing, spela med swing **3** svänga runt; svinga [*~ a golf club*]; *~ one's hips* vagga med höfterna
II [swɪŋ] *subst* **1** svängning, gungning, omsvängning **2** fart, kläm, schvung; rytm; *be in full ~* vara i full gång, vara i full fart; *get into the ~ of things* komma in i det hela, komma i gång; *it's going with a ~* det går med full fart **3** gunga; *make up on the ~s what is lost on the roundabouts* ordspr. ta igen på gungorna vad man förlorar på karusellen **4** musik. swing
swingdoor ['swɪŋdɔː] *subst* svängdörr
swipe I [swaɪp] *verb* **1** *~ at* slå till, klippa till hårt [*~ at a ball*] **2** slå till, klippa till, drämma till [*he swiped the ball*] **3** sno, knycka
II [swaɪp] *subst* **1** vard. hårt slag, rökare **2** data., *~* el. *~ card* kortläsare
swirl I [swɜːl] *verb* virvla runt, virvla omkring
II [swɜːl] *subst* virvel [*a ~ of dust*]
swish I [swɪʃ] *verb* **1** vifta till med [*the horse swished its tail*] **2** svepa fram, susa fram; susa, vina [*the car swished past*] **3** prassla, rassla
II [swɪʃ] *subst* **1** sus, vinande **2** fras
Swiss I [swɪs] (pl. lika) *subst* schweizare; schweiziska
II [swɪs] *adj* schweizisk; schweizer- [*~ cheese*]; *chocolate ~ roll* drömtårta; *jam ~ roll* rulltårta
switch I [swɪtʃ] *subst* **1** strömbrytare, kontakt; omkopplare **2** spö [*riding ~*], smal käpp **3** omställning, övergång, omsvängning, byte
II [swɪtʃ] *verb* **1** koppla; *~ off* koppla av, koppla ur, bryta [*~ off the current*]; släcka [*~ off the light*]; stänga av [*~ off the radio*]; *~ on* koppla på, koppla in [*~ on the*

current]; knäppa på, tända [~ *on the light*]; slå på strömmen, tända ljuset; sätta på [~ *on the radio*] **2** ändra [~ *methods*]; byta; föra över, leda över [~ *the talk to another subject*]; ~ *over* ställa om [~ *over production to the manufacture of cars*]; ~ *over* el. ~ gå över, byta

switchback ['swɪtʃbæk] *subst* berg-och-dalbana

switchboard ['swɪtʃbɔːd] *subst* tele. växel-, telefonväxel

Switzerland ['swɪtsələnd] Schweiz

swivel ['swɪvl] (*-ll-*, amer. *-l-*) *verb* svänga, snurra, snurra på

swivel-chair ['swɪvltʃeə] *subst* snurrstol, svängbar kontorsstol

swollen I ['swəʊlən] perf. p. av *swell I*
II ['swəʊlən] *adj* **1** uppsvälld, svullen [*a ~ ankle*] **2** vard., *he has a ~ head* han är uppblåst

swollen-headed [ˌswəʊlən'hedɪd] *adj* vard., om person uppblåst

swoon I [swuːn] *verb* svimma; ~ *away* svimma av
II [swuːn] *subst* svimningsanfall

swoop I [swuːp] *verb*, ~ el. ~ *down* slå ned [*the eagle swooped down on its prey*]
II [swuːp] *subst* **1** plötsligt angrepp **2** razzia

sword [sɔːd] *subst* svärd; *cross ~s with* vara i strid med; *draw one's ~* dra blankt [*on sb mot ngn*]

swordfish ['sɔːdfɪʃ] *subst* svärdfisk

swore [swɔː] imperf. av *swear*

sworn I [swɔːn] perf. p. av *swear*
II [swɔːn] *adj* **1** svuren [*a ~ enemy*] **2** edsvuren

swot I [swɒt] (*-tt-*) *verb* skol. vard. plugga
II [swɒt] *subst* skol. vard. plugghäst

swum [swʌm] perf. p. av *swim I*

swung [swʌŋ] imperf. o. perf. p. av *swing I*

sycamore ['sɪkəmɔː] *subst* träd el. växt **1** ~ el. ~ *fig* sykomor **2** ~ el. ~ *maple* tysk lönn, sykomorlönn

syllable ['sɪləbl] *subst* stavelse

syllabus ['sɪləbəs] *subst* kursplan för visst ämne; studieplan

symbol ['sɪmbəl] *subst* symbol [*of* för], tecken

symbolic [sɪm'bɒlɪk] *adj* symbolisk

symbolism ['sɪmbəlɪzəm] *subst* symbolism, symbolik

symbolize ['sɪmbəlaɪz] *verb* symbolisera

symmetric [sɪ'metrɪk] *adj* o. **symmetrical** [sɪ'metrɪkəl] *adj* symmetrisk

symmetry ['sɪmətrɪ] *subst* symmetri

sympathetic [ˌsɪmpə'θetɪk] *adj* **1** full av medkänsla, full av förståelse [*to, towards* för], förstående, deltagande [~ *words*]; ~ *strike* sympatistrejk; *be ~ to* a) vara förstående för b) vara välvilligt inställd till **2** sympatisk [*a ~ face*], tilltalande [*to* för]

sympathize ['sɪmpəθaɪz] *verb* sympatisera, ha medkänsla [*with* med, för]; vara välvilligt inställd [~ *with sb's ideas*]

sympathizer ['sɪmpəθaɪzə] *subst* sympatisör

sympathy ['sɪmpəθɪ] *subst* **1** sympati [*for, with* för] **2** medkänsla, medlidande [*for, with* med], förståelse [*for, with* för], deltagande [*for, with* med, för]

symphonic [sɪm'fɒnɪk] *adj* symfonisk

symphony ['sɪmfənɪ] *subst* symfoni

symptom ['sɪmptəm] *subst* symtom [*of* på]

symptomatic [ˌsɪmptə'mætɪk] *adj* symtomatisk [*of* för]; kännetecknande [*of* för]

synagogue ['sɪnəgɒg] *subst* synagoga

synchro ['sɪŋkrəʊ] *subst* konstsim

synchronization [ˌsɪŋkrənaɪ'zeɪʃən] *subst* synkronisering

synchronize ['sɪŋkrənaɪz] *verb* synkronisera, samordna; *synchronized swimming* konstsim

syncopate ['sɪŋkəpeɪt] *verb* musik. synkopera [*syncopated rhythm*]

syncopation [ˌsɪŋkə'peɪʃən] *subst* musik. synkopering

syndicate ['sɪndɪkət] *subst* syndikat; konsortium

syndrome ['sɪndrəʊm] *subst* syndrom

synonym ['sɪnənɪm] *subst* språkv. synonym

synonymous [sɪ'nɒnɪməs] *adj* språkv. synonym

syntax ['sɪntæks] *subst* gram. syntax, satslära

synth [sɪnθ] *subst* (förk. för *synthesizer*) musik. vard. synt

synthesis ['sɪnθəsɪs] (pl. *syntheses* ['sɪnθəsiːz]) *subst* syntes, sammanställning

synthesize ['sɪnθəsaɪz] *verb* syntetisera

synthesizer ['sɪnθəsaɪzə] *subst* musik. synthesizer

synthetic [sɪn'θetɪk] *adj* syntetisk; ~ *fibre* syntetfiber, konstfiber

syphilis ['sɪfɪlɪs] *subst* med. syfilis

Syria ['sɪrɪə] Syrien

Syrian I ['sɪrɪən] *adj* syrisk
II ['sɪrɪən] *subst* syrier

syringe I ['sɪrɪndʒ] *subst* spruta, injektionsspruta
II ['sɪrɪndʒ] *verb* spruta in [*into* i]

syrup ['sɪrəp] *subst* **1** sockerlag, saft kokt med
socker **2** sirap
system ['sɪstəm] *subst* system; *postal* ~
postväsen; *prison* ~ fängelseväsen; *solar*
~ solsystem; *make a* ~ *of* sätta i system;
get sth out of one's ~ komma över
verkningarna av något
systematic [ˌsɪstə'mætɪk] *adj* systematisk
systematize ['sɪstəmətaɪz] *verb*
systematisera

Tt

T o. **t** [tiː] *subst* T, t; *to a T* utmärkt [*that
would suit me to a T*], på pricken
ta [tɑː] *interj* vard. tack!
tab [tæb] *subst* **1** namnlapp **2** etikett
3 rivöppnare **4** *keep* ~*s on* vard. hålla koll
på **5** nota, räkning; *pick up the* ~ vard.
a) betala notan b) betala kalaset
tabby ['tæbɪ] *subst* spräcklig katt, strimmig
katt
table ['teɪbl] *subst* **1** bord; *clear the* ~ duka
av; *lay the* ~ el. amer. *set the* ~ duka
bordet; *wait at* ~, amer. *wait on* ~ el. *wait*
~ passa upp vid bordet **2** tabell
[*multiplication* ~]; register; ~ *of contents*
innehållsförteckning **3** *turn the* ~*s on sb*
få övertaget igen över ngn; *the* ~*s are
turned* rollerna är ombytta
tablecloth ['teɪblklɒθ] *subst* bordduk
tableknife ['teɪblnaɪf] *subst* bordskniv,
matkniv
tablemanners ['teɪbl,mænəz] *subst pl*
bordsskick
tablemat ['teɪblmæt] *subst* **1** tablett, liten
duk **2** karottunderlägg
tablespoon ['teɪblspuːn] *subst* matsked
tablespoonful ['teɪbl,spuːnfʊl] *subst*
matsked mått
tablet ['tæblət] *subst* **1** minnestavla **2** liten
platta **3** tablett [*throat* ~*s*] **4** *a* ~ *of soap*
en tvålbit
table tennis ['teɪbl,tenɪs] *subst* bordtennis
table top ['teɪbltɒp] *subst* bordsskiva
tabloid ['tæblɔɪd] *subst* tidning i mindre
format motsvarar ungefär en svensk kvällstidning,
motsats *broadsheet*
taboo I [tə'buː] *subst* tabu
II [tə'buː] *verb* belägga med tabu
tabulator ['tæbjʊleɪtə] *subst* tabulator
taciturn ['tæsɪtɜːn] *adj* tystlåten, fåordig
tack I [tæk] *subst* nubb, stift, spik
II [tæk] *verb* spika, nubba, fästa med stift; ~
sth to el. ~ *sth on to* a) tråckla fast ngt vid
b) t.ex. ord, mening lägga till ngt till
tackle I ['tækl] *subst* **1** redskap, grejer;
fishing ~ fiskredskap **2** fotb. tackling
II ['tækl] *verb* **1** angripa, ge sig på, tackla [~
a problem] **2** sport. tackla
tact [tækt] *subst* takt, finkänslighet

tactful ['tæktfʊl] *adj* taktfull, finkänslig
tactical ['tæktɪkl] *adj* taktisk
tactician [tæk'tɪʃən] *subst* taktiker
tactics ['tæktɪks] (som mil. vetenskap med verb i sing., i betydelsen 'metoder' etc. med verb i pl.) *subst* taktik
tactless ['tæktləs] *adj* taktlös
tadpole ['tædpəʊl] *subst* grodlarv, grodyngel
taffeta ['tæfɪtə] *subst* tyg taft
tag I [tæg] *subst* **1** lapp, märke, etikett; *price* ~ el. ~ prislapp **2** remsa, flik, stump
II [tæg] (*-gg-*) *verb*, ~ *sth on to* fästa ngt vid (i), lägga till ngt till
tagliatelle [ˌtæljə'telɪ] *subst* kok. bandspaghetti, tagliatelle
tail I [teɪl] *subst* **1** svans, stjärt, ända, bakre del [*the* ~ *of a cart*]; *turn* ~ vända sig bort, ta till flykten; *with one's* ~ *between one's legs* med svansen mellan benen **2** skört [*the* ~ *of a coat*]; pl. ~*s* vard. frack; *in* ~*s* vard. klädd i frack **3** baksida av mynt; *heads or* ~*s?* krona eller klave?
II [teɪl] *verb* **1** *top and* ~ el. ~ snoppa bär **2** skugga [~ *a suspect*]; komma sist i [~ *a procession*] **3** ~ *away* el. ~ *off* avta, dö bort [*her voice tailed away*]
tailback ['teɪlbæk] *subst* lång bilkö
tailboard ['teɪlbɔːd] *subst* lastflak på lastbil
tail coat [ˌteɪl'kəʊt] *subst* frack
tail end [ˌteɪl'end] *subst* slut, sista del [*the* ~ *of a speech*]; sluttamp

tailgate ['teɪlgeɪt] *subst* bil. **1** bakdörr på halvkombi **2** lastflak på lastbil
taillight ['teɪllaɪt] *subst* bil. baklykta på bil
tailor I ['teɪlə] *subst* skräddare; *tailor's dummy* a) provdocka b) klädsnobb
II ['teɪlə] *verb* skräddarsy
tailoring ['teɪlərɪŋ] *subst* skrädderi
tailor-made ['teɪləmeɪd] *adj* skräddarsydd
tailpiece ['teɪlpiːs] *subst* slutstycke; slutkläm
tailpipe ['teɪlpaɪp] *subst* bil. avgasrör
tailspin ['teɪlspɪn] *subst* flyg. spinn
taint [teɪnt] *verb* **1** fläcka, besudla [~ *sb's*

name] **2** göra skämd; *tainted meat* skämt kött
Taiwan [taɪ'wɑːn]
take I [teɪk] (*took taken*) *verb* **1** ta, fatta, gripa, ta tag i; ~ *sb's arm* ta ngn under armen; ~ *sb's hand* ta ngn i handen **2** ta med sig, bära, flytta; föra, leda **3** ta sig [~ *a liberty*]; ~ *a bath* ta sig ett bad **4** göra sig [~ *a lot of trouble*] **5** anteckna, skriva upp [~ *sb's name*] **6** ta, resa, åka, slå in på [~ *another road*]; ~ *the road to the right* gå (köra) åt höger **7** ta emot [~ *a gift*]; ~ *it or leave it!* passar det inte så får det vara!; ~ *that!* där fick du så du teg! **8** behövas, fordras, krävas [*it took six men to do it*]; dra [*the car* ~*s a lot of petrol*]; *it* ~*s so little to make her happy* det behövs så lite för att hon ska bli glad; *it* ~*s a lot to make her cry* det ska mycket till för att hon ska gråta; *it will* ~ *some doing* det är inte gjort utan vidare; *it took some finding* den var svår att hitta; *she has got what it* ~*s* vard. hon har allt som behövs **9** ta på sig [~ *the blame*], överta, åta sig [~ *the responsibility*] **10** *be taken ill* bli sjuk; *be taken with* få, drabbas av **11** tåla; *he can't* ~ *a joke* han tål inte skämt **12** uppfatta, förstå [*he took the hint*]; *this must be taken to mean that...* det måste uppfattas så att... **13** följa, ta [~ *my advice*] **14** tro, anse; *I* ~ *it that* jag antar att; *do you* ~ *me for a fool?* tror du jag är en idiot?; *you may* ~ *my word for it that* el. *you may* ~ *it from me that* du kan tro mig på mitt ord när jag säger att **15** vinna, ta [*he took the first set 6—3*] kortsp. få, ta hem [~ *a trick*] **16** fatta, få [~ *a liking to*], finna, ha; *she took pleasure in teasing him* hon njöt av att reta honom **17** läsa [~ *English at the university*]; gå igenom [~ *a course*], gå upp i [~ *one's exam*] **18** undervisa i [~ *a class*] **19** gram. konstrueras med [*the verb* ~*s the accusative*] **20** ta [*the vaccination didn't* ~] **21** om växt slå rot, ta sig **22** ta, ta av [~ *to the right*]; fly [~ *to the woods*]; ~ *to the lifeboats* gå i livbåtarna
II [teɪk] (*took taken*) *verb* med adv. o. prep.
take after brås på [*he* ~*s after his father*]
take along ta med sig, ta med [~ *along your brother*]
take away 1 ta bort, ta undan **2** dra ifrån [~ *away six from nine*]
take back 1 ta tillbaka, återta **2** föra tillbaka i tiden
take down 1 ta ned **2** riva ned, riva [~

down a house] **3** skriva ned, skriva upp, anteckna, ta diktamen på [~ *down a letter*] **4** ~ *sb down a peg or two* sätta ngn på plats
take in 1 ta in **2** föra in **3** omfatta [*the map* ~*s in the whole of London*] **4** vard. besöka, gå på; ~ *in a cinema* gå på bio **5** förstå, fatta [*I didn't* ~ *in a word*] **6** överblicka [~ *in the situation*]; uppfånga [*she took in every detail*] **7** *he* ~*s it all in* vard. han går på allting; *be taken in* vard. låta lura sig
take off 1 ta bort, ta loss; ta av sig, ta av [~ *off one's shoes*] **2** föra bort [*be taken off to prison*] **3** ~ *a day off* ta sig ledigt en dag **4** imitera, härma; parodiera **5** ge sig i väg **6** flyg. starta, lyfta
take on 1 åta sig, ta på sig [~ *on extra work*] **2** ta in, anställa [~ *on new workers*] **3** anta, få [~ *on a new meaning*] **4** ställa upp mot, ta sig an [~ *on at golf*]
take out 1 ta fram, ta upp, ta ut [*from, of ur*]; dra ut tand **2** ta med ut, bjuda ut [~ *sb out to dinner*] **3** *she takes it out on her children* hon låter det gå ut över sina barn
take over ta över, överta ledningen (makten, ansvaret); ~ *over from* avlösa
take to 1 börja ägna sig åt [~ *to gardening*]; hemfalla åt; ~ *to doing sth* lägga sig till med att göra ngt; ~ *to drink* el. ~ *to drinking* börja dricka **2** bli förtjust i, börja tycka om, tycka om [*the children took to her at once*]
take up 1 ta upp, ta fram; ~ *up arms* gripa till vapen **2** fylla upp, fylla [*it* ~*s up the whole page*]; uppta, ta i anspråk, lägga beslag på [~ *up sb's time*] **3** inta [~ *up an attitude*] **1** anta [~ *up a challenge*], gå med på; ta sig an, åta sig [~ *up sb's cause*]; börja ägna sig åt, börja lära sig, börja spela **1** fortsätta, ta vid [*we took up where we left off*]
takeaway ['teɪkəweɪ] *subst* o. *adj*, ~ el. ~ *restaurant* restaurang med mat för avhämtning; ~ el. ~ *meal* måltid för avhämtning
take-home ['teɪkhəʊm] *adj*, ~ *pay* vard. lön efter skatt, nettolön
taken ['teɪkən] perf. p. av *take*
takeoff ['teɪkɒf] *subst* **1** flyg. start [*a smooth* ~]; startplats **2** imitation; karikatyr
takeout ['teɪkaʊt] *subst* amer., se *takeaway*
takeover ['teɪk͵əʊvə] *subst* övertagande; *State* ~ statligt övertagande; ~ *bid* anbud att överta aktiemajoriteten i ett företag

taking ['teɪkɪŋ] *subst* **1** tagande **2** pl. ~*s* intäkter, inkomst, inkomster
talc [tælk] *subst* o. **talcum** ['tælkəm] *subst* talk
tale [teɪl] *subst* **1** berättelse, historia, saga; *nursery* ~ barnsaga **2** lögn, lögnhistoria; *tell* ~*s* skvallra, springa med skvaller
talent ['tælənt] *subst* talang, begåvning
talented ['tæləntɪd] *adj* talangfull, begåvad
talk I [tɔːk] *verb* tala, prata, vard. snacka; skvallra; *now you're talking!* vard. så ska det låta!; ~ *big* vard. vara stor i orden, skryta
II [tɔːk] *verb* med adv. o. prep.
talk about tala om, prata om
talk down to använda en nedlåtande ton till
talk sb into doing sth övertala ngn att göra ngt
talk of tala om, prata om; *talking of* på tal om, apropå
talk on tala om, hålla föredrag om
talk sb out of doing sth övertala ngn att inte göra ngt
talk over diskutera, resonera om [*let's* ~ *the matter over*]
talk sb round övertala ngn, få ngn att ändra sig
talk to 1 tala med, prata med, samtala med; tala till **2** säga till på skarpen
talk with tala med, prata med, samtala med
III [tɔːk] *subst* **1** samtal, pratstund; pl. ~*s* förhandlingar [*peace* ~*s*]; *small* ~ småprat, kallprat **2** prat [*we want action, not* ~] **3** tal [*there can be no* ~ *of that*]; *there has been* ~ *of that* det har varit tal om det; *the* ~ *of the town* det allmänna samtalsämnet **4** föredrag [*a* ~ *on the radio*]; *give a* ~ *on* hålla föredrag om
talkative ['tɔːkətɪv] *adj* talför, pratsam
talker ['tɔːkə] *subst* pratmakare; *he's a good* ~ han talar bra; *he's a great* ~ han kan hålla låda, han är en riktig pratkvarn
talking I ['tɔːkɪŋ] *subst* prat [*no* ~*!*]; *he did all the* ~ det var han som pratade, han skötte snacket
II ['tɔːkɪŋ] *adj* talande; *a* ~ *doll* en docka som kan prata
talking point ['tɔːkɪŋpɔɪnt] *subst* samtalsämne, diskussionsämne
talking-to ['tɔːkɪŋtuː] *subst* utskällning [*get a* ~]
tall [tɔːl] *adj* **1** lång [*a* ~ *man*], storväxt, reslig; hög [*a* ~ *building*] **2** vard. otrolig [*a* ~ *story*]

tallboy ['tɔːlbɔɪ] *subst* byrå med höga ben
tallow ['tæləʊ] *subst* talg
tally I ['tælɪ] *subst* poängsumma,
totalsumma
II ['tælɪ] *verb* stämma överens [*the lists ~*]
talon ['tælən] *subst* rovfågelsklo
tame I [teɪm] *adj* tam
II [teɪm] *verb* tämja, kuva
tamer ['teɪmə] *subst* djurtämjare
tamper ['tæmpə] *verb*, ~ *with* mixtra med,
fiffla med
tampon ['tæmpən] *subst* tampong
tan I [tæn] (*-nn-*) *verb* 1 garva, barka 2 göra
brunbränd; *tanned* solbränd
II [tæn] *subst* 1 mellanbrunt 2 solbränna
tandem ['tændəm] *subst* tandem,
tandemcykel
tangent ['tændʒənt] *subst* geom. tangent; *fly
off at a* ~ plötsligt avvika från ämnet
tangerine [ˌtændʒə'riːn] *subst* tangerin
citrusfrukt
tangible ['tændʒəbl] *adj* påtaglig [*~ proofs*];
konkret [*~ proposals*]
tangle I ['tæŋgl] *verb* trassla till, göra
trasslig; *get tangled up* el. *get tangled*
trassla ihop sig
II ['tæŋgl] *subst* trassel, oreda; virrvarr
tangled ['tæŋgld] *adj* tilltrasslad, trasslig
tango I ['tæŋgəʊ] (pl. ~*s*) *subst* tango
II ['tæŋgəʊ] *verb* dansa tango
tank I [tæŋk] *subst* 1 tank, cistern, behållare;
rain-water ~ vattenreservoir 2 mil.
stridsvagn, tank; ~ *regiment*
pansarregemente 3 akvarium
II [tæŋk] *verb*, ~ *up* tanka fullt
tankard ['tæŋkəd] *subst* kanna, stop, sejdel,
krus
tanker ['tæŋkə] *subst* tanker, tankfartyg
tank top ['tæŋktɒp] *subst* ärmlös T-shirt
tannic ['tænɪk] *adj* garv-; ~ *acid* garvsyra
tannin ['tænɪn] *subst* kem. garvsyra
tantalize ['tæntəlaɪz] *verb* fresta, reta, gäcka
tantalizing ['tæntəlaɪzɪŋ] *adj* lockande [*~
smell of cooking*], retsam, gäckande [*a ~
smile*]
tantamount ['tæntəmaʊnt] *adj*, *be* ~ *to* vara
liktydig med, vara detsamma som
tantrum ['tæntrəm] *subst* raserianfall; *fly
into a* ~ få ett raserianfall
Tanzania [ˌtænzə'niːə]
Tanzanian I [ˌtænzə'niːən] *subst* tanzanier
II [ˌtænzə'niːən] *adj* tanzanisk
1 tap I [tæp] *subst* 1 kran på ledningsrör
2 plugg, tapp i tunna
II [tæp] (*-pp-*) *verb* 1 tappa ur, tappa av

2 utnyttja, exploatera [*~ sources of energy*];
~ *sb for money* tigga pengar av ngn 3 tele.
avlyssna [*~ a telephone conversation*]; ~ *the
wires* göra telefonavlyssning
2 tap I [tæp] (*-pp-*) *verb* 1 knacka i, knacka
på; slå lätt, klappa lätt [*~ sb on the shoulder*]
2 knacka [*~ at the door*; ~ *on the door*]
II [tæp] *subst* knackning, lätt slag; *there
was a* ~ *at the door* det knackade på
dörren
tap-dance I ['tæpdɑːns] *subst* steppdans
II ['tæpdɑːns] *verb* steppa
tap-dancing ['tæpˌdɑːnsɪŋ] *subst* steppdans
tape I [teɪp] *subst* 1 band [*cotton ~*]
2 *adhesive* ~ el. *sticky* ~ el. ~ tejp;
insulating ~ isoleringsband 3 ljudband;
blank ~ oinspelat (tomt) band; *record on*
~ spela in på band, banda 4 sport.
målsnöre; *breast the* ~ spränga målsnöret
5 måttband
II [teɪp] *verb* 1 binda om (fast) med band
2 linda med tejp (isoleringsband); ~ *up*
tejpa ihop 3 ta upp på band, banda 4 vard.,
I've got him taped jag vet vad han går för
tape head ['teɪphed] *subst* tonhuvud på
bandspelare
tape measure ['teɪpˌmeʒə] *subst* måttband
taper I ['teɪpə] *subst* smalt vaxljus
II ['teɪpə] *verb*, ~ *off* el. ~ smalna av
tape-record ['teɪprɪˌkɔːd] *verb* spela in på
band, banda, göra bandinspelningar
tape-recorder ['teɪprɪˌkɔːdə] *subst*
bandspelare
tapestry ['tæpəstrɪ] *subst* gobeläng,
gobelänger
tapeworm ['teɪpwɜːm] *subst* binnikemask
tar I [tɑː] *subst* tjära
II [tɑː] (*-rr-*) *verb* tjära, asfaltera; *they are
tarred with the same brush* de är av
samma skrot och korn
target ['tɑːgɪt] *subst* 1 måltavla, skottavla;
be on ~ träffa prick; *be off* ~ missa målet;
~ *practice* målskjutning, skjutövning
tariff ['tærɪf] *subst* 1 tull 2 taxa, tariff,
prislista
tarmac ['tɑːmæk] 1 asfalt, asfaltbeläggning
2 flyg. platta
tarnish ['tɑːnɪʃ] *verb* 1 göra matt, göra
glanslös, missfärga 2 bli matt, bli glanslös,
mista sin glans 3 skamfila [*his reputation is
tarnished*]
tarpaulin [tɑː'pɔːlɪn] *subst* presenning
tarragon ['tærəgən] *subst* krydda dragon
tart [tɑːt] *subst* 1 mördegstårta med frukt,

fruktpaj; *jam* ~ mördegsform med sylt
2 vard. slampa

---

tartan
Tartan var ursprungligen ett skotsk-
rutigt tyg som bars av klanerna i de
skotska högländerna. Varje klan
hade sitt mönster, t.ex. *the Mac-
Donald tartan.* I dag används tyg
och mönster till bl.a. damkjolar och
filtar.

---

tartan ['tɑːtən] *subst* **1** tartan, skotskrutigt
tyg, skotskrutigt mönster **2** pläd
Tartar ['tɑːtə] *subst* **1** tatar folkgrupp **2** vard.
ragata
tartar ['tɑːtə] *subst* **1** tandsten **2** kem. vinsten
tartare ['tɑːtɑː] *adj*, ~ *sauce* tartarsås
task [tɑːsk] *subst* arbetsuppgift, uppdrag;
set sb a ~ ge ngn en uppgift; *take sb to* ~
läxa upp ngn
task force ['tɑːskfɔːs] *subst* mil. specialtrupp
tassel ['tæsəl] *subst* tofs
taste I [teɪst] *subst* **1** smak; bismak [*it has a
funny* ~] **2** smaksinne **3** försmak,
smakprov [*of* av]; *it is a matter of* ~ det
är en smaksak; *it would be bad* ~ *to
refuse* det skulle vara ofint att tacka nej;
there is no accounting for ~*s* om tycke
och smak skall man inte diskutera; *in bad*
~ smaklös, smaklöst; *in good* ~ smakfull,
smakfullt
II [teɪst] *verb* **1** smaka; *it* ~*s of salt* det
smakar salt **2** smaka på
taste bud ['teɪstbʌd] *subst* anat. smaklök
tasteless ['teɪstləs] *adj* smaklös, osmaklig
tasty ['teɪstɪ] *adj* välsmakande, smakfull
tatter ['tætə] *subst, in* ~*s* i trasor
tattered ['tætəd] *adj* trasig, söndersliten
1 tattoo [tə'tuː] *subst* **1** mil. tapto; *beat the*
~ el. *sound the* ~ blåsa tapto
2 militärparad, militäruppvisning
2 tattoo I [tə'tuː] *verb* tatuera
II [tə'tuː] *subst* tatuering
taught [tɔːt] imperf. av *teach*
taunt I [tɔːnt] *verb* håna [*with* för]
II [tɔːnt] *subst* glåpord, gliring
Taurus ['tɔːrəs] stjärntecken Oxen
taut [tɔːt] *adj* **1** spänd [~ *muscles*], styv
2 fast, vältrimmad
tawny ['tɔːnɪ] *adj* gulbrun
tax I [tæks] *subst* **1** skatt, pålaga; ~ *arrears*
kvarstående skatt; ~ *avoidance*

skatteplanering; ~ *evader* el. ~ *dodger*
skattesmitare, skattefuskare; ~ *evasion* el.
~ *dodging* skattesmitning, skattefusk; ~
exile skatteflykting; ~ *haven*
skatteparadis; ~ *relief* skattelättnad
2 påfrestning [~ *on sb's health*]
II [tæks] *verb* **1** beskatta; taxera [*at* till; *by*
efter] **2** betunga, sätta på hårt prov
taxable ['tæksəbl] *adj* beskattningsbar
taxation [tæk'seɪʃən] *subst* **1** beskattning,
taxering **2** skatter [*reduce* ~]
tax-collector ['tækskə,lektə] *subst*
uppbördsman, skattmas
tax-free [,tæks'friː], före subst. 'tæksfriː] *adj*
skattefri; ~ *shop* taxfreeshop på t.ex. flygplats
taxi I ['tæksɪ] *subst* taxi, bil; *air* ~ taxiflyg
II ['tæksɪ] *verb* flyg. taxa, köra på marken
t.ex. före start
taxicab ['tæksɪkæb] *subst* taxi
taxi-driver ['tæksɪ,draɪvə] *subst* taxichaufför
taximeter ['tæksɪ,miːtə] *subst* taxameter
taxiplane ['tæksɪpleɪn] *subst* taxiflyg,
taxiplan
taxi rank ['tæksɪræŋk] *subst* taxihållplats;
rad väntande taxibilar
taxpayer ['tæks,peɪə] *subst* skattebetalare
TB [,tiː'biː] *subst* (vard. för *tuberculosis*) tbc

---

tea
Afternoon tea eller *5 o'clock tea* som
serveras på eftermiddagen eller
high tea som vanligen serveras vid
fem- till sextiden kan vara mindre
måltider. *Cream tea* är te, scones,
vispgrädde och sylt.

---

tea [tiː] *subst* te dryck, måltid; tebjudning;
afternoon ~ el. *five o'clock* ~
eftermiddagste; *high* ~ lätt kvällsmåltid
med te, tidig tesupé; *have* ~ dricka te; *not
for all the* ~ *in China* inte för allt smör i
Småland; *that's just my cup of* ~ det är
helt i min smak; *she is not my cup of* ~
hon är inte min typ
tea bag ['tiːbæg] *subst* tepåse
tea break ['tiːbreɪk] *subst* tepaus
tea caddy ['tiː,kædɪ] *subst* teburk
teach [tiːtʃ] (*taught taught*) *verb* undervisa,
undervisa i, lära [*she teaches us French*];
vara lärare; *I'll* ~ *you to lie!* jag ska lära
dig att ljuga, jag!
teacher ['tiːtʃə] *subst* lärare
teaching I ['tiːtʃɪŋ] *subst* **1** undervisning; *go*

in for ~ ägna sig åt läraryrket **2** vanligen pl.
~*s* lära, läror [*the* ~*s of the Church*]
II ['ti:tʃɪŋ] *adj* **1** lärar- [*the* ~ *profession*]
2 undervisnings- [*a* ~ *hospital*]
teaching-aid ['ti:tʃɪŋeɪd] *subst* hjälpmedel i
undervisningen
tea cloth ['ti:klɒθ] *subst* torkhandduk,
kökshandduk
tea cosy ['ti:ˌkəʊzɪ] *subst* tehuv, tevärmare
teacup ['ti:kʌp] *subst* tekopp; *a storm in a*
~ en storm i ett vattenglas
teak [ti:k] *subst* teak, teakträ
tea kettle ['ti:ˌketl] *subst* tepanna, tekittel
med pip
teal [ti:l] *subst* fågel kricka, krickand
team I [ti:m] *subst* lag [*football* ~]; team,
gäng, trupp
II [ti:m] *verb*, ~ *up* vard. slå sig ihop, arbeta i
team
team-mate ['ti:mmeɪt] *subst* lagkamrat
team spirit ['ti:mˌspɪrɪt] *subst* laganda
teamster ['ti:mstə] *subst* amer.
långtradarchaufför
teamwork ['ti:mwɜ:k] *subst* teamwork,
lagarbete, grupparbete
tea party ['ti:ˌpɑ:tɪ] *subst* tebjudning
teaplant ['ti:plɑ:nt] *subst* tebuske
teapot ['ti:pɒt] *subst* tekanna
1 tear [tɪə] *subst* tår [*flood of* ~*s*]; *shed* ~*s*
fälla tårar; *burst into* ~*s* brista i gråt
2 tear I [teə] (*tore torn*) *verb* **1** slita, riva,
rycka, riva och slita [*at* i], slita sönder,
rycka sönder; ~ *open* slita upp [~ *open a*
letter]; ~ *to pieces* slita sönder, slita i
stycken; *that's torn it* vard. nu är det
klippt; *it* ~*s easily* den slits sönder lätt
2 rusa, flänga [~ *down the road*; ~ *into a*
room]
II [teə] (*tore torn*) *verb* med adv. o. prep.
tear about rusa omkring
tear along rusa fram
tear away 1 slita bort, riva bort **2** rusa i
väg; ~ *oneself away* slita sig lös [*I can't* ~
myself away from this book]
tear down riva ned, plocka ner
tear off 1 slita bort, riva av, riva loss **2** rusa
i väg
tear out 1 riva ut [~ *out a page*] **2** rusa ut
tear up slita sönder, riva sönder, riva upp
III [teə] *subst* reva, rispa; rivet hål
tear duct ['tɪədʌkt] *subst* anat. tårkanal
tearful ['tɪəfʊl] *adj* **1** tårfylld **2** gråtmild
tear gas ['tɪəgæs] *subst* tårgas
tearing ['teərɪŋ] *adj*, *at a* ~ *pace* i rasande
fart

tear-jerker ['tɪəˌdʒɜːkə] *subst* film. etc.
snyftare
tea room ['ti:ru:m] *subst* teservering,
konditori
tease I [ti:z] *verb* reta, retas med, retas
II [ti:z] *subst* retsticka
tea set ['ti:set] *subst* teservis
teashop ['ti:ʃɒp] *subst* teservering, konditori
teaspoon ['ti:spu:n] *subst* tesked
teaspoonful ['ti:ˌspu:nfʊl] *subst* tesked mått
tea-strainer ['ti:ˌstreɪnə] *subst* tesil
teat [ti:t] *subst* **1** spene **2** napp på flaska
teatime ['ti:taɪm] *subst* tedags
tea towel ['ti:ˌtaʊəl] *subst* torkhandduk,
kökshandduk
tea trolley ['ti:ˌtrɒlɪ] *subst* tevagn, rullbord
techie ['tekɪ] *subst* vard. kortform för *technician*
technical ['teknɪkl] *adj* teknisk,
yrkesinriktad [*a* ~ *school*]; ~ *knock-out*
boxn. teknisk knockout; ~ *support* data.
teknisk support
technicality [ˌteknɪ'kælətɪ] *subst* **1** teknik
2 formalitet, teknisk detalj [*it's just a* ~]
technician [tek'nɪʃən] *subst* tekniker, teknisk
expert
technique [tek'ni:k] *subst* teknik
techno ['teknəʊ] *subst* musik. techno,
technomusik
technofreak ['teknəʊfri:k] *subst* vard.
teknikfantast som älskar tekniska prylar
technological [ˌteknə'lɒdʒɪkl] *adj*
teknologisk
technology [tek'nɒlədʒɪ] *subst* teknologi,
teknik; *school of* ~ teknisk skola
teddy ['tedɪ] *subst* **1** ~ *bear* teddybjörn,
leksaksbjörn **2** teddy damunderplagg
tedious ['ti:djəs] *adj* långtråkig, ledsam
tedium ['ti:djəm] *subst* långtråkighet, leda
tee [ti:] *subst* **1** golf., utslagsplats tee **2** pinne peg
teem [ti:m] *verb* vimla, myllra, krylla [*with*
av]; *it was teeming with rain* el. *it was*
teeming regnet vräkte ned
teenage ['ti:neɪdʒ] *subst* före subst. tonårs-
teenager ['ti:nˌeɪdʒə] *subst* tonåring
teens [ti:nz] *subst pl* tonår
teeny ['ti:nɪ] *adj* o. **teeny-weeny**
[ˌti:nɪ'wi:nɪ] *adj* vard. pytteliten
teeth [ti:θ] *subst pl* av *tooth*
teethe [ti:ð] *verb* få tänder
teething ['ti:ðɪŋ] *subst* tandsprickning; ~
ring bitring; ~ *troubles* el. ~ *problems*
a) tandsprickningsbesvär
b) barnsjukdomar, initialsvårigheter
teeth ridge ['ti:θrɪdʒ] *subst* tandvall

teetotaller [tiː'təʊtələ] *subst* helnykterist, absolutist

Teflon® ['teflɒn] *subst* teflon®

telecast I ['telɪkɑːst] (*telecast telecast* el. *telecasted telecasted*) *verb* sända i tv, visa i tv **II** ['telɪkɑːst] *subst* tv-sändning

telecom ['telɪkɒm] *subst* (förk. för *telecommunications*); *British Telecom* brittiska televerket

telecommunications ['telɪkəˌmjuːnɪ'keɪʃənz] (med verb i sing.) *subst* teleteknik, telekommunikationer

telegram ['telɪgræm] *subst* telegram

telegraph I ['telɪgrɑːf] *subst* **1** telegraf **2** telegram **II** ['telɪgrɑːf] *verb* telegrafera {*for* efter}

telegraphic [ˌtelɪ'græfɪk] *adj* telegrafisk, telegraf-; ~ *address* telegramadress

telegraphist [tə'legrəfɪst] *subst* o.

telegraph-operator ['telɪgrɑːf,ɒpəreɪtə] *subst* telegrafist

telegraph pole ['telɪgrɑːfpəʊl] *subst* telefonstolpe

telepathic [ˌtelɪ'pæθɪk] *adj* telepatisk

telepathy [tə'lepəθɪ] *subst* telepati

telephone I ['telɪfəʊn] *subst* telefon; ~ *box* el. ~ *booth* telefonkiosk, telefonhytt; ~ *directory* el. ~ *book* telefonkatalog; ~ *exchange* telefonväxel; ~ *operator* telefonist; *by the* ~ el. *over the* ~ per telefon; *be on the* ~ a) prata i telefon b) ha telefon; *you are wanted on the* ~ det är telefon till dig **II** ['telɪfəʊn] *verb* telefonera till, ringa, ringa upp

telephone pole ['telɪfəʊnpəʊl] *subst* amer., se *telegraph pole*

telephonist [tə'lefənɪst] *subst* telefonist

telephoto ['telɪfəʊtəʊ] *adj* foto., ~ *lens* teleobjektiv

telescope I ['telɪskəʊp] *subst* teleskop, kikare **II** ['telɪskəʊp] *verb* skjuta ihop, skjuta in i varandra, skjuta in

telescopic [ˌtelɪ'skɒpɪk] *adj* teleskopisk; ~ *lens* teleobjektiv; ~ *aerial* el. ~ *antenna* teleskopantenn

telescreen ['telɪskriːn] *subst* tv-ruta

teletext ['telɪtekst] *subst* text-tv

televiewer ['telɪvjuːə] *subst* tv-tittare

televise ['telɪvaɪz] *verb* sända i tv, visa i tv, televisera

television [ˌtelɪˌvɪʒən] *subst* television, tv; ~ *broadcast* tv-sändning; ~ *receiver* el. ~

set tv-apparat; ~ *screen* tv-ruta, bildruta; ~ *viewer* tv-tittare; ~ *series* tv-serie

tell I [tel] (*told told*) *verb* **1** tala 'om, berätta, tala {*of* om}, säga; ~ *sb about sth* berätta om ngt för ngn; *something* ~*s me he is not coming* jag känner på mig att han inte kommer; *you're telling me!* vard. det vet jag väl!; det kan du skriva upp!; *I told you so!* el. *what did I* ~ *you?* vad var det jag sa?; *I* ~ *you what...* el. ~ *you what...* vard. vet du vad... **2** säga 'till, säga 'åt, be {~ *him to sit down*}; *do as you are told* gör som man säger **3** skilja {*from* från}; känna igen {*by* på}, urskilja; *I can't* ~ *them apart* jag kan inte skilja dem åt; ~ *the difference between* skilja mellan, skilja på; *who can* ~*?* vem vet?; *you never can* ~ man kan aldrig så noga veta, skvallra {*on* på} **II** [tel] (*told told*) *verb* med adv. o. prep. **tell off** vard. läxa upp, skälla ut; *be told off* få på pälsen, få på huden **tell on** vard. ta på, fresta på {*it* ~*s on my nerves*}

teller ['telə] *subst* **1** berättare {*the teller of the story*} **2** kassör i bank

telling ['telɪŋ] *adj* träffande {*a* ~ *remark*}

telling-off [ˌtelɪŋ'ɒf] *subst* utskällning

telltale I ['telteɪl] *subst* skvallerbytta **II** ['telteɪl] *adj* avslöjande, skvallrande {*a* ~ *blush*}; ~ *tit!* skvallerbytta bingbong!

telly ['telɪ] *subst* vard. tv; *the* ~ dumburken {*on the* ~}

temper ['tempə] *subst* humör, lynne; *be in a* ~ el. *be in a bad* ~ vara på dåligt humör; *be in a good* ~ vara på gott humör; *fly into a* ~ fatta humör; *keep one's* ~ bibehålla sitt lugn; *lose one's* ~ tappa humöret

temperament ['tempərəmənt] *subst* temperament, humör {*a cheerful* ~}

temperamental [ˌtempərə'mentl] *adj* temperamentsfull

temperamentally [ˌtempərə'mentəlɪ] *adv* till temperamentet

temperance ['tempərəns] *subst* **1** måttlighet, återhållsamhet **2** helnykterhet

temperate ['tempərət] *adj* **1** måttlig, återhållsam **2** tempererad {*a* ~ *climate*}

temperature ['temprətʃə] *subst* **1** temperatur **2** feber; *have a* ~ el. *run a* ~ ha feber

tempest ['tempɪst] *subst* storm, oväder; *a* ~ *in a teapot* amer. en storm i ett vattenglas

tempestuous [tem'pestjʊəs] *adj* stormig, våldsam

tempi ['tempi:] *subst pl* av *tempo*

1 temple ['templ] *subst* tempel, helgedom

2 temple ['templ] *subst* anat. tinning

tempo ['tempəʊ] (pl. *tempos*, i betydelse 1 vanligen *tempi* ['tempi:]) *subst* **1** musik. tempo [*a fast ~*] **2** tempo, fart

temporary ['tempərəri] *adj* **1** temporär, tillfällig, provisorisk [*a ~ bridge*]; kortvarig **2** tillförordnad, extraordinarie

tempt [temt] *verb* fresta, förleda, locka; ~ *fate* utmana ödet

temptation [tem'teɪʃən] *subst* frestelse, lockelse; *give way to* ~ falla för frestelser

tempter ['temtə] *subst* frestare

temptress ['temtrəs] *subst* fresterska

---

ten sixty-six – 1066

De flesta engelsmän känner till årtalet 1066 då Wilhelm Erövraren, *William the Conqueror*, besegrade den engelska kungen Harald, *Harold*, i slaget vid Hastings, *the Battle of Hastings*. Det normandiska och franska inflytandet blev då helt dominerande och påverkade allt från språk till samhällssystem.

---

ten [ten] *räkn* o. *subst* tio, tia; tiotal

tenable ['tenəbl] *adj* hållbar [*a ~ theory*]

tenacity [tə'næsəti] *subst* seghet; orubblighet; ~ *of purpose* målmedvetenhet

tenancy ['tenənsi] *subst* **1** förhyrning, hyrande **2** hyrestid

tenant I ['tenənt] *subst* **1** hyresgäst **2** arrendator

II ['tenənt] *verb* **1** hyra **2** arrendera

tench [tentʃ] *subst* fisk sutare

1 tend [tend] *verb* vårda, sköta [*~ the wounded*], passa [*~ a machine*]

2 tend [tend] *verb* tendera, ha en tendens

tendency ['tendənsi] *subst* tendens; *he has a ~ to exaggerate* han har en benägenhet att överdriva

1 tender ['tendə] *adj* **1** mör [*a ~ steak*]; öm [*a ~ spot*]; *a ~ age* späd ålder **2** ömsint

2 tender ['tendə] **1** *verb* erbjuda [*~ one's services*] **2** lämna in [*~ one's resignation*]

tender-hearted ['tendə,hɑːtɪd] *adj* ömsint

tendon ['tendən] *subst* anat. sena

tenfold I ['tenfəʊld] *adj* tiodubbel, tiofaldig

II ['tenfəʊld] *adv* tiodubbelt, tiofaldigt, tiofalt

tenner ['tenə] *subst* vard. tiopundssedel, amer. tiodollarssedel

tennis ['tenɪs] *subst* tennis; ~ *elbow* tennisarm; ~ *court* tennisbana

tenor ['tenə] *subst* musik. tenor, tenorstämma

tenpence ['tenpəns] *subst* tio pence

tenpenny ['tenpəni] *adj* tiopence-; *a ~ piece* en tiopenny

1 tense [tens] *subst* gram. tempus, tidsform

2 tense I [tens] *adj* spänd, stram, sträckt

II [tens] *verb* **1** spänna, strama åt **2** spännas, stramas åt

tension ['tenʃən] *subst* spänning, spändhet; *high* ~ hög spänning

tent [tent] *subst* tält; *pitch one's* ~ slå upp sitt tält

tentacle ['tentəkl] *subst* tentakel

tentative ['tentətɪv] *adj* preliminär, trevande

tenterhook ['tentəhʊk] *subst, be on ~s* sitta som på nålar; *keep sb on ~s* hålla ngn på sträckbänken, hålla ngn på halster

tenth [tenθ] *räkn* o. *subst* tionde; tiondel

tepid ['tepɪd] *adj* ljum

term I [tɜːm] *subst* **1** tid, period [*a ~ of five years*] skol. el. univ. termin **2** pl. ~*s* villkor, bestämmelse; pris, priser [*the ~s are reasonable*]; betalningsvillkor; *come to ~s with sb* träffa en uppgörelse med ngn **3** pl. ~*s* förhållande; *be on good ~s with* stå på god fot med; *be on bad ~s with* vara ovän med; *meet on equal ~s* mötas som jämlikar; *we parted on the best of ~s* vi skildes som de bästa vänner; *come to ~s with* acceptera, finna sig i **4** term [*a scientific ~*], uttryck; pl. ~*s* ord, ordalag [*in general ~s*]

II [tɜːm] *verb* benämna, kalla

terminal I ['tɜːmɪnl] *subst* **1** slutstation, terminal **2** elektr. klämma, kabelfäste; pol [*battery ~s*] **3** data. terminal

II ['tɜːmɪnl] *adj* **1** slut-, änd- [*~ station*] **2** med. dödlig, obotlig [*~ cancer*]

terminate ['tɜːmɪneɪt] *verb* avsluta, göra slut på; sluta [*the word ~s in a vowel*]

termination [,tɜːmɪ'neɪʃən] *subst* slut, avslutning

terminology [,tɜːmɪ'nɒlədʒi] *subst* terminologi

terminus ['tɜːmɪnəs] *subst* slutstation, ändstation, terminal

termite ['tɜːmaɪt] *subst* insekt termit

terrace ['terəs] *subst* **1** terrass; avsats; ~

house radhus **2** uteplats; pl. *the* ~*s*
ståplatser, ståplatspublik

terraced ['terəst] *adj* **1** terrasserad, i
terrasser **2** ~ *house* radhus

terracotta [ˌterə'kɒtə] *subst* terrakotta

terrarium [tə'reərɪəm] *subst* terrarium

terrestrial [tə'restrɪəl] *adj* jordisk, jord-;
land- [~ *animals*]; ~ *channel* tv. marksänd
kanal

terrible ['terəbl] *adj* förfärlig, förskräcklig

terrier ['terɪə] *subst* terrier hundras

terrific [tə'rɪfɪk] *adj* fruktansvärd, enorm,
oerhörd [~ *speed*], vard. jättebra

terrify ['terɪfaɪ] *verb* skrämma; ~ *sb into
doing sth* skrämma ngn till att göra ngt;
terrified of livrädd för

territorial [ˌterɪ'tɔːrɪəl] *adj* territoriell;
land-, jord- [~ *claims*]; ~ *waters*
territorialvatten

territory ['terɪtərɪ] *subst* **1** territorium
2 besittning [*overseas territories*] **3** djurs
revir

terror ['terə] *subst* **1** skräck, fasa; *strike* ~
into sätta skräck i; *be in* ~ *of one's life*
frukta för sitt liv **2** vard., om person plåga,
satunge **3** terror; *reign of* ~ skräckvälde

terrorism ['terərɪzəm] *subst* terrorism

terrorist ['terərɪst] *subst* terrorist

terrorize ['terəraɪz] *verb* terrorisera; ~ *over*
terrorisera

terror-stricken ['terəˌstrɪkən] *adj* o.

terror-struck ['terəstrʌk] *adj* skräckslagen

terry ['terɪ] *subst* frotté; ~ *towel*
frottéhandduk

test I [test] *subst* **1** test; *put to the* ~ sätta på
prov; *stand the* ~ bestå provet **2** prov,
provning, prövning, försök, förhör [*an oral
~*]; *driving* ~ körkortsprov; *nuclear* ~
kärnvapenprov; *written* ~ skrivning,
skriftligt prov
II [test] *verb* **1** prova, pröva, sätta på prov,
testa; *have one's eyesight tested*
kontrollera synen **2** skol. förhöra

testament ['testəmənt] *subst* **1** jur., *last will
and* ~ testamente **2** bibl., *the New
Testament* Nya testamentet; *the Old
Testament* Gamla testamentet

test card ['testkɑːd] *subst* tv. testbild

test case ['testkeɪs] *subst* jur.
prejudicerande rättsfall

testicle ['testɪkl] *subst* anat. testikel

testify ['testɪfaɪ] *verb* **1** vittna [*to* om;
against mot; *in favour of* till förmån för],
avlägga vittnesmål **2** intyga; vittna om

testimonial [ˌtestɪ'məʊnɪəl] *subst* **1** intyg,

vitsord **2** rekommendation **3** sport.
recettmatch

testimony ['testɪmənɪ] *subst* vittnesmål,
vittnesbörd [*to, of* om]; *bear* ~ *to* vittna
om

test match ['testmætʃ] *subst* sport.
landskamp i cricket el. rugby

test paper ['testˌpeɪpə] *subst* skrivning

test pattern ['testˌpætən] *subst* tv. testbild

test tube ['testtjuːb] *subst* provrör

tetanus ['tetənəs] *subst* med. stelkramp

tête-à-tête [ˌteɪtɑː'teɪt] *subst* tätatät, samtal
mellan fyra ögon

tether ['teðə] *subst, be at the end of one's*
~ inte orka mer

Texas ['teksəs]

text [tekst] *subst* text, ordalydelse

textbook ['tekstbʊk] *subst* lärobok

textile I ['tekstaɪl] *adj* textil-, vävnads-
II ['tekstaɪl] *subst* **1** vävnad **2** textilmaterial;
pl. ~*s* textilier

text message ['tekstˌmesɪdʒ] *subst* sms
meddelande

textual ['tekstʃʊəl] *adj* text- [~ *criticism*]

texture ['tekstʃə] *subst* struktur, konsistens

Thai I [taɪ] *adj* thailändsk, thai-
II [taɪ] *subst* **1** thailändare **2** thailändska
språket

Thailand ['taɪlænd]

Thames [temz] *subst, the* ~ Themsen; *he
will never set the* ~ *on fire* ungefär han
kommer aldrig att gå långt

than [ðæn, obetonat ðən, ðn] *konj* o. *prep* än, än
vad som [*more* ~ *is good for him*]; *no*

Thanksgiving
År 1621 firade de första invand-
rarna till Amerika att de lyckats
bärga sin första skörd. De firade
tillsammans med de indianer som
hjälpt dem överleva. I dag är
Thanksgiving eller *Thanksgiving
Day*, tacksägelsedagen, den största
familjehögtiden i USA och den
firas den fjärde torsdagen i novem-
ber. Man träffas och äter kalkon
med fyllning, *turkey with stuffing*,
tranbärsgelé, *cranberry sauce*, söt-
potatis, *sweet potatoes* och som dess-
ert pumpapaj *pumpkin pie* eller
pecannötspaj *pecan pie*.

sooner had we sat down ~... knappt
hade vi satt oss förrän...

thank I [θæŋk] *verb* tacka [*sb for sth* ngn för
ngt]; ~ *goodness!* el. ~ *God!* gudskelov!;
~ *Heaven!* Gud vare tack och lov!; ~
you! tack!, jo tack!; *no,* ~ *you!* nej tack!;
jag betackar mig!
II [θæŋk] *subst* pl. ~*s* tack; ~*s a lot!* vard.
tack så väldigt mycket!; *speech of* ~*s*
tacktal; *received with* ~*s* el. *with* ~*s* på
kvitto vilket tacksamt erkännes; ~*s to* prep.
tack vare

thankful ['θæŋkful] *adj* mycket tacksam

thankless ['θæŋkləs] *adj* otacksam [*a* ~
task]

thanksgiving ['θæŋks‚gɪvɪŋ] *subst* kyrkl.
tacksägelse; *Thanksgiving Day* el.
Thanksgiving i USA tacksägelsedagen
allmän fridag 4 torsdagen i november

that I [ðæt, obetonat ðət] *pron* **1** (pl. *those*) den
där, det där; denne, denna, detta; den, det
[~ *happened long ago*]; så [~ *is not the case*];
pl. *those* de där, dessa; de; ~ *is to say* el. ~
is det vill säga, dvs., alltså; *and that's* ~*!*
och därmed basta!; och hör sen!; så var det
med den saken!; *he is not so stupid as
all* ~ så dum är han inte; *what of* ~*?* än
sen då?; *the rapidity of light is greater
than* ~ *of sound* ljusets hastighet är större
än ljudets; *my car and* ~ *of my friend*
(*friend's*) min och min väns bil **2** som [*the
only thing* ~ *I can see; the only person* ~ *I can
see*], vilken, vilket, vilka; *all* ~ *I heard* allt
vad (allt det, allt som) jag hörde **3** såvitt,
vad [*he has never been here* ~ *I know of*]
II [ðæt, obetonat ðət] *konj* **1** att [*she said* ~
she would come] **2** som [*it was there* ~ *I first
saw him*], när, då [*now* ~ *I think of it, he was
there*] **3** eftersom; *what have I done* ~ *he
should insult me?* vad har jag gjort
eftersom han var så oförskämd mot mig?
4 om; *I don't know* ~ *I do* jag vet inte om
jag gör det
III [ðæt, obetonat ðət] *adv* vard. så pass [~
far, ~ *much*]; *he's not* ~ *good* el. *he's not
all* ~ *good* så bra är han inte, han är inte så
värst bra

thatch I [θætʃ] *subst* halmtak, vasstak
II [θætʃ] *verb* täcka med halm; *a thatched
cottage* en stuga med halmtak

thaw I [θɔː] *verb* **1** töa [*it is thawing*] **2** ~ *out*
el. ~ tina upp, tina; ~ *out the refrigerator*
frosta av kylskåpet
II [θɔː] *subst* tö, upptinande; polit. töväder

the I [obetonat: ðə framför konsonantljud, ðɪ

framför vokalljud; betonat: ðiː (så alltid i betydelse
4)] *best art* **1** ~ *book* boken; ~ *old man* den
gamle mannen; *he is* ~ *captain of a ship*
han är kapten på en båt; ~ *London of our
days* våra dagars London; ~ *following
story* följande historia; *on* ~ *left hand* på
vänster hand; *speak* ~ *truth* tala sanning
2 ~ *Dixons* Dixons, familjen Dixon **3** en,
ett; *to* ~ *amount of* till ett belopp av; *at* ~
price of till ett pris av **4** för att ge eftertryck *is
he 'the* [ðiː] *Dr. Smith?* är han den kände
(berömde) dr Smith? **5** den, det, de; ~
wretch! den uslingen!; ~ *idiots!* vilka
idioter!, såna idioter!
II [ðə] *adv,* ~...~ ju...desto; ~ *sooner* ~
better ju förr dess bättre

theater ['θɪətə] *subst* amer. = *theatre*

theatre ['θɪətə] *subst* **1** teater; *go to the* ~ gå
på teater **2** hörsal; *operating* ~
operationssal

theatregoer ['θɪətə‚gəʊə] *subst*
teaterbesökare; pl. ~*s* teaterpubliken

theatregoing I ['θɪətə‚gəʊɪŋ] *subst*
teaterbesök; *I like* ~ jag tycker om att gå
på teatern
II ['θɪətə‚gəʊɪŋ] *adj, the* ~ *public*
teaterpubliken

theatrical I [θɪ'ætrɪkl] *adj* **1** teater-; ~
company teatersällskap **2** teatralisk
II [θɪ'ætrɪkl] *subst* pl. ~*s* el. *amateur* ~*s*
amatörteater

theft [θeft] *subst* stöld

their [ðeə] *pron* deras, dess [*the Government
and* ~ *remedy for unemployment*]; sin [*they
sold* ~ *car*]; se *my* för vidare ex.

theirs [ðeəz] *pron* deras [*is that house* ~*?*]; sin
[*they must take* ~]; *a friend of* ~ en vän till
dem; se *1 mine* för vidare ex.

them [ðem, obetonat ðəm] *pron* (objektsform av
they) **1** dem, vard. de, dom [*it wasn't* ~]
2 sig [*they took it with* ~]

theme [θiːm] *subst* tema; ~ *park* temapark;
~ *song* a) signaturmelodi b) refräng

themselves [ðəm'selvz] *pron* sig [*they
amused* ~], sig själva [*they can take care of*
~], själva [*they made that mistake* ~]

then I [ðen] *adv* **1** då, på den tiden **2** sedan,
så; *there and* ~ på fläcken, genast **3** alltså
[*the journey,* ~*, could begin*]; då, i så fall [~
it is no use]
II [ðen] *subst, before* ~ innan dess,
dessförinnan, förut; *by* ~ vid det laget, då,
till dess [*by* ~ *I shall be back*]; *since* ~
sedan dess; *until* ~ el. *till* ~ till dess

III [ðen] *adj* dåvarande [*the ~ prime minister*]

thence [ðens] *adv* litt., *from* ~ därifrån; därav [*~ it follows that...*]

theologian [θɪəˈləʊdʒjən] *subst* teolog

theological [θɪəˈlɒdʒɪkl] *adj* teologisk

theology [θɪˈɒlədʒɪ] *subst* teologi

theorem [ˈθɪərəm] *subst* mat. teorem, sats

theoretical [θɪəˈretɪkl] *adj* teoretisk

theorist [ˈθɪərɪst] *subst* teoretiker

theorize [ˈθɪəraɪz] *verb* teoretisera

theory [ˈθɪərɪ] *subst* teori; *in* ~ i teorin

therapeutic [ˌθerəˈpjuːtɪk] *adj* terapeutisk; ~ *baths* medicinska bad

therapist [ˈθerəpɪst] *subst* terapeut

therapy [ˈθerəpɪ] *subst* terapi behandling

there I [ðeə] *adv* **1** där, dit, fram, framme; *we'll soon be* ~ vi är snart framme; *we'll soon get* ~ vi kommer snart dit, vi är snart där; ~ *and back* fram och tillbaka; *down* ~ a) därnere b) dit ner c) in i dit; ~ *you are!* a) var så god! b) jaså, där är du! c) där ser du!; *carry this for me, there's a dear* bär den här, så är du snäll **2** det; ~ *were only two left* det fanns bara två kvar, det var bara två kvar; ~ *is no knowing when...* man kan aldrig veta när... **II** [ðeə] *interj* så där! [*~, that will do*], så där ja! [*~! you've smashed it*]; *there, there!* lugnande el. tröstande såja!, seså! [*there, there! don't cry*]; ~ *now!* så där ja! nu är det klart

thereabouts [ˈðeərəbaʊts] *adv* däromkring

thereafter [ˌðeərˈɑːftə] *adv* litt. därefter

thereby [ˌðeəˈbaɪ] *adv* litt. därvid

therefore [ˈðeəfɔː] *adv* därför, således, följaktligen

there's [ðeəz] = *there is* o. *there has*

thereupon [ˌðeərəˈpɒn] *adv* därpå

thermometer [θəˈmɒmɪtə] *subst* termometer

Thermos® [ˈθɜːmɒs] *subst*, ~ *flask* el. ~ termos®, termosflaska

thermostat [ˈθɜːməstæt] *subst* termostat

these [ðiːz] *pron* se *this*

thesis [ˈθiːsɪs] (pl. *theses* [ˈθiːsiːz]) *subst* **1** tes, sats; teori **2** doktorsavhandling

they [ðeɪ] (objektsform *them*) *pron* **1** de [*~ are here*]; de, dem, det **3** man; ~ *say that he is rich* det sägs att han är rik

they'd [ðeɪd] = *they had* o. *they would*

they'll [ðeɪl] = *they will*, *they shall*

they're [ðeə] = *they are*

they've [ðeɪv] = *they have*

thick I [θɪk] *adj* **1** tjock [*a ~ book*]; *I'll give you a ~ ear if you do that* jag ska ge dig på moppe om du gör det **2** tjock [*~ hair*; ~ *fog*] **3** *that's a bit* ~ det är lite väl magstarkt, nu går det för långt **II** [θɪk] *subst*, *in the* ~ *of the crowd* mitt i trängseln; *in the* ~ *of the fight* mitt i striden; *stick to sb through* ~ *and thin* följa ngn i vått och torrt

thicken [ˈθɪkən] *verb* göra tjock, göra tät, göra tjockare (tätare)

thicket [ˈθɪkɪt] *subst* busksnår, buskage

thickness [ˈθɪknəs] *subst* tjocklek, grovlek

thickset [ˌθɪkˈset] *adj* undersätsig, satt

thick-skinned [ˌθɪkˈskɪnd] *adj* tjockhudad

thief [θiːf] (pl. *thieves* [θiːvz]) *subst* tjuv; *stop* ~! ta fast tjuven!

thiefproof [ˈθiːfpruːf] *adj* stöldsäker

thieve [θiːv] *verb* stjäla

thieves [θiːvz] *subst pl* av *thief*

thievish [ˈθiːvɪʃ] *adj* tjuvaktig

thigh [θaɪ] *subst* anat. lår

thimble [ˈθɪmbl] *subst* fingerborg

thimbleful [ˈθɪmblfʊl] *subst* fingerborg mått

thin I [θɪn] *adj* **1** tunn, mager **2** gles, tunn [*~ hair*] **II** [θɪn] *adv* tunt [*spread the butter on ~*] **III** [θɪn] (-*nn*-) *verb* **1** ~ *down* el. ~ göra tunn, göra tunnare, förtunna **2** ~ *out* el. ~ a) gallra, tunna ut, tunna ur [*~ the hair*] b) bli tunn, bli tunnare, förtunnas, glesna c) magra

thing [θɪŋ] *subst* **1** sak, ting, grej; pl. ~*s* saker etc., saker och ting; *these* ~*s happen* sånt händer; *it's just one of those* ~*s* sånt händer tyvärr **2** spec. vard. varelse [*a sweet little ~*]; *poor little ~!* stackars liten!; *you poor* ~! stackars! **3** *this is a fine* ~*!* jo, det var just snyggt!; *the great* ~ *about it* det fina med det; *last* ~ *at night* det sista man gör på kvällen; *the only* ~ *you can do* det enda du kan göra; *it is a strange* ~ *that...* det är egendomligt att...; *what a stupid* ~ *to do!* vad dumt att göra så! **4** pl. ~*s* i spec. betydelser a) tillhörigheter, saker [*pack up your ~s*]; kläder [*take off your ~s!*] b) redskap, grejor, saker, servis [*tea ~s*] c) det, saken, läget, ställningen; ~*s are in a bad way* det går dåligt; *as* ~*s are* el. *the way* ~*s are* som det nu är, som saken ligger till; *how are* ~*s?* el. vard. *how's* ~*s?* hur går det?, hur är läget?; *you know how* ~*s are* du vet hur det är; ~*s look bad for him* det ser illa ut för honom **5** *make a* ~ *of* göra affär av; *taking one* ~ *with another* när allt kommer omkring; *the* ~ *is* saken är den; *the* ~ *to do is to...* vad man ska göra är att...; *quite the* ~ el. *the*

~ på modet, inne; *that's just the ~ for you* det är precis vad du behöver; *for one ~,...* för det första,...

think I [θɪŋk] *(thought thought)* *verb* **1** tänka; tänka sig för, fundera på **2** tro {*do you ~ it will rain?*}; tycka {*do you ~ we should go on?*}; *I thought as much* jag trodde väl det; ~ *fit* anse lämpligt; *I should ~ so!* jo, det vill jag loval; jo, jag menar det!; *I should jolly well ~ so!* el. *I should damn well ~ so!* tacka sjutton för det!; *he's a bit lazy, don't you ~?* han är lite lat eller vad tycker du?, han är lite lat eller hur? **3** tänka sig, föreställa sig {*I can't ~ how the story will end*}; ana, tro {*you can't ~ how glad I am*}; förstå {*I can't ~ where she's gone*}; *to ~ that she is so rich* tänk att hon är så rik

II [θɪŋk] *(thought thought)* *verb* med adv. o. prep.

think about 1 fundera på, tänka på **2** *what do you ~ about...?* vad tycker du om...?

think of 1 tänka på, fundera på **2** komma på {*can you ~ of his name?*} **3** tänka sig, föreställa sig; *just ~ of that!* el. *just ~ of it!* tänk bara!, kan du tänka dig! **4** *what do you ~ of...?* vad tycker (säger, anser) du om...?; ~ *a lot of* sätta stort värde på; *he ~s a lot of himself* han har höga tankar om sig själv

think out tänka ut, fundera ut {*~ out a new method*}

think over tänka igenom, tänka över

think up hitta på, tänka ut {*~ up new ideas*}

thinkable ['θɪŋkəbl] *adj* tänkbar

thinker ['θɪŋkə] *subst* tänkare; *he is a slow ~* han tänker långsamt

thinking ['θɪŋkɪŋ] *subst* tänkande, tänkesätt; *I am of his way of ~* jag tycker som han; *to my ~* enligt min åsikt

thinking-cap ['θɪŋkɪŋkæp] *subst* vard., *put on one's ~* ta sig en ordentlig funderare på saken

think tank ['θɪŋktæŋk] *subst* vard. hjärntrust
expertgrupp som kommer med nya idéer

thinner ['θɪnə] *subst* thinner

thin-skinned [ˌθɪn'skɪnd] *adj* överkänslig, känslig

third I [θɜːd] *räkn* tredje; ~ *class* tredje klass

II [θɜːd] *adv* **1** *the ~ largest town* den tredje staden i storlek **2** i tredje klass {*travel ~*} **3** *come ~* el. *finish ~* komma trea, sluta som trea

III [θɜːd] *subst* **1** tredjedel **2** sport. trea, tredje man; tredjeplacering **3** musik. ters

third-class [ˌθɜːd'klɑːs] *adj* tredjeklass-; tredje klassens {*a ~ hotel*}

thirdly ['θɜːdlɪ] *adv* för det tredje

third-rate [ˌθɜːd'reɪt] *adj* tredje klassens, undermålig

thirst I [θɜːst] *subst* törst; ~ *for knowledge* kunskapstörst

II [θɜːst] *verb* törsta {*for efter*}

thirsty ['θɜːstɪ] *adj* törstig

thirteen [ˌθɜː'tiːn] *räkn* o. *subst* tretton

thirteenth [ˌθɜː'tiːnθ] *räkn* o. *subst* trettonde; trettondel

thirtieth ['θɜːtɪɪθ] *räkn* o. *subst* trettionde; trettiondel

thirty ['θɜːtɪ] *räkn* o. *subst* **1** trettio, trettiotal; *in the thirties* på trettiotalet **2** i sammansättningar: *five-thirty* halv sex, fem och trettio

this I [ðɪs] (pl. *these*) *pron* den här, det här; denne, denna, detta {*at ~ moment*}; det; *these* de här, dessa; ~ *afternoon* i eftermiddag, i eftermiddags; *these days* nuförtiden; *to ~ day* hittills; *I have been waiting these three weeks* jag har väntat nu i tre veckor; *do it like ~* gör så här; ~ *one... that one* den här... den där

II [ðɪs] *adv* vard. så här {*not ~ late*}

The Thistle
The Thistle, tisteln är Skottlands nationalsymbol.

---

thistle ['θɪsl] *subst* tistel

thong [θɒŋ] *subst* läderrem

thorn [θɔːn] *subst* tagg, törne, torn; *a ~ in one's (the) flesh* el. *a ~ in one's (the) side* en påle i köttet, en nagel i ögat

thorough ['θʌrə] *adj* **1** grundlig, ingående, genomgripande **2** riktig, fullkomlig; *a ~ nuisance* en riktig plåga

thoroughbred I ['θʌrəbred] *adj* fullblods-, rasren {*a ~ horse*}

II ['θʌrəbred] *subst* fullblod, fullblodshäst, rashäst

thoroughfare ['θʌrəfeə] *subst* **1** genomfart; *no ~* trafik. genomfart förbjuden **2** genomfartsgata

thoroughgoing ['θʌrəˌgəʊɪŋ] *adj* grundlig {*he is ~*}; genomgripande, omfattande

thoroughly ['θʌrəlɪ] *adv* grundligt, genomgripande; i grund och botten; helt, alldeles; *I* ~ *enjoyed it* jag tyckte det var väldigt roligt

those [ðəʊz] *pron* se *that I 1*

though I [ðəʊ] *konj* **1** fast, fastän; *even* ~ el. ~ även om **2** *as* ~ som, som om [*he looks as ~ ho woro ill*]

II [ðəʊ] *adv*, *this book is very popular — it's not very good,* ~ den här boken är mycket populär, men den är inte särskilt bra; *I couldn't believe the news — it was true* ~ jag kunde inte tro att nyheterna var sanna — men det var de faktiskt

thought I [θɔːt] *subst* **1** tanke [*of* på]; tänkande, tänkesätt; *train of* ~ el. *line of* ~ tankegång; *I didn't give it a second* ~ jag tänkte inte närmare på det; *deep in* ~ försjunken i sina tankar; *after much* ~ el. *after mature* ~ efter moget övervägande; *on second* ~*s*, *I will do it* vid närmare eftertanke kommer jag att göra det

II [θɔːt] *imperf. o. perf. p.* av *think*

thoughtful [ˈθɔːtfʊl] *adj* **1** tankfull, fundersam **2** omtänksam

thoughtless [ˈθɔːtləs] *adj* tanklös

thousand [ˈθaʊzənd] *räkn o. subst* **1** tusen **2** tusental, tusende [*in* ~*s*]; ~*s of people* tusentals människor

thousandth [ˈθaʊzənθ] *räkn o. subst* **1** tusende **2** ~ *part* tusendel

thrash [θræʃ] *verb* **1** ge stryk, vard. klå, besegra; *be thrashed* få stryk **2** ~ *out* diskutera igenom [~ *out a problem*] **3** ~ *about* slå vilt omkring sig

thrashing [ˈθræʃɪŋ] *subst* smörj, stryk

thread I [θred] *subst* **1** tråd, garn; *hang by a* ~ hänga på ett hår **2** skruvgänga

II [θred] *verb* **1** trä; ~ *a needle* trä på en nål; ~ *beads* el. ~ *pearls* trä upp pärlor **2** ~ *one's way through* slingra sig fram genom **3** gänga

threadbare [ˈθredbeə] *adj* **1** luggsliten, trådsliten **2** utnött, utsliten [~ *jokes*]; torftig [~ *arguments*]

threat [θret] *subst* hot [*to* mot]; fara [*to* för]; *be under the* ~ *of* hotas av

threaten [ˈθretn] *verb* hota; hota med [~ *revenge*]; *a threatening letter* ett hotelsebrev; *the threatened strike did not take place* den hotande strejken ägde inte rum; ~ *sb's life* hota ngn till livet

three [θriː] *räkn o. subst* trea; tre

three-dimensional [ˌθriːdaɪˈmenʃnəl] *adj* tredimensionell [~ *film*]

threefold I [ˈθriːfəʊld] *adj* tredubbel, trefaldig

II [ˈθriːfəʊld] *adv* tredubbelt, trefaldigt

three-four [ˌθriːˈfɔː] *adj* o. *subst*, ~ *time* el. ~ trefjärdedelstakt

three-piece [ˈθriːpiːs] *adj* tredelad; ~ *suite* soffgrupp i tre delar

thresh [θreʃ] *verb* tröska

thresher [ˈθreʃə] *subst* **1** tröskare **2** tröskverk

threshold [ˈθreʃhəʊld] *subst* dörrtröskel; *on the* ~ *of a revolution* på tröskeln till en revolution

threw [θruː] *imperf.* av *throw I*

thrice [θraɪs] *adv* tre gånger, trefalt

thrift [θrɪft] *subst* o. **thriftiness** [ˈθrɪftɪnəs] *subst* sparsamhet

thrifty [ˈθrɪftɪ] *adj* sparsam, ekonomisk

thrill I [θrɪl] *verb* få att rysa av spänning [*the film thrilled the audience*]

II [θrɪl] *subst* spänning; *it gave me a* ~ jag tyckte det var spännande

thriller [ˈθrɪlə] *subst* rysare, thriller

thrilling [ˈθrɪlɪŋ] *adj* spännande, rafflande

thrive [θraɪv] *verb* **1** om växter el. djur växa och frodas, trivas; om barn växa och bli frisk och stark **2** blomstra, ha framgång

thriving [ˈθraɪvɪŋ] *adj* **1** om växter el. djur som frodas, frodig **2** blomstrande [*a ~ business*], framgångsrik

throat [θrəʊt] *subst* strupe, hals; svalg; *clear one's* ~ klara strupen, harkla sig; *cut sb's* ~ skära halsen av ngn; *have a sore* ~ ha ont i halsen; *take sb by the* ~ ta struptag på ngn; *jump down sb's* ~ vard. fara ut mot ngn; *thrust sth down sb's* ~ pracka på ngn ngt, tvinga på ngn ngt

throb I [θrɒb] (-*bb*-) *verb* **1** banka, bulta, dunka **2** skälva, darra; ~ *with excitement* darra av upphetsning

II [θrɒb] *subst* bankande, bultande, dunkande

throes [θrəʊz] *subst pl*, *death* ~ plågor, kval, dödsryckningar

thrombosis [θrɒmˈbəʊsɪs] (pl. *thromboses* [θrɒmˈbəʊsiːz]) *subst* blodpropp, trombos

throne [θrəʊn] *subst* tron; *come to the* ~ komma på tronen

throng I [θrɒŋ] *subst* **1** trängsel, vimmel **2** massa, mängd

II [θrɒŋ] *verb* **1** trängas **2** strömma till i stora skaror; *people thronged the streets* folk trängdes på gatorna

throttle I [ˈθrɒtl] *subst* spjäll, strypventil; *at full* ~ med öppet spjäll, med gasen i botten

II [ˈθrɒtl] *verb* strypa, kväva

through I [θruː] *prep* **1** genom, igenom; in

genom, ut genom [*climb ~ a window*]; över
[*a path ~ the fields*]; **he has been ~ a
good deal** han har varit med om en hel del
2 genom, på grund av [*absent ~ illness*];
tack vare **3** om tid **he worked all ~ the
night** han arbetade hela natten **4** amer. till
och med [*Monday ~ Friday*]
II [θruː] *adv* **1** igenom; genom-; till slut, till
slutet [*he heard the speech ~*]; **~ and ~**
alltigenom [*a gentlemen ~ and ~*]; **wet ~**
genomvåt; **wet ~ and ~** våt helt igenom
2 tele., **be ~** ha kommit fram; **get ~** komma
fram; **put ~** koppla [*I will put you ~ to...*]
3 be ~ vard., i speciella betydelser a) vara klar,
vara färdig [*he is ~ with his studies*] b) vara
slut [*he is ~ as a tennis player*] c) ha fått
nog; **are you ~?** är du klar?, har du slutat?;
I'm ~ with this job jag har fått nog av det
här jobbet; **we're ~** det är slut mellan oss
III [θruː] *adj* genomgående, direkt; **~
traffic** genomfartstrafik; **~ train**
direkttåg; **no through traffic** genomfart
förbjuden
through carriage ['θruːˌkærɪdʒ] *subst*
direktvagn
throughout I [θruˈaʊt] *adv* **1** alltigenom,
genom-; överallt; **rotten ~** genomrutten
2 hela tiden, från början till slut
II [θruˈaʊt] *prep* **1** överallt i, genom hela,
över hela [*~ the US*] **2** om tid **~ the year**
under hela året
throw I [θrəʊ] (*threw thrown*) *verb* **1** kasta,
slunga, slänga; störta [*~ oneself into*]; **~
oneself on sb** kasta sig över ngn; **~ one's
arms round sb** slå armarna om ngn
2 kasta av [*the horse threw its rider*]; kasta
omkull [*he threw his opponent*] **3** bygga, slå
[*~ a bridge across a river*] **4** vard. ställa till,
ha; **~ a party for sb** ställa till med fest för
ngn
II [θrəʊ] (*threw thrown*) *verb* med adv. o. prep.
throw about: ~ one's money about strö
pengar omkring sig
throw away kasta bort, hälla bort; **it is
labour thrown away** det är bortkastad
möda
throw in 1 kasta in **2** *you get that
thrown in* man får det på köpet **3** fotb.
göra inkast
throw off 1 kasta av, kasta bort; kasta av
sig [*he threw off his coat*] **2** bli av med, bli
kvitt; **I can't ~ off this cold** jag blir inte
kvitt den här förkylningen
throw out 1 kasta ut, köra ut, köra bort; **~
sb out of work** göra ngn arbetslös **2** sända

ut [*~ out light*], utstråla [*~ out heat*]
3 kasta fram, komma med [*~ out a remark*]
throw over 1 avvisa, överge, ge upp [*~
over a plan*] **2** göra slut med, ge på båten
[*she threw over her boyfriend*]
throw up 1 kasta upp, slänga upp **2** lyfta,
höja [*she threw up her head*] **3** kräkas upp,
kasta upp, kräkas **4** ge upp, sluta [*~ up
one's job*]
III [θrəʊ] *subst* kast; **stake everything on
one ~** sätta allt på ett kort, sätta allt på ett
bräde
throwaway I ['θrəʊəweɪ] *subst*
engångsartikel
II ['θrəʊəweɪ] *adj* engångs- [*~ container*],
slit-och-släng-; **at ~ prices** till vrakpriser
throw-in ['θrəʊɪn] *subst* fotb. inkast
thrown [θrəʊn] perf. p. av *throw I*
thrum [θrʌm] (*-mm-*) *verb* **1** knäppa, knäppa
på [*~ on a guitar*] **2** trumma, trumma på
[*~ on the table*]
thrush [θrʌʃ] *subst* trast; **~ nightingale**
näktergal
thrust I [θrʌst] (*thrust thrust*) *verb* **1** sticka,
stoppa [*he ~ his hands into his pockets*],
köra, stöta [*~ a dagger into sb's back*] **2 ~
one's way through the crowd** tränga sig
fram genom folkmassan; **~ sth upon sb**
pracka på ngn ngt; **~ oneself upon sb**
tvinga sig på ngn **3** knuffa, skjuta [*~
aside*], tränga sig [*she ~ past me*]
II [θrʌst] *subst* **1** stöt, knuff **2** framstöt,
utfall, anfall, angrepp [*at mot*] **3** fäktn. stöt
thud I [θʌd] *subst* duns [*it fell with a ~*]
II [θʌd] (*-dd-*) *verb* **1** dunsa, dunsa ner
2 dunka
thug [θʌg] *subst* huligan, ligist
thumb I [θʌm] *subst* tumme; **she is all ~s**
hon har tummen mitt i handen; **have sb
under one's ~** hålla ngn i ledband
II [θʌm] *verb* **1** tumma, använda flitigt [*this
dictionary will be much thumbed*]; **~** el. **~
through** bläddra igenom **2 ~ a lift** vard. få
lift, lifta
thumbmark ['θʌmmɑːk] *subst* märke efter
tummen i t.ex. en bok, tumavtryck
thumbnail ['θʌmneɪl] *subst* tumnagel
thumbtack ['θʌmtæk] *subst* amer. häftstift
thump I [θʌmp] *verb* **1** dunka, banka
2 dunka på, banka på
II [θʌmp] *subst* dunk, smäll, duns; **a ~ on
the back** en dunk i ryggen
thunder I ['θʌndə] *subst* åska, dunder, dån; **a
clap of ~** en åskskräll, en åskknall; **steal
sb's ~** stjäla ngns idéer; förekomma ngn

ll ['θʌndə] *verb* **1** åska [*it was thundering and lightening*]; dåna **2** dundra [*he thundered against the new law*]

thunderbolt ['θʌndəbəʊlt] *subst* åskvigg, blixt; *like a* ~ som ett åskslag

thunderclap ['θʌndəklæp] *subst* åskskräll, åskknall

thundering l ['θʌndərɪŋ] *adj* **1** dundrande **2** vard. väldig; grov [*a* ~ *lie*]
ll ['θʌndərɪŋ] *adv* vard. väldigt, förfärligt

thunderous ['θʌndərəs] *adj* dånande, rungande [~ *applause*]

thunderstorm ['θʌndəstɔːm] *subst* åskväder, åska

thundery ['θʌndərɪ] *adj* åsk- [~ *rain*]; *it's* ~ det är åska i luften

Thursday ['θɜːzdeɪ, 'θɜːzdɪ] *subst* torsdag; *last* ~ i torsdags

thus [ðʌs] *adv* **1** sålunda, så, så här [*do it* ~] **2** alltså, således **3** ~ *far* så långt; ~ *much* så mycket

thwart [θwɔːt] *verb* korsa, gäcka [~ *sb's plans*]; ~ *sb* motarbeta ngn

thyme [taɪm] *subst* krydda timjan

thyroid ['θaɪrɔɪd] *adj*, ~ *gland* anat. sköldkörtel

Tibet [tɪ'bet]

Tibetan l [tɪ'betən] *adj* tibetansk
ll [tɪ'betən] *subst* **1** tibetanska språket **2** tibetan

1 tick l [tɪk] *verb* **1** ticka **2** ~ *over* gå på tomgång **3** ~ *away* ticka fram [*the clock ticked away the minutes*] **4** ~ *off* el. ~ pricka av, bocka av [~ *off names*] **5** vard., ~ *off* läxa upp **6** *what makes him* ~? hur är han funtad?
ll [tɪk] *subst* **1** tickande; *in two* ~s vard. på momangen; *half a* ~! vard. ett ögonblick!
2 bock, kråka vid avprickning; *put a* ~ *against* pricka för, bocka för

2 tick [tɪk] *subst* insekt fästing

ticket ['tɪkɪt] *subst* **1** biljett **2** lapp [*price* ~]; kvitto; *pawn* ~ pantkvitto; *lottery* ~ lottsedel; *parking* ~ parkeringslapp böter **3** vard., *the* ~ det enda riktiga, det enda rätta; *that's the* ~ det är så det ska vara

ticket agency ['tɪkɪt,eɪdʒənsɪ] *subst* biljettkontor

ticket barrier ['tɪkɪt,bærɪə] *subst* biljettspärr

ticket-collector ['tɪkɪtkə,lektə] *subst* biljettmottagare; spärrvakt; konduktör på buss etc.

ticket office ['tɪkɪt,ɒfɪs] *subst* biljettkontor

ticking-off [,tɪkɪŋ'ɒf] *subst* vard. läxa,

uppsträckning, skrapa; *give sb a good* ~ ge ngn en ordentlig skrapa

tickle l ['tɪkl] *verb* **1** kittla, klia; *my nose* ~*s* det kittlar i näsan **2** roa [*the story tickled me*], glädja [*the news will* ~ *you*]; smickra, kittla [~ *sb's vanity*]; *he tickled to death* el. *be tickled no end* vard. skratta ihjäl sig [*at, by åt*]; bli jätteglad [*at, by över*] **3** kittlas
ll ['tɪkl] *subst* kittling; *he gave my foot a* ~ han kittlade mig under foten

ticklish ['tɪklɪʃ] *adj* **1** kittlig **2** kinkig, knepig

tick-tock l ['tɪktɒk] *subst* ticktack, tickande
ll ['tɪktɒk] *adv* o. *interj* ticktack

tidal ['taɪdl] *adj*, ~ *wave* a) tidvattensvåg b) jättevåg c) stark våg [*a* ~ *wave of enthusiasm*]

tidbit ['tɪdbɪt] *subst* spec. amer. godbit, läckerbit

tiddler ['tɪdlə] *subst* vard. liten fisk, spec. spigg

tiddley o. **tiddly** ['tɪdlɪ] *adj* vard. **1** packad berusad **2** liten, futtig

tiddlywinks ['tɪdlɪwɪŋks] *subst* loppspel

tide l [taɪd] *subst* **1** tidvatten, ebb och flod; flod; *at high* ~ vid högvatten, vid flod; *at low* ~ vid lågvatten, vid ebb; *the* ~ *is in* det är flod, det är högvatten **2** strömning, tendens; *the* ~ *has turned* en strömkantring har skett; *stem the* ~ gå mot strömmen
ll [taɪd] *verb*, ~ *over* hjälpa över, hjälpa igenom [~ *sb over a crisis*]

tidings ['taɪdɪŋz] *subst* litt., *glad* ~ glada nyheter; *bad* ~ sorgliga nyheter

tidy l ['taɪdɪ] *adj* **1** snygg, prydlig; städad [*a* ~ *room*] **2** vard. nätt, vacker, rundlig [*a* ~ *sum*]
ll ['taɪdɪ] *verb*, ~ *up* el. ~ städa, snygga upp

tie l [taɪ] *verb* **1** binda [~ *a horse to a tree*], knyta fast; ~ *sb hand and foot* binda ngn till händer och fötter **2** knyta [~ *one's shoelaces*] **3** binda, hämma **4** knytas [*the sash* ~*s in front*], knytas fast, knytas ihop **5** sport. stå (komma) på samma poäng, få samma placering [*with som*]
ll [taɪ] *verb* med adv. o. prep.

tie down binda [*to vid, till*] [~ *sb down to a contract*], binda fast; *be tied down by children* vara bunden av barn

tie in samordna [*your plans* ~ *in with mine*]

tie on binda på, knyta fast, binda fast [~ *on a label*]

tie up binda upp, binda fast; binda ihop, binda samman; *I am tied up with other things* jag är alltför uppbunden av annat;

~ *up one's capital* låsa sitt kapital
III [taɪ] *subst* **1** band, länk; *business* ~
affärsförbindelse **2** slips **3** sport. lika
poängtal; oavgjort resultat; *it ended in a*
~ det slutade oavgjort **4** sport. match i
cuptävling; *play off a* ~ spela 'om matchen
för att avgöra en tävling

tiebreak ['taɪbreɪk] *subst* o. **tiebreaker**
['taɪˌbreɪkə] *subst* i tennis tie-break

tie clip ['taɪklɪp] *subst* slipshållare

tie-on ['taɪɒn] *adj* som går att binda på, som
går att knyta fast [*a* ~ *label*]

tie pants ['taɪpænts] *subst pl* snibb blöja

tiepin ['taɪpɪn] *subst* slipsnål

tie-up ['taɪʌp] *subst* **1** sammanslagning
2 samband **3** spec. amer. stillestånd, dödläge

tiff [tɪf] *subst* litet gräl, gnabb

tiger ['taɪgə] *subst* tiger; ~ *cub* tigerunge

tigerish ['taɪgərɪʃ] *adj* tigerlik, tigeraktig

tiger lily ['taɪgəˌlɪlɪ] *subst* blomma tigerlilja

tight I [taɪt] *adj* **1** åtsittande, åtsmitande,
tajt, snäv [~ *trousers*], trång [~ *shoes*]; *be
in a* ~ *corner* vara i knipa [*a* ~ spänd [*a* ~
rope] **3** fast, hård [*a* ~ *knot*]; *a* ~ *hold* ett
fast grepp, ett hårt grepp; *keep a* ~ *hold
over sb* hålla ngn kort, hålla ngn i schack
4 snål, njugg, knapp, stram [*a* ~ *budget*]
5 vard. packad berusad
II [taɪt] *adv* tätt, fast, hårt; *hug sb* ~ krama
ngn hårt; *sleep* ~! vard. sov gott!

tighten ['taɪtn] *verb* **1** spänna; ~ *one's belt*
dra åt svångremmen; ~ *up* el. ~ a) dra åt
[~ *the screws* el. ~ *up the screws*] b) skärpa
[~ *up the regulations*] **2** spännas; ~ *up* el. ~
a) dras åt b) skärpas [*the regulations have
tightened up*]; ~ *up on crime* intensifiera
kampen mot brottsligheten

tight-fisted [ˌtaɪt'fɪstɪd] *adj* vard. snål

tight-fitting [ˌtaɪt'fɪtɪŋ] *adj* åtsittande

tightrope ['taɪtrəʊp] *subst* spänd lina; ~
walker lindansare; *walk on the* ~ gå på
lina; *walk a* ~ gå balansgång

tights [taɪts] *subst pl* **1** ~ el. *stretch* ~
strumpbyxor **2** trikåer artistplagg; trikåbyxor

tigress ['taɪgrəs] *subst* tigrinna, tigerhona

tile I [taɪl] *subst* **1** tegelpanna, tegel
2 kakelplatta; *be on the* ~*s* vard. vara ute
och svira
II [taɪl] *verb* **1** lägga tegel på **2** klä med
kakel

1 till I [tɪl] *prep* till, tills; ~ *then* till dess,
dittills; *not* ~ inte förrän, först
II [tɪl] *konj* till, tills, till dess att [*wait* ~ *the
rain stops*]

2 till [tɪl] *subst* **1** kassalåda, kassaapparat
2 kassa pengar

3 till [tɪl] *verb* odla, odla upp, bruka [~ *the
soil*]; *tilled land* odlad jord, odlad mark

tilt I [tɪlt] *verb* **1** luta, vippa på [*he tilted his
chair back*]; fälla [~ *back a seat*] **2** vippa;
välta, tippa; ~ *over* välta omkull
II [tɪlt] *subst* **1** lutning; vippande **2** *at full* ~
el. *full* ~ i (med) full fart

timber ['tɪmbə] *subst* **1** timmer, trä, virke
2 spec. amer. timmerskog

timberline ['tɪmbəlaɪn] *subst* trädgräns

timberyard ['tɪmbəjɑːd] *subst* brädgård

time I [taɪm] *subst* **1** tid; tiden [~ *will show
who is right*]; ~, *please!* på t.ex. pub
stängningsdags!; *the good old* ~*s* den
gamla goda tiden; *hard* ~*s* hårda tider,
bistra tider **2** i förbindelse med *long*: *what a
long* ~ *you have been!* så länge du har
varit!; *it will be a long* ~ *before*… det
dröjer länge innan…; *I have not been
there for a long* ~ jag har inte varit där
sedan länge; *for a long* ~ *past* el. *for a
long* ~ sedan länge **3** med verb: *time's up!*
tiden är ute!; *it's* ~ *for lunch* det är
lunchdags; *there is a* ~ *and place for
everything* allting har sin tid; *there are
~s when I wonder*… ibland undrar
jag…; *what is the* ~? hur mycket är
klockan?; *find* (*get*) ~ *to do sth* hinna
med ngt; *have the* ~ el. *have* ~ ha tid,
hinna; *have a good* ~ el. *have a nice* ~ ha
roligt, ha det trevligt; *have* ~ *on one's
hands* ha gott om tid; *keep* ~ a) hålla
tider, hålla tiden, vara punktlig b) ta tid med
stoppur c) hålla takten; *keep good* ~ el.
keep ~ om klocka gå rätt; *keep bad* ~ om
klocka gå fel; *take one's* ~ ta god tid på sig
[*about sth* till ngt]; *take your* ~! ta god tid
på dig!, ingen brådska!; *tell the* ~ kunna
klockan; *can you tell me the right* ~?
kan du säga mig vad klockan är?; *you
don't waste much* ~, *do you?* du är
snabb, du! **4** med vissa pron.: *they were
laughing all the* ~ de skrattade hela
tiden; *at all* ~*s* alltid; *any* ~ när som helst,
vard. alla gånger; *every* ~! vard. så klart!;
alla gånger!; *I've got no* ~ *for* vard. jag har
ingenting till övers för; *at no* ~ inte någon
gång; *in less than no* ~ el. *in no* ~ på
nolltid; *at the same* ~ a) vid samma
tidpunkt, samtidigt b) å andra sidan,
samtidigt; *for some* ~ en längre tid; *for
some* ~ *yet* än på ett bra tag; *by that* ~
vid det laget, då; till dess; *this* ~ *last year*

i fjol vid den här tiden; *by this* ~ vid det
här laget; *what* ~ *is it?* el. *what's the* ~*?*
hur mycket är klockan? **5** i olika
prepositionsuttryck, *about* ~ *too!* det var
minsann på tiden!; *against* ~ i kapp med
tiden; *a race against* ~ en kapplöpning
med tiden; *at one* ~ a) en gång i tiden
b) på en (samma) gång; *at the* ~ vid det
tillfället, vid den tiden [*he was only a boy at
the* ~]; *at* ~*s* tidvis, emellanåt; *at my* ~ *of
life* vid min ålder; *at different* ~*s* vid olika
tidpunkter; *by the* ~ när, då, vid den tid
då; *for the* ~ *being* för närvarande, tills
vidare; *from* ~ *to* ~ då och då, emellanåt;
in ~ med tiden [*in* ~ *he'll understand*]; *just
in* ~ el. *in* ~ precis lagom, precis i tid [*come
in* ~ *for dinner*]; *in a week's* ~ om en
vecka; *all of the* ~ hela tiden; *for the sake
of old* ~*s* för gammal vänskaps skull; *on* ~
i tid, precis, punktlig, punktligt; *once
upon a* ~ *there was...* det var en
gång... **6** gång [*the first* ~ *I saw her*]; *five
~s four is twenty* fem gånger fyra är
tjugo; ~ *after* ~ el. ~ *and again* gång på
gång; *many a* ~ mången gång, många
gånger; *one more* ~ vard. en gång till; *two
or three* ~*s* ett par tre gånger, några
gånger; *one at a* ~ en åt gången, en i
sänder **7** musik. takt, tempo; taktart; ~
signature taktbeteckning; *beat* ~ slå takt,
slå takten; *beat* ~ *with one's foot* el. *beat
* ~ *with one's feet* stampa takten; *keep* ~
hålla takten
II [taɪm] *verb* **1** välja tiden för, tajma,
avpassa **2** ta tid på [~ *a runner*], ta tid vid
[~ *a race*], tajma
time bomb ['taɪmbɒm] *subst* tidsinställd
bomb
time-consuming ['taɪmkən,sjuːmɪŋ] *adj*
tidsödande, tidskrävande
time-honoured ['taɪm,ɒnəd] *adj* ärevördig,
hävdvunnen [~ *customs*]
timekeeper ['taɪm,kiːpə] *subst* **1** tidmätare
2 tidtagare
timekeeping ['taɪm,kiːpɪŋ] *subst*
1 tidtagning **2** tidkontroll på arbetsplats
time-killer ['taɪm,kɪlə] *subst* vard. tidsfördriv
timelag ['taɪmlæg] *subst* tidsfördröjning
time limit ['taɪm,lɪmɪt] *subst* tidsgräns;
tidsfrist [*exceed the* ~]; *impose a* ~ *on*
tidsbegränsa
timely ['taɪmlɪ] *adj* läglig, lämplig, i rätt tid
time-out [,taɪm'aʊt] *subst* **1** sport. time-out,
spelavbrott **2** *take* ~ ta time-out, ta sig
ledigt ett slag

timepiece ['taɪmpiːs] *subst* ur, tidmätare
timer ['taɪmə] *subst* **1** tidtagare **2** tidur, timer
timesaving ['taɪm,seɪvɪŋ] *adj*
tidsbesparande [*a* ~ *device*]
time-server ['taɪm,sɜːvə] *subst* ögontjänare,
opportunist
timeshare ['taɪmʃeə] *subst* andelslägenhet
lägenhet som delas av flera, på olika tider, oftast på
semesterort
timesharing ['taɪm,ʃeərɪŋ] *subst* system med
andelslägenheter; jfr *timeshare*
time signal ['taɪm,sɪgnl] *subst* tidssignal
timetable ['taɪm,teɪbl] *subst* **1** tidtabell
2 schema
timewasting ['taɪm,weɪstɪŋ] *adj* tidsödande
timid ['tɪmɪd] *adj* skygg, blyg, timid
timidity [tɪ'mɪdətɪ] *subst* skygghet, blyghet
timing ['taɪmɪŋ] *subst* **1** val av tidpunkt [*the
President's* ~ *was excellent*], tajming äv.
sport.; *the* ~ *was perfect* a) tidpunkten var
utmärkt vald b) allting klaffade perfekt
2 tidtagning
timothy ['tɪməθɪ] *subst*, ~ *grass* timotej
tin I [tɪn] *subst* **1** tenn **2** bleck, plåt
3 konservburk, burk, plåtburk, dosa; *a* ~
of peaches en burk persikor **4** form, plåt
för bakning
II [tɪn] (-*nn*-) *verb* **1** förtenna **2** lägga in,
konservera
tin can [,tɪn'kæn] *subst* plåtburk
tinfoil [,tɪn'fɔɪl] *subst* aluminiumfolie
tinge I [tɪndʒ] *verb* färga lätt; *be tinged
with red* skifta i rött
II [tɪndʒ] *subst* lätt skiftning, nyans, färgton
tingle ['tɪŋgl] *verb* sticka, svida
tinker ['tɪŋkə] *verb* knåpa, pilla, joxa
tinkle I ['tɪŋkl] *verb* **1** klinga, pingla **2** klinka
[~ *on the piano*] **3** ringa med [~ *a bell*];
klinka på [~ *the keys of a piano*]
II ['tɪŋkl] *subst* pinglande, plingande [*the* ~
of tiny bells]
tin-loaf [,tɪn'ləʊf] (pl. *tin-loaves* [,tɪn'ləʊvz])
subst formbröd
tinned [tɪnd] *adj* **1** förtent, förtennad
2 konserverad [~ *fruit*], på burk [~ *peas*];
~ *food* burkmat; ~ *goods* konserver
tinny ['tɪnɪ] *adj* **1** tennhaltig; tenn- **2** om ljud
metallisk; *a* ~ *piano* ett piano med spröd
klang
tin-opener ['tɪn,əʊpənə] *subst*
konservöppnare
tinpot ['tɪnpɒt] *adj* vard. skruttig [*a* ~ *firm*];
tredjeklassens [*a* ~ *actor*]
tinsel ['tɪnsəl] *subst* glitter [*a Christmas tree
with* ~]

tint I [tɪnt] *subst* **1** färgton, skiftning, nyans **2** toningsvätska

II [tɪnt] *verb* färga lätt, tona [~ *one's hair*]

tiny ['taɪnɪ] *adj* mycket liten; ~ *little* pytteliten; ~ *tot* liten unge, småtting

1 tip I [tɪp] *subst* **1** spets, tipp, topp; ända; *I have it at the ~s of my fingers* jag har det på mina fem fingrar; *walk on the ~s of one's toes* gå på tå; *the ~ of one's tongue* tungspetsen; *have sth on the ~ of one's tongue* ha ngt på tungan, ha ngt i bakhuvudet **2** munstycke på cigarett [*filter-tip*]

II [tɪp] (-*pp*-) *verb* förse med en spets; *tipped cigarette* cigarett med munstycke

2 tip I [tɪp] (-*pp*-) *verb* **1** tippa; ~ el. ~ *over* el. ~ *up* tippa (stjälpa) omkull **2** ~ el. ~ *out* stjälpa av, tippa ut **3** vippa, välta över ända, vicka omkull

II [tɪp] *subst* tipp, avstjälpningsplats

3 tip I [tɪp] (-*pp*-) *verb* vard. **1** ge dricks till, ge dricks **2** tippa [~ *the winner*] **3** ge en vink, tipsa; ~ *sb off* tipsa ngn

II [tɪp] *subst* **1** dricks **2** vard. vink, tips; *take my ~!* lyd mitt råd!

tipcart ['tɪpkɑːt] *subst* tippkärra, tippvagn

tipping ['tɪpɪŋ] *subst* vard., ~ *has been abolished* systemet att ge dricks har avskaffats

tipple ['tɪpl] *verb* pimpla, småsupa

tippler ['tɪplə] *subst* småsupare, fyllbult

tipsy ['tɪpsɪ] *adj* lätt berusad

tiptoe I ['tɪptəʊ] *subst*, *walk on ~* gå på tå

II ['tɪptəʊ] *adv* på tå [*go ~ through the room*]

III ['tɪptəʊ] *verb* gå på tå

tiptop ['tɪptɒp] *adj* perfekt, prima [*a ~ hotel*]

tip-up ['tɪpʌp] *adj* uppfällbar [~ *seat*]

tirade [taɪ'reɪd] *subst* tirad, lång harang

1 tire ['taɪə] *verb* **1** trötta **2** tröttna, bli trött [*of* på]

2 tire ['taɪə] *subst* amer., se *tyre*

tired ['taɪəd] *adj* trött [*of* på; *with* av]; led, utledsen [*of* på]; ~ *out* uttröttad, utmattad; ~ *to death* dödstrött

tireless ['taɪələs] *adj* outtröttlig

tiresome ['taɪəsəm] *adj* **1** tröttsam **2** besvärlig

tiring ['taɪərɪŋ] *adj* tröttande, tröttsam

tissue ['tɪʃuː] *subst* **1** anat. vävnad [*muscular ~*] **2** väv, härva [*a ~ of lies*] **3** mjukt papper; pappersnäsduk; *face ~* el. *facial ~* ansiktsservett

tissue paper ['tɪʃuːˌpeɪpə] *subst* silkespapper

1 tit [tɪt] *subst* zool. mes; *blue ~* blåmes; *coal ~* svartmes; *great ~* talgoxe

2 tit [tɪt] *subst*, ~ *for tat* lika för lika; *give ~ for tat* ge svar på tal

3 tit [tɪt] *subst* vulg. tutte bröst

titanic [taɪ'tænɪk] *adj* jättelik

titbit ['tɪtbɪt] *subst* godbit, läckerbit

title ['taɪtl] *subst* titel

titled ['taɪtld] *adj* adlig [*a ~ lady*]

titleholder ['taɪtlˌhəʊldə] *subst* spec. sport. titelhållare, titelinnehavare

title page ['taɪtlpeɪdʒ] *subst* titelsida, titelblad

title role ['taɪtlrəʊl] *subst* titelroll

titmouse ['tɪtmaʊs] (pl. *titmice* ['tɪtmaɪs]) *subst* mes; *blue ~* blåmes; *coal ~* svartmes; *great ~* talgoxe

titter I ['tɪtə] *verb* fnittra

II ['tɪtə] *subst* fnitter

tittle-tattle I ['tɪtlˌtætl] *subst* skvaller

II ['tɪtlˌtætl] *verb* skvallra

titty ['tɪtɪ] *subst* **1** vard. bröstvårta; ~ *bottle* diflaska **2** barnspr. el. vulg. tutte bröst

T-junction ['tiːˌdʒʌŋkʃən] *subst* T-korsning av vägar; T-knut

to I [tuː, obetonat tʊ, tə] *prep* **1** till **2** för; *open ~ the public* öppen för allmänheten; ~ *me it was...* för mig var det...; *what is that ~ you?* vad angår det dig?; *we had the compartment all ~ ourselves* vi hade kupén helt för oss själva **3** för att uttrycka riktning i [*a visit ~ England*]; på [*go ~ the cinema*] **4** för att uttrycka riktning el. placering mot, emot [*with his back ~ the fire*]; *hold sth up ~ the light* hålla ngt mot ljuset **5** efter ord som uttrycker t.ex. bemötande mot, emot [*good ~ sb; polite ~ sb*] **6** i jämförelse med mot, emot; *he's quite well-off now ~ what he used to be* han har det bra ställt mot vad han haft förut **7** hos; *I have been ~ his house* jag har varit hemma hos honom; *be on a visit ~ sb* vara på besök hos ngn **8** andra uttryck: *freeze ~ death* frysa ihjäl; *tell sb sth ~ his face* säga ngn ngt mitt upp i ansiktet; *thirteen ~ a dozen* tretton på dussinet; *would ~ God that...* Gud give att...; *here's ~ you!* skål!

II [tuː, obetonat tʊ, tə] *infinitivmärke* **1** att **2** med syftning på en föregående inf.: *we didn't want to go but we had ~* vi ville inte gå men vi måste **3** för att; *he struggled ~ get free* han kämpade för att komma loss **4** *he wants us ~ try* han vill att vi ska försöka;

I'm waiting for Bob ~ *come* jag väntar på att Bob ska komma; *he was the last* ~ *arrive* han var den siste som kom; ~ *hear him speak you would believe that*... när man hör honom skulle man tro att...; *she lived* ~ *be ninety* hon levde tills hon blev nittio
III [tuː, obetonat tʊ, tə] *adv* **1** igen, till [*push the door* ~] **2** ~ *and fro* av och an, fram och tillbaka
toad [təʊd] *subst* padda
toadstool ['təʊdstuːl] *subst* svamp; spec. giftsvamp
toast I [təʊst] *subst* **1** rostat bröd **2** skål; *drink a* ~ *to the bride and bridegroom* skåla för brudparet; *propose a* ~ utbringa en skål [*to* för], föreslå en skål [*to* för]
II [təʊst] *verb* **1** rosta [~ *bread*] **2** dricka en skål för, skåla med
toaster ['təʊstə] *subst* brödrost
toasting-fork ['təʊstɪŋfɔːk] *subst* grillgaffel, rostningsgaffel
toastmaster ['təʊst‚mɑːstə] *subst* toastmaster, ceremonimästare vid större middag
toast rack ['təʊstræk] *subst* ställ för rostat bröd
tobacco [tə'bækəʊ] (pl. ~s) *subst* tobak
tobacconist [tə'bækənɪst] *subst* tobakshandlare; *tobacconist's* tobaksaffär
tobacco pouch [tə'bækəʊpaʊtʃ] *subst* tobakspung
to-be [tə'biː] *adj* blivande, framtida, kommande; *the bride* ~ den blivande bruden
toboggan I [tə'bɒgən] *subst* kälke
II [tə'bɒgən] *verb* åka kälke
today I [tə'deɪ] *adv* **1** i dag; ~ *week* el. *a week* ~ i dag om en vecka **2** nu för tiden
II [tə'deɪ] *subst*, *a year from* ~ i dag om ett år; *the England of* ~ dagens England
toddle ['tɒdl] *verb* **1** tulta, tulta omkring; ~ *along* tulta omkring **2** vard., ~ *along* el. ~ *off* knalla i väg
toddler ['tɒdlə] *subst* liten knatte, liten tulta
toddy ['tɒdɪ] *subst* **1** whisky toddy **2** palmvin
to-do [tə'duː] (pl. ~s) *subst* vard. ståhej, uppståndelse
toe I [təʊ] *subst* tå; *on one's* ~s på sin vakt, på alerten; *tread on sb's* ~s trampa ngn på tårna
II [təʊ] *verb* ställa sig vid, stå vid [~ *the starting-line*]; ~ *the line* el. ~ *the mark* a) följa partilinjerna b) hålla sig på mattan

toecap ['təʊkæp] *subst* tåhätta
toenail ['təʊneɪl] *subst* tånagel
toffee ['tɒfɪ] *subst* knäck, hård kola, kolakaramell; *he can't play for* ~ el. *he can't play for* ~ *nuts* vard. han kan inte spela för fem öre
toffee apple ['tɒfɪ‚æpl] *subst* äppelklubba äpple överdraget med knäck
together [tə'geðə] *adv* **1** tillsammans, ihop, samman, gemensamt **2** efter varandra, i sträck, i rad; *for days* ~ flera dagar i sträck; *for hours* ~ i timmar
togs [tɒgz] *subst pl* vard. kläder, rigg, stass
toil I [tɔɪl] *verb* arbeta hårt, slita
II [tɔɪl] *subst* hårt arbete, slit
toilet ['tɔɪlət] *subst* **1** toalett, wc **2** toalett t.ex. klädsel, påklädning
toilet bag ['tɔɪlətbæg] *subst* necessär
toilet paper ['tɔɪlət‚peɪpə] *subst* toalettpapper
toiletries ['tɔɪlətrɪz] *subst pl* toalettartiklar
toilet roll ['tɔɪlətrəʊl] *subst* toalettrulle
toilet soap ['tɔɪlətsəʊp] *subst* toalettvål
toilet training ['tɔɪlət‚treɪnɪŋ] *subst* barns potträning
toilet water ['tɔɪlət‚wɔːtə] *subst* eau-de-toilette, toalettvatten
token I ['təʊkən] *subst* **1** tecken, bevis [*of* på]; kännetecken, symbol [*of* för] **2** *book* ~ presentkort på böcker (en bok) **3** minne, minnesgåva
II ['təʊkən] *adj* symbolisk [~ *payment*; ~ *strike*]
told [təʊld] **1** imperf. o. perf. p. av *tell* **2** *all* ~ inalles
tolerable ['tɒlərəbl] *adj* dräglig, uthärdlig, tolerabel
tolerably ['tɒlərəblɪ] *adv* någorlunda, tämligen
tolerance ['tɒlərəns] *subst* tolerans
tolerant ['tɒlərənt] *adj* tolerant [*to* mot]
tolerate ['tɒləreɪt] *verb* tolerera, tåla, finna sig i
toleration [‚tɒlə'reɪʃən] *subst* tolerans
1 toll [təʊl] *subst* **1** avgift, tull **2** *the death* ~ antalet dödsoffer; *the war took a heavy* ~ *of the enemy* kriget krävde många offer bland fienden
2 toll [təʊl] *verb* **1** ringa i, klämta i **2** slå klockslag [*Big Ben tolled five*], ringa med långsamma slag, klämta
tollcall ['təʊlkɔːl] *subst* amer. rikssamtal
tomahawk ['tɒməhɔːk] *subst* slags yxa tomahawk

tomato [təˈmɑːtəʊ, amer. təˈmeɪtəʊ] (pl. *tomatoes*) *subst* tomat

tomb [tuːm] *subst* **1** grav; gravvalv **2** gravvård

tombola [tɒmˈbəʊlə] *subst* tombola

tomboy [ˈtɒmbɔɪ] *subst* pojkflicka

tombstone [ˈtuːmstəʊn] *subst* gravsten

tomcat [ˈtɒmkæt] *subst* hankatt

tome [təʊm] *subst* lunta, volym

tomfoolery [tɒmˈfuːlərɪ] *subst* tokigheter, skoj

tommy-gun [ˈtɒmɪɡʌn] *subst* kpist

tomorrow I [təˈmɒrəʊ] *adv* i morgon; ~ *week* i morgon om åtta dagar, en vecka i morgon
II [təˈmɒrəʊ] *subst* morgondagen; *the day after* ~ i övermorgon

tomtit [ˌtɒmˈtɪt] *subst* fågel blåmes

tomtom [ˈtɒmtɒm] *subst* tamtamtrumma

---

ton
• Brittiskt ton: 2 240 *lbs*, pund = 1 016 kg
• Amerikanskt ton: 2 000 *lbs*, pund = 907,2 kg
• Metric ton: 1 000 kg

---

ton [tʌn] *subst* **1** ton britt. = 2 240 *lbs.* = 1 016 kg amer. = 2 000 *lbs.* = 907,2 kg; *metric* ~ ton 1 000 kg **2** vard., ~*s of* massor av, tonvis med [~*s of money*]

tone I [təʊn] *subst* **1** ton, tonfall; *speak in an angry* ~ tala med ilsket tonfall, röst [*in a low* ~ *of voice*]; klang [*the* ~ *of a piano*]; ~ *control* tonkontroll, klangfärgskontroll; *set the* ~ ange tonen **2** färgton, nyans **3** tele. ton, signal
II [təʊn] *verb*, ~ *down* tona ner, dämpa

tongs [tɒŋz] *subst pl* tång; *a pair of* ~ en tång

tongue [tʌŋ] *subst* **1** tunga; *be on everybody's* ~ vara på allas läppar; *has the cat got your* ~*?* vard. har du tappat talförmågan?; *have a ready* ~ vara rapp i munnen; *hold your* ~*!* håll mun!; *stick one's* ~ *out* el. *put one's* ~ *out* räcka ut tungan; *she said with her* ~ *in her cheek* sa hon smått ironiskt, sa hon med glimten i ögat **2** plös

tongue-tied [ˈtʌŋtaɪd] *adj* mållös, tystlåten; *be* ~ ha tunghäfta

tongue-twister [ˈtʌŋˌtwɪstə] *subst* tungvrickare

tonic I [ˈtɒnɪk] *adj* stärkande, uppfriskande; ~ *water* tonic
II [ˈtɒnɪk] *subst* **1** med. stärkande medel, stärkande medicin **2** tonic [*a gin and* ~] **3** *skin* ~ ansiktsvatten

tonight I [təˈnaɪt] *adv* i kväll; i natt
II [təˈnaɪt] *subst* denna kväll, kvällen, natten [*tonight's show*]

tonnage [ˈtʌnɪdʒ] *subst* tonnage

tonne [tʌn] *subst* ton

tonsil [ˈtɒnsl] *subst* anat. halsmandel, tonsill

tonsillitis [ˌtɒnsɪˈlaɪtɪs] *subst* med. tonsillit, halsfluss

too [tuː] *adv* **1** alltför, för; *that's* ~ *bad!* vad tråkigt, så synd!; *a little* ~ *clever* litet för smart; *I'm none* ~ *good at it* el. *I'm not* ~ *good at it* jag är inte så värst bra på det **2** också, med [*me* ~], även

took [tʊk] *imperf.* av *take*

tool [tuːl] *subst* redskap, verktyg

tool-bag [ˈtuːlbæg] *subst* verktygsväska på cykel

toolbox [ˈtuːlbɒks] *subst* o. **toolchest** [ˈtuːltʃest] *subst* verktygslåda

tool-shed [ˈtuːlʃed] *subst* redskapsskjul, redskapsbod

toot I [tuːt] *verb* tuta
II [tuːt] *subst* tutning

tooth [tuːθ] (pl. *teeth* [tiːθ]) *subst* **1** tand; *false* ~ löständ; *cut one's teeth* få tänder; *get one's teeth into* sätta tänderna i; *escape by the skin of one's teeth* klara sig undan med knapp nöd; *fight* ~ *and nail* kämpa med näbbar och klor; *have a* ~ *out* el. amer. *have a* ~ *pulled* dra ut en tand; *it sets my teeth on edge* det får mig att rysa; *have a sweet* ~ vara en gottgris

toothache [ˈtuːθeɪk] *subst* tandvärk

toothbrush [ˈtuːθbrʌʃ] *subst* tandborste

toothless [ˈtuːθləs] *adj* tandlös

toothmug [ˈtuːθmʌg] *subst* tandborstmugg

toothpaste [ˈtuːθpeɪst] *subst* tandkräm

toothpick [ˈtuːθpɪk] *subst* tandpetare

toothy [ˈtuːθɪ] *adj*, *a* ~ *smile* ett stomatolleende

1 top [tɒp] *subst* snurra; *sleep like a* ~ sova som en stock

2 top I [tɒp] *subst* **1** topp, spets; övre del, krön; *blow one's* ~ vard. explodera av ilska; *at the* ~ överst, högst upp, ovanpå; *at the* ~ *of one's voice* så högt man kan, för full hals; *from* ~ *to bottom* uppifrån och ner; *on* ~ ovanpå, på toppen; *be on* ~ ha övertaget; *come out on* ~ bli etta, vara bäst; *on* ~ *of* a) utöver b) ovanpå,

omedelbart på (efter); *on ~ of that* el. *on ~ of this* ovanpå det, dessutom; till råga på allt; *I feel on ~ of the world* jag känner mig absolut i toppform; *get on ~ of* ta överhanden över [*don't let the work get on ~ of you*] **2** topp klädesplagg; överdel **3** bordskiva; yta
II [tɒp] *adj* **1** översta, högsta; *the ~ floor* översta våningen; topp- [*~ prices*]; *~ C* musik. höga C; *in ~ gear* på högsta växeln; *~ hat* hög hatt **2** främsta, bästa, topp- [*~ secret*]
III [tɒp] (*-pp-*) *verb* **1** vara överst på, toppa [*~ the list*], höja sig över, överträffa; *to ~ it all* till råga på allt **2** toppa, beskära
IV [tɒp] (*-pp-*) *verb* med adv. o. prep.
top up fylla på [*~ up a car battery*; *let me ~ up your glass*]
top off avsluta, avrunda
topaz ['təʊpæz] *subst* ädelsten topas
topboot [,tɒp'buːt] *subst* kragstövel
top-heavy [,tɒp'hevɪ] *adj* för tung upptill, övertung
topic ['tɒpɪk] *subst* samtalsämne

topical
Det engelska ordet *actual* betyder vanligen <u>faktisk</u>, <u>verklig</u>.

topical ['tɒpɪkl] *adj* aktuell; *~ allusion* anspelning på samtida händelser; *make ~* aktualisera
topicality [,tɒpɪ'kælətɪ] *subst* aktualitet
topknot ['tɒpnɒt] *subst* hårknut på hjässan
topless ['tɒpləs] *adj* topless, utan överdel
top-level ['tɒp,levl] *adj*, *~ conference* konferens på toppnivå
topmost ['tɒpməʊst] *adj* överst, högst
topnotch [,tɒp'nɒtʃ] *adj* vard. jättebra
topography [tə'pɒgrəfɪ] *subst* topografi
topper ['tɒpə] *subst* vard. hög hatt
topping ['tɒpɪŋ] *subst* kok. garnering, toppskikt; *a ~ of ice cream on the pie* ett lager av glass ovanpå pajen
topple ['tɒpl] *verb* **1** *~* el. *~ over* falla, falla över ända, ramla **2** stjälpa, störta
top-ranking ['tɒp,ræŋkɪŋ] *adj* topprankad
top-secret [,tɒp'siːkrɪt] *adj* hemligstämplad; topphemlig
topspin ['tɒpspɪn] *subst* i tennis etc. överskruv
topsy-turvy I [,tɒpsɪ'tɜːvɪ] *adv* upp och ner
II [,tɒpsɪ'tɜːvɪ] *adj* uppochnervänd, bakvänd

torch [tɔːtʃ] *subst* **1** bloss, fackla **2** *electric ~* el. *~* ficklampa **3** amer. blåslampa
torchlight ['tɔːtʃlaɪt] *subst* fackelsken; *~ procession* fackeltåg
tore [tɔː] *imperf.* av **2** *tear I*
toreador ['tɒrɪədɔː] *subst* toreador, tjurfäktare
torment I ['tɔːment] *subst* plåga, pina, tortyr; *be in ~* lida kval
II [tɔː'ment] *verb* plåga, pina
tormentor [tɔː'mentə] *subst* plågoande
torn [tɔːn] *perf.* p. av **2** *tear I*
tornado [tɔː'neɪdəʊ] (pl. *tornadoes* el. *~s*) *subst* tromb, tornado, virvelstorm
torpedo [tɔː'piːdəʊ] (pl. *torpedoes*) *subst* torped
torpedo boat [tɔː'piːdəʊbəʊt] *subst* torpedbåt; *~ destroyer* torpedjagare
torpor ['tɔːpə] *subst* dvala, slöhetstillstånd, törnrosasömn
torque [tɔːk] *subst* tekn. vridmoment
torrent ['tɒrənt] *subst* **1** ström, störtflod; *a ~ of abuse* en störtflod av okvädinsord **2** störtregn
torrential [tə'renʃl] *adj* forsande; *~ rain* skyfallsliknande regn
torrid ['tɒrɪd] *adj* **1** brännhet, stekande, het [*the ~ zone*] **2** het, passionerad
torso ['tɔːsəʊ] (pl. *~s*) *subst* torso, bål
tortoise ['tɔːtəs] *subst* sköldpadda
torture I ['tɔːtʃə] *subst* **1** tortyr **2** kval, pina
II ['tɔːtʃə] *verb* **1** tortera **2** pina, plåga
torturer ['tɔːtʃərə] *subst* **1** bödel **2** plågoande
Tory ['tɔːrɪ] *subst* tory, konservativ
toss I [tɒs] *verb* **1** kasta, slänga; kasta upp, kasta av; *the waves tossed the boat* vågorna kastade båten hit och dit; *tossed salad* grönsallad med dressing **2** singla, singla slant med; singla slant; *~ up* el. *~ for it* singla slant om saken; *~ a coin* singla slant **3** om t.ex. fartyg rulla, gunga; *~ and turn* vända och vrida sig; *~ about* el. *~* kasta sig av och an
II [tɒs] *verb* med adv. o. prep.
toss back el. **toss down** kasta i sig, stjälpa i sig
toss off 1 kasta av sig **2** kasta i sig, stjälpa i sig [*~ off a few drinks*] **3** vulg. runka onanera
toss up kasta upp, slänga upp; *~ up a coin* el. *~ up* singla slant
III [tɒs] *subst* **1** kastande; kast; *a ~ of the head* ett kast med huvudet **2** slantsingling [*lose the ~*]; *argue the ~* vard. diskutera fram och tillbaka

toss-up ['tɒsʌp] *subst* slantsingling, lottning; *it's a ~* det är rena lotteriet

1 tot [tɒt] *subst* **1** pyre; *a tiny ~* liten unge, småtting **2** vard. hutt, litet glas konjak m.m.

2 tot [tɒt] (-*tt*-) *verb*, *~ up* addera, summera, räkna ihop

total I ['təʊtl] *adj* fullständig, total, hel; *~ abstainer* absolutist, helnykterist; *the ~ amount* slutsumman
II ['təʊtl] *subst* slutsumma, totalsumma
III ['təʊtl] *verb* **1** *~* el. *~ up* räkna samman, lägga ihop **2** uppgå till

totalitarian [,təʊtælɪ'teərɪən] *adj* totalitär, diktatur- [*~ State*]

totalizator ['təʊtəlaɪzeɪtə] *subst* spel på totalisator

tote [təʊt] *subst* (vard. kortform för *totalizator*) toto

tote bag ['təʊtbæg] *subst* stadigare bärkasse

totem ['təʊtəm] *subst*, *~ pole* totempåle

totter ['tɒtə] *verb* vackla; stappla; svikta

tottering ['tɒtərɪŋ] *adj* o. **tottery** ['tɒtərɪ] *adj* vacklande, stapplande; osäker, ostadig

touch I [tʌtʃ] *verb* (se äv. *touched*) **1** röra, röra vid, toucha; nudda; ta i, ta på **2** nå, nå fram till; stiga till, sjunka till [*the temperature touched 10°*]; *~ bottom* a) nå botten b) sjö. få bottenkänning; *there's no one to ~ him* det finns ingen som går upp mot honom **3** smaka [*he never touches wine*], röra [*he didn't even ~ the food*] **4** röra, göra ett djupt intryck på
II [tʌtʃ] *verb* med adv. o. prep.
touch down flyg. ta mark, landa
touch off bildl. utlösa [*~ off a crisis*]
touch on beröra, komma in på [*~ on a subject*]
touch up retuschera, bättra på [*~ up a painting*]; snygga upp; finputsa
III [tʌtʃ] *subst* **1** beröring, vidröring, snudd **2** kontakt; *keep ~ with* hålla kontakten med; *lose ~ with* tappa kontakten med; *be in ~ with* el. *keep in ~ with* hålla kontakt med, stå i kontakt med; *keep in ~!* hör av dig!; *get in ~ with* el. *get into ~ with* få kontakt med; sätta sig i förbindelse med; *put in ~ with* sätta i förbindelse med **3** *~* el. *sense of ~* känsel, beröringssinne; *you can tell it's silk by the ~* det känns att det är siden när man tar på det **4** aning, antydan, spår, stänk [*a ~ of irony*]; släng [*a ~ of flu*] **5** drag, prägel, anstrykning **6** musik. el. t.ex. på tangentbord anslag; grepp; *have a light ~* ha ett lätt anslag; om t.ex. piano vara lättspelad

7 grepp, hand, handlag; *with a light ~* med lätt hand; *the ~ of a master* en mästares hand; *he has a very sure ~* han har ett mycket säkert handlag; *lose one's ~* tappa greppet **8** fotb. område utanför sidlinjen; *be in ~* vara utanför sidlinjen, vara död; *kick the ball into ~* sparka bollen över sidlinjen

touch-and-go [,tʌtʃənd'gəʊ] *adj* osäker, riskabel; *it was ~* det hängde på ett hår

touchdown ['tʌtʃdaʊn] *subst* **1** flyg. landning **2** amerikansk fotboll, rugby touchdown målpoäng

touched [tʌtʃt] *adj* rörd

touching I ['tʌtʃɪŋ] *adj* rörande, gripande
II ['tʌtʃɪŋ] *prep* rörande, angående

touchline ['tʌtʃlaɪn] *subst* fotb. sidlinje

touchstone ['tʌtʃstəʊn] *subst* prövosten, kriterium

touch-up ['tʌtʃʌp] *subst* retusch, retuschering

touchy ['tʌtʃɪ] *adj* retlig, snarstucken

tough I [tʌf] *adj* **1** seg [*~ meat*] **2** jobbig, kämpig, slitig [*a ~ job*]; *~ luck* vard. otur; *~ negotiations* sega förhandlingar **3** tuff, kallhamrad; *a ~ guy* el. *a ~ customer* vard. en hårding, en tuffing **4** hård, seg; *a ~ defence* ett hårdnackat försvar; *get ~ with* ta i med hårdhandskarna mot
II [tʌf] *subst* buse; råskinn

toughen ['tʌfn] *verb* **1** göra seg (hård) **2** bli hård(are)

toupee ['tuːpeɪ] *subst* tupé

tour I [tʊə] *subst* rundresa, rundtur, rundvandring; teat. m.m. turné [*on ~*]; *~ of inspection* inspektionsresa, inspektionsrunda; *a guided ~* el. *a conducted ~* en sällskapsresa, en guidad tur; *make a ~ of* resa runt i, göra en rundtur i
II [tʊə] *verb* **1** göra en rundresa; turista, resa [*through, about* genom, omkring], i] **2** resa runt i, besöka [*~ a country*]; göra en rundtur genom, bese [*~ the factory*] **3** teat. m.m. turnera; turnera i [*~ the provinces*]

tourism ['tʊərɪzəm] *subst* turism, turistväsen

tourist ['tʊərɪst] *subst* turist; *~ agency* resebyrå, turistbyrå

tournament ['tʊənəmənt] *subst* sport. turnering, tävlingar

tout I [taʊt] *verb* **1** försöka pracka på folk; tipsa om, sälja stalltips om **2** sälja svart [*~ tickets*]
II [taʊt] *subst*, *~* el. *ticket ~* svartabörshaj, försäljare av svarta biljetter

tow I [təʊ] *verb* bogsera, släpa, bärga bil; *ask*

for the car to be towed begära bärgning
av bilen
II [təʊ] *subst* bogsering; *take in* ~ bogsera
toward [tə'wɔːd] *prep* se *towards*
towards [tə'wɔːdz] *prep* **1** mot, i riktning
mot **2** gentemot, mot [*his feelings* ~ *us*]
3 för [*they are working* ~ *peace*], till [*save
money* ~ *a new house*] **4** om tid inemot, mot
[~ *evening*]
towel ['taʊəl] *subst* handduk; *sanitary* ~
dambinda; *Turkish* ~ frottéhandduk;
throw in the ~ boxn. vard. kasta in
handduken
towel rail ['taʊəlreɪl] *subst* handduksstång

The Tower of London
The Tower of London, ett av Lon-
dons mest kända turistmål, är en
fästning och kungaborg, *fortress*, vid
Themsen. Förr var det ett fängelse.
I dag är det ett museum, där man
bl.a. kan se kronjuvelerna, *the
Crown Jewels*. Väktarna och guider-
na som kallas *Beefeaters* är klädda i
färggranna 1500-talsdräkter.

tower I ['taʊə] *subst* **1** torn; data. torn, tower;
~ *block* punkthus, höghus **2** ~ *of
strength* stöttepelare, kraftkälla
II ['taʊə] *verb* torna upp sig, höja sig, resa
sig; ~ *above* el. ~ *over* höja sig över
towering ['taʊərɪŋ] *adj* **1** jättehög, reslig
2 våldsam [*a* ~ *rage*]
towing ['təʊɪŋ] *subst* bogsering, bärgning av
bil
towline ['təʊlaɪn] *subst* bogserlina, draglina
town [taʊn] *subst* stad; *the talk of the* ~ det
allmänna samtalsämnet; *go to* ~ åka till
stan
town-dweller ['taʊn,dwelə] *subst* stadsbo
townsfolk ['taʊnzfəʊk] *subst* stadsbor
towrope ['təʊrəʊp] *subst* bogserlina
toxic ['tɒksɪk] *adj* toxisk, giftig; ~
symptoms förgiftningssymptom
toy I [tɔɪ] *subst* leksak; ~ *boy* vard. ung
älskare till äldre kvinna; ~ *poodle* dvärgpudel
II [tɔɪ] *verb* sitta och leka, leka [~ *with a
pencil*]; ~ *with the idea of buying a car*
leka med tanken på att köpa en bil
toy boy ['tɔɪbɔɪ] *subst* vard. ung älskare till
äldre kvinna
toyshop ['tɔɪʃɒp] *subst* leksaksaffär
trace I [treɪs] *verb* **1** spåra, spåra upp;

upptäcka, finna spår av **2** kalkera
II [treɪs] *subst* spår, märke; *a* ~ *of arsenic*
ett spår av arsenik; *a* ~ *of garlic in the
food* en aning vitlök i maten
tracing-paper ['treɪsɪŋ,peɪpə] *subst*
kalkerpapper
track I [træk] *subst* **1** spår på marken, på
ljudband m.m.; fotspår; *cover up one's* ~*s*
sopa igen spåren efter sig; *keep* ~ *of* hålla
reda på; *lose* ~ *of* tappa kontakten med;
tappa bort, tappa räkningen på; *throw sb
off the* ~ leda ngn på villospår; *on one's* ~
efter sig, i hälarna **2** järnvägsspår **3** bana
4 stig, väg **5** sport. löparbana; ~ *events*
löpgrenar på bana
II [træk] *verb* spåra, följa spåren av; ~
down försöka spåra upp, spåra
track-and-field [,trækənd'fiːld] *subst* spec.
amer. friidrott
track shoe ['trækʃuː] *subst* spiksko
track suit ['træksuːt, 'træksjuːt] *subst*
träningsoverall
tractor ['træktə] *subst* traktor
trade I [treɪd] *subst* **1** handel, affärer [*in sth
med ngt*]; kommers; handelsutbyte,
affärsgren, bransch [*in the book* ~] **2** ~
discount handelsrabatt, varurabatt; ~
name handelsnamn, firmanamn; *foreign*
~ utrikeshandel **3** yrke, hantverk, fack; ~
dispute arbetstvist, arbetskonflikt; ~
union fackförening; *The Trades Union
Congress* Brittiska Landsorganisationen;
by ~ till yrket
II [treɪd] *verb* **1** handla, driva handel [*in sth
med ngt*] **2** spekulera [*in sth med ngt*]; ~
on utnyttja [~ *on sb's sympathy*] **3** vard.
handla [*at hos*] **4** handla med, byta, byta
ut, byta bort [*for mot*]; ~ *in* a) byta in, byta
ut [*for mot*] b) lämna i utbyte [*for mot*]; ~
off byta [*for mot*]
trade-in ['treɪdɪn] *subst* vard. inbyte; ~ *car*
inbytesbil
trademark ['treɪdmɑːk] *subst* varumärke,
firmamärke, fabriksmärke
trader ['treɪdə] *subst* affärsman, köpman
tradesman ['treɪdzmən] (pl. *tradesmen*
['treɪdzmən]) *subst* detaljhandlare,
handelsman; *tradesmen's entrance*
köksingång
trade union [,treɪd'juːnjən] *subst*
fackförening
trade-unionism [,treɪd'juːnjənɪzəm] *subst*
fackföreningsrörelsen
trade-unionist [,treɪd'juːnjənɪst] *subst*
fackföreningsmedlem; fackföreningsman

trade wind ['treɪdwɪnd] *subst* passadvind
trading ['treɪdɪŋ] *subst* **1** handel
2 byteshandel
tradition [trə'dɪʃən] *subst* tradition, hävd
traditional [trə'dɪʃnəl] *adj* traditionell
traditionalist [trə'dɪʃənəlɪst] *subst*
traditionalist
tradition-bound [trə'dɪʃənbaʊnd] *adj*
traditionsbunden

traffic
Storbritannien, Irland, Australien,
Indien och några andra länder som
tidigare var brittiska kolonier har
vänstertrafik. USA och Kanada har
högertrafik.

traffic I ['træfɪk] (*trafficked trafficked*) *verb*
handla, driva handel {*in sth* med ngt; *with
sb* med ngn}; driva olaga handel {*in sth*
med ngt}
II ['træfɪk] *subst* **1** trafik; ~ *circle* amer. trafik.
rondell; ~ *island* refug, trafikdelare; ~
jam trafikstockning; ~ *lane* körfält, fil; ~
light trafikljus; ~ *offender* trafiksyndare;
~ *regulations* trafikförordning; ~ *sign*
vägmärke, trafikmärke; ~ *warden*
trafikvakt, kvinnlig trafikvakt lapplisa;
one-way ~ enkelriktad trafik **2** handel {~
in narcotics}
trafficker ['træfɪkə] *subst* handlande; *drug*
~ narkotikalangare
tragedy ['trædʒədɪ] *subst* tragedi
tragic ['trædʒɪk] *adj* tragisk
tragi-comedy [ˌtrædʒɪ'kɒmədɪ] *subst*
tragikomedi
trail I [treɪl] *subst* **1** strimma, slinga {*a* ~ *of
smoke*} **2** spår; *leave in one's* ~ ha i
släptåg, medföra {*war left misery in its* ~};
be hot on the ~ *of sb* vara tätt i hälarna på
ngn **3** led, vandringsled; *nature* ~
naturstig
II [treɪl] *verb* **1** släpa, släpa i marken {*her
dress trailed across the floor*}, dra efter sig; ~
away el. ~ *off* dö bort **2** släpa sig, släpa sig
fram; driva {*smoke was trailing from the
chimneys*} **3** spåra, spåra upp **4** krypa,
slingra sig om t.ex. växt, orm **5** vard., ~ el. ~
behind komma efter, sacka efter; ~ *by
one goal* sport. ligga under med ett mål
trailer ['treɪlə] *subst* **1** släpvagn, släp, trailer
2 amer. husvagn; ~ *camp* el. ~ *park*
campingplats för husvagnar **3** film. trailer

train I [treɪn] *verb* **1** öva, öva in, träna upp;
utbilda; ~ *to be a nurse* utbilda sig till
sjuksköterska **2** dressera {~ *animals*}
3 sport. träna, träna sig; mil. exercera **4** rikta
in kanon, kikare m.m. {*on, upon* på, mot}
II [treɪn] *subst* **1** järnv. tåg {*for, to* till}; *fast* ~
snabbtåg; *special* ~ extratåg; *change* ~*s*
byta tåg; *go by* ~ åka tåg, ta tåget **2** följe,
svit; tåg, procession; *bring in one's* ~ ha i
släptåg, medföra {*war brings famine in its*
~} **3** rad, räcka, följd {*a whole* ~ *of events*},
serie; ~ *of thought* tankegång
4 klänningssläp **5** tekn. hjulverk, löpverk
trained [treɪnd] *adj* **1** tränad **2** utbildad,
utexaminerad {*a* ~ *nurse*} **3** dresserad
trainee [treɪ'niː] *subst* praktikant, lärling,
elev, aspirant
trainer ['treɪnə] *subst* **1** tränare, instruktör;
lagledare **2** dressör **3** träningssko
train ferry ['treɪnˌferɪ] *subst* tågfärja
training ['treɪnɪŋ] *subst* **1** utbildning;
träning **2** *in* ~ i god kondition, tränad; *be
out of* ~ ha dålig kondition, vara otränad;
go into ~ lägga sig i träning, fostran,
skolning **3** dressyr **4** mil. exercis, drill
training-camp ['treɪnɪŋkæmp] *subst*
träningsläger
training-shoes ['treɪnɪŋʃuːz] *subst pl*
träningsskor
trait [treɪt] *subst* drag; karaktärsdrag,
egenskap
traitor ['treɪtə] *subst* förrädare {*to* mot}
tram [træm] *subst* spårvagn
tramcar ['træmkɑː] *subst* spårvagn
tramline ['træmlaɪn] *subst* **1** spårvagnslinje
2 spårvägsskena; pl. ~*s* a) spårvagnsspår
b) i tennis vard. korridor som används i dubbelspel
tramp I [træmp] *verb* **1** trampa **2** traska
II [træmp] *subst* **1** tramp, trampande
2 luffare, landstrykare **3** spec. amer. vard.
slampa, luder, fnask
trample ['træmpl] *verb* trampa {*on* på, i},
trampa ned, trampa på; ~ *to death*
trampa ihjäl
trampoline ['træmpəliːn] *subst* studsmatta
tramway ['træmweɪ] *subst* spårväg
trance [trɑːns] *subst* trans; *send sb into a* ~
försätta ngn i trans; *fall into a* ~ el. *go into
a* ~ falla i trans
tranquil ['træŋkwɪl] *adj* lugn, stilla, stillsam
tranquillity [træŋ'kwɪlətɪ] *subst* lugn, ro,
stillhet
tranquillize ['træŋkwəlaɪz] *verb* lugna, stilla
tranquillizer ['træŋkwəlaɪzə] *subst* lugnande
medel

transact [træn'zækt] *verb* bedriva [~ *business*], föra [~ *negotiations*]
transaction [træn'zækʃən] *subst* transaktion, affär [*the ~s of a firm*]; affärsuppgörelse
transatlantic [ˌtrænzət'læntɪk] *adj* transatlantisk
transcend [træn'send] *verb* överskrida; överträffa, överglänsa
transcribe [træn'skraɪb] *verb* **1** skriva av, kopiera **2** transkribera
transcript ['trænskrɪpt] *subst* avskrift, kopia; utskrift
transcription [træn'skrɪpʃən] *subst* **1** avskrivning; utskrivning **2** avskrift, kopia; utskrift **3** transkription
transfer I [træns'fɜː] (*-rr-*) *verb* **1** flytta, flytta över, föra över; *in a transferred sense* i överförd bemärkelse **2** överlåta [*to sb* på ngn] **3** girera; ekon. transferera, överföra **4** sport. sälja, transferera spelare **II** ['trænsfə] *subst* **1** förflyttning; överflyttning; omplacering; ~ *fee* sport. transfersumma, övergångssumma för spelare; ~ *list* sport. transferlista **2** dekal, överföringsbild, gnuggbild **3** girering; ekon. transferering, överföring
transferable [træns'fɜːrəbl] *adj* överflyttbar, överförbar; *not* ~ får ej överlåtas
transfix [træns'fɪks] *verb* **1** genomborra **2** *transfixed* förstenad, lamslagen
transform [træns'fɔːm] *verb* förvandla, omvandla; omskapa, förändra
transformation [ˌtrænsfə'meɪʃən] *subst* förvandling, omvandling; transformation
transformer [træns'fɔːmə] *subst* elektr. transformator
transfusion [træns'fjuːʒən] *subst* transfusion [*blood* ~]
transgressor [træns'gresə] *subst* överträdare, lagbrytare; syndare
transient ['trænzɪənt] *adj* **1** övergående, förgänglig, flyktig **2** tekn. transient
transistor [træn'zɪstə] *subst* transistor
transit ['trænzɪt] *subst* **1** genomresa, överresa, färd; ~ *visa* genomresevisum, transitvisum; *in* ~ på genomresa **2** hand. transport, befordran av varor, passagerare; *goods lost in* ~ varor som kommit bort under transporten
transition [træn'sɪʒən] *subst* övergång; ~ *stage* övergångsstadium
transitional [træn'sɪʒnəl] *adj* övergångs-, mellan- [*a ~ period*]
transitive ['trænsətɪv] *adj* gram. transitiv

transitory ['trænsətrɪ] *adj* övergående, kortvarig, obeständig
translate [træns'leɪt] *verb* översätta [*into* till; *by* med]
translation [træns'leɪʃən] *subst* översättning [*into* till]
translator [træns'leɪtə] *subst* översättare, translator
transmission [trænz'mɪʃən] *subst* **1** vidarebefordran, överföring **2** transmission, kraftöverföring **3** radio. sändning
transmit [trænz'mɪt] (*-tt-*) *verb* **1** vidarebefordra [~ *news*]; överlämna, överlåta [*to* till, på]; ~ *a disease* en sjukdom **2** överföra **3** radio. sända; *transmitting station* sändarstation
transmitter [trænz'mɪtə] *subst* **1** med. överförare [*the ~ of disease*] **2** radiosändare
transparency [træn'spærənsɪ] *subst* **1** genomskinlighet **2** diapositiv, diabild; ~ el. *overhead* ~ stordia
transparent [træn'spærənt] *adj* genomskinlig
transpire [træn'spaɪə] *verb* **1** läcka ut, komma fram **2** vard. hända, inträffa
transplant I [træn'splɑːnt] *verb* **1** plantera om **2** förflytta, flytta över **3** med. transplantera **II** ['trænsplɑːnt] *subst* med. **1** transplantation [*a heart* ~] **2** transplantat
transplantation [ˌtrænsplɑːn'teɪʃən] *subst* **1** omplantering **2** förflyttning, överflyttning **3** med. transplantation [*heart* ~]
transponder [træn'spɒndə] *subst* tekn. transponder
transport I [træn'spɔːt] *verb* **1** transportera, förflytta, forsla **2** *be transported* hänryckas; *transported with joy* utom sig av glädje **II** ['trænspɔːt] *subst* **1** transport, förflyttning **2** ~ el. *means of* ~ transportmedel **3** ~ el. ~ *services* transportväsen, transportväsendet; *public* ~ allmänna kommunikationer, kollektivtrafik
transportation [ˌtrænspɔː'teɪʃən] *subst* transport, transportering; *means of* ~ amer. transportmedel
transpose [træn'spəʊz] *verb* flytta om, kasta om ordning, ord m.m.
transposition [ˌtrænspə'zɪʃən] *subst* omkastning, omflyttning

transvestism [trænz'vestɪzm] *subst* transvestism

transvestite [trænz'vestaɪt] *subst* transvestit

trap I [træp] *subst* **1** fälla, snara; *fall into the* ~ gå i fällan; *set a* ~ *for* gillra en fälla för **2** fallucka, falldörr, lucka i golvet el. taket

II [træp] (*-pp-*) *verb* **1** snara, fånga, snärja; *trapped in a burning building* instängd i en brinnande byggnad; ~ *sb into doing sth* lura ngn att göra ngt **2** sätta ut fällor på, sätta ut snaror i **3** ~ *a ball* fotb. dämpa en boll

trapdoor [træp'dɔ:] *subst* fallucka, falldörr

trapeze [trə'pi:z] *subst* trapets

trappings ['træpɪŋz] *subst pl* grannlåt, ståt, utsmyckningar

trash [træʃ] *subst* **1** skräp, smörja **2** amer. skräp, sopor; ~ *can* soptunna **3** vard. slödder, pack

trashy ['træʃɪ] *adj* usel, skräp- [~ *novels*]

travel I ['trævl] (*-ll-*, amer. *-l-*) *verb* **1** resa, färdas, åka, fara; om t.ex. ljus, ljud gå, röra sig **2** resa omkring i **3** tillryggalägga [~ *great distances*]

II ['trævl] *subst* resande, att resa, resor [*enrich one's mind by* ~]; pl. ~*s* resor [*during my* ~*s*]; *book of* ~ reseskildring; ~ *agency* el. ~ *bureau* resebyrå; ~ *agent* resebyråman; ~ *sickness* åksjuka

traveller ['trævələ] *subst* resande, resenär; *traveller's cheque* el. amer. ~ *check* resecheck

travelling I ['trævəlɪŋ] *subst* resande, att resa, resor; ~ *companion* reskamrat; ~ *expenses* resekostnader

II ['trævəlɪŋ] *adj* resande, kringresande [~ *circus*]

travesty I ['trævəstɪ] *verb* travestera, parodiera

II ['trævəstɪ] *subst* travesti, karikatyr, parodi på [*of* på]

trawler ['trɔːlə] *subst* **1** trålare **2** trålfiskare

tray [treɪ] *subst* **1** bricka **2** brevkorg, låda

treacherous ['tretʃərəs] *adj* förrädisk; lömsk [*a* ~ *attack*]

treachery ['tretʃərɪ] *subst* förräderi

treacle ['triːkl] *subst* sirap; *black* ~ mörk sirap

tread I [tred] (*trod trodden*) *verb* **1** trampa, träda, stiga; trampa till; ~ *on sb's toes* trampa ngn på tårna; ~ *down* trampa ner **2** gå, vandra på [~ *a path*]

II [tred] *subst* **1** steg, gång **2** trampyta på fot el. sko **3** slitbana; ~ el. ~ *pattern* slitbanemönster, däckmönster

treadmill ['tredmɪl] *subst* trampkvarn

treason ['triːzn] *subst* förräderi, landsförräderi; *high* ~ högförräderi; *an act of* ~ ett förräderi

treasure I ['treʒə] *subst* **1** skatt **2** skatt, klenod; *she's a* ~ hon är en pärla

II ['treʒə] *verb* uppskatta, värdera

treasurer ['treʒərə] *subst* skattmästare, kassör i t.ex. förening

treasury ['treʒərɪ] *subst* **1** skattkammare **2** *the Treasury* finansdepartementet i Storbritannien

treat I [triːt] *verb* **1** behandla [*he was treated for his illness*]; *how is the world treating you?* hur är läget?, hur har du det? **2** betrakta, ta [*he* ~*s it as a joke*] **3** bjuda [*to* på], traktera; ~ *oneself to sth* kosta på sig ngt, unna sig ngt

II [triːt] *subst* **1** traktering, förplägnad; *it's my* ~ jag bjuder **2** barnkalas, bjudning **3** nöje, njutning; *it worked a* ~! vard. det gick jättebra!

treatise ['triːtɪz] *subst* avhandling [*on* om]

treatment ['triːtmənt] *subst* behandling

treaty ['triːtɪ] *subst* fördrag, avtal [*peace* ~]

treble I ['trebl] *adj* tredubbel, trefaldig; ~ *chance* vid tippning poängtips

II ['trebl] *subst* musik. diskant, sopran

III ['trebl] *verb* tredubbla

tree [triː] *subst* **1** träd; *Christmas* ~ julgran **2** skoblock, läst

treeline ['triːlaɪn] *subst* trädgräns

trellis ['trelɪs] *subst* spaljé, galler

tremble I ['trembl] *verb* **1** darra, skälva [*with* av]; *I* ~ *to think what might have happened* jag bävar vid tanken på vad som kunde ha hänt

II ['trembl] *subst* skälvning, darrning; *be all of a* ~ darra i hela kroppen

tremendous [trə'mendəs] *adj* vard. kolossal, väldig, våldsam [*a* ~ *explosion*]

tremor ['tremə] *subst* **1** skälvning, darrning **2** ~ el. *earth* ~ jordskalv

trench [trentʃ] *subst* **1** dike **2** mil. skyttegrav, löpgrav; ~ *warfare* skyttegravskrig, ställningskrig

trend I [trend] *subst* riktning, tendens, strömning, trend; *set the* ~ skapa ett mode, skapa en trend

II [trend] *verb* tendera, röra sig [*prices have trended upwards*]

trendy ['trendɪ] *adj* vard. toppmodern, inne-, trendig

trepidation [trepɪ'deɪʃən] *subst* bestörtning, bävan

trespass I ['trespəs] *verb* **1** inkräkta; ~ *on sb's property* göra intrång på ngns mark **2** ~ *on* inkräkta på, göra intrång i [~ *on sb's rights*] **3** bibl. synda; ... *as we forgive them that ~ against us* bibl. ... såsom ock vi förlåte dem oss skyldiga äro **4** överskrida; ~ *the bounds of good taste* gå över gränsen för vad som är god smak **II** ['trespəs] *subst* **1** lagöverträdelse; bibl. synd **2** intrång

trespasser ['trespəsə] *subst* **1** inkräktare **2** lagbrytare; ~*s will be prosecuted* överträdelse beivras

trespassing ['trespəsɪŋ] *subst* intrång, inkräktande; *no* ~*!* tillträde förbjudet!

trestle ['tresl] *subst* bock stöd

trestle table ['tresl,teɪbl] *subst* bord med lösa bockar, bockbord

trial ['traɪl] *subst* **1** prov, försök, experiment; ~ *offer* hand. introduktionserbjudande; ~ *period* prövotid, försöksperiod; ~ *run* provkörning av bil m.m., provtur; ~ *of strength* kraftprov; *give sth a* ~ pröva ngt; *stand the* ~ bestå provet; *the boy was on* ~ pojken var anställd på prov; *put to the* ~ sätta på prov **2** jur. rättegång, process, mål; *stand* ~ stå inför rätta; ~ *by jury* rättegång inför jury; *be on* ~ vara åtalad, stå inför rätta **3** sport. försök; i motorsport el. i kapplöpning vanligen trial; ~ *heat* försöksheat

triangle ['traɪæŋgl] *subst* geom. **1** triangel **2** amer. a) triangel b) vinkelhake

triangular [traɪ'æŋgjʊlə] *adj* triangelformig, trekantig

tribal ['traɪbl] *adj* stam-, släkt-; ~ *feuds* stamkrig, släktfejder

tribe [traɪb] *subst* folkstam

tribunal [traɪ'bjuːnl] *subst* domstol, rätt, tribunal; *rent* ~ hyresnämnd

tributary ['trɪbjʊtrɪ] *adj* o. *subst*, ~ *river* el. ~ biflod

tribute ['trɪbjuːt] *subst* tribut [*a* ~ *to his bravery*]; *floral* ~*s* blomsterhyllning, blomsterhyllningar; *pay* ~ *to sb* ge ngn sin hyllning; *a* ~ *to* ett bevis på

trick I [trɪk] *subst* **1** knep, list; *a dirty* ~ el. *a mean* ~ ett fult spratt; ~ *or treat?* bus eller godis? på allhelgonaafton då barn besöker främmande; *play a* ~ *on sb* el. *play* ~*s on sb* spela ngn ett spratt; *he has been at his old* ~*s again* nu har han varit i farten igen; *be up to every* ~ kunna alla knep; *he's up to some* ~ han har något fuffens för sig **2** konst, konster, trick; *how's* ~*s?*

vard. hur är läget?; *that will do the* ~ vard. det kommer att göra susen; *the whole bag of* ~*s* vard. hela klabbet; *box of* ~*s* trollerilåda **3** egenhet, ovana [*he has a* ~ *of repeating himself*] **4** kortsp. trick, stick **II** [trɪk] *verb* lura; ~ *sb into doing sth* lura ngn att göra ngt; ~ *sb out of sth* lura av ngn ngt

trickery ['trɪkərɪ] *subst* knep, skoj, bluff

trickle I ['trɪkl] *verb* droppa, drypa [*with av*], sippra, trilla, rinna sakta [*the tears trickled down her cheeks*]; ~ *out* a) sippra ut [*the news trickled out*] b) droppa ut, droppa av [*people began to* ~ *out of the theatre*] **II** ['trɪkl] *subst* droppande; droppe

trickster ['trɪkstə] *subst* skojare, bluffmakare

tricky ['trɪkɪ] *adj* **1** listig, slug **2** kinkig, knepig

tricycle ['traɪsɪkl] *subst* trehjulig cykel

tried [traɪd] *adj* beprövad

trifle I ['traɪfl] *subst* **1** bagatell, småsak; *stick at* ~*s* fastna för detaljer, struntsak **2** *a* ~ en smula, en aning [*a* ~ *too short*] **3** 'trifle' slags dessert med lager av sockerkaka, frukt, sylt etc., täckt med vaniljkräm el. vispgrädde **II** ['traɪfl] *verb* **1** ~ *with* leka med; *he is not to be trifled with* han är inte att leka med **2** leka [*with* med] **3** ~ *away* förslösa, spilla [~ *away one's time*]

trifling ['traɪflɪŋ] *adj* obetydlig [*a* ~ *error*], ringa; *it's no* ~ *matter* det är ingen bagatell, det är inget att leka med

trigger I ['trɪgə] *subst* avtryckare på skjutvapen; *cock the* ~ spänna hanen, osäkra vapnet (geväret m.m.); *pull the* ~ trycka av **II** ['trɪgə] *verb*, ~ el. ~ *off* starta, utlösa [~ *off a rebellion*]

trigger-happy ['trɪgə,hæpɪ] *adj* vard. skjutglad

trigonometry [,trɪgə'nɒmətrɪ] *subst* geom. trigonometri

trilby ['trɪlbɪ] *subst* vard., ~ el. ~ *hat* trilbyhatt mjuk filthatt

trill I [trɪl] *subst* musik. drill **II** [trɪl] *verb* musik. drilla

trim I [trɪm] *adj* **1** välordnad, välskött **2** snygg, nätt, prydlig, vårdad [~ *clothes; a* ~ *figure*] **II** [trɪm] (-*mm*-) *verb* **1** klippa, putsa, trimma, tukta [~ *a hedge;* ~ *one's beard*]; ~ *one's nails* klippa naglarna, putsa naglarna **2** dekorera, smycka, pynta, garnera **3** sjö. trimma, kantsätta [~ *the sails*]

III [trɪm] *subst* **1** skick, form [*be in good* ~]; *be in* ~ a) vara i ordning b) spec. sport. vara i form; *get into* ~ a) sätta i skick b) sport. komma i form **2** sjö. trimning; om segel trimning, kantsättning **3** klippning, putsning [*give my hair a* ~]

trimmer ['trɪmə] *subst* klippningsmaskin; trimningsmaskin; trimningssax; *nail* ~ nagelklippare

trimming ['trɪmɪŋ] *subst* **1** klippning, putsning, trimning **2** spec. pl. ~**s** a) dekorationer, pynt, utsmyckningar, garnering, garneringar b) spec. kok. extra tillbehör, garnityr **3** sjö. trimning

trinket ['trɪŋkɪt] *subst* billigt smycke; ~**s** grannlåt, nipper

trio ['triːəʊ] (pl. ~*s*) *subst* trio äv. musik.

trip I [trɪp] (*-pp-*) *verb* **1** trippa **2** ~ el. ~ *up* snubbla, snava [*over* på, över] **3** ~ el. ~ *up* få att snubbla, sätta krokben för **4** begå ett felsteg

II [trɪp] *subst* **1** tripp, resa [*a* ~ *to Paris*], tur, utflykt [*a* ~ *to the seaside*] **2** snubblande, snavande; krokben **3** sl. tripp narkotikarus

tripe [traɪp] *subst* **1** kok. komage **2** sl. skit, smörja [*talk* ~]

triple I ['trɪpl] *adj* trefaldig, tredubbel; trippel- [~ *alliance*]; ~ *jump* sport. trestegshopp, tresteg

II ['trɪpl] *verb* tredubbla

triplet ['trɪplət] *subst* trilling

triplicate I ['trɪplɪkət] *adj* om avskrift i tre exemplar

II ['trɪplɪkət] *subst* tredje exemplar, tredje avskrift; *in* ~ i tre exemplar

trip meter ['trɪp͵miːtə] *subst* bil. trippmätare

tripod ['traɪpɒd] *subst* stativ till kamera etc.

tripping I ['trɪpɪŋ] *subst* sport. tripping, fällning

II ['trɪpɪŋ] *adj* trippande, lätt [*a* ~ *gait*]

trip recorder ['trɪprɪ͵kɔːdə] *subst* bil. trippmätare

tripwire ['trɪp͵waɪə] *subst* mil. snubbeltråd

trite [traɪt] *adj* nött, banal, trivial

triumph I ['traɪəmf] *subst* triumf

II ['traɪəmf] *verb* triumfera, segra

triumphal [traɪ'ʌmfl] *adj*, ~ *arch* triumfbåge; ~ *procession* triumftåg

triumphant [traɪ'ʌmfənt] *adj* triumferande; *be* ~ triumfera

trivial ['trɪvɪəl] *adj* obetydlig, trivial

triviality [͵trɪvɪ'ælətɪ] *subst* **1** obetydlighet, bagatell, struntsak **2** banalitet, trivialitet

trod [trɒd] imperf. av *tread I*

trodden ['trɒdn] perf. p. av *tread I*

trolley ['trɒlɪ] *subst* **1** dragkärra **2** lastvagn, truck; tralla **3** rullbord, tevagn, serveringsvagn **4** amer. spårvagn **5** kundvagn

trolleybus ['trɒlɪbʌs] *subst* trådbuss, trolleybuss

trolley car ['trɒlɪkɑː] *subst* amer. spårvagn

trombone [trɒm'bəʊn] *subst* musik. trombon, basun; *slide* ~ dragbasun

troop I [truːp] *subst* **1** skara, skock **2** mil. trupp

II [truːp] *verb* **1** ~ *in* strömma in **2** marschera, tåga

trophy ['trəʊfɪ] *subst* trofé; sport. pris, trofé

tropic I ['trɒpɪk] *subst* **1** tropik, vändkrets; *the Tropic of Cancer* Kräftans vändkrets; *the Tropic of Capricorn* Stenbockens vändkrets **2** *the* ~*s* tropikerna

II ['trɒpɪk] *adj* tropisk [*the* ~ *zone*]

tropical ['trɒpɪkl] *adj* tropisk [~ *climate*]

trot I [trɒt] (*-tt-*) *verb* **1** trava, rida i trav; ~ *along* trava på, trava i väg **2** lunka, trava **3** ~ *out* a) rida fram med [~ *out a horse*] b) vard. komma körande med [~ *out one's knowledge*]

II [trɒt] *subst* **1** trav, travande; *be on the* ~ vard. vara i farten **2** lunk, lunkande

trotter ['trɒtə] *subst* **1** travare, travhäst **2** kok., *pigs'* ~*s* grisfötter

trotting ['trɒtɪŋ] *subst* **1** trav, travande **2** travsport; ~ *race* travtävling

troubadour ['truːbə͵dʊə] *subst* trubadur

trouble I ['trʌbl] *verb* **1** oroa, bekymra, besvära; ~ *oneself* a) oroa sig b) göra sig besvär; ~ *one's head about sth* bry sin hjärna med ngt **2** besvära; *sorry to* ~ *you!* förlåt att jag besvärar! **3** besvära sig [*about sth* med ngt] **4** oroa sig [*about sth, over sth* för ngt]

II ['trʌbl] *subst* **1** oro, bekymmer; *my car has been giving me* ~ *lately* min bil har krånglat på sista tiden **2** besvär, möda; *take the* ~ *to write* göra sig besväret att skriva; *no* ~ *at all!* ingen orsak!; *it's no* ~ det är (var) inget besvär alls; *I don't want to put you to any* ~ jag vill inte ställa till besvär för dig **3** svårighet, svårigheter, trassel; *the* ~ *is that...* svårigheten är att..., det tråkiga är att...; *what's the* ~? hur är det fatt?; vad står på?, vad gäller saken?; *make* ~ ställa till bråk; *be in* ~ vara i knipa, vara i svårigheter; *get into* ~ råka i knipa, råka illa ut **4** åkomma, ont, besvär [*stomach* ~] **5** oro [*political* ~]; spec.

pl. ~**s** oroligheter **6** tekn. fel, krångel [*engine* ~]

troubled ['trʌbld] *adj* **1** orolig [~ *times*]; *fish in* ~ *waters* fiska i grumligt vatten **2** orolig, bekymrad [*about* över, för]

troublemaker ['trʌbl,meɪkə] *subst* bråkmakare, bråkstake

troubleshooter ['trʌbl,ʃuːtə] *subst* **1** konfliktlösare **2** tekn. felsökare

troublesome ['trʌblsəm] *adj* **1** besvärlig **2** bråkig [*a* ~ *child*]

trouble spot ['trʌblspɒt] *subst* oroscentrum plats där bråk ofta förekommer

trough [trɒf] *subst* **1** tråg, ho **2** meteor., ~ *of low pressure* lågtryck, lågtrycksområde

trounce [traʊns] *verb* slå, klå; *be trounced* få smörj

troupe [truːp] *subst* skådespelartrupp, teatersällskap; cirkustrupp

trousers ['traʊzəz] *subst pl* långbyxor [*a pair of* ~]; ~ *pocket* byxficka

trout [traʊt] *subst* forell; *salmon* ~ laxöring

trowel ['traʊəl] *subst* **1** murslev; *lay it on with a* ~ bre på, smickra grovt **2** trädgårdsspade

truant ['truːənt] *subst* skolkare; *play* ~ skolka från skolan

truce [truːs] *subst* stillestånd, vapenvila

truck [trʌk] *subst* **1** öppen godsvagn **2** lastbil; *long distance* ~ långtradare **3** truck **4** transportvagn; skottkärra

truck-driver ['trʌk,draɪvə] *subst* **1** långtradarchaufför, lastbilschaufför **2** truckförare

trucker ['trʌkə] *subst* spec. amer. långtradarchaufför

truculent ['trʌkjʊlənt] *adj* stridslysten

trudge [trʌdʒ] *verb* traska, lunka, gå tungt

true [truː] *adj* **1** sann, sanningsenlig; *come* ~ slå in, besannas [*his words came* ~]; *hold* ~ hålla streck, gälla, skga giltighet **2** riktig, rätt **3** egentlig [*the frog is not a* ~ *reptile*]; äkta [*a* ~ *Londoner*], verklig, sann [*a* ~ *friend*] **4** rättmätig [*the* ~ *heir; the* ~ *owner*] **5** trogen, trofast [*to mot*]; *be* ~ *to form* vara typisk, vara normal; ~ *to life* verklighetstrogen

truffle ['trʌfl] *subst* slags svamp tryffel; ~**s** pl. tryffel

truly ['truːlɪ] *adv* **1** sant, sanningsenligt; verkligt [*a* ~ *beautiful picture*] **2** i brev: *Yours* ~ Högaktningsfullt

trump I [trʌmp] *subst* kortsp. trumf; ~ *card* trumfkort

II [trʌmp] *verb* kortsp. sticka med trumf

trumpet ['trʌmpɪt] *subst* **1** trumpet; *blow one's own* ~ slå på trumman för sig själv **2** trumpet, trumpetare i orkester

trumpeter ['trʌmpɪtə] *subst* trumpetare

truncheon ['trʌntʃən] *subst* batong

trunk [trʌŋk] *subst* **1** trädstam **2** bål kroppsdel **3** koffert, trunk **4** snabel på elefant **5** amer. bagageutrymme, bagagelucka i bil **6** pl. ~**s** a) idrottsbyxor, badbyxor b) kortkalsonger

trunk road ['trʌŋkrəʊd] *subst* riksväg, huvudväg

truss [trʌs] *verb*, ~ el. ~ *up* a) binda [~ *hay*] b) kok. binda upp före tillredning [~ *up a chicken*]

trust I [trʌst] *subst* **1** förtroende [*in* för], tilltro, tillit [*in* till], tro [*in* till, på]; *put one's* ~ *in* sätta sin lit till; *take sth on* ~ ta ngt för gott **2** *hold sth in* ~ *for sb* förvalta ngt åt ngn; *be held in* ~ stå under förvaltning **3** hand. trust [*steel* ~]; stiftelse

II [trʌst] *verb* **1** lita på, sätta tro till, tro på; ~ *sb to do sth* lita på att ngn gör ngt, hoppas uppriktigt, hoppas innerligt; ~ *him to do that!* iron. typiskt honom att han skulle göra så! **2** ~ *sb with sth* anförtro ngt åt ngn

trustee [,trʌ'stiː] *subst* jur. förtroendeman, förvaltare, förmyndare

trustworthy ['trʌst,wɜːðɪ] *adj* pålitlig, trovärdig [*a* ~ *person*]

truth [truːθ, pl. truːðz] *subst* sanning; ~ *is stranger than fiction* verkligheten är underbarare än dikten; *the* ~ *of the matter* det verkliga förhållandet, sanningen; *to tell the* ~ sanningen att säga; *tell sb some home* ~**s** säga ngn några beska sanningar

truthful ['truːθfʊl] *adj* **1** sannfärdig, uppriktig [*a* ~ *person*] **2** sann, sanningsenlig

try I [traɪ] *verb* **1** försöka [*at* med]; försöka sig [*at* på], försöka med [~ *knocking at the door*]; *he tried his best to beat me* han gjorde sitt bästa för att besegra mig; ~ *one's hand at sth* försöka sig på ngt, ge sig på ngt **2** prova, pröva [*have you tried the new recipe?*] **3** sätta på prov [~ *sb's patience*] **4** jur. behandla, handlägga, döma i **5** jur. åtala [*be tried for murder*]

II [traɪ] *verb* med adv. o. prep.

try on **1** prova [~ *on a new suit*] **2** vard., *don't* ~ *it on with me!* försök inte med mig!

try out grundligt pröva, prova, prova

lll [traɪ] *subst* försök; *have a ~ at sth* göra
ett försök med ngt, pröva ngt
trying ['traɪɪŋ] *adj* ansträngande,
påfrestande [*a ~ day*]
tsar [zɑ:] *subst* tsar
T-shirt ['ti:ʃɜ:t] *subst* T-shirt, T-tröja
T-square ['ti:skweə] *subst* vinkellinjal
tub [tʌb] *subst* **1** balja, bytta [*a ~ of butter*],
tunna [*a rain-water ~*]; tråg **2** vard. badkar
3 glassbägare
tuba ['tju:bə] *subst* musik. tuba
tubby ['tʌbɪ] *adj* rund, knubbig
tube [tju:b] *subst* **1** rör [*steel ~*]; slang
[*rubber ~*]; *inner ~* innerslang **2** tub [*a ~
of toothpaste*] **3** vard. T-bana, tunnelbana
[*go by ~*] **4** tv., ~ el. *picture ~* bildrör; *the
~* amer. vard. teve, tv
tubeless ['tju:bləs] *adj* slanglös [*a ~ tyre*]
tuberculosis [tjʊ,bɜ:kjʊ'ləʊsɪs] *subst* med.
tuberkulos
tubing ['tju:bɪŋ] *subst* rör [*a piece of copper
~*], slang [*a piece of rubber ~*]
tubular ['tju:bjʊlə] *adj* rörformig, tubformig
TUC [,ti:ju:'si:] (förk. för *Trades Union
Congress*) *subst*, *the ~* Brittiska LO
tuck l [tʌk] *verb* **1** stoppa, stoppa in, stoppa
ner [*~ the money into your wallet*]
ll [tʌk] *verb* med adv. o. prep.

tuck away 1 gömma undan **2** stoppa i sig
tuck in 1 stoppa in, stoppa ner [*~ in your
shirt*], vika in **2** hugga för sig
tuck into 1 hugga in på [*he tucked into the
food*] **2** *~ the children into bed* stoppa
om barnen
tuck up kavla upp
lll [tʌk] *subst* vid sömnad m.m. veck, invikning,
uppslag
tuck-shop ['tʌkʃɒp] *subst* vard. kondis,
gottaffär i el. nära en skola
Tuesday ['tju:zdeɪ, 'tju:zdɪ] *subst* tisdag;
last ~ i tisdags
tuft [tʌft] *subst* **1** tofs, tott, test **2** tuva [*a ~ of
grass*]
tug l [tʌg] (*-gg-*) *verb* dra, hala; rycka i;
rycka, slita
ll [tʌg] *subst* **1** ryck, ryckning, tag, drag
2 bogserare, bogserbåt
tugboat ['tʌgbəʊt] *subst* bogserbåt
tug-of-war [,tʌgəv'wɔ:] *subst* dragkamp
tuition [tjʊ'ɪʃən] *subst* undervisning [*private
~*], handledning
tulip ['tju:lɪp] *subst* tulpan
tumble l ['tʌmbl] *verb* **1** ramla, falla, trilla,
störta **2** om t.ex. byggnad ~ el. *~ down* störta
samman, rasa **3** *~ into bed* stupa i säng

4 vard., *~ to sth* komma underfund med
ngt
ll ['tʌmbl] *subst* fall
tumbledown ['tʌmbldaʊn] *adj* fallfärdig,
förfallen
tumble-drier ['tʌmbl,draɪə] *subst*
torktumlare
tumbler ['tʌmblə] *subst* **1** glas utan fot
2 tillhållare i lås **3** torktumlare
tummy ['tʌmɪ] *subst* vard. el. barnspr. mage
tumour ['tju:mə] *subst* tumör
tumult ['tju:mʌlt] *subst* **1** tumult, upplopp
2 förvirring; *be in a ~* vara i uppror
tumultuous [tjʊ'mʌltjʊəs] *adj* tumultartad
[*a ~ reception*]; stormande [*~ applause*]
tuna ['tu:nə] *subst*, *~* el. *~ fish* stor tonfisk,
tuna
tundra ['tʌndrə] *subst* tundra
tune l [tju:n] *subst* **1** melodi, låt; *call the ~*
ange tonen, bestämma; *change one's ~*
ändra ton, stämma ner tonen **2** *the piano
is out of ~* pianot är ostämt; *the piano
and the violin are not in ~* pianot och
fiolen är inte samstämda; *keep in ~* hålla
tonen; *sing out of ~* sjunga falskt, sjunga
orent **3** *be in ~ with* stå i samklang med
4 *to the ~ of* till ett belopp av
ll [tju:n] *verb* **1** stämma [*~ a piano*] **2** radio.
ställa in
lll [tju:n] *adj* med adv. o. prep.
tune in ta in i radion [*~ in to the BBC*];
~ in to another station ta in en annan
station
tune up 1 finjustera, trimma t.ex. motor
2 stämma, stämma instrumenten [*the
orchestra is tuning up*]
tuneful ['tju:nfʊl] *adj* melodisk
tuner ['tju:nə] *subst* **1** stämmare
[*piano-tuner*] **2** radio. tuner mottagare utan
effektförstärkare
tungsten ['tʌŋstən] *subst* volfram
tunic ['tju:nɪk] *subst* **1** vapenrock; för t.ex.
polis uniformskavaj **2** tunika
tuning-fork ['tju:nɪŋfɔ:k] *subst* musik.
stämgaffel
tuning-knob ['tju:nɪŋnɒb] *subst* radio.
inställningsknapp
Tunisia [tjʊ'nɪzɪə] Tunisien
Tunisian l [tjʊ'nɪzɪən] *adj* tunisisk
ll [tjʊ'nɪzɪən] *subst* tunisier
tunnel ['tʌnl] *subst* tunnel, underjordisk
gång
tunny fish ['tʌnɪfɪʃ] *subst* tonfisk
tuppence ['tʌpəns] *subst* vard. (= *two pence*);
not worth ~ inte värd ett rött öre

turban ['tɜːbən] *subst* turban
turbine ['tɜːbaɪn] *subst* turbin
turbo-jet I ['tɜːbəʊdʒet] *subst*
  1 turbojetmotor **2** turbojetplan
  II ['tɜːbəʊdʒet] *adj* turbojet- [~ *engine*]
turbot ['tɜːbət] *subst* fisk piggvar
turbulence ['tɜːbjʊləns] *subst* turbulens, oro
turbulent ['tɜːbjʊlənt] *adj* turbulent, orolig,
  stormig, upprörd [~ *waves*; ~ *feelings*]
tureen [təˈriːn] *subst* soppskål, terrin
turf [tɜːf] *subst* **1** torv **2** grästorva **3** *the* ~
  a) kapplöpningsbanan b) hästsporten
Turk [tɜːk] *subst* turk
Turkey ['tɜːkɪ] Turkiet
turkey ['tɜːkɪ] *subst* **1** fågel el. kok. kalkon
  2 vard. kalkonfilm
Turkish I ['tɜːkɪʃ] *adj* turkisk
  II ['tɜːkɪʃ] *subst* turkiska språket
turmeric ['tɜːmərɪk] *subst* kok. gurkmeja
turmoil ['tɜːmɔɪl] *subst* vild oordning [*the
  town was in a* ~], kaos, tumult, villervalla
turn I [tɜːn] *verb* **1** vända, vända på [~ *one's
  head*]; vända sig; ~ *one's back on sb*
  vända ngn ryggen; ~ *the other cheek*
  vända andra kinden till; ~ *one's hand to*
  ägna sig åt; *the very thought of food* ~*s
  my stomach* blotta tanken på mat
  kommer det att vända sig i magen på mig;
  it makes my stomach ~ det vänder sig i
  magen på mig; *left* ~*!* vänster om!; *right*
  ~*!* höger om! **2** vrida, vrida på, vrida om
  [~ *the key in the lock*]; skruva, snurra,
  skruva på, veva; ~ *sb's head* stiga ngn åt
  huvudet **3** svänga, snurra, svänga runt,
  snurra runt; ~ *on one's heel* svänga om
  på klacken **4** vika om, vända om, svänga
  runt [~ *a corner*]; ~ *to the right* el. ~ *right*
  ta av till höger, svänga åt höger **5** ~ *into*
  förvandla till, göra om till; ~ *into* el. ~ *to*
  bli till [*the water had turned into ice*],
  förvandlas till, övergå till (i) **6** komma att
  surna [*hot weather* ~*s milk*]; bli sur, surna
  [*the milk has turned*] **7** fylla år; *he has
  turned fifty* han har fyllt femtio; *it has
  just turned three* klockan är lite över tre
  8 bli [~ *pale*; ~ *sour*] **9** visa bort, köra bort
  [~ *sb from one's door*]; ~ *loose* släppa loss
  (ut) [~ *the cattle loose*]
  II [tɜːn] *verb* med adv. o. prep.
  about turn: *about* ~*!* helt om!; *right
  about* ~*!* höger om!; *left about* ~*!* vänster
  om!
  turn against vända sig mot
  turn aside gå åt sidan, stiga åt sidan, dra
  sig åt sidan; vända sig bort

turn away 1 vända sig bort; vrida bort,
  vända bort [~ *one's head away*] **2** avvisa
  [*many spectators were turned away*]
turn back vända tillbaka, vända om,
  återvända, komma tillbaka; *there is no
  turning back* det finns ingen återvändo
turn down 1 vika ner **2** skruva ner [~
  down the radio] **3** avslå, avvisa, förkasta [~
  down an offer]
turn off 1 vrida av, stänga av [~ *off the
  radio*]; ~ *off the light* släcka **2** vika av, ta
  av [~ *off to the left*] **3** vard. stöta, beröra illa
  [*his manner* ~*s me off*], avskräcka; ~ *sb off
  sth* få ngn att tappa lusten för ngt
turn on 1 vrida på, sätta på [~ *on the
  radio*]; ~ *on the light* tända **2** vända sig
  mot, gå lös på [*the dog turned on his master*];
  ge sig på **3** vard., *he* ~*s me on* jag tänder på
  honom
turn out 1 vika utåt, vända utåt, vara vänd
  utåt **2** släcka [~ *out the light*] **3** framställa,
  tillverka [*the factory* ~*s out 5,000 cars a
  week*] **4** kasta ut, köra ut; köra bort; ~ *out
  one's pockets* tömma fickorna **5** möta
  upp, ställa upp [*everybody turned out to greet
  him*]; ~ *out to a man* gå man ur huse
  6 utfalla, sluta [*I don't know how it will* ~
  out]; ~ *out well* slå väl ut; *he turned out
  to be* el. *it turned out that he was* han
  visade sig vara
turn over 1 vända; vända sig **2** ~ *over the
  page* vända bladet; *please* ~ *over!* var
  god vänd! **3** stjälpa omkull, välta omkull
  4 hand. omsätta [*they* ~ *over £9,000 a week*]
turn round 1 vända; vrida på, vända på;
  vända sig om **2** svänga runt, vrida runt; *his
  head turned round* det snurrade i
  huvudet på honom
turn to 1 vända sig mot; vända sig till [~
  to sb for help]; ~ *to page 10* slå upp sidan
  10 **2** *the conversation turned to
  politics* samtalet kom in på politik
turn up 1 vika (slå, fälla, vända) upp; vika
  (vända, böja) sig uppåt **2** skruva upp [~ *up
  the radio*] **3** dyka upp [*he has not turned up
  yet*; *I expect something to* ~ *up*], komma till
  rätta, infinna sig
  III [tɜːn] *subst* **1** vändning, vridning;
  svängning, sväng [*left* ~]; varv; *done to a*
  ~ lagom stekt, lagom kokt **2** sväng [*a* ~ *to
  the left*], krok; *at every* ~ vid varje steg,
  vart man vänder sig **3** förändring; *a* ~ *for
  the worse* en vändning till det sämre; *his
  health took a* ~ *for the worse* hans hälsa
  försämrades; *the* ~ *of the century*

sekelskiftet **4** tur; *it's my* ~ det är min tur; *take ~s in doing sth* el. *take it in ~s to do sth* turas om att göra ngt; *in* ~ **5** i tur och ordning, växelvis **6** i sin tur, återigen [*and this, in* ~, *means...*]; *speak out of* ~ **7** tala när man inte står i tur **8** uttala sig taktlöst **9** *take a* ~ *at* hjälpa till ett tag med **10** tjänst; *one good* ~ *deserves another* ordspr. den ena tjänsten är den andra värd; *do sb a good* ~ göra ngn en stor tjänst; *a bad* ~ en otjänst, en björntjänst **11** läggning; ~ *of mind* sinnelag; tänkesätt **12** liten tur; *take a* ~ *round the garden* ta en sväng runt tomten **13** nummer på t.ex. varieté **14** vard. chock; *it gave me a terrible* ~ jag blev alldeles chockad

turnabout ['tɜ:nəbaʊt] *subst*, *do a* ~ göra en kovändning

turnaround ['tɜ:nəraʊnd] *subst* amer., se *turnabout*

turncoat ['tɜ:nkəʊt] *subst* överlöpare, avhoppare; *be a* ~ vända kappan efter vinden

turn-down ['tɜ:ndaʊn] *adj* nedvikbar, dubbelvikt [*a* ~ *collar*]

turned-up ['tɜ:ndʌp] *adj*, ~ *nose* uppnäsa

turning ['tɜ:nɪŋ] *subst* **1** vändning; ~ *circle* vändradie; ~ *space* vändplats **2** avtagsväg, tvärgata [*the first* ~ *to* (*on*) *the right*] **3** vändpunkt

turning-point ['tɜ:nɪŋpɔɪnt] *subst* vändpunkt, kritisk punkt

turnip ['tɜ:nɪp] *subst* grönsak rova; *Swedish* ~ kålrot

turnout ['tɜ:naʊt] *subst* **1** deltagande, uppslutning, valdeltagande **2** anslutning [*a large* ~ *at the meeting*]

turnover ['tɜ:n,əʊvə] *subst* hand. m.m. omsättning

turnpike ['tɜ:npaɪk] *subst* amer. avgiftsbelagd motorväg

turnstile ['tɜ:nstaɪl] *subst* vändkors, spärr i t.ex. T-banestation

turntable ['tɜ:n,teɪbl] *subst* skivtallrik på skivspelare

turn-up ['tɜ:nʌp] *subst* **1** uppslag på t.ex. byxa **2** sport. m.m. skräll, överraskning; *a ~ for the books* en skräll, en jättesensation

turpentine ['tɜ:pəntaɪn] *subst* kem. terpentin

turps [tɜ:ps] (med verb i sing.) *subst* kem. vard. (kortform av *turpentine*) terpentin

turquoise ['tɜ:kwɔɪz] *subst* **1** ädelsten turkos **2** färg turkos

turtle ['tɜ:tl] *subst* havssköldpadda, amer. vanligen landsköldpadda

turtle dove ['tɜ:tldʌv] *subst* fågel turturduva

turtle neck ['tɜ:tlnek] *subst* halvpolokrage, polokrage, amer. polotröja

tusk [tʌsk] *subst* bete; *elephant's* ~ elefantbete

tussle I ['tʌsl] *subst* strid, kamp, slagsmål **II** ['tʌsl] *verb* strida, kämpa, slåss [*with* med; *for* om]

tutor ['tju:tə] *subst* **1** *private* ~ el. ~ privatlärare [*to* åt, för] **2** univ. handledare

tux [tʌks] *subst* amer. vard. (kortform av *tuxedo*) smoking

tuxedo [tʌk'si:dəʊ] (pl. ~s) *subst* amer. smoking

TV [,ti:'vi:] *subst* tv; se *television* för ex.

twang I [twæŋ] *verb* **1** om t.ex. sträng sjunga, dallra **2** knäppa [~ *at a banjo*] **3** tala i näsan **II** [twæŋ] *subst* sjungande ton, dallrande ton; klang; *have a nasal* ~ tala i näsan

tweed [twi:d] *subst* tweed; pl. ~s tweedkläder

tweet [twi:t] *verb* kvittra; pipa

tweeter ['twi:tə] *subst* diskanthögtalare

tweezers ['twi:zəz] *subst pl* pincett; *a pair of* ~ en pincett

twelfth [twelfθ] *räkn* o. *subst* **1** tolfte **2** tolftedel; *Twelfth Night* trettondagsafton

twelve [twelv] *räkn* o. *subst* tolv, tolva

twentieth ['twentiθ] *räkn* o. *subst* tjugonde; tjugondel

twenty ['twenti] *räkn* o. *subst* **1** tjugo **2** tjugotal; *in the twenties* på tjugotalet

twice [twaɪs] *adv* två gånger [*I've been there* ~]; ~ *a day* två gånger om dagen; ~ *as many* el. ~ *the number* dubbelt så många; *think* ~ *before doing sth* tänka sig för innan man gör ngt; ~ *3 is 6* 2 gånger 3 är 6

twiddle I ['twɪdl] *verb* **1** sno, snurra på **2** ~ *one's thumbs* rulla tummarna, sitta med armarna i kors **II** ['twɪdl] *subst* **1** snurrande **2** krumelur i t.ex. skrift

twig [twɪg] *subst* kvist, liten gren

twilight ['twaɪlaɪt] *subst* skymning

twin I [twɪn] *subst* tvilling **II** [twɪn] *adj* tvilling- [~ *brother*; ~ *sister*]; ~ *beds* två enmanssängar; ~ *towns* vänorter **III** [twɪn] (-*nn*-) *verb* para ihop

twine I [twaɪn] *subst* segelgarn; tråd, snöre

ll [twaɪn] *verb* **1** tvinna, fläta samman **2** vira, linda, fläta [*about, round* om]

twin-engine ['twɪn,endʒɪn] *adj* o.

twin-engined ['twɪn,endʒɪnd] *adj* tvåmotorig

twinge I [twɪndʒ] *verb* sticka, göra ont, svida **ll** [twɪndʒ] *subst* stickande smärta, hugg, stick, sting; *a ~ of conscience* samvetskval

twinkle I ['twɪŋkl] *verb* tindra, blinka [*stars that ~ in the sky*], blänka **ll** ['twɪŋkl] *subst* **1** tindrande [*the ~ of the stars*], blinkande **2** glimt i ögat; *in a ~* el. *in the ~ of an eye* på ett litet kick

twinkling ['twɪŋklɪŋ] *subst* tindrande, blinkande; *in a ~* el. *in the ~ of an eye* på ett litet kick

twirl I [twɜːl] *verb* snurra runt; snurra, sno [*~ one's moustaches*] **ll** [twɜːl] *subst* **1** snurr, snurrande **2** släng, snirkel

twist I [twɪst] *subst* **1** vridning; *he gave my arm a ~* han vred om armen på mig; *a story with a ~* en historia med en oväntad poäng **2** krök [*a ~ in the road*] **3** vrickning **ll** [twɪst] *verb* **1** sno, vrida; vrida ur [*~ a wet cloth*]; *~ sb's arm* a) vrida om armen på ngn b) utöva påtryckningar på ngn; *~ and turn* vrida och vränga på **2** tvinna, fläta ihop, fläta samman [*into* till] **3** vira, linda [*round* kring] **4** sno sig, slingra sig, vrida sig; *~ and turn* el. *~ slingra sig fram* **5** vrida ur led, vricka; förvrida; *I have twisted my ankle* jag har vrickat foten

twisted ['twɪstɪd] *adj* snodd, vriden; snedvriden; *get ~* sno sig, trassla ihop sig

twister ['twɪstə] *subst* vard. fixare, svindlare

twitch I [twɪtʃ] *verb* **1** rycka till; *his face twitches* han har ryckningar i ansiktet **2** *~ one's ears* klippa med öronen; *~ one's mouth* ha ryckningar kring munnen **3** rycka, dra **ll** [twɪtʃ] *subst* **1** krampryckning, muskelsammandragning; *have a nervous ~* ha nervösa ryckningar **2** ryck [*I felt a ~ at my sleeve*]

twitter I ['twɪtə] *verb* kvittra **ll** ['twɪtə] *subst* **1** kvitter **2** snatter

two I [tuː] *räkn* **1** två; *in a day or ~* om ett par dagar; *in ~ or three days* om ett par tre dagar **2** bägge, båda; *the ~ of you* ni båda, ni bägge **ll** [tuː] *subst* tvåa

two-dimensional [,tuː:daɪ'menʃnəl] *adj* tvådimensionell

two-faced [,tuː'feɪst] *adj* om person falsk, hycklande

twofold I ['tuː:fəʊld] *adj* dubbel, tvåfaldig **ll** ['tuː:fəʊld] *adv* dubbelt, tvåfaldigt

two-legged [,tuː'legɪd] *adj* tvåbent

two-piece ['tuː:piːs] *adj* tudelad, tvådelad [*a ~ bathing-suit*]

two-seater [,tuː'siːtə] *subst* tvåsitsig bil; tvåsitsigt flygplan

two-sided [,tuː'saɪdɪd] *adj* tvåsidig

two-way [tuː'weɪ] *adj*, *~ traffic* mötande trafik

tycoon [taɪ'kuːn] *subst* vard. magnat [*oil ~s*], pamp

type I [taɪp] *subst* **1** typ, art, slag, sort **2** vard. individ, typ **3** boktryckeriterm typ, stilsort; *printed in large ~* tryckt med stor stil **ll** [taɪp] *verb* **1** skriva på maskin, skriva maskin; *a typed letter* ett maskinskrivet brev; *~ out* skriva ut

typescript ['taɪpskrɪpt] *subst* maskinskrivet manuskript

typewrite ['taɪpraɪt] (*typewrote typewritten*) *verb* skriva maskin; *a typewritten letter* ett maskinskrivet brev

typewriter ['taɪp,raɪtə] *subst* skrivmaskin; *~ ribbon* färgband

typewriting ['taɪp,raɪtɪŋ] *subst* maskinskrivning

typewritten ['taɪp,rɪtn] perf. p. av *typewrite*

typewrote ['taɪprəʊt] imperf. av *typewrite*

typhoid ['taɪfɔɪd] *adj* o. *subst*, *~ fever* el. *~ tyfus*

typhoon [taɪ'fuːn] *subst* meteor. tyfon

typical ['tɪpɪkl] *adj* typisk [*of* för]

typify ['tɪpɪfaɪ] *verb* vara ett typiskt exempel på, exemplifiera

typing ['taɪpɪŋ] *subst* maskinskrivning; *~ paper* skrivmaskinspapper

typist ['taɪpɪst] *subst* maskinskrivare, maskinskriverska

typographer [taɪ'pɒɡrəfə] *subst* typograf

typographic [,taɪpə'ɡræfɪk] *adj* o.

typographical [,taɪpə'ɡræfɪkəl] *adj* typografisk; *a ~ error* ett tryckfel

typography [taɪ'pɒɡrəfɪ] *subst* typografi

tyrannical [tɪ'rænɪkl] *adj* tyrannisk

tyrannize ['tɪrənaɪz] *verb* **1** *~ over* tyrannisera **2** tyrannisera

tyrannous ['tɪrənəs] *adj* tyrannisk

tyranny ['tɪrənɪ] *subst* tyranni

tyrant ['taɪərənt] *subst* tyrann

tyre ['taɪə] *subst* däck, ring till t.ex. bil, cykel; *~ pressure* ringtryck

Tyrol [tɪ'rəʊl] *subst*, *the ~* Tyrolen

Tyrolean [ˌtɪrəˈliːən] o. **Tyrolese** [ˌtɪrəˈliːz]
adj tyrolsk; ~ *hat* tyrolerhatt
tzar [zɑː] *subst* tsar

Uu

U o. **u** [juː] *subst* U, u
udder [ˈʌdə] *subst* juver hos t.ex. ko
UFO [ˈjuːfəʊ] (pl. ~*s*) *subst* (förk. för
unidentified flying object) ufo, oidentifierat
flygande föremål
Uganda [juˈgændə]
ugly [ˈʌglɪ] *adj* **1** ful; *an* ~ *customer* vard.
en otrevlig typ; *an* ~ *duckling* en ful
ankunge **2** otrevlig, pinsam [*an* ~
situation]
UK [ˌjuːˈkeɪ] (förk. för *United Kingdom*) *subst*,
the ~ Förenade kungariket Storbritannien och
Nordirland
Ukraine [juˈkreɪn] Ukraina
Ukrainian I [juˈkreɪnjən] *subst* **1** ukrainare
2 språk ukrainska
II [juˈkreɪnjən] *adj* ukrainsk
ukulele [ˌjuːkəˈleɪlɪ] *subst* musik. ukulele
ulcer [ˈʌlsə] *subst*, *gastric* ~ magsår
Ulster [ˈʌlstə] vard. Nordirland
ulterior [ʌlˈtɪərɪə] *adj* dold [~ *motives*]; ~
motive baktanke
ultimate [ˈʌltɪmət] *adj* **1** slutlig, slut- [*the* ~
aim], sista; yttersta [*the* ~ *consequences*]
ultimately [ˈʌltɪmətlɪ] *adv* till sist, slutligen;
i sista hand
ultimatum [ˌʌltɪˈmeɪtəm] *subst* ultimatum
ultramarine [ˌʌltrəməˈriːn] *subst* o. *adj*
ultramarin
ultrashort [ˌʌltrəˈʃɔːt] *adj* radio., ~ *wave*
ultrakortvåg
ultrasound [ˌʌltrəˈsaʊnd] *subst* ultraljud
ultraviolet [ˌʌltrəˈvaɪələt] *adj* ultraviolett [~
rays]; ~ *lamp* kvartslampa
umbilical [ʌmˈbɪlɪkl] *adj*, ~ *cord*
navelsträng
umbrella [ʌmˈbrelə] *subst* paraply
umpire I [ˈʌmpaɪə] *subst* sport., i t.ex. baseboll,
kricket el. tennis domare
II [ˈʌmpaɪə] *verb* sport. döma
umpteen [ˈʌmtiːn] *adj* vard. femtielva; ~
times femtielva gånger
umpteenth [ˈʌmtiːnθ] *adj* o. **umptieth**
[ˈʌmtɪɪθ] *adj* vard. femtielfte; *for the* ~
time för femtielfte gången
UN [ˌjuːˈen] (förk. för *United Nations*) *subst*,
the ~ FN Förenta nationerna

un-
Med förstavelsen un- kan man bl.a.
bilda motsatsord:
happy – *unhappy*
lycklig – olycklig
button – *unbutton*
knäppa – knäppa upp

unable [ˌʌn'eɪbl] *adj, be ~ to do sth* inte
kunna göra ngt, vara ur stånd att göra ngt
unabridged [ˌʌnə'brɪdʒd] *adj* oavkortad [*an
~ version*]
unacceptable [ˌʌnək'septəbl] *adj*
oacceptabel, oantagbar
unaccompanied [ˌʌnə'kʌmpənɪd] *adj*
1 utan sällskap; ~ *by* utan **2** musik.
oackompanjerad
unaccountable [ˌʌnə'kaʊntəbl] *adj*
oförklarlig [*to* för]
unaccustomed [ˌʌnə'kʌstəmd] *adj* ovan [*to*
vid]
unacquainted [ˌʌnə'kweɪntɪd] *adj* obekant
[*with* med]; ovan [*with* vid]; *be ~ with*
inte känna till
unadulterated [ˌʌnə'dʌltəreɪtɪd] *adj*
oförfalskad, oblandad, äkta, ren
1 unaffected [ˌʌnə'fektɪd] *adj* **1** opåverkad,
oberörd [*by* av] **2** med. inte angripen
2 unaffected [ˌʌnə'fektɪd] *adj* okonstlad,
otvungen, naturlig; ~ *manners* ett
naturligt sätt
unaided [ˌʌn'eɪdɪd] *adj* utan hjälp [*by* av],
på egen hand [*he did it ~*]
unaltered [ˌʌn'ɔːltəd] *adj* oförändrad
unambiguous [ˌʌnæm'bɪgjʊəs] *adj* entydig,
otvetydig
unanimity [ˌjuːnə'nɪmətɪ] *subst* enhällighet,
enighet
unanimous [jʊ'nænɪməs] *adj* enhällig, enig
[*a ~ opinion*]
unarmed [ˌʌn'ɑːmd] *adj* obeväpnad
unashamed [ˌʌnə'ʃeɪmd] *adj* **1** oblyg, utan
skamkänsla **2** ogenerad
unasked [ˌʌn'ɑːskt] *adj* oombedd, objuden
unassuming [ˌʌnə'sjuːmɪŋ] *adj* anspråkslös,
blygsam, försynt [*a quiet ~ person*]
unattended [ˌʌnə'tendɪd] *adj* utan tillsyn,
obevakad, utan uppsikt, obemannad
unattractive [ˌʌnə'træktɪv] *adj* föga
tilldragande, osympatisk
unauthorized [ˌʌn'ɔːθəraɪzd] *adj* inte
auktoriserad, obemyndigad, obehörig

unavailable [ˌʌnə'veɪləbl] *adj* inte
tillgänglig, oanträffbar
unavoidable [ˌʌnə'vɔɪdəbl] *adj* oundviklig
unaware [ˌʌnə'weə] *adj* omedveten,
ovetande, okunnig [*of* om; *that* om att]
unawares [ˌʌnə'weəz] *adv* omedvetet,
oavsiktligt; *catch sb ~* överrumpla ngn,
överraska ngn
unbalanced [ˌʌn'bælənst] *adj*
1 obalanserad, överspänd; sinnesförvirrad;
have an ~ mind vara sinnesförvirrad
2 hand. inte balanserad [*an ~ budget*]
unbearable [ˌʌn'beərəbl] *adj* outhärdlig
unbeatable [ˌʌn'biːtəbl] *adj* oöverträffbar,
överlägsen, oslagbar
unbeaten [ˌʌn'biːtn] *adj* obesegrad,
oöverträffad; *an ~ record* ett oslaget
rekord
unbecoming [ˌʌnbɪ'kʌmɪŋ] *adj* missklädsam
unbelievable [ˌʌnbə'liːvəbl] *adj* otrolig
unbend [ˌʌn'bend] (*unbent unbent*) *verb* om
person bli mera tillgänglig, tina upp
unbent [ˌʌn'bent] *imperf.* o. *perf.* p. av *unbend*
unbiased o. **unbiassed** [ˌʌn'baɪəst] *adj*
fördomsfri, opartisk
unbleached [ˌʌn'bliːtʃt] *adj* oblekt
unbolt [ˌʌn'bəʊlt] *verb* regla upp, öppna [*~
the door*]
unbreakable [ˌʌn'breɪkəbl] *adj* okrossbar,
oförstörbar
unbroken [ˌʌn'brəʊkən] *adj* **1** obruten
2 oavbruten [*~ silence*]
unbuckle [ˌʌn'bʌkl] *verb* **1** spänna upp,
knäppa upp **2** spänna av sig [*~ one's skis*]
unburden [ˌʌn'bɜːdn] *verb* avbörda, avlasta,
lätta [*~ one's conscience*]; befria [*of* från]; ~
oneself el. ~ *one's mind* lätta sitt hjärta
unbusinesslike [ˌʌn'bɪznɪslaɪk] *adj* föga
affärsmässig
unbutton [ˌʌn'bʌtn] *verb* knäppa upp; *come
unbuttoned* gå upp
uncalled-for [ˌʌn'kɔːldfɔː] *adj* **1** opåkallad,
omotiverad [*~ measures*], obefogad
2 taktlös [*an ~ remark*]
uncanny [ˌʌn'kænɪ] *adj* **1** kuslig, spöklik [*~
sounds*] **2** förunderlig [*an ~ power*]
unceasing [ˌʌn'siːsɪŋ] *adj* oavbruten,
oupphörlig
uncertain [ˌʌn'sɜːtn] *adj* **1** osäker, inte säker
[*of, about* på], oviss [*of, about* om]
2 obestämd; *in no ~ terms* i otvetydiga
ordalag, med all önskvärd tydlighet
uncertainty [ˌʌn'sɜːtntɪ] *subst* **1** osäkerhet,
ovisshet, obestämdhet **2** *the ~ of* det
osäkra i, det ovissa i

unchallenged [ˌʌn'tʃælənd3d] *adj*
obestridd, oemotsagd; opåtald; *go* ~ inte
ifrågasättas, stå oemotsagd
unchanging [ˌʌn'tʃeɪndʒɪŋ] *adj*
oföränderlig, konstant
uncharitable [ˌʌn'tʃærɪtəbl] *adj* kärlekslös,
obarmhärtig [*to* mot]
unchecked [ˌʌn'tʃekt] *adj* **1** inte
kontrollerad [~ *figures*] **2** ohämmad
uncivilized [ˌʌn'sɪvɪlaɪzd] *adj* ociviliserad,
barbarisk; okultiverad
unclassified [ˌʌn'klæsɪfaɪd] *adj*
1 oklassificerad **2** inte hemligstämplad
uncle ['ʌŋkl] *subst* **1** farbror, morbror;
Uncle Sam Onkel Sam personifikation av
USA; *Uncle Tom* neds. svart person som
anses vara underdånig mot de vita
unclean [ˌʌn'kliːn] *adj* oren
unclench [ˌʌn'klentʃ] *verb* öppna [*he
unclenched his fist*]
uncomfortable [ˌʌn'kʌmfətəbl] *adj*
1 obekväm [~ *shoes*], otrivsam [*an* ~
room] **2** obehaglig; *feel* ~ känna sig
obehaglig till mods
uncommitted [ˌʌnkə'mɪtɪd] *adj*
1 oengagerad [~ *writers*] **2** alliansfri [*the* ~
countries]; opartisk
uncommon [ˌʌn'kɒmən] *adj* ovanlig
uncommonly [ˌʌn'kɒmənlɪ] *adv* ovanligt
uncomplimentary ['ʌnˌkɒmplɪ'mentrɪ] *adj*
mindre smickrande [*to* för]
uncompromising [ˌʌn'kɒmprəmaɪzɪŋ] *adj*
principfast, obeveklig, kompromisslös [*an*
~ *attitude*]
unconcerned [ˌʌnkən'sɜːnd] *adj*
1 obekymrad [~ *about the future*], oberörd
2 inte inblandad [~ *in the plot*]
unconditional [ˌʌnkən'dɪʃnəl] *adj*
villkorslös, ovillkorlig; ~ *surrender*
kapitulation utan villkor
unconditioned [ˌʌnkən'dɪʃənd] *adj* psykol.
obetingad [~ *reflex*]
unconfirmed [ˌʌnkən'fɜːmd] *adj* obekräftad,
obestyrkt
unconnected [ˌʌnkə'nektɪd] *adj*
osammanhörande, utan samband, utan
förbindelse
unconquerable [ˌʌn'kɒnkərəbl] *adj*
oövervinnlig, okuvlig
unconscious I [ˌʌn'kɒnʃəs] *adj*
1 omedveten [*of om*] **2** medvetslös
II [ˌʌn'kɒnʃəs] *subst*, *the* ~ det
undermedvetna
unconstitutional ['ʌnˌkɒnstɪ'tjuːʃnəl] *adj*
grundlagsstridig

uncontrollable [ˌʌnkən'trəʊləbl] *adj*
1 okontrollerbar **2** som man inte kan
behärska, våldsam [~ *rage*]
unconventional [ˌʌnkən'venʃnəl] *adj*
okonventionell, fördomsfri; ~ *weapons*
icke-konventionella vapen
unconvincing [ˌʌnkən'vɪnsɪŋ] *adj* föga
övertygande, osannolik [*an* ~ *explanation*]
uncooked [ˌʌn'kʊkt] *adj* **1** inte färdigkokt
2 rå okokt, ostekt, rå
unco-operative [ˌʌnkəʊ'ɒpərətɪv] *adj*
samarbetsovillig, föga tillmötesgående
uncork [ˌʌn'kɔːk] *verb* dra korken ur, korka
upp [~ *a bottle*]
uncountable I [ˌʌn'kaʊntəbl] *adj*
1 oräknelig, otalig [~ *times*] **2** oräknebar,
inte pluralbildande
II [ˌʌn'kaʊntəbl] *subst* gram. oräknebart inte
pluralbildande substantiv
uncouple [ˌʌn'kʌpl] *verb* koppla av [~ *the
locomotive*]; koppla lös
uncouth [ˌʌn'kuːθ] *adj* otymplig [~
appearance]
uncover [ˌʌn'kʌvə] *verb* **1** avtäcka; blotta [~
one's head]; ta av täcket (höljet, locket) på
2 avslöja [~ *a plot*]
uncovered [ˌʌn'kʌvəd] *adj* **1** avtäckt,
blottad **2** otäckt, inte övertäckt [*an* ~ *shed*]
3 hand. inte täckt [~ *by insurance*]
uncultivated [ˌʌn'kʌltɪveɪtɪd] *adj*
1 ouppodlad [~ *land*] **2** okultiverad,
obildad
uncut [ˌʌn'kʌt] *adj* **1** oklippt [*an* ~ *film*]
2 om ädelsten oslipad
undecided [ˌʌndɪ'saɪdɪd] *adj* **1** oavgjord,
obestämd, inte bestämd **2** obeslutsam
undefeated [ˌʌndɪ'fiːtɪd] *adj* obesegrad
undefinable [ˌʌndɪ'faɪnəbl] *adj* odefinierbar,
obestämbar
undemanding [ˌʌndɪ'mɑːndɪŋ] *adj*
anspråkslös, förnöjsam
undemocratic ['ʌnˌdemə'krætɪk] *adj*
odemokratisk
undemonstrative [ˌʌndɪ'mɒnstrətɪv] *adj*
reserverad, behärskad
undeniable [ˌʌndɪ'naɪəbl] *adj* obestridlig;
the evidence is ~ bevisen kan inte
bestridas
undeniably [ˌʌndɪ'naɪəblɪ] *adv*
obestridligen, onekligen
undependable [ˌʌndɪ'pendəbl] *adj* opålitlig
under I ['ʌndə] *prep* **1** under; *I can do it in*
~ *a week* jag kan göra det på mindre än
en vecka **2** enligt, i enlighet med; ~ *the
terms of the treaty* i enlighet med avtalet

II ['ʌndə] *adv* **1** under; nedanför; därunder [*children of seven and* ~] **2** under; nere

under-age [ˌʌndər'eɪdʒ] *adj* omyndig, minderårig

underarm I ['ʌndərɑːm] *adj* sport. underhands- [*an* ~ *ball*]
II [ˌʌndər'ɑːm] *adv* sport. underifrån [*serve* ~]

underbid [ˌʌndə'bɪd] (*underbid underbid*) (*underbidding*) *verb* bjuda under

undercarriage ['ʌndəˌkærɪdʒ] *subst* flyg. landningsställ

underclothes ['ʌndəkləʊðz] *subst pl* o.

underclothing ['ʌndəˌkləʊðɪŋ] *subst* underkläder

undercover ['ʌndəˌkʌvə] *adj* hemlig; ~ *agent* hemlig agent

undercurrent ['ʌndəˌkʌrənt] *subst* underström

underdog ['ʌndədɒɡ] *subst, the* ~ den svagare, den som är i underläge

underdone [ˌʌndə'dʌn], före subst. 'ʌndədʌn] *adj* kok. **1** för litet stekt, för litet kokt **2** lättstekt, blodig

underdose ['ʌndədəʊs] *subst* för liten dos

underestimate I [ˌʌndər'estɪmeɪt] *verb* underskatta, undervärdera; beräkna för lågt
II [ˌʌndər'estɪmət] *subst* underskattning, undervärdering; alltför låg beräkning

underfed I [ˌʌndə'fed] imperf. o. perf. p. av *underfeed*
II [ˌʌndə'fed] *adj* undernärd, svältfödd

underfeed [ˌʌndə'fiːd] (*underfed underfed*) *verb* ge för litet att äta, ge för litet mat

underfoot [ˌʌndə'fʊt] *adv* under fötterna; *it is dry* ~ det är torrt på marken

undergarment ['ʌndəˌɡɑːmənt] *subst* underplagg

undergo [ˌʌndə'ɡəʊ] (*underwent undergone*) *verb* **1** genomgå [~ *a change*] **2** underkasta sig; få utstå [~ *hardships*]

undergone [ˌʌndə'ɡɒn] perf. p. av *undergo*

undergraduate [ˌʌndə'ɡrædjʊət] *subst* univ. studerande, student

underground I [ˌʌndə'ɡraʊnd] *adv* under jorden [*go* ~]
II ['ʌndəɡraʊnd] *adj* **1** underjordisk, underjords- **2** tunnelbane-, T-bane- [~ *station*]; ~ *railway* tunnelbana **3** underjordisk, hemlig; ~ *movement* polit. underjordisk motståndsrörelse
III ['ʌndəɡraʊnd] *subst* **1** tunnelbana, T-bana **2** polit. underjordisk motståndsrörelse

undergrowth ['ʌndəɡrəʊθ] *subst* undervegetation

underhand I ['ʌndəhænd] *adj* **1** lömsk, bedräglig [~ *methods*] **2** hemlig, under bordet [*an* ~ *deal*]; *use* ~ *means* el. *use* ~ *methods* gå smygvägar
II [ˌʌndə'hænd] *adv* **1** lömskt, bakslugt, bedrägligt **2** i hemlighet, i smyg

underlaid [ˌʌndə'leɪd] imperf. av *1 underlay*

underlain [ˌʌndə'leɪn] perf. p. av *underlie*

1 underlay [ˌʌndə'leɪ] (*underlaid underlaid*) *verb* förse med underlag; stötta

2 underlay [ˌʌndə'leɪ] imperf. av *underlie*

underlie [ˌʌndə'laɪ] (*underlay underlain*) *verb* **1** ligga under **2** ligga bakom

underline [ˌʌndə'laɪn] *verb* **1** stryka under **2** understryka, betona, framhäva

underlip ['ʌndəlɪp] *subst* underläpp

underlying [ˌʌndə'laɪɪŋ] *adj* **1** underliggande **2** bakomliggande, som ligger bakom [*the* ~ *causes*]

undermanned [ˌʌndə'mænd] *adj* underbemannad

undermine [ˌʌndə'maɪn] *verb* underminera; undergräva [~ *sb's authority*]

underneath I [ˌʌndə'niːθ] *prep* under, inunder; nedanför
II [ˌʌndə'niːθ] *adv* under, inunder [*wear a vest* ~]; på undersidan, nertill
III [ˌʌndə'niːθ] *subst* undersida, underdel

undernourished [ˌʌndə'nʌrɪʃt] *adj* undernärd, svältfödd

undernourishment [ˌʌndə'nʌrɪʃmənt] *subst* undernäring

underpaid [ˌʌndə'peɪd] imperf. o. perf. p. av *underpay*

underpants ['ʌndəpænts] *subst pl* spec. amer. underbyxor, kalsonger

underpass ['ʌndəpɑːs] *subst* **1** planskild korsning **2** vägtunnel **3** amer. gångtunnel

underpay [ˌʌndə'peɪ] (*underpaid underpaid*) *verb* underbetala [~ *sb*]

underprivileged [ˌʌndə'prɪvɪlɪdʒd] *adj* missgynnad [~ *minorities*], sämre lottad, underprivilegierad [~ *classes*]; *the* ~ de sämst lottade

underrate [ˌʌndə'reɪt] *verb* undervärdera, underskatta

undersell [ˌʌndə'sel] (*undersold undersold*) *verb* **1** sälja billigare än, bjuda under [~ *sb*] **2** sälja till underpris

undershirt ['ʌndəʃɜːt] *subst* spec. amer. undertröja

undersigned ['ʌndəsaɪnd] (pl. lika) *subst*

undertecknad; *we, the ~, hereby certify* undertecknade intygar härmed

undersize ['ʌndəsaɪz] *adj* o. **undersized** ['ʌndəsaɪzd] *adj* under medelstorlek, under medellängd, alltför liten

undersold [,ʌndə'səʊld] *imperf.* o. *perf.* p. av *undersell*

underspin ['ʌndəspɪn] *subst* i tennis etc. underskruv

understaffed [,ʌndə'stɑːft] *adj, be ~* vara underbemannad, ha för liten personal

understand [,ʌndə'stænd] (*understood understood*) *verb* **1** förstå, begripa, fatta; *give sb to ~ that...* låta ngn förstå att...; *I quite ~* jag förstår precis **2** förstå sig på [*~ children*]

understandable [,ʌndə'stændəbl] *adj* förståelig, begriplig

understanding I [,ʌndə'stændɪŋ] *subst* **1** förstånd, fattningsförmåga **2** insikt [*of* i], kännedom [*of* om] **3** förståelse [*the ~ between nations*] **4** överenskommelse; *come to an ~* nå samförstånd, komma överens **5** *on the ~ that* på det villkoret att **II** [,ʌndə'stændɪŋ] *adj* **1** förstående **2** förståndig

understatement [,ʌndə'steɪtmənt] *subst* underdrift, understatement

understood I [,ʌndə'stʊd] *imperf.* av *understand* **II** [,ʌndə'stʊd] *adj perf.* p. av *understand* **1** förstådd; *~?* uppfattat? **2** självklar, given [*that's an ~ thing*]; *that is ~* det säger sig självt

understudy I ['ʌndə,stʌdɪ] *subst* **1** teat. ersättare, inhoppare **2** ställföreträdare, vikarie **II** [,ʌndə'stʌdɪ] *verb* **1** teat., *~ a part* lära in en roll för att kunna hoppa in som ersättare **2** assistera, vikariera för

undertake [,ʌndə'teɪk] (*undertook undertaken*) *verb* **1** företa [*~ a journey*] **2** åta sig [*~ a task; ~ to do sth*], förbinda sig [*~ to do sth*] **3** garantera

undertaken [,ʌndə'teɪkən] *perf.* p. av *undertake*

undertaker ['ʌndə,teɪkə] *subst* begravningsentreprenör

undertaking [,ʌndə'teɪkɪŋ] *subst* **1** företag, arbete **2** åtagande **3** garanti

under-the-counter [,ʌndəðə'kaʊntə] *adj* vard. som säljs under disken

under-the-table [,ʌndəðə'teɪbl] *adj* vard. under bordet; svart [*~ dealings*]

underthings ['ʌndəθɪŋz] *subst pl* vard. underkläder

undertone ['ʌndətəʊn] *subst* **1** *in an ~* el. *in ~s* med dämpad röst, lågmält **2** underton

undertook [,ʌndə'tʊk] *imperf.* av *undertake*

undervalue [,ʌndə'væljuː] *verb* undervärdera, underskatta; värdera för lågt

undervest ['ʌndəvest] *subst* undertröja

underwater I ['ʌndəwɔːtə] *adj* undervattens- [*~ explosion*] **II** [,ʌndə'wɔːtə] *adv* under vattnet

underwear ['ʌndəweə] *subst* underkläder

underweight I ['ʌndəweɪt] *subst* undervikt **II** ['ʌndəweɪt] *adj* underviktig, under normalvikt

underwent [,ʌndə'went] *imperf.* av *undergo*

underworld ['ʌndəwɜːld] *subst* **1** undre värld **2** dödsrike; *the ~* underjorden, dödsriket

undeserved [,ʌndɪ'zɜːvd] *adj* oförtjänt

undeserving [,ʌndɪ'zɜːvɪŋ] *adj* ovärdig; *be ~ of* inte förtjäna, inte vara värd

undesirable [,ʌndɪ'zaɪərəbl] *adj* icke önskvärd [*~ effects*]; ovälkommen [*~ visitors*]

undesired [,ʌndɪ'zaɪəd] *adj* icke önskad, icke önskvärd

undetected [,ʌndɪ'tektɪd] *adj* oupptäckt

undeveloped [,ʌndɪ'veləpt] *adj* **1** outvecklad, outnyttjad [*~ natural resources*], oexploaterad **2** foto. oframkallad

undid [,ʌn'dɪd] *imperf.* av *undo*

undies ['ʌndɪz] *subst pl* vard. damunderkläder

undignified [,ʌn'dɪgnɪfaɪd] *adj* föga värdig [*in an ~ manner*], ovärdig

undiluted [,ʌndaɪ'ljuːtɪd] *adj* outspädd

undiminished [,ʌndɪ'mɪnɪʃt] *adj* oförminskad, oförsvagad [*~ energy*]

undiscovered [,ʌndɪ'skʌvəd] *adj* oupptäckt

undiscriminating [,ʌndɪ'skrɪmɪneɪtɪŋ] *adj* urskillningslös, okritisk

undisposed [,ʌndɪ'spəʊzd] *adj* obenägen

undisputed [,ʌndɪ'spjuːtɪd] *adj* obestridd

undistinguished [,ʌndɪ'stɪŋgwɪʃt] *adj* slätstruken [*an ~ performance*]

undisturbed [,ʌndɪ'stɜːbd] *adj* **1** ostörd, utan att låta sig störas **2** orörd

undivided [,ʌndɪ'vaɪdɪd] *adj* **1** odelad [*~ attention*] **2** enad, obruten [*~ front*]

undo [,ʌn'duː] (*undid undone*) *verb* **1** knäppa upp [*~ the buttons*], lösa upp, knyta upp [*~ a knot*], få upp; spänna loss [*~ straps*]; ta av [*~ the wrapping*]; ta upp, packa upp, öppna [*~ a parcel*]; *come undone* gå upp [*my shoelace has come undone*]; lossna

2 omintetgöra, förstöra **3** *what is done can't be undone* gjort är gjort
undoing [ˌʌnˈduːɪŋ] *subst* fördärv, undergång [*it will be his* ~]
undone I [ˌʌnˈdʌn] *perf.* p. av *undo*
II [ˌʌnˈdʌn] *adj* **1** uppknäppt, oknäppt, oknuten **2** ogjord
undoubted [ˌʌnˈdaʊtɪd] *adj* otvivelaktig, obestridlig, avgjord, klar; *an* ~ *victory* en klar seger
undoubtedly [ˌʌnˈdaʊtɪdlɪ] *adv* otvivelaktigt, utan tvivel
undress I [ˌʌnˈdres] *verb* klä av sig; klä av
II [ˌʌnˈdres] *subst*, *in a state of* ~ oklädd
undressed [ˌʌnˈdrest] *adj* avklädd, oklädd; *get* ~ klä av sig
undrinkable [ˌʌnˈdrɪŋkəbl] *adj* odrickbar
undue [ˌʌnˈdjuː] *adj* onödig [~ *haste*], opåkallad
unduly [ˌʌnˈdjuːlɪ] *adv* oskäligt, överdrivet, orimligt
unearned [ˌʌnˈɜːnd] *adj* **1** ~ *income* inkomst av kapital **2** oförtjänt [~ *praise*]
unearth [ˌʌnˈɜːθ] *verb* gräva upp, gräva fram
unearthly [ˌʌnˈɜːθlɪ] *adj* **1** övernaturlig, kuslig **2** vard., *at an* ~ *hour* okristligt tidigt
uneasiness [ˌʌnˈiːzɪnəs] *subst* **1** oro, ängslan [*about* för] **2** obehag, olust
uneasy [ˌʌnˈiːzɪ] *adj* orolig, ängslig [*about* för]; olustig, illa till mods; ~ *feeling* obehaglig känsla
uneatable [ˌʌnˈiːtəbl] *adj* oätbar, oätlig
uneaten [ˌʌnˈiːtn] *adj* inte uppäten, orörd
uneconomical [ˈʌnˌiːkəˈnɒmɪkl] *adj* slösaktig, oekonomisk; *this coffee is* ~ kaffet är odrygt
uneducated [ˌʌnˈedjʊkeɪtɪd] *adj* obildad
unemotional [ˌʌnɪˈməʊʃnəl] *adj* känslolös, kall, oberörd
unemployed [ˌʌnɪmˈplɔɪd] *adj* arbetslös, sysslolös; *the* ~ de arbetslösa
unemployment [ˌʌnɪmˈplɔɪmənt] *subst* arbetslöshet; ~ *benefit* arbetslöshetsunderstöd
unending [ʌnˈendɪŋ] *adj* **1** ändlös **2** vard. evig
un-English [ʌnˈɪŋglɪʃ] *adj* oengelsk
unenterprising [ʌnˈentəpraɪzɪŋ] *adj* oföretagsam
unenviable [ʌnˈenvɪəbl] *adj* föga avundsvärd [*an* ~ *task*]
unequal [ʌnˈiːkwəl] *adj* **1** inte likvärdig, ojämlik, inte jämställd; *be* ~ *to the task* inte vara vuxen uppgiften **2** olika, olika stor; omaka **3** ojämn [*an* ~ *contest*]

unequalled [ˌʌnˈiːkwəld] *adj* ouppnådd, oöverträffad, makalös, enastående
unessential I [ˌʌnɪˈsenʃl] *adj* oväsentlig, oviktig
II [ˌʌnɪˈsenʃl] *subst* oväsentlighet
uneven [ˌʌnˈiːvən] *adj* **1** ojämn **2** udda [~ *number*] **3** olika, olika lång
uneventful [ˌʌnɪˈventfʊl] *adj* händelsefattig
unexpected [ˌʌnɪkˈspektɪd] *adj* oväntad
unexpectedly [ˌʌnɪkˈspektɪdlɪ] *adv* oväntat; ~ *good* bättre än väntat
unexplained [ˌʌnɪkˈspleɪnd] *adj* oförklarad, ouppklarad
unexplored [ˌʌnɪkˈsplɔːd] *adj* outforskad
unfailing [ʌnˈfeɪlɪŋ] *adj* **1** osviklig [~ *accuracy*], ofelbar [*an* ~ *remedy*], säker **2** outtömlig
unfair [ˌʌnˈfeə] *adj* orättvis, ojust
unfaithful [ˌʌnˈfeɪθfʊl] *adj* **1** otrogen [*to* mot], trolös [*an* ~ *lover*] **2** otillförlitlig [~ *translation*]
unfamiliar [ˌʌnfəˈmɪljə] *adj* **1** inte förtrogen [*with* med], ovan [*with* vid], främmande [*with* för] **2** obekant, främmande [*to sb* för ngn]
unfamiliarity [ˈʌnfəˌmɪlɪˈærətɪ] *subst* obekantskap, bristande förtrogenhet [*with* med]
unfashionable [ˌʌnˈfæʃənəbl] *adj* omodern
unfasten [ˌʌnˈfɑːsn] *verb* lossa, lösa upp, knyta upp
unfavourable [ˌʌnˈfeɪvərəbl] *adj* ogynnsam, ofördelaktig [*to, for* för]
unfeeling [ˌʌnˈfiːlɪŋ] *adj* okänslig [*to* för]; känslolös, hjärtlös
unfinished [ˌʌnˈfɪnɪʃt] *adj* oavslutad, ofullbordad, inte färdig
unfit [ˌʌnˈfɪt] *adj* **1** olämplig, oduglig [*for* till, som; *to* att], oförmögen [*for* till; *to* att]; ovärdig [*for sth* ngt]; ~ *for human consumption* otjänlig som människoföda **2** i dålig kondition
unfitted [ˌʌnˈfɪtɪd] *adj* olämplig, oduglig
unflagging [ˌʌnˈflægɪŋ] *adj* outtröttlig
unflinching [ˌʌnˈflɪntʃɪŋ] *adj* ståndaktig, orubblig
unfold [ˌʌnˈfəʊld] *verb* **1** veckla ut, veckla upp [~ *a newspaper*], vika ut, vika upp **2** utveckla, framställa, lägga fram [*she unfolded her plans*]
unforeseeable [ˌʌnfɔːˈsiːəbl] *adj* oförutsebar, omöjlig att förutse, oviss
unforgettable [ˌʌnfəˈgetəbl] *adj* oförglömlig
unforgivable [ˌʌnfəˈgɪvəbl] *adj* oförlåtlig
unfortunate [ˌʌnˈfɔːtʃənət] *adj* **1** olycklig;

be ~ ha otur **2** beklaglig [*an* ~
development]
unfortunately [ˌʌnˈfɔːtʃənətlɪ] *adv* tyvärr,
olyckligtvis
unfounded [ˌʌnˈfaʊndɪd] *adj* ogrundad [~
suspicion], grundlös, lös [~ *rumour*]
unfriendly [ˌʌnˈfrendlɪ] *adj* ovänlig [*to* mot]
unfurl [ˌʌnˈfɜːl] *verb* om t.ex. flagga veckla ut
ungainly [ˌʌnˈɡeɪnlɪ] *adj* klumpig, otymplig
ungenerous [ˌʌnˈdʒenərəs] *adj* **1** snål,
knusslig **2** föga generös
ungodly [ˌʌnˈɡɒdlɪ] *adj*, *at an* ~ *hour* vard.
okristligt tidigt
ungovernable [ˌʌnˈɡʌvənəbl] *adj* oregerlig
ungrateful [ˌʌnˈɡreɪtfʊl] *adj* otacksam
ungratified [ˌʌnˈɡrætɪfaɪd] *adj*
otillfredsställd, ouppfylld [~ *desire*]
unguarded [ˌʌnˈɡɑːdɪd] *adj* **1** obevakad [*an*
~ *railway crossing*] **2** ovarsam, tanklös [*an*
~ *remark*]
unhampered [ˌʌnˈhæmpəd] *adj* obunden,
obehindrad, inte hämmad [*by* av]
unhappily [ˌʌnˈhæpəlɪ] *adv* **1** olyckligt
2 olyckligtvis
unhappiness [ˌʌnˈhæpɪnəs] *subst* olycka,
brist på lycka
unhappy [ˌʌnˈhæpɪ] *adj* **1** olycklig
2 misslyckad [*an* ~ *choice*]; *be* ~ *about*
vara missnöjd med [*I'm a bit* ~ *about the*
way the place is run]
unharmed [ˌʌnˈhɑːmd] *adj* oskadd
unhealthy [ˌʌnˈhelθɪ] *adj* **1** sjuklig, klen
2 ohälsosam, osund, skadlig [~ *ideas*]
unheard-of [ˌʌnˈhɜːdɒv] *adj* **1** förut okänd
2 exempellös, utan motstycke
unheeded [ˌʌnˈhiːdɪd] *adj* obeaktad,
ouppmärksammad
unhesitating [ˌʌnˈhezɪteɪtɪŋ] *adj* tveklös
unhinge [ˌʌnˈhɪndʒ] *verb* **1** haka av [~ *a*
door] **2** förrycka; *his mind is unhinged*
han är sinnesrubbad
unhook [ˌʌnˈhʊk] *verb* häkta av, haka av
unhospitable [ˌʌnhɒˈspɪtəbl] *adj* ogästvänlig
unhurt [ˌʌnˈhɜːt] *adj* oskadad, oskadd
unicorn [ˈjuːnɪkɔːn] *subst* enhörning
unidentified [ˌʌnaɪˈdentɪfaɪd] *adj*
oidentifierad [~ *flying object*], icke
identifierad
unification [ˌjuːnɪfɪˈkeɪʃən] *subst* enande
uniform I [ˈjuːnɪfɔːm] *adj* **1** likformig,
enhetlig **2** jämn, konstant [~ *speed*]
II [ˈjuːnɪfɔːm] *subst* uniform
uniformity [ˌjuːnɪˈfɔːmətɪ] *subst*
likformighet, enhetlighet

unify [ˈjuːnɪfaɪ] *verb* ena, förena
unilateral [ˌjuːnɪˈlætrəl] *adj* ensidig,
unilateral [~ *agreement*]
unimaginable [ˌʌnɪˈmædʒɪnəbl] *adj*
otänkbar, ofattbar
unimaginative [ˌʌnɪˈmædʒɪnətɪv] *adj*
fantasilös
unimpaired [ˌʌnɪmˈpeəd] *adj* oförminskad,
oförsvagad, obruten [~ *health*]
unimportant [ˌʌnɪmˈpɔːtənt] *adj* obetydlig,
oviktig
unimposing [ˌʌnɪmˈpəʊzɪŋ] *adj* föga
imponerande
uninformed [ˌʌnɪnˈfɔːmd] *adj* **1** inte
underrättad, inte informerad **2** oupplyst
uninhabitable [ˌʌnɪnˈhæbɪtəbl] *adj*
obeboelig
uninhabited [ˌʌnɪnˈhæbɪtɪd] *adj* obebodd
uninhibited [ˌʌnɪnˈhɪbɪtɪd] *adj* hämningslös,
ohämmad
unintelligible [ˌʌnɪnˈtelɪdʒəbl] *adj*
obegriplig, oförståelig
unintentional [ˌʌnɪnˈtenʃnəl] *adj* oavsiktlig
uninterrupted [ˈʌnˌɪntəˈrʌptɪd] *adj*
oavbruten
uninviting [ˌʌnɪnˈvaɪtɪŋ] *adj* föga
inbjudande

Union Jack
Union Jack är namnet på Storbri-
tanniens flagga. Den består av
Saint George's, *Saint Andrew's* och
Saint Patrick's kors, vilka represen-
terar England, Skottland och
Nordirland.

union [ˈjuːnjən] *subst* **1** förening, enande,
sammanslutning **2** union [*postal* ~],
förbund, förening; *students'* ~
studentkår; *the Union Jack* Union Jack
Storbritanniens flagga **3** *the* ~ facket; *trade* ~
el. ~ fackförening; *national trade* ~ el.
national ~ fackförbund
unique [juːˈniːk] *adj* unik, enastående
unisex [ˈjuːnɪseks] *adj* unisex- [~ *fashions*]
unison [ˈjuːnɪsn] *subst* musik. samklang,
harmoni; *in* ~ unisont
unit [ˈjuːnɪt] *subst* **1** enhet **2** avdelning,
enhet [*production* ~] **3** mil. förband
unite [juːˈnaɪt] *verb* **1** förena, föra samman
[*with, to* med], samla, ena **2** förena sig,
förenas, slå sig samman

United Kingdom
United Kingdom (UK) består av Storbritannien och Nordirland. Ibland används *Great Britain* i samma betydelse.

united [juːˈnaɪtɪd] *adj* förenad; samlad [~ *action*]; enig, enad [*present a ~ front*]; *the United Kingdom* Förenade kungariket Storbritannien och Nordirland; *the United Nations Organization* el. *the United Nations* Förenta nationerna; *the United States of America* el. *the United States* Förenta staterna

unity [ˈjuːnətɪ] *subst* enighet, sammanhållning

universal [ˌjuːnɪˈvɜːsl] *adj* allmän, allmänt utbredd [~ *belief*]; allomfattande; universell

universally [ˌjuːnɪˈvɜːsəlɪ] *adv* allmänt, universellt, överallt

universe [ˈjuːnɪvɜːs] *subst*, *the Universe* universum

university [ˌjuːnɪˈvɜːsətɪ] *subst* universitet, högskola; ~ *education* akademisk utbildning

unjust [ˌʌnˈdʒʌst] *adj* orättfärdig, orättvis

unjustifiable [ˈʌnˌdʒʌstɪˈfaɪəbl] *adj* oförsvarlig

unjustified [ˌʌnˈdʒʌstɪfaɪd] *adj* oberättigad, obefogad

unjustly [ˌʌnˈdʒʌstlɪ] *adv* orättfärdigt, orättvist

unkempt [ˌʌnˈkempt] *adj* **1** okammad **2** ovårdad, vanskött

unkind [ˌʌnˈkaɪnd] *adj* **1** ovänlig **2** omild, inte skonsam [~ *to the skin*]

unknown I [ˌʌnˈnəʊn] *adj* okänd, obekant [*to* för, i, bland]
II [ˌʌnˈnəʊn] *adv*, ~ *to us* oss ovetande, utan vår vetskap

unlawful [ˌʌnˈlɔːfʊl] *adj* olaglig, orättmätig, olovlig

unleash [ˌʌnˈliːʃ] *verb* koppla lös (loss), släppa lös (loss) [~ *a dog*]

unless [ənˈles] *konj* om inte; annat än, utom

unlike I [ˌʌnˈlaɪk] *adj* olik
II [ˌʌnˈlaɪk] *prep* **1** olikt **2** till skillnad från, i motsats till [~ *most other people, he is . . .*]

unlikely [ʌnˈlaɪklɪ] *adj* osannolik, otrolig; *she is ~ to come* hon kommer troligen inte

unlimited [ˌʌnˈlɪmɪtɪd] *adj* **1** obegränsad, oinskränkt [~ *power*] **2** gränslös

unload [ˌʌnˈləʊd] *verb* **1** lasta av, lossa [~ *a cargo*]; lossas [*the ship is unloading*] **2** ta ut patronen ur [~ *the gun*]

unlock [ˌʌnˈlɒk] *verb* låsa upp, låsas upp

unlocked [ˌʌnˈlɒkt] *adj* upplåst, olåst

unlooked-for [ˌʌnˈlʊktfɔː] *adj* oväntad

unloose [ˌʌnˈluːs] *verb* o. **unloosen** [ˌʌnˈluːsn] *verb* **1** lossa, lösa, knyta upp **2** släppa lös

unluckily [ˌʌnˈlʌkəlɪ] *adv* **1** olyckligtvis **2** olyckligt

unlucky [ˌʌnˈlʌkɪ] *adj* oturlig; *be* ~ ha otur [*at i*]

unmanageable [ˌʌnˈmænɪdʒəbl] *adj* ohanterlig, svårhanterlig, oregerlig

unmanly [ˌʌnˈmænlɪ] *adj* omanlig

unmanned [ˌʌnˈmænd] *adj* obemannad

unmarried [ˌʌnˈmærɪd] *adj* ogift

unmask [ˌʌnˈmɑːsk] *verb* demaskera, avslöja

unmistakable [ˌʌnmɪˈsteɪkəbl] *adj* omisskännlig, otvetydig, ofelbar [*an ~ sign*]

unmitigated [ˌʌnˈmɪtɪgeɪtɪd] *adj* oförminskad; ~ *by* utan några förmildrande drag av; *an ~ scoundrel* en ärkeskurk

unmoved [ˌʌnˈmuːvd] *adj* **1** oberörd, lugn, kall **2** orörd

unnecessarily [ˌʌnˈnesəsərəlɪ] *adv* onödigt; i onödan

unnecessary [ˌʌnˈnesəsərɪ] *adj* onödig

unnerve [ˌʌnˈnɜːv] *verb* göra nervös

unnoticeable [ˌʌnˈnəʊtɪsəbl] *adj* omärklig

unnoticed [ˌʌnˈnəʊtɪst] *adj* obemärkt; *do sth ~* göra ngt utan att ngn märker det

unobserved [ˌʌnəbˈzɜːvd] *adj* obemärkt

unobstructed [ˌʌnəbˈstrʌktɪd] *adj* obehindrad, fri [~ *view*]

unobtainable [ˌʌnəbˈteɪnəbl] *adj* oåtkomlig, oanskaffbar; *the book is ~* det går inte att få tag i boken

unobtrusive [ˌʌnəbˈtruːsɪv] *adj* inte påträngande, diskret

unoccupied [ˌʌnˈɒkjupaɪd] *adj* **1** inte ockuperad; obebodd [~ *territory*] **2** ledig [~ *seat*], inte upptagen **3** sysslolös

unofficial [ˌʌnəˈfɪʃl] *adj* inofficiell [~ *statement*], inte officiell; ~ *strike* vild strejk

unorthodox [ˌʌnˈɔːθədɒks] *adj* oortodox

unpack [ˌʌnˈpæk] *verb* packa upp, packa ur

unpaid [ˌʌnˈpeɪd] *adj* obetald

unpalatable [ˌʌn'pælətəbl] *adj* oaptitlig; *it's* ~ den saknar motstycke, den är makalös

unparalleled [ˌʌn'pærəleld] *adj* makalös

unpardonable [ˌʌn'pɑːdnəbl] *adj* oförlåtlig

unplanned [ˌʌn'plænd] *adj* oplanerad, inte planerad

unplayable [ˌʌn'pleɪəbl] *adj* **1** ospelbar **2** om t.ex. boll omöjlig, otagbar

unpleasant [ˌʌn'pleznt] *adj* otrevlig, obehaglig [~ *taste*; ~ *truth*]

unpleasantness [ˌʌn'plezntnəs] *subst* obehag, tråkigheter; bråk [*try to avoid* ~]

unplug [ˌʌn'plʌg] (*-gg-*) *verb* dra ur proppen ur [~ *the sink*]; dra ur sladden till [~ *the TV*]

unpolished [ˌʌn'pɒlɪʃt] *adj* opolerad, oputsad; oslipad [~ *diamond*; ~ *style*]

unpolluted [ˌʌnpə'luːtɪd] *adj* inte förorenad, inte nedsmutsad

unpopular [ˌʌn'pɒpjʊlə] *adj* impopulär, illa omtyckt

unprecedented [ˌʌn'presɪdəntɪd] *adj* exempellös, utan motstycke, makalös

unprejudiced [ˌʌn'predʒʊdɪst] *adj* fördomsfri, opartisk; *she is* ~ hon har inga fördomar, hon är fördomsfri

unprepossessing ['ʌnˌpriːpə'zesɪŋ] *adj* föga intagande, osympatisk

unpretentious [ˌʌnprɪ'tenʃəs] *adj* anspråkslös, blygsam, opretentiös

unprincipled [ˌʌn'prɪnsəpld] *adj* principlös; samvetslös [~ *scoundrel*]

unprintable [ˌʌn'prɪntəbl] *adj* otryckbar

unproductive [ˌʌnprə'dʌktɪv] *adj* improduktiv, ofruktbar, föga lönande

unprofessional [ˌʌnprə'feʃənl] *adj* oprofessionell

unprofitable [ˌʌn'prɒfɪtəbl] *adj* **1** onyttig, föga givande **2** olönsam

unpromising [ˌʌn'prɒmɪsɪŋ] *adj* föga lovande, ogynnsam

unprotected [ˌʌnprə'tektɪd] *adj* oskyddad

unpublished [ˌʌn'pʌblɪʃt] *adj* opublicerad

unpunctual [ˌʌn'pʌŋktjʊəl] *adj* inte punktlig

unpunished [ˌʌn'pʌnɪʃt] *adj* ostraffad

unqualified [ˌʌn'kwɒlɪfaɪd] *adj* **1** okvalificerad, inkompetent [*as* som; *for* till, för; *to do sth* att göra ngt]; inte behörig, utan kompetens **2** oreserverad, odelad [~ *approval*]

unquestionable [ˌʌn'kwestʃənəbl] *adj* obestridlig, odiskutabel

unquestioning [ˌʌn'kwestʃənɪŋ] *adj* obetingad, blind [~ *obedience*]

unravel [ˌʌn'rævl] (*-ll-*, amer. *-l-*) *verb* reda ut, klara upp, lösa [~ *a mystery*]

unreadable [ˌʌn'riːdəbl] *adj* oläsbar, oläslig

unreal [ˌʌn'rɪəl] *adj* overklig, inbillad

unreasonable [ˌʌn'riːzənəbl] *adj* **1** oresonlig, omedgörlig **2** oskälig

unrecognizable [ˌʌn'rekəgnaɪzəbl] *adj* oigenkännlig

unrelated [ˌʌnrɪ'leɪtɪd] *adj* obesläktad [*to* med], inte relaterad [*to* till]; *be* ~ *to* inte ha något samband med

unreliable [ˌʌnrɪ'laɪəbl] *adj* opålitlig [*an* ~ *witness*]; otillförlitlig [~ *information*]

unrepair [ˌʌnrɪ'peə] *subst*, *in a state of* ~ i dåligt skick, illa underhållen

unrepentant [ˌʌnrɪ'pentənt] *adj* obotfärdig

unrequited [ˌʌnrɪ'kwaɪtɪd] *adj* obesvarad [~ *love*]

unresolved [ˌʌnrɪ'zɒlvd] *adj* olöst [~ *problem*]

unrest [ˌʌn'rest] *subst* oro, jäsning

unrestrained [ˌʌnrɪ'streɪnd] *adj* ohämmad, otyglad, obehärskad

unrestricted [ˌʌnrɪ'strɪktɪd] *adj* **1** oinskränkt [~ *power*] **2** med fri fart, utan fartgräns

unrewarding [ˌʌnrɪ'wɔːdɪŋ] *adj* föga givande, otacksam; *an* ~ *part* en otacksam roll

unripe [ˌʌn'raɪp] *adj* omogen

unrivalled [ˌʌn'raɪvəld] *adj* makalös, oöverträffad

unroll [ˌʌn'rəʊl] *verb* **1** rulla upp, veckla upp **2** rulla upp sig, veckla upp sig

unruffled [ˌʌn'rʌfld] *adj* lugn; *with* ~ *calm* med orubbligt lugn

unruly [ˌʌn'ruːlɪ] *adj* besvärlig, oregerlig

unsaddle [ˌʌn'sædl] *verb* **1** sadla av [~ *a horse*] **2** kasta av [~ *a rider*]

unsafe [ˌʌn'seɪf] *adj* osäker, riskabel

unsatisfactory [ˌʌnˌsætɪs'fæktərɪ] *adj* otillfredsställande, otillräcklig

unsatisfied [ˌʌn'sætɪsfaɪd] *adj* otillfredsställd

unsavoury [ˌʌn'seɪvərɪ] *adj* oaptitlig, motbjudande, osmaklig [*an* ~ *affair*]

unscathed [ˌʌn'skeɪðd] *adj* oskadd, helskinnad

unscrew [ˌʌn'skruː] *verb* skruva av, skruva loss

unscrupulous [ˌʌn'skruːpjʊləs] *adj* skrupelfri, hänsynslös

unseeded [ˌʌn'siːdɪd] *adj* sport. oseedad

unseemly [ˌʌn'siːmlɪ] *adj* opassande

unseen [ˌʌn'siːn] *adj* osynlig, dold; osedd

unselfish [ˌʌn'selfɪʃ] *adj* osjälvisk

unsettle [ˌʌn'setl] *verb* bringa ur balans, störa, göra osäker

unsettled [ˌʌn'setld] *adj* **1** orolig, osäker; ostadig [~ *weather*], instabil **2** obetald, inte avvecklad [~ *debts*]

unshakable [ˌʌn'ʃeɪkəbl] *adj* orubblig

unshaved [ˌʌn'ʃeɪvd] *adj* o. **unshaven** [ˌʌn'ʃeɪvn] *adj* orakad

unsightly [ˌʌn'saɪtlɪ] *adj* ful, anskrämlig

unskilled [ˌʌn'skɪld] *adj* oerfaren, okunnig; ~ *labour* a) outbildad arbetskraft b) grovarbete; ~ *labourer* grovarbetare; ~ *worker* inte yrkeskunnig arbetare

unsociable [ˌʌn'səʊʃəbl] *adj* osällskaplig

unsolicited [ˌʌnsə'lɪsɪtɪd] *adj* oombedd

unsolved [ˌʌn'sɒlvd] *adj* olöst, ouppklarad [*an* ~ *mystery*]

unsound [ˌʌn'saʊnd] *adj* **1** osund; oklok **2** ekonomiskt osäker, dålig [~ *finances*]

unsparing [ˌʌn'speərɪŋ] *adj* outtröttlig [*with* ~ *energy*]; *be* ~ *in one's efforts* inte spara någon möda

unspeakable [ˌʌn'spiːkəbl] *adj* **1** outsäglig [~ *joy*], obeskrivlig [~ *wickedness*] **2** avskyvärd [*an* ~ *scoundrel*]

unsporting [ˌʌn'spɔːtɪŋ] *adj* osportslig

unstable [ˌʌn'steɪbl] *adj* instabil, ostadig, vacklande [*an* ~ *foundation*], labil

unsteady [ˌʌn'stedɪ] *adj* ostadig, osäker, vacklande [*an* ~ *walk*]; ojämn

unstick [ˌʌn'stɪk] (*unstuck unstuck*) *verb*, *come unstuck* a) lossna, gå upp b) vard. råka illa ut [*he'll come unstuck one day*]

unstressed [ˌʌn'strest] *adj* obetonad [~ *syllable*]

unstuck [ˌʌn'stʌk] *imperf.* o. *perf.* p. av *unstick*

unsuccessful [ˌʌnsək'sesfʊl] *adj* misslyckad; *be* ~ misslyckas

unsuited [ˌʌn'suːtɪd, ˌʌn'sjuːtɪd] *adj* olämplig, opassande [*to* för]; *be* ~ *for* el. *be* ~ *to* inte passa för, vara olämplig för

unsure [ˌʌn'ʃʊə] *adj* osäker [*of*, *about* på, om]; oviss [*of* om]

unsurmountable [ˌʌnsə'maʊntəbl] *adj* oöverstiglig [~ *obstacles*]

unsurpassed [ˌʌnsə'pɑːst] *adj* oöverträffad

unsuspecting [ˌʌnsə'spektɪŋ] *adj* omisstänksam, intet ont anande

unsympathetic ['ʌnˌsɪmpə'θetɪk] *adj* **1** oförstående, likgiltig **2** osympatisk, motbjudande

untamed [ˌʌn'teɪmd] *adj* otämd, okuvad

untarnished [ˌʌn'tɑːnɪʃt] *adj* fläckfri, obesudlad [*an* ~ *reputation*]

unthinkable [ˌʌn'θɪŋkəbl] *adj* otänkbar

untidy [ˌʌn'taɪdɪ] *adj* ovårdad, slarvig [*an* ~ *person*], ostädad [*an* ~ *room*]

untie [ˌʌn'taɪ] *verb* knyta upp, lösa upp, få upp; *come untied* gå upp

until I [ən'tɪl] *prep* till, tills; ~ *then* till dess, dittills; *not* ~ inte förrän, först **II** [ən'tɪl] *konj* till, tills, till dess att

untimely [ˌʌn'taɪmlɪ] *adj* **1** förtidig [*an* ~ *death*] **2** malplacerad [~ *remarks*]; oläglig [*at an* ~ *hour*]

untiring [ˌʌn'taɪərɪŋ] *adj* outtröttlig

untold [ˌʌn'təʊld] *adj* omätlig [~ *wealth*]

untried [ˌʌn'traɪd] *adj* oprövad, obeprövad

untrue [ˌʌn'truː] *adj* osann, falsk, oriktig

untruthful [ˌʌn'truːθfʊl] *adj* **1** osann, falsk **2** lögnaktig

untuned [ˌʌn'tjuːnd] *adj* musik. ostämd [*an* ~ *piano*]

unused [i betydelse 1 ˌʌn'juːzd, i betydelse 2 ˌʌn'juːst] *adj* **1** obegagnad, oanvänd; ~ *stamp* ostämplat frimärke **2** ovan [*to* vid]

unusual [ˌʌn'juːʒʊəl] *adj* ovanlig; *it is* ~ *for her to do that* det är ovanligt att hon gör så

unveil [ˌʌn'veɪl] *verb* **1** ta slöjan från [~ *one's face*]; avtäcka [~ *a statue*] **2** avslöja [~ *a secret*]

unverified [ˌʌn'verɪfaɪd] *adj* obekräftad, obestyrkt

unvoiced [ˌʌn'vɔɪst] *adj* fonet. tonlös [~ *consonant*]

unwarranted [ˌʌn'wɒrəntɪd] *adj* obefogad, omotiverad

unwavering [ˌʌn'weɪvərɪŋ] *adj* orubblig

unwell [ˌʌn'wel] *adj* dålig, sjuk

unwieldy [ˌʌn'wiːldɪ] *adj* klumpig, otymplig

unwilling [ˌʌn'wɪlɪŋ] *adj* ovillig, motvillig

unwillingly [ˌʌn'wɪlɪŋlɪ] *adv* ogärna, motvilligt, mot sin vilja

unwind [ˌʌn'waɪnd] (*unwound unwound*) *verb* **1** nysta upp, linda upp, rulla upp **2** slappna av, gå ner i varv

unwise [ˌʌn'waɪz] *adj* oklok, oförståndig

unwittingly [ˌʌn'wɪtɪŋlɪ] *adv* **1** oavsiktligt, ofrivilligt **2** ovetande, ovetandes

unworkable [ˌʌn'wɜːkəbl] *adj* ogenomförbar [*an* ~ *plan*]

unworldly [ˌʌn'wɜːldlɪ] *adj* ovärldslig, världsfrämmande

unworthy [ˌʌn'wɜːðɪ] *adj* ovärdig

unwound [ˌʌn'waʊnd] *imperf.* o. *perf.* p. av *unwind*

unwrap [ˌʌn'ræp] (*-pp-*) *verb* veckla upp; ta upp, packa upp [~ *a parcel*]

unwritten [ˌʌn'rɪtn] *adj* oskriven [*an ~ page*]; *an ~ law* en oskriven lag

unyielding [ˌʌn'jiːldɪŋ] *adj* oböjlig, fast

unzip [ˌʌn'zɪp] (*-pp-*) *verb* **1** dra ner blixtlåset på **2** öppnas med blixtlås

up I [ʌp] *adv* o. *adj* **1** upp; uppåt; fram [*he came ~ to me*]; *~ the Arsenal!* heja Arsenal!; *~ the Republic!* leve republiken!; *~ and down* fram och tillbaka, av och an [*walk ~ and down*], upp och ner [*jump ~ and down*]; *~ north* norrut, uppe i norr; *~ there* dit upp, däruppe; *~ to town* in till stan; *children from six years* ~ barn från sex år och uppåt **2** uppe [*stay ~ all night*]; *be ~ and about* vara uppe och i full gång **3** över, slut [*my leave was nearly ~*]; *the game is ~* spelet är förlorat; *time's ~ !* tiden är ute! **4** sport. m.m. plus; *be one ~* el. *be one goal ~* leda med ett mål; *he's always trying to be one ~* han ska alltid vara värst **5** *~ to* a) upp till [*count from one ~ to ten*], fram till, tills; *~ to now* tills nu, hittills **6** *be ~* a) vara uppe, vara uppstigen b) ha stigit, ha gått upp [*the price of meat is ~*] c) vara uppe i luften; flyga på viss höjd [*be five thousand feet ~*] d) vara uppriven [*the street is ~*] e) *what's ~?* vad står på?; *there's something ~* det är något på gång **7** specialbetydelse i förbindelse med prep. *be ~ against* stå inför, kämpa mot; *be ~ against it* vara illa ute, ligga illa till; *be ~ before* vara uppe till behandling i [*be ~ before Congress*]; *be ~ for* vara uppe till [*be ~ for debate*]; *be ~ for sale* vara till salu **8** *it isn't ~ to much* det är inte mycket bevänt med det a) *she isn't ~ to the job* hon duger inte till jobbet, hon klarar inte jobbet; *I don't feel ~ to working* jag känner inte för att arbeta; *I don't feel ~ to it* jag känner mig inte i form; jag tror inte jag klarar det; jag känner inte för det; *be ~ to sb* vara ngns sak [*it's ~ to you to tell her*]; *it's ~ to you* det är din sak, det är upp till dig a) *be ~ to something* ha något fuffens för sig; *be ~ to mischief* ha något rackartyg för sig; *what is he ~ to?* vad har han för sig?

II [ʌp] *prep* uppför [*~ the hill*]; uppe på, uppe i [*~ the tree*]; uppåt, längs [*~ the street*]; *~ and down the street* fram och tillbaka på gatan; *travel ~ and down the country* resa kors och tvärs i landet; *~ yours!* vulg. ta dig i häcken!

III [ʌp] *subst*, *~s and downs* växlingar, svängningar, med- och motgång; *he has his ~s and downs* det går upp och ned för honom

up-and-coming [ˌʌpən'kʌmɪŋ] *adj* lovande [*an ~ author*]

upbeat ['ʌpbiːt] *adj* vard. optimistisk, glad, uppåt

upbringing ['ʌpˌbrɪŋɪŋ] *subst* uppfostran

update [ʌp'deɪt] *verb* **1** uppdatera **2** modernisera

upgrade I ['ʌpgreɪd] *subst* stigning; *be on the ~* vara på uppåtgående
II [ʌp'greɪd] *verb* **1** befordra **2** uppvärdera, uppgradera

upheaval [ʌp'hiːvl] *subst* omvälvning [*political ~s*]

upheld [ʌp'held] imperf. o. perf. p. av *uphold*

uphill I [ˌʌp'hɪl] *adv* uppåt, uppför backen
II ['ʌphɪl] *adj* **1** stigande, brant, uppförs- [*an ~ slope*]; *be ~ slope* bära uppför **2** mödosam

uphold [ʌp'həʊld] (*upheld upheld*) *verb* **1** upprätthålla, vidmakthålla [*~ discipline*] **2** godkänna [*~ a verdict*]

upholder [ʌp'həʊldə] *subst* upprätthållare

upholster [ʌp'həʊlstə] *verb* stoppa, klä [*~ a sofa*], madrassera

upholsterer [ʌp'həʊlstərə] *subst* tapetserare

upholstery [ʌp'həʊlstərɪ] *subst* **1** möbelstoppning **2** möbeltyg **3** möbelklädsel **4** tapetseraryrke, tapetserararbete

upkeep ['ʌpkiːp] *subst* underhåll; underhållskostnader

upland I ['ʌplənd] *subst* vanligen pl. *~s* högland
II ['ʌplənd] *adj* höglänt, höglands-

uplift I [ʌp'lɪft] *verb* lyfta, höja, upplyfta
II ['ʌplɪft] *subst* **1** höjning **2** vard. uppryckning
III ['ʌplɪft] *adj*, *~ bra* stöd-bh

upon [ə'pɒn] *prep* på etc.; se *on I*; *once ~ a time there was...* i sagor det var en gång...; *the forest stretched for mile ~ mile* skogen sträckte sig mil efter mil

upper I ['ʌpə] *adj* övre, högre; över- [*the ~ lip*]; överst; *the ~ class* el. *the ~ classes* överklassen
II ['ʌpə] *subst* pl. *~s* ovanläder

uppercase ['ʌpəkeɪs] *adj*, *~ letter* stor bokstav

upper-class [ˌʌpə'klɑːs] *adj* överklass-; *be ~* vara överklass

uppercut ['ʌpəkʌt] *subst* boxn. uppercut

uppermost I ['ʌpəməʊst] *adj* **1** allra överst, allra högst **2** främst, förnämst; *the*

thoughts that were ~ ***in his mind*** vad han mest tänkte på
II ['ʌpəməʊst] *adv* allra överst, allra högst
upright I ['ʌpraɪt] *adj* **1** upprätt; *put* ~ *resa upp*, ställa upp; *stand* ~ stå rak, stå upprätt **2** hederlig
II ['ʌpraɪt] *subst* **1** stolpe, stötta, pelare **2** ~ *piano* el. ~ i motsats till flygel piano, pianino
III ['ʌpraɪt] *adv* upprätt, rakt upp, lodrätt
uprising [,ʌp'raɪzɪŋ] *subst* resning, uppror
uproar ['ʌprɔ:] *subst* tumult, kalabalik [*the meeting ended in an* ~]
uproarious [ʌp'rɔ:rɪəs] *adj* **1** tumultartad **2** larmande, vild och uppsluppen **3** vard. helfestlig [*an* ~ *comedy*]
uproot [ʌp'ru:t] *verb* rycka upp med rötterna
upset I [ʌp'set] (*upset upset*) (*upsetting*) *verb* **1** stjälpa, välta [~ *a table*], slå omkull; *don't* ~ *the boat!* akta så att inte båten slår runt! **2** kullkasta, rubba [~ *sb's plans*] **3** göra upprörd [*the incident* ~ *her*]; bringa ur fattningen, förarga **4** göra illamående; *the food* ~ *his stomach* han tålde inte maten
II ['ʌpset] *subst* **1** fysisk el. psykisk rubbning, störning; *have a stomach* ~ ha krångel med magen **2** sport. skräll
III [ʌp'set] *adj* **1** kullkastad **2** upprörd; *be* ~ el. *feel* ~ ta illa vid sig [*about* av, över]; *be emotionally* ~ vara upprörd **3** i oordning; *my stomach is* ~ min mage krånglar
upsetting [ʌp'setɪŋ] *adj* upprörande
upshot ['ʌpʃɒt] *subst* resultat, utgång; *the* ~ *of the matter was...* slutet på alltsammans blev...
upside-down I [,ʌpsaɪ'daʊn] *adv* **1** upp och ned **2** huller om buller; *turn everything* ~ vända upp och ner på allting
II [,ʌpsaɪ'daʊn] *adj* uppochnedvänd
upstairs [,ʌp'steəz] *adv* uppför trappan, upp [*go* ~]; i övervåningen
upstart ['ʌpstɑ:t] *subst* uppkomling
upstream [,ʌp'stri:m, som adj. 'ʌpstri:m] *adv* o. *adj* uppför strömmen; uppåt floden
upswing ['ʌpswɪŋ] *subst* uppsving, uppåtgående trend
uptake ['ʌpteɪk] *subst*, *be quick on the* ~ ha lätt för att fatta; *be slow on the* ~ ha svårt för att fatta
uptight ['ʌptaɪt] *adj* vard. spänd, nervös [*about* för], skärrad, på helspänn, hämmad
up-to-date [,ʌptə'deɪt] *adj* **1** à jour **2** fullt modern

up-to-the-minute [,ʌptəðə'mɪnɪt] *adj* helt aktuell, det senaste [~ *news*]
uptown [,ʌp'taʊn, adj. 'ʌptaʊn] *adv* o. *adj* amer. till (i, från) övre delen av stan, i (till) stans utkanter
upturn [ʌp't3:n] *verb* vända, vända upp och ned på
upturned [,ʌp't3:nd] *adj* **1** uppåtvänd; ~ *nose* uppnäsa **2** uppochnedvänd
upward ['ʌpwəd] *adj* uppåtriktad, uppåtvänd [*an* ~ *glance*]; uppåtgående, stigande
upwards ['ʌpwədz] *adv* uppåt, upp, uppför; *from childhood* ~ ända från barndomen; *and* ~ och därutöver
uranium [jʊ'reɪnjəm] *subst* uran
Uranus [jʊə'reɪnəs, 'jʊərənəs] astron. Uranus
urban ['3:bən] *adj* stads- [~ *population*], tätorts-
urbane [3:'beɪn] *adj* belevad, världsvan
urbanity [3:'bænətɪ] *subst* belevat sätt, världsvana
urbanization [,3:bənaɪ'zeɪʃən] *subst* urbanisering
urbanize ['3:bənaɪz] *verb* urbanisera
urchin ['3:tʃɪn] *subst* rackarunge; gatpojke
urge I [3:dʒ] *verb* **1** ~ *on* driva på, påskynda **2** försöka övertala, anmoda
II [3:dʒ] *subst* stark längtan [*feel an* ~ *to travel*], begär, drift
urgency ['3:dʒənsɪ] *subst* brådskande natur; *a matter of great* ~ ett mycket brådskande ärende
urgent ['3:dʒənt] *adj* brådskande, angelägen; *the matter is* ~ saken brådskar; *be in* ~ *need of* vara i trängande behov av
urgently ['3:dʒəntlɪ] *adv*, *food is* ~ *needed* det finns ett trängande behov av mat
urinal ['jʊə'raɪnl, amer. 'jʊrənl] *subst* **1** *public* ~ el. ~ urinoar **2** *bed* ~ uringlas
urinate ['jʊərɪneɪt] *verb* kasta vatten, urinera
urine ['jʊərɪn] *subst* urin
urn [3:n] *subst* urna, gravurna
Uruguay ['jʊərəgwaɪ]
Uruguayan I [,jʊərə'gwaɪən] *subst* uruguayare
II [,jʊərə'gwaɪən] *adj* uruguaysk
US I [,ju:'es] (fork. för *United States*) *subst* **1** *the* ~ USA **2** före subst. Förenta Staternas, USA:s, amerikansk
II [,ju:'es] förk. för *Uncle Sam*
us [ʌs, obetonat əs, s] *pron* (objektsform av *we*) **1** oss **2** vi, oss [*they are younger than* ~]

3 vard. för *our*; *she likes* ~ *singing her to
sleep* hon tycker om att vi sjunger henne
till sömns **4** vard. mig [*give* ~ *a piece*]

United States of America (*the USA,
the US*)
HUVUDSTAD: Washington D.C.
(560 000).
FOLKMÄNGD: 290 milj.
YTA: 9 529 063 km² (något mindre
än Europa).
SPRÅK: engelska; i bl.a. Kalifor-
nien, Texas och New York även
spanska. USA har inte något offici-
ellt språk.
RELIGION: USA har ingen stats-
kyrka.
USA är världens ledande industri-
nation. Större delen av befolk-
ningen har sitt ursprung i invand-
ring, förr från Europa, numera från
Sydamerika och Asien. USA blev
en självständig nation 1776 efter
frihetskriget mot England.

USA [‚juːesˈeɪ] (förk. för *United States of
America*) *subst*, *the* ~ USA
usable [ˈjuːzbl] *adj* användbar, brukbar
usage [ˈjuːzɪdʒ, ˈjuːsɪdʒ] *subst*
1 behandling, hantering [*rough* ~]
2 språkbruk **3** vedertaget bruk
4 användning
use I [juːs] *subst* **1** användning, begagnande,
bruk; *make* ~ *of* använda, begagna sig av,
utnyttja; *directions for* ~ bruksanvisning;
be in ~ vara i bruk; *go out of* ~ komma ur
bruk **2** nytta, gagn, fördel; *what's the* ~?
vad tjänar det till?; *be of* ~ vara till nytta;
be of no ~ el. *be no* ~ inte gå att använda,
vara till ingen nytta; *he is no* ~ han duger
ingenting till, han är värdelös; *it's*
(*there's*) *no* ~ *trying* det tjänar ingenting
till att försöka, det är ingen idé att försöka
3 *lose the* ~ *of one eye* bli blind på ena
ögat; *lose the* ~ *of one's legs* förlora
rörelseförmågan i benen; *room with* ~ *of
kitchen* rum med tillgång till kök
II [i betydelse 1 o. 2 juːz, i betydelse 3 juːs] *verb*
1 använda, begagna, bruka, nyttja [*as* som;
for till, för; som, i stället för; *to* + inf. till att,
för att + inf.]; utnyttja [*he* ~*s people*]; *I*

could ~ *a drink* det skulle sitta bra med
något att dricka; ~ *force* bruka våld; *may
I* ~ *your telephone?* får jag låna din
telefon? **2** ~ *up* el. ~ förbruka, göra slut på,
uttömma **3** *used to* [ˈjuːstə, ˈjuːstʊ])
brukade [*he used to say*]; *there used to
be...* förr fanns det...; *he used to
smoke a pipe* han brukade röka pipa;
things are not what they used to be det
är inte längre som förr **4** *used to* i nekande
satser: *he used not to be like that* el. *he
usen't to be like that* el. *he didn't* ~ *to
be like that* han brukade inte vara sådan
use-by [ˈjuːzbɔɪ] *adj*, ~ *date* bäst
före-datum, sista förbrukningsdag
used [i betydelse 1 juːzd, i betydelse 2 juːst] *adj*
o. *perf p* **1** använd, begagnad [~ *cars*];
hardly ~ nästan som ny **2** ~ *to* van vid [*he
is* ~ *to hard work*]; *you'll soon get* ~ *to it*
du blir snart van vid det, du vänjer dig
snart
useful [ˈjuːsfʊl] *adj* **1** nyttig [*for sth* till ngt];
användbar, lämplig, bra [*to sb* för ngn; *for
sth* till ngt]; *come in* ~ komma väl till
pass, komma till nytta **2** vard. skaplig [*he's a*
~ *goalkeeper*]
usefulness [ˈjuːsfʊlnəs] *subst* nytta, gagn,
användbarhet, lämplighet
useless [ˈjuːsləs] *adj* **1** oduglig,
oanvändbar, värdelös **2** lönlös, fruktlös [~
attempts]
user [ˈjuːzə] *subst* förbrukare, konsument;
road ~ vägtrafikant; *telephone* ~
telefonabonnent
user-friendly [ˈjuːzə‚frendlɪ] *adj*
användarvänlig
usher I [ˈʌʃə] *subst* vaktmästare,
platsanvisare på t.ex. teater
II [ˈʌʃə] *verb* **1** föra, ledsaga, visa **2** ~ *in*
inleda, inviga [~ *in a new era*]
usherette [‚ʌʃəˈret] *subst* platsanviserska på
t.ex. teater
USSR [‚juːeseˈsɑː] (förk. för *Union of Soviet
Socialist Republics*) *subst* hist., *the* ~ Sovjet
usual [ˈjuːʒʊəl] *adj* vanlig, bruklig; *he came
late, as* ~ han kom sent som vanligt; *as is*
~ *in our family* som är vanligt i vår familj
usually [ˈjuːʒʊəlɪ] *adv* vanligtvis, vanligen;
more than ~ *hot* varmare än vanligt
usurp [juːˈzɜːp] *verb* tillskansa sig,
bemäktiga sig; ~ *power* orättmätigt ta makt
usurper [juːˈzɜːpə] *subst* troninkräktare,
inkräktare
usury [ˈjuːʒərɪ] *subst* ocker
utensil [juːˈtensl] *subst* redskap, verktyg;

cooking ~*s* kokkärl; *household* ~*s*
hushållsredskap; *kitchen* ~*s* köksredskap
uterus ['juːtərəs] (pl. *uteri* ['juːtəraɪ]) *subst*
anat. livmoder, uterus
utilitarian [ˌjuːtɪlɪ'teərɪən] *adj* nytto- [~
morality], nyttighets- [~ *principle*]
utility [juː'tɪlətɪ] *subst* **1** praktisk nytta,
användbarhet; nyttighet; ~ *plant*
nyttoväxt **2** *public* ~ el. ~ a) affärsdrivande
verk, statligt el. kommunalt affärsverk
b) samhällsservice, allmän nyttighet;
public ~ *company* allmännyttigt företag
utilization [ˌjuːtɪlaɪ'zeɪʃən] *subst* utnyttjande
utilize ['juːtɪlaɪz] *verb* utnyttja, dra nytta av
utmost I ['ʌtməʊst] *adj* ytterst, störst [*with
the* ~ *care*]
II ['ʌtməʊst] *subst,* *the* ~ det yttersta; *do
one's* ~ göra sitt yttersta
Utopia [juː'təʊpjə] *subst* utopi
Utopian [juː'təʊpjən] *adj* utopisk,
verklighetsfrämmande
1 utter ['ʌtə] *adj* fullständig [*an* ~ *denial*],
fullkomlig, total [~ *darkness*], yttersta [~
misery]
2 utter ['ʌtə] *verb* **1** ge ifrån sig, utstöta [~ *a
cry*], få fram, uttala [~ *sounds*] **2** yttra,
uttala [*the last words he uttered*]
utterance ['ʌtərəns] *subst* uttalande,
yttrande; *give* ~ *to* ge uttryck åt
utterly ['ʌtəlɪ] *adv* fullständigt, fullkomligt
U-turn ['juːtɜːn] *subst* **1** U-sväng
2 helomvändning [*a* ~ *on economic policy*]

V o. **v** [viː] *subst* V, v; *V sign* V-tecken
vac [væk] *subst* vard. kortform för *vacation*

vacancy
Utanför hotell och ställen med *bed
and breakfast* finns oftast en skylt
med texten *vacancies* lediga rum,
eller *no vacancies* inga lediga rum.

vacancy ['veɪkənsɪ] *subst* vakans, ledig plats
vacant ['veɪkənt] *adj* **1** tom, ledig [~ *seat*];
situations ~ lediga platser **2** frånvarande,
uttryckslös [~ *smile*]
vacantly ['veɪkəntlɪ] *adv, stare* ~ stirra
frånvarande
vacate [və'keɪt] *verb* flytta ifrån, utrymma,
lämna
vacation [və'keɪʃən] *subst* **1** ferier, lov [*the
Christmas* ~]; *the summer* ~
sommarlovet; *be on* ~ ha ferier, ha lov, ha
semester, ha lov **2** utrymning av t.ex. bostad;
utflyttning
vacationer [və'keɪʃənə] *subst* amer.
semesterfirare
vaccinate ['væksɪneɪt] *verb* vaccinera
vaccination [ˌvæksɪ'neɪʃən] *subst*
vaccinering
vaccine ['væksiːn] *subst* vaccin
vacillate ['væsɪleɪt] *verb* vackla, tveka
vacillation [ˌvæsɪ'leɪʃən] *subst* vacklan,
vacklande
vacuum I ['vækjʊəm] *subst* vakuum,
tomrum; lufttomt rum; ~ *cleaner*
dammsugare; ~ *flask* el. amer. ~ *bottle*
termosflaska
II ['vækjʊəm] *verb* vard. dammsuga
vacuum-packed ['vækjʊəmpækt] *adj*
vakuumförpackad
vagabond I ['vægəbɒnd] *adj* kringflackande
[~ *life*], vagabond-
II ['vægəbɒnd] *subst* vagabond,
landstrykare
vagina [və'dʒaɪnə] *subst* anat. slida, vagina
vague [veɪg] *adj* vag, oklar, obestämd; *I
haven't the vaguest idea* jag har inte
den ringaste aning; *I've a* ~ *recollection*

that I did it jag har ett dunkelt (svagt) minne att jag gjorde det

vaguely ['veɪglɪ] *adv* vagt, oklart, obestämt; *the name is ~ familiar* namnet förefaller bekant

vain [veɪn] *adj* **1** gagnlös, fåfäng; *in ~* förgäves **2** fåfäng, egenkär

vainness ['veɪnnəs] *subst* **1** fåfänglighet; *the ~ of the attempt* det fruktlösa i försöket **2** fåfänga, egenkärlek

---

Valentine

Det är inte helt klart vilken Valentine som är upphovet till valentin-traditionen. En tradition berättar att den 14 februari för ca 1800 år sedan avrättades en kristen man som hette Valentine av romarna. På sin dödsdag skickade han ett sista brev till sin älskade, som han avslutade med *Your Valentine*. När det engelska postverket inrättades i början av 1800-talet blev det populärt att skicka kort med en vers till sin älskade på Valentines dödsdag. I dag skickar man oftast kort med texten *Be my Valentine* eller *From Your Valentine* utan att tala om vem man är. Man kan också ge någon man tycker om en röd ros eller en hjärtformad ask med hjärtformade praliner eller marmeladbitar.

Valentine I ['væləntaɪn] *egennamn, St. Valentine's Day* Alla hjärtans dag 14 februari

II ['væləntaɪn] *subst, valentine* a) valentin, valentinfästmö b) valentinbrev

valerian [vəˈlɪərɪən] *subst* växt valeriana

valet I ['vælɪt] *subst* **1** kammartjänare, betjänt **2** klädserviceman på hotell; *~ parking* amer. parkering genom hotellpersonalens försorg **3** *~ stand* el. *~* herrbetjänt möbel

II ['vælɪt] *verb* **1** passa upp **2** sköta om kläderna åt

valiant ['væljənt] *adj* tapper, modig

valid ['vælɪd] *adj* giltig; *be ~* gälla; *become ~* vinna laga kraft; *~ reasons* vägande skäl

validity [vəˈlɪdətɪ] *subst* giltighet

valley ['vælɪ] *subst* dal, dalgång

valorous ['vælərəs] *adj* tapper, dristig

valour ['vælə] *subst* tapperhet, dristighet

valuable I ['væljʊəbl] *adj* värdefull, dyrbar [*to* för]; värderad

II ['væljʊəbl] *subst* vanligen pl. *~s* värdesaker

valuation [ˌvæljʊˈeɪʃən] *subst* **1** värdering [*~ of a house*], uppskattning **2** värde, värderingsbelopp

value I ['vælju:] *subst* **1** värde, valör; *exchange ~* bytesvärde; *have a sentimental ~* ha affektionsvärde; *at its full ~* till sitt (dess) fulla värde; *to the ~ of* till ett värde av, till ett belopp av; *good ~ for money* bra valuta för pengarna **2** valör, innebörd **3** pl. *~s* värderingar [*moral ~s*]

II ['vælju:] *verb* **1** värdera, uppskatta, taxera [*at* till] **2** uppskatta sätta värde på; *~ highly* el. *~ dearly* sätta stort värde på

value-added ['væljʊˌædɪd] *adj, ~ tax* mervärdesskatt, moms

valued ['vælju:d] *adj* värderad, högt aktad

valueless ['væljʊləs] *adj* värdelös

valve [vælv] *subst* **1** tekn. ventil, klaff; *overhead ~* toppventil **2** anat. hjärtklaff

vampire ['væmpaɪə] *subst* vampyr, blodsugare

1 van [væn] *subst* **1** täckt transportbil, skåpbil, varubil, amer. minibuss; *delivery ~* varubil; *furniture ~* flyttbil **2** järnv., *luggage ~* resgodsvagn; *guard's ~* konduktörskupé **3** *police ~* polispiket; *recording ~* film. el. tv. inspelningsbuss; radio. reportagebil

2 van [væn] *subst* se *vanguard*

3 van [væn] *subst* vard., i tennis fördel; *~ in* fördel in (servaren); *~ out* fördel ut (mottagaren)

vandal ['vændl] *subst* vandal

vandalism ['vændəlɪzəm] *subst* vandalism, vandalisering

vandalize ['vændəlaɪz] *verb* vandalisera

vane [veɪn] *subst* **1** vindflöjel **2** kvarnvinge **3** blad på t.ex. propeller

vanguard ['vænɡɑ:d] *subst* mil. förtrupp, tät; *be in the ~ of* gå i spetsen för, gå i täten för

vanilla [vəˈnɪlə] *subst* vanilj; *~ custard* vaniljsås, vaniljkräm; *~ ice* el. *~ ice cream* vaniljglass

vanish ['vænɪʃ] *verb* försvinna [*into* i]; *~ into thin air* gå upp i rök

vanishing ['vænɪʃɪŋ] *subst* försvinnande; *~*

act borttrollningsnummer; ~ *trick*
borttrollningstrick

vanity ['vænətɪ] *subst* **1** fåfänga
2 fåfänglighet, fåfänga **3** ~ *case*
sminkväska, necessär; ~ *table* amer.
toalettbord

vanquish ['væŋkwɪʃ] *verb* övervinna,
besegra

vapid ['væpɪd] *adj* **1** fadd, smaklös; duven
2 andefattig, platt, innehållslös [*a* ~
conversation]

vaporize ['veɪpəraɪz] *verb* avdunsta

vaporizer ['veɪpəraɪzə] *subst*
avdunstningsapparat; sprej apparat;
spridare

vapour ['veɪpə] *subst* ånga; imma; dunst

variable ['veərɪəbl] *adj* växlande [~ *winds*],
varierande [~ *standards*], föränderlig; ~
weather ostadigt väder

variance ['veərɪəns] *subst*, *be at* ~ a) om
personer vara oense b) om t.ex. åsikter gå isär

variation [ˌveərɪ'eɪʃən] *subst* variation,
förändring

varicose ['værɪkəʊs] *adj* med. varikös; pl. ~
veins åderbråck

varied ['veərɪd] *adj* växlande, varierande,
skiftande

variety [və'raɪətɪ] *subst* **1** omväxling,
ombyte, variation; ~ *is the spice of life*
ombyte förnöjer; *by way of* ~ som
omväxling **2** mångfald, rikedom; *for a* ~
of reasons av en mängd olika skäl **3** sort,
slag, form, typ **4** ~ *entertainment* el. ~
show varieté, revy; ~ *turn* varieténummer

various ['veərɪəs] *adj* **1** olika [~ *types*],
olikartad, olikartade **2** åtskilliga, diverse,
flera [*for* ~ *reasons*]

varnish I ['vɑːnɪʃ] *subst* **1** fernissa **2** lack,
lackering; *nail* ~ nagellack
II ['vɑːnɪʃ] *verb* **1** fernissa **2** lacka, lackera
[~ *one's nails*]

vary ['veərɪ] *verb* **1** variera, ändra **2** växla,
skifta [*his mood varies from day to day*]
3 vara olik [*from sth* ngt]; skilja sig

varying ['veərɪɪŋ] *adj* växlande, varierande,
skiftande, olika

vase [vɑːz, amer. veɪs, veɪz] *subst* vas

vaseline® ['væsəliːn] *subst* vaselin

vast [vɑːst] *adj* vidsträckt, väldig, oerhörd;
the ~ *majority* det överväldigande
flertalet

vastly ['vɑːstlɪ] *adv* oerhört, väldigt

vastness ['vɑːstnəs] *subst* vidsträckthet,
väldighet, vidd

VAT [ˌviːeɪ'tiː, væt] *subst* (förk. för *value-added
tax*) moms

vat [væt] *subst* stort fat [*a wine* ~]; kar

Vatican ['vætɪkən] *subst*, *the* ~ Vatikanen

1 vault I [vɔːlt] *subst* **1** valv **2** källarvalv
3 gravvalv **4** kassavalv
II [vɔːlt] *verb* välva; perf. p. *vaulted* välvd [*a
vaulted roof*]; med välvt tak [*a vaulted
chamber*]

2 vault [vɔːlt] *verb* hoppa upp, svinga sig
upp [~ *into the saddle*]; hoppa över, svinga
sig över

vaulting-horse ['vɔːltɪŋhɔːs] *subst* gymn.
bygelhäst

vaulting-pole ['vɔːltɪŋpəʊl] *subst* stav till
stavhopp

VCR [ˌviːsiː'ɑː] förk. för *videocassette recorder*

VD [ˌviː'diː] (förk. för *venereal disease*) VS

've [v] = *have* [*I've, they've, we've, you've*]

veal [viːl] *subst* kalvkött; *roast* ~ kalvstek; ~
cutlet kalvschnitzel; kalvkotlett

veer [vɪə] *verb* **1** om vind ~ el. ~ *round* ändra
riktning, svänga om spec. medsols **2** om fartyg
ändra kurs, gira **3** svänga, slå om **4** vända
[~ *a ship*]

veg [vedʒ] vard. för *vegetable, vegetables*

vegan ['viːgən, amer. 'veɪgən] *subst* vegan

vegetable I ['vedʒətəbl] *adj* vegetabilisk [~
food]; grönsaks- [~ *a* ~ *diet*]; växt- [~ *fibre*];
the ~ *kingdom* växtriket; ~ *marrow*
pumpa, kurbits; ~ *oil* vegetabilisk olja
II ['vedʒətəbl] *subst* **1** grönsak, köksväxt; ~
garden köksträdgård; ~ *market*
grönsakstorg **2** vard., om person hjälplöst
kolli, paket

vegetarian I [ˌvedʒɪ'teərɪən] *subst*
vegetarian
II [ˌvedʒɪ'teərɪən] *adj* vegetarisk

vegetate ['vedʒɪteɪt] *verb* **1** om växt växa,
utveckla sig **2** föra ett enformigt liv

vegetation [ˌvedʒɪ'teɪʃən] *subst* vegetation,
växtlighet

veggie ['vedʒɪ] *subst* vard. **1** kortform för
vegetarian **2** kortform för *vegetable*

vehemence ['viːəməns] *subst* häftighet

vehement ['viːəmənt] *adj* häftig, våldsam

vehicle ['viːɪkl] *subst* **1** fordon, vagn
2 uttrycksmedel, medium, språkrör

veil I [veɪl] *subst* slöja, flor; *take the* ~ bli
nunna
II [veɪl] *verb* beslöja, skyla, dölja; perf. p.
veiled a) beslöjad b) dold [*a veiled threat*]

vein [veɪn] *subst* **1** anat. ven, blodåder **2** åder,
ådra [*a* ~ *of coal*] **3** nerv i t.ex. blad; ådra i
t.ex. trä, sten **4** stämning, humör; *be in the*

~ el. *be in the right* ~ vara upplagd, vara i
den rätta stämningen; *in a humorous* ~
a) på skämthumör b) på skämt **5** stil
[*remarks in the same* ~]

Velcro® ['velkrəʊ] *subst* kardborrband,
kardborrknäppning

velocity [və'lɒsətɪ] *subst* hastighet [*the* ~ *of
light*]

velour [və'lʊə] *subst* velour; bomullssammet

velvet ['velvət] *subst* sammet

velvety ['velvətɪ] *adj* sammetslen,
sammetsmjuk

vendetta [ven'detə] *subst* vendetta,
blodshämnd

vending machine ['vendɪŋmə,ʃiːn] *subst*
automat, varuautomat

vendor ['vendə] *subst* gatuförsäljare

veneer I [və'nɪə] *verb* snickeri fanera

  II [və'nɪə] *subst* **1** snickeri faner **2** fasad, yttre
sken [*a* ~ *of respectability*]

venerable ['venərəbl] *adj* vördnadsvärd,
ärevördig

venerate ['venəreɪt] *verb* ära, vörda

veneration [,venə'reɪʃən] *subst* vördnad [*of
för*]; *hold in* ~ hålla i ära, vörda

venereal [vɪ'nɪərɪəl] *adj* venerisk, köns-; ~
disease könssjukdom

Venetian I [və'niːʃən] *adj* venetiansk [~
glass]; ~ *blind* persienn

  II [və'niːʃən] *subst* venetianare

Venezuela [,vene'zweɪlə]

Venezuelan I [,vene'zweɪlən] *subst*
venezuelan

  II [,vene'zweɪlən] *adj* venezuelansk

vengeance ['vendʒəns] *subst* **1** hämnd; *take
~ on sb* ta hämnd på ngn **2** *with a* ~ vard.
så det förslår

Venice ['venɪs] Venedig

venison ['venɪsn] *subst* kok. rådjurskött,
hjortkött; rådjursstek, hjortstek

venom ['venəm] *subst* gift

venomous ['venəməs] *adj* giftig

vent I [vent] *subst* **1** lufthål, springa
2 rökgång **3** utlopp, fritt lopp [*give* ~ *to
one's feelings*]

  II [vent] *verb* ösa ut; ~ *one's anger on sb*
låta sin ilska gå ut över ngn

ventilate ['ventɪleɪt] *verb* **1** ventilera, vädra
2 ge uttryck åt [~ *one's feelings*]

ventilating ['ventɪleɪtɪŋ] *adj* ventilations-; ~
shaft lufttrumma

ventilation [,ventɪ'leɪʃən] *subst* ventilation,
luftväxling

ventilator ['ventɪleɪtə] *subst*
ventilationsanordning, fläkt

ventriloquist [ven'trɪləkwɪst] *subst*
buktalare; *ventriloquist's dummy*
buktalardocka

ventriloquy [ven'trɪləkwɪ] *subst* buktaleri,
buktalarkonst

venture I ['ventʃə] *subst* **1** vågstycke,
vågspel; satsning **2** hand. spekulation
3 försök [*at* till]

  II ['ventʃə] *verb* **1** våga [~ *one's life*], satsa;
riskera, sätta på spel; *nothing* ~, *nothing
gain* ordspr. den intet vågar han intet
vinner **2** våga, försöka [~ *a guess*]; ta
risker, våga sig [*I won't* ~ *a step further;* ~
too far out]; ~ *to* våga, ta sig friheten att [*I
~ to suggest*]

venue ['venjuː] *subst* mötesplats; sport.
tävlingsplats; fotb. m.m. spelplats

Venus ['viːnəs] astron. el. mytol. Venus

veracity [və'ræsətɪ] *subst* sannfärdighet

veranda [və'rændə] *subst* veranda

verb [vɜːb] *subst* gram. verb

verbal ['vɜːbl] *adj* **1** ord-; i ord; verbal [~
ability]; språklig [~ *error*] **2** muntlig; *a* ~
agreement en muntlig överenskommelse

verbally ['vɜːbəlɪ] *adv* **1** muntligt
2 ordagrant

verbiage ['vɜːbɪɪdʒ] *subst* ordflöde, svada

verbose [vɜː'bəʊs] *adj* mångordig

verbosity [vɜː'bɒsətɪ] *subst* mångordighet

verdict ['vɜːdɪkt] *subst* jurys utslag; ~ *of
acquittal* friande dom; *bring in a* ~ el.
return a ~ fälla utslag, avge dom; *the
jury brought in a* ~ *of guilty* juryns
utslag lydde på skyldig

verdigris ['vɜːdɪgriː] *subst* ärg

verge I [vɜːdʒ] *subst* **1** kant, rand [*the* ~ *of a
cliff*], brädd **2** brant [*on the* ~ *of ruin*],
rand; *be on the* ~ *of doing sth* vara på
vippen att göra ngt; *on the* ~ *of tears*
gråtfärdig **3** vägkant, vägren

  II [vɜːdʒ] *verb*, ~ *on* gränsa till [*it* ~*s on
madness*]

verger ['vɜːdʒə] *subst* kyrkvaktmästare

verifiable [verɪ'faɪəbl] *adj* möjlig att bevisa;
möjlig att verifiera; kontrollerbar

verification [,verɪfɪ'keɪʃən] *subst*
bekräftande, verifikation, bekräftelse [*of
av*]

verify ['verɪfaɪ] *verb* bekräfta, bestyrka,
verifiera

veritable ['verɪtəbl] *adj* formlig, veritabel

vermicelli [,vɜːmɪ'selɪ] *subst* vermiceller slags
tunna spaghetti

vermin ['vɜːmɪn] (med verb i pl.) *subst*
1 skadedjur, ohyra **2** pack, ohyra

vermouth ['vɜːməθ] *subst* vermouth starkvin
vernacular [və'nækjʊlə] *subst*, *in the* ~ på vanligt vardagsspråk
vernal ['vɜːnl] *adj*, ~ *equinox* vårdagjämning
versatile ['vɜːsətaɪl, *amer.* 'vɜːsətl] *adj* mångsidig [*a* ~ *writer*], mångkunnig, allsidig
versatility [,vɜːsə'tɪlətɪ] *subst* mångsidighet, allsidighet
verse [vɜːs] *subst* **1** vers, poesi [*prose and* ~]; *a volume of* ~ en diktsamling **2** versrad
versed [vɜːst] *adj*, ~ *in* bevandrad i
version ['vɜːʃən] *subst* version, framställning, tolkning; *screen* ~ filmatisering; *stage* ~ scenbearbetning
versus ['vɜːsəs] (förk. *v.*) *prep* sport. mot [*Arsenal* ~ *Spurs*]
vertebra ['vɜːtɪbrə] (pl. *vertebrae*) ['vɜːtɪbriː] *subst* ryggkota
vertebrate ['vɜːtɪbrət] *subst* ryggradsdjur
vertical ['vɜːtɪkl] *adj* vertikal, lodrät
vertigo ['vɜːtɪɡəʊ] *subst* svindel, yrsel, vertigo
verve [vɜːv] *subst* schvung, fart, kläm
very I ['verɪ] *adv* **1** mycket; *not* ~ inte så värst, inte så vidare [*not* ~ *interesting*]; ~ *much more* betydligt mer **2** *the* ~ *next day* redan nästa dag; *the* ~ *same place* precis samma plats; *it is my* ~ *own* den är helt min egen **3** framför superlativ allra [*the* ~ *first day*]; *at the* ~ *least* allra minst
II ['verɪ] *adj* **1** efter *the, this, that, his, her* etc. a) själva, själv; *in the* ~ *act* på bar gärning; *in the* ~ *centre* i själva centrum; *the* ~ *idea of it* blotta tanken på det; *he is the* ~ *man I want* han är precis den mannen jag vill ha; *before our* ~ *eyes* mitt för ögonen på oss; *the* ~ *opposite* raka motsatsen **2** redan, just, ända; *at the* ~ *beginning* redan från början; *at that* ~ *moment* just i det ögonblicket; *from the* ~ *beginning* ända från början **3** allra; *I did my* ~ *utmost* jag gjorde mitt yttersta
vessel ['vesl] *subst* **1** kärl; *blood* ~ blodkärl; *empty* ~*s make the greatest noise* ordspr. tomma tunnor skramlar mest **2** fartyg
vest [vest] *subst* **1** undertröja **2** *amer.* väst
vested ['vestɪd] *adj*, ~ *interest* ekon. kapitalintresse; *they have a* ~ *interest in it* det ligger i deras intresse
vestibule ['vestɪbjuːl] *subst* vestibul, farstu, hall
vestige ['vestɪdʒ] *subst* spår [*of* av, efter]

vestment ['vestmənt] *subst* kyrkl. skrud; mässhake
vestry ['vestrɪ] *subst* kyrkl. sakristia
vet I [vet] *subst* vard. (kortform för *veterinary* o. *veterinary surgeon*) veterinär, djurläkare
II [vet] (*-tt-*) *verb* vard. undersöka, kolla [~ *a report*], kritiskt granska
veteran ['vetərən] *subst* veteran
veterinarian [,vetərɪ'neərɪən] *subst* amer. veterinär
veterinary I ['vetərənrɪ] *adj* veterinär- [~ *science*]; ~ *surgeon* veterinär
II ['vetərənrɪ] *subst* veterinär
veto I ['viːtəʊ] (pl. *vetoes*) *subst* veto; *right of* ~ vetorätt
II ['viːtəʊ] *verb* inlägga veto mot
vex [veks] *verb* förarga, besvära
vexation [vek'seɪʃən] *subst* förargelse
vexatious [vek'seɪʃəs] *adj* förarglig
vexed [vekst] *adj* **1** förargad **2** omtvistad, omstridd [*a* ~ *question*]
via ['vaɪə] *prep* via, över
viaduct ['vaɪədʌkt] *subst* viadukt
vibrant ['vaɪbrənt] *adj* **1** vibrerande **2** pulserande [*a* ~ *city*]
vibraphone ['vaɪbrəfəʊn] *subst* musik. vibrafon
vibrate [vaɪ'breɪt] *verb* vibrera, skälva, skaka; spec. fys. svänga
vibration [vaɪ'breɪʃən] *subst* vibration
vibrator [vaɪ'breɪtə] *subst* vibrator, massageapparat, massagestav
vicar ['vɪkə] *subst* kyrkoherde
vicarage ['vɪkərɪdʒ] *subst* prästgård
1 vice [vaɪs] *subst* last [*virtues and* ~*s*]; *the* ~ *squad* sedlighetsroteln
2 vice [vaɪs] *subst* skruvstäd
vice-chairman [,vaɪs'tʃeəmən] *subst* vice ordförande
vice-president [,vaɪs'prezɪdənt] *subst* **1** vicepresident **2** vice ordförande **3** amer. vice verkställande direktör
vice versa [,vaɪsɪ'vɜːsə] *adv* vice versa
vicinity [vɪ'sɪnətɪ] *subst* grannskap, omgivning, trakt; *in the* ~ *of* i trakten av, i närheten av
vicious ['vɪʃəs] *adj* **1** illvillig [~ *gossip*], elak, ond; *a* ~ *circle* en ond cirkel **2** arg, ilsken; *a* ~ *dog* en argsint hund; *a* ~ *temper* ett vidrigt temperament
vicissitude [vɪ'sɪsɪtjuːd] *subst* växling, förändring; *the* ~*s of life* livets skiften
victim ['vɪktɪm] *subst* offer, brottsoffer; *be the* ~ *of* el. *be a* ~ *of* vara offer för, falla offer för

victimization [ˌvɪktɪmaɪ'zeɪʃən] *subst*
1 diskriminering **2** trakasserande;
mobbning
victimize ['vɪktɪmaɪz] *verb* **1** göra till offer,
offra **2** trakassera, mobba
victor ['vɪktə] *subst* segrare, segerherre
Victorian I [vɪk'tɔːrɪən] *adj* viktoriansk från
(karakteristisk för) drottning Viktorias tid 1837-1901
[*the ~ age, the ~ period*]
II [vɪk'tɔːrɪən] *subst* viktorian
victorious [vɪk'tɔːrɪəs] *adj* segrande,
segerrik; *be ~* segra
victory ['vɪktərɪ] *subst* seger; *gain a ~ over*
el. *win a ~ over* segra över
victual ['vɪtl] *subst* pl. *~s* livsmedel, proviant
video I ['vɪdɪəʊ] (pl. *~s*) *subst* **1** video,
videoband **2** video, videobandspelare
II ['vɪdɪəʊ] *adj* video- [*~ cartridge*]; *~*
conference videokonferens
III ['vɪdɪəʊ] *verb* videofilma
video arcade ['vɪdɪəʊɑːˌkeɪd] *subst* spelhall
där man spelar videospel
video camera ['vɪdɪəʊˌkæmərə] *subst*
videokamera
videocassette [ˌvɪdɪəʊkə'set] *subst*
videokassett; *~ recorder* (förk. *VCR*)
videobandspelare
video game ['vɪdɪəʊɡeɪm] *subst* tv-spel
video jockey ['vɪdɪəʊˌdʒɒki] *subst*
videopratare presentatör av musikvideo
video nasty ['vɪdɪəʊˌnɑːsti] *subst* vard.
våldsvideo
videophone ['vɪdɪəʊfəʊn] *subst* bildtelefon
videotape I ['vɪdɪəʊteɪp] *subst* videoband
II ['vɪdɪəʊteɪp] *verb* videobanda
Vienna [vɪ'enə] Wien
Viennese I [ˌvɪə'niːz] *adj* wiensk, wien-; *~*
waltz wienervals
II [ˌvɪə'niːz] (pl. lika) *subst* wienare
Vietnam [ˌvjet'næm]
Vietnamese I [ˌvjetnə'miːz] *adj*
vietnamesisk
II [ˌvjetnə'miːz] *subst* **1** (pl. lika) vietnames
2 vietnamesiska språket
view I [vjuː] *subst* **1** syn; sikt; *block the ~*
skymma sikten; *take a long ~ of the*
matter ha ett långsiktigt perspektiv på
saken **2** utsikt, vy **3** synpunkt [*on, of* på],
uppfattning, åsikt [*on, of* om], syn [*on, of*
på]; *point of ~* synpunkt, synvinkel,
ståndpunkt **4** *in ~* i sikte; *in my ~* a) i min
åsyn b) enligt min uppfattning; *in ~ of*
a) inom synhåll för b) i betraktande av,
med hänsyn till [*in ~ of the financial*
situation]; *in full ~ of* fullt synlig för, mitt

framför; *come into ~* komma inom
synhåll; *be on ~* vara till beskådande, vara
utställd; *out of ~* utom synhåll, ur sikte;
with a ~ to sth med ngt i sikte; *with a ~*
to doing sth i avsikt (syfte) att göra ngt
II [vjuː] *verb* betrakta, se på, se [*~ the*
matter in the right light]; *~ TV* se på tv
viewer ['vjuːə] *subst* **1** tv-tittare
2 betraktare, åskådare
view-finder ['vjuːˌfaɪndə] *subst* foto. sökare
viewing ['vjuːɪŋ] *subst* **1** tv-tittande; *~*
hours el. *~ time* tv. sändningstid
2 tittande, betraktande
viewpoint ['vjuːpɔɪnt] *subst* **1** synpunkt,
synvinkel [*from this ~*]; ståndpunkt
2 utsiktspunkt
vigil ['vɪdʒɪl] *subst* vaka; *keep ~ over* el.
keep a ~ over vaka hos
vigilance ['vɪdʒɪləns] *subst* vaksamhet
vigilant ['vɪdʒɪlənt] *adj* vaksam
vigilante [ˌvɪdʒɪ'lænti] *subst* spec. i USA
medlem av ett medborgargarde
vigorous ['vɪgərəs] *adj* kraftfull, energisk,
spänstig
vigour ['vɪgə] *subst* kraft, kraftfullhet; vigör,
energi
Viking ['vaɪkɪŋ] *subst* viking
vile [vaɪl] *adj* usel; avskyvärd, vidrig
villa ['vɪlə] *subst* villa spec. i förort el. på
kontinenten; sommarvilla
village ['vɪlɪdʒ] *subst* by
villager ['vɪlɪdʒə] *subst* bybo, byinvånare

The Vietnam War
The Vietnam War, Vietnamkriget,
(1955–1975) utvecklades till ett
krig mellan USA och det av USA
stödda Sydvietnam på ena sidan
och det kommunistiska Nordviet-
nam på den andra. Efter stora för-
luster och protester drog sig USA
ur kriget 1973. Över en miljon sol-
dater från Syd- och Nordvietnamn
dog i kriget och antalet civila döda
vietnameser uppskattades till ca 1,5
miljoner. Få krig har upprört så
många både i och utanför USA. På
the Vietnam Memorial i Washington
finns namnen inristade på de ca
59 000 amerikaner som stupade i
Vietnamkriget.

villain ['vɪlən] *subst* **1** bov, skurk **2** vard.
rackare, busunge *[you little ~!]*

villainous ['vɪlənəs] *adj* skurkaktig, bovaktig

villainy ['vɪlənɪ] *subst* skurkaktighet, ondska

vim [vɪm] *subst* vard. kraft, energi, kläm

vindicate ['vɪndɪkeɪt] *verb* **1** försvara,
rättfärdiga **2** fria, fria **3** hävda, förfäkta *[~
a right]*

vindictive [vɪn'dɪktɪv] *adj* hämndlysten

vindictiveness [vɪn'dɪktɪvnəs] *subst*
hämndlystnad

vine [vaɪn] *subst* **1** vin växt; vinranka,
vinstock **2** ranka *[hop ~]*; slingerväxt

vinegar ['vɪnɪgə] *subst* ättika

vineyard ['vɪnjəd] *subst* vingård

vintage I ['vɪntɪdʒ] *subst* årgång av vin *[an old
~]*

II ['vɪntɪdʒ] *adj* av gammal fin årgång,
gammal fin *[~ brandy]*

vinyl ['vaɪnəl] *subst* kem. vinyl

1 viola [vɪ'əʊlə, ˌvaɪ'əʊlə] *subst* musik. altfiol,
viola

2 viola ['vaɪələ] *subst* odlad viol

violate ['vaɪəleɪt] *verb* **1** kränka *[~ a treaty]*,
bryta mot *[~ a principle]*, överträda *[~ the
law]* **2** inkräkta på *[~ sb's privacy]*
3 vanhelga, skända a) våldta

violation [ˌvaɪə'leɪʃən] *subst* **1** kränkning,
överträdelse *[~ of the law]* **2** störande
intrång *[a ~ of sb's privacy]* **3** vanhelgande,
skändning

violence ['vaɪələns] *subst* **1** våld *[I had to use
~]*; yttre våld *[no marks of ~]*;
våldsamheter, oroligheter; *act of ~*
våldsdåd; *robbery with ~* våldsrån
2 våldsamhet, häftighet

violent ['vaɪələnt] *adj* våldsam, häftig, svår
[a ~ headache], kraftig *[~ noise]*; *be ~* bli
våldsam, bruka våld

violet I ['vaɪələt] *subst* **1** blomma viol **2** färg
violett

II ['vaɪələt] *adj* färg violett

violin [ˌvaɪə'lɪn] *subst* fiol, violin

violin bow [ˌvaɪə'lɪnbəʊ] *subst* fiolstråke

violin case [ˌvaɪə'lɪnkeɪs] *subst* fiollåda

violinist [ˌvaɪə'lɪnɪst] *subst* musik. violinist

violoncellist [ˌvaɪələn'tʃelɪst] *subst* musik.
violoncellist

violoncello [ˌvaɪələn'tʃeləʊ] (pl. ~s) *subst*
musik. violoncell

VIP [ˌviːaɪ'piː] *subst* (förk. för *Very Important
Person*) VIP, högdjur, höjdare

viper ['vaɪpə] *subst* **1** huggorm **2** person orm

virgin I ['vɜːdʒɪn] *subst* jungfru, oskuld; *the
Virgin Mary* jungfru Maria; *the Blessed
Virgin* el. *the Holy Virgin* den heliga
jungfrun

II ['vɜːdʒɪn] *adj* **1** jungfrulig; *a ~ speech*
ett jungfrutal; *a ~ voyage* en jungfruresa
2 obefläckad, kysk; *~ soil* jungfrulig mark,
orörd mark

virginity [və'dʒɪnətɪ] *subst* jungfrulighet,
mödom, oskuld

Virgo ['vɜːgəʊ] stjärntecken Virgo, Jungfrun

virile ['vɪraɪl, amer. 'vɪrəl] *adj* manlig, viril

virility [vɪ'rɪlətɪ] *subst* manlighet, virilitet

virtual ['vɜːtʃʊəl] *adj* verklig, faktisk; *~
reality* virtual reality, virtuell verklighet

virtually ['vɜːtʃʊəlɪ] *adv* faktiskt, i realiteten;
så gott som, praktiskt taget *[he is ~
unknown]*

virtue ['vɜːtjuː] *subst* dygd

virtuosity [ˌvɜːtjʊ'ɒsətɪ] *subst* virtuositet

virtuoso [ˌvɜːtjʊ'əʊzəʊ] (pl. ~s el. *virtuosi*)
subst virtuos

virtuous ['vɜːtʃʊəs] *adj* dygdig

virulent ['vɪrʊlənt] *adj* giftig, elakartad

virus ['vaɪərəs] *subst* **1** virus **2** data. datavirus

visa I ['viːzə] *subst* visum; *entrance ~* el.
entry ~ inresevisum; *exit ~* utresevisum

II ['viːzə] *verb* visera *[get one's passport
visaed]*

viscount ['vaɪkaʊnt] *subst* viscount näst lägsta
rangen inom eng. högadeln

viscous ['vɪskəs] *adj* trögflytande, viskös

visibility [ˌvɪzɪ'bɪlətɪ] *subst* **1** synlighet
2 meteor. sikt; *improved ~* siktförbättring;
poor ~ dålig sikt; *reduced ~*
siktförsämring

visible ['vɪzəbl] *adj* synlig, tydlig *[to för]*

vision ['vɪʒən] *subst* **1** syn, synförmåga *[it
has improved his ~]* **2** syn, vision,
drömbild; uppenbarelse **3** *a man of ~* en
klarsynt man

visionary ['vɪʒənrɪ] *subst* visionär, drömmare

visit I ['vɪzɪt] *verb* **1** besöka, hälsa 'på; vara
på besök i (på), vara på besök; *~ pubs* gå
på puber

II ['vɪzɪt] *subst* besök, visit *[to sb hos ngn; to
a town* i en stad]; *pay a ~ to sb* besöka
ngn; *be on a ~* vara på besök *[to sb* hos
ngn; *to Italy* i Italien]

visitation [ˌvɪzɪ'teɪʃən] *subst* hemsökelse

visiting I ['vɪzɪtɪŋ] *subst* besök, besökande;
~ hours besökstid

II ['vɪzɪtɪŋ] *adj* besökande, gästande *[a ~
team]*; *~ lecturer* gästföreläsare; *~ nurse*
distriktssköterska

visiting-card ['vɪzɪtɪŋkɑːd] *subst* visitkort

visitor ['vɪzɪtə] *subst* besökare, besökande;

gäst [summer ~s]; resande; **visitors' book**
gästbok; **have** ~s ha gäster, ha främmande
visor ['vaɪzə] subst **1** mösskärm, skärm
2 solskydd i bil
vista ['vɪstə] subst **1** utsikt, fri sikt,
panorama **2** framtidsperspektiv
visual ['vɪzjʊəl] adj **1** syn- [the ~ nerve]; ~
aids visuella hjälpmedel; ~ **impression**
synintryck; ~ **inspection** okulärbesiktning
2 synlig [~ objects]
visualization [,vɪzjʊəlaɪ'zeɪʃən] subst
åskådliggörande, visualisering
visualize ['vɪzjʊəlaɪz] verb göra åskådlig [~
a scheme], frammana en klar bild av [~ a
scene]; tydligt föreställa sig
vital ['vaɪtl] adj **1** livsviktig [~ organs], vital,
livskraftig; ~ **force** livskraft; ~ **statistics**
a) befolkningsstatistik b) skämts. byst-,
midje- och höftmått på t.ex. skönhetsdrottning,
former **2** väsentlig, absolut nödvändig,
trängande [a ~ necessity]
vitality [vaɪ'tælətɪ] subst vitalitet, livskraft,
liv
vitalize ['vaɪtəlaɪz] verb vitalisera, ge liv åt
vitamin ['vɪtəmɪn, 'vaɪtəmɪn] subst vitamin
vivacious [vɪ'veɪʃəs] adj livlig, pigg
vivacity [vɪ'væsətɪ] subst livlighet, livfullhet
vivid ['vɪvɪd] adj **1** livlig [a ~ imagination],
levande [a ~ personality] **2** om färg ljus, klar,
intensiv
vivisect [,vɪvɪ'sekt] verb utföra vivisektion
på
vivisection [,vɪvɪ'sekʃən] subst vivisektion
vixen ['vɪksn] subst rävhona
V-neck ['viːnek] subst V-ringning,
V-skärning
vocabulary [və'kæbjʊlərɪ] subst **1** ordförråd,
vokabulär **2** ordlista; gloslista, glosbok
vocal ['vəʊkl] adj **1** röst-, sång- [~ exercise]
musik. vokal- [~ music]; ~ **cord** stämband;
~ **organ** talorgan **2** högljudd [~ protests]
vocalist ['vəʊkəlɪst] subst vokalist
vocalize ['vəʊkəlaɪz] verb artikulera, uttala;
sjunga
vocation [və'keɪʃən] subst kallelse [follow
one's ~]; kall; **he mistook his** ~ han valde
fel bana
vocational [və'keɪʃnəl] adj yrkesmässig;
yrkes-; ~ **guidance** yrkesvägledning; ~
training school yrkesskola
vociferous [və'sɪfərəs] adj högljudd
vodka ['vɒdkə] subst vodka
vogue [vəʊg] subst mode; **it's all the** ~ det
är högsta mode
voice I [vɔɪs] subst **1** röst, stämma; sångröst;

give ~ **to** ge uttryck åt; **raise one's** ~ höja
rösten, höja tonen; **have a** ~ **in the**
matter ha (få) ett ord med i laget; **I have**
no ~ **in this matter** jag har ingen talan i
den här saken **2** gram., verbs huvudform; **in**
the active ~ i aktiv form; **in the passive**
~ i passiv form
II [vɔɪs] verb **1** uttala, uttrycka **2** fonet.
uttala (göra) tonande
voiced [vɔɪst] adj fonet. tonande [~
consonants]
voiceless ['vɔɪsləs] adj fonet. tonlös [~
consonants]
void [vɔɪd] adj **1** tom **2** ~ of blottad på, utan
[~ of interest]
volatile ['vɒlətaɪl, amer. 'vɒlətl] adj **1** fys.
flyktig [~ oil] **2** om person flyktig, ombytlig,
labil
volcanic [vɒl'kænɪk] adj vulkanisk
volcano [vɒl'keɪnəʊ] (pl. ~s) subst vulkan
vole [vəʊl] subst djur sork, åkersork
volition [və'lɪʃən] subst vilja, viljekraft; **of**
one's own ~ av fri vilja
volley I ['vɒlɪ] subst **1** salva, skur [a ~ of
arrows]; **a** ~ **of applause** en applådåska
2 sport. volley; volleyretur; **on the** ~ på
volley
II ['vɒlɪ] verb **1** avlossa en salva (skur)
2 sport. slå på volley [~ a ball]
volleyball ['vɒlɪbɔːl] subst volleyboll
volt [vəʊlt] subst elektr. volt
voltage ['vəʊltɪdʒ] subst elektr. spänning i volt
volte-face [,vɒlt'fɑːs] subst helomvändning,
kovändning
voluble ['vɒljʊbl] adj talför, munvig
volume ['vɒljuːm] subst **1** volym, band, del
[in five ~s]; **speak** ~s tala sitt tydliga språk
2 volym, kubikinnehåll; omfång **3** volym,
ljudstyrka
voluminous [və'ljuːmɪnəs] adj omfångsrik,
omfattande, vidlyftig
voluntary ['vɒləntrɪ] adj frivillig
volunteer I [,vɒlən'tɪə] subst frivillig [an
army of ~s]; volontär
II [,vɒlən'tɪə] verb **1** frivilligt anmäla sig [for
till] **2** frivilligt erbjuda [~ one's services],
frivilligt lämna [~ information]
voluptuous [və'lʌptjʊəs] adj **1** vällustig
2 fyllig, yppig [a ~ figure]
vomit I ['vɒmɪt] verb kräkas upp, spy, kräkas
II ['vɒmɪt] subst kräkning, kräkningsanfall;
spyor
voracious [və'reɪʃəs] adj glupsk, rovgirig
voracity [vɒ'ræsətɪ] subst glupskhet,
rovgirighet

votary ['vəutərɪ] *subst* anhängare [*of* av]
vote I [vəut] *subst* **1** röst vid t.ex. votering; *cast
one's* ~ avge sin röst; *casting* ~
utslagsröst; *he won by 20* ~*s* han vann
med 20 rösters övervikt (marginal) **2** röster
[*the women's* ~]; röstetal, röstsiffra
3 omröstning, votering, röstning; *popular*
~ folkomröstning; *have the* ~ ha rösträtt;
put sth to the ~ låta ngt gå till votering;
take a ~ rösta [*on* om]; ~ *of no
confidence* misstroendevotum [*on* mot];
pass a ~ *of censure* ställa
misstroendevotum; *he proposed a* ~ *of
thanks to*... han föreslog att man skulle
uttala sitt tack till...
II [vəut] *verb* **1** rösta [*old enough to* ~]; rösta
för **2** bevilja, anslå; ~ *a grant* bevilja ett
anslag; ~ *an amount for sth* anslå ett
belopp till (för) ngt **3** ~ *Liberal* rösta på
liberalerna; *she was voted singer of the
year* hon utsågs till årets sångare **4** ense
om; *they voted the trip a success* de var
eniga om att resan hade varit lyckad
vote-catching ['vəut,kætʃɪŋ] *subst* röstfiske
voter ['vəutə] *subst* väljare, röstande,
röstberättigad
voting ['vəutɪŋ] *subst* röstning, votering, val;
~ *by ballot* sluten omröstning
voting-paper ['vəutɪŋ,peɪpə] *subst* valsedel
vouch [vautʃ] *verb,* ~ *for* garantera, ansvara
för, gå i god för
voucher ['vautʃə] *subst* **1** kupong [*luncheon*
~], voucher; rabattkupong; *gift* ~ el. ~
presentkort **2** kvitto, bong
vow I [vau] *subst, make a* ~ avlägga ett löfte
II [vau] *verb* lova högtidligt, svära, svära på
vowel ['vauəl] *subst* vokal
voyage I ['vɔɪɪdʒ] *subst* sjöresa; färd genom
luften el. i rymden
II ['vɔɪɪdʒ] *verb* resa till sjöss; färdas genom
t.ex. luften; resa på (över), färdas på (över)
voyager ['vɔɪədʒə] *subst* resande, sjöfarare
voyeur [vwɑː'jɜː] *subst* voyeur, fönstertittare

V-sign
V-tecknet användes under andra
världskriget som ett segertecken, *V
for victory*. Under 50- och 60-talen
användes samma tecken igen, men
nu som ett fredstecken, *peace sign*.

V-sign ['viːsaɪn] *subst* (förk. för *victory sign*)
v-tecken segertecken

VSOP [,viː'es,əu'piː] (förk. för *Very Superior
Old Pale*) beteckning för finare cognac
vulcanize ['vʌlkənaɪz] *verb* vulkanisera,
vulka
vulgar ['vʌlgə] *adj* **1** vulgär, tarvlig,
oanständig **2** vanlig, allmän **3** mat, ~
fraction allmänt bråk
vulgarity [vʌl'gærətɪ] *subst* vulgaritet
vulnerability [,vʌlnərə'bɪlətɪ] *subst* sårbarhet
vulnerable ['vʌlnərəbl] *adj* sårbar [*to* för],
ömtålig; utsatt [*a* ~ *position*]; *a* ~ *spot* en
känslig punkt
vulture ['vʌltʃə] *subst* gam

Ww

1 W o. **w** ['dʌblju:] *subst* W, w

2 W (förk. för *west, western*) V

wad [wɒd] *subst* bunt, packe

wadding ['wɒdɪŋ] *subst* **1** vaddering, vaddstoppning **2** vadd

waddle ['wɒdl] *verb* vagga, rulta

wade I [weɪd] *verb* vada, pulsa fram, traska fram {~ *through the mud*}
II [weɪd] *verb* med adv. o. prep.
wade in vard. sätta i gång, hugga i
wade into vard. **1** ta itu med, hugga i med **2** gå lös på, kasta sig över
wade through vard. plöja igenom

wafer ['weɪfə] *subst* **1** rån **2** kyrkl. oblat, hostia

1 waffle ['wɒfl] *subst* våffla

2 waffle ['wɒfl] *verb* vard. svamla, dilla

wag I [wæg] (-gg-) *verb* vifta på, vifta med {*the dog wagged its tail*}, vifta {*the dog's tail wagged*}; *set tongues wagging* sätta fart på skvallret
II [wæg] *subst* **1** viftning {*a ~ of the tail*}, vippande, vaggande **2** skämtare

wage I [weɪdʒ] *subst* vanligen pl. ~*s* lön, avlöning spec. veckolön för arbetare; *weekly* ~*s* veckolön; ~ *bracket* lönenivå, lönegrupp; ~ *demand* lönekrav; ~ *dispute* lönekonflikt; ~ *drift* löneglidning; ~ *freeze* lönestopp; ~ *packet* lönekuvert; ~ *restraint* löneåterhållsamhet; ~ *talks* löneförhandlingar
II [weɪdʒ] *verb* utkämpa {~ *a battle*}, {*against, on* mot}; ~ *war* föra krig

wage-earner ['weɪdʒ,ɜːnə] *subst* löntagare

wager I ['weɪdʒə] *subst* vad, insats; *lay a* ~ el. *make a* ~ slå vad {*on* om; *that* om att}
II ['weɪdʒə] *verb* slå vad om, satsa, sätta {~ *10 pounds*}

waggle I ['wægl] *verb* vifta på (med), vicka på (med)
II ['wægl] *subst* viftning, vippande, vickande {*with a* ~ *of the hips*}

waggon ['wægən] *subst* se *wagon*

wagon ['wægən] *subst* **1** lastvagn, transportvagn; järnv. öppen godsvagn; *covered* ~ a) täckt godsvagn b) prärievagn **2** vard., *go on the* ~ spola kröken sluta med spriten

wagtail ['wægteɪl] *subst* fågel sädesärla

waif [weɪf] *subst* föräldralöst barn, hemlöst barn

wail I [weɪl] *verb* **1** jämra sig **2** om t.ex. vind tjuta, vina
II [weɪl] *subst* högljudd klagan, jämmer

wainscot ['weɪnskət] *subst* panel

waist [weɪst] *subst* midja, liv

waistband ['weɪstbænd] *subst* **1** linning, kjollinning, byxlinning **2** gördel, skärp

waistcoat ['weɪskəut] *subst* väst

waist-deep [,weɪst'diːp] *adj* o. *adv* upp till midjan {*he stood* ~ *in the water*}

waist-high [,weɪst'haɪ] *adj* o. *adv* till midjan

wait I [weɪt] *verb* **1** vänta, dröja, stanna; *you* ~*!* hotelse vänta du bara!; *keep sb waiting* el. *make sb* ~ låta ngn vänta; *everything comes to those who* ~ den som väntar på något gott väntar aldrig för länge; *that can* ~ det är inte så bråttom med det; ~ *to* + inf. a) vänta för att {*we waited to see what would happen*} b) vänta på att; *I can't* ~ *for the start of the new football season* jag längtar efter att fotbollssäsongen ska börja; *she waited for him to come home* hon väntade på att han skulle komma hem **2** passa upp, servera **3** vänta på; ~ *one's opportunity* vänta på ett lämpligt tillfälle; *you must* ~ *your turn* du får vänta tills det blir din tur **4** vänta med; *don't* ~ *dinner for me* vänta inte på mig med middagen
II [weɪt] *verb* med adv. o. prep.
wait at table passa upp vid bordet, servera
wait for vänta på, avvakta
wait on passa upp, servera; betjäna, expediera {~ *on a customer*}
III [weɪt] *subst* **1** väntan {*for* på}, väntetid, paus; *we had a long* ~ *for the bus* vi fick vänta länge på bussen **2** *lie in* ~ *for* ligga i bakhåll för

wait-and-see [,weɪtən'siː] *adj*, *pursue a* ~ *policy* inta en avvaktande hållning

waiter ['weɪtə] *subst* kypare, servitör; ~*!* vaktmästarn!

waiting ['weɪtɪŋ] *subst* **1** väntan; *play a* ~ *game* inta en avvaktande hållning **2** trafik., *No Waiting!* Förbud att stanna fordon stoppförbud

waiting-list ['weɪtɪŋlɪst] *subst* väntelista

waiting-room ['weɪtɪŋruːm] *subst* väntrum, väntsal

waitress ['weɪtrəs] *subst* servitris; ~*!* fröken!

waive [weɪv] *verb* avstå från {~ *one's right*}, uppge {~ *one's claim*}; ~ *aside* vifta bort

1 wake [weɪk] (*woke woken*) *verb* **1** ~ *up* el.
~ vakna, vakna upp **2** väcka [*the noise woke
me* el. *the noise woke me up*], väcka upp
3 väcka, sätta liv i; ~ *up to* väcka till insikt
om
2 wake [weɪk] *subst*, *bring in one's* ~
medföra, dra med sig
wakeful ['weɪkfʊl] *adj* **1** vaken, sömnlös
2 vaksam

Wales
HUVUDSTAD: Cardiff (306 000).
FOLKMÄNGD: 2,9 milj.
YTA: 20 766 km² (ungefär en fjärde-
del av Svealands yta).
SPRÅK: engelska och walesiska.
Wales är en del av *the United King-
dom*. Huvudnäringar är jordbruk
och turism. Man förknippar Wales
med berg och gröna dalar. Wales-
iska talas fortfarande av många
som förstaspråk och man har en
walesisk tv-kanal.

Wales [weɪlz] *geogr.* egennamn, *the Prince of*
~ prinsen av Wales titel för den brittiske
tronföljaren
walk I [wɔːk] *verb* **1** gå, promenera; ~ *on all
fours* gå på alla fyra **2** gå på (i), gå fram
och tillbaka på (i); ~ *it* vard. gå till fots; ~
the streets a) promenera på gatorna, gå på
gatorna b) om prostituerad gå på gatan **3** om
t.ex. spöken gå igen, spöka **4** vard. följa, gå
med; ~ *sb home* följa ngn hem
II [wɔːk] *verb* med adv. o. prep.
walk about gå omkring i (på), promenera
omkring i (på)
walk away 1 gå sin väg, avlägsna sig **2** ~
away with vard. knycka stjäla [~ *away with
the silver*], vinna [*he walked away with the
first prize*]
walk in gå in, stiga in, stiga på
walk into gå in i, gå ner i
walk off gå sin väg
walk on gå 'på, gå vidare
walk out 1 gå ut, gå ut och gå **2** gå i strejk
3 ~ *out on* vard. gå ifrån, lämna i sticket,
lämna [*they walked out on the meeting*; *he
has walked out on her*]
walk up 1 gå upp (uppför), stiga upp
(uppför) **2** gå fram, stiga fram [*to* till]
III [wɔːk] *subst* **1** promenad, fotvandring; *it*

is only ten minutes' ~ det tar bara tio
minuter att gå; *go out for a* ~ el. *go for a*
~ el. *take a* ~ gå ut och gå, gå ut och
promenera; *take the dog for a* ~ el. *take
the dog out for a* ~ gå ut med hunden,
rasta hunden **2** sport. gångtävling; *20 km* ~
20 km gång **3** *I know him by his* ~ jag
känner igen honom på hans sätt att gå
4 promenadtakt; *at a* ~ i skritt; gående
5 promenadväg, gångväg, allé **6** ~ *of life*
samhällsgrupp, samhällsklass [*people from
every* ~ *of life*]
walkie-talkie [ˌwɔːkɪ'tɔːkɪ] *subst*
walkie-talkie
walking I ['wɔːkɪŋ] *subst* **1** gående;
fotvandringar, promenader; ~ *is good
exercise* att gå är bra motion; ~ *distance*
gångavstånd; *at a* ~ *pace* i skritt; gående
2 sport. gång
II ['wɔːkɪŋ] *adj* gående, gång-; *a* ~
dictionary el. *a* ~ *encyclopedia* ett
levande lexikon
walking-frame [ˌwɔːkɪŋ'freɪm] *subst* gåbock
för handikappade
walking-shoe ['wɔːkɪŋʃuː] *subst*
promenadsko
walking-stick ['wɔːkɪŋstɪk] *subst*
promenadkäpp
walking-tour ['wɔːkɪŋtʊə] *subst* fotvandring
Walkman® ['wɔːkmən] (pl. ~s) *subst*
freestyle kassettbandspelare i fickformat
walk-on ['wɔːkɒn] *adj* teat. statist- [a ~ *part*]
walkout ['wɔːkaʊt] *subst* **1** strejk **2** uttåg i
protest från t.ex. sammanträde
walkover ['wɔːkˌəʊvə] *subst* **1** sport.
promenadseger **2** sport. walkover **3** enkel
match, enkel sak

Wall Street
Wall Street är den gata på Manhat-
tan i New York där börsen är belä-
gen. Ibland säger man *on Wall
Street* och menar själva börsen.

wall I [wɔːl] *subst* mur, vägg; ~ *bars* gymn.
ribbstol; *come up against a brick* ~ köra
fast; *drive sb up the* ~ driva ngn till
vansinne, göra ngn galen; *have one's
back to the* ~ vara ställd mot väggen;
stand sb up against a ~ ställa ngn mot
väggen; *bang one's head against a
brick* ~ köra huvudet i väggen; *it's like*

talking to a brick ~ det är som att tala till en vägg
II [wɔːl] *verb,* ~ *in* omge med en mur
wallet ['wɒlɪt] *subst* plånbok
wallflower ['wɔːl,flaʊə] *subst* **1** blomma lackviol **2** vard. panelhöna
wallop I ['wɒləp] *verb* vard. klå upp, ge stryk
II ['wɒləp] *subst* vard. slag, smocka
III ['wɒləp] *adv* med en duns
wallow ['wɒləʊ] *verb* **1** vältra sig, rulla sig [*pigs wallowing in the mud*] **2** ~ *in* vältra sig i, vräka sig i [~ *in luxury*]
wall-painting ['wɔːl,peɪntɪŋ] *subst* väggmålning, fresk
wallpaper I ['wɔːl,peɪpə] *subst* tapet, tapeter
II ['wɔːl,peɪpə] *verb* tapetsera
wall-plug ['wɔːlplʌg] *subst* elektr. stickpropp
wall socket ['wɔːl,sɒkɪt] *subst* elektr. vägguttag
Wall Street ['wɔːlstriːt] gata i New York, där börsen är belägen; *on* ~ på den amerikanska börsen
wall-to-wall [,wɔːltʊ'wɔːl] *adj,* ~ *carpet* heltäckningsmatta
walnut ['wɔːlnʌt] *subst* nöt el. träslag valnöt
walrus ['wɔːlrəs] *subst* djur valross
waltz I [wɔːls] *subst* dans el. melodi vals
II [wɔːls] *verb* **1** dansa vals, valsa **2** vard. dansa [*she waltzed into the room*]; *he waltzed off with the first prize* han tog lätt hem första priset
wan [wɒn] *adj* glåmig, matt, blek
wand [wɒnd] *subst* trollstav, trollspö
wander ['wɒndə] *verb* **1** ~ el. ~ *about* vandra omkring, ströva omkring; om t.ex. blick, hand glida, fara, gå [*over* över]; *his attention wandered* hans tankar började vandra **2** ~ *away* el. ~ *off* gå vilse; ~ *from the subject* el. ~ *from the point* gå (komma) ifrån ämnet; *his mind is wandering* han yrar
wanderer ['wɒndərə] *subst* vandrare
wandering I ['wɒndərɪŋ] *subst* vandring; pl. ~*s* vandringar, kringflackande
II ['wɒndərɪŋ] *adj* kringvandrande, kringflackande [*lead a* ~ *life*]
wane I [weɪn] *verb* **1** avta [*his strength is waning*], minskas, försvagas **2** om t.ex. månen avta
II [weɪn] *subst, on the* ~ i avtagande, på tillbakagång; *the moon is on the* ~ månen är i nedan
wangle I ['wæŋgl] *verb* vard. **1** fiffla med, mygla till sig [~ *an invitation to a party*]

2 fiffla, tricksa, mygla
II ['wæŋgl] *subst* vard., *a* ~ fiffel, mygel
wank [wæŋk] *verb* vulg. runka, onanera
wanker ['wæŋkə] *subst* sl. nolla, tönt
wannabe ['wɒnəbɪ] *subst* vard. (förvanskning av *want to be*) wannabe person som gärna vill likna t.ex. en kändis eller en grupp
want I [wɒnt] *subst* **1** brist, avsaknad; ~ *of* brist på; *it wasn't for* ~ *of trying that he failed* det var inte så att han inte försökte, men han misslyckades ändå **2** spec. pl. ~*s* behov; önskningar; *supply a long felt* ~ el. *meet a long-felt* ~ fylla ett länge känt behov **3** nöd [*freedom from* ~]; *be in* ~ lida nöd
II [wɒnt] *verb* **1** vilja [*we can stay at home if you* ~]; vilja ha [*do you* ~ *some bread?*], önska sig [*what do you* ~ *for Christmas?*]; *I don't* ~ *it said that…* jag vill inte att man ska säga att…; *how much do you* ~ *for…?* hur mycket begär du för…?; *what do you* ~ *from me?* vad begär du av mig?, vad vill du mig?; *cook wanted* kock sökes **2** behöva; *it* ~*s doing* det behöver göras; *it* ~*s some doing* det är ingen lätt sak; *it* ~*s doing with great care* det måste (bör) göras med stor omsorg; *you* ~ *to be more careful* du måste (borde) vara försiktigare **3** sakna, inte ha [*he* ~*s the will to do it*] **4** vilja tala med [*tell Bob I* ~ *him*]; *you are wanted on the phone* det är telefon till dig; *wanted by the police* efterlyst av polisen **5** spec. amer., ~ *in* vilja komma (gå) in; ~ *out* a) vilja komma (gå) ut b) vard. inte vilja vara med längre
wanting ['wɒntɪŋ] *adj* o. *pres p, be* ~ saknas, fattas; *be* ~ *in* sakna [*be* ~ *in intelligence*], brista i [*be* ~ *in respect*]
wanton ['wɒntən] *adj* godtycklig; meningslös [~ *destruction*]; hänsynslös [*a* ~ *attack*]
war I [wɔː] *subst* krig; *the* ~ *against disease* kampen mot sjukdomar; *civil* ~ inbördeskrig; ~ *crimes* krigsförbrytelser; ~ *criminal* krigsförbrytare; ~ *memorial* krigsmonument; ~ *of nerves* nervkrig; *declare* ~ förklara krig [*on, against* mot]; *make* ~ el. *wage* ~ föra krig [*on* mot]; *go to* ~ börja krig [*against, with* mot, med]
II [wɔː] (-*rr*-) *verb* kriga, föra krig [*against* mot]
warble I ['wɔːbl] *verb* spec. om fåglar kvittra, drilla
II ['wɔːbl] *subst* fågels sång, kvitter, drill

war cry ['wɔːkraɪ] *subst* **1** stridsrop
2 slagord, paroll

ward I [wɔːd] *subst* avdelning, sal, rum på t.ex.
sjukhus; *casualty* ~ olycksfallsavdelning på
sjukhus; *maternity* ~ BB-avdelning,
förlossningsavdelning; *private* ~ enskilt
rum
II [wɔːd] *verb*, ~ *off* avvärja, parera [~ *off a
blow*]; avvända [~ *off a danger*], avstyra
war dance ['wɔːdɑːns] *subst* krigsdans
warden ['wɔːdn] *subst* **1** föreståndare,
uppsyningsman; *air-raid* ~ ungefär
ordningsman vid civilförsvaret; *traffic* ~
trafikvakt, lapplisa **2** amer. fängelsedirektör
warder ['wɔːdə] *subst* fångvaktare
wardrobe ['wɔːdrəub] *subst* **1** ~ el. *built-in*
~ garderob, klädkammare, klädskåp
2 samling kläder garderob [*renew one's* ~]
ware [weə] *subst* pl. ~*s* varor [*advertise one's*
~*s*], småartiklar
warehouse ['weəhaus] *subst* lager, magasin
warfare ['wɔːfeə] *subst* krig, krigföring;
krigstillstånd
warhead ['wɔːhed] *subst* stridsdel,
stridsspets i robot [*nuclear* ~]
warhorse ['wɔːhɔːs] *subst* vard. **1** veteran
2 om teaterpjäs el. musikstycke gammalt
slagnummer
warily ['weərəlɪ] *adv* varsamt, försiktigt
wariness ['weərɪnəs] *subst* varsamhet,
försiktighet
warlike ['wɔːlaɪk] *adj* **1** krigisk, stridslysten,
stridbar **2** krigs- [~ *preparations*]
warm I [wɔːm] *adj* **1** varm; i lek, *you're
getting* ~ det bränns
II [wɔːm] *verb* **1** värma, värma upp [~ *the
milk*]; ~ *up* värma upp **2** bli varm, bli
varmare; värmas, värmas upp; värma sig;
~ *to sb* el. ~ *towards sb* bli vänligare
stämd mot ngn; ~ *to one's subject* gå upp
i sitt ämne, tala sig varm för sin sak; ~ *up*
a) värmas upp, bli varm [*the engine is
warming up*] b) bli varm i kläderna; tala sig
varm c) sport. värma upp sig
warm-blooded [,wɔːm'blʌdɪd] *adj*
varmblodig
warmonger ['wɔː,mʌŋgə] *subst* krigshetsare
warmth [wɔːmθ] *subst* värme
warm-up ['wɔːmʌp] *subst* sport. uppvärmning
warn [wɔːn] *verb* **1** varna; ~ *against* el. ~
about el. ~ *of* varna för, slå larm om; *he
warned me against going* el. *he
warned me not to go* han varnade mig
för att gå **2** varsla, varsko, förvarna [*of* om;

that om att]; ~ *sb off sth* avvisa ngn från
ngt
warning ['wɔːnɪŋ] *subst* **1** varning
2 förvarning [*of* om]; *give sb a fair* ~
varna ngn i tid, varsko ngn i tid
warp [wɔːp] *verb* bli skev, bli vind; göra skev,
göra vind
warpaint ['wɔːpeɪnt] *subst* krigsmålning
warpath ['wɔːpɑːθ] *subst*, *on the* ~ på
krigsstigen, på stridshumör
warped [wɔːpt] *adj* **1** skev, vind
2 depraverad [*a* ~ *mind*]
warplane ['wɔːpleɪn] *subst* krigsflygplan
warrant I ['wɒrənt] *subst* **1** spec. jur. fullmakt,
befogenhet, bemyndigande; skriven order;
~ *of arrest* el. ~ häktningsorder; *a* ~ *is
out against him* han är efterlyst av
polisen **2** grund [*he had no* ~ *for saying so*],
stöd **3** garanti [*of* för]; bevis [*of* på]
II ['wɒrənt] *verb* **1** berättiga, rättfärdiga
[*nothing can* ~ *such insolence*]; motivera
2 garantera [*warranted 22 carat gold*];
ansvara för, gå i god för
warranty ['wɒrəntɪ] *subst* garanti
warren ['wɒrən] *subst*, ~ el. *rabbit* ~
kaningård
warrior ['wɒrɪə] *subst* krigare
Warsaw ['wɔːsɔː] Warszawa
warship ['wɔːʃɪp] *subst* krigsfartyg,
örlogsfartyg
wart [wɔːt] *subst* vårta, utväxt
wart hog ['wɔːthɒg] *subst* djur vårtsvin
wartime ['wɔːtaɪm] *subst* krigstid
wary ['weərɪ] *adj* varsam, försiktig, på sin
vakt; *be* ~ *of* akta sig för
was [wɒz, obetonat wəz], *I* ~ jag var;
helshelit ~ han/hon/den/det var; se vidare
be
wash I [wɒʃ] *verb* **1** tvätta, skölja, spola; ~
the dishes diska; ~ *oneself* tvätta sig; ~
one's hands of ta sin hand ifrån, inte vilja
ha något att göra med; *I* ~ *my hands of it*
jag tvår mina händer; ~ *one's dirty linen
in public* tvätta sin smutsiga byk offentligt
2 om t.ex. vågor skölja mot, spola in över
3 om t.ex. vågor spola, skölja [~ *overboard*]
4 tvätta sig, tvätta av sig **5** om t.ex. tyg gå att
tvätta, tåla tvätt [*a material that will* ~]
6 vard., *it won't* ~ det håller inte; den
gubben går inte **7** om vatten m.m. skölja
II [wɒʃ] *verb* med adv. o. prep.
wash ashore spola i land, spolas i land
wash away 1 tvätta bort, spola bort, skölja
bort **2** urholka, urgröpa [*the cliffs had been
washed away by the sea*]

wash down 1 tvätta, spola av [~ *down a car*] **2** skölja ned [~ *down the food with beer*]
wash off 1 tvätta bort, tvätta av [~ *off stains*] **2** gå bort i tvätten **3** sköljas bort, spolas bort
wash out skölja upp (ur), tvätta upp (ur) [~ *out clothes*]; *feel washed out* vard. känna sig urlakad
wash up 1 diska; diska av **2** om vågor skölja upp, spola upp **3** amer. tvätta sig [*John, go ~ up before you have lunch*] **4** vard., *washed up* slut, färdig [*he was washed up as a boxer*]
III [wɒʃ] *subst* **1** tvättning, tvagning; *give the car a good ~* tvätta av bilen ordentligt; *have a ~* tvätta av sig; *have a ~ and brush up* snygga till sig **2** tvättning av kläder; *it will come out in the ~* **3** det går bort i tvätten **4** det kommer att ordna upp sig **5** tvättkläder **6** tvättinrättning **7** svallvåg spec. efter båt; kölvatten
washable ['wɒʃəbl] *adj* tvättbar, tvättäkta
washbasin ['wɒʃ‚beɪsn] *subst* handfat, tvättfat
washbowl ['wɒʃbəʊl] *subst* handfat, tvättfat
washcloth ['wɒʃklɒθ] *subst* disktrasa, spec. amer. tvättlapp
washdown ['wɒʃdaʊn] *subst* översköljning, avtvättning, avspolning; *give the car a ~* tvätta av bilen
washer ['wɒʃə] *subst* tekn. **1** packning till t.ex. kran **2** underläggsbricka
washing ['wɒʃɪŋ] *subst* **1** tvätt, tvättning **2** tvättkläder
washing-machine ['wɒʃɪŋmə‚ʃiːn] *subst* tvättmaskin
washing-powder ['wɒʃɪŋ‚paʊdə] *subst* tvättpulver, tvättmedel
washing-soda ['wɒʃɪŋ‚səʊdə] *subst* kristallsoda, tvättsoda
Washington ['wɒʃɪŋtən]
washing-up [‚wɒʃɪŋ'ʌp] *subst* disk, diskning; *~ bowl* diskbalja; *~ liquid* flytande diskmedel; *do the ~* diska
wash leather ['wɒʃ‚leðə] *subst* tvättskinn
washout ['wɒʃaʊt] *subst* vard. fiasko; om person odugling, nolla
washproof ['wɒʃpruːf] *adj* tvättäkta
washroom ['wɒʃruːm] *subst* **1** tvättrum **2** amer. toalettrum
washstand ['wɒʃstænd] *subst* tvättställ; kommod
washtub ['wɒʃtʌb] *subst* tvättbalja
wasn't ['wɒznt] = *was not*
wasp [wɒsp] *subst* geting
waste I [weɪst] *adj* **1** öde, ödslig; *lay ~*

ödelägga, skövla; *lie ~* ligga öde **2** avfalls- [~ *products*]; *~ paper* pappersavfall
II [weɪst] *verb* **1** slösa, slösa bort, förspilla [*in, over* på, med]; slösa med; *~ not, want not* ordspr. den som spar han har; *~ one's breath* tala för döva öron; *~ sb's time* slösa bort ngns dyrbara tid; *~ time* spec. sport. maska **2** förslösas, gå till spillo **3** försumma, försitta [~ *an opportunity*] **4** *~ away* om person tyna av; *a body wasted by disease* en kropp tärd (härjad) av sjukdom
III [weɪst] *subst* **1** slöseri [*of* med]; *it's a ~ of breath* det är att tala för döva öron; *a ~ of time* bortkastad tid, slöseri med tid; *go to ~* el. *run to ~* gå till spillo **2** avfall; *cotton ~* trassel **3** ödemark
wastebasket ['weɪst‚bɑːskɪt] *subst* amer., se *waste-paper basket*
wastebin ['weɪstbɪn] *subst* soplår, soptunna
waste disposal ['weɪstdɪs‚pəʊzl] *subst* avfallshantering
waste-disposer ['weɪstdɪs‚pəʊzə] *subst* avfallskvarn
wasteful ['weɪstfʊl] *adj* slösaktig
wasteland ['weɪstlænd] *subst* ödemark
waste-paper basket [‚weɪst'peɪpə‚bɑːskɪt] *subst* papperskorg
wastepipe ['weɪstpaɪp] *subst* avloppsrör
waster ['weɪstə] *subst* **1** slösare **2** odåga
watch I [wɒtʃ] *subst* **1** vakt, uppsikt, utkik; *keep ~ for* el. *keep a ~ for* hålla utkik efter; *keep ~ on (over)* el. *keep a ~ on (over)* hålla uppsikt över, hålla vakt över **2** om person vakt, utkik **3** sjö. vakt **4** klocka,

Washington
Washington är namnet på Amerikas första president, dess huvudstad och en delstat i västra USA.
George Washington ledde frihetskampen mot britterna och blev USA:s första president (1789–1797). Hans namn står för heder-lighet. På endollarsedlarna finns hans porträtt.
Huvudstaden *Washington* ligger inte i någon delstat utan har ett eget distrikt. Det officiella namnet är därför *Washington D.C.* (*District of Columbia*).

armbandsur; *set one's* ~ ställa klockan
[*by* efter]; *what time is it by your* ~? hur
mycket är din klocka? **5** vaka, vakande;
likvaka

II [wɒtʃ] *verb* **1** se 'på, titta 'på, titta; ~ *for*
a) hålla utkik efter; vänta på [~ *for a signal*]
b) avvakta, passa [~ *for an opportunity*]; ~
out se upp [~ *out when you cross the road*];
~ *out for* a) hålla utkik efter b) ge akt på; ~
over vakta, ha uppsikt över, vaka över
2 vakta, hålla vakt, stå på vakt, gå vakt
3 vaka [*over* över; *by, with* hos ngn] **4** se
på, titta på [~ *television*] **5** ge akt på, vara
noga med, se upp med [~ *one's weight*]; ~
it! el. ~ *yourself!* akta dig!; ~ *what you
do!* ge akt på vad du gör! **6** bevaka [~ *one's
interests*], hålla ett öga på, passa, vakta [~
one's sheep]
watchband [ˈwɒtʃbænd] *subst* amer.
klockarmband
watchcase [ˈwɒtʃkeɪs] *subst* boett
watchdog [ˈwɒtʃdɒg] *subst* vakthund,
bandhund
watcher [ˈwɒtʃə] *subst* bevakare, observatör,
iakttagare; *bird* ~ fågelskådare
watchful [ˈwɒtʃfʊl] *adj* vaksam, på sin vakt
[*against, of* mot], uppmärksam [*for* på];
keep a ~ *eye on* hålla ett vakande öga på
watchmaker [ˈwɒtʃˌmeɪkə] *subst* urmakare
watchman [ˈwɒtʃmən] (pl. *watchmen*
[ˈwɒtʃmən]) *subst* nattvakt, väktare
watchout [ˈwɒtʃaʊt] *subst*, *keep a* ~ hålla
utkik
watchstrap [ˈwɒtʃstræp] *subst*
klockarmband
watchtower [ˈwɒtʃˌtaʊə] *subst* vakttorn,
utkikstorn
watchword [ˈwɒtʃwɜːd] *subst* paroll,
slagord, lösen, motto
water I [ˈwɔːtə] *subst* vatten; pl. ~*s* a) vatten,
vattenmassor b) farvatten [*in British* ~*s*];
body of ~ vattenmassa; *table* ~
bordsvatten; ~ *on the knee* med. vatten i
knät; *spend money like* ~ ösa ut pengar;
drink the ~*s* el. *take the* ~*s* dricka brunn;
pass ~ kasta vatten, urinera; *take in* ~ ta
in vatten, läcka; *keep one's head above*
~ hålla sig flytande
II [ˈwɔːtə] *verb* **1** vattna, bevattna **2** ~
down a) späa, spä ut b) göra urvattnad;
watered down utspädd, urvattnad
3 vattra [*watered silk*] **4** vattna sig, vattnas;
it made his mouth ~ det vattnades i
munnen på honom **5** rinna, tåras [*the
smoke made my eyes* ~]

water bottle [ˈwɔːtəˌbɒtl] *subst*
1 vattenkaraff **2** fältflaska, vattenflaska
watercan [ˈwɔːtəkæn] *subst* vattenkanna,
kanna för vatten
water cannon [ˈwɔːtəˌkænən] *subst*
vattenkanon
watercart [ˈwɔːtəkɑːt] *subst* vattenvagn,
bevattningsvagn
waterchute [ˈwɔːtəʃuːt] *subst*
vattenrutschbana
water closet [ˈwɔːtəˌklɒzɪt] *subst*
vattenklosett, wc
watercolour [ˈwɔːtəˌkʌlə] *subst* **1** vattenfärg,
akvarellfärg; *in* ~*s* i akvarell **2** akvarell,
målning i vattenfärg
water-cooled [ˈwɔːtəkuːld] *adj* vattenkyld
watercress [ˈwɔːtəkres] *subst* ätlig växt
vattenkrasse
water-diviner [ˈwɔːtədɪˌvaɪnə] *subst*
slagruteman
waterfall [ˈwɔːtəfɔːl] *subst* vattenfall, fors
waterfowl [ˈwɔːtəfaʊl] *subst* vanligen koll.
vattenfågel, sjöfågel
waterfront [ˈwɔːtəfrʌnt] *subst* strand, sjösida
av stad; *along the* ~ längs vattnet, vid
vattnet
water gauge [ˈwɔːtəgeɪdʒ] *subst* tekn.
vattenmätare, vattenståndsmätare
water-heater [ˈwɔːtəˌhiːtə] *subst*
varmvattenberedare
water hose [ˈwɔːtəhəʊz] *subst* vattenslang
water ice [ˈwɔːtəraɪs] *subst* isglass,
vattenglass
watering [ˈwɔːtərɪŋ] *subst* vattning,
vattnande
watering-can [ˈwɔːtərɪŋkæn] *subst*
vattenkanna för vattning
watering-cart [ˈwɔːtərɪŋkɑːt] *subst*
vattenvagn, bevattningsvagn
watering-place [ˈwɔːtərɪŋpleɪs] *subst*
1 vattningsställe **2** hälsobrunn, brunnsort
water jug [ˈwɔːtədʒʌg] *subst*
vattentillbringare
water jump [ˈwɔːtədʒʌmp] *subst* sport.
vattengrav
water level [ˈwɔːtəˌlevl] *subst* **1** vattenstånd,
vattennivå **2** sjö. vattenlinje
water lily [ˈwɔːtəˌlɪlɪ] *subst* näckros
waterlogged [ˈwɔːtəlɒgd] *adj* **1** vattenfylld,
full av vatten **2** vattensjuk
watermark I [ˈwɔːtəmɑːk] *subst*
1 vattenmärke, vattenstämpel
2 vattenståndsmärke
II [ˈwɔːtəmɑːk] *verb* vattenstämpla

watermelon ['wɔːtə,melən] *subst*
vattenmelon

waterpipe ['wɔːtəpaɪp] *subst*
1 vattenledning, vattenledningsrör
2 vattenpipa

water polo ['wɔːtə,pəʊləʊ] *subst* sport.
vattenpolo

water power ['wɔːtə,paʊə] *subst* vattenkraft

waterproof I ['wɔːtəpruːf] *adj* vattentät,
impregnerad [~ *material*]; ~ *hat* regnhatt
II ['wɔːtəpruːf] *subst* regnplagg; vattentätt
tyg
III ['wɔːtəpruːf] *verb* göra vattentät,
impregnera

waterproofing ['wɔːtə,pruːfɪŋ] *subst*
impregnering

water rate ['wɔːtəreɪt] *subst* vattenavgift,
vattentaxa

water-resistant [,wɔːtərɪ'zɪstənt] *adj*
vattenbeständig, vattenfast, vattentät

water-ski I ['wɔːtəskiː] *verb* åka
vattenskidor
II ['wɔːtəskiː] *subst* vattenskida

water-skiing ['wɔːtə,skiːɪŋ] *subst*
vattenskidåkning

water-softener ['wɔːtə,sɒfnə] *subst*
vattenavhärdare

water supply ['wɔːtəsə,plaɪ] *subst*
1 vattenförsörjning, vattentillförsel
2 vattentillgång, vattenförråd

water tap ['wɔːtətæp] *subst* vattenkran

watertight ['wɔːtətaɪt] *adj* vattentät [*a ~
alibi*], tät

waterway ['wɔːtəweɪ] *subst* **1** farled,
segelled, farvatten; kanal **2** vattenväg,
vattenled

water wings ['wɔːtəwɪŋz] *subst pl*
armkuddar slags simdyna

waterworks ['wɔːtəwɜːks] (med verb i sing.; pl.
lika) *subst* vattenverk

watery ['wɔːtərɪ] *adj* **1** vattnig, sur, blöt;
vatten-; ~ *vapour* vattenånga **2** vattnig [~
soup], tunn, urvattnad

watt [wɒt] *subst* elektr. watt

wave I [weɪv] *subst* **1** våg, bölja; ~ *of strikes*
strejkvåg; *heat* ~ värmebölja **2** vågighet,
våglinje **3** vinkning, vink, viftning **4** våg i
hår **5** permanent [*cold* ~]
II [weɪv] *verb* **1** bölja, gå i vågor, vaja,
fladdra **2** svänga sig, falla [*her hair* ~*s
naturally*]; våga [~ *one's hair*] **3** vifta, vinka
[*to* till] [~ *goodbye*]; vinka med [~ *one's
hand*], vifta med [*he waved his
handkerchief*]; ~ *aside* a) vinka bort [~ *sb*

aside]; vinka avsides b) vifta bort, avvisa,
avfärda

wavelength ['weɪvleŋθ] *subst* radio. våglängd

waver ['weɪvə] *verb* **1** skälva [*her voice
wavered*] **2** vackla [*his courage wavered*]; ge
vika **3** växla, vackla [~ *between two
opinions*]; tveka

wavy ['weɪvɪ] *adj* vågig, vågformig

1 wax [wæks] *verb* spec. om månen tillta, växa;
~ *and wane* tillta och avta i styrka

2 wax I [wæks] *subst* **1** vax, bivax **2** öronvax
3 skidvalla
II [wæks] *verb* vaxa, bona [~ *floors*]; polera

waxen ['wæksən] *adj* **1** av vax, vax- [~
image] **2** vaxlik, vaxartad, vaxblek

waxwork ['wækswɜːk] *subst* **1** vaxfigur;
vaxarbeten, vaxfigurer **2** ~*s* vaxkabinett

waxy ['wæksɪ] *adj* vaxartad, vaxlik

way I [weɪ] *subst* **1** väg [*they went the same
~*], håll, riktning; sträcka, stycke **2** väg,
stig [*a ~ across the field*]; gång **3** sätt [*the
right ~ of doing sth*]; utväg **4** ~*s and
means* möjligheter, medel; ~ *of life*
livsföring, livsstil **5** med 'the' el. pron., *that is
always the ~* så är det alltid; *that's the ~
it is* så är det, sånt är livet; *that's the ~ to
do it* så ska det göras, så ska det gå till; *do
it any ~ you like* gör precis som du själv
vill; *you can't have it both ~s* man kan
inte både äta kakan och ha den kvar, man
kan inte få bådadera; *each ~* varje väg, i
vardera riktningen; *put ten pounds on a
horse each ~* i kapplöpning satsa tio pund
både på vinnare och på plats; *no ~!* vard.
aldrig i livet!, sällan! **6** med verb: *ask the ~*
el. *ask one's ~* fråga efter vägen; *clear the
~* bana väg, gå ur vägen; *feel one's ~*
a) treva sig fram b) känna sig för; *go a long
~* a) gå långt b) räcka långt, vara dryg; *go a
long ~ to* bidra starkt till; *go the right ~
about it* angripa det från rätt sida, börja i
rätt ände; *are you going my ~?* ska du åt
mitt håll?; *everything was going my ~*
allt gick vägen för mig; *have it all one's
own ~* få sin vilja fram; *have it your own
~!* gör som du vill!; *let sb have his own
~* låta ngn få som han vill; *if I had my
~...* om jag fick bestämma...; *she has a
~ with children* hon har god hand med
barn; *know the ~ about* el. *know one's
~ about* a) vara hemmastadd på platsen
b) ha reda på saker och ting; *lead the ~*
a) gå före och visa vägen, gå före b) gå i
spetsen, visa vägen; *lose one's ~* råka (gå,
köra etc.) vilse; *make ~* bereda plats,

lämna plats [*for* åt, för], gå undan, gå ur
vägen [*for* för]; *make one's* ~ *in the*
world arbeta sig upp, slå sig fram **7** med
prep.: *go a long* ~ *about* (*round*) göra en
lång omväg; *the other* ~ *round* precis
tvärtom; *across the* ~ på andra sidan
vägen, på andra sidan gatan; *by the* ~ för
övrigt; *by the* ~, *do you know* ... ?
förresten vet du ... ?; *not by a long* ~ inte
på långa vägar; *by* ~ *of* a) via, över b) som
[*by* ~ *of an explanation*]; *in a* ~ på sätt och
vis; *he is in a bad* ~ det är illa ställt med
honom; *in a small* ~ i liten skala; *in the* ~
i vägen [*of* för]; *in any* ~ på något sätt; *in*
no ~ på intet sätt, ingalunda; *he is in no* ~
inferior han är inte underlägsen på något
sätt; ~ *in* ingång, väg in, infart; ~ *off* långt
borta; *on the* ~ *to* el. *on his* (*her* etc.) ~ *to*
på väg (på vägen) till; *be on the* ~ vara på
väg; *be well on one's* ~ ha kommit en bra
bit på väg; ~ *out* a) utgång, väg ut, utfart
b) utväg, råd [*there must be some* ~ *out*]; *out*
of the ~ a) ur vägen [*be out of the* ~],
undan, borta b) avsides, avsides belägen
c) ovanlig, originell; *go out of one's* ~
a) ta (göra, köra etc.) en omväg, göra en
avstickare b) göra sig extra besvär [*he went*
out of his ~ *to help me*]; *put sb out of the* ~
röja ngn ur vägen; *be under* ~ ha kommit
i gång; *get under* ~ komma i gång
II [weɪ] *adv* vard. långt, högt; ~ *back in the*
seventies redan på 70-talet; *it's* ~ *over*
my head det går långt över min horisont
wayfarer ['weɪˌfeərə] *subst* vägfarande
waylaid [weɪ'leɪd] imperf. o. perf. p. av *waylay*
waylay [weɪ'leɪ] (*waylaid waylaid*) *verb*
1 ligga i bakhåll för, lurpassa på **2** hejda [*he*
waylaid me and asked for a loan]
way-out [ˌweɪ'aʊt] *adj* vard. extrem,
excentrisk, mysko
wayside ['weɪsaɪd] *subst* vägkant; ~ *inn*
värdshus vid vägen; *by the* ~ vid vägen
wayward ['weɪwəd] *adj* egensinnig, nyckfull
WC [ˌdʌblju:'si:] (förk. för *water closet*) wc
we [wi:, obetonat wɪ] (objektsform *us*) *pron* **1** vi
2 man [~ *say 'please' in English*]
weak [wi:k] *adj* svag, klen, bräcklig, dålig;
have a ~ *stomach* ha dålig mage
weaken ['wi:kən] *verb* **1** försvaga, göra
svagare **2** försvagas, mattas **3** vekna
weak-kneed [ˌwi:k'ni:d] *adj* **1** knäsvag
2 vek, eftergiven, velig
weakling ['wi:klɪŋ] *subst* vekling, stackare
weakness ['wi:knəs] *subst* svaghet [*of, in* i;
for för]; klenhet, svag sida, brist; *have a* ~

for vara svag för, ha en svaghet för [*Vincent*
has a ~ *for chocolate*]; *in a moment of* ~ i
ett svagt ögonblick
weak-willed [ˌwi:k'wɪld] *adj* viljelös
weal [wi:l] *subst* strimma, rand märke på huden
efter slag
wealth [welθ] *subst* rikedom, rikedomar,
förmögenhet; välstånd; *a man of* ~ en
förmögen man; *a* ~ *of experience* mycket
stor erfarenhet; *a* ~ *of examples* en stor
mängd exempel
wealthiness ['welθɪnəs] *subst* rikedom
wealthy ['welθɪ] *adj* rik, förmögen
wean [wi:n] *verb* **1** avvänja [~ *a baby*]; ~ *a*
baby on ... föda upp ett spädbarn på ...
2 ~ *from* avvänja från
weapon ['wepən] *subst* vapen
weaponry ['wepənrɪ] *subst* vapen koll.
[*nuclear* ~]
wear I [weə] (*wore worn*) *verb* **1** ha på sig,
vara klädd i, ha, bära; *she always* ~*s blue*
hon klär sig alltid i blått; ~ *a beard* ha
skägg; ~ *one's hair long* ha långt hår; ~
lipstick använda läppstift; ~ *a ring* ha
ring; ~ *spectacles* använda glasögon; ~
one's years well el. ~ *one's age well*
bära sina år med heder; *this coat has not*
been worn den här rocken är inte använd
2 nöta på, slita på [*hard use has worn the*
gloves]; trampa upp, köra upp [~ *a path*
across the field]; ~ *a hole in* nöta hål på (i),
slita hål på (i) **3** nötas, slitas, bli nött; ~
thin a) bli tunnsliten b) börja bli
genomskinlig [*his excuses are wearing thin*]
c) börja ta slut [*my patience wore thin*] **4** ~
on sb gå ngn på nerverna **5** hålla [*this*
material will ~ *for years*]; stå sig; ~ *well*
hålla bra; vara väl bibehållen [*she* ~*s well*]
6 vard. hålla streck; *the argument won't*
~ argumentet håller inte
II [weə] (*wore worn*) *verb* med adv. o. prep.
wear down 1 nöta ut, slita ut, nöta ut,
slitas ut; *worn down* nedsliten, utnött
2 trötta ut [*he* ~*s me down*] **3** bryta ned,
övervinna [~ *down the enemy's resistance*]
wear off 1 nöta av, nöta bort, nötas av,
nötas bort **2** gå över, gå bort [*his fatigue*
had worn off]; minska, avta [*the effect wore*
off]
wear on om t.ex. tid lida, framskrida [*as the*
winter wore on]
wear out slita ut, nöta ut, slitas ut, nötas
ut; *be worn out* vara utarbetad, vara slut
III [weə] *subst* **1** bruk; *clothes for*
everyday ~ kläder för vardagsbruk

2 kläder; *men's* ~ herrkläder, herrkonfektion **3** nötning, slitning; ~ el. ~ *and tear* slitage, förslitning; *fair* ~ *and tear* normalt slitage; *show signs of* ~ börja se sliten ut; *stand any amount of* ~ tåla omild behandling; *be the worse for* ~ vara sliten, vara illa medfaren

wearisome ['wɪərɪsəm] *adj* **1** tröttsam, långtråkig **2** tröttande, besvärlig

weary I ['wɪərɪ] *adj* trött, uttröttad [*with* av] **II** ['wɪərɪ] *verb* **1** trötta ut **2** tröttna [*of* på]

weasel ['wiːzl] *subst* djur vessla

weather I ['weðə] *subst* väder, väderlek; *wet* ~ regnväder; *make heavy* ~ *of the simplest task* göra mycket väsen av den enklaste uppgift; *under the* ~ vard. vissen, krasslig; ~ *forecast* väderrapport, väderprognos **II** ['weðə] *verb* sjö. rida ut [~ *a storm*], klara, överleva [~ *a crisis*]

weather-beaten ['weðə,biːtn] *adj* väderbiten [*a* ~ *face*]

weatherbound ['weðəbaʊnd] *adj* hindrad (försenad) på grund av vädret

weathercock ['weðəkɒk] *subst* **1** vindflöjel, väderflöjel

weatherman ['weðəmæn] *subst* **1** vard. meteorolog i radio, tv

weatherproof I ['weðəpruːf] *adj* väderbeständig; ~ *jacket* vindtygsjacka **II** ['weðəpruːf] *verb* göra väderbeständig, impregnera

weathervane ['weðəveɪn] *subst* vindflöjel

weave I [wiːv] (*wove woven*) *verb* **1** väva [~ *cloth*] **2** fläta [~ *a basket*], binda [~ *a garland of flowers*]; fläta in [*into* i] **II** [wiːv] *subst* väv, vävning

weaver ['wiːvə] *subst* vävare, väverska

weaving ['wiːvɪŋ] *subst* vävning, vävnad

web [web] *subst* **1** väv **2** *spider's* ~ el. ~ spindelväv, spindelnät **3** data., *World Wide Web* webben, www; *the* ~ webben; ~ *site* sajt, webbplats

wed [wed] (*wedded wedded* el. *wed wed*) (*wedding*) *verb* **1** gifta sig med **2** gifta sig

we'd [wiːd] = *we had, we would* o. *we should*

wedded ['wedɪd] *adj* o. *perf p* gift [*to* med], vigd [*to* vid]; *the* ~ *couple* det äkta paret; *his lawful* ~ *wife* hans äkta maka

wedding ['wedɪŋ] *subst* bröllop; vigsel; ~ *anniversary* bröllopsdag årsdag; ~ *breakfast* bröllopslunch; ~ *day* bröllopsdag; ~ *dress* brudklänning

wedding cake ['wedɪŋkeɪk] *subst*

bröllopstårta fruktkaka i våningar täckt med marsipan och glasyr

wedding ring ['wedɪŋrɪŋ] *subst* vigselring

wedge I [wedʒ] *subst* kil; bit [*a* ~ *of a cake*] **II** [wedʒ] *verb* kila, kila fast; *be wedged in* el. *be wedged* vara inkilad, vara inklämd; ~ *together* tränga ihop

wedge-shaped ['wedʒʃeɪpt] *adj* kilformig, kilformad

wedlock ['wedlɒk] *subst* jur. äktenskap; *holy* ~ det heliga äkta ståndet

Wednesday ['wenzdeɪ, 'wenzdɪ] *subst* onsdag; *last* ~ i onsdags

wee [wiː] *adj* mycket liten, jätteliten [*just a* ~ *drop*]; ~ *little* pytteliten; *a* ~ *bit* en liten aning, en liten smula

weed I [wiːd] *subst* ogräs **II** [wiːd] *verb* **1** rensa, rensa i [~ *the garden*], gallra, gallra i **2** ~ *out* rensa bort [~ *out a plant*], gallra ut

weed-killer ['wiːd,kɪlə] *subst* ogräsmedel

weeds [wiːdz] *subst pl, widow's* ~ el. ~ änkedräkt, sorgdräkt

week [wiːk] *subst* vecka; *last* ~ förra veckan; *last Sunday* ~ i söndags för en vecka sedan; *this* ~ i veckan, den här veckan; *today* ~ el. *a* ~ *today* i dag om en vecka; *a* ~ *ago today* i dag för en vecka sedan; ~ *by* ~ vecka för vecka; *be paid by the* ~ få betalt per vecka; *it went on for* ~*s* det pågick i veckor; *never* (*not once*) *in a* ~ *of Sundays* vard. aldrig någonsin, aldrig i livet

weekday ['wiːkdeɪ] *subst* vardag, veckodag

weekend [,wiːk'end] *subst* helg, veckoslut, weekend

weekly I ['wiːklɪ] *adj* vecko- [*a* ~ *publication*]; varje vecka [~ *visits*] **II** ['wiːklɪ] *adv* en gång i veckan; per vecka

---

wedding
I både Storbritannien och USA förekommer olika typer av bröllop beroende på vilken kulturell och social bakgrund man har. Många gifter sig i kyrkan men en del gifter sig borgerligt. I England kallas vigselförrättaren *registrar* och hans kontor *registry office*. I USA är vigselförrättaren en fredsdomare, *Justice of the Peace*.

III ['wi:klɪ] *subst* veckotidning, veckotidskrift

weeny ['wi:nɪ] *adj* vard. pytteliten

weep I [wi:p] *(wept wept)* *verb* gråta
II [wi:p] *subst* gråtanfall; **have a good** ~ gråta ut

weeping I ['wi:pɪŋ] *subst* gråt, gråtande; ~ **fit** gråtattack
II ['wi:pɪŋ] *adj* **1** gråtande **2** träd ~ **willow** tårpil

wee-wee I ['wi:wi:] *subst* barnspr. el. vard. kiss; **do a** ~ kissa
II ['wi:wi:] *verb* barnspr. el. vard. kissa

weigh I [weɪ] *verb* **1** väga *[it ~s a ton]*; ~ **one's words** väga sina ord; ~ **on** trycka, tynga; *it ~s on my mind* det trycker mig, det plågar mig **2** sjö. lyfta upp, dra upp *[~ the anchor]*; ~ **anchor** lätta ankar
II [weɪ] *verb* med adv. o. prep.
weigh down tynga ned, trycka ned; *weighed down with cares* el. *weighed down with care* tyngd av bekymmer
weigh in 1 sport. väga in, vägas in **2** vard. hoppa in, ingripa
weigh up bedöma *[~ up one's chances]*, beräkna, avväga; ~ **sb up** bedöma vad ngn går för

weigh-in ['weɪɪn] *subst* sport. invägning

weighing-machine ['weɪŋməˌʃi:n] *subst* större våg; personvåg

weight [weɪt] *subst* **1** vikt, tyngd *[the pillars support the ~ of the roof]*; ~*s and measures* mått och vikt; *loss of* ~ viktförlust; *he is twice my* ~ han väger dubbelt så mycket som jag; *she is worth her ~ in gold* hon är värd sin vikt i guld; *give short* ~ väga knappt, väga snålt; *lose* ~ gå ned i vikt, magra; *pull one's* ~ göra sin del, göra sin insats; *put on* ~ gå upp i vikt **2** tyngd, börda *[the ~ of his responsibility]*; *tryck [a ~ on the chest]*; *that was a ~ off my mind (heart)* en sten föll från mitt bröst; *attach* ~ *to* fästa vikt vid; *her words carry no* ~ hennes ord väger lätt; *give (lend)* ~ *to one's words* ge eftertryck (kraft, tyngd) åt ...; *throw one's* ~ *about* vard. göra sig märkvärdig, flyta ovanpå **3** sport. kula; *put the* ~ stöta kula; *putting the* ~ kulstötning **4** sport. el. boxn. viktklass **5** i kapplöpning handikappvikt

weightlifter ['weɪtˌlɪftə] *subst* sport. tyngdlyftare

weightlifting ['weɪtˌlɪftɪŋ] *subst* sport. tyngdlyftning

weightwatcher ['weɪtˌwɒtʃə] *subst* viktväktare

weighty ['weɪtɪ] *adj* **1** tung, tyngande *[~ cares]* **2** tungt vägande *[~ arguments]*

weird [wɪəd] *adj* **1** spöklik, kuslig *[~ sounds]* **2** vard. konstig, kufisk *[he is a bit -]*

welcome I ['welkəm] *adj* **1** välkommen *[a ~ opportunity]*; glädjande *[a ~ sign]*; *make sb* ~ få ngn att känna sig välkommen **2** *you're* ~! svar på tack, spec. amer. ingen orsak!, för all dell; *you're* ~! el. *you're* ~ *to it!* håll till godo!, väl bekomme! ibland iron.
II ['welkəm] *subst* välkomnande, mottagande *[a hearty ~]*; välkomsthälsning; *give sb a hearty* ~ önska ngn hjärtligt välkommen; *give sb a warm* ~ a) önska ngn varmt välkommen b) iron. ta emot ngn med varma servetter; *outstay one's* ~ el. *overstay one's* ~ stanna kvar för länge
III ['welkəm] *(welcomed welcomed)* *verb* välkomna *[~ sb; ~ a change]*, hälsa välkommen; hälsa med glädje *[~ the return of sb]*

welcoming ['welkəmɪŋ] *adj* välkomnande *[a ~ smile]*; välkomst- *[a ~ party]*

weld I [weld] *verb* svetsa; svetsa fast, svetsa ihop
II [weld] *subst* **1** svets, svetsning **2** svetsfog, svetsställe

welder ['weldə] *subst* **1** svetsare **2** svetsmaskin

welding ['weldɪŋ] *subst* svetsning; ~ **blowpipe** el. ~ **torch** svetsbrännare

welfare ['welfeə] *subst* **1** välfärd, väl, välgång; *the Welfare State* välfärdsstaten, välfärdssamhället; *the public* ~ den allmänna välfärden **2** *social* ~ socialvård; *child* ~ barnomsorg; *industrial* ~ arbetarskydd; *social* ~ *worker* el. ~ *worker* socialarbetare, socialvårdare **3** amer., *be on* ~ leva på understöd

we'll [wi:l] = *we will* o. *we shall*

1 well I [wel] *subst* **1** brunn; källa *[oil-well]* **2** mineralkälla **3** hisschakt, hisstrumma
II [wel] *verb*, ~ *forth* el. ~ *out* välla, strömma *[from ur, från]*; *tears welled up in her eyes* hennes ögon fylldes av tårar

2 well I [wel] *(better best)* *adv* **1** väl, bra; mycket väl, med rätta *[it may ~ be said that ...]*; ~ *and truly* ordentligt, med besked *[he was ~ and truly beaten]*; *not very* ~ inte så bra; *you can very* ~ *do that* det kan du gott göra; *he couldn't*

very ~ refuse han kunde inte gärna vägra;
it may very ~ be that... det kan mycket
väl hända att...; *carry one's years ~*
bära sina år med heder; *be ~ off* ha det bra
ställt; *I'm very ~ off for clothes* jag har
gott om kläder; *you're ~ out of it* du kan
vara glad att du slipper det **2** betydligt, ett
bra stycke; *~ past sixty* el. *~ over sixty*
en bra bit över sextio år **3** *as ~* a) också,
dessutom [*he gave me clothes as ~*] b) lika
gärna [*you may as ~ stay*]; *just as ~* lika
gärna; *as ~ as* a) såväl...som, både...och
[*he gave me clothes as ~ as food*] b) lika bra
som [*he plays as ~ as me*]; *as ~ as I can* så
gott jag kan
II [wel] (*better best*) *adj* **1** frisk, kry, bra; *I
don't feel quite ~ today* jag mår inte
riktigt bra i dag **2** bra, gott, väl [*all is ~ with
us*]; *all's ~* mil. el. sjö. allt väl; *all's ~ that
ends well* ordspr. slutet gott, allting gott;
that's all very ~ för all del; *it's all very
~ but...* det är gott och väl men...; *it's
all very ~ for you to say* det är lätt för dig
att säga; *it's (it's just) as well I didn't
go* det är lika så bra att jag inte gick dit; *be
~ in with* ligga bra till hos [*he's ~ in with
the boss*]
III [wel] *interj* nå!, nåja!; så!, så där ja! [*~,
here we are at last!*]; *~ I never!* jag har
aldrig hört (sett) på maken; *~ then!* nå!,
alltså!; *very ~!* ja då!, jo!, gärna!; *very ~
then!* som du vill då!; *~, ~!* nå!, ja ja!, ser
man på!

well-adjusted [ˌwelə'dʒʌstɪd] *adj*
välanpassad [*a ~ child*]
well-advised [ˌweləd'vaɪzd] *adj* välbetänkt
well-attended [ˌwelə'tendɪd] *adj* välbesökt
[*a ~ meeting*]
well-balanced [ˌwel'bælənst] *adj*
välbalanserad; *a ~ diet* en allsidig kost
well-behaved [ˌwelbɪ'heɪvd] *adj*
väluppfostrad
well-being [ˌwel'biːɪŋ] *subst* välbefinnande
well-chosen [ˌwel'tʃəʊzn] *adj* väl vald,
träffande [*a few ~ words*]
well-cooked [ˌwel'kʊkt] *adj* vällagad,
välkokt, välstekt
well-deserved [ˌweldɪ'zɜːvd] *adj* välförtjänt
well-disposed [ˌweldɪ'spəʊzd] *adj* välvilligt
inställd, vänligt sinnad
well-done [ˌwel'dʌn] *adj* **1** välgjord
2 genomstekt [*a ~ steak*], genomkokt
well-earned [ˌwel'ɜːnd] *adj* välförtjänt
well-established [ˌwelɪ'stæblɪʃt] *adj*
väletablerad, väl inarbetad

well-hung [ˌwel'hʌŋ] *adj* kok. välhängd
wellies ['welɪz] (kortform för *wellingtons*) *subst
pl* vard. gummistövlar
well-informed [ˌwelɪn'fɔːmd] *adj*
1 allmänbildad **2** välinformerad,
välunderrättad
wellington ['welɪŋtən] *subst*, *~s* el. *~ boots*
a) gummistövlar b) kragstövlar
well-intentioned [ˌwelɪn'tenʃənd] *adj*
1 välmenande **2** välment
well-kept [ˌwel'kept] *adj* välskött, välvårdad
well-known ['welnəʊn] *adj* känd, välkänd,
välbekant
well-made [ˌwel'meɪd] *adj* **1** välgjord,
välkonstruerad **2** välskapad
well-mannered [ˌwel'mænəd] *adj*
väluppfostrad, belevad, hyfsad
well-meaning [ˌwel'miːnɪŋ] *adj*
1 välmenande **2** välment
well-meant [ˌwel'ment] *adj* välment
well-nigh ['welnaɪ] *adv* nära nog, nästan,
hart när
well-off [ˌwel'ɒf] *adj* välbärgad; *be ~* ha det
bra ställt
well-read [ˌwel'red] *adj* beläst [*in i*],
allmänbildad
well-spoken [ˌwel'spəʊkən] *adj* vältalig;
kultiverad; *be ~* tala väl och vårdat
well-stocked [ˌwel'stɒkt] *adj* välutrustad,
välsorterad, välfylld [*a ~ cupboard*]
well-timed [ˌwel'taɪmd] *adj* läglig, lämplig,
väl beräknad, vältajmad
well-to-do [ˌweltə'duː] *adj* välbärgad,
förmögen
well-upholstered [ˌwelʌp'həʊlstəd] *adj*
1 välstoppad **2** vard., om person mullig, rund
well-wisher [ˌwel,wɪʃə] *subst* sympatisör,
välgångsönskare
well-worn [ˌwel'wɔːn] *adj* sliten, utnött
Welsh I [welʃ] *adj* walesisk
II [welʃ] *subst* **1** *the ~* walesarna
2 walesiska *språket*
Welshman ['welʃmən] (pl. *Welshmen*
['welʃmən]) *subst* walesare

Wembley ['wemblɪ]
På *Wembley* stadion i London
spelas den engelska cupfinalen i
fotboll och viktiga fotbollslands-
kamper. En nybyggd, storslagen
arena invigdes 2007.

Welshwoman ['welʃ‚wumən] (pl.
Welshwomen ['welʃ‚wimin]) *subst* walesiska
welter I ['weltə] *verb* rulla, svalla; vältra sig
II ['weltə] *subst* virrvarr; förvirrad massa
welterweight ['weltəweit] *subst* sport.
1 weltervikt **2** welterviktare
wench [wentʃ] *subst* **1** vard. tjej, brud
2 dialektalt jänta, tös
wend [wend] *verb*, ~ *one's way* bege sig [*to
mot, till*]
went [went] *imperf.* av *go I*
wept [wept] *imperf.* o. perf. p. av *weep I*
were [wɜː, obetonat wə] (se äv. *be*)
1 *they/we/you* ~ de/vi/du/ni var **2** *imperf.*
konjunktiv, *if I ~ you I should...* om jag
vore du skulle jag...
we're [wiə] = *we are*
weren't [wɜːnt] = *were not*
werewolf ['weəwulf] (pl. *werewolves*
['wiəwulvz]) *subst* mytol. varulv

West End
West End är en stadsdel i centrala
London med många teatrar,
restauranger och affärer.

west I [west] *subst* **1** väster, väst; *to the ~ of*
väster om **2** *the West* a) Västerlandet b) i
USA Västern, väststaterna c) västra delen
av landet; *the Middle West*
Mellanvästern i USA
II [west] *adj* västlig, västra, väst- [*on the ~
coast*]; *West Germany* hist. Västtyskland;
the West Indies pl. Västindien
III [west] *adv* mot väster, åt väster,
västerut; ~ *of* väster om; *go* ~ vard. gå åt
helsike; *out West* el. *way out West* borta i
Västern i USA
westbound ['westbaund] *adj* västgående
westerly ['westəli] *adj* västlig
western I ['westən] *adj* **1** västlig, västra,
väst- **2** *Western* västerländsk
II ['westən] *subst*, *Western*
vildavästernfilm
westward I ['westwəd] *adj* västlig
II ['westwəd] *adv* mot väster
westwards ['westwədz] *adv* mot väster,
västerut
wet I [wet] *adj* **1** våt, blöt, fuktig [*with* av],
sur; ~ *blanket* glädjedödare; *Wet Paint!*
Nymålat!; ~ *behind the ears* vard. inte
torr bakom öronen; ~ *through* genomvåt;
~ *to the skin* våt in på bara kroppen;

make ~ blöta ner **2** regnig [*a ~ day*]
3 vard. knasig; fjompig
II [wet] *subst* **1** regn [*don't go out in the ~*]
2 sl. löjlig typ
III [wet] (*wet wet* el. *wetted wetted*) (*-tt-*) *verb*
1 väta, fukta [~ *one's lips*]; blöta; ~ *one's
whistle* vard. fukta strupen, ta sig ett glas;
~ *through* göra genomblöt **2** väta ned,
kissa i [~ *the bed*]; ~ *one's pants* el. ~
oneself vard. kissa i byxorna, kissa på sig
we've [wiːv] = *we have*
whack I [wæk] *verb* vard. slå till, smälla till,
klå upp; *be whacked* vara slutkörd
II [wæk] *subst* vard. **1** slag, smäll **2** del, andel
whacking I ['wækiŋ] *subst* kok stryk
II ['wækiŋ] *adj* vard. väldig, kolossal; *a ~ lie*
en grov lögn
III ['wækiŋ] *adv* vard. väldigt, jätte- [~ *big
(great) parcel*]
whale [weil] *subst* **1** djur val, valfisk **2** *have a
~ of a time* ha jättekul
whale-fishing ['weil‚fiʃiŋ] *subst* valfångst
whaler ['weilə] *subst* **1** valfångare
2 valfångstfartyg, valfångstbåt
whaling ['weiliŋ] *subst* valfångst, valjakt
wham [wæm] *subst* dunk, dunkande, smäll,
slag
wharf [wɔːf] *subst* kaj, lastkaj, lastageplats,
hamnplats
what I [wɒt] *pron* **1** vad [~ *do you mean?*],
vilken, vilket, vilka [~ *is your reason?*]; ~
ever can it mean? vard. vad i all världen
kan det betyda?; ~ *for?* varför?, vad då
till?; *I gave him* ~ *for* vard. jag gav honom
så han teg; ~ *if...?* tänk om...?; ~ *of it?*
än sen då?; *what's yours?* vad vill du ha
att dricka?; *what's up?* vad står på?; *so
~?* än sen då?; *do you know* ~? vet du
vad?; *she knows what's* ~ vard. hon har
väl reda på sig; *I'll show you what's ~!*
vard. jag ska minsann visa dig!; ~ *age is*

Westminster ['westminstə]
Westminster är en del av London.
Här ligger den kända kyrkan *West-
minster Abbey* med berömda förfat-
tares och andra kända personers
gravar, *the Houses of Parliament* och
det kungliga residenset *Bucking-
ham Palace*. Ofta använder man
Westminster i betydelsen "reger-
ingen" eller "parlamentet".

he? hur gammal är han?; ~ *sort of fellow
is he?* vad är han för en? **2** i utrop ~
weather! vilket väder!; ~ *fools!* vilka
idioter!, såna idioter!; ~ *a question!* det
var också en fråga!; ~ *a pity!* så synd!, vad
tråkigt! **3** vad, det [*I'll do* ~ *I can*]; vad
som, det som [~ *followed was unpleasant*];
~ *is interesting about this is* ... det
intressanta med det här är ...; *and* ~ *is
more* och dessutom, och vad mer är;
come ~ *may* vad som än händer; *the
food,* ~ *there was of it, was poor* den
lilla mat som fanns kvar var inte god
II [wɒt] *adv,* ~ *with ... and* dels på grund
av ... och dels på grund av [~ *with hard
work and tiredness, he could not sleep*]; ~
*with one thing and another I was
obliged to* ... och det ena med det andra
gjorde att jag måste ...

what-do-you-call-it ['wɒtdju,kɔːlɪt] *subst*
vard. vad är det den (det) heter nu igen

whatever [wɒt'evə] *pron* **1** vad ... än [~ *you
do, do not forget* ...], vad som ... än; allt vad
[~ *I have is yours*], allt som [*do* ~ *is
necessary*]; ~ *his faults, he is honest* vilka
fel han än må ha är han ärlig; ~ *you say*
som du vill; *do* ~ *you like* gör som (vad)
du vill; *no doubt* ~ inte något som helst
tvivel **2** ~ *can it mean?* vad i all världen
kan det betyda?

what-for [wɒt'fɔː] *subst* vard., *I gave him* ~
jag gav honom så han teg

what's-his-name ['wɒtsɪzneɪm] *subst* vard.
vad är det han heter nu igen

whatsoever [,wɒtsəʊ'evə] *pron* se *whatever*

wheat [wiːt] *subst* vete

wheatear ['wiːtɪə] *subst* fågel stenskvätta

wheel I [wiːl] *subst* **1** hjul **2** ratt; *take the* ~
ta över ratten **3** skiva, trissa; *potter's* ~
drejskiva
II [wiːl] *verb* **1** rulla, köra, skjuta, dra [~ *a
cart chair*]; ~ *a cycle* leda en cykel
2 svänga, svänga runt, snurra, snurra på
3 ~ *round* svänga, snurra, svänga runt,
snurra runt; vända sig om

wheelbarrow ['wiːl,bærəʊ] *subst* skottkärra

wheelbase ['wiːlbeɪs] *subst* hjulbas

wheelchair ['wiːltʃeə] *subst* rullstol

wheeler-dealer ['wiːlə,diːlə] *subst* myglare,
fixare

wheelie bin ['wiːlbɪn] *subst* slags soptunna
på hjul

wheeling ['wiːlɪŋ] *subst,* ~ *and dealing*
mygel

wheeze I [wiːz] *verb* andas med ett pipande

ljud, pipa, rossla
II [wiːz] *subst* **1** pipande, rosslande **2** vard.
trick, knep

wheezy ['wiːzɪ] *adj* pipande, rosslig

whelk [welk] *subst* skaldjur valthornssnäcka

whelp [welp] *subst* valp

when [wen] *adv* o. *konj* **1** när, hur dags; ~
ever ...? vard. när i all världen ...?; *say* ~*!*
vard. säg stopp! spec. vid påfyllning av glas **2** då,
när; *som* [~ *young*]; förrän [*scarcely* ... ~,
hardly ... ~]; *it was only* ~ *I had seen it
that* ... det var först sedan jag hade sett
den som ...

whence [wens] *adv* litt. varifrån; *from* ~
varifrån

whenever I [wen'evə] *konj* när ... än,
närhelst, varje gång, så ofta [~ *I see him*]; ~
you like när du vill, när som helst
II [wen'evə] *adv,* ~ ...? *när i all
världen ...?

where [weə] *adv* **1** var; ~ *does this affect
us?* på vilket sätt påverkar det här oss?; ~
ever? var i all världen?; ~ *would we be,
if ...?* hur skulle det gå (bli) med oss
om ...?; ~ *to?* vart? **2** vart [~ *are you
going?*]; ~ *ever?* vard. vart i all världen?
3 där [*a country* ~ *it never snows*]; var [*sit* ~
you like] **4** dit [*the place* ~ *I went next was
Highbury*]; vart [*go* ~ *you like*]

whereabouts I [,weərə'baʊts] *adv* var
ungefär, var någonstans [~ *did you find it?*]
II ['weərəbaʊts] *subst* tillhåll; *nobody
knows his* ~ ingen vet var han befinner
sig

whereas [weər'æz] *konj* då däremot, medan
däremot

whereby [weə'baɪ] *adv* varigenom, varmed

whereupon [,weərə'pɒn] *adv* varpå

wherever [weər'evə] *adv* **1** varhelst;
varthelst; överallt där; överallt dit; ~ *he
comes from* varifrån han än kommer
2 ~ ...? var i all världen ...?

whet [wet] (*-tt-*) *verb* **1** bryna, slipa, vässa
2 skärpa, reta [~ *one's appetite*]

whether ['weðə] *konj* om [*I don't know* ~ *he
is here or not*], huruvida; *the question
~ ...* frågan om ...; *I doubt* ~ *he will
come* jag tvivlar på att han kommer; *you
must,* ~ *you want to or not* du måste,
antingen du vill eller inte

whetstone ['wetstəʊn] *subst* bryne, brynsten

whew [hjuː] *interj* puh! [~, *it's hot in here!*];
usch!

whey [weɪ] *subst* vassla

which [wɪtʃ] *pron* **1** vilken, vilket, vilka, vem

[~ *of you did it?*]; vilkendera; vilken (vilket, vilka, vem) som [*I don't know* ~ *of them came first*]; ~ *ever* ... *?* vard. vilken (vem) i all världen ... *?* **2** (genitiv *vars* = *whose*) som [*was the book* ~ *you were reading a novel?*]; vilken, vilka; något som, en sak som, vilket [*he is very old,* ~ *ought to be remembered*]; **she told me to leave,** ~ **I did** hon sa åt mig att gå därifrån, vilket jag också gjorde; **among** ~ bland vilka; **we saw ten cars, three of** ~ **were vans** vi såg tre bilar av vilka tre var skåpbilar

whichever [wɪtʃ'evə] *pron* **1** vilken ... än [~ *road you take, you will go wrong*], vilkendera ... än; vilken ... som än; den, den som [*take* ~ *you like best*] **2** ~ ... *?* vilken i all världen ... *?*, vem i all världen ... *?*

whiff [wɪf] *subst* **1** *a* ~ *of fresh air* en nypa frisk luft **2** bloss; inandning

whiffleball ['wɪflbɔːl] *subst* golf. m.m. träningsboll med hål i

while I [waɪl] *subst* **1** stund [*a short* ~]; tid; *it will be a long* ~ *before* ... det kommer att dröja länge innan ...; *all the* ~ hela tiden; *for a* ~ en stund, ett slag; *in a* ~ om en stund; *every once in a* ~ någon enstaka gång; *for once in a* ~ för en gångs skull; *quite a* ~ ganska länge **2** *it is not worth* ~ det är inte mödan värt; *I will make it worth your* ~ jag ska se till att det blir värt besväret för dig
II [waɪl] *konj* **1** medan, under det att; så länge [*I'll stay* ~ *my money lasts*] **2** medan däremot, då däremot [*Jane was dressed in brown,* ~ *Mary was dressed in blue*]; samtidigt som [~ *I admit his good points, I can see his bad*]
III [waɪl] *verb*, ~ *away the time* fördriva tiden [*with* med], få tiden att gå

whilst [waɪlst] *konj* se *while II*

whim [wɪm] *subst* nyck, infall

whimper I ['wɪmpə] *verb* gnälla, gny
II ['wɪmpə] *subst* gnäll, gnällande, gny

whimsical ['wɪmzɪkl] *adj* **1** nyckfull **2** excentrisk

whimsicality [ˌwɪmzɪ'kælətɪ] *subst* nyckfullhet

whinchat ['wɪn-tʃæt] *subst* fågel buskskvätta

whine I [waɪn] *verb* **1** gnälla, yla **2** vina [*the bullets whined through the air*]
II [waɪn] *subst* **1** gnäll, ylande **2** vinande

whinge [wɪndʒ] *verb* gnälla, klaga

whining ['waɪnɪŋ] *adj* gnällande, gnällig

whip I [wɪp] (-*pp*-) *verb* **1** piska [~ *a horse*];

spöa **2** vispa [~ *cream*] **3** vard. rusa, kila [*he whipped upstairs*]
II [wɪp] (-*pp*-) *verb* med adv. o. prep.
whip across vard. kila över [~ *across the road*]
whip down vard. rusa ner, kila ner
whip into vard. **1** rusa in i, kila in i **2** ~ *into shape* få fason på, få hyfs på [~ *the team into shape*]
whip off vard. rusa bort, sticka i väg
whip out vard. slita fram [*the policeman whipped out his notebook*]
whip round vard. **1** sticka runt, kila runt [*he whipped round the corner*]; ~ *round to sb's place* kila över till ngn **2** ~ *round* sätta i gång en insamling
whip up 1 vard. rusa upp (uppför), kila upp (uppför) **2** vispa upp, vard. fixa ihop [~ *up a meal*] **3** piska upp; väcka [~ *up enthusiasm*]; ~ *up excitement* piska upp stämningen
III [wɪp] *subst* **1** piska **2** stålvisp **3** kok., slags mousse

whip-hand [ˌwɪp'hænd] *subst*, *have the* ~ *over* ha övertaget över, ha makt över [*over sb* över ngn]

whiplash ['wɪplæʃ] *subst* pisksnärt

whipped [wɪpt] *adj* **1** piskad, pryglad **2** vispad; ~ *cream* vispgrädde

whippersnapper ['wɪpəˌsnæpə] *subst* spoling, snorvalp

whipping ['wɪpɪŋ] *subst* **1** piskning, piskande; *get a* ~ få stryk **2** vispning, vispande; ~ *cream* vispgrädde

whip-round ['wɪpraʊnd] *subst* vard. insamling

whirl I [wɜːl] *verb* **1** virvla [*the leaves whirled in the air*], snurra; virvla upp [*the wind whirled the dead leaves*]; ~ *round* svänga runt med **2** rusa, susa, virvla [*she came whirling into the room*] **3** *his head whirled* el. *his brain whirled* det gick runt för honom **4** slunga, slänga
II [wɜːl] *subst* **1** virvel; snurr, snurrande; *a* ~ *of dust* ett virvlande dammoln; *his brain was in a* ~ det gick runt för honom **2** virvel; *a* ~ *of excitement* ett tillstånd av upphetsning

whirling ['wɜːlɪŋ] *adj* virvlande, virvel-, snurrande, svängande; dansande

whirlpool ['wɜːlpuːl] *subst* **1** strömvirvel **2** bubbelpool

whirlwind ['wɜːlwɪnd] *subst* **1** virvelvind, virvel; *sow the wind and reap the* ~ ordspr. så vind och skörda storm; *a* ~ *tour* en blixtsnabb turné

whirr [wɜː] *verb* surra, vina
whirring ['wɜːrɪŋ] *subst* surr, surrande, vin, vinande
whisk I [wɪsk] *subst* **1** viska, dammvippa **2** visp **3** viftning [*a ~ of the tail*]; svep [*a ~ of the broom*]
II [wɪsk] *verb* **1** vifta [*~ the flies away*] **2** svänga med, vifta med [*the cow whisked her tail*] **3** föra i flygande fläng **4** vispa [*~ eggs*]
whisker ['wɪskə] *subst* **1** vanligen pl. *~s* polisonger; *that joke has got ~s* vard. det där skämtet är urgammalt (mossigt) **2** morrhår
whiskey ['wɪskɪ] *subst* amerikansk el. irländsk whisky
whisky ['wɪskɪ] *subst* skotsk whisky
whisper I ['wɪspə] *verb* viska
II ['wɪspə] *subst* **1** viskning; *talk in a ~* el. *talk in ~s* viska **2** rykte
whispering I ['wɪspərɪŋ] *subst* viskande; *~ campaign* viskningskampanj
II ['wɪspərɪŋ] *adj* viskande
whispering-gallery [,wɪspərɪŋ'gælərɪ] *subst* viskgalleri
whist [wɪst] *subst* kortsp. whist; *a game of ~* ett parti whist; *~ drive* whistturnering
whistle I ['wɪsl] *verb* **1** vissla [*for* på, efter; *to* på] [*~ a tune*]; vissla på **2** *you can ~ for it* vard. det får du titta i månen efter **3** drilla [*the birds were whistling*]; om t.ex. ångbåt blåsa
II ['wɪsl] *subst* **1** vissling **2** vinande, susning **3** drill, visselsignal **4** visselpipa, vissla; *factory ~* fabriksvissla; *as clean as a ~* hur ren (fin) som helst **5** *wet one's ~* vard. fukta strupen, ta sig ett glas
whistling ['wɪslɪŋ] *subst* **1** visslande **2** vinande
whit [wɪt] *subst* uns [*not a ~ of truth in it*]
white I [waɪt] *adj* vit, vitblek, blek; *~ coffee* kaffe med mjölk (grädde); *~ flag* vit flagga, parlamentärflagga; *~ frost* rimfrost; *~ heat* vitvärme, vitglödgad; *her anger was at ~ heat* hon var kokade av vrede; *work at ~ heat* arbeta för högtryck; *the White House* Vita huset den amerikanske presidentens residens i Washington; *~ lie* vit lögn, from lögn; *it's a ~ elephant* det kostar mer än det smakar, det är en dyr lyx; *~ tie* a) vit rosett, vit fluga b) frack [*come in a ~ tie*]; *~ wine* vitt vin, vitvin
II [waɪt] *subst* **1** vitt **2** vit; *the ~s* de vita, den vita rasen **3** vita; *the ~ of an egg* en äggvita; *the ~ of the eye* ögonvitan, vitögat

whitebait ['waɪtbeɪt] *subst* småsill, skarpsill
whiteboard ['waɪtbɔːd] *subst* whiteboard skrivtavla
whitecaps ['waɪtkæps] *subst pl* vita gäss på sjön
white-collar ['waɪt,kɒlə] *adj*, *~ job* manschettyrke; *~ worker* manschettarbetare
whitefish ['waɪtfɪʃ] *subst* **1** sik **2** fisk med vitt kött t.ex. torsk, kolja, vitling
white-haired ['waɪtheəd] *adj* **1** vithårig **2** vard., *~ boy* gullgosse, kelgris
Whitehall [,waɪt'hɔːl] **1** gata i London med flera departement **2** vard. brittiska regeringen och den politik den representerar
whiteheart ['waɪthɑːt] *subst*, *~* el. *~ cherry* bigarrå
white-hot [,waɪt'hɒt] *adj* vitglödgad, glödande
white-livered ['waɪt,lɪvəd] *adj* feg, rädd
whiten ['waɪtn] *verb* göra vit, vitfärga, krita [*~ a pair of shoes*]; bleka
whitener ['waɪtnə] *subst* vitmedel; blekmedel
white-tie [,waɪt'taɪ] *adj* frack- [*~ dinner*]; *~ occasion* el. *~ affair* fracktillställning
whitewash I ['waɪtwɒʃ] *subst* **1** limfärg, kalkfärg **2** urskuldande, bortförklaring
II ['waɪtwɒʃ] *verb* **1** limstryka, vitlimma, vitmena, kalka **2** rentvå, urskulda [*~ sb*], bortförklara
whitey ['waɪtɪ] *subst* neds. vit man
whither ['wɪðə] *adv* **1** varthän, vart **2** dit; vart, vartän
whiting ['waɪtɪŋ] *subst* fisk vitling
Whit Monday [,wɪt'mʌndɪ] *subst* annandag pingst
Whitsun I ['wɪtsn] *adj* pingst- [*~ week*]
II ['wɪtsn] *subst* pingst, pingsten
Whit Sunday o. **Whitsunday** [,wɪt'sʌndɪ, ,wɪt'sʌndeɪ] *subst* pingstdag, pingstdagen
Whitsuntide ['wɪtsntaɪd] *subst* pingst, pingsten, pingsthelgen
whittle ['wɪtl] *verb* tälja på [*~ a stick*], tälja till; *~ down* reducera, skära ner
whiz [wɪz] (-*zz*-) *verb* vina, vissla, svischa [*the bullet whizzed past him*]
whiz-kid ['wɪzkɪd] *subst* vard. underbarn, fenomen
who [huː, obetonat hʊ] (genitiv *whose*, objektsform *whom*, informellt *who*) *pron* **1** vem, vilka [*~ is he?*; objektsform: *~ do you mean?* el. *whom do you mean?*; *she asked ~ I live with*]; *~ ever ... ?* vem i all världen ...?; *Who's Who?* uppslagsbok Vem är det? **2** som;

vilken, vilka [*there's somebody* ~ *wants you on the phone*; objektsform: *the man whom we met*; informellt: *the man* ~ *we met*]; *all of whom* vilka alla; *many of whom* av vilka många

who'd [huːd] = *who had* o. *who would*

whodunit o. **whodunnit** [ˌhuːˈdʌnɪt] *subst* (av *who has done it?* el. *who done it?*) vard. deckare detektivroman

whoever [huːˈevə] *pron* **1** vem som än, vem … än, vilka … än; ~ *did it, I didn't* vem som än gjorde det så inte var det jag; ~ *he may be* vem han än må vara **2** vem (vilka) som helst som, var och en som, den som, de som; ~ *says that is wrong* den (de) som säger det har fel; *she can choose* ~ *she wants* hon kan välja vem hon vill **3** ~ … *?* vem i all världen … ?

whole I [həʊl] *adj* hel; *it went on for five* ~ *days* det pågick i fem hela dagar **II** [həʊl] *subst* helhet; *a* ~ ett helt, en helhet; *the* ~ *of* hela [*the* ~ *of Europe*]; *taken as a* ~ som helhet betraktad; *on the* ~ på det hela taget

whole-hearted [ˌhəʊlˈhɑːtɪd] *adj* helhjärtad

wholemeal ['həʊlmiːl] *subst* osiktat mjöl, grahamsmjöl; ~ *bread* fullkornsbröd

wholesale I ['həʊlseɪl] *adj* **1** grossist-, parti- [~ *price*]; ~ *dealer* el. ~ *merchant* grossist **2** mass- [~ *arrests*]; ~ *destruction* massförstörelse **II** ['həʊlseɪl] *adv* **1** en gros, i parti [*sell* ~] **2** i massor

wholesaler ['həʊlˌseɪlə] *subst* grossist

wholesome ['həʊlsəm] *adj* hälsosam [~ *food*], sund; nyttig [~ *exercise*]

whole-time [ˌhəʊlˈtaɪm] *adj* heltids- [~ *job*]

wholly ['həʊllɪ] *adv* helt och hållet, helt [*I* ~ *agree with you*], fullt, fullständigt

whom [huːm, obetonat hʊm] *pron* se *who*

whoop I [wuːp] *verb* ropa, tjuta, skrika [~ *with joy*], heja **II** [wuːp] *subst* tjut, skrik, hejarop; ~*s of joy* glädjerop

whoopee I ['wʊpiː] *subst*, *make* ~ vard. festa, slå runt **II** [wʊˈpiː] *interj* hurra!

whooping cough ['huːpɪŋkɒf] *subst* med. kikhosta

whoops [wʊps] *interj* hoppsan!

whoopsadaisy ['wʊpsəˌdeɪzɪ] *interj* hoppsan!

whopper ['wɒpə] *subst* vard. **1** baddare, bjässe, bamsing **2** jättelögn

whopping I ['wɒpɪŋ] *adj* vard. jättestor; *a* ~

lie en jättelögn **II** ['wɒpɪŋ] *adv* vard. jätte- [*a* ~ *big fish*]

whore [hɔː] *subst* åld., som skällsord hora, luder

whorehouse ['hɔːhaʊs] *subst* åld. bordell, horhus

whortleberry ['wɜːtlˌberɪ] *subst* blåbär; *red* ~ lingon

who's [huːz] = *who is* o. *who has*

whose [huːz] (se äv. *who* o. *which*) *pron* **1** vems [~ *book is it?*], vilkens, vilkas **2** vars [*is that the boy* ~ *father died?*], vilkens, vilkets, vilkas

whosoever [ˌhuːsəʊˈevə] *pron* litt., se *whoever*

why I [waɪ] *adv* **1** frågande varför; ~ *don't I come and pick you up?* ska jag inte komma och hämta dig?; ~ *ever did he do that?* varför i all världen gjorde han det? **2** relativt varför [~ *I mention this is because* …]; därför [*that is* ~ *I like him*]; till att [*the reason* ~ *he did it*]; *so that is* ~*!* jaså, det är därför! **II** [waɪ] *interj* **1** t.ex. förvånat, indignerat, protesterande men … ju [*don't you know?* ~, *it's in today's paper*], nej men [~, *I believe I've been asleep*], ja men [~, *it's quite easy*] **2** t.ex. bedyrande, bekräftande ja, jo; ~, *no!* nej då!, nej visst inte!; ~, *of course* jovisst!; ~, *yes!* oh ja!, javisst!, jovisst! **3** ja … då [*if that won't do*, ~, *we must try something else*]

wick [wɪk] *subst* veke

wicked ['wɪkɪd] *adj* **1** ond [~ *thoughts*], elak [*a* ~ *tongue*]; syndig; *no peace for the* ~ skämts. aldrig får man någon ro **2** vard. hemsk [*the weather is* ~], usel; *it's a* ~ *shame* det är både synd och skam

wicker I ['wɪkə] *subst* **1** vidja **2** flätverk, korgarbete **3** videkorg **II** ['wɪkə] *adj* korg- [~ *chair*], vide- [~ *basket*]

wickerwork ['wɪkəwɜːk] *subst* korgarbete, flätverk

wicket ['wɪkɪt] *subst* **1** sidogrind, liten sidodörr **2** i kricket: grind; plan mellan grindarna

wide I [waɪd] *adj* **1** vid, vidsträckt, vittomfattande [~ *interests*]; stor [~ *experience*], rik, omfattande; ~ *screen* vidfilmsduk; *the* ~ *world* stora vida världen **2** bred [*a* ~ *river*] **II** [waɪd] *adv* vida omkring; vitt; långt [*of* från]; långt bredvid; *fall* ~ *of the mark* a) falla långt vid sidan, gå fel, missa [*the shot went* ~] b) vara ett slag i luften; ~ *apart* vitt skilda, långt ifrån varandra; utbredda; *arms* ~ *apart* med utbredda

armar; ~ *awake* klarvaken; ~ *open*
vidöppen, på vid gavel; *with eyes ~ open*
med uppspärrade ögon; *he left himself ~*
open han gav en blotta på sig

wide-angle ['waɪd,æŋgl] *adj*, ~ *lens*
vidvinkelobjektiv

wide-awake [,waɪdə'weɪk] *adj* **1** klarvaken
2 vaken, skärpt

widely ['waɪdlɪ] *adv* vitt, vida, vitt och brett;
~ *different* helt olika; ~ *scattered*
utspridda vitt omkring; ~ *known* allmänt
känd, vittbekant

widen ['waɪdn] *verb* **1** vidga, bredda [~ *the*
road]; ~ *the gulf* vidga klyftan **2** vidgas, bli
vidare (bredare)

wide-ranging ['waɪd,reɪndʒɪŋ] *adj*
omfattande, vittomspännande

wide-screen ['waɪdskriːn] *adj*, ~ *film*
vidfilm

widespread ['waɪdspred] *adj* vidsträckt [~
floods]; omfattande [~ *search*]; allmänt
utbrett

widgeon ['wɪdʒən] *subst* fågel bläsand

widow I ['wɪdəʊ] *subst* änka [*of* efter];
widow's weeds änkedräkt
II ['wɪdəʊ] *verb* göra till änka; *he has a*
widowed sister han har en syster som är
änka

widower ['wɪdəʊə] *subst* änkling

width [wɪdθ] *subst* **1** bredd, vidd; ~ *round*
the waist midjevidd **2** ~ *of cloth* tygvåd

wield [wiːld] *verb* hantera [~ *an axe*], sköta,
använda, svinga [~ *a weapon*]

wiener ['wiːnə] *subst* o. **wienie** ['wiːniː] *subst*
vard. wienerkorv

Wiener schnitzel [,wiːnə'ʃnɪtsəl] *subst*
wienerschnitzel

wife [waɪf] (pl. *wives* [waɪvz]) *subst* fru,
hustru, maka; *the* ~ vard. frugan

wig [wɪg] *subst* peruk

wiggle I ['wɪgl] *verb* vrida sig [~ *like a*
worm], slingra sig [~ *through a crowd*];
vicka; vicka med [~ *one's toes*]; vifta med
[~ *one's ears*]
II ['wɪgl] *subst* vridning, vickning

wigwam ['wɪgwæm] *subst* wigwam
indianhydda

wild I [waɪld] *adj* **1** vild, förvildad; ~ *beast*
vilddjur; *sow one's* ~ *oats* så sin
vildhavre, rasa ut **2** ursinnig, rasande
3 vild, uppsluppen [*a* ~ *party*] **4** vettlös [~
talk], vanvettig [*a* ~ *idea*], vild [~ *schemes*]
II [waɪld] *adv* o. *adj* med verb vilt [*grow* ~];
run ~ a) växa vilt, förvildas; leva i vilt
tillstånd b) springa omkring vind för våg

[*the children are allowed to run* ~] c) skena,
löpa amok
III [waɪld] *subst* pl. ~*s* vildmark, obygd,
ödemark

wildcat I ['waɪldkæt] *subst* vildkatt
II ['waɪldkæt] *adj* vard., *a* ~ *strike* en vild
strejk

wilderness ['wɪldənəs] *subst* vildmark,
ödemark

wildfire ['waɪld,faɪə] *subst*, *spread like* ~
sprida sig som en löpeld

wild-goose [,waɪld'guːs] *adj*, *a* ~ *chase* ett
lönlöst (hopplöst) företag; *be sent on a* ~
chase skickas ut förgäves

wild goose [,waɪld'guːs] (pl. *wild geese*
[,waɪld'giːs]) *subst* vildgås

wildlife ['waɪldlaɪf] *subst* vilda djur, djurliv

wile [waɪl] *subst* vanligen pl. ~*s* list, knep

wilful ['wɪlfʊl] *adj* **1** egensinnig [*a* ~ *child*],
envis **2** uppsåtlig, överlagd [~ *murder*]

will I [wɪl, obetonat wəl, əl] (imperf. *would*)
hjälpverb presens (ofta hopdraget till *'ll*, nekande
will not ofta hopdraget till *won't*) **1** kommer att
[*you* ~ *never manage it*]; ska [*how* ~ *it*
end?]; *if that* ~ *suit you* om det passar;
you ~ *write, won't you?* du skriver väl?
2 ska t.ex. har för avsikt att [*I'll do it at once*];
I'll soon be back jag är snart tillbaka
3 vill [*he* ~ *not do as he is told* el. *he won't do*
as he is told]; *won't you sit down?* var så
god och sitt!; *the door won't shut* dörren
går inte att stänga; *shut that door,* ~
you? stäng dörren är du snäll! **4** ska
absolut, vill absolut; *boys* ~ *be boys*
pojkar är nu en gång pojkar; *such things*
~ *happen* sånt händer **5** brukar, kan [*she*
~ *sit for hours doing nothing*]; *meat won't*
keep in hot weather kött brukar inte
hålla sig i varmt väder **6** torde [*you* ~
understand that . . .]; *this'll be the book*
you are looking for det är nog den här
boken du söker; *that* ~ *do* det får räcka,
det får duga
II [wɪl] *huvudverb* **1** vilja [*God has willed it*
so]; *God willing* om Gud vill **2** förmå, få
III [wɪl] *subst* **1** vilja; *good* ~ god vilja,
välvilja; *ill* ~ illvilja; *thy* ~ *be done* bibl.
ske din vilja; *where there's a* ~ *there's a*
way man kan bara man vill; *at* ~ efter
behag, fritt; *you may come and go at* ~
du får komma och gå som du vill (som det
passar dig); *of one's own free* ~ av egen
fri vilja **2** testamente; *my last* ~ *and*
testament min sista vilja, mitt testamente

willing I ['wɪlɪŋ] *adj* villig, beredvillig,

tjänstvillig; *I am quite* ~ det vill jag gärna, det gör jag gärna

II ['wɪlɪŋ] *subst, show* ~ visa god vilja

willingly ['wɪlɪŋlɪ] *adv* **1** gärna, villigt, med nöje **2** frivilligt

willow ['wɪləʊ] *subst* träd pil, vide; ~ *warbler* fågel lövsångare; *weeping* ~ träd tårpil

willowy ['wɪləʊɪ] *adj* smärt, slank

willpower ['wɪl,paʊə] *subst* viljekraft, viljestyrka

wilt [wɪlt] *verb* vissna, torka, sloka

Wilton ['wɪltən] *subst*, ~ *carpet* el. ~ *rug* wiltonmatta

wily ['waɪlɪ] *adj* knipslug, förslagen

Wimbledon ['wɪmbldən]

Wimbledon är världens kanske mest kända tennisturnering. Den spelas i Wimbledon i London i juni och är en av de få turneringar som spelas på gräs, *lawn tennis*.

---

win I [wɪn] *(won won) (winning) verb*
1 vinna, vinna i (vid) [~ *the election*]; segra; erövra; ~ *the day* vinna slaget, hemföra segern; ~ *a trick* ta hem ett trick i kortspel **2** ~ *sb over* vinna ngn för sin sak, få ngn med sig [*he soon won the audience over*]; ~ *sb over to one's side* få ngn över på sin sida; ~ *sb round* få ngn med sig

II [wɪn] *subst* vard. **1** sport. seger **2** vinst [*a ~ on the pools*]

wince I [wɪns] *verb* rycka till [~ *with pain*]; rygga tillbaka [*at inför*], krypa ihop [*she winced under the blow*]

II [wɪns] *subst* ryckning; *without a* ~ utan att röra en min

winch I [wɪntʃ] *subst* **1** vinsch, vindspel **2** vev

II [wɪntʃ] *verb* vinscha upp

1 wind I [wɪnd] *subst* **1** vind [*warm ~s*]; *gust of* ~ kastby, vindstöt; *there is a strong* ~ det blåser hårt; *take the* ~ *out of sb's sails* ta loven av ngn; förekomma ngn; *there is something in the* ~ det är något under uppsegling; *throw caution to the* ~s kasta all försiktighet överbord **2** *get one's second* ~ hämta andan, hämta sig **3** väderkorn; *get* ~ *of* få nys om, få korn på **4** gaser från magen; *break* ~ a) rapa b) släppa sig **5** musik., *the wind* blåsarna; ~ *instrument* blåsinstrument **6** vard., *get the* ~ *up* bli skraj; *raise the* ~ skaffa

pengar

II [wɪnd] *verb* göra andfådd [*the race winded him*]; *be winded* vara andfådd

2 wind I [waɪnd] *(wound wound) verb*
1 linda, vira, sno **2** nysta [~ *yarn*]; spola [~ *thread*]; ~ *wool into a ball* nysta garn till ett nystan **3** veva [~ *down a window*]; veva på, vrida på [~ *a handle*] **4** ~ *up* vinda upp, veva upp, hissa upp **5** ~ *up* vrida upp, dra upp [~ *up a watch*]

II [waɪnd] *(wound wound) verb* med adv. o. prep.

wind up 1 sluta [*he wound up by saying*], avsluta [~ *up a meeting*]; hamna [~ *up in hospital*]; *we wound up at a restaurant* vi gick på restaurang efteråt som avslutning; *he will* ~ *up in jail* han kommer att sluta i fängelse **2** hand. avveckla [~ *up a company*]; avsluta [~ *up the accounts*] **3** ~ *up an estate* jur. utreda ett dödsbo

III [waɪnd] *subst* vridning; varv; *give a clock one more* ~ vrida upp en klocka ett varv till

windbag ['wɪndbæg] *subst* **1** vard. pratkvarn

windbreaker ['wɪnd,breɪkə] *subst* amer. vindtygsjacka

windfall ['wɪndfɔːl] *subst* **1** fallfrukt **2** skänk från ovan, glad överraskning

windflower ['wɪnd,flaʊə] *subst* vitsippa

wind force ['wɪndfɔːs] *subst* vindstyrka

wind gauge ['wɪndgeɪdʒ] *subst* meteor. vindmätare

winding ['waɪndɪŋ] *adj* slingrande, krokig [*a ~ path*]; ~ *staircase* spiraltrappa

winding-sheet ['waɪndɪŋʃiːt] *subst* liksvepning, sveplakan

windlass ['wɪndləs] *subst* tekn. vindspel, vinsch; sjö. ankarspel

windmill ['wɪndmɪl] *subst* väderkvarn

window ['wɪndəʊ] *subst* **1** fönster ruta el. på kuvert; skyltfönster **2** ~ *of opportunity* lägligt tillfälle

window box ['wɪndəʊbɒks] *subst* fönsterlåda, balkonglåda för växter

window-cleaner ['wɪndəʊ,kliːnə] *subst* fönsterputsare

window display ['wɪndəʊdɪ,spleɪ] *subst* fönsterskyltning

window-dressing ['wɪndəʊ,dresɪŋ] *subst* fönsterskyltning, fönsterdekorering

window envelope ['wɪndəʊ,envələʊp] *subst* fönsterkuvert

window frame ['wɪndəʊfreɪm] *subst* fönsterkarm

window ledge ['wɪndəʊledʒ] *subst*
fönsterbleck
windowpane ['wɪndəʊpeɪn] *subst* fönsterruta
window sash ['wɪndəʊsæʃ] *subst*
fönsterbåge
window-shop ['wɪndəʊʃɒp] (*-pp-*) *verb* titta i
skyltfönster, fönstershoppa
windowsill ['wɪndəʊsɪl] *subst* fönsterbräde
windpipe ['wɪndpaɪp] *subst* luftstrupe
windscreen ['wɪndskriːn] *subst* vindruta på
bil; ~ *washer* vindrutespolare; ~ *wiper*
vindrutetorkare
windshield ['wɪndʃiːld] *subst* amer., se
windscreen
windsurfing ['wɪnd,sɜːfɪŋ] *subst* vindsurfing
windswept ['wɪndswept] *adj* vindpinad
windy ['wɪndɪ] *adj* **1** blåsig **2** mångordig,
högtravande [~ *speeches*]
wine I [waɪn] *subst* vin
II [waɪn] *verb*, ~ *and dine* äta och dricka,
festa; ~ *and dine sb* bjuda ngn på en god
middag
wine bottle ['waɪn,bɒtl] *subst* vinflaska
wine cellar ['waɪn,selə] *subst* vinkällare
wineglass ['waɪnglɑːs] *subst* vinglas
wine-grower ['waɪn,grəʊə] *subst* vinodlare
wine merchant ['waɪn,mɜːtʃənt] *subst*
vinhandlare
wine-taster ['waɪn,teɪstə] *subst* vinprovare
wine-vinegar ['waɪn,vɪnɪɡə] *subst* vinättika,
vinäger
wing I [wɪŋ] *subst* **1** vinge; *clip sb's ~s*
vingklippa ngn; *take* ~ a) flyga upp, lyfta
b) ge sig av; flyga sin kos; *on the* ~ i flykten
[*shoot a bird on the ~*]; *take sb under
one's* ~ ta ngn under sina vingars skugga
2 flygel byggnad **3** flygel på bil; ~ *mirror*
backspegel **4** kragsnibb **5** sport. ytterkant
6 teat., spec. pl. ~s kulisser; *be waiting in
the ~s* a) teat. vänta i kulisserna b) vara
redo, vara beredd **7** mil. flygflottilj, amer.
flygeskader; ~ *commander*
överstelöjtnant vid flygvapnet
II [wɪŋ] *verb* vingskjuta [~ *a bird*]
winger ['wɪŋə] *subst* sport. ytter
wing nut ['wɪŋnʌt] *subst* vingmutter
wingspan ['wɪŋspæn] *subst* flyg. el. zool.
vingbredd
wink I [wɪŋk] *verb* blinka, blinka med; ~ *at
sb* blinka åt ngn; ögonflörta med ngn; ~ *at
sth* blunda för ngt, se genom fingrarna
med ngt
II [wɪŋk] *subst* **1** blink, blinkning **2** blund [*I
didn't sleep a ~ last night*]; *I couldn't get a*

~ *of sleep* jag fick inte en blund i ögonen;
forty ~s vard. en liten tupplur
winking ['wɪŋkɪŋ] *subst* blinkning; *as easy
as* ~ lekande lätt
winkle ['wɪŋkl] *subst* ätbar strandsnäcka
winner ['wɪnə] *subst* **1** vinnare, segrare **2** vard.
succé, fullträff
Winnie-the-Pooh [,wɪnɪðə'puː] Nalle Puh
winning I ['wɪnɪŋ] *adj* **1** vinnande [*the ~
horse*], segrande; vinnar- [*he is a ~ type*];
vinst- [*a ~ number*] **2** vinnande [*a ~ smile*],
intagande
II ['wɪnɪŋ] *subst* **1** vinnande; erövring **2** pl.
~s vinst, vinster
winning-post ['wɪnɪŋpəʊst] *subst* i kapplöpning
målstolpe, mållinje, mål
wino ['waɪnəʊ] (pl. ~s) *subst* sl. alkis alkoholist;
the ~s A-laget
winsome ['wɪnsəm] *adj* vinnande,
sympatisk, charmerande [*a ~ smile*]
winter I ['wɪntə] *subst* vinter; *in the dead of*
~ mitt i smällkalla vintern; se *summer* för ex.
II ['wɪntə] *verb* övervintra, tillbringa vintern
[*~ in the south*]
wintry ['wɪntrɪ] *adj* vintrig, vinterlik, vinter-
wipe I [waɪp] *verb* torka, torka av [*~ the
dishes*]; torka bort, sudda ut [*~ sth off the
blackboard*]; gnida; ~ *one's eyes* torka
tårarna; ~ *one's face* torka sig i ansiktet; ~
one's feet torka sig om fötterna; ~ *the
floor with sb* vard. sopa golvet med ngn; ~
one's shoes torka av skorna
II [waɪp] *verb* med adv. o. prep.
wipe away torka bort
wipe down torka ren, torka av
wipe off **1** torka av, stryka ut, sudda ut [*~
off sth from the whiteboard*] **2** utplåna; ~ *off
a debt* göra sig kvitt en skuld; ~ *sth off
the face of the earth* el. ~ *sth off the
map* totalförstöra ngt
wipe out **1** torka ur [*~ out a jug*], torka
bort, gnida ur [*~ out a stain*]; stryka ut,
sudda ut [*~ sth out from the blackboard*] **2** ~
out a debt göra sig kvitt en skuld
3 tillintetgöra, förinta [*the whole army was
wiped out*]; utplåna, utrota [*~ out crime*]
wipe up torka upp; torka [*~ up the dishes*]
III [waɪp] *subst* avtorkning; *give sth a* ~
torka av ngt.
wiper ['waɪpə] *subst* **1** torkare [*windscreen ~*]
2 torktrasa
wire I ['waɪə] *subst* **1** tråd av metall; ledning;
lina; vajer; *barbed* ~ taggtråd; *pull ~s*
använda sitt inflytande, mygla **2** vard.
telegram; *by* ~ per telegram

ll ['waɪə] *verb* **1** förse med ledningar, dra in ledningar i **2** vard. telegrafera till; telegrafera [*for* efter], skicka telegram
wirebrush ['waɪəbrʌʃ] *subst* stålborste
wirecutter ['waɪə,kʌtə] *subst* slags avbitartång
wire-haired ['waɪəheəd] *adj* strävhårig [*a* ~ *terrier*]
wireless l ['waɪələs] *adj*, ~ *telegraphy* trådlös telegrafi
ll ['waɪələs] *subst* åld. radioapparat
wire netting [,waɪə'netɪŋ] *subst* metalltrådsnät, ståltrådsnät, ståltrådsstängsel
wirepulling ['waɪə,pʊlɪŋ] *subst* spel bakom kulisserna, intrigerande, mygel
wiretapping ['waɪə,tæpɪŋ] *subst* telefonavlyssning
wire wool ['waɪəwʊl] *subst* stålull
wiring ['waɪərɪŋ] *subst* elinstallation; ledningsnät, ledningar
wiry ['waɪərɪ] *adj* **1** lik ståltråd; stripig [~ *hair*] **2** om person seg; senig
wisdom ['wɪzdəm] *subst* visdom, klokhet, förstånd
wisdom tooth ['wɪzdəmtu:θ] (pl. *wisdom-teeth* ['wɪzdəmti:θ]) *subst* visdomstand
wise [waɪz] *adj* vis, klok, förståndig; ~ *guy* spec. amer. vard. a) stöddig kille b) förståsigpåare, besserwisser; *be* ~ *after the event* vara efterklok; *if you take it nobody will be any the wiser* om du tar den kommer ingen att märka något; *we were none the wiser* vi blev inte ett dugg klokare för det; *get* ~ *to sth* vard. komma underfund med ngt
wiseacre ['waɪz,eɪkə] *subst* besserwisser
wisecrack l ['waɪzkræk] *subst* vard. kvickhet, spydighet
ll ['waɪzkræk] *verb* vard. vara kvick, vara spydig
wish l [wɪʃ] *verb* **1** önska, vilja ha; önska sig något [*close your eyes and* ~ *!*]; *I* ~ *to say a few words* jag skulle vilja säga några ord; ~ *sb further* vard. önska ngn dit pepparn växer; *I* ~ *you would be quiet* om du ändå ville vara tyst; *I* ~ *to God that...* el. *I* ~ *to Heaven that...* jag önskar vid Gud att...; *as you* ~ som du vill; ~ *for* önska sig [*she has everything a woman can* ~ *for*]; ~ *on a star* el. ~ *upon a star* se på en stjärna och önska sig något **2** tillönska, önska [~ *sb a Happy New Year*]; ~ *sb joy* lyckönska ngn; *I* ~ *you well!* lycka till!

ll [wɪʃ] *subst* önskan, önskemål [*for* om]; längtan [*for* efter, till]; pl. *wishes*
a) önskningar, önskemål [*for* om]
b) hälsningar [*best wishes from Mary*]; *my best wishes* mina varmaste lyckönskningar; *make a* ~ önska, önska sig något; *against sb's wishes* el. *contrary to sb's wishes* mot ngns önskan (vilja)
wishbone ['wɪʃbəʊn] *subst* gaffelben på fågel; önskeben ben i form av en klyka som dras itu av två personer varvid den som fått den längsta delen får önska sig något
wished-for ['wɪʃtfɔ:] *adj* efterlängtad, önskad
wishful ['wɪʃfʊl] *adj* längtansfull; ~ *thinking* önsketänkande
wishing-well ['wɪʃɪŋwel] *subst* önskebrunn
wishy-washy ['wɪʃɪ,wɒʃɪ] *adj* **1** blaskig [~ *tea*], vattnig [~ *colours*], matt, blek, slafsig, velig
wisp [wɪsp] *subst* knippa, bunt, remsa; stycke, bit; ~ *of hair* hårtest, hårtott; *a* ~ *of hay* en hötapp
wispy ['wɪspɪ] *adj* tovig [*a* ~ *beard*], stripig
wistaria [wɪ'stɪərɪə, ,wɪ'steərɪə] *subst* o.
wisteria [wɪ'stɪərɪə] *subst* blomma blåregn
wistful ['wɪstfʊl] *adj* längtansfull, trånande, trånsjuk
wit [wɪt] *subst* **1** pl. ~*s* vett, förstånd; *collect one's* ~*s* samla sig; *she has got her* ~*s about her* hon har huvudet på skaft; *he kept his* ~*s about him* han höll huvudet kallt; *I am at my wits' end* jag vet varken ut eller in; *live by one's* ~*s* leva på sin intelligens och fiffighet; *be out of one's* ~*s* a) vara från vettet b) vara ifrån sig; *frighten sb out of his* ~*s* skrämma ngn från vettet **2** kvickhet, spiritualitet; *have a ready* ~ vara slagfärdig **3** kvickhuvud
witch [wɪtʃ] *subst* **1** häxa, trollkäring **2** vard. häxa, käring [*an ugly old* ~]
witchcraft ['wɪtʃkrɑ:ft] *subst* trolldom, häxeri
witch-doctor ['wɪtʃ,dɒktə] *subst* medicinman
witch-hunt ['wɪtʃhʌnt] *subst* häxjakt
witch-hunter ['wɪtʃ,hʌntə] *subst* häxjägare
with [wɪð] *prep* **1** med **2** för [*I bought it* ~ *my own money*]; till, i [*take sugar* ~ *one's coffee*] **3** hos [*he is staying* ~ *the Browns*]; bland [*popular* ~]; av [*stiff* ~ *cold*; *tremble* ~ *fear*]; mot [*be frank* ~ *sb*]; på [*be angry* ~ *sb*] **4** *you can never tell* ~ *him* när det gäller honom kan man aldrig så noga veta; *it's*

OK ~ me vard. gärna för mig; *be laid up ~ influenza* ligga till sängs i influensa; *what does he want ~ me?* vad vill han mig?

withdraw [wɪð'drɔ:] (*withdrew withdrawn*) *verb* **1** dra bort, dra tillbaka [*~ troops from a position*]; avlägsna, ta bort [*from* från, ur]; *~ an accusation* ta tillbaka en anklagelse **2** dra sig tillbaka, avlägsna sig [*he withdrew for a moment*]; dra sig undan, dra sig ur; träda tillbaka [*~ in favour of a younger candidate*] **3** ta ut; *~ money from the bank* ta ut pengar på banken

withdrawal [wɪð'drɔ:əl] *subst* **1** tillbakadragande, avlägsnande; *~ symptom* abstinensbesvär **2** återkallande **3** utträde, tillbakaträdande, avgång; mil. återtåg **4** uttag från t.ex. bank

withdrawn I [wɪð'drɔ:n] perf. p. av *withdraw* **II** [wɪð'drɔ:n] *adj* om person tillbakadragen, inåtvänd, reserverad; *a ~ life* ett tillbakadraget liv

withdrew [wɪð'dru:] imperf. av *withdraw*

wither [ˈwɪðə] *verb* förtorka, göra vissen, komma att vissna; ~ el. *~ away* vissna, förtorka, tyna bort

withheld [wɪð'held] imperf. o. perf. p. av *withhold*

withhold [wɪð'həʊld] (*withheld withheld*) *verb* hålla inne [*~ sb's wages*]; vägra att ge [*~ one's consent*]; *~ sth from sb* undanhålla ngn ngt

within I [wɪ'ðɪn] *prep* **1** i rumsuttryck inom [*~ the city*], inuti, inne i, i, innanför; *be ~ doors* vara inomhus, vara inne; *from ~* inifrån [*from ~ the house*] **2** i tidsuttryck: *~ the space of* inom loppet av; *~ the last half hour* för mindre än en halvtimme sedan **II** [wɪ'ðɪn] *adv* **1** inuti, innanför, inne; *from ~* inifrån **2** inom sig

with-it [ˈwɪðɪt] *adj* vard. inne, inne- modern [*~ clothes*]; *be ~* om person hänga med, vara med på noterna

without I [wɪ'ðaʊt] *prep* utan **II** [wɪ'ðaʊt] *adv* **1** utanför, utvändigt, på utsidan; *from ~* utifrån **2** *there's no bread, so you'll have to do ~* det finns inget bröd så du får klara dig utan

withstand [wɪð'stænd] (*withstood withstood*) *verb* motstå, stå emot [*~ an attack*], tåla [*~ hard wear*], uthärda [*~ heat, ~ pain*]

withstood [wɪð'stʊd] imperf. o. perf. p. av *withstand*

witness I [ˈwɪtnəs] *subst* **1** vittne; *be ~ to* vara vittne till, bevittna **2** bevittnare [*~ of a signature*] **II** [ˈwɪtnəs] *verb* **1** vara vittne till, bevittna [*~ an accident*], uppleva, vara med om; närvara vid [*~ a transaction*] **2** bevittna [*~ a document, ~ a signature*]; vittna, betyga, intyga [*that* att] **3** vittna, vara vittne

witness box [ˈwɪtnəsbɒks] *subst* vittnesbås; *go into the ~* stiga fram för att vittna

witness stand [ˈwɪtnəsstænd] *subst* amer. vittnesbås

witticism [ˈwɪtɪsɪzəm] *subst* kvickhet, vits

witty [ˈwɪtɪ] *adj* kvick, spirituell, vitsig

wives [waɪvz] *subst pl* av *wife*

wizard I [ˈwɪzəd] *subst* **1** trollkarl **2** vard. mästare, trollkarl [*a financial ~*], geni **II** [ˈwɪzəd] *adj* vard. fantastisk, toppen

wizardry [ˈwɪzədrɪ] *subst* **1** trolldom **2** otrolig skicklighet, genialitet

wizened [ˈwɪznd] *adj* skrynklig, rynkig

wobble [ˈwɒbl] *verb* **1** vackla, vingla till, gunga, vicka [*the table ~s*] **2** få att vackla; gunga på, vagga på, vicka på [*don't ~ the table!*]

wobbly [ˈwɒblɪ] *adj* vacklande, osäker [*a ~ gait*], vinglig [*a ~ table*], ostadig

woe [wəʊ] *subst* poetiskt el. skämts. ve, sorg

woebegone [ˈwəʊbɪˌgɒn] *adj* bedrövad

woeful [ˈwəʊfʊl] *adj* **1** bedrövad, sorgsen **2** dyster, trist, eländig **3** bedrövlig

wok I [wɒk] *subst* kok. wok **II** [wɒk] (*wokked wokked*) *verb* kok. woka, laga med wok

woke [wəʊk] imperf. av *1 wake*

woken [ˈwəʊkən] perf. p. av *1 wake*

wolf I [wʊlf] (pl. *wolves* [wʊlvz]) *subst* varg; *a ~ in sheep's clothing* en ulv i fårakläder; *a lone ~* en ensamvarg; *cry ~* ge falskt alarm; *keep the ~ from the door* hålla nöden (svälten) från dörren **II** [wʊlf] *verb*, *~* el. *~ down* glufsa i sig

wolf cub [ˈwʊlfkʌb] *subst* vargunge

wolf hound [ˈwʊlfhaʊnd] *subst* varghund

wolf pack [ˈwʊlfpæk] *subst* vargflock, vargskock

wolves [wʊlvz] *subst pl* av *wolf I*

woman [ˈwʊmən] (pl. *women* [ˈwɪmɪn]) *subst* **1** kvinna; *~ of the world* dam av värld, världsdam; *~ author* el. *~ writer* författarinna, kvinnlig författare; *~ friend* kvinnlig vän, väninna vanligen till kvinna; *women's lib* vard. kvinnosaken; *women's libber* vard. a) kvinnosakskvinna b) gynnare av kvinnosaken; *women's liberation movement* kvinnornas

frihetsrörelse; *women's refuge*
kvinnojour
womanhood ['wʊmənhʊd] *subst* **1** kvinnor,
kvinnosläktet **2** vuxen ålder [*reach* ~]
womanizer ['wʊmənaɪzə] *subst* kvinnojägare
womankind ['wʊmənkaɪnd] *subst*
kvinnosläktet, kvinnor, kvinnfolk
womanly ['wʊmənlɪ] *adj* kvinnlig
womb [wuːm] *subst* anat. livmoder
women ['wɪmɪn] *subst pl* se *woman*
womenfolk ['wɪmɪnfəʊk] *subst pl* kvinnfolk,
kvinnor
won [wʌn] *imperf. o. perf. p. av win I*
wonder I ['wʌndə] *subst* **1** under, underverk
[*the seven* ~*s of the world*]; *the* ~ *is that*...
det märkliga är att...; *is it any* ~
that...*?* är det att undra på att...?; *it is
no* ~ el. *it is little* (*small*) ~ det är inte att
undra på [*he refused, and no* ~]; ~*s will
never cease* (ofta iron.) ungefär undrens tid
är inte förbi; *work* ~*s* göra underverk
2 undran [*at* över; *that* över att]
II ['wʌndə] *verb* **1** förundra sig, förvåna sig,
förvånas [*at, over* över] **2** undra [*I was just
wondering*]; *I* ~*!* det undrar jag!; *I* ~ *if I
could speak to*... skulle jag kunna få tala
med...
wonderful ['wʌndəfʊl] *adj* underbar [~
weather], fantastisk
wonderland ['wʌndəlænd] *subst* underland,
sagoland; *Wonderland* underlandet
[*Alice in Wonderland*]
wonky ['wɒŋkɪ] *adj* vard. ostadig [~ *on one's
legs*], vinglig, skranglig [*a* ~ *chair*]
wont [wəʊnt, spec. amer. wɒnt] *adj* van; *he
was* ~ *to say* han hade för vana att säga
won't [wəʊnt] = *will not*
woo [wuː] *verb* litt. **1** fria till, uppvakta; fria
2 vinna över
wood [wʊd] *subst* **1** trä, ved; träslag [*teak is a
hard* ~]; *touch* ~*!* el. amer. *knock on* ~*!* ta i
trä! **2** ~ pl. ~*s* liten skog [*go for a walk in the
~s*]; *you cannot see the* ~ *for the trees*
man ser inte skogen för bara trän; *be out
of the* ~ (*the* ~*s*) vara ur knipan, ha klarat
krisen
wood anemone [ˌwʊdə'nemənɪ] *subst* blomma
vitsippa
woodbine ['wʊdbaɪn] *subst* blomma
vildkaprifol
wood-carver ['wʊdˌkɑːvə] *subst* träsnidare
wood-carving ['wʊdˌkɑːvɪŋ] *subst* träsnideri
woodcock ['wʊdkɒk] *subst* fågel morkulla
woodcut ['wʊdkʌt] *subst* träsnitt
wood-cutter ['wʊdˌkʌtə] *subst*

1 skogshuggare, timmerhuggare;
vedhuggare **2** träsnidare
wooded ['wʊdɪd] *adj* skogig, skogrik [*a* ~
landscape], skogbevuxen
wooden ['wʊdn] *adj* **1** av trä, trä- [*a* ~ *leg*]
2 träaktig [~ *manners*], stel [*a* ~ *smile*]
3 torr [*a* ~ *style*]
woodland ['wʊdlənd] *subst* skogsbygd,
skogsland
wood louse ['wʊdlaʊs] (pl. *wood lice*
['wʊdlaɪs]) *subst* gråsugga
woodpecker ['wʊdˌpekə] *subst* fågel
hackspett
wood pigeon ['wʊdˌpɪdʒɪn] *subst* fågel
ringduva
woodshed ['wʊdʃed] *subst* vedbod, vedskjul
woodwind ['wʊdwɪnd] *subst* musik., *the* ~
träblåsarna; ~ el. ~ *instrument*
träblåsinstrument
woodwork ['wʊdwɜːk] *subst* **1** byggn. träverk,
timmerverk; snickerier, träarbeten; *come
out of the* ~ våga visa sig, börja göra sig
påmind **2** snickeri; spec. skol. träslöjd
woodyard ['wʊdjɑːd] *subst* **1** virkesupplag,
timmerupplag, brädgård **2** vedgård
woof [wuːf] *verb* brumma; om hund morra
wooing ['wuːɪŋ] *subst* frieri
wool [wʊl] *subst* **1** ull; *pull the* ~ *over sb's
eyes* slå blå dunster i ögonen på ngn
2 ullgarn **3** ylle, ylletyg, yllekläder; *all* ~ el.
pure ~ helylle
woollen I ['wʊlən] *adj* **1** ull- [~ *yarn*], av ull
2 ylle- [*a* ~ *blanket*], av ylle
II ['wʊlən] *subst* ylle; vanligen pl. ~*s* ylletyger,
yllevaror, ylleplagg
wool-lined ['wʊlaɪnd] *adj* yllefodrad
woolly ['wʊlɪ] *adj* **1** ullig, ylleaktig **2** ylle- [~
clothes] **3** vag, luddig [~ *ideas*], flummig
word I [wɜːd] *subst* **1** ord; pl. ~*s* ordalag [*in
well chosen* ~*s*]; *a* ~ *of advice* ett råd; ~ *of
honour* hedersord; *put in a good* ~ *for
sb* lägga ett gott ord för ngn; *it's the last
~* det är det allra senaste, det är sista
skriket [*in* i fråga om]; *have the last* ~
a) ha (få) sista ordet b) ha avgörandet i sin
hand; ~*s fail me!* jag saknar ord!; *have a
~ with sb* tala ett par ord med ngn; *have
~s* vard. gräla; *I'd like a* ~ *with you* a) jag
skulle vilja tala lite med dig b) jag har ett
par ord att säga dig; *put in a* ~ lägga ett
gott ord [*for* för]; *take the* ~*s right out of
sb's mouth* ta ordet ur munnen på ngn
2 pl. ~*s* ord, text, sångtext **3** lösenord [*give
the* ~]; paroll, motto **4** hedersord, löfte;
break one's ~ inte hålla sitt ord; *keep*

one's ~ hålla vad man lovat; *my* ~*!* vard.
minsann!, ser man på!; *take my* ~ *for it!*
tro mig!, sanna mina ord!; *be as good as
one's* ~ kunna stå vid sitt ord
5 meddelande, besked; *the* ~ *went round
that...* det ryktades att... **6** order; *give
the* ~ *to do sth* ge order om att göra ngt;
pass the ~ ge order, säga 'till; *say the* ~
säga 'till [*just say the* ~ *and I'll do it*] **7** med
prep.: *at the* ~ el. *at the given* ~ på givet
kommando; *take sb at his* ~ a) ta ngn på
orden b) ta ngns ord för gott; *beyond* ~*s*
mer än ord kan uttrycka, obeskrivligt; *by* ~
of mouth muntligen; *stand by one's* ~
stå vid sitt ord; *it's too funny for* ~*s* det
är så roligt så man kan dö; *he is too
stupid for* ~*s* han är otroligt dum; *in
other* ~*s* med andra ord; *in so many* ~*s*
klart och tydligt, rent ut [*he told me in so
many* ~*s that...*]; *put into* ~*s* uttrycka i
ord; *a man of few* ~*s* en fåordig man; *go
back on one's* ~ ta tillbaka sitt ord, bryta
sitt löfte; *play on* ~*s* lek med ord, ordlek;
upon my ~*!* förvånat minsann!, ser man på!
II [wɜːd] *verb* uttrycka, formulera [*a
sharply-worded protest*], avfatta [*a
carefully-worded letter*]
word-blind ['wɜːdblaɪnd] *adj* ordblind
word-for-word [ˌwɜːdfəˈwɜːd] *adj* ordagrann
[*a* ~ *translation*]
wording ['wɜːdɪŋ] *subst* formulering, lydelse
word order ['wɜːdˌɔːdə] *subst* ordföljd
word-perfect [ˌwɜːdˈpɜːfɪkt] *adj*, *be* ~ *in
sth* kunna ngt perfekt, kunna ngt utantill
word play ['wɜːdpleɪ] *subst* ordlek
word-processing ['wɜːdˌprəʊsesɪŋ] *subst*
data. ordbehandling
word processor ['wɜːdˌprəʊsesə] (förk. *WP*)
subst data. ordbehandlare
wordy ['wɜːdɪ] *adj* ordrik, mångordig,
vidlyftig [~ *style*]; långrandig
wore [wɔː] imperf. av *wear I*
work I [wɜːk] *subst* **1** arbete, jobb, uppgift
[*that is his life's* ~]; ~ *experience*
arbetserfarenhet, verk; *all* ~ *and no play
makes Jack a dull boy* bara arbete gör
ingen glad; *good* ~*!* fint!, bra gjort!; *it was
hard* ~ *getting there* det var jobbigt att
komma dit; *that was quick* ~ det gick
undan; *a job of* ~ ett arbete [*he always does
a fine job of* ~]; *a piece of* ~ a) ett arbete,
en prestation b) *he is a nasty piece of* ~
vard. han är en ful fisk; *I had my* ~ *cut out
to finish the dictionary* jag hade fullt sjå
med att få ordboken färdig; *he has done*

great ~ *for his country* han har gjort
stora insatser för sitt land; *many hands
make light* ~ ordspr. ju fler som hjälper till,
dess lättare går det; *make quick* ~ *of*
klara av kvickt; *make short* ~ *of* göra
processen kort med; *stop* ~ a) sluta arbeta
b) lägga ner arbetet; *at* ~ a) på arbetet
[*don't phone him at* ~] b) i arbete, i drift, i
gång [*we saw the machine at* ~]; *be at* ~ *on*
arbeta på, hålla på med; *out of* ~ utan
arbete, arbetslös; *be thrown out of* ~ bli
arbetslös; *set to* ~ *at sth* ta itu med ngt
2 verk [*the* ~*s of Shakespeare*], arbete; *a* ~
of art ett konstverk; *a new* ~ *on modern
art* ett nytt arbete om modern konst **3** ~ a)
fabrik [*a new* ~*s*], bruk, verk **4** pl. ~*s* verk,
mekanism **5** *public* ~*s* offentliga arbeten
II [wɜːk] (*worked worked*, i betydelse 4 o. 6
wrought wrought) *verb* **1** arbeta, jobba, verka
2 fungera, funka [*the pump* ~*s*], arbeta, gå
[*it* ~*s smoothly*], drivas [*this machine* ~*s by
electricity*] **3** lyckas, fungera, klaffa, funka
[*will this new plan* ~*?*] **4** manövrera,
hantera; driva [*this machine is worked by
electricity*]; ~ *sb to death* låta ngn arbeta
ihjäl sig; ~ *oneself to death* arbeta ihjäl
sig **5** åstadkomma [*time had wrought great
changes*], vålla, orsaka **6** ~ *one's way*
arbeta sig fram; ~ *one's way* el. ~ *one's
way up* arbeta sig upp
III [wɜːk] (*worked worked*) *verb* med adv. o.
prep.

work against arbeta emot, motarbeta; *we
are working against time* det är en
kapplöpning med tiden
work at arbeta på, arbeta med
work away arbeta vidare [*at, on* på],
arbeta undan, jobba på
work for arbeta för, arbeta åt [~ *for sb*]; ~
for one's exam arbeta på sin examen
work free slita sig loss, lossna
work loose släppa, lossna [*the screw has
worked loose*]
work on 1 arbeta på, arbeta med
2 påverka, bearbeta, spela på [~ *on sb's
feelings*]
work out 1 utarbeta [~ *out a plan*, ~ *out a
scheme*], utforma, arbeta fram **2** räkna ut,
räkna fram; lösa [~ *out a problem*], tyda
3 utvecklas, gå [*let us see how it* ~*s out*];
lyckas [*he hoped the plan would* ~ *out*]; *it
may* ~ *out all right* det kommer nog att
gå bra; *these things* ~ *themselves out*
sådant brukar ordna sig **4** ~ *out at* uppgå
till, gå på [*the total* ~*s out at £10*]

work over: ~ *sb over* ge ngn stryk, ge ngn en omgång
work towards arbeta för {~ *towards a peaceful settlement*}
work up 1 arbeta upp, driva upp {~ *up a business*} **2** bearbeta, förädla, arbeta upp **3** ~ *oneself up* hetsa upp sig, jaga upp sig; perf. p. *worked up* upphetsad, upprörd; *get all worked up over nothing* hetsa upp sig för ingenting
workable ['wɜːkəbl] *adj* **1** möjlig att bearbeta **2** genomförbar {*a ~ plan*}, praktisk, användbar {*a ~ method*}
work addict ['wɜːk,ædɪkt] *subst* o.
workaholic [,wɜːkə'hɒlɪk] *subst* vard. arbetsnarkoman
workbench ['wɜːkbentʃ] *subst* arbetsbänk
workbook ['wɜːkbʊk] *subst* övningsbok
worker ['wɜːkə] *subst* **1** arbetare, jobbare; arbetstagare; *he is a hard ~* han arbetar hårt **2** zool., ~ el. ~ *bee* arbetare, arbetsbi; ~ el. ~ *ant* arbetare, arbetsmyra
workforce ['wɜːkfɔːs] *subst* arbetsstyrka
working I ['wɜːkɪŋ] *subst* **1** arbete, verksamhet; *the ~s of sb's mind* vad som rör sig inom ngn **2** bearbetande, bearbetning **3** drift {*the ~ of a mine*}; skötsel
II ['wɜːkɪŋ] *adj* **1** arbetande {*the ~ masses*}, arbetar-; arbets- {~ *conditions*}; drifts-; ~ *capital* rörelsekapital, driftskapital; ~ *clothes* arbetskläder; ~ *hours* arbetstid **2** funktionsduglig, användbar, praktisk; *he has a ~ knowledge of French* han kan franska till husbehov; *in ~ order* i användbart skick, funktionsduglig
working-class [,wɜːkɪŋ'klɑːs] *subst* arbetarklass; *the working-classes* arbetarklassen
working-man ['wɜːkɪŋmæn] (pl. *working-men* ['wɜːkɪŋmen]) *subst* kroppsarbetare arbetare
workless ['wɜːkləs] *adj* arbetslös
workload ['wɜːkləʊd] *subst* arbetsbörda
workman ['wɜːkmən] (pl. *workmen* ['wɜːkmən]) *subst* arbetare; hantverkare
workmanlike ['wɜːkmənlaɪk] *adj* väl utförd, gedigen
workmanship ['wɜːkmənʃɪp] *subst* **1** yrkesskicklighet, kunnande **2** utförande {*articles of excellent ~*}; *a piece of solid ~* ett gediget arbete
workmate ['wɜːkmeɪt] *subst* arbetskamrat
work-out ['wɜːkaʊt] *subst* **1** träningspass; *he went there for a ~* han gick dit för att

träna **2** genomgång, prov, test **3** work-out gymnastik
worksheet ['wɜːkʃiːt] *subst* arbetssedel
workshop ['wɜːkʃɒp] *subst* **1** verkstad **2** workshop studiegrupp med diskussioner och praktiska övningar
worktop ['wɜːktɒp] *subst* i kök arbetsbänk, arbetsyta
world [wɜːld] *subst* **1** värld, jord {*a journey round the ~*}; ~ *champion* världsmästare; *World War I* första världskriget; *World War II* andra världskriget; *experience of the ~* världserfarenhet; *the fashionable ~* den fina världen; *what's the ~ coming to?* såna tider vi lever i!; *the ~ to come* livet efter detta; *I would give the ~ to know* jag skulle ge vad som helst för att få veta; *see the ~* se sig om i världen; *not for the ~* inte för allt i världen; *for all the ~ as if* precis som om; *for all the ~ like* på pricken lik, precis som; *all the difference in the ~* en himmelsvid skillnad; *make the best of both ~s* finna en kompromiss; *the food is out of this ~* vard. maten är inte av denna världen; *all over the ~* över (i) hela världen; *dead to the ~* död för världen **2** massa, mängd; *there is a ~ of difference between…* det är en himmelsvid skillnad mellan…; *it will do you a (the) ~ of good* det kommer att göra dig oändligt gott; *the two books are ~s apart* det är en enorm skillnad mellan de två böckerna; *think the ~ of sb* uppskatta ngn enormt, avguda ngn
world-beater ['wɜːld,biːtə] *subst*, *be a ~* vara världsbäst, vara i världsklass
world-class [,wɜːld'klɑːs] *adj*, *be ~* vara i världsklass
world-famous [,wɜːld'feɪməs] *adj* världsberömd
worldliness ['wɜːldlɪnəs] *subst* världslighet
worldly ['wɜːldlɪ] *adj* världslig, jordisk; ~ *goods* världsliga ägodelar; ~ *wisdom* världserfarenhet
world-shaking ['wɜːld,ʃeɪkɪŋ] *adj* som skakar (skakade) hela världen {*a ~ crisis*}
worldwide [,wɜːld'waɪd] *adj* världsomfattande, världsomspännande
worm I [wɜːm] *subst* **1** mask; småkryp; *can of ~s* trasslig härva; *even a ~ will turn* ordspr., ungefär det finns gränser för vad man tål **2** inälvsmask
II [wɜːm] *verb*, ~ *oneself into* el. ~ *one's way into* slingra sig in i, åla sig in i; ~ *oneself into sb's favour* nästla sig in hos

ngn, ställa sig in hos ngn; ~ *sth out of sb*
locka ur ngn ngt, lirka ur ngn ngt
worm-eaten ['wɜːm,iːtn] *adj* maskäten
wormwood ['wɜːmwʊd] *subst* malört
worn [wɔːn] *adj* o. *perf p* (av *wear*) nött, sliten,
tärd, medtagen, trött [*with* av]; ~ *clothes*
avlagda kläder
worried ['wʌrɪd] *adj* orolig, ängslig [*about*,
over för, över; *at* över]
worry I ['wʌrɪ] *verb* **1** oroa, bekymra, plåga,
pina; ~ *the life out of sb* el. ~ *sb to death*
plåga (pina) livet ur ngn; ~ *oneself* oroa
sig, bekymra sig [*about* för, över]; *don't
let it* ~ *you* oroa dig inte för det **2** oroa sig,
ängslas, vara orolig [*about*, *over* över, för];
I should ~*!* vard. det struntar jag blankt i!,
det rör mig inte i ryggen!; *we'll* ~ *when
the time comes* den tiden, den sorgen;
don't you ~*!* oroa dig inte!; *not to* ~*!* vard.
ingenting att bry sig om!, ta det lugnt!
II ['wʌrɪ] *subst* oro, bekymmer, sorg
worrying ['wʌrɪɪŋ] *adj* plågsam, oroande
worse I [wɜːs] *adj* o. *adv* (komparativ av *bad*,
badly o. *ill*) värre, sämre; *be* ~ *off* ha det
sämre ställt, vara sämre; *get* ~ el. *grow* ~
el. *become* ~ bli värre, bli sämre, förvärras,
försämras; *to make matters* ~ till råga på
eländet; *so much the* ~ *for him* desto
värre för honom; *be the* ~ *for drink* vara
berusad; *he is none the* ~ *for it* han har
inte tagit skada av det
II [wɜːs] *subst* värre saker, något ännu värre
[*I have* ~ *to tell*]
worsen ['wɜːsn] *verb* **1** förvärra, försämra
2 förvärras, försämras
worship I ['wɜːʃɪp] *subst* **1** dyrkan, tillbedjan
2 gudstjänst; andaktsövning; *religious* ~
religionsutövning; *place of* ~
gudstjänstlokal **3** *Your Worship* Ers nåd,
herr domare
II ['wɜːʃɪp] (-*pp*-, amer. -*p*-) *verb* dyrka,
tillbe, avguda
worshipper ['wɜːʃɪpə] *subst* **1** dyrkare,
tillbedjare **2** kyrkobesökare
worst I [wɜːst] *adj* o. *adv* (superlativ av *bad*,
badly o. *ill*) värst, sämst; *be* ~ *off* ha det
sämst; *come off* ~ klara sig sämst, dra det
kortaste strået
II [wɜːst] *subst*, *the* ~ den (det, de) värsta;
the ~ *is yet to come* det värsta återstår;
the ~ *of it is that*... det värsta (sämsta)
av allt är att...; *that's the* ~ *of being
alone* det är det värsta med att vara
ensam; *have the* ~ *of it* el. *get the* ~ *of it*
dra det kortaste strået, råka värst ut; *I*

want to know the ~ jag vill veta
sanningen även om den är obehaglig; *think the*
~ *of sb* tro det värsta om ngn; *at the* ~ el.
at ~ i värsta fall; *if the* ~ *comes to the* ~ i
värsta fall, i sämsta fall
worsted ['wʊstɪd] *subst* **1** kamgarn
2 kamgarnstyg
worth I [wɜːθ] *adj* värd [*it's* ~ £*50*]; *it is not*
~ *while* det är inte mödan värt; *it is* ~
noticing det förtjänar anmärkas; ~
reading värd att läsa, läsvärd; *be* ~
seeing vara värd att se, vara sevärd; *for all
one is* ~ av alla krafter, för glatta livet; *I'll
give you a tip for what it is* ~ du ska få
ett tips vad det nu kan vara värt
II [wɜːθ] *subst* **1** värde; *know one's* ~
känna sitt eget värde **2** *a hundred
pounds'* ~ *of goods* varor för hundra
pund; *get one's money's* ~ få valuta för
pengarna
worthless ['wɜːθləs] *adj* värdelös
worthwhile ['wɜːθwaɪl] *adj* **1** som är värd att
göra [*a* ~ *experiment*], värd besväret
2 givande, värdefull [~ *discussions*],
lönande
worthy ['wɜːðɪ] *adj* värdig [*a* ~ *successor*];
värd; ~ *of* värd [*an attempt* ~ *of a better
fate*]; *be* ~ *of* vara värd, förtjäna [*be* ~ *of
praise*]
would [wʊd, obetonat wəd, əd] *hjälpverb*
(imperf. av *will*) **1** skulle [*I* ~ *do it if I could*];
he was afraid something ~ *happen*]; *that* ~
be nice det vore trevligt; ~ *you believe
it?* kan man tänka sig!; *I wouldn't know*
inte vet jag; *how* ~ *I know?* hur skulle jag
kunna veta det?; *if that* ~ *suit you* om det
passar **2** ville [*he wouldn't do it; I could if I*
~]; *I wish you* ~ *stay* jag önskar du ville
stanna, jag skulle vilja att du stannade; *if it*
~ *only stop raining* om det bara ville
sluta regna **3** skulle absolut; *of course it* ~
rain naturligtvis måste (skulle) det regna
4 skulle vilja [~ *you do me a favour?*]; *shut
the door,* ~ *you?* stäng dörren är du snäll!
5 brukade, kunde [*he* ~ *sit for hours doing
nothing*] **6** torde; *he* ~ *be your uncle, I
suppose* han är väl din farbror?; *it* ~ *seem
that*... el. *it* ~ *appear that*... det vill
synas som om...
would-be ['wʊdbiː] *adj* **1** tilltänkt [*the* ~
victim]; ~ *buyers* eventuella köpare **2** så
kallad, s.k. [*a* ~ *philosopher*]
wouldn't ['wʊdnt] = *would not*
1 wound [waʊnd] imperf. o. perf. p av *2 wind I*
2 wound I [wuːnd] *subst* sår; *a bullet* ~ en

skottskada; *inflict a* ~ *on sb* såra ngn;
lick one's ~**s** slicka sina sår; *reopen old*
~**s** riva upp gamla sår
II [wu:nd] *verb* **1** såra; *badly wounded*
svårt sårad **2** såra, kränka
wove [wəʊv] *imperf.* av *weave I*
woven I ['wəʊvən] *perf.* p. av *weave I*
II ['wəʊvən] *adj*, ~ *fabric* vävt tyg, väv,
vävnad
wow [waʊ] *interj* oj! [~! *what a dress!*], det
var som tusan!, nej men!

wr-
När *wr-* står i början på ord uttalas
inte *w*: *write* [raɪt], *wrong* [rɒŋ].

wrangle ['ræŋgl] *verb* gräla, käbbla
wrap I [ræp] (*-pp-*) *verb* **1** ~ *up* el. ~ svepa,
svepa in [*in* i]; svepa om [*in* med]; linda
in, slå in, packa in [*in* i], täcka; ~ *a parcel*
el. ~ *up a parcel* slå in ett paket; ~ *oneself
up well* klä på sig ordentligt; ~ *sth round*
svepa ngt runt om, slå ngt runt om [~
paper round it] **2** *wrapped up in*
a) fördjupad i, helt absorberad av [*wrapped
up in one's studies*] b) nära förknippad med;
be wrapped up in oneself vara
självupptagen; *wrapped in mystery*
höljd i dunkel
II [ræp] *subst* **1** sjal; resfilt; pl. ~**s** ytterplagg,
ytterkläder, badkappa; *keep sth under* ~**s**
hålla ngt hemligt **2** wrap slags rulle av tunnbröd
med fyllning
wrapper ['ræpə] *subst* omslag, hölje;
skyddsomslag på bok
wrapping ['ræpɪŋ] *subst* **1** ofta pl. ~**s** omslag,
hölje; emballage **2** omslagspapper
wrapping-paper ['ræpɪŋ,peɪpə] *subst*
omslagspapper
wrath [rɒθ, amer. ræθ] *subst* vrede [*the day of*
~]
wreak [ri:k] *verb* utkräva, ta; ~ *havoc on*
anställa förödelse på; ~ *vengeance on sb*
ta hämnd på
wreath [ri:θ, pl. ri:ðz el. ri:θs] *subst* **1** krans av
blommor m.m.; girland **2** vindling, virvel,
slinga [*a* ~ *of smoke*]
wreathe [ri:ð] *verb* **1** bekransa [*wreathed
with flowers*], omge; *be wreathed in*
bekransas av, omges av; *his face was
wreathed in smiles* han var idel solsken
2 vira, linda, fläta, binda [*round, about*
kring, runt]

wreck I [rek] *subst* **1** vrak, skeppsvrak,
bilvrak **2** skeppsbrott, förlisning, haveri
3 ödeläggelse, förstöring **4** vrak, ruin;
spillror; *he is a* ~ *of his former self* han
är blott en skugga av sitt forna jag
II [rek] *verb* **1** komma att förlisa, kvadda;
be wrecked lida skeppsbrott, haverera,
förlisa [*the ship was wrecked*]; bli kvaddad
2 ödelägga, förstöra, undergräva
wreckage ['rekɪdʒ] *subst* **1** vrakspillror,
vrakdelar **2** skeppsbrott, haveri
wrecking ['rekɪŋ] *adj* amer. bärgnings-; ~
car el. ~ *truck* bärgningsbil; ~ *train*
hjälptåg
wren [ren] *subst* fågel gärdsmyg
wrench I [rentʃ] *subst* **1** häftigt ryck; *give a*
~ *at* vrida om, vrida till **2** skiftnyckel
II [rentʃ] *verb* **1** rycka loss, rycka av [~ *a
gun from sb*], slita loss, slita av [~ *the door
off its hinges*], vrida; ~ *oneself from* slita
(vrida) sig ur **2** vricka, stuka [~ *one's
ankle*]
wrest [rest] *verb* rycka, slita [*from* från; *out of
sb's hands* ur händerna på ngn]; ~ *a secret
from sb* pressa (tvinga) av ngn en
hemlighet
wrestle I ['resl] *verb* brottas, kämpa [*with*
med]; brottas med
II ['resl] *subst* brottning; brottningsmatch
wrestler ['reslə] *subst* brottare
wrestling ['reslɪŋ] *subst* brottning
wrestling-match ['reslɪŋmætʃ] *subst*
brottningsmatch
wretch [retʃ] *subst* **1** stackare **2** usling
wretched ['retʃɪd] *adj* **1** djupt olycklig,
eländig [*feel* ~], hopplös [*a* ~ *existence*];
stackars [*the* ~ *woman*] **2** usel, futtig
3 bedrövlig, urusel [~ *weather*], vard.
förbaskad [*a* ~ *cold*]
wretchedness ['retʃɪdnəs] *subst* **1** förtvivlan
2 elände, misär **3** uselhet
wriggle I ['rɪgl] *verb* **1** slingra sig, vrida sig,
åla sig; ~ *out of* åla sig ur; slingra sig ur
(från) [*he tried to* ~ *out of his promise*]; ~
one's way slingra sig fram, åla sig **2** vrida
på, vicka på [~ *one's hips*]
II ['rɪgl] *subst* **1** slingrande rörelse, vickning
2 snirkel
wring I [rɪŋ] (*wrung wrung*) *verb* vrida [~
one's hands in despair]; vrida ur, krama ur
[~ *the water from wet clothes*]; krama, trycka
[*he wrung my hand hard*]; ~ *sb's neck*
vrida halsen (nacken) av ngn; ~ *sth out of
sb* el. ~ *sth from sb* pressa (tvinga) av ngn
ngt [~ *money out of sb*], pressa ur ngn ngt;

~ *a confession out of sb* tvinga fram en bekännelse av ngn; ~ *out* vrida ur, krama ur [~ *out the water from wet clothes*] **II** [rɪŋ] *subst* vridning, kramning; *give the washing a* ~ vrida ur tvätten

wringing ['rɪŋɪŋ] *adv*, ~ *wet* drypande våt, dyblöt

wrinkle I ['rɪŋkl] *subst* rynka, skrynkla, veck **II** ['rɪŋkl] *verb* rynka, rynka på [*she wrinkled her nose*]; skrynkla, skrynkla till (ned), vecka [*äv.* ~ *up*]; bli rynkig (skrynklig), rynka sig, skrynklas

wrinkled ['rɪŋkld] *adj* rynkig, skrynklig

wrinkly I ['rɪŋklɪ] *adj* rynkig, skrynklig **II** ['rɪŋklɪ] *subst* neds. gamling; *old wrinklies* gamla fossiler, gamla stofiler

wrist [rɪst] *subst* handled, handlov

wristband ['rɪstbænd] *subst* **1** handlinning, manschett **2** armband, svettband

wristwatch ['rɪstwɒtʃ] *subst* armbandsur

writ [rɪt] *subst* jur. skrivelse, handling

write I [raɪt] (*wrote written*) *verb* **1** skriva, skriva ner, skriva ut, författa; ~ *for* a) skriva för (i) [~ *for a newspaper*] b) skriva efter; ~ *for a living* leva på att skriva **2** gå att skriva med [*this ballpoint doesn't* ~] **II** [raɪt] (*wrote written*) *verb* med adv. o. prep.

write back svara på t.ex. brev

write down skriva upp, skriva ner, anteckna

write off 1 avskriva [~ *off a debt*], avfärda [*it was written off as a failure*] **2** ~ *off for* skriva efter, rekvirera, beställa **3** ~ *off to* skriva till

write out skriva ut [~ *out a cheque*]

writer ['raɪtə] *subst* författare, skribent; *writer's cramp* skrivkramp; *the present* ~ undertecknad

write-up ['raɪtʌp] *subst* vard. recension, kritik; *a bad* ~ en dålig recension

writhe [raɪð] *verb* vrida sig [~ *with pain*]

writing I ['raɪtɪŋ] *subst* **1** skrift; *in* ~ skriftligt; *take down in* ~ skriva ner, avfatta skriftligt **2** författarverksamhet, författarskap; *he turned to* ~ *at an early age* han började skriva vid en tidig ålder **3** handstil **4** inskrift, inskription; skrift; *the* ~ *on the wall* skriften på väggen, ett dåligt omen **5** arbete, verk [*his collected* ~*s*] **II** ['raɪtɪŋ] *adj* skriv-; ~ *materials* skrivmaterial, skrivdon

writing-desk ['raɪtɪŋdesk] *subst* skrivbord

writing-pad ['raɪtɪŋpæd] *subst* **1** skrivunderlägg **2** skrivblock

writing-paper ['raɪtɪŋˌpeɪpə] *subst* skrivpapper, brevpapper

writing-table ['raɪtɪŋˌteɪbl] *subst* skrivbord

written I ['rɪtn] perf. p. av *write* **II** ['rɪtn] *adj* skriven, skriftlig; *a* ~ *test* ett skriftligt prov; ~ *language* skriftspråk

wrong I [rɒŋ] *adj* **1** orätt [*it is* ~ *to steal*] **2** fel [*he got into the* ~ *train*], felaktig; *sorry,* ~ *number!* förlåt, jag (ni) har kommit fel!; *be* ~ ha fel, ta fel; *you're* ~ *there!* där tar (har) du fel!; *the* ~ *way round* bakvänd, bakvänt; *be on the* ~ *side of fifty* vara över femtio år; *get on the* ~ *side of sb* komma på kant med ngn; *get out of bed on the* ~ *side* vakna på fel sida; *go the* ~ *way about it* börja i fel ända; *the food went down the* ~ *way* maten fastnade i vrångstrupen; *what's* ~ *with...?* a) vad är det för fel med (på)...? b) vad har du emot...? **II** [rɒŋ] *adv* orätt [*act* ~], oriktigt, fel, galet [*guess* ~]; vilse; *do* ~ handla orätt, göra fel; *you've got it all* ~ du har fått alltsammans om bakfoten; *don't get me* ~*!* missförstå mig inte!; *go* ~ a) gå fel, gå vilse b) misslyckas, gå snett c) vard. gå sönder, paja **III** [rɒŋ] *subst* orätt [*right and* ~]; orättfärdighet; oförrätt, orättvisa; *I had done no* ~ jag hade inte gjort ngt fel; *be in the* ~ a) ha orätt, ha fel b) vara skyldig; *put sb in the* ~ lägga skulden på ngn **IV** [rɒŋ] *verb* förorätta, förfördela, kränka [*she was deeply wronged*]

wrongdoer ['rɒŋˌduːə] *subst* **1** syndare **2** ogärningsman, lagbrytare

wrongdoing ['rɒŋˌduːɪŋ] *subst* oförrätt, förseelse

wrongful ['rɒŋfʊl] *adj* **1** orättvis, orättfärdig **2** olaglig, orättmätig

wrongly ['rɒŋlɪ] *adv* **1** fel, felaktigt, fel-; ~ *spelt* felstavad **2** orättvist [~ *accused*]

wrote [rəʊt] imperf. av *write*

wrought I [rɔːt] imperf. o. perf. p. av *work II* **II** [rɔːt] *adj* **1** bearbetad, smidd, hamrad [~ *copper*]; ~ *iron* smidesjärn **2** prydd, dekorerad, utsirad

wrung [rʌŋ] imperf. o. perf. p. av *wring I*

wry [raɪ] *adj* **1** sned, skev **2** *make a* ~ *face* el. *pull a* ~ *face* göra en grimas, göra en sur min; ~ *humour* torr humor; ~ *smile* tvunget leende

Xx

Yy

X o. **x** [eks] *subst* **1** X, x **2** X, x beteckning för
okänd faktor, person m.m. [*x* = *y*; *Mr. X*]
3 kryss; äv. symbol för kyss i t.ex. brev
xenophobia [ˌzenəˈfəʊbjə] *subst*
främlingshat
Xmas [ˈkrɪsməs] *subst* kortform för *Christmas*
X-rated [ˈeksˌreɪtɪd] *adj* om film etc.
barnförbjuden
X-ray I [ˈeksreɪ] *subst* **1** röntgenbild
2 röntgen
II [ˈeksreɪ] *verb* röntga, röntgenbehandla
xylophone [ˈzaɪləfəʊn] *subst* musik. xylofon

Y o. **y** [waɪ] *subst* **1** Y, y **2** mat. Y, y beteckning
för bl.a. okänd faktor
yacht [jɒt] *subst* lustjakt, yacht; stor segelbåt
yacht club [ˈjɒtklʌb] *subst* segelsällskap,
yachtklubb
yachting I [ˈjɒtɪŋ] *subst* segling, segelsport
II [ˈjɒtɪŋ] *adj* lustjakt-, segel-, båt- [~ *trip*],
seglar- [~ *cap*]
yachtsman [ˈjɒtsmən] (pl. *yachtsmen*
[ˈjɒtsmən]) *subst* seglare, kappseglare
Yank [jæŋk] *subst* o. *adj* vard. för *Yankee*
yank I [jæŋk] *verb* vard. rycka i, dra i
II [jæŋk] *subst* vard. ryck, knyck
Yankee [ˈjæŋkɪ] *subst* vard. yankee, jänkare
yap [jæp] (-*pp*-) *verb* **1** gläfsa **2** vard. tjafsa,
snacka
yappy [ˈjæpɪ] *adj* gläfsande, bjäbbande
1 yard [jɑːd] *subst* yard = 3 *feet* = 0,91 m
2 yard [jɑːd] *subst* **1** inhägnad gård,
gårdsplan **2** amer. trädgård **3** område,
inhägnad; *railway* ~ bangård **4** *the Yard*
vard., se *Scotland Yard* (*New Scotland Yard*)
under *Scotland*
yardstick [ˈjɑːdstɪk] *subst* måttstock
yarn [jɑːn] *subst* **1** garn, tråd **2** vard.
skepparhistoria; *spin a* ~ dra en
skepparhistoria
yawn I [jɔːn] *verb* gäspa; ~ *one's head off*
gäspa käkarna ur led
II [jɔːn] *subst* gäspning
yawning [ˈjɔːnɪŋ] *adj* **1** gäspande [*a* ~
audience] **2** gapande [*a* ~ *abyss*]
yd. o. **yds.** (förk. för *yard*, *yards*), se *1 yard*
yeah [jeə] *adv* vard. ja; *oh* ~? jaså?
year [jɪə] *subst* år, årtal, årgång; ~ *of birth*
födelseår; *for* ~*s and* ~*s* el. *for donkey's*
~*s* i många herrans år; *last* ~ i fjol, förra
året; *this* ~ i år; *a* ~ *or two ago* för ett par
år sedan; ~*s ago* för flera (många) år
sedan; ~ *after* ~ år efter år; ~ *by* ~ år för
år; *by next* ~ till nästa år, senast nästa år;
for ~*s* spec. amer., *in* ~*s* i åratal, på många
år; *in the* ~ *2000* år 2000; *she did it in
two* ~*s* hon gjorde det på två år; *in two* ~*s
time* om två år; *of late* ~*s* el. *of recent* ~*s*
på (under) senare år
yearbook [ˈjɪəbʊk] *subst* årsbok, årskalender
yearlong [ˈjɪəlɒŋ] *adj* årslång

yearly I ['jɪəlɪ] *adj* årlig, års-
II ['jɪəlɪ] *adv* årligen
yearn [jɜːn] *verb* längta, trängta [*for sth, after sth* efter ngt; *to do* efter att göra], tråna
yearning ['jɜːnɪŋ] *subst* stark åtrå, trängtan
yeast [jiːst] *subst* jäst
yell I [jel] *verb* gallskrika, tjuta, skrika ut
II [jel] *subst* skrik, tjut, vrål

yellow
På engelska gator ser man ofta en
målad enkel eller en dubbel gul
linje. En gul linje, *yellow line*, bety-
der parkeringsförbud, två gula
linjer, *double yellow line*, betyder
stoppförbud.

yellow I ['jeləʊ] *adj* **1** gul; ~ *fever* gula
febern **2** vard. feg
II ['jeləʊ] *subst* **1** gult **2** äggula
yellow-belly ['jeləʊˌbelɪ] *subst* vard. fegis
yelp I [jelp] *verb* gläfsa, skälla
II [jelp] *subst* gläfs, skarpt skall
Yemen ['jemən]
yes I [jes] *adv* ja, jo; ~*?* verkligen?, och
sedan?; ~, *sir!* vard. jajamen!, jadå!, jodå!
II [jes] *subst* ja; *say* ~ säga ja, samtycka
yes-man ['jesmæn] (pl. *yes-men* ['jesmen])
subst jasägare, eftersägare, medlöpare
yesterday I ['jestədeɪ, 'jestədɪ] *adv* i går; *I
wasn't born* ~ jag är inte född i går
II ['jestədeɪ, 'jestədɪ] *subst* gårdagen; ~
evening i går kväll; ~ *morning* i går
morse; ~ *night* i går kväll, i natt; *the day
before* ~ i förrgår
yet I [jet] *adv* **1** ännu, än; *as* ~ än så länge,
hittills; *the most serious incident* ~ den
hittills allvarligaste incidenten; *while
there is* ~ *time* medan det ännu är tid;
you will win ~ du kommer att vinna till
sist; *have you done* ~*?* har du slutat nu?
2 förstärkande ännu, ytterligare [~ *others*]; ~
again el. ~ *once more* ännu en gång; ~
another ännu en; *more important* ~
ännu viktigare
II [jet] *adv* o. *konj* ändå, likväl, dock [*strange
and* ~ *true*], i alla fall; men
yew [juː] *subst* träd idegran
yid [jɪd] *subst* sl. neds. jude
Yiddish ['jɪdɪʃ] *subst* o. *adj* jiddisch
yield I [jiːld] *verb* **1** ge, avkasta, ge i
avkastning, inbringa **2** lämna ifrån sig,
överlämna, avstå, överge **3** ge efter, ge vika

[*to* för; ~ *to threats*], ge med sig, ge sig,
svikta; ~ *ground* falla undan [*to* för]; ~ *to
temptation* falla för frestelsen **4** spec. amer.
lämna företräde i trafiken [*to* åt]
II [jiːld] *subst* **1** avkastning, behållning,
vinst **2** produktion, skörd
yielding ['jiːldɪŋ] *adj* **1** foglig, medgörlig
2 böjlig, elastisk
YMCA [ˌwaɪˈem.siːˈeɪ] (förk. för *Young Men's
Christian Association*) KFUM
yob [jɒb] *subst* o. **yobbo** ['jɒbəʊ] *subst* sl. buse,
ligist
yodel ['jəʊdl] (*-ll-*, amer. *-l-*) *verb* joddla
yoga ['jəʊgə] *subst* yoga indisk religionsfilosofisk
lära
yoghurt o. **yogurt** ['jɒgət] *subst* yoghurt
yoke I [jəʊk] *subst* ok; *shake off the* ~ el.
throw off the ~ kasta av oket
II [jəʊk] *verb* spänna [~ *oxen to a plough*]
yokel ['jəʊkəl] *subst* lantis, tölp
yolk [jəʊk] *subst* äggula, gula
yon [jɒn] *pron* o. *adv* litt. el. dialektalt, se *yonder*
yonder I ['jɒndə] *pron* litt. den där; ~ *group
of trees* trädgruppen där borta
II ['jɒndə] *adv* litt. där borta, dit bort
yore [jɔː] *subst* litt., *of* ~ fordom; *in days of*
~ i forna tider
Yorkshire ['jɔːkʃɪə] geogr. egennamn, ~
pudding yorkshirepudding slags
ugnspannkaka gräddad med steksky, som äts med
kött
you [juː, obetonat jʊ] *pron* **1** du, ni; som objekt
etc. dig, er; ~ *fool!* din dumbom! **2** man [~
get a good meal there]; spec. som objekt en, rfl.
sig **3** utan motsvarighet i svenskan: *don't* ~ *do
that again!* gör inte om det där!; *there's
a fine apple for* ~*!* vard. titta ett sånt fint
äpple!; *there's friendship for* ~*!* vard. det
kan man kalla vänskap!, iron. och det ska
kallas vänskap!
you'd [juːd] = *you had* o. *you would*
you'll [juːl] = *you will* o. *you shall*
young I [jʌŋ] *adj* **1** ung; ~ *bird* fågelunge;
my ~ *brother* min lillebror; *a* ~ *child* ett
litet barn; ~ *lady!* unga dam!, min unga
fröken!; *his* ~ *lady* vard. hans flickvän; *her*
~ *man* hennes pojkvän; ~ *ones* ungar;
the evening is still ~ el. *the night is still*
~ kvällen har bara börjat; *the* ~ de unga,
ungdomen **2** ungdomlig
II [jʌŋ] *subst pl* djurs ungar; *bring forth* ~ få
ungar, föda ungar; *with* ~ dräktig
younger ['jʌŋgə] *adj* (komparativ av *young*)
yngre etc., se *young I*; *which is the* ~*?*
vilken är yngst?

youngest ['jʌŋgɪst] *adj* superlativ av *young*

youngish ['jʌŋgɪʃ] *adj* rätt så ung, yngre [*a ~ man*]

youngster ['jʌŋstə] *subst* **1** unge, pojke, grabb **2** yngling, tonåring

your [jɔː, obetonat jə] *pron* **1** din, er; *Your Excellency* Ers Excellens; *Your Majesty* Ers Majestät **2** motsvarar *you* i betydelsen 'man' sin; *you can't alter ~ nature* man kan inte ändra sin natur; ens [*~ arms get tired sometimes*]

you're [jɔː, jʊə] = *you are*

yours [jɔːz] *pron* din, er; *what's ~?* vard. vad ska du ha?; se *1 mine* för ex.

yourself [jɔːˈself, obetonat jəˈself] (pl. *yourselves* [jɔːˈselvz, jəˈselvz]) *pron* dig, er, sig [*you* (du, ni, man) *may hurt ~*], dig (er, sig) själv [*you are not ~ today*]; du (ni, man) själv [*nobody but ~*], själv [*do it ~*]; *your father and ~* din far och du själv, er far och ni själv; *by ~* a) ensam, för sig själv b) på egen hand

youth [juːθ, i pl. juːðz] *subst* **1** ungdom, ungdomen, ungdomstid, ungdomstiden; *a friend of my ~* en ungdomsvän till mig; *in my ~* i min ungdom; *~ centre* ungefär ungdomsgård; *~ hostel* vandrarhem **2** yngling, ung man; *as a ~* som yngling, som ung

youthful ['juːθfʊl] *adj* ungdomlig, ung

you've [juːv, obetonat jʊv, jəv] = *you have*

yo-yo I ['jəʊjəʊ] (pl. *~s*) *subst* jojo leksak

II ['jəʊjəʊ] *adj* jojo- [*a ~ effect*], hastigt svängande

III ['jəʊjəʊ] *verb* åka jojo, svänga fram och tillbaka, pendla

yucky ['jʌkɪ] *adj* vard. äcklig

Yugoslavia [ˌjuːgəˈslɑːvjə] hist. Jugoslavien

Yule [juːl] *subst* o. **Yuletide** ['juːltaɪd] *subst* litt. jul, julen

yummy ['jʌmɪ] *adj* vard. smakens, mumsig

yum-yum [ˌjʌmˈjʌm] *interj* vard. namnam!, mums!, härligt!

YWCA [ˌwaɪˈdʌbljuːˌsiːˈeɪ] (förk. för *Young Women's Christian Association*) KFUK

Zz

Z o. z [zed, amer. vanligen ziː] *subst* Z, z

Zambia ['zæmbɪə]

Zambian I ['zæmbɪən] *adj* zambisk

II ['zæmbɪən] *subst* zambier

zap I [zæp] (*-pp-*) *verb* vard. **1** knäppa, skjuta **2** zappa mellan tv-kanaler

II [zæp] *subst* vard. kraft, fart

III [zæp] *interj* vard. svisch!, pang!

zapper ['zæpə] *subst* **1** tv. fjärrkontroll **2** person som ständigt växlar mellan tv-kanaler

zeal [ziːl] *subst* iver, nit, entusiasm

zealous ['zeləs] *adj* ivrig, nitisk

zebra crossing

Övergångsställen för fotgängare i England är målade med vita ränder som ser ut som en sebras skinn. De kallas därför *zebra crossings*.

zebra ['zebrə, spec. amer. 'ziːbrə] *subst* **1** zool. sebra **2** *~ crossing* övergångsställe för fotgängare markerat med vita ränder

zed [zed] *subst* bokstaven z

zee [ziː] *subst* amer., bokstaven z

zenith ['zenɪθ] *subst* zenit; höjdpunkt [*at the ~ of his career; at its ~*]

zero I ['zɪərəʊ] *subst* **1** noll; *~ growth* nolltillväxt; *~ tolerance* nolltolerans **2** nollpunkt, fryspunkt; *absolute ~* absoluta nollpunkten; *be at ~* stå på noll; *10 degrees below ~* 10 minusgrader; *it is below ~* det är minusgrader

II ['zɪərəʊ] *verb* nollställa; *~ in on* a) sikta på, skjuta sig in på b) rikta in sig på

zest [zest] *subst* iver, entusiasm [*with ~*]; aptit [*for på*]; *~ for life* livsglädje, livslust; *add a ~ to* el. *give a ~ to* ge en extra krydda åt, sätta piff på

zigzag I ['zɪgzæg] *adj* sicksackformig, sicksack- [*a ~ line*]

II ['zɪgzæg] *subst* sicksack, sicksacklinje

III ['zɪgzæg] *adv* i sicksack

IV ['zɪgzæg] (*-gg-*) *verb* gå (löpa) i sicksack

zilch [zɪltʃ] *subst* spec. amer. vard. noll, ingenting

Zimbabwe [zɪmˈbɑːbwɪ]

Zimbabwean I [zɪm'bɑːbwɪən] *adj*
zimbabwisk

II [zɪm'bɑːbwɪən] *subst* zimbabwier

Zimmer frame ['zɪməfreɪm] *subst* gåbock för
handikappade

zinc [zɪŋk] *subst* zink; ~ *ointment* zinksalva

zing [zɪ] *subst* **1** vinande ljud **2** vard. energi

zip I [zɪp] *subst* **1** vinande, visslande [*the* ~ *of
a bullet*] **2** vard. kläm, fart, energi [*full of* ~]
3 blixtlås **4** amer. vard. noll, ingenting

II [zɪp] (-*pp*-) *verb*, ~ el. ~ *open* öppna
blixtlåset på; ~ el. ~ *up* dra igen blixtlåset
på, stänga; *will you* ~ *me up?* vill du dra
igen blixtlåset på min klänning?

Zip code ['zɪpkəʊd] *subst* amer. postnummer

zip-fastener ['zɪp,fɑːsnə] *subst* blixtlås

zipper ['zɪpə] *subst* spec. amer. blixtlås

zippy ['zɪpɪ] *adj* vard. fartig, energisk

zip suit ['zɪpsuːt] *subst* overall för småbarn

zit [zɪt] *subst* vard. finne

zodiac ['zəʊdɪæk] *subst* astrol., *the signs of
the Zodiac* stjärntecken, djurkretsen

zombi o. **zombie** ['zɒmbɪ] *subst* **1** zombie
2 vard. dönick

zone [zəʊn] *subst* zon, bälte; *the danger* ~
riskzonen, farozonen; *postal delivery* ~
amer. postdistrikt; *the temperate* ~*s* de
tempererade zonerna; *the torrid* ~ den
tropiska zonen; ~ *therapist* zonterapeut;
~ *therapy* zonterapi

Zoo [zuː] *subst* vard. zoo

zoological [,zəʊə'lɒdʒɪkl, i 'zoological gardens':
zʊ'lɒdʒɪkl] *adj* zoologisk, djur-; ~ *gardens*
zoologisk trädgård, djurpark

zoologist [zəʊ'ɒlədʒɪst] *subst* zoolog

zoology [zəʊ'ɒlədʒɪ] *subst* zoologi

zoom I [zuːm] *subst* **1** flyg. brant stigning,
brant uppgång **2** ~ *lens* zoomlins,
zoomobjektiv **3** brummande, surrande

II [zuːm] *verb* **1** flyg. stiga brant, stiga
hastigt, skjuta i höjden [*prices zoomed*]
2 film. el. tv. zooma [~ *in*; ~ *out*]; om bildmotiv
zoomas in, zoomas ut

Engelska oregelbundna verb

Uttal till alla oregelbundna imperfekt- och participformer i denna lista finns i den engelsk-svenska ordboksdelen, där dessa ord står som egna uppslagsord med hänvisning till infinitivformen.

Infinitiv	Imperfekt	Perfekt particip
arise	arose	arisen
awake	awoke	awoken
be (Presens indikativ, sing.: I am, you are, he/she/it is, pl.: we/you/they are)	was (pl.: were)	been
bear	bore	borne; born ('född')
beat	beat	beaten
become	became	become
begin	began	begun
behold	beheld	beheld
bend	bent	bent
bereave	bereft, bereaved	bereft, bereaved
beseech	besought	besought
bet	bet, betted	bet, betted
bid ('bjuda', 'befalla')	bade	bidden, bid
bid ('bjuda på auktion')	bid	bid
bind	bound	bound
bite	bit	bitten
bleed	bled	bled
blow	blew	blown
break	broke	broken
breed	bred	bred
bring	brought	brought
broadcast	broadcast, broadcasted	broadcast, broadcasted
build	built	built
burn	burnt	burnt
burst	burst	burst
buy	bought	bought
cast	cast	cast
catch	caught	caught
choose	chose	chosen
cleave	cleft, cleaved	cleft

Infinitiv	**Imperfekt**	**Perfekt particip**
cling	clung	clung
clothe	clothed, (poet.) clad	clothed, (poet.) clad
come	came	come
cost	cost	cost
creep	crept	crept
crow	crowed, crew	crowed
cut	cut	cut
deal	dealt	dealt
dig	dug	dug
do (he/she/it does)	did	done
draw	drew	drawn
dream	dreamt, dreamed	dreamt, dreamed
drink	drank	drunk
drive	drove	driven
dwell	dwelt	dwelt
eat	ate	eaten
fall	fell	fallen
feed	fed	fed
feel	felt	felt
fight	fought	fought
find	found	found
flee	fled	fled
fling	flung	flung
fly	flew	flown
forbear	forbore	forborne
forbid	forbade	forbidden
forecast	forecast, forecasted	forecast, forecasted
forget	forgot	forgotten
forgive	forgave	forgiven
forsake	forsook	forsaken
freeze	froze	frozen
get	got	got, amer. äv. gotten (i vissa betydelser, t.ex. 'fått', 'kommit')
give	gave	given
go (he/she/it goes)	went	gone
grind	ground	ground
grow	grew	grown

Infinitiv	Imperfekt	Perfekt particip
hang	hung	hung (i betydelsen 'avliva genom hängning' vanligen hanged hanged)
have (he/she/it has)	had	had
hear	heard	heard
hew	hewed	hewed, hewn
hide	hid	hidden, hid
hit	hit	hit
hold	held	held
hurt	hurt	hurt
keep	kept	kept
kneel	knelt, kneeled	knelt, kneeled
knit	knitted, knit	knitted, knit
know	knew	known
lay	laid	laid
lead	led	led
lean	leaned, leant	leaned, leant
leap	leapt	leapt
learn	learnt, learned	learnt, learned
leave	left	left
lend	lent	lent
let	let	let
lie	lay	lain
light	lit, lighted	lit, lighted
lose	lost	lost
make	made	made
mean	meant	meant
meet	met	met
mow	mowed	mown
pay	paid	paid
put	put	put
quit	quitted	quitted
read	read	read
rid	rid	rid
ride	rode	ridden
ring	rang	rung
rise	rose	risen
run	ran	run
saw	sawed	sawn

Infinitiv	Imperfekt	Perfekt particip
say	said	said
see	saw	seen
seek	sought	sought
sell	sold	sold
send	sent	sent
set	set	set
sew	sewed	sewn, sewed
shake	shook	shaken
shear	sheared	shorn, sheared
shed	shed	shed
shine	shone	shone
shoe	shod	shod
shoot	shot	shot
show	showed	shown
shrink	shrank	shrunk
shut	shut	shut
sing	sang	sung
sink	sank	sunk
sit	sat	sat
slay	slew	slain
sleep	slept	slept
slide	slid	slid
sling	slung	slung
slink	slunk	slunk
slit	slit	slit
smell	smelt	smelt
smite	smote	smitten
sow	sowed	sown, sowed
speak	spoke	spoken
speed ('skynda', 'ila')	sped	sped
spell	spelt	spelt
spend	spent	spent
spill	spilt	spilt
spin	spun	spun
spit	spat	spat
split	split	split
spoil	spoilt, spoiled	spoilt, spoiled
spread	spread	spread
spring	sprang	sprung
stand	stood	stood

466

Infinitiv	Imperfekt	Perfekt particip
steal	stole	stolen
stick	stuck	stuck
sting	stung	stung
stink	stank	stunk
stride	strode	stridden
strike	struck	struck
string	strung	strung
strive	strove	striven
swear	swore	sworn
sweep	swept	swept
swell	swelled	swollen
swim	swam	swum
swing	swung	swung
take	took	taken
teach	taught	taught
tear	tore	torn
tell	told	told
think	thought	thought
throw	threw	thrown
thrust	thrust	thrust
tread	trod	trodden
underbid	underbid	underbid
wake	woke	woken
wear	wore	worn
weave	wove	woven
wed	wedded, wed	wedded, wed
weep	wept	wept
win	won	won
wind	wound	wound
wring	wrung	wrung
write	wrote	written

False friends

"False friends" är en skämtsam benämning på ord och uttryck i två olika språk (i det här fallet engelska och svenska) som liknar varandra men som har helt eller delvis olika betydelser.

I uppställningen nedan står det svenska och det engelska ordet tillsammans som ett par med det svenska ordet överst. Orden är ordnade i bokstavsordning efter det svenska ordet. Till båda orden finns relevanta översättningar och vid vissa ord finns exempel som illustration. Utförligare information om orden finns i ordboken.

sv: **advokat**	lawyer, solicitor, barrister
en: **advocate**	förespråkare [*an advocate of reform*]
sv: **allé**	avenue [*a tree-lined avenue*]
en: **alley**	gränd; bowlingbana [*a bowling alley*]
sv: **annonsera**	(i tidning) advertise
en: **announce**	tillkännage, meddela; anmäla [*announce one's arrival*]
sv: **biff**	beefsteak [*a juicy beefsteak*]
en: **beef**	oxkött
sv: **blazer**	(oftast) sports jacket
en: **blazer**	(oftast) klubbjacka av flannel, ibland med märke
sv: **censur**	censorship [*the censorship of the press*]
en: **censure**	klander, kritik
sv: **chef**	head, manager; boss
en: **chef**	köksmästare, kock
sv: **eventuellt**	possibly, may be [*I may be able to help you*]
en: **eventually**	slutligen, till slut [*eventually she came back*]
sv: **exemplar**	copy [*a copy of a book*]
en: **example**	exempel [*for example*]
sv: **expedition**	(lokal) office; (forskningsresa) expedition
en: **expedition**	expedition (bara i betydelsen 'forskningsresa')
sv: **fabrik**	factory [*a car factory*]
en: **fabric**	tyg, väv [*a silk fabric*]
sv: **flod**	river [*on the river Thames*]
en: **flood**	översvämning [*the village was cut off by floods*]

sv: **fysiker**	physicist [*a physicist studies physics*]
en: **physician**	läkare
sv: **följa med ngn**	go along with sb, accompany sb [*the parents accompanied the little boy to the bus*]
en: **follow sb**	följa bakom ngn, följa efter ngn [*he looked back to see if he was being followed*]
sv: **genial**	lysande, brilliant; (om saker även) ingenious [*a brilliant plan*]
en: **genial**	gemytlig, vänlig; (om klimat) mild
sv: **giltig**	valid [*a valid ticket, a valid passport*]
en: **guilty**	skyldig [*he was found guilty of murder*]
sv: **grym**	cruel [*a cruel man, a cruel murder*]
en: **grim**	hård, bister [*a grim smile*]
sv: **gäspa**	yawn [*she was so tired she kept yawning*]
en: **gasp**	dra efter andan, flämta [*gasp for air*]
sv: **halta**	limp [*he hurt his leg and was limping*]
en: **halt**	stanna, göra halt [*the train halted at the station*]
sv: **koka**	boil; (t.ex. kaffe) make [*boil water, make coffee*]
en: **cook**	laga mat [*cook food*]
sv: **kommendera**	command, order [*command the troops, order a cease-fire*]
en: **commend**	lovorda, prisa [*I was commended for my work*]
sv: **kompanjon**	partner [*he is my partner in the firm*]
en: **companion**	kamrat, sällskap, följeslagare
sv: **koncept**	draft, outline [*work out an outline on paper*]
en: **concept**	begrepp, synsätt [*a new concept in computer technology*]
sv: **konsekvent**	consistent [*a consistent policy*]
en: **consequent**	följande [*the crisis led to the consequent downfall of the Government*]
sv: **konservera**	preserve [*preserve fruit*]
en: **conserve**	(oftast) bevara, spara på [*conserve energy*]
sv: **kontrollera**	check, check up on [*check these figures please*]
en: **control**	behärska, dirigera [*control one's temper, control traffic*]

sv: **kraftig**	powerful, strong; great; (storväxt) big [*a strong dose; a great improvement; a big fellow*]
en: **crafty**	listig, slug [*a crafty politician*]
sv: **kristendom**	Christianity [*he was converted to Christianity*]
en: **Christendom**	kristenheten (dvs. alla kristna folk och länder)
sv: **likör**	liqueur [*a glass of liqueur with coffee*]
en: **liquor**	sprit, spritdryck [*cheap liquor*]
sv: **lustig**	funny, comical; (konstig) odd [*a funny chap, a comical chap*]
en: **lusty**	kraftig; hjärtlig [*a lusty kick, lusty cheers*]
sv: **mapp**	file, folder [*he put the papers in a file*]
en: **map**	karta [*a map of Sweden*]
sv: **motion**	exercise [*I must get some exercise*]
en: **motion**	rörelse, tecken [*she made a motion with her hand*]
sv: **mustig**	(närande) rich, nourishing [*a nourishing soup*]
en: **musty**	unken, instängd [*a musty smell*]
sv: **mystisk**	mysterious
en: **mystical**	(i religiös betydelse) gåtfull [*mystical ceremonies*]
sv: **märke**	(fabrikat) brand, make [*a brand of coffee, what make is your car?*]
en: **mark**	märke, fläck
sv: **novell**	short story [*a collection of short stories*]
en: **novel**	roman [*Dickens wrote many great novels*]
sv: **offer**	victim; (uppoffring) sacrifice [*the victim of an accident*]
en: **offer**	erbjudande [*a special offer*]
sv: **ordinarie**	(om tjänst) permanent; (i sport) normal [*a permanent job; normal time*]
en: **ordinary**	vanlig, ordinär, alldaglig [*a quite ordinary person*]
sv: **packa upp**	unpack [*unpack things after a holiday*]
en: **pack up**	packa ner [*pack up things in a suitcase*]
sv: **paragraf**	section [*a section of a legal document*]
en: **paragraph**	nytt stycke, avsnitt [*the first two paragraphs of an essay*]

sv: **permission**	leave [*the soldier was on leave*]
en: **permission**	tillstånd, tillåtelse [*I asked permission to leave work early*]
sv: **pest**	plague [*in 1665 a terrible plague occurred in London*]
en: **pest**	plågoris (om person och sak); skadedjur [*that nasty little boy is a pest; rats and other pests*]
sv: **plump**	coarse, rude [*a coarse joke*]
en: **plump**	fyllig, knubbig; välgödd [*a plump chicken*]
sv: **portier**	receptionist; hall porter
en: **porter**	bärare, stadsbud (vid järnvägstation)
sv: **proper**	tidy, neat [*the young man looked neat and tidy in his new suit*]
en: **proper**	riktig, rätt; egentlig [*in the proper way, London proper*]
sv: **publik**	(på teater etc.) audience; (åskådare) crowd
en: **public**	allmänhet [*the public* allmänheten]
sv: **rar**	nice, kind [*a nice girl, a kind old man*]
en: **rare**	sällsynt, ovanlig [*a rare occasion*]
sv: **recept**	(på läkemedel) prescription; (på maträtter) recipe [*a doctor's prescription; a new recipe for apple pie*]
en: **receipt**	kvitto [*keep the receipt in case you want a refund*]
sv: **reparation**	repair, repairs [*I handed in the car for repair*]
en: **reparations**	skadestånd [*reparations after the war*]
sv: **repetera**	(teater, musik) rehearse [*rehearse a play, rehearse a symphony*]
en: **repeat**	upprepa; ge i repris [*repeat what you said, repeat a TV programme*]
sv: **ränta**	interest [*15% interest*]
en: **rent**	hyra [*I paid the rent for my flat yesterday*]
sv: **schema**	schedule; (i skolan etc.) timetable, (amer.) schedule [*a school timetable,* amer. *a school schedule*]
en: **scheme**	plan, system, projekt [*a new health insurance scheme*]
sv: **sensible**	sensitive [*a sensitive person*]
en: **sensible**	förståndig, förnuftig, klok [*sensible advice, a sensible person, sensible shoes*]

sv: **självmedveten**	self-assured, self-confident [*a self-assured, rather arrogant young man*]
en: **self-conscious**	generad, osäker [*a self-conscious, rather shy young man*]
sv: **spara**	save [*save money, save time*]
en: **spare**	avvara, undvara; bespara; skona [*can you spare me a few minutes?, can you spare me a pound?*]
sv: **spirituell**	witty [*a witty remark*]
en: **spiritual**	andlig, själslig [*a spiritual leader, spiritual songs*]
sv: **stek**	joint [*a joint of lamb*]
en: **steak**	biff, stekt köttskiva [*fried steak and onions*]
sv: **stickig**	prickly [*a prickly woollen pullover*]
en: **sticky**	klibbig [*the honey made my fingers sticky*]
sv: **svamp**	(tvättsvamp) sponge; (ätlig) mushroom [*pick mushrooms*]
en: **swamp**	träsk, kärr [*a swamp is soft wet land*]
sv: **taxa**	rate, (för körning) fare [*at a standard rate, the bus fares have gone up*]
en: **tax**	skatt [*income tax*]
sv: **uppror**	rebellion [*after the rebellion the president resigned*]
en: **uproar**	tumult, kalabalik [*the meeting ended in an uproar*]
sv: **varuhus**	department store [*Harrods is a London department store where you can buy almost anything*]
en: **warehouse**	lagerlokal, varuupplag [*goods are stored in a warehouse*]
sv: **vinka**	wave [*wave goodbye to sb, wave sb off*]
en: **wink**	blinka [*wink at sb*]
sv: **vrist**	ankle; instep [*she hurt her ankle when running; the instep is the top part of the foot*]
en: **wrist**	handled [*she had a bracelet on her wrist*]
sv: **överta**	take over [*take over a business, take over command*]
en: **overtake**	köra om, hinna upp [*overtake cars on the road*]

Mått och vikt i Storbritannien och USA

Det internationella metersystemet används också, i synnerhet i Storbritannien.

Längdmått

inch (in.)	0.083 foot	2,54 cm
foot (ft.)	12 inches	30,48 cm
yard (yd.)	3 feet	0,914 m
mile (m.)	1 760 yards	1 609 m

Ytmått

square inch (sq. in.)		6,45 cm²
square foot (sq. ft.)	144 sq. inches	9,29 dm²
square yard (sq. yd.)	9 sq. feet	0,84 m²
acre	4 840 sq. yards	4 050 m²
square mile (sq. m.)	640 acres	2,6 km²

Rymdmått

cubic inch (cu. in.)		16,387 cm³
cubic foot (cu. ft.)	1 728 cu. inches	0,028 m³
cubic yard (cu. yd.)	27 cu. feet	0,765 m³

För våta varor

pint (pt.)		0,568 l (amer. 0,473 l)
quart (qt.)	2 pints	1,136 l (amer. 0,946 l)
gallon (gal.)	4 quarts	4,546 l (amer. 3,785 l)

Matlagningsmått

1 teaspoonful 6 ml (amer. 5 ml)	1 tesked 5 ml
1 tablespoonful 18 ml (amer. 15 ml)	1 matsked 15 ml
1 cupful 284 ml (amer. 237 ml)	1 kopp (Obs! 1 kaffekopp 150 ml)

Viktmått

ounce (oz.)		28,35 g
pound (lb.)	16 ounces	0,454 kg
stone (st.)	14 pounds	6,35 kg
quarter (qr.)	28 pounds (amer. 25 pounds)	12,7 kg (amer. 11,3 kg)
hundredweight (cwt.) kg)	112 pounds (amer. 100 pounds)	50,8 kg (amer. 45,4
ton (short, amer.)	2 000 pounds	907,2 kg
ton (long)	2 240 pounds	1 016 kg

Motsvarande värden för några svenska mått- och viktenheter

1 cm = 0.394 inch   1 cm^2 = 0.155 square inch   1 cm^3 = 0.061 cubic inch

1 m = 1.094 yards   1 m^2 = 1.196 square yards   1 m^3 = 1.308 cubic yards

1 km = 0.621 mile   1 a = 119.6 square yards
1 mil = 6.21 miles   1 ha = 2.471 acres
                     1 km^2 = 0.386 square mile

1 l = 1.76 pints   1 g = 0.035 ounce
1 dl = 0.176 pints   1 hg = 3.5 ounces
                     1 kg = 2.2 pounds
                     1 ton = 1.1 short tons (0.984 long ton)

Norstedts
lilla engelska ordbok

SVENSK–ENGELSK

Aa

A *subst* musik. A

à *prep*, ~ *femtio kronor* at fifty kronor; *5* ~ *6 gånger* 5 or 6 times

AB bolag, ungefär Ltd., amer. Inc., Corp.; jfr *aktiebolag*

abborre *subst* perch (pl. vanligen lika)

abdikation *subst* abdication

abdikera *verb* abdicate

aber *subst*, *ett* ~ a snag, a drawback

abessinier *subst* kattras Abyssinian

abnorm *adj* abnormal

abonnemang *subst* subscription [på to, for]; *ha* ~ *på* have a season ticket for

abonnent *subst* subscriber; teat. season-ticket holder

abonnera *verb* subscribe [på to, for]; ~*d buss* hired coach, amer. chartered bus

abort *subst* abortion; *en framkallad* ~ an induced abortion; *göra* ~ have an abortion

abortmotståndare *subst* anti-abortionist

abrupt *adj* abrupt

ABS-bromsar *subst pl* ABS brakes (förk. för *anti-lock braking system*)

absolut I *adj* absolute

II *adv* absolutely; helt utterly; säkert certainly, definitely

absolutist *subst* helnykterist teetotaller

absorbera *verb* absorb

abstinensbesvär *subst pl* med. withdrawal symptoms

abstrakt *adj* abstract

absurd *adj* absurd

absurditet *subst* absurdity

acceleration *subst* acceleration

accelerationsförmåga *subst* acceleration, power of acceleration

accelerera *verb* accelerate

accent *subst* accent; tonvikt stress

accenttecken *subst* accent, stress mark

accentuera *verb* accentuate, stress

acceptabel *adj* acceptable

acceptera *verb* accept

accessoarer *subst pl* accessories

aceton *subst* acetone

acetylsalicylsyra *subst* kem. acetylsalicylic acid

acklimatisera *verb* acclimatize; ~ *sig* become acclimatized; anpassa sig adapt oneself [till to]

ackompanjatör *subst* accompanist

ackompanjemang *subst* accompaniment; *till* ~ *av* accompanied by

ackompanjera *verb* accompany

ackord *subst* **1** musik. chord **2** *arbeta på* ~ do piecework **3** överenskommelse contract [på for]

ackordsarbete *subst* piecework (endast sing.)

ackordslön *subst* piece wages pl.

ackumulator *subst* accumulator, amer. storage battery

ackumulera *verb* accumulate

ackusativ *subst* gram. accusative; *i* ~ in the accusative

acne *subst* med. acne

actionfilm *subst* action film

adamsäpple *subst* anat. Adam's apple

adb (förk. för *automatisk databehandling*) ADP (förk. för *automatic data processing*)

addera *verb* add; lägga ihop add up, add together

addition *subst* addition

adekvat *adj* adequate; träffande apt

adel *subst*, ~*n* the nobility

adelsman *subst* nobleman

adjektiv *subst* gram. adjective

adjektivisk *adj* adjectival

adjö I *interj* goodbye, vard. bye-bye!

II *subst* goodbye; *säga* ~ *åt ngn* say goodbye to sb

adlig *adj* noble, aristocratic

administration *subst* administration

administrativ *adj* administrative

administratör *subst* administrator

administrera *verb* administer, manage

adoptera *verb* adopt; *hon* ~*de bort barnet* she had the child adopted

adoption *subst* adoption

adoptivbarn *subst* adopted child

adoptivföräldrar *subst pl* adoptive parents

adrenalin *subst* adrenalin, amer. vanligen epinephrine

adress *subst* address

adressat *subst* addressee

adressera *verb* address

adresslapp *subst* address label, luggage label

adressändring *subst* change of address

Adriatiska havet the Adriatic, the Adriatic Sea

advent *subst* Advent; *första* ~ Advent Sunday

adventskalender *subst* Advent calendar

adventsstake *subst* Advent candlestick with

four candles lit in turn on each Sunday in Advent

adverb *subst* gram. adverb

advokat 1 *subst* allm. lawyer **2** juridiskt ombud solicitor **3** som för talan vid domstol barrister, amer. vanligen attorney

advokatbyrå *subst* firma firm of lawyers

aerobics *subst* aerobics (med verb i sing.)

aerobisk *adj*, ~ *träning* aerobics (med verb i sing.)

aerodynamisk *adj* aerodynamic

aerosol *subst* aerosol

aerosolförpackning *subst* aerosol container

affekt *subst* emotion; *handla i* ~ act in the heat of the moment

affekterad *adj* tillgjord affected

affektionsvärde *subst* sentimental value

affisch *subst* bill; större placard, poster

affischering *subst* placarding; ~ *förbjuden!* post (stick) no bills!

affär *subst* **1** business **2** butik shop, spec. amer. store; *stå (jobba) i* ~ work in a shop, work in a store; *hur går* ~*erna?* how's business?; *göra en god* ~ do a good piece of business, make a good bargain; *ha* ~*er med* do business with **3** angelägenhet affair; *sköt dina egna* ~*er!* mind your own business!; *göra stor* ~ *av ngt* make a big deal out of sth, make a great fuss about sth

affärsbiträde *subst* shop assistant, amer. salesclerk, clerk

affärsbrev *subst* business letter

affärscentrum *subst* **1** köpcentrum shopping centre; inomhus shopping arcade, shopping mall **2** affärs- och kontorsdistrikt business district

affärsgata *subst* shopping street

affärsinnehavare *subst* shopkeeper, amer. storekeeper

affärskvinna *subst* businesswoman

affärsman *subst* businessman

affärsmässig *adj* businesslike

affärsresa *subst* business trip

affärstid *subst* business hours pl., opening hours pl.

afghan *subst* Afghan äv. hund

Afghanistan Afghanistan

afghansk *adj* Afghan

Afrika Africa

afrikan *subst* African

afrikansk *adj* African

afroasiatisk *adj* Afro-Asian

afrofrisyr *subst* Afro (pl. -s)

afton *subst* evening, senare night; *god* ~*!* när

man kommer good evening!, när man går good night!

aftonbön *subst* evening prayers pl.

aftondräkt *subst* evening dress

aftonklänning *subst* evening gown

agent *subst* **1** agent **2** spion spy

agentroman *subst* spy novel, spy story

agentur *subst* agency

agera *verb* act

agerande *subst* **1** *de* ~ those involved **2** *hans* ~ his actions

agg *subst*, *hysa* ~ *mot ngn* have a grudge against sb

aggregat *subst* **1** aggregate **2** tekn. unit, set

aggression *subst* aggression

aggressiv *adj* aggressive

aggressivitet *subst* aggressiveness

agitation *subst* agitation, campaign

agitator *subst* agitator

agitera *verb* agitate, campaign

agn *subst* vid fiske bait

aids *subst* med. Aids, AIDS (förk. för *acquired immune deficiency syndrome* förvärvat immunbristsyndrom)

aidssjuk *subst*, *en* ~ an Aids sufferer, an Aids victim

aiss *subst* musik. A sharp

aj *interj* oh!, ouch!; *aj, aj!* varnande now! now!

àjour *subst*, *hålla sig* ~ keep up to date; *hålla ngn* ~ keep sb informed, keep sb up to date

ajournera *verb* adjourn

akademi *subst* academy; *Svenska Akademien* the Swedish Academy

akademiker *subst* med examen university graduate

akademisk *adj* academic

A-kassa *subst* unemployment benefit fund; *sänkt* ~ reduced unemployment benefit

akilleshäl *subst* Achilles' heel svag punkt

akleja *subst* blomma columbine

akne *subst* med. acne

akrobat *subst* acrobat

akrobatik *subst* akrobatkonster acrobatics (med verb i pl.)

akrobatisk *adj* acrobatic

akryl *subst* kem. acrylic

akrylfärg *subst* acrylic paint

1 akt *subst* **1** ceremoni ceremony **2** teat. act **3** urkund document

2 akt *subst*, *giv* ~*!* attention!; *ge* ~ *på* observe, notice; *ta tillfället i* ~ take the opportunity

akta *verb* **1** be careful with; vårda take care of; ~ *huvudet!* mind your head! **2** ~*s för*

stötar på etikett handle with care; fragile **3** ~ **sig** take care [*för att göra det* not to do that (so)], be careful [*för att göra det* not to do that (so)]; ~ *dig!* be careful, watch out, look out; ~ *dig, du!* hotfullt watch your step!; ~ *dig så att du inte faller!* mind you don't fall!

aktad *adj* respected

akter *subst* sjö. stern

akterlanterna *subst* sjö. stern light

aktersnurra *subst* outboard motor; båt outboard motorboat

aktie *subst* share, amer. stock; ~*r* koll. stock sing.

aktiebolag *subst* joint-stock company; med begränsad ansvarighet limited company; börsnoterat public limited company (förk. PLC), amer. corporation; *Investia AB* Investia Ltd. (förk. för *Limited*), amer. Investia Inc. (förk. för *Incorporated*)

aktiefond *subst* unit trust, amer. mutual fund

aktiekapital *subst* share capital, amer. capital stock

aktiekurs *subst* share price, amer. stock price

aktiesparande *subst* investment in stocks and shares

aktiesparare *subst* share investor, small investor

aktieägare *subst* shareholder, spec. amer. stockholder

aktion *subst* action

aktionsgrupp *subst* action group

aktionsradie *subst* sjö. el. flyg. range

aktiv *adj* active

aktivera *verb* activate

aktivist *subst* activist

aktivitet *subst* activity

aktning *subst* respect; *hysa* ~ *för* feel respect for

aktningsvärd *adj* ... worthy of respect; betydlig considerable

aktsam *adj* careful [*om* of]

aktsamhet *subst* care

aktualisera *verb*, ~ *ngt* bring sth to the fore; åter bring up sth again; *frågan har* ~*ts* the question has arisen, the question has come up

aktualitet *subst* current interest, immediate interest, topicality

aktuell *adj* topical, current; nu rådande present; *den* ~*a dagen* ... the day in question...; *bli* ~ arise, come up, come to the fore; *Aktuellt* i tv the News sing.

aktör *subst* **1** skådespelare actor **2** person som

agerar main figure, player **3** t.ex. på börsen player, operator

akupunktur *subst* acupuncture

akupunktör *subst* acupuncturist

akustik *subst* ljudförhållanden acoustics (med verb i pl.)

akustisk *adj* acoustic

akut I *adj* acute

  II *adj* o. *subst*, ~*en* på sjukhus the emergency ward, amer. the emergency room

akutmottagning *subst* emergency ward, casualty ward, amer. emergency room

akvarell *subst* konst. watercolour

akvarium *subst* aquarium, tank

akvavit *subst* aquavit, snaps

al *subst* alder; se björk- för sammansättningar

alabaster *subst* alabaster

à la carte *adv* à la carte

A-lag *subst* **1** sport. first team **2** vard., av experter etc. A-team **3** *A-laget* vard., fyllon, ungefär the local winos pl., the social dropouts pl.

alarm *subst* signal alarm; *falskt* ~ false alarm; *slå* ~ sound the alarm, sound an alarm

alarmberedskap *subst* state of alert

alarmera *verb* alarm; ~ *brandkåren* call the fire brigade

alban *subst* Albanian

Albanien Albania

albansk *adj* Albanian

albatross *subst* fågel albatross

albino *subst* albino (pl. -s)

album *subst* album; urklippsalbum scrapbook

aldrig *adv* never; ~ *mer* never again; ~ *i livet!* not on your life!, no way!; *nästan* ~ hardly ever

alert I *adj* alert

  II *subst*, *vara på* ~*en* be alert

alfabet *subst* alphabet

alfabetisk *adj* alphabetical

Alfapet® *subst* Scrabble® slags bokstavsspel

alg *subst* algae pl.

algblomning *subst* bot. algal bloom (growth)

algebra *subst* algebra

Alger Algiers

alger *subst pl* algae

algerier *subst* Algerian

---

aktuell

Det engelska ordet *actual* betyder vanligen verklig, faktisk och *actually* betyder vanligen verkligen, faktiskt.

Algeriet Algeria
algerisk *adj* Algerian
alias *adv* alias
alibi *subst* alibi; *ha* ~ have an alibi
alkis *subst* vard. wino (pl. -s), boozer
alkohol *subst* alcohol
alkoholfri *adj* non-alcoholic; ~ *dryck* soft drink
alkoholhalt *subst* alcoholic content
alkoholhaltig *adj* alcoholic
alkoholiserad *adj*, *vara* ~ be an alcoholic
alkoholism *subst* alcoholism
alkoholist *subst* alcoholic
alkoholmissbruk *subst* addiction to alcohol, alcohol abuse
alkoholpåverkad *adj*, *köra* ~ drive under the influence of drink
alkotest *subst* breathalyser test
alkotestapparat *subst* breathalyser
alkov *subst* alcove, recess
all *pron* all; varje every; *är ~a här?* is everybody (everyone) here?; *ha* ~ *anledning att...* have every reason to ...; *~t annat* everything else; *~t annat än...* anything but...; *~a människor* everybody; *~t möjligt* all sorts of things; *hon knackade på ~a dörrar* she knocked on all the doors
alla *pron* fristående all; varenda en everybody sing., everyone sing.; *en gång för* ~ once and for all
Alla helgons dag *subst* the Saturday between 31st October and 6th November
Alla hjärtans dag *subst* St. Valentine's Day 14 februari
alldaglig *adj* **1** everyday endast före subst.; vanlig ordinary **2** om utseende plain
alldeles *adv* quite; absolut absolutely; fullkomligt perfectly; fullständigt completely; helt och hållet entirely; totalt utterly; ~ *ensam* all alone; ~ *för många* far too many; ~ *nyss* just now

---

allé
Det engelska ordet *alley* används om mindre gator, bakgator, gränder. Allé heter på brittisk engelska *avenue*. I amerikansk engelska används *avenue* för en större gata, t.ex. *5th Avenue* i New York.

---

allé *subst* avenue
allehanda *adj*, ~ *saker* all sorts of things

allemansrätt *subst* ungefär legal right of common access to private land
allergi *subst* allergy
allergiframkallande *adj* allergy-forming, allergenic
allergiker *subst* allergic person, allergy sufferer
allergisk *adj* allergic [*mot* to]
allesammans *pron* all of us (you etc.); *adjö ~!* goodbye everybody!
allhelgonaafton *subst* Halloween 31 oktober
allhelgonadag *subst*, ~*en* All Saints' Day
allhelgonahelgen *subst* All Saints' festival
allians *subst* alliance
alliansfri *adj* polit. non-aligned
alliansring *subst* eternity ring
alliera *verb*, ~ *sig* ally oneself [*med* to]
allierad I *adj* allied [*med* to]
II *subst* ally; *de ~e* the allies
alligator *subst* djur alligator
allihop *pron* all of us (you etc.); *adjö ~!* goodbye everybody!
allmän *adj* vanlig common; för alla general; *på* ~ *bekostnad* at public expense; *det ~na* the community
allmänbildad *adj* well-informed, well-read
allmänbildande *adj* educative, instructive
allmänbildning *subst* all-round education
allmängiltig *adj* generally applicable
allmänhet *subst* **1** *i* ~ in general, generally, as a rule **2** ~*en* the public; *den stora ~en* the public at large
allmänmänsklig *adj* human, friare universal
allmänning *subst* common
allmännytta *subst*, ~*n* a) the public good b) bostäder the public housing sector
allmännyttig *adj*, *den är* ~ it is for the benefit of everyone
allmänpraktiserande *adj*, ~ *läkare* general practitioner (förk. GP)
allmänt *adv* commonly, generally; ~ *känd* widely known; ~ *utbredd* widespread
allmäntillstånd *subst* general condition
allra *adv*, *den* ~ *bästa* the very best; *de* ~ *flesta* the great majority; ~ *mest* most of all; ~ *minst* least of all
allriskförsäkring *subst* comprehensive insurance
alls *adv*, *inte* ~ not at all, by no means; *inget besvär* ~ no trouble at all
allsidig *adj* all-round; *en* ~ *kost* a balanced diet
allsmäktig *adj* almighty; *den Allsmäktige* the Almighty

allström *subst* elektr. AC/DC (förk. för *alternating current/direct current*)

allsvenska *subst*, ~*n* the Premier Division of the Swedish Football League

allsång *subst* community singing; *sjunga* ~ do some community singing, have a singsong

allt I *pron* fristående all, everything; ~ *eller intet* all or nothing; *när* ~ *kommer omkring* after all, when all is said and done; *bara tio* ~ *som* ~ only ten all told, only ten all in all; *spring* ~ *vad du kan* run as fast as you can; *inte för* ~ *i världen* not for anything in the world

II *adv*, ~ *bättre* better and better; ~ *intressantare* more and more interesting; ~ *sämre* worse and worse

alltefter *prep* according to

allteftersom *konj* efter hand som as

alltemellanåt *adv* from time to time, now and then

alltför *adv* far too, much too; *jag känner henne* ~ *väl* ironiskt I know her only too well

alltiallo *subst*, *hans* ~ his right hand, his handyman

alltid *adv* always; *för* ~ for ever; *det är* ~ *ngt* it's better than nothing

allt-i-ett-pris *subst* all-in price

alltifrån *prep* om tid ever since

alltigenom *adv* thoroughly; *han är* ~ *pålitlig* he is thoroughly reliable

alltihop *pron* se *alltsammans*

allting *pron* everything

alltjämt *adv* fortfarande still; ständigt constantly

alltmer *adv* more and more

alltsammans *pron* all of it, all of them, the whole lot

alltsedan *prep* o. *adv* o. *konj* ever since

alltså *adv* thus, consequently; det vill säga in other words; *du kommer* ~*?* so you're coming?

allvar *subst* seriousness, stark. gravity; *mena* ~ be serious; *på* ~ in earnest; *på fullt* ~ in real earnest; *ta ngn (ngt) på* ~ take sb (sth) seriously

allvarlig *adj* serious, stark. grave

allvetare *subst* kunnig person walking encyclopedia

alm *subst* träd elm; se *björk-* för sammansättningar

almanacka *subst* väggalmanacka calendar; fickalmanacka diary

Alperna *subst pl* the Alps

alpin *adj* alpine

alster *subst* product; friare production, work

alstra *verb* produce, generate

alt *subst* musik. alto (pl. -s)

altan *subst* terrace; balkong balcony

altare *subst* altar

alternativ *subst* o. *adj* alternative; ~ *energi* alternative energy

alternativodling *subst* alternative food growing, alternative cultivation

alternera *verb* alternate [*med* with]

altfiol *subst* musik. viola

aluminium *subst* aluminium, amer. aluminum

aluminiumfolie *subst* aluminium foil, amer. aluminum foil

aluminiumfälgar *subst pl* alloy wheels, alloy rims

amalgam *subst* kem. amalgam

---

amerikansk engelska

Amerikansk engelska skiljer sig till viss del från brittisk engelska när det gäller ordförråd, uttal, intonation, stavning och grammatik. Se även sidorna XVII–XVIII. Viktiga skillnader i ordförråd, uttal och stavning anges under respektive uppslagsord. Här är några exempel:

ORD-FÖRRÅD	BRITT.	AMER.
byxor	*trousers*	*pants*
chips	*crisps*	*chips*
hiss	*lift*	*elevator*
nota	*bill*	*check*
ryggsäck	*rucksack*	*backpack*
sedel	*note*	*bill*
semester	*holiday*	*vacation*
stadscentrum	*city centre*	*downtown*
trottoar	*pavement*	*sidewalk*
tunnelbana	*underground*	*subway*
UTTAL	BRITT.	AMER.
da̱nce	[dɑːns]	[dæns]
a̱rm	[ɑːm]	[ɑːrm]
go̱t	[gɒt]	[gɑːt]
mobi̱le	['məʊbaɪl]	['məʊbəl]
tempora̱ry	['tempərərɪ]	['tempəreri]

STAVNING	BRITT.	AMER.
	centre	*center*
	defence	*defense*
	favour	*favor*
	travelling	*traveling*

amaryllis *subst* blomma amaryllis
amatör *subst* amateur
amatörmässig *adj* amateurish, unprofessional
ambassad *subst* embassy
ambassadör *subst* ambassador
ambition *subst* framåtanda ambition; pliktkänsla conscientiousness
ambitiös *adj* ambitious; *hon är mycket ~* she is very conscientious, she is very diligent
ambulans *subst* ambulance
ambulera *verb* move from place to place, move about
amen *interj* amen
Amerika America; *~s förenta stater* the United States of America
amerikan *subst* American
amerikanare *subst* **1** person American **2** bil big American car
amerikansk *adj* American; se *svensk-* för sammansättningar
amerikanska *subst* (se *svenska* för ex.) **1** kvinna American woman **2** språk American English
ametist *subst* ädelsten amethyst
amfetamin *subst* amphetamine
aminosyra *subst* kem. amino-acid
amiral *subst* admiral
amma *verb* breast-feed, nurse
ammoniak *subst* kem. ammonia
ammonium *subst* kem. ammonium
ammunition *subst* ammunition
amnesti *subst* amnesty; *få ~* be granted an amnesty
amok *subst*, *löpa ~* run amok
amortera *verb*, *~ ett lån* pay off a loan by instalments
amortering *subst* amorterande repayment by instalments; belopp instalment
ampel *subst* för växter hanging flowerpot
ampere *subst* elektr. ampere
ampull *subst* ampoule; liten flaska phial
amputation *subst* amputation
amputera *verb* amputate
AMU förk, se *arbetsmarknadsutbildning*
AMU-center *subst* Vocational Training Centre
amulett *subst* amulet, charm
an *adv*, *av och ~* up and down, to and fro
ana *verb* have a feeling [*att* that], have an idea [*att* that]; misstänka suspect; föreställa sig think, imagine; *~ oråd* suspect mischief, vard. smell a rat

anabol *adj* med., *~a steroider* anabolic steroids
analfabet *subst*, *vara ~* be an illiterate
analfabetism *subst* illiteracy
analogi *subst* analogy
analys *subst* analysis (pl. analyses)
analysera *verb* analyse, amer. analyze
analöppning *subst* anus
ananas *subst* pineapple
anarki *subst* anarchy
anarkist *subst* anarchist
anatomi *subst* anatomy
anatomisk *adj* anatomical
anbelanga *verb*, *vad den saken ~r* as far as that's concerned
anblick *subst* sight; *vid första ~en* at first sight
anbringa *verb* fästa fix; applicera apply
anbud *subst* offer, bid; *lägga in ett ~* make an offer [*på* for]
and *subst* wild duck, duck
anda *subst* **1** andedräkt breath; *hålla ~n* hold one's breath; *dra efter ~n* catch one's breath **2** stämning, andemening spirit; *när ~n faller på* when the spirit moves me, when I'm in the mood; *i vänskaplig ~* in a friendly atmosphere
andakt *subst* **1** relig., *förrätta ~* say one's prayers **2** *ät den med ~!* enjoy it – it's something special!
andas *verb* breathe; *~ in* breathe in; *~ ut* breathe out; känna sig lättad breathe freely
ande *subst* **1** själ spirit, mind; *~n är villig, men köttet är svagt* the spirit is willing, but the flesh is weak **2** okroppsligt väsen spirit, ghost; *den Helige Ande* the Holy Ghost
andedrag *subst* breath; *i ett ~* in one breath
andedräkt *subst* breath; *dålig ~* bad breath
andel *subst* share [*i* of]
andelslägenhet *subst* condominium, vard. condo
andetag *subst* breath; *i ett ~* in one breath
andfådd *adj* out of breath; *hon var ~* she was out of breath, she was breathless
andlig *adj* spiritual; *~a sånger* sacred songs
andlös *adj* breathless; *~ tystnad* dead silence
andlöst *adv*, *~t spännande* breathtaking, thrilling
andning *subst* breathing; *konstgjord ~* artificial respiration; *komma i andra ~en* get one's second wind
andningspaus *subst* pause for breath; andrum breathing-space
andnöd *subst* difficulty in breathing

andra I (*andre*) *räkn* second (förk. 2nd); *den ~ från slutet* the last but one; *för det ~* in the second place; vid uppräkning secondly; *i ~ hand* se *hand*; *~ klassens* second-rate; *på ~ våningen* se *våning*; se vidare *femte* för ex. o. *femte-* för sammansättningar
II (*andre*) *pron* se *annan*

andrahandsvärde *subst* second-hand value

andraklassbiljett *subst* second-class ticket

andre I *räkn* se *andra*
II *pron* se *annan*

andrum *subst* breathing-space

anekdot *subst* anecdote

anemi *subst* med. anaemia

anemon *subst* blomma anemone

anfall *subst* **1** attack [*mot* against, on]; *gå till ~ mot ngn* attack sb **2** fit; *ett hysteriskt ~* a fit of hysteria

anfalla *verb* attack

anfallskrig *subst* war of aggression

anfallsspelare *subst* striker, forward

anfordran *subst*, *vid ~* on demand

anföra *verb* åberopa state, bring forward; *~ som ursäkt* plead as an excuse

anförande *subst* yttrande statement; tal speech; mera formellt talk

anföringstecken *subst* quotation mark

anförtro *verb*, *~ ngn ngt* entrust sth to sb; *~ sig till ngn* confide in sb

anförvant *subst* relation

ange *verb* **1** uppge state, mention; utvisa indicate; på karta mark; *närmare ~* specify **2** anmäla report; *~ ngn* t.ex. till polisen inform against sb; *~ sig själv* give oneself up

angelägen *adj* **1** brådskande urgent **2** *~ om ngt* keen on sth; *jag är ~ om att det här inte sprids* I am anxious that this should not be spread about

angelägenhet *subst* ärende affair; sak matter

angenäm *adj* pleasant, agreeable

angivare *subst* informer

angloamerikansk *adj* Anglo-American

anglosaxisk *adj* Anglo-Saxon

Angola Angola

angolan *subst* Angolan

angolansk *adj* Angolan

angrepp *subst* attack [*mot, på* against, on]; *gå till ~ mot* attack

angripa *verb* attack; inverka skadligt på affect

angripare *subst* **1** attacker **2** polit. aggressor

angripen *adj* skadad, sjuk affected; *~ av rost* rusty

angränsande *adj* adjacent [*till* to]; adjoining

angå *verb* concern; *vad mig ~r* as far as I

am concerned; *det ~r dig inte* it's none of your business

angående *prep* concerning, regarding

anhålla *verb* **1** arrestera arrest, take into custody; *vara anhållen* be under arrest **2** *~ om* request; t.ex. stipendium apply for

anhållan *subst* request [*om* for], application [*om* for]

anhållande *subst* arrestering arrest

anhängare *subst* follower, supporter

anhörig *subst* relative, relation; *närmaste ~a* next of kin

animerad *adj* livlig animated; *en ~ film* tecknad an animated cartoon

aning *subst* **1** förkänsla feeling [*om att* that], idea [*om att* that]; *onda ~ar* misgivings **2** begrepp notion [*om* of; *om att* that]; *jag har ingen ~!* I have no idea! **3** *en ~ vitlök* a touch of garlic; *en ~ trött* a bit tired

aningslös *adj* naive

anka *subst* duck

ankar *subst* se *ankare*

ankare *subst* sjö. anchor; *kasta ankar* drop anchor; *ligga för ankar* ride at anchor, lie at anchor; *lätta ankar* weigh anchor

ankdamm *subst* **1** duckpond **2** avkrok, håla backwater

ankel *subst* ankle

anklaga *verb* accuse [*för* of]

anklagelse *subst* accusation

anknyta *verb* **1** attach [*till* to], connect [*till* with, on to] **2** *~ till* link up with; referera till refer to, comment on

anknytning *subst* connection, attachment; telefonanknytning extension

ankomma *verb* **1** arrive [*till* at, in] **2** *det ankommer på dig* it's down (up) to you

ankommande *adj* om post, trafik incoming

ankomst *subst* arrival [*till* at, in]; *vid ~en till* on arrival at (in)

ankomsthall *subst* arrival hall, arrival lounge

ankomsttid *subst* time of arrival; *beräknad ~* estimated time of arrival (förk. ETA)

ankra *verb* anchor

ankunge *subst* duckling

anlag *subst* natural ability [*för* for], aptitude [*för* for]; begåvning gift [*för* for]; disposition tendency [*för* towards]

anledning *subst* skäl reason [*till* for]; *~en till att...* the reason why...; *ge ~ till* cause; medföra lead to; *av vilken ~* for what reason; *med ~ av* on account of, owing to; *med ~ av Ert brev* with reference to your letter

anlita _verb_ vända sig till turn to, engage; tillkalla call in; ~ _en advokat_ engage (consult) a lawyer

anlägga _verb_ uppföra build, erect; bygga construct; grunda found

anläggning _subst_ **1** uppförande erection, construction **2** grundande foundation **3** byggnad structure **4** fabrik etc. works (pl. lika), plant **5** parkanläggningar park grounds pl.

anlända _verb_ arrive [_till_ at, in]

anmoda _verb_ request, call upon; beordra instruct

anmodan _subst_ request; _på min_ ~ at my request

anmäla _verb_ **1** rapportera report; förlust, sjukdomsfall etc. notify **2** recensera review **3** ~ _sig_ report [_för, hos_ to]; ~ _sig som sökande till ett arbete_ apply for a job; ~ _sig till_ examen, tävling enter for

anmälan _subst_ **1** report [_om_ of]; om förlust sjukdomsfall notification [_om_ of]; till examen, tävling application, entry [_till_ for] **2** recension review

anmälningsavgift _subst_ entry fee, application fee

anmälningsblankett _subst_ application form

anmärka _verb_ **1** yttra remark **2** kritisera m.m. criticize [_på ngn_ sb; _på ngt_ sth], find fault [_på_ with]

anmärkning _subst_ yttrande remark, observation; förklaring note, comment; _en_ ~ kritik criticism

anmärkningsvärd _adj_ remarkable

annalkande I _subst_, _våren är i_ ~ spring is approaching **II** _adj_ approaching; _den_ ~ _stormen_ the approaching storm

annan (_annat, andre, andra_) _pron_ **1** other; se vidare **3** _en_ III för ex.; _en_ ~ a) another, another one b) någon annan somebody else; _någon_ ~ om person anybody; en viss person somebody else; _någon_ ~ _än_ a) förenat any other ... but; en viss some other ... than b) självst. anybody but; en viss somebody other than; _vilken_ ~ who else **2** vard., 'riktig' regular, proper; _som en_ ~ _tjuv_ just like a common thief **3** _annat_ a) other things b) något annat something else, anything else; _de gör inte_ (_ingenting_) _annat än gråter_ they do nothing but cry; _det var något helt annat än_ it was something quite different from

4 _andra_ others, other people; _alla andra_ all the others, everybody else

annandag _subst_, ~ _jul_ Boxing Day; ~ _pingst_ Whit Monday; ~ _påsk_ Easter Monday

annanstans _adv_, _någon_ ~ elsewhere, somewhere else, anywhere else; _ingen_ ~ nowhere else

annars _adv_ otherwise, or, or else

annat _pron_ se _annan_

annektera _verb_ annex

annex _subst_ annexe, spec. amer. annex

annons _subst_ advertisement (förk. advt.), vard. ad, advert; dödsannons etc. announcement

annonsbyrå _subst_ advertising agency

annonsera _verb_ i tidning advertise [_efter_ for]; tillkännage announce

annonskampanj _subst_ advertising campaign

annonspelare _subst_ advertising pillar (column)

annonsör _subst_ advertiser

annorlunda I _adv_ otherwise; _göra ngt_ ~ _än_ do sth differently from **II** _adj_ different [_än_ from, to, amer. than]

annullera _verb_ cancel

anonym _adj_ anonymous

anonymitet _subst_ anonymity

anor _subst pl_ ancestry sing.; _ha gamla_ ~ have a long history; om tradition be a time-honoured tradition

anorak _subst_ anorak

anordna _verb_ organize, arrange

anordning _subst_ arrangement; mekanism device

anorektiker _subst_ med. anorexic

anorexi _subst_ o. **anorexia** _subst_ med., självsvält anorexia

anpassa _verb_ **1** suit [_efter, för, till_ to], adjust, adapt [_efter, för, till_ to] **2** ~ _sig_ adjust oneself, adapt oneself [_efter, till_ to]

anpassning _subst_ adaptation [_efter, till_ to], adjustment [_efter, till_ to]

anrikning _subst_ **1** enrichment **2** tekn. enrichment, dressing

anrop _subst_ call

anropa _verb_ call [_ngn om ngt_ upon sb for sth] äv. radio.; ~ _om hjälp_ call for help

anrätta _verb_ prepare; laga cook

anrättning _subst_ **1** tillredning preparation; tillagning cooking **2** maträtt dish

ansa _verb_ tend; t.ex. rosor prune; grönsaker clean

ansamling _subst_ accumulation

ansats _subst_ **1** sport. run; _hopp med_ ~ running jump **2** ansträngning attempt [_till_ at], effort [_till_ at]; början start

anse *verb* **1** think, consider; *man ~r att...* it is believed that... **2** betrakta; hålla för regard [*som* as], look upon [*som* as]

ansedd *adj* aktad respected, distinguished; *~ firma* a firm of high standing; *han är väl ~* he has a good reputation; *han är ~ ansedd* he has a bad reputation

anseende *subst* reputation, standing

ansenlig *adj* considerable, large

ansikte *subst* face; *kända ~n* personer well-known personalities; *visa sitt rätta ~* show one's true colours; *skratta ngn mitt i ~t* laugh in sb's face; *säga ngn ngt mitt i ~t* tell sb sth straight to his face; *tvätta sig i ~t* wash one's face; *stå ~ mot ~ med* stand face to face with

ansiktsbehandling *subst* facial treatment, vard. facial

ansiktsdrag *subst pl* features

ansiktskräm *subst* face cream

ansiktslyftning *subst, en ~* a face-lift

ansiktsmask *subst* mask; skönhetsmask face pack

ansiktsservett *subst* face tissue, facial tissue

ansiktsuttryck *subst* facial expression, expression

ansiktsvatten *subst* skin tonic, face lotion

---

ansjovis
Det engelska ordet *anchovy* betyder vanligen sardell.

---

ansjovis *subst* fiskart anchovy; konserverad skarpsill sprat

anskaffa *verb* obtain, acquire; tillhandahålla provide [*ngt åt ngn* sb with sth], supply [*ngt åt ngn* sb with sth]

anslag *subst* **1** meddelande notice **2** penningmedel grant, allowance; *bevilja ngn ett ~* make sb a grant **3** på tangent touch

anslagstavla *subst* notice board, amer. bulletin board

ansluta *verb* connect [*till* with, to]; *~ sig* stå i förbindelse connect [*till* with, to]; *~ sig till* personer join

ansluten *adj* connected [*till* with]; *han är ~ till facket* he belongs to the union

anslutning *subst* connection [*till* with], association [*till* with]; *färjorna har ~ till tågen* the ferryboats run in connection with the trains; *biblioteket ligger i ~ till skolan* the library adjoins the school;

mötet fick en storartad ~ the meeting was very well supported by the public; *i ~ till detta* in this connection

anslå *verb* anvisa allow, allot; pengar allocate; *~ tid till* devote time to

anspela *verb* allude [*på* to], hint [*på* at]

anspelning *subst* allusion [*på* to]

anspråk *subst* claim; *göra ~ på ngt* lay claim to sth; *göra ~ på att...* claim to...; *ställa stora ~ på* make great demands on; *ta i ~* a) kräva require, take b) uppta, t.ex. ngns tid make demands on, take up

anspråksfull *adj* fordrande exacting

anspråkslös *adj* unassuming; om t.ex. måltid simple; om t.ex. fordringar moderate

anstalt *subst* institution institution, establishment

anstifta *verb* cause; *~ mordbrand* commit arson; *~ myteri* stir up a mutiny

anstrykning *subst* aning, spår touch, trace

anstränga **1** *verb* strain; trötta tire; *~ sina resurser* tax one's resources **2** *~ sig* exert oneself, make an effort

ansträngande *adj* strenuous [*för* to], trying [*för* to]; tröttande tiring [*för* to]

ansträngd *adj* strained; om leende, sätt forced; *personalen är hårt ~* the staff is (are) overworked

ansträngning *subst* effort, exertion; påfrestning strain

anstå *verb* **1** låta saken *~* let the matter wait **2** passa become

anstånd *subst* respite; *få ~ med* be allowed a respite with

anställa *verb* ge arbete åt employ, engage, amer. äv. hire

anställd **I** *adj, vara ~ hos någon* be employed by sb [*vid* at, in] **II** *subst* employee

anställning *subst* tjänst employment, tillfällig engagement; befattning post, position

anställningsintervju *subst* job interview

anställningstrygghet *subst* job security

anställningsvillkor *subst pl* terms of employment

anständig *adj* passande decent; aktningsvärd respectable

anständighet *subst* decency, respectability

anständighetskänsla *subst* sense of decency

anstöt *subst, ta ~ av* take offence at; *väcka ~* give offence [*hos* to]

anstötlig *adj* offensive [*för* to]; oanständig indecent

ansvar *subst* responsibility; *ha ~ för* be

responsible for; **ställa ngn till** ~ hold sb responsible; **ta** ~ **för** take responsibility for
ansvara *verb* be responsible [*för* for]
ansvarig *adj* responsible [*inför* to]
ansvarighet *subst* responsibility
ansvarsfull *adj* responsible; **en** ~ **befattning** a position of responsibility
ansvarsförsäkring *subst* third party liability insurance
ansvarskänsla *subst* sense of responsibility
ansvarslös *adj* irresponsible
ansvarslöshet *subst* irresponsibility
ansöka *verb*, ~ **om** apply for
ansökan *subst* application [*om* for]; **skriftlig** ~ application in writing; **avslå en** ~ turn down an application
ansökningsblankett *subst* application form
ansökningstid *subst*, ~**en utgår den 15** applications must be sent in before the 15th
anta *verb* **1** förmoda suppose, assume **2** ta emot, t.ex. plats take; säga ja till accept **3** till utbildning admit **4** godkänna accept, adopt, approve; lagförslag pass **5** göra till sin adopt; ~ **namnet Anthony** take (assume) the name of Anthony **6** fä assume; ~ **fast konsistens** set, harden
antagande *subst* **1** förmodan assumption **2** mottagande acceptance; som elev admission **3** godkännande acceptance, adoption, approval; lagförslag passing
antagligen *adv* probably, presumably
antagning *subst* admission
antagonist *subst* antagonist, adversary
antal *subst* number; **tio till** ~**et** ten in number
Antarktis the Antarctic
antasta *verb* vara närgången mot molest; upprepat harass
anteckna *verb* **1** note down, make a note of **2** ~ **sig** put one's name down [*för* for; *som* as]
anteckning *subst* note
anteckningsblock *subst* note pad
anteckningsbok *subst* notebook
antenn *subst* **1** radio. aerial, spec. amer. el. tv. antenna; radar scanner **2** zool. antenna (pl. antennae), feeler
antibiotika *subst pl* antibiotics
antibiotisk *adj* antibiotic
antik *adj* gammal och värdefull antique
antiklimax *subst* anticlimax
antikropp *subst* fysiol. antibody
antikvariat *subst* second-hand bookshop, second-hand bookstore

antikvitet *subst* antikt föremål antique
antikvitetsaffär *subst* **1** antique shop, spec. amer. antique store **2** second-hand furniture shop
antilop *subst* djur antelope
antingen *konj* either; vare sig whether; ~ **du vill eller inte** whether you want to or not
antioxidant *subst* antioxidant
antipati *subst* antipathy; **ha (hysa)** ~ feel an antipathy [*mot* to, towards]
antirasism *subst* antiracism
antisemit *subst* anti-Semite
antisemitism *subst*, ~ el. ~**en** anti-Semitism
antiseptisk *adj* antiseptic; ~**t medel** antiseptic
antistatisk *adj* antistatic
antologi *subst* anthology
antropolog *subst* anthropologist
antropologi *subst* anthropology
anträffa *verb* find, meet with
anträffbar *adj* available
antyda *verb* hint, suggest
antydan *subst* **1** vink hint [*om* of] **2** tecken indication [*om* of] **3** ansats, skymt suggestion [*till* of], trace [*till* of]
antydning *subst* insinuation insinuation
antända *verb* set fire to; t.ex. bensin ignite
anus *subst* anus
anvisa *verb* **1** tilldela etc. allot, assign; ~ **ngn en sittplats** show sb to a seat
anvisning *subst*, ~ el. ~**ar** upplysning, föreskrift directions pl., instructions pl.
anvisningsläkare *subst* ungefär local staff doctor
använda *verb* **1** use [*till*, *för* for]; göra bruk av make use of [*till*, *för* for]; bära, t.ex. kläder, glasögon wear **2** lägga ned, t.ex. tid, pengar spend [*på* on, in]; ägna devote **3** förbruka use up [*till* on]
användare *subst* user
användargrupp *subst* user group
användarprogram *subst* data. user program
användarvänlig *adj* om t.ex. ordbok el. data. user-friendly
användbar *adj* usable; om t.ex. metod practicable; **i** ~**t skick** in working order
användning *subst* use, employment; tillämpning application; **komma till** ~ be of use, prove (be) useful; **jag har ingen** ~ **för det** I have got no use for it
användningsområde *subst* field of application
apa I *subst* djur monkey; svanslös ape **II** *verb*, ~ **efter ngn** ape sb, mimic sb, imitate sb

apartheidpolitik *subst* hist. apartheid policy

apati *subst* apathy

apatisk *adj* apathetic

apelsin *subst* orange

apelsinjuice *subst* orange juice

apelsinklyfta *subst* orange segment; friare piece of orange

apelsinmarmelad *subst* marmalade, orange marmalade

apelsinsaft *subst* orange juice; för spädning orange squash

apelsinskal *subst* orange peel

Apenninerna *subst pl* the Apennines

aperitif *subst* aperitif

A-post *subst* first-class mail

apostel *subst* apostle

apostrof *subst* apostrophe

apotek *subst* ungefär pharmacy, britt. chemist's, amer. pharmacy, drugstore

apotekare *subst* pharmacist, britt. ofta dispensing chemist

apparat *subst* instrument apparatus [*för* for]; anordning, t.ex. elektrisk device, appliance; radio, tv set; t.ex. bandspelare machine

apparatur *subst* equipment (endast sing.), apparatus

appell *subst* appeal

appellationsdomstol *subst* court of appeal

applicera *verb* apply [*på* to]

applåd *subst*, ~ el. ~*er* applause sing.; handklappningar clapping sing.; *stormande* ~*er* tremendous applause

applådera *verb* applaud, clap

approximativ *adj* approximate

aprikos *subst* apricot

---

1 april

1 april kallas också *April Fools' Day* eller *All Fools' Day*. Om man lyckas lura någon ropar man *April fool!* April, april din dumma sill!

---

april *subst* April (förk. Apr.); *april, april!* April fool!; i ~ in April; *i* ~ *månad* in the month of April; *i dag är det den femte* ~ today it is the fifth of April; *den femte* ~ on the fifth of April, on April 5th; i brevdatering April 5th, 5th April; *den sista* ~ som adv. on the last day of April; *i början av* ~ at the beginning of April, early in April; *i mitten av* ~ in the middle of April, in mid-April; *i slutet av* ~ at the end of April

aprilskämt *subst*, *ett* ~ an April fools' trick; *det måste vara ett* ~*!* you (they etc.) must be joking!

aprilväder *subst* April weather

apropå I *prep*, ~ *det* talking of that; by the way; ~ *bilar* talking of cars

II *adv* by the way; *helt* ~ quite unexpectedly

aptit *subst* appetite [*på* for]

aptitlig *adj* appetizing

aptitretande *adv* appetizing

aptitretare *subst* appetizer

arab *subst* Arab, Arabian

Arabien Arabia

arabisk *adj* om t.ex. folk Arab; om språk Arabic; *Arabiska öknen* the Arabian desert

arabiska *subst* **1** kvinna Arab woman **2** språk Arabic

arabvärlden *subst* the Arab world

arbeta I *verb* work; vara sysselsatt be at work; tungt labour; ~ *hårt* work hard; ~ *med* (*på*) *ett projekt* work at (on) a project

II *verb* med betonad partikel

arbeta bort get rid of

arbeta sig fram work one's way along, make one's way

arbeta ihjäl sig work oneself to death

arbeta in: ~ *in förlorad arbetstid* make up for lost time

arbeta om bok etc. revise

arbeta sig upp work one's way up

arbeta över på övertid work overtime

arbetare *subst* **1** worker; jordbruksarbetare el. grovarbetare labourer; fabriksarbetare hand; verkstadsarbetare mechanic **2** motsats: arbetsgivare employee

arbetarfamilj *subst* working-class family

arbetarklass *subst* working class; ~*en* vanligen the working classes pl.

arbetarparti *subst* workers' party; *Arbetarpartiet* i Storbritannien the Labour Party

arbetarrörelse *subst*, ~*n* the Labour movement

arbetarskydd *subst* välfärdsanordningar industrial welfare, industrial safety

arbetarskyddslag *subst* occupational safety and health act

arbete *subst* work (endast sing.), labour; sysselsättning employment; plats job; *ett* ~ a) ett enstaka arbete som utförs a piece of work, a job b) konstnärligt el. litterärt a work; handarbete, slöjd etc. a piece of work; *tillfälliga* (*smärre*) ~*n* odd jobs; *ha* ~ *hos ngn* be in the employ of sb; *lägga ned* ~*t* stop work; strejka go on strike; **söka** ~ look for a job, look for work; **sätta ngn i** ~ få att arbeta put sb to work; **vara i** ~ be at work; **gå** (**vara**) **utan** ~ be out of work, be out of a job

arbetsam adj **1** hard-working **2** jobbig tough, hard

arbetsavtal subst labour agreement

arbetsbelastning subst workload

arbetsbesparande adj labour-saving

arbetsbänk subst **1** workbench **2** i kök worktop, amer. counter

arbetsbörda subst burden of work; **hennes** ~ the amount of work she has to do, her workload

arbetsdag subst working-day

arbetsfred subst industrial peace

arbetsför adj fit for work; **den** ~**a befolkningen** the working population

arbetsförhållanden subst pl working conditions

arbetsförmedling subst statlig employment office, jobcentre; privat employment agency

arbetsgivaravgift subst payroll tax

arbetsgivare subst employer

arbetsgrupp subst working team; kommitté working party

arbetsinkomst subst spec. av veckolön wage earnings pl.; spec. av månadslön salary earnings pl.

arbetskamrat subst fellow-worker; kollega colleague

arbetskonflikt subst industrial dispute, labour dispute

arbetskraft subst folk labour, manpower

arbetsliv subst, **komma** (**gå**) **ut i** ~**et** go out to work

arbetslivserfarenhet subst work experience, job experience

arbetslös adj unemployed; **en** ~ a man (woman) who is out of work; **de** ~**a** the unemployed, the jobless

arbetslöshet subst unemployment

arbetslöshetsersättning subst unemployment benefit, jobseeker's allowance, amer. unemployment compensation

arbetslöshetsförsäkring subst unemployment insurance

arbetslöshetskassa subst se **A-kassa**

arbetsmarknad subst labour market

arbetsmarknadsdepartement subst ministry of labour

arbetsmarknadsminister subst minister of labour

arbetsmarknadsutbildning subst (förk. AMU) vocational training courses pl. for the unemployed and handicapped

arbetsmiljö subst working environment

arbetsnarkoman subst work addict, workaholic

arbetsnedläggelse subst stoppage of work

arbetspass subst shift, working period

arbetsplats subst place of work, workplace; byggnadsplats building site

arbetsprojektor subst overhead projector

arbetsrum subst workroom; med böcker study

arbetsskada subst industrial injury

arbetssökande subst job applicant

arbetstagare subst employee

arbetstakt subst workrate

arbetsterapeut subst occupational therapist

arbetsterapi subst occupational therapy

arbetstid subst working hours pl.

arbetstillfälle subst vacant job, opening

arbetstillstånd subst labour permit, work permit

arbetstvist subst labour dispute

arbetsuppgift subst task, assignment

arbetsvecka subst working week

areal subst area

arena subst arena

arg adj angry [på with, at], spec. amer. angry, mad [på with, at]

Argentina the Argentine, Argentina

argentinare subst Argentinian

argentinsk adj Argentinian

argsint adj ill-tempered

argument subst argument

argumentera verb argue [för in favour of]

aria subst musik. aria

aristokrat subst aristocrat

aristokrati subst aristocracy

aristokratisk adj aristocratic

1 ark subst, **Noaks** ~ Noah's Ark

2 ark subst pappersark sheet

arkebusera verb shoot, execute by a firing squad

arkebusering subst execution by a firing squad

arkeolog subst archaeologist

arkeologi subst archaeology

arkipelag subst archipelago (pl. -s)

arkitekt subst architect

arkitektur subst architecture

arkiv subst archives pl.; dokumentsamling records pl.; bildarkiv, filmarkiv library

arkivera verb file

Arktis the Arctic

arktisk adj arctic

1 arm *adj* eländig wretched; fattig, stackars poor

2 arm *subst* kroppsdel arm

armatur *subst* belysningsarmatur electric fittings pl.

armband *subst* **1** bracelet **2** klockarmband strap

armbandsur *subst* wristwatch

armbindel *subst* armlet, armband

armbrytning *subst* arm wrestling, spec. amer. Indian wrestling

armbåge *subst* elbow

armé *subst* army

arméförband *subst* army unit

Armenien Armenia

armenier *subst* Armenian

armenisk *adj* Armenian

armera *verb* **1** mil. arm **2** ~*d betong* reinforced concrete

armhåla *subst* armpit

armhävning *subst* press-up, spec. amer. push-up

armring *subst* bangle

armstöd *subst* arm rest

arom *subst* aroma

aromatisk *adj* aromatic

aromglas *subst* balloon glass, snifter

arrak *subst* arrack

arrangemang *subst* arrangement äv. musik.

arrangera *verb* arrange äv. musik.; organize

arrangör *subst* arranger äv. musik.; organizer

arrendator *subst* leaseholder, tenant

arrendera *verb* lease, rent

arrest *subst* arrest; lokal cell; *sitta i* ~ be under arrest, be in custody

arrestera *verb* arrest

arrestering *subst* arrest

arrogans *subst* arrogance

arrogant *adj* arrogant

arsenal *subst* arsenal

arsenik *subst* arsenic

arsle *subst* vulg. **1** arse, amer. ass **2** som skällsord arsehole, amer. asshole

art *subst* slag kind; vetensk. species (pl. lika); natur nature

arta *verb*, ~ *sig* turn out, develop; *det* ~*r sig till* a) lovar it promises to be b) hotar it threatens to be c) ser ut att bli it looks like

arterioskleros *subst* med. arteriosclerosis

artificiell *adj* artificial

artig *adj* **1** polite [*mot* to] **2** formellare courteous [*mot* to]

artighet *subst* politeness; formellare courtesy; *en* ~ an act of politeness, an act of courtesy

artikel *subst* article äv. gram.

artikulation *subst* articulation

artikulera *verb* articulate

artilleri *subst* artillery

artist *subst* **1** artist **2** teat. artiste

artistisk *adj* artistic

arton *räkn* eighteen; se *fem* för ex. o. *fem-* för sammansättningar

artonde *räkn* eighteenth (förk. 18th); se *femte* för ex. o. *femte-* för sammansättningar

artonhundratalet *subst*, *på* ~ in the nineteenth century

arv *subst* inheritance; andligt heritage; testamentarisk gåva legacy; *få i* ~ inherit [*efter* from]; *gå i* ~ a) om egendom be handed down b) vara ärftlig be hereditary

arvfiende *subst* hereditary enemy; friare sworn enemy

arvinge *subst* heir; kvinnlig heiress

arvlös *adj*, *göra ngn* ~ disinherit sb

arvode *subst* fee

arvsanlag *subst* biol. gene; allmännare hereditary character, hereditary disposition

arvslott *subst* part of an (the) inheritance, share of an (the) inheritance

arvsskatt *subst* inheritance tax, death duty

arvtagare *subst* heir

arvtagerska *subst* heiress

as *subst* kadaver carcass, carrion

asbest *subst* asbestos

asfalt *subst* asphalt

asfaltera *verb* asphalt

asiat *subst* Asiatic, Asian

asiatisk *adj* Asiatic, Asian

Asien Asia; *Mindre* ~ Asia Minor

1 ask *subst* träd ash; se *björk-* för sammansättningar

2 ask *subst* box; ~ *tändstickor* box of matches; ~ *cigaretter* packet of cigarettes, amer. pack of cigarettes

aska I *subst* ashes pl.; cigarettaska ash **II** *verb*, ~ *av* vid rökning knock the ash off

A-skatt *subst* tax deducted from income at source

askfat *subst* o. **askkopp** *subst* ashtray

Askungen *subst* sagan Cinderella

asocial *adj* asocial, antisocial

asp *subst* träd aspen; se *björk-* för sammansättningar

aspekt *subst* aspect

aspirant *subst* sökande applicant, candidate; under utbildning trainee

1 ass *subst* brev insured letter

2 ass *subst* musik. A flat

assiett *subst* **1** small plate **2** maträtt hors-d'oeuvre

assistera *verb* assist [*vid* in]

association *subst* association
associera *verb* associate [*med, till* with]
aster *subst* blomma aster
asterisk *subst* asterisk
astigmatisk *adj* astigmatic
astigmatism *subst* hos lins astigmatism
astma *subst* med. asthma
astmatiker *subst* asthmatic
astmatisk *adj* asthmatic
astrolog *subst* astrologer
astrologi *subst* astrology
astrologisk *adj* astrological
astronaut *subst* astronaut
astronom *subst* astronomer
astronomi *subst* astronomy
astronomisk *adj* astronomical; *~a tal* astronomical figures
asyl *subst* asylum; *begära politisk ~* seek political asylum
asylansökan *subst* application for asylum
asylsökande *subst* asylum-seeker
asymmetrisk *adj* asymmetric, asymmetrical
ateism *subst*, *~* el. *~en* atheism
ateist *subst* atheist
ateljé *subst* studio; t.ex. syateljé workroom
Aten Athens
Atlanten the Atlantic Ocean, the Atlantic
atlantisk *adj* Atlantic
Atlantpakten organisationen the North Atlantic Treaty Organization (förk. NATO)
atlas *subst* kartbok atlas [*över* of]
atlet *subst* **1** friidrottare athlete **2** stark karl strong man
atletisk *adj* om kroppsbyggnad athletic
atmosfär *subst* atmosphere
atmosfärisk *adj* atmospheric; *~a störningar* radio. atmospherics pl.
atom *subst* atom; se äv. *kärn-* för sammansättningar
atombomb *subst* atom bomb
atomdriven *adj* nuclear-powered
atomsopor *subst pl* nuclear waste sing.
atomubåt *subst* nuclear-powered submarine
ATP allmän tilläggspension supplementary pension
ATP-poäng *subst* ungefär pension points
att I *infinitivmärke* to; *han lovade ~ inte göra det* he promised not to do that; *undvika ~ göra ngt* avoid doing sth; *boken är värd ~ läsa* the book is worth reading; *efter ~ ha ätit frukost gick han* after having breakfast he left, having had breakfast he left; *konsten ~ sjunga* the art of singing

II *konj* that; *jag är säker på ~ han...* I'm sure he..., I'm sure that he...; *frånsett ~ hon...* apart from the fact that she...; *du kan lita på ~ jag gör det* you may depend on me to do it; *vad vill du ~ jag ska göra?* what do you want me to do?; *jag väntar på ~ han ska komma* I am waiting for him to come, I am expecting him to come; *ursäkta ~ jag stör!* excuse my disturbing you!, excuse me disturbing you!
attaché *subst* attaché
attachéväska *subst* attaché case
attack *subst* attack [*mot* on]
attackera *verb* attack
attackplan *subst* fighter-bomber
attentat *subst* mordförsök attempted assassination [*mot* of]; våldsdåd outrage [*mot* against], attempted outrage [*mot* against]; *ett ~ mot ngn* an attempt on sb's life
attentatsman *subst* som har planerat ett attentat would-be assassin; förövare av våldsdåd perpetrator of an (the) outrage
attestera *verb*, *~ ngt* a) utbetalning, belopp authorize sth for payment b) handling certify sth
attiraljer *subst pl* gear sing.; grejer paraphernalia pl.
attityd *subst* attitude; pose pose
attrahera *verb* attract
attraktion *subst* attraction
attraktiv *adj* attractive
aubergine *subst* grönsak aubergine, spec. amer. eggplant
audiens *subst* audience; *få ~ hos* obtain an audience with
auditorium *subst* åhörare audience
audivisuell *adj* audio-visual; *~a hjälpmedel* audio-visual aids, AV aids
augusti *subst* August (förk. Aug.); se *april* för ex.
auktion *subst* auction [*på* of]; *köpa ngt på ~* buy sth at an auction; *sälja ngt på ~* sell sth by auction
auktionera *verb*, *~ bort ngt* auction sth, auction sth off
auktionsförrättare *subst* auctioneer
auktorisera *verb* authorize; *~d revisor* chartered accountant, amer. certified public accountant (förk. CPA)
auktoritativ *adj* authoritative
auktoritet *subst* authority
auktoritär *adj* authoritarian
aula *subst* assembly hall; univ. lecture hall

au pair *subst, en* ~ an au pair
Australien Australia
australiensare *subst* o. **australier** *subst*
Australian
australisk *adj* Australian
autenticitet *subst* authenticity
autentisk *adj* authentic
autograf *subst* autograph
autografjägare *subst* autograph hunter
automat *subst* automatic machine,
dispenser; med myntinkast slot machine
automatgevär *subst* automatic rifle
automation *subst* automation
automatisera *verb* automatize, automate
automatisk *adj* automatic
automatlåda *subst* bil. automatic gearbox
automatvapen *subst* automatic weapon
automatväxel *subst* på bil automatic
gear-change
autopilot *subst* autopilot
av I *prep* **1** of; *en del ~ tiden* part of the
time; *i nio fall ~ tio* in nine cases out of
ten; *ett bord ~ ek* an oak table; *vad
snällt ~ dig!* how kind of you! **2** agent by;
huset *är byggt ~ A.* the house was built by
A. **3** orsak, *gråta ~ glädje* cry for joy; *han
gjorde det ~ nyfikenhet* he did it out of
curiosity; *~ brist på* for want of, for lack
of; *~ fruktan för* for fear of; *~ ett eller
annat skäl* for some reason or other **4** av
sig själv, *han gjorde det ~ sig själv* a) he
did it by himself b) självmant he did it of his
own accord; *det går ~ sig själv (självt)* it
runs by itself, it works by itself **5** från, *en
gåva ~ min fru* a present from my wife;
jag ser ~ ditt brev att... I see from your
letter that...
II *adv* bort, i väg, ned m.m. vanligen off; itu in
two; avbruten broken
avancera *verb* advance; bli befordrad be
promoted
avancerad *adj* advanced
avbeställa *verb* cancel
avbeställning *subst* cancellation
avbetala *verb*, *~ på en skuld* pay a debt by
(in) instalments; *~ på en vara* pay for an
article by (in) instalments
avbetalning *subst* belopp instalment; system the
hire-purchase system; *göra en ~* pay an
instalment; *på ~* by instalments
avbetalningskontrakt *subst* hire-purchase
contract, hire-purchase agreement
avbild *subst* representation; kopia copy; *sin
fars ~* the very image of his (her etc.) father
avbilda *verb* återge reproduce; framställa depict

avbildning *subst* återgivning reproduction;
framställning depiciton
avbitare *subst* o. **avbitartång** *subst* cutting
pliers pl.
avblåsa *verb* se blåsa av under 2 blåsa II
avboka *verb*, *~ en biljett* cancel a ticket (a
booking)
avbrott *subst* uppehåll: störning interruption;
tillfälligt break; paus pause, stoppage; *ett ~ i
trafiken* a traffic hold-up; *utan ~* without
stopping, non-stop
avbryta *verb* **1** interrupt; göra slut på break off;
tillfälligt avbryta, t.ex. ett arbete leave off; *~ en
strejk* call off a strike; *~ förbindelser
med* break off relations with **2** *~ sig* break
off, stop speaking
avbräck *subst* **1** bakslag setback **2** skada harm
(endast sing.); materiell damage (endast sing.)
3 finansiellt financial loss
avbytare *subst* **1** sport. substitute, vard. sub,
reserve; vid tävlingar co-driver **2** till
lastbilschaufför driver's mate
avböja *verb* avvisa decline, refuse
avböjande *adj*, *~ svar* refusal [*på* to],
negative answer [*på* to]
avdankad *adj* uttjänt superannuated
avdelning *subst* i ämbetsverk, varuhus etc.
department; på sjukhus ward, department; av
t.ex. företag, lokal section
avdelningsföreståndare *subst* i ämbetsverk, på
varuhus etc. head of the department; på
sjukhus ward sister
avdrag *subst* deduction; beviljat allowance
avdragsgill *adj* deductible
avdunsta *verb* evaporate
avdunstning *subst* evaporation
avel *subst* **1** uppfödning breeding **2** avkomma, ras
stock, breed
aveny *subst* avenue
avfall *subst* **1** sopor refuse, rubbish, amer.
vanligen trash **2** köksavfall garbage **3** från
industrier waste
avfart *subst* exit
avfolka *verb* depopulate
avfolkning *subst* depopulation
avfrosta *verb* defrost
avfyra *verb* fire, let off; missil launch
avfärd *subst* departure, going away
avfärda *verb* avvisa dismiss, brush aside
avföring *subst* motion; exkrementer excrement;
ha ~ pass a motion
avgaser *subst pl* exhaust fumes
avgasrenare *subst* bil. exhaust emission
control device

avgasrening *subst* bil. exhaust emission control

avgasrör *subst* exhaust pipe, exhaust, amer. tailpipe

avgasutsläpp *subst* bil. exhaust emissions pl.

avge *verb* **1** ge ifrån sig emit, give off **2** ge, lämna give; bekännelse, löfte make

avgift *subst* **1** charge **2** t.ex. inträdesavgift, parkeringsavgift fee **3** för resa fare

avgifta *verb* detoxify, vard. detox

avgiftsbelagd *adj* subject to a change; ~ *bro* tollbridge; ~ *väg* tollroad

avgiftsfri o. **avgiftsfritt** *adj* o. *adv* free; *den är* ~ el. *det är* ~*tt* it is free of charge

avgjord *adj* decided; ordnad settled; tydligt distinct; *därmed var saken* ~ that settled the matter

avgrund *subst* abyss; klyfta chasm; stup precipice

avgränsa *verb* demarcate; *skarpt* ~*d* clearly-defined

avguda *verb* idolize, adore

avgå *verb* **1** om tåg etc. leave [*till* for], start [*till* for], depart [*till* for] **2** dra sig tillbaka retire, withdraw; ta avsked resign **3** ~ *med segern* be victorious, be the winner

avgående *adj* om brev, fartyg outgoing; om flyg, tåg departing

avgång *subst* **1** departure [*till* for, to] **2** persons resignation; pensionering retirement

avgångsbetyg *subst* skol. school-leaving certificate, amer. high-school diploma

avgångshall *subst* departure hall, departure lounge

avgöra *verb* decide; ordna settle; vara avgörande för determine; *det var svårt att* ~ it was difficult to tell

avgörande I *adj* om t.ex. seger decisive; om faktor determining; *det* ~ *för mig var* what decided me was

II *subst* beslut decision, settlement

avhandling *subst* skrift treatise [*om* on]; akademisk thesis (pl. theses) [*om* on], dissertation [*om* on]

avhjälpa *verb* t.ex. fel, brist remedy

AV-hjälpmedel *subst pl* AV aids, audio-visual aids

avhopp *subst* **1** polit. defection **2** plötslig avgång från t.ex. kommitté resignation **3** från studier dropping out

avhoppare *subst* **1** polit. defector **2** *det var två* ~ *från kommittén* two members resigned from the committee

avhålla *verb*, ~ *sig från* abstain from

avhållsam *adj* abstinent

avhållsamhet *subst* abstinence

avhämta *verb* fetch, call for, collect

avhämtning *subst* fetching, collecting; *mat för* ~ takeaway food, amer. takeout food

avi *subst* hand. advice; ~ *om försändelse* dispatch note

avigsida *subst* **1** wrong side, reverse **2** nackdel drawback, downside; dålig sida unpleasant side

avisera *verb* announce, notify

avisning *subst* de-icing

avkall *subst*, *göra* (*ge*) ~ *på kvaliteten* lower the (one's) standards of quality; *göra* (*ge*) ~ *på sina principer* renounce one's principles, abandon one's principles

avkastning *subst* yield, proceeds pl.; vinst profit

avklädningshytt *subst* **1** vid strand bathing hut **2** inomhus cubicle

avkomling *subst* descendant

avkomma *subst* offspring

avkoppling *subst* vila relaxation

avkriminalisera, ~ *ngt* decriminalize sth

avkunna *verb*, ~ *dom* pronounce sentence, pass sentence

avlagd *adj* kasserad ~*a kläder* cast-off clothes, hand-me-downs

avlasta *verb* unload; lätta trycket på relieve

avlastning *subst* unloading; lättnad relief

avleda *verb* leda bort divert

avlida *verb* die, pass away

avliden *adj* deceased; *den avlidne* the deceased

avliva *verb* put to death; sjuka djur destroy, put away, put down; ~ *ett rykte* put an end to a rumour

avlopp *subst* drain; i handfat etc. plughole

avloppsledning *subst* kloak sewer

avloppsrör *subst* sewage pipe, waste pipe

avloppsvatten *subst* sewage

avlossa *verb* avskjuta fire, discharge

avlyssna *verb* ofrivilligt overhear; avsiktligt listen in to; i spioneringssyfte intercept; ~ *ett rum* hemligt bug a room; ~ *en telefon* hemligt tap a telephone

avlång *adj* oblong; oval oval

avlägga *verb* bekännelse make; *avlägga* ~ *om ngt* report on sth; ~ *vittnesmål* give evidence

avlägsen *adj* distant, remote, out-of-the-way; långt bort far-off

avlägsna *verb* **1** remove **2** ~ *sig* leave; dra sig tillbaka withdraw, retire

avlämna *verb* t.ex. rapport hand in, present

avläsa *verb* mätare etc. read

avlöna *verb* pay
avlönad *adj* salaried; *väl* ~ well-paid
avlöning *subst* pay; ämbetsmans salary; veckolön wages pl.
avlöningsdag *subst* pay day
avlöpa *verb* pass off; sluta end; utfalla turn out
avlösa *verb* **1** vakt, i arbete relieve; följa på succeed **2** ~ *varandra vid ratten* bil. take turns at the wheel; ersätta replace
avmattas *verb* se *mattas*
avnjuta *verb* enjoy; ~ *en måltid* enjoy a meal
avogt *adv*, *vara* ~ *sinnad mot* have an aversion to
avokado *subst* avocado (pl. -s)
avpassa *verb* fit [*efter* to], match [*efter* to]; anpassa adapt [*efter* to], adjust [*efter* to], suit [*efter* to]
avreagera *verb*, ~ *sig* relieve one's feelings, vard. let off steam
avreglera *verb* deregulate
avreglering *subst* deregulation
avresa I *verb* depart [*till* for], leave [*till* for]
II *subst* departure
avresedag *subst* day of departure
avrunda *verb* round off; ~*d summa* round sum
avråda *verb*, ~ *ngn från* advise sb against, warn sb against
avrätta *verb*, ~ *ngn* execute sb [*genom* by], put sb to death [*genom* by]
avrättning *subst* execution, putting to death
avsaknad *subst* loss, want; *vara i* ~ *av* be without, lack
avsats *subst* på mur, klippa ledge; i trappa landing
avse *verb* **1** syfta på concern, refer to **2** ha i sikte aim at; ämna mean, intend; *vara* ~*dd för* be intended for; *ha* ~*dd verkan* have the intended effect
avseende *subst* **1** reference; *ha* ~ *på* relate to, refer to **2** hänseende respect; beaktande etc. consideration; *fästa* ~ *vid* pay attention to; *inte fästa* ~ *vid* pay no regard to; *i detta* ~ from this point of view, in this respect; *med* ~ *på* with respect to, as regards; *lämna ngt utan* ~ disregard sth
avsevärd *adj* considerable; märkbar appreciable
avsevärt *adv* considerably; *den är* ~ *bättre* it is very much better
avsides *adv* aside; *ligga* ~ be out of the way; ~ *belägen* remote, out-of-the-way
avsigkommen *adj* down-at-heel, shabby
avsikt *subst* intention; syfte purpose, aim;

motiv, uppsåt design, motive; *ha för* ~ *att göra* intend to do, mean to do; *med* ~ on purpose, deliberately
avsiktlig *adj* intentional, deliberate
avsiktligt *adv* intentionally, deliberately, on purpose
avskaffa *verb* abolish, do away with
avskaffande *subst* abolition, doing away with; *slaveriets* ~ the abolition of slavery
avsked *subst* **1** ur tjänst dismissal; *begära* ~ hand in one's resignation **2** *ta* ~ say goodbye [*av* to]; take leave [*av* of]
avskeda *verb* dismiss, discharge, vard. sack
avskedande *subst* dismissal, discharge, vard. sacking
avskedsansökan *subst* resignation; *lämna in sin* ~ hand in one's resignation
avskild *adj* secluded; isolerad isolated
avskildhet *subst* seclusion; isolering isolation
avskilja *verb* separate; lösgöra detach
avskjutningsramp *subst* för raketer launching pad, launching platform
avskrift *subst* copy, transcript
avskriven *adj*, *rätt avskrivet intygas...* true copy certified by...
avskräcka *verb*, ~ *ngn från att göra ngt* deter sb from doing sth; *det dåliga vädret avskräckte folk* äv. the bad weather kept people away; *han låter sig inte* ~*s* he won't be put off, he is not to be intimidated
avskräckande I *adj* om t.ex. verkan deterrent; *ett* ~ *exempel* an example of what one should not do
II *adv*, *verka* ~ act as a deterrent
avsky I *verb* detest, loathe
II *subst* loathing [*för* for]; *känna* ~ *för* feel a loathing for; *väcka* ~ *hos* fill sb with loathing [*för* for]
avskyvärd *adj* abominable, detestable
avslag *subst* på förslag rejection [*på* of]; *han fick* ~ *på sin ansökan* he had his application turned down
avslagen *adj* om dryck flat, stale
avslappnad *adj* relaxed
avsluta *verb* **1** finish, complete, finalize; bilda avslutning på finish off, terminate; ~ *ett konto* close an account **2** göra upp, t.ex. köp, fördrag conclude; avtal enter into
avslutad *adj* finished, completed; *förklara sammanträdet avslutat* declare the meeting closed
avslutning *subst* **1** avslutande del conclusion, finish; slut end, termination **2** skol. breaking-up, end of term; ~*en i skolan äger*

rum 6 juni school breaks up (amer. lets out) on June 6th

avslå *verb* t.ex. begäran, förslag reject, turn down

avslöja *verb,* ~ *ngt* reveal sth, disclose sth; information, handling give sth away

avslöjande *subst* revelation, disclosure; om person exposure

avsmak *subst,* *få* ~ *för* take a dislike to; *känna* ~ feel disgusted

avsnitt *subst* section; av bok etc. part, passage; av t.ex. följetong instalment; av tv-serie episode

avspark *subst* kick-off

avspegla *verb* reflect; ~ *sig* be reflected

avspelningshuvud *subst* på bandspelare playback head

avspisa *verb,* ~ *ngn* fob sb off, put sb off

avspänd *adj* om person el. t.ex. atmosfär relaxed, laid back

avspänning *subst* **1** avslappning relaxation **2** polit. détente

avstava *verb,* ~ *ett ord* divide a word into syllables

avstavning *subst* division into syllables

avstickare *subst* utflykt detour; *göra en* ~ make a detour

avstjälpningsplats *subst* tip, dump

avstyra *verb* prevent; t.ex. planer put a stop to

avstyrka *verb,* ~ *ngt* object to sth; *avstyrkes* authority withheld, sanction refused

avstå *verb,* ~ *från* a) give up [*att gå* going] b) avsäga sig renounce c) låta bli refrain from d) undvara dispense with

avstånd *subst* distance; vid t.ex. målskjutning range; *ta* ~ *från* dissociate oneself from; *på* ~ at a distance; i fjärran in the distance; från långt håll from a distance

avståndsmätare *subst* foto. range-finder

avstämpla *verb* stamp; brev etc. postmark

avstänga *verb* se *stänga av under stänga II*

avsäga *verb,* ~ *sig* t.ex. befattning resign, give up; ~ *sig tronen* abdicate

avsändare *subst* sender; på brevs baksida from

avsätta *verb* **1** avskeda remove, dismiss **2** sälja sell **3** ~ *medel till* allocate funds to

avsättning *subst* **1** avskedande removal, dismissal **2** av varor sale; *finna (få)* ~ *för* en vara find a market for a commodity

avta *verb* minska decrease, diminish

avtagande *subst,* *vara i* ~ be on the decrease

avtagbar *adj* detachable

avtagsväg *subst* turning; sidoväg side road

avtal *subst* agreement, settlement, deal; kontrakt contract; *träffa* ~ come to an agreement [*om* about]

avtala *verb* agree on, settle, fix; ~ *med ngn om ngt* agree with sb about sth; *ha en* ~*d tid med ngn* have an appointment with sb

avtalsförhandlingar *subst pl* wage negotiations

avtalsrörelse *subst* förhandlingar round of wage negotiations pl.

avteckna *verb,* ~ *sig mot* stand out against

avtjäna *verb,* ~ *ett straff* serve a sentence, vard. do time

avtryck *subst* imprint, impression

avtryckare *subst* på gevär trigger; på kamera shutter release

avtåg *subst* departure, marching off

avtäcka *verb* uncover; konstverk etc. unveil

avund *subst* envy

avundas *verb,* ~ *ngn ngt* envy sb sth

avundsjuk *adj* envious [*på, över* of]

avundsjuka *subst* envy

avvakta *verb* ankomst, svar await; händelsernas gång wait and see; *vi* ~*r* let's wait and see

avvaktan *subst,* *i* ~ *på* while awaiting

avvaktande *adj,* *inta en* ~ *hållning* play a waiting game

avvara *verb* spare, manage without

avveckla *verb* spec. affärsrörelse wind up, settle; gradvis phase out

avveckling *subst* winding up, settlement

avverka *verb* **1** träd fell **2** tillryggalägga cover [*på* in], do [*på* in]

avvika *verb* **1** skilja sig differ **2** från t.ex. ämne digress **3** från t.ex. kurs (om fartyg), sanningen deviate **4** rymma escape

avvikande *adj* divergent, differing; ~ *beteende* deviant behaviour, abnormal behaviour

avvikelse *subst* divergence, deviation; ~ *från ämnet* digression

avvisa *verb* **1** ~ *ngn* a) t.ex. flykting, åskådare turn sb away b) avfärda ngn put sb off **2** t.ex. förslag reject; t.ex. beskyllning repudiate

avvisande *adj* negative; negativt inställd unsympathetic; *ställa sig* ~ *till ngt* adopt a negative attitude

avväga *verb* avpassa adjust [*efter* to]; *väl avvägd* well-balanced

avvägning *subst* adjustment, balance

avvänja *verb* **1** spädbarn wean **2** t.ex. rökare cure **3** alkoholskadad detoxify, vard. detox

avvänjningskur *subst* cure, aversion treatment (endast sing.)

avväpna *verb* disarm

avvärja *verb* t.ex. fara avert; ~ *ett slag* ward off a blow

avyttra *verb* dispose of

ax *subst* sädesax ear
1 axel *subst* **1** geogr. el. polit. axis (pl. axes)
  2 hjulaxel axle; i maskin shaft
2 axel *subst* skuldra shoulder; *rycka på*
  axlarna shrug one's shoulders; *se ngn*
  över ~n look down on sb
axelhand *subst* på kläder shoulder strap
axelklaff *subst* shoulder strap
axelremsväska *subst* shoulder bag
axelryckning *subst* shrug, shrug of the
  shoulders
axeltryck *subst* axle load
axelvadd *subst* shoulder pad
axla *verb*, *~ en börda* shoulder a burden
azalea *subst* blomma azalea

Bb

b *subst* musik. **1** ton B flat **2** sänkningstecken flat
babbel *subst* babble; babblande babbling
babbla *verb* babble
babian *subst* djur baboon
babord *subst* sjö. port
baby *subst* baby
babylift *subst* carrycot

> **babysitter**
> Det engelska ordet *babysitter* bety-
> der barnvakt. Det svenska ordet
> babysitter, en stol för småbarn,
> heter *baby bouncer* eller, för mindre
> barn, *bouncing cradle*.

babysitter *subst* stol för småbarn baby bouncer;
  för de minsta barnen bouncing cradle
babysäng *subst* spjälsäng cot, amer. crib
bacill *subst* germ, med. bacillus (pl. bacilli), vard.
  bug
1 back *subst* låda tray; ölback crate
2 back I *subst* **1** sport. back **2** backväxel reverse
  gear
  II *adv* back; *gå ~* a) förlora pengar make a loss
  b) om affärsverksamhet, gå med förlust run at a
  loss
backa *verb* back, reverse; *~ upp* stödja back,
  back up
backe *subst* höjd hill; sluttning hillside, slope,
  amer. grade
backhand *subst* i tennis etc. backhand äv. slag
backhoppare *subst* sport. ski-jumper
backhoppning *subst* sport. ski-jumping
backig *adj* hilly
backkrön *subst* top of a (the) hill
backljus *subst* på bil reversing light, amer.
  backup light
backspegel *subst* bil., inre rear-view mirror;
  yttre wing mirror, amer. side mirror
backväxel *subst* bil. reverse gear
bacon *subst* bacon
bad *subst* badning, i badkar bath; utebad bathe; *ta*
  ett varmt ~ el. *ta sig ett varmt ~* have a
  hot bath; *härliga ~* splendid bathing sing.
bada *verb* **1** i badkar have a bath, amer. take a
  bath; *~ ett barn* bath a child, amer. bathe a

child **2** i t.ex. sjö bathe; *gå och* ~ go bathing, go for a swim

badande *subst* person bather

badboll *subst* beach ball

badbyxor *subst pl* swimming trunks

badda *verb* fukta bathe

baddräkt *subst* swimsuit, spec. amer. bathing suit

badhandduk *subst* bath towel; för strand bathing towel, beach towel

badhytt *subst* vid strand bathing-hut; inomhus cubicle

badkappa *subst* bathrobe; för strand bathing-wrap

badkar *subst* bathtub, bath

badminton *subst* badminton

badmintonboll *subst* shuttlecock

badmössa *subst* åld. el. amer. bathing cap

badort *subst* seaside resort, seaside town

badplats *subst* strand bathing beach

badrock *subst* bathrobe; för strand bathing-wrap

badrum *subst* bathroom

badrumsskåp *subst* bathroom cabinet

badrumsvåg *subst* bathroom scales pl.

badsemester *subst* holiday by the sea

badstrand *subst* beach, bathing beach

badtvål *subst* bath soap

badvakt *subst* swimming-pool attendant; vid badstrand lifeguard

bag *subst* bag

bagage *subst* luggage, baggage

bagagehylla *subst* luggage rack, baggage rack

bagageinlämning *subst* lokal left-luggage office, amer. checkroom; flyg. baggage check-in

bagagelucka *subst* bil. **1** utrymme boot, amer. trunk **2** dörr boot lid, amer. trunk lid

bagageutlämning *subst* flyg. baggage reclaim area, amer. baggage claim area

bagageutrymme *subst* i bil boot, amer. trunk

bagare *subst* baker

bagatell *subst* trifle, bagatelle

bagatellisera *verb* make light of, minimize

bageri *subst* bakery; butik baker's

bagge *subst* djur ram

baguette *subst* baguette, French loaf, French stick, amer. loaf of French bread

bajonett *subst* bayonet

bajs *subst* barnspr. poo, number two, spec. amer. poop

bajsa *verb* barnspr. do a poo, do a number two, spec. amer. poop

bak I *subst* vard., kroppsdel behind, bottom; byxbak seat

II *adv* behind, at the back; *för långt* ~ too far back

baka *verb* bake; ~ *bröd* bake bread

bakaxel *subst* bil. rear axle

bakben *subst* hind leg

bakdel *subst* **1** människas buttocks pl., vard. behind, bottom **2** djurs hind quarters pl., rump

bakdörr *subst* back door; på bil rear door

bakelse *subst* pastry, fancy cake; med frukt, sylt tart; *jag skulle vilja ha några ~r* I would like some pastry, I would like some pastries

bakficka *subst* på byxor hip pocket; *ha ngt i ~n* have sth up one's sleeve

bakform *subst* baking-tin

bakfot *subst* hind foot; *få saken (det) om ~en* get hold of the wrong end of the stick

bakfull *adj*, *vara* ~ have a hangover

bakgata *subst* back street

bakgrund *subst* background

bakgård *subst* backyard

bakhjul *subst* rear wheel

bakhjulsdriven *adj* bil. rear-wheel driven

bakhuvud *subst*, *jag har det i ~et* I have it on the tip of my tongue

bakhåll *subst* ambush; *ligga i* ~ lie in ambush

bakifrån *prep* o. *adv* from behind

baklucka *subst* bil. se *bagagelucka*

baklykta *subst* på fordon rear light, rear lamp, tail light

baklås *subst*, *dörren har gått i* ~ the lock has jammed

baklänges *adv* backward, backwards

bakläxa *subst*, *få* ~ avslag meet with a rebuff

bak och fram *adv* back to front, the wrong way round

bakom *prep* o. *adv* behind; *jag undrar vad som ligger* ~ I wonder what is at the bottom of it

bakplåt *subst* baking-tray

bakplåtspapper *subst* baking-paper

bakpulver *subst* baking-powder

bakre *adj* t.ex. bänk back; t.ex. ben hind

bakruta *subst* på bil rear window

baksida *subst* **1** back; på mynt etc. reverse **2** nackdel downside, unpleasant side

bakskärm *subst* på bil rear wing, amer. rear fender

bakslag *subst* motgång reverse, setback

baksmälla *subst* vard. hangover

bakstycke *subst* på plagg, kamera etc. back; på vapen breech

baksäte *subst* back seat, rear seat

baktala *verb* slander, backbite
baktanke *subst* ulterior motive
bakterie *subst* germ; **~er** germs, bacteria
bakteriologisk *adj* bacteriological
baktill *adv* behind, at the back
baktung *adj*, **den är ~** it is heavy at the back
baktända *verb* bil. backfire
bakugn *subst* oven
bakut *adv* backward, backwards, behind
bakvagn *subst* bils rear part of a (the) car
bakvatten *subst* backwater
bakverk *subst* pastry; se vidare *bakelse* o. *kaka*
bakväg *subst* back way
bakvänd *adj* **1** the wrong way round, the other way round **2** tafatt awkward
bakvänt *adv* the wrong way, awkwardly
bakåt *adv* backward, backwards; tillbaka back
bakåtlutad *adj* reclining
bakåtsträvare *subst* reactionary
bal *subst* ball; dans dance
balans *subst* balance; **tappa ~en** lose one's balance
balansera *verb* balance
balansgång *subst*, **gå ~** walk a tightrope; bildl. do a balancing act
balett *subst* ballet
balettdansör *subst* ballet dancer
balettdansös *subst* ballet dancer
balettflicka *subst* chorus girl
balja *subst* kärl tub; mindre bowl
balk *subst* träbalk beam; järnbalk girder
Balkan staterna the Balkans pl.
balkong *subst* balcony äv. på bio el. mindre teater
ballong *subst* balloon
balsam *subst* **1** balsam **2** lindring, tröst balm
balsamera *verb* embalm
balsamvinäger *subst* kok. balsamic vinegar
balt *subst* Balt
Baltikum the Baltic States pl.
baltisk *adj* Baltic
bambu *subst* bamboo
bamsing *subst* vard. whopper
bana I *subst* **1** väg path, track; lopp course; planets, satellits orbit; levnadsbana career **2** sport. track; löparbana running track; tennisbana court **3** järnv. line; spår track **II** *verb*, **~ väg** clear the way [*för* for], pave the way [*för* for]
banal *adj* commonplace, banal
banan *subst* banana
bananskal *subst* banana skin
banbrytande *adj* pioneering; epokgörande epoch-making
band *subst* **1** remsa, knytband band; smalt el. i bandspelare tape; prydnadsband ribbon;

löpande ~ conveyor belt, assembly line; **han skriver romaner på löpande ~** he writes one novel after the other **2** något som förenar bond, tie; **lägga ~ på sig** check oneself, restrain oneself **3** bokband binding; volym volume **4** trupp, följe band, gäng; jazzband etc. band
banda *verb* ta upp på band record
bandage *subst* bandage
banderoll *subst* streamer; pappersremsa kring förpackning wrapper
bandinspelning *subst* tape-recording
bandit *subst* bandit
bandspaghetti *subst* koll. tagliatelle (italienska)
bandspelare *subst* tape-recorder
bandtraktor *subst* caterpillar, caterpillar tractor
bandupptagning *subst* på bandspelare tape-recording
bandy *subst* bandy
bandyklubba *subst* bandy stick
bangård *subst* railway yard, amer. railroad yard; station railroad station
banjo *subst* musik. banjo (pl. -s el. -es)
bank *subst* penningbank bank; **gå på ~en** go to the bank; **ha pengar på ~en** have money in (at) the bank
banka *verb* bulta knock loudly, bang
bankbok *subst* bankbook
bankdirektör *subst* bank director; vid filial bank manager
bankett *subst* banquet
bankfack *subst* safe-deposit box
bankgiro *subst* tjänst bank giro service; konto bank giro account
bankir *subst* banker
bankkamrer *subst* vid bankfilial bank manager
bankkassör *subst* bank cashier
bankkonto *subst* bank account
banklån *subst* bank loan
bankomat® *subst* cash dispenser, Cashpoint®, ATM (förk. för *automated teller machine*); utomhus (vard.) hole in the wall
bankomatkort *subst* cash card, ATM card
bankrutt I *subst* bankruptcy; **göra ~** go bankrupt **II** *adj* bankrupt
bankrån *subst* bank robbery
banktjänsteman *subst* bank clerk
banna *verb*, **banne mig!** I'll be damned!
bannlysa *verb* förbjuda ban
banta *verb* slim, reduce; **~ ned ngt** reduce sth, cut down sth
bantamvikt *subst* boxn. bantamweight
bantning *subst* slimming, reducing

bantningskur *subst* slimming cure
bantningsmedel *subst* slimming product
bantningspiller *subst* slimming pill
1 bar *adj* bare, naked; **stå på ~ backe** be penniless; **ta ngn på ~ gärning** catch sb red-handed; **under ~ himmel** under the open sky
2 bar *subst* cocktailbar etc. bar; matställe snack bar, cafeteria
bara I *adv* only, merely; **han är ~ barnet** he is just a child; **vänta ~!** just you wait!
II *konj* om blott if only; **~ du gör vad jag säger** provided you do what I say
barack *subst* barracks (pl. lika)
barbar *subst* barbarian
barbari *subst* barbarism
barbarisk *adj* barbarous
barbent *adj* barelegged
barberare *subst* barber, hairdresser
Barbiedocka® *subst* Barbie doll®
barbröstad *adj* barechested, om kvinna vanligen bare-breasted
bardisk *subst* bar, bar counter
barfota *adj* o. *adv* barefoot, barefooted
barhuvad *adj* bareheaded
bark *subst* på träd bark
barlast *subst* ballast
barm *subst* bosom, breast
barmark *subst*, **det är ~** there is no snow on the ground
barmhärtig *adj* nådig merciful [**mot** to]
barmhärtighet *subst* nåd mercy; medlidande compassion, charity
barn *subst* child (pl. children), vard. kid; spädbarn baby; **lika ~ leka bäst** ordspr. birds of a feather flock together; **vara med (vänta) ~** be pregnant
barnadödlighet *subst* infant mortality rate
barnarbete *subst* child labour
barnarov *subst* **1** kidnapping **2** om äldre man och ung kvinna baby-snatching
barnasinne *subst*, **han har ~t kvar** he is still a child at heart
barnavård *subst* **1** child care **2** samhällets child welfare
barnavårdscentral *subst* child health centre
barnbarn *subst* grandchild
barnbarnsbarn *subst* great grandchild
barnbegränsning *subst* birth control, family planning
barnbidrag *subst* child allowance, child benefit
barnbok *subst* children's book
barndom *subst*, **~** el. **~en** childhood; späd infancy, babyhood

barndomsvän *subst*, **vi är ~ner** we knew each other as children
barndop *subst* christening
barnfamilj *subst* family, family with children
barnflicka *subst* nursemaid

---

barnförbjuden
Filmer har följande åldersgränser i England:
U (*Universal*): Lämplig för alla åldrar.
PG (*Parental Guidance*): Tillåten för barn i vuxens sällskap.
12, 15, 18: Tillåten från 12, 15 respektive 18 års ålder.

---

barnförbjuden *adj*, **~ film** film for adults only, adult film
barnkammare *subst* nursery
barnkläder *subst pl* children's clothes, children's wear sing.
barnkoloni *subst* children's holiday camp, summer camp
barnkär *adj*, **han är ~** he is fond of children
barnledig *adj*, **han är ~** he has paternity leave; **hon är ~** she has maternity leave
barnläkare *subst* specialist in children's diseases
barnlös *adj* childless
barnmat *subst* baby food
barnmisshandel *subst* child abuse
barnmorska *subst* midwife
barnmottagning *subst* på sjukhus children's clinic
barnomsorg *subst* child welfare
barnpassning *subst* looking after children; **vi har ingen ~** we have no baby-sitter
barnprogram *subst* children's programme
barnramsa *subst* children's nursery rhyme

---

barnsjukdomar
kikhosta *whooping cough*, mässlingen *measles*, påssjuka *mumps*, röda hund *German measles*, vattkoppor *chicken pox*

---

barnsjukdom *subst* children's disease; **~ar** t.ex. hos en ny bilmodell teething troubles pl.
barnskötare *subst* childminder
barnslig *adj* childlike, neds. childish
barnslighet *subst* childishness (endast sing.)

barnsäker *adj* childproof
barnsäng *subst* säng för barn cot, amer. crib
barntillsyn *subst* childminding
barntillåten *adj*, ~ *film* universal (förk. U) film, amer. G (förk. för *general*) movie
barnunge *subst* child, vard. kid
barnvagn *subst* pram, amer. baby carriage
barnvakt *subst* baby-sitter; *sitta* ~ baby-sit
barnvänlig *adj* child-friendly
barometer *subst* barometer
barr *subst* på träd needle
barra *verb*, *julgranen* ~*r* the Christmas tree is shedding its needles
barrikad *subst* barricade
barrikadera *verb* barricade; ~ *sig* barricade oneself
barriär *subst* barrier
barrskog *subst* pine forest, fir forest
barrträd *subst* coniferous tree
barservering *subst* cafeteria, snack bar
barsk *adj* harsh, stern; om leende grim
bartender *subst* bartender, barman; kvinnlig barmaid
barvinter *subst* snowless winter
baryton *subst* musik. baritone
1 bas *subst* grund, underlag base; utgångspunkt basis (pl. bases)
2 bas *subst* musik. bass [beɪs]
3 bas *subst* förman foreman, boss
basa *verb* vara förman be the boss; ~ *över* be in charge of
basar *subst* bazaar
basbelopp *subst* index-linked basic amount
basera *verb* base; *det* ~*r sig på* el. *det är* ~*t på* it is based on, it is founded on
basfiol *subst* musik. double bass
basföda *subst* staple diet
basilika *subst* krydda basil
basis *subst* basis (pl. bases); *på bred* ~ on a broad basis
basist *subst* musik. bass-player
basker *subst* o. **baskermössa** *subst* beret
basket *subst* o. **basketboll** *subst* basketball
baslinje *subst* baseline
basröst *subst* **1** musik. bass, bass voice **2** låg röst low voice
bassäng *subst* basin; simbassäng swimming-pool, swimming-bath
basta *adv*, *och därmed* ~*!* and that's that!
bastant *adj* stadig substantial, solid
bastu *subst* sauna; *bada* ~ take a sauna
basunera *verb* vard., ~ *ut att...* advertise the fact that..., let everyone know that...
basvara *subst* staple commodity
bataljon *subst* battalion

batik *subst* tyg batik
batong *subst* truncheon, baton, amer. nightstick, billy, truncheon
batteri *subst* battery; *ladda* ~*erna* el. *ladda om* ~*erna* hämta krafter recharge one's batteries
batteridriven *adj* battery-operated
batterist *subst* musik. drummer
Bayern Bavaria
bayersk *adj* Bavarian
bayrare *subst* Bavarian
BB *subst* maternity hospital; avdelning maternity ward
be *verb* **1** relig. pray; ~ *en bön* say a prayer **2** ask, stark. beg; hövligt request; ~ *ngn om ngt* el. ~ *ngn att få ngt* ask sb for sth; ~ *ngn om en tjänst* ask sb a favour; i hövlighetsfraser *får jag* ~ *om...?* el. *jag ska* ~ *att få...* can (could) I have..., please?; *får jag* ~ *om notan?* the bill, please! **3** bjuda ask, invite; ~ *ngn komma hem på middag* ask sb to dinner
beakta *verb* uppmärksamma pay attention to, notice; fästa avseende vid pay regard to
beaktande *subst*, *ta i* ~ take into consideration
bearbeta *verb* **1** material, råvaror work; jord cultivate **2** för t.ex. radio, tv adapt for **3** påverka try to influence
bearbetning *subst* **1** working; jord cultivation **2** för t.ex. radio, tv adaptation
bearnaisesås *subst* kok. Béarnaise sauce
bebo *verb* inhabit; hus occupy, live in
beboelig *adj* inhabitable; *vara* ~ be fit to live in
bebygga *verb* med hus build on; kolonisera colonize; *bebyggt område* built-up area; *glest bebyggt område* thinly-populated area
bebyggelse *subst* hus houses pl., buildings pl.
beck *subst* pitch
beckasin *subst* fågel snipe
bedarra *verb*, *stormen har* ~*t* the storm has abated
bedja *verb* se *be*
bedra *verb* **1** deceive; på t.ex. pengar cheat, swindle [*ngn på ngt* sb out of sth] **2** vara otrogen mot be unfaithful to, cheat on **3** ~ *sig* be mistaken [*på ngn* in sb; *på ngt* about sth]
bedragare *subst* deceiver, cheat; på pengar swindler
bedrift *subst* bragd exploit, feat; prestation achievement
bedriva *verb* carry on; t.ex. studier pursue

bedrägeri *subst* deceit, cheating; brott fraud; skoj swindle

bedrövad *adj* distressed [*över* about], grieved [*över* about]

bedrövlig *adj* deplorable; usel miserable

bedårande *adj* fascinating, charming

bedöma *verb* judge [*efter* by]; värdera estimate, assess

bedömning *subst* judgement; uppskattning, värdering estimate, assessment

bedöva *verb* med., ~ *ngn* give sb an anaesthetic; med injektion give sb an injection

bedövning *subst* med. anaesthesia; *få* ~ be given an anaesthetic

bedövningsmedel *subst* anaesthetic

befalla *verb* order, command [*att ngt skall göras* sth to be done]

befallning *subst* order, command

befara *verb* frukta fear

befatta *verb*, ~ *sig med* concern oneself with

befattning *subst* syssla post, position; ämbete office

befinna *verb* **1** ~*s vara* turn out to be, prove to be **2** ~ *sig* be; *mor och barn befinner sig väl* mother and child are doing well

befintlig *adj* existing; *i ~t skick* in its present condition

befogad *adj* om sak justified, legitimate

befogenhet *subst*, *ha* ~ *att...* have the authority to...

befolka *verb* populate; bebo inhabit; *glest ~d* sparsely populated

befolkning *subst* population

befordra *verb* promote

befordran *subst* promotion

befria *verb* free, set free, liberate

befriare *subst* **1** liberator **2** räddare rescuer

befrielse *subst* **1** liberation, release **2** lättnad relief

befrielserörelse *subst* liberation movement

befrukta *verb* fertilize

befruktning *subst* fertilization; *konstgjord* ~ artificial insemination

befäl *subst* befälspersoner officers pl.; *ha ~et över* be in command of

befälhavare *subst* commander [*över* of]; *högste* ~ commander-in-chief

befängd *adj* absurd

befästa *verb* strengthen, confirm

befästning *subst* fortification

begagna *verb* **1** use **2** ~ *sig av* make use of, use

begagnad *adj* **1** used **2** inte ny second-hand

bege *verb*, ~ *sig* make one's way; ~ *sig av till* leave for, set off for, set out for

begonia *subst* blomma begonia

begrava *verb* bury

begravning *subst* burial; begravningsakt funeral

begravningsbyrå *subst* **1** funeral directors pl., undertakers pl. **2** lokal funeral parlour, spec. amer. funeral home

begravningsentreprenör *subst* undertaker, funeral director

begravningsplats *subst* burial ground

begravningståg *subst* funeral procession

begrepp *subst* **1** föreställning m.m. conception [*om* of], notion [*om* of]; *jag har inget ~ om hur hon gjorde det* I have no idea how she did it; *reda ut ~en* straighten things out **2** *stå (vara) i ~ att gå* be about to go

begripa *verb* understand, comprehend

begriplig *adj* intelligible [*för* to], comprehensible [*för* to]

begrunda *verb* ponder over

begränsa *verb* inskränka limit, restrict; hejda check; sätta en gräns för set limits to; hålla inom en viss gräns confine [*till* to]

begränsning *subst* limitation, restriction; *den har sin* ~ it has its limitations

begynnelse *subst* beginning

begynnelsebokstav *subst* initial letter; *stor* ~ initial capital letter

begynnelselön *subst* commencing salary, starting pay (endast sing.)

begå *verb* t.ex. ett brott commit; t.ex. ett misstag make

begåvad *adj* gifted, talented, clever

begåvning *subst* **1** talent, gift **2** person gifted person, talented person

begär *subst* desire [*efter* for]; åtrå lust [*efter* for]

begära *verb* **1** ask for; anhålla om request; ansöka om apply for **2** fordra require, stark. demand; göra anspråk på claim; vänta sig expect **3** önska sig wish for, desire

begäran *subst* anhållan request [*om* for]; *på allmän* ~ by general request; *på egen* ~ at his (her etc.) own request

begärlig *adj*, *vara* ~ be very much sought after, be in great demand

behag *subst* **1** *efter* ~ as you etc. wish; alltefter smak according to taste **2** tjusning charm

behaga *verb* **1** tilltala please, appeal to; verka tilldragande attract **2** *gör som ni ~r* do just as you like

behaglig *adj* angenäm pleasant, agreeable

behandla *verb* **1** treat äv. med.; hantera deal

with, handle **2** diskutera discuss; ~ *en*
ansökan consider an application
behandling *subst* **1** treatment äv. med.;
hantering handling **2** diskussion discussion; *ta*
upp ngt till ~ bring sth up for discussion
behov *subst* **1** need; brist want; nödvändighet
necessity; vad som behövs requirements pl.
[av for]; *ha* ~ *av* need, feel the need of;
för eget ~ for one's own use; *vid* ~ when
necessary
behovsprövning *subst* means test; *en* ~ a
means test
behå *subst* vard. bra
behåll *subst*, *ha ngt i* ~ have sth left;
undkomma med livet i ~ escape with
one's life
behålla *verb* keep, retain; ~ *för sig själv* för
egen del keep for oneself; tiga med keep to
oneself
behållare *subst* **1** container, receptacle,
holder **2** vätskebehållare reservoir; större tank
behållning *subst* återstod remainder; saldo
balance, balance in hand; vinst, utbyte profit;
ha ~ utbyte *av ngt* profit by sth, benefit by
sth
behändig *adj* bekväm handy
behärska *verb* **1** control, rule; kunna master;
~ *engelska bra* have a good command of
English; ~ *ämnet* have a good grasp of the
subject **2** ~ *sig* control oneself
behärskad *adj* self-controlled; måttfull
moderate
behärskning *subst* control; självbehärskning
self-command
behörig *adj* **1** kompetent qualified **2** *på* ~*t*
avstånd at a safe distance
behörighet *subst* kompetens qualification;
myndighets rättighet authority; *ha* ~ *att...* be
qualified to ..., be authorized to ...
behöva *verb* need, want, require; vara tvungen
have to, have got to; *tv:n behöver lagas*
the TV needs repairing
behövas *verb* be needed, be wanted; *det*
behövs pengar för att göra det it takes
money to do that; *om det behövs* if
necessary
behövlig *adj* necessary
beige *adj* färg beige; se *blå-* för sammansättningar
beivra *verb*, *överträdelse* ~*s* offenders will
be prosecuted, trespassers will be
prosecuted
bekant I *adj* known [*för ngn* to sb]; välkänd
well-known; *som* ~ as we know, as you
know; *bli* ~ *med* a) become acquainted
with b) förtrogen become familiar with

II *subst* acquaintance, friend; *en* ~ *till mig* a
friend of mine
bekanta *verb*, ~ *sig med ngt* acquaint
oneself with sth; ~ *sig med varandra* get
to know each other
bekantskap *subst* kännedom knowledge; *göra*
(*stifta*) ~ *med* become acquainted with,
get to know
beklaga *verb* vara ledsen över regret, be sorry
about
beklaglig *adj* regrettable; pinsam deplorable
beklädnad *subst* klädsel clothing, wear
beklämmande *adj* depressing; pinsam
deplorable
bekosta *verb* pay for
bekostnad *subst*, *på ngns* ~ at sb's expense
bekräfta *verb* confirm; erkänna acknowledge
bekräftelse *subst* confirmation [*på* of]
bekväm *adj* **1** comfortable; behändig
convenient, handy **2** *hon är* ~ *av sig* she
is easy-going; lite lat she is rather lazy
bekvämlighet *subst* convenience; trevnad
comfort; *alla moderna* ~*er* vard. all mod
cons (förk. för *modern conveniences*)
bekvämt *adv* comfortably; behändigt
conveniently; *ha det* ~ be comfortable
bekymmer *subst* worry, anxiety; omsorg care;
göra (*vålla*) *ngn* ~ give sb a lot of worry
bekymmerslös *adj* carefree
bekymra *verb*, ~ *sig* trouble oneself [*för*,
över, *om* about], worry oneself [*för*, *över*,
om about]
bekymrad *adj* worried [*för*, *över* about],
anxious [*för*, *över* about]
bekämpa *verb* fight, fight against, combat
bekämpning *subst* combating [*av* of], fight
[*av* against]
bekämpningsmedel *subst* biocide; mot
skadeinsekter etc. insecticide, pesticide
bekänna *verb*, ~ el. ~ *sig skyldig* confess; ~
färg a) kortsp. follow suit b) visa var man står
show one's hand
bekännelse *subst* confession
belasta *verb* load; ~ *sitt minne med*
burden (load) one's memory with; ~ *ngns*
konto charge to sb's account
belastning *subst* **1** load, charge **2** nackdel
handicap; börda burden
belevad *adj* well-bred; artig courteous
belgare *subst* Belgian
Belgien Belgium
belgisk *adj* Belgian
Belgrad Belgrade
belopp *subst* amount, sum
belysa *verb* lysa på light up, illuminate;

exemplet belyser riskerna this example illustrates the risks

belysande *adj*, ~ *exempel* illustrative example

belysning *subst* lighting, illumination

belåna *verb* **1** inteckna mortgage; uppta lån på raise a loan on **2** ge lån på grant a loan on

belåten *adj* satisfied, pleased; förnöjd contented

belåtenhet *subst* satisfaction [*över* at]; *vara till allmän* ~ be to everyone's satisfaction

belägen *adj* situated [*vid* near, by], located [*vid* near, by]

belägg *subst* **1** instance [*för, på* of], example [*för, på* of] **2** bevis evidence [*för* of], proof [*för* of]

belägga *verb* **1** täcka cover **2** ta upp plats, *alla platser är redan belagda* all the seats are already occupied **3** bevisa find evidence of, support

beläggning *subst* **1** cover, covering **2** på gata paving; på tunga fur, coating; på tänder film

belägra *verb* besiege

belägring *subst* siege

belägringstillstånd *subst* state of siege; *proklamera* ~ proclaim martial law

beläst *adj* well-read

belöna *verb* reward; med pengar remunerate; ~*s med ett pris* be awarded a prize

belöning *subst* reward

bemanna *verb* man; ~*d* manned

bemyndiga *verb* authorize

bemärkelse *subst* sense; *i bildlig* ~ in a figurative sense

bemärkelsedag *subst* red-letter day; högtidsdag great occasion

bemärkt *adj* noted; framstående prominent; *göra sig* ~ make a name for oneself

bemästra *verb* master, overcome

bemöda *verb*, ~ *sig* take pains [*om att göra* inf. to do inf.], try hard [*om att göra* inf. to do inf.]

bemödande *subst* effort, exertion

bemöta *verb* **1** behandla treat; motta receive **2** besvara answer

ben *subst* **1** ämne el. t.ex. fiskben bone **2** kroppsdel, äv. på byxa, stol etc. leg; *dra* ~*en efter sig* gå långsamt go shuffling along; söla hang about; *lägga* ~*en på ryggen* step on it; *stå på egna* ~ stand on one's own feet; *vara på* ~*en* be up and about

1 bena *verb* fisk bone

2 bena I *verb*, ~ *håret* part one's hair **II** *subst* i håret parting, amer. part

benbrott *subst* fractured leg, broken leg, fracture

benfri *adj* boneless; om fisk boned

Bengalen Bengal

benhård *adj* sträng strict, rigid

benig *adj* bony

bensin *subst* **1** motorbränsle petrol, amer. gas, gasoline **2** till rengöring benzine

bensindunk *subst* petrol can, amer. gas can

bensinmack *subst* vard. se *bensinstation*

bensinmätare *subst* fuel gauge

bensinskatt *subst* petrol tax, amer. gasoline tax

bensinsnål *adj* om bil economical to run; *bilen är* ~ the car has a low petrol consumption, amer. the car has a low gasoline consumption

bensinstation *subst* petrol station, amer. gas station

bensintank *subst* petrol tank, fuel tank, amer. gas tank

benskydd *subst* sport. shinguard, shinpad

benåda *verb* pardon; dödsdömd reprieve

benådning *subst* pardon; av dödsdömd reprieve; amnesti amnesty

benägen *adj* inclined [*att* to], apt [*att* to]; villig willing [*att* to]

benägenhet *subst* fallenhet tendency [*för* to]

benämna *verb* call, name; beteckna designate

benämning *subst* name [*på* for]; beteckning designation

beordra *verb* order

beprövad *adj* well-tried, tested, reliable

bereda *verb* **1** förbereda prepare; ~ *plats för* make room for; ~ *väg för* make way for; ~ *ngn tillfälle att gå dit* give sb an opportunity of going there **2** förorsaka cause **3** ~ *sig* göra sig beredd prepare [*på, till* for], prepare oneself [*på, till* for]; ~ *sig på det värsta* prepare for the worst, expect the worst

beredd *adj* prepared, ready; *göra sig* ~ *på* prepare oneself for, be prepared for

beredskap *subst* preparedness; *ha i* ~ have in readiness, have ready

beredskapsarbete *subst* relief work (endast sing.)

beredskapsplan *subst* contingency plan, emergency plan

beredvillig *adj* ready and willing

berest *adj*, *hon är mycket* ~ she has travelled a great deal

berg *subst* mountain; mindre hill; klippa rock

bergart *subst* kind of rock

berggrund *subst* rock

bergig *adj* mountainous; mindre hilly; klippig rocky

bergis *subst* bröd poppy-seed loaf

bergkristall *subst* rock crystal

berg-och-dalbana *subst* roller-coaster

bergsbestigare *subst* mountaineer, mountain climber

bergsbestigning *subst* mountain-climbing, mountaineering; *en* ~ a mountain climb

bergskedja *subst* mountain chain

bergsklyfta *subst* gorge, ravine

bergskred *subst* landslide

bergspass *subst* mountain pass

bergstopp *subst* mountain peak, summit

bergstrakt *subst* mountain district, mountainous district

bergsäker *adj*, *jag är* ~ *på att*... I am dead certain that...

bergtunga *subst* fisk lemon sole

berguv *subst* fågel eagle owl

bergvärme *subst* geothermal heating

berika *verb* enrich

Berings hav the Bering Sea

Berings sund the Bering Strait

berlock *subst* smycke charm

bermudas *subst pl* shorts Bermudas, Bermudas shorts

Bermudaöarna *subst pl* the Bermudas

bero *verb* **1** ~ *på* ha till orsak be due to, be owing to; komma an på depend on; *det ~r på dig, om*... it depends on you whether..., it is up to you whether...; *det ~r på!* it all depends! **2** *låta saken* ~ let the matter rest

beroende I *adj* **1** dependent [*av, på* on]; *vara* ~ *av* (*på*) be dependent on, depend on; ~ *på* a) på grund av owing to [*att* the fact that] b) avhängig av depending on [*om* whether] **2** *vara* ~ om missbrukare be addicted [*av* to] **II** *subst* **1** avhängighet dependence [*av* on]; beroendeställning position of dependence **2** missbrukares addiction

beroendeframkallande *adj* habit-forming, stark. addictive

berså *subst* arbour, bower

berusa *verb* intoxicate

berusad *adj* intoxicated, drunk; *lätt* ~ tipsy, somewhat intoxicated

beryktad *adj* notorious

berått *adj*, *med* ~ *mod* deliberately

beräkna *verb* räkna på calculate; uppskatta estimate [*till* at]; *tiden var för knappt ~d* the time allotted was too short

beräknande *adj* calculating

beräkning *subst* calculation; uppskattning estimate; *ta ngt med i ~en* allow for sth

berätta *verb* tell [ngt för ngn sb sth, sth to sb]; ~ *ngt* skildra relate sth, narrate sth; ~ *historier* tell stories; *man har ~t för mig att*... I have been told that...; *det ~s att*... it is said that...; *hon ~de att*... she told me that...

berättande *adj* narrative

berättare *subst* story-teller; narrator

berättelse *subst* **1** historia story [*om* of, about], tale [*om* of, about]; novell short story; skildring narrative **2** redogörelse report, statement, account

berättiga *verb* entitle

berättigad *adj* om person entitled [*att göra* to do], authorized [*att göra* to do], justified [*att göra* in doing]; rättmätig just, legitimate

berättigande *subst* justification; rättmätighet justice, legitimacy; rätt right

beröm *subst* praise; *ge ngn* ~ praise sb

berömd *adj* famous; *vida* ~ renowned

berömdhet *subst* celebrity

berömma *verb* praise

berömmelse *subst* fame, renown

berömvärd *adj* praiseworthy

beröra *verb* **1** touch; snudda vid graze **2** omnämna touch on **3** påverka affect; *bli illa berörd av ngt* be upset by sth

beröring *subst* contact, touch

beröva *verb*, ~ *ngn ngt* deprive sb of sth

besatt *adj* **1** occupied, filled **2** ~ *av en idé* obsessed by an idea; *som en* ~ like a madman, like one possessed

besatthet *subst* obsession

besegra *verb* defeat, beat båda äv. sport.; erövra conquer

besegrare *subst* winner äv. sport.; erövrare conqueror

besiktiga *verb* inspect, examine

besiktning *subst* inspection, examination

besiktningsman *subst* inspector

besinning *subst*, *förlora ~en* lose one's head; *komma till* ~ come to one's senses

besitta *verb* possess

besittning *subst* possession äv. landområde; *ta ngt i* ~ take possession of sth; besätta occupy sth

besk *adj* bitter

beskaffad *adj* skapad constituted; konstruerad constructed

beskaffenhet *subst* nature; om vara quality; tillstånd state

beskatta *verb* tax

beskattning *subst* taxation

beskattningsbar *adj* taxable

besked *subst* **1** svar answer; upplysning information [*om* about]; *jag ska ge* (*lämna*) *dig ~ i morgon* I will let you know tomorrow **2** *med ~* properly, with a vengeance

beskedlig *adj* meek and mild; snäll obliging, good-natured; tam tame; oförarglig harmless

beskickning *subst* ambassad embassy; legation legation

beskjuta *verb* fire at; bombardera shell

beskjutning *subst* firing; bombardemang shelling; *under ~* under fire

beskriva *verb* describe

beskrivande *adj* descriptive

beskrivning *subst* **1** description; redogörelse account **2** anvisning directions pl.

beskydd *subst* protection

beskydda *verb* protect [*mot* from, against], shield [*mot* from]

beskylla *verb* accuse [*för* of]

beskyllning *subst* accusation [*för* of]

beskåda *verb* look at, regard

beskådan *subst* inspection; *till allmän ~* on view

beskäftig *adj* fussy; *hon är en ~ typ* she is a real busybody

beskära *verb* **1** t.ex. träd prune **2** reducera cut down

beslag *subst* **1** metallskydd mounting **2** kvarstad confiscation; *lägga ~ på* requisition, vard. take, lay hands on; *ta i ~* konfiskera confiscate

beslagta *verb* konfiskera confiscate

beslut *subst* decision; *fatta ett ~* come to a decision

besluta *verb* decide [*ngt, om ngt* on sth]; *hon kan inte ~ sig* she can't make up her mind

besluten *adj* determined; *vara fast ~ att göra ngt* be determined to do sth

beslutsam *adj* resolute, determined

beslutsamhet *subst* resolution, determination

besläktad *adj* related [*med* to]

besmittad *adj* infected

bespara *verb* skona spare; spara save; *~ ngn besvär* save sb trouble

besparing *subst* saving; *göra ~ar* make cuts, effect economies

bespruta *verb* spray, syringe

besprutningsmedel *subst* spray; bekämpningsmedel pesticide

besserwisser *subst* know-all, vard. wise guy

bestialisk *adj* bestial

bestick *subst* set of knife, fork, and spoon; cutlery (endast sing.)

besticka *verb* bribe

bestickning *subst* bribery, corruption

bestiga *verb* **1** berg climb **2** tron ascend **3** häst mount

bestigning *subst* av berg climbing, ascent

bestraffa *verb* punish

bestraffning *subst* punishment

bestrida *verb* förneka deny

bestrålning *subst* radiation; *~ av matvaror* irradiation processing of foodstuffs

bestseller *subst* best seller

bestulen *adj*, *jag har blivit ~* I have been robbed

bestyr *subst pl* göromål work sing., things to do, chores

bestyrka *verb* **1** confirm **2** intyga certify **3** bevisa prove

bestå *verb* **1** fortfara last, endure, go on **2** genomgå go through, pass through; *~ provet* stand the test **3** *~ av (i)* consist of, be made up of

bestående *adj* lasting, permanent

beståndsdel *subst* component part

beställa *verb* rekvirera order; boka book; *har ni beställt?* på restaurang etc. have you ordered?, have you given your order?; *får jag ~!* may I order, please?; *~ tid hos* make an appointment with

beställning *subst* order; bokning booking; *gjord på ~* made to order

bestämd *adj* **1** fast, orubblig determined, firm **2** fastställd fixed, settled; tydlig clear, distinct; definitiv definite **3** *~ artikel* gram. definite article

bestämma *verb* **1** fastställa fix, settle; besluta, avgöra decide, determine; *det får du ~ själv* that's for you to decide **2** definiera define **3** gram. modify, qualify **4** *jag kan inte ~ mig* I can't make up my mind

bestämmelse *subst* regel regulation; villkor condition

bestämt *adv* definitivt definitely; eftertryckligt firmly; säkerligen certainly; *veta ~* know for certain; *det har ~ hänt något* something must have happened

beständig *adj* constant

bestörtning *subst* dismay

besvara *verb* **1** answer **2** återgälda return; *~ ngns kärlek* return sb's love

besvikelse *subst* disappointment [*över* at]

besviken *adj* disappointed [*på* in; *över* at]

besvär *subst* **1** inconvenience, bother; möda hard work; *tack för ~et!* thanks very much for all the trouble you have taken; *bli (vara) till* ~ be a bother, be a nuisance; *det är inte värt* ~*et* it is not worth while **2** jur. appeal [*över* about]

besvära *verb* trouble, bother; *förlåt att jag* ~*r* excuse my troubling you; *jag kanske bara* ~*r* I'm afraid I'm only giving you trouble

besvärad *adj* generad embarrassed

besvärlig *adj* troublesome; svår hard, difficult; ansträngande trying; mödosam laborious; *det är* ~*t att behöva gå dit* it is a nuisance having to go there

besvärlighet *subst* difficulty

besynnerlig *adj* strange, peculiar, odd

besätta *verb* fylla fill äv. tjänst; occupy; *salongen var väl besatt* the theatre was well filled

besättning *subst* sjö. el. flyg. crew

besök *subst* visit; kortare call; *göra* ~ *hos ngn* pay a visit to sb, pay a call on sb; *få (ha)* ~ a) en besökare have (have got) a visitor; flera besökare have (have got) visitors b) en besökare på kort besök have (have got) a caller; flera besökare på kort besök have (have got) callers; *få* ~ *av ngn* be called upon by sb

besöka *verb* hälsa på hos visit, pay a visit to, go to see; bevista attend; ofta besöka frequent; ~ *ngn* visit sb, call on sb, pay sb a visit

besökare *subst* visitor [*av, i, vid* to]; på kortare besök caller [*av, i, vid* to]

besökstid *subst* visiting hours pl.

bet *adj*, *han gick* ~ *på uppgiften* the task was too much for him

1 beta *verb*, ~ el. ~ *av* om gräsätare graze; ~ *av* gå igenom go through

2 beta *subst* rotgrönsak beet

betagande *adj* charming, captivating

betala *verb* **1** pay; varor, arbete pay for; *får jag* ~*!* på restaurang can I have the bill, please?, amer. can I have the check, please?; *det ska du få betalt för!* sona, ge tillbaka I'll pay you out (back) for that!; *han tar ordentligt betalt* he charges a lot; *betalt svar* answer prepaid, reply prepaid; ~ *av* se avbetala; ~ *in* pay in; ~ *in ett belopp på ett konto* pay an amount into an account; ~ *ut* pay out **2** ~ *sig* pay

betalkort *subst* charge card

betalning *subst* payment; *förfalla till* ~ be due; *mot kontant* ~ in cash

betalningsskyldig *adj*, *vara* ~ be liable for payment

betalningsvillkor *subst pl* terms, terms of payment

betal-tv *subst* pay-TV

1 bete *subst* betesmark pasturage; *gå på* ~ be grazing, be feeding

2 bete *subst* vid fiske bait

3 bete *subst* tand tusk

4 bete *verb*, ~ *sig* uppföra sig behave, act

beteckna *verb* betyda denote, signify; ange indicate; känneteckna characterize

betecknande *adj* characteristic [*för* of], typical [*för* of]

beteckning *subst*, *gå under* ~*en* go by the name of

beteende *subst* behaviour (endast sing.), conduct (endast sing.)

beteendemönster *subst* pattern of behaviour

betesmark *subst* pasture, pastureland

beting *subst*, *arbeta på* ~ work by the piece, work by contract

betinga *verb*, ~ *ett högt pris* fetch a high price

betingelse *subst* förutsättning condition

betjäna *verb* serve; uppassa attend, attend on; vid bordet wait on; sköta t.ex. maskin operate, work

betjäning *subst* **1** uppassning service **2** personal staff

betjäningsavgift *subst* service charge

betjänt *subst* manservant (pl. menservants), valet, butler

betona *subst* stress äv. fonet.; framhäva emphasize

betong *subst* concrete

betongblandare *subst* concrete mixer

---

betoning

En del engelska ord kan vara både substantiv och verb. Man kan skilja dem från varandra genom att de har olika betoning.

SUBSTANTIV: '*insult* förolämpning, '*increase* ökning, '*record* skiva. Betoningen ligger alltså på *in-* eller *re-*.

VERB: in'*sult* förolämpa, in'*crease* öka, re'*cord* spela in. Betoningen ligger alltså på *-sult*, *-crease* eller *-cord*.

---

betoning *subst* stress, accent

betrakta *verb* **1** se på look at, observe; se på, titta på view **2** anse consider, regard

betraktande *subst*, *ta ngt i* ~ take sth into consideration

betrodd *adj* pålitlig trusted

betryggande *adj* tillfredsställande satisfactory; *på ~ avstånd* at a safe distance

beträda *verb* set foot on; *Beträd ej gräsmattan!* Keep off the Grass!

beträffa *verb, vad mig ~r* as far as I am concerned; *vad det ~r* as far as that is concerned

beträffande *prep* concerning, regarding

bets *subst* färg stain

betsa *verb* stain

betsel *subst* bit; remtyg bridle

bett *subst* **1** hugg, tandställning, tugga bite; *vara på ~et* be in great form, be in the mood, vard. be on the ball **2** tänder set of teeth **3** på betsel bit

betungande *adj* heavy; *vara ~* be a heavy burden [*för* to]

betvinga *verb* subdue, subjugate

betvivla *verb* doubt [*att* that, whether]

betyda *verb* mean, signify; innebära imply; beteckna denote; *det betyder ingenting* gör ingenting it doesn't matter

betydande *adj* important; stor considerable

betydelse *subst* meaning, sense; vikt significance, importance; *det har ingen ~* spelar ingen roll it doesn't matter; *ha stor ~* be of great importance

betydelsefull *adj* significant; viktig important

betydelselös *adj* meaningless, insignificant; oviktig unimportant

betydlig *adj* considerable

betyg *subst* **1** intyg el. examensbetyg certificate; arbetsgivares reference; terminsbetyg report **2** betygsgrad mark, amer. grade

betygsätta *verb* **1** skol. mark, amer. grade **2** mera allm. assess, grade

betänka *verb* consider; *man måste ~ att...* one must bear in mind that...

betänkande *subst* utlåtande report

betänketid *subst* time to think the matter over; *en dags ~* a day to think the matter over

betänklig *adj* allvarlig serious; oroväckande alarming; tvivelaktig dubious

betänklighet *subst*, *~er* apprehensions [*mot* about]

betänksam *adj* försiktig cautious; tveksam hesitant

betänksamhet *subst* försiktighet caution; tveksamhet hesitation

beundra *verb* admire

beundran *subst* admiration

beundransvärd *adj* admirable

beundrare *subst* admirer

beundrarpost *subst* fan mail

bevaka *verb* **1** hålla vakt vid guard **2** tillvarata look after **3** nyhet, händelse cover

bevakad *adj*, *~ järnvägsövergång* controlled level crossing, amer. controlled grade crossing

bevakning *subst* guard; *stå under sträng ~* be closely guarded

bevandrad *adj*, *~ i* familiar with, versed in

bevara *verb* **1** bibehålla preserve; upprätthålla maintain; förvara keep **2** skydda protect; *bevare mig väl!* dear me!; *Gud bevare konungen (drottningen)!* God save the King (Queen)!

beveka *verb* move, persuade

bevilja *verb* grant

bevis *subst* proof [*på* of]; vittnesbörd evidence [*på* of]

bevisa *verb* prove

bevismaterial *subst* evidence, body of evidence

bevista *verb* attend; närvara vid be present at

bevittna *verb* **1** bestyrka attest, testify **2** vara vittne till witness

bevuxen *adj* overgrown

beväg *subst*, *göra ngt på eget ~* do sth on one's own responsibility

bevänt *adj*, *det är inte mycket ~ med honom* he is not up to much

beväpna *verb* arm

beväpnad *adj* armed; *~ med* försedd med equipped with

B-film *subst* B movie, B-film

bh *subst* se *behå*

bi *subst* bee

bibehålla *verb* ha i behåll retain; bevara keep, preserve; upprätthålla maintain; *väl bibehållen* well preserved

bibel *subst* bible; *Bibeln* the Bible

bibliografi *subst* bibliography

bibliotek *subst* library; *låna på ~* borrow books at the library

bibliotekarie *subst* librarian

bibliotekskort *subst* library ticket

biblisk *adj* biblical

biceps *subst* pl anat. biceps (pl. lika)

bicycleta *subst* fotb. bicycle kick

bidé *subst* bidet

bidra *verb* contribute [*till* to], make a contribution [*till* to]; *~ med* pengar, idéer contribute

bidrag *subst* **1** contribution **2** understöd allowance; statsbidrag grant, subsidy; *han lever på ~* he is on social security, amer. he is on welfare

bidragande *adj*, *en* ~ *orsak* a contributory cause

bidrottning *subst* queen bee

bifall *subst* **1** samtycke assent, consent; *röna* (*vinna*) ~ meet with approval **2** applåder applause sing.; rop cheers pl.; *väcka stormande* ~ call forth a volley of applause

---

biff

Det engelska ordet *beef* betyder nötkött.

---

biff *subst* beefsteak, steak

biffko *subst* beef cow

biffstek *subst* beefsteak, steak

bifftomat *subst* beef tomato, beefsteak tomato

bifigur *subst* minor character

biflod *subst* tributary, tributary river

bifoga *verb* enclose; fästa vid attach

bigami *subst* bigamy

bigamist *subst* bigamist

bigarrå *subst* whiteheart cherry, whiteheart

bigata *subst* sidestreet

bigott *adj* bigoted

bihåla *subst* anat. sinus

bihåleinflammation *subst* med. sinusitis

bijouterier *subst pl* costume jewellery sing., trinkets

bikarbonat *subst* kem. bicarbonate

bikini *subst* baddräkt bikini

bikt *subst* confession

bikta *verb*, ~ *sig* confess, confess one's sins

biktfader *subst* confessor, father confessor

bikupa *subst* beehive, hive

---

bildelar

Bildelar heter ofta olika på brittisk engelska och amerikansk engelska: huv *bonnet*, amer. *hood*; vindruta *windscreen*, amer. *windshield*; bagageutrymme *boot*, amer. *trunk*; avgasrör *exhaust pipe*, amer. *tailpipe*

---

bil *subst* car, spec. amer. automobile; *köra* ~ drive, drive a car; *åka* ~ go by car, travel by car

bila *verb* go by car, travel by car

bilaga *subst* till t.ex. brev enclosure; tidningsbilaga supplement; till bok appendix

bilavgaser *subst pl* exhaust fumes

bilbesiktning *subst* se *kontrollbesiktning*

bilbälte *subst* säkerhetsbälte seat belt, safety belt

bild *subst* **1** picture; illustration illustration; porträtt portrait; *på* ~*en* in the picture **2** inre bild, föreställning image **3** bildligt uttryck metaphor, image **4** skolämne art, art education

bilda *verb* **1** åstadkomma form; grunda found; ~*s* uppstå be formed; ~ *regering* form a government; ~ *sig en uppfattning om* form an opinion of **2** fostra educate **3** ~ *sig* skaffa sig bildning educate oneself

bildad *adj* educated; kultiverad cultivated

bilderbok *subst* picture book

bildkonstnär *subst* artist; grafik graphic artist

bildlig *adj* figurative

bildligt *adv*, ~ *talat* figuratively speaking

bildlärare *subst* art teacher, art master; kvinnlig art teacher, art mistress

bildning *subst* education; kultur culture

bildrulle *subst* road hog

bildruta *subst* tv. screen, viewing screen

bildrör *subst* tv. picture tube

bildsekvens *subst* picture sequence

bildskärm *subst* tv. screen; data. display, display screen

bildskärmsterminal *subst* data. visual display terminal, visual display unit (förk. VDU)

bildskön *adj* strikingly beautiful

bildtext *subst* caption

bildtidning *subst* illustrated magazine

bildäck *subst* **1** på hjul tyre, amer. tire **2** på bilfärja car deck

bilfabrik *subst* car factory, motor works (pl. lika)

bilfärja *subst* car ferry

bilförare *subst* car driver

bilförsäkring *subst* car insurance

bilhandske *subst* driving-glove

bilindustri *subst* motor industry

bilintresserad *adj* car-minded

bilism *subst*, ~ el. ~*en* motoring; bilar cars

bilist *subst* motorist, driver

biljakt *subst* car chase

biljard *subst* spel billiards (med verb i sing.)

biljardkö *subst* cue

biljardsalong *subst* billiard hall, billiard saloon, poolroom

biljett *subst* ticket

biljettautomat *subst* ticket machine

biljettförsäljning *subst* sale of tickets

biljetthäfte *subst* book of tickets

biljettkontor *subst* o. **biljettlucka** *subst* booking-office, amer. ticket office

biljettpris *subst* admission, price of admission; för resa fare

bilkarta *subst* road map

bilkrock *subst* car crash

bilkö *subst* line of cars, queue of cars; lång tailback

billig *adj* **1** cheap; ej alltför dyr inexpensive; *för en ~ penning* cheap **2** rimlig fair, reasonable **3** smaklös, vulgär cheap, vulgar

billighetsupplaga *subst* cheap edition

billykta *subst* car headlight

bilmekaniker *subst* motor mechanic, car mechanic

bilmärke *subst* make of car

bilnummer *subst* car number, registration number

bilolycka *subst* car accident

bilparkering *subst* plats car park, amer. parking lot

bilradio *subst* car radio

bilreparatör *subst* bilmekaniker motor mechanic, car mechanic

bilresa *subst* car journey; *två timmars ~* two hours' drive by car

bilring *subst* **1** däck tyre, amer. tire **2** fettvalk spare tyre, amer. spare tire

bilsemester *subst*, *åka på ~* go on a car holiday (amer. vacation)

bilsjuk *adj* car-sick

bilskatt *subst* car tax, motor tax

bilskola *subst* driving school

bilskrälle *subst* vard., bil banger, amer. beater

bilsport *subst* motor sport

bilstöld *subst* car theft

biltjuv *subst* car thief

biltrafik *subst* motor traffic

biltull *subst* toll; *väg med ~* tollway

biltur *subst*, *ta en ~* go for a drive, vard. go for a spin

biltvätt *subst* car wash

biltävling *subst* car race, motor race

biluthyrning *subst* car hire service, car rental service

bilverkstad *subst* garage

bilväg *subst* motor road

bilägare *subst* car owner

bimbo *subst* vard. el. neds., om ung attraktiv flicka bimbo (pl. -s)

binda I *subst* bandage; dambinda sanitary towel, amer. sanitary napkin
II *verb* **1** bind; knyta tie; *~ ngn till händer och fötter* bind sb hand and foot; *bundet kapital* tied-up capital; *bunden vid sjuksängen* confined to bed **2** *~ sig* commit oneself, bind oneself

III *verb* med betonad partikel
binda fast: *~ fast ngn* tie sb on [*vid* to]; *~ fast ngt* tie sth on [*vid* to]
binda för: *~ för ögonen på ngn* blindfold sb
binda ihop ngt tie sth together
binda om paket etc. tie up; sår bind up

bindande *adj* förpliktande binding [*för ngn* on sb]; *~ bevis* conclusive evidence

bindel *subst* ögonbindel blindfold; förband eye bandage; *~ om armen* t.ex. som igenkänningstecken, armband armlet

bindestreck *subst* hyphen

bindning *subst* **1** av böcker binding **2** skidbindning binding, fastening

bingo *subst* bingo äv. utrop

binnikemask *subst* tapeworm

bio *subst* cinema; *gå på ~* go to the cinema, go to the movies; *vad går det på ~?* what's on at the cinema (movies)?

biobesök *subst* visit to the cinema (movies)

biobesökare *subst* filmgoer, moviegoer

biobiljett *subst* cinema ticket, movie ticket

biobränsle *subst* biofuel

biodlare *subst* bee-keeper

biodynamisk *adj*, *~a* livsmedel organically grown; *~ odling* organic farming

bioföreställning *subst* movie show, cinema performance

biograf *subst* cinema, amer. vard. movie theatre

biografi *subst* biography

biografisk *adj* biographical

biolog *subst* biologist

biologi *subst* biology

biologisk *adj* biological

biopublik *subst* cinema audience, movie audience; biobesökare filmgoers pl., cinemagoers pl., moviegoers pl.

biprodukt *subst* by-product

biroll *subst* minor part, minor role

bisam *subst* pälsverk musquash, amer. muskrat

bisamråtta *subst* muskrat, musquash

bisarr *adj* bizarre, odd

bisats *subst* gram. subordinate clause

bisexuell *adj* bisexual, vard. AC/DC (eg. förk. för *alternating current/direct current* = växelström/likström)

biskop *subst* bishop

biskvi *subst* bakverk, ungefär macaroon

bismak *subst*, *en bitter ~* a slightly bitter flavour; *osten har en konstig ~* the cheese has a funny taste

bisonoxe *subst* bison

bister *adj* om min etc. grim, forbidding; om klimat severe; *bistra tider* hard times

bistå *verb* aid, assist, help

bistånd *subst* aid, assistance; *med benäget* ~ *av* kindly assisted by

bisvärm *subst* swarm of bees

bisyssla *subst* sideline

bit *subst* stycke piece, bit; del part; brottstycke fragment; av socker, kol lump, knob; munsbit mouthful; *äta en* ~ *mat* have a snack, have a bite to eat; *gå i en bra* ~ walk quite a long way; *det är bara en liten* ~ *att gå* it is only a short distance; *gå i* ~*ar* go to pieces, fall to pieces

bita I *verb* bite; om kniv cut; om köld, blåst bite; *det är något att* ~ *i* it's something to get one's teeth into; ~ *i gräset* stupa bite the dust

II *verb* med betonad partikel

bita av bort bite off

bita itu ngt bite sth in two

bita sig fast vid stick to, cling to

bita ihop el. **bita ihop tänderna** clench one's teeth

bitande *adj* biting, cutting

bitas *verb* bite

bitch *subst* vard., aggressiv kvinna bitch

bitchig *adj* bitchy

bitring *subst* för barn teething ring

biträda *verb* assistera assist [*vid* in]

biträdande *adj* assistant

biträde *subst* assistant

bitsk *adj* fierce

bitsocker *subst* lump sugar, cube sugar

bitter *adj* bitter

bitterhet *subst* bitterness

bittermandel *subst* bitter almond

bitti *adv, i morgon* ~ early tomorrow morning

biverkningar *subst pl* side effects

bjuda I *verb* **1** erbjuda, räcka fram offer; servera serve **2** inbjuda ask, invite; ~ *ngn på middag* ask sb to dinner **3** betala treat [*ngn på ngt* sb to sth]; *det är jag som bjuder* it is on me **4** göra anbud offer; på auktion bid [*på ngt* for sth]

II *verb* med betonad partikel

bjuda hem ngn ask sb home

bjuda igen invite...back, invite...in return

bjuda upp ngn till dans ask sb for a dance

bjuda ut 1 till salu offer for sale **2** ~ *ut ngn* på restaurang etc. take sb out

bjudning *subst* kalas party; middagsbjudning dinner, dinner party; *ha* ~ give a party, vard. throw a party

bjudningskort *subst* invitation card

bjälke *subst* beam; av stål girder

bjällra *subst* little bell

bjärt *adj* gaudy; *stå i* ~ *kontrast mot* be in glaring contrast to

bjässe *subst* stor karl big strapping fellow

björk *subst* träd, virke birch

björkdunge *subst* birch grove, clump of birches

björkkvist *subst* birch twig

björklöv *subst* birch leaf

björkmöbel *subst* möblemang birch suite; *björkmöbler* bohag birch furniture sing.

björkris *subst* birch twigs pl.

björkskog *subst* birchwood; större birch forest

björkstam *subst* birch trunk

björkved *subst* birchwood

björn *subst* bear; *väck inte den* ~ *som sover!* ungefär let sleeping dogs lie!; *Stora* ~ astron. the Great Bear; *Lilla* ~ the Little Bear

björnbär *subst* blackberry

björntjänst *subst, göra ngn en* ~ do sb a disservice

björnunge *subst* bear cub

bl.a. förk. se *bland*

blackout *subst, få en* ~ have a blackout

blad *subst* **1** på träd, blomma leaf (pl. leaves) **2** papper sheet; i bok leaf (pl. leaves); *han är ett oskrivet* ~ he is an unknown quantity **3** på kniv, åra etc. blade

bladlus *subst* plant louse, green fly

B-lag *subst* spec. sport. B-team

bland *prep* among, amongst; ~ *andra* (förk. *bl.a.*) among others; ~ *annat* (förk. *bl.a.*) among other things; *han blev utvald* ~ *tio sökande* he was chosen from among ten applicants; ~ *det bästa jag sett* one of the best things I've ever seen

blanda I *verb* mix, mingle; olika kvaliteter av t.ex. te, tobak blend; spelkort shuffle

II *verb* med betonad partikel

blanda bort korten för ngn confuse the issue

blanda i ngt i ngt mix sth in sth, add sth to sth

blanda ihop förväxla mix up, confuse

blanda in ngn mix sb up, involve sb [*i* in]

blanda till tillreda mix

blandad *adj* mixed, mingled; ~*e känslor* mixed feelings; *blandat sällskap* mixed company

blandare *subst* **1** mixer **2** vattenblandare mixer tap, amer. mixing faucet

blandekonomi *subst* mixed economy

blandning *subst* **1** mixture; av olika kvaliteter av

t.ex. te, tobak blend; av konfekt etc. assortment
2 kem. compound

blandras *subst* mixed breed, crossbreed;
vara av ~ be a mixed breed, be a mongrel

blank *adj* **1** bright, shining, glossy **2** oskriven,
tom blank **3** *ett* ~*t avslag (nej)* a flat
refusal; ~*t game* i tennis love game

---

blankett

Det engelska ordet *blanket* betyder
filt.

---

blankett *subst* form; *fylla i en* ~ fill in a
form, fill up a form

blankpolera *verb* polish

blanksliten *adj* om tyg shiny, threadbare

blankt *adv* brightly; *neka* ~ *till ngt* flatly
deny sth; *rösta* ~ return a blank
ballot-paper; *det struntar jag* ~ *i!* I don't
care a damn!; *springa 100 meter på 10
sekunder* ~ run 100 metres in 10 seconds
flat

blasé *adj* blasé

blask *subst* **1** om dryck dishwater **2** slaskväder
slush

blaskig *adj* watery

blazer *subst* **1** sports jacket **2** klubbjacka blazer

bleck *subst* tinplate, tin

bleckblåsare *subst* musik. brass player

blek *adj* pale

bleka *verb* **1** kem. bleach; ~ *håret* bleach
one's hair **2** färger fade; ~*s* fade

blekmedel *subst* bleach, bleaching agent

blekna *verb* om person turn pale; om färg etc.
fade

blekselleri *subst* blanched celery, celery

blessyr *subst* wound

bli I *hjälpverb* be, vard. get; som sker gradvist
become; ~ *avrättad* be executed; ~ *biten
av en hund* be bitten by a dog; ~
överkörd get run over; *jag blev mer och
mer övertygad om hans skuld* I
became more and more convinced of his
guilt

II *huvudverb* **1** för att uttrycka förändring become,
get; långsamt grow

2 för att uttrycka plötslig övergång turn

3 med vissa adj. go

4 i betydelsen 'vara' el. 'komma att vara' (i futurum)
be; visa sig vara turn out, prove

5 ex.: *tre och två* ~*r fem* three and two
make five; *hur mycket* ~*r det?* how
much will that be?, how much does it

come to?; *hur* ~*r det med det?* what
about that?; *det blev märken på mattan
efter skorna* the shoes left (made) marks
on the carpet; *det har blivit kallt
plötsligt* it has turned cold suddenly; *det
* ~*r regn* it is going to rain; *det blev regn*
there was rain; *när det* ~*r sommar* when
summer comes; *han blev kapten förra
året* he was made captain last year; ~ *kär*
fall in love; ~ *sjuk* fall ill, get ill, be taken
ill

6 ex. med låta: *låta* ~: *låt* ~ *honom!* leave
him alone!; *jag kan inte låta* ~ el. *jag
kan inte låta* ~ *att göra det* I can't help
it, I can't help doing it; *gör det då om du
inte kan låta* ~ do it if you must; *det är
svårt att låta* ~ it is difficult not to; *låt* ~
det där! don't do that!; sluta stop it!, stop
that!

III *verb* med betonad partikel

bli av komma till stånd take place, come off;
vad ska det ~ *av honom?* what is going
to become of him?; *det* ~*r aldrig av* it
won't come off, nothing will come of it; ~*r
det något av det hela?* will it come to
anything?

bli av med förlora lose; bli kvitt get rid of

bli borta stay away, be away

bli ifrån sig get into a terrible state,
become frantic [av with]

bli kvar 1 stanna remain behind, stay
behind **2** bli över be over

bli till come into existence, come into
being

bli utan go without; *du får* ~ *utan* you'll
have to go without

bli över be left over, be over

blick *subst* ögonkast look [på at]; hastig glance
[på at], glimpse [på at]; *fästa* ~*en på* fix
one's eyes on; *ha* ~ *för* have an eye for;
kasta en ~ *på* have a look at, take a look
at; *sakna* ~ *för* have no eye for

blickfång *subst* **1** som fångar blicken eye-catcher
2 blickfält field of vision

blickfält *subst* field of vision

blickpunkt *subst*, *i* ~*en* in the limelight

blid *adj* om t.ex. röst soft; om t.ex. väder mild

blidka *verb* placate

blidväder *subst*, *det är* ~ a thaw has set in

blind I *adj* blind [på in; för to]
II *subst*, *en* ~ a blind person

blindbock *subst*, *leka* ~ play blind-man's
buff

blindhund *subst* guide dog, amer. äv.
seeing-eye dog

blindskrift *subst* braille
blindtarm *subst* anat. appendix
blindtarmsinflammation *subst* med. appendicitis
blindtest *subst* blindfold test
blink *subst* blinkande av ljus twinkling; ljusglimt twinkle; blinkning wink
blinka *verb* om ljus twinkle; med ögonen blink; som tecken wink; *utan att* ~ without batting an eyelid
blinker *subst* o. **blinkers** *subst* bil. indicator, amer. turn signal, vard. blinker
blipp *subst* data. blip
blivande *adj* framtida future; ~ *mödrar* expectant mothers
blixt *subst* **1** åskslag lightning (endast sing.); *en* ~ a flash of lightning; ~*en slog ned i huset* the house was struck by lightning; *som en* ~ *från en klar himmel* like a bolt from the blue **2** foto flash, flashlight
blixtkub *subst* flashcube
blixtkär *adj*, *han blev* ~ he fell madly in love
blixtlampa *subst* flash bulb
blixtljus *subst* foto. flashlight
blixtlås *subst* zip, zip-fastener, vard. zipper
blixtra *verb* **1** *det* ~*r* el. *det* ~*r till* there's a flash of lightning **2** om t.ex. ögon flash
blixtsnabb *adj*, *en* ~ *visit* a lightning visit; *han är* ~ he is as quick as lightning
blixtsnabbt *adv* ... as quick as lightning, ... like lightning
block *subst* **1** massivt stycke, husblock block **2** skrivblock pad, block **3** för skor shoetree
blockad *subst* hist. blockade
blockchoklad *subst* cooking chocolate
blockera *verb* block, block up, jam
blockflöjt *subst* musik. recorder
blod *subst* blood; *ge* ~ be a blood donor; *med kallt* ~ in cold blood
bloda *verb*, ~ *ned ngt* fläcka stain sth with blood; fullständigt make sth all bloody
blodapelsin *subst* blood orange
blodbad *subst* blood bath
blodbank *subst* blood bank
blodbrist *subst* med. anaemia
blodcirkulation *subst* blood circulation
bloddoping *subst* blood-doping
bloddroppe *subst*, *till sista* ~*n* to the last drop of blood
blodfattig *adj* anaemic
blodfläck *subst* bloodstain
blodförgiftning *subst* blood-poisoning
blodförlust *subst* loss of blood
blodgivarcentral *subst* blood donor centre, blood transfusion centre

blodgivare *subst* blood donor
blodgivning *subst* blood donation
blodgrupp *subst* blood group
blodhund *subst* bloodhound
blodig *adj* **1** blodfläckad bloodstained; *han var* ~ he was all bloody; *ett* ~*t krig* a bloody war **2** lätt stekt underdone, rare
blodkorv *subst* black pudding, amer. blood sausage
blodkropp *subst* blood cell, blood corpuscle
blodkärl *subst* blood vessel
blodomloppet *subst* the circulation of the blood
blodpropp *subst* blood clot
blodprov *subst* blood test; *ta ett* ~ take a blood test
blodpudding *subst* black pudding, amer. blood sausage
blodsband *subst* blood relationship
blodsocker *subst* blood sugar
blodsprängd *adj* bloodshot
blodsugare *subst* bloodsucker
blodsutgjutelse *subst* bloodshed
blodtest *subst* blood test
blodtransfusion *subst* blood transfusion
blodtryck *subst* blood pressure
blodtörstig *adj* bloodthirsty
blodvallning *subst* med. hot flush, amer. hot flash
blodvärde *subst* blood count
blodåder *subst* vein, blood vein
blogg *subst* personlig dagbok på webben blog
blogga *verb* skriva blogg blog
blom *subst*, *stå i* ~ be in bloom
blomblad *subst* petal
blombukett *subst* bouquet, bunch of flowers
blomkruka *subst* flowerpot
blomkål *subst* cauliflower

---

blommor

ODLADE BLOMMOR: bellis, tusensköna *daisy*, pensé *pansy*, påsklilja *daffodil*, ringblomma *marigold*, ros *rose*, solros *sunflower*, syren *lilac*, tulpan *tulip*.

VILDA BLOMMOR: blåklint *cornflower*, blåklocka *harebell*, blåsippa *blue anemone*, hepatica, gullviva *cowslip*, liljekonvalj *lily of the valley*, maskros *dandelion*, smörblomma *buttercup*, vallmo *poppy*, vitsippa *wood anemone*.

blomkålshuvud *subst* head of cauliflower

blomma I *subst* flower
II *verb* flower, bloom; spec. om fruktträd blossom; *trädet har ~t ut* el. *trädet är utblommat* the tree has ceased flowering

blommig *adj* flowery

blommografera *verb* send flowers by Interflora®

blommogram® *subst* flowers pl. sent by Interflora®

blomning *subst* flowering; *i full* ~ in bloom

blomningstid *subst* flowering-season

blomsteraffär *subst* florist's; som skylt florist

blomsterförmedling *subst*, *Blomsterförmedlingen*® Interflora®

blomsterhandlare *subst* florist

blomsterhyllning *subst* floral tribute

blomsterlök *subst* bulb, flower bulb

blomsterrabatt *subst* flowerbed

blomsterutställning *subst* flower show

blomstra *verb* 1 blossom, bloom 2 frodas flourish, prosper, thrive

blomstrande *adj* flourishing, prospering, thriving

blond *adj* 1 om person fair, fair-haired, blond (om kvinna blonde) 2 om hår fair, light, blond

blondera *verb*, ~ *håret* dye one's hair blond

blondin *subst* blonde

bloss *subst* 1 fackla torch 2 vid rökning, *jag tar mig ett* ~ I'll just have a smoke

blossa *verb* 1 ~ *upp* flare up 2 röka puff [på at]

blott I *adj* mere; bare; ~*a tanken på* the mere thought of, the very thought of; *med* ~*a ögat* with the naked eye
II *adv* only, but; merely; ~ *och bart* simply and solely

blotta I *subst* gap in one's defence, weak spot
II *verb* 1 expose, uncover, bare 2 ~ *sig* a) förråda sig betray oneself, give oneself away b) visa könsorgan expose oneself indecently, vard. flash

blottad *adj* avtäckt bare, uncovered

blottare *subst* vard. flasher

bluff *subst* 1 humbug bluff, humbug 2 person bluffer, phoney

bluffa *verb* bluff

bluffmakare *subst* bluffer, phoney

blund *subst*, *inte få en* ~ *i ögonen* not get a wink of sleep

blunda *verb* 1 inte vilja se shut one's eyes [för to] 2 hålla ögonen slutna keep one's eyes shut

blunder *subst* blunder

blus *subst* blouse; skjortblus shirt

bly *subst* lead

blyertspenna *subst* pencil, lead pencil

blyfri *adj*, ~ *bensin* unleaded petrol (gasoline)

blyg *adj* shy [för of]; försagd timid

blygdläppar *subst pl* anat. labia

blygsam *adj* modest

blygsamhet *subst* modesty

blygsel *subst* shame; *rodna av* ~ blush with shame

blyhaltig *adj*, *vara* ~ contain lead

blå (se äv. *blått*) *adj* blue; om druvor black; *få ett* ~ *öga* get a black eye

blåaktig *adj* bluish

blåbär *subst* bilberry; amerikansk art blueberry

blådåre *subst* vard. madman

blåklint *subst* blomma cornflower

blåklocka *subst* blomma harebell, i Skottland bluebell

blåklädd *adj*, *hon var* ~ she was dressed in blue

blåmes *subst* fågel blue tit

blåmärke *subst* o. *blånad* *subst* bruise

blåprickig *adj*, *en* ~ *klänning* a blue-spotted dress, a dress spotted blue; *den är* ~ vanligen it has blue spots

blårandig *adj*, *en* ~ *klänning* a blue-striped dress, a dress striped blue

blårutig *adj*, *den är* ~ it has blue checks

1 blåsa *subst* 1 urinblåsa bladder 2 i huden blister

2 blåsa I *verb* blow; *det blåser* it's windy; ~ *nytt liv i* breathe fresh life into
II *verb* med betonad partikel
blåsa av blow off; ~ *av ngt* avsluta bring sth to an end; ~ *av matchen* blow the final whistle
blåsa bort blow away
blåsa ned (omkull) blow down, blow over
blåsa upp blow up; öppnas blow open

blåsare *subst* musik. wind player; *blåsarna* koll. the wind

blåsig *adj* om väder windy

blåsinstrument *subst* wind instrument

blåsippa *subst* blomma hepatica

blåskatarr *subst* med. inflammation of the bladder

blåslampa *subst* blowlamp, amer. blowtorch

blåsning *subst* vard., *åka på en* ~ be swindled, be cheated

blåsorkester *subst* brass band

blåst *subst* wind, stark. gale

blåställ *subst* dungarees pl., overalls pl.; *ett* ~ a pair of dungarees, a pair of overalls

blåsväder *subst* windy weather, stormy weather; *råka (vara ute) i* ~ be under fire

blåsyra *subst* kem. prussic acid

blåtira *subst* vard., *få en* ~ get a black eye

blått *subst* blue; *klädd i* ~ dressed in blue; *målad i* ~ painted blue; *det går i* ~ it has a shade of blue in it; se *blå* för vidare ex.

blåögd *adj* om ögon el. naiv blue-eyed

bläck *subst* ink; *skrivet med* ~ written in ink

bläckfisk *subst* cuttlefish; åttaarmad octopus

bläckpenna *subst* pen

bläddra *verb* turn over the leaves, turn over the pages; ~ *igenom* look through

blända *verb* **1** göra blind blind; tillfälligt dazzle; *jag blev* ~*d av hennes skönhet* I was dazzled by her beauty **2** bil., ~ *av* vid möte dip the headlights, amer. dim the headlights

bländande *adj* dazzling

bländare *subst* foto. diaphragm; öppning aperture; inställning stop

blänga *verb* glare [*på* at]

blänka *verb* shine, gleam

blöda *verb* bleed; *du blöder i ansiktet* your face is bleeding

blödarsjuka *subst* med. haemophilia

blödig *adj* sensitive, soft, weak

blödning *subst* bleeding

blöja *subst* nappy, amer. diaper; engångs disposable nappy, amer. disposable diaper

blöjbyxor *subst pl* baby pants

blöt I *adj* våt wet
II *subst*, *ligga i* ~ be in soak; *lägga ngt i* ~ put sth in soak; *lägga sin näsa i* ~ poke one's nose into other people's business

blöta *verb* soak; göra våt wet; ~ *ned ngt* wet sth; ~ *ned sig* get all wet

blötsnö *subst* wet snow

BNP *subst* förk. se *bruttonationalprodukt*

bo I *verb* live, tillfälligt stay; som inneboende lodge; ~ *på hotell* stay at a hotel; ~ *billigt* pay a low rent; ~ *gratis* pay no rent; ~ *kvar* live there still; tillfälligt stay on
II *subst* **1** fågels nest; vilt djur lair, den **2** *sätta* ~ settle, set up house

boaorm *subst* boa constrictor, boa

boardingcard *subst* flyg. el. sjö. boarding card

bock *subst* **1** get he-goat **2** stöd trestle, stand **3** gymn. horse, buck; *hoppa* ~ i lek play leapfrog **4** tecken tick; *sätta* ~ *för ngt* mark sth as wrong **5** *han är en gammal* ~ vard. he is an old lecher

1 bocka *verb*, ~ *sig* buga bow [*för* to]; ~ *djupt* make a low bow

2 bocka *verb*, ~ *av* pricka för tick off

bod *subst* **1** butik shop **2** marknadsstånd booth, stall **3** uthus shed

bodelning *subst* division of the joint property of husband and wife

Bodensjön the Lake of Constance

body *subst* body, bodysuit plagg

bodybuilding *subst* body-building

boendekostnader *subst pl* housing costs

boendeparkering *subst* local residents' parking

boett *subst* case, watchcase

bofast *adj* resident, domiciled

bofink *subst* fågel chaffinch

bog *subst* **1** på djur el. kok. shoulder **2** sjö. bow, bows pl.

bogsera *verb* tow; ~ *ngt* ta på släp take sth in tow

bogserbåt *subst* towboat, tug

bogsering *subst* towage, towing

bogserlina *subst* towrope, towline

bohag *subst* household goods pl., furniture

bohem *subst* Bohemian

bohemisk *adj* Bohemian

boj *subst* sjö. buoy

bojkott *subst* boycott

bojkotta *verb* boycott

1 bok *subst* träd beech; se *björk-* för sammansättningar

2 bok *subst* book

boka *verb* beställa book, reserve; *har ni* ~*t?* a) rum have you booked a room? b) bord have you booked a table?; ~ *om* change a reservation

bokapsskötsel *subst* cattle breeding, cattle raising

bokband *subst* binding, cover

bokbuss *subst* mobile library, amer. bookmobile

bokcirkel *subst* book club

bokföra *verb*, ~ *ngt* enter sth, enter sth in the books

bokföring *subst* redovisning bookkeeping

bokförlag *subst* publishing house, publishers pl.

bokförläggare *subst* publisher

bokhandel *subst* butik bookshop, bookstore

bokhandlare *subst* bookseller

bokhylla *subst* **1** skåp bookcase **2** enstaka hylla bookshelf

bokklubb *subst* book club

bokmärke *subst* **1** bookmark äv. data.
2 glansbild scrap sällsynt i Storbritannien o. USA

bokomslag *subst* cover, book cover

bokslut *subst*, *göra* ~ close the books, balance the books

bokstav *subst* letter; *liten* ~ small letter; *stor*
~ capital letter

bokstavera *verb* tele. spell . . . using analogy
t.ex. 'A as in Alfa, B as in Bravo'

bokstavligen *adv* literally

bokstavsordning *subst*, *i* ~ in alphabetical
order

boktryckeri *subst* printing-office, större
printing-house

bolag *subst* company; *bilda (starta)* ~ form
a company

bolagsstämma *subst* shareholders' meeting

Bolivia Bolivia

bolivian *subst* Bolivian

boliviansk *adj* Bolivian

boll *subst* ball; slag i tennis etc. stroke; skott i
fotboll shot; passning pass; *lång* ~ i tennis rally

bolla *verb* play ball; träningsslå knock up; ~
med siffror juggle with figures

bollflicka *subst* sport. ball girl

bollpojke *subst* sport. ball boy

bollsinne *subst* ball sense, ball control

bollspel *subst* ball game

bolma *verb* belch out smoke; ~ *på en cigarr*
puff away at a cigar; *det* ~*de rök ur
skorstenen* smoke billowed out of the
chimney

bolster *subst* feather bed

1 bom *subst* stång bar; järnv. level-crossing
gate, amer. grade-crossing gate; gymn.
horizontal bar; *hamna (sitta) bakom lås
och* ~ be under lock and key

2 bom *subst* felskott miss

bomb *subst* bomb

bomba *verb* bomb

bombanfall *subst* bombing attack, bomb
attack

bombardemang *subst* bombardment äv. med
t.ex. frågor; bombing

bombardera *verb* bombard äv. med t.ex. frågor;
från luften bomb

bombastisk *adj* bombastic

bombattentat *subst* bomb attack, bomb
outrage, bombing

bombflyg *subst* bombers pl.

bombhot *subst* bomb scare

bombplan *subst* bomber

1 bomma *verb*, ~ *för* el. ~ *igen* bar; ~ *igen
ngt* stänga shut sth up

2 bomma *verb* missa miss [*på ngt* sth]

bomull *subst* cotton; rå, vadd cotton wool

bomullsgarn *subst* cotton

bomullsspinne *subst* cotton bud

bomullstråd *subst* cotton thread

bomullstuss *subst* cotton ball

bomullstyg *subst* cotton cloth, cotton fabric

bona *verb* vaxa wax, polish

bondböna *subst* broad bean

bonde *subst* **1** farmer; lantbo, spec. i europeiska
länder utom Storbritannien peasant **2** schack.
pawn

bondfångare *subst* confidence trickster, vard.
con man

bondgård *subst* farm

bondkatt *subst* huskatt av blandras alley cat;
europeisk korthårskatt domestic shorthair

bondkomik *subst* slapstick

bondkomiker *subst* slapstick comedian

bondpermission *subst* vard. French leave

bondtölp *subst* neds. country bumpkin, boor

boning *subst* dwelling

bonus *subst* bonus

bonusklass *subst* försäkringsterm bonus class

bonvax *subst* floor polish

bookmaker *subst* bookmaker

bord *subst* table; skrivbord desk; *sitta till* ~*s* sit
at table; *sätta sig till* ~*s* sit down to
dinner (lunch etc.)

borda *verb* board

bordduk *subst* tablecloth

borde imperf. av *böra*

bordeaux *subst* o. **bordeauxvin** *subst* Bordeaux
wine; röd claret

bordell *subst* brothel

bordlägga *verb* uppskjuta postpone

bordsben *subst* table leg

bordsbön *subst* grace; *be* ~ say grace

bordsskick
I England har man sin egen smör-
kniv. Man tar en klick smör och
lägger på sin egen assiett. Den rost-
ade fyrkantiga brödskivan delar
man ofta i två trianglar innan man
börjar äta.
I USA använder man oftast bara
gaffeln när man äter. Kniven
använder man till att skära köttet i
bitar. Sedan lägger man den åt
sidan.

bordsskick *subst* table manners pl.

bordsskiva *subst* table top; lös table leaf

bordsvatten *subst* table water

bordsvisa *subst* drinking song

bordsända *subst*, *vid övre* ~*n* at the head of

the table; *vid nedre ~n* at the foot of the table

bordtennis *subst* table tennis, vard. ping-pong

borg *subst* **1** slott castle **2** fäste stronghold

borgare *subst* **1** medelklassare bourgeois (pl. lika) **2** icke-socialist non-Socialist

borgarklass *subst* middle class, bourgeoisie

borgen *subst* säkerhet security, guarantee; *gå i ~ för ngn* jur. vouch for sb, stand surety for sb; *frige mot ~* release on bail

borgenslån *subst* loan against a personal guarantee

borgensman *subst* guarantor, surety

borgenär *subst* creditor

borgerlig *adj* **1** av medelklass middle class, neds. bourgeois **2** polit., icke-socialistisk non-Socialist; *de ~a* the centre-right parties

borgerligt *adv*, *gifta sig ~* marry before the registrar

borgmästare *subst* utanför Sverige mayor

borr *subst* drill; liten handborr gimlet; tandläkarborr drill

borra *verb* bore [*efter* for]; t.ex. metall drill [*efter* for]

borrmaskin *subst* drill, drilling-machine

borst *subst* bristle; koll. bristles pl.; *resa ~* bristle, bristle up

borsta *verb* brush; *~ skorna* brush one's shoes; *~ tänderna* brush one's teeth; *~ av rocken* brush one's coat

borste *subst* brush

borsyra *subst* boracic acid

1 bort perf. p. av *böra*

2 bort *adv* away; *vi ska ~* är bortbjudna we are invited out; *dit ~* over there; *hit ~* over there; *långt ~* a long way off, far away, far off; *~ med fingrarna (tassarna)!* hands off!

borta *adv* **1** tillfälligt away; för alltid gone; borttappad missing, lost; *~ bra men hemma bäst* East, West, home is best; there is no place like home; *~ med vinden* gone with the wind **2** *där ~* over there; *här ~* over here **3** bortbjuden, inte hemma out **4** förvirrad confused; medvetslös unconscious

bortalag *subst* away team

bortamatch *subst* sport. away match; *ha ~* play away

bortaplan *subst* sport. away ground; *spela på ~* play away

bortbjuden *adj*, *vara ~ på middag* be invited out to dinner

bortblåst *adj*, *den är som ~* it has completely vanished

bortersta *adj* farthest, farthermost

bortfall *subst* falling off, decline; av inkomst reduction

bortförklara *verb* make excuses for; *det kan inte ~s* it can't be explained away

bortförklaring *subst* excuse

bortgång *subst* död decease

bortgången *adj*, *den bortgångne* the deceased

bortkastad *adj* (se äv. *kasta bort*, under *kasta II*); *~e pengar* a waste of money; *~ tid* waste of time; *~ möda* a waste of effort

bortkommen *adj* **1** förvirrad confused, lost **2** försagd timid **3** tafatt awkward

bortom *prep* beyond

bortre *adj* further, farther; *i ~ delen av* at the far end of

bortrest *adj*, *han är ~* he has gone away

bortse *verb*, *~ från* disregard; *~tt från* apart from

bortskämd *adj* spoilt

bortsprungen *adj*, *en ~ hund* a dog that has run away

bortåt *prep* **1** om rum towards **2** nästan nearly

bosatt *adj* resident; *vara ~ i* live in

boskap *subst* cattle pl., livestock

Bosnien Bosnia

bosnier *subst* Bosnian

bosnisk *adj* Bosnian

bospara *verb* save for a home, have a home-savings account

bostad *subst* privat hus house; hem home; våning flat, apartment, högtidligt residence; *han saknar ~* he has not got a place to live; *söka ~* look for a place to live; go house-hunting, lägenhet go flat-hunting; *han träffas i ~en* som svar i telefon you can get hold of him at home

bostadsadress *subst* permanent address, home address

bostadsbidrag *subst* housing allowance

bostadsbrist *subst* housing shortage

bostadsbyggande *subst* housing construction; *~t har minskat* housing construction has diminished

bostadsförmedling *subst* myndighet local housing authority; privat accommodation agency

bostadshus *subst* dwelling house; större residential block

bostadskvarter *subst* residential quarter

bostadskö *subst*, *stå i ~* be on the housing list

bostadslös *adj* homeless

bostadsrätt *subst* lägenhet, ungefär co-operative flat, co-operative apartment

bostadsrättsförening *subst* ungefär co-operative building society, tenant-owners' building society

bostadssökande *subst* person house-hunter, flat-hunter, person looking for somewhere to live

bosätta *verb*, ~ *sig* settle down, settle

bosättning *subst* **1** bildande av eget hushåll setting up a house **2** bebyggelse settlement

bosättningslån *subst* loan for setting up a home

bot *subst* botemedel remedy, cure; *råda ~ på (för)* remedy

bota *verb* läka cure [*från* of]; avhjälpa remedy

botanik *subst* botany

botanisk *adj* botanical

botanist *subst* botanist

botemedel *subst* remedy [*mot* for], cure [*mot* for]

botten I *subst* **1** bottom; *nå ~* touch bottom; *~ opp!* vard. bottoms up!; *gå till ~ med ngt* get to the bottom of sth **2** våning, *på nedre ~* on the ground floor, amer. äv. on the first floor
II *adj* vard. lousy; *filmen är ~* the film is lousy, the film is absolute rubbish; *han är ~* he's the end

Bottenhavet the Gulf of Bothnia

bottenlån *subst* first mortgage loan

bottenrekord *subst*, *det här är ~* this is a new low

bottensats *subst* sediment, dregs pl.; vin lees pl.

Bottenviken the Gulf of Bothnia

bottenvåning *subst* ground floor, amer. äv. first floor

bottna *verb* touch bottom; *det ~r i* it stems from

boulevard *subst* boulevard

bouppteckning *subst* lista estate inventory

bourgogne *subst* vin burgundy

bov *subst* **1** villain, scoundrel **2** förbrytare crook

bowling *subst* bowling

bowlingbana *subst* bowling alley

box *subst* låda box; postbox PO box

boxa *verb* boxas box; *~ ut bollen* sport. punch the ball away

boxare *subst* sport. boxer

boxas *verb* box

boxer *subst* hund boxer

boxhandske *subst* boxing glove

boxning *subst* idrottsgren boxing

boxningsmatch *subst* boxing match, fight

boyta *subst* living space

B-post *subst* second-class mail

bra I *adj* **1** good; fine; *det var ~ att du kom* it's a good thing you came; *det är ~ så!* tillräckligt that's enough, thank you; *vad ska det vara ~ för?* what's the good of that?, what's the use of that?; *vara ~ att ha* come in handy; *vara ~ på att sjunga* be good at singing **2** frisk well, all right; *bli ~ från sin förkylning* recover from one's cold
II *adv* **1** well; *tack, ~* fine thanks, very well, thanks; *hon dansar ~* she is a good dancer; *ha det ~* skönt etc. be comfortable; ekonomiskt be well off; *ha det så ~!* have a good time!; *se ~ ut* om person be good-looking **2** mycket, riktigt quite, very; *jag skulle ~ gärna vilja veta* I should very much like to know

bragd *subst* bedrift exploit, feat

brak *subst* crash

braka *verb* crash; *~ ihop* kollidera crash; *~ lös* break out

brakfest *subst* real feast, blow-out

brakmiddag *subst* vard. real feast, slap-up dinner

brakseger *subst* vard. overwhelming victory

braksuccé *subst* vard. roaring success

brallor *subst pl* vard. trousers, amer. pants

brand *subst* eldsvåda fire; *råka i ~* take fire, catch fire; *stå i ~* be on fire

brandalarm *subst* fire alarm

brandbil *subst* fire engine

brandbomb *subst* incendiary bomb

brandfackla *subst* bombshell; utmanande uttalande subject of fierce discussion

brandfara *subst* danger of fire; *vid ~* in case of fire

brandfarlig *adj* inflammable

brandförsäkring *subst* fire insurance

brandgul *adj* orange, reddish yellow

brandkår *subst* fire brigade, amer. fire department

brandlarm *subst* fire alarm

brandlukt *subst* smell of fire, smell of burning

brandman *subst* fireman

brandredskap *subst* fire appliance

brandrisk *subst* risk of fire

brandsegel *subst* jumping sheet, jumping net

brandskada *subst* fire damage

brandsläckare *subst* apparat fire extinguisher

brandstation *subst* fire station, amer. fire station; på mindre ort firehouse

brandstege *subst* fire ladder

brandsäker *adj* fireproof

brandvarnare *subst* automatic fire alarm, fire-detector

brandövning *subst* fire drill

bransch *subst* line of business, line of trade, line

brant I *adj* steep

II *subst* **1** stup precipice **2** rand verge; *på ruinens* ~ on the verge of ruin

brasa *subst* fire, log-fire; *vid ~n* at the fireside; *kring ~n* round the fireside

brasilianare *subst* Brazilian

brasiliansk *adj* Brazilian

Brasilien Brazil

brasklapp *subst* ungefär reservation, saving clause

brassa *verb*, ~ *på* a) elda stoke up the fire b) skjuta fire away, blaze away

bravad *subst* exploit, achievement

bravo *interj* bravo!, well done!

bravorop *subst* cheer

braxen *subst* fisk bream

bre I *verb* spread; ~ *en smörgås* butter a slice of bread

II *verb* med betonad partikel

bre på 1 lägga på spread **2** vard., överdriva lay it on thick

bre ut spread out, spread about

bre ut sig sprida sig spread; sträcka ut sig stretch out

breakboll *subst* i tennis break point

bred *adj* broad, wide; om mun wide

breda *verb* se *bre*

bredaxlad *adj* broad-shouldered

bredband *subst* data. el. radio. broadband

bredbar *adj* easy-to-spread; ~ *ost* cheese spread

bredd *subst* breadth, width; *i* ~ abreast; *en meter på ~en* a metre broad, a metre in breadth; *mäta ngt på ~en* measure the breadth of sth

bredda *verb* broaden, widen

breddgrad *subst* degree of latitude; *49:e ~en* the 49th parallel

bredsida *subst* **1** sjö. el. mil. broadside **2** fotb., *han gjorde mål med en* ~ he sidefooted the ball into the net

bredvid I *prep* beside, at the side of, by the side of; gränsande intill adjacent to, next to; om hus etc. next to, next door to; vid sidan om alongside, alongside of

II *adv* intill close by; *här* ~ close by here; *i huset* ~ in the next house, next door

Bretagne Brittany

brev *subst* letter

brevbärare *subst* postman, amer. mailman

brevbäring *subst* postal delivery, mail delivery

brevduva *subst* carrier pigeon

brevinkast *subst* **1** på dörr letterbox, amer. mail drop **2** på posten postbox, amer. mailbox

brevkorg *subst* letter tray

brevkort *subst* frankerat postcard

brevlåda *subst* **1** letterbox, amer. mailbox **2** på posten postbox, amer. mailbox

brevpapper *subst* notepaper; papper o. kuvert stationery

brevporto *subst* letter postage

brevskrivare *subst* letter-writer, correspondent

brevvåg *subst* letter balance

brevvän *subst* pen friend, vard. pen pal

brevväxla *verb* correspond

brevväxling *subst* correspondence

bricka *subst* **1** för servering tray **2** tekn. washer **3** identitetsbricka disc; polisbricka badge **4** spelbricka counter, piece

bridge *subst* kortspel bridge

bridgeparti *subst* game of bridge

brigad *subst* brigade

briljans *subst* brilliance

briljant *adj* o. *subst* brilliant

briljera *verb* show off, shine

brillor *subst pl* vard. glasses, specs

1 bringa *subst* spec. kok. brisket

2 bringa *verb* bring; ~ *ned* minska reduce

brinna I *verb* burn; flamma blaze; *lyset brinner i hallen* the light is on in the hall; *det brinner i knutarna* there's no time to lose

II *verb* med betonad partikel

brinna av om t.ex. skott go off

brinna ned om hus etc. be burnt down

brinna upp be destroyed by fire

brinna ut burn itself out; om brasa go out

brinnande *adj* burning; om passion ardent; *ett ~ intresse* a burning interest; *springa för ~ livet* run for dear life; *ett ~ ljus* a lighted candle

bris *subst* breeze

brisera *verb* burst, explode

brist *subst* **1** avsaknad lack [*på* of]; knapphet scarcity [*på* of], shortage [*på* of]; *lida ~ på* be short of, be in want of; *i ~ på bättre* for want of something better **2** bristfällighet deficiency; skavank defect **3** underskott deficit

brista *verb* sprängas burst; slitas (brytas) av break; ge vika give way; ~ *i gråt* burst into tears; ~ *mitt itu* break in two, snap in two; ~ *ut i skratt* burst out laughing

bristande *adj* **1** otillräcklig deficient, insufficient; ~ *uppmärksamhet* lack of attention **2** bristfällig defective, faulty

bristfällig *adj* **1** defective, faulty **2** otillräcklig insufficient

bristningsgräns *subst* breaking-point; *salen var fylld till ~en* the hall was filled to the limit

bristsjukdom *subst* deficiency disease

brits *subst* bunk

britt *subst* Briton; *~erna* som nation, lag etc. the British

brittisk *adj* British; *Brittiska öarna* the British Isles

brittsommar *subst* vard. Indian summer

bro *subst* bridge

broavgift *subst* bridge toll

broccoli *subst* grönsak broccoli

brodd *subst* pigg spike

broder *subst* brother; *Bröderna Ek* firmanamn som skylt Ek Brothers (förk. Bros.)

brodera *verb* embroider; ~ *ut* embroider, embellish

broderfolk *subst* sister nation

broderi *subst* embroidery; *ett* ~ a piece of embroidery

broderlig *adj* brotherly, fraternal

broderskap *subst* brotherhood, fraternity

broiler *subst* kyckling broiler

brokig *adj* **1** mångfärgad many-coloured, motley, neds. gaudy **2** om t.ex. blandning, samling miscellaneous

1 broms *subst* insekt horse fly

2 broms *subst* **1** tekn. brake **2** dämpande faktor check [*på* on]

bromsa *verb* **1** tekn. brake **2** t.ex. framsteg check, put a brake on

bromsback *subst* bil. brake shoe

bromsförmåga *subst* bil. braking power

bromskloss *subst* bil. brake pad

bromsljus *subst* bil. brake light, stop light

bromsolja *subst* bil. brake fluid

bromspedal *subst* bil. brake pedal

bromsskiva *subst* bil. brake disc

bromsspår *subst pl* brake marks

bromssträcka *subst* bil. braking distance

bromsvätska *subst* bil. brake fluid

bronkit *subst* med. bronchitis

brons *subst* bronze

bronsåldern *subst* the Bronze Age

bror *subst* brother

brorsa *subst* vard. se *bror*

brorsdotter *subst* niece

brorson *subst* nephew

brosch *subst* brooch

broschyr *subst* resebroschyr brochure; häfte leaflet, pamphlet; reklam leaflet

brosk *subst* cartilage; ämne gristle

brott *subst* **1** benbrott fracture **2** förbrytelse crime [*mot* against]; lindrigare offence [*mot* against] **3** kränkning av t.ex. lag violation [*mot* of]; av kontrakt etc. breach [*mot* of]

brottare *subst* wrestler

brottas *verb* wrestle

brottmål *subst* criminal case

brottning *subst* wrestling

brottningsmatch *subst* wrestling match

brottsbalk *subst* criminal code, penal code

brottsbekämpning *subst* vard. crime busting; *~en* the fight against crime

brottslig *adj* criminal

brottslighet *subst* criminality; *~en ökar* crime is on the increase

brottsling *subst* criminal

brottsoffer *subst* victim, victim of the (a) crime

brottsplats *subst* scene of the (a) crime

brottsvåg *subst* crime wave

brud *subst* **1** bride **2** sl., neds. bird, spec. amer. broad

brudbukett *subst* wedding bouquet

brudgum *subst* bridegroom

brudklänning *subst* wedding dress

brudnäbb *subst* pojke page; flicka bridesmaid

brudpar *subst* bridal couple

brudslöja *subst* bridal veil

brudtärna *subst* bridesmaid

bruk *subst* **1** användning use; av ord usage; sed practice; kutym custom; *för eget* ~ for one's personal use; *komma ur* ~ come (go) out of use; komma ur modet come (go) out of fashion **2** av jorden cultivation **3** fabrik factory; järnbruk works (pl. lika); pappersbruk mill

bruka *verb* **1** begagna sig av use **2** odla cultivate **3** 'ha för vana' usually; *han ~r komma på eftermiddagen* he usually (generally) comes in the afternoon; *han ~de läsa i timmar* he used to read for hours, he would read for hours; *det ~r vara svårt* it is often difficult, it is apt to be difficult

bruklig *adj* customary, usual

bruksanvisning *subst* directions pl. for use

brum *subst* radio. hum

brumma *verb* om björn growl [graʊl]; om insekt el. radio. hum

brun *adj* brown, solbränd tanned, brown; *~a bönor* maträtt brown beans; se äv. *blå-* för sammansättningar

brunaktig *adj* brownish

brunett *subst* brunette
brunhårig *adj* brown-haired
brunn *subst* well; hälsobrunn mineral spring
brunnsort *subst* health resort, spa
brunst *subst* honas heat; hanes rut
brunstig *adj* om hona on heat, in heat; om hane rutting
brunsttid *subst* mating-season
brunt *subst* brown; se *blått* för ex.
brunögd *adj* brown-eyed
brus *subst* havets roar; radio. noise
brusa *verb* om t.ex havet roar; om kolsyrad dryck fizz; ~ *upp* om person flare up, lose one's temper
brustablett *subst* effervescent tablet, vard. fizzy tablet
brutal *adj* brutal
brutalitet *subst* brutality
brutto *adv* gross
bruttolön *subst* gross salary; veckolön gross wages
bruttonationalprodukt *subst* (förk. *BNP*) gross national product (förk. GNP)
bruttopris *subst* gross price
bry *verb* **1** ~ *sin hjärna* (*sitt huvud*) *med ngt* rack one's brains over sth **2** ~ *sig* care; *han ~r sig inte* vard. he couldn't care less, he just doesn't care; ~ *sig om* a) ta notis om pay attention to b) tycka om care for; *jag ~r mig inte om vad folk säger* I don't care what people say; ~ *dig inte om det!* don't bother about it!, don't worry about it!; ~ *dig inte om att...* don't trouble to ...
brygd *subst* brew
1 brygga *subst* landningsbrygga landing-stage, jetty; på båt el. tandbrygga bridge
2 brygga *verb* brew; ~ *kaffe* make coffee
bryggare *subst* brewer
bryggeri *subst* brewery
bryggmalen *adj*, *bryggmalet kaffe* fine ground coffee
1 bryna *verb*, ~ *ngt* kok. fry sth till browned
2 bryna *verb* vässa whet, sharpen
brysk *adj* brusque, abrupt
Bryssel Brussels
brysselkål *subst* Brussels sprouts pl.
bryta I *verb* **1** break; förlovning break off; ~ *ett samtal* tele. disconnect a call; ~ *ngns serve* i tennis break sb's serve; ~ *mot* lag etc. break, violate; ~ *på tyska* speak with a German accent **2** kol, malm mine; sten quarry
II *verb* med betonad partikel
bryta av 1 break, break off **2** ~ *av mot* be in contrast to

bryta fram break out
bryta sig igenom break one's way through, force one's way through
bryta ihop break down, collapse
bryta sig in i ett hus break into a house
bryta loss (**lös**) break off, break away
bryta ned break down
bryta samman break down, collapse
bryta upp 1 från sällskap break up; ge sig iväg leave, depart **2** ~ *upp ett lås* break open a lock
bryta ut break out; ~ *sig ut ur fängelset* break out of prison, escape from prison
brytning *subst* **1** i gruva etc. breaking, mining; sten quarrying **2** skiftning i färg tinge **3** i uttal accent **4** oenighet breach, rupture
bråck *subst* med. hernia
bråd *adj* brådskande busy; plötslig sudden, hasty; *en ~ död* a sudden death
brådmogen *adj* om person precocious
brådmogenhet *subst* precocity
brådska I *subst* hurry, haste; *det är ingen ~ med det* there's no hurry about that; *han gör sig ingen ~* el. *han gör sig ingen ~* he is in no hurry; *i ~n glömde han att betala* in his hurry (haste) he forgot to pay
II *verb* behöva utföras fort be urgent; skynda sig hurry; *det ~r inte* there is no hurry about it
brådskande *adj* urgent, pressing
1 bråk *subst* mat. fraction; *allmänt ~* vulgar fraction
2 bråk *subst* **1** buller noise, row **2** gräl row, quarrel; *ställa till ~ om ngt* make a row (fuss) about sth, kick up a row (fuss) about sth **3** krångel trouble, fuss
bråka *verb* **1** väsnas be noisy **2** gräla have a row, have a quarrel **3** krångla make a fuss (row), kick up a fuss (row) **4** *låt bli att ~!* skoja don't play about!
bråkdel *subst* fraction; *~en av en sekund* a fraction of a second
bråkig *adj* **1** bullrig noisy **2** oregerlig disorderly, unruly
bråkmakare *subst* o. **bråkstake** *subst* **1** som stör noisy person; om barn pest, nuisance **2** orosstiftare troublemaker
brås *verb*, ~ *på ngn* take after sb
bråte *subst* skräp rubbish, lumber
bråttom *adv*, *ha ~* be in a hurry [*med* about]; *ha mycket ~* be in a great hurry [*med* about]; *det är ~* it can't wait, there's no time to lose; *det är inte ~ med det* there's no hurry

1 bräcka *verb* **1** bryta break; knäcka crack; ~*s* break **2** ~ *ngn* övertrumfa ngn outdo sb

2 bräcka *verb* steka fry

bräcklig *adj* **1** fragile **2** om person, hälsa, bevis etc. frail

bräcklighet *subst* **1** mest om saker fragility, brittleness **2** om personer el. deras tillstånd frailty

bräda *subst* board

brädd *subst* edge, brim

bräde *subst* **1** board **2** spel, ungefär backgammon **3** *sätta allt på ett* ~ put all one's eggs in one basket

brädgård *subst* timberyard, amer. lumberyard

brädsegling *subst* windsurfing

brädspel *subst* ungefär backgammon

bräka *verb* bleat

bränd *adj*, *bli* ~ utsatt för något obehagligt get one's fingers burnt

bränna *verb* burn; sveda scorch, singe; ~ *vid såsen* burn the sauce

brännande *adj*, *en* ~ *fråga* a burning question; ~ *hetta* scorching heat

brännare *subst* burner

brännas *verb* burn; om nässlor sting

brännbar *adj* inflammable

brännblåsa *subst* blister

brännboll *subst* ungefär rounders (med verb i sing.)

bränneri *subst* distillery

brännmärka *verb* brand

brännpunkt *subst* focus, focal point; *vara i* ~ be the focus of attention

brännskada *subst* o. **brännsår** *subst* burn

brännvidd *subst* foto. focal distance

brännvin *subst* snaps; kryddat aquavit

brännässla *subst* stinging-nettle

bränsle *subst* fuel

bränslesnål *adj* fuel-efficient; se *bensinsnål* för ex.

bräsera *verb* kok. braise

brätte *subst* brim

bröd *subst* bread (endast sing.); kaffebröd cakes pl.; bullar buns pl.; *hårt* ~ knäckebröd crispbread

brödbit *subst* piece of bread

brödburk *subst* breadbin

brödkaka *subst* round loaf; hårt bröd round of crispbread

brödkant *subst* crust, crust of bread

brödkavel *subst* rolling-pin

brödkniv *subst* breadknife

brödraskap *subst* brotherhood, fraternity

brödrost *subst* toaster

brödskiva *subst* slice of bread; *en rostad* ~ a slice of toast

brödsmulor *subst pl* breadcrumbs, crumbs

bröllop *subst* wedding

bröllopsdag *subst* wedding day; årsdag wedding anniversary

bröllopsresa *subst* honeymoon, honeymoon trip

bröst *subst* breast; bröstkorg chest; barm bosom; byst bust; *ha ont i* ~*et* have a pain in one's chest

bröstarvinge *subst* direct heir

bröstcancer *subst* breast cancer

bröstficka *subst* breastpocket

bröstkorg *subst* chest

bröstsim *subst* breast stroke

bröstsmärtor *subst pl* chest pains

bröstvårta *subst* nipple

bua *verb* boo [*åt* at]

bubbelbad *subst* bubble bath

bubbelpool *subst* whirlpool, Jacuzzi®

bubbla *subst* o. *verb* bubble

buckla I *subst* dent

II *verb*, ~ *till* dent

bucklig *adj* dented

bud *subst* **1** anbud offer; på auktion bid; i kortspel bid, call; *det var hårda* ~ that's tough! **2** budskap message; budbärare messenger; *skicka* ~ *att...* send word that...; *skicka* ~ *efter ngn* send for sb **3** befallning command **4** *tio Guds* ~ the ten commandments

budbil *subst* delivery service van

budbärare *subst* messenger

buddism *subst*, ~ el. ~*en* Buddhism

buddist *subst* Buddhist

budget *subst* budget; *göra upp en* ~ draw up a budget

budord *subst* commandment; *de tio* ~*en* the ten commandments

budskap *subst* message

buffé *subst* **1** bord el. disk med förfriskningar buffet **2** möbel sideboard

buffel *subst* **1** djur buffalo (pl. -s) **2** drulle boor, lout

buffert *subst* buffer

buga *verb*, ~ el. ~ *sig* bow [*för* to]

bugga *verb* avlyssna bug

buggning *subst* vard., placering av dolda mikrofoner bugging

bugning *subst* bow

buk *subst* **1** belly, abdomen **2** stor mage paunch

bukett *subst* bouquet; *plocka en* ~ *blommor* pick a bunch of flowers

bukhinneinflammation *subst* med. peritonitis
bukt *subst* **1** på kust bay; större gulf **2** *få ~ med* manage, master
bukta *verb*, *~ sig* wind, curve, bend; *~ ut* bulge
buktalardocka *subst* ventriloquist's dummy
buktalare *subst* ventriloquist
bula *subst* knöl bump, swelling
bulgar *subst* Bulgarian
Bulgarien Bulgaria
bulgarisk *adj* Bulgarian
bulgariska *subst* **1** kvinna Bulgarian woman **2** språk Bulgarian
bulimi *subst* med., hetshunger bulimia
buljong *subst* clear soup, broth
buljongtärning *subst* stock cube, spec. amer. bouillon cube
bulldogg *subst* bulldog
bulle *subst* bun; frukostbröd roll
buller *subst* noise, din; stoj racket; *med ~ och bång* with a great hullabaloo
bullersam *adj* noisy
bulletin *subst* bulletin
bullra *verb* make a noise; mullra rumble
bullrig *adj* noisy
bult *subst* bolt, pin; gängad screw-bolt
bulta *verb* **1** knacka knock; dunka pound **2** om puls throb **3** bearbeta beat
bulvan *subst* front, dummy
bumerang *subst* boomerang
bums *adv* right away, on the spot
bunden *adj* bound; knuten tied; se *binda II* o. *binda III* för ex.
bundsförvant *subst* ally
bunke *subst* av metall pan, av porslin bowl
bunker *subst* mil. el. golf. bunker
bunt *subst* t.ex. kort packet; sedlar bundle; papper sheaf (pl. sheaves); rädisor etc. bunch; *hela ~en* the whole bunch, the whole lot
bunta *verb*, *~ ihop ngt* make sth up into bundles, tie sth up in bundles
bur *subst* cage; för höns coop
burdus *adj* abrupt, brusque
burk *subst* pot, kruka, glasburk jar; bleckburk tin, can; *ärter på ~* tinned peas, canned peas; *öl på ~* canned beer; *en ~ öl* a can of beer
burköl *subst* canned beer
burlesk *subst* o. *adj* burlesque
burspråk *subst* bay
bus *subst* mischief; grövre hooliganism; *~ eller godis?* på Halloween då barn besöker främmande trick or treat?
busa *verb* om barn be up to mischief; grövre behave like hooligans, behave like a hooligan

buse *subst* **1** rå typ ruffian, hooligan **2** bråkstake pest, nuisance
busfrö *subst* vard. little devil, little rascal
busig *adj* **1** mischievous **2** bråkig rowdy
buskage *subst* shrubbery
buske *subst* bush, större shrub
buskig *adj* bushy
buskis *subst* vard. slapstick
buskörning *subst* reckless driving
busliv *subst* mischief, stark. rowdy behaviour

buss
När man åker buss kan man säga:

Does this bus go to Piccadilly Circus?
Går den här bussen till Piccadilly Circus?
Does this bus stop near Leicester Square?
Stannar den här bussen nära Leicester Square?
Do I have to change?
Måste jag byta?
Can you tell me when we get there?
Kan ni säga till när vi kommer fram?
Can you tell me where to get off?
Kan ni säga till var jag ska gå av?
It's four stops after this one.
Det är fyra hållplatser till.

buss *subst* i persontrafik bus; turistbuss coach, amer. bus; *åka ~* go by bus
busschaufför *subst* bus-driver; förare av turistbuss coach-driver, amer. bus-driver
bussfil *subst* bus lane
bussförbindelse *subst* bus connection
busshållplats *subst* bus stop
bussig *adj* hygglig nice, decent
busslinje *subst* bus service, bus line
bussterminal *subst* bus terminal
busvissla *verb* whistle; ogillande catcall
busvissling *subst* shrill whistle; ogillande catcall
busväder *subst* awful weather
butelj *subst* bottle
butik *subst* shop, spec. amer. store
butiksbiträde *subst* shop assistant, amer. salesclerk, clerk
butiksfönster *subst* shop window
butiksföreståndare *subst* shop manager, store manager

butikskedja *subst* multiple stores pl., chain stores pl.

butikskontrollant *subst* shopwalker

butter *adj* sullen [*mot* to, towards], morose [*mot* to, towards]

buxbom *subst* träslag boxwood

by *subst* village

bybo *subst* villager

byffé *subst* se *buffé*

bygd *subst* district, countryside

bygel *subst* ögla loop; ring hoop

bygga I *verb* build; *det bygger* grundar sig *på* it is founded on; *kraftigt byggd* om person powerfully built, sturdy

II *verb* med betonad partikel

bygga in med väggar wall in

bygga om rebuild, alter

bygga på öka add to

bygga till utvidga enlarge

bygga ut enlarge, extend, develop

bygge *subst* building under construction

byggherre *subst* building proprietor, commissioner of a (the) building; byggmästare builder

byggkloss *subst* building brick, toy brick

bygglåda *subst* box of bricks

byggmästare *subst* builder; entreprenör building contractor

byggnad *subst* **1** hus building **2** *huset är under* ~ the house is under construction, the house is being built

byggnadsarbetare *subst* building worker

byggnadsentreprenör *subst* building contractor

byggnadsfirma *subst* building firm

byggnadslov *subst* building permit

byggnadsställning *subst* scaffold, scaffolding

byggnadstillstånd *subst* building permit

byggsats *subst* construction kit, do-it-yourself kit

bylg *adj* squally, gusty

bylte *subst* bundle, pack

byrå *subst* **1** möbel chest of drawers **2** kontor office

byråkrati *subst* bureaucracy

byråkratisk *adj* bureaucratic

byrålåda *subst* drawer

byst *subst* bust

bysthållare *subst* brassiere

byta I *verb* skifta change [*mot* for]; ömsesidigt exchange; ~ *kläder* change one's clothes; ~ *plats* flytta sig move; ömsesidigt change places, change seats

II *verb* med betonad partikel

byta om change, change clothes

byta till sig ngt get sth in exchange

byta ut exchange [*mot* for]

byte *subst* **1** utbyte exchange **2** rov booty; tjuvs haul **3** jakt. quarry; rovdjurs prey **4** *bli ett lätt* ~ *för ngn* fall an easy prey to sb

byteshandel *subst* barter; *idka* ~ barter

bytesobjekt *subst* trade-in

bytesrätt *subst*, *med full* ~ goods exchanged if customer not satisfied

byxben *subst* trouser leg, amer. pants leg

byxdress *subst* trouser suit, pantsuit

byxficka *subst* trouser pocket, amer. pants pocket

byxkjol *subst* culottes pl.

byxor *subst pl* långbyxor trousers, amer. vanligen pants; fritidsbyxor slacks

båda *pron* both; ~ *två är*... both are..., both of them are...; ~ *bröderna* both brothers; ~ *delarna* both; *de* ~ *andra* the other two; *vi* ~ *är*... we two are...; *vi är* ~... we are both...

bådadera *pron* both

både *konj*, ~... *och* both... and; ~ *han och hon* both he and she; *det är* ~ *och* it's a bit of both

båg *subst* vard. humbug, bluff

båge *subst* **1** kroklinje curve; mat. arc **2** pilbåge bow **3** byggn. arch **4** sybåge, glasögonbåge frame

bågfil *subst* verktyg hacksaw

bågformig *adj* curved, arched

bågskytt *subst* sport. archer

bågskytte *subst* sport. archery

1 bål *subst* anat. trunk, body

2 bål *subst* dryck punch

3 bål *subst* eld bonfire; likbål funeral pyre; *brännas på* ~ be burnt at the stake

bålgeting *subst* insekt hornet

bår *subst* **1** sjukbår stretcher, litter **2** likbår bier

bård *subst* border; spec. på tyg edging

bårhus *subst* mortuary, morgue

bås *subst* stall; friare compartment

båt *subst* boat; *åka* ~ go by boat; *ge ngn på* ~*en* throw sb over

båtresa *subst* sea voyage; kryssning cruise

båtvarv *subst* boatyard

bäck *subst* brook

bäcken *subst* **1** anat. pelvis **2** skål el. geogr. basin; sängbäcken bedpan **3** musik. cymbals pl.

bädd *subst* bed

bädda *verb*, *du måste* ~ el. *du måste* ~ *din säng* you must make your bed

bäddsoffa *subst* sofa bed

bägare *subst* cup; pokal goblet

bägge *pron* se *båda*

bälg *subst* bellows (med verb i pl.); *en* ~ a pair of bellows

bälta *subst* o. **bältdjur** *subst* armadillo (pl. -s)

bälte *subst* belt; geogr. zone

bältros *subst* med. shingles (med verb i sing.)

bända *verb* bryta prize; ~ *loss* (*upp*) *ngt* prize sth loose, prize sth open

bänk *subst* **1** bench, seat; kyrkbänk pew; skolbänk desk **2** på teater etc. row; *på sista* ~ in the back row

bänkrad *subst* row

bär *subst* berry; för ätbara bär används vanligen namnet på resp. bär

bära I *verb* **1** carry; vara klädd i wear; ~ *frukt* bear fruit; ~ *ett namn* bear a name; ~ *uniform* wear a uniform **2** inte brista, hålla *isen bär inte* the ice won't take your (my) weight **3** ~ *sig* löna sig pay; *företaget bär sig* the business pays its way

II *verb* med betonad partikel

bära hem carry home, bring home, take home

bära på sig carry about

bära undan remove

bära ut carry out, bring out, take out; ~ *ut post* deliver the post

bära sig åt 1 bete sig behave **2** gå till väga set about it; *hur bär man sig åt för att göra det?* how does one set about doing it?; *hur jag än bär mig åt* whatever I do

bärare *subst* **1** carrier; av namn, bår m.m. bearer **2** stadsbud porter

bärbar *adj* portable

bärga *verb* person save, rescue; ~ *skörden* gather in the harvest

bärgningsbil *subst* breakdown truck; mindre breakdown van, amer. tow [təʊ] truck, wrecker

bärkasse *subst* carrier bag, amer., ungefär shopping bag

bärnsten *subst* amber

bärsärkagång *subst*, *gå* ~ go berserk, run amok

bäst I *adj* best; *de är* ~*a vänner* they are the best of friends; *det är* ~ *att du går* you had better go; *det kan hända den* ~*e* that can happen to anybody

II *adv* best; *hålla på som* ~ *med ngt* be just in the thick of sth, be just in the midst of sth

bästa *subst*, *göra sitt* ~ do one's best; *göra sitt ullra* ~ do one's very best; *det är för ditt eget* ~ it's for your own good

bästföredatum *subst* på matvaror best-before date

bästis *subst* vard. pal, best friend

bättra *verb* **1** improve, improve on; ~ *på* t.ex. målningen touch up **2** ~ *sig* improve

bättre *adj* better; *en* ~ fin, god *middag* a good dinner; *ett* ~ bra *hotell* a decent hotel; *hon kom på* ~ *tankar* she thought better of it; *så mycket* ~ so much the better, all the better

bättring *subst* improvement, om hälsa improvement, recovery

bättringsvägen *subst*, *vara på* ~ be on the road to recovery

bäva *verb* tremble [*av* with; *för, inför* at], shake [*av* with; *för, inför* at]

bävan *subst* dread, fear

bäver *subst* djur el. päls beaver

böckling *subst* fisk smoked Baltic herring

bödel *subst* executioner

bög *subst* ibland neds., homosexuell gay

böja *verb* **1** kröka bend; bågformigt curve **2** gram. inflect; böja verb conjugate **3** ~ *sig* bend down; om saker, krökas bend; ~ *sig över ngn* bend over sb; ~ *sig ut genom fönstret* lean out of the window

böjelse *subst* inclination [*för* to], fancy [*för* for]

böjning *subst* **1** bend, curve **2** gram. inflection; av verb conjugation

böka *verb* root, grub

bökig *adj* stökig messy; ostädad untidy

böla *verb* råma low, moo; ilsket bellow

böld *subst* boil, svårare abscess

bölja I *subst* billow, wave

II *verb* om hav billow; om folkhop etc. surge; om hår flow

böljande *adj* billowy; om hår wavy

bön *subst* **1** anhållan request, stark. appeal **2** relig. prayer; *be en* ~ say a prayer

böna *subst* bean

bönfalla *verb* plead [*om* for]

böngrodd *subst* kok. bean sprout

bönhöra *verb*, ~ *ngn* grant sb's prayer, hear sb's prayer; *han blev bönhörd* he had his request granted

böra (*borde bort*) *hjälpverb* **1** ought to, should; *man bör inte prata med munnen full* you should not talk with your mouth full, you ought not to talk with your mouth full; *det borde vi ha gjort* we ought to have done that, we should have done it **2** som uttryck för förmodan, *hon bör* (*borde*) *vara 17 år* she must be 17; *han bör vara framme nu* he should be there by now

börd *subst* birth; *till ~en* by birth
börda *subst* burden, load
bördig *adj* fruktbar fertile
börja *verb* begin, start; *det ~r bli mörkt* it is getting dark; *hon ~de gråta* she began crying, she started crying, she began (started) to cry; *till att ~ med* to begin with, to start with, at first; *~ om* begin (start) all over again
början *subst* beginning, start; *ta sin ~* begin; *i ~* el. *till en ~* at the beginning, at first; *i ~ av sextiotalet* in the early sixties; *med ~ den 1 maj* starting 1st May
börs *subst* **1** portmonnä purse **2** hand., *på ~en* on the Exchange
börsnotering *subst* stock exchange quotation
bössa *subst* hagelbössa shotgun; gevär rifle
bösspipa *subst* gun barrel
böta *verb* pay a fine, be fined; *~ för ngt* lida pay for sth, suffer for sth; *få ~ 800 kronor* be fined 800 kronor
böter *subst pl* fine *sing.*; *döma ngn till 800 kronors ~* fine sb 800 kronor, impose a fine of 800 kronor on sb; *han slapp undan med ~* he was let off with a fine
bötesbelopp *subst* fine
böteslapp *subst* för felparkering parking ticket
bötesstraff *subst* fine
bötfälla *verb*, *~ ngn* fine sb

Cc

c *subst* musik. C
ca (förk. för *cirka*) ca., approx.
cabriolet *subst* bil. convertible
cafeteria *subst* cafeteria
camouflage *subst* camouflage
camouflera *verb* camouflage
campa *verb* go camping; med husvagn caravan, amer. camp in a trailer
campare *subst* camper; med husvagn caravanner
camping *subst* **1** camping; med husvagn caravanning, amer. trailing **2** se *campingplats*
campingplats *subst* camping ground; för husvagnar camping site, amer. trailer camp
cancer *subst* cancer
cancerframkallande *subst* med. carcinogenic; *den är ~* vanligen it causes cancer
cancertumör *subst* cancer tumour
cannabis *subst* cannabis
cardigan *subst* cardigan
catwalk *subst* vid modeuppvisning catwalk
cd *subst* CD, compact disc
cd-brännare *subst* CD-writer, CD-burner
cd-rom *subst* CD-ROM (förk. för *compact disc read-only memory*)
cd-rw *subst* (förk. för *compact disc-rewritable*) data., skrivbar cd som kan återanvändas cd-rw
cd-skiva *subst* CD, compact disc
cd-skrivare *subst* data. CD-writer
cd-spelare *subst* CD-player, compact disc player
ceder *subst* träd cedar
celeber *adj* distinguished, celebrated
celebritet *subst* celebrity
celibat *subst* celibacy; *leva i ~* be a celibate
cell *subst* cell
cellgift *subst* med. cytotoxin
cellist *subst* musik. cellist
cello *subst* musik. cello (pl. -s)
cellprov *subst* med. smear test
cellskräck *subst* claustrophobia
cellstoff *subst* wadding
cellulit *subst* fysiol.: fett cellulite; *~er* vard., gropar pockets of orange-peel skin
cellulosa *subst* cellulose; pappersmassa wood pulp
Celsius, *30 grader ~* (*30° C*) 30 degrees Celsius (30°C)

celsiustermometer *subst* Celsius thermometer

cembalo *subst* musik. harpsichord

cement *subst* cement

cementblandare *subst* cement mixer

censur *subst* censorship

censurera *verb* censor

center *subst* **1** centre **2** sport. centre forward

Centerpartiet *subst* polit. the Centre Party

centigram *subst* centigram, centigramme

centiliter *subst* centilitre

centimeter *subst* centimetre

central I *subst* centre; ~*en* järnvägsstation the central station
II *adj* central; *det* ~*a* väsentliga *i ngt* the essential thing about sth

centralantenn *subst* communal aerial (antenna)

centralförvaltning *subst* central administration

centralisera *verb* centralize

centrallås *subst*, *bilen har* ~ the car has central locking

centralstation *subst* central station, main station

centralt *adv*, *det är* ~ *beläget* it is centrally situated

centralvärme *subst* central heating

centrifug *subst* för tvätt spin-drier, spin-dryer

centrifugalkraft *subst* centrifugal force

centrifugera *verb* tvätt spin-dry

centrum *subst* centre

cerat *subst* lipsalve, amer. chapstick

ceremoni *subst* ceremony

ceremoniell *adj* ceremonial

cerise *adj* o. *subst* färg cerise

certifikat *subst* certificate

cess *subst* musik. C flat

champagne *subst* champagne

champinjon *subst* mushroom

champion *subst* champion, vard. champ

champis *subst* vard., champagne champers, bubbly

chans *subst* chance, opportunity; *du har inte en* ~ you don't stand a chance

chansa *verb* take a chance; *jag* ~*de på det* I chanced it

chansartad *adj* risky, chancy

chansning *subst* **1** gamble **2** gissning guess

charad *subst* charade; *levande* ~*er* lek charades sing.

charkavdelning *subst* o. **charkuteriavdelning** *subst* delicatessen counter, cooked meats counter

charkuterivaror *subst pl* cured (cooked) meats and provisions, delicatessen

charlatan *subst* charlatan, quack

charm *subst* charm

charma *verb* charm

charmant *adj* delightful, charming; utmärkt excellent

charmfull *adj* o. **charmig** *adj* charming

charmlös *adj* charmless

charmtroll *subst* vard. little charmer

charmör *subst* charmer

charterflyg *subst* trafik charter flight

charterresa *subst* charter trip

chartra *verb* charter

chassi *subst* chassis (pl. lika)

chatta *verb* data. chat

chaufför *subst* driver; privatchaufför chauffeur

chauvinism *subst*, ~ el. ~*en* chauvinism

chauvinist *subst* chauvinist

check *subst* cheque [*på* visst belopp for], amer. check [*på* visst belopp for]; *betala med* ~ pay by cheque; *lösa in en* ~ cash a cheque

checka *verb* check; ~ *in* check in; ~ *ut* check out

checkhäfte *subst* cheque book, amer. checkbook

chef

Det engelska ordet *chef* betyder köksmästare, kock.

chef *subst* **1** head [*för* of]; för avdelning manager; på högre nivå executive **2** vard. boss

chefredaktör *subst* chief editor

chefsställning *subst* executive position

chic *adj* chic, stylish

chiffer *subst* cipher, code; *knäcka ett* ~ crack a code, break a code

Chile Chile

chilen *subst* o. **chilenare** *subst* Chilean

chilensk *adj* Chilean

chilipeppar *subst* chilli, chilli pepper

chip *subst* data. chip

chips *subst pl* potato crisps, amer. potato chips

chock *subst* stöt, nervchock shock; *få en* ~ get a shock

chocka *verb* shock; *bli* ~*d* get a shock, be shocked

chockera *verb* shock

chockskadad *adj*, *bli* ~ get a shock

chockvåg *subst* efter explosion shock wave

choke *subst* choke

choklad *subst* **1** chocolate; *en ask* ~

chokladpraliner a box of chocolates; *mörk* ~ plain chocolate, amer. dark chocolate **2** dryck chocolate, cocoa

chokladask *subst* med praliner box of chocolates

chokladbit *subst* pralin chocolate; bit choklad piece of chocolate

chokladkaka *subst* kaka choklad bar of chocolate

chokladpralin *subst* chocolate

chokladsås *subst* kok. chocolate sauce

chosefri *adj* natural, unaffected

ciabatta *subst* brödtyp ciabatta

ciceron *subst* guide

cider *subst* cider

cigarett *subst* cigarette, vard. fag, ciggy

cigarettfimp *subst* stub, cigarette end

cigarettlimpa *subst* carton of cigarettes

cigarettpaket *subst* med innehåll packet of cigarettes, amer. pack of cigarettes

cigarettpapper *subst* cigarette paper

cigarettrök *subst* cigarette smoke

cigarettändare *subst* lighter

cigarr *subst* cigar

cigg *subst* vard. fag, ciggy

cirka *adv* about, roughly, approximately

cirkapris *subst* hand. recommended retail price

cirkel *subst* circle

cirkelformig *adj* o. **cirkelrund** *adj* circular

cirkelsåg *subst* circular saw

cirkla *verb* kretsa circle

cirkulation *subst* circulation

cirkulationsplats *subst* roundabout, amer. traffic circle

cirkulera *verb* circulate; *låta* ~ circulate, send round

cirkulär *subst* circular

cirkus *subst* circus; *gå på* ~ go to the circus

cirkusartist *subst* circus performer

cirkusdirektör *subst* circus manager

cirkusnummer *subst* circus act

ciss *subst* musik. C sharp

cistern *subst* tank; för vatten cistern

citadell *subst* citadel

citat *subst* quotation; ~ ... *slut på* ~ quote ..., unquote

citationstecken *subst* quotation mark; pl. quotation marks, inverted commas, quotes

citera *verb* quote

citron *subst* lemon

citronklyfta *subst* wedge of lemon; friare piece of lemon

citronsaft *subst* lemon juice; sockrad, för spädning lemon squash

citronsyra *subst* citric acid

citrusfrukt *subst* citrus fruit

citruspress *subst* lemon-squeezer

city *subst* affärscentrum centre, business and shopping centre, amer. vanligen downtown

civil I *adj* civil; motsats: militär civilian; *i det* ~*a* in civilian life

II *subst*, *en* ~ a civilian

civilbefolkning *subst* civilian population

civilekonom *subst* graduate from a School of Economics; mera allm. economist

civilflyg *subst* verksamhet civil aviation

civilförsvar *subst* civil defence

civilförvaltning *subst* civil service

civilingenjör *subst* Master of Engineering; mera allm. engineer

civilisation *subst* civilization

civilisera *verb* civilize

civilklädd *adj* ... in plain clothes, ... in civilian clothes

civilkurage *subst* moral courage

civilmål *subst* civil case, civil suit

civilrätt *subst* civil law

civilstånd *subst* marital status

clementin *subst* frukt clementine

clinch *subst* boxn. clinch; *gå i* ~ go into a clinch

clips *subst pl* öronclips earclips

clown *subst* clown

Coca-Cola® *subst* Coca-Cola®

cockerspaniel *subst* cocker spaniel

cocktail *subst* cocktail

cocktailbar *subst* cocktail lounge

cognac *subst* brandy; finare cognac

collage *subst* konst. collage; *göra ett* ~ prepare a collage

collie *subst* hund collie

Colombia Colombia

colombian *subst* Colombian

colombiansk *adj* Colombian

comeback *subst* reappearance; *göra* ~ make a comeback

commandosoldat *subst* commando (pl. -s)

concertina *subst* musik. concertina

container *subst* container; för avfall skip, amer. Dumpster®

copyright *subst* copyright

cornflakes *subst pl* cornflakes

cortison *subst* med. cortisone

cowboyfilm *subst* cowboy film, Western

cp med. (fork. för *cerebral pares*) cerebral palsy (förk. CP)

cp-skadad *adj* med., *vara* ~ suffer from cerebral palsy

crack *subst* crack narkotika

crawl *subst* simn. crawl
crawla *verb* simn. do the crawl
crescendo *subst* o. *adv* crescendo
cricket *subst* spel. cricket
cricketspelare *subst* cricketer
croissant *subst* slags giffel croissant
cupfinal *subst* cup final
cupmatch *subst* cup tie
curling *subst* curling
curry *subst* curry; *höns i* ~ curried chicken
C-vitamin *subst* vitamin C
cyankalium *subst* kem. potassium cyanide
cybernetik *subst* cybernetics (med verb i sing.)
cyberrymden *subst* cyberspace
cykel *subst* **1** serie cycle **2** fordon bicycle, cycle, vard. bike; *åka* ~ ride a bicycle
cykelbana *subst* trafik. cycle way, cycle lane
cykelbyxor *subst pl* cycle shorts
cykelhjälm *subst* cycle helmet, safety helmet
cykelkedja *subst* cycle chain
cykelklämma *subst* för byxben cycle clip
cykelled *subst* cycle lane
cykellås *subst* cycle lock
cykelpump *subst* cycle pump
cykelstyre *subst* handlebars pl.
cykelställ *subst* cycle stand
cykelstöd *subst* kickstand
cykeltur *subst* längre cycling tour; kortare cycle ride
cykeltävling *subst* cycle race
cykelverkstad *subst* cycle repair shop
cykla *verb* cycle, vard. bike; göra en cykeltur go cycling
cyklamen *subst* blomma cyclamen
cyklist *subst* cyclist
cyklon *subst* cyclone
cyklopöga *subst* för dykare diving-mask
cylinder *subst* tekn. cylinder
cylindrisk *adj* cylindrical
cymbal *subst* musik., bäcken cymbal
cyniker *subst* cynic
cynisk *adj* cynical; skamlös shameless
cynism *subst* cynicism
Cypern Cyprus
cypress *subst* träd cypress
cypriot *subst* Cypriot
cypriotisk *adj* Cypriot
cysta *subst* med. cyst

Dd

d *subst* musik. D
dabba *verb*, ~ *sig* make a blunder
dadel *subst* date
dadelpalm *subst* date palm
dag *subst* **1** day; *en* ~ el. *en vacker* ~ one day, avseende framtid one day, some day, one of these days; *god* ~*!* good morning (afternoon, evening)!; vid presentation how do you do?; *vara* ~*en efter* have a hangover; ~ *för* ~ day by day, every day; *leva för* ~*en* live for the moment; *i* ~ today; *i* ~ *om ett år* a year from today; *nu (just) i* ~*arna* a) gångna during the last few days b) kommande during the next few days; *i forna (gamla)* ~*ar* in days of old; *i våra* ~*ar* in our day, nowadays; *om (på)* ~*en* el. *om (på)* ~*arna* in the daytime, by day; *mitt på ljusa* ~*en* in broad daylight; *på gamla* ~*ar var han...* in his old age (as an old man) he was... **2** dagsljus daylight; *se* ~*ens ljus* first see the light of day; *komma i* ~*en* come to light; *han är sin far upp i* ~*en* he's just like his father
dagbarn *subst* child in the care of a childminder; *ha* ~ be a childminder
dagbarnvårdare *subst* childminder
dagbok *subst* diary; *föra* ~ keep a diary
dagcenter *subst* verksamhet inom bl.a. äldreomsorg day centre
dagdrivare *subst* idler, loafer
dagdröm *subst* daydream
dagdrömma *verb* daydream
dagdrömmare *subst* daydreamer
dagg *subst* dew
daggdroppe *subst* dewdrop
daggmask *subst* earthworm
daghem *subst* day nursery, day-care centre
daghemsplats *subst* place in a day nursery, place in a day-care centre
dagis *subst* vard., *gå på* ~ attend a (the) day nursery
daglig *adj* daily; *i* ~*t bruk* in everyday use; *i* ~*t tal* in daily speech
dagligen *adv* daily, every day
dagmamma *subst* childminder
dagordning *subst* föredragningslista agenda; *stå på* ~*en* be on the agenda
dags *adv*, *hur* ~*?* at what time?, what time?,

when?; *det är* ~ *att gå nu* it is time to go now; *det är så* ~ för sent *nu!* it is a bit late now!

dagsböter *subst pl* income-related fine sing., fine sing.

dagsljus *subst* daylight; *vid* ~ by daylight

dagsmeja *subst* midday thaw

dagspress *subst* daily press

dagstidning *subst* daily paper, daily

dagtid *subst,* ~ el. *på* ~ in the daytime

dahlia *subst* blomma dahlia

dakapo I *subst* encore

II *adv* **1** once more **2** musik. da capo

dal *subst* valley

dala *verb* sink, go down, fall

Dalarna Dalarna, Dalecarlia ['dɑːlɪkɑːljə]

dalgång *subst* long valley

dalkarl *subst* Dalecarlian ['dɑːlɪkɑːljən]

dalkulla *subst* Dalecarlian woman, Dalecarlian girl

dallra *verb* quiver, tremble

dallring *subst* quiver, tremble

dalmatiner *subst* hund Dalmatian

dalripa *subst* fågel willow grouse (pl. lika)

dalta *verb,* ~ *med ngn* pamper sb

1 dam *subst* **1** lady; *längdhopp för* ~*er* the long jump for women **2** kortsp. el. schack. queen

2 dam *subst* **1** spel, *spela* ~ play draughts, amer. play checkers **2** dubbelbricka i damspel king

dambinda *subst* sanitary towel, amer. sanitary napkin

damcykel *subst* lady's bicycle, lady's cycle

damfotboll *subst* women's football, amer. women's soccer

damfrisering *subst* lokal ladies' hairdressing saloon

damfrisör *subst* ladies' hairdresser

damfrisörska *subst* ladies' hairdresser

damkläder *subst pl* ladies' clothes, ladies' wear sing.

damkonfektion *subst* women's wear, ladies' wear

1 damm *subst* **1** fördämning dam **2** vattensamling pond

2 damm *subst* dust

damma *verb* dust; ~ *av i ett rum* dust a room; ~ *ned i ett rum* make a room dusty; *vad det* ~*r!* what a lot of dust there is!

dammig *adj* dusty

dammkorn *subst* speck of dust

dammoln *subst* cloud of dust

dammsuga *verb* vacuum, hoover, amer. vacuum

dammsugare *subst* vacuum cleaner

dammtrasa *subst* duster

dammtuss *subst* ball of fluff, amer. dust bunny

damrum *subst* ladies' cloakroom, amer. ladies' rest room

damsingel *subst* i tennis women's singles (pl. lika)

damsko *subst* lady's shoe

damspel *subst* draughts (med verb i sing.), amer. checkers (med verb i sing.)

damtidning *subst* women's magazine

damtoalett *subst* lokal women's toilet, cloakroom, amer. ladies' rest room; *var är* ~*en?* ofta where is the ladies?

damunderkläder *subst pl* ladies' underwear sing., lingerie sing.

dank *subst,* *slå* ~ idle, loaf about

Danmark Denmark

dans *subst* dance; dansande, danskonst dancing; bal ball; *efter middagen blev det* ~ after dinner there was some dancing; *en* ~ *på rosor* a bed of roses

dansa *verb* dance; ~ *bra* be a good dancer; ~ *dåligt* be a poor dancer; ~ *vals* dance the waltz, do the waltz, waltz; *gå ut och* ~ go out dancing

dansare *subst* dancer

dansbana *subst* open-air dance floor, dance floor

dansband *subst* dance band

dansgolv *subst* dance floor

dansk I *adj* Danish

II *subst* Dane

danska *subst* (se *svenska* för ex.) **1** kvinna Danish woman **2** språk Danish

danskfödd *adj* Danish-born; se vidare *svensk-* för sammansättningar

danslektion *subst* dancing-lesson

danslokal *subst* dance hall

dansmusik *subst* dance music

dansorkester *subst* dance band

dansör *subst* dancer

dansös *subst* dancer, ballet dancer

darra *verb* tremble [*av* with]; huttra shiver [*av* with]; skaka shake [*av* with]

darrig *adj* svag, dålig shaky

dass *subst* vard., *gå på* ~ go to the lav, go to the loo, amer. go to the john

1 data *subst pl* **1** fakta data, facts **2** data. data

2 data *subst* data. computer; *ligga på* ~ be on computer; *lägga på* ~ put on computer; *hon jobbar med* ~ she's got a job in computing

databas *subst* data base
databehandla *verb* computerize
databehandling *subst* data processing, computerization
databrott *subst* computer crime
datanörd *subst* vard. computer freak (nerd)
dataregister *subst* computer file
dataspel *subst* computer game
datasättning *subst* computer typesetting
dataterminal *subst* data terminal, computer terminal
datavirus *subst* computer virus
dataöverföring *subst* data transmission
datera *verb* **1** förse med datum date **2** ~ *sig från* date back to, date from
dativ *subst* dative; *i* ~ in the dative

---

dator

bandstation *tape back-up station*, blogg *blog*, blogga *blog*, bredband *broadband*, bärbar dator *laptop*, dvd-brännare *DVD-writer*, *DVD-burner*, hårddisk *hard disk drive* (förk. *HDD*), *hard disk*, mus *mouse* (pl. *mice*), pc *PC*, skrivare *printer*, skärm *screen*, tangentbord *keyboard*

---

dator *subst* computer; *det är fel på* ~*n* there's a computer breakdown
datorisera *verb* computerize
datorisering *subst* computerization

---

datum

Lägg märke till skillnaden i sättet att skriva datum mellan engelska och svenska: 071217 skrivs på engelska *17/12/07* eller *17 December 2007* eller *December 17 2007*. Att dela upp året i veckor (vecka 1 till vecka 52) är okänt i den engelskspråkiga världen.

---

datum *subst* date
datummärka *verb* t.ex. mat open-date
datummärkning *subst* t.ex. mat open-dating
datumparkering *subst* ungefär night parking on alternate sides of the street
datumstämpel *subst* att stämpla med date stamp
de *pron* se *den*
debatt *subst* debate; diskussion discussion;

föra en ~ *om ngt* conduct a debate on sth; *vara under* ~ be under debate
debattera *verb* debate; diskutera discuss
debattinlägg *subst*, *i ett* ~ *om...* artikel in an article on...; i tal in a speech on...
debattör *subst* debater
debitera *verb* debit; ta betalt charge
debut *subst* debut; *göra* ~ make one's debut
debutera *verb* make one's debut
december *subst* December (förk. Dec.); se *april* för ex.
decennium *subst* decade
decentralisera *verb* decentralize
decentralisering *subst* decentralization
dechiffrera *verb* decipher; kod decode
decibel *subst* decibel
deciliter *subst* decilitre
decimal *subst* mat. decimal
decimalbråk *subst* mat. decimal, decimal fraction

---

decimalkomma

I engelskan använder man punkt, inte komma, för att markera decimaler. Kommatecken används ofta för att skilja av tusental.
2.05 = *two point zero five* = 2,05
2,100 = *two thousand one hundred* = 2 100

---

decimalkomma *subst* mat. decimal point
decimeter *subst* decimetre
deckare *subst* vard. **1** roman detective story **2** film detective thriller **3** detektiv på film sleuth
dedicera *verb* dedicate
dedikation *subst* dedication
defekt I *subst* defect
II *adj* defective
defensiv *subst* o. *adj* defensive
defilera *verb*, ~ el. ~ *förbi* march past, file past
definiera *verb* define
definierbar *adj* definable
definition *subst* definition
definitiv *adj* bestämd definite; oåterkallelig final
deflation *subst* ekon. deflation
deflationistisk *adj* ekon. deflationary
deformera *verb* deform
defroster *subst* bil. defroster
deg *subst* **1** dough **2** smördeg, pajdeg m.m. pastry
dega *verb*, *gå och* ~ hang about doing nothing

degig *adj* **1** degartad doughy **2** vard., hängig out of sorts, under the weather

degradera *verb* degrade; *bli ~d till menig* be reduced to the ranks

degradering *subst* degradation; mil. reduction to the ranks

dekal *subst* sticker

dekis *adj* vard., *han är på ~* he has gone to the dogs, he is going downhill

deklarant *subst* som deklarerar inkomst person making an income-tax return

deklaration *subst* **1** uttalande declaration, statement **2** på varuförpackning ingredients, constituents **3** självdeklaration income-tax return

deklarationsblankett *subst* income-tax return form

deklarera *verb* **1** declare, state **2** göra självdeklaration make one's return of income, amer. file one's income-tax return; *~ för 210 000 kronor* return one's income at 210,000 kronor **3** tulldeklaration declare

dekoder *subst* tv. el. radio. decoder

dekolletage *subst* décolletage, vard. cleavage

dekor *subst* teat. décor, scenery

dekoration *subst* decoration; föremål ornament

dekorativ *adj* decorative

dekoratör *subst* decorator

dekorera *verb* decorate

dekret *subst* decree; *utfärda ett ~* issue a decree

del *subst* **1** part, portion; avdelning section; band volume; *en ~ av befolkningen* part of the population; *en ~ brev förstördes* some letters were destroyed; *en hel ~ tror det* a great many people think so; *för all ~!* ingen orsak! don't mention it!, that's quite all right!; *för den ~en* as far as that goes, for that matter; *till en ~* a) delvis in part b) några some of them; *till stor ~* to a large extent **2** andel share; beskärd del lot; *ta ~ i ngt* take part in sth; *jag för min ~ tror...* for my part I think..., as for me, I think... **3** kännedom, *få ~ av* be informed of, be informed about; *ta ~ av ngt* study sth, acquaint oneself with sth

dela I *verb* **1** särdela divide [i into], share; *~ sig* divide; *~ med 5* divide by 5; *det är inget att ~ på* it is not worth dividing **2** sinsemellan, med ngn share; *~ på vinsten* share the profits; *~ rum* share a room; *~ ngns åsikt* share sb's view **II** *verb* med betonad partikel

dela av avskilja partition off

dela in i divide into

dela upp 1 indela divide up [i into], split up [i into], break up [i into]; sinsemellan share [mellan among, between] **2** *~ upp sig* divide, split

dela ut distribute, deal out, give out

delad *adj*, *det råder ~e meningar* opinions differ

delaktig *adj*, *vara ~ i* a) medverka i beslut etc. participate in b) i brott etc. be implicated in, be mixed up in

delaktighet *subst* medverkan participation [i in]; i brott etc. complicity [i in]

delbetalning *subst* part payment

delegat *subst* delegate

delegation *subst* delegation, mission

delegera *verb* delegate

delfin *subst* dolphin

delfinarium *subst* dolphinarium

delge *verb*, *~ ngn ngt* inform sb of sth

delikat *adj* delicate; om mat etc. delicious

delikatess *subst* delicacy

delikatessaffär *subst* delicatessen

delning *subst* **1** division, partition **2** delande division, partition, sharing

delpension *subst* partial pension

dels *konj*, *~ okunnighet, ~ lathet* partly ignorance, partly laziness; *i boken finns ~ en karta, ~ en tabell* in the book there is both a map and a table

delstat *subst* federal state; i USA state

delta I *subst* geogr. delta
II *verb* **1** take part [i in], participate [i in]; som medarbetare collaborate; närvara be present [i at] **2** *~ i ngns sorg* sympathize with sb in his sorrow

deltagande *subst* **1** participation; *de ~* those taking part, the participants **2** medverkan co-operation **3** anslutning, t.ex. valdeltagande turnout **4** medkänsla sympathy

deltagare *subst* participator; i t.ex. kurs member; *deltagarna* ofta those taking part, the participants; i tävling the competitors

deltid *subst*, *arbeta ~* work part-time

deltidsanställd *adj*, *vara ~* have a part-time job

deltidsarbetande *adj*, *~ kvinnor* women in part-time employment

delvis *adv* partially, partly

delägare *subst* i firma partner

dem *pron* se *den*

demagog *subst* demagogue

demagogisk *adj* demagogic

dementera *verb* deny

dementi *subst* polit. official denial

demilitarisera *verb* demilitarize

demilitarisering *subst* demilitarization

demobilisera *verb* demobilize

demobilisering *subst* demobilization

domokrat *subst* democrat

demokrati *subst* democracy

demokratisk *adj* democratic

demolera *verb* demolish

demon *subst* demon, fiend

demonstrant *subst* demonstrator

demonstration *subst* demonstration

demonstrationståg *subst* demonstration, protest march

demonstrativ *adj* demonstrative äv. gram.

demonstrera *verb* demonstrate

demontera *verb* fabrik, maskin dismantle

demoralisera *verb* demoralize

den I (*det, de, dem*, vard. *dom*) *best art* the; *den allmänna opinionen* public opinion; *de närvarande* those present **II** (*det, de, dem*, vard. *dom, dens, deras*) *pron* **1** den, det it; de they; dem them; *pengarna? de ligger på bordet* the money? it's on the table; *det regnar* it's raining; *vem är det som knackar?* who is knocking?; *det var mycket folk där* there were many people there; *jag hoppas det* I hope so; *jag tror det* I think so; *det var det, det!* that's that!; *varför frågar du det?* why do you ask? **2** demonstrativt: den, det that; *den där* el. *det där* that; *den här* el. *det här* this; *de där, dem* those; *de här* these; ~ *dåren!* that fool!, the fool!; *är det här mina handskar? — ja, det är det* are these my gloves? — yes, they are **3** determinativt: den som the person who, the one who; sak the one that; vem som helst som anyone that; i ordspråk he who; *saken är den att...* the fact is that...; *han är inte den som klagar* he is not one to complain; *allt det som...* everything that...

denimjeans *subst pl* denims

denne (*denna, detta, dessa*) *pron* den här this (pl. these); den där that (pl. those); syftande på förut nämnd person (nämnda personer) he, she, they; den (de) senare the latter

densamme (*densamma, detsamma, dessamma*) *pron* the same; den, det it; de they; *tack, detsamma!* the same to you!; *det gör detsamma* it doesn't matter; *med detsamma* genast at once

deodorant *subst* deodorant

departement *subst* ministry, department

deponens *subst* gram. deponent, deponent verb

deponera *verb* deposit [*hos* with]; på t.ex. hotell place in the safe

deportera *verb* deport

deportering *subst* deportation

deppa *verb* vard. feel low, have the blues

deppig *adj, vara* ~ vard. feel low, have the blues

depraverad *adj* depraved

depression *subst* depression äv. ekon.

deprimerad *adj* depressed

deprimerande *adj* depressing

deputation *subst* deputation

depå *subst* depot

deras *pron* **1** förenat their; ~ *böcker* their books **2** självst. theirs; *böckerna är* ~ the books are theirs

derby *subst* sport. derby

desamma *pron* se *densamme*

desarmera *verb* bomb defuse

desertera *verb* desert

desertering *subst* desertion

desertör *subst* deserter

design *subst* design

designa *verb* design

designer *subst* designer, industrial designer

desillusionerad *adj* disillusioned

desinfektionsmedel *subst* disinfectant

desinficera *verb* disinfect

desinficering *subst* disinfection

desorienterad *adj* confused, bewildered

desperado *subst* desperado (pl. -s)

desperat *adj* desperate; *ett* ~ *försök* a desperate attempt

desperation *subst* desperation; *i ren* ~ an sheer desperation

despot *subst* despot

despotisk *adj* despotic

1 dess *subst* musik. D flat

2 dess I *pron* its **II** *adv, innan* ~ before then; *sedan* ~ since then; *till* ~ el. *tills* ~ till then, until then; *till* ~ *att* till, until; ~ *bättre* lyckligtvis fortunately; *ju förr* ~ *bättre* the earlier the better, the sooner the better

dessa *pron* se *denne*

dessbättre *adv* fortunately

dessemellan *adv* in between; emellanåt at times

dessert
Skilj mellan *dessert* [dɪˈzɜːt] efterrätt
och *desert* [ˈdezət] öken.

dessert *subst* sweet, dessert, amer. dessert;
vad får vi till ~? what will we get for a
sweet (for afters)?
dessertsked *subst* dessertspoon; som mått
dessertspoonful
dessförinnan *adv* before then; förut
beforehand
dessutom *adv* besides; vidare furthermore
dessvärre *adv* unfortunately
destillation *subst* distillation
destillera *verb* distil
destination *subst* destination
desto *adv*, ~ *bättre* all the better, so much
the better
destruktiv *adj* destructive
det *pron* se *den*
detalj *subst* detail; *in i minsta* ~ down to the
smallest detail
detaljerad *adj* detailed
detaljhandel *subst* retail trade
detaljhandlare *subst* retailer
detektiv *subst* detective
detektivroman *subst* detective story,
detective novel
determinativ *adj* gram. determinative
detonation *subst* detonation
detonera *verb* detonate
detronisera *verb* dethrone
detsamma *pron* se *densamma*
detta *pron* se *denne*
devalvera *verb* devalue
devalvering *subst* devaluation
dia *verb* **1** om djur, barn suck **2** ge di suckle
diabetes *subst* med. diabetes
diabetiker *subst* med. diabetic
diabild *subst* transparency; ramad slide
diabolisk *adj* diabolical
diagnos *subst* diagnosis (pl. diagnoses); *ställa*
~ make a diagnosis [*på* of]
diagnostisera *verb* diagnose
diagnostisk *adj*, ~*t prov* diagnostic test
diagonal *subst* o. *adj* diagonal
diagram *subst* diagram; med siffror chart
dialekt *subst* dialect; *tala* ~ speak a dialect
dialektal *adj* dialectal
dialog *subst* dialogue
diamant *subst* diamond; *slipad* ~ cut
diamond; *oslipad* ~ uncut diamond
diameter *subst* diameter

diarré *subst* med. diarrhoea
dieselmotor *subst* diesel engine
diet *subst* diet; *hålla* ~ be on a diet; *sätta*
ngn på sträng ~ put sb on a strict diet
differens *subst* difference
differentiera *verb* differentiate
diffus *adj* diffuse; oskarp blurred
difteri *subst* med. diphtheria
diftong *subst* språkv. diphthong
dig *pron* you; ~ *själv* yourself; *en vän till* ~
a friend of yours
diger *adj* thick, bulky; *ett* ~*t program* an
extensive programme
digital *adj* digital
digna *verb* tyngas ned be weighed down; *ett*
~*nde bord* a table loaded with food and
drink
dike *subst* ditch, trench
dikt *subst* poem; *rena* ~*en* påhitt pure fiction
dikta *verb* **1** författa write **2** skriva vers write
poetry **3** ~ *ihop en historia* make up a
story
diktamen *subst* dictation; *ta* ~ *på ett brev*
take down a letter
diktare *subst* writer; poet poet
diktator *subst* dictator
diktatur *subst* dictatorship
diktera *verb* dictate [*för* to]
diktning *subst* diktande writing; poesi poetry
diktsamling *subst* collection of poems
dilemma *subst* dilemma
dilettant *subst* amateur, dilettante
diligens *subst* stagecoach
dill *subst* växt el. kok. dill
dilla *verb* vard. babble, talk nonsense; *vad* ~*r*
du om? what are you talking about?, what
are you on about?
dimension *subst* dimension; *ge en extra* ~
åt add an extra dimension to
diminutiv *subst* o. *adj* diminutive äv. gram.
dimljus *subst* fog light, fog lamp
dimma *subst* fog; lättare mist
dimmig *adj* foggy; lättare misty
dimpa *verb*, ~ *ner* drop down
dimridå *subst* smoke screen
din (*ditt*, *dina*) *pron* your; självst. yours; *den är*
~ it's yours; ~ *dumbom!* you fool!, you
idiot!; *du har gjort ditt* you've done your
part, you've done your bit
dingla *verb* dangle; ~ *med benen* dangle
one's legs
dinosaurie *subst* dinosaur
diplom *subst* diploma
diplomat *subst* diplomat
diplomati *subst* diplomacy

diplomatisk *adj* diplomatic

dipmix *subst* dip

dippa *verb* i dipmix dip

direkt I *adj* direct; omedelbar immediate **II** *adv* **1** directly; omedelbart immediately; raka vägen direct; *inte ~ rik, men*... not exactly rich, but... **2** tv., som rubrik live; *sända ~* broadcast live

direktförbindelse *subst* med flyg etc. direct service

direktion *subst* styrelse board of directors

direktiv *subst* instructions pl.

direktreferat *subst* i radio running commentary

direktsänd *adj* tv. el. radio., *programmet är direktsänt* the programme is broadcast live

direktsändning *subst* i radio el. tv live broadcast; som rubrik i tv live

direktör *subst* director; *verkställande ~* managing director [*för* of], amer. president [*för* of]

direktöverföring *subst* direct transmission

dirigent *subst* musik. conductor

dirigera *verb* direct; musik. conduct; *~ om* trafiken redirect, re-route, divert

dis *subst* haze

disciplin *subst* discipline; *hålla ~en* maintain discipline

disco *subst* vard. disco (pl. -s); *gå på ~* go to a disco

disharmoni *subst* discord, disharmony

disharmonisk *adj* disharmonious

disig *adj* hazy

1 disk *subst* **1** butiksdisk etc. counter; bardisk bar **2** data. disk

2 disk *subst* washing-up äv. konkret

---

diska
Lägg märke till att *wash up* betyder diska på brittisk engelska men tvätta sig, tvätta händerna på amerikansk engelska. Om en amerikan säger *I must wash up before dinner* kan det alltså låta förvirrande för en engelsman!

---

1 diska *verb*, *~* el. *~ av* wash up, do the washing-up, do the dishes; ett enda föremål wash

2 diska *verb* sport. disqualify

diskant *subst* musik. treble

diskare *subst* washer-up, dishwasher

diskborste *subst* washing-up brush, amer. dish brush

diskbråck *subst*, *ha ~* have a slipped disc

diskbänk *subst* torkbräda draining-board; som inredning sink unit

diskett *subst* data. diskette

diskho *subst* sink, washing-up sink

diskjockey *subst* disc jockey, vard. deejay, DJ

diskmaskin *subst* dishwasher

diskmedel *subst* flytande washing-up liquid, spec. amer. dishwashing liquid; i pulverform washing-up powder, detergent

diskning I *subst* washing-up, doing the dishes **II** *subst* sport. disqualification

diskonto *subst* bank, officiellt minimum lending rate

diskotek *subst* lokal discotheque, vard. disco

diskplockare *subst* table clearer, waiter's assistant, amer. bus boy, bus girl

diskrepans *subst* discrepancy

diskret *adj* discreet

diskretion *subst* discretion

diskriminera *verb* discriminate; *~ ngn* discriminate against sb

diskriminering *subst* discrimination [*av* against]

diskställ *subst* i kök dish rack, plate rack

disktrasa *subst* dishcloth, amer. dishrag

diskus *subst* redskap el. idrottsgren discus; kastning discus-throwing

diskuskastare *subst* discus-thrower

diskussion *subst* discussion [*om* about]

diskussionsämne *subst* subject of (for) discussion

diskutabel *adj* tvivelaktig questionable

diskutera *verb* discuss; *det kan ~s om* it is open to discussion whether

diskvalificera *verb* disqualify

diskvalificering *subst* disqualification

diskvatten *subst* dishwater

dispens *subst*, *få ~* be granted an exemption

display *subst* display

disponera *verb* **1** *~ ngt* el. *~ över ngt* ha till förfogande have sth at one's disposal; ha tillgång till have access to sth **2** planera arrange; *~ sin tid* dispose of one's time; planera plan one's time

disponerad *adj*, *vara ~ för* be disposed to, be inclined to; ha anlag för have a tendency towards

disponibel *adj* available, disposable

disposition *subst* **1** *stå till ngns ~* be at sb's disposal; *ställa ngt till ngns ~* place sth at sb's disposal **2** av en uppsats etc. plan, outline; av stoffet disposition, arrangement

dispyt *subst* dispute; *råka i* ~ el. *komma i* ~ get involved in a dispute [*om* about]

diss *subst* musik. D sharp

distans *subst* distance; *få* ~ *till ngt* see sth in perspective

distansundervisning *subst* distance tuition

distingerad *adj* distinguished

distinkt *adj* distinct

distinktion *subst* distinction

distrahera *verb* distract

distribuera *verb* distribute

distribution *subst* distribution

distributör *subst* distributor

distrikt *subst* district

distriktssköterska *subst* district nurse; som gör hembesök health visitor

disträ *adj* absent-minded

dit *adv* **1** demonstrativt there; ~ *bort* away there; ~ *ned* down there; *det är långt* ~ a) it is a long way there b) om tid that's a long time ahead **2** relativt where; *den plats* ~ *han kom* the place he came to

ditkomst *subst*, *vid* ~*en* on my (his etc.) arrival there

dito *adj* o. *adv* ditto (förk. do.)

ditresa *subst*, *på* ~*n* on the journey there

1 ditt *pron* se *din*

2 ditt *subst*, ~ *och datt* this and that, all sorts of things

dittills *adv* till then; up to then; så här långt so far

ditvägen *subst*, *på* ~ on the way there, on my (your etc.) way there

ditåt *adv* in that direction, that way; *någonting* ~ something like that

diva *subst* diva

diverse *adj* various; ~ *saker* various things, odds and ends

diversearbetare *subst* casual labourer, odd-job man

dividera *verb* divide; ~ *20 med 5* divide 20 by 5

division *subst* mat. el. mil. division

djungel *subst* jungle

djup I *adj* deep; ~ *sorg* profound grief, deep sorrow; ~ *misstro* profound distrust; ~ *okunnighet* profound ignorance; *i* ~ *sorg* in deep mourning; ~ *tallrik* soup plate

II *subst* depth; *försvinna i* ~*et* go to the bottom; *gå på* ~*et med* go to the bottom of; *komma ut på* ~*et* get out into deep water

djupdykning *subst* **1** deep-sea diving **2** *göra*

en ~ *i ngt* make an in-depth study of sth; *göra en riktig* ~ be a fiasco, be a flop

djupfrysa *verb* deep-freeze

djupfryst *adj*, ~*a livsmedel* deep-frozen foods, frozen foods

djupsinne *subst* profundity, depth of thought

djupsinnig *adj* profound, deep

djupt *adv* deep, deeply, profoundly; ~ *allvarlig* very serious; ~ *urringad* om klänning low-cut; *andas* ~ draw a deep breath; *sova* ~ sleep deeply; *han sov* ~ he was fast asleep

djur *subst* animal; stort fyrfota djur el. om person beast; *arbeta som ett* ~ work like a horse

djurförsök *subst* experiment on animals

djurliv *subst* animal life, wild life

djurpark *subst* zoo

djurplågeri *subst* cruelty to animals

djurriket *subst* the animal kingdom

djurrättsaktivist *subst* animal rights activist

djursjukhus *subst* animal hospital

djurskyddsförening *subst* society for the prevention of cruelty to animals

djurskötare *subst* på zoo keeper, zoo keeper

djurvän *subst* lover of animals

djäkla etc., se *jäkla* etc.

djärv *adj* bold; dristig daring

djärvhet *subst* boldness, daring

djävel *subst* vard. devil; *djävlar!* damn!; *din* ~*!* you swine!

djävla *adj* o. *adv* vard. bloody, damned, amer. goddam; *din* ~ *idiot!* you bloody fool!, you damned fool!, amer. you goddam fool!

djävlas *verb* vard. be bloody-minded, be damned nasty, amer. be goddam mean

djävlig *adj* vard., om person bloody nasty [*mot* to], amer. goddam mean [*mot* to]; om sak bloody rotten, amer. goddam awful

djävligt *adv* vard. bloody, damned, amer. goddam

djävul *subst* devil

djävulsk *adj* devilish; diabolisk diabolical

dobermann *subst* o. **dobermann pinscher** *subst* hund Dobermann, Dobermann pinscher

docent *subst* univ., ungefär reader, senior lecturer, amer. associate professor

dock *adv* o. *konj* yet, still; emellertid however

1 docka *subst* sjö. dock

2 docka *verb* sjö. el. om rymdraket dock

3 docka *subst* **1** leksak doll, barnspr. dolly; marionett puppet **2** skyltdocka dummy

dockning *subst* av rymdfarkoster docking

dockskåp *subst* doll's house, amer. dollhouse

dockteater puppet theatre; föreställning puppet show

dockvagn *subst* doll's pram
doft *subst* scent, odour
dofta *verb* smell; *det ~r rosor* there is a scent of roses, there is a smell of roses
dogmatisk *adj* dogmatic
doja *subst* vard. shoe
doktor *subst* doctor (förk. Dr.)
doktorera *verb* study for one's doctor's degree; avlägga examen take one's doctor's degree
doktorsavhandling *subst* doctor's thesis (pl. theses)
doktrin *subst* doctrine
dokument *subst* document
dokumentation *subst* documentation
dokumentera *verb* document; bevisa give evidence of; *~ sig som* establish oneself as
dokumentskåp *subst* filing-cabinet
dokumentärfilm *subst* documentary, documentary film
dold *adj* hidden, concealed; *~a kameran* candid camera
doldis *subst* vard. unperson, anonymous public figure
dolk *subst* dagger
dollar *subst* dollar, amer. vard. buck
dollarsedel *subst* dollar note, amer. dollar bill
1 dom *pron* o. *best art* se *den*
2 dom *subst* **1** judgement **2** i brottmål sentence; jurys utslag verdict; *fällande ~* verdict of guilty; *friande ~* verdict of not guilty; *~en löd på...* he (she etc.) was sentenced to...
domare *subst* **1** judge; vid högre rätt justice **2** sport.: i friidrott etc. judge; i tennis etc. umpire; fotb. el. boxn. referee
domdera *verb* go on, shout and swear
domedag *subst* doomsday, judgement day
domherre *subst* fågel bullfinch
dominans *subst* dominance
dominant *adj* dominant; dominerande dominating
dominera *verb* dominate; spela herre domineer; vara mest framträdande predominate
domino *subst* spel dominoes (med verb i sing.)
domkraft *subst* bil. jack
domkyrka *subst* cathedral
domna *verb*, *~* el. *~ av* el. *~ bort* go numb; *min fot har har ~t* my foot has gone to sleep
domprost *subst* kyrkl. dean
domptör *subst* tamer
domslut *subst* **1** judgement **2** sport. decision
domstol *subst* lawcourt, court; *dra ngn*

inför ~ take sb to court; *Högsta ~en* the Supreme Court
domän *subst* domain
donation *subst* donation
donator *subst* donor
Donau the Danube
donera *verb* donate, give
dop *subst* baptism; barndop christening
dopa *verb* sport. dope
doping *subst* se *dopning*
dopingprov *subst* se *dopningsprov*
dopklänning *subst* christening robe
dopning *subst* drug-taking; sport. doping
dopningsprov *subst*, *ett ~* a drug test
dopp *subst*, *ta sig ett ~* have a dip, have a plunge
doppa *verb* dip; hastigt plunge; *~ sig* have a dip
dos *subst* dose
dosa *subst* box; av bleck tin
dosera *verb* dose
dosering *subst* dose, dosage
dossier *subst* dossier
dotter *subst* daughter; *hon är ~ till...* she is the daughter of...
dotterbolag *subst* subsidiary company, subsidiary
dotterdotter *subst* granddaughter
dotterson *subst* grandson
dov *adj* om smärta dull, aching; om ljud dull, muffled
dra I *verb* **1** draw; kraftigare pull; hala haul; släpa drag; schack. etc. move; *~ ngn inför rätta* take sb to court; *~ ngt ur led* put sth out of joint **2** locka attract; *ett stycke som ~r folk* a play that draws people **3** om te m.m. draw; *låta teet stå och ~* let the tea draw **4** tåga march; gå go, pass; *~ åt skogen!* go to blazes!; *gå och ~* sysslolöst lounge about, hang about; *jag måste ~* vard. I must be off **5** *det ~r* there is a draught **6** *bilen ~r mycket bensin* the car takes a lot of petrol **7** *~ sig* flytta sig move; *klockan ~r sig* the clock is slow; *hon ligger och ~r sig på soffan* she is lounging on the sofa; *~ sig för att göra ngt* be afraid of doing sth; *~ sig för ngt* be afraid of sth; *inte ~ sig för att göra ngt* not be afraid of doing sth, not hesitate to do sth
II *verb* med betonad partikel
dra av 1 klä av take off, pull off; *~ av sig* take off **2** dra ifrån deduct
dra bort go away
dra fram draw out, pull out, produce; *~ fram stolen till fönstret* draw up the

chair to the window
dra för gardinen draw the curtain
dra förbi go past, pass by
dra ifrån gardin etc. draw aside, pull aside;
ta bort take away; ta (räkna) ifrån deduct; *hon
drog ifrån de övriga löparna* sport. she
drew away from the other runners
dra igen dörr etc. shut, close
dra igenom läsa igenom go through, run
through, start sth
dra igång ngt get sth going
dra ihop 1 trupper concentrate **2** ~ *ihop
sig* contract; sluta sig close **3** *det ~r ihop
sig till regn* it looks like rain
dra in dra tillbaka, återkalla withdraw; på viss tid
suspend; inskränka cut down
dra med sig innebära mean, involve
dra på sig t.ex. strumpor put on, pull on; t.ex.
skulder incur
dra till: ~ *till ngt* t.ex. dörr pull sth to, draw
sth to; dra åt hårdare pull sth tighter, tighten
sth; ~ *till bromsen* apply the brake; ~ *till
med* gissa på make a guess at; ~ *till sig*
attrahera attract; ~ *till sig
uppmärksamhet* attract attention
dra tillbaka withdraw; ~ *sig tillbaka*
retirera retreat; t.ex. till privatlivet retire
dra upp draw up, pull up; klocka wind up
dra ur pull out; ~ *ur sladden* pull out the
plug; ~ *sig ur spelet* (*leken*) back out; ~
sig ur uppgörelsen withdraw from the
deal
dra ut t.ex. tand extract; förlänga draw out,
prolong; tänja ut stretch out; *strejken ~r ut
på tiden* the strike is dragging on; *det ~r
ut på tiden* it's taking a long time; blir sent
it's getting rather late
dra över tiden run over the time
drabba *verb* träffa hit, strike; beröra affect; ~*s
av ngt* råka ut för meet with sth; ~
samman (*ihop*) meet, clash
drabbning *subst* **1** slag battle; stridshandling
action **2** friare encounter
drag *subst* **1** ryck pull, tug; med stråke, penna etc.
stroke; i spel move; *i korta* ~ in brief; *i
stora* ~ in broad outline **2** särdrag,
ansiktsdrag feature **3** luftdrag draught, amer.
draft; *i ett* ~ äv. at a (one) gulp
dragga *verb* drag [*efter ngt* for sth]
dragig *adj* draughty, amer. drafty
dragkamp *subst* lek el. långvarig kamp tug-of-war
dragkedja *subst* zip-fastener, vard. zipper, zip
dragkärra *subst* handcart, barrow
dragning *subst* **1** lotteri draw **2** attraktion
attraction

dragningskraft *subst* power of attraction,
attraction
dragningslista *subst* lottery prize list
dragon *subst* krydda tarragon
dragplåster *subst* attraktion drawing-card,
attraction
dragshow *subst* show med män utklädda till kvinnor
dragshow
dragspel *subst* musik. accordion
drake *subst* **1** dragon **2** leksak kite; *släppa
upp en* ~ fly a kite
drama *subst* **1** teat. drama **2** sorglig händelse
tragedy
dramatik *subst* drama
dramatisera *verb* dramatize
dramatisk *adj* dramatic
drapera *verb* drape
draperi *subst*, *ett* ~ a hanging, a curtain
dras *verb*, ~ *med* el. *få* ~ *med* a) sjukdom,
bekymmer be afflicted with, suffer from
b) obehaglighet have to put up with
drastisk *adj* drastic
dregla *verb* dribble
dreja *verb* lergods turn, throw
dressera *verb* train [*till* for]
dressing *subst* kok. salad dressing, dressing
dribbla *verb* sport. dribble
dribbling *subst* sport. dribbling; *en* ~ a dribble
dricka I *subst* t.ex. limonad soft drink,
lemonade
II *verb* drink; ~ *te med citron* have (take)
lemon in one's tea; *ska vi* ~ *något?* shall
we have something to drink?; ~ *upp* finish
one's drink
dricks *subst* tip sing.; *hur mycket ska jag ge
i* ~*?* what tip should I give?; *är det med
~?* is the tip included, is service included?
dricksglas *subst* glass, drinking-glass,
tumbler
drickspengar *subst pl* se *dricks*
dricksvatten *subst* drinking-water
drift *subst* **1** begär, böjelse urge, instinct
2 verksamhet operation, working;
igånghållande running; skötsel management;
ta i ~ put into operation, put into service;
den är billig i ~ it is economical, it is
cheap to run
driftsäker *adj* dependable, reliable
1 drill *subst* musik. trill; om fågel warble
2 drill *subst* mil. drill
1 drilla *verb* musik. trill; om fågel warble
2 drilla *verb* mil. drill
drink *subst* drink
driva I *subst* snowdrift
II *verb* **1** drive **2** om moln, båt, snö drift; maskin

operate **3** bedriva, idka carry on; affär, fabrik
run **4** *gå och* ~ ströva loaf about; flanera
roam about **5** ~ *med ngn* skoja pull sb's
leg; göra narr av make fun of sb
III *verb* med betonad partikel
driva igenom force through, carry
through; ~ *sin vilja igenom* have one's
own way, get one's own way
driva omkring drift about
driva på press on, push on, urge on
driva upp pris etc. force up
drivbänk *subst* hotbed, forcing-bed
driven *adj* skicklig clever, skilled
drivhus *subst* hothouse
drivhuseffekt *subst* greenhouse effect
drivkraft *subst* motive force, motive power;
om person, sak driving force
drivmedel *subst* fuel
drog *subst* drug
droga *verb* drug
dromedar *subst* enpucklig kamel dromedary
dropp *subst* droppande drip, dripping; med. drip
droppa *verb* **1** drip; *det ~r från kranen* the
tap is dripping, the tap is leaking **2** ~ *ngt i*
ngt drop sth into sth **3** ~ *in* anlända, komma
då och då drop in
droppe *subst* drop; *det var ~n som kom*
bägaren att rinna över it was the last
straw; *en ~ i havet* a drop in the ocean
(the bucket)
dropptorka *verb* drip-dry
droskägare *subst* taxi owner, cab owner
drottning *subst* queen
drucken *adj* drunk
drulle *subst* clumsy fool, lout
drummel *subst* lout, lymmel rascal
drunkna *verb* be drowned, get drowned; ~ *i*
ngt t.ex. brev be snowed under with sth, be
swamped with sth; *han ~r!* he's
drowning!
drunkning *subst* drowning
drunkningsolycka *subst* fatal drowning
accident
druva *subst* grape
druvklase *subst* bunch of grapes; på vinranka
cluster of grapes
druvsocker *subst* dextrose
dryck *subst* drink, formellare beverage
dryckesvisa *subst* drinking-song
dryfta *verb* discuss, talk over
dryg *adj* **1** som räcker länge lasting; väl tilltagen
ample; rågad heaped; ~ *a böter* a heavy fine
sing.; *en ~ timme* a good hour, a full hour;
det här kaffet är ~t this coffee goes a
long way **2** om person: mallig stuck-up

dryga *verb*, ~ *ut ngt* make sth go a long way
drygt *adv*, ~ *300* fully 300; ~ *hälften av* a
good half of
drypa *verb* drip; ~ *av svett* drip with sweat
dråp *subst* manslaughter, homicide
dråplig *adj* really funny; *en ~ historia* a
really funny story
dråpslag *subst* deathblow, staggering blow
dråsa *verb*, ~ el. ~ *ned* come tumbling down;
~ *i vattnet* tumble into the water; ~ *i*
golvet tumble on to the floor
dräglig *adj* tolerable
dräkt *subst* **1** dress (endast sing.); *~ens*
historia the history of dress **2** nationaldräkt
costume **3** jacka o. kjol suit, costume
drälla *verb* **1** spilla spill **2** *gå och* ~ slå dank loaf
about **3** *det dräller av folk på gatorna*
the streets are teeming with people
dränera *verb* drain
dränering *subst* drainage
dräng *subst* farmhand
dränka *verb* drown; översvämma flood
dräpa *verb* litt. kill
dräpande *adj*, *en* ~ slående *kommentar* a
telling comment; *ett* ~ förintande *svar* a
crushing reply
dröja *verb* **1** söla dawdle; ~ *med att komma*
be late in coming; ~ *med ngt* delay sth,
put off sth; *svaret har dröjt länge* the
answer has been a long time coming **2** vänta
wait; stanna stop, stay; *var god och dröj!* i
telefon hold on, please!, hold the line,
please!; *dröj lite!* el. *dröj ett tag!* hang
on!, wait a moment!; *dröj inte länge!*
don't be long!; *det dröjer länge,*
innan... it will be a long time before ...;
det dröjde inte länge förrän (innan)
hon kom it was not long before she came
dröjsmål *subst* delay
dröm *subst* dream [om of, about]
drömläge *subst* vard., om bostad *ha* ~ be ideally
situated
drömma *verb* dream [om of, about]
drömmande *adj* dreamy
drömmare *subst* dreamer
drömtårta *subst* chocolate Swiss roll, amer.
chocolate cream roll
du *pron* you
dubb *subst* på vinterdäck el. fotbollsskor stud
1 dubba *verb* film dub [till into]
2 dubba *verb* däck provide with studs
dubbdäck *subst* studded tyre; *sätta på* ~ put
on studded tyres; *byta till* ~ change over
to studded tyres
dubbel I *adj* double; *dubbla antalet* double

the number, twice the number; *priserna har stigit till det dubbla* prices have doubled
II *subst* i tennis etc. doubles (pl. lika); match doubles match

dubbelarbeta *verb* have two jobs at the same time

dubbelarbetande *adj*, *~ mammor* working mothers

dubbelfunktion *subst*, *ha en ~* serve a dual purpose, serve a double purpose

dubbelfönster *subst* double-glazed window

dubbelgångare *subst* double, vard. look-alike

dubbelhaka *subst* double chin

dubbeljobb *subst* vard., *ha ~* have two jobs at the same time

dubbelklicka *verb* data. double-click

dubbelknäppt *adj* double-breasted

dubbelliv *subst* double life

dubbelmatch *subst* i tennis etc. doubles match

dubbelmoral *subst* double standard

dubbelnamn *subst* double-barrelled name

dubbelnatur *subst* dual personality, split personality

dubbelrum *subst* med dubbelsäng double room; med två sängar twin-bedded room

dubbelslipad *adj*, *~e glasögon* bifocals

dubbelspel *subst* bedrägeri double-dealing, double-crossing; *spela ~* play a double game

dubbelsäng *subst* double bed

dubbelt *adv* två gånger twice; i dubbelt mått doubly; *~ så gammal som* twice as old as; *betala ~* pay double; *se ~* see double

dubbeltimme *subst* skol. double period, double-hour period

dubblera *verb* double

dubblett *subst* duplicate

ducka *verb* duck

duell *subst* duel

duett *subst* duet; *sjunga ~* sing a duet

duga *verb* do [*till, åt, för* for]; vara lämplig be suitable, be fit [*till, åt, för* for]; vara god nog be good enough [*till, åt, för* for]; *det duger inte!* that won't do!, that's no good!; *visa vad man duger till* show what one can do

dugg *subst* **1** regn drizzle **2** dyft, *inte ett ~* not a thing, not a bit; *inte ett ~ blyg* not a bit shy

dugga *verb* drizzle

duggregn *subst* drizzle

duglig *adj* capable, competent

duk *subst* cloth; segelduk, målarduk canvas; filmduk screen; *på vita ~en* on the screen

1 duka *verb*, *~* el. *~ bordet* lay the table, amer. set the table; *ett ~t bord* a table ready laid; *komma till ~t bord* have everything laid on; *~ av* el. *~ av bordet* clear the table; *kan du ~ fram?* can you put the things on the table?, can you lay the table?

2 duka *verb*, *~ under* succumb [*för* to]

duktig *adj* good [*i* at], skicklig clever [*i* at], capable [*i* at]

duktigt *adv*, *det var ~ gjort!* well done!

dum *adj* stupid, foolish, barnspr., 'elak' nasty [*mot* to]; *~ i huvudet* stupid; *inte så ~* ganska bra not bad

dumbom *subst* fool, idiot; *din ~!* you fool, you idiot!

dumhet *subst* stupidity, foolishness; handling act of folly, blunder; *~er!* nonsense!; *nu har jag gjort en ~* now I've done something foolish (silly); *prata ~er* talk nonsense; *vad är det här för ~er?* what's all this nonsense?

dumhuvud *subst* blockhead

dumma *verb*, *~ sig* make a fool of oneself; göra en dumhet make a blunder

dumpa *verb* priser, avfall dump

dumskalle *subst* o. **dumsnut** *subst* vard. blockhead, nitwit

dun *subst* down

dunder *subst* ljud rumble, thunder; *med ~ och brak* with a crash

dundra *verb* thunder; om åska rumble

dunge *subst* group of trees; lund grove

1 dunk *subst* behållare can

2 dunk *subst* **1** bankande thumping; om puls, maskin etc. throb, throbbing **2** slag, knuff thump

dunka *verb* **1** thump äv. om hjärtat; om puls, maskin etc. throb **2** *~ på pianot* thump on the piano; *~ ngn i ryggen* slap sb on the back, thump sb on the back

dunkel *adj* **1** rätt mörk dusky; mörk, dyster gloomy **2** svårfattlig, oklar obscure **3** hemlighetsfull mysterious

dunkudde *subst* down pillow

duns *subst* thud

dunsa *verb* thud

dunsta *verb*, *~* el. *~ av (bort)* evaporate

duntäcke *subst* down quilt, duvet

dupera *verb* take in

dur *subst* musik. major; *gå i ~* be in the major key

durk *subst* golv floor; ammunitionsdurk magazine

durkslag *subst* colander

dusch *subst* shower

duscha *verb* **1** have a shower; ~ *ngn* (*ngt*) shower sb (sth)

dussin *subst* dozen (förk. doz.); *100 kr* ~*et* (*per* ~) 100 kronor a dozen

dussintals *adj* dozens

dussinvis *adv* per dussin by the dozen; ~ *med* dozens of

dust *subst* kamp fight, tussle

duva *subst* pigeon, mindre dove; polit. dove

dvala *subst*, *ligga i* ~ om djurs vintersömn hibernate

DVD *subst* tv. etc. DVD (förk. för *digital video disc* eller *disk*)

dvs. (förk. för *det vill säga*) that is to say, that is, i.e.

dvärg *subst* **1** dwarf **2** på cirkus etc. midget

dvärgspets *subst* hund Pomeranian

dy *subst* mud, sludge

dyblöt *adj* soaking wet

dyft *subst*, *inte ett* ~ not a bit, not a thing

dygd *subst* virtue

dygdig *adj* virtuous

dygn *subst* day, day and night; *ett* ~ twenty-four hours; *två* ~ forty-eight hours; *arbeta* ~*et om* work day and night; ~*et runt* round the clock, day and night

dygnetruntservice *subst* round-the-clock service

dygnsparkering *subst* twenty-four hour parking

dygnsrytm *subst*, *rubbad* ~ flyg. jet-lag

dyka *verb* dive; kortvarigt duck; ~ *ned i* dive into; ~ *upp* emerge [*ur* out of]; *ett problem har dykt upp* a problem has cropped up

dykare *subst* diver

dykning *subst* diving; enstaka dive

dylik *adj*, *eller* ~*t* el. *och* ~ or the like, and the like

dyn *subst* dune, sand-hill

dyna *subst* **1** cushion **2** stämpeldyna, trampdyna pad

dynamisk *adj* dynamic

dynamit *subst* dynamite

dynamo *subst* dynamo (pl. -s)

dynasti *subst* dynasty

dynga *subst* dung; *snacka* ~ talk rubbish

dyr *adj* expensive; som kostar mer än det är värt, vanligen dear

dyrbar *adj* **1** dyr costly, dear, expensive **2** värdefull valuable

dyrgrip *subst* article of great value

dyrk *subst* skeleton key

1 dyrka *verb*, ~ *upp* lås pick

2 dyrka *verb* tillbedja worship, beundra worship, avguda idolize

dyrkan *subst* worship, adoration

dyrort *subst* dyr ort locality with a high cost of living

dyslektiker *subst* med. dyslectic

dyster *adj* gloomy, dismal

dysterhet *subst* gloom, gloominess

då I *adv* at that time, in those days; i så fall in that case; om så är if so; ~ *och* ~ now and then; ~ *så!* då är det ju bra well, it's all right then!; *vad nu* ~*?* what's up now?; *det var* ~ *det!* times have changed!; *när* ~*?* when?; *vem* ~*?* who?

II *konj* **1** om tid when; just som as, just as; medan while; *nu* ~ now that; ~ *jag var barn* when I was a child **2** eftersom as, seeing that; ~ *ju* since

dåd *subst* illdåd outrage, brott crime

dåförtiden *adv* at that time

dålig *adj* **1** bad [*i, på* at], poor [*i, på* at]; sämre sorts inferior; svag, klen weak; ~ *sikt* poor visibility; ~ *smak* bad taste; *tala* ~ *svenska* speak poor Swedish; ~*a betyg* poor marks, amer. poor grades; ~*a tänder* bad teeth; ~*a varor* inferior goods; *det var inte* ~*t det!* that's not bad!; ~ *i engelska* poor at English; *det är* ~*t med potatis i år* there's a shortage of potatoes this year **2** krasslig unwell; inte riktigt kry out of sorts; illamående sick; *bli* ~ be taken ill; *jag känner mig* ~ I don't feel well, I feel rotten

dåligt *adv* badly, poorly; *affärerna går* ~ business is bad; *det går* ~ *för henne i skolan* she's not doing well at school

dån *subst* roar, roaring; åskmuller roll, rolling

dåna *verb* dundra roar; om åska roll

dåraktig *adj* foolish, silly, idiotic

dåre *subst* fool, idiot

dårhus *subst* madhouse

dårskap *subst* folly

dåsa *verb* doze, drowse; ~ *till* doze off

dåsig *adj* drowsy

dåvarande *adj*, ~ *ägaren till huset* the then owner of the house

däck *subst* **1** på båt deck **2** på hjul tyre, amer. tire; *byta* ~ change tyres

däggdjur *subst* mammal

dämma *verb*, ~ el. ~ *av* (*för, upp*) dam, dam up

dämpa *verb* **1** moderate, check **2** ~ *en boll* fotb. trap a ball; ~ *farten* trafik. reduce speed

dämpad *adj* subdued; ~ *musik* soft music;

hon var något ~ **i dag** she was a bit subdued today

dänga *verb* vard., ~ **till ngn** punch sb, wallop sb

där *adv* there; ~ **bakom mig** there behind me; ~ **i huset** in that house; **han** ~ that fellow; ~ **ser du!** there you are!; **det var** ~ **som jag mötte henne** that was where I met her

däran *adv*, **vara illa** ~ be in a bad way

därav *adv* of that (it, those, them etc.); **på grund** ~ for that reason; ~ **följer att…** from that it follows that…

därbak *adv* at the back there

därborta *adv* over there

därefter *adv* **1** efter det after that; sedan then, afterwards **2** i enlighet därmed accordingly; **det blev också** ~ the result was as might be expected; **kort** ~ shortly afterwards

däremot *adv* emellertid however; å andra sidan on the other hand; tvärtom on the contrary

därframme *adv* därborta over there

därför *adv* fördenskull so, therefore; av den orsaken for that reason, for this reason; ~ **att** because; **det är** ~ **som…** that's the reason why…, that's why…

därhemma *adv* at home

däri *adv* in that; ~ **ligger svårigheten** that is where the difficulty comes in

däribland *adv* among them

därifrån *adv* from there; **långt** ~ far from it; **ut** ~ out of it; ut ur rummet etc. out of that room etc.; **han gick** ~ he left, he left the place

därigenom *adv* på så sätt in that way; tack vare detta thanks to that; ~ **kunde han…** by doing so he could…

därinne *adv* in there

därjämte *adv* in addition, besides

därmed *adv* med detta with that; därigenom thereby; ~ **var saken avgjord** that settled the matter; **i samband** ~ in that connection

därnere *adv* down there, below there

därom *adv*, **norr** ~ north, to the north of it

därpå *adv* om tid after that, then

därtill *adv* to it (that, them); **med hänsyn** ~ in view of that; **orsaken** ~ the reason for that

därunder *adv* under it (that, them, there); **och** ~ mindre än detta and less, and under, and below

däruppe *adv* up there

därute *adv* out there

därutöver *adv* ytterligare in addition; mer

more; **100 kronor och** ~ 100 Swedish kronor and upwards

därvid *adv* at that; i det sammanhanget in that connection

därvidlag *adv* i detta avseende in that respect

dö *verb* die; **jag är så hungrig så jag kan** ~ I'm dying of hunger; ~ **i (av) cancer** die of cancer; ~ **bort** die away, die down; ~ **ut** die out, become extinct

död I *adj* dead; **den** ~**e** the dead man; den avlidne the deceased; **de** ~**a** the dead **II** *subst* death; **ta** ~ **på** kill; slå ihjäl put sb (sth) to death; utrota exterminate; **ligga för** ~**en** be dying; **vara nära** ~**en** be at death's door; **misshandla ngn till** ~**s** batter sb to death

döda *verb* kill

dödande *subst* o. *adj* killing

dödfull *adj* dead drunk

dödfödd *adj* stillborn

dödlig *adj* mortal; **en** ~ **dos** a lethal dose; **ett** ~**t gift** a deadly poison; **en** ~ **sjukdom** a fatal illness; **en vanlig** ~ an ordinary mortal

dödlighet *subst* mortality; dödstal death rate

dödläge *subst* deadlock, stalemate

dödsannons *subst* i tidning obituary notice

dödsattest *subst* o. **dödsbevis** *subst* death certificate

dödsbo *subst*, ~**et** the estate of the deceased

dödsbädd *subst* deathbed

dödsdag *subst*, **hans** ~ the day of his death; årsdagen the anniversary of his death

dödsdom *subst* death sentence

dödsdömd *adj*, **han är** ~ he has been sentenced to death, he has been condemned to death; **försöket är dödsdömt** the attempt is doomed to failure

dödsfall *subst* death

dödsfiende *subst* mortal enemy

dödsfälla *subst* death trap

dödshjälp *subst* euthanasia

dödskalle *subst* death's-head, skull

dödskamp *subst* death struggle

dödskjutning *subst* fatal shooting incident

dödsoffer *subst* vid olycka victim, casualty; **olyckan krävde tre** ~ the accident claimed three victims

dödsolycka *subst* fatal accident

dödsorsak *subst* cause of death

dödspatrull *subst* death squad

dödsruna *subst* obituary, obituary notice

dödsstraff *subst* capital punishment

dödsstöt *subst* deathblow; **det blev en** ~ **för**

fredsprocessen it dealt a deathblow to the peace process

dödssynd *subst* crime; *de sju ~erna* the Seven Deadly Sins

dödstrött *adj* dead tired

dödstyst *adj* dead silent

dödstystnad *subst* dead silence

döende *subst, en ~* a dying person

döfull *adj* vard. dead drunk

döfödd *adj, idén var ~* the scheme was doomed from the start

dölja *verb* conceal [*för* from-], hide [*för* from-]; maskera disguise [*för* from-]; *jag har inget att ~* I have nothing to hide; *hålla sig dold* be hiding, be in hiding

döma *verb* **1** judge [*av, efter* by, from-]; i brottmål sentence, condemn; *att ~ av...* judging from, judging by; *av allt att ~* to all appearances; *~ ngn till 500 kronors böter* fine sb 500 kronor; *~ ngn till döden* sentence sb to death; *planen är dömd att misslyckas* the scheme is doomed to failure **2** sport. act as judge; i tennis etc. umpire; fotb. el. boxn. referee; *domaren dömde frispark* the referee awarded a free kick

döpa *verb* baptize; ge namn christen; fartyg name; *hon döptes till Sara* she was christened Sara

dörr *subst* door; *följa ngn till ~en* see sb to the door; *stå för ~en* be at hand; *visa ngn på ~en* show sb the door; *inom stängda ~ar* behind closed doors

dörrhandtag *subst* door handle; runt doorknob

dörrklocka *subst* doorbell

dörrmatta *subst* doormat

dörrnyckel *subst* doorkey

dörrstoppare *subst* doorstop

dörrvakt *subst* doorkeeper, doorman

dörädd *adj* o. **döskraj** *adj* vard., *vara ~* be scared to death, be scared stiff

dösnack *subst* vard. drivel, crap

dötrist *adj* o. **dötråkig** *adj* deadly boring

döv *adj* deaf

dövhet *subst* deafness

dövstum *adj* deaf and dumb

dövörat *subst, han slog ~ till* he just wouldn't listen [*för* to-], he turned a deaf ear [*för* to-]

Ee

e *subst* musik. E

eau-de-cologne *subst* eau-de-Cologne

ebb *subst* ebb-tide, low tide; *~ och flod* the tides pl.; *det är ~* the tide is out

ebba *verb*, *~ ut* ebb away, peter out

ebenholts *subst* ebony

ecstasy *subst* narkotikamedel ecstasy

Ecuador Ecuador

ed *subst* oath; *gå ~ på det* take an oath on it, swear to it

effekt *subst* effect; tekn. el. fys. power

effektfull *adj* striking, effective

effektförvaring *subst* left-luggage office, cloakroom, amer. checkroom

effektiv *adj* **1** duktig, högpresterande om personer el. saker efficient; *ett ~t företag* an efficient firm; *en ~ sekreterare* an efficient secretary **2** verksam, verkningsfull mest om saker effective; *ett ~t botemedel* an effective remedy

effektivitet *subst* hos sak effectiveness, efficiency; hos person efficiency

efter I *prep* **1** after; bakom behind; i riktning mot at; *längs ~* along; *närmast (näst) ~* next to **2** för att få tag i for; *gå ~* läkare etc. go and fetch; *springa ~ bussen* run for the bus **3** enligt according to, after; *segla ~ kompass* sail by the compass; *~ vad han säger* according to him; *~ vad jag vet* as far as I know **4** från from; *ögonen har han ~ sin far* he has got his father's eyes; *spåret ~ en räv* the track of a fox **5** om tid after; alltsedan since; inom in; *~ hand* småningom gradually, bit by bit; *~ en stund* after a little while; *~ att ha slutat skolan* after leaving school; *~ det att han hade gått* after he had gone; *~ vad som hänt* after what has happened **II** *adv* **1** om tid after; *kort ~* shortly after, shortly afterwards **2** bakom, kvar behind; *jag såg att hon kom ~* I saw that she came after (behind) me; *vara ~* på efterkälken *med arbetet* be behind with the (one's) work

efterapa *verb* imitate, copy

efterdyningar *subst pl* **1** repercussions, consequences **2** efterverkningar after-effects

efterforska *verb* inquire into, investigate

efterforskning *subst* inquiry; undersökning investigation

efterfråga *verb*, *den är mycket ~d* it is in great demand

efterfrågan *subst* **1** hand. demand [*på* for] **2** förfrågan inquiry

eftergift *subst* concession

eftergiven *adj* indulgent [*mot* to, towards]

eftergymnasial *adj* post-gymnasium; jfr *gymnasium*

efterhand *subst* **1** *i ~* efter de andra last, after the others **2** efteråt afterwards **3** stegvis gradually, little by little

efterhängsen *adj* **1** persistent **2** om person clinging; *hon är alltid så ~* she is always following me around

efterklok *adj*, *vara ~* be wise after the event

efterkontroll *subst* t.ex. medicinsk check-up, follow-up

efterkrav *subst*, *sända varor mot ~* send goods COD (förk. för *cash on delivery*)

efterkrigstiden *subst* the post-war period

efterkälke *subst*, *komma på ~en* fall behind, get left behind

efterlevande I *adj* surviving **II** *subst*, *de ~* the deceased's family

efterlikna *verb* imitate

efterlysa *verb* sända ut signalement på issue a description of; något förkommet advertise the loss of; *han är efterlyst* he is wanted

efterlysning *subst* som rubrik Wanted, Wanted by the Police; i radio police message

efterlämna *verb* leave

efterlängtad *adj* much longed-for

eftermiddag *subst* afternoon; *kl. 3 på ~en* at 3 o'clock in the afternoon, at 3 p.m.; *i ~s* this afternoon; *på ~en* in the afternoon

eftermiddagskaffe *subst* afternoon coffee

efternamn *subst* surname; *vad heter du i ~?* what is your surname?

efterräkning *subst*, *~ar* obehagliga påföljder unpleasant consequences

efterrätt *subst* dessert, sweet, vard. afters; amer. dessert

eftersatt *adj* försummad neglected, missgynnad i samhället disadvantaged

efterskott *subst*, *i ~* in arrears; efter leverans after delivery; *en present i ~* skämts. a belated present

efterskrift *subst* postscript

efterskänka *verb*, *~ ngns skuld* remit sb's debt

eftersläckare *subst* vard. chaser

eftersläntrare *subst* straggler; senkomling latecomer

eftersläpning *subst* lag, falling behind; om arbete backlog

eftersmak *subst* aftertaste; *det lämnar en obehaglig ~* it leaves a bad taste in the mouth

eftersnack *subst* vard. sport. follow-up-discussion after a (the) match

eftersom *konj* då ju since; då as, seeing that; *allt ~* efter hand som as

efterspana *verb* search for; *han är ~d av polisen* he is wanted, he is wanted by the police

efterspaning *subst*, *~* el. *~ar* search sing.

eftersträva *verb* söka åstadkomma aim at, try to aim at; söka skaffa sig try to obtain, strive after

eftersända *verb* vidarebefordra forward, send on; *eftersändes* på brev please forward

eftersändning *subst* av brev forwarding

eftersändningsadress *subst* forwarding address

eftersökt *adj*, *den är mycket ~* it is in great demand

eftertanke *subst* reflection; övervägande consideration; *utan ~* without due reflection; *vid närmare ~* on second thoughts

eftertraktad *adj* coveted, sought after; *mycket ~* very much sought for

eftertryck *subst*, *ge ~ åt* emphasize, stress; *med ~* emphatically

eftertrycklig *adj* emphatic

efterträda *verb* succeed

efterträdare *subst* successor

eftertänksam *adj* thoughtful, pensive

efterverkningar *subst pl* after-effects

eftervård *subst* aftercare

eftervärlden *subst* posterity; *gå till ~* go down to posterity

efteråt *adv* afterwards; senare later

---

egen
Ordet *own* föregås av ett possessivt pronomen. Det kan inte föregås av *a* eller *an*. Han har <u>eget</u> rum heter *He's got <u>his own</u> room* eller *He's got a room of his own*. Lägg dock märke till uttrycket *an own goal* <u>ett</u> <u>självmål</u>.

---

egen *adj* own; *för ~ del* for my part; *jag såg det med egna ögon* I saw it with my own eyes; *har han egna barn?* has he any children of his own?; *med ~ ingång* with a private entrance, with a separate entrance

egenart *subst* distinctive character, individuality

egenartad *adj* peculiar, singular

egenavgift *subst* allmän försäkring national insurance contribution

egendom *subst* tillhörigheter property; *fast ~* real property, real estate; *lös ~* personal property, personal estate

egendomlig *adj* strange, peculiar, odd

egendomlighet *subst* strangeness, peculiarity, oddity

egenföretagare *subst* self-employed person; *vara ~* be self-employed

egenhet *subst* peculiarity

egenhändig *adj*, *~ namnteckning* signature

egenkär *adj* conceited

egenkärlek *subst* conceit

egenmäktig *adj*, *~t förfarande* taking the law into one's own hands

egennamn *subst* proper noun, proper name

egennytta *subst* self-interest

egensinnig *adj* self-willed, wilful; envis obstinate

egenskap *subst* quality; utmärkande characteristic; ställning, roll capacity; *järnets ~er* the properties of iron; *i ~ av* in my (your etc.) capacity as

egentlig *adj* real, actual, true; riktig, äkta proper; *i ~ mening* in a strict sense

egentligen *adv* **1** really **2** strängt taget strictly speaking

egenvärde *subst* intrinsic value

egg *subst* edge, cutting edge

egga *verb*, *~* el. *~ upp* incite; *~ ngn* el. *~ upp ngn* driva på egg sb on; *~ upp en folkmassa* stir up a crowd

eggande *adj* stimulating; *~ musik* exciting music

egnahem *subst* private house, owner-occupied house

egocentriker *subst* egocentric

egocentrisk *adj* egocentric

egoism *subst* egoism, selfishness

egoist *subst* egoist

egoistisk *adj* egoistic, selfish

egotripp *subst* vard. ego-trip

egotrippad *adj* vard. ego-tripped

Egypten Egypt

egyptier *subst* Egyptian

egyptisk *adj* Egyptian

egyptiska *subst* **1** kvinna Egyptian woman **2** fornspråk Egyptian

ehuru *konj* högtidligt although; om också even if

eiss *subst* musik. E sharp

ej *adv* not

ejder *subst* fågel eider, eider duck

ejderdun *subst* eider, eiderdown

ek *subst* oak; se *björk-* för sammansättningar

1 eka *subst* flat-bottomed rowing-boat, amer. flat-bottomed rowboat

2 eka *verb* echo; *det ~r här* there is an echo here

eker *subst* spoke

EKG *subst* förk. se *elektrokardiogram*

ekipage *subst* horse and carriage; häst med ryttare horse, horse and rider; bil med förare car, car and driver

ekipera *verb* equip, fit out

ekipering *subst* utrustning equipment, outfit

eko *subst* echo (pl. -es); *ge ~* echo; *dagens ~* radio. Radio Newsreel

ekollon *subst* acorn

ekolog *subst* ecologist

ekologi *subst* ecology

ekologisk *adj* ecological

ekonom *subst* economist

ekonomi *subst* **1** economy **2** som läroämne economics (med verb i sing.) **3** ekonomisk ställning, finanser finances pl.; *vi har dålig ~* our finances are poor

ekonomiförpackning *subst* paket, påse etc. economy-size packet (bag etc.)

ekonomisk *adj* **1** economic, financial **2** sparsam, besparande economical

ekorre *subst* squirrel

ekosystem *subst* ecosystem

e.Kr. (förk. för *efter Kristus*) AD (förk. för *Anno Domini* latin)

eksem *subst* med. eczema

ekvation *subst* equation; *lösa en ~* solve an equation, amer. äv. work an equation

ekvator *subst*, *~n* the equator

el *subst* se *elektricitet*

elaffär *subst* electrical store

elak *adj* **1** spec. om barn naughty [*mot* to], nasty [*mot* to] **2** ondskefull evil, wicked; illvillig spiteful, malicious

elakartad *adj* om sjukdom etc. malignant

elaking *subst* nasty person, spiteful person; *din ~!* you naughty boy (girl etc.)!, you nasty boy (girl etc.)

elasticitet *subst* elasticity

elastisk *adj* elastic

elavbrott *subst* power failure, power cut

elbil *subst* electric car

elboja *subst* inom fångvården electronic tag

eld *subst* fire; *fatta (ta)* ~ catch fire; *ge* ~ fire; *sätta (tända)* ~ *på ngt* set fire to sth, set sth on fire; *leka med ~en* play with fire; *jag får inte* ~ *på veden* the wood won't light; *har du ~?* have you got a light?

elda *verb* **1** heat; ~ *med ved* use wood for heating **2** ~ el. ~ *upp* a) värma upp t.ex. rum heat b) bränna upp burn up c) egga rouse, stir; ~ *upp sig* get excited **3** tända en eld make a fire; ~ *en brasa* a) tända light a fire b) ha have a fire

eldare *subst* på båt stoker, fireman

eldfara *subst* danger of fire, risk of fire; *vid* ~ in case of fire

eldfarlig *adj* inflammable

eldfast *adj* fireproof

eldgaffel *subst* poker

eldig *adj* ardent, passionate

eldning *subst* heating; tändning av eld the lighting of fires

eldningsolja *subst* fuel oil, heating oil

eldriven *adj* electrically driven; ~ *bil* electric car

eldsläckare *subst* apparat fire-extinguisher

eldstad *subst* fireplace

eldsvåda *subst* fire; *vid* ~ in case of fire

eldupphör *subst* cease-fire; *ge order om* ~ give orders for a cease-fire

eldvapen *subst* firearm

elefant *subst* elephant

elefantbete *subst* elephant's tusk

elegans *subst* elegance, smartness

elegant *adj* elegant, smart; *en* ~ *lösning* a neat solution

elektricitet *subst* electricity

elektrifiera *verb* electrify

elektriker *subst* electrician

elektrisk *adj* electric; ~*a apparater* electrical appliances

elektrod *subst* electrode

elektrokardiogram *subst* med. (förk. *EKG*) electrocardiogram (förk. *ECG*)

elektron *subst* electron

elektronblixt *subst* electronic flash

elektronik *subst* electronics (med verb i sing.)

elektronisk *adj* electronic; ~ *post* electronic mail (förk. e-mail)

elektronmusik *subst* electronic music

element *subst* **1** element **2** värmeledningselement radiator; *elektriskt* ~ electric heater

elementär *adj* elementary, basic

elev
Pupil är det vanliga ordet för skolelev i England. *Student* används mest om studerande på universitet och högskolor. I USA använder man vanligen *student* för de flesta slags elever. Ibland används *pupil* om yngre elever.

elev *subst* pupil, vid högskolor el. amer. äv. i skolor student; i butik, lärling apprentice, praktikant trainee

elevråd *subst* pupils' council, amer. el. vid högskolor student's council

elfenben *subst* ivory

elfirma *subst* firm of electricians

elfte *räkn* eleventh (förk. 11th); *i* ~ *timmen* at the eleventh hour; se *femte* för ex. o. *femte-* för sammansättningar

elftedel *subst* eleventh, eleventh part

elförbrukning *subst* consumption of electricity

elgitarr *subst* electric guitar

eliminera *verb* eliminate

elit *subst* élite; ~*en av...* the pick of...

elitidrott *subst* sport at top level

elitserie *subst*, ~*n* the premier league, the super league, amer. the major league

elitspelare *subst* top-class player

eljest *adv* otherwise; annars så or, or else; i motsatt fall if not

elkraft *subst* electric power

eller *konj* or; *antingen...*~ either...or; *varken...* ~ neither... nor; *hon röker inte,* ~ *hur?* she doesn't smoke, does she?; *han röker,* ~ *hur?* he smokes, doesn't he?; *den är bra,* ~ *hur?* it's good, isn't it?, it's good don't you think?

elleverantör *subst* electricity supplier

ellips *subst* **1** geom. ellipse **2** språkv. ellipsis (pl. ellipses)

elliptisk *adj* geom. el. språkv. elliptical

elmontör *subst* electrician, electrical fitter

elmätare *subst* electricity meter

elreparatör *subst* electrician, electrical repairer

elräkning *subst* electricity bill

elspis *subst* electric cooker, amer. electric stove

eluttag *subst* power point, socket, amer. outlet

elva I *räkn* eleven; se *fem* för ex o. *fem-* sammansättningar
II *subst* eleven äv. sport.; se *femma* för ex.

elvamannalag _subst_ eleven-a-side team

elverk _subst_ **1** electricity board **2** för produktion power station

elvisp _subst_ electric hand mixer

elvärme _subst_ electric heating

elände _subst_ misery; otur, besvär nuisance; _till råga på allt_ ~ to make matters worse; _vilket_ ~! what a mess!

eländig _adj_ **1** wretched, miserable **2** vard., dålig rotten, lousy

EM (förk. för _Europamästerskap_) EC (förk. för _European Championship_)

e.m. (förk. för _eftermiddag_) p.m.; _kl. 3_ ~ at 3 p.m.

e-mail _subst_ e-mail

emalj _subst_ enamel

emballage _subst_ packing; omslag wrapping

embargo _subst_ embargo (pl. -es)

embarkera _verb_ embark

embryo _subst_ embryo (pl. -s)

emellan _prep_ o. _adv_ between; _oss_ ~ between you and me

emellanåt _adv_ occasionally, sometimes

emellertid _adv_ however

emfatisk _adj_ emphatic

emigrant _subst_ emigrant

emigration _subst_ emigration

emigrera _verb_ emigrate

emot I _prep_ against; i riktning mot towards; _mitt_ ~ opposite

II _adv_, _mitt_ ~ opposite; _inte mig_ ~ I don't mind, I've nothing against it

emotionell _adj_ emotional

EMU (förk. för _Economic and Monetary Union_) EMU

1 en _subst_ träd juniper

2 en _adv_ omkring some, about

3 en I (_ett_) _räkn_ one; ~ _och_ ~ _halv timme_ an (one) hour and a half; ~ _till_ another, one more; se _fem_ för ex.

II (_ett_) _obest art_ framför konsonantljud a; framför vokalljud an; ~ _sax_ a pair of scissors

III (_ett_) _pron_ one; _min_ ~_a syster_ one of my sisters; _den_ ~_a_... _den andra_ one... the other; _från det_ ~_a till det andra_ from one thing to another; _den_ ~_a dagen efter den andra_ one day after the other; _vi talade om ett och annat_ we talked about one thing and another; ~ _eller annan bok_ some book or other; _på ett eller annat sätt_ somehow, somehow or other; _vad är du för_ ~? who are you?, förebrående what sort of person are you?

ena _verb_ unite; göra till enhet unify; ~ _sig_ agree [_om_ on, about]

enaktare _subst_ one-act play

enarmad _adj_, ~ _bandit_ vard., spelautomat one-armed bandit

enas _verb_ agree; förenas become united

enastående _adj_ unique, outstanding

enbart _adv_ uteslutande solely, only; ~ _i London finns det_ in London alone there are

enbär _subst_ juniper berry

encyklopedi _subst_ encyclopedia

enda (_ende_) _pron_ only; _hon är_ ~ _barnet_ she is an only child; _den_ ~ the only thing, person the only person; _med ett_ ~ _slag_ at a single blow; _inte en_ ~ _gång_ not once; _inte en_ ~ _människa_ not a single person; _hans_ ~ _talang_ his one talent

endast _adv_ only

endera (_ettdera_) _pron_ av två one of the two, one or other of the two; _du måste göra_ ~ _delen_ you must do one thing or the other; ~ _dagen_ one of these days

endiv _subst_ grönsak chicory, amer. endive

energi _subst_ energy

energibehov _subst_ energy needs, energy requirements

energibesparande _adj_ energy-saving

energiförbrukning _subst_ energy consumption

energiknippe _subst_ vard., _han är ett_ ~ he's a bundle of energy

energikrävande _adj_ tekn. energy-intensive

energikälla _subst_ energy source

energisk _adj_ energetic

energislukande _adj_ se _energikrävande_

energisnål _adj_ energy-saving, economical

energisparande _adj_ energy-saving

enfaldig _adj_ silly, foolish

enformig _adj_ monotonous; trist drab

enfärgad _adj_, _den är_ ~ it is in one colour; _ett enfärgat tyg_ utan mönster a plain material

engagemang _subst_ **1** intresse commitment **2** anställning engagement

engagera _verb_ **1** anställa engage, amer. hire, engage **2** ~ _sig i_ become involved in; delta i engage in, take an active part in

engagerad _adj_ invecklad involved [_i_ in]; känslomässigt committed [_i_ to], dedicated [_i_ to]

engelsk _adj_ English; brittisk ofta British; _Engelska kanalen_ the Channel, the English Channel; ~ _mil_ mile; ~_a pund_ pounds sterling

engelska
Engelskan är det språk som har störst spridning i hela världen. Det är förmodligen också det mest använda. Över 380 miljoner människor i Storbritannien, USA, Australien, Sydafrika, Nya Zeeland och ytterligare några länder har engelska som modersmål. I t.ex. Indien och afrikanska länder med flera språk fungerar engelskan som ett gemensamt andraspråk. Därtill kommer alla de människor som lär sig engelska som ett främmande språk.

engelska *subst* **1** kvinna Englishwoman (pl. Englishwomen); *hon är* ~ she's English **2** språk English; se *svenska 2* för ex.
engelskfödd *adj* English-born; se äv. *svensk-* för sammansättningar
engelsk-svensk *adj* English-Swedish, Anglo-Swedish
engelskvänlig *adj* pro-English, Anglophile
engelsman *subst* Englishman (pl. Englishmen); *han är* ~ he's English; *engelsmännen* som nation, lag etc. the English
England England; Storbritannien ofta Britain, Great Britain
englandsresa *subst* journey to England (Britain), trip to England (Britain)
engångsbelopp *subst* single payment, lump sum
engångsbruk *subst*, *den är för* ~ it is disposable
engångsföreteelse *subst*, *en* ~ an isolated case, vard. a one-off
engångsförpackning *subst* disposable package, throwaway package
engångsglas *subst* non-returnable bottle
enhet *subst* **1** odelat helt, samhörighet unity **2** mat., sjö. unit
enhetlig *adj* uniform
enhetlighet *subst* uniformity
enhetstaxa *subst* standard rate
enhällig *adj* unanimous
enig *adj* unanimous; enad united; *bli (vara)* ~ agree [om about, on]
enighet *subst* unity; samförstånd agreement
enkel *adj* **1** simple; *bara en vanlig* ~ *människa* just an ordinary person **2** lätt simple, easy **3** inte dubbel single; *en* ~

biljett a single ticket, amer. a one-way ticket
enkelhet *subst* simplicity
enkelknäppt *adj* single-breasted
enkelriktad *adj*, ~ *trafik* one-way traffic
enkelrum *subst* single room
enkelt *adv* simply; *helt* ~ simply
enkrona *subst* one-krona piece
enkät *subst* inquiry, poll, survey; frågeformulär questionnaire; *göra en* ~ *om* conduct a survey on
enlighet *subst*, *i* ~ *med* in accordance with
enligt *prep* according to; ~ *lag* by law; ~ *min åsikt* in my opinion
enmansföretag *subst* one-man firm
enmansshow *subst* o. **enmansteater** *subst* one-man show
enorm *adj* enormous, immense
enplansvilla *subst* one-storeyed house, one-storeyed villa, bungalow
enrum *subst*, *tala i* ~ speak privately, speak in private
enrummare *subst* o. **enrumslägenhet** *subst* one-room flat, one-room apartment
ens *adv*, *inte* ~ not even; *med* ~ all at once
ensak *subst*, *det är min* ~ that's my business
ensam *adj* **1** alone; enstaka solitary; ensamstående single; enda sole **2** övergiven lonely
ensamboende *subst* person (pl. people) living alone
ensamhet *subst* **1** solitude **2** övergivenhet loneliness
ensamrätt *subst* sole rights pl.; *med* ~ all rights reserved
ensamstående *adj* single
ensamvarg *subst* lone wolf
ense *adj*, *bli (vara)* ~ agree
ensemble *subst* **1** musik. ensemble **2** teat. cast
ensidig *adj* one-sided; *en* ~ *kost* an unbalanced diet
enskild *adj* privat private; personlig personal; särskild individual; *den* ~*e* the individual
enslig *adj* solitary, lonely
enstaka *adj* enskild separate; sporadisk occasional; ensam solitary; *någon* ~ *gång* once in a while; *i* ~ *fall* in a few cases
enstavig *adj* monosyllabic
enstämmig *adj* unanimous
enstöring *subst* loner
entlediga *verb* dismiss
entledigande *subst* dismissal
entonig *adj* monotonous
entré *subst* **1** ingång entrance; förrum entrance

hall **2** inträde, avgift admission, entrance fee **3** *göra sin* ~ make one's entry, make one's appearance

entréavgift *subst* entrance fee

entrecoto *subst* kok. entrecote

entreprenad *subst* contract; *lämna på* ~ place a contract for

entreprenör *subst* contractor, entrepreneur

enträgen *adj* urgent; ihärdig insistent

enträget *adv* urgently, insistently

entusiasm *subst* enthusiasm

entusiasmera *verb*, ~ *ngn* fill sb with enthusiasm

entusiast *subst* enthusiast

entusiastisk *adj* enthusiastic [*över* about]; ~ *för* keen on

entydig *adj* unambiguous, unequivocal

envar *pron* everybody; *alla och* ~ each and everyone

envis *adj* obstinate, stubborn; ~ *som synden* as stubborn as a mule

envisas *verb* be obstinate [*med att göra* inf. in doing ing-form], persist [*med att göra* inf. in doing ing-form]

envishet *subst* obstinacy, stubbornness

enväldshärskare *subst* autocrat; diktator dictator

enväldig *adj* autocratic

enäggstvillingar *subst pl* identical twins

epidemi *subst* epidemic

epidemisjukhus *subst* isolation hospital

epidemisk *adj* epidemic

epilepsi *subst* med. epilepsy

epileptiker *subst* med. epileptic

episod *subst* episode; intermezzo incident

epok *subst* epoch

epokgörande *adj* epoch-making

e-post *subst* e-mail

e-posta *verb* send by e-mail

e-postmeddelande *subst* e-mail message

er *pron* **1** you; ~ *själv* yourself (pl. yourselves) **2** possessivt your, självst. yours; *en vän till* ~ a friend of yours; *Ers Majestät* Your Majesty

erbjuda *verb* **1** offer; *han erbjöd museet att köpa tavlan* he offered the museum a chance to buy the picture; *hon erbjöd mig att få bo hos henne* she offered to let me stay with her **2** medföra present; *det erbjuder vissa svårigheter* it presents certain difficulties; *så snart tillfälle erbjuder sig* as soon as an opportunity arises; *han erbjöd sig att göra det* he offered to do it

erbjudande *subst* offer; *få* ~ *att*... be offered a chance to...

erektion *subst* fysiol. erection

erfara *verb* få veta learn; få vara med om experience

erfaren *adj* experienced, practised; *on gammal* ~... a veteran...

erfarenhet *subst* experience; *ha* ~ *av ngt* have some experience of sth; *jag har gjort den ~en att*... I have found by experience that...

erforderlig *adj* requisite, necessary

erfordra *verb* require

erfordras *verb* be required

erhålla *verb* receive; skaffa sig obtain

erhållande *subst* mottagande receipt

erinra *verb* remind [*om* of]; ~ *sig* remember, recall

erinran *subst* påminnelse reminder [*om* of]

erkänna *verb* acknowledge, confess; medge admit; ~ *ett brott* confess to a crime; ~ *ett misstag* acknowledge a mistake; ~ *mottagandet av* acknowledge the receipt of; ~ *sig skyldig* inför rätta plead guilty

erkännande *subst* **1** acknowledgement, confession **2** medgivande admission

erlägga *verb* pay; ~ *betalning* make payment

erläggande *subst*, *mot* ~ *av* on payment of

erotik *subst* sex

erotisk *adj* sexual, erotic

ersätta *verb* **1** ~ *ngn* compensate sb [*för* for]; ~ *ngn för hans arbete* remunerate sb for his work; ~ *skadan* repair the damage **2** vara i stället för, byta ut replace [*med* by]

ersättande *subst* utbytande replacement [*med* by]

ersättare *subst* substitute

ersättning *subst* **1** gottgörelse compensation; för arbete remuneration; skadestånd damages pl.; *ge ngn* ~ *för ngt* compensate sb for sth **2** utbyte replacement

ertappa *verb* catch; ~ *ngn med att göra ngt* catch sb doing sth

erövra *verb* conquer; inta capture; vinna win

erövrare *subst* conqueror

erövring *subst* conquest; intagande capture

eskimå *subst* Eskimo (pl. -s)

eskort *subst* escort; *få* ~ *av* be escorted by

eskortera *verb* escort

espresso *subst* kaffe espresso coffee; *en* ~ en kopp espresso an espresso; *två* ~ two espressos

1 ess *subst* kortsp. ace

2 ess *subst* musik. E flat

esse *subst*, *vara i sitt* ~ be in one's element

essens *subst* essence

essä *subst* essay

est *subst* estländare Estonian

estetisk *adj* aesthetic

Estland Estonia

estländare *subst* Estonian

estländsk *adj* o. **estnisk** *adj* Estonian; se *svensk-* för sammansättningar

estniska *subst* **1** kvinna Estonian woman **2** språk Estonian

estrad *subst* platform; för musik bandstand

etablera *verb* inrätta, grunda establish; ~ *sig* slå sig ned settle down; ~ *sig som affärsman* set up in business

etablissemang *subst* establishment

etanol *subst* kem. ethanol, ethyl alcohol

etapp *subst* stage; sport. lap

etc. (förk. för *etcetera*) etc.

etik *subst* ethics (med verb i sing.)

etikett *subst* **1** umgängesformer etiquette **2** lapp label

Etiopien Ethiopia

etiopier *subst* Ethiopian

etiopisk *adj* Ethiopian

etisk *adj* ethical

etnisk *adj* ethnic

etsa *verb* etch; *det har ~t sig fast i mitt minne* it has engraved itself on my memory

etsning *subst* etching

ett *räkn* o. obest art o. pron se *3 en*

etta *subst* (se äv. *femma* för ex.) **1** one; ~*n* el. ~*ns växel* first gear; *komma in som* ~ sport. come in first **2** vard., lägenhet one-room flat, one-room apartment

ettdera *pron* se *endera*

etthundra *räkn* se *hundra* o. *hundra-* för sammansättningar

ettrig *adj* hetsig fiery; hetlevrad hot-tempered

ettårig *adj* **1** *en* ~ *pojke* a one-year old boy **2** växt annual

ettåring *subst* om barn one-year-old child, one-year-old

etui *subst* case

etymologi *subst* etymology

EU (förk. för *Europeiska unionen*) EU

eukalyptus *subst* eucalyptus

euro *subst* myntenhet euro (pl. -s)

eurocheck® *subst* Eurocheque®

eurokrat *subst* Eurocrat

Europa Europe

europamästare *subst* European champion

europamästerskap *subst* European championship

Europaparlamentet *subst* the European parliament

europaväg *subst* European highway

europé *subst* European

europeisk *adj* European; *Europeiska unionen* (förk. *EU*) the European Union (förk. *EU*)

Eurovision *subst* tv. Eurovision

evakuera *verb* evacuate

evakuering *subst* evacuation

evangelisk *adj* relig. evangelical

evangelium *subst* relig. gospel

evenemang *subst* great event, great occasion

eventualitet *subst* eventuality; möjlighet possibility; *för alla ~er* in order to provide against emergencies

eventuell
Det engelska ordet *eventually* betyder till sist, slutligen, så småningom.

eventuell *adj* possible; ~*a fel* any faults that may occur; *våra ~a förluster* our possible losses; our losses, if any; ~*a kostnader* any costs that may arise

eventuellt *adv* possibly; *jag kan* ~ *hjälpa dig* I may be able to help you; *om han* ~ *skulle komma* if he should come

evig *adj* eternal, everlasting; *den ~a staden* Rom the Eternal City; *det var en* ~ *tid sedan...* it is ages since...

evighet *subst* eternity; *det är ~er sedan...* it is ages since...; *det tog en* ~ it took ages

evigt *adv* eternally, everlastingly; *för* ~ for ever

evolution *subst* evolution

exakt *adj* exact

exalterad *adj* uppjagad over-excited

examen *subst* **1** själva prövningen examination, exam; *ta* ~ pass an examination; *kuggas i* ~ fail an examination **2** utbildningsbetyg degree; lärarexamen etc. certificate; *en* ~ *från Stockholms universitet* a Stockholm degree

examinator *subst* examiner

examinera *verb* förhöra examine

excellens *subst*, *Ers* ~ Your Excellency

excentrisk *adj* eccentric

exceptionell *adj* exceptional

exekution *subst* execution
exekutionspluton *subst* firing-squad
exempel *subst* example [*på* of], instance [*på* of]; *till* ~ (förk. *t. ex.*) for example, for instance
exempelvis *adv* for example
exemplar *subst* av bok etc. copy; av en art specimen
exemplarisk *adj* exemplary
exemplifiera *verb* exemplify
exhibitionist *subst* exhibitionist
exil *subst* exile; *leva i* ~ live in exile
existens *subst* tillvaro existence; utkomst livelihood
existensminimum *subst*, *leva på* ~ live at subsistence level
existera *verb* exist
exklusiv *adj* exclusive
exklusive *prep* excluding, exclusive of
exkrementer *subst pl* excrement sing.
exotisk *adj* exotic
expandera *verb* expand
expansion *subst* expansion
expediera *verb* **1** sända send, send off, dispatch **2** beställning carry out **3** telefonsamtal put through **4** betjäna serve, attend to
expediering *subst* **1** sändning sending, sending off, dispatch **2** av beställning carrying out **3** av telefonsamtal putting through **4** ~ *av kunder* serving customers
expedit *subst* shop assistant, amer. clerk, salesclerk
expedition *subst* **1** lokal office **2** resa, trupp etc. expedition
experiment *subst* experiment
experimentell *adj* experimental
experimentera *verb* experiment
expert *subst* expert [*på* on, in]
expertis *subst* **1** experter experts **2** sakkunskap expertise, vard. know-how
exploatera *verb* exploit
exploatering *subst* exploitation
explodera *verb* explode, blow up; om något uppumpat burst; ~ *av ilska* explode with anger
explosion *subst* explosion
explosiv *adj* explosive; ~*a ämnen* explosives
expo *subst* exhibition, vard. expo (pl. -s)
exponera *verb* expose äv foto.
exponering *subst* exposure äv. foto.
exponeringsmätare *subst* foto. exposure meter
exponeringstid *subst* foto. time of exposure, exposure time

export *subst* utförsel export; varor exports pl.
exportera *verb* export
exportvara *subst* export commodity
exportör *subst* exporter
express *adv* express
expressbefordran *subst* express delivery, special delivery
expressbrev *subst* express letter, special delivery letter
expressbyrå *subst* removal firm, amer. express company
expresståg *subst* express, express train
expropriation *subst* expropriation
expropriera *verb* expropriate
extas *subst* ecstasy; *råka i* ~ go into ecstasies
extatisk *adj* ecstatic
extensiv *adj* extensive
exteriör *subst* exterior
extern *adj* external
extra I *adj* extra, additional; ovanlig special **II** *adv* extra; ovanligt exceptionally
extrabuss *subst* extra (relief) bus
extrahera *verb* extract [*ur* from]
extrainkomst *subst* o. **extrainkomster** *subst pl* additional income sing., additional earnings pl.
extraknäck *subst* vard., bisyssla job on the side; extraknäckande moonlighting
extraknäcka *verb* earn money on the side, do a job on the side, moonlight
extrakt *subst* extract [*ur* from]
extranummer 1 av tidning special edition **2** vid t.ex. konsert encore
extrapris *subst*, *det är* ~ *på kaffe* coffee is on special offer, spec. amer. coffee is on special
extrasäng *subst* spare bed
extratåg *subst* special train; dubblerat relief train
extrautgifter *subst pl* extra expenditure sing., additional expense sing.
extravagans *subst* extravagance
extravagant *adj* extravagant
extrem *adj* extreme
extremism *subst* extremism
extremist *subst* extremist
extremitet *subst* extremity
eyeliner *subst* kosmetika eyeliner

Ff

f *subst* musik. F
fabel *subst* fable
fabricera *verb* **1** tillverka manufacture **2** hitta på, t.ex. historia make up, fabricate

fabrik
Det engelska ordet *fabric* betyder tyg, struktur.

fabrik *subst* **1** factory **2** bruk, verk works (pl. lika) **3** textilfabrik mill
fabrikant *subst* tillverkare manufacturer
fabrikat *subst* **1** vara manufacture, product **2** tillverkning make
fabrikationsfel *subst* manufacturing defect
fabriksarbetare *subst* factory hand, factory worker
fabriksgaranti *subst* maker's guarantee
fabriksny *adj*, **den är** ~ it is fresh from the factory
fabrikstillverkad *adj* factory-made
fabriksvara *subst* factory-made article; *fabriksvaror* manufactured goods
facit *subst* svar key; slutresultat final result; *det är lätt att vara efterklok med* ~ *i hand* it is easy to be wise after the event
fack *subst* **1** i hylla etc. compartment, pigeonhole **2** gren inom industri branch, trade **3** fackförening trade union; *gå med i ~et* join the union
fackeltåg *subst* torchlight procession
fackförbund *subst* av fackföreningar vanligen national trade union, amer. labor union
fackförening *subst* trade union, amer. labor union
fackföreningsavgift *subst* trade-union dues pl., amer. labor-union dues pl.
fackföreningsrörelse *subst* trade-union movement, amer. labor-union movement
fackidiot *subst* vard. narrow specialist
fackla *subst* torch
facklig *adj*, ~*a frågor* trade-union matters, amer. labor-union matters
fackligt *adv*, *han är* ~ *organiserad* he belongs to a trade union, amer. he belongs to a labor union
facklitteratur *subst* **1** specialist literature, technical literature **2** motsats: skönlitteratur non-fiction
fackman *subst* professional; sakkunnig expert
fackspråk *subst* technical language, technical jargon
fackterm *subst* technical term
fadd *adj* flat, stale
fadder *subst* **1** godfather, godmother **2** *stå* ~ *för* sponsor
fadderbarn *subst* **1** godchild **2** krigsbarn etc. sponsored child, adopted child
fader *subst* father
faderlig *adj* fatherly; som tillkommer en far paternal
fadersfixering *subst* father fixation
faderskap *subst* fatherhood; *erkänna* ~*et* jur. acknowledge paternity
fadervår *subst* bönen, katolsk the Lord's Prayer, Our Father
fadäs *subst*, *göra en* ~ put one's foot in it
fager *adj* litt. fair
faggorna *subst pl*, *vara i* ~ be on the way
fagott *subst* musik. bassoon
fairway *subst* golf. fairway
fajta *verb* o. **fajtas** *verb* fight
faktisk *adj* actual, real
faktiskt *adv* as a matter of fact, really
faktor *subst* factor
faktum *subst* fact
faktura *subst* invoice
fakturera *verb* invoice
fakultet *subst* faculty; *juridiska* ~*en* the faculty of law
falang *subst* polit. wing
falk *subst* fågel falcon
fall *subst* **1** fall; *ett* ~ *framåt* a step in the right direction **2** förhållande, rättsfall case; *i alla* ~ a) i alla händelser in any case, anyhow b) trots det nevertheless, all the same; *i annat* ~ otherwise; *i bästa* ~ at best; *i så* ~ in that case, if so; *i varje* ~ el. *i vilket* ~ *som helst* in any case; *i värsta* ~ if the worst comes to the worst
falla I *verb* fall; *låta förslaget* ~ drop the proposal; *det faller av sig självt* it goes without saying; ~*nde tendens* downward tendency; *det faller sig naturligt för mig att...* it seems (comes) natural for me to...; *det föll sig så att...* it so happened that...; ~ *på plats* fall into place
II *verb* med betonad partikel
falla av fall off
falla bort drop off, fall off
falla igenom om t.ex. lagförslag be defeated

falla ihop 1 fall in, fall down **2** bryta samman break down, collapse
falla in: *det föll mig in* it occurred to me, it struck me; *det skulle aldrig ~ mig in!* I wouldn't dream of it!
falla ned fall down, drop down
falla omkull fall over, fall down
falla sönder fall to pieces
falla undan yield, give away [*för* to]
fallenhet *subst*, *ha ~ för* have an aptitude for
fallfrukt *subst* windfalls pl.
fallfärdig *adj* ramshackle, tumbledown
fallgrop *subst* pitfall
fallrep *subst*, *han är på ~et* he's going downhill; ekonomiskt he's on the brink of ruin
fallskärm *subst* parachute; *hoppa med ~* make a parachute jump
fallskärmsavtal *subst* ekon. golden parachute
fallskärmshopp *subst* parachute jump
fallskärmshoppare *subst* parachute jumper
fallucka *subst* trapdoor
falsett *subst* **1** musik. falsetto (pl. -s) **2** *tala i ~* talk in a high piping voice
falsk *adj* false; om check, sedel etc. forged; *~a förhoppningar* vain hopes; *~t pass* forged passport
falskdeklarant *subst* skattesmitare tax evader
falskdeklaration *subst* **1** falskdeklarerande tax evasion **2** falsk självdeklaration fraudulent income-tax return
falskt *adv* **1** falsely; *spela ~* kortsp. cheat **2** musik. out of tune
falukorv *subst* Falun sausage kind of lightly-smoked boiled sausage
familj *subst* family; *~en Brown* the Brown family, the Browns pl.; *bilda ~* marry and settle down
familjedaghem *subst* registered childminding home, family day nursery
familjeföretag *subst* family business
familjeförhållanden *subst pl* family circumstances
familjeförsörjare *subst* breadwinner
familjehotell *subst* family hotel
familjekrets *subst* family circle
familjemedlem *subst* member of a family
familjeplanering *subst* family planning
familjerådgivare *subst* family guidance counsellor
familjerådgivning *subst* family guidance, family counselling
familjeskäl *subst*, *av ~ för* family reasons
familjär *adj* familiar [*mot* with]
famla *verb* grope [*efter* for, after]

famn *subst* **1** armar arms pl.; fång armful **2** *ta i ~en* embrace, hug
famntag *subst* embrace, hug
1 fan *subst* den Onde the Devil; *fy ~!* hell!; *springa som ~* run like hell; *det var som ~!* well, I'll be damned!; *vad ~?* what the devil?; *var ~?* where the devil?; *det ger jag ~ i* I don't care a damn about that; *tacka ~ för det!* I should damn well think so!
2 fan *subst* entusiast fan
fana *subst* flag, banner
fanatiker *subst* fanatic
fanatisk *adj* fanatical
fanatism *subst* fanaticism
fanfar *subst* fanfare, flourish
fanskap *subst* vard., *hela ~et* the whole damned lot
fantasi *subst* **1** inbillningsförmåga imagination **2** inbillning, infall fancy; *det är rena ~er* påhitt it is pure invention; *hon har livlig ~* ofta iron. she has a vivid imagination
fantasifull *adj* **1** imaginative **2** inbillad fanciful
fantasilös *adj* unimaginative
fantasipris *subst* fancy price, exorbitant price
fantasivärld *subst* make-believe world
fantastisk *adj* fantastic
fantisera *verb* fantasize [*om* about], dream [*om* of]; *~ ihop* invent
fantom *subst* phantom
fantombild *subst* konstruerad identifieringsbild identikit, amer. composite
far *subst* father, vard. dad, pa, barnspr. daddy, spec. amer. pop, papa; *~s dag* Father's Day; *bli ~* become a father; *han är ~ till...* he is the father of...
1 fara *subst* danger; risk risk; *det är ~ för krig* there is a danger of war; *det är ingen ~ för det!* there is no danger of that; *det är ingen ~ med honom* don't worry about him; *vara utom ~* be out of danger; *vid ~* in case of danger; *signalen 'faran över'* the all-clear signal
2 fara I *verb* go [*till* to]; avresa leave, set out [*till* for]; resa, färdas travel; *han lät blicken ~ över...* he ran his eye over...; *han far illa av att...* it is bad for him to...
II *verb* med betonad partikel
fara fram husera carry on, go on; härja ravage; *~ hårt fram med ngn* give sb a rough time of it
fara ifrån ngt t.ex. sin väska leave sth behind
fara in i enter, go into
fara i väg go off, set out; rusa go off, rush

fara omkring el. **fara hit och dit** resa go about, travel about, köra drive about

fara upp 1 rusa upp jump up, jump to one's feet; ~ **upp ur sängen** jump out of bed **2** öppna sig fly open

fara ut mot ngn let fly at sb

farbar adj om väg passable; om farvatten navigable

farbror subst **1** uncle, paternal uncle **2** man, **en snäll gammal** ~ a nice old man

farfar subst grandfather, paternal grandfather, vard. grandpa, granddad; ~**s far** great-grandfather; ~**s mor** great-grandmother

farföräldrar subst pl, **mina** ~ my grandparents, my grandparents on my father's side

farhåga subst fear, apprehension [för about]

farinsocker subst brown sugar

farkost subst boat, craft (pl. craft)

farled subst shipping channel, fairway

farlig adj dangerous [för for]; riskfylld risky; **det är inte så** ~**t** it is not so bad; det gör ingenting it doesn't matter

farlighet subst danger

farm subst farm

farmaceut subst pharmacist

farmakolog subst pharmacologist

farmakologi subst pharmacology

farmare subst farmer

farmor subst grandmother, paternal grandmother, vard. grandma, granny; ~**s far** great-grandfather; ~**s mor** great-grandmother

farozon subst danger zone; **vara i** ~**en** be in danger

fars subst farce

farsa subst vard. dad, old man, amer. pop; **min** ~ my old man, my dad

farsartad adj farcical

farsot subst **1** sjukdom epidemic **2** riktig plåga plague, epidemic

farstu subst entrance hall, vestibule; trappavsats landing

fart subst **1** speed; takt, tempo pace; **få** ~ gather speed; **minska** ~**en** slow down, reduce speed; **sätta** ~ skynda på hurry up, vard. step on it; **sätta** ~ **på ngn** make sb get a move on, make sb hurry up; **av bara** ~**en** automatically; i hastigheten unintentionally; **i full** ~ at full speed; **med en** ~ **av** at a speed of; **hon är jämt i** ~**en** she's always on the go; **vandaler har varit i** ~**en**

vandals have been at it; **det är ingen** ~ **i honom** he's without any go

fartbegränsning subst speed limit

fartblind adj, **vara** ~ fail to adjust to a slower speed

fartdåre subst vard. speeder, speed merchant

fartfylld adj action-packed

fartgupp subst o. **farthinder** subst speed bump, vard. sleeping policeman

farthållare subst **1** sport. pacemaker **2** **automatisk** ~ bil. cruise control

fartkontroll subst trafik. speed check, ej synlig speed trap

fartsyndare subst speeder

fartyg subst vessel, ship

fartökning subst increase in speed

farvatten subst område waters pl.

farväl I interj farewell!
II subst farewell; **ta** ~ say goodbye; **ta ett sista** ~ **av ngn** pay sb one's last respects

fas subst skede phase

fasa I subst horror; skräck terror; **krigets fasor** the horrors of war
II verb frukta shudder [för at]; ~ **för att göra ngt** dread doing sth

fasad subst front, façade

fasadbelysa verb floodlight

fasadbelysning subst **1** floodlighting **2** strålkastare floodlights pl.

fasan subst fågel pheasant

fasanhöna subst hen pheasant

fasansfull adj förfärlig horrible, terrible

fasantupp subst cock pheasant

fascinera verb fascinate

fascism subst, ~ el. ~**en** Fascism

fascist subst Fascist

fascistisk adj Fascist

fasett subst facet

fashionabel adj fashionable

faslig adj dreadful; **ett** ~**t besvär** an awful bother

fason subst form shape, form; **få** ~ **på ngn** lick sb into shape; **få** ~ **på ngt** put sth into shape; **sådana** ~**er!** what a way to behave!; **vad är det för** ~**er?** what do you mean by such behaviour?

1 fast I adj **1** firm; fastsatt fixed; ej flyttbar stationary; motsats: flytande solid; stadigvarande fixed, permanent; ~ **anställning** permanent appointment, permanent job; ~ **bostad** permanent address; ~ **egendom** real property, real estate; **ta** ~ **form** assume a definite shape; **med en** ~ **hand** with a firm hand; ~ **lön** fixed salary; **ha** ~ **mark under fötterna** be on firm

ground; ~ *pris* fixed price; ~ *situation* sport. dead-ball situation, set piece **2 bli** ~ fasttagen get caught; *ta* ~ get hold of; *få* ~ catch hold of
II *adv* firmly; *vara* ~ *anställd* be permanently employed; ~ *besluten* firmly resolved, determined
2 fast *konj* though, although
1 fasta *subst*, *ta* ~ *på* ngns ord make a mental note of; komma ihåg bear in mind; ta som utgångspunkt take as one's starting point
2 fasta I *subst* **1** fastande fasting; *tre dagars* ~ a fast of three days **2** ~*n* fastlagen Lent
II *verb* fast; *på* ~*nde mage* on an empty stomach
faster *subst* aunt, paternal aunt
fastighet *subst* house property; med jord landed property; fast egendom real estate
fastighetsmäklare *subst* estate agent, amer. real estate agent, realtor
fastighetsskatt *subst* tax on real estate
fastighetsskötare *subst* caretaker, amer. janitor
fastlagen *subst* Lent
fastlagsris *subst* twigs pl. with coloured feathers used as a decoration during Lent
fastland *subst* mainland; världsdel continent
fastlåst *adj* som kört fast deadlocked
fastna *verb* get caught; get stuck; klibba stick; komma i kläm get wedged; *jag* ~*de för* I decided on; ~ *i minnet* stick in the memory, stick in one's memory; *han* ~*de med jackan på en spik* his jacket caught on a nail; *min blick* ~*de på*... my eye was caught by...
fastslå *verb* konstatera establish; ~ *att*... establish the fact that...
fastspänd *adj* med rem fastened; om barn i bilbarnstol strapped [*i* to]; *de är* ~*a* they have their seat belts on
fastställa *verb* **1** bestämma appoint, fix **2** konstatera establish
fastställande *subst* **1** bestämmande appointment, fixing **2** konstaterande establishment
fastvuxen *adj* firmly rooted [*vid* to]
fastän *konj* though, although
fat *subst* **1** för mat dish; tefat saucer **2** tunna barrel; mindre cask; kar vat; *öl från* ~ draught beer
fatal *adj* ödesdiger fatal, disastrous
fatalist *subst* fatalist
1 fatt *adj*, *hur är det* ~*?* what's the matter?, vard. what's up?

2 fatt *adv*, *få* ~ *i* (*på*) get hold of; *ta* ~ *i* catch hold of
fatta *verb* **1** gripa catch, grasp; hugga tag i seize, take hold of **2** ~ *ett beslut* a) come to a decision b) vid möte pass a resolution; ~ *misstunkar mot* begin to suspect, become suspicious of; ~ *mod* take courage; ~ *tycke för* take a fancy to **3** begripa understand, grasp; *ha lätt att* ~ be quick on the uptake; *ha svårt för att* ~ be slow on the uptake **4** ~ *sig kort* be brief
fattas *verb* be wanting, be lacking; saknas be missing; behövas be needed; *det* ~ *100 kronor i kassan* there is 100 kronor missing in the cashbox; *klockan* ~ *tio minuter i sex* it's ten minutes to six; *det* ~ (*fattades*) *bara, att jag skulle gå dit!* I wouldn't dream of going there!; *det* ~ *bara!* el. *det skulle bara* ~ *annat!* I should jolly well think so!
fattig *adj* poor; behövande needy; *de* ~*a* the poor; ~*a riddare* kok. French toast; *en* ~ *stackare* a poor wretch
fattigdom *subst* poverty
fattigdomsfälla *subst* vard. poverty trap
fattiglapp *subst* vard., *en* ~ a down-and-out
fattning *subst* **1** grepp grip, hold **2** för glödlampa socket, lamp holder; för t.ex. ädelsten setting **3** behärskning composure; *behålla* ~*en* keep one's head, vard. keep one's cool; *förlora* ~*en* lose one's head; *bringa ngn ur* ~*en* disconcert sb, put sb out
fatöl *subst* draught beer, amer. draft beer, beer on draft
favorisera *verb* favour
favorit *subst* favourite
favoriträtt *subst* favourite dish
favorittippad *adj*, *hästen är* ~ the horse is a hot favourite
favorituttryck *subst* favourite expression, pet phrase
favör *subst* favour; fördel advantage
fax *subst* fax
faxa *verb* fax
faxmeddelande *subst* data. fax message
f.d. (förk. för *före detta*) se under *2 före I 2*
fe *subst* fairy
feber *subst* fever; *hög* ~ a high temperature, a high fever; *få* ~ run a temperature; *40 graders* ~ a temperature of 40 degrees Celsius
feberaktig *adj* feverish
feberfri *adj*, *vara* ~ be free from fever
febertermometer *subst* clinical thermometer
febrig *adj* feverish

febril *adj* feverish; ~ *aktivitet* feverish activity, frantic activity

februari *subst* February (förk. Feb.); se *april* för ex.

federal *adj* federal

federation *subst* federation

feg *adj* cowardly; *en* ~ *stackare* a coward; *han är* ~ he is a coward

feghet *subst* cowardice

fegis *subst* vard. coward, barnspr. fraidy-cat

fejd *subst* feud

fejka *verb* vard. fake

fel I *subst* **1** mistake, error; *ett grovt* ~ a serious mistake; *göra (begå ett)* ~ make a mistake, mindre make a slip; *hela* ~*et är att...* the whole trouble is that...; *det är ngt* ~ *på...* there is sth wrong with... **2** defekt defect, fault **3** skuld fault; *vems är* ~*et?* whose fault is it?

II *adj* wrong; *uppge* ~ *adress* give the wrong address

III *adv* wrong; *gå* ~ fel väg go the wrong way; vilse lose one's way; *min klocka går* ~ my watch is wrong; *allt gick* ~ everything went wrong; *ha* ~ be wrong; *jag har kommit* ~ tele. I've got the wrong number; *det slår aldrig* ~*!* it never fails!; *om jag inte tar* ~ if I'm not mistaken; *jag tog* ~ *på honom och min bror* I mistook him for my brother; *ta* ~ *på tiden* make a mistake about the time

feladresserad *adj* wrongly addressed

felaktig *adj* **1** oriktig incorrect; osann false; ~ *användning* misapplication **2** behäftad med fel faulty, defective

felaktighet *subst* fel error, fault, mistake

felbedöma *verb* misjudge, miscalculate

felbedömning *subst* miscalculation

felfri *adj* faultless, flawless

felmarginal *subst* margin of error

felparkerad *adj*, *stå* ~ be wrongly parked

felparkering *subst* förseelse parking offence

felringning *subst* wrong number

felräkning *subst* miscalculation

felskrivning *subst*, *en* ~ a slip of the pen; med skrivmaskin a typing error

felstavad *adj* wrongly spelt, misspelt

felstavning *subst* misspelling

felsteg *subst* slip, false step

felsägning *subst*, *en* ~ a slip of the tongue

feltryck *subst* misprint

felunderrättad *adj* misinformed

felöversatt *adj* mistranslated

fem *räkn* fem; *vi* ~ the five of us; *vi var* ~ there were five of us; ~ *och* ~ fem åt gången

five at a time; *vinna med 5—3* win by 5—3, win 5—3; *kunna ngt på sina* ~ *fingrar* know sth backwards; *en* ~ *sex gånger* some five or six times; ~ *hundra* five hundred; ~ *tusen* five thousand; *tåget går 5.20* the train leaves at five twenty; *han kom klockan halv* ~ he came at half past four; *han bor på Storgatan 5* he lives at 5 Storgatan

fembarnsfamilj *subst* family with five children

femcylindrig *adj*, *en* ~ *bil* a five-cylinder car; *bilen är* ~ the car has five cylinders

femdagarsvecka *subst* five-day week

femföreställning *subst* five-o'clock performance

femhundra *räkn* five hundred

femhundrade *räkn* five hundredth

femhundradel *subst* five hundredth

femhundralapp *subst* five-hundred-krona note, amer. five-hundred-krona bill

femhundratal *subst*, ~*et* århundrade the sixth century; *på* ~*et* in the sixth century

femhundraårsjubileum o.

femhundraårsminne *subst* five-hundredth anniversary

femhörning *subst* pentagon

feminin *adj* om kvinnor el. män feminine

femininum *subst* genus the feminine gender

feminism *subst*, ~ el. ~*en* feminism

feminist *subst* feminist

femkamp *subst* sport. pentathlon

femkampare *subst* sport. pentathlete

femkrona *subst* o. **femkronorsmynt** *subst* five-krona piece

femma *subst* five; *en* ~ belopp five kronor; ~*n* a) om hus, buss etc. No. 5, number 5 b) skol. the fifth class, the fifth form; ~*n i hjärter* the five of hearts; *han kom in som* ~ he came in fifth; *han ligger* ~ he is fifth; *det var en annan* ~ vard. that's quite another matter

femrummare *subst* o. **femrumslägenhet** *subst* five-room flat, five-room apartment

femsidig *adj* five-sided

femsiffrig *adj*, *talet är* ~*t* it is a five-figure number; *ett* ~*t nummer* a five-figure number

femsitsig *adj*, *bilen är* ~ the car seats five

femslaget *subst*, *vid* ~ vid femtiden at about five

femstjärnig *adj*, *ett* ~*t hotell* a five-star hotel

femtal *subst* five; *ett* ~ about five

femte *räkn* fifth (förk. 5th); *den (det)* ~ *från*

slutet the last but four; **för det** ~ in the fifth place; vid uppräkning fifthly; **den** ~ **april** on the fifth of April, on April 5th; i brevdatering April 5th, 5th April; **i dag är det den** ~ today it is the fifth; **vart** ~ **år** every fifth year, every five years; **komma på** ~ **plats** come fifth

femtedel subst fifth, fifth part; **två** ~**ar** two fifths; **en** ~**s sekund** a fifth of a second

femteplacering subst, **få en** ~ come fifth

femteplats subst fifth place

femti räkn vard. se femtio

femtiden subst, **vid** ~ at about five o'clock

femtielfte räkn vard., **för** ~ **gången** for the umpteenth time, for the umptieth time

femtilapp subst fifty-krona note, amer. fifty-krona bill

femtio räkn fifty; se fem för ex.

femtiofem räkn fifty-five

femtiofemte räkn fifty-fifth

femtionde räkn fiftieth

femtiotal subst fifty; ~**et** åren 50—59 the fifties; **på** ~**et** 1950-talet in the fifties, in the nineteen-fifties, in the 50's, in the 1950's; **i början på** ~**et** in the early fifties; **i slutet på** ~**et** in the late fifties

femtioårig adj fifty-year-old

femtioåring subst fifty-year-old

femtioårsdag subst fiftieth anniversary; födelsedag fiftieth birthday

femtioårsjubileum o. **femtioårsminne** subst o. subst fiftieth anniversary

femtioårsåldern subst, **en man i** ~ a man aged about fifty; **vara i** ~ be about fifty

femtiööring subst fifty-öre piece

femton räkn fifteen; **klockan 15** at 3 o'clock in the afternoon, at 3 p.m.; se fem för ex. o. fem- för sammansättningar

femtonde räkn fifteenth (förk. 15th); se femte för ex. o. femte- för sammansättningar

femtondel subst fifteenth; se femtedel för ex.

femtonhundra räkn fifteen hundred

femtonhundrafemtio räkn fifteen hundred and fifty

femtonhundrameterslopp subst fifteen-hundred-metre race, 1500-metre race

femtonhundratalet subst the sixteenth century; **på** ~ in the sixteenth century

femtonåring subst fifteen-year-old

femtusen räkn five thousand

femtusende räkn five thousandth

femtåget subst the five-o'clock train

femvåningshus subst i fem plan five-storeyed house, amer. five-storied house

femväxlad adj, **en** ~ **bil** a car with five-speeds; **den är** ~ it has five forward speeds

femårig adj **1 en** ~ **flicka** a five-year-old girl **2** som varar (varat) i fem år, **en** ~ **plan** a five-year plan; **avtalet är** ~ **t** the agreement is for five years

femåring subst, **en** ~ a five-year-old

femårsdag subst fifth anniversary, födelsedag fifth birthday

femårsjubileum subst o. **femårsminne** subst fifth anniversary

femårsperiod subst five-year period

femårsåldern subst, **en pojke i** ~ a boy aged about five; **vara i** ~ be about five

fena subst fisk, flygplan fin; **utan att röra en** ~ without moving a limb

fenomen subst phenomenon (pl. phenomena)

fenomenal adj phenomenal, extraordinary

ferier subst pl holidays; univ. el. amer. vacation

ferieskola subst summer school

fernissa subst o. verb varnish

fertil adj fertile

fess subst musik. F flat

fest subst **1** bjudning party; **gå på** ~ go to a party; **ha** ~ have a party **2** firande celebration; festmåltid banquet, feast **3** festlighet festivity; högtidlighet ceremony

festa verb **1** kalasa feast [**på** on] **2** ~ el. ~ **om** roa sig go on a spree, go on a binge; dricka booze

festföreställning subst gala performance

festival subst festival

festklädd adj, **hon var** ~ she was dressed for a party

festlig adj **1 vid** ~**a tillfällen** on festive occasions **2 hon är en** ~ **typ** she is great fun

festlighet subst festivity

festlokal subst pl se festvåning

festmåltid subst högtidlig, officiell feast, banquet

festspel subst pl festival sing.

festtåg subst procession

festvåning subst assembly rooms pl., banqueting rooms pl.

fet adj fat, om person stout, fat; ~**t hår** greasy hair; ~ **mat** fatty food, rich food; ~ **stil** bold type, bold

fetisch subst fetish

fetlagd adj stout

fetma subst **1** fatness, hos person stoutness **2** med. obesity

fett subst fat; smörjfett grease; flott lard

fettbildande adj fattening

fettfri *adj* fat-free
fetthalt *subst* fat content; fettprocent percentage of fat
fetthaltig *adj* fatty

---

fettisdag
Shrove Tuesday är första dagen i fastan. I England äter man pannkakor på fettisdagen. Den kallas därför också *Pancake Day*. På en del orter anordnar man pannkakslopp, *pancake races*. Deltagarna har en pannkaka i en stekpanna. Samtidigt som man springer i kapp kastar man upp pannkakan i luften och fångar den i stekpannan.

---

fettisdag *subst,* ~*en* tisdagen efter fastlagssöndagen Shrove Tuesday
fetvadd *subst* cotton wadding
fia *subst* spel. ludo, amer., ungefär pachisi, Parcheesi®
fiasko *subst* fiasco (pl. -s); *göra* ~ be a fiasco
fiber *subst* fibre äv. i kost
fiberrik *adj,* ~ *kost* a diet that is rich in fibre
ficka *subst* pocket; *stoppa ngt i* ~*n* put sth in one's pocket
fickformat *subst, en kamera i* ~ a pocket-size camera
fickkniv *subst* pocketknife
ficklampa *subst* torch, spec. amer. flashlight
fickparkera *verb* squeeze one's car into a kerbside parking space
fickpengar *subst pl* pocket money sing.
ficktjuv *subst* pickpocket
fiende *subst* enemy [*till* of]; *skaffa sig* ~*r* make enemies
fiendskap *subst* enmity; *leva i* ~ be at enmity
fientlig *adj* hostile [*mot* to]; ~*t flyg* mil. enemy aircraft
fientlighet *subst* hostility
fiffa *verb* vard., ~ *upp* smarten up
fiffel *subst* cheating, fiddling; handlingar crooked dealings pl.
fiffig *adj* fyndig clever, ingenious, smart
fiffla *verb* vard. cheat, fiddle
fifflare *subst* vard. fiddler, wangler
fifty-fifty *adv, dela* ~ share fifty-fifty, go fifty-fifty
figur *subst* figure; individ individual; *göra en slät (ömklig)* ~ cut a poor figure
figurera *verb* appear, figure

figursydd *adj* close-fitting, tailored
figuråkning *subst* figure-skating
fik *subst* vard. café
fika vard. I *subst* kaffe coffee
II *verb* dricka kaffe have some coffee
fikapaus *subst* vard. o. **fikarast** *subst* vard. coffee break
fikon *subst* fig
fikonlöv *subst* fig leaf
fiktion *subst* fiction
fiktiv *adj* fictitious
1 fil *subst* **1** rad row **2** körfält lane; *byta* ~ change lanes; *lägga sig i rätt* ~ get into the right lane
2 fil *subst* filmjölk, ungefär sour milk
3 fil *subst* verktyg file
4 fil *subst* data. file
fila *verb* file
fildelning *subst* data. file sharing
fil. dr se *filosofie*
filé *subst* kok. fillet
filial *subst* branch
filialkontor *subst* branch office
Filippinerna *pl* the Philippines, the Philippine Islands
fil. kand. se *filosofie*
filkörning *subst* driving in traffic lanes
film *subst* **1** film **2** på bio picture, movie; *en tecknad* ~ a cartoon, an animated cartoon
filma *verb* **1** göra film, göra film av film **2** medverka i film act in films **3** vard., låtsas sham, fake, pretend **4** fotb. etc., falla avsiktligt, för att få ett straff take a dive
filmateljé *subst* film studio
filmatisera *verb,* ~ *ngt* adapt sth for the screen
filmatisering *subst* screen version
filmcensur *subst* film censorship
filmduk *subst* screen
filmfotograf *subst* cameraman
filminspelning *subst* filming, shooting
filmjölk *subst* ungefär soured milk
filmkamera *subst* film camera, movie camera
filmproducent *subst* film producer
filmregissör *subst* film director
filmroll *subst* film role
filmrulle *subst* foto. roll of film
filmskådespelare *subst* film actor
filmstjärna *subst* film star, movie star
filosof *subst* philosopher
filosofera *verb* philosophize [*över* about]
filosofi *subst* philosophy
filosofie *adj,* ~ *doktor* (förk. *fil. dr*) Doctor of Philosophy (förk. Ph.D. efter namnet); ~ *kandidat* (förk. *fil. kand.*) motsvarar ungefär

Bachelor of Arts (förk. B.A. efter namnet); i naturvetenskap Bachelor of Science (förk. B.Sc.) efter namnet

filosofisk *adj* philosophic, philosophical

filt *subst* **1** sängfilt blanket **2** tyg felt, felting

filter *subst* filter; på cigarett filter tip

filtercigarett *subst* filter-tipped cigarette

filtpenna *subst* felt-tip, felt pen

filtrera *verb* filter

filur *subst* sly dog; *en riktig liten ~ a* cunning little devil

fimp *subst* fag-end

fimpa *verb* stub out

fin *adj* fine; elegant smart; bra fine, very good; *~a betyg* high marks, amer. high grades; *en ~ middag* a first-rate dinner; *på ett ~t sätt* tactfully; *~t! fine!*, good!; *göra ~t i rummet* tidy up in the room, make things look nice in the room; *klä sig ~* dress up; *vad ~ du är!* you're looking smart!

final *subst* **1** sport. final; *gå (komma) till ~en* reach the final, reach the finals **2** musik. finale

finalist *subst* finalist

finansdepartement *subst* ministry of finance

finanser *subst pl* finances; *ha bra ~* my finances are looking up; *jag har dåliga ~* my finances are in a real mess

finansiell *adj* financial

finansiera *verb* finance, fund

finansiering *subst* financing, funding

finansman *subst* financier

finansminister *subst* minister of finance

finanspolitik *subst* financial policy

finemang *interj*, *~!* fine!, great!

finess *subst* **1** förfining refinement **2** *~er* fiffiga detaljer exclusive features

finfin *adj* tip-top, splendid, first-rate

finfördela *verb* pulverisera grind into fine particles, pulverize

---

fingrar

lillfinger *little finger, short finger,* (framför allt amer.) pinkie, ringfinger *ring finger,* långfinger *middle finger,* pekfinger *forefinger, index finger,* tumme *thumb*

---

finger *subst* finger; *ha ett ~ med i spelet* have a finger in it, have a finger in the pie; *hålla fingrarna borta från ngt* keep one's hands off sth; *inte lyfta ett ~ för att...* not lift a finger to...; *han lägger*

inte fingrarna emellan då det gäller... he takes a tough line with...; *kunna ngt på sina fem fingrar* know sth backwards, know sth from A to Z; *se genom fingrarna med ngt* shut one's eyes to sth; *slå ngn på fingrarna* a) tillrättavisa rap sb over the knuckles, come down on sb b) överträffa beat sb

fingerad *adj* fictitious; *fingerat namn* assumed name

fingeravtryck *subst* fingerprint; *ta ngns ~* take sb's fingerprints

fingerborg *subst* thimble

fingerborgsblomma *subst* bot. foxglove

fingerfärdig *adj* dexterous, deft

fingerfärdighet *subst* dexterity

fingerspets *subst* o. **fingertopp** *subst* fingertip; *ut i ~arna* to one's fingertips

fingervante *subst* woollen glove

fingervisning *subst* hint, pointer

fingra *verb*, *~ på* finger; tanklöst fiddle about with

finhackad *adj* finely-chopped

finish *subst* sport. el. tekn. finish

fink *subst* fågel finch

finka *subst* vard., *i ~n* in clink, in the cooler

finkamma *verb*, *~ ngt* comb out, go over sth with a fine-tooth comb

finklädd *adj*, *vara ~* be dressed up

finkänslig *adj* taktfull tactful, discreet

finkänslighet *subst* tact, discretion

Finland Finland

finlandssvensk I *adj* Finland-Swedish, Finno-Swedish **II** *subst* Finland-Swede

finländare *subst* Finlander, Finn

finländsk *adj* Finnish

finländska *subst* kvinna Finnish woman

finmalen *adj* finely ground; om kött finely minced

finna *verb* find; inse, märka see; anse think, consider; *~ för gott att...* think fit to...; *~ sig vara* find oneself; *~ sig i* a) tåla stand, put up with b) foga sig i submit to

finnas *verb* vara be; existera exist; påträffas be found; *det finns...* there is..., tillsammans med ett ord i pl. there are...; *det fanns...* there was...; tillsammans med ett ord i pl. there were...; *finns det* har ni...? have you got...?; *den finns att få* it is to be had; *~ kvar* a) vara över be left b) inte vara borttagen be still there; *~ till* exist

1 finne *subst* Finn

2 finne *subst* kvissla pimple, vard. zit

finnig *adj* pimply

finsk *adj* Finnish; *Finska viken* the Gulf of Finland

finska *subst* (se *svenska* för ex.) **1** kvinna Finnish woman **2** språk Finnish

finskfödd *adj* Finnish-born; se vidare *svensk-* för sammansättningar

finskuren *adj* om grönsaker etc. finely cut; om tobak fine-cut

finsmakare *subst* gourmet

finstilt *adj*, *det ~a* the small print

fint *subst* **1** sport. feint **2** trick, dodge

finta *verb* sport. feint, fotb. sell the dummy; *~ bort ngn* sell sb the dummy

fintvätt *subst* tvättande the washing of delicate fabrics; tvättgods delicate fabrics pl.

finurlig *adj* slug shrewd; sinnrik clever, ingenious

fiol *subst* **1** violin **2** *stå för ~erna* pay the piper

fiolspelare *subst* violinist

1 fira *verb* sänka ~ el. *~ ned* let down, lower

2 fira *verb* högtidlighålla celebrate; tillbringa spend; *~ minnet av* commemorate

firma *subst* firm; *starta en ~* start a business

firmafest *subst* office party, staff party

firmamärke *subst* trade mark

fisa *verb* vard. fart, let off

---

fiskar
SÖTVATTENFISK *FRESHWATER FISH*: abborre *perch*, gädda *pike*, gös *pike-perch*, amer. *walleye*, ål *eel*, lax *salmon*, laxöring *trout*
SALTVATTENFISK *SALTWATER FISH*: haj *shark*, kolja *haddock*, rödspätta *plaice*, svärdfisk *swordfish*, tonfisk *tuna*, torsk *cod*

---

fisk *subst* **1** fish (pl. fish el. fishes); koll. fish **2** *Fiskarna* stjärntecken Pisces

fiska *verb* fish

fiskaffär *subst* fishmonger's, amer. fish dealer (vendor)

fiskare *subst* fisherman; sportfiskare angler, fisherman

fiskbulle *subst* fishball

fiskburgare *subst* kok. fishburger

fiskdamm *subst* med t.ex. presenter lucky dip, amer. grab bag

fiske *subst* **1** fishing [av of] **2** som näring fishery

fiskebåt *subst* fishing-boat

fiskeflotta *subst* fishing-fleet

fiskegräns *subst* fishing-limits pl.

fiskekort *subst* fishing-licence, fishing-permit

fiskeläge *subst* fishing village

fiskerätt *subst* fishing-rights pl.

fiskevatten *subst* fishing-grounds pl.

fiskfilé *subst* fillet of fish

fiskhandlare *subst* fishmonger, amer. fish dealer

fiskkrokett *subst* kok. fishcake

fiskmås *subst* gull, seagull

fisknät *subst* fishing-net

fiskodling *subst* fish farm

fiskpinnar *subst pl* kok. fish fingers, amer. fish sticks

fiskredskap *subst* koll. fishing-tackle

fiss *subst* musik. F sharp

fitta *subst* vulg. cunt, pussy

fix *adj* **1** fixed; *~ idé* fixed idea **2** *~ och färdig* all set, all fixed up

fixa *verb* vard. fix; *det ~r sig* that'll be all right!, no sweat!; *matchen var ~d* the match was rigged, the matched was fixed

fixare *subst* vard. fixer

fixera *verb* **1** fix; fastställa determine **2** betrakta stare hard at

fixering *subst* psykol. fixation

fixstjärna *subst* fixed star

fjant *subst* fjäskig person busybody; narr silly fool

fjantig *adj* fånig silly; löjlig ridiculous

fjol *subst*, *i ~* last year; *i ~ sommar* last summer

fjolla *subst* silly girl, silly young thing

fjompig *adj* larvig silly; sjåpig namby-pamby

fjord *subst* spec. i Norge fjord; i Skottland firth

fjorton *räkn* fourteen; *~ dagar* a fortnight, spec. amer. two weeks; se *femton* för ex. o. *femton-* för sammansättningar

fjortonde *räkn* fourteenth (förk. 14th); *var ~ dag* once a fortnight; se *femte* för ex. o. *femte-* för sammansättningar

fjun *subst* koll. down (endast sing.)

fjäder *subst* **1** feather; prydnadsfjäder plume **2** tekn. spring

fjäderdräkt *subst* plumage

fjäderfä *subst* poultry koll.

fjädervikt *subst* sport. featherweight

fjädrande *adj* springy, elastic

fjädring *subst* spring system; upphängning suspension

1 fjäll *subst* mountain

2 fjäll *subst* på fisk etc. scale

fjälla *verb* **1** fisk scale **2** hud peel

fjällripa *subst* zool. ptarmigan, amer. rock ptarmigan

fjällvandring *subst* mountain tour

fjärde *räkn* fourth (förk. 4th); se *femte* för ex. o. *femte-* för sammansättningar

fjärdedel *subst* quarter, fourth; se *femtedel* för ex.

fjäril *subst* butterfly; nattfjäril moth; *ha ~ar i magen* have butterflies in one's stomach

fjärilsim *subst* butterfly stroke

fjärran I *adj* distant, far-off; *Fjärran Östern* the Far East
II *adv* far; *när och ~* far and near
III *subst*, *i ~* in the distance

fjärrkontroll *subst* till tv m.m. remote control, vard. zapper

fjärrsamtal *subst* tele. long-distance call

fjärrstyrd *adj* remote-controlled; *~ robot* guided missile

fjärrtåg *subst* express train

fjärrvärme *subst* district heating

fjäsk *subst* kryperi fawning [*för* on]

fjäska *verb*, *~ för* krypa för fawn on, crawl to

f.Kr. förk. för *före Kristus* BC *before Christ*

flabb *subst* vard. guffaw, cackle

flabba *verb* vard. guffaw, cackle [*åt* at]

flack *adj* flat

flacka *verb* rove; *~ och fara* be on the move; *~ med blicken* have shifty eyes; *~ omkring* el. *~ omkring i* roam about

fladdermus *subst* bat

fladdra *verb* flutter

flaga I *subst* flake; hudflaga scale
II *verb*, *~ el. ~ sig* flake off, peel off

flagg *subst* flag; *segla under främmande ~* sail under a foreign flag

---

flagga

The Stars and Stripes är USA:s flagga. *The United Kingdom, the UK,* som består av Storbritannien och Nordirland, har *the Union Jack* som sin flagga.

---

flagga I *subst* flag
II *verb*, *~ på halv stång* fly the flag at half-mast

flaggdag *subst*, *allmän ~* official flag-flying day

flaggskepp *subst* flagship

flaggstång *subst* flagstaff, flagpole

flagig *adj* flaky, scaly

flagna *verb* flake off, scale off, peel off

flagrant *adj* flagrant, blatant; friare obvious

flak *subst* **1** isflak floe **2** lastbilsflak platform, loading platform

flameldfast *adj* flameproof

flamingo *subst* fågel flamingo (pl. -s el. -es)

flamländsk *adj* Flemish

flamma I *subst* flame
II *verb* blaze; *~ upp* flame up

flammig *adj* patchy, blotchy

Flandern Flanders

flanell *subst* flannel

flanera *verb*, *vara ute och ~* be out for a stroll

flanör *subst* stroller, man-about-town

flaska *subst* bottle; *en ~ öl* a bottle of beer

flaskhals *subst* i t.ex. trafik, produktion bottleneck

flat *adj* flat; *~ tallrik* flat plate, ordinary plate

flata *subst* sl., lesbisk kvinna lezzy, dyke

flaxa *verb* flutter; om vingar flap; *~ med armarna* wave one's arms about

flegmatisk *adj* phlegmatic

fler *adj* se *flera I*

flera I *adj* more
II *pron* **1** åtskilliga several; *~ el. ~ olika människor* several people; *vi är ~* el. *vi är ~ stycken* there are several of us **2** *~ olika* various different

flerfaldig *adj*, *~a* pl. many, numerous; *han är ~ mästare* he has been a champion many times over

flerfamiljshus *subst* block of flats, amer. apartment block

fleromättad *adj* polyunsaturated

flersiffrig *adj*, *~t tal* number running into several figures

flertal *subst* **1** *~et* the majority; *~et människor* most people; *ett ~* flera... a number of... **2** gram. plural

flesta *adj*, *de ~ pojkar* most boys; *de ~ av pojkarna* most of the boys; *de ~ tycker att...* the majority think that...

flexa *verb* vard. be on flexitime, amer. be on flextime

flexibel *adj* flexible

flextid *subst* flexitime, amer. flextime

flicka *subst* girl

flickaktig *adj* girlish

flickcykel *subst* girl's cycle

flicknamn *subst* **1** girl's name **2** tillnamn som ogift maiden name

flickscout *subst* guide, amer. girl scout

flickvän *subst* girlfriend

flik *subst* **1** på kuvert flap **2** hörn av plagg corner

flimmer *subst* flicker; med. fibrillation

flimra *verb* flicker; *det ~r för ögonen på mig* everything is swimming before my eyes

flin *subst* grin

flina *verb* grin [*åt* at]

flinga *subst* flake

flingor *subst pl* breakfast cereal

flinta *subst* flint

flintis *adj* vard. bald

flintskalle *subst* bald head

flintskallig *adj* bald

flippa *verb*, *~ ut* freak out, flip out

flipperautomat *subst* o. **flipperspel** *subst* pinball machine

flirt *subst* flirt

flirta *verb* flirt

flirtig *adj* flirtig

flisa *subst* av t.ex. sten, porslin chip; av trä splinter

flit *subst* **1** diligence **2** *med ~* avsiktligt on purpose

flitig *adj* **1** diligent; arbetsam hard-working **2** om t.ex. biobesökare regular; ofta upprepad frequent

flock *subst* flock; t.ex. av vargar pack

flockas *verb* flock, flock together [*kring* round]

flod *subst* **1** river, flood **2** *en ~ av tårar* a flood of tears **3** högvatten high tide; *det är ~* the tide is in

flodhäst *subst* hippopotamus, vard. hippo (pl. -s)

flodmynning *subst* mouth of a river; bred estuary

flodvåg *subst* tidal wave

flopp *subst* vard. flop; *bli en ~* be a flop

florera *verb* be prevalent; blomstra flourish

florett *subst* vid fäktning foil

florsocker *subst* icing sugar, amer. confectioners' sugar

floskler *subst pl* tomt prat empty phrases

1 flott *adj* **1** stilig smart, vard. posh **2** frikostig generous

2 flott *subst* grease; stekflott dripping; isterflott lard; fett fat

1 flotta *subst* **1** ett lands navy **2** samling fartyg fleet

2 flotta *verb*, *~ ned ngt* med flott make sth greasy

flottbas *subst* naval base

flotte *subst* raft

flottfläck *subst* grease spot, grease stain

flottig *adj* greasy

flottyr *subst* deep fat, deep-frying fat

flottyrkoka *verb*, *~ ngt* deep-fry sth, fry sth in deep fat

fluffig *adj* fluffy

fluga *subst* **1** fly; *hon skulle inte göra en ~ förnär* she wouldn't hurt a fly; *slå två flugor i en smäll* ordspr. kill two birds with one stone **2** kravatt bow tie

flugfiske *subst* fly-fishing

flugsmälla *subst* fly-swatter

flugsnappare *subst* fly-catcher

flugsvamp *subst*, *vanlig (röd) ~* fly agaric

flugvikt *subst* sport. flyweight

flum *subst* vard. woolliness

flummig *adj* vard., svamlig woolly, wishy-washy

flundra *subst* fisk flat-fish; skrubbflundra flounder

fluor *subst* grundämne fluorine; *tandkräm med ~* toothpaste with fluoride

fly *verb* fly, flee [*för* before]; ta till flykten run away; *~ ur landet* flee the country

flyg *subst* **1** flygväsen aviation, flying **2** flygplan plane; koll. planes pl.; *med ~* by air **3** flygvapen air force

flyga I *verb* fly; *jag har aldrig flugit* I have never flown, I have never been up in a plane; *~ i luften* explodera blow up, explode **II** *verb* med betonad partikel

flyga av blåsa av fly off; lossna come off suddenly

flyga på rusa på fly at, attack

flyga upp rusa upp spring up; öppnas fly open

flyganfall *subst* air raid

flygare *subst* pilot pilot; spec. mil. airman

flygbas *subst* air base

flygbiljett *subst* air ticket

flygblad *subst* leaflet

flygbolag *subst* airline, airline company

flygel *subst* **1** polit. wing **2** stänkskärm på bil wing, amer. fender **3** musik. grand, grand piano

flygfält *subst* airfield

flygförbindelse *subst* plane connection; flygtrafik air service

flygkapare *subst* hijacker of an aircraft, skyjacker

flygkapning *subst* hijacking of an aircraft, skyjacking

flygkapten *subst* captain, captain of an airliner

flyglarm *subst* air-raid warning, air-raid alarm

flyglinje *subst* airline, airway

flygmekaniker *subst* air mechanic

flygning *subst* **1** flygande flying; *under ~* while flying **2** flygfärd, flyg flight

flygolycka *subst* air crash; mindre flying accident

flygpassagerare *subst* air passenger

flygplan *subst* aeroplane, amer. airplane, vard. plane; aircraft (pl. lika); stort trafikplan airliner

flygplats *subst* airport

flygpost *subst* airmail; *med* ~ by airmail

flygsjuka *subst* airsickness

flygspaning *subst* air reconnaissance

flygtid *subst* flying time, flight time

flygtrafik *subst* air traffic, air service

flygvapen *subst* air force

flygvärdinna *subst* flight attendant, air hostess

1 flykt *subst* flygande flight

2 flykt *subst* flyende flight; rymning escape; *vild* ~ headlong flight, spec. mil. rout; *driva på* ~*en* put to flight, spec. mil. rout

flyktförsök *subst* attempted escape; *göra ett* ~ make an attempt to escape

flyktig *adj* **1** kortvarig fleeting; övergående passing; *kasta en* ~ *blick på* cast a fleeting glance at **2** kem. volatile

flykting *subst* refugee; flyende fugitive

flyktingläger *subst* refugee camp

flyktingström *subst* stream of refugees

flyktväg *subst* escape route

flyta I *verb* float; rinna flow; *trafiken flyter bra* the traffic is flowing smoothly
II *verb* med betonad partikel
flyta ihop 1 om floder meet **2** bli suddig become blurred
flyta in om t.ex. pengar come in
flyta upp come to the surface, rise to the surface

flytande I *adj* **1** på ytan floating; *hålla det hela* ~ keep things going; *hålla sig* ~ keep oneself afloat, keep one's head above water **2** rinnande flowing **3** *tala* ~ *engelska* speak fluent English **4** i vätskeform liquid
II *adv* fluently

flytning *subst* med. discharge; ~*ar* från underlivet, vard. the whites

flytta I *verb* **1** flytta move; ~ *på ngt* move sth; ~ *sig* el. ~ *på sig* move; maka åt sig make way, make room **2** förlägga till annan plats transfer; flytta bort remove **3** i spel move **4** byta bostad move; om flyttfågel migrate; ~ *från* (*ur*) lämna leave
II *verb* med betonad partikel
flytta bort bära bort carry away, take away
flytta fram 1 move forward, move up **2** ~ *fram ngt* uppskjuta put off sth; ~ *fram klockan en timme* put the clock forward one hour

flytta ihop put together, move together; för att bo ihop go to live together; ~ *ihop med ngn* move in with sb; *de har* ~*t ihop* they live together

flytta in move in

flytta isär live apart, move away from each other

flytta om omplacera move about, shift about, rearrange

flytta ut move out

flyttbar *adj* movable; bärbar portable

flyttbil *subst* removal van, furniture van, amer. moving van

flyttfirma *subst* removal firm, amer. movers pl., the movers pl.

flyttfågel *subst* bird of passage, migratory bird

flyttkalas *subst* house-warming party, vard. housewarming

flyttning *subst* removal

flytväst *subst* life jacket

flå *verb* skin

flåsa *verb* puff and blow; flämta pant

fläck *subst* spot; av blod, bläck etc. stain; *på* ~*en* genast on the spot; *jag får det inte ur* ~*en* I can't move it; *vi kommer inte ur* ~*en* we aren't getting anywhere

fläcka *verb* stain; ~ *ned ngt* stain sth all over

fläckborttagningsmedel *subst* spot remover, stain remover

fläckfri *adj* spotless, stainless; *ett* ~*tt förflutet* a blameless past

fläckig *adj* **1** smutsig spotted, soiled **2** med fläckar spotted

fläckurtagningsmedel *subst* spot remover, stain remover

fläderblom *subst* bot. elderflower

fläderbär *subst* elderberry

flädermus *subst* bat

fläkt *subst* **1** vindpust breeze; *en frisk* ~ a breath of fresh air **2** fläktapparat fan

fläktrem *subst* fan belt

flämta *verb* andas häftigt pant, puff

flärd *subst* fåfänga vanity; ytlighet frivolity

fläsk *subst* griskött pork; bacon bacon

fläskfilé *subst* kok. fillet of pork

fläskig *adj* flabby, fat, fleshy

fläskkarré *subst* loin of pork

fläskkotlett *subst* pork chop

fläskkött *subst* pork

fläskläpp *subst*, *få* ~ get a thick lip, amer. get a fat lip

fläskpannkaka *subst* diced pork pancake

fläta I *subst* plait [plæt], braid
II *verb* plait [plæt], braid

flöda _verb_ flow; ymnigt stream, pour; ~ _av_ abound with

flöde _subst_ flow; _ett_ ~ _av nyheter_ a steady stream of news

flöjt _subst_ flute

flört _subst_ flirtation

flörta _verb_ flirt

flörtig _adj_ flirtatious

flörtis _subst_ vard. flirt

flöte _subst_ float; _bakom_ ~_t_ vard. stupid, daft

f.m. (förk. för _förmiddag_) a.m.

FN (förk. för _Förenta Nationerna_) UN (förk. för _United Nations_)

fnask _subst_ sl. el. neds. pro (pl. -s), hooker

fniss _subst_ giggle

fnissa _verb_ giggle [_åt_ at]

fnissig _adj_ giggly

fnitter _subst_, _ett_ ~ a giggle

fnittra _verb_ giggle [_åt_ at], titter [_åt_ at]

fnysa _verb_ snort; ~ _åt_ föraktfullt sniff at

fnysning _subst_ snort

fnöske _subst_ tinder

foajé _subst_ foyer ['fɔɪeɪ], lobby

fobi _subst_ psykol. phobia

1 foder _subst_ i kläder lining; _sätta_ ~ _i_ line; _löstagbart_ ~ detachable lining

2 foder _subst_ fodermedel feedstuff; torrt fodder

1 fodra _verb_ sätta foder i line

2 fodra _verb_ mata feed

fodral _subst_ case; av tyg etc. cover

1 fog _subst_, _hon har fullt_ ~ _för sin kritik_ she is justified in her criticism

2 fog _subst_ skarv joint, seam

foga _verb_ **1** förena med fog join [_i, vid_ to]; friare add [_till_ to], attach [_till_ to] **2** ~ _sig_ give in [_i, efter_ to]; ~ _sig efter bestämmelserna_ comply with the regulations

fokus _subst_ focus; _stå i_ ~ _för intresset_ be the focus of attention

fokusera _verb_ focus [_på_ on]

folder _subst_ folder, leaflet [_över_ on, about]

folie _subst_ foil; plastfolie film

foliepapper _subst_ foil

---

folk
People i betydelsen <u>människor</u> är plural på engelska: _there were a lot of people at the party_ <u>det var mycket folk på festen</u>. _People_ används också i betydelsen <u>folkslag</u>: _the peoples of Africa_ <u>Afrikas folkslag</u>.

---

folk _subst_ **1** people; _hela_ ~_et_ the entire population, the whole nation; ~_en i tredje världen_ the peoples (nations) of the third world **2** människor people pl.; _mycket_ ~ many people

folkbokföring _subst_ national registration

folkdans _subst_ folk dance; dansande folk-dancing

folkdräkt _subst_ national costume

folkgrupp _subst_ ethnic group

folkhjälte _subst_ national hero

folkhälsa _subst_ public health

folkhögskola _subst_ folk high-school

folkkär _adj_ very popular

folklig _adj_ **1** nationell national **2** populär popular; _ha stark_ ~ _förankring bland folket_ have strong support among the people

folkmassa _subst_ crowd of people, crowd

folkmord _subst_ genocide

folkmängd _subst_ antal invånare population

folknöje _subst_ popular amusement; underhållning popular entertainment

folkomröstning _subst_ popular vote [_om_ on], referendum [_om_ on]

folkpark _subst_ people's amusement park

folkpartiet _subst_ ungefär the Liberal Party

folkpartist _subst_ member of the Liberal Party

folkpension _subst_ state retirement pension

folkpensionär _subst_ senior citizen

folkrörelse _subst_ popular movement, national movement

folksaga _subst_ folk tale, legend

folksamling _subst_, _det blev_ ~ a crowd of people collected

folksjukdom _subst_ national disease; utbredd widespread disease

folkskygg _adj_ unsociable, shy

folkslag _subst_ nation, people

folkstorm _subst_ public outcry

folktandvård _subst_ national dental service

folktom _adj_ deserted

folktro _subst_ popular belief

folkvald _adj_ popularly elected

folkvandring _subst_ migration

folkvisa _subst_ folk song, ballad

folkökning _subst_ increase in population

folköl _subst_ ungefär medium-strong beer

f.o.m. se _från och med_ under _från_

1 fond _subst_ bakgrund background

2 fond _subst_ kapital fund

fondbörs _subst_ stock exchange

fonetik _subst_ phonetics (med verb i sing.)

fonetisk _adj_ phonetic; ~ _skrift_ phonetic transcription

fontän _subst_ fountain

forcera *verb* **1** force **2** påskynda speed up

fordon *subst* vehicle

fordonsskatt *subst* motor-vehicle tax

fordra *verb* begära, kräva demand; yrka på insist on; göra anspråk på claim; *det ~r mycket tid* it requires (demands) a lot of time

fordran *subst* **1** demand [*på ngn* on sb; *på* el. *på att få* for] **2** penningfordran claim

fordrande *adj* exacting, demanding

fordras *verb* behövas be needed, be necessary

fordringar *subst pl* **1** demands; anspråk claims; vad som erfordras requirements; *ha för stora ~ på livet* ask too much of life **2** penningfordringar claims, debts

fordringsägare *subst* creditor

forehand *subst* i tennis etc. forehand äv. slag

forell *subst* fisk trout (pl. lika)

form *subst* **1** form; *förlora ~en* lose its shape; *ta ~* take shape; *vara i ~* be in form; *vara ur ~* be out of form **2** gjutform mould, amer. mold **3** kok.: porslinsform dish, basin; eldfast casserole; bakform baking tin

forma *verb* form, shape; *~ sig* form (shape) itself [*till* into], form (shape) themselves [*till* into]

formalitet *subst* formality; *en ren ~* only a formality

format *subst* **1** size **2** om bok el. data. format

formatera *verb* data. format

formation *subst* formation

formbröd *subst* tin loaf, amer. pan loaf

formel *subst* formula (pl. formulae); *Formel 1* bilsport Formula One

formell *adj* formal

formgivare *subst* designer

formgivning *subst* **1** designing **2** modell, mönster design

formlära *subst* språkv. accidence

formsak *subst* matter of form; *det var en ~ it was just a formality*

formulera *verb* formulate; avfatta formulate, frame

formulering *subst* formulation, wording

formulär *subst* blankett form

forn *adj* former, earlier; forntida ancient; *hon är en skugga av sitt ~a jag* she is a shadow of her former self

fornminne *subst* relic of the past; skylt ancient monument

forntid *subst* förhistorisk tid prehistoric times pl.

forntida *adj* ancient

fors *subst* rapids pl.

forsa *verb* rush; *regnet ~r ned* the rain is coming down in torrents

forska *verb* search [*efter* for]; vetenskapa do research, do research work; *~ i* investigate

forskare *subst* lärd scholar; naturvetenskapsman scientist; med speciell uppgift research-worker

forskning *subst* vetenskaplig research [*i* into]

forsla *verb* transport; *~ bort* carry away, remove

forsrännare *subst* sport. white-water rafter

forsränning *subst* sport. white-water rafting

fort *adv* fast; på kort tid quickly; snabbt rapidly; *det gick ~* it was quick work; *gå för ~* om klocka be fast; *så ~* el. *så ~ som* as soon as

forta *verb*, *~ sig* om klocka gain

fortbilda *verb*, *~ sig* continue one's education; med träning continue one's training, attend an in-service training course

fortbildning *subst* in-service training

fortbildningskurs skol. *subst* in-service training course, refresher course

fortfarande *adv* still

fortgå *verb* go on

fortgående *adj* continuing

fortkörning *subst*, *få böta för ~* be fined for speeding; *åka fast för ~* be caught speeding

fortplanta *verb*, *~ sig* breed, propagate; sprida sig spread

fortplantning *subst* breeding, propagation; spridning spread

fortsatt *adj*, *få ~ hjälp* continue to receive help

fortskaffningsmedel *subst* means of conveyance, conveyance

fortskrida *verb* proceed; framskrida advance

fortsätta *verb* continue, go on, keep on; *~ spela* go on playing; *~ rakt fram* keep straight on; *han fortsatte sin väg* he went on his way

---

fortsättning

I England och USA önskar man inte varandra "god fortsättning" vid jul- och nyårshelgerna.

---

fortsättning *subst* continuation; *~ följer i nästa nummer* to be continued in our next; *god ~* el. *god ~ på det nya året!* motsvaras av A Happy New Year!; *i ~en* in future

fortunaspel *subst* bagatelle

forward *subst* sport. forward, striker

fosfat *subst* kem. phosphate

fosfor *subst* kem. phosphorus
fossil I *subst* fossil **II** *adj* fossil; ~*t bränsle* fossil fuel
foster *subst* foetus, amer. fetus
fosterbarn *subst* foster child
fosterföräldrar *subst pl* foster parents
fosterhem *subst* foster home; *placera i* ~ place in a foster home
fosterland *subst* native country
fosterländsk *adj* patriotic
fosterskada *subst* damage (endast sing.) to the foetus, amer. damage (endast sing.) to the fetus
fostra *verb* uppfostra bring up, rear, spec. amer. raise
fostran *subst* bringing up, spec. amer. raising
fot *subst* foot (pl. feet); på bord, lampa etc. stand; *sätta sin* ~ set foot [*hos ngn* in sb's house]; *komma på fötter* ekonomiskt get back on one's feet; *försätta på fri* ~ set free; *hon har bra* (*ordentligt*) *på fötterna* vet vad hon talar om she knows what she is talking about; *hon fick stryka på* ~*en* she had to give in; *vara på fri* ~ be at liberty, be at large; *stå på god* ~ *med ngn* be on an excellent footing with sb; *på resande* ~ on the move; *till* ~*s* on foot
fotbad *subst* footbath

fotboll

Vanlig fotboll kallas i England *football* och ibland *soccer*, men i USA alltid *soccer*. Amerikansk fotboll kallas vanligen *American football* i England men enbart *football* i USA.

fotboll *subst* **1** boll football **2** spelet association football, football, vard. footie, soccer, amer. soccer
fotbollslag *subst* football team, amer. soccer team
fotbollsmatch *subst* football match, amer. soccer game
fotbollsplan *subst* football ground; spelplanen football field, football pitch, amer. soccer field
fotbollsspelare *subst* footballer, amer. soccer player
fotbollssupporter *subst* football supporter (fan), amer. soccer supporter (fan)
fotbroms *subst* footbrake
fotfäste *subst* foothold, footing; *få* ~ get a foothold; *tappa* ~*t* lose one's foothold

fotgängare *subst* pedestrian
fotknöl *subst* ankle
fotled *subst* ankle; själva leden ankle joint
foto *subst* photo (pl. -s) [*av, på* of]
fotoaffär *subst* camera shop, photographic dealer's
fotoalbum *subst* photo album
fotoateljé *subst* photographer's studio
fotoblixt *subst* flashlight, photoflash
fotocell *subst* photo-electric cell, photocell
fotogen *subst* paraffin, amer. kerosene
fotogenisk *adj* photogenic
fotogenlampa *subst* paraffin lamp, amer. kerosene lamp
fotograf *subst* photographer
fotografera *verb* photograph; ~ *sig* have one's photograph taken
fotografi *subst* **1** photograph **2** som konst photography
fotografisk *adj* photographic
fotokopia *subst* photocopy
fotpall *subst* footstool
fotspår *subst* footprint; *gå i ngns* ~ follow in sb's footsteps
fotsteg *subst* steg step; *höra* ~ hear footsteps
fotstöd *subst* footrest
fotsula *subst* sole of the foot
fotsvett *subst*, *ha* ~ have sweaty feet pl.
fotvandrare *subst* walker, med ryggsäck backpacker, vard. hiker
fotvandring *subst* utflykt walking-tour, vard. hike
fotvård *subst* **1** pedikyr pedicure **2** med. chiropody, amer. vanligen podiatry
fotvårdsspecialist *subst* chiropodist, amer. vanligen podiatrist
fotända *subst* på säng footboard
foxterrier *subst* hund fox terrier
foxtrot *subst* dans foxtrot
frack *subst* rock tail coat; frackkostym dress suit, vard. tails pl.; *klädd i* ~ in evening dress
frackmiddag *subst* white-tie dinner
frackskjorta *subst* dress shirt
fradga *subst* o. *verb* froth, foam
fragment *subst* fragment
frakt *subst* **1** last: sjö. freight, cargo; järnvägsfrakt, bilfrakt, flygfrakt goods pl., freight **2** avgift: sjö. el. flyg. freight; järnvägsfrakt, bilfrakt carriage
frakta *verb* sjö. freight; med järnväg, bil, flyg carry, convey
fraktgods *subst* koll. *som* ~ järnv. by goods train

fraktur *subst* med. fracture

fralla *subst* vard., småfranska roll

fram *adv* **1** om rörelse: framåt, vidare on, along, forward; till platsen (målet) there; *jag måste ~! I* must get through!; *kom ~!* a) ur gömställe, led m.m. come out! b) hit come here!; *ta ~* take out; *ända ~* dit all the way there; *ända ~ till...* as far as ...; *~ och tillbaka* there and back; av och an to and fro **2** om läge: framtill forward, in front **3** tid, *längre ~* later on; *~ på hösten* later on in the autumn; *långt ~ på dagen* late in the day; *till långt ~ på natten* until well into the night

framaxel *subst* bil. front axel

framben *subst* foreleg

framdel *subst* front part, front

framdeles *adv* längre fram later on; i framtiden in the future

framemot *prep*, *~ kvällen* towards evening

framfusig *adj* pushing, aggressive

framför I *prep* before, in front of; över above, ahead of; *~ allt* above all; *föredra te ~ kaffe* prefer tea to coffee
II *adv* in front; *platsen ~* the seat in front

framföra *verb* **1** överbringa convey; *~ ett klagomål* make a complaint; *~ en ursäkt* offer an apology **2** uppföra, förevisa present, produce; musik perform

framförallt *adv* above all

framgå *verb* be clear [*av* from], be evident [*av* from]

framgång *subst* success; *ha ~* be successful

framgångsrik *adj* successful

framhjul *subst* front wheel

framhjulsdrift *subst* bil. front-wheel drive

framhjulsdriven *adj* bil. front-wheel driven

framhålla *verb* påpeka point out; betona emphasize, stress

framhärda *verb* persist, persevere

framhäva *verb* **1** låta framträda bring out, set off **2** betona emphasize

framifrån *adv* from the front

framkalla *verb* **1** åstadkomma bring about; förorsaka cause, produce **2** foto. develop, process

framkallning *subst* foto. developing, processing

framkomlig *adj* **1** om väg passable, trafficable **2** genomförbar practicable

framkomma *verb* bli känt come out

framkomst *subst* ankomst arrival; *vid ~en* on arrival

framliden *adj*, *framlidne presidenten* the late president

framlägga *verb* t.ex. teori put forward

framlänges *adv* forward, forwards; *åka ~ på tåg* sit facing the engine

frammarsch *subst* advance; *det nya partiet är på ~* the new party is gaining ground

framme *adv* **1** i förgrunden in front; vid målet there; *han står här ~* he is standing here; *långt ~ i salen* well to the front of the hall; *när är vi ~?* when do we get there? **2** synlig, 'ute' out; till hands ready; *låta ngt ligga ~* leave sth about; *när olyckan är ~* a) when an accident happens b) om man har otur if things go against you

framryckning *subst* advance

framsida *subst* front

framskriden *adj* advanced

framskärm *subst* på bil front wing, amer. front fender

framspolningsknapp *subst* på bandspelare fast-forward button (förk. FF)

framsteg *subst* progress (endast sing.); *göra ~* make progress; *stora ~* great progress

framstupa *adv*, *ramla ~* fall flat, fall flat on one's face

framstå *verb* visa sig vara stand out [*som* as], come out [*som* as], appear [*som* as]

framstående *adj* prominent; högt ansedd eminent, distinguished

framställa *verb* **1** skildra describe, relate **2** tillverka produce, make

framställning *subst* **1** beskrivning description, representation **2** förslag proposal [*om* for] **3** tillverkning production

framstöt *subst* **1** thrust, drive **2** *efter ~ar från facket ändrades regeln* after strong action from the union, the rule was changed

framsynt *adj* far-seeing, far-sighted

framsynthet *subst* foresight

framsäte *subst* front seat

framtand *subst* front tooth

framtid *subst* future; *för (i) all ~* for all time; *i ~en* a) in the future b) hädanefter in future

framtida *adj* future

framtidsutsikter *subst pl* future prospects

framtill *adv* in front, at the front; i främre delen in the front part

framtoning *subst* image, profile

framträda *verb* **1** uppträda, visa sig appear; *~ i radio* broadcast on the radio; *~ i tv* appear on TV **2** avteckna sig stand out

framträdande I *subst* uppträdande appearance
II *adj* viktig prominent, outstanding

framtung *adj*, *den är ~* it is heavy at the front

framvagn *subst* bils front part of the car

framåt I *adv* ahead, along; vidare onwards; *fortsätt ~!* keep straight on!; *luta sig ~* lean forward
II *prep* fram emot towards; *~ kvällen* towards the evening
III *adj, vara ~ av sig* be very go-ahead

framåtanda *subst, ha stor ~* be very go-ahead

framåtskridande *subst* framsteg progress

framåtsträvande *adj* go-ahead

framöver *adv, en lång tid ~* for a long time ahead

franc *subst* myntenhet franc

frank *adj* frank, open, straightforward

frankera *verb* sätta frimärke på stamp; *ett ~t kuvert* a prepaid envelope, a stamped envelope

Frankrike France

frans *subst* fringe

fransig *adj* trasig frayed

fransk *adj* French

franska *subst* **1** French; se *svenska* 2 för ex. **2** se *franskbröd*

franskbröd *subst* vitt bröd white bread; småfranska roll; långfranska French loaf

fransman *subst* Frenchman (pl. Frenchmen); *fransmännen* som nation, lag etc. the French

fransyska *subst* kvinna Frenchwoman (pl. Frenchwomen); *hon är ~* she is French

frapperande *adj* striking, förvånande astonishing

fras *subst* phrase

fraseologi *subst* phraseology

frasera *verb* phrase äv. musik.

frasig *adj* crisp

fraternisera *verb* fraternize

fred *subst* peace; *jag får aldrig vara i ~* I never get (have) any peace; *låt mig vara i ~!* leave me alone!, leave me in peace!

fredag *subst* Friday; *~en den 8 maj* on Friday, May 8th; *förra ~en* last Friday; *i ~s* last Friday; *i ~s för en vecka sedan* a week ago last Friday; *i ~s i förra veckan* on Friday last week; *vi träffas på ~* see you on Friday; *om (på) ~arna* on Fridays; *på ~ om åtta dar* el. *på ~ om en vecka* Friday week

fredagskväll *subst* Friday evening, senare Friday night; *på ~arna* on Friday evenings, on Friday nights

fredlig *adj* peaceful

fredlös *adj* outlawed; *en ~* an outlaw

fredsfördrag *subst* peace treaty

fredsförhandlingar *subst pl* peace negotiations

fredsmäklare *subst* mediator

fredspipa *subst, röka ~* smoke the pipe of peace

fredspris *subst, ~et* Nobels the Nobel Peace Prize

fredsprocess *subst, ~en* the peace process

fredsrörelse *subst* peace movement

fredssamtal *subst* peace talks

fredstrevare *subst* peace-feeler

fredsvillkor *subst pl* peace terms

fredsälskande *adj* peace-loving

freestyle *subst* kassettbandspelare Walkman®

fregatt *subst* båt frigate

frekvens *subst* frequency

frekvent *adj* frequent, common

frekventera *verb* t.ex. nöjeslokal frequent, patronize

frenetisk *adj* frenzied, frantic

freon® *subst* Freon®, CFC (förk. för *chlorofluorocarbon*)

fresia *subst* blomma freesia

fresk *subst* fresco (pl. -es el. -s)

fresta *verb* **1** tempt **2** *~ på* vara påfrestande be a strain on

frestelse *subst* temptation; *falla för en ~* el. *falla för ~r* yield to temptation

fri *adj* free; öppen, oskymd open; *det står dig ~tt att göra det* you are free to do it, you are at liberty to do it; *vara ~ från misstankar* be clear of suspicion, be above suspicion; *i det ~a* in the open, in the open air

1 fria *verb* frikänna acquit [*från* of]; *~nde dom* verdict of not guilty; *~ sig från misstankar* clear oneself of suspicion

2 fria *verb* propose [*till ngn* to sb]

friare *subst* suitor

fribrottning *subst* all-in wrestling, freestyle

frid *subst* peace; lugn tranquillity; *allt är ~ och fröjd* everything in the garden is lovely

fridfull *adj* peaceful, serene

fridlysa *verb, ~ ngt* djur, växt etc. place sth under protection, preserve sth; *fridlyst område* naturskyddsområde nature reserve

fridsam *adj* peaceable, placid

frieri *subst* proposal, offer of marriage

frige *verb, ~ ngn (ngt)* släppa lös free, set sb (sth) free, release sb (sth)

frigid *adj* frigid

frigiditet *subst* frigidity

frigivning *subst* setting free, release

frigjord *adj* fördomsfri open-minded; emanciperad emancipated

frigöra *verb* liberate, set … free; ~ *sig* free oneself, emancipate oneself

frigörelse *subst* befrielse liberation; emancipation emancipation

frihandel *subst* free trade

frihet *subst* freedom, liberty; *i* ~ at liberty; *jag tog mig ~en att låna din nyckel* I took the liberty of borrowing your key

frihetskamp *subst* struggle for liberty

frihetsstraff *subst* imprisonment

frihetsälskande *adj* freedom-loving

---

friidrott
GRENAR *EVENTS*:
- 100-meterslopp *100 m race*, 110 meter häck *110 metres hurdles*, 3 000 m hinder *3 000 metres steeplechase*, 4x100 meter stafett *4x100 metres relay*, långdistans- lopp *long distance race*, maraton *marathon*.
- höjdhopp *high jump*, längdhopp *long jump*, stavhopp *pole vault*, tre- steg *triple jump*.
- slägga *hammer throw*, spjut *javelin throw*, diskus *discus throw*
- sjukamp *hepathlon*, tiokamp *decathlon*.

---

friidrott *subst* athletics (med verb i pl., idrottande med verb i sing.), spec. amer. track and field

frikallad *adj*, ~ *från värnplikt* exempt from military service

frikostig *adj* generous, liberal

frikostighet *subst* generosity, liberality

friktion *subst* friction

friktionsfri *adj* frictionless

frikyrklig *adj* Free Church

frikänna *verb* acquit [*från* of]; *bli frikänd* be acquitted, walk free

frikännande *subst* acquittal

friluftsbad *subst* open-air baths (pl. lika)

friluftsdag *subst* skol., ungefär sports day, day for open-air activities

friluftsliv *subst* outdoor life

friluftsområde *subst* open-air recreation area

friluftsteater *subst* open-air theatre

friläge *subst*, *lägga växeln i* ~ put the gear into neutral

frimurare *subst* freemason, mason

frimärke *subst* stamp; *samla ~n* collect stamps

frimärksalbum *subst* stamp album

frimärksautomat *subst* stamp machine

fripassagerare *subst* stowaway

frireligiös *adj*, *vara* ~ be a nonconformist

frisersalong *subst* hairdresser's, barber's

frisésallat *subst* endive, amer. chicory

frisim *subst* freestyle

frisinnad *adj* liberal, broad-minded

frisk *adj* ej sjuk well vanligen ej före subst.; vid god hälsa healthy; återställd recovered; *hon är* ~ *efter sjukdomen* she is well; *en* ~ *person* a healthy person; ~ *och kry* hale and hearty; *~a tänder* sound teeth; ~ *aptit* a keen appetite; ~ *luft* fresh air

friska *verb*, ~ *upp* freshen up; ~ *upp sina kunskaper* brush up one's knowledge

friskintyg *subst* certificate of health

friskola *subst* independent school

friskskriva *verb*, ~ *ngn* declare sb fit

frisksportare *subst* keep-fit type, health freak

friskvård *subst* health and fitness activities pl.

frisläppa *verb* set … free, release

frispark *subst* fotb. free kick; *få* ~ be awarded a free kick; *lägga en* ~ take a free kick

frispråkig *adj* outspoken

frissa *subst* vard. ladies' hairdresser

frist *subst* anstånd respite, grace

fristad *subst* skyddad ort sanctuary, refuge

fristil *subst* sport. freestyle

fristående *adj*, *ett ~ hus* a detached house

friställd *adj* arbetslös redundant

frisyr *subst* hair style

frisör *subst* o. **frisörska** *subst* hairdresser, barber

frita *verb* **1** help to escape; rädda rescue **2** från skyldighet release, exempt; från ansvar relieve

fritagning *subst* rescue operation

fritagningsförsök *subst* rescue attempt, rescue bid

fritera *verb* kok. deep-fry

fritid *subst* spare time, leisure; ledig tid time off

fritidsbåt *subst* pleasure boat

fritidsgård *subst* youth recreation centre

fritidshem *subst* after-school recreation centre for children

fritidshus *subst* weekend cottage, weekend cabin

fritidskläder *subst pl* leisure wear sing., casual wear sing.

fritidsområde *subst* recreation area

fritidssko *subst* casual shoe, casual

fritidssysselsättning *subst* spare-time occupation

fritis *subst* vard. se *fritidshem*

fritt *adv* freely; ~ *fram för förslag* any

suggestions?; *det är ~ fram* the green light has been given

frivillig I *adj* voluntary

II *subst o. adj* volunteer

frivilligt *adv* voluntarily, of one's own free will

frivolt *subst gymn.* somersault

frodas *verb* thrive, flourish

frodig *adj* luxuriant; om person fat, plump

from *adj* gudfruktig pious

fr.o.m. se *från och med* under *från*

fromage *subst* kok., ungefär cold mousse

fromhet *subst* piety

front *subst* front

frontalkrock *subst* head-on collision

1 frossa *subst*, *ha ~* have the shivers

2 frossa *verb* guzzle; *~ i* wallow in, revel in

frossare *subst* glutton, guzzler

frossbrytning *subst* fit of shivering

frosseri *subst* gluttony, guzzling

frost *subst* frost; rimfrost hoarfrost

frosta *verb*, *~ av* defrost

frostbiten *adj* frostbitten

frostnatt *subst* frosty night

frostskadad *adj*, *den är ~* it has been damaged by frost

frotté *subst* terry cloth

frottéhandduk *subst* terry towel

frottera *verb* rub

fru *subst* gift kvinna married woman; hustru wife; *~ Ek* Mrs. Ek; *hur mår ~ Ek?* tilltal how are you, Mrs. Ek?

frukost *subst* breakfast

frukostbord *subst*, *vid ~et* vid frukosten at breakfast

frukostflingor *subst pl* breakfast cereals, majsflingor cornflakes

frukostmiddag *subst* early dinner

frukt *subst* fruit

frukta *verb* fear, be afraid [ngt of sth; att that]; *~ för ngns liv* fear for sb's life

fruktaffär *subst* ungefär fruit and sweetshop, amer. fruit and candy store

fruktan *subst* rädsla fear [för of], dread [för of]

fruktansvärd *adj* terrible, dreadful

fruktbar *adj* fertile; givande fruitful

fruktkniv *subst* fruit knife

fruktkräm *subst* stewed fruit purée

fruktlös *adj* futile, fruitless

fruktodling *subst* fruit-growing; *en ~* a fruit farm

fruktpress *subst* juice extractor, squeezer

fruktsallad *subst* fruit salad

fruktsam *adj* om kvinna fertile

fruktträd *subst* fruit tree

fruktträdgård *subst* orchard

fruntimmer *subst* neds. female, spec. amer. dame

frusen *adj* frozen

frustrerad *adj* frustrated

frys *subst* freezer

frysa I *verb* **1** till is freeze; bli frostskadad get frost-bitten **2** om person feel cold, be freezing; *jag fryser om händerna* my hands are cold

II *verb* med betonad partikel

frysa fast freeze

frysa in el. **frysa ned** matvaror freeze, refrigerate

frysa sönder: *rören har frusit sönder* the frost has burst the pipes

frysa till (igen) freeze, freeze over

frysbox *subst* freezer, chest freezer

frysdisk *subst* frozen-food display, refrigerated counter

frysfack *subst* freezing-compartment

frysklamp *subst* freezer pack

fryspunkt *subst* freezing-point

frysrum *subst* cold-storage room

frysskåp *subst* freezer, cabinet freezer

frystorka *verb* freeze-dry

fråga I *subst* question; *vad är det ~ om?* a) vad gäller saken? what's it all about? b) vad står på? what's the matter?; *mannen i ~* the man in question; *han kan komma i ~* he is a possible choice; *det (han) kan inte komma i ~* it (he) is out of the question; *i ~ om* beträffande concerning, with regard to

II *verb* ask; fråga ut question; *~ efter ngn* ask for sb; *~ efter en bok* i bokhandeln inquire for a book; *~ ngn om vägen* ask sb the way; *~ sig* ask oneself, wonder

frågeformulär *subst* questionnaire; *fylla i ~et* complete the questionnaire

frågesport *subst* quiz

frågetecken *subst* question mark; *se ut som ett levande ~* look completely bewildered

frågvis *adj* inquisitive

från *prep* from; *bort ~* el. *ned ~* off; *~ och med* (förk. *fr.o.m.*) *den 1 maj* as from May 1st; *~ och med den dagen* from that very day; *~ och med nu* from now on; *~ och med sid. 10* from page 10 on; *börja ~ början* begin at the beginning; *gå ~ bordet* leave the table; *A. ~ Stockholm* A. of Stockholm

frånskild *adj* om makar divorced; *en ~* a divorced person; kvinna a divorcee

frånta *verb*, *~ ngn ngt* a) take sth away from sb b) beröva deprive sb of sth

frånvarande *adj* **1** inte närvarande absent; *de ~*

those absent **2** tankspridd absent-minded;
upptagen av sina tankar preoccupied

frånvaro *subst* absence [*av* of; *från* from]

fräck *adj* impudent [*mot* to], vard. cheeky
[*mot* to], amer. fresh [*mot* to]; *det var det*
~aste! vard. what cheek!, what a nerve!

fräckhet *subst* impudence, insolence, vard.
cheek, nerve (samtliga endast sing.)

fräknar *subst pl* freckles

fräknig *adj* freckled

frälsa *verb* relig. save, redeem

frälsare *subst* relig. saviour

frälsning *subst* relig. salvation

frälsningsarmén *subst* the Salvation Army

främja *verb* promote, further

främjande *subst* promotion, furtherance

främling *subst* **1** stranger [*för* to] **2** utlänning
foreigner

främlingsfientlig *adj* … hostile to foreigners,
xenophobic

främlingshat *subst* hatred of foreigners

främlingslegion *subst*, *~en* the Foreign
Legion

främlingspass *subst* alien's passport

främmande I *adj* obekant strange, unknown,
unfamiliar [*för* to]; utländsk foreign
II *subst* gäster guests pl., company

främre *adj* front, fore

främst *adv* först first; längst fram in front; om
rang foremost; huvudsakligen chiefly; *gå* ~ go
first, walk in front

främsta (*främste*) *adj* förnämsta foremost;
viktigaste chief; första first, front

frän *adj* om lukt, smak pungent, acrid; ~ *kritik*
biting criticism

fräsa *verb* **1** väsa hiss [*åt* at]; brusa fizz; vid
stekning sizzle; om katt spit [*åt* at] **2** hastigt
steka fry, frizzle

fräsch *adj* fresh, fresh-looking; ren clean

fräscha *verb*, ~ *upp* t.ex. sitt utseende freshen
up; ~ *upp sitt minne* refresh one's
memory; ~ *upp sina kunskaper* brush
up one's knowledge

fräta *verb*, ~ el. ~ *på* (*sönder*) om syra etc.
corrode; *~nde ämne* corrosive

frö *subst* seed

fröjd *subst* glädje joy; lust delight

fröken *subst* **1** ogift kvinna unmarried woman;
ung dam young lady **2** lärarinna teacher **3** som
titel Miss; *F~!* till uppasserska Waitress!, vard.
Miss!; *F~ Ur* the Speaking Clock

frömjöl *subst* pollen

fuchsia *subst* blomma fuchsia

fuffens *subst* vard. hanky-panky; *ha något ~*
för sig be up to mischief

fukt *subst* damp; väta moisture

fukta *verb* moisten, wet

fuktig *adj* damp; t.ex. om klimat humid; råkall
damp; *~a läppar* moist lips

fuktighet *subst* dampness, moistness,
humidity

ful *adj* ugly, alldaglig plain, spec. amer. homely;
~ *fisk* ugly customer; ~ *gubbe* dirty old
man; *~a ord* bad language sing.; ~ *vana*
nasty habit; ~ *i mun* foul-mouthed

fuling *subst* nasty customer; *din ~!* you
rascal!

full
Observera att *I'm full* vanligen bety-
der jag är mätt medan *we're full*
oftast betyder det är fullsatt.

full *adj* **1** full [*av, med* of]; fylld filled [*av*
with]; *det är ~t* fullsatt we are full up; *hälla*
(*slå*) *glaset ~t* fill the glass; *på ~t allvar*
quite seriously; *njuta av ngt i ~a drag*
enjoy sth to the full; *~t förtroende*
complete confidence; *med ~ rätt* quite
rightly; *ha ~ tjänst* i skola be a full-time
teacher; *månen är ~* the moon is full
2 onykter, *en ~ person* a drunken person,
vard. a tipsy person; *vara ~* be drunk, vard.
be tipsy; *supa sig ~* get drunk

fullastad *adj* fully loaded

fullbelagd *adj*, *hotellet är fullbelagt* the
hotel is fully booked

fullblod *subst* thoroughbred

fullbokad *adj* fully booked

fullborda *verb* slutföra complete, finish; *ett ~t*
faktum an accomplished fact

fullfjädrad *adj* full-fledged, accomplished

fullfölja *verb* slutföra complete, finish;
genomföra follow out, carry out

fullgod *adj* perfectly satisfactory; utmärkt
perfect

fullgöra *verb* perform, discharge, fulfil, carry
out

fullkomlig *adj* **1** felfri perfect **2** fullständig
complete, entire; *en ~ främling för mig*
an utter stranger to me

fullkomlighet *subst* perfection

fullkomligt *adv* **1** perfectly, completely **2** helt
entirely, utterly; ~ *obegripligt* utterly
incomprehensible

fullkornsbröd *subst* wholemeal bread

fullmakt *subst* bemyndigande authorization,

skriftligt written authorization; *ge ngn ~ att göra ngt* authorize sb to do sth

fullmåne *subst* full moon

fullo *subst, till* ~ to the full, fully

fullpackad *subst o.* **fullproppad** *adj* crammed, packed [*med* with]

fullsatt *adj* full, crowded, packed

fullständig *adj* komplett complete, entire, full; total perfect, total

fullt *adv* **1** completely, fully; *ha ~ upp med arbete* have plenty of work; *arbeta för ~* work like mad; *med radion på för ~* with the radio on at full blast **2** alldeles quite; *inte ~ ett år* not quite a year

fulltalig *adj* complete; *en ~ publik* a full audience

fullträff *subst* direct hit; *pjäsen blev en verklig ~* the play was a real hit

fullvuxen *adj* full-grown; *bli ~* grow up

fullvärdig *adj,* ~ *kost* a balanced diet

fullända *verb* fullkomna perfect; *~d skönhet* perfect beauty

fulländning *subst* perfection

fumla *verb* fumble [*med* with, at]

fumlig *adj* fumbling

fundament *subst* foundation, foundations pl.

fundamental *adj* fundamental, basic

fundamentalist *subst* fundamentalist

fundera *verb* tänka think [*på, över* of, about]; grubbla ponder [*på, över* over]; *jag ~r på att köpa en ny bil* I'm thinking of buying a new car; *jag ska ~ på saken* I will think the matter over; *jag har ofta ~t över* undrat *varför han…* I have often wondered why he…; ~ *ut* think out, work out

fundering *subst,* ~*ar* tankar thoughts [*kring, om* on]; idéer ideas [*kring, om* on]

fundersam *adj* tankfull thoughtful

fungera *verb* **1** gå riktigt work, function; *hissen ~r inte* the lift is out of order, the lift is not working **2** tjänstgöra act [*som* as], serve [*som* as]

funka *verb* vard. work [*som* as], function [*som* as], act [*som* as]; se *fungera* för ex.

funktion *subst* function; *fylla en ~* serve a purpose; *ur ~* out of order

funktionär *subst* official; vid tävling steward

furir *subst* mil. corporal; inom flottan petty officer; inom flygvapnet sergeant

furste *subst* prince

furstendöme *subst* principality

furstlig *adj* princely

furu *subst* virke pine, pinewood; *ett bord av ~* a deal table

fusk *subst* **1** skol. el. i spel cheating **2** slarvigt arbete botched work, bungled work

fuska *verb* skol. el. i spel cheat

fusklapp *subst* skol. crib

fuskverk *subst,* *ett ~* a botched piece of work

futtig *adj* ynklig paltry; lumpen mean

futurum *subst* gram. the future tense

fux *subst* häst chestnut, ljusare sorrel

fy *interj* oh!; ~ *fan!* hell!; ~ *skäms!* shame on you!; till barn naughty, naughty!

fylla I *verb* **1** fill; stoppa full stuff; *~s* fill, fill up; *det fyller sitt ändamål* it serves its purpose; ~ *bensintanken* fill up the tank, fill up; ~ *vin i glasen* pour wine into the glasses; *hennes ögon fylldes av tårar* her eyes filled with tears **2** *när fyller du år?* when is your birthday?; *han fyllde femtio i går* he was fifty yesterday **II** *verb* med betonad partikel

fylla i: ~ *i en blankett* fill in a form, fill up a form

fylla igen t.ex. hål fill up, stop up

fylla på 1 kärl fill, fill up **2** vätska pour, pour in **3** ~ *på bensin* tanka fill up

fyllbult *subst* vard. drunkard, boozer, wino (pl. -s)

fylleri *subst* drunkenness

fyllerist *subst* drunk

fyllig *adj* **1** om person plump; om figur, kroppsdel ample, full **2** om t.ex. framställning full, detailed; om urval etc. rich **3** om vin full-bodied; om ton, röst rich, mellow

fyllnadsinbetalning *subst* av skatt supplementary payment of back tax

fyllnadsval *subst* polit. by-election

fyllning *subst* filling äv. i tand; kok. stuffing; i pralin etc. centre

fyllo *subst* vard. drunk, boozer

fylltratt *subst* vard. drunk, boozer

fynd *subst* det funna find; upptäckt discovery; *göra ett ~* gött köp make a bargain

fyndig *adj* **1** om person: påhittig inventive; rådig resourceful; slagfärdig witty **2** om t.ex. lösning ingenious

fyndpris *subst* bargain price

fyr *subst* fyrtorn lighthouse

1 fyra *verb,* ~ *av* fire, let off, discharge

2 fyra I *räkn* four; *mellan ~ ögon* in private, privately; *på alla ~* on all fours; se *fem* för ex.
II *subst* (se äv. *femma* för ex.) four; *~ns växel* fourth gear

fyrarummare *subst o.* **fyrarumslägenhet** *subst* four-room flat, four-room apartment

fyrbent *adj* four-legged

fyrcylindrig *adj*, *en ~ bil* a four-cylinder car; *bilen är ~* the car has four cylinders

fyrdubbel *adj* fourfold, quadruple

fyrdubbla *verb*, *~ ngt* multiply sth by four, quadruple sth

fyrfaldig *adj* fourfold; *ett ~t leve för...* four cheers for , . . ; *eng. motsvaiighet* three cheers for . . .

fyrfilig *adj*, *den är ~* it has four lanes

fyrfotadjur *subst* quadruped, four-footed animal

fyrfoting *subst* quadruped

fyrhjulsdrift *subst* bil. four-wheel drive

fyrhjulsdriven *adj* bil. four-wheel driven

fyrhändigt *adv* musik., *spela ~* play duets

fyrkant *subst* **1** kvadrat square; spec. geom. quadrangle **2** tele. hash, hash sign, amer. äv. pound sign; *tryck ~* press the hash button

fyrkantig *adj* square

fyrklöver *subst* four-leaf clover

fyrop *subst pl* boos, cries of 'shame!'

fyrsidig *adj* quadrilateral

fyrsiding *subst* quadrilateral

fyrskepp *subst* lightship

fyrtaktsmotor *subst* four-stroke engine

fyrti *räkn* vard. se *fyrtio*

fyrtio *räkn* forty; se *fem* för ex. o. *femtio-* för sammansättningar

fyrtionde *räkn* fortieth

fyrtiowattslampa *subst* forty-watt bulb

fyrtorn *subst* lighthouse

fyrvaktare *subst* lighthouse-keeper

fyrverkeri *subst*, *~* el. *~er* fireworks pl.; *ett ~* a firework display

fyrverkeripjäs *subst* firework

fysik *subst* **1** vetenskap physics (med verb i sing.) **2** kroppskonstitution physique, constitution

fysikalisk *adj* physical

fysiker *subst* physicist

fysiolog *subst* physiologist

fysionomi *subst* physiognomy

fysioterapi *subst* physiotherapy

fysioterapist *subst* physiotherapist

fysisk *adj* physical

1 få I *hjälpverb* **1** få tillåtelse att be allowed to, be permitted to; *~r jag gå nu?* may (can) I go now?; *jag ~r inte glömma det* I must not forget it **2** ha tillfälle el. möjlighet att be able to, have an opportunity to, have a chance to; *vi ~r tala om det senare* we can talk about that later; *vi ~r väl se* we'll see

about that; *~ höra*, *~ se*, *~ veta* etc., se resp. verb **3** vara tvungen att have to, have got to; *du ~r ta* el. *du ~r lov att ta en större väska* you must have a bigger bag; *du ~r inte göra det!* you mustn't do it!

II *huvudverb* **1** erhålla etc. get, obtain, receive, have; *kan jag ~ lite te?* can I have some tea please?; *jag ska be att ~ lite frukt* i butik I'd like some fruit; *vem har du ~tt den av?* who gave you that?; *vad ~r vi till middag?* what's for dinner?; *det ska du ~ för!* I'll pay you out for that!; *där fick han!* det var rätt åt honom! serves him right! **2** förmå make, get; *~ ngn att göra ngt* make sb do sth, get sb to do sth; *~ ett barn i säng* get a child to bed

III *verb* med betonad partikel

få av ngt get sth off

få av sig ngt t.ex. plagg get sth off

få bort avlägsna remove; *jag kan inte ~ bort den* I can't get it off

få fast ngn catch sb; t.ex. brottsling manage to catch (arrest) sb

få fram ngt ta fram get sth out; *jag fick inte fram ett ord* I couldn't get a word out; *jag vill ~ fram sanningen* I want to get at the truth

få för sig sätta sig i sinnet get into one's head; inbilla sig imagine

få i 1 *~ i ngn ngt* get sth into sb **2** *~ i sig ngt* tvinga i sig get sth down

få igen: *det ska du ~ igen!* I'll pay you back for that!

få ihop ngt samla get sth together, collect sth

få in ngt get sth in; *~ in* ihop *pengar* collect money

få loss ngt get sth off; få ur get sth out

få på ngt get sth on

få på sig ngt t.ex. plagg get sth on

få tillbaka på skatten get a tax refund

få tillbaka ngt get sth back

få upp 1 öppna open; lyckas öppna manage to open; t.ex. lock get off **2** kunna lyfta raise, lift **3** *~ upp farten* komma i gång get up speed

få ut ngt 1 get sth out [*ur* of]; t.ex. lön, arv obtain; *~ ut det mesta möjliga av* **2** lösa solve; utnyttja make the most of

få ngt över få kvar have sth left, have sth to spare

2 få *pron* few; *bara några ~* only a few; *inte så ~* quite a few; *några ~* a few; *ytterst ~* very few

fåfäng *adj* flärdfull vain

fåfänga *subst* flärd vanity

fåglar
I TRÄDGÅRDEN: blåmes *blue tit*, gråsparv *house sparrow*, koltrast *blackbird*, rödhake *robin, robin redbreast*, talgoxe *great tit, titmouse*.
VID SJÖ OCH HAV: fiskmås *seagull*, gräsand *mallard, wild duck*, svan *swan*.
I SKOG OCH MARK: bofink *chaffinch*, duva *pigeon*, hackspett *woodpecker*, kråka *crow*, skata *magpie*, svala *swallow*, örn *eagle*.
BURFÅGLAR: papegoja *parrot*, undulat *budgerigar*, vard. *budgie*, kanariefågel *canary*. Amerikaner använder ofta ordet *parakeet* för undulat.

fågel *subst* bird; tamfågel el. kok. poultry koll.; **varken ~ eller fisk** neither fish, flesh nor fowl
fågelbo *subst* bird's nest (pl. vanligen birds' nests)
fågelbord *subst* bird table
fågelbur *subst* birdcage
fågelfrö *subst* birdseed
fågelholk *subst* nesting box
fågelinfluensa *subst* med. bird influenza
fågelkvitter *subst* the twittering of birds
fågelperspektiv *subst*, *se ngt i* ~ have a bird's-eye view of sth
fågelskrämma *subst* scarecrow
fågelskådare *subst* bird-watcher
fågelvägen *subst*, *det är två mil* ~ it is twenty kilometres as the crow flies
fåll *subst* hem
1 fålla *verb* vid sömnad hem
2 fålla *subst* inhägnad pen, fold
fåne *subst* fool, idiot
fånga I *subst*, *ta ngn till* ~ take sb prisoner, capture sb; *ta sitt förnuft till* ~ be reasonable
II *verb* catch, take
fånge *subst* prisoner; straffånge convict
fången *adj* fångslad captured, imprisoned, captive; *hålla ngn* ~ keep sb in captivity, hold sb prisoner
fångenskap *subst* captivity; *befria ngn ur* ~*en* free sb from captivity
fångläger *subst* prison camp; mil. prisoner of war camp
fångst *subst* byte catch

fångvaktare *subst* warder, amer. prison guard, jailer
fånig *adj* silly, stupid; löjlig ridiculous
fåntratt *subst* vard. fool, idiot
fåordig *adj* taciturn; *hon är* ~ she's a woman of few words; *han är* ~ he's a man of few words
får *subst* sheep (pl. lika); kött mutton
fåra *subst* o. *verb* furrow
fårkött *subst* mutton
fårskalle *subst* vard. blockhead
fårskinn *subst* sheepskin
fårstek *subst* roast mutton
fårull *subst* sheep's wool
fåtal *subst*, *ett* ~ *gånger* a few times; *endast ett* ~ only a small number; *i ett* ~ *fall* in a minority of cases
fåtalig *adj*, *de är* ~*a* they are few, they are few in number; *den* ~*a publiken* the small audience
fåtölj *subst* armchair, easy chair
fädernesland *subst* native country
fähund *subst* lymmel swine, dirty dog, stark. bastard
fäkta *verb* fence; ~ *med armarna* gesticulate violently
fäktare *subst* fencer
fäktning *subst* fencing
fälg *subst* på hjul rim
fälgkors *subst* bil. wheel wrench
fälgnyckel *subst* bil. rim wrench
fälla I *subst* trap; *gillra en* ~ *för* set a trap for
II *verb* **1** få att falla fell; spec. jakt. bring down; låta falla drop; sänka, t.ex. bom lower; ~ *ett förslag* defeat a proposal; ~ *tårar* shed tears **2** förlora, t.ex. blad, hår shed, cast **3** avge, ~ *ett yttrande* make a remark **4** förklara skyldig convict *[för* of*]* **5** om tyg etc. lose its colour, fade; *färgen fäller* the colour runs
III *verb* med betonad partikel
fälla ihop t.ex. fällstol fold up; ~ *ihop ett paraply* fold an umbrella, take down an umbrella
fälla ned lock shut; bom, sufflett lower; krage turn down
fälla upp lock open; krage turn up; paraply put up
fällkniv *subst* clasp knife; stor jack knife
fällstol *subst* folding chair; utan ryggstöd camp stool; vilstol deckchair
fält *subst* field; *på ett* ~ in a field
fältherre *subst* commander, general
fältkikare *subst* field glasses pl.
fältmarskalk *subst* mil. field marshal
fältslag *subst* pitched battle

fälttåg *subst* campaign

fältuniform *subst* mil. field uniform, battle dress

fängelse *subst* prison, jail, i brittisk engelska ibland gaol; *få livtids* ~ get a life sentence, be imprisoned for life; *sitta i* ~ be in prison, be in jail; *sätta ngn i* ~ put sb in prison, put sb in jail

fängelsecell *subst* prison cell

fängelsedirektör *subst* prison governor, amer. prison warden, warden

fängelsestraff *subst* imprisonment, term of imprisonment; *avtjäna ett* ~ serve a prison sentence

fängsla *verb* **1** sätta i fängelse imprison **2** tjusa captivate, fascinate; spännande, intressant absorbing, thrilling

fängslande *adj*

fängslig *adj*, *hålla i* ~*t förvar* keep in custody; *ta i* ~*t förvar* take into custody

fänkål *subst* kok. el. bot. fennel; krydda fennel seed

färd *subst* **1** resa journey; till sjöss voyage **2** *vara i full* ~ *med att göra ngt* be busy doing sth

färdas *verb* travel

färddator *subst* bil. trip computer

---

färdig

Lägg märke till skillnaden mellan:
I'm ready jag är färdig = jag är beredd att börja
I'm finished eller *I have finished* jag är färdig = jag har gjort klart

---

färdig *adj* avslutad finished, completed; done; klar, beredd ready, prepared [*till* for]; ~ *att användas* ready for use; *få (göra) ngt* ~*t* a) avsluta finish sth b) iordningställa get sth ready [*till* for]; *skriva brevet* ~*t* finish writing the letter; *är du* ~*?* have you finished?; *är du* ~ *med arbetet?* have you finished your work?; *han är alldeles* ~ slut he is done for; *middagen är* ~ dinner is ready; *vara* ~ nära *att göra ngt* be on the point of doing sth

färdigförpackad *adj* pre-packed

färdighet *subst* skicklighet skill, proficiency

färdigklädd *adj* dressed

färdiglagad *adj*, ~ *mat* ready-cooked food

färdigställa *verb* prepare, get ready

färdigsydd *adj* konfektionssydd ready-made

färdigt *adv*, *äta* ~ finish eating

färdledare *subst* guide, leader

färdskrivare *subst* bil. tachograph, vard. tacho; flyg. flight recorder, vard. black box

färdsträcka *subst* bil. driving distance

färdtjänst *subst* mobility service, transportation service for the disabled

färdvag *subst* route; resplan itinerary

färg *subst* **1** colour; målarfärg paint; *vad är det för* ~ *på bilen?* el. *vilken* ~ *har bilen?* what colour is the car?; *få* ~ om ansikte get a colour, get a tan **2** till färgning dye **3** nyans shade, tint **4** kortsp. suit

färga *verb* colour; tyg, hår dye; *den röda duken har* ~*t av sig på bordsduken* the dye has come out of the red cloth on to the tablecloth; ~*t hår* dyed hair

färgad *adj* coloured; målad painted; med färgning dyed

färgband *subst* för skrivmaskin typewriter ribbon

färgbild *subst* colour picture; foto. colour photo (pl. -s)

färgblind *adj* colour-blind

färgfilm *subst* colour film

färgfoto *subst* bild colour photo pl. -s

färgglad *adj* richly coloured

färggrann *adj* richly coloured, full of colour, neds. gaudy

färghandel *subst* paint dealer and chemist

färgklick *subst* splash of colour (pl. splashes of colour); klatschig detalj colourful detail

färgkrita *subst* coloured chalk; av vax coloured crayon

färglåda *subst* paintbox

färglägga *verb* colour; foto. tint

färglös *adj* colourless

färgpenna *subst* coloured pencil

färgskala *subst* range of colours

färgstark *adj* colourful

färg-tv *subst* colour television, colour TV

färgäkta *adj* colour-fast; tvättäkta washproof

färja *subst* ferry; spec. mindre ferryboat

färjförbindelse *subst* ferry service

färre *adj* fewer

färs *subst* köttfärs minced meat, amer. ground beef; t.ex. på fisk mousse

färsk *adj* ej konserverad fresh; ~*t bröd* fresh bread, new bread; ~ *frukt* fresh fruit; ~ *potatis* new potatoes

färskpotatis *subst* koll. new potatoes pl.

färskvara *subst* perishable, foodstuff; *färskvaror* perishables

Färöarna *pl* the Faeroe Islands, the Faeroes

fästa *verb* fasten, fix, attach; ~ *blicken på* fix one's eyes on; ~ *sig vid ngn* become attached to sb; ~ *sig vid ngt* pay attention to sth; *vara mycket fäst vid* be very much attached to

fäste *subst* **1** stöd, tag hold; fotfäste foothold, footing; *få* ~ get a hold, get a grip **2** befästning stronghold; *ett starkt ~ för liberalerna* a stronghold for the liberals

fästing *subst* tick

fästman *subst* fiancé

fästmö *subst* fiancée

fästning *subst* fort, fortress

föda I *subst* food; näring nourishment; uppehälle living; *fast* ~ solid food; *flytande* ~ liquid food
II *verb* **1** give birth to **2** alstra breed **3** ge föda åt feed; försörja support, maintain; ~ *upp* djur breed, rear

födas *verb* be born; *han föddes den 1 mars* he was born on 1 March

född *adj* born; *Födda* rubrik Births; *hon är ~ Anderson* her maiden name was Anderson; *när är du ~?* when were you born?; *han är ~ svensk* he is a Swede by birth

födelse *subst* birth; *efter (före) Kristi ~ se Kristus*

födelseannons *subst* announcement in the births column

födelsedag *subst* birthday

födelsedagskalas *subst* vard. birthday party

födelsedagspresent *subst* birthday present

födelsedatum *subst* date of birth

födelsekontroll *subst* birth control

födelsemärke *subst* birthmark

födelseort *subst* birthplace; i formulär place of birth

födoämne *subst* food (endast sing.); foodstuff

födsel *subst* förlossning delivery; födelse birth; *från ~n* from birth

1 föga *adj* o. *adv* very little; ~ *trolig* not very likely, improbable
2 föga *subst*, *falla till* ~ yield, submit [*för* to]

fögderi *subst* tax collection district

föl *subst* foal; unghäst colt; ungsto filly

---

följa
Lägg märke till att *follow* betyder följa, följa efter. Följa med ngn heter *accompany sb, come with sb, go with sb.*

---

följa I *verb* **1** follow; efterträda succeed **2** göra sällskap med accompany; ~ *ngn till tåget*

(*båten* etc.) see sb off; *jag följer dig en bit på väg* I will come with you part of the way
II *verb* med betonad partikel
följa efter follow
följa med komma med come (dit go) along [*ngn* with sb]; ~ *med ngn* accompany sb; *vill du ~ med på bio?* do you want to come with me (us) to the cinema?; *han talar så fort att jag inte kan ~ med* he speaks so fast I can't follow him; *han kan inte ~ med i klassen* he cannot keep up with the rest of the class
följa upp follow up

följaktligen *adv* consequently, accordingly

följande *adj* following; *den ~ diskussionen var* the discussion that followed was; *på ~ sätt* in the following way

följas *verb*, ~ *åt* go together, accompany each other

följd *subst* **1** succession, sequence; *en ~ av olyckor* a series of accidents; *fem år i ~* five years in succession **2** konsekvens consequence; *ha (få) till ~* result in; *ha till ~ att...* have the result that...

följesedel *subst* delivery note

följeslagare *subst* companion, follower

följetong *subst* serial story, serial

föna *verb* håret blow-dry, blow-wave

fönster *subst* window

fönsterbräde *subst* window sill

fönsterlucka *subst* shutter

fönsterputsare *subst* window-cleaner

fönsterruta *subst* window pane

fönstershoppa *verb* window-shop

fönstertittare *subst* voyeur, peeping Tom

1 för *subst* på båt bow, bows, stem
2 för I *prep* **1** for; *ha användning ~* have use for; *det blir inte bättre ~ det* that won't make it any better; *han är lång ~ sin ålder* he is tall for his age; *jag får inte ~ pappa* father won't let me; *han får göra vad han vill ~ mig* he can do as he likes as far as I'm concerned **2** to; *visa ngt ~ ngn* show sth to sb; ~ *mig* i mina ögon to me **3** vid genitivförhållande of; *chef ~* head of; *priset ~ varorna* the price of the goods; *tidningen ~ i går* yesterday's paper **4** i tidsuttryck, ~ *fem dagar framåt* for the next five days; *få en vän ~ livet* a friend for life; ~ *ett år sedan* a year ago; ~ *länge sedan* long ago **5** andra ex., *gömma ngt ~ ngn* hide sth from sb; *oroa sig ~ ngn (ngt)* worry about sb (sth); *jag har köpt det ~ egna pengar* I've bought it with my

own money; *ta lektioner* ~ *ngn* have lessons with sb; *köpa tyg* ~ *100 kronor metern* buy material at 100 kronor a metre; *bli sämre* ~ *varje dag* become worse every day; *var och en* ~ *sig* each one separately; *hålla handen* ~ *munnen* hold one's hand before one's mouth; *ngt* ~ *sig själv* have something all to oneself; *vara* ~ *sig själv* ensam be alone **II** *konj* ty for; ~ *att* **1** because **2** så att, i avsikt att ~ *att* på det att so that, in order that; *vägen var för (alltför) smal* ~ *att två bilar skulle kunna mötas* the road was too narrow for two cars to pass; *hon talar bra svenska* ~ *att vara utlänning* she speaks good Swedish for a foreigner **III** *adv* **1** alltför too; ~ *litet* too little **2** *gardinen är* ~ fördragen the curtain is drawn

föra I *verb* **1** bära carry; forsla transport **2** ta med sig: hit bring; föra bort till take; ~ *ngn till sjukhus* take sb to hospital **3** leda lead; ~ *förhandlingar* conduct negotiations, carry on negotiations; ~ *en politik* pursue a policy **4** lead; *det skulle* ~ *för långt* it would carry (take) us too far **II** *verb* med betonad partikel **föra bort ngn** take sb away, lead sb away **föra fram** idé etc. bring up **föra in**: ~ *in ngt* införa introduce sth; ~ *in ngn* ta in bring (take) sb in; leda in lead sb in **föra med sig ngt 1** ha med sig carry (take) sth along with one **2** få som följd result in sth, lead to sth **föra upp** skriva upp enter [på on]; *för upp det på mitt konto* put it down to my account **föra ut** varor export **föra vidare** skvaller etc. pass on

förakt *subst* contempt; *känna* ~ *för ngn* feel contempt for sb **förakta** *verb* ringakta despise, scorn **föraktfull** *adj* contemptuous, scornful **föraktlig** *adj* **1** värd förakt contemptible; *en inte* ~ *summa* no mean sum of money **föraning** *subst* premonition [*om att* that], presentiment [*om att* that] **förankra** *verb* anchor [*vid* to]; *fast* ~*d* djupt rotad deeply rooted **förankring** *subst* sjö. anchorage; *den har stark* ~ *hos folket* it is strongly supported by the people **föranleda** *verb* **1** förorsaka bring about, cause; ge upphov till give rise to; *känna sig*

föranledd att göra ngt feel called upon to do sth **föranlåten** *adj*, *känna (se) sig* ~ *att göra* feel called upon to do sth **förarbete** *subst* preparatory work (endast sing.) **förare** *subst* av bil etc. driver; av motorcykel etc. rider; av flygplan pilot **förarga** *verb* **1** annoy, provoke **2** ~ *sig* get annoyed [*över* at, with] **förargelse** *subst* **1** förtret, ilska annoyance **2** anstöt offence; *väcka* ~ cause offence **förargelseväckande** *adj*, ~ *beteende* jur. disorderly conduct **förarglig** *adj* förtretlig annoying; retsam irritating **förarhytt** *subst* i lastbil etc. driver's cab; på tåg driver's compartment; på flygplan cockpit **förarplats** *subst* driver's seat **förarsäte** *subst* driver's seat **1 förband** *subst* **1** bandage; kompress etc. dressing; *första* ~ first-aid bandage **2** mil. unit; flyg. formation **2 förband** *subst* musik. warm-up band **förbandslåda** *subst* first-aid kit **förbanna** *verb* curse, damn **förbannad** *adj* **1** svordom vanligen bloody, damned, amer. goddamn **2** fördömd cursed **3** *bli* ~ vard. get furious [*på* with] **förbannat** *adv* vard. damned, amer. goddamn **förbannelse** *subst* curse **förbarma** *verb*, ~ *sig* take pity [*över* on]; spec. relig. have mercy [*över* on] **förbarmande** *subst*, *visa* ~ have pity [*mot* on], show mercy [*mot* on] **förbaskad** *adj* vard. confounded, damned, amer. goddamn **förbehåll** *subst* reserve, reservation; inskränkning restriction; villkor condition; *under* ~ *att...* provided that...; *utan* ~ without reservation **förbehålla** *verb*, ~ *sig rätten att göra ngt* reserve the right to do sth **förbehållen** *adj* reserved [*för* for] **förbereda** *verb* prepare [*för, på* for]; ~ *sig* prepare oneself [*för, på ngt* for sth]; göra sig i ordning get ready [*för, till* for], get oneself ready [*för, till* for] **förberedande** *adj* preparatory, preliminary **förberedelse** *subst* preparation **förbi** *prep* o. *adv* past, by **förbifart** *subst*, *i* ~*en* in passing **förbigå** *verb*, ~ *ngn (ngt)* pass sb (sth) over; strunta i ignore sb (sth); ~ *ngt med tystnad* pass something over in silence **förbigående** *subst*, *i* ~ in passing

förbigången adj passed over; **känna sig ~** feel left out

förbinda verb **1** sår bandage, dress **2** förena join [med to], attach [med to], connect [med with, to]; **det är förbundet med stor risk** it involves a considerable risk **3 ~ sig** förplikta sig bind oneself

förbindelse subst **1** connection; trafik service, connection; **daglig ~** daily service; **stå i ~ med** a) ha kontakt med be in contact with b) vara förenad med be connected with; **sätta sig i ~ med** get in touch with **2** människor emellan relation, relations; kärleksförbindelse love affair; **diplomatiska ~r** diplomatic relations; **tillfälliga sexuella ~r** casual sex

förbise verb overlook; avsiktligt disregard

förbiseende subst, **genom ett ~** through an oversight

förbistring subst confusion

förbittrad adj bitter; ursinning furious [över about, at; på with]

förbittring subst bitterness, resentment; ursinne rage

förbjuda verb forbid; om myndighet prohibit

förbjuden adj forbidden; officiellt prohibited; **Rökning ~** No Smoking

förbli verb remain

förblinda verb blind

förbluffa verb amaze, astound

förblöda verb bleed to death

förboka verb book...in advance

förbruka verb consume, use; göra slut på use up; krafter exhaust; pengar spend

förbrukare subst consumer, user

förbrukning subst consumption

förbrukningsartikel subst article of consumption

förbrukningsdag subst, **sista ~ 17 december** på matvaror use-by date 17th December

förbrylla verb bewilder, confuse, puzzle

förbrytare subst criminal

förbrytelse subst crime

förbränna verb burn up

förbränning subst **1** burning **2** fys. combustion

förbränningsmotor subst internal combustion engine

förbud subst prohibition [mot against], ban [mot on]

förbund subst mellan stater alliance; federation federation

förbundskapten subst sport. national team manager

förbättra verb improve

förbättring subst improvement

fördel subst **1** advantage [framför over; för to; med of]; **dra (ha) ~ av** benefit by, profit by **2** i tennis etc. advantage, vard. van

fördela verb distribute; uppdela divide

fördelaktig adj advantageous [för to]

fördelardosa subst bil. distributor

fördelning subst distribution; uppdelning division

fördjupa verb deepen; **~ sig i** studier etc. become absorbed in

fördom subst, **~** el. **~ar** prejudice sing.; **ha ~ar mot** be prejudiced against

fördomsfri adj unprejudiced

fördomsfull adj prejudiced

fördrag subst avtal treaty; **sluta ett ~ med** sign a treaty with

fördriva verb **1** drive away **2 ~ tiden** pass time, kill time

fördröja verb delay, retard

fördubbla verb double; öka redouble; **de ~de sina ansträngningar** they redoubled their efforts

fördubblas verb double, redouble

fördumma verb vard. dumb down

fördumning subst vard. dumbing down

fördärv subst ruin; undergång destruction

fördärva verb **1** ruin, destroy **2** moraliskt corrupt, deprave

fördärvad adj **1** ruined **2** corrupt, depraved

fördöma verb condemn

fördömd adj **1** damned **2** svordom damned, confounded

1 före subst se skidföre

2 före I prep **1** before, ahead of; **inte ~ kl. 7** not before seven **2 ~ detta** (förk. f.d.): **hennes ~ detta** her ex; **~ detta ambassadör i...** formerly ambassador in...; **hennes ~ detta man** her ex-husband; **~ detta rektorn vid...** the late headmaster at...; **~ detta världsmästare** ex-champion of the world **II** adv before; **dagen ~** the day before; **vara (ligga) ~** be ahead; **min klocka går ~** my watch is fast

förebild subst mönster, modell model; urtyp prototype [för, till of]; **tjäna som ~** serve as a model

förebrå verb reproach [för with, for]; klandra blame [för for]; **jag har inget att ~ mig för** I've nothing to reproach myself for

förebråelse subst reproach

förebud subst omen [om of]

förebygga *verb* förhindra prevent; förekomma forestall

förebyggande *adj* preventive

förebåda *verb* varsla om promise; något ont portend, forebode

föredetting *subst* vard. has-been

föredra *verb* preter [*framför* to]; *jag ~r att simma framför att jogga* I prefer swimming to jogging

föredrag *subst* anförande talk [*om* on]; föreläsning lecture [*över* on]; *hålla* ~ give a talk, give a lecture

föredöme *subst* example; *vara ett* ~ *för* set an example to

förefalla *verb* seem [*ngn* to sb], appear [*ngn* to sb]

föregripa *verb* forestall, anticipate

föregå *verb* **1** komma före precede **2** ~ *ngn med gott exempel* set sb a good example

föregående *adj* previous, preceding

föregångare *subst* företrädare predecessor

förehavande *subst*, *polisen kände inte till hans ~n den natten* the police didn't know what he had been doing (what he had been up to) that night

förekomma *verb* finnas occur, be met with

förekommande *adj* **1** *i* ~ *fall* där så är lämpligt where appropriate **2** obliging; artig courteous

förekomst *subst* occurrence, presence; av sjukdomar etc. incidence

föreläsa *verb* lecture [*i, över* on; *för* to]

föreläsare *subst* lecturer [*i* on]

föreläsning *subst* lecture; *gå på* ~ go to a lecture, attend a lecture; *hålla* ~ lecture, give a lecture

föremål *subst* sak object; *vara* ~ *för* ämnet för be the subject of

förena *verb* unite [*med* to]; sammanföra bring... together; förbinda join, connect; kombinera combine

förening *subst* **1** sällskap association, society; *gå med i* ~*en* join the society **2** förbindelse association, union, combination **3** kem. compound

föreningslokal *subst* club premises pl., society premises

förenkla *verb* simplify

förenkling *subst* simplification

förenlig *adj* consistent [*med* with], compatible [*med* with]

Förenta nationerna (förk. *FN*) the United Nations (förk. UN)

Förenta staterna the United States (förk. US)

föresats *subst* intention

föreskrift *subst*, ~ el. ~*er* anvisning directions, instructions

föreskriva *verb* prescribe

föreslå *verb* propose [*för* to], suggest [*för* to]

förespråkare *subst* advocate [*för* for]

förespå *verb* förutsäga predict; profetera prophesy

förstå *verb* **1** ansvara för be the head of, be in charge of **2** vara nära be near; vara överhängande be imminent

förestående *adj* stundande approaching; spec. om något hotande imminent; *vara nära* ~ be close at hand

förestådare *subst* manager [*för* of], director [*för* of]; för institution head [*för* of]

föreställa *verb* **1** återge represent; *vad ska den här bilden ~?* what's this picture supposed to represent? **2** presentera introduce **3** ~ *sig* tänka sig imagine, visualize, picture

föreställning *subst* **1** begrepp idea [*om* of], conception [*om* of] **2** teaterföreställning etc. performance

föresätta *verb*, ~ *sig* besluta make up one's mind; sätta sig i sinnet set one's mind [*att göra* inf. on doing ing-form]

företag *subst* **1** affärsföretag etc. enterprise, business, company, firm **2** undertaking

företagare *subst* industrialist, owner of a business enterprise; arbetsgivare, inte arbetstagare employer; *han är egen* ~ he is self-employed, he runs his own business

företagsam *adj* enterprising

företagsamhet *subst* **1** vara företagsam enterprising spirit, initiative **2** *fri* ~ free enterprise

företagsledare *subst* executive, business executive

företagsledning *subst*, ~*en* the management

företeelse *subst* phenomenon (pl. phenomena); *en vanlig* ~ an everyday occurrence

företräda *verb* representera represent

företrädare *subst* **1** föregångare predecessor [*till* of] **2** för idé etc. advocate, upholder **3** ombud representative [*till* of]

företräde

Vägskylten lämna företräde har i Storbritannien texten *give way*, i USA *yield*.

företräde *subst* förmånsställning preference,

priority [framför over]; **lämna** ~ **åt trafik från höger** give way to traffic coming from the right

förevändning subst pretext [för for], excuse [för for]; **under** ~ **av** on the pretext of; **under** ~ **att** on the pretext that

förfall subst **1** decline, decay **2** förhinder, **laga** ~ valid excuse; **utan giltigt** ~ without a valid reason

förfalla verb **1** fördärvas fall into decay; om byggnad etc. fall into disrepair; om person go downhill **2** bli ogiltig become invalid **3** ~ el. ~ **till betalning** be due, fall due

förfallen adj **1** vanvårdad decayed, dilapidated; om person down-and-out **2** ogiltig invalid

förfallodag subst date of payment, due date

förfalska verb falsify; t.ex. tavla fake; namn, sedlar etc. forge

förfalskare subst forger

förfalskning subst **1** förfalskande faking, forgery **2** föremål fake, forgery

förfarande subst procedure

författa verb write, compose

författare subst author [av, till of], writer [av, till of]

författarinna subst authoress, author

författning subst statsskick constitution

författningsenlig adj constitutional

förfluten adj past; **han har ett förflutet som politiker** he has a past as a politician; **det tillhör det förflutna** it's a thing of the past

förflytta verb move; omplacera transfer; ~ **sig** move

förfoga verb, ~ **över ngt** have sth at one's disposal

förfogande subst, **ställa ngt till ngns** ~ place a thing at sb's disposal

förfriskningar subst pl refreshments

förfrusen adj frostbitten

förfrågan subst inquiry [om about]

förfäder subst ancestors, forefathers

förfärlig adj terrible, frightful, dreadful

förfölja verb **1** följa efter, jaga pursue, chase **2** t.ex. folkgrupp persecute

förföljare subst pursuer

förföljelse subst **1** pursuit **2** av t.ex. folkgrupp persecution [mot of]

förföljelsemani subst persecution mania

förföra verb seduce

förförare subst seducer

förförisk adj seductive

förgasare subst bil. carburettor, amer. carburetor

förgifta verb poison

förgiftning subst poisoning

förgjord adj, **det är som förgjort!** everything seems to be going wrong!, it's maddening!

förgrund subst foreground; **stå i** ~**en** be in the forefront

förgrymmad adj ursinnig enraged, incensed, svag. indignant [på with; över at]

förgylla verb gild; ~ **tillvaron** brighten up one's daily life

förgången adj past; **i det förgångna** in the past

förgänglig adj perishable; dödlig mortal

förgätmigej subst blomma forget-me-not

förgäves adv in vain

förhala verb dra ut på delay; ~ **tiden** play for time

förhand subst, t.ex. veta **på** ~ beforehand; t.ex. betala, tacka **på** ~ in advance

förhandla verb negotiate [om about]

förhandlare subst negotiator

förhandling subst negotiation; **avbryta** ~**ar** break off negotiations; **inleda** ~**ar** start negotiations

förhandlingsbar adj negotiable

förhandlingsbord subst negotiating table

förhandstippad adj, **vara** ~ be tipped to win

förhandstips subst advance tip-off

förhandsvisning subst preview

förhastad adj premature; **dra** ~**e slutsatser** jump to conclusions

förhinder subst, **få** ~ vara förhindrad att gå (komma etc.) be prevented from going (coming etc.)

förhindra verb prevent [från att göra inf. from doing ing-form]

förhoppning subst hope; förväntning expectation; **ha (hysa)** ~**ar om** have hopes of

förhoppningsfull adj hopeful; lovande promising

förhoppningsvis adv hopefully

förhud subst anat. foreskin

förhålla verb, ~ **sig** förbli keep, remain; **så förhåller det sig med den saken** that is how matters stand; **det förhåller sig så att...** the fact is that...

förhållande subst **1** state of things, conditions pl., case; ~**n** omständigheter circumstances; **under alla** ~**n** in any case **2** relationer relations pl.; förhållande mellan parter relationship; **ha ett** ~ have an affair **3** proportion proportion; **i** ~ **till** in proportion to; i jämförelse med in relation to

förhårdnad subst på hud callus

förhänge *subst* curtain

förhöja *verb* heighten, enhance

förhör *subst* **1** examination; hos polisen interrogation; rättsligt inquiry; *ta ngn i* ~ cross-examine (interrogate) sb **2** skol. test; kort förhör quiz; *muntligt* ~ questions on the homework; *skriftligt* ~ written test

förhöra *verb* **1** cross-examine [*om* on]; hos polisen interrogate **2** ~ *ngn på läxan* test sb on the homework

förinta *verb* annihilate, destroy

förintelse *subst* annihilation, destruction; ~*n* av judarna under andra världskriget the Holocaust

förivra *verb* **1** ~ *sig* get carried away **2** rush things

förkasta *verb* reject

förkastlig *adj* reprehensible; *sådana metoder är* ~*a* such methods are to be condemned

förklara 1 *verb* explain [*för* to]; *det* ~*r saken* that accounts for it, that explains it; ~ *bort ngt* make excuses for sth **2** tillkännage declare; uppge state; ~ *krig mot* declare war on; ~*s skyldig* be found guilty [*till* of]

förklaring *subst* förtydligande explanation

förklarlig *adj* explicable, explainable; begriplig understandable; *av* ~*a skäl* for obvious reasons

förkläda *verb* disguise; *vara förklädd till polis* be disguised as a police

förkläde *subst* **1** plagg apron **2** person chaperon; *vara* ~ *åt ngn* chaperon sb

förklädnad *subst* disguise

förknippa *verb* associate

förkorta *verb* **1** shorten **2** t.ex. ord abbreviate

förkortning *subst* **1** shortening (endast sing.) **2** av t.ex. ord abbreviation

förkroma *verb* chromium-plate

förkrossande *adj* t.ex. nederlag crushing; t.ex. majoritet overwhelming

förkunskaper *subst pl*, *utan erforderliga* ~ without the necessary qualifications

förkyld *adj*, *bli* ~ catch cold, catch a cold

förkylning *subst* cold

förkämpe *subst* advocate [*för* of], champion [*för* of]

förkärlek *subst* predilection [*för* for], partiality [*för* for]

förköp *subst* advance booking; *köpa ngt i* ~ book sth in advance

förköpshäfte *subst* trafik. reduced rate ticket

förkörsrätt *subst* right of way [*framför* over]

förlag *subst* bokförlag publishing firm, publisher

förlaga *subst* original

förlama *verb* paralyse, amer. paralyze

förlamning *subst* paralysis

förlegad *adj* antiquated, obsolete

förlika *verb*, ~ *sig* become reconciled [*med* to], reconcile oneself [*med* to]; fördra put up [*med* with]

förlisa *verb* be lost, be shipwrecked

förlita *verb*, ~ *sig på ngn* trust in sb

förljugen *adj* dishonest, false

förlopp *subst* händelseförlopp course of events

förlora *verb* lose; ~ *i styrka* lose force; ~ *i värde* lose in value; ~ *på affären* lose on the bargain; ~ *med 2—0* lose by two nil

förlorad *adj* lost; ~*e ägg* poached eggs; *gå* ~ be lost [*för* to]

förlorare *subst* loser

förlossning *subst* delivery, childbirth

förlova *verb*, ~ *sig* become engaged [*med* to]

förlovad *adj* engaged [*med* to]; *Förlovade* rubrik Engagements

förlovning *subst* engagement

förlovningsring *subst* engagement ring

förlust *subst* loss; *gå med* ~ run at a loss; *lida stora* ~*er* sustain heavy losses

förlåta *verb* forgive; *förlåt!* för något som man gjort sorry!; *förlåt* inledning till fråga excuse me, pardon me

förlåtelse *subst* forgiveness; *jag bad henne om* ~ I asked her forgiveness

förlägen *adj* generad embarrassed

förlägga *verb* **1** placera locate, place **2** slarva bort mislay

förläggare *subst* bokförläggare publisher

förläggning *subst* mil. station, camp

förlänga *verb* lengthen, prolong; utsträcka, förlänga giltighet extend

förlängning *subst* prolongation; utsträckning av giltighet extension

förlängningssladd *subst* extension flex, amer. extension cord

förlöjliga *verb* ridicule

förlösa *verb* deliver

förman *subst* arbetsledare foreman, supervisor

förmaning *subst* mild warning

förmedla *verb* mediate; ~ *nyheter* supply news

förmiddag *subst* morning; *kl. 11 på* ~*en* (förk. *kl. 11 f.m.*) at 11 o'clock in the morning (förk. at 11 a.m.); *i* ~*s* this morning; *på* ~*en* during the morning

förmildra *verb*, ~*nde omständigheter* extenuating circumstances

förminska *verb* se *minska 1*

förminskning *subst* reduction [*av, i* in], decrease [*av, i* in]; nedskärning cut [*av* in]

förmoda *verb* anta suppose; *jag ~r det* I suppose so

förmodan *subst* supposition; *mot* ~ contrary to expectation

förmodligen *adv* probably, presumably

förmyndare *subst* guardian [*för* of]

förmå *verb* **1** kunna, orka be able to, be capable of **2** ~ *ngn att* get sb to; ~ *sig till att...* bring oneself to..., induce oneself to...

förmåga *subst* ability, capability; *ha* ~ *att göra ngt* koncentrera sig be able to do sth; *sakna* ~ *att göra ngt* be unable to do sth; *över min* ~ beyond my powers

förmån *subst* fördel advantage; *sociala ~er* social benefits; *till* ~ *för* for the benefit of

förmånlig *adj* advantageous [*för* to]

förmånserbjudande *subst* special offer

förmånspris *subst* special offer

förmögen *adj* wealthy

förmögenhet *subst* rikedom fortune; kapital capital

förmögenhetsskatt *subst* capital tax, wealth tax

förnamn *subst* first name, om kristen ibland Christian name, spec. amer. given name; *vad heter du i ~?* what is your first name?

förnedra *verb* degrade; ~ *sig* degrade oneself

förnedring *subst* degradation

förneka *verb* deny

förnuft *subst* reason; *sunt* ~ common sense

förnuftig *adj* sensible, reasonable

förnya *verb* renew; upprepa repeat; ~ *sig* do something new

förnyelse *subst* renewal

förnäm *adj* **1** framträdande distinguished; *en av Englands ~sta hamnstäder* one of England's foremost ports **2** av hög börd noble **3** högdragen superior

förnämlig *adj* excellent, fine

förnärmad *verb, bli* ~ offend, take offence

förnödenheter *subst pl* necessities

förolyckas *verb* omkomma lose one's life, die in an accident; om båt, tåg be wrecked; om flygplan crash; *de förolyckade* the victims of the accident, the casualties

förolämpa *verb* insult

förolämpning *subst* insult [*mot* to]

förord *subst* preface, foreword

förorda *verb* recommend [*hos* to; *till* for]

förordna *verb* utse appoint

förordnande *subst* av tjänste appointment; *få ~ som rektor* be appointed headmaster

förordning *subst* stadga regulation

förorena *verb* contaminate, pollute

förorening *subst* **1** förorenande contamination, pollution **2** ämne pollutant

förorsaka *verb* cause

förort *subst* suburb [*till* of]

förorätta *verb, känna sig ~d* feel wronged

förpacka *verb* pack

förpackning *subst* **1** t.ex. paket package **2** inslagning packaging

förpassa *verb,* ~ *ngn ur landet* order sb to leave the country

förpesta *verb* poison; ~ *luften* vard. stink the place out

förplikta *verb, känna sig ~d* feel bound

förpliktelse *subst* åtagande obligation; skyldighet duty

förr *adv* **1** förut before **2** formerly; ~ *i tiden (världen)* formerly, in former times; ~ *satt jag ofta barnvakt* I used to baby-sit a lot **3** tidigare sooner, earlier **4** hellre rather, sooner

förra *adj* förutvarande former, earlier; *den förre... den senare* the former... the latter; ~ *veckan* last week

förresten *adv* för övrigt besides; apropå by the way; för den delen for that matter

förrförra *adj,* ~ *veckan* the week before last

förrgår *subst, i* ~ the day before yesterday

förrycka *verb* rubba upset; snedvrida disturb

förryckt *adj* tokig crazy, mad

förrymd *adj* om t.ex. fånge escaped

förråd *subst* **1** lager, tillgång store, stock, supply **2** lokal storeroom

förråda *verb* betray [*för* to]; ~ *sig* give oneself away

förrädare *subst* traitor [*mot* to]

förräderi *subst* treachery [*mot* to]; landsförräderi treason; *ett* ~ an act of treachery; an act of treason

förrädisk *adj* treacherous [*mot* to]

förrän *konj* before; *inte* ~ först not until, not till; *det dröjde inte länge* ~ it was not long before

förrätt *subst* first course; *som* ~ el. *till* ~ as a first course, as a starter, for starters

försagd *adj* timid

försaka *verb* go without, deny oneself

församlas *verb* assemble, gather

församling *subst* **1** grupp människor assembly **2** kyrkl. congregation; mindre distrikt parish

förse *verb* provide, furnish; ~*dd med* om sak vanligen equipped with, fitted with; ~ *sig* provide oneself [*med* with]

förseelse *subst* offence

försena _verb_ delay; _vara ~d_ be late

försening _subst_ delay

försiggå _verb_ take place; pågå go on, be going on

försigkommen _adj_ advanced; tidigt utvecklad om t.ex. barn precocious

försiktig _adj_ careful, cautious

försiktighet _subst_ care, caution

försitta _verb_ miss; _~ chansen_ miss the opportunity

försjunken _adj_, _~ i tankar_ lost in thought

förskingra _verb_ embezzle

förskingrare _subst_ embezzler

förskingring _subst_ embezzlement

förskola _subst_ nursery school, preschool

förskoleålder _subst_ preschool age

förskollärare _subst_ preschool teacher, nursery school teacher

förskott _subst_ advance; _i ~_ in advance

förskottsbetalning _subst_ payment in advance

förskräcka _verb_ frighten, scare

förskräckelse _subst_ fright, alarm; _komma undan med blotta ~n_ escape by the skin of one's teeth, have a very narrow escape

förskräcklig _adj_ frightful, dreadful, awful

förskräckt _adj_ frightened, scared

förskärare _subst_ carving-knife

försköna _verb_ beautify

förslag _subst_ proposal; råd suggestion; plan scheme [_till_ for], project [_till_ for]

förslummas _verb_ become a slum, turn into a slum

försmak _subst_ foretaste; _ge en ~ av_ give a foretaste of

försnilla _verb_ embezzle

försommar _subst_ early summer

försona _verb_ **1** _~ sig_ reconcile oneself [_med_ to] **2** ett _~nde drag_ a redeeming feature **3** _~s_ be reconciled with

försoning _subst_ förlikning reconciliation

försonlig _adj_ conciliatory

försorg _subst_, _genom ngns ~_ through the agency of sb

försova _verb_, _~ sig_ oversleep; _jag försov mig_ I overslept

förspel _subst_ **1** prelude äv. musik. **2** film. short film **3** vid samlag foreplay

försprång _subst_ start; avstånd lead; _få ~ före ngn_ get the start of sb

först _adv_ **1** först... och sedan first; först... men at first; _allra ~_ first of all; _~ och främst_ allra först first of all; framför allt above all **2** inte förrän not until, only; _~ efter en stund_ only after a while; _han kommer ~ om en vecka_ he won't come for another week

första (_förste_) _räkn_ o. _adj_ first (förk. 1st); begynnelse- initial; spec. i titlar principal, chief, head; _på ~ bänk_ i sal etc. in the front row; _från ~ början_ from the very start, from the very beginning; _de ~ dagarna var..._ the first few days were...; _i ~ hand_ in the first place, first; _~ hjälpen_ first aid; _~ klassens_ first-class, first-rate; _~ sidan_ i tidning the front page; _vid ~ bästa tillfälle_ at the first opportunity; _på ~ våningen_ a) bottenvåningen on the ground floor, amer. on the first floor b) en trappa upp on the first floor, amer. on the second floor; _för det ~_ in the first place, for one thing; vid uppräkning firstly; se _femte_ för vidare ex.

förstad _subst_ suburb [_till_ of]

förstaklassbiljett _subst_ first-class ticket

förstamajdemonstration _subst_ May-Day demonstration

förstatliga _verb_ nationalize

förstatligande _subst_ nationalization

förstklassig _adj_ first-rate, tip-top

förstnämnd _adj_ first-mentioned

förstoppning _subst_ constipation

förstora _verb_, _~_ el. _~ upp_ a) foto. enlarge, vard. blow up b) optiskt magnify c) göra stor affär av exaggerate, magnify

förstoring _subst_ **1** foto. enlargement, blow-up **2** optisk magnification **3** överdrift exaggeration

förstoringsglas _subst_ magnifying glass

förströdd _adj_ absent-minded

förströelse _subst_ diversion, nöje amusement

förstå _verb_ **1** understand; _låta ngn ~ att..._ give sb to understand that...; _å, jag ~r!_ oh, I see!; _göra sig ~dd_ make oneself understood **2** _~ sig på att..._ know how to..., understand how to...; _~ sig på ngt_ understand sth; kunna know about sth; _jag ~r mig inte på henne_ I can't make her out

förståelig _adj_ understandable

förståelse _subst_ understanding; sympati sympathy

förstående _adj_ understanding, sympathetic

förstånd _subst_ intelligence; vett sense; fattningsförmåga understanding; _tala ~ med ngn_ make sb see reason; _det går över mitt ~_ it is beyond me; _jag gjorde efter bästa ~_ I did it to the best of my judgement

förståndig _adj_ intelligent; förnuftig sensible; klok wise

förståndshandikappad _adj_ mentally retarded

förstås adv of course

förstärka verb strengthen; utöka reinforce; radio etc. amplify

förstärkare subst av ljud amplifier

förstärkning subst strengthening, reinforcement; mil. reinforcement

förstöra verb destroy; tillintetgöra annihilate; fördärva ruin, spoil; ~ *nöjet för ngn* spoil sb's pleasure, ruin sb's pleasure

förstöras verb be destroyed, be ruined

förstörelse subst destruction

försumlig adj negligent [mot to], neglectful [mot of]

försumma verb 1 vansköta neglect 2 missa miss; ~ *att* fail to, omit to

försummelse subst neglect; underlåtenhet omission

försupen adj, *han är* ~ he is a (an) habitual drunkard

försurning subst acidification

försvaga verb weaken

försvagas verb grow weak, weaken

försvar subst defence äv. sport. [av, för of]; *det svenska* ~*et* stridskrafterna the Swedish armed forces pl.; försvarsanordningarna the Swedish defences pl.; *ta ngn i* ~ defend sb, stand up for sb

försvara verb 1 defend 2 ~ *sig* defend oneself, ta i försvar defend, stand up for

försvarare subst 1 defender äv. sport. 2 försvarsadvokat counsel for the defence

försvarlig adj 1 försvarbar defensible, justifiable 2 ansenlig considerable

försvarsadvokat subst defence lawyer, counsel for the defence

försvarsdepartement subst ministry of defence

försvarslös adj defenceless

försvarsmakten subst the armed forces pl.

försvarsminister subst minister of defence

försvinna verb disappear; plötsligt vanish; gradvis fade away; *försvinn!* go away!, gå ut! get out!; *värken försvann* the pain passed

försvinnande subst disappearance

försvunnen adj lost, missing; *den försvunne* the missing person

försvåra verb, ~ *ngt* make sth more difficult

försynt adj considerate, tactful, discreet

försäga verb, ~ *sig* give oneself away, say too much

försäkra verb 1 assure [ngn om ngt sb of sth]; *han* ~*de att...* he assured me (her etc.) that... 2 ta en försäkring insure [hos with]

3 ~ *sig om ngt* make sure of sth **4** ~ *sig* ta försäkring insure oneself

försäkran subst assurance

försäkring subst insurance; *teckna* ta *en* ~ take out an insurance policy

försäkringsbolag subst insurance company

försäkringsbrev subst insurance policy

försäkringskassa subst, *allmän* ~ expedition, ungefär regional social insurance office

försäkringspremie subst insurance premium

försäkringsvillkor subst pl terms of insurance

försäljare subst salesman; kvinnlig saleswoman; kvinnlig el. manlig salesperson

försäljning subst sale, sales pl.

försämra verb, ~ *ngt* make sth worse, worsen sth

försämras verb deteriorate, get worse

försämring subst deterioration, change for the worse

försändelse subst varuförsändelse consignment; postförsändelse item of mail

försätta verb i visst tillstånd put; ~ *sig i en obehaglig situation* put oneself in an awkward situation

försök subst 1 attempt [till att, att göra at doing, to do]; experiment experiment; prov trial 2 i rugby try

försöka verb try, attempt; *försök inte!* don't try that on me!, don't give me that!

försöksheat subst sport. trial heat

försökskanin subst försöksobjekt guinea pig

försörja verb sörja för provide for; underhålla support, uppehälle; förse supply; ~ *sig* earn one's living [genom by]

försörjning subst support, maintenance, provision; ~ *med livsmedel* food supply

förtal subst slander

förtala verb slander

förteckning subst list [på, över of]

förti räkn vard., se *fyrtio*

förtid subst, *i* ~ prematurely

förtidspension subst early retirement pension; för invalider disablement pension

förtiga verb, ~ *ngt* keep sth secret [för ngn from sb], conceal sth [för ngn from sb]

förtjusande adj charming; härlig delightful; vacker lovely

förtjusning subst delight [över at]

förtjust adj delighted [över at; i with]; *vara* ~ *i* tycka om, t.ex. barn, mat be fond of

förtjäna verb 1 vara värd deserve 2 tjäna earn, make

förtjänst subst 1 inkomst earnings pl.; *gå med* ~ run at a profit 2 merit merit; ~*er* goda sidor good points; *det är din* ~ *att...* it is thanks to you that...

förtjänt *adj*, *göra sig* ~ *av* deserve

förtret *subst* förargelse annoyance, vexation

förtroende *subst* confidence [*för* in]

förtroendeingivande *adj*, *vara* ~ inspire confidence

förtroendeman *subst* representative

förtroendevotum *subst* vote of confidence

förtrogen *adj*, *vara* ~ *med* känna till be familiar with

förtrogenhet *subst* familiarity [*med* with]

förtrolig *adj* confidential; intim intimate

förtrolla *verb* enchant; tjusa fascinate

förtrollning *subst* enchantment; tjusning fascination; *bryta* ~*en* break the spell

förtryck *subst* oppression; tyranni tyranny

förtrycka *verb* oppress

förtryckare *subst* oppressor

förträfflig *adj* excellent

förtröstan *subst* trust; tillförsikt confidence

förtulla *verb*, ~ *ngt* låta tullbehandla clear sth through the Customs; betala tull för pay duty on; *har ni något att* ~*?* have you got anything to declare?

förtur *subst* priority; *få* ~ be given priority; *ge* ~ *åt* give priority to

förtursrätt *subst* priority

förtvivlad *adj* olycklig extremely unhappy; *hon var helt* ~ she was in deep despair

förtvivlan *subst* despair [*över* at], desperation [*över* at]

förtydligande *subst* clarification, elucidation

förtäckt *adj* veiled; *i* ~*a ordalag* in a roundabout way

förtära *verb* consume; äta eat; dricka drink; *farligt att* ~*!* på flaska etc. vanligen poison!

förtäring *subst* mat och dryck food and drink, refreshments pl.

förtöja *verb* moor [*vid* to]

förtöjning *subst* mooring

förunderlig *adj*, *en* ~ *förmåga* an uncanny ability

förut *adv* om tid before; förr formerly; tidigare previously

förutfattad *adj*, ~ *mening* prejudice, preconceived idea

förutom *prep* besides, apart from; ~ *att hon var svenska...* besides being Swedish...

förutsatt *adj*, ~ *att* provided, provided that

förutse *verb* foresee, anticipate; vänta expect

förutseende I *adj* far-sighted
II *subst* foresight

förutspå *verb* förutsäga predict

förutsäga *verb* predict; spec. meteor. forecast

förutsägelse *subst* prediction; spec. meteor. forecast; spådom prophecy

förutsätta *verb* **1** anta presume, assume **2** ha som förutsättning presuppose

förutsättning *subst* villkor condition [*för* of], prerequisite [*för* of]; *under* ~ *att...* på villkor att on condition that...

förutvarande *adj* förre former

förvalta *verb* administer; förestå manage

förvaltning *subst* administration, management; statsförvaltning public administration

förvandla *verb* transform [*till* into], convert [*till* into]; till något sämre reduce [*till* to]

förvandlas *verb*, ~ *till* övergå till turn into, change into

förvandling *subst* transformation, change

förvanska *verb* distort

förvar *subst*, *i gott* ~ el. *i säkert* ~ in safe keeping

förvara *verb* keep

förvaring *subst* keeping

förvaringsbox *subst* locker

förvaringsutrymme *subst* storage space

förvarna *verb* forewarn

förvarning *subst*, *utan* ~ without notice, without previous warning

förveckling *subst* complication

förverka *verb* forfeit

förverkliga *verb* realize; t.ex. plan carry... into effect; ~ *mina idéer* carry out my ideas

förverkligande *subst* realization

förvildas *verb* become uncivilized, run wild

förvilla *verb* vilseleda mislead; förvirra confuse, bewilder

förvirra *verb* confuse, bewilder; *göra ngn* ~*d* confuse sb; ~ *begreppen* confuse the issue, complicate things

förvirring *subst* confusion; oreda disorder

förvisa *verb* expel, banish; ~ *ngn ur riket* deport

förvissa *verb*, ~ *sig om ngt* make sure of sth; ~ *sig om att...* make sure that...

förvissad *adj* övertygad convinced [*om ngt* of sth; *om att* that]

förvisso *adv* certainly

förvränga *verb* distort; ~ *rösten* disguise one's voice; ~ *sanningen* distort the truth

förvuxen *adj* overgrown; missbildad deformed

förvåna *verb* surprise, astonish, stark. amaze; ~ *sig* be surprised, be astonished; starkare be amazed; *det är ingenting att* ~ *sig över* it is not to be wondered at

förvånad *adj* surprised, astonished, stark. amazed

förvånande *adj* o. **förvånansvärd** *adj* surprising, astonishing, stark. amazing

förvåning *subst* surprise, astonishment, stark. amazement

förväg *subst*, *i* ~ in advance, beforehand

förvänta *verb*, ~ *sig* expect [*av* of, from]

förväntan *subst* expectation [*på* of]; *lyckas över* ~ succeed beyond expectation

förväntansfull *adj* expectant

förväntning *subst* expectation [*på* of, from]; *motsvara ~ar* live up to expectations; *ställa stora ~ar på* expect great things from

förvärma *verb* preheat

förvärra *verb*, ~ *ngt* make sth worse, aggravate sth

förvärras *verb* grow worse

förvärv *subst* acquisition

förvärva *verb* acquire

förvärvsarbetande *adj* gainfully employed

förvärvsarbete *subst* gainful employment; *ha* ~ be gainfully employed

förväxla *verb* mix up, confuse

förväxling *subst* confusion, mix-up

föråldrad *adj* **1** antiquated **2** om ord obsolete **3** gammalmodig out-of-date

föräktenskaplig *adj*, *~a relationer* premarital relations

förälder *subst* parent

föräldraförening *subst* parents' association

föräldrahem *subst* parental home, home; *mitt* ~ my home as a child, my parents' home

föräldraledig *adj* ... on parental leave

föräldraledighet *subst* parental leave

föräldralås *subst* på satellit-tv parental lockout

föräldralös *adj* orphan; *hon är* ~ she is an orphan

föräldramöte *subst* skol. parent-teacher meeting; enbart föräldrar parents' meeting

föräldrapenning *subst* parental allowance

föräldrar *subst pl* parents

förälska *verb*, ~ *sig* fall in love [*i* with]

förälskad *adj*, *hon är* ~ she is in love; *~e blickar* amorous glances; *ett förälskat par* a couple in love

förälskelse *subst* kärlek love [*i* for]; svärmeri love affair

förändra *verb* change [*till* into]; ändra på alter

förändras *verb* change; delvis alter; ~ *till det bättre* change for the better

förändring *subst* change; mindre alteration

förödande *adj* devastating

förödelse *subst* devastation; *anställa stor* ~ wreak (cause) great havoc

förödmjuka *verb* humiliate

förödmjukelse *subst* humiliation

föröka *verb*, ~ *sig* fortplanta sig breed, multiply

förökning *subst* fortplantning propagation

föröva *verb* commit

förövare *subst* perpetrator, committer

fösa *verb* driva drive; skjuta shove, push

Gg

G (förk. för *godkänd*) skol., se *godkänna 3*

g *subst* musik. G

gadd *subst* sting

gadda *verb*, ~ *ihop sig* gang up [*mot* on]

gaffel *subst* fork

gage *subst* fee

gaggig *adj*, *vara* ~ be gaga, be senile

gagn *subst*, *vara till* ~ *för ngn* be to sb's advantage

gagna *verb*, ~ *ngn* be to sb's advantage

1 gala *verb* om tupp crow, om gök call

2 gala *subst* stor fest gala

galaföreställning *subst* gala performance

galax *subst* astron. galaxy

galen *adj* **1** mad [*i* about], crazy [*i* about]; *det är så att man kan bli* ~ it's enough to drive you mad **2** felaktig wrong; *börja i* ~ *ände* begin at the wrong end, go the wrong way about it

galenskap *subst* vansinne madness; tokighet folly; *göra ~er* do crazy things

galet *adv* felaktigt wrong; *allting har gått* ~ everything has gone wrong

galge *subst* **1** för avrättning gallows (pl. lika) **2** klädhängare clothes hanger

galghumor *subst* gallows humour, sick humour

galjonsfigur *subst* figurehead

galla *subst* **1** med. bile, gall **2** *ösa sin* ~ *över* vent one's spleen on

gallblåsa *subst* anat. gall bladder

galler *subst* **1** skyddsgaller grating **2** i bur, cell m.m. bars pl.

galleri *subst* gallery

galleria *subst* köpcentrum arcade, shopping mall

gallfeber *subst*, *hon retar* ~ *på mig* she drives me crazy

gallra *verb* plantor, träd thin out; ~ *bort* sort out

gallskrik *subst* yell

gallskrika *verb* yell

gallsten *subst* gallstone; *ha* ~ have gallstones

gallsyra *subst* bile acid

gallupundersökning *subst* Gallup poll

galna ko-sjukan *subst* mad cow disease

galning *subst* madman

galon® *subst* Galon®, plastic-coated material (fabric)

galopp *subst* gallop

galoppbana *subst* racecourse

galoppera *verb* gallop

galosch *subst* galosh, overshoe

galvanisera *verb* galvanize

gam *subst* fågel vulture

game *subst* **1** i tennis game; *blankt* ~ love **game 2** *vara gammal i* ~*t* be an old hand

gamling *subst* old man, old woman; ~*ar* old folks, vard. oldies

gammal (se äv. *äldre* o. *äldst*) *adj* old; forntida ancient; ej längre färsk stale; *en fem år* ~ *pojke* a five-year-old boy; *den gamla goda tiden* the good old times pl., the good old days pl.

gammaldags *adj* old-fashioned

gammaldans *subst*, *en* ~ an old-time dance; dansande old-time dancing

gammalmodig *adj* old-fashioned; *bli* ~ become old-fashioned, go out of fashion

gammelfarfar *subst* great-grandfather

gammelfarmor *subst* great-grandmother

gammelmorfar *subst* great-grandfather

gammelmormor *subst* great-grandmother

gangster *subst* gangster, mobster

gangsterliga *subst* gang, mob

ganska *adv* tämligen fairly i förbindelse med något positivt; riktigt quite; 'rätt så' rather, vard. pretty; ~ *dålig* rather bad, pretty bad

gap *subst* **1** mun mouth **2** hål, klyfta gap

gapa *verb* **1** öppna munnen open one's mouth **2** skrika bawl, yell

gaphals *subst* vard. loudmouth

gapskratt *subst* roar of laughter, guffaw; *brista ut i* ~ burst out laughing

gapskratta *verb* roar with laughter, guffaw

garage *subst* garage

garantera *verb* guarantee

garanti *subst* guarantee [*för att* that]; *kylskåpet har två års* ~ the fridge has a two-year guarantee

gardera *verb* guard; ~ *med etta* vid tippning cover oneself with a home win; ~ *sig* a) safeguard oneself, guard oneself b) mot förlust cover oneself c) vid vadslagning hedge, hedge one's bets

garderob *subst* **1** wardrobe, amer. closet **2** på restaurang, teater etc. cloakroom **3** för kläder wardrobe

gardin *subst* **1** curtain **2** amer. curtain, lång tjock drape

gardinstång *subst* curtain rod

garn *subst* **1** tråd yarn; ullgarn wool; bomullsgarn cotton **2** fisknät net

garnera *verb* kok. garnish, decorate

garnering *subst* kok. garnish, decoration, topping

garnison *subst* mil. garrison

garnnystan *subst* ball of yarn, ball of wool

garva *verb* vard. laugh, högljutt guffaw

garvad *adj* erfaren experienced

garvsyra *subst* tannic acid, tannin

---

gas
Ordet *gas* i amerikansk engelska betyder både <u>bensin</u> (= *gasoline*) och gas. <u>Bensin</u> heter *petrol* på brittisk engelska.

---

gas *subst* **1** gas **2** *ge mer* ~ bil. step on the gas

gasa *verb* ge gas accelerate; ~ *på!* step on it!

gasbinda *subst* gauze bandage

gasell *subst* djur gazelle

gaska *verb* vard., ~ *upp sig* cheer up

gaskök *subst* gas ring

gasmask *subst* gas mask

gasol *subst* LPG (förk. för *liquefied petroleum gas*), Calor® gas

gasolkök *subst* Calor® gas-stove

gaspedal *subst* accelerator

gassa *verb* be broiling hot; ~ *sig i solen* bask in the sun; *solen ~de* the sun was beating down

gasspis *subst* gas cooker

gastkramande *adj* hair-raising

gasugn *subst* gas oven

gasverk *subst* gasworks (pl. lika; med verb i sing.)

gata *subst* street; *gammal som ~n* as old as the hills

gathörn *subst* street corner; *i ~et* at the corner of the street

gatlykta *subst* street lamp

gatsten *subst* paving-stone

gatuarbete *subst*, ~ el. ~*n* roadwork sing.; reparation street repairs pl.

gatukorsning *subst* crossing

gatukök *subst* hamburger and hot-dog stand

gatuplan *subst* street level, ground floor, amer. first floor

gatuvåld *subst* street violence

1 gavel *subst*, *dörren stod på vid* ~ the door was wide open

2 gavel *subst* på hus gable

ge I *verb* **1** give; räcka hand; vid matbordet pass;

var snäll och ~ *mig brödet* pass me the bread please **2** avkasta yield **3** kortsp. deal; *du ~r!* it's your deal! **4** ~ *sig* kapitulera surrender; ge tappt give in

II *verb* med betonad partikel

ge sig av be off; sjappa make off; *jag måste* ~ *mig av* I must be off

ge bort 1 som present give **2** göra sig av med give away

ge efter för yield to, give in to

ge ifrån sig 1 lukt, värme etc. emit, give off **2** lämna ifrån sig give up, surrender; *hon gav ifrån sig ett skrik* she let out a scream

ge igen pay back, return; hämnas retaliate

ge sig in på 1 ett företag embark upon **2** en diskussion etc. enter into

ge sig i väg leave, set off

ge med sig yield, give in

ge på: sig ~ *sig på ngn* attackera set about sb, attack sb; *det kan du* ~ *dig på!* you bet!; *det kan du* ~ *dig fan på!* vard. you bet your bloody life!

ge till ett skrik let out, give

ge tillbaka lämna give back, return; vid växling give sb change [*på* for]

ge upp give up; ~ *upp ett skrik* give a cry

ge ut 1 pengar spend **2** böcker etc. publish; sedlar, frimärken etc. issue **3** ~ *sig ut för att vara* pretend to be

gedigen *adj* solid; *gedigna kunskaper* sound knowledge sing.

gegga *subst* o. **geggamoja** *subst* vard. goo, gunk

geggig *adj* vard. gooey; lerig mucky

gehör *subst*, *efter* ~ by ear; *han vann* ~ *för sina synpunkter* his views met with sympathy

geist *subst* go, drive

gelatin *subst* gelatine

gelé *subst* **1** jelly **2** hårgelé gel

gem *subst* pappersklämma paper clip, clip

gemen *adj* **1** nedrig mean, low **2** ~*e man* ordinary people pl., the man in the street, amer. the man on the street

gemensam *adj* common [*för* to]; förenad joint; *inte ha något ~t* have nothing in common; *med ~ma krafter* by united efforts; ~ *valuta* single currency

gemensamt *adv* jointly

gemenskap *subst* samhörighet solidarity; gemensamhet community

gemytlig *adj* genial, jovial

gemytlighet *subst* joviality, good humour

gen *subst* arvsanlag gene, factor

genant *adj* embarrassing [*för* for], awkward [*för* for]

genast adv at once, immediately
genera verb besvära trouble, bother
generad adj embarrassed [över at]
general subst general
generaldirektör subst director-general
generalförsamling subst general assembly
generalisera verb generalize
generalmajor subst major-general
generalrepetition subst dress rehearsal [på of]
generalsekreterare subst secretary-general
generalstab subst general staff
generation subst generation
generationsklyfta subst generation gap
generator subst tekn. generator
generell adj general
generositet subst generosity [mot to, towards]
generös adj generous [med with; mot to]
genetik subst genetics (med verb i sing.)
genetisk adj genetic
Genève Geneva
gengångare subst ghost, spectre
gengäld subst, i ~ in return
geni subst genius
genial adj o. **genialisk** adj lysande brilliant; om saker ingenious
genialitet subst snille genius, svag. brilliance; om sak ingenuity
genitiv subst gram. genitive; i ~ in the genitive
genmanipulerad adj genetically modified (förk. GM), genetically engineered
genmat subst genetically modified food, GM food
genmodifierad adj om t.ex. mat genetically modified
genom prep through; via via, by way of; medelst by, by means of; på grund av through, owing to; **kasta ut ngt ~ fönstret** throw sth out of the window; **~ hans hjälp** thanks to his assistance; **~ en olyckshändelse** through an accident
genomblöt adj wet through, soaking wet
genomborra verb med vapen pierce
genombrott subst breakthrough; **industrialismens ~** the industrial revolution; **få sitt ~** som författare make one's name
genomdriva verb, **~ ngt** force sth through, carry sth through
genomfart subst thoroughfare, passage; **~ förbjuden** no thoroughfare
genomfartsled subst through route
genomfrusen adj, **vara ~** be chilled to the bone

genomföra verb carry through, carry out; **~ en plan** carry out a plan
genomförbar adj practicable
genomgripande adj sweeping, radical
genomgå verb go through
genomgående I adj om drag common, general **II** adv throughout
genomgång subst **1** survey; snabb run-through; **göra en ~ av ngt** go over sth, run through sth; **vid ~en av läxan sade läraren...** on going through the homework the teacher said... **2** väg igenom passage
genomlida verb endure, suffer, go through
genomresa subst, **jag är på ~** I'm passing through
genomskinlig adj transparent
genomskåda verb see through
genomskärning subst tvärsnitt cross-section; **två centimeter i ~** two centimetres in diameter
genomslagskraft subst impact; **ha stor ~** have a great impact
genomsnitt subst average; **i ~** on average, on an average
genomstekt adj well-done
genomsvettig adj dripping with perspiration (sweat)
genomträngande adj piercing; om lukt penetrating
genomtänkt adj, **väl ~** well thought-out
genomvåt adj soaking wet, wet through [av with]; **jag var ~** ofta I was wet through
genre subst genre
genrep subst vard. teat. m.m. dress rehearsal
genteknik subst genetic engineering
gentemot prep emot towards, to; i förhållande till in relation to; i jämförelse med in comparison with
gentjänst subst favour (service) in return
gentleman subst gentleman
genuin adj äkta genuine; verklig real
genus subst gram. gender
genväg subst, **gå (ta) en ~** take a short cut
geografi subst geography
geografisk adj geographical
geolog subst geologist
geologi subst geology
geometri subst geometry
gepard subst djur cheetah
geriatri subst geriatrics (med verb i sing.)
gerilla subst guerrillas pl.
gerillakrig subst guerrilla war, krigföring guerrilla warfare
gerillasoldat subst guerrilla

geschäft *subst* shady business; *det är bara* ~ it's just a racket

gess *subst* musik. G flat

gest *subst* gesture; *göra en* ~ make a gesture

gestalt *subst* **1** figure; i roman character **2** form shape, form

gestalta *verb* shape, form

gestikulera *verb* gesticulate

get *subst* djur goat

geting *subst* wasp

getingbo *subst* wasp's nest

getingstick *subst* wasp sting

getost *subst* goat's-milk cheese

getto *subst* ghetto (pl. -s)

gevär *subst* rifle; jaktgevär gun

Ghana Ghana

giffel *subst* kok. croissant

1 gift *subst* poison; hos ormar etc. venom

2 gift *adj* married [*med* to]

gifta *verb*, ~ *sig* marry; ~ *sig med ngn* marry sb, get married to sb; ~ *om sig* get married again, remarry

giftermål *subst* marriage

giftfri *adj* non-poisonous

giftgas *subst* poison gas

giftig *adj* **1** poisonous **2** spydig malicious

giftighet *subst*, ~*er* i ord spiteful remarks

giftutsläpp *subst* toxic emission, toxic waste

gigabyte *subst* data. gigabyte

gigantisk *adj* gigantic

gikt *subst* med. gout

giljotin *subst* guillotine

gilla *verb* approve of; tycka bra om like; vara förtjust i be keen on

gillande *subst* approval; *vinna ngns* ~ meet with sb's approval

gillestuga *subst* ungefär recreation room

gillra *verb*, ~ *en fälla* set a trap

---

giltig

Det engelska ordet *guilty* betyder skyldig eller skuldmedveten.

---

giltig *adj* valid

giltighet *subst* validity

gin *subst* spritdryck gin

ginseng *subst* ginseng

ginst *subst* växt broom

gips *subst* plaster

gipsa *verb* med., ~ *ngt* put sth in plaster

gir *subst* om bil etc. turn, swerve

gira *verb* om bil etc. turn, swerve

giraff *subst* giraffe

girera *verb* överföra transfer

girig *adj* snål avaricious, miserly

girigbuk *subst* miser

girighet *subst* greed, greediness, avarice

girland *subst* festoon, garland

giro *subst* se *bankgiro* o. *postgiro*

giss *subst* musik. G sharp

gissa *verb* guess; ~ *sig till* guess; *rätt* ~*t* right first time

gissel *subst* scourge

gisslan *subst* hostage; om flera personer hostages; *de tre i* ~ the three hostages; *ta ngn som* ~ take sb hostage

gissning *subst* guess; *en ren* ~ pure guesswork

gitarr *subst* guitar

gitarrist *subst* guitarist, guitar player

gitta *verb*, *jag gitter inte höra på längre* I can't be bothered to listen any more

giv *subst* kortsp. deal; *en ny* ~ a new deal

givakt *subst*, *stå i* ~ stand at attention

givande *adj* profitable; lönande paying

given *adj* given; avgjord clear, evident; *det är givet!* of course!; *det är en* ~ *sak* it's a matter of course; *ta för givet att...* take it for granted that...

givetvis *adv* of course, naturally

givmild *adj* generous

gjuta *verb* tekn. cast

gjuteri *subst* foundry

gjutform *subst* mould, amer. mold

gjutjärn *subst* cast iron

glacéhandskar *subst pl* kid gloves

glaciär *subst* glacier

glad *adj* happy [*över* about, with]; nöjd pleased [*över* about, with]; förtjust delighted [*över* with]; ~ *påsk!* Happy Easter!; *en* ~ *överraskning* a pleasant surprise; *jag är* ~ *att du kom* I'm glad that you came

gladeligen *adv* gärna willingly; lätt easily

gladiolus *subst* blomma gladiolus (pl. gladioli)

gladlynt *adj* cheerful; glad och vänlig good-humoured

glamorös *adj* glamorous

glans *subst* **1** lustre; av siden etc. gloss; av guld glitter; pålagd shine **2** sken brilliance **3** prakt splendour, magnificence; *klara ngt med* ~ come out of sth with flying colours

glansfull *adj* brilliant

glansig *adj* glossy; glänsande lustrous

glansis *subst* på vägar etc. black ice; *det var* ~ *på sjön* the lake was like ice

glansnummer *subst* star turn

glansperiod *subst* heyday (endast sing.); *dramats* ~ the golden age of drama

glapp *adj* loose

glappa *verb* be loose

glas *subst* **1** material glass **2** dricksglas glass utan fot; tumbler **3** glasruta pane, pane of glass **4** i glasögon lens

glasbruk *subst* glassworks (pl. lika)

glasera 1 *verb* glaze **2** maträtt ice, frost

glasfiber *subst* fibreglass, amer. fiberglass

glasigloo *subst* för glasavfall bottle bank

glaskeramikhäll *subst* på spis ceramic hob

glasmästare *subst* glazier

glasruta *subst* pane, pane of glass

---

köpa glass

I'd like two scoops of vanilla ice, please.
    Jag skulle vilja ha två kulor vanilj-glass, tack.
What flavours have you got?
    Vad finns det för smaker?
A cone, please.
    En strut, tack.
A cup, please.
    En bägare, tack.

---

glass *subst* ice cream

glassförsäljare *subst* ice-cream vendor, ice-cream seller

glasspinne *subst* isglass ice lolly, amer. Popsicle®

glasstrut *subst* ice-cream cornet; större ice-cream cone

glasull *subst* glass wool

glasyr *subst* **1** glazing **2** kok. icing, frosting

glasögon *subst pl* **1** glasses, spectacles **2** skyddsglasögon goggles

glasögonfodral *subst* glasses case, spectacle case

glasögonorm *subst* Indian cobra

1 glatt *adv* cheerfully, joyfully

2 glatt *adj* **1** smooth; glänsande glossy, shiny **2** hal slippery

gles *adj* thin; om befolkning sparse

glesbygd *subst* thinly-populated area

glesna *verb* thin out, get thin, get thinner

glest *adv*, ~ **befolkad** thinly populated

glida *verb* glide, slide; halka slip; **vi har glidit ifrån varandra** we have drifted apart

glimma *verb* gleam; glittra glitter

glimt *subst* gleam, flash; skymt glimpse

gliring *subst* gibe, sneer; **ge ngn en** ~ have a nasty dig at sb

glitter *subst* glitter, lustre; julgransglitter tinsel

glittra *verb* glitter; tindra sparkle

glittrig *adj* glittering

glo *verb* stare [på at]; dumt gape [på at]

glob *subst* globe

global *adj* global; ~ **uppvärmning** global warming

globalisering *s* globalization

gloria *subst* halo (pl. -s el. -es)

glorifiera *verb* glorify

glosa *subst* ord word

glosbok *subst* vocabulary notebook

glugg *subst* hole, opening, aperture; mellan tänderna gap

glukos *subst* glucose

glupsk *adj* **1** greedy **2** om storätare gluttonous

glupskhet *subst* **1** greed **2** gluttony

glykol *subst* glycol

glykos *subst* glucose

glåmig *adj* pale and washed out

glåpord *subst* taunt, jeer; **kasta** ~ **efter ngn** call sb names

glädja *verb*, ~ **ngn** give sb pleasure [med att göra ngt by doing sth]; ~ **sig** be glad [åt, över about]; **det gläder mig** I am glad, stark. I am delighted

glädjande *adj* trevlig pleasant; tillfredsställande gratifying; ~ **nyheter** good news; ~ **nog** fortunately

glädje *subst* pleasure [över in], stark. delight [över at]; lycka happiness; **gråta av** ~ cry for joy; **han antog mitt förslag med** ~ he gladly accepted my proposal; **ha mycket** ~ **av ngt (ngn)** have a great deal of pleasure out of sth (sb)

glädjedag *subst* day of rejoicing

glädjedödare *subst* vard. killjoy, wet blanket

glädjekvarter *subst* vard. red-light district

glädjespridare *subst* vard. cheerful soul; 'solstråle' ray of sunshine

glädjeämne *subst* subject of rejoicing

gläfsa *verb* yelp [på at], yap [på at]

glänsa *verb* **1** shine, glitter; om t.ex. tårar glisten **2** briljera show off; ~ **med ngt** show off sth

glänsande *adj* **1** shining, glittering; om t.ex. ögon lustrous **2** utmärkt brilliant, splendid

glänt *subst*, **dörren står på** ~ the door is slightly open, the door is ajar

glänta I *verb*, ~ **på dörren** open the door slightly **II** *subst* glade, clearing

glätta *verb* smooth; polera polish; ~**t papper** glossy paper, glazed paper

glöd *subst* **1** glödande kol live coal, embers pl.

2 sken glow; hetta heat **3** stark känsla ardour;
lidelse passion

glöda *verb* glow

glödande *adj* **1** glowing; om metall red-hot
2 om känslor ardent; lidelsefull passionate

glödga *verb*, ~ *ngt* make sth red-hot

glödhet *adj* om metall red-hot; friare glowing
hot

glödlampa *subst* electric bulb, bulb

glögg *subst* vinglögg glogg, mulled wine served
with raisins and almonds

glömma *verb*, ~ el. ~ *bort* forget; ~ *kvar ngt*
leave sth behind; *jag har glömt*
böckerna I have forgotten my books

glömsk *adj* forgetful; disträ absent-minded

glömska *subst* egenskap forgetfulness; *falla i* ~
be forgotten, fall into oblivion

gnabb *subst* bickering

gnabbas *verb* bicker

gnaga *verb* gnaw [*på ngt* sth, at sth]; smågnaga
nibble [*på ngt* sth, at sth]

gnagare *subst* rodent

gnata *verb* nag [*på* at; *över* about]

gnida *verb* gnugga rub

gnidig *adj* stingy, miserly

gnissel *subst* squeak, squeaking; om dörr etc.
creak

gnissla *verb* squeak; om dörr etc. creak

gnista *subst* spark; *en* ~ *av hopp* a spark of
hope, a ray of hope

gnistra *verb* sparkle [*av* with]

gno *verb* **1** gnugga rub; med borste scrub **2** knoga
toil, work hard **3** springa scurry, hurry

gnola *verb* hum; ~ *på en sång* hum a song

gnugga *verb* rub; ~ *sig i ögonen* rub one's
eyes

gnuggbild *subst* transfer

gnutta *subst* tiny bit; droppe drop; nypa pinch;
med en ~ *tur* with a little bit of luck

gny *verb* gnälla grumble; om hund whimper

gnägga *verb* neigh; lågt whinny

gnäll *subst* jämmer etc. whining, whimpering;
knotande grumbling; klagande complaining

gnälla *verb* **1** jämra sig whine; yttra missnöje
grumble; klaga complain **2** om dörr creak

gnällig *adj* gäll shrill; missnöjd whining

gnällspik *subst* moaner, whiner

gobeläng *subst* tapestry

god I (se *gott II* o. *bra* för vidare ex.) *adj* **1** good;
angenäm nice, pleasant; *en* ~ *vän* a great
friend; *en* ~ (obetonat) *vän* el. *en* ~ *vän till*
mig a friend of mine; *var så* ~*!* a) här har ni
here you are; ta för er help yourself, please
b) ja gärna you are welcome!; naturligtvis by all
means!, skämts. be my guest!; *var så* ~ *och*

sitt! sit down, won't you?; *var* ~ *och*
stäng dörren! shut the door, please!
2 ansenlig considerable; *här finns* ~ *plats*
there is plenty of room here
II *subst* **1** *det blir för mycket av det* ~*a*
there is too much of a good thing; *gå i* ~
för guarantee **2** *det gjorde gott!* kändes
skönt that was good!; *nu ska du få något*
gott att äta now you're going to get
something nice to eat; *allt gott* för framtiden
all the best; *ha gott om ngt* have plenty of
sth; *det är (finns) gott om...* tillräckligt
med there is (are) plenty of...; med subst. i
sing. there is a great deal of...

godartad *adj* med. non-malignant; *en* ~
svulst a benign tumour

godbit *subst* titbit, spec. amer. tidbit

god dag *interj* se *god dag* under *dag*

godhet *subst* goodness; vänlighet kindness

godhjärtad *adj* kind-hearted

godis *subst* vard. sweets pl., amer. candy

godkänd *adj* se *godkänna*

godkänna *verb* **1** gå med på approve, agree to;
om myndighet etc. pass **2** ~ *ngn* i examen pass
sb; *ej* ~ reject; *bli godkänd* pass **3** skol.,
betyg *icke godkänd* fail; *godkänd* pass;
väl godkänd pass with distinction;
mycket väl godkänd pass with great
distinction

godkännande *subst* approval

godmodig *adj* good-natured

god morgon *interj* good morning!

god natt *interj* good night!

godnattsaga *subst* bedtime story

godo *subst*, *göra upp i* ~ settle sth
amicably; *jag har 100 kr till* ~ *hos dig*
you owe me 100 kr; *hålla till* ~ *med* put
up with; *håll till* ~*!* tag för er! help yourself!,
be my guest!

gods *subst* **1** koll., varor etc. goods pl.; last, amer.
freight **2** lantgods estate

godsaker *subst pl* sweets, amer. candy sing.

godsexpedition *subst* goods office, parcels
office

godståg *subst* goods train, freight train

godsvagn *subst* goods wagon, amer. freight
car

godsägare *subst* landed proprietor,
landowner

godta *verb* accept, approve of; godkänna
approve; förslag agree to

godtagbar *adj* acceptable

godtrogen *adj* gullible, credulous

godtycke *subst*, *efter eget* ~ at one's own
discretion

godtycklig *adj* arbitrary

1 golf *subst* bukt gulf

2 golf *subst* spel golf

golfbag *subst* golf bag

golfbana *subst* golf course, golf links

golfbil *subst* golf cart, golf car

golfklubb *subst* golf club

golfklubba *subst* golf club

golfspelare *subst* golfer

Golfströmmen the Gulf Stream

golfvagn *subst* golf trolley

Goliat Goliath

golv *subst* floor; golvbeläggning flooring; *från ~ till tak* from floor to ceiling

golvbrunn *subst* drain

golvlampa *subst* standard lamp, amer. floor lamp

golvur *subst* grandfather clock

gom *subst* palate

gomsegel *subst* soft palate

gondol *subst* båt gondola

gonggong *subst* gong

gonorré *subst* med. gonorrhoea

googla *verb* söka på nätet med hjälp av Google® google

gorilla *subst* gorilla äv. om livvakt

gorma *verb* carry on, shout and scream

gosa *verb* cuddle up together

gosedjur *subst* vard. cuddly toy, soft toy

gosig *adj* soft and warm, cuddly

gosse *subst* boy; kille chap, guy

gott I *subst* se *god II*

II *adv* **1** well; *~ och väl 50 personer* a good 50 people; *lukta ~* smell nice, smell good; *sova ~* sleep well, sleep soundly; *göra så ~ man kan* do one's best; *så ~ som ingenting* practically nothing **2** lätt, *det kan jag ~ förstå* I can very well understand that **3** gärna, *det kan du ~ göra* you can very well do that (so)

gotta *verb*, *~ sig* have a good time; *~ sig åt ngt* thoroughly enjoy sth; illvilligt gloat over sth

gottfinnande *subst*, *efter eget ~* as you think best

gottgris *subst* vard., *han är en ~* he has a sweet tooth, he loves sweets, amer. he loves candy

gottgöra *verb* **1** ngt: sona, avhjälpa make up for; en förlust make good … **2** ersätta, *~ ngn för ngt* recompense sb for sth; betala remunerate sb for sth

gottgörelse *subst* ersättning recompense; betalning remuneration; skadestånd damages pl.

grabb *subst* pojke boy; kille chap, guy

graciös *adj* graceful

grad *subst* **1** degree; utsträckning extent; *i hög ~* to a great degree, to a great extent; *i högsta ~* in the highest degree, extremely; *till den ~ blyg att…* shy to such a degree that… **2** måttsenhet degree; *10 ~er kallt* 10 degrees below zero; *10 ~er varmt* 10 degrees above zero **3** rang rank, grade; *stiga i ~erna* rise in the ranks

gradera *verb* **1** klassificera grade **2** tekn. graduate

gradskiva *subst* geom. protractor

gradvis I *adv* by degrees

II *adj* gradual

graffiti *subst* klotter graffiti

grafit *subst* graphite

grahamsmjöl *subst* wholemeal flour, graham flour, spec. amer. whole-wheat flour

gram *subst* gram, gramme

grammatik *subst* grammar

grammatisk *adj* grammatical

grammofon *subst* gramophone, amer. phonograph

grammofonskiva *subst* gramophone record (disc), amer. phonograph record (disc)

gran *subst* (se *björk-* för sammansättningar) **1** spruce; fir **2** julgran Christmas tree

1 granat *subst* halvädelsten garnet

2 granat *subst* mil. shell

granateld *subst* shell fire

granatäpple *subst* frukt pomegranate

granbarr *subst* spruce needle, fir needle

grand *subst*, *lite ~* just a little, just a bit

granit *subst* granite

grankotte *subst* spruce cone, fir cone

1 grann *adj* vacker fine-looking; brokig gaudy; lysande brilliant

2 grann *subst*, *lite ~* just a little, just a bit

granne *subst* neighbour; *bo ~ med* live next door

grannland *subst* neighbouring country, adjacent country

grannlåt *subst* showy decoration; granna saker showy ornaments pl.

grannsamverkan *subst*, *~ mot brott* neighbourhood watch

grannskap *subst* neighbourhood

granska *verb* undersöka examine; besiktiga inspect; syna scrutinize; kontrollera t.ex. siffror check

granskare *subst* **1** examiner, inspector **2** av korrektur etc. checker, reviser

granskning *subst* undersökning examination; synande scrutiny; kontroll check-up

grapefrukt subst grapefruit

grassera verb om sjukdom etc. be prevalent

gratifikation subst bonus, gratuity

gratinera verb, ~ **ngt** bake sth in a gratin dish; ~**d fisk** fish au gratin

gratis adv free, for nothing

gratiserbjudande subst free offer

grattis subst vard., ~**!** congratulations!

gratulation subst congratulation; **hjärtliga ~er på födelsedagen!** Many Happy Returns of the Day!

gratulationskort subst greetings card, amer. greeting card

gratulera verb congratulate [-till on]

gratäng subst kok. gratin

1 grav adj svår, allvarlig serious

2 grav subst för död grave; murad tomb

gravad adj, ~ **lax** gravlax, gravad lax

gravallvarlig adj solemn, dead serious

gravera verb rista in engrave [i, på on]

gravid adj pregnant

graviditet subst pregnancy

gravlax subst gravlax, gravad lax

gravplats subst **1** begravningsplats burial ground **2** grav grave, burial place

gravsten subst gravestone, tombstone

gravsättning subst interment

gravyr subst engraving; etsning etching

gravör subst engraver

gredelin adj färg lilac, mauve

grej subst vard., sak thing; manick gadget

greja verb vard. fix, manage; **det ~r sig** it'll be all right

grek subst Greek

grekisk adj Greek

grekiska subst (se svenska för ex.) **1** språk Greek **2** kvinna Greek woman

grekisk-ortodox adj, ~**a kyrkan** the Greek Orthodox Church, the Eastern Orthodox Church

Grekland Greece

gren subst **1** branch; med kvistar bough; mindre twig **2** del av tävling event **3** skrev crutch, crotch

grena verb, ~ **sig** el. ~ **ut sig** branch out, fork

grensle adv astride; **sitta ~ på en cykel** sit astride a bike

grep subst pitchfork; gödselgrep manure-fork

grepp subst **1** grasp [i, om of], hårdare grip, tag hold **2** metod method **3** vid brottning hold **4 ett klokt ~** a wise move; **jag får inget ~ om det** I can't get the hang of it

greppa verb vard. **1** grab hold of, take hold of **2** komma underfund med get the hang of

greve subst **1** count **2** i Storbritannien earl

grevinna subst countess

grill subst **1** galler grill; utomhus barbecue **2** utomhusfest barbecue

grilla verb **1** grill; utomhus barbecue **2** ha grillfest have a barbecue

grillfest subst barbecue

grillkorv subst sausage for grilling

grillspett subst verktyg skewer; med kött kebab, shish kebab

grimas subst, **göra en ~** grimace, make a wry face

grimasera verb make faces, pull faces, grimace

grina verb vard., gråta cry; ~ **illa** grimace

grind subst gate

grinig adj **1** gnällig whining **2** kritisk fault-finding

gripa I verb **1** seize; t.ex. tjuv capture, catch; ~ **ngn i armen** seize sb by the arm; ~ **ngt** el. ~ **om ngt** grasp sth, clutch sth, grip sth; ~ **tag i** catch hold of; ~ **efter ngt** snatch at sth **2** djupt röra touch, move, affect **II** verb med betonad partikel

gripa sig an ngt set about sth

gripa in 1 ingripa intervene **2** hjälpande step in

gripande adj rörande touching, moving

griptång subst pincers pl.

gris subst big äv. om person; kok. pork; **köpa ~en i säcken** buy a pig in a poke

grisa verb, ~ **ner** mess up; ~ **ner sig** make oneself all dirty

griskulting subst piglet

griskött subst pork

gro verb sprout; växa grow

groda subst **1** djur frog **2** fel blunder, howler

grodd subst germ, sprout

grodman subst frogman

grodyngel subst tadpole

grogg subst whisky (konjaksgrogg brandy) and soda, amer. vard. highball

grogglas subst tomt whisky tumbler

grogrund subst breeding ground

grop subst **1** pit; större hollow; i väg pothole **2** i kind, haka dimple

gropig adj **1** full of holes ej före subst. **2** om sjö rough **3** om väg, luft bumpy

grosshandel subst wholesale trade; handlande wholesale trading

grossist subst wholesale dealer, wholesaler

grotesk adj grotesque

grotta subst cave, större cavern

grov adj coarse; obearbetad el. ungefärlig rough; tjock thick; ohyfsad rude [mot to]; ~**a**

ansiktsdrag coarse features; ~*t artilleri* heavy artillery; ~*t bedrägeri* gross deception; *ett* ~*t brott* a serious crime; *i* ~*a drag* in rough outlines; *ett* ~*t fel* a gross blunder, a grave blunder; *en* ~ *lögn* a great big lie; ~ *röst* gruff voice, rough voice; ~ *sjö* heavy sea, ~*t tyg* rough cloth, coarse cloth

grovarbetare *subst* unskilled labourer

grovarbete *subst* **1** heavy work; förarbete spadework **2** grovarbetares unskilled work, unskilled labour

grovgöra *subst* heavy work, spadework

grovlek *subst* degree of coarseness; tjocklek degree of thickness; storlek size

grovtarm *subst* anat. colon

grubbel *subst* brooding [*om* about]

grubbla *verb* fundera ponder [*på* on, over], brood [*om* over, about]; bry sin hjärna puzzle one's head [*på*, *över* about]

grumlig *adj* muddy; om vätska cloudy

1 grund *subst* **1** husgrund foundation, foundations; *huset brann ner till* ~*en* the house burnt down to the ground **2** underlag, grundval foundation, basis (pl. bases); *ligga till* ~*en för* form the basis of; *lägga* ~*en till* lay the foundation of; *sakna all* ~ be completely unfounded, be without foundation **3** orsak, skäl cause [*till* of], reason [*till* for]; *ha sin* ~ *i ngt* be founded on sth; *på goda* ~*er* for very good reasons; *på* ~ *av* on account of; *stängd på* ~ *av* (*p.g.a.*) *reparation* closed for repairs; *utan* ~ without reason **4** i vissa uttryck, *i* ~ *och botten* basically; i själ o. hjärta at heart; *i* ~ *och botten har du rätt* basically you're right; *i* ~ *och botten är hon snäll* she is kind at heart; *gå till* ~*en med ngt* go to the bottom of sth

2 grund I *adj* shallow
II *subst*, *gå på* ~ run aground

grunda *verb* **1** affär, tidning found, establish **2** stödja base; *ett beslut* ~*t på* a decision based on **3** grundmåla ground, prime **4** ~ *sig på* be based on

grundare *subst* skapare founder

grunddrag *subst* fundamental feature, essential feature; ~*en i Europas historia* the main outlines of European history

grundfärg *subst* **1** fys. primary colour **2** vid målning first coat, priming

grundkurs *subst* skol. basic course, foundation course

grundlag *subst* författning constitution

grundlig *adj* thorough; ingående close; noggrann careful

grundlägga *verb* lay the foundation of

grundläggande *adj* fundamental, basic

grundläggare *subst* skapare founder

grundorsak *subst* primary cause, original cause

grundregel *subst* fundamental rule, basic rule

grundskola *subst* nine-year compulsory school

grundskolelärare *subst* teacher at the nine-year school

grundslag *subst* i tennis ground stroke

grundtal *subst* cardinal number

grundtanke *subst* fundamental idea

grundval *subst* foundation, basis (pl. bases)

grundvatten *subst* groundwater

grundämne *subst* element

grunka *subst* vard.: sak thing; manick gadget

grupp *subst* group; klunga cluster

grupparbete *subst* teamwork

gruppera *verb* group, group ... together [*i* into]; ~ *sig* group oneself

grupplivförsäkring *subst* group life insurance

gruppresa *subst* med guide conducted tour

gruppsamtal *subst* **1** group discussion **2** tele. conference call

gruppterapi *subst* group therapy

grus *subst* gravel; *spela på* ~ i tennis play on a clay court, fotb. play on a gravel pitch

grusa *verb* **1** gravel **2** t.ex. ngns förhoppningar dash, frustrate

grusbana *subst* i tennis clay court

grusplan *subst* fotboll gravel pitch

grusväg *subst* gravelled road, amer. dirt road

1 gruva *verb*, ~ *sig för ngt* dread sth, be dreading sth

2 gruva *subst* **1** mine **2** kolgruva mine pit

gruvarbetare *subst* **1** miner **2** i kolgruva miner, collier

gruvdistrikt *subst* mining district

gruvdrift *subst* mining

gry *verb* dawn

grym *adj* cruel [*mot* to]

grymhet *subst* cruelty [*mot* to]; *en* ~ an act of cruelty

grymt *adv*, *vara* ~ *besviken* be bitterly disappointed

grymta *verb* grunt

grymtning *subst* grunting; *en* ~ a grunt

gryn *subst* korn grain

gryning *subst* dawn, daybreak; *i* ~*en* at dawn

gryta *subst* pot; av lergods el. som maträtt casserole

grytbitar *subst pl* stewing steak sing.

grytlapp *subst* pot-holder, kettle-holder

grytlock *subst* pot lid

grå *adj* grey, amer. gray; se äv. *blå-* för sammansättningar

gråaktig *adj* greyish, amer. grayish

gråhårig *adj* grey-haired, amer. gray-haired

gråkall *adj* bleak, chill

gråna *verb* turn grey, amer. turn gray; ~*d*
a) åldrad grey-headed, amer. gray-headed
b) om hår grey, amer. gray

gråsej *subst* fisk coalfish

gråsparv *subst* house sparrow

gråsprängd *adj* grizzled

gråt *subst* gråtande crying, tyst weeping; tårar tears pl.

gråta *verb* cry [*efter* for; *för* about], tyst weep; ~ *av glädje* weep (cry) for joy; ~ *ut* have a good cry

gråtfärdig *adj*, *vara* ~ be on the verge of tears

gråtmild *adj* **1** tearful **2** sentimental sentimental

grått *subst* grey, amer. gray; se *blått* för ex.

grädda *verb* **1** i ugn bake **2** plättar fry, make

gräddbakelse *subst* cream cake

grädde *subst* cream

gräddfil *subst* **1** sour cream **2** vard., körfil VIP lane

gräddglass *subst* full-cream ice

gräddkanna *subst* cream jug

gräddtårta *subst* cream gateau (pl. gateaux), cream cake

gräl *subst* quarrel; upprörd diskussion argument; *råka i* ~ *med ngn* fall out with sb [*om* over]

gräla *verb* tvista quarrel; diskutera upprört argue; ~ *på ngn* scold sb

gräll *adj* glaring

grälsjuk *adj* quarrelsome

gräma *verb* **1** *det grämer mig att...* I can't get over the fact that... **2** ~ *sig* fret [*över* over]

gränd *subst* alley, lane

gräns *subst* geogr. el. ägogräns boundary; statsgräns frontier; gränsområde border, borders pl.; yttersta gräns limit; *allting har en* ~ there is a limit to everything; *sätta en* ~ *för* begränsa set bounds to, set limits to; *...ligger vid* ~*en* ...lies on the border

gränsa *verb*, ~ *till* border on

gränsfall *subst* borderline case

gränslös *adj* boundless, limitless

gränsområde *subst* border district

gränssnitt *subst* data. interface

gräs *subst* grass; *tjäna pengar som* ~ make money hand over fist

gräsand *subst* fågel mallard, wild duck

gräsbevuxen *adj* grass-covered, grassy

gräshoppa *subst* grasshopper

gräsklippare *subst* lawnmower

gräslig *adj* shocking, terrible, awful

gräslök *subst* kok. chives pl.

gräsmatta *subst* lawn; vild grassy space

gräsplan *subst* matta lawn; t.ex. fotb. grass pitch

gräsrotsnivå *subst*, *på* ~ at grass-roots level

gräsrötterna *subst pl* the grass roots

gräsänka *subst* grass widow

gräsänkling *subst* grass widower

gräva I *verb* dig [*efter* for]; spec. om djur burrow
II *verb* med betonad partikel
gräva fram dig out
gräva ned gömma bury
gräva ut excavate

grävling *subst* badger

grävmaskin *subst* excavator

grävskopa grävmaskin excavator

gröda *subst* crops pl.; skörd crop

grön *adj* green äv. oerfaren; se äv. *blå-* för sammansättningar

grönaktig *adj* greenish

gröngöling *subst* **1** fågel green woodpecker **2** person greenhorn

grönkål *subst* kale

Grönland Greenland

grönområde *subst* green open space

grönsak *subst* vegetable

grönsaksaffär *subst* greengrocer's

grönsaksland *subst* plot of vegetables

grönsallad *subst* växt lettuce; rätt green salad

grönska I *subst* **1** gräs green; lövverk greenery **2** grönhet greenness
II *verb* vara grön be green; bli grön turn green

grönsångare *subst* fågel wood warbler

grönt *subst* **1** grön färg green; se *blått* för ex. **2** ~ *ur* hollow out, scoop out

gröpa *verb*, ~ *ur* hollow out, scoop out

gröt *subst* **1** porridge, amer. oatmeal **2** av t.ex. ris pudding

grötig *adj* **1** thick; *hans röst blev* ~ his voice became thick **2** som gröt mushy **3** rörig muddled

gubbe *subst* person old man; *grön* ~ trafik. green man; *röd* ~ trafik. red man; *lilla* ~*n!* till barn lovey!; till make honey!, honey pie!

gubbstrutt *subst* vard. old buffer, old codger

gud *subst* god; *gode Gud!* Good Lord!, Good heavens!; *för Guds skull!* for goodness' sake!, for God's sake!, for Heaven's sake!

gudabenådad adj inspired, supremely gifted

gudagåva subst divine gift; friare godsend

gudbarn subst godchild

gudfar subst godfather

gudfruktig adj God-fearing, pious

gudinna subst goddess

gudmor subst godmother

gudomlig adj divine

gudsfruktan subst fromhet godliness, piety

gudskelov interj, ~ *att du kom!* thank goodness you came!, thank Heaven you came!

gudstjänst subst divine service; allmännare worship

guida verb guide

guide subst guide

gul adj yellow; ~*t ljus* trafik. amber light; ~*a ärter* split peas; se äv. *blå-* för sammansättningar

gula subst yolk

gulaktig adj yellowish

gulasch subst kok. goulash

gulblek adj sallow

guld subst gold; se äv. *blå-* för sammansättningar

guldarmband subst gold bracelet

guldbröllop subst golden wedding

gulddoublé subst rolled gold

guldfisk subst goldfish

guldgruva subst gold mine äv. inkomstkälla

guldkrog subst vard. first-class restaurant, posh restaurant

guldmedalj subst gold medal

guldplomb subst gold filling

guldsmed subst **1** goldsmith **2** juvelerare vanligen jeweller

guldsmedsaffär subst jeweller's, jeweller's shop

guldstämpel subst gold mark

guldtacka subst gold bar

guldålder subst golden age

gullig adj vard. sweet, nice, cute

gullregn subst träd laburnum

gullviva subst blomma cowslip

gulna verb turn yellow

gulsot subst med. jaundice

gult subst yellow; se *blått* för ex.

gumma subst old woman; *lilla* ~*n!* till barn lovey!; till maka honey!, honey pie!

gummi subst **1** ämne rubber; klibbig substans gum **2** vard., kondom condom, amer. rubber, safe **3** se *radergummi*

gummiband subst rubber band, elastic band

gummikula subst rubber bullet

gummislang subst rubber tube, till cykel etc. rubber tyre

gummisnodd subst elastic band, rubber band

gummistövel subst Wellington, vard. welly, rubber boot

gummisula subst rubber sole

gunga I subst swing

II verb **1** i gunga etc. swing; på gungbräde seesaw **2** vagga rock **3** om t.ex. mark totter; svaja under ngns steg rock

gungbräde subst seesaw

gunghäst subst rocking-horse

gungning subst swinging; vaggning rocking

gungsele subst för småbarn Baby Bouncer®

gungstol subst rocking-chair

gunst subst favour; *stå högt i* ~ *hos ngn* be in high favour with sb

gunstling subst favourite

gupp subst **1** på väg bump **2** grop pit, hole

guppa verb på väg jolt, jog; på vatten bob, bob up and down

guppig adj om väg bumpy

gurgelvatten subst gargle

gurgla verb gargle; ~ *sig* gargle

gurgling subst gargling, gargle

gurka subst **1** cucumber **2** liten inläggningsgurka gherkin

guvernör subst governor

gyckel subst **1** skämt fun **2** upptåg larking about

gyckla verb skoja joke, jest

gycklare subst **1** joker **2** hist. jester

gylf subst fly, flies pl.

gyllene adj **1** golden **2** av guld vanligen gold

gym subst gym, workout gym

gymnasial adj britt. motsvarighet upper secondary level, amer. motsvarighet senior high school level

gymnasielärare subst britt. motsvarighet teacher at an upper secondary school, amer. motsvarighet teacher at a senior high school

gymnasieskola subst britt. motsvarighet upper secondary school, amer. motsvarighet senior high school

gymnasist subst britt. motsvarighet pupil at an upper secondary school, amer. motsvarighet student at a senior high school

---

gymnasium
Det engelska ordet *gymnasium* betyder <u>gym</u>, <u>idrottshall</u>.

---

gymnasium subst britt. motsvarighet upper secondary school, amer. motsvarighet senior high school

gymnast *subst* gymnast

gymnastik *subst* **1** övningar etc. gymnastics (med verb i sing.); skol. physical education (förk. PE), physical training (förk. PT), gym **2** morgongymnastik etc. exercises pl.

gymnastiklärare *subst* physical training teacher, vard. gym teacher; i idrott games teacher

gymnastiksal *subst* gymnasium, vard. gym

gymnastikskor *subst pl* gym shoes, spec. amer. sneakers

gymnastisera *verb* do gymnastics

gymnastisk *adj* gymnastic

gympa I *subst* **1** vard., gymnastik gym, PE, PT **2** gymping aerobics (med verb i sing.) **II** *verb* **1** gymnastisera do gymnastics **2** göra gymping do an aerobics workout

gympadojor *subst pl* vard. gym shoes, spec. amer. sneakers

gympadräkt vard. *subst* gym suit

gympakläder vard. *subst pl* gym clothes

gymping *subst* aerobics (med verb i sing.), keep-fit class

gynekolog *subst* gynaecologist

gynekologisk *adj* gynaecological

gynna *verb* **1** favour **2** främja further, promote **3** beskydda patronize

gynnsam *adj* favourable [*för* to]

gyttja *subst* mud

gyttjig *adj* muddy

gyttra *verb*, ~ *ihop* cluster ... together

---

gå
Lägg märke till att *go* ofta betyder åka till ett bestämt mål, t.ex. *go to England*. Gå, promenera, gå till fots heter oftast *walk*. Gå upp, t.ex. på morgonen, heter *get up* och gå av, t.ex. en buss, heter *get off* och gå på *get on*.

---

gå I *verb* **1** ta sig fram till fots, promenera walk; med avmätta steg pace; med långa steg stride; *jag har varit ute och ~tt* I have been out for a walk; ~ *till fots* walk, go on foot **2** fara, leda vanligen go; färdas travel; bege sig av leave; om väg, dörr lead; *bilen har ~tt 500 mil* the car has done 5000 kilometres; *min klocka ~r fel* my watch is wrong; *det ~r ett rykte om att...* there is a rumour about that...; *tiden ~r* time passes; just nu time is passing; ~ *i vägen för ngn* get in sb's way; ~ *ur vägen för ngn* get out of

sb's way; ~ *i* el. ~ *omkring i* t.ex. trasor, tofflor go about in...; ~ *på föreläsningar* attend lectures, go to lectures **3** om bil el. maskin run **4** avlöpa go off, pass off, turn out; låta sig göra be possible; lyckas succeed; *det ~r nog* that will be all right, that will be OK; *klockan ~r inte att laga* it is impossible to repair the watch; ~*r det att laga?* can it be repaired?; *det gick i alla fall!* I (you etc.) managed it, anyhow!; *det gick bra för honom* i prov etc. he got on well, he did well; *hur det än ~r* whatever happens **5** säljas: gå åt sell; t.ex. på auktion be sold **6** sträcka sig pay **7** sträcka sig go, extend; nå reach **8** ~ *på* el. ~ *till* belöpa sig till amount to, come to; kosta cost **9** ~ *ed* take an oath; *jag måste ~ några ärenden* I have some jobs to do, för inköp I must go shopping **II** *verb* med betonad partikel

gå an 1 passa, gå för sig do; *det ~r inte an* it won't do **2** vara tillåten be allowed **3** vara möjlig be possible

gå av 1 stiga av get off **2** gå sönder break **3** om skott go off

gå bort 1 på bjudning go out **2** dö die **3** försvinna om t.ex. fläck disappear **4** ~ *bort på middag* go out to dinner

gå efter 1 om klocka be slow **2** hämta go and fetch

gå emot 1 ~ *emot ngt* stöta emot go against sth, knock against sth, bang against sth **2** ~ rösta *emot förslaget* vote against the proposal **3** *allt ~r mig emot* nothing seems to go right for me

gå fram till go up to, walk up to

gå förbi 1 passera förbi go past, go by **2** gå om overtake

gå före 1 ha företräde framför go before, rank before; i ordningsföljd precede **2** om klocka be fast

gå ifrån 1 lämna leave; avlägsna sig get away **2** ~ *ifrån ngt* glömma kvar leave sth behind

gå igenom go through

gå ihop 1 sluta sig close up **2** förena sig join **3** passa ihop match, agree **4** *få det att ~ ihop* ekonomiskt make both ends meet

gå in 1 ~ *in för* go in for **2** ~ *in i* klubb etc. join, enter **3** ~ *in på* t.ex. ämne enter upon

gå isär come apart; om åsikter etc. diverge

gå med 1 göra sällskap go along, komma come along too **2** ~ *med i* klubb etc. join **3** ~ *med på* samtycka till agree to

gå ned (ner) go down, fall

gå om passera pass, go past

gå omkull om firma become bankrupt, go

bankrupt

gå på 1 stiga upp på get on **2** fortsätta go on; gå framåt go ahead; skynda på make haste **3** *hon går på vad som helst* she will swallow anything

gå samman go together, join

gå till 1 försiggå come about; hända happen **2** ordnas be arranged, be done

gå tillbaka avta decrease; försämras, gå utför deteriorate

gå under 1 om fartyg go down **2** om person be ruined

gå upp 1 go up **2** ur säng get up **3** om himlakropp rise **4** om pris etc. go up, rise **5** öppna sig open **6** om knut come undone **7** *det gick upp för mig, att...* it dawned upon me that... **8** ~ *upp i rök* go up in smoke, come to nothing; ~ *upp i* införlivas med become part of; ~ *upp i tentamen* take an exam, sit for an exam **9** ~ *upp mot* el. *emot* kunna mäta sig med come up to; *ingenting* ~*r upp mot...* there is nothing like... **10** ~ *upp till* belöpa sig till amount to

gå ur 1 stiga av get out of; lämna leave **2** om fläck come out, försvinna disappear

gå ut 1 ~ *ut och gå* go out for a walk, take a walk **2** gå till ända come to an end, run out **3** *vad det* ~*r ut på* what it amounts to; *hans tal gick ut på att...* the drift of his speech was that... **4** ~ *ut ur rummet* leave the room **5** *du ska inte låta det* ~ *ut över barnen* you mustn't take it out on the children; *låta* sin vrede etc. ~ *ut över* vent... upon

gå vidare fortsätta go on [*i, med* with]

gå åt 1 behövas be needed **2** ta slut be used up **3** säljas sell

gå över 1 go (run, rise, be) above; överstiga surpass **2** upphöra pass, go over, cease **3** ~ *över till* go over to, pass to; byta till change to

gåbock *subst* för rörelsehindrad walking-frame, Zimmer-frame®

gående I *subst*, *en* ~ a pedestrian **II** *adj*, ~ *bord* buffet

gågata *subst* pedestrian precinct, med affärer mall

gång *subst* **1** sätt att gå walk **2** färd (om fartyg) run, passage; om maskin etc. running; *motorn har en jämn* ~ the engine runs smoothly; *få i* ~ *ngt* get sth started, start; *sätta i* ~*!* get going! **3** i el. mellan hus passage; i kyrka el. teater aisle; i buss, tåg etc. gangway; amer. aisle **4** tillfälle, omgång m.m. time; *en* ~

once, om framtid one day, some day; *en* ~ *i tiden* (*världen*) förr at one time; *en* ~ *om året* once a year; *en* ~ *till* once more; *det var en* ~... i saga once upon a time there was...; *en annan* ~ another time; om framtid some other time; *en och annan* ~ every now and then; *någon enstaka* ~ once in a while; *någon* ~ *i maj* some time in May; *för en* ~*s skull* for once; *med en* ~ all at once; *på en* ~ a) samtidigt at a time, at the same time b) plötsligt all at once; *alla* ~*er!* säkert you bet!, every time!; *två* ~*er* twice; *tre* ~*er* three times; *två* ~*er två är fyra* twice two is four, two times two is four

gångavstånd *subst*, *på* ~ within walking distance

gångbana *subst* pavement, amer. sidewalk

gångjärn *subst* hinge

gångstig *subst* path, footpath

gångtrafikant *subst* pedestrian

---

gångtunnel

Lägg märke till att *subway* betyder tunnelbana på amerikansk engelska.

---

gångtunnel *subst* subway, amer. underpass

gångväg *subst* public footpath

gåpåare *subst* go-getter

gård *subst* **1** bakgård backyard, courtyard; *ett rum åt* ~*en* a back room **2** bondgård farm; herrgård estate

gårdag *subst*, ~*en* yesterday

gårdsplan *subst* courtyard

gås *subst* goose (pl. geese); *det är som att slå vatten på en* ~ it's like water off a duck's back; *det går vita gäss* på sjön there are whitecaps

gåshud *subst* gooseflesh, goosebumps

gåsleverpastej *subst* äkta pâté de foie gras (franska)

gåta *subst* riddle, mystery; *lösa en* ~ solve a riddle, solve a mystery

gåtfull *adj* mysterious, puzzling

gåva *subst* **1** gift, present **2** donation donation

gåvoskatt *subst* gift tax

gäcka *verb* frustrate; förbrylla baffle

gädda *subst* fisk pike (pl. lika)

gäl *subst* på fisk gill

gäll *adj* shrill; om färg crude

gälla *verb* **1** ~ *för* a) räknas som, anses som count b) vara värd be worth **2** vara giltig be valid;

detta gäller (gäller för) samtliga fall this holds good for all cases **3** angå concern; *vad gäller saken?* what is it about?; *det gäller liv eller död* it is a matter of life and death; *när det gäller* when it really matters

gällande *adj* giltig valid [*för* for]; *en ~ lag* a law that is in force; *göra ~* hävda maintain; *göra sig ~* a) hävda sig assert oneself b) vara framträdande be in evidence

gäng *subst* gang; kotteri set

gänga *subst* skruvgänga thread; *vara ur gängorna* om person be off colour

gängse *adj* current; vanlig usual

gärde *subst* åker field; *på ~t* in the field

gärdsgård *subst* av trä wooden fence

gärdsmyg *subst* fågel wren

gärna *adv* villigt willingly; med nöje gladly, with pleasure; *~ det!* by all means!; *~ för mig!* it's all right with (by) me; *ja ~!* please!; *inte ~* knappast hardly; *han får ~ komma* he can come if he likes; *jag skulle bra ~ vilja veta...* I would very much like to know...

gärning *subst* handling deed, action; *tagen på bar ~* caught red-handed

gärningsman *subst* perpetrator; *~en* the perpetrator of the crime

gäspa *verb* yawn

gäspning *subst* yawn

gäst *subst* guest [*i, vid* at], på hotell vanligen resident

gästa *verb* besöka visit

gästartist *subst* guest artist

gästfri *adj* hospitable [*mot* towards, to]

gästfrihet *subst* hospitality

gästgivargård *subst* inn

gästrum *subst* spare bedroom, guest room

gästspel *subst* teat. special performance, guest performance

göda *verb* fatten, fatten up

gödkyckling *subst* spring chicken, broiler

gödningsmedel *subst* fertilizer

gödsel *subst* **1** manure **2** konstgödsel fertilizer

gödsla *verb* **1** manure **2** konstgödsla fertilize

gödsling *subst* **1** manuring **2** med konstgödsel fertilizing

gök *subst* fågel cuckoo

gömma I *subst* hiding-place
II *verb*, dölja *~ ngt* hide sth, hide sth away, conceal [*för* from]; *~ sig* hide, hide oneself [*för* from]

gömställe *subst* hiding-place

göra I *verb* **1** do; *~ affärer* do business; *~ ett mål* score a goal; *~ en paus* pause; i

t.ex. arbetet have a break; *det gör ingenting!* it doesn't matter!; *gör det något, om...?* will it be all right if...?; *~ sitt bästa* do one's best; *vad gör det?* what does it matter?; *ha att ~ med* have to do with, deal with; *du har ingenting här att ~!* you have no business to be here!; *det har ingenting med dig att ~!* it's none of your business!, it's nothing to do with you!; *det är ingenting att ~ åt det* it can't be helped; *~ ngn galen* drive sb mad **2** begå, tillverka, skapa make; *~ ett bord* make a table; *~ ett fel* make a mistake; *~ ett försök* make an attempt; *~ ett bra intryck* make a good impression **3** med att-sats: förorsaka make, cause; *det gjorde att bilen stannade* that made the car stop **4** i stället för förut nämnt verb do; *han reste sig och det gjorde jag också* he stood up and so did I; *har du läst läxorna? — nej, det har jag inte gjort* have you done your homework? — no, I haven't; *regnar det? — ja, det gör det* is it raining? — yes, it is **5** utgöra make; *två gånger två gör fyra* twice two make (makes) four; *~ ngn glad* make sb happy; *~ ngn olycklig* make sb unhappy **6** *~ sig förstådd* make oneself understood; *~ sig besvär att göra ngt* take the trouble to do sth; *~ sig en förmögenhet* make a fortune **7** *gjort är gjort* what's done can't be undone **II** *verb* med betonad partikel

göra av med 1 pengar spend **2** ta livet av kill **3** *~ sig av med ngt* get rid of sth

göra om: på nytt *~ om ngt* do sth over again, make sth again; upprepa samma sak do sth again

göra till 1 *~ sig till* a) göra sig viktig show off b) sjåpa sig be affected **2** *det gör varken till eller från* it makes no difference, it makes no difference either way

göra undan: *~ undan ngt* get sth done

göra upp 1 eld etc. make **2** klara upp, hämnas settle **3** förslag etc. draw up

gördel *subst* girdle

gör-det-själv *adj* do-it-yourself (förk. DIY)

görlig *adj* practicable, feasible

görningen *subst, det är något i ~* there is something brewing

göromål *subst* business (endast sing.), work (endast sing.)

gös *subst* fisk pike-perch, amer. walleye

Göteborg Gothenburg, Göteborg

Hh

h *subst* musik. B

1 ha I *hjälpverb* tempusbildande have; *du ~r snart glömt det* you will soon have forgotten it; *det ~de jag aldrig trott* I would never have thought it
II *huvudverb* **1** have, have got; *vilken färg ~r den?* what colour is it?; *~ fel* be wrong; *~ rätt* be right; *det kan vara bra att ~* it will come in handy; *vad ~r du här att göra?* what are you doing here?; *vad ska man ~ det till?* what's it for?; *nu ~r jag det!* now I've got it! **2** få, erhålla have; *vad vill du ~?* what do you want?; om förtäring what will you have?; *jag skulle vilja ~ en tidning* I'd like a newspaper, I should like a newspaper **3** *~ det bra* gott ställt be well off; *~ det så bra!* have a good time!; *~ det trevligt* have a nice time; *hur ~r du det?* how's things?; *~ ledigt* be free, be off duty; *~ lätt att* find it easy to **4** t.ex. kläder wear
III *verb* med betonad partikel
ha ngt emot:: *jag ~r inget emot det* I have nothing against it; *~r du något emot att jag röker?* do you mind my smoking?
ha för sig 1 tro, mena think; föreställa sig have an idea; inbilla sig imagine **2** *vad ~r du för dig?* vad gör du? what are you doing?; *vad ~r du för dig i kväll?* are you doing anything tonight?
ha ngt kvar ha över have sth left; ännu ha still have sth
ha med el. **ha med sig** have with one, bring
ha på sig 1 *~ ngt på sig* vara klädd i ngt have sth on, wear sth **2** *~r du en penna på dig?* have you got a pencil on you? **3** *vi ~r bara en dag på oss* we have only one day left
ha sönder t.ex. en vas break; t.ex. en klänning tear
2 ha *interj* ha!
Haag the Hague
habegär *subst* acquisitiveness; *~et* the possessive instinct
1 hack *subst*, *följa ngn ~ i häl* follow close on sb's heels
2 hack *subst* skåra notch, cut, mark

1 hacka *subst* vard., *tjäna en ~* earn a bit of cash
2 hacka I *subst* spetsig pick, pickaxe
II *verb* **1** i bitar chop, fint mince **2** *~ i (på)* hack at; om fågel pick at, peck at; *~ på* kritisera pick on
III *verb* med betonad partikel
hacka loss hack away, chop away
hacka sönder cut up, break up
hacker *subst* data. hacker
hackhosta *subst* hacking cough
hackkyckling *subst*, *han är allas ~* they are always picking on him
hackspett *subst* fågel woodpecker
haffa *verb* vard. nick, nab
hafsig *adj* slovenly, sloppy, om arbete etc. slipshod
hage *subst* **1** beteshage enclosed pasture **2** barnhage playpen **3** *hoppa ~* play hopscotch
hagel *subst* **1** hail; *stora ~* big hailstones **2** blyhagel shot, small shot
hagelgevär *subst* shotgun
hagelskur *subst* shower of hail, hailstorm
hagla *verb* hail
hagtorn *subst* växt el. träd hawthorn
haj *subst* shark äv. om person
1 haja *verb*, *~ till* be startled, start
2 haja *verb* vard., *~r du?* do you get it?; *jag ~r inte varför han gör så* it beats me why he does that
1 haka *subst* chin; *tappa ~n* be taken aback; *sticka ut ~n* vard. stick one's neck out
2 haka I *verb*, *~ sig fast* cling [*vid* to]; *~ upp sig* om t.ex. mekanism get stuck, om t.ex. blixtlås get caught, get stuck; *~ upp sig på småsaker* worry about trifles
II *verb* med betonad partikel
haka av unhook
haka på 1 hook on **2** t.ex. idé catch on to; göra likadant follow suit
hake *subst* hook; t.ex. fönsterhake catch; *det finns en ~ någonstans* there is a catch somewhere
hakkors *subst* swastika
haklapp *subst* bib
hakrem *subst* chin strap
hal *adj* slippery; *~ som en ål* as slippery as an eel; *vara ute på ~ is* be skating on thin ice
hala *verb*, *~ ned* haul down, lower; *~ flaggan* lower the flag
halka I *subst* slipperiness; *det är svår ~ på vägarna* the roads are very slippery
II *verb* slip, slira skid; *~ omkull* slip

halkbana *subst* skidpan

halkkörning *subst* skidpan driving

hall *subst* hall

hallick *subst* vard. pimp, ponce

hallon *subst* raspberry

hallonsylt *subst* raspberry jam

Halloween *subst* allhelgonafton Halloween, Hallowe'en

hallucination *subst* hallucination

hallå *interj* hallo!, hullo!, hello!

halm *subst* straw

halmstrå *subst* straw

halmtak *subst* thatched roof

hals *subst* neck; strupe throat; ~ *över huvud* headlong; *han fick ett ben i* ~*en* he got a bone stuck in his throat; *ha ont i* ~*en* have a sore throat; *kasta sig om* ~*en på ngn* fall on sb's neck; *få ngn (ngt) på* ~*en* be saddled with sb (sth)

halsa *verb* drink from the bottle; ~ *en öl* vard. swig a bottle of beer

halsband *subst* **1** necklace **2** för hund collar

halsbloss *subst*, *dra* ~ inhale

halsbrytande *adj*, ~ *fart* breakneck speed, hair-raising speed

halsbränna *subst* heartburn

halsduk *subst* scarf; stickad muffler

halsfluss *subst* med. tonsillitis

halsgrop *subst*, *jag kom med hjärtat i* ~*en* I came with my heart in my mouth

halshugga *verb* behead

halsinfektion *subst* med. throat infection

halsmandlar *subst pl* anat. tonsils

halstablett *subst* throat lozenge, throat pastille

halster *subst* gridiron, grill; *hålla ngn på* ~ keep sb on tenterhooks

halstra *verb* grill

1 halt *subst* t.ex. sockerhalt, metallhalt content

2 halt *subst* uppehåll halt

3 halt *adj* lame, lame in one leg

halta *verb* limp

halv *adj* half; *en och en* ~ *timme* an hour and a half, one and a half hours; *möta ngn på* ~*a vägen* meet sb half-way; *klockan* ~ *fem* at half past four, at four-thirty, vard. half four; *fem i* ~ *fem* twenty-five past five

halva *subst* **1** hälft half (pl. halves) **2** ~*n* andra snapsen, ungefär the second glass

halvbesatt *adj* half-filled

halvblod *subst* häst half-bred

halvbror *subst* half-brother

halvbutelj *subst* half-bottle, half a bottle

halvcirkel *subst* semicircle

halvdan *adj* medelmåttig mediocre

halvdöd *adj* half dead [av with]

halvera *verb*, ~ *ngt* halve sth, divide sth into halves

halvfabrikat *subst* semi-manufactured article

halvfemtiden *subst*, *vid* ~ at about half past four, at about four-thirty

halvhjärtad *adj* half-hearted

halvkombi *subst* bil. hatchback

halvlek *subst* sport. half

halvljus *subst*, *köra på* ~ drive with dipped headlights, amer. drive with dimmed headlights

halvmesyr *subst* half-measure

halvmil *subst*, *en* ~ five kilometres, eng. motsvarighet ungefär three miles

halvmåne *subst* half moon

halvpension *subst* på t.ex. pensionat half board

halvsova *verb* be half asleep

halvstor *adj* medium-sized, medium

halvsyster *subst* half-sister

halvsöt *adj* om vin medium sweet

halvt *adv* half

halvtid *subst* **1** sport. half-time **2** *arbeta* ~ have a half-time job, work half-time

halvtidsanställd *adj*, *vara* ~ work half-time, be on half-time

halvtimme *subst*, *en* ~ half an hour; *en gång i* ~*n* once every half hour

halvtorr *adj* om vin medium dry

halvvägs *adv* half-way, midway

halvår *subst*, *ett* ~ six months

halvädelsten *subst* semiprecious stone

halvö *subst* peninsula

halvöppen *adj* half open; *dörren stod* ~ på glänt the door was ajar

hambo *subst* Hambo polka; *dansa* ~ do the Hambo, dance the Hambo

hamburgare *subst* hamburger

hammare *subst* hammer

hammock *subst* swinging garden hammock

hamn *subst* **1** hamnstad port **2** anläggningen harbour

hamna *verb* land up, land; sluta end up, end

hamnarbetare *subst* dock worker, docker

hamndistrikt *subst* dockland

hamnkvarter *subst* dock district

hamnstad *subst* port

hampa *subst* hemp

hamra *verb* hammer, beat

hamster *subst* djur hamster

hamstra *verb* hoard

hamstrare *subst* hoarder

han *pron* he; om djur it

hand
Det är inte alls lika vanligt att man tar i hand när man hälsar i England och USA. Det uppfattas som mycket formellt.

hand *subst* hand; *~en på hjärtat, tyckte du om det?* honestly, did you like it?; *ge ngn en hjälpande ~* lend sb a hand; *ha fria händer* have a free hand; *ha ~ om* be in charge of; *skaka ~ med ngn* shake hands with sb; *ta ~ om* take care of, take charge of; *i andra ~* in the second place; *hyra ut i andra ~* sublet; *det får komma i andra ~* we'll (I'll) wait with that; *köpa i andra ~* buy second-hand; *i första ~* in the first place, first; *upplysningar i första ~* information at first hand, first-hand information; *hålla ngn i ~en* hold sb's hand; *ta ngn i ~* hälsa shake hands with sb; *bort med händerna!* hands off!; *på egen ~* alone; *ha till ~s* have handy; *denna förklaring ligger nära till ~s* this explanation is a very likely one; *upp med händerna!* hands up!; *ge vid ~en* visa indicate, show

handarbete *subst* sömnad needlework; broderi embroidery; stickning knitting; *ett ~* a piece of needlework, a piece of embroidery

handbagage *subst* hand baggage, hand luggage

handbojor *subst pl* handcuffs; *sätta ~ på ngn* handcuff sb, put handcuffs on sb

handbok *subst* handbook [*i* of], manual; *en ~ i psykologi* a handbook of psychology

handboll *subst* handball

handbroms *subst* handbrake; *dra åt ~en* put on the handbrake

handduk *subst* towel; *kasta in ~en* boxn. el. vard., ge upp throw in the towel

handel *subst* **1** varuhandel trade; handlande trading **2** i stort commerce; affärer business **3** spec. olovlig traffic **4** *driva* (*idka*) *~ med* a) land, person trade in, deal in; *finnas i ~n* be on the market

handelsbalans *subst* balance of trade

handelsbojkott *subst* trade embargo (pl. -es)

handelsbolag *subst* trading company

handelsembargo *subst* trade embargo (pl. -es)

handelsfartyg *subst* merchant vessel

handelsförbindelse *subst*, *~r* trade relations, commercial relations

handelsminister *subst* minister of commerce

handelspartner *subst* trade partner

handelsvara *subst* commodity

handfallen *adj*, *hon stod helt ~* she was completely at a loss

handfast *adj*, *~a regler* definite rules

handfat *subst* washbasin

handflata *subst* palm, palm of the hand

handfri *subst* se *handsfree*

handgjord *adj* handmade, made by hand

handgranat *subst* hand grenade

handgrepp *subst* manipulation; *med ett enkelt ~* in one simple operation

handgriplig *adj* **1** påtaglig palpable **2** tydlig obvious

handgripligheter *subst pl*, *gå till ~* come to blows

handha *verb* **1** sköta manage **2** ha hand om be in charge of

handikapp *subst* handicap

handikappad *adj* handicapped, invalidiserad disabled, handicapped; *vara ~ av* be handicapped by

handikapp-OS *subst* sport. the Paralympics pl.

handikapptoalett *subst* toilet for the disabled

handla *verb* **1** driva handel trade, deal, do business [*med ngt* in sth; *med ngn* with sb] **2** göra inköp do one's shopping [*hos A.* at A.'s]; *gå ut och ~* go out shopping; *~ mat* buy food **3** bete sig act; *~ rätt* do the right thing **4** *~ om* a) röra sig om be about b) gälla be a question of

handlag *subst*, *ha gott ~ med barn* have a good hand with children, know how to handle children

handlande *subst* **1** handelsman dealer; handelsidkare tradesman **2** butiksägare shopkeeper

handled *subst* wrist

handleda *verb* instruct; vägleda guide; i studier etc. supervise

handledare *subst* instructor; studiehandledare etc. supervisor

handledning *subst* **1** instruction; vägledning guidance; i studier etc. supervision **2** handbok guide

handling *subst* **1** agerande action **2** i bok, pjäs etc. story, action; intrig plot [*i* of] **3** dokument document

handlingsfrihet *subst* freedom of action

handlägga *verb* behandla, bereda deal with, handle

handlöst *adv*, *falla ~* fall headlong

handpenning *subst* deposit; *betala* (*lägga*) *~* pay a deposit

handplocka *verb* handpick

handsfree *subst* hands-free mobile

handskas *verb*, ~ *med* hantera handle

handske *subst* glove

handskfack *subst* i bil glove compartment

handskriven *adj* handwritten; *brevet var handskrivet* the letter was written by hand

handslag *subst* handshake

handstil *subst* handwriting

handtag *subst* **1** på dörr, väska etc. handle; runt knob **2** *ge ngn ett* ~ hjälp lend sb a hand

handvändning *subst*, *det är gjort i en* ~ it's done in no time

handväska *subst* handbag, amer. purse

hane *subst* hanne male; fågelhane ofta cock, amer. vanligen rooster

hangar *subst* hangar

hangarfartyg *subst* aircraft carrier

hankatt *subst* male cat, tomcat

hanne *subst* male, fågelhanne ofta cock, amer. vanligen rooster

hans *pron* his; om djur el. sak vanligen its; se *1 min* för ex.

hantel *subst* dumbbell

hantera *verb* handle; sköta manage

hantlangare *subst* **1** helper, mate **2** neds. henchman

hantverk *subst* **1** handicraft; *ett gott* ~ a good piece of workmanship **2** yrke trade

hantverkare *subst* craftsman, artisan

hare *subst* **1** djur hare **2** sport., vid löpning pacemaker; vid hundkapplöpining hare **3** ynkrygg coward; *rädd som en* ~ timid as a hare

harem *subst* harem

haricots verts *subst pl* French beans, string beans

harkla *verb*, ~ *sig* clear one's throat

harkrank *subst* insekt crane fly

harmoni *subst* harmony äv. musik.

harmoniera *verb* harmonize

harmonisk *adj* harmonious; musik. harmonic

harpa *subst* musik. harp

harv *subst* jordbruksredskap harrow

harva *verb* harrow

hasa *verb* **1** glida slide; ~ *ned* slip down **2** dra fötterna efter sig shuffle

hasard *subst* hasardspelande gambling; *spela* ~ gamble; *det är rena* ~*en* it is all a matter of chance

hasardspel *subst* game of chance; hasardspelande gambling

hasch *subst* vard. hash, pot

hasselnöt *subst* hazelnut

hast *subst* hurry, haste; *i största (all)* ~ in great haste

hastig *adj* snabb rapid, quick; skyndsam hurried

hastighet *subst* **1** fart speed; snabbhet rapidity; *högsta tillåtna* ~ the speed limit, the maximum speed; *med en* ~ *av* at a speed of **2** brådska, *i* ~*en glömde han...* in his hurry he forgot...

hastighetsbegränsning *subst* speed limit

hastighetsmätare *subst* speedometer

hastigt *adv* rapidly, quickly, hurriedly; *helt* ~ plötsligt all of a sudden

hat *subst* **1** hatred [*mot* of] **2** spec. i motsats till kärlek hate

hata *verb* hate

hatfull *adj* o. **hatisk** *adj* spiteful

hatt *subst* **1** hat **2** på tub cap

hav
Atlanten *the Atlantic*, Indiska oceanen *the Indian Ocean*, Kaspiska havet *the Caspian Sea*, Medelhavet *the Mediterranean*, Nordsjön *the North Sea*, Östersjön *the Baltic*, Röda havet *the Red Sea*, Stilla havet *the Pacific*, Svarta havet *the Black Sea*

hav *subst* **1** sea **2** världshav ocean

havande *adj* gravid pregnant

havandeskap *subst* pregnancy

haverera *verb* **1** sjö. be wrecked **2** om flygplan, bil etc. crash

haveri *subst* **1** sjö. shipwreck **2** flyghaveri crash; motorhaveri breakdown

havre *subst* oats pl.

havregryn *subst* porridge oats pl.

havregrynsgröt *subst* porridge, amer. oatmeal

havsband *subst*, *i* ~*et* i yttersta skärgården on the outskirts of the archipelago

havsbotten *subst* sea bed, ocean bed; *på* ~ at the bottom of the sea

havskräfta *subst* Norway lobster; *friterade havskräftor* scampi

HD *subst* tv-teknik HD förk. för *high definition*

heat *subst* sport. heat

hebreisk *adj* Hebrew

hebreiska *subst* språk Hebrew

hed *subst* moor; ljunghed heath

heder *subst* honour; *till hans* ~ *skall det sägas att...* one must say to his credit that...

hederlig *adj* ärlig honest, decent
hederlighet *subst* honesty
hedersbetygelse *subst* mark of honour, mark of respect; **under militära** ~**r** with military honours
hedersdoktor *subst* honorary doctor
hedersgäst *subst* guest of honour
hodersurd *subst*, **på** ~**!** honestly!, word of honour!
hederspris *subst* special prize; **få** ~ receive a special award
hederssak *subst*, **det är en** ~ **för honom** he makes it a point of honour
hedning *subst* heathen
hednisk *adj* heathen
hedra *verb* honour; **det** ~**r honom att han...** it does him credit that he...
hej *interj* hälsning hallo!, amer. hi!, hi there!; ~ **då!** adjö bye-bye!; ~ **så länge!** so long!
heja I *interj* sport., ~ **AIK!** come on AIK!
II *verb*, ~ **på** a) lag cheer, cheer on b) säga hej åt say hallo to
hejaklack *subst* se *hejarklack*
hejaklacksledare *subst* se *hejarklacksledare*
hejarklack *subst* cheering section
hejarklacksledare *subst* cheerleader
hejarop *subst* cheer
hejd *subst*, **det är ingen** ~ **på...** there's no limit to...
hejda *verb* stop; **få under kontroll** check
hejdlös *adj* om gråt, skratt uncontrollable; om slöseri enormous; ofantlig tremendous; **en** ~ **drift med byråkratin** a hilarious takeoff of bureaucracy
hektar *subst* hectare; **ett (en)** ~ britt. motsvarighet 2,471 acres
hektisk *adj* hectic
hekto *subst* o. **hektogram** *subst* hectogram
hektoliter *subst* hectolitre
hel *adj* **1** whole, full, complete; ~**a dagen** all day, the whole day; ~**a tiden** all the time, the whole time; ~**a året** throughout the year; **vad tycker du om det** ~**a?** what do you think of it all?; **på det** ~**a taget** i stort sett on the whole **2** ej sönder whole; om glas etc. unbroken
hela *subst* **1** helbutelj full-size bottle; **2** ~**n går!** ungefär now for the first! **3** *Helan och Halvan* komikerpar Laurel Halvan and Hardy Helan
helautomatisk *adj* fully automatic
heldragen *adj*, ~ **linje** unbroken (continuous) line
helförsäkrad *adj*, **vara** ~ have a comprehensive insurance

helförsäkring *subst*, ~ **för motorfordon** comprehensive car insurance
helg *subst* ledighet holiday pl.; veckoslut weekend
helgdag *subst* holiday
helgerån *subst* sacrilege
helgon *subst* saint
helhet *subst* whole; **i sin** ~ in full, in its entirety
helhetsintryck *subst* overall impression
helhjärtad *adj* whole-hearted
helig *adj* holy, sacred
helikopter *subst* helicopter, vard. copter, chopper
helinackorderad *adj*, **vara** ~ have full board and lodging
heller *adv* efter negation either; **jag hade ingen biljett och inte han** ~ I had no ticket and he hadn't either
helljus *subst*, **köra på** ~ drive with one's headlights on
hellre *adv*, **jag vill** ~ **gå på bio än gå på disco** I would rather go to the movies than go to a disco
hellång *adj* full-length
helnykterist *subst* teetotaller, total abstainer
helomvändning *subst*, **göra en** ~ a) mil. do an about-turn b) byte av ståndpunkt do a turnaround
helpension *subst* full board, full board and lodging
helsida *subst* full page
helsiden *subst* pure silk
helsike *subst* vard. se *helvete*
Helsingfors Helsinki
helskinnad *adj*, **komma (slippa) undan** ~ escape unhurt
helspänn *subst*, **vara på** ~ om person be tense, vard. be uptight; **sitta på** ~ be on edge, be on tenderhooks
helst *adv*, **jag vill (skulle)** ~ I would rather; **jag vill allra** ~ I want most of all to; **hur som** ~ anyhow; **hur länge som** ~ hur länge ni vill as long as you like; **jag betalar hur mycket som** ~ I'll pay any amount; **ingen som** ~ **anledning** no reason whatever; **när som** ~ any time; när ni vill whenever you like; **vad som** ~ anything; vad ni vill anything you like; **var (vart) som** ~ anywhere; var (vart) ni vill wherever you like; **vem som** ~ anybody; vem ni vill whoever you like; **vilken som** ~ a) av två either b) vilken ni vill whichever you like
helsäker *adj* quite sure, quite certain
helt *adv*, ~ el. ~ **och hållet** entirely,

completely; alldeles quite; ~ *enkelt*
omöjligt simply impossible; ~ *nyligen*
quite recently; ~ *plötsligt* all of a sudden;
inte förrän ~ *nyligen* only recently
heltid *subst*, *arbeta på* ~ work full-time
heltidsanställd *adj*, *vara* ~ be employed
full-time
heltäckande *adj*, ~ *matta* wall-to-wall
carpet
heltäckningsmatta *subst* wall-to-wall carpet
helvete *subst* hell; *ett ~s oväsen* a hell of a
noise; *dra åt ~!* go to hell!
helvetisk *adj* hellish, infernal
helylle *subst* all wool, pure wool
hem I *subst* home
II *adv* home; *bjuda* ~ *ngn* ask sb home,
invite sb home; *följa ngn* ~ see sb home,
accompany sb home; *skämtet gick* ~ the
joke went home; *ha kommit* ~ be home;
ta ~ *spelet* win the game
hembageri *subst* local baker's
hembakad *adj* o. **hembakt** *adj* home-made
hembiträde *subst* servant, maid
hembränning *subst* olaglig illicit distilling
hembygd *subst*, ~*en* one's native home,
one's native district
hembygdskunskap *subst* skol., ungefär local
geography, history and folklore
hemdator *subst* home computer
hemfärd *subst* home journey, homeward
journey
hemförsäkring *subst* householders'
comprehensive insurance
hemförsäljning *subst* door-to-door selling
hemgift *subst* dowry
hemgjord *adj* home-made
hemhjälp *subst* home help
hemifrån *adv* from home; *gå (resa)* ~ leave
home
heminredning *subst* interior decoration
hemkomst *subst* home-coming, return
hemkunskap *subst* skol. home economics (med
verb i sing.)
hemlagad *adj*, ~ *mat* home-made food,
home cooking
hemland *subst* native country
hemlig *adj* secret; dold concealed, hidden [*för*
from·]; ~*t nummer* tele. ex-directory
number, amer. unlisted number
hemlighet *subst* secret; *i* ~ secretly, in secret
hemlighetsfull *adj* **1** mysterious **2** förtegen
secretive
hemlighålla *verb*, ~ *ngt* keep sth secret [*för*
ngn from sb·]
hemligstämplad *adj* top-secret, classified

hemlängtan *subst* homesickness; *känna* ~
feel homesick
hemlös *adj* homeless
hemma *adv*, *vara* ~ be at home; *du kan bo*
~ *hos oss* you can stay at our place, you
can stay with us; ~ *hos Svenssons* at the
Svenssons'; *känn dig som* ~ make
yourself at home
hemmafru *subst* housewife (pl. housewives)
hemmagjord *adj* home-made
hemmakväll *subst*, *en* ~ an evening at home
hemmalag *subst* sport. home team
hemmaman *subst* house-husband
hemmamatch *subst* home match; *ha* ~ play
at home
hemmaplan *subst* sport. home ground; *spela*
på ~ play at home
hemmastadd *adj* at home
hemmavarande *adj*, ~ *barn* children living
at home
hemorrojder *subst pl* med. haemorrhoids
hemort *subst* home district; jur. domicile
hemresa *subst* home journey, homeward
journey; till sjöss homeward voyage
hemsamarit *subst* home help
hemsida *subst* homepage på Internet
hemsk *adj* ghastly, terrible, vard. awful
hemskt *adv* vard., väldigt awfully, frightfully
hemslöjd *subst* handicraft
hemspråk *subst* home language
hemspråkslärare *subst* home-language
teacher
hemstad *subst* home town
hemsökas *verb*, ~ *av* be ravaged by, be
overrun by
hemtjänst *subst* home-help service
hemtrakt *subst*, *i min* ~ a) där jag bor in the
neighbourhood of my home b) där jag växte
upp where I grew up, where I come from
hemtrevlig *adj* ombonad cosy, snug
hemväg *subst* way home; *på* ~*en blev jag*
bestulen on my (the) way home I was
robbed
hemvärn *subst* home defence; ~*et* the Home
Guard
hemåt *adv* homeward, homewards
henne *pron* her; om djur it
hennes *pron* her; om djur el. sak vanligen its;
självst. hers; se *1 min* för ex.
herde *subst* shepherd
hermelin *subst* djur el. päls ermine
heroin *subst* heroin
heroisk *adj* heroic
herr se *herre 1*
herravälde *subst* **1** makt domination **2** styrelse

rule [*över* over]; behärskning mastery **3** kontroll control [*över* of]; *förlora ~t över bilen* lose control of the car

herrcykel *subst* man's cycle, man's bicycle

herrdubbel *subst* i tennis men's doubles (pl. lika)

herre *subst* **1** gentleman (pl. gentlemen), man (pl. men); *mina herrar!* gentlemen!; *herr ordförande!* Mr. Chairman! **2** härskare, husbonde master; *vara sin egen ~* be one's own master, be one's own mistress; om kvinna *vara ~ över situationen* be master of the situation **3** *Herren* the Lord; *~ gud!* vard. Good Heavens!, Good God!, amer. Oh, my God!; *i (på) många herrans år* for ages, for donkey's years

herrekipering *subst* affär men's outfitter's

herrelös *adj* ownerless

herrfrisering *subst* lokal men's hairdresser, barber

herrfrisör *subst* men's hairdresser, barber

herrgård *subst* **1** byggnad country house **2** gods country estate

herrgårdsvagn *subst* bil estate car, isht amer. station wagon

herrkläder *subst* men's clothes, menswear sing.

herrsingel *subst* i tennis men's singles (pl. lika)

herrsko *subst* man's shoe; *~r* men's shoes

herrtidning *subst* men's magazine; med nakna flickor girlie magazine

herrtoalett *subst* men's toilet; *var är ~en?* ofta where's the gents?

hertig *subst* duke

hertiginna *subst* duchess

hes *adj* hoarse

heshet *subst* hoarseness

het *adj* hot; *en ~ debatt* a heated discussion; *en ~ potatis* vard. a hot potato; *få det ~t om öronen* get into hot water

heta *verb* be called, be named; *vad heter han?* what is his name?; *allt vad bröd heter* everything in the way of bread; *vad heter det* ordet etc. *på engelska?* what is that in English?

heterogen *adj* heterogeneous

heterosexuell *adj* heterosexual

hets *subst* **1** förföljelse persecution [*mot* of]; uppviglande agitation [*mot* against] **2** jäkt bustle, rush and tear

hetsa *verb* **1** jäkta rush and tear **2** egga bait; *~ upp* egga excite, work up; *~ upp sig* get excited

hetsig *adj* häftig, om t.ex. temperament hot; om t.ex. diskussion heated; hetlevrad hot-tempered; lättretad hot-headed

hetsjakt *subst* **1** jakt. hunt; jagande hunting **2** *~ på* agitation against; förföljelse av baiting of, persecution of

hetsäta *verb* binge; med. suffer from bulimia

hetsätare *subst* binger, bulimic

hetsätning *subst* bingeing; med. bulimia

hett *adv* hotly; *solen brände ~* the sun burnt hot; *det gick ~ till* man slogs things got pretty rough

hetta I *subst* heat

II *verb* vara het be hot

hibiskus *subst* blomma hibiscus

hicka I *subst* hiccup; *ha ~* have the hiccups

II *verb* hiccup

hierarki *subst* hierarchy

hi-fi (förk. för *high-fidelity*) *subst* hi-fi

himla I *adj* vard., *det blev ett ~ liv* there was an awful noise

II *adv* vard. awfully, terrifically

himlakropp *subst* heavenly body

himmel *subst* **1** sky; *solen stod högt på himlen* the sun was high in the sky; *under Italiens ~* under Italian skies **2** himmelrike heaven; *röra upp ~ och jord* raise hell

himmelrike *subst* heaven, paradise

hinder *subst* **1** obstacle [*för* to]; *det möter inget ~* there is nothing against it, there is no objection to that **2** sport., häck fence, hurdle

hinderlöpare *subst* sport. steeple-chaser

hinderlöpning *subst* steeplechase

hindra *verb* **1** förhindra prevent; avhålla keep, restrain; *det är ingenting som ~r att du gör det* there is nothing to prevent you from doing it **2** vara till hinders för hinder, obstruct, impede; *~ trafiken* impede the traffic, obstruct the traffic

hindu *subst* Hindu

hingst *subst* stallion

hink *subst* bucket, pail

1 hinna I *verb* **1** nå, komma reach, get; *vi har hunnit långt i dag* we have done a lot today, we have managed a lot today **2** få tid get time, get the time; ha tid have time, have the time; *om jag hinner* if I find time, if I get the time; *vi har hunnit till sidan 200* we've got to page 200 **3** komma i tid manage to be in time **4** *färgen har redan hunnit torka* the paint has already dried

II *verb* med betonad partikel

hinna fram arrive in time, arrive

hinna med: *~ med ngt* finish sth, manage to finish sth; *jag hinner inte* *med det* I don't have time for it; ~ *med tåget* catch the train, manage to catch the train; *jag hann inte med tåget* I didn't manage to catch the train; ~ *med att äta* have time to eat

hinna upp ngn (ngt) ifatt catch sb (sth) up

2 hinna *subst* **1** tunn film **2** zool. membrane

hiphop *subst* dans hip-hop

hipp *adv*, *det är* ~ *som happ* it comes to the same thing, it makes no difference

1 hiss *subst* lift, amer. elevator

2 hiss *subst* musik. B sharp

hissa *verb* hoist, hoist up

hissna *verb* feel dizzy, feel giddy

hissnande *adj* höjd, belopp dizzy

historia *subst* **1** skildring el. vetenskap history; *gå till historien* go down in history **2** berättelse story; *berätta en* ~ tell a story **3** sak thing, affair

historieberättare *subst* story-teller

historiebok *subst* history book

historik *subst* history [*över* of]

historiker *subst* historian

historisk *adj* **1** historical **2** märklig historic; *ett* ~*t ögonblick* a historic moment

hit *adv* here; *kom* ~ *med boken!* bring the book here!; ~ *och dit* here and there, to and fro; *ända* ~ as far as this, as far as here; *han kom* ~ *i går* he arrived here yesterday

hitom *prep* on this side, on this side of

hitresa *subst*, *på* ~*n* on the journey here

hitta *verb* **1** find; ~ *på* a) tänka ut think of, hit on b) dikta ihop make up **2** finna vägen find the way; känna vägen know the way **3** t.ex. guld, olja strike

hittegods *subst* lost property

hittelön *subst* reward; *få 500 pund i* ~ get £500 reward

hittills *adv* up to now, up till now, hitherto; *så här långt* so far

hitåt *adv* in this direction, this way

hiv *subst* med. HIV förk. för *human immunodeficiency virus* humant immunbristvirus

hiv-negativ *subst* med. HIV-negative

hiv-positiv *subst* med. HIV-positive

hiv-test *subst* HIV-test; *göra (ta) ett* ~ take an HIV-test

hjord *subst* **1** herd **2** fårhjord el. relig. flock

hjort *subst* **1** deer (pl. lika) **2** hjorthanne stag

hjortron *subst* bär cloudberry

hjul *subst* wheel

hjula *verb* gymn. turn cartwheels

hjulbent *adj* bandy-legged, bow-legged

hjullås *subst* som sätts fast på felparkerade bilar wheel clamp, amer. Denver boot

hjulnav *subst* hub

hjulspår *subst* wheel track

hjälm *subst* helmet

hjälp *subst* **1** help, assistance, aid; *ge första* ~*en* vid olycksfall give first aid; *tack för* ~*en!* thanks for the help!; *med* ~ *av* by means of; *komma till ngns* ~ come to sb's assistance, come to sb's aid **2** understöd support **3** botemedel remedy [*mot, för* for]

hjälpa *verb* **1** help, assist, aid; *det hjälper inte att göra så* it's no use doing that; *det kan inte* ~*s* it can't be helped; ~ *till* help **2** avhjälpa remedy; om botemedel be effective, be good [*mot, för* for]; *tabletterna hjälper inte* the tablets don't have any effect, the tablets don't help

hjälpas *verb*, ~ *åt* help one another

hjälplös *adj* helpless

hjälpmedel *subst* **1** aid **2** botemedel remedy

hjälpsam *adj* helpful [*mot* to]

hjälpverb *subst* auxiliary verb

hjälte *subst* hero (pl. -es)

hjältebragd *subst* o. **hjältedåd** *subst* heroic deed

hjältinna *subst* heroine

hjärna *subst* brain; förstånd el. hjärnsubstans brains pl.; *han har fått det på* ~ vard. he has got it on the brain

hjärnblödning *subst* med. cerebral haemorrhage

hjärndöd *adj*, *han är* ~ he is brain dead

hjärnhinneinflammation *subst* med. meningitis

hjärnskakning *subst* med. concussion; *få en lindrig* ~ have a mild concussion

hjärnskrynklare *subst* vard., psykiatriker shrink

hjärnsläpp *subst* vard., ungefär blackout

hjärntrust *subst* think tank, amer. think tank, brain trust

hjärntvätt *subst* brainwashing

hjärntvätta *verb* brainwash

hjortron
En engelsman får inte samma associationer som en svensk när man talar om hjortron, *cloudberries*, och hjortronsylt, *cloudberry jam*. Det kan därför vara bra att tala om vad hjortron är och att de uppfattas som något exklusivt i Sverige.

hjärta *subst* heart; *saken ligger mig varmt om ~t* I have the matter very much at heart; *jag har inte ~ att berätta det för honom* I haven't got the heart to tell him; *vad har du på ~t?* what's on your mind?; *Alla hjärtans dag* St Valentine's Day

hjärtattack *subst* heart attack; *få en ~* get a heart attack

hjärter *subst* kortsp. hearts pl.; *en ~* a heart

hjärterdam *subst* kortsp. the queen of hearts

hjärterfem *subst* kortsp. the five of hearts

hjärtesak *subst*, *det är en ~ för mig* I have it very much at heart

hjärtfel *subst* med. heart disease; *hon har ~* she is suffering from heart disease

hjärtinfarkt *subst* med. heart attack, coronary

hjärtklappning *subst* palpitation; *jag får ~* I get (it gives me) palpitations

hjärtlig *adj* cordial [*mot* to], stark. hearty; *~a gratulationer på födelsedagen!* Many Happy Returns of the Day!; *~t tack!* thanks very much!

hjärtlös *adj* heartless

hjärtslag *subst* heartbeat

hjärtsvikt *subst* med. heart failure

hjärttrakt *subst*, *i ~en* in the region of the heart

hjärttransplantation *subst* med., transplantering heart transplantation; *en ~* a heart transplant

hjässa *subst* crown, top of the head

ho *subst* **1** trough **2** tvättho laundry sink

hobby *subst* hobby

hobbyrum *subst* recreation room, hobby-room

hockey *subst* ishockey ice hockey

hockey-bockey *subst* sport. hockey-bockey, bandy played on an ice-hockey rink

hockeyklubba *subst* hockey stick

hoj *subst* vard. bike

hojta *verb* shout, yell

holk *subst* fågelholk nesting box

Holland Holland

holländare *subst* Dutchman; *holländarna* som nation, lag etc. the Dutch

holländsk *adj* Dutch; se *svensk-* för sammansättningar

holländska *subst* (se *svenska* för ex.) **1** kvinna Dutchwoman (pl. Dutchwomen) **2** språk Dutch

holme *subst* islet

homofil *subst* **1** man homo (pl. -s), gay **2** kvinna lesbian

homogen *adj* homogeneous

homosexuell *adj* homosexual; *en ~* a homosexual

hon *pron* she; om djur it

hona *subst* female

honkatt *subst* female cat, she-cat

honkön *subst* female sex

honnör *subst* hälsning salute; *göra ~ för ngn* salute sb

honom *pron* him; om djur it

honorar *subst* fee

honung *subst* honey

honungskaka *subst* i bikupa honeycomb

hop *subst* **1** skara crowd **2** hög heap, pile

hopa *verb* heap up, pile up, accumulate; *~ sig* accumulate; ökas increase

hopfällbar *adj* collapsible

hopfälld *adj* om paraply furled, rolled up

hopkok *subst* concoction, mishmash

1 hopp *subst* hope; *ha ~ om att få se henne snart* have hopes of seeing her soon

2 hopp *subst* jump, leap; dykning dive

hoppa I *verb* jump, leap, dive; mest om fågel hop

II *verb* med betonad partikel

hoppa av 1 buss, tåg etc. jump off **2** lossna come loose **3** dra sig ur, sluta back out; skol. drop out **4** polit. seek political asylum, defect

hoppa in som ersättare step in [*för ngn* in sb's place]

hoppa på 1 *~ på bussen* jump on to the bus **2** *~ på ngn* fly at sb

hoppa till give a jump, start

hoppa över utelämna skip, leave out, miss out

hoppas *verb* hope [*på* for]; *jag ~ det* I hope so

hoppbacke *subst* ski jump

hoppborg *subst* bouncy castle

hoppfull *adj* hopeful

hoppgunga *subst* baby jumper; för småbarn bungee baby bouncer

hoppingivande *adj* hopeful

hopplös *adj* hopeless

hopprep *subst* skipping-rope, amer. jump rope; *hoppa ~* skip, amer. jump rope

hopslagen *adj* **1** om bok closed **2** om bord etc. folded-up

hora *subst* neds. whore

horisont *subst* horizon; *det går över min ~* it is beyond me; *vid ~en* on the horizon

horisontal *adj* o. **horisontell** *adj* horizontal

hormon *subst* hormone

horn *subst* horn

hornhinna *subst* anat. cornea

horoskop *subst* horoscope
horribel *adj* horrible, awful
hortensia *subst* blomma hydrangea
hos *prep*, *arbeta ~ ngn* work for sb; *han bor ~ sin farbror* he lives at his uncle's place; *jag har varit ~ doktorn* I have been to the doctor; *jag satt ~ honom i soffan* I sat by him in the sofa; *det finns något ~ henne...* there is something about her...; *uttrycket finns ~ Shakespeare* the expression can be found in Shakespeare
hospitaliserad *adj* institutionalized
hosta I *subst* cough
   II *verb* cough
hostdämpande *adj*, *~ medicin* medicine that relieves coughs
hostmedicin *subst* cough mixture
hot *subst* threat [*mot* against; *om* of]
hota *verb* threaten
hotande *adj* threatening

På hotellet

enkelrum *single room*, dubbelrum med en dubbelsäng *double room*, dubbelrum med två enkelsängar *twin-bedded room*, med bad och toalett *en suite*.
I'd like a twin-bedded room with a private bath for two nights.
   Jag skulle vilja ha ett dubbelrum (med två sängar) med bad för två nätter.
How much do you charge per night per room?
   Vad tar ni för rummet per natt?

hotell *subst* hotel; *~ Svea* the Svea Hotel
hotelldirektör *subst* hotel manager
hotellrum *subst* hotel room
hotelse *subst* threat [*mot* against]
hotfull *adj* threatening
1 hov *subst* på djur hoof
2 hov *subst* court; *vid ~et* at court
hovleverantör *subst*, *kunglig ~* purveyor to His (Her) Majesty
hovmästare *subst* på restaurang head waiter
hud *subst* **1** skin **2** djurhud hide; *få på ~en* vard. a) get it in the neck b) få stryk get a hiding
hudfärg *subst* colour of one's (the) skin
hudfärgad *adj* flesh-coloured

hudkräm *subst* skin cream
hudvård *subst* skin care
hugg *subst* **1** cut; med kniv stab; slag blow, stroke **2** smärta stab of pain **3** med tänder bite **4** *vara på ~et* vard. be in great form, be in the mood
hugga I *verb* **1** cut, strike; med kniv stab; klyva i små stycken chop; *~ ved* chop wood **2** med tänderna bite; *~ tänderna i ngt* sink one's teeth into sth **3** gripa catch hold of, seize hold of [i t.ex. armen by]; *det är hugget som stucket* it comes to the same thing, it six of one and half a dozen of the other
   II *verb* med betonad partikel
hugga av cut off; i två bitar chop ... in two, cut ... in two
hugga i 1 ta i av alla krafter make a real effort, go at it **2** hjälpa till give sb a helping hand
hugga ned träd fell, cut down
huggorm *subst* viper, adder
huk *subst*, *sitta på ~* squat, sit on one's heels
huka *verb*, *~ sig* crouch, crouch down
huligan *subst* hooligan
hull *subst* flesh; *lägga på ~et* put on flesh; *ha gott ~* be well filled out; om djur be fat
huller om buller *adv* all over the place
human *adj* humane; hygglig kind
humanistisk *adj* humanistic; *~a fakulteten* the Faculty of Arts
humanitär *adj* humanitarian
humla *subst* bumble-bee
humle *subst* hops pl.
hummer *subst* lobster
humor *subst* humour; *ha sinne för ~* have a sense of humour
humorist *subst* humorist
humoristisk *adj* humorous
humör *subst* lynne temper, temperament; sinnesstämning humour; *tappa ~et* bli arg lose one's temper; *på dåligt ~* in a bad temper, in a bad mood; *på gott ~* in a good mood, in a good humour
hund *subst* **1** dog **2**, jakthund hound, dog
hundbett *subst* dog bite
hundkoja *subst* kennel
hundmat *subst* dog food
hundra *räkn* hundred; *ett ~* a hundred, one hundred; *ett tusen ett ~* a (one) thousand one hundred; *flera ~* several hundred; *några ~* a few hundred
hundrade *räkn* hundredth
hundradel *subst* hundredth; *två ~ar* two hundredths; *en ~s sekund* a hundredth of a second

hundrafem *räkn* a hundred and five, one hundred and five

hundrafemte *räkn* hundred and fifth

hundralapp *subst* one-hundred-krona note, amer. one-hundred-krona bill

hundraprocentig *adj* one hundred per cent; *fullständig* complete

hundras *subst* breed of dog

hundratal *subst* hundred; *ett ~ människor* some hundred people; *i ~* by the hundred

hundratals *adv*, *~ människor* hundreds of people

hundratusen *räkn* a hundred thousand, one hundred thousand

hundraåring *subst* centenarian

hundraårsjubileum *subst* centenary

hundraårsminne *subst* centenary

hundutställning *subst* dog show

hundvalp *subst* pup, puppy

hunger *subst* **1** hunger [*efter* for] **2** svält starvation

hungersnöd *subst* famine

hungerstrejk *subst* hunger strike

hungerstrejka *verb* hunger-strike

hungra *verb* be hungry [*efter* for], be starving

hungrig *adj* hungry; utsvulten starving [*på* for]

hunsa *verb*, *~* el. *~ med* bully

hur *adv* how; *~ då?* how?; *~ så?* varför why?; på vilket sätt in what way?; *~ gammal är han?* how old is he?; *~ sa?* what did you say?; *~ skicklig han än är* however clever he may be; *~ jag än gör* whatever I do

hurdan *adj* whatever; *~ är han?* what's he like?

hurra I *interj* hurrah!, hurray!
II *subst* cheer, hurrah
III *verb* hurrah, hurray; *~ för ngn* give sb a cheer; *ingenting att ~ för* vard. nothing to write home about

hurrarop *subst* cheer

hurtbulle *subst* vard. hearty type, hearty

hurtig *adj* rask brisk; pigg lively; hurtfrisk hearty

hurts *subst* del av skrivbord pedestal

huruvida *konj* whether

---

hundra
Hundred, thousand och *million* föregås alltid av *a (one), two, three* etc. De får då inget *-s* i flertal, *one hundred, two hundred, three thousand, 80 million.*

---

hus
radhus *terraced house* (amer. *row house*), fristående villa *house*, detached *house*, enplansvilla, bungalow *bungalow*, stuga, hus (ofta på landet) *cottage*, hyreshus *block of flats* (amer. *apartment house*), höghus *high-rise*, punkthus *tower block*, skyskrapa *skyscraper*

---

hus *subst* **1** house; större building; *gå för fulla ~* draw crowded houses; *göra rent ~ med* make a clean sweep of; *var har du hållit ~?* wherever have you been? **2** snigels shell

husbehov *subst*, *till ~* for household requirements; *hon spelar piano till ~* någotsånär she plays the piano passably

husbil *subst* camper, amer. motor home

husdjur *subst* domestic animal; sällskapsdjur pet

husesyn *subst*, *gå ~* make a tour of the house

husgeråd *subst* household utensils pl.

hushåll *subst* household; husligt arbete housekeeping; *10 personers ~* a household of 10; *sköta ~* manage the household

hushålla *verb* **1** vara sparsam economize [*med* on]

hushållerska *subst* housekeeper

hushållning *subst* **1** housekeeping **2** sparsamhet economizing, economy

hushållsarbete *subst* housework (endast sing.)

hushållsmaskin *subst* electrical domestic appliance

hushållspapper *subst* kitchen paper; *vi måste köpa ~* we must buy some kitchen rolls

hushållspengar *subst pl* housekeeping money sing., housekeeping allowance sing.

hushållsrulle *subst* kitchen roll

huskur *subst* household remedy

huslig *adj* **1** domestic **2** intresserad av hushållsarbete domesticated

husläkare *subst* family doctor

husmanskost *subst* simple home cooking, plain food

husockupant *subst* squatter

husockupation *subst* squatting

husrannsakan *subst* raid; *göra ~n hos ngn* search sb's place

husrum *subst* accommodation; *ge ngn ~* vanligen put sb up

husse *subst* vard. master

hustru *subst* wife (pl. wives)

hustrumisshandel *subst* wife-battering

husundersökning *subst* search, raid

husvagn *subst* caravan, amer. trailer

husvagnssemester *subst* caravanning holiday, amer. trailer vacation

huttra *verb* shiver [*av* with]

huv *subst* **1** hood **2** för skrivmaskin etc. cover **3** på penna cap

huva *subst* hood

huvud *subst* head; *ha ont i ~et* have a headache; *han har ~et på skaft* he has got a good head on his shoulders; *hålla ~et kallt* keep cool, vard. keep one's cool; *dum i ~et* stupid, amer. äv. dumb; *framgången steg honom åt ~et* success went to his head

huvudansvar *subst* main responsibility

huvudbonad *subst* headgear

huvudbry *subst*, *vålla ngn ~* give sb a lot of problems

huvudbyggnad *subst* main building

huvuddel *subst* main part, greater part

huvuddrag *subst* essential feature; *~en i den svenska historien* the main outlines of Swedish history

huvudgata *subst* main street

huvudingång *subst* main entrance

huvudkontor *subst* head office

huvudkudde *subst* pillow

huvudled *subst* major road

huvudman *subst* **1** för ätt head [*för* of] **2** jur. el. hand. principal **3** myndighet responsible authorithy

huvudnyckel *subst* master key

huvudperson *subst* litt. chief character

huvudpunkt *subst* main point, chief point

huvudroll *subst* principal part, leading part

huvudräkning *subst* mental arithmetic

huvudrätt *subst* main course

huvudsak *subst* main thing, main question; *i ~* on the whole

huvudsakligen *adv* mainly, mostly

huvudsats *subst* gram. main clause

huvudstad *subst* capital [*i* of]

huvudstupa *adv* med huvudet före head first, headlong

huvudvikt *subst*, *lägga ~en på (vid) ngt* lay the main stress on sth

huvudväg *subst* main road

huvudvärk *subst* headache; *jag har ~* I have a headache

huvudvärkstablett *subst* headache tablet

hux flux *adv* all of a sudden

hy *subst* complexion; hud skin

hyacint *subst* blomma hyacinth

hyckla *verb* **1** *~ vänskap* make a show of friendship, sham friendship; *~ ngt* pretend sth **2** be hypocritical [*inför, för* to]; *hon bara ~r* she is just being hypocritical

hycklande *adj* hypocritical

hycklare *subst* hypocrite

hyckleri *subst* hypocrisy

hydda *subst* hut; stuga cabin, cottage

hydraulisk *adj* hydraulic

hyena *subst* hyena

hyfs *subst* good manners pl.

hyfsa *verb*, *~* el. *~ till* snygga upp trim up, tidy up

hyfsad *adj* **1** om person well-mannered **2** om sak decent ganska bra

hygglig *adj* **1** decent [*mot* to], nice [*mot* to] **2** skaplig decent; om pris fair, reasonable

hygien *subst* hygiene

hygienisk *adj* hygienic

1 hylla *subst* **1** shelf (pl. shelves) **2** möbel set of shelves; bagagehylla rack

2 hylla *verb* **1** gratulera congratulate **2** hedra pay tribute to, pay homage to

hyllning *subst* **1** *~ar* gratulationer congratulations **2** ovationer applause, ovation; hyllningsbetygelse homage

hylsa *subst* case; huv, kapsyl cap

hylsnyckel *subst* box spanner

hynda *subst* bitch

hypermodern *adj* ultra-modern

hypernervös *adj* extremely nervous

hypnos *subst* hypnosis; *under ~* under hypnosis

hypnotisera *verb* hypnotize

hypnotisör *subst* hypnotist

hypotes *subst* hypothesis (pl. hypotheses)

hyra I *subst* **1** för bostad rent **2** för tillfällig lokal, bil, tv etc. hire

II *verb* rent; tillfälligt hire; *att ~ rubrik* a) rum to let b) lösöre, båt etc. for hire; *~ ut* a) hus etc. let; för lång tid lease b) lösöre, båt etc. hire out

hyrbil *subst* rental car, hire car

hyresgäst *subst* tenant

hyreshus *subst* block of flats, spec. amer. apartment house

hyreslägenhet *subst* rented flat, spec. amer. rented apartment

hyresvärd *subst* landlord

hysa *verb* **1** house, accommodate; ge skydd åt shelter **2** ha have; *~ förtroende för* have confidence in; ~ *misstankar mot* suspect, entertain suspicions about

hysch *interj* hush!, sh!

hyss *subst*, *hon hade en massa ~ för sig* she was up to some mischief

hysteri *subst* hysteria; anfall hysterics pl.

hysterisk *adj* hysterical; *få ett ~t anfall* go into hysterics

hytt *subst* på båt cabin; i inomhusbad cubicle

hyttplats *subst* berth

hyvel *subst* plane

hyvelbänk *subst* carpenter's bench

hyvelspån *subst* shavings pl.

hyvla *verb* plane; ~ *av ngt* plane sth smooth

håg *subst*, *slå ngt ur ~en* dismiss sth from one's mind

hågad *adj* inclined

håglös *adj* listless

hål *subst* hole [*på* in]; i tand cavity; öppning aperture; lucka gap; *det gick ~ på strumpan* the sock got a hole in it

håla *subst* **1** grotta cave, cavern; större djurs den **2** avkrok hole

hålfot *subst* arch

hålfotsinlägg *subst* arch support

håll *subst* **1** riktning direction; *från alla ~ och kanter* from all sides, from everywhere; *på alla ~* everywhere; hos alla parter on all sides; *på annat ~* elsewhere; *ha ngt på nära ~* have sth close at hand; *han gick åt mitt ~* he went my way; *de gick åt var sitt ~* they went separate ways **2** smärta i sidan stitch

hålla I *verb* **1** hold; behålla keep; innehålla contain; ~ *farten* keep up the speed; ~ *ett föredrag* give a lecture; ~ *sitt löfte* keep one's promise; ~ *ett möte* hold a meeting; ~ *ett tal* make a speech; ~ *tiden* vara punktlig be punctual; *affärerna håller stängt* the shops are closed; ~ *till höger* keep to the right **2** vara slitstark last; om t.ex. rep, spik hold; inte spricka not break; om is bear **3** ~ *på en häst* bet on a horse, back a horse; ~ *på ett lag* support a team **4** ~ *sig* i viss ställning hold oneself; förbli, vara keep, keep oneself; förhålla sig keep; förbli remain, stay; ~ *sig väl med ngn* keep in with sb **5** ~ *sig* behärska sig restrain oneself **6** ~ *sig* stå sig: om t.ex. matvaror keep; om väderlek hold, last **7** ~ *sig med bil* kosta på sig keep a car **8** ~ *sig till* inte lämna keep to, stick to **II** *verb* med betonad partikel

hålla av tycka om be fond of

hålla efter övervaka **ngn** keep a close check on sb

hålla fast 1 hold; ~ *fast vid* stick to **2** ~ *sig fast vid* hold on to, cling on to

hålla för 1 ~ *för öronen* hold one's hands over one's ears **2** ~ *sig för sig själv* keep to oneself

hålla i 1 ~ *i* fast *ngt* hold sth **2** ~ *i sig* fortsätta continue

hålla ihop 1 ~ *ihop* ngt keep sth together **2** inte gå sönder hold together **3** vara ett par, vara tillsammans go steady; *de håller ihop* they are going steady

hålla sig inne keep indoors

hålla kvar få att stanna kvar keep; hålla fast hold; ~ *sig kvar* remain, manage to remain

hålla med ngn instämma agree with sb

hålla på 1 vara i färd med ~ *på att skriva* be writing; sysselsatt med be busy writing; ~ *på med ngt* be busy with sth **2** fortsätta go on, keep on; vara last; vara i gång be going on **3** vara nära att ~ *på att göra ngt* be on the point of doing sth

hålla till live, be

hålla undan väja keep out of the way [*för* of]; ~ *sig undan* gömd keep in hiding [*för* from]

hålla upp 1 ~ *upp dörren för ngn* open the door to sb **2** *regnet höll upp* it stopped raining

hålla ut uthärda hold out

hållare *subst* holder

hållbar *adj* **1** slitstark etc. durable; om matvara non-perishable **2** som kan försvaras tenable

hållfast *adj* strong, firm

hållfasthet *subst* strength, firmness

hållhake *subst*, *ha en ~ på* have a hold on

hålligång *subst* vard., *det var ~ hela natten* there was a lot of partying all night

hållning *subst* **1** kroppshållning posture; uppträdande bearing **2** inställning attitude [*mot* to, towards]

hållplats *subst* för buss etc. stop, järnv. halt

håltimme *subst* skol. gap between lessons, free period

hån *subst* scorn; *ett ~ mot* an insult to

håna *verb* make fun of, scoff at

hånfull *adj* scornful

hångla *verb* neck [*med ngn* sb]

hånle *verb* smile scornfully

hånleende *subst* scornful smile

hånskratt *subst* scornful laugh; skrattande scornful laughter

hår *subst* hair

hårbalsam *subst* hair conditioner, hair balsam

hårband *subst* hair ribbon

hårborste *subst* hairbrush

hårborttagning *subst* hair removal

hårborttagningsmedel *subst* hair-remover

hård *adj* hard; sträng hard [*mot* on], severe [*mot* on, towards]; ~ *konkurrens* keen competition; *hårt väder* rough weather; *han satte hårt mot hårt* he gave as good as he got, he took a tough line

hårddisk *subst* data. hard disk

hårdhandskar *subst pl, ta i med ~na* take a tough line [*med* against]

hårdhet *subst* hardness; stränghet severity

hårdhjärtad *adj* hard-hearted

hårdhudad *adj* thick-skinned

hårdhänt *adj* omild rough [*mot* with]; sträng heavy-handed [*mot* with]

hårding *subst* vard. tough guy, tough customer

hårdkokt *adj* hard-boiled

hårdna *verb* harden, become hard, become harder

hårdnackad *adj* stubborn

hårdrock *subst* musik. hard rock

hårdsmält *adj* indigestible; *det är* ~ it is hard to digest

hårdstekt *adj, det är* ~ it is overdone; i stekpanna it has been fried too much

hårdvaluta *subst* hard currency

hårdvara *subst* data. hardware

hårfrisör *subst* hairdresser

hårfrisörska *subst* hairdresser

hårfäste *subst* hairline

hårgelé *subst* hair gel

hårig *adj* hairy

hårklämma *subst* hair clip

hårmousse *subst* mousse

hårnål *subst* hairpin

hårresande *adj* hair-raising

hårspray *subst* hair spray

hårspänne *subst* hairslide

hårstrå *subst* hair

hårt *adv* hard; stadigt tight; fast, tätt firmly; *arbeta* ~ work hard; *dra åt* ~ tighten very much; *det känns* ~ bittert it feels bitter; *kjolen sitter* ~ *åt* the skirt is tight; *ta ngt* ~ take sth very much to heart

hårtork *subst* hair-drier

hårvatten *subst* hair lotion

hårväxt *subst, klen* ~ a poor growth of hair; *generande* ~ superfluous hair

håv *subst* net

håva *verb,* ~ *in* rake in

1 häck *subst* **1** hedge **2** vid häcklöpning hurdle

2 häck *subst* vard., rumpa backside, behind; *ta dig i ~en!* up yours!

häcka *verb* om fåglar breed

häcklöpare *subst* sport. hurdler

häcklöpning *subst* sport. hurdle race; häcklöpande hurdle-racing

häda *verb* blaspheme

hädelse *subst* blasphemy

häfta *verb,* ~ *fast ngt vid* fasten sth on to; ~ *ihop* med häftapparat staple together

häftapparat *subst* stapler

häfte *subst* **1** liten bok booklet **2** frimärkshäfte etc. book

häftig *adj* **1** violent **2** hetsig hot; intensiv intense **3** om person: hetlevrad hot-headed; lättretad quick-tempered **4** vard., jättebra super, smashing

häftklammer *subst* staple

häftstift *subst* drawing-pin, amer. thumbtack

häger *subst* fågel heron

hägg *subst* bot. bird cherry

hägring *subst* mirage

häkta *verb* jur. remand in custody

häkte *subst* custody; fängelse jail, gaol

häl *subst* på fot el. strumpa heel; *följa ngn tätt i ~arna* follow close on sb's heels

hälare *subst* receiver of stolen goods, vard. fence

häleri *subst* receiving stolen goods

hälft *subst* half (pl. halves); *betala ~en var* pay half each, go halves; *~en så stor som* half as large as

häll *subst* **1** berghäll flat rock; stenplatta slab **2** kokplatta hob, top

hälla *verb* pour; *hon hällde te i koppen* she poured tea into the cup; ~ *ut* pour out; spilla spill

---

hälsa

hej! *hello!, hi!*

god morgon! *good morning!*

god dag! *good morning!, good after-noon!*

god afton! *good evening!*

hejdå! *bye!, bye-bye!, see you!,* britt. *cheerio!*

adjö! *goodbye!*

god natt! *good night!*

How do you do!, Goddag!, säger man vanligen bara första gången man träffar någon. *How are you?* betyder Hur mår du? men används ibland också som hälsningsfras.

hälleflundra *subst* fisk halibut
hällregn *subst* pouring rain
1 hälsa *subst* health
2 hälsa *verb* **1** välkomna greet; ~ *ngn*
välkommen welcome sb **2** personligt möte,
~ *på ngn* say how do you do to sb, mindre
formellt say hallo to sb **3** skicka hälsning, ~ *till*
ngn send sb one's compliments regards;
till närmare bekant send sb one's love; ~ *dem*
så hjärtligt från mig! give them my
kindest regards!; till närmare bekant give them
my love!; ~ *din fru!* please remember me
to your wife!, please send my love to your
wife!; *han ~r att*... he sends word
that...; *vem får jag* ~ *ifrån?* a) anmäla
what name, please? b) i telefon what name
am I to give? **4** ~ *på ngn* besöka call round
on sb; ~ *på ngn* come round and see sb
hälsena *subst* anat. Achilles' tendon
hälsning *subst* greeting; ~*ar* som man sänder
regards; till närmare bekant love sing.;
hjärtliga ~*ar* i brevslut kindest regards; mer
intimt love sing.; *med vänlig* ~ Yours
sincerely, Best regards
hälsobrunn *subst* spa
hälsokontroll *subst* individuell health check-up
hälsokost *subst* health foods pl.
hälsokostaffär *subst* health food store
hälsosam *adj* **1** sund healthy **2** nyttig om föda
wholesome
hälsoskäl *subst*, *av* ~ for reasons of health
hälsotillstånd *subst*, *hans* ~ the state of his
health

---

hälsovård
• I England har medborgarna rätt
till fri sjuk- och tandvård. Privat
sjukvård däremot betalas av
patienten själv.
• I USA finns ingen allmän sjukför-
säkring. Fattiga och gamla får en
viss hjälp att täcka kostnader för
läkarvård.
• Mellan Sverige och England finns
ett avtal om fri sjukvård. För vis-
telser i USA bör man ta en försäk-
ring, eftersom det kan bli mycket
dyrt om olyckan är framme.

---

hälsovård *subst* organisation health service
hälsovårdsnämnd *subst* public health
committee

hämma *verb* **1** hejda check; ~ *blodflödet* stop
the bleeding **2** psykol. inhibit
hämnas *verb* take revenge [*på ngn för ngt* on
sb for sth], revenge oneself [*på ngn för ngt*
on sb for sth]
hämnd *subst* revenge, vengeance
hämning *subst* psykol. inhibition
hämningslös *adj* ohämmad unrestrained;
psykol. uninhibited
hämta *verb* **1** fetch [*ngt åt ngn* sb sth]; med bil
pick up; avhämta collect; mat take away; t.ex.
upplysningar get; *komma och* ~ call for,
come for; ~ *litet luft* get some air; ~ *in* ta
in bring in **2** ~ *sig* recover [*efter, från* from]
hända *verb* happen; förekomma occur; äga rum
take place; ~ drabba *ngn* happen to sb; *det*
har hänt en olycka there has been an
accident; *sådant händer så lätt* such
things happen; *det kan nog* ~ *att jag går*
I may perhaps go; *det må vara hänt!* all
right, then!; kanske maybe!
händelse *subst* **1** occurrence; viktigare event;
obetydligare incident; *av en ren* ~ by mere
accident, by mere chance; *jag såg det av*
en ~ I happened to see it; *för den* ~ *att*
hon kommer in case she comes; *i* ~ *av*
eldsvåda in the event of a fire
händelseförlopp *subst* course of events;
handling story
händelselös *adj* uneventful
händelserik *adj* eventful
händelsevis *adv* by chance, by accident; *du*
har ~ *inte ett frimärke på dig?* you
don't happen to have a stamp on you?
händig *adj* handy
hänföra *verb* **1** ~ *till* assign to **2** fascinera
captivate, fascinate **3** ~ *sig till* avse have
reference to; räknas till belong to
hänförelse *subst* rapture, enthusiasm
hänga I *verb* hang; *stå och* ~ hang about;
det hänger beror *på*... it depends on...;
~ *ngn i kjolarna* cling to sb's skirts; ~
sig om person hang oneself; *datorn har*
hängt sig the computer has jammed (has
jammed up)
II *verb* med betonad partikel
hänga av sig ytterkläderna hang up one's
things
hänga efter ngn be running after sb
hänga sig fast vid hang on to, cling on to
hänga för ngt hang sth in front
hänga ihop 1 sitta ihop stick together; ha
samband hang together **2** ~ *ihop med* be
bound up with
hänga med 1 förstå follow; *jag hänger*

med I'll come along; *hon hängde med oss* she came along with us **2** ~ *med* i svängen be with it, keep up with things; ~ *med de andra* keep up with the rest
hänga samman med be bound up with
hänga upp hang up; ~ *upp sig på* **1** fästa sig vid fasten on **2** bekymra sig över worry about, make a fuss about, vard. get hung up on
hängare *subst* i kläder el. galge hanger
hängbro *subst* suspension bridge
hänge *verb*, ~ *sig åt* give oneself up to, devote oneself to
hängglidning *subst* hang-gliding
hängig *adj*, *jag känner mig* ~ I feel out of sorts, I feel a bit off colour
hängiven *adj* devoted [*ngn* to sb, *ngt* to sth]; tillgiven affectionate
hänglås *subst* padlock
hängmatta *subst* hammock
hängränna *subst* gutter
hängslen *subst pl* braces, amer. suspenders
hängsmycke *subst* pendant
hängväxt *subst* hanging plant
hänseende *subst* respect; *i tekniskt* ~ as regards technique, technically
hänsyn *subst* consideration, regard, hänseende respect; *ta* ~ *till ngt* a) beakta take sth into consideration b) bry sig om pay attention to sth; *av* ~ *till* av omtanke out of consideration for; *med* ~ *till* beträffande with regard to; med tanke på considering
hänsynsfull *adj* considerate
hänsynslös *adj* ruthless; ansvarslös reckless
hänsynslöshet *subst* ruthlessness; ansvarslöshet recklessness
hänvisa *verb* refer [*till* to]
hänvisning *subst* reference [*till* to]
häpen *adj* astonished [*över* at], stark. amazed [*över* at]
häpna *verb* be astonished [*över* at], stark. be amazed [*över* at]
häpnad *subst* astonishment, stark. amazement
häpnadsväckande *adj* astounding, amazing
här *adv* here; där there; ~ *bakom mig* here behind me; ~ *i huset* in this house; ~ *i landet* in this country; *flickan* ~ this girl; ~ *bor jag* this is where I live; ~ *har du!* var så god! here you are!; ~ *har du boken!* here's the book!; ~ *och där* (*var*) here and there
härav *adv*, *på grund* ~ for this reason; ~ *följer att . . .* from this it follows that . . .
härbak *adv* at the back here
härborta *adv* over here

härbärge *subst* husrum shelter, lodging
härd *subst* **1** hearth **2** fys., reaktor core **3** breeding-ground [*för* for, of]; spec. för något dåligt hotbed [*för* of]
härda *verb* **1** harden [*mot* to]; ~*d* motståndskraftig hardy; okänslig hardened **2** *jag* ~*r inte ut* I can't stand it, I can't bear it
härdig *adj* hardy
härefter *adv* in future; efter detta after this, after that; från den här tiden from now on; efteråt afterwards; sedan then
härframme *adv* over here
härhemma *adv* **1** at home; hos mig (oss) in this house **2** här i landet in this country
härifrån *adv* from here; från denna (detta) from this (it, them); *ut* ~ out of it; ut ur rummet etc. out of this room etc.; *ut* ~*!* försvinn get out of here!; *gå* (*resa*) ~ leave here
härigenom *adv* på så sätt in this way; tack vare detta thanks to this; lokalt, genom denna (detta) through this (it, there)
härinne *adv* in here; där in there
härja *verb* **1** ravage; ödelägga devastate, lay waste; *se* ~*d ut* look worn and haggard; ~ *i* (*på, bland*) ravage **2** väsnas play about, run riot **3** grassera be prevalent
härkomst *subst* **1** börd extraction, birth **2** härstamning descent **3** ursprung origin
härlig *adj* glorious, wonderful; förtjusande lovely; skön delightful; läcker delicious; ~*t!* bra fine!
härma *verb* imitate; förlöjliga mimic; ~ *efter* imitate
härmapa *subst* vard. copy cat
härmed *adv* hereby; ~ *bifogas* enclosed please find; ~ *får jag meddela att . . .* I hereby wish to inform you that . . .; *i samband* ~ in this connection
härnere *adv* här down (below) here; där down (below) there
häromdagen *adv* the other day
häromnatten *adv* the other night
häromåret *adv* a year or two ago
härröra *verb*, ~ *från* ha sitt ursprung i originate from; härstamma från derive from
härs *adv*, ~ *och tvärs* in all directions; ~ *och tvärs genom landet* all over the country
härska *verb* **1** rule; regera reign **2** råda prevail, be prevalent; *det* ~*r . . .* är, råder . . . there is . . ., there are . . .
härskande *adj* ruling; gängse prevalent
härskare *subst* **1** ruler [*över* of] **2** herre master [*över* of]

härsken *adj* ej färsk rancid
härstamma *verb*, *~ från* vara ättling till be descended from; komma från originate from
härstamning *subst* descent; ursprung origin
härtappad *adj*, *ett härtappat vin* dvs. tappat i Sverige a wine bottled in Sweden
härunder *adv* under it (this, them, here)
häruppe *adv* up here (där there)
härute *adv* out here
härva *subst* **1** garn skein **2** virrvarr tangle
härvidlag *adv* i detta avseende in this respect
häst *subst* **1** horse; *sitta till ~* be on horseback **2** gymn. horse, vaulting-horse **3** schack. knight **4** *~ar* vard. se ex. under *hästkraft*
hästhov *subst* **1** horse's hoof **2** blomma coltsfoot (pl. coltsfoots)
hästkapplöpning *subst* horse-race; löpande horse-racing
hästkraft *subst* horsepower (förk. h.p.) (pl. lika); *en motor på 100 ~er* a hundred horse-power engine
hästlängd *subst* sport. length; *firman ligger ~er före sina konkurrenter* the firm is streets ahead of its competitors
hästsko *subst* horseshoe
hästsport *subst* equestrian sports pl.
hästsvans *subst* frisyr pony-tail
hätsk *adj* hatisk spiteful [*mot* towards]
häva *verb* **1** lyfta heave; *~ sig* a) lyfta sig raise oneself b) höja och sänka sig heave; *~ ur sig* come out with **2** upphäva, t.ex. blockad raise; annullera annul
hävd *subst* tradition custom
hävda *verb* **1** påstå assert, maintain; göra gällande claim **2** *~ sig* hold one's own [*mot* against]; göra sig gällande assert oneself
häxa *subst* witch; som skällsord bitch, cow
häxjakt *subst* witch-hunt
häxmästare *subst* wizard
hö *subst* hay
1 höft *subst*, *på en ~ på måfå* at random; på ett ungefär roughly
2 höft *subst* hip
höftben *subst* hip bone
höftled *subst* hipjoint
1 hög *subst* samling heap [*med, av* of]; staplad pile [*med, av* of]; *samla pengar på ~* accumulate money
2 hög *adj* **1** high; lång, t.ex. om träd, person tall; stor large; *det är ~ tid att jag går* it is high time for me to go, it is high time that I went; *vid ~ ålder* at an advanced age **2** om anspråk, förväntningar etc. great **3** högljudd loud; musik. high **4** högt uppsatt high-ranking; *en ~*

officer a high-ranking officer **5** av narkotika high, stoned
högaktning *subst* deep respect
högaktningsfullt *adv* respectfully; *H~* i brev Yours faithfully
högavlönad *adj* highly-paid
högdragen *adj* haughty; överlägsen supercilious
höger I *adj* o. *subst* o. *adv* right; *han är min högra hand* he is my right-hand man; *komma från ~* come from the right; *på ~ hand ser man...* el. *till ~ ser man...* on your (the) right you see...; *på ~ sida om* on the right-hand side of; *gå på ~ sida!* keep to the right!; *sitta till ~ om* sit to the right of **II** *subst* **1** polit., *~n* the Right; som parti the Conservatives pl. **2** boxn., *en rak ~* a straight right
högerback *subst* right back
högerhandske *subst* right-hand glove
högerhänt *adj* right-handed
högerkurva *subst* right-hand bend
högerorienterad *adj*, *vara ~* be right-wing
högerparti *subst* right-wing party
högerregel *subst*, *tillämpa ~n* give right-of-way to traffic coming from the right
högerstyrd *adj* right-hand driven
högertrafik *subst* right-hand traffic
högervriden *adj* polit., *vara ~* be right-wing; *en ~* a right-winger
högform *subst*, *vara i ~* be in great form
högfrekvens *subst* high frequency
högfärd *subst* pride [*över* in]; fåfänga vanity; inbilskhet conceit
högfärdig *adj* vain, conceited [*över* about], proud [*över* of]; mallig stuck-up
högförräderi *subst* high treason
höghus *subst* high-rise building, high-rise
höginkomsttagare *subst* high-income earner
högintressant *adj* highly interesting
högklackad *adj* high-heeled
högklassig *adj* high-class
högkonjunktur *subst* boom, time of prosperity
högkvarter *subst* headquarters (med verb i sing. el. pl.)
högljudd *adj* ljudlig loud; bullrig noisy; högröstad loud-mouthed
högmod *subst* pride, arrogance
högmodern *adj* ultramodern
högmodig *adj* proud [*över* of]; överlägsen arrogant

högmässa *subst* protestantisk morning service; katolsk high mass

högoktanig *adj*, ~ *bensin* high-octane petrol, amer. high-octane gasoline

högre I *adj* **1** higher etc.; se vidare *2 hög* **2** rang etc. superior [*än* to]; övre upper **II** *adv* higher, more highly; *tala* ~*!* speak louder!, speak up!

högrest *adj* reslig tall

högröstad *adj* loud, loud-voiced

högskola *subst* **1** universitet university **2** amer. ibland college

högskoleutbildning *subst* university education

högsommar *subst* high summer; *på* ~*en* in the height of the summer

högspänn *subst*, *på* ~ in a state of high tension

högspänning *subst* high voltage

högst I *adj* highest etc., se vidare *2 hög*; ~*a domstolen* the Supreme Court; *på* ~*a växeln* in top gear; *min* ~*a önskan* my greatest wish; *det* ~*a jag kan betala* the most I can pay **II** *adv* **1** highest, most highly; mest most; *allra* ~ *upp* at the very top [*på, i* of] **2** mycket, synnerligen very, most **3** ej mer än, ~ *5 personer* 5 people at most; *allra* ~ *5 personer* 5 people at the very most; *det varar* ~ *en timme* it will last not more than an hour at the most

högstadium *subst*, *högstadiet* i grundskolan the senior level (department) of the 'grundskola'; se *grundskola*

högstbjudande *adj*, *den* ~ the highest bidder

högsäsong *subst*, ~*en* the height of the season

högt *adv* **1** high; i hög grad, mycket highly; högt upp high up; *en* ~ *uppsatt politiker* a high-ranking politician; *älska ngn* ~ love sb dearly **2** om ljud loud; högljutt loudly; ej tyst, ej för sig själv aloud; musik., om ton high; *läsa* ~ read out loud; *tänka* ~ think out loud

högtalare *subst* loudspeaker

högtid *subst* festival, feast

högtidlig *adj* allvarlig solemn, ceremoniell grand

högtidsstund *subst*, *en* ~ a great occasion; minnesvärd a memorable occasion; njutbar a real treat

högtrafik *subst*, *vid* ~ at peak hours

högtravande *adj* high-flown

högtryck *subst* meteor. high pressure; område area of high pressure

höja *verb* raise, öka increase; förbättra improve; ~ *sig* rise; ~ *sig över* be superior to

höjd *subst* **1** height, kulle hill; *bergets högsta* ~ the summit (top) of the mountain; *vi flyger på en* ~ *av 30 000 fot* we are cruising at an altitude of 30,000 feet **2** nivå level; musik. pitch **3** *på sin* ~ *10 år* ten years at the most; *det är* ~*en!* that's the limit!

höjdhopp *subst* high jump; hoppning high jumping

höjdhoppare *subst* high jumper

höjdpunkt *subst* climax; huvudattraktion highlight; kulmen height, culmination

höjdskräck *subst* fear of heights

höjning *subst* **1** höjande raising, increasing, increase **2** förbättring improvement **3** ökning, av t.ex. lön, priser rise, amer. raise

hök *subst* hawk

hölja *verb* täcka cover; insvepa wrap up; *höljd i dimma* shrouded in fog; *höljd i dunkel* shrouded in mystery

hölje *subst* täcke covering; av lådtyp på elapparater etc. case

hölster *subst* för pistol holster

höna *subst* **1** hen **2** kok. chicken

höns *subst* **1** fowls pl. **2** kok. chicken

hönsbuljong *subst* chicken broth

höra I *verb* **1** ~ el. *få* ~ hear, få veta learn, be told; ta reda på find out; ~ *av ngn att...* learn from sb that..., be told by sb that...; *jag hör av mig* I'll be in touch, I'll call you; ~ *på ngn* (*ngt*) listen to sb (sth); *det hörs på honom att...* you can tell by his voice that...; *hör du, är det sant att...* I say, is it true that..., **2** ~ *till* belong to; vara en av be one of; vara bland be among; vara tillbehör till go with; *vart hör det här?* var brukar det ligga (stå)? where does this go?, where does this belong? **3** ~ *under* en rubrik etc. come under **II** *verb* med betonad partikel

höra av ngn hear from sb; *jag låter* ~ *av mig nästa vecka* you will hear from me next week

höra efter ta reda på find out; fråga inquire [*hos* of]

höra hemma i belong to

höra hit höra hemma här belong here; *det hör inte hit* till saken that's got nothing to do with it

höra ihop el. **höra samman** belong together; bruka följas åt go together; ~ *ihop* (*samman*) *med* be connected with; bruka åtfölja go with

höra på 1 listen [ngn to sb;; ngt to sth]
2 *det hör till* anses korrekt it is the proper
thing to do (say)
hörapparat *subst* hearing aid
hörbar *adj* audible
hörförståelse *subst* skol. listening
comprehension
hörglasögon *subst pl* hearing-aid glasses
hörhåll *subst*, *inom* ~ within earshot; *utom*
~ out of earshot
hörlurar *subst pl* headphones, earphones
hörn *subst* corner; *i ~et* at the corner of; *runt*
~*et* just round the corner
hörna *subst* corner; *lägga en* ~ take a corner
hörntand *subst* canine tooth
hörsal *subst* lecture hall
hörsel *subst* hearing
hörselskadad *adj*, *vara* ~ have impaired
hearing
hösnuva *subst* hay fever
höst *subst* autumn, amer. vanligen fall; ~*en*
autumn; ~*en 1998* the autumn of 1998;
det var på ~*en 1998* it was in the autumn
of 1998; *nu i* ~ this autumn; *i* ~ nästa höst
next autumn; *i* ~*as* last autumn; *om (på)*
~*en* el. *om (på)* ~*arna* in the autumn
höstack *subst* haystack
höstdag *subst* autumn day; höstlik autumnal
day
höstdagjämning *subst* autumnal equinox
höstlik *adj* autumnal, autumn-like
hösttermin *subst* autumn term, amer. fall
semester
hövding *subst* chief
hövlig *adj* artig polite [mot to]; belevad
courteous [mot to]

Ii

i I *prep* **1** om rum: 'inuti', 'inne i', 'inom' in; 'vid' at;
'in i', 'ut i' into; *betala* ~ *kassan* i butik pay
at the cashdesk; *promenera omkring* ~
stan walk about the town; *sitta* ~ *soffan*
sit on the sofa; ~ *högtalaren* over the
loudspeaker; *titta* ~ *kikaren* look
through the binoculars; *göra ett besök* ~
resa till pay a visit to; *falla* ~ *vattnet* fall
into the water; *knacka* ~ *väggen* knock
on the wall; *slå* ~ *stycken* smash to bits
2 lokal betydelse, *biskopen* ~ *A.* the Bishop
of A.; *den största staden* ~ *landet* the
biggest town in the country
3 med adj., *hon är fin* ~ *håret* her hair
looks nice; *jag är trött* ~ *armen* my arm
is tired
4 räkning, *5* ~ *15 går 3 gånger* 5 into 15
goes 3 times
5 om tid: t.ex. 'under' in; 'vid' at; se vidare ex.; ~
april in April; *fem minuter* ~ *fem* five
minutes to five, amer. five minutes of five; ~
påsk at Easter; ~ *sommar* nu i sommar this
summer, nästkommande sommar next
summer; ~ *natt* som är el. som kommer
tonight; som var last night
6 hur länge? for; ~ *månader* for months, in
months
7 'per', *med en fart av 90 km* ~ *timmen*
at the rate of 90 km an hour
8 'gjord av', *en staty* ~ *brons* a statue in
bronze; *ett bord* ~ *ek* an oak table, a table
made of oak
9 på grund av, ~ *brist på* for want of; *dö* ~
cancer die of cancer; *ligga sjuk* ~
influensa be down with flu
10 i form av, *hur mycket har du* ~
fickpengar? how much pocket money do
you get?; *ha 290 000* ~ *lön* have a salary
of 290,000; ~ *regel* as a rule
11 i vissa uttryck, ~ *och för sig* in itself; *jag
kan göra det* ~ *och för sig* as a matter of
fact I can do it; ~ *och med detta
nederlag var allt förlorat* with this
defeat everything was lost; ~ *och med
att...* så snart som... as soon as...; *du
gjorde rätt* ~ *att hjälpa honom* you
were right in helping him
II *adv*, *en vas med blommor* ~ a vase

[vɑ:z] with flowers in it; *vill du hälla (slå)* ~ *åt mig?* please pour out some for me!

iaktta *verb* watch, observe

iakttagare *subst* observer

iakttagelse *subst* observation

iakttagelseförmåga *subst* powers pl. of observation

ibland *adv* sometimes, now and then

icing *subst* ishockey icing

icke *adv* not; se *inte* för ex.

i dag *adv* today; ~ *om ett år* a year from today

ide *subst*, *gå* ~ om djur go into hibernation; *ligga i* ~ hibernate

idé *subst* idea; *det är ingen* ~*!* there is no point!, it's no use!; *det är ingen* ~ *att göra så* it is no good doing so, it is no use doing so; *hur har du kommit på den* ~*n?* what put that idea into your head?

ideal *subst* o. *adj* ideal

idealisera *verb* idealize

idealisk *adj* ideal [*för* to], perfect [*för* for]

idealism *subst* idealism

idealist *subst* idealist

idealistisk *adj* idealistic

idegran *subst* yew, yew tree

idel *adj*, *det var* ~ *kändisar på festen* the party was packed with celebrities; *hon var* ~ *öra* she was all ears

ideligen *adv* continually, perpetually

identifiera *verb* identify

identifiering *subst* identification

identisk *adj* identical [*med* with]

identitet *subst* identity

identitetsbricka *subst* identity disc

identitetshandlingar *subst pl* identification papers

identitetskort *subst* identity card

ideologi *subst* ideology

idiomatisk *adj* idiomatic

idiot *subst* idiot

idiotisk *adj* idiotic

idiotsäker *adj* vard. foolproof

idissla *verb* ruminate, chew the cud

idisslare *subst* ruminant

idka *verb* carry on; utöva practise, go in for

id-kort *subst* ID card, ID

idol *subst* idol; favorit great favourite

idrott *subst* **1** sports pl., sport; bollspel games pl. **2** se *friidrott* **3** skolämne physical education (förk. PE), physical training (förk. PT)

idrotta *verb* go in for sport, go in for games

idrottsdag *subst* sports day, games day

idrottsevenemang *subst* sporting event

idrottsförening *subst* athletics association, sports club

idrottsgren *subst* branch of athletics, sport

idrottshall *subst* sports hall; större sports centre

idrottskvinna *subst* sportswoman

idrottsledare *subst* sports leader

idrottsman *subst* sportsman; friidrottare athlete

idrottsplats *subst* sports ground, sports field

idrottstävling *subst* athletics meeting, spec. amer. athletic meet

idyll *subst* idyll; plats idyllic spot

idyllisk *adj* idyllic

ifall *konj* **1** såvida if, in case; antag att supposing **2** huruvida if, whether

i fatt *adv*, *hinna* (*köra*) ~ *ngn* catch sb up, catch up with sb

i fjol *adv* last year; ~ *sommar* last summer

ifrågasätta *verb*, ~ *ngt* question sth, call sth in question

ifrån I *prep*, *vara* ~ utom *sig* be beside oneself [*av* with]
II *adv* borta away; *kan du gå* ~ *en stund?* can you get away a moment?

IG (förk. för *icke godkänd*) skol., se *godkänna 3*

igelkott *subst* hedgehog

igen *adv* **1** again; *om* ~ en gång till once more; *om och om* ~ over and over again **2** tillbaka, åter back **3** tillsluten shut, closed

igenkännlig *adj* recognizable [*för* to]

igenom I *prep* through; se äv. *genom*; *hela dagen* ~ throughout the day
II *adv* through

igloo *subst* **1** igloo (pl. -s) **2** för glasavfall bottle bank

ignorera *verb* ignore, take no notice of

i gång *adv* se *gång 2*

igångsättning *subst* start, starting up

i går *adv* yesterday; ~ *kväll* yesterday evening, last night; ~ *morse* yesterday morning

ihjäl *adv* to death; *skjuta* ~ *ngn* shoot sb dead, spec. amer. shoot sb to death; *svälta* ~ die of hunger, die of starvation

ihjälskjuten *adj*, *bli* ~ be shot dead

ihop *adv* tillsammans together; se i övrigt betonad partikel *ihop* o. *samman* under resp. verb samt verb sammansatta med *hop-* o. *samman-*

ihåg *adv*, *komma* ~ remember, recollect; *komma* ~ *ngt* lägga på minnet bear sth in mind

ihålig *adj* hollow, empty

ihållande *adj* om t.ex. applåder prolonged; om t.ex. regn continuous

ihärdig *adj* om person persevering, persistent
i kapp *adv* **1** i tävlan, *cykla* (*segla* m.fl.) ~
have a cycling (sailing m.fl.) race; *springa*
~ *med ngn* race sb **2** *hinna* (*köra*) ~
ngn komma närmare catch sb up, catch up
with sb
ikon *subst* data. el. kyrkl. icon
i kraft *adv* se *kraft 3*
i kväll *adv* this evening, tonight
i-land *subst* industrialized country
i land *adv* se *land 2*
illa *adv* badly; *inte* ~*!* not bad!; *det kan gå*
~ *för dig* you may get into trouble; *göra*
~ do wrong; *göra ngn* ~ hurt sb; *det*
luktar ~ it smells nasty, it smells bad; *må*
~ ha kväljningar feel sick, be sick; *det ser* ~
ut it looks bad; *hon ser inte* ~ *ut* she is
not bad-looking; *det smakar* ~ it tastes
bad, it tastes nasty; *ta* ~ *upp* take offence;
ta inte ~ *upp!* don't be offended!; *tala* ~
om ngn run sb down; *vara* ~ *ute* i knipa be
in trouble, be in a bad way; *om det vill sig*
~ if things are against you, if you are really
unlucky
illaluktande *adj* nasty-smelling, stark.
evil-smelling
illamående *adj*, *känna sig* ~ känna kväljningar
feel sick, amer. feel sick at (to, in) one's
stomach
illasinnad *adj* om handling malicious
illavarslande *adj* ominous, sinister
illdåd *subst* outrage [*mot* on]
illegal *adj* illegal
illegitim *adj* illegitimate
illojal *adj* disloyal [*mot* to]; ~ *konkurrens*
unfair competition
illusion *subst* illusion; villfarelse delusion
illustration *subst* illustration
illustratör *subst* illustrator
illustrera *verb* illustrate
illvilja *subst* spite
illvillig *adj* spiteful, nasty, malicious
ilska *subst* anger, rage
ilsken *adj* angry [*på* at, with], spec. amer. mad
[*på* at, with]; om djur savage, fierce
ilskna *verb*, ~ *till* fly into a temper, fly into a
rage
imitation *subst* imitation
imitatör *subst* imitator; professionell
impersonator
imitera *verb* imitate
imma *subst* mist, steam
immig *adj* misty, steamy
immigrant *subst* immigrant
immigration *subst* immigration

immigrera *verb* immigrate [*till* into]
immun *adj* immune [*mot* to]
immunbrist *subst* med. immunodeficiency
immunitet *subst* immunity
i morgon *adv* tomorrow; ~ *bitti* tomorrow
morning
i morse *adv* this morning; *i går* ~ yesterday
morning
imperativ *subst* gram. imperative; *i* ~ in the
imperative
imperfekt *subst* gram. the past tense, the
preterite
imperialism *subst*, ~ el. ~*en* imperialism
imperium *subst* empire
imponera *verb* impress [*på ngn* sb]
imponerande *adj* impressive, striking
impopulär *adj* unpopular [*hos*, *bland* with]
import *subst* import; varor imports pl.
importera *verb* import [*till* into]
importör *subst* importer
impotens *subst* impotence
impotent *adj* impotent
impregnera *verb* impregnate; göra vattentät
waterproof
impregnerad *adj* waterproof
impressario *subst* impresario (pl. -s)
improduktiv *adj* unproductive
improvisation *subst* improvisation, vard.
ad-libbing
improvisera *verb* improvise, vard. ad-lib; *ett*
~*t tal* an off-the-cuff speech
impuls *subst* impulse
impulsiv *adj* impulsive
impulsköp *subst*, *ett* ~ an impulse buy; *göra*
ett ~ buy on the impulse
in *adv* in; in i huset etc. inside, indoors; ~ *i* into
inackordera *verb* board and lodge; *vara* ~*d*
hos board with
inackordering *subst* board and lodging
inadekvat *adj* inadequate
inaktiv *adj* inactive
inaktuell *adj* förlegad out of date; *den är* ~ it
is no longer urgent; *frågan är* ~ the
matter is no longer of any interest
inalles *adv*, ~ *500 kr* 500 kronor in all
inandas *verb* breathe in, inhale
inandning *subst* breathing in, inhalation;
göra en djup ~ take a deep breath
inarbetad *adj*, *en* ~ *firma* an established
firm; ~ *tid* compensatory leave for
overtime
i natt *adv* föregående natt last night; kommande
natt tonight; *i går* ~ yesterday night
inbegripa *verb* innefatta comprise, include
inberäkna *verb* include

inbetala *verb* pay in; ~ *ett belopp på ett konto* pay an amount into an account

inbetalning *subst* payment; avbetalning part payment, instalment

inbetalningskort *subst* paying-in form; postgiro, bankgiro giro form

inbilla *verb* **1** ~ *ngn ngt* lead sb to believe sth **2** ~ *sig* imagine, fancy

inbillad *adj* imagined; om t.ex. sjukdom imaginary

inbillning *subst* imagination; *det är bara* ~ it's only your (his etc.) imagination

inbillningsförmåga *subst* imagination, imaginative power

inbiten *adj* t.ex. om ungkarl confirmed

inbjuda *verb* invite; *vilka har blivit inbjudna?* which people have been invited?

inbjudan *subst* invitation

inbjudande *adj* inviting; lockande tempting

inbjudning *subst* invitation

inbjudningskort *subst* invitation card

inblandad *adj*, *bli* ~ get mixed up [i in], get involved [i in]

inblandning *subst* interference [i in]

inblick *subst* insight; *få en* ~ *i* get an insight into

inbringa *verb* yield, bring in

inbrott *subst* **1** burglary; *göra* ~ *i* burgle **2** *vid dagens* ~ at daybreak

inbrottstjuv *subst* burglar

inbunden *adj* **1** om bok bound **2** om person reserved, vard. uptight

inbyggd *adj* om högtalare, badkar built-in

inbytesbil *subst* trade-in car

inbördes *adj* ömsesidig mutual; ~ *testamente* joint will

inbördeskrig *subst* civil war

incest *subst* incest

incheckning *subst* checking-in; *en* ~ a check-in

incident *subst* incident

indela *verb* divide [i into], divide up [i into]; klassificera classify [i into]

indelning *subst* division [i into], classification [i in]

index *subst* index [över of]

indexreglera *verb* index

indexreglerad *adj* index-linked

indian *subst* Native American, American Indian

Indien India

indier *subst* Indian

indignation *subst* indignation [över at]

indignerad *adj* indignant [över at]

indikation *subst* indication [om, på of]

indikativ *subst* gram. indicative; *i* ~ in the indicative

indirekt I *adj* indirect
II *adv* indirectly

indisk *adj* Indian; *Indiska oceanen* the Indian Ocean

indiskret *adj* indiscreet

individ *subst* individual, vard., besynnerlig person äv. character

individuell *adj* individual

indoktrinera *verb* indoctrinate

indoktrinering *subst* indoctrination

indones *subst* Indonesian

Indonesien Indonesia

indonesisk *adj* Indonesian

industri *subst* industry

industrialisera *verb* industrialize

industrialism *subst*, ~ el. ~*en* industrialism

industriarbetare *subst* industrial worker

industriland *subst* industrialized country

industriområde *subst* industrial area; nära stad industrial estate, amer. industrial park

industrisamhälle *subst* industrial society

industrisemester *subst* ungefär general industrial holiday, amer. general industrial vacation

ineffektiv *adj* om person el. sak inefficient; mest om sak ineffective

inemot *prep* framemot towards; nästan close on, nearly, almost

inexakt *adj* inexact, inaccurate

infall *subst* påhitt, idé idea; nyck fancy

infalla *verb* inträffa fall; *julafton infaller på en tisdag* Christmas Eve falls on a Tuesday

infanteri *subst* infantry

infanterist *subst* infantryman

infart *subst* infartsled approach; privat uppfartsväg drive, driveway; *förbjuden* ~ trafik. no entry

infekterad *verb* infected

infektion *subst* infection

infernalisk *adj* infernal

inferno *subst* inferno (pl. -s)

infiltrera *verb* infiltrate

infinitiv *subst*, ~ el. ~*en* gram. the infinitive

---

indian
Man föredrar att använda benämningen *Native Americans* på Amerikas indianer.

infinna verb, ~ sig visa sig appear; ~ sig vid attend
inflammation subst inflammation
inflammera verb inflame
inflation subst inflation
inflationistisk adj inflationary
influensa subst influenza, vard. the flu, flu
influera verb influence
inflytande subst influence [på on]
inflytelserik adj influential
inflyttning subst moving in
inflyttningsfest subst house-warming party, vard. house-warming
information subst **1** information (endast sing.), vard. info; en ~ a piece of information **2** i ~en at the information desk
informationsteknik subst information technology (förk. IT)
informell adj informal
informera verb inform [om of]
infraröd adj o. **infrarött** subst infra-red
infravärme subst infra-red heat
infria verb förhoppning, löfte fulfil, amer. fulfill
infånga verb catch, rymling etc. catch, capture
infödd adj native
inföding subst native
inför prep **1** i rumsbetydelse el. friare before; i närvaro av in the presence of; stå ~ ett problem be brought up against a problem **2** i tidsbetydelse el. friare: omedelbart före on the eve of [vid at]; ~ julen with Christmas at hand, with Christmas approaching
införa verb **1** introduce **2** importera import
införstådd adj, vara ~ med be in agreement with, accept
ingalunda adv by no means; inte alls not at all
inge verb ingjuta inspire; ~ ngn förtroende inspire sb with confidence
ingefära subst ginger
ingen (intet el. inget, inga) pron **1** no; det kom inga brev i dag there were no letters today, there weren't any letters today; ~ dum idé! not a bad idea! **2** självst. om person, ~, inga nobody sing., no one sing.; neutralt intet el. inget nothing; jag sökte men hittade inga I looked, but did not find any; ~ av dem har kommit tillbaka none of them have (has) come back; av två neither of them has come back **3** ~ annan ingen annan människa nobody else, no one else; ~ annan bok no other book
ingendera (ingetdera) pron av två neither; av flera än två none; ~ alternativ neither of the alternatives
ingenjör subst engineer

ingenmansland subst no-man's land
ingenstans adv nowhere
ingenting pron nothing; ~ nytt nothing new; inga nyheter no news; ~ av detta none of this; det gör ~ it doesn't matter; det är ~ att ha it is not worth having
ingravera verb engrave
ingrediens subst ingredient
ingrepp subst **1** med. operation **2** intrång encroachment; ingripande interference
ingripa verb intervene [i in]; hjälpande step in
ingripande subst inskridande intervention; inblandning interference
ingå verb höra till ~ i be part of, form part of; inbegripas i be included in; ~ avtal med come to an agreement with
ingående adj grundlig thorough, detailed
ingång subst entrance [till to]
inhalator subst inhaler
inhalera verb inhale
inhemsk adj domestic; ~a produkter home products
inhämta verb få veta, lära pick up, learn; ~ kunskaper i acquire a knowledge of
inifrån prep o. adv from inside, from within
initial subst initial
initiativ subst initiative; ta ~et take the initiative; på eget ~ on one's own initiative
initierad adj well-informed [i on]; initiated [i into]
injektion subst injection
injicera verb inject
inkalla verb mil. call up, amer. draft
inkallelse subst **1** summons **2** mil., inkallande calling up, amer. drafting; order call-up, amer. draft call
inkallelseorder subst calling-up papers pl., amer. draft papers pl.
inkassera verb collect; lösa in cash
inkast subst **1** i bollspel throw-in; göra ett ~ take a throw-in **2** för mynt etc. slot
inkludera verb include, comprise
inklusive prep including, inclusive of
inkodare subst keyboarder
inkommande adj om brev, fartyg incoming
inkompetens subst oduglighet incompetence
inkompetent adj oduglig incompetent
inkomst subst **1** persons regelbundna income [av, på from]; jag har stora ~er I have a high income **2** ~ el. ~er intäkter receipts pl. [av from], takings pl. [av from], proceeds pl. [av of]
inkomstskatt subst income tax
inkomsttagare subst wage-earner

inkonsekvent *adj* inconsistent

inkontinens *subst* med. incontinence

inkräkta *verb* trespass [*på* on], intrude [*på* on]

inkräktare *subst* trespasser, intruder; i ett land invader [*i* of]

inkubationstid *subst* med. incubation period

inkvartera *verb* accommodate [*hos* with]

inkvartering *subst* accommodation

inköp *subst* purchase; *det kostar 500 kr i ~* the cost price is 500 kronor

inköpspris *subst* cost price, purchase price

inkörning *subst* av bil, motor running-in

inlagd *adj* **1** kok. pickled; *~ sill* pickled herring **2** *~ på sjukhus* admitted to hospital, sent to hospital

inland *subst* **1** motsats: kustland inland **2** *i in- och utlandet* at home and abroad

inleda *verb* börja begin; t.ex. debatt, samtal open

inledande *adj* introductory, opening, preliminary

inledning *subst* **1** början beginning, opening **2** förord introduction

inlines *subst pl* inlines rullskridskor

inlåta *verb*, *~ sig i (på)* a) t.ex. diskussion enter into b) t.ex. affärer embark on c) t.ex. samtal, politik engage in

inlägg *subst* **1** något inlagt insertion **2** i diskussion etc. contribution **3** sport. cross, centre

inlärning *subst* learning; utantill memorizing

innan I *konj* o. *prep* before; *~ dess* before that, before this
II *adv* dessförinnan before

innanför *prep* inside, within; bakom t.ex. disken behind

inne I *adv* **1** om rum in; inomhus indoors; *~ i* t.ex. huset inside, in; *längst ~ i* at the back of **2** om tid, *nu är tiden ~ att göra det* now the time has come to do it
II *adj*, *det är ~* vard., på modet it's with it, it's the in-thing

innebandy *subst* sport. floorball

innebära *verb* betyda imply, mean; föra med sig involve

innebörd *subst* meaning [*av, i* of]

innefatta *verb* innesluta i sig contain; inbegripa include; bestå av consist of

inneha *verb* hold, possess

innehavare *subst* holder; ägare owner; av t.ex. firma proprietor

innehåll *subst* **1** contents pl. **2** innebörd content

innehålla *verb* contain

innehållsförteckning *subst* list of contents

innerst *adv*, *~ inne* i grund och botten at heart, deep down

innersta *adj* innermost; *hans ~ tankar* his inmost thoughts

innerstad *subst* inner city; *i ~en* in the town centre, in the city centre

innersula *subst* insole

innestående *adj* insatt på bankkonto on deposit

inneställe *subst* vard. in-place, hot spot

innevarande *adj* om tid present

innovation *subst* innovation

inofficiell *adj* unofficial

inom *prep* within, inside; *~ ett år* in a year, within a year; *~ kort* in a short time, shortly

inomhus *adv* indoors

inomhusbana *subst* för tennis covered court; för ishockey indoor rink; för idrott indoor track

inomhusfotboll *subst* indoor football

inomhustemperatur *subst* indoor temperature

inomhustennis *subst* indoor tennis

inordna *verb* inrangera arrange, range

inpå *prep* close to; *till långt ~ natten* until far into the night

inre *adj* inner; invändig interior; invärtes, intern internal; ett lands *~ angelägenheter* internal affairs

inreda *verb* fit up, equip [*till* as]; decorate; med möbler furnish

inredning *subst* **1** inredande decoration, furnishing **2** konkret fittings pl.; väggfast fixtures pl.

inredningsarkitekt *subst* interior designer, interior decorator

inregistrerad *adj*, *inregistrerat varumärke* registered trademark

inresetillstånd *subst* entry permit

inrikes I *adj* inländsk domestic, home, inland
II *adv* in the country, within in the country

inrikesdepartement *subst* ministry of the interior, amer. department of the interior; *~et* britt. the Home Office

inrikesflyg *subst*, *~et* the domestic airlines pl.

inrikesminister *subst* minister of the interior, amer. secretary of the interior; *~n* britt. the Home Secretary

inrikespolitik *subst* **1** domestic politics pl. **2** handlingsrätt domestic policy

inrikespolitisk *adj*, *en ~ debatt* a debate on domestic policy; *~a frågor* questions relating to domestic policy

inriktad *adj*, *vara ~ på att göra ngt* a) sikta mot aim at doing sth b) koncentrera sig på concentrate on doing sth

inrotad *adj* deep-rooted; *~e fördomar* deep-rooted (ingrained) prejudice; *~e vanor* deep-rooted (ingrained) habits

inrätta *verb* **1** grunda establish, set up **2** anordna arrange

insamling *subst* collection; penninginsamling collection, subscription

insats *subst* **1** i spel etc. stakes pl.; kontantinsats deposit **2** prestation achievement; i idrott performance **3** bidrag contribution; *hon har gjort en stor ~ inom teatern* she has done great work within the theatre

insatslägenhet *subst* ungefär cooperative flat, cooperative apartment

inse *verb* see, realize

insekt *subst* insect

insektsmedel *subst* insecticide

insida *subst* inside, inner side; 'inre' interior

insikt *subst* **1** inblick insight [*i* into]; förståelse understanding [*i* of]; kännedom knowledge [*i, om* of] **2** *~er* kunskaper knowledge sing. [*i* of]

insinuera *verb* insinuate

insistera *verb* insist [*på* on]

insjukna *verb* fall ill [*i* with], be taken ill [*i* with]

insjö *subst* lake

inskrivning *subst* i skola, kår etc. enrolment, registration

inskränka *verb* **1** begränsa restrict, limit; minska reduce, cut down **2** *~ sig till* a) nöja sig med confine oneself to, restrict oneself to b) endast röra sig om be limited to, be restricted to

inskränkning *subst* restriction, limitation, reduction

inskränkt *adj* **1** restricted, limited **2** om person narrow, limited

inslag *subst* element, del, 'nummer' feature; tillsats contribution; *ett ~ av våld* an element of cruelty; *ett intressant ~ i programmet* an interesting feature of the programme

inspark *subst* fotb. goalkick

inspektera *verb* inspect

inspektion *subst* inspection

inspektör *subst* inspector; kontrollör supervisor

inspelning *subst* recording; av film production

inspiration *subst* inspiration

inspirera *verb* inspire

insprutning *subst* injection

installation *subst* installation

installera *verb* install; *~ sig* install oneself

instans *subst* **1** jur. instance **2** myndighet

authority; *gå vidare till högre ~* carry the case to a higher court

instinkt *subst* instinct

instinktiv *adj* instinctive

institut *subst* institute; t.ex. bankinstitut institution

institution *subst* institution; *engelska ~en* univ. the English Department

instruera *verb*, *~ ngn i ngt* teach sb sth; *~ ngn* ge föreskrifter *att göra ngt* instruct sb to do sth

instruktion *subst* instruction; *~* el. *~er* instructions pl.; anvisningar directions pl.

instruktionsbok *subst* instruction book, manual

instruktiv *adj* instructive

instruktör *subst* instructor

instrument *subst* instrument

instrumentbräda *subst* på bil dashboard

inställa *verb* **1** cancel; upphöra med stop, discontinue **2** *~ sig* spec. vid domstol appear

inställbar *adj* adjustable

inställd *adj*, *vara ~* beredd *på ngt* be prepared for sth

inställning *subst* **1** reglering adjustment **2** attityd attitude, outlook

inställsam *adj* ingratiating; krypande cringing

instämma *verb* agree

instängd *adj* **1** *vara ~* be shut up; inlåst be locked up, be shut in **2** om luft stuffy, close

insulin *subst* med. insulin

insyltad *adj* vard., *~ i* mixed up in

insyn *subst* **1** *det är ingen ~ i det här huset* nobody can look into this house **2** kontroll control [*i* of], access [*i* into]

insändare *subst* debattinlägg letter to the press; till viss tidning letter to the editor

insättning *subst* insatt belopp i bank deposit

inta *verb* **1** plats m.m. take; försätta sig i, t.ex. liggande ställning place oneself in; ha, t.ex. en ledande ställning occupy, hold, have; t.ex. ståndpunkt take up **2** erövra take, capture **3** måltid etc. have, eat **4** fascinera, fängsla captivate

intagande *adj* captivating, attractive, engaging

intagen *adj*, *vara ~ på sjukhus* be admitted to hospital

intagning *subst* till universitet el. på t.ex. sjukhus admission [*till* to]

intakt *adj* intact

inte *adv* not; *~ det?* verkligen! no?, really?; *~ en enda gång* not once, never once; *jag har ~ tid* I have no time; *hon är*

förtjusande, ~ *sant?* she's charming, isn't she?
integrera *verb* integrate
integritet *subst* integrity
intellekt *subst* intellect
intellektuell *adj* intellectual
intelligens *subst* intelligence
intelligent *adj* intelligent, clever
intensifiera *verb* intensify
intensitet *subst* intensity
intensiv *adj* intense; koncentrerad intensive
intensivvård *subst* intensive care
intensivvårdsavdelning *subst* intensive care unit
intention *subst* intention
interaktiv *adj* data. el. tv. interactive
interiör *subst* det inre interior
interjektion *subst* gram. interjection
intermezzo *subst* **1** intermezzo (pl. -s el. intermezzi) äv. musik. **2** t.ex. vid en gräns incident
intern I *adj* internal; ~ *tv* se *intern-tv*
II *subst* på anstalt inmate; i fångläger internee
internationell *adj* international

internatskola
De flesta privatskolor i England, *public schools*, är internatskolor. Eleverna äter och bor på skolan. I USA kallas grundskolan *public school.*

internatskola *subst* boarding school
internera *verb* i fångläger intern; på anstalt detain [*i, på* in]
internering *subst* på anstalt detention; på fångläger internment
Internet the Internet; *surfa på* ~ surf the Net
internminne *subst* data. internal memory
intern-tv *subst* closed-circuit television (TV) (förk. CCTV)
internutbildning *subst* in-service training
interpunktion *subst* punctuation
interrogativ *adj* interrogative
intervall *subst* interval
intervenera *verb* intervene
intervention *subst* intervention
intervju *subst* interview; *göra en* ~ do an interview
intervjua *verb* interview
intet *pron* litt. nothing
intetsägande *adj* om fraser etc.: tom empty; meningslös meaningless

intill I *prep* **1** om rum: fram till up to; *alldeles* ~ *parken* quite close to the park **2** om tid until **3** om mått etc. up to
II *adv, i rummet* ~ in the adjoining room; *vi bor alldeles* ~ we live next door
intim *adj* intimate
intimitet *subst* intimacy
intolerans *subst* intolerance
intolerant *adj* intolerant
intonation *subst* intonation
intransitiv *adj* gram. intransitive
intressant *adj* interesting
intresse *subst* interest [*för* in]; *visa* ~ *för* show an interest in
intressera *verb* interest [*ngn för ngt* sb in sth]; *det ~r mig mycket* it interests me a lot, it is of great interest to me; ~ *sig för* take an interest in
intresserad *adj* interested [*av* in]
intressesfär *subst* sphere of interest
intrig *subst* intrigue; plot äv. i roman, drama
intrigera *verb* intrigue
intrigmakare *subst* intriguer, schemer
intrikat *adj* intricate
introducera *verb* introduce [*hos* to]
introduktion *subst* introduction
introduktionserbjudande *subst* trial offer
intryck *subst* impression
intrång *subst* encroachment; på annans mark, egendom trespass; *göra* ~ *på* (*i*) encroach on (in), trespass on (in)
inträda *verb* inträffa set in; börja commence, begin; uppstå arise
inträde *subst* **1** entrance; avgift entrance fee **2** friare entry; *göra sitt* ~ *i* enter
inträdesavgift *subst* entrance fee
inträdesbiljett *subst* admission ticket
inträdesprov *subst* univ. etc. entrance examination
inträffa *verb* hända happen; infalla occur, fall
intuition *subst* intuition
intuitiv *adj* intuitive
intyg *subst* certificate [*om* of]; av privatperson, utförligare testimonial [*om* of]; *utfärda ett* ~ issue a certificate
intyga *verb, härmed ~s att...* this is to certify that...
intåg *subst* entry
intäkt *subst, ~er* proceeds, takings, receipts
inunder *adv* o. *prep* underneath, beneath, below
inuti *adv* o. *prep* inside
invadera *verb* invade
invalid *subst* disabled person
invalidiserad *adj* disabled

invaliditet *subst* disablement, disability

invandra *verb* immigrera immigrate [*i, till* into, to]

invandrare *subst* immigrant

invandrarfientlig *adj* ... hostile towards immigrants; mera generellt xenophobic

invandrarspråk *subst* immigrant language

invandring *subst* immigration

invasion *subst* invasion

inveckla *verb*, ~*s i ngt* el. *bli ~d i ngt* get involved in sth, get mixed up in sth

invecklad *adj* komplicerad complicated

inventarier *subst pl* effects, movables

inventering *subst* inventory; av lager stocktaking

inverka *verb* have an effect [*på* on], have an influence [*på* on]

inverkan *subst* effect [*på* on], influence [*på* on]

investera *verb* invest

investering *subst* investment

invid I *prep* by; utefter alongside; nära close to **II** *adv* close by, near by

inviga *verb* **1** byggnad etc. inaugurate **2** ~ *ngn i ngt* göra förtrogen med ngt initiate sb into sth; ~ *ngn i en hemlighet* let sb into a secret

invigning *subst* inauguration

invit *subst* inbjudan invitation; vink hint

invånare *subst* inhabitant [*i* of]

invända *verb*, *jag invände att*... I objected that...; *jag har inget att ~ mot det* I have no objection to it

invändig *adj* internal; om ficka etc. inside

invändigt *adv* internally; i det inre in the interior; på insidan on the inside

invändning *subst* objection [*mot* to, against]; *göra ~ar mot* raise objections to

invärtes *adj* om sjukdom, bruk etc. internal

inåt I *prep* towards the interior of **II** *adv* inwards; *gå längre ~* go further in

inåtvänd *adj* **1** om person introvert; *en ~ person* an introvert **2** *den är ~* it is turned inwards

inälvor *subst pl* bowels; djurs entrails

iPod *subst* data. el. musik. iPod

Irak Iraq

irakier *subst* Iraqi

irakisk *adj* Iraqi

Iran Iran

iranier *subst* Iranian

iransk *adj* Iranian

iris *subst* anat. el. bot. iris

Irland Ireland

irländare *subst* Irishman (pl. Irishmen); *irländarna* som nation, lag etc. the Irish

irländsk *adj* Irish; se *svensk-* för sammansättningar

irländska *subst* (se *svenska* för ex.) **1** kvinna Irishwoman (pl. Irishwomen) **2** språk Irish

ironi *subst* irony; hån sarcasm

ironisera *verb*, ~ *över* speak ironically of, make ironical remarks about

ironisk *adj* ironic, ironical; hånfull sarcastic

irra *verb*, ~ el. ~ *omkring* wander about; *han ~de med blicken* his eyes were wandering

irrationell *adj* irrational

irritation *subst* irritation

irritera *verb* irritate, annoy

irriterad *adj* irritated [*över* at], annoyed [*över* at]

is *subst* ice; *ha ~ i magen* keep a cool head; *lägga ngt på ~* put sth on ice; *whisky med ~* whisky on the rocks; *det är ~ på sjön* the lake is covered with ice; *han är ute på hal ~* he is skating on thin ice

isande *adj* icy

isbana *subst* ice rink; hastighetsskridsko skating rink; på sjö etc. ice track, ice-skating track

isberg *subst* iceberg

isbergssallad *subst* iceberg lettuce

isbit *subst* piece of ice, lump of ice, bit of ice

isbjörn *subst* polar bear

isbrytare *subst* ice-breaker

ischias *subst* med. sciatica

isdubb *subst* ice prod

isflak *subst* ice floe

isfri *adj* ice-free

isglass *subst* pinne ice lolly, amer. popsicle

ishall *subst* indoor ice rink, ice-skating hall

ishav *subst*, *Norra ~et* the Arctic Ocean; *Södra ~et* the Antarctic Ocean

ishockey *subst* ice hockey

ishockeyklubba *subst* ice-hockey stick

ishockeylag *subst* ice-hockey team

ishockeyrör *subst* ice-hockey skate

isig *adj* icy

iskall *adj* ice-cold; isande icy

iskub *subst* ice cube

islam *subst* Islam

islamisk *adj* Islamic

Island Iceland

islossning *subst* break-up of the ice; i t.ex. relationer thaw

isländsk *adj* Icelandic; se *svensk-* för sammansättningar

isländska *subst* (se *svenska* för ex.) **1** kvinna Icelandic woman **2** språk Icelandic

isländning *subst* Icelander

isolera *verb* **1** isolate **2** tekn. insulate

isolering *subst* **1** isolation **2** tekn. insulation
Israel Israel
israel *subst* person Israeli
israelier *subst* person Israeli
israelisk *adj* Israeli
israeliska *subst* Israeli woman
istapp *subst* icicle
ister *subst* lard
i stånd *adv* se *stånd 7*
i stället *adv* se *ställe 2*
i synnerhet *adv* se *synnerhet*
isär *adv* apart; *flytta ~ bänkarna* move the desks apart
IT *subst* IT förk. för *information technology*
Italien Italy
italienare *subst* Italian
italiensk *adj* Italian; se *svensk-* för sammansättningar
italienska *subst* (se *svenska* för ex.) **1** kvinna Italian woman **2** språk Italian
itu *adv* i två delar in two, in half; sönder *gå ~* go to pieces; *vara ~* be in pieces
iver *subst* eagerness, keenness
ivrig *adj* eager, keen
i väg *adv* off, away
iögonfallande *adj* conspicuous; slående striking

ja *interj* yes; *~ då!* oh yes!; *~ visst!* you bet!, not half!, spec. amer. sure thing!
jack *subst* **1** tele., stickpropp plug; uttag socket; *dra ur ~et* unplug the phone **2** hack cut, notch
jacka *subst* jacket
jag *pron* I; *det är ~* it's me, i telefon speaking!
jaga *verb* hunt; med gevär shoot, amer. hunt; 'förfölja' chase; *vara ute och ~* be out hunting; *~ efter ngt* run after sth, pursue sth; *~ bort* drive away
jagare *subst* krigsfartyg destroyer
jaguar *subst* djur jaguar
jaha *interj* well; bekräftande yes; jaså oh I see
jaka *verb* say 'yes' [*till* to]
jakande I *adj* affirmative
II *adv* affirmatively; *svara ~* reply in the affirmative
1 jakt *subst* båt yacht
2 jakt *subst* jagande hunting; med gevär shooting; jaktparti hunt; *~en efter mördaren* the hunt for the murderer; *vara på ~ efter* be hunting for, be on the hunt for
jaktgevär *subst* sporting gun; hagelgevär shotgun
jaktplan *subst* fighter
jaktstart *subst* sport. pursuit
jalusi *subst* spjälgardin Venetian blind
jama *verb* om katt miaow, mew
Jamaica Jamaica
jamaican *subst* Jamaican
jamaicansk *adj* Jamaican
januari *subst* January (förk. Jan.); se *april* för ex.
Japan Japan
japan *subst* Japanese (pl. lika)
japansk *adj* Japanese; se *svensk-* för sammansättningar
japanska *subst* (se *svenska* för ex.) **1** kvinna Japanese woman **2** språk Japanese
jargong *subst* jargon; snack, svada jabber
jaröst *subst* vote in favour, aye
jasmin *subst* blomma jasmine
jaså *interj* is that so?, really?, oh!, indeed!
javisst *interj* certainly, of course, sure
jazz *subst* jazz
jazzbalett *subst* jazz ballet
jazzband *subst* jazz band

jeans *subst pl* jeans
jeansjacka *subst* denim jacket
jeanskjol *subst* denim skirt
jeep *subst* ® jeep
Jesusbarnet *subst* the Infant Jesus
jetmotor *subst* jet engine
jetplan *subst* jet plane, jet
jfr (förk. för *jämför*) compare (förk. cf.)
jippo *subst* reklamjippo publicity stunt; allsköns
~*n* ballyhoo sing.
jiujitsu *subst* ju-jitsu, jiu-jitsu
JO *subst* se *justitieombudsman*
jo *interj* svar på nekande fråga why, yes; ~ *då!* oh
yes!
jobb *subst* job; work (endast sing.); *jag har haft
mycket* ~ *att göra det* it was quite a job
to do it, it took a lot of work to do it; *göra
ett bra* ~ do a good job; *jag har varit på*
~*et* I've been at work
jobba *verb* work; ~ *över* work late, work
overtime
jobbare *subst* vard. worker
jobbig *adj,* *det är* ~*t* it's tough work, it's
hard work; *han är* ~ he's trying, he's
tiresome
jockej *subst* o. **jockey** *subst* jockey
jod *subst* kem. iodine
joddla *verb* yodel
jogga *verb* jog; *vara ute och* ~ be out
jogging
joggare *subst* jogger
joggning *subst* jogging
joggningsskor *subst pl* jogging shoes
Johan kunganamn John
Johannes påvenamn John; ~ *döparen* St.
John the Baptist
joker *subst* joker; ~ *i leken* the joker in the
pack
jolle *subst* liten roddbåt el. segeljolle dinghy
joller *subst* babble; jollrande babbling
jollra *verb* babble
jonglera *verb* juggle
jonglör *subst* juggler
jord *subst* **1** jordklot earth; *resa* ~*en runt* go
round the world **2** mark ground; jordmån
soil; mylla earth; stoft dust; *gå under* ~*en*
gömma sig go underground **3** område land;
ett stycke ~ a piece of land **4** elektr. earth,
amer. ground
jorda *verb* elektr. earth, amer. ground; ~*d*
kontakt earthed, amer. grounded; ~*d
ledning* earth lead, amer. ground lead
Jordanien Jordan
jordanier *subst* Jordanian
jordbruk *subst* agriculture, farming

jordbrukare *subst* farmer
jordbruksdepartement *subst* ministry of
agriculture
jordbruksminister *subst* minister of
agriculture
jordbävning *subst* earthquake
jordfästning *subst* funeral service
jordglob *subst* globe
jordgubbe *subst* strawberry
jordgubbssylt *subst* strawberry jam
jordisk *adj* världslig worldly
jordklot *subst,* ~*et* the earth, the globe
jordledning *subst* radio. earth lead, amer.
ground lead
jordmån *subst* soil äv. i betydelsen 'grogrund'
jordnära *adj* earthy
jordnöt *subst* peanut
jordskalv *subst* earthquake
jordskred *subst* landslide
jordskredseger *subst* landslide victory
jordyta *subst* markyta surface of the ground;
på ~*n* jordens yta on the earth's surface
jordärtskocka *subst* växt el. kok. Jerusalem
artichoke
jour *subst,* *ha* ~ el. *ha* ~*en* be on duty
jourhavande *adj,* ~ *läkare* på sjukhus doctor
on duty; vid hembesök doctor on call
journal *subst* **1** dagbok, tidning journal **2** med.
casebook
journalist *subst* journalist
journalistik *subst* journalism
jourtjänst *subst* läkares emergency duty,
on-call duty; t.ex. låssmeds emergency
service, round-the-clock service
jovialisk *adj* jovial, genial
jox *subst* vard. stuff, rubbish
ju I *adv* naturligtvis of course; visserligen it is
true; som bekant as we know; *där är han* ~*!*
why, there he is!; *jag har* ~ *sagt det flera
gånger* I have said it so many times,
haven't I?
II *konj,* ~ *förr dess* (*desto*) *bättre* the
sooner the better
jubel *subst* rejoicing [*över* in]; glädjerop shouts
pl. of joy [*över* at], cheers
jubilar *subst* person celebrating a special
anniversary
jubileum *subst* anniversary; större jubilee
jubla *verb* högljutt shout with joy; inom sig
rejoice [*över* in]
jude *subst* Jew
judehat *subst* hatred of the Jews
judendom *subst,* ~ el. ~*en* Judaism
judinna *subst* Jewess
judisk *adj* Jewish

judo *subst* sport. judo
Jugoslavien hist. Yugoslavia
juice *subst* juice, fruit juice

jul
Julen är den stora högtiden i Storbritannien och USA och juldagen är den stora dagen. På julafton, *Christmas Eve*, hänger barnen upp en strumpa, *Christmas stocking*. Under natten kommer tomten, *Santa Claus, Father Christmas*, och fyller den med presenter. På juldagen, *Christmas Day*, öppnar man presenterna på morgonen eller före julmiddagen, som oftast består av kalkon och grönsaker och till efterrätt plumpudding, *Christmas pudding*. Annandagen, *Boxing Day*, är helgdag i Storbritannien. I USA är det en vanlig vardag. Många affärer har då julrea.
Julgransplundringar förekommer inte i England. För att en engelsktalande person ska förstå måste man förklara vad en julgransplundring är.

jul *subst* Christmas (förk. Xmas); *god ~!* A Merry Christmas!; *i ~* this Christmas, at Christmas; *i ~as* last Christmas; *på (om) ~en* at Christmas, at Christmas-time
jula *verb* tillbringa julen spend Christmas
julafton *subst* Christmas Eve
juldag *subst,* ~ el. *~en* Christmas Day
julfirande *subst,* *~t* the celebration of Christmas
julgran *subst* Christmas tree
julgransbelysning *subst* Christmas-tree lights pl.
julgransplundring *subst* children's party after Christmas at which the Christmas tree is stripped of its decorations
julgransprydnader *subst pl* Christmas tree decorations
julhelg *subst* Christmas; *under ~en* during Christmas; ledigheten the Christmas holidays, the Christmas vacation
juli *subst* July; se *april* för ex.
julkalas *subst* Christmas party
julklapp *subst* Christmas present; *vad gav*

du honom i ~? What did you give him for Christmas?
jullov *subst* Christmas holidays pl.
julmust *subst* root beer drunk at Christmas
julotta *subst* early church service on Christmas Day
julskinka *subst* Christmas ham
julstjärna *subst* blomma poinsettia
julsång *subst* Christmas carol

jultomten
Father Christmas eller *Santa Claus* bor vid Nordpolen, *the North Pole*. Före jul får han massor av brev från barn i hela världen. På julaftonsnatten sätter han sig i sin släde, *sleigh*, som dras av renar, *reindeer*, för att åka runt och lägga presenter i de strumpor, *stockings*, som barnen satt upp på spiselhyllan, *mantelpiece*.

jultomte *subst,* ~ el. *~n* Father Christmas, Santa Claus
jumbo *subst,* *komma ~* come last; *bli ~* be last
jumbojet *subst* jumbo jet
jumbopris *subst* vard. booby prize
jumper *subst* jumper
jungfru *subst* **1** *Jungfrun* stjärntecken Virgo **2** *Jungfru Maria* the Virgin Mary
juni *subst* June; se *april* för ex.
junior *adj* o. *subst* junior
junta *subst* polit. junta
Jupiter astron. el. mytol. Jupiter
juridik *subst* law
juridisk *adj* legal; *~ fakultet* faculty of law
jurist *subst* **1** praktiserande lawyer; expert jurist **2** juridikstuderande law student
jury *subst* jury; *sitta i en ~* serve on a jury
1 just *adv* just; precis exactly; *ja, ~ han!* yes, him!, the very man!; *varför välja ~ honom?* why choose him of all people?; *~ det!* that's right!
2 just I *adj* rättvis fair; korrekt correct; i sin ordning all right, in order
II *adv* fairly, correctly; *spela ~* play fair
justera *verb* **1** *~ ngt* adjust sth, regulate sth, set sth right; *~ protokollet* sign the minutes **2** sport. injure; *bli ~d* be injured
justering *subst* **1** adjusting; *en ~* an adjustment **2** sport. injury

justitiedepartement *subst* ministry of justice

justitieminister *subst* minister of justice

justitiemord *subst* jur. judicial murder; misstag miscarriage of justice

justitieombudsman *subst*, ~*nen* (förk. *JO*) the Parliamentary Ombudsman

juvel *subst* **1** jewel; ädelsten gem; ~*er* jewellery sing., amer. jewelry sing. **2** värdefull person el. sak jewel

juvelerare *subst* jeweller

juvelskrin *subst* jewel case

juver *subst* udder

jycke *subst* hund dog, vard. pooch

Jylland Jutland

jägare *subst* hunter

jäkel *subst* devil; *jäklar!* damn it!, confound it!

jäkla I *adj* blasted, darned, stark. damned
II *adv* damned

jäklig *adj* om person damn nasty [*mot* to], damned nasty [*mot* to]; om sak vanligen damn rotten, damned rotten

jäkt *subst* brådska hurry; fläng bustle, hustle; *storstadens* ~ the rush and tear of the city

jäkta *verb* be always on the move, be always on the go; ~ *inte!* don't rush!; ta det lugnt take it easy!; ~ *mig inte!* don't rush me!

jäktig *adj* terribly busy, hectic

jäktigt *adv*, *ha det* ~ have a terribly busy time of it

jämbördig *adj* **1** *vara* ~ *med* equal in merit to, be in the same class as **2** *bli behandlad som en* ~ be treated as an equal

jämföra *verb* compare [*med* vid jämförelse with, vid liknelse to]; *jämför* (förk. *jfr*) compare (förk. cf)

jämförbar *adj* comparable [*med* to]

jämförelse *subst* comparison [*med* to]

jämförelsevis *adv* comparatively

jämförlig *adj* comparable

jämka *verb* **1** ~ el. ~ *på* flytta move, shift; ~ *på* justera adjust **2** avpassa adapt [*efter* to]; modifiera modify **3** slå av på, ~ *något på priset* knock something off the price **4** medla etc., ~ *mellan två parter* mediate between two parties

jämlik *adj* equal

jämlike *subst* equal

jämlikhet *subst* equality

jämmer *subst* jämrande groaning, moaning

jämmerrop *subst* wailing; *ett* ~ a wail

jämn *adj* **1** utan ojämnheter even; plan level; slät smooth **2** regelbunden even; likformig uniform; kontinuerlig continuous; *hålla ~a*

steg med a) keep in step with b) hålla sig à jour med keep pace with, keep up with; *med ~a mellanrum* at regular intervals **3** *ha ~a pengar* have the exact change; *det är ~t!* t.ex. till en kypare never mind the change!

jämna *verb*, ~ *ngt* level sth, make sth level, make sth even, make sth smooth; klippa ngt jämnt, putsa trim sth; ~*a vägen* smooth the way; ~ *till* el. ~ *ut* level sth, make sth level

jämnan *subst*, *för* ~ all the time

jämngammal *adj*, *han är* ~ *med mig* he is of the same age as me

jämngod *adj*, *vara* ~*a* be equal to one another; *vara* ~ *med* be just as good as

jämnhög *adj* equally high; om person equally tall; lika hög överallt of a uniform height

jämnhöjd *subst*, *i* ~ *med* on a level with

jämnmod *subst* equanimity; *ta ngt med* ~ take sth in one's stride

jämnstor *adj*, *de är* ~*a* they are equal in size

jämnt *adv* **1** even, evenly, level, smoothly, regularly etc.; se *jämn*; *dela* ~ divide equally; *inte dra* ~ vara oense not get on well together **2** precis exactly

jämnårig *adj*, *de är* ~*a* they are of the same age [*med* as]; *mina* ~*a* persons of my own age

jämra *verb*, ~ *sig* kvida wail, moan; stöna groan; gnälla whine; klaga complain [*över* i samtliga fall about]

jämsides *adv* side by side; sport. neck and neck [*med* with]; abreast [*med* of]

jämspelt *adj* evenly matched

jämställa *verb* place ... side by side [*med* with], place ... on a level [*med* with], place ... on an equality [*med* with]

jämställd *adj*, *vara* ~ *med* be on an equal footing with, be on a par with

jämställdhet *subst* **1** mellan könen sex equality **2** parity; *det råder* ~ *mellan dem* they are on an equal footing

jämt *adv* alltid always; ~ el. ~ *och ständigt* for ever; oupphörligt incessantly; gång på gång constantly

jämte *prep* tilsammans med in addition to, together with; inklusive including

jämvikt *subst* balance

järn *subst* iron

järnaffär *subst* hardware store, ironmonger's

järnek *subst* växt holly

järngrepp *subst* iron grip

järnhandel *subst* hardware store, ironmonger's

järnhård *adj*, ~ *disciplin* iron discipline

järnmalm *subst* iron ore

järnnätter *subst pl* frosty nights
järnvilja *subst* iron will
järnväg *subst* railway, amer. railroad
järnvägslinje *subst* railway line, amer. railroad line
järnvägsolycka *subst* railway accident, amer. railroad accident
järnvägsspår *subst* railway track, amer. railroad track
järnvägsstation *subst* railway station, amer. railroad station
järnvägsvagn *subst* railway carriage, amer. railroad car; godsvagn railway truck, amer. freight car
järnvägsövergång *subst* railway crossing; plankorsning level crossing, amer. grade crossing
jäsa *verb* ferment; *låta degen* ~ allow the dough to rise
jäsning *subst* fermentation, ferment; *hela befolkningen var i* ~ the whole population were in ferment
jäst *subst* yeast
jätte *subst* giant
jättebillig *adj* vard. dirt-cheap, terrifically cheap
jättebra *adj* vard. terrific, super
jättefin *adj* vard. first-rate, smashing, super
jättegod *adj* vard. super, terrific
jättehungrig *adj* vard. starving, famished
jättehög *adj* vard. enormously high; om t.ex. träd enormously tall
jättekul *adj* vard. great fun
jättelik *adj* gigantic, colossal, immense
jättemycket vard. **I** *adj*, ~ *folk* lots of people **II** *adv*, *det regnade* ~ it rained a lot
jättemånga *pron* vard. a great many, lots of
jätterolig *adj* vard. great fun
jättesnäll *adj* vard. very kind, ever so kind
jättesteg *subst* vard. giant stride
jättestor *adj* vard. gigantic, colossal
jättesuccé *subst* vard. terrific success
jävla etc., se *djävla* etc.
jökel *subst* glacier
jösses *interj*, ~*!* well, I'm blowed!, Good God!

Kk

kabaré *subst* underhållning cabaret
kabel *subst* cable
kabel-tv *subst* cable television, cable TV
kabin *subst* passagerares cabin; förarkabin cabin, cockpit
kabinpersonal *subst* flyg. cabin personnel, cabin crew
kabinväska *subst* flyg. carry-on case, carry-on bag, carry-on
kackerlacka *subst* cockroach
kackla *verb* cackle
kadaver *subst* **1** carcass **2** ruttnande as carrion
kadett *subst* cadet
kadmium *subst* cadmium
kafé *subst* café; på hotell etc. coffee room
kaffe *subst* coffee; *två* ~*!* two coffees, please!; ~ *utan grädde* black coffee; *koka (brygga)* ~ make coffee
kaffebryggare *subst* coffee machine, coffee maker
kaffebröd *subst* koll. buns and cakes pl.
kaffeböna *subst* coffee bean
kaffegrädde *subst* coffee cream; tunn grädde single cream
kaffekanna *subst* coffee pot
kaffekopp *subst* **1** kopp för kaffe coffee cup **2** kopp med kaffe cup of coffee
kaffekvarn *subst* coffee mill, coffee-grinder
kaffepanna *subst* ungefär coffee kettle
kaffepaus *subst* o. **kafferast** *subst* coffee break
kafferep *subst* coffee party
kaffeservis *subst* coffee service
kaffesump *subst* coffee grounds pl.
kaj *subst* quay; lossningsplats wharf
kaja *subst* fågel jackdaw
kajuta *subst* cabin
kaka *subst* **1** småkaka biscuit, amer. cookie **2** tårta, sockerkaka etc. cake; finare bakverk pastry; *man kan inte både äta* ~*n och ha den kvar* ordspr. you can't have your cake and eat it
kakao *subst* pulver, dryck cocoa
kakaoböna *subst* cocoa bean
kakel *subst* platta tile; *klä badrummet med* ~ tile a bathroom, put tiles in a bathroom
kakelugn *subst* tiled stove
kakfat *subst* cake dish
kakform *subst* cake tin, amer. cake pan

kaki *subst* färg el. tyg khaki
kakmix *subst* ready-made cake mix
kaktus *subst* cactus
kal *adj* **1** bare **2** flintskallig bald
kalabalik *subst* uproar, tumult
kalas *subst* fest party; måltid feast; *betala ~et*
  foot the bill
kalasa *verb* feast [*på* on]
kalaskula *subst* vard. potbelly, paunch
kalcium *subst* kem. calcium
kalender *subst* calendar; väggkalender wall
  calendar; almanacka diary
kalhygge *subst* clear-felled area, clear-cut
  area
kaliber *subst* calibre
Kalifornien California
kalifornisk *adj* Californian
kalium *subst* kem. potassium
kalk *subst* **1** kem. lime; bergart limestone **2** i
  föda calcium
kalkera *verb* trace
kalkon *subst* turkey
kalkonfilm *subst* turkey, turkey film (movie)
kalksten *subst* bergart limestone
kalkyl *subst* calculation
kalkylera *verb* calculate, estimate
1 kall *adj* cold; sval cool; kylig chilly; *jag är ~*
  om fötterna my feet are cold; *två grader*
  ~t two degrees below zero; *hålla*
  huvudet ~t keep a cool head
2 kall *subst* levnadskall vocation, calling;
  livsuppgift mission in life
kalla *verb* benämna call; *~ ngn för lögnare*
  call sb a liar; *~* el. *~ på* tillkalla send for, call;
  officiellt summon; *~ in* a) inbeordra summon
  b) mil. call up, spec. amer. draft
kallblodig *adj* cold-blooded; lugn cool;
  oberörd indifferent; *ett ~t mord* a
  cold-blooded murder
kallbrand *subst* med. gangrene
kalldusch *subst* eg. cold shower; *det kom*
  som en ~ it was a real shock, it was a nasty
  surprise
Kalle Anka seriefigur Donald Duck
kallelse *subst*, *~ till möte* notice to attend a
  meeting
kallfront *subst* meteor. cold front
kallna *verb* get cold
kallprat *subst* small talk
kallsinnig *adj* cold; likgiltig indifferent
kallskuret *subst* cold buffet, cold cuts pl.
kallskänka *subst* cold-buffet manageress
kallsup *subst*, *jag fick en ~* I swallowed a lot
  of cold water
kallsvett *subst* cold sweat, cold perspiration

kallsvettig *adj*, *vara ~* be in a cold sweat
kallt *adv* coldly; oberört coolly
kallvatten *subst* cold water
kalops *subst* ungefär Swedish beef stew
kalori *subst* calorie
kalorifattig *adj*, *~ diet* low-caloric diet
kaloririk *adj*, *~ diet* high-calorie diet
kalsingar *subst* pl vard. se *kalsonger*
kalsonger *subst* pl underpants, pants
kalufs *subst* mop of hair
kalv *subst* **1** djur calf (pl. calves) **2** kött veal
kalvfilé *subst* fillet of veal
kalvkotlett *subst* veal chop; benfri veal cutlet
kalvkött *subst* veal
kalvskinn *subst* calf leather, calf
kalvstek *subst* maträtt roast veal
kam *subst* comb; på tupp crest
kamaxel *subst* bil., *överliggande ~* overhead
  camshaft
Kambodja Cambodia
kambodjan *subst* Cambodian
kambodjansk *adj* Cambodian
kamel *subst* camel; enpucklig dromedary
kameleont *subst* djur el. ombytlig människa
  chameleon
kamelia *subst* blomma camellia
kamera *subst* camera
kamerahus *subst* camera body
kamgarn *subst* worsted
kamin *subst* stove; elkamin, fotogenkamin heater
kamma *verb*, *~ sig* el. *~ håret* comb one's
  hair; *~ noll* vard. draw a blank
kammare *subst* rum chamber
kammarmusik *subst* chamber music
kamomill *subst* camomile
kamomillte *subst* camomile tea
kamouflage *subst* camouflage
kamp *subst* **1** strid fight, battle **2** möda struggle
  [*om*, *för* for]
kampanj *subst* campaign [*mot* against]
kampsport *subst* martial art
kamrat *subst* companion, comrade, vän
  friend; kompis pal; arbetskamrat fellow-worker
kamratanda *subst*, *god ~* a spirit of
  comradeship
kamratgrupp *subst* peer group
kamratlig *adj* friendly
kamratskap *subst* comradeship
kamrer *subst* **1** accountant **2** chef för
  bankavdelning bank manager
kan *verb* presens av *kunna*
kana I *subst* slide; *åka ~* slide
  II *verb* slide
Kanada Canada
kanadensare *subst* person Canadian

kanadensisk *adj* Canadian

kanal *subst* **1** naturlig channel; *Engelska ~en* the English Channel, the channel **2** konstgjord canal **3** tv. el. friare channel; *officiella ~er* official channels

kanalisera *verb* canalize

kanalväljare *subst* tv. channel selector

kanariefågel *subst* canary

Kanarieöarna *pl* the Canary Islands, the Canaries

kandelaber *subst* candelabra

kanderad *adj* candied; *~ frukt* candied fruit

kandidat *subst* sökande candidate [*till* for]

kanel *subst* kok. cinnamon

kanelbulle *subst* cinnamon bun

kanhända *adv* perhaps, maybe

kanin *subst* rabbit, barnspr. bunny

kaninbur *subst* rabbit hutch

kaningård *subst* rabbit warren

kanna *subst* **1** kaffekanna, tekanna pot **2** gräddkanna jug **3** vattenkanna etc. can

kannibal *subst* cannibal

kannibalism *subst* cannibalism

1 kanon *subst* mil. cannon, gun

2 kanon *subst* musik. canon, round

3 kanon *adj* vard., *den är ~* it's great, it's super

kanot *subst* canoe; *vara ute och paddla ~* be out canoeing

kanske *adv* perhaps, maybe; *jag ~ träffar honom i kväll* I may (might) meet him tonight

kansler *subst* chancellor

kant *subst* edge; bård etc. border; *hålla sig på sin ~* keep oneself to oneself; *komma på ~ med ngn* fall out with sb

kantarell *subst* svamp chanterelle

kantra *verb* **1** sjö. capsize **2** om vind veer

kantsten *subst* kerbstone, amer. curbstone

kantstött *adj* om porslin, glas chipped

kanvas *subst* canvas

kanyl *subst* injektionsnål injection needle

kaos *subst* chaos; *det rådde fullständig ~* there was complete chaos

kaotisk *adj* chaotic

1 kap *subst* udde cape

2 kap *subst* fångst capture; *ett gott ~* a fine haul

1 kapa *verb* **1** ta capture; t.ex. flygplan hijack, skyjack **2** *~ åt sig* lay hands on, take over

2 kapa *verb* hugga, skära av cut away; lina cut

kapabel *adj* able [*till* to], capable [*till* of]

kapacitet *subst* capacity; *han är en stor ~* he is a person of great ability

kapare *subst* flyg. hijacker

kapell *subst* **1** kyrka, sidokapell chapel **2** musik. orchestra

kapellmästare *subst* conductor

kapital *subst* o. *adj* capital

kapitalism *subst*, *~* el. *~en* capitalism

kapitalist *subst* capitalist

kapitalvaror *subst pl* capital goods

kapitel *subst* chapter

kapitulation *subst* surrender, capitulation

kapitulera *verb* surrender, capitulate

kapning *subst* hijacking; *en ~* a hijack

kappa *subst* **1** coat; *vända ~n efter vinden* be a turncoat, be a time-server **2** på gardin pelmet

kapplöpning *subst* race; kapplöpande racing [*efter* for]; hästkapplöpning horse-race; löpande horse-racing; *en ~ med tiden* a race against time

kapplöpningsbana *subst* racetrack; för hästar racecourse

kapplöpningshäst *subst* racehorse

kapprodd *subst* boat race

kapprum *subst* cloakroom

kapprustning *subst* arms race (endast sing.)

kappsegling *subst* sailing-race; kappseglande sailing-boat racing, yacht-racing

kaprifol *subst* blomma honeysuckle

kapris *subst* krydda capers pl.

kapsejsa *verb* capsize; välta turn over

kapsel *subst* capsule

Kapstaden Cape Town

kapsyl *subst* på t.ex. vinbutelj cap; på t.ex. ölflaska top; skruvkapsyl screw cap

kapsylöppnare *subst* bottle-opener

kapten *subst* sjö., mil. el. sport. captain [*på, för* of]

kapuschong *subst* hood

kaputt *adj* ruined; om sak broken

kar *subst* **1** tub; större vat **2** badkar bath tub, bath

karaff *subst* carafe; med propp decanter

karakterisera *verb* characterize; vara betecknande för be characteristic of

karakteristik *subst* characterization

karakteristisk *adj* characteristic [*för* of], typical [*för* of]

karaktär *subst* character; beskaffenhet nature, quality; läggning disposition; viljestyrka will-power; *jag har dålig ~* skämts. I've got no will-power

karaktärsdrag *subst* characteristic, trait of character

karaktärslös *adj*, *han är ~* he is lacking in character

karamell *subst* sweet, amer. candy

karantän *subst* quarantine; *ligga (vara) i ~* be in quarantine

karat *subst* carat; *18 ~s guld* 18-carat gold

karate *subst* sport. karate

karateslag *subst* karate chop

karavan *subst* caravan; bilkaravan motorcade

karbonpapper *subst* carbon paper, carbon

kardanaxel *subst* propeller shaft, drive shaft

kardborre *subst* bot. burr

kardborrknäppning *subst* Velcro® fastening, Velcro®

kardemumma *subst* kok. cardamom

kardinal *subst* kyrkl. cardinal

kardiogram *subst* med. cardiogram

karensdag *subst, ~ar* i sjukförsäkringen qualifying (waiting) period before claiming benefit

karg *adj* om jord, landskap barren, bare

Karibiska havet the Caribbean Sea, the Caribbean

karies *subst* caries, decay

karikatyr *subst* caricature; politisk skämtteckning cartoon

karl *subst* man (pl. men), fellow, chap

karlakarl *subst, en ~* a real man

Karl Alfred seriefigur Popeye

Karlavagnen the Plough, amer. the Plow, vard. the Big Dipper

karljohanssvamp *subst* cep

karm *subst* **1** armstöd arm **2** dörrkarm, fönsterkarm frame

karmstol *subst* armchair

karneval *subst* carnival

karnevalståg *subst* carnival procession

kaross *subst* vagn coach

karosseri *subst* body, coachwork

karott *subst* fat deep dish

karp *subst* fisk carp (pl. lika)

Karpaterna *pl* the Carpathians

karriär *subst* career; *göra ~* make a career

karriärist *subst* careerist

kart *subst* unripe fruit; *en ~* t.ex. äpple an unripe apple

karta *subst* geogr. map [*över* of]

kartblad *subst* map sheet

kartbok *subst* atlas

kartell *subst* cartel

kartlägga *verb* **1** göra en karta över map, make a map of **2** utforska make a systematic survey of

kartläsning *subst* map-reading

kartong *subst* **1** papp cardboard **2** pappask carton

kartotek *subst* kortregister card index, card register

karusell *subst* med hästar etc. merry-go-round; enklare roundabout; *åka ~* ride on a merry-go-round

karva *verb* tälja whittle [*i, på* at]; skära carve, cut

kasern *subst* barracks (pl. lika)

kasino *subst* casino (pl. -s)

kask *subst* hjälm helmet

kaskad *subst* cascade

kaskelot *subst* zool. sperm whale

kasperteater *subst* ungefär Punch and Judy show

Kaspiska havet the Caspian Sea

kass *adj* vard. useless, worthless, no good; *jag känner mig ~* I feel lousy

kassa *subst* **1** pengar money, funds pl. **2** där man betalar cashdesk; i varuhus, snabbköp check-out; på postkontor counter; biljettkassa box office; på kontor cashier's office

kassaapparat *subst* cash register

kassabehållning *subst* cash in hand

kassabok *subst* cashbook; *föra ~* keep a cashbook

kassafack *subst* safe-deposit box

kassakvitto *subst* cash receipt, receipt

kassarabatt *subst* cash discount

kassaskrin *subst* cashbox

kassaskåp *subst* safe

kassavalv *subst* strong room, vault

kasse *subst* **1** av plast el. papper carrier bag, amer. paper shopping bag **2** vard., målbur goal

kassera *verb* scrap; underkänna reject

kassett *subst* musik, video etc. cassette

kassettbandspelare *subst* cassette recorder

kassettdäck *subst* cassette deck

kassettradio *subst* cassette radio

kassler *subst* kok. smoke-cured loin of pork, kassler

kassör *subst* cashier; i förening etc. treasurer

kassörska *subst* cashier; i snabbköp checkout assistant

kast *subst* throw; med metspö etc. cast; *stå sitt ~* take the consequences; *ge sig i ~ med* tackle

kasta I *verb* **1** throw; häftigt fling; lätt toss; vräka hurl; vid fiske cast; *~ sig* throw oneself; *~ sig i en bil* jump into a car; *~ sig i vattnet* plunge into the water **2** poetiskt el. högtidligt cast; *~ en skugga* cast a shadow **II** *verb* med betonad partikel

kasta bort throw away; tid waste

kasta ned några rader jot down a few words

kasta om ändra riktning (ordningen på), om

vinden veer round; t.ex. två rader transpose

kasta omkull throw down (over), knock down (over)

kasta på sig kläderna fling one's clothes on

kasta upp kräkas vomit, vard. throw up

kasta ut ngt throw sth out [genom t.ex. fönster of]; ~ **ut pengar på** waste one's money on

kasta sig över ngn (ngt) fall upon sb (sth)

kastanj subst **1** ätlig chestnut **2** hästkastanj horse chestnut

kastanjetter subst pl musik. castanets

kastrera verb castrate

kastrull subst saucepan

kastspö subst casting rod

kasus subst gram. case

katalog subst **1** catalogue [över of] **2** telefonkatalog directory

katalogisera verb catalogue

katalysator subst **1** kem. catalyst, catalyser **2** i bil catalytic converter

katapult subst catapult

katapultstol subst ejector seat, ejection seat

katarr subst med. catarrh

katastrof subst catastrophe; t.ex. tåg, flyg disaster

katastrofal adj catastrophic, disastrous

katastroffilm subst disaster movie (film)

kateder subst lärares teacher's desk

katedral subst cathedral

kategori subst category; klass class

kategorisera verb categorize

kategorisk adj categorical; tvärsäker dogmatic

katolicism subst, ~ el. ~en Catholicism

katolik subst Catholic, Roman Catholic

katolsk adj Catholic, Roman Catholic

katrinplommon subst prune

katt subst cat, vard. puss, pussycat; **leka ~ och råtta med ngn** play a cat-and-mouse game with sb; **det vete ~en** blowed if I know; **det ger jag ~en i** I don't care a damn about that; **du kan ge dig ~en på det** you bet your life

kattdjur subst feline, cat

Kattegatt the Kattegat

kattlik adj cat-like

kattlåda subst litter tray

kattmat subst cat food

kattunge subst kitten

kattutställning subst cat show

kaukasisk adj Caucasian

Kaukasus the Caucasus

kautschuk subst suddgummi rubber, spec. amer. eraser

kavaj subst jacket

kavaljer subst bordskavaljer, danskavaljer partner

kavalkad subst cavalcade

kavat adj oförskräckt plucky; morsk cocky

kavel subst brödkavel rolling-pin

kaviar subst **1** äkta caviare, caviar **2** ej äkta cod-roe paste

kavla I verb roll

II verb med betonad partikel

kavla ned strumpa roll down; ärm unroll

kavla upp roll up

kavla ut deg roll out

kavring subst dark rye bread

kaxig adj stöddig cocky, cocksure

Kazakstan Kazakhstan

kebab subst kok. kebab

kedja I subst chain

II verb chain [vid to]

kedjebrev subst chain letter

kedjehus subst terraced (row) house linked by a garage to the adjacent houses

kedjereaktion subst chain reaction

kedjeröka verb chain-smoke

kedjerökare subst chain-smoker

kejsardöme subst empire

kejsare subst emperor

kejsarinna subst empress

kejsarsnitt subst med. Caesarean, Caesarean section; **göra ~** have a Caesarean

kela verb cuddle; ~ **med** smeka pet, fondle

kelgris subst pet; favorit favourite

kelig adj cuddly, affectionate

---

kelt

Kelterna var ett folkslag som för länge sedan bodde på de brittiska öarna. Många skottar, walesare och irländare är ättlingar till kelterna. I delar av Irländska republiken, Skottland och Wales talas fortfarande keltiska språk vid sidan av engelska.

---

kelt subst Celt

keltisk adj Celtic

keltiska subst språk Celtic

kemi subst chemistry

kemikalier subst pl chemicals

kemisk adj chemical

kemist subst chemist

kemtvätt *subst* **1** tvättning dry-cleaning
2 tvätteri dry-cleaner's
kemtvätta *verb* dry-clean
kennel *subst* kennels pl.
Kenya *subst* Kenya
kenyan *subst* Kenyan
kenyansk *adj* Kenyan
keps *subst* peaked cap, cap
keramik *subst* ceramics (med verb i sing.); alster
pottery
keramisk *adj* ceramic
kerub *subst* änglabarn cherub
keso® *subst* cottage cheese
ketchup *subst* ketchup
kex *subst* biscuit, amer. cracker
KFUK the YWCA (förk. för *Young Women's*
Christian Association)
KFUM the YMCA (förk. för *Young Men's*
Christian Association)
kickboard *subst* sport. kickboard
kidnappa *verb* kidnap
kidnappare *subst* kidnapper
kika *verb* peep [*på* at]
kikare *subst* binoculars pl.; tubkikare telescope
kikhosta *subst* med. whooping cough
kikna *verb* choke with coughing; ~ *av*
skratt choke with laughter
kil *subst* wedge; vid sömnad gusset
1 kila *verb* med kil wedge; ~ *fast* wedge
2 kila *verb* skynda hurry; *nu ~r jag!* I must be
off!; ~ *hem* be off home; ~ *över gatan*
pop over the street
kille *subst* pojke boy; karl fellow, guy
killing *subst* kid
kilo *subst* kilo (pl. -s); *ett* ~ motsvarar ungefär 2.2
pounds (förk. lb resp. lbs)
kilogram *subst* kilogram, kilogramme
kilometer *subst* kilometre; *en* ~ motsvarar
ungefär 0.62 miles
kilowatt *subst* kilowatt
kilt *subst* skotsk knäkort kjol kilt
kimono *subst* kimono (pl. -s)
Kina China
kinakrog *subst* vard. Chinese restaurant
kinamat *subst* vard. Chinese food
kinaschack *subst* sällskapsspel Chinese
chequers, amer. Chinese checkers sing.
kind *subst* cheek
kindben *subst* o. **kindkota** *subst* cheekbone
kindtand *subst* molar
kines *subst* Chinese (pl. lika)
kinesisk *adj* Chinese; se *svensk-* för
sammansättningar
kinesiska *subst* (se *svenska* för ex.) **1** kvinna
Chinese woman **2** språk Chinese

kinin *subst* kem. quinine
kinkig *adj* **1** om person: fordrande hard to
please, exacting; petnoga particular **2** om sak:
besvärlig difficult; brydsam awkward; ömtålig
ticklish, delicate
kiosk *subst* **1** kiosk; tidningskiosk newsstand
2 se *telefonkiosk*
kippa *verb*, ~ *efter andan* gasp for breath
kiropraktor *subst* chiropractor
kirurg *subst* surgeon
kirurgi *subst* surgery
kirurgisk *adj* surgical
kisa *verb* med ögonen peer
kiss *subst* wee-wee, vard. pee
kissa *verb* do a wee-wee, vard. do a pee
kisse *subst* o. **kissekatt** *subst* o. **kissemiss** *subst*
vard. pussy, pussycat
kissnödig *adj* vard., *jag är* ~ I've got to do a
wee-wee, I've got to do a pee
kista *subst* **1** möbel chest **2** likkista coffin, amer.
casket, coffin
kitslig *adj* småaktig petty; lättstött touchy
kitt *subst* cement; fönsterkitt putty
kitta *verb* cement; med fönsterkitt putty
kittel *subst* stewpan; större cauldron;
grytliknande pot; spec. tekittel kettle
kittla *verb* tickle; *det ~r i näsan* my nose
tickles
kittlare *subst* klitoris clitoris, vard. clit
kittlas *verb* tickle; *sluta* ~ stop tickling
kittlig *adj* ticklish
kiv *subst* quarrel; kivande quarrelling [*om*
about]; *på pin* ~ out of pure cussedness,
just to tease
kivas *verb* gräla quarrel, squabble [*om* about,
over; *med* with]
kiwi *subst* o. **kiwifrukt** *subst* kiwi fruit
kjol *subst* skirt
kjollinning *subst* waistband
klabb *subst*, *hela ~et* the whole lot
klack *subst* på sko heel
klacka *verb* heel
klackning *subst* heeling
klackring *subst* signet ring
klackspark *subst* fotb. backheel; *han tog det
med en* ~ vard. he took it in his stride, he
didn't let it bother him
1 kladd *subst* utkast rough copy, koncept rough
draft
2 kladd *subst* **1** något kladdigt sticky mess
2 klotter scribble
kladda *verb* **1** kludda, måla daub; klottra
scribble; ~ *ner* soil; med bläck smudge . . . all
over; ~ *ner sig* make a mess all over
oneself **2** tafsa, ~ *på ngn* paw sb, grope sb

kladdblock *subst* scratch pad

kladdig *adj* klibbig sticky; nedkladdad smeary

klaff *subst* **1** flap, på bord flap, leaf (pl. leaves) **2** *håll* ~*en* vard. shut up!

klaffa *verb* **1** stämma tally **2** fungera work

klaffbord *subst* folding table

klaga *verb* **1** beklaga sig complain [*över* about, of; *för, hos* to]; knota grumble [*över* at, over]; högljutt lament **2** inkomma med klagomål lodge a complaint

klagomål *subst* complaint; *framföra* ~ *hos ngn mot ngt* lodge a complaint about sth with sb

klammer *subst* **1** hakparentes square bracket **2** häftklammer staple

klampa *verb* gå tungt tramp

klamra *verb*, ~ *sig fast vid* cling firmly to

klamydia *subst* med. chlamydia

klan *subst* clan

klander *subst* blame; kritik criticism

klanderfri *adj* **1** irreproachable **2** felfri faultless

klandra *verb* blame, censure, criticize

klang *subst* ring; ljud sound; av glas clink; av klockor ringing

klanta *verb*, ~ *sig* make a mess of things

klantig *adj* vard. **1** klumpig clumsy **2** dum stupid

klantskalle *subst* vard., dum person blockhead; klumpig person clumsy fool

klapp *subst* smeksam pat; lätt slag tap

klappa *verb* **1** ge en klapp pat, tap; smeka stroke; ~ *i händerna* clap one's hands **2** knacka knock **3** om hjärta beat

klappjakt *subst* witch-hunt [*på* for]

klappra *verb* clatter; om tänder chatter

klappstol *subst* folding chair

klar *adj* **1** clear; om t.ex. färg, solsken bright; tydlig plain; märkbar distinct; *få* ~*t för sig hur...* realize how...; *ha* ~*t för sig vad...* be clear about..., be clear as to what...; *komma (vara) på det* ~*a med ngt* realize sth **2** färdig ready; ~*a, färdiga, gå!* ready, steady, go!; *det är* ~*t* fixat *nu* it's OK now; *är du* ~ a) att börja are you ready? b) färdig have you finished?

klara I *verb* **1** gå i land med manage; lyckas med cope with; ~ *sin examen* pass one's exam **2** reda upp settle, arrange; lösa solve **3** ~ *sig* manage, get on, get by; *han* ~*de sig på provet* he passed the test; *hon* ~*r sig bra i skolan* she does well at school; *han* ~*r sig* vid sjukdom he'll pull through; ~ *sig själv* a) utan hjälp manage by oneself b) ekonomiskt fend for oneself

II *verb* med betonad partikel

klara av 1 få något gjort get sth done **2** ordna clear off **3** bli kvitt get rid of

klara upp reda upp clear up

klara sig undan get off, escape

klara ut förklara explain; reda ut clear up; klargöra make clear

klargöra *verb*, ~ *ngt* förklara etc. make sth clear, demonstrate sth [*för ngn* to sb], clarify sth; ~ *för ngn att...* make it clear to sb that...

klarhet *subst* clarity; *bringa* ~ *i ngt* throw light on sth, shed light on sth; *få* ~ *i ngt* get a clear idea of sth; *gå från* ~ *till* ~ go from strength to strength

klarinett *subst* musik. clarinet

klarinettist *subst* musik. clarinettist

klarlägga *verb*, ~ *ngt* make sth clear, clarify sth

klarna *verb* **1** om himlen clear; om vädret clear up; ljusna brighten up **2** bli klarare, om läge become clearer

klarsignal *subst*, *få* ~ get the green light

klarspråk, *tala* ~ make things plain

klarsynt *adj* clear-sighted

klart *adv* clearly, plainly; avgjort decidedly

klartecken *subst*, *få* ~ get the green light

klarvaken *adj* wide awake

klase *subst* fastsittande cluster; lös bunch; *en* ~ *vindruvor* a bunch of grapes

klass *subst* **1** class **2** skol., avdelning class, form, amer. grade; klassrum classroom **3** rang grade, order; *ett första* ~*ens hotell* a first-class hotel

klassamhälle *subst* class society

klassfest *subst*, *vi ska ha* ~ our class is going to have a party

klassföreståndare *subst* form master; kvinnlig form mistress, amer. homeroom teacher

klassförälder *subst* parent who is class representative

klassificera *verb* classify

klassiker *subst* classic

klassisk *adj* **1** antik el. om t.ex. musik classical **2** tidlös classic

klasskamp *subst* class struggle

klasskamrat *subst* classmate

klasskillnad *subst* class distinction

klassmedveten *adj* class-conscious

klassombud *subst* parent representative

klassresa *subst* **1** skol. class outing (trip) **2** vard., *göra en* ~ byta samhällsklass climb the social ladder

klassrum
I KLASSRUMMET: kateder *teacher's desk*, whiteboard *whiteboard*, en krita *a piece of chalk*, whiteboard-penna *whiteboard pen, whiteboard marker*
ELEVENS UTRUSTNING: blyertspenna *pencil*, linjal *ruler*, ett papper *a sheet of paper*, skrivbok *exercise book*, sudd *rubber* (amer. *eraser*)

klassrum *subst* classroom
klatschig *adj* effektful striking; flott smart
klaustrofobi *subst* psykol. claustrophobia
klausul *subst* clause
klaver *subst,* **hon har trampat i ~et** she has put her foot in it
klaviatur *subst* musik. keyboard
klen *adj* sjuklig etc. feeble; ömtålig delicate; bräcklig frail; underhaltig, skral, om t.ex. resultat poor
klenod *subst* dyrgrip priceless article, treasure; släktklenod heirloom
kleptoman *subst* kleptomaniac
kleptomani *subst* kleptomania
kleta *verb* mess about, make a mess; **~ ner** mess up
kletig *adj* gooey, mucky, sticky
kli *subst* bran
klia *verb* **1** itch; **det ~r** it's itching **2 ~ sig** scratch oneself, scratch; **~ sig i huvudet** scratch one's head; **~ mig på ryggen!** scratch my back!
klibba *verb* **1** vara klibbig be sticky **2** fastna stick, cling [på, vid to]
klibbig *adj* sticky
kliché *subst* sliten fras cliché
1 klick *subst* **1** av t.ex. smör lump, mindre knob **2** färg daub, dab
2 klick *subst* kotteri clique, set
klicka *verb* **1** bli fel go wrong; misslyckas fail **2** om skjutvapen misfire **3** data., **~ på** click on, click
klient *subst* client
klientel *subst* kundkrets clientele, clients pl.
klimakterium *subst* fysiol. climacteric; **hon är i klimakteriet** she has reached the menopause
klimat *subst* climate
klimax *subst* climax
klimp *subst* **1** lump **2** guldklimp nugget **3** kok., ungefär dumpling

klimpig *adj* lumpy
1 klinga *subst* blade
2 klinga *verb* ring; ljuda, låta sound; om mynt jingle; om glas tinkle; vid skålande clink
klinik *subst* clinic
klipp *subst* **1** med sax snip **2** filmklipp cut; tidningsklipp cutting, clipping **3** bra köp good bargain; smart affär smart deal
1 klippa *verb* cut; gräs mow [məʊ]; biljett clip; putsa, t.ex. skägg, häck trim; **~ till** mönster etc. cut out; **~ till ngn** land sb one; **~ sig** få håret klippt have one's hair cut
2 klippa *subst* berg rock; brant havsklippa cliff
klippdocka *subst* cut-out, cut-out doll
klippig *adj* rocky; ***Klippiga bergen*** the Rocky Mountains, the Rockies
klippning *subst* klippande cutting etc.; jfr *1 klippa*; av håret hair-cutting
klipsk *adj* snabbtänkt o. påhittig quick-witted; fyndig clever; förslagen crafty
klirra *verb* jingle; om glas clink; om metall ring
klister *subst* paste; lim glue; **råka i klistret** get into trouble, get into a mess
klistermärke *subst* sticker
klistra *verb* paste, stick; **~ fast ngt på ngt** paste sth on to sth, stick sth on to sth; **sitta som ~d vid tv:n** be glued to the TV; **~ igen** stick down
klitoris *subst* clitoris, vard. clit
kliva *verb* med långa steg stride; stiga step; klättra climb; trampa tread; **~ i** bil climb into; båt step into
klo *subst* claw; på gaffel, grep prong
kloak *subst* sewer
klocka *subst* **1** att ringa med bell **2** armbandsur, fickur watch; väggur etc. clock; **min ~ går före** my watch is fast; **hur mycket (vad) är ~n?** what's the time?; **~n är halv ett** it's half past twelve; **~n är ett** it's one o'clock; **~n är fem i ett** it's five minutes to one; **~n är fem minuter över ett** it's five minutes past one; **~n börjar bli mycket** it's getting late; **~n är mycket** it's late
klockarmband *subst* av läder watchstrap, amer. watchband; av metall watch bracelet
klockradio *subst* clock radio
klok *adj* förståndig wise; förnuftig sensible; intelligent intelligent; **jag blir inte ~ på det (det här)** I cannot make it out; **han är inte riktigt ~** vard. he's nuts, he's not all there; **det är inte riktigt ~t** it's crazy
klokhet *subst* förstånd wisdom; förnuft sense; intelligens intelligence
klor *subst* kem. chlorine
klorera *verb* chlorinate

klorofyll *subst* kem. chlorophyll
klosett *subst* toilet
kloss *subst* träklump block
kloster *subst* monastery; nunnekloster convent, nunnery
klosterkyrka *subst* abbey
klot *subst* kula ball; glob globe
klotter *subst* scrawl, scribble; offentligt graffiti pl.
klottra *verb* scrawl; meningslöst som ett barn scribble
klubb *subst* club
klubba *subst* **1** club **2** slickepinne lolly, lollipop
klubbhus *subst* club house
klubbjacka *subst* blazer
klucka *verb* om vätska gurgle; om vågor lap
kludda *verb*, ~ *i boken* make smudges in the book; ~ *ner* smudge
klump *subst* **1** lump; jord clod **2** klunga clump
klumpeduns *subst* clumsy lout, bungler
klumpig *adj* clumsy, tafatt awkward
klunga *subst* grupp group; skock bunch
klunk *subst* gulp, draught; *en ~ vatten* a drink of water
klurig *adj* **1** om person artful **2** fiffig ingenious, clever
kluven *adj* split, cloven
klyfta *subst* **1** bergsklyfta cleft; bred o. djup chasm ['kæzəm], gap **2** apelsinklyfta segment, i dagligt tal piece; av ägg, äpple etc. slice; vitlöksklyfta clove
klyftig *adj* clever, smart, shrewd
klyftpotatis *subst* koll. kok. potato wedges pl.
klyka *subst* **1** grenklyka fork **2** årklyka rowlock, amer. oarlock
klyscha *subst* fras hackneyed phrase, cliché
klyva *verb* split, cleave; dela divide up; ~ *ngt i två delar* cut sth in two; ~ *sig* split
klå *verb* ge stryk thrash, beat
klåda *subst* itching; retning irritation
klåfingrig *adj*, *hon är* ~ she can't leave things alone, she's always got to touch everything
klåpare *subst* bungler [i at]
klä I *verb* **1** dress; förse med kläder clothe; ~ *julgranen* decorate the Christmas tree **2** passa suit; *det ~r dig* it suits you **3** ~ *sig* dress; ~ *sig själv* dress oneself; ~ *sig fin* dress up
II *verb* med betonad partikel
klä av: ~ *av ngn* undress sb; ~ *av sig* undress
klä om 1 möbler re-cover **2** ~ *om* el. ~ *om sig* change

klä på sig dress
klä ut sig dress oneself up [till as]
kläcka *verb* hatch; ~ *ur sig* come out with
klädborste *subst* clothes brush
klädd *adj* dressed; *hur ska jag vara ~?* what am I to wear?
klädedräkt *subst* costume; klädsel dress (endast sing.)
kläder *subst pl* clothes; klädsel clothing (endast sing.), dress (endast sing.); *jag skulle inte vilja vara i hans* ~ I wouldn't like to be in his shoes
klädesplagg *subst* article of clothing
klädhängare *subst* galge clothes hanger, hanger; krok coat peg, peg
klädnypa *subst* clothes peg, amer. clothespin
klädsam *adj* becoming [för to]
klädsel *subst* **1** sätt att klä sig dress **2** överdrag på möbler etc. covering; i bil upholstery
klädskåp *subst* wardrobe
klädstreck *subst* clothes line
kläm *subst* **1** *få fingret i* ~ get one's finger caught; *komma i* ~ get jammed; *råka i* ~ get into a mess, get into a fix **2** kraft, energi force, vigour; fart etc. go, dash **3** *få ~ på* get the hang
klämma I *subst* **1** för papper etc. clip **2** *råka i* ~ get into a mess, get into a fix
II *verb* squeeze; om sko pinch; *jag har klämt mig i fingret* I have squeezed my finger
III *verb* med betonad partikel
klämma fast fästa fix, fasten
klämma fram: ~ *fram med det* come out with it
klämma ut ngt ur … squeeze sth out of …
klämma åt ngn clamp down on sb
klämta *verb* toll; ~ *i klockan* toll the bell
klänga *verb* klättra climb; ~ *sig fast vid* cling tight on to
klängros *subst* climbing rose, rambler
klängväxt *subst* climber, climbing plant
klänning *subst* dress, för kvällsbruk gown
klätterställning *subst* för barn climbing frame, jungle gym
klättra *verb* climb; ~ *ned* climb down; ~ *upp i trädet* climb the tree, climb up the tree
klösa *verb* scratch
klöver *subst* **1** bot. clover **2** kortsp. clubs pl.; *en* ~ a club
klöverdam *subst* kortsp. the queen of clubs
klöverfem *subst* kortsp. the five of clubs
knacka *verb* knock; hårt rap; lätt tap; ~ *på*

dörren knock etc. at the door; **det** ~**r** there's a knock; ~ **sönder** *ngt* break sth to pieces

knagglig *adj* om väg etc. rough, bumpy; **på** ~ **engelska** in broken English

knaka *verb* creak

knall *subst* bang; åsknknall crash; korks pop

1 knalla *verb* smälla bang, crash; om kork pop

2 knalla *verb*, **det** ~**r och går** I'm jogging along, I'm managing

knalleffekt *subst* sensation, sensational effect

knallröd *adj* bright red, vivid red

1 knapp *subst* **1** button **2** knopp knob

2 knapp *adj* scanty; om t.ex. seger narrow; **med** ~ **nöd klarade han sig från att drunkna** he narrowly escaped drowning; **han kom (hann, slapp) undan med** ~ **nöd** he had a narrow escape, he escaped by the skin of his teeth; **om en** ~ **timme** in less than an hour

knappa *verb*, ~ **in på** skära ned reduce, cut down

knappast *adv* se *knappt 1*

knapphet *subst* scantiness; om seger narrowness; brist shortage [*på* of]

knapphål *subst* buttonhole

knapphändig *adj* scanty; kortfattad brief

knappnål *subst* pin

knappnålshuvud *subst* pinhead

knappsats *subst* keypad

knappt *adv* **1** knappast hardly, scarcely; nätt och jämnt barely; ~ **. . . förrän** hardly . . . when, scarcely . . . when, no sooner . . . than; **det tog** ~ **en timme** it took just under an hour **2** med liten marginal narrowly; otillräckligt scantily; snålt sparingly; **vinna** ~ win narrowly, win by a narrow margin; **vara** ~ **tilltagen** a) om tyg etc. be not quite enough b) om mat be scanty c) om plagg, hus be on the small side

knapptelefon *subst* push-button telephone, keyphone

knapra *verb* nibble [*på ngt* at sth]

knaprig *adj* crisp

knark *subst* dope, drugs

knarka *verb* take drugs, be a drug addict

knarkare *subst* drug addict, vard. junkie

knarkhandel *subst*, ~**n** the traffic in drugs

knarkhund *subst* sniffer dog

knarklangare *subst* vard. drug pusher, drug dealer

knarra *verb* om t.ex. trappa creak, om skor squeak; om snö crunch

knasig *adj* vard. daft, potty

knaster *subst* crackle

knastra *verb* crackle; om grus crunch

knatte *subst* little fellow, little lad

knattelag *subst* sport. junior boys' team

knattra *verb* rattle

knega *verb* sträva, slita toil; slava drudge

knekt *subst* kortsp. jack, knave

knep *subst* trick; list stratagem, ruse

knepig *adj* slug artful; besvärlig tricky

1 knipa *subst*, **råka i** ~ get into a fix, get into a jam

2 knipa *verb* nypa pinch; ~ **ihop läpparna** compress one's lips; ~ **ihop ögonen** screw up one's eyes; **om det kniper . . .** if the worst comes to the worst . . .

knippa *subst* o. **knippe** *subst* rädisor, blommor etc. bunch

knipsa *verb*, ~ **av** clip off, snip off

knipslug *adj* shrewd; listig crafty, sly

kniptång *subst* pincers pl.

kniv *subst* knife

knivblad *subst* blade of a knife

knivhot *subst*, **under** ~ at knifepoint

knivhota *verb* threaten with a knife

knivhugg *subst* stab

knivhugga *verb* stab, stab with a knife

knivskaft *subst* handle of a knife

knivskarp *adj* sharp as a razor; ~ **konkurrens** fierce competition

knocka *verb* knock out

knockout *subst* knock-out

knoga *verb* arbeta plod; med studier grind away

knoge *subst* knuckle

knogjärn *subst* knuckle-duster, amer. brass knuckles pl.

knop *subst* sjö. knot

knopp *subst* **1** bot. bud; **skjuta** ~ bud **2** knapp, kula knob

knorra *verb* grumble [*över* at]

knot *subst* grumbling [*över* at]

1 knota *verb* grumble [*över* at]

2 knota *subst* ben bone

knotig *adj* bony, scraggy; om träd knotty

knott *subst* gnat; **det är så mycket** ~ **there are so many gnats**

knottrig *adj* om hud rough

knubbig *adj* plump, om barn chubby

knuff *subst* push, shove; med armbågen nudge

knuffa *verb* push, shove; med armbågen nudge; ~ **sig fram** elbow one's way along; ~ **till** push into, knock into

knuffas *verb*, ~ **inte!** don't push!, don't shove!

knull *subst* vulg. fuck, screw

knulla *verb* vulg. fuck, screw

knussla *verb* be stingy [*med* with]

knusslig *adj* stingy, mean
knut *subst* **1** knot **2** husknut corner
knutpunkt *subst* centre; järnv. junction
knyck *subst* ryck jerk, svag. twitch
knycka *verb* **1** rycka jerk, svag. twitch **2** vard., stjäla pinch
knyckla *verb*, ~ *ihop* crumple up
knyst *subst*, *inte ett* ~ inte ett ljud not a sound; *inte säga ett* ~ not breathe a word [*om* about]
knysta *verb*, *utan att* ~ without breathing a word, without murmuring
knyta I *verb* **1** tie **2** ~ *näven* clench one's fist **3** ~ *förbindelser* establish connections; ~ *en knut* tie a knot
II *verb* med betonad partikel
knyta fast tie [*vid, på* to], fasten [*vid, på* to]
knyta till säck etc. tie up
knyta upp lossa untie
knyte *subst* bundle [*med* of]
knytkalas *subst* Dutch treat
knytnäve *subst* fist
knåda *verb* knead
knåpa *verb* pyssla potter about [*med* at]; ~ *ihop ett brev* put together a letter
knä *subst* knee; *sitta i* ~*t på ngn* sit on sb's knee, sit on sb's lap; *falla på* ~ *för ngn* fall on one's knees before sb; *ligga på* ~ be kneeling
knäbyxor *subst pl* short trousers; till folkdräkt etc. breeches
knäböja *verb* bend the knee, kneel
knäck *subst* **1** bildl., *han har fått sig en* ~ he has suffered a severe blow; *den tog* ~*en på mig* it nearly killed me **2** karamell toffee, amer. taffy
knäcka *verb* **1** spräcka crack; bryta av break **2** person break, ruin
knäckebröd *subst* crispbread
knähund *subst* lapdog äv. neds. om person
knäled *subst* knee joint
1 knäpp *subst* **1** ljud click; knyst sound; smäll snap; med fingrarna flick **2** köldknäpp spell
2 knäpp *adj* vard., tokig nuts, screwy
1 knäppa *verb*, ~ *med fingrarna* hörbart snap one's fingers; ~ *på* sträng pluck, twang
2 knäppa *verb* **1** med knapp button; ~ *igen* (*ihop, till*) t.ex. rocken button up; ~ *upp* t.ex. rocken unbutton; knappen undo **2** ~ *händerna* el. ~ *ihop händerna* clasp one's hands **3** ~ *en bild* take a photo
knäppskalle *subst* vard. nutcase, crackpot
knäskydd *subst* kneepad, knee-protector
knäskål *subst* kneecap

knäsvag *adj, hon blev* ~ she got shaky, she got weak in the knees
knäveck *subst* hollow of the knee
knöl *subst* **1** ojämnhet bump; upphöjning boss, knob; bula lump; på träd knob; på rot tuber **2** om person bastard, amer. son-of-a-bitch, svag. swine
knölaktig *adj, han är* ~ he's a proper bastard, amer. he's a son-of-a-bitch; *en* ~ *karl* a bastard, a swine
knölig *adj* ojämn **1** om t.ex. väg bumpy **2** om madrass etc. lumpy
ko *subst* cow äv. neds. om kvinna
koagulera *verb* coagulate, clot
koalition *subst* coalition
kobent *adj* knock-kneed
kobra *subst* cobra
kock *subst* cook
kod *subst* code; *knäcka en* ~ break a code
koda *verb* code
kodein *subst* codeine
koffein *subst* caffeine
koffert *subst* trunk
kofot *subst* bräckjärn crowbar; kort inbrottsverktyg jemmy, amer. jimmy
kofta *subst* stickad cardigan; grövre jacket
kohandel *subst* polit. horse-trading
koj *subst* sjö. hammock; fast berth, bunk; *gå* (*krypa*) *till* ~*s* turn in
koja *subst* cabin, hut; usel hovel, barnspr. little house
kok *subst, ett* ~ *stryk* a hiding, a thrashing
koka I *verb* boil; i kort spad stew; laga till, t.ex. kaffe, soppa make
II *verb* med betonad partikel
koka ihop t.ex. en historia concoct
koka över boil over
kokain *subst* cocaine
kokbok *subst* cookery book, spec. amer. cookbook
kokerska *subst* cook, female cook, woman cook
kokett *adj* coquettish
kokhet *adj* boiling hot, piping hot
kokkonst *subst* cookery, culinary art
kokkärl *subst* cooking utensil
kokmalen *adj, kokmalet kaffe* coarse-grind coffee
kokosfett *subst* coconut butter, coconut oil
kokosflingor *subst pl* desiccated coconut sing.
kokosnöt *subst* coconut
kokospalm *subst* coconut palm
kokplatta *subst* hotplate
kokpunkt *subst, på* ~*en* at boiling-point; *nå* ~*en* reach boiling-point

koksalt *subst* common salt
kokvrå *subst* kitchenette
kol *subst* **1** bränsle: stenkol coal; träkol charcoal **2** kem. carbon
kola *subst* hård toffee; mjuk caramel
koldioxid *subst* kem. carbon dioxide
kolera *subst* med. cholera
kolesterol *subst* kem. cholesterol
kolesterolvärde *subst* med. cholesterol count
kolgruva *subst* coalmine; stor colliery
kolgruvearbetare *subst* collier, coal-miner
kolhydrat *subst* kem. carbohydrate
kolibri *subst* humming-bird
kolik *subst* med. colic
kolja *subst* fisk haddock
koll *subst* check; *göra en extra* ~ check specially, double-check; *hålla* ~ *på* keep a check on
kolla *verb* vard., kontrollera check, look at; ~ el. ~ *in* titta på, titta look, vard. get a load of; ~ *upp ngt* check up on sth
kollaps *subst* collapse
kollapsa *verb* collapse
kollega *subst* yrkesbroder colleague; *mina kolleger* på kontoret my fellow-workers
kollegieblock *subst* note pad, note block
kollekt *subst* collection; *ta upp* ~ make a collection
kollektion *subst* samling el. om modekläder collection
kollektiv *adj* o. *subst* collective
kollektivansluten *adj*, ~ *grupp* group affiliated as a body
kollektivavtal *subst* collective agreement
kollektivtrafik *subst* public transport
kolli *subst* package
kollidera *verb* **1** collide **2** om t.ex. tv-program clash
kollision *subst* **1** collision **2** om t.ex. tv-program clash
kolmonoxid *subst* kem. carbon monoxide
kolmörk *adj* pitch-dark
kolon *subst* skiljetecken colon
koloni *subst* colony
kolonial *adj* colonial
kolonilott *subst* allotment
kolonisera *verb* colonize
koloniträdgård *subst* allotment garden, allotment
kolonn *subst* byggn. el. mil. column
koloratur *subst* musik. coloratura
koloss *subst* colossus
kolossal *adj* colossal, enormous, tremendous
koloxid *subst* kem. carbon monoxide

koloxidförgiftning *subst* carbon monoxide poisoning
kolsvart *adj* coal-black, jet-black; kolmörk pitch-dark
kolsyra *subst* **1** syra carbonic acid **2** gas carbon dioxide
kolsyrad *adj*, *kolsyrat vatten* aerated water
koltablett *subst* charcoal tablet
koltrast *subst* blackbird
kolugn *adj* cool as a cucumber
kolumn *subst* column
kolv *subst* **1** i motor etc. piston **2** på gevär butt **3** i lås bolt **4** glaskolv flask
koma *subst* med. coma
kombi *subst* estate car, spec. amer. station wagon
kombination *subst* combination
kombinera *verb* combine
komedi *subst* comedy
komedienn *subst* comedienne
komediserie *subst* tv. comedy series (pl. lika)
komet *subst* comet
komfort *subst* comfort
komfortabel *adj* comfortable
komik *subst* comedy
komiker *subst* comedian; skådespelare comic actor
komisk *adj* rolig comic; skrattretande comical

---

komma

• *Come* används när man rör sig mot eller med den som talar:
Come here! Kom hit!, *Come with me!* Kom med mig!
• *Get* anger riktning bort från en plats:
When we got there . . . När vi kom dit . . .

---

1 komma *subst* **1** skiljetecken comma **2** i decimalbråk point; *2,5* 2.5 läses two point five
2 komma I *verb* **1** till el. mot den plats där den talande befinner sig come; *kom hit!* come here!; *tåget kommer in till stationen* the train is coming into the station; *kom hem till mig!* come over to my place! **2** i riktning från den plats där den talande befinner sig: hinna, ta sig fram get; *hur lång tid tar det att* ~ *fram?* how long does it take to get there?; *jag kom fram i tid* I got there in time; *vi kommer ingen vart* we're not getting anywhere **3** fara, resa i riktning från den plats där den talande befinner sig go; *jag skulle*

vilja ~ till England nästa sommar I'd like to go to England next summer; *jag kommer inte på festen* I'm not going to the party **4** komma fram till, nå reach; *klockan var elva när hon kom hem* it was eleven when she reached home **5** anlända, komma fram arrive; *våra gäster kommer när som helst* our guests will arrive any minute **6** olika uttryck: *hur långt kom vi förra lektionen?* how far did we get last lesson?; *vart vill du ~?* what are you getting at?; *~ springande* come running along; *kom inte och säg att...* don't say that... **7** med obetonad prep., *~ av* bero på be due to; *~ i säng* get to bed; *~ i tid* be in time; hit come in time; dit get there in time; *~ med* ha med sig bring; *~ med lögner* come out with lies, tell lies; *~ med ursäkter* make excuses; *vad har du att ~ med?* säga what have you got to say?; *det kommer på ett ut* it comes to the same thing; *~ till en uppgörelse* come to an arrangement **8** *~ att* a) för att uttrycka framtid; *kommer att* will (ibland i första person shall); småningom come to a) råka happen to; *jag kom att tänka på...* it occurred to me... **9** *~ sig* hända etc. come about, happen; *hur kom det sig att...?* how is it that...?, how did it come about that...?
II *verb* med betonad partikel
komma av sig stop short; tappa tråden lose the thread
komma bort gå förlorad get lost, be lost
komma efter 1 följa efter follow **2** komma senare come afterwards **3** bli efter fall behind
komma emellan intervene
komma emot 1 stöta emot go against (into); snabbare run against (into); häftigare knock against (into) **2** i riktning mot come towards
komma fram 1 stiga fram: hit come up; ur gömställe come out [ur of] **2** komma vidare get on, igenom get through; förbi get past; på telefon get through **3** hinna (nå) fram get there, hit get here; anlända arrive **4** bli känd, komma ut come out
komma före ngn get there before sb; hit get here before sb
komma ifrån get away; bli ledig get off
komma igen återkomma return; ännu en gång come again; *kom igen!* kom an come on!
komma in come in, enter; lyckas komma in get in; *~ in i* come into; hamna get into; *~ in på* a) sjukhus etc. be admitted to b) samtalsämne get on to

komma i väg get off, get away, get started
komma loss get away
komma med 1 *~ med ngn* följa come along with sb; dit go along with sb, join in **2** *~ med i* klubb etc. join **3** hinna med tåg (båt) catch
komma omkring: *när allt kommer omkring* after all, after all is said and done
komma på 1 stiga på get on; hit come on **2** erinra sig think of **3** upptäcka find out, discover **4** hitta på hit on, think of
komma till uppstå arise, come about; grundas be established; tilläggas be added; *moms kommer till* Vat will be added
komma tillbaka return, come back; dit go back, get back; *jag kommer snart tillbaka!* I'll soon be back!
komma undan undkomma escape
komma upp come up; dit upp go up; stiga upp get up; *~ upp i en hastighet av 200 km* reach a speed of 200 kilometres
komma ut 1 come out [ur of]; dit go out [ut of] **2** om bok etc. come out, be published
komma åt nå reach; röra vid touch
komma över 1 come over; dit go over; *lyckas ~ över* get over, tvärs över, t.ex. flod get across **2** få tag i get hold of; hitta find **3** övervinna, t.ex. förlust get over
kommande *adj*, *~ generationer* coming generations, generations to come
kommando *subst* command; *ta ~t över* take command of
kommatecken *subst* comma
kommendera *verb* command
kommentar *subst* **1** *~er* skriftliga notes; muntliga comments [till on]; *inga ~er!* el. *ingen ~* no comment! **2** utläggning commentary [till on]
kommentator *subst* commentator
kommentera *verb* **1** comment on **2** förse med noter annotate
kommers *subst* business; *det var livlig ~* there was a brisk trade
kommersialisera *verb* commercialize
kommersiell *adj* commercial
komminister *subst* ungefär assistant vicar
kommissarie *subst* poliskommissarie superintendent, lägre chief inspector; amer. captain, lägre lieutenant
kommission *subst* commission
kommitté *subst* committee; *sitta i en ~* be on a committee
kommun *subst* i stad municipality; på landet rural district; myndigheterna local authority

kommunal *adj*, ~ *vuxenutbildning* local adult education; *åka ~t* go by public transport

kommunalskatt *subst* ungefär local taxes pl.

kommunaltjänsteman *subst* local government official

kommunalval *subst* local government election

kommunfullmäktig *subst* ungefär local government councillor

kommunfullmäktige *subst* ungefär local government council

kommunicera *verb* communicate

kommunikation *subst* communication

kommunikationsdepartement *subst* ministry of transport and communications

kommunikationsmedel *subst* means (pl. lika) of transport

kommunikationsminister *subst* minister of transport and communications

kommuniké *subst* communiqué, bulletin

kommunism *subst*, ~ el. *~en* Communism

kommunist *subst* Communist

kommunistisk *adj* Communist

komp *subst* vard. accompaniment, comp

kompa *verb* vard. accompany, comp

kompakt *adj* compact

kompani *subst* company

kompanjon *subst* partner

kompanjonskap *subst* partnership

komparation *subst* comparison

komparativ *subst* gram. the comparative; *i ~* in the comparative

komparera *verb* compare

kompass *subst* compass

kompassnål *subst* compass needle

kompatibel *adj* compatible

kompendium *subst* compendium

kompensation *subst* compensation

kompensera *verb* compensate; uppväga compensate for

kompetens *subst* competence; kvalifikationer qualifications pl.

kompetent *adj* competent

kompis *subst* vard. pal, mate, amer. buddy

komplement *subst* complement

komplett I *adj* complete
II *adv* alldeles completely, absolutely

komplettera *verb* complete, göra fullständigare complete, supplement; *~nde* som tilläggs complementary, supplementary

komplettering *subst* kompletterande completion; tillägg supplementary addition

komplex *subst* **1** psykol. complex; *ha ~ för*

have a complex about, have a hang-up about **2** hus block

komplicera *verb* complicate

komplikation *subst* complication

komplimang *subst* compliment; *ge en ~ för* pay sb a compliment [*för* on]

komplott *subst* plot; *vara i ~ med ngn* be in conspiracy with sb

komponent *subst* component

komponera *verb* musik. compose, friare put together

komposition *subst* composition

kompositör *subst* composer

kompost *subst* compost

kompott *subst* fruktkompott stewed fruit

kompress *subst* compress

komprimera *verb* compress

kompromettera *verb* compromise

kompromiss *subst* compromise

kompromissa *verb* compromise [*om* about]

kompromissvilja *subst* willingness to compromise

komvux (förk. för *kommunal vuxenutbildning*) local adult education

kon *subst* cone

koncentrat *subst* concentrate

koncentration *subst* concentration

koncentrationsförmåga *subst* power of concentration

koncentrationsläger *subst* concentration camp

koncentrera *verb* **1** concentrate [*på* on] **2** ~ *sig* concentrate [*på* on]

koncept *subst* draft [*till* of]; *tappa ~erna* fattningen lose one's head, become confused

koncern *subst* combine, group of companies

koncis *adj* concise

kondensera *verb* condense

kondensvatten *subst* condensation water

1 kondis *subst* vard. se *konditori*

2 kondis *subst* vard. se *kondition*

kondition *subst* kroppskondition condition, fitness; *jag har (är i) bra ~* I'm in good shape, I'm very fit; *jag har (är i) dålig ~* I'm in bad shape, I'm not very fit

konditionalis *subst* gram. conditional; *i ~* in the conditional

konditor *subst* pastrycook

konditori *subst* med servering café; utan servering bakery

kondoleans *subst* condolences pl.

kondom *subst* condom, amer. vard. äv. safe, rubber

konduktör *subst* på buss conductor; järnvägskonduktör guard, amer. conductor

konfekt *subst* choklad chocolates pl.; karameller sweets pl., amer. candy, candies pl.; blandad chocolates and sweets pl.

konfektion *subst* kläder ready-made clothing

konfektionssydd *adj* ready-made, vard. off-the-peg, amer. off-the-rack

konferencier *subst* compere, Master of Ceremonies (förk. MC)

konferens *subst* conference; sammanträde meeting

konferera *verb* confer [*om* about, as to], diskutera discuss the matter

konfetti *subst* confetti

konfidentiell *adj* confidential

konfirmand *subst* candidate for confirmation

konfirmation *subst* confirmation

konfirmera *verb* confirm; ~ *sig* be confirmed

konfiskation *subst* confiscation

konfiskera *verb* confiscate

konfiskering *subst* confiscation

konflikt *subst* conflict

konfrontation *subst* confrontation; för identifiering identification parade, line-up

konfrontera *verb*, ~ *ngn med ngt* confront sb with sth

konfundera *verb* confuse

konfys *adj* confused, bewildered

Kongo floden the Congo

Kongoles *subst* Congolese (pl. lika)

kongolesisk *adj* Congolese

kongress *subst* conference; större congress; ~*en* i USA Congress

konjak *subst* brandy, äkta cognac

konjunktion *subst* gram. conjunction

konjunktiv *subst* gram. subjunctive; *i* ~ in the subjunctive

konjunktur *subst* konjunkturläge state of the market; konjunkturutsikter trade outlook

konjunkturnedgång *subst* recession

konjunkturuppgång *subst* boom

konkav *adj* concave

konkret *adj* concrete

konkretisera *verb*, ~ *ngt* make sth concrete

konkurrens *subst* competition; *hård* ~ keen competition

konkurrenskraftig *adj* competitive

konkurrent *subst* competitor [*om* for]

konkurrera *verb* compete [*om* for]

konkurs *subst* bankruptcy; *gå i* ~ go bankrupt; *göra* ~ become bankrupt

konsekvens *subst* **1** överensstämmelse consistency **2** påföljd consequence; *ta* ~*erna* take the consequences

konsekvent
Lägg märke till att *consequent* betyder följande, som följer.

konsekvent I *adj* consistent **II** *adv* consistently; genomgående throughout

konsert *subst* **1** concert; av solist recital; *gå på* ~ go to a concert **2** musikstycke concerto (pl. -s)

konsertflygel *subst* concert grand

konserthus *subst* concert hall

konsertmästare *subst* leader of the orchestra, amer. concertmaster

konsertturné *subst* concert tour

konserv *subst*, ~*er* tinned goods, canned goods

konservatism *subst*, ~ el. ~*en* conservatism

konservativ *adj* conservative

konservburk *subst* tin, can, amer. can [*med* of]

konservera *verb* preserve

konservering *subst* preservation

konserveringsmedel *subst* preservative

konservöppnare *subst* tin-opener, can-opener, amer. can-opener

konsistens *subst* consistency

konsolidera *verb* consolidate

konsonant *subst* consonant

konspiration *subst* conspiracy, plot

konspiratör *subst* conspirator, plotter

konspirera *verb* conspire, plot

konst *subst* **1** art, works pl. of art; ~*en att vinna* the art of winning; *det är ingen* ~*!* that's easy!; *efter alla* ~*ens regler* according to the rules; grundligt thoroughly **2** *göra* ~*er* konststycken do tricks, om akrobat do stunts

konstant *adj* constant

konstatera *verb* fastställa establish; lägga märke till note, see; utröna find; påvisa show; *flera fall av kikhosta har* ~*ts* several cases of whooping cough have been recorded

konstbevattna *verb* irrigate

konstellation *subst* constellation

konstfiber *subst* synthetic fibre, man-made fibre

konstföremål *subst* object of art

konstgalleri *subst* art gallery

konstgjord *adj* artificial

konsthantverk *subst* handicraft

konstig *adj* odd, strange, queer

konstitution *subst* constitution

konstlad *adj* affekterad affected; onaturlig laboured

konstläder *subst* artificial leather, imitation leather

konstmuseum *subst* art museum

konstnär *subst* artist

konstnärlig *adj* artistic

konstruera *verb* construct, *verbet ~s med* **ackusativ** the verb takes the accusative

konstruktion *subst* construction; uppfinning invention

konstruktiv *adj* constructive

konstsamlare *subst* art collector

konstsamling *subst* art collection

konstsim *subst* sport. synchronized swimming, vard. synchro

konststycke *subst* trick; *något av ett ~* something of a feat

konstutställning *subst* art exhibition

konstverk *subst* work of art

konståkare *subst* figure-skater

konståkning *subst* figure-skating

konstälskare *subst* art-lover

konsul *subst* consul

konsulat *subst* consulate

konsulent *subst* consultant, adviser

konsult *subst* consultant, adviser

konsultation *subst* consultation

konsultera *verb* consult

konsum *subst* förening co-operative society; förening el. butik co-op

konsumbutik *subst* co-operative store, vard. co-op

konsument *subst* consumer

konsumentprisindex *subst* retail price index (förk. RPI), amer. consumer price index (förk. CPI)

konsumentupplysning *subst* consumer guidance

konsumera *verb* consume

konsumtion *subst* consumption

konsumtionsvaror *subst pl* consumer goods

kontakt *subst* **1** contact; *komma i ~ med* get into contact with, get in touch with **2** strömbrytare switch; stickpropp plug; vägguttag point, amer. outlet

kontakta *verb* contact, get in touch with

kontaktlinser *subst pl* contact lenses

kontaktsvårigheter *subst pl*, *hon har ~* she finds difficulty in making contacts with others

kontant I *adj* cash; *~ betalning* cash payment; *mot ~ betalning* for cash **II** *adv*, *betala bilen ~* pay cash for the car

kontanter *subst pl* ready money sing.; *i ~* cash in hand

kontantpris *subst* cash price

kontenta *subst*, *~n av ngt* kärnan, huvudinnehållet the gist [dʒɪst] of sth

kontinent *subst* continent

kontinental *adj* continental

kontinuerlig *adj* continuous

kontinuitet *subst* continuity

konto *subst* account; löpande räkning current account; *debitera mitt ~* charge it to my account

kontokort *subst* credit card

kontonummer *subst* account number

kontor *subst* office

kontorist *subst* office-worker, clerk, clerical worker

kontorsanställd *subst* clerk, office employee; *hon är ~* she works in an office

kontorsmateriel *subst* office supplies pl.

kontorspersonal *subst* office staff, clerical staff

kontorstid *subst* office hours pl.

kontoutdrag *subst* statement of account

kontra *verb* sport. counter, counterattack; boxn. counter

kontrabas *subst* basfiol double bass

kontrahent *subst* contracting party

kontrakt *subst* contract; överenskommelse agreement

kontrast *subst* contrast [mot, till to]

kontrastera *verb* contrast [mot with]

kontrastverkan *subst* contrasting effect

kontring *subst* sport. breakaway; boxn. counter; *på en ~* i lagspel on the break

kontroll *subst* **1** check [av, över on], check-up [av, över on]; full behärskning, tillsyn control [över of]

kontrollampa *subst* pilot lamp, warning lamp

kontrollant *subst* supervisor, inspector, controller

kontrollbesiktning *subst* av fordon vehicle test; motsvaras i Storbritannien av MOT (förk. för *Ministry of Transport*) test

kontrollera *verb* **1** check; pröva, undersöka test; övervaka supervise **2** behärska control

kontrollmärke *subst* bil., ungefär road-tax sticker, vehicle tax receipt

kontrollör *subst* controller, supervisor

kontrovers *subst* controversy

kontroversiell *adj* controversial

kontur *subst* outline, contour

konung *subst* king

konvalescens *subst* convalescence

konvalescent *subst* convalescent

konvalescenthem *subst* convalescent home

konvention *subst* convention

konventionell *adj* conventional

konversation *subst* conversation
konversera *verb* converse [*om* about, on]
konvex *adj* convex
konvoj *subst* convoy
koordination *subst* co-ordination
koordinera *verb* co-ordinate
kopia *subst* copy; *avskrift* transcript; *foto.* print
kopiator *subst* copier, photocopier
kopiera *verb* copy; *foto.* print
kopieringsapparat *subst* photocopier
kopp *subst* cup, *som mått äv.* cupful
koppar *subst* copper
koppel *subst* **1** hundkoppel lead, leash; *hållas i* ~ be kept on a lead (a leash) **2** *grupp hundar* pack of hounds
koppla I *verb* **1** couple, couple up; *radio. el. tele.* connect **2** hundar keep on a lead (*amer.* vanligen leash)
II *verb* med betonad partikel
koppla av vila relax, *vard.* take it easy
koppla in ansluta, t.ex. apparat plug in; anlita call in
koppla på elektr. switch on, turn on
koppla upp elektr. link up, connect
koppla ur 1 elektr. disconnect **2** bil. declutch
koppleri *subst* procuring, pimping
koppling *subst* **1** tekn. coupling **2** bil. clutch
kopplingspedal *subst* clutch pedal, clutch
kopplingsschema *subst* wiring-diagram
kopplingston *subst* tele. dialling tone, *amer.* dial tone
kora *verb* choose [*till* as], select [*till* as]
korall *subst* coral
koran *subst*, *Koranen* the Koran
korean *subst* Korean
koreansk *adj* Korean
koreograf *subst* choreographer
koreografi *subst* choreography
korg *subst* basket
korgmöbler *subst pl* wicker furniture *sing.*
korgosse *subst* choirboy
korint *subst* currant
kork *subst* cork; *dra ~en ur flaskan* uncork the bottle
korka *verb* cork; ~ *igen* (*till*) a) flaska cork b) trafik jam, block; ~ *upp* uncork
korkad *adj* vard., dum stupid
korkmatta *subst* linoleum
korkskruv *subst* corkscrew
korn *subst* **1** sädeskorn grain; *ett* ~ *av sanning* a grain of truth **2** sädesslag barley
1 korp *subst* fågel raven
2 korp *subst*, *spela fotboll i ~en* play in the inter- company football league

korpidrott *subst* inter-company athletics (sports)
korporation *subst* corporate body
korpral *subst* mil. corporal
korpulent *adj* stout, corpulent
korrekt *adj* correct; felfri faultless
korrektur *subst* proofs pl.
korrekturläsa *verb* proofread
korrespondensinstitut *subst* correspondence school
korrespondensundervisning *subst* postal tuition
korrespondent *subst* correspondent
korrespondera *verb* correspond
korridor *subst* **1** corridor **2** i tennis tramlines pl. som används i dubbelspel
korrigera *verb* correct
korrosion *subst* corrosion
korrugerad *adj*, ~ *järnplåt* corrugated iron
korrumpera *verb* corrupt
korruption *subst* corruption, graft
kors I *subst* **1** cross; *lägga armarna i* ~ cross one's arms; *lägga benen i* ~ cross one's legs; *sitta med armarna* (*händerna*) *i* ~ twiddle one's thumbs, sit doing nothing **2** musik. sharp
II *adv*, ~ *och tvärs* åt alla håll in all directions
korsa *verb* **1** cross; skära intersect; ~ *gatan* cross the street; ~ *ngns planer* thwart sb's plans; ~ *över* cross out, strike through **2** två arter cross, crossbreed
korsdrag *subst* draught, *amer.* draft
korseld *subst* crossfire
korsett *subst* corset
korsfästa *verb* crucify
korsfästelse *subst* crucifixion
korsförhör *subst* cross-examination
Korsika Corsica
korsikan *subst o.* **korsikanare** *subst* Corsican
korsikansk *adj* Corsican
korslagd *adj* crossed; *med ~a armar* with folded arms; *sitta med ~a ben* sit cross-legged
korsning *subst* **1** crossing **2** av två arter crossing, crossbreeding; hybrid crossbreed
korsord *subst* crossword, crossword puzzle; *lösa* ~ do a crossword puzzle
korsrygg *subst*, ~*en* the small of the back
korsstygn *subst* cross-stitch
korstecken *subst*, *göra korstecknet* make the sign of the cross
korståg *subst* crusade
1 kort *subst* **1** spelkort, vykort etc. card; *sköta* (*spela*) *sina* ~ *väl* play one's cards well **2** sport., *gult* ~ yellow card, caution; *rött* ~

red card, sending off **3** foto photo (pl. -s), picture

2 kort I *adj* short; *med ~a mellanrum* at short intervals, at brief intervals; *en ~ stund* a little while; *en ~ tid därefter* shortly afterwards; *göra ~are* shorten; förkorta abbreviate; *inom ~* shortly **II** *adv* shortly, briefly; *för att fatta mig ~* to be brief; *~ sagt* in short, in brief

korta *verb* shorten

kortautomat *subst* på bensinstation credit-card fuel pump

kortbyxor *subst pl* shorts

kortfattad *adj* brief, short

korthet *subst* shortness; *i ~* briefly

korthårig *adj* short-haired

kortklippt *adj*, *hon är ~* she has her hair cut short

kortlek *subst* pack of cards, amer. deck of cards

kortlivad *adj* short-lived

kortläsare *subst* data. swipe, swipe card

kortregister *subst* card index [*över* of]

kortsida *subst* short side

kortsiktig *adj* short-term; *en ~ lösning på problemet* a short-term solution of the problem

kortslutning *subst* short circuit

kortspel *subst* **1** spelande playing cards **2** enstaka spel card-game

kortspelare *subst* card-player

kortsynt *adj* short-sighted

korttelefon *subst* cardphone

kortvarig *adj* short; *en ~ framgång* a short-lived success; *ett ~t äktenskap* a brief marriage

kortvåg *subst* short wave

kortväxt *adj* short

kortärmad *adj* short-sleeved

korv *subst* sausage, vard. hot dog; *en varm ~* vard. a hot dog; *jag tycker om varm ~* vard. I like hot dogs

korvgubbe *subst* hot-dog man

korvstånd *subst* hot-dog stand

kos *subst*, *springa sin ~* run away

koscher *adj* kosher

kosing *subst* vard. dough, dosh

kosmetika *subst pl* cosmetics, make-up sing.

kosmetisk *adj* cosmetic

kosmos *subst* världsalltet the cosmos

kossa *subst* **1** barnspr. moo-cow **2** neds., om kvinna cow, bitch

kost *subst* fare; *~ och logi* board and lodging

kosta *verb* cost; *hur mycket ~r det?* how much does it cost?; *~ vad det ~ vill* no

matter what the cost, money is no object; *~ på ngt på ngn* spend sth on sb; *~ på sig ngt* treat oneself to sth

kostbar *adj* dyrbar costly; värdefull precious

kostfiber *subst* roughage

kostnad *subst*, *~ el. ~er* cost sing.; utgifter expense sing.; *höga ~er* heavy expenses, heavy expenditure sing.

kostnadsfri *adj*, *den är ~* it is free of charge

kostsam *adj* costly, expensive, dear

kostvanor *subst pl* eating habits

kostym *subst* **1** suit **2** teaterkostym costume; maskeradkostym fancy dress

kostymbal *subst* fancy-dress ball, costume ball

kota *subst* ryggkota vertebra (pl. vertebrae)

kotknackare *subst* vard. bonesetter, chiropractor

kotlett *subst* chop; benfri cutlet

kotte *subst* **1** cone **2** inte en *~* not a soul

kovändning *subst*, *göra en ~* do a turnabout, amer. do a turnaround

kpist *subst* kulsprutepistol sub-machine-gun, tommy gun

krabba *subst* crab

krafs *subst* **1** skräp trash **2** krimskrams knick-knacks pl.

krafsa *verb* scratch; *~ ihop* rafsa ihop scrape together

kraft *subst* **1** force; elektr. el. drivkraft power; *hans ~er avtog* his strength failed; *pröva sina ~er på* try one's strength on; ge sig i kast med grapple with; *av alla ~er* så mycket man orkar with all one's might, for all one is worth; *få nya ~er* regain strength **2** vara *den drivande ~en* be the driving force **3** träda i *~* come into force, come into effect; *i ~ av* by virtue of

kraftansträngning *subst*, *göra en ~* make a real effort

kraftig *adj* **1** kraftfull powerful; våldsam violent, hard; *en ~ dos* a strong dose **2** stor, avsevärd great, considerable; *en ~ förbättring* a great improvement **3** stor till växten big; stadigt byggd sturdy, robust; tjock, tung heavy

kraftledning *subst* power line, transmission line

kraftlös *adj* svag, klen weak, feeble

kraftmätning *subst* trial of strength; friare showdown; tävlan contest

kraftverk *subst* power station, power plant

krage *subst* collar

krake *subst* stackare wretch; ynkrygg coward

kram *subst* hug; smeksam cuddle; i brevslut love

krama _verb_ **1** trycka, pressa squeeze **2** omfamna hug, embrace, smeksamt cuddle

kramgo _adj_ cuddly

kramp _subst_ i ben, fot etc. cramp

krampaktig _adj_ spasmodic; **~t försök** desperate attempt

krampanfall _subst_ attack of cramp, spasm

kramsnö _subst_ wet snow, packed snow

kran _subst_ **1** vattenkran tap, amer. faucet **2** lyftkran crane

krans _subst_ **1** blomsterkrans, el. vid begravning wreath **2** ring, krets el. bakverk ring

kranvatten _subst_ tap water

kras _subst_, **gå i ~** go to pieces, stark. smash to pieces

krasch _subst_ crash, smash

krascha _verb_ crash, smash; gå i kras go to pieces

kraschlanda _verb_ crash-land

kraschlandning _subst_ crash-landing

krass _adj_ materialistic, self-interested; **den ~a verkligheten** harsh reality

krasse _subst_ blomma nasturtium, Indian cress; kryddkrasse garden cress

krasslig _adj_ seedy, out of sorts

krater _subst_ crater

kratta I _subst_ redskap rake **II** _verb_ rake

krav _subst_ demand; anspråk claim; **ställa ~** make demands [på on]

kravaller _subst pl_ riots, disturbances

kravbrev _subst_ demand note; påminnelse reminder

kravla _verb_ crawl; **~ sig upp på** crawl up on to

kraxa _verb_ croak

kreativ _adj_ creative

kreatur _subst_ farm animal; ~ pl. nötkreatur cattle

kredit _subst_ credit; **köpa på ~** buy on credit

kreditera _verb_ credit

kreditkort _subst_ credit card

kreditåtstramning _subst_ credit squeeze

krematorium _subst_ crematorium

kremera _verb_ cremate

kremering _subst_ cremation

Kreml the Kremlin

kremla _subst_ svamp russula

kreti och pleti _subst_ every Tom, Dick and Harry

kretong _subst_ tyg cretonne

krets _subst_ **1** circle; ring ring; **känd i vida ~ar** widely known **2** strömkrets circuit

kretsa _verb_ circle

kretslopp _subst_ t.ex. blodets circulation; t.ex. jordens omlopp revolution, omloppsbana orbit

krig _subst_ war; krigföring warfare; **föra ~ mot** make war on, wage war on

kriga _verb_ war, make war [mot on, against]

krigare _subst_ soldier, litt. warrior

krigförande _adj_, **~ makt** belligerent

krigföring _subst_ warfare

krigisk _adj_ warlike, martial

krigsfara _subst_ danger of war

krigsfartyg _subst_ warship, man-of-war (pl. men-of-war)

krigsfånge _subst_ prisoner of war (förk. POW)

krigsförklaring _subst_ declaration of war

krigshetsare _subst_ vard. warmonger

krigskorrespondent _subst_ war correspondent

krigsrisk _subst_ danger of war, risk of war

krigsrätt _subst_ domstol court-martial (pl. äv. courts-martial); **ställas inför ~** be court-martialled

krigsskådeplats _subst_ theatre of war

krigsstig _subst_, **på ~en** on the warpath

krigstid _subst_, **i ~** in wartime

krigstillstånd _subst_ state of war

krigsutbrott _subst_ outbreak of war

Krim the Crimea

kriminal _subst_, **~en** the criminal police

kriminalare _subst_ detective

kriminalitet _subst_ crime

kriminalkommissarie _subst_ detective superintendent; lägre detective chief inspector

kriminalpolis _subst_, **~en** the criminal police

kriminalregister _subst_ criminal records pl., criminal register

kriminalvård _subst_ treatment of offenders

kriminell _adj_ criminal

krimskrams _subst_ knick-knacks pl.

kring _prep_ **1** runt om round, spec. amer. around; omkring, i fråga om tid about, round about; **mystiken ~ ngt** the mystery surrounding sth **2** om, angående about, concerning

kringfartsled _subst_ trafik. ring road, amer. beltway

kringgå _verb_ lagen, reglerna evade, get round

kringla _subst_ kok. pretzel; vetekringla twist bun

kringliggande _adj_ omgivande surrounding

kringresande _adj_ travelling, touring

kringspridd _adj_ o. **kringströdd** _adj_ scattered about; **böckerna låg ~ på golvet** the books were all over the floor

krinolin _subst_ crinoline

kris _subst_ crisis (pl. crises)

krisbransch _subst_ industry in crisis

krisdrabbad _adj_, **den är ~** it is hit by a crisis;

ett krisdrabbat område a depressed area

krispaket *subst* austerity package

kristall *subst* crystal, glas vanligen cut glass

kristallisera *verb* crystallize [*till* into]

kristallklar *adj* crystal-clear

Kristdemokraterna *subst* polit. the Swedish Christian Democrats

kristen *adj* o. *subst* Christian

kristendom *subst*, ~ el. ~*en* Christianity

kristenhet *subst*, ~ el. ~*en* Christendom

kristid *subst* time of crisis

Kristi Himmelsfärdsdag Ascension Day

kristlig *adj* kristen Christian

Kristus Christ; *efter* ~ (förk. *e.Kr.*) AD; *före* ~ (förk. *f.Kr.*) BC

krita *subst* **1** chalk; färgkrita crayon; *en* ~ a piece of chalk **2** *ta på* ~ buy on tick; *när det kommer till* ~*n* when it comes to it

kriterium *subst* criterion (pl. criteria) [*på* of]

kritik *subst* bedömning, klander criticism; recension review; ~*en* kritikerna the critics pl., the reviewers pl.; *under all* ~ beneath contempt

kritiker *subst* critic; recensent reviewer

kritisera *verb* klandra criticize, find fault with

kritisk *adj* critical [*mot* of]

kritvit *adj*, *hon var* ~ *i ansiktet* her face was as white as a sheet

kroat *subst* Croat

Kroatien Croatia

kroatisk *adj* Croatian

krock *subst* bilkrock etc. collision, crash

krocka *verb* om bil etc. ~ *med ngt* collide with sth, crash into sth

krocket *subst* sport. croquet

krocketklubba *subst* croquet mallet

krockkudde *subst* bil. airbag, crashbag

krocksäker *adj* bil. crashworthy

krog *subst* restaurant; värdshus inn

krogrunda *subst* vard. pub crawl

krok *subst* hook; *nappa på* ~*en* swallow the bait

krokben *subst*, *sätta* ~ *för ngn* trip sb up; *sätta* ~ *för ngns planer* upset sb's plans

krokett *subst* kok. croquette

krokig *adj* crooked; i båge curved; böjd bent; *en* ~ *näsa* a hooked nose; *en* ~ *väg* a winding road

krokna *verb* **1** bend, become crooked, become bent **2** vard., tappa orken fold up

krokodil *subst* crocodile

krokryggig *adj*, *vara* ~ have a stoop

krokus *subst* blommma crocus

krom *subst* metall chromium

kromosom *subst* chromosome

krona *subst* **1** crown; ~ *eller klave* heads or tails; *sätta* ~*n på verket* supply the finishing touch **2** svenskt mynt Swedish krona, krona (pl. kronor)

kronblad *subst* petal

kronhjort *subst* djur red deer (pl. lika)

kronisk *adj* chronic

kronologisk *adj* chronological; *i* ~ *ordning* in chronological order

kronprins *subst* crown prince

kronprinsessa *subst* crown princess

kronärtskocka *subst* kok. el. växt artichoke, globe artichoke

kropp *subst* body

kroppkaka *subst* potato dumpling with a chopped pork filling

kroppsarbete *subst* manual labour, manual work

kroppsbyggare *subst* body builder

kroppsbyggnad *subst* build

kroppsdel *subst* part of the body

kroppslig *adj* bodily, physical

kroppsnära *adj* body-hugging

kroppspulsåder *subst* anat., ~*n* el. *stora* ~*n* the aorta

kroppsställning *subst* posture

kroppstemperatur *subst* body temperature

kroppsvisitation *subst* personal search; visitering frisking

kroppsvisitera *verb* search, vard. frisk

kroppsvärme *subst* heat of the body

kroppsövningar *subst pl* physical exercises

krossa *verb* crush; slå sönder break, shatter

krubba *subst* manger, crib; julkrubba crib

krucifix *subst* relig. crucifix

kruka *subst* **1** blomkruka pot **2** vard., feg person coward

krukväxt *subst* potted plant

krullig *adj* curly; tätare frizzy

krumbukt *subst*, *utan* ~*er* straight out, direct

krumelur *subst* snirkel flourish; oläslig signatur e.d. squiggle

krupp *subst* med. croup

krus *subst* kärl jar; med handtag jug, pitcher

krusa *verb* **1** ~ *sig* curl, crisp; om vattenyta ripple **2** ~ *ngn* el. ~ *för ngn* make a fuss of sb; ställa sig in hos make up to sb, chat up sb

krusbär *subst* gooseberry

krusiduller *subst pl* frills

krusig *adj* curly; spec. bot. curled; om vattenyta rippled

kruskål *subst* kale

krut *subst* gunpowder

krutdurk *subst* powder magazine; *sitta på en* ~ vard. sit on top of a volcano

krutgubbe *subst* tough old boy

krux *subst* crux; *det är det som är* ~*et* that's the snag (the stumbling-block)

kry *adj* fit, well

krya *verb*, ~ *på sig* get better, recover; ~ *på dig!* get well soon!

krycka *subst* crutch

krydda I *subst* **1** spice **2** kryddning med t.ex. peppar, salt seasoning; bordskrydda condiment **3** *livets* ~ the spice of life **II** *verb* spec. med salt o. peppar season; spec. med andra kryddor spice

kryddhylla *subst* spice rack

kryddnejlika *subst* kok. clove

kryddost *subst* cheese spiced with caraway seeds

kryddpeppar *subst* kok. allspice

kryddväxt *subst* aromatic plant, herb; spec. exotisk spice

krylla *verb*, *det* ~*de av myror* the place was crawling with ants; *det* ~*de av folk* the place was swarming with people

krympa *verb* shrink; ~ *ihop* shrink

krympfri *adj* krympfribehandlad pre-shrunk, shrinkproof

krympling *subst* cripple

kryp *subst* om person **1** neds. creep **2** smeksamt, om barn little mite

krypa *verb* crawl; spec. tyst creep; ~ *för ngn* cringe to sb; ~ *i säng (till kojs)* go to bed; ~ *ihop* i t.ex. soffan huddle up; *sitta hopkrupen* sit huddled up

krypbyxor *subst pl* crawlers, amer. creepers

krypfil *subst* slow lane

kryphål *subst* loophole

krypin *subst* gömställe, hål nest; lya den

krypköra *verb* edge along

krypskytt *subst* mil. sniper

kryptisk *adj* cryptic

krysantemum *subst* blomma chrysanthemum

kryss *subst* kors cross; på tipskupong draw

kryssa *verb* **1** sjö., gå mot vinden sail to windward; segla omkring cruise **2** ~ *för* markera mark with a cross

kryssare *subst* cruiser

kryssning *subst* sjöresa cruise; *åka på* ~ go on a cruise

krysta *verb* vid förlossning bear down; vid avföring strain

krystad *adj* sökt strained, laboured

kråka *subst* fågel crow

kråkfötter *subst pl* oläsliga bokstäver e.d. scrawl sing.

kråkslott *subst* old dilapidated mansion

krångel *subst* trouble, fuss; *det är något* ~ *med motorn* there is something wrong with the engine; *ställa till* ~ make a fuss

krångla *verb* **1** ställa till krångel make a fuss, make difficulties; ställa till med besvär give trouble; ~ *till* röra till make a mess of; göra invecklad complicate **2** sluta fungera go wrong; *magen* ~*r* there is something wrong with my stomach

krånglig *adj* svår difficult; invecklad complicated; besvärlig troublesome; kinkig awkward; dålig, t.ex. om mage weak

kräfta *subst* **1** crayfish, amer. crawfish **2** *Kräftan* stjärntecken Cancer

kräftskiva
Den svenska seden att äta kalla kräftor på ett kräftkalas förekommer inte i den engelsktalande världen. I den mån kräftor används som mat äts de oftast varma.
I USA är Lousiana känt för kräftfiske och kräftodlingar.

kräftskiva *subst* crayfish party, amer. crawfish party

kräk *subst* knöl brute

kräkas *verb* vomit, throw up; ~ *blod* vomit blood

kräla *verb* krypa crawl; ~ *i stoftet* vara underdånig grovel [*för* to]

kräldjur *subst* reptile

kräm *subst* cream

krämpa *subst* ailment

kränga *verb* **1** dra, t.ex. tröja över huvudet force; ~ *av sig* pull off **2** sjö. heel over; om bil, flygplan etc. sway

krängning *subst* heeling, swaying

kränka *verb* **1** bryta mot violate **2** förolämpa offend; såra injure

kränkande *adj* förolämpande insulting, offensive

kränkning *subst* **1** violation; av t.ex. rättigheter infringement **2** förolämpning insult

kräpp *subst* crepe

kräppnylon *subst* stretch nylon

kräsen *adj* fastidious, particular

kräva *verb* **1** demand, call for; ta i anspråk, t.ex. tid take; ~ *ngn på betalning* demand payment from sb; *olyckan krävde tre liv* the accident claimed the lives of three people

krävande *adj* om arbete etc. exacting; svår arduous, heavy; påfrestande, t.ex. om tid trying

krävas *verb* behövas be needed; *det krävs mycket av henne* great demands are made on her

krögare *subst* källarmästare restaurateur

krök *subst* bend, av väg bend, curve

1 kröka *verb* bend, i båge bend, curve; ~ *ryggen* bend one's back

2 kröka *verb* vard., supa booze

kröken *subst* vard. booze, liquor; *spola* ~ go on the wagon

krön *subst* bergskrön etc. crest; högsta del top

kröna *verb* crown; *~s till kung* be crowned king

krönika *subst* chronicle; artikel över visst ämne t.ex. i tidning column

krönikör *subst* tidningsskribent columnist

kröning *subst* av kungar etc. coronation

kub *subst* cube

Kuba Cuba

kuban *subst* Cuban

kubansk *adj* Cuban

kubik *subst*, *5 i* ~ the cube of 5

kubikmeter *subst* cubic metre

kuckeliku *interj* cock-a-doodle-doo!

kudde *subst* cushion; huvudkudde pillow

kugga *verb* vard., i tentamen fail, amer. flunk

kugge *subst* cog

kuggfråga *subst* catch question, tricky question

kugghjul *subst* gearwheel, cogwheel, tooth wheel

kuk *subst* vulg. prick, cock

kukeliku *interj* cock-a-doodle-doo!

kul *adj* vard., trevlig nice; roande amusing; *vi hade* ~ we had fun

kula *subst* **1** ball; gevärskula bullet; av papper etc. pellet; leksak marble; *spela* ~ play marbles **2** sport., *stöta* ~ put the shot **3** *börja på ny* ~ start afresh **4** av glass scoop

kulen *adj* om dag raw and chilly, bleak

kulinarisk *adj* culinary

kuling *subst* gale; *frisk* ~ strong breeze

kuliss *subst* teat., vägg flat; sättstycke set piece, front; *bakom ~erna* behind the scenes; *i ~en (~erna)* in the wings

kull *subst* av däggdjur litter; av fåglar brood; *en ny* ~ *elever* a new batch of students

kullager *subst* ball bearing

kulle *subst* hill; liten hillock, mound

kullerbytta *subst* somersault; *slå (göra) en* ~ turn (do) a somersault; frivilligt el. ofrivilligt turn head over heels

kullersten *subst* cobblestone

kullkasta *verb* t.ex. ngns planer upset

kulmen *subst* culmination; höjdpunkt climax

kulminera *verb* culminate [*i* in]

kulpenna *subst* o. **kulspetspenna** *subst* ballpoint pen, ballpoint

kulspruta *subst* machine gun

kulsprutepistol *subst* sub-machine-gun

kulstötare *subst* sport. shot putter

kulstötning *subst* sport. shot put

kult *subst* cult

kultiverad *adj* t.ex. om smak, språk cultured, refined, cultivated

kultur *subst* **1** civilisation civilization **2** bildning culture **3** bakteriekultur culture

kulturchock *subst* culture shock

kulturdepartement *subst* ministry of culture

kulturell *adj* cultural

kulturkrock *subst* cultural clash

kulturminister *subst* minister of culture

kultursida *subst* i tidning cultural page

kulör *subst* colour; skattering shade

kummel *subst* fisk hake

kummin *subst* kok. caraway

kumpan *subst* medbrottsling accomplice; kamrat companion

kund *subst* customer; mera formellt client

kunde imperf. av *kunna*

kundkrets *subst* customers pl., clientele

kundtjänst *subst* customer service; avdelning service department

kundvänlig *adj* customer-friendly

kung *subst* king

kungafamilj *subst* royal family

kungapar *subst* royal couple

kunglig *adj* royal

kunglighet *subst* royalty; person royal personage

kungsörn *subst* golden eagle

kungöra *verb* announce, proclaim

kungörelse *subst* announcement, proclamation

---

kunna
- *Can* och *could* används tillsammans med ett annat verb:
  I can <u>do</u> it. He can <u>speak</u> good English. I can't <u>do</u> it. He couldn't <u>come</u>.
- *Know* används tillsammans med ett substantiv eller en sats:
  He knows his <u>job</u>. He knows <u>how to do this</u>.

---

kunna I *hjälpverb* (*kan* resp. *kunde*) **1** can (resp.

could); *jag ska göra så gott jag kan* I will do my best; *han kan köra bil* a) förstår sig på att he knows how to drive a car b) är i stånd att he is capable of driving a car; *det kan inte vara sant* that can't be true; *jag kan inte komma i morgon* I can't come tomorrow, I won't be able to come tomorrow **2** may (resp. might) **a)** 'kan kanske' *du kunde ha förkylt dig* you might have caught a cold; *det kan (kunde)* tänkas *vara sant* it may (might) be true; *det är så man kan bli galen* it's enough to drive you mad **b)** för att uttrycka tillåtelse etc., 'får' *kan (kunde) jag få lite mera te?* may (can, might, could) I have some more tea, please? **c)** 'kan gärna' *du kan lika gärna göra det själv* you may as well do it yourself **d)** i avsiktsbisatser som inleds med t.ex. 'so that' *hon låste dörren så att ingen kunde komma in* she locked the door so that no one could (might) come in **3** spec. fall, *vem kan det vara?* who can it be?; *vad kan klockan vara?* I wonder what the time is?; *hur kan det komma sig att...?* how is it that...?; *sådant kan ofta hända* such things often happen; *barn kan vara mycket prövande* children can be very trying **II** *huvudverb* know; ~ *läxan* skol. know one's homework; *han kan bilar* he knows all about cars; *han kan flera språk* he knows several languages, he can speak several languages

kunnande *subst* knowledge; skicklighet skill

kunnig *adj* well-informed [*i* on], knowledgeable [*i* on]; skicklig clever [*i* at], skilled [*i* at]

kunnighet *subst* kunskaper knowledge [*i* of]; skicklighet skill [*i* at]

kunskap *subst* knowledge (endast sing.) [*i, om* of]; *han har goda ~er i kemi* he has a good knowledge of chemistry

kunskapsområde *subst* field of knowledge

kunskapstörst *subst* thirst for knowledge

kupa *subst* globe; bh-kupa cup; t.ex. lampkupa shade

kupé *subst* **1** järnv. compartment **2** fordon coupé

kupera *verb* **1** stubba dock **2** kortsp. cut

kuperad *adj* kullig hilly

kupol *subst* dome

kupong *subst* coupon; voucher voucher

kupp *subst* **1** polit. coup; *göra en ~* stage a coup **2** stöld robbery, haul, raid **3** *jag blev förkyld på ~en* I caught a cold on top of it

kuppförsök *subst* attempted coup

kur *subst* med. cure

kura *verb*, ~ *ihop sig* huddle oneself up

kurator *subst* socialkurator welfare officer; skolkurator school welfare officer

kurera *verb* cure [*från* of]

kuriositet *subst* curiosity

kurir *subst* courier

kurort *subst* health resort; brunnsort spa

kurra *verb*, *det ~r i magen på mig* my stomach is rumbling

kurragömma *subst*, *leka ~* play hide-and-seek

kurre *subst* om person fellow, amer. guy

kurs *subst* **1** course; *hålla ~ på (mot)* steer for, head for **2** hand. rate [*på* for]; *stå högt i ~* be at a premium [*hos* with], be in great favour [*hos* with] **3** skol. el. univ. course; *gå på ~ i...* attend a course in...

kursdeltagare *subst* course member

kursfall *subst* ekon. fall in prices, fall in rates

kursiv *subst* italics pl.; *med ~* el. *i ~* in italics

kursivera *verb* italicize

kursivläsning *subst* oförberedd reading without preparation; flyktig rapid reading

kursivt *adv* **1** in italics **2** *läsa ~* read without preparation, flyktigt read rapidly

kurva *subst* curve, vägkrök curve, bend; diagram graph

kurvig *adj* **1** om väg curved **2** om kvinna curvaceous

kusin *subst* cousin

kusk *subst* driver

kuslig *adj* weird, uncanny, gruesome

kust *subst* coast; strand shore; *~en är klar* the coast is clear; *utanför ~en* off the coast; *vid ~en* on the coast

kustartilleri *subst* coast artillery

kustbevakning *subst*, *~en* the coast guard

kuta *verb* vard., ~ *i väg* dash away, dart away

kutryggig *adj*, *vara ~* have a stoop

kutter *subst* segelfartyg cutter; fiskebåt vessel

kuttra *verb* coo

kutym *subst* custom, practice; *det är ~ att...* it is customary to...

kuva *verb* subdue; undertrycka repress

kuvert *subst* **1** för brev envelope **2** bordskuvert cover

kuvertavgift *subst* cover charge

kuvertbröd *subst* roll, French roll

kuvös *subst* incubator

kvacksalvare *subst* quack, quack doctor

kvadda *verb* krossa smash

kvadrat *subst* square; *2 meter i ~* 2 metres square

kvadratmeter *subst* square metre
1 kval *subst* lidande suffering; pina torment
2 kval *subst* sport., omgång qualifying round; match qualifying match
kvala *verb* sport. qualify; ~ *in till* qualify for
kvalificera *verb*, ~ *sig* qualify [*till, för* for]
kvalificerad *adj* qualified; om arbetskraft skilled
kvalifikation *subst* qualification
kvalitet *subst* quality
kvalitetsvara *subst* quality product
kvalmatch *subst* qualifying match
kvalmig *adj* kvav close, sultry
kvantitet *subst* quantity
kvar *adv* på samma plats som förut still there, still here; lämnad left, left behind; *bli (finnas, stanna, vara)* ~ remain; *ha* ~ behålla keep; *har vi långt* ~? av vägen are we far off?; *låta ngt ligga (stå)* ~ *där* leave sth there; *det är mycket* ~ there's a lot left
kvarglömd *adj*, *en* ~ *väska* a case that has (had) been left behind; ~*a effekter* lost property
kvarleva *subst* **1** remnant; från det förflutna relic; *hans jordiska kvarlevor* his mortal remains
kvarlevande *adj* surviving; *de* ~ the survivors
kvarn *subst* mill
kvarsittning *subst* skol. detention
kvarskatt *subst* tax arrears pl., back tax
kvarstå *verb* remain
kvart *subst* **1** fjärdedel quarter; *en* ~*s tum* a quarter of an inch **2** kvarts timme quarter of an hour; *klockan är en* ~ *över två* it's a quarter past two, amer. vanligen it's quarter after two; *klockan är en* ~ *i två* it's a quarter to two, amer. vanligen it's a quarter of two
kvartal *subst* quarter
kvarter *subst* hus block; område district; konstnärskvarter etc. quarter
kvartersbutik *subst* local shop, spec. amer. convenience store
kvarterskrog *subst* vard. local restaurant
kvartett *subst* quartet äv. musik.
kvarts *subst* mineral quartz
kvartsfinal *subst* sport. quarter-final; *gå till* ~ el. *nå* ~ reach the quarter-final
kvartssamtal *subst* skol. discussion between teacher, parent and pupil on progress at school
kvartsur *subst* quartz watch, på vägg quartz clock

kvast *subst* broom; *nya* ~*ar sopar bäst* new brooms sweep clean
kvav *adj* close; instängd stuffy; tryckande oppressive, sultry
kverulant *subst* grumbler, grouser
kverulera *verb* make a fuss, grumble, grouse
kvick *adj* **1** snabb quick **2** vitsig witty
kvickhet *subst* **1** snabbhet quickness **2** spiritualitet wit **3** kvickt uttryck witticism, joke
kvickna *verb*, ~ *till* revive, come to, come round
kvicksilver *subst* mercury
kvicktänkt *adj* quick-witted, ready-witted
kviga *subst* heifer
kvinna *subst* woman (pl. women)
kvinnlig *adj* av kvinnligt kön female; typisk för en kvinna feminine; kvinnlig av sig womanly; ~ *läkare* woman doctor
kvinnojour *subst* women's refuge, amer. women's crisis center
kvinnoklinik *subst* women's clinic
kvinnoläkare *subst* specialist in women's diseases, gynaecologist
kvinnosakskvinna *subst* feminist, vard. women's libber
kvinnosjukdom *subst* woman's disease (pl. women's diseases)
kvintett *subst* quintet äv. musik.
kvissla *subst* pimple, spot
kvist *subst* twig
kvitt *adj* **1** *vara* ~ be quits **2** *bli* ~ *ngn (ngt)* bli fri från get rid of sb (sth)
kvitta *verb* set off [*med, mot* against]; *det* ~*r* it's all one, it's all the same
kvittens *subst* receipt
kvitter *subst* chirp; kvittrande chirping
kvittera *verb* **1** skriva under sign; ~*s* på räkning received with thanks; ~ *ut* sign for; på posten collect **2** sport. equalize
kvitto *subst* receipt [*på* for]
kvittra *verb* chirp
kvot *subst* quota; vid division quotient
kvotera *verb* fördela i kvoter allocate ... by quotas
kvotering *subst* allocation of quotas; införande introduction of quotas
kväkare *subst* Quaker
kvälja *verb*, *det kväljer mig* it makes me feel sick
kväljande *adj* sickening
kväll *subst* afton evening; senare night; *god* ~! good evening!, vid avsked good evening!, good night!; *i* ~ this evening, tonight; *om* ~*en* el. *på* ~*en* in the evening; *kl. 10 på*

~en at 10 o'clock in the evening, at 10 o'clock at night

kvällsmat *subst* evening meal, supper

kvällsnyheter *subst pl* i radio late news

kvällstidning *subst* evening paper

kvällsöppen *adj*, **ha kvällsöppet** be open in the evening

kväva *verb* **1** choke; av syrebrist el. rök vanligen suffocate; med t.ex. kudde smother; **vara nära att ~s** be almost choking [*av* with] **2** opposition suppress; revolt quell

kväve *subst* kem. nitrogen

kyckling *subst* chicken

kycklinggryta *subst* kok. chicken casserole

kyffe *subst* poky hole; ruckel hovel

kyl *subst* kylskåp fridge; **~ och frys** fridge-freezer

kyla I *subst* **1** cold; svalka chilliness **2** hos person coldness
II *verb*, **~ av** cool down, chill

kylare *subst* på bil radiator

kylarvätska *subst* antifreeze, antifreeze mixture

kyldisk *subst* refrigerated display counter, refrigerated display cabinet

kylhus *subst* cold store

kylig *adj* cool, chilly, stark. cold

kylskada *subst* frostbite

kylskåp *subst* refrigerator, vard. fridge

kylväska *subst* cool bag, cool box

kypare *subst* waiter

kyrka *subst* church; **gå i ~n** go to church, attend church

kyrkbesökare *subst* regelbunden churchgoer

kyrkbröllop *subst* church wedding

kyrkbänk *subst* pew

kyrkklocka *subst* **1** church bell **2** ur church clock

kyrklig *adj*, **~ begravning** Christian burial; **~ vigsel** church wedding

kyrkoadjunkt *subst* curate

kyrkogård *subst* **1** cemetery **2** kring kyrka churchyard

kyrkoherde *subst* vicar, rector; inom katolska kyrkan parish priest

kyrkvaktmästare *subst* verger

kysk *adj* chaste

kyskhet *subst* chastity

kyss *subst* kiss

kyssa *verb* kiss

kyssas *verb* kiss

kåda *subst* resin

kåk *subst* **1** vard. house, building; ruckel ramshackle house **2** fängelse, **på ~en** vard. in clink, in the slammer

kål *subst* **1** cabbage **2 jobbet håller på att ta ~ på mig** my job is killing me (is driving me crazy)

kåldolmar *subst pl* ungefär stuffed cabbage rolls

kålhuvud *subst* head of cabbage, cabbage

kålrot *subst* swede, Swedish turnip

kånka *verb*, **~ på ngt** lug sth

kåpa *subst* **1** munkkåpa cowl **2** tekn., skyddskåpa cover; rökhuv hood

kår *subst* body; mil. el. inom diplomatin corps (pl. lika)

kåre *subst* vindil breeze; **det gick kalla kårar efter ryggen på mig** a cold shiver ran down my back

kåsera *verb* muntligt, ungefär give a talk [*om, över* about]; skriftligt write a light article [*om, över* on]

kåseri *subst* causerie

kåsör *subst* i tidning columnist

kåt *adj* vard. randy, horny

käbbel *subst* bickering, nagging

käbbla *verb* bicker; gnata nag

käft *subst*, **~** el. **~ar** jaws pl.; **håll ~!** el. **håll ~en!** shut up!; **slå ngn på ~en** punch sb on the jaw

käfta *verb*, **~ emot** answer back

kägelbana *subst* skittle alley

kägla *subst* **1** cone **2** i kägelspel skittle; i bowling pin

käk *subst* vard., mat grub

käka *verb* vard. have some grub; **~ middag** have dinner

käkben *subst* jawbone

käke *subst* jaw

kälkbacke *subst* toboggan-run, sledge-run

kälke *subst* toboggan, sledge; **åka ~** go tobogganing

kälkåkning *subst* tobogganing, sledging

källa *subst* flods source; **varma källor** hot springs; **från säker ~** from a reliable source

källare *subst* förvaringslokal cellar; källarvåning basement

källarlokal *subst* basement premises pl.

källarmästare *subst* restaurateur

källarvalv *subst* cellar vault

källarvåning *subst* basement

källsortera *verb* sort out household waste

källsortering *subst* the sorting out of household waste

källvatten *subst* spring water

kämpa *verb* slåss fight [*mot* against]; brottas struggle [*mot* against]; **~ emot** bjuda motstånd offer resistance

kämpe *subst* **1** fighter **2** förkämpe champion [*för* of]

kämpig *adj*, **ha det** ~**t** have a tough time

känd *adj* known, famous; välkänd well known; välbekant familiar [*för ngn* to sb]

kändis *subst* vard. celebrity, well-known personality

känga *subst* boot; **ge ngn en** ~ have a dig at sb

känguru *subst* kangaroo (pl. -s)

känn *subst*, **ha ngt på** ~ feel sth instinctively

känna I *verb* **1** feel; pröva try and see; ~ **avundsjuka** feel envious; ~ **besvikelse** feel disappointed; ~ **en svag doft** notice a faint scent; ~ **gaslukt** smell gas; **känn efter om kniven är vass** see whether the knife is sharp **2** ~ **sig** feel; ~ **sig kry** feel well; ~ **sig trött** feel tired **3** känna till, vara bekant med know; ~ **ngn till namnet** know sb by name; ~ **ngn till utseendet** know sb by sight; **lära** ~ **ngn** get to know sb **II** *verb* med betonad partikel

känna av märka feel

känna efter: ~ **efter i sina fickor** search one's pockets, feel in one's pockets; ~ **efter om dörren är låst** see if the door is locked

känna igen recognize

känna på sig att have a feeling that, have the feeling that

känna till know of, have heard of

kännare *subst* av konst etc. connoisseur; expert expert

kännas *verb* **1** feel; **det känns inte** I (you etc.) don't feel it; **hur känns det?** how do you feel?; **det känns på lukten att...** you can tell by the smell that... **2** ~ **vid** erkänna, t.ex. misstag, barn acknowledge

kännbar *adj* märkbar noticeable; avsevärd considerable; svår severe; **en** ~ **förlust** a severe loss; **ett** ~**t straff** a stiff penalty

kännedom *subst* kunskap knowledge [*om* of]; **få** ~ **om** receive information about; **få** ~ **om att...** receive information that...

kännemärke *subst* o. **kännetecken** *subst* igenkänningstecken sign, mark, distinctive mark; utmärkande egenskap characteristic [*på* of]

känneteckna *verb* characterize, mark

känsel *subst* sinne feeling

känsla *subst* feeling; sinnesförnimmelse sensation; sinne sense; stark (djup) känsla emotion

känslig *adj* sensitive [*för* to]; mottaglig susceptible [*för* to]; lättrörd emotional; **ett** ~**t ämne** a delicate subject

känsloladdad *adj* emotionally charged

känsloliv *subst* emotional life

känslomässig *adj* emotional

känslosam *adj* emotional; sentimental sentimental

käpp *subst* stick; tunn eller av rotting cane; stång rod; **sätta en** ~ **i hjulet** throw a spanner into the works

käpphäst *subst* hobby-horse

kär *adj* **1** avhållen dear [*för* to]; älskad beloved [*för* by]; **Kära Lisa** i brev Dear Lisa; ~**a vänner!** my dear friends! **2** förälskad in love [*i* with]; **bli** ~ **i** fall in love with

kärande *subst* plaintiff; i brottmål prosecutor

käring *subst* **1** neds., **gammal** ~ old bag, old hag **2** fru, hustru wife, vard. old woman

kärl *subst* vessel; förvaringskärl container

kärlek *subst* love [*till* of, for]

kärleksaffär *subst* love affair, romance

kärleksbrev *subst* love letter

kärleksfull *adj* älskande loving, affectionate

kärleksförhållande *subst* love affair

kärleksförklaring *subst* declaration of love

kärlekshistoria *subst* **1** berättelse love story **2** kärleksaffär love affair

kärleksliv *subst* love life

kärleksroman *subst* romantic novel

kärlkramp *subst* med. angina pectoris (latin)

kärna *subst* fruktkärna i äpple, citrusfrukt pip; i melon, druva seed; i stenfrukt stone; i nöt kernel; ~**n** det väsentliga the essence [*i* of]

kärnavfall *subst* nuclear waste

kärnbränsle *subst* nuclear fuel

kärnenergi *subst* nuclear energy

kärnfrisk *adj* om person thoroughly healthy; **hon är** ~ vard. she is as fit as a fiddle

kärnfråga *subst* central issue, central question

kärnfysik *subst* nuclear physics (med verb i sing.)

kärnhus *subst* core

kärnkraft *subst* nuclear power

kärnkraftverk *subst* nuclear power station (plant)

kärnladdning *subst* nuclear charge

kärnreaktor *subst* nuclear reactor

kärnvapen *subst* nuclear weapon

kärnvapenförbud *subst* ban on nuclear weapons, nuclear ban

kärnvapenprov *subst* nuclear test

kärnämne *subst* skol. core subject

kärr *subst* marsh; myr swamp, fen

kärra *subst* cart; skottkärra barrow, wheelbarrow

kärring *subst* se **käring**

kärv *adj* **1** ~*a tider* hard times; *ett* ~*t läge* a difficult situation **2** *ett* ~*t lås* a stiff lock; *en* ~ *låda* a drawer that gets stuck

kärva *verb* get stuck; *låset (byrålådan)* ~*r* the lock (the drawer) often gets stuck

kärve *subst* sheaf (pl. sheaves)

kätting *subst* chain, ankarkätting chain, cable

kö *subst* **1** queue, file, spec. amer. line; *bilda* ~ form a queue **2** biljardkö cue

köa *verb* queue, queue up, line up

köbricka *subst* queue number

kök *subst* **1** kitchen **2** kokkonst cuisine

köksavfall *subst* kitchen refuse, garbage

köksfläkt *subst* cooker hood ventilator, cooker hood fan

kökshanduk *subst* kitchen towel, tea towel

köksingång *subst* kitchen entrance, back entrance

köksmästare *subst* chef

köksrulle *subst* kitchen roll

köksträdgård *subst* kitchen garden

köksväxt *subst,* ~*er* grönsaker vegetables; kryddväxter pot herbs, sweet herbs

köl *subst* sjö. keel

kölapp *subst* queue ticket

köld *subst* cold; frost frost; kall väderlek cold weather

köldgrad *subst* degree of frost

köldknäpp *subst* cold spell

Köln Cologne

kön *subst* sex

könsdelar *subst pl* yttre genitals, private parts

könsdiskriminering *subst* sex discrimination, sexism

könsdrift *subst* sex instinct, sexual instinct

könsmogen *adj* sexually mature

könsorgan *subst* sexual organ

könsrollsdebatt *subst* debate on the role of the sexes

könssjukdom *subst* venereal disease

köp *subst* purchase; *göra ett gott* ~ make a good bargain; *ta ngt på öppet* ~ buy sth on a sale-or-return basis; *till på* ~*et* dessutom in addition

köpa I *verb* buy [*av ngn* from sb], purchase [*av ngn* from sb]

II *verb* med betonad partikel

köpa in purchase, buy, buy in

köpa in sig i buy one's way into

köpa upp buy up; ~ *upp sina pengar* spend all one's money

köpare *subst* buyer, purchaser

köpcentrum *subst* shopping centre, shopping mall

köpeavtal *subst* o. **köpekontrakt** *subst* contract of sale

Köpenhamn Copenhagen

köpeskilling *subst* o. **köpesumma** *subst* purchase sum

köpkraft *subst* purchasing power, spending power

köpman *subst* handlande tradesman; grosshandlare merchant

köpslå *verb* bargain [*om* for]; kompromissa compromise

köptvång *subst,* *utan* ~ with no obligation to purchase

1 kör *subst* sångkör choir; t.ex. i opera chorus; *i* ~ in chorus

2 kör *subst,* *i ett* ~ without stopping

köra I *verb* **1** drive; på motorcykel el. på cykel ride; forsla take; tyngre gods carry, transport **2** stöta, sticka, stoppa run, thrust **3** ~ visa *en film* show a film **4** data. run **5** jaga, mota, ~ *ngn på dörren* turn sb out **6** åka, färdas go, travel; om bil, tåg etc. run, go; *bilen körde rakt på bussen* the car ran straight into the bus; ~ *mot rött* el. ~ *mot rött ljus* jump the red lights, jump the traffic lights **7** kuggas i tentamen be ploughed, amer. be flunked

II *verb* med betonad partikel

köra bort drive away; forsla undan take away; ~ *bort ngn* drive sb away, drive sb off, pack sb off

köra fast get stuck

köra fram: ~ *fram bilen till dörren* drive the car up to the door; *bilen körde fram* the car drove up

köra ifatt catch up with

köra igång med vard., starta go ahead with

köra ihjäl ngn run over sb and kill him (her)

köra ihop kollidera run into one another; ~ *ihop med* run into, collide with

köra in en ny bil run in

köra om passera overtake, amer. pass

köra omkring drive round, ride around

köra omkull ngn knock sb down

köra på ngn kollidera med run into sb

kör till! all right! O.K!

köra upp för körkort take one's driving test

köra ut ngn kasta kick sb out, throw sb out

köra över ngn 1 run over sb **2** vard., inte ta hänsyn till not bother what sb thinks (says)

körbana *subst* på gata road, roadway

körfält *subst* lane, traffic lane

körkort
I England kan man ta körkort när
man är 17 år. I USA är körkortsål-
dern 15 eller 16 beroende på vilken
stat man bor i. I England tar de
flesta körlektioner. I USA erbjuder
många skolor körundervisning,
Driver's Ed eller *Driver's Education.*

körkort *subst* driving licence, driver's licence
körriktning *subst* direction
körriktningsvisare *subst* indicator
körsbär *subst* cherry
körsbärslikör *subst* cherry brandy
körsbärstomat *subst* cherry tomato
körsbärsträd *subst* cherry tree, cherry
körskola *subst* driving school
körsnär *subst* furrier
körsång *subst* sjungande choir-singing
körtel *subst* gland
körvel *subst* krydda chervil

kött
Kött har olika namn beroende på
vilket djur det kommer ifrån.
fårkött *mutton*, griskött *pork*, hjort-
kött *venison*, kalvkött *veal*, nötkött
beef, rådjurskött *venison*

kött *subst* flesh; slaktat meat; *mitt eget ~ och*
blod my own flesh and blood
köttbit *subst* piece of meat
köttbulle *subst* meat ball
köttdisk *subst* meat counter
köttfärs *subst* råvara minced meat, amer.
ground beef
köttfärslimpa *subst* meat loaf
köttfärssås *subst* mincemeat sauce
köttgryta *subst* kärl stewpot; rätt hotpot, steak
casserole
köttig *adj* fleshy
köttskiva *subst* slice of meat
köttsoppa *subst* broth, meat broth
köttspad *subst* stock, gravy
köttsår *subst* flesh wound

1 labb *subst* på djur paw; på människa, vard. mitt,
fist
2 labb *subst* vard. (förk. för *laboratorium*) lab
labil *adj* unstable
laboration *subst* laboratory experiment
laboratorium *subst* laboratory
laborera *verb*, ~ *med* t.ex. en teori work on, go
on; experimentera med experiment with
labyrint *subst* labyrinth, maze äv. om
trädgårdsanläggning
lack *subst* **1** fernissa lacquer, varnish **2** sigillack
sealing-wax; lacksigill seal
lacka *verb*, ~ *ngt* seal sth with sealing-wax
lackera *verb* lacquer; naglar, trä etc. varnish; ~
om en bil have a car repainted
lackering *subst* **1** det att lackera varnishing,
lacquering **2** den lackerade ytan varnish,
lacquer; lack på bil paintwork
lackfärg *subst* enamel paint, lacquer
lackmuspapper *subst* kem. litmus paper
lacknafta *subst* white spirit
lacksko *subst* patent leather shoe
lada *subst* barn
ladda *verb* fylla load, skjutvapen load, charge;
elektr. charge; ~ *ner* data. download; ~ *om*
reload, elektr. recharge; ~ *batterierna* el. ~
om batterierna hämta krafter recharge
one's batteries; ~ *upp* data. upload
laddning *subst* **1** elektr. charge **2** själva
handlingen loading, charging
laddningsapparat *subst* charger
ladugård *subst* cowshed, amer. barn
1 lag *subst* **1** sport. team, side; arbetslag team;
ha ett ord med i ~et have a voice in the
matter, have a say in the matter; *över ~*
genomgående without exception, all along
the line **2** *i kortaste ~et* a bit short; *1 000*
kronor är i mesta ~et 1000 kronor is
quite a lot; *1 000 kronor är i minsta ~et*
1000 kronor is very little; *i senaste ~et*
only just in time; *vid det här ~et* by now
2 lag *subst* law; antagen av statsmakterna act; *det*
är i ~ förbjudet it is prohibited by law; ~
och ordning law and order
1 laga *adj*, *vinna ~ kraft* gain legal force,
become law
2 laga *verb* **1** ~ el. ~ *till* make, genom stekning
etc. make, cook; t.ex. måltid prepare; ~ *mat*

cook; ~ **maten** do the cooking; **äta** ~**d mat** eat cooked food **2** reparera repair, mend; stoppa darn; lappa patch, patch up; tänder fill; **jag måste** ~ **mina tänder** I must have my teeth seen to **3** ~ **att**... el. ~ **så att**... se till see that..., see to it that...; ställa om arrange it so that...

laganda subst team spirit
lagarbete subst teamwork
lagbrott subst breach of the law
lagbrytare subst lawbreaker
lagd adj, **vara konstnärligt** ~ be artistically inclined; **vara praktiskt** ~ be practical
lagenlig adj lawful
1 lager subst **1** förråd stock [av, i of]; **ha ngt på** ~ have sth in stock, have sth on hand **2** lokal storeroom, magasin warehouse **3** skikt layer, av färg layer, coat
2 lager subst bot. laurel; **vila på sina lagrar** rest on one's laurels
3 lager subst öl lager
lagerblad subst o. **lagerbärsblad** subst bay leaf
lagerkrans subst som utmärkelsetecken laurel wreath
lagerlokal subst storeroom; magasin warehouse
lageröl subst lager, lager beer
lagförslag subst bill, proposed bill
lagkamrat subst team-mate
lagkapten subst sport. captain, captain of a (the) team
lagledare subst sport. team manager, coach
laglig adj laga legal; erkänd av lagen, t.ex. regering lawful
laglydig adj law-abiding
lagning subst reparation repairing, mending; stoppning darning; av tänder filling
lagom I adv nog just enough; **det är alldeles** ~ **saltat** it is salted just right; **komma precis** ~ i tid be just in time; lägligt come at the right moment
II adj, **på** ~ **avstånd** at just the right distance; **är det här** ~**?** a) is this enough?, is this about right? b) räcker det? will this do?; **skon är** ~ **åt mig** the shoe fits me; **skon är precis** ~ **åt mig** the shoe fits me exactly
III subst, ~ **är bäst** everything in moderation
lagra verb **1** förvara store **2** ~ **ost** leave cheese to ripen; ~ **vin** leave wine to mature
lagrad adj om t.ex. vin matured; om t.ex. ost ripe
lagspel subst team game
lagsport subst team sport

lagstadgad adj statutory, laid down by law
lagstiftande adj legislative
lagstiftning subst legislation
lagtävling subst team competition
lagun subst lagoon
lagård subst cowhouse, barn
lakan subst sheet; **byta** ~ change sheets
lake subst fisk burbot
lakej subst lackey
lakrits subst liquorice, spec. amer. licorice

lam
Lägg märke till att det engelska ordet *lame* om en person vanligen betyder halt.

lam adj **1** paralysed **2** föga övertygande lame; svag feeble
lamm subst lamb
lammkotlett subst lamb chop
lammkött subst kok. lamb
lammstek subst roast lamb
lampa subst lamp; glödlampa bulb
lampskärm subst lampshade
lamslagen adj, ~ **av skräck** paralysed (amer. paralyzed) with fear
lamslå verb paralyse, amer. paralyze
LAN subst (förk. för local area network) data., lokalt datornät LAN
land subst **1** country; i högre stil land **2** fastland land; strand shore; **se (veta) hur** ~**et ligger** känna sig för see how the land lies; **i** ~ t.ex. gå, vara ashore, on shore; på landbacken on land; **gå (stiga) i** ~ go ashore; **gå i** ~ **med** klara manage, cope with; **till** ~**s och till sjöss** t.ex. färdas by sea and land **3** jord land; trädgårdsland plot; med t.ex. grönsaker patch **4** landsbygd, **bo på** ~**et** live in the country; **åka till** ~**et** go into the country
landa verb land, touch down
landbacke subst, **på** ~ on land, on shore
landgång subst **1** sjö. gangway, gangplank **2** smörgås long open sandwich
landkrabba subst vard. landlubber
landning subst flyg. landing, touchdown
landningsbana subst runway
landremsa subst strip of land
landsbygd subst country, countryside
landsflykt subst exile
landsflyktig adj, **vara** ~ be in exile
landsflykting subst exile
landsförvisa verb exile, expatriate

landshövding *subst* ungefär county governor [*i of*]

landskamp *subst* international, international match

landskap *subst* **1** provins province **2** natur el. tavla landscape; sceneri scenery

landslag *subst* sport. national team

landslagsspelare *subst* international, international player

landsman *subst* fellow-countryman; *vad är han för* ~? what is his nationality?, what country does he come from?

landsomfattande *adj* nationwide

Landsorganisationen, ~ *i Sverige* (förk. *LO*) the Swedish Trade Union Confederation

landsort *subst*, ~*en* the provinces pl.

landsortsbo *subst* provincial

landssorg *subst* national mourning; *ha* ~ the whole nation went into mourning

landstiga *verb* land

landstigning *subst* landing

landsting *subst* ungefär county council

landstingsman *subst* ungefär county councillor

landsväg *subst* main road

landsända *subst* part of the country

landsätta *verb* land, från fartyg land, disembark

landsättning *subst* landing, disembarkation

langa *verb* **1** ~ *ngt* räcka från hand till hand pass sth from hand to hand; skicka hand sth; kasta chuck sth **2** ~ *narkotika* peddle drugs, push drugs; ~ *sprit* peddle liquor

langare *subst* spritlangare bootlegger; knarklangare drug pusher, drug dealer

lansera *verb* introduce; t.ex. mode, idé start, launch

lantarbetare *subst* farm worker, agricultural labourer

lantbo *subst* rustic; ~*r* vanligen country people

lantbruk *subst* **1** agriculture; arbete farming **2** ställe farm

lantbrukare *subst* farmer

lantbröd *subst* ungefär farmhouse bread; *ett* ~ a farmhouse loaf

lantegendom *subst* estate

lanterna *subst* sjö. light; flyg. navigation light, position light

lantgård *subst* farm

lantis *subst* vard. country bumpkin, yokel

lantlig *adj* rural; landsortsmässig provincial

lantmätare *subst* surveyor, land surveyor

lantställe *subst* country house, place in the country

lapa *verb* om djur lap

1 lapp *subst* same Lapp, Laplander

2 lapp *subst* **1** till lagning patch **2** papperslapp piece of paper, slip of paper

lappa *verb* **1** patch; laga mend; ~ *ihop* patch up, repair **2** ~ *bilar* vard. put parking tickets on cars

Lappland Lapland

lapplisa *subst* vard. meter maid

lappländsk *adj* Lapland; före subst. Laplandish

lappsjuka *subst* ungefär, (amer.) cabin fever

lapsus *subst* lapse, slip

larm *subst* **1** oväsen noise **2** alarm alarm; larmsignal alert; *slå* ~ sound the alarm; varna warn; protestera raise an outcry

larma *verb* **1** föra oväsen make a noise, make a din **2** alarmera call; ~ *brandkåren* call out the fire brigade; ~ *polisen* call the police **3** sätta på tjuvlarm turn on the alarm

larmrapport *subst* alarming report, scare

1 larv *subst* zool. larva (pl. larvae); av t.ex. fjäril caterpillar; av t.ex. skalbagge grub; av fluga maggot

2 larv *subst* vard. nonsense; dumt uppträdande silliness

larva *verb*, ~ *sig* vard., prata dumheter talk nonsense; vara dum be silly; bråka play about

larvfötter *subst pl* caterpillars, caterpillar treads

larvig *adj* vard. silly

lasarett *subst* hospital, general hospital

laser *subst* laser

laserskrivare *subst* laser printer

laserstråle *subst* laser beam

lass *subst* last load; lastad vagn loaded cart; *ett* ~ billass *kol* a lorryload of coal, a truckload of coal

lassa *verb* load; ~ *ngt* t.ex. allt arbetet *på ngn* load sth on to sb

lasso *subst* lasso (pl. -s el. -es); *kasta* ~ throw the lasso, throw a lasso

1 last *subst* **1** skeppslast cargo (pl. -es el. -s), freight; *med full* ~ with a full load **2** börda load; *lägga ngn ngt till* ~ hold sth against sb

2 last *subst* fel etc. vice

1 lasta I *verb* load; ta ombord take in; ta in last take in cargo
II *verb* med betonad partikel
lasta av unload
lasta på load [*på* on to]
lasta ur unload

2 lasta *verb* klandra blame [*för* for]

lastbar *adj* vicious, depraved

lastbil *subst* lorry, tyngre truck, amer. allm. truck
lastbilschaufför *subst* o. **lastbilsförare** *subst*
lorry-driver, truck-driver, amer. trucker,
teamster
lastgammal *adj* extremely old, ancient
lastning *subst* loading
lat *adj* lazy
lata *verb*, ~ *sig* be lazy; slöa laze, idle
latin *subst* Latin; se *svenska 2* för ex.
Latinamerika Latin America
latinsk *adj* Latin
latitud *subst* latitude
latmask *subst* lätting lazybones (pl. lika)
latsida *subst*, *hon har inte legat på ~n
precis* she hasn't wasted time exactly, she
hasn't been lazing about exactly
lava *subst* lava
lavendel *subst* växt lavender
lavin *subst* avalanche
lavinartat *adv*, *exporten har ökat ~*
exports have increased at an enormous
rate
lax *subst* salmon (pl. lika)
laxera *verb* take a laxative
laxermedel *subst* laxative
laxöring *subst* fisk salmon-trout (pl. lika)
LCD-tv *subst* typ av tv med flytande kristaller
LCD-TV (förk. för *liquid crystal display*)
le *verb* smile [åt at]
leasa *verb* lease
leasing *subst* leasing
1 led *subst* way; rutt route
2 led *subst* anat. el. tekn. joint; *ur ~* out of joint;
gå ur ~ get dislocated
3 led *subst* **1** länk link; stadium stage **2** mil. el.
gymn.; personer bakom varandra file; rad line,
row; *sluta ~en* close ranks äv. i betydelsen
'hålla ihop' **3** släktled generation
4 led *adj* trött *vara ~ på* be tired of, be sick
of
1 leda *subst* weariness [vid of]; tråkighet
boredom; avsmak disgust [vid at]; *höra ngt
till ~* hear sth till one is sick of it
2 leda *verb* **1** lead; t.ex. undersökning, förhör
conduct; förestå manage; ha hand om be in
charge of; vägleda guide; rikta, t.ex. tankar
direct **2** sport. lead **3** fys. el. elektr. conduct;
transportera, t.ex. vatten convey
ledamot *subst* member
ledande I *adj* leading; om t.ex. princip guiding
II *subst*, *de ~* those in a leading position
ledare *subst* **1** leader, head **2** i tidning leader,
editorial **3** fys. conductor
ledarhund *subst* blindhund guide dog, amer. äv.
seeing-eye dog

ledarskap *subst* leadership
ledband *subst* **1** anat. ligament **2** *gå i ~* be
tied to sb's apron strings
ledbuss *subst* articulated bus
ledgångsreumatism *subst* med. rheumatoid
arthritis
ledig *adj* **1** free; sysslolös unoccupied; om tid
free; *på ~a stunder* in my (her etc.) spare
time; *bli ~ från arbetet* get off work;
göra sig ~ take time off; *hon är ~ i dag*
she has today (the day) off **2** obesatt vacant;
om t.ex. sittplats vanligen unoccupied; disponibel
spare; att tillgå available; som skylt på taxi for
hire; på t.ex. toalett vacant; *~a platser* tjänster
vacancies; *en ~ taxi* a free taxi; *är bilen
~?* till taxichauffören are you engaged?, are
you free?; *är den här platsen ~?* el. *är
det ~t här?* is this seat taken? **3** otvungen
easy; bekväm, om t.ex. kläder comfortable,
loose-fitting; *~a!* mil. stand easy!
ledigförklara *verb*, ~ *ngt* announce sth as
vacant
ledighet *subst* ledig tid leisure, time off; semester
holiday
ledigt *adv* **1** *få ~ från skolan* be given a
holiday from school; *hon har ~ i dag* she
has today off; *ha ~ från skolan* have a
holiday from school; se vidare ex. under *ledig 1*
2 med lätthet easily; *röra sig ~* a) move
freely b) otvunget move with ease; *sitta ~* om
kläder fit comfortably
ledning *subst* **1** skötsel etc. management;
ledarskap leadership; vägledning guidance; *ta
~en* take the lead; ta befälet take over
command; *under ~ av* a) under the
guidance of b) musik. conducted by **2** om
person, *~en* inom företag the management
3 elektr., tråd wire; grövre cable; kraftledning el.
teleledning line; rör pipe
ledsaga *verb* accompany; beskyddande escort
ledsam *adj* sorglig sad; långtråkig boring,
tedious, dull
ledsen *adj* sorgsen sad; besviken disappointed
[över at]; sårad hurt [över about]; *jag är ~
att jag gjorde det* I am sorry I did it; *jag
blir inte ~ om...* I don't mind if...; *var
inte ~ bekymrad för det!* don't worry about
that!
ledsna *verb* get tired [på of], grow tired [på
of]
ledstång *subst* handrail
ledtråd *subst* clue [till to]
leende I *adj* smiling; *sa hon ~* she said with
a smile
II *subst* smile

leg *subst* vard. ID, ID card
legal *adj* legal
legalisera *verb* legalize
legation *subst* legation
legend *subst* legend
legendarisk *adj* legendary
legering *subst* alloy
legitim *adj* legitimate
legitimation *subst* styrkande av identitet
identification; kort identity card; *kan ni visa ~?* can you show some identification?, can you show your ID?
legitimationskort *subst* identity card
legitimera *verb* **1** göra laglig legitimate **2** *~d läkare* registered physician **3** *~ sig* prove one's identity
legymer *subst pl* vegetables
leja *verb* hire; anställa take on
lejd *subst*, *ge ngn fri ~* grant sb safe conduct
lejon *subst* **1** lion **2** *Lejonet* stjärntecken Leo
lejongap *subst* blomma snapdragon
lejoninna *subst* lioness
lejonunge *subst* young lion, lion cub

lekar
blindbock *blindman's buff*, charad *charade*, fiskdamm *lucky dip* (amer. *grab bag*), hela havet stormar *musical chairs*, kurragömma *hide-and-seek*, rymmare och fasttagare *cops and robbers*, ryska posten *postman's knock* (amer. *post office*), snottra *coffee-pot*

lek *subst* **1** play; ordnad med regler game; *på ~* for fun; *vara ur ~en* be out of the running **2** fiskars spawning **3** kortlek pack, amer. deck
leka *verb* play; *han är inte att ~ med* he is not to be trifled with; *~ med tanken att göra ngt* toy (play) with the idea of doing sth
lekande *adv*, *det går (är) ~ lätt* it's as easy as anything, it's as easy as pie
lekfull *adj* playful
lekkamrat *subst* playmate, playfellow
lekman *subst* layman
lekplats *subst* playground
leksak *subst* toy, plaything
leksaksaffär *subst* toyshop, spec. amer. toy store
lekstuga *subst* barns playhouse
lektion *subst* lesson
lektor *subst* lecturer [i in]

lem *subst* **1** limb **2** manslem male organ
lemlästa *verb* maim; göra till invalid cripple
len *adj* mjuk soft; slät smooth
leopard *subst* leopard
lera *subst* clay; gyttja mud
lergods *subst* earthenware, pottery
lerig *adj* muddy
lerjord *subst* clay soil
lesbisk *adj* lesbian
less *adj* vard., *jag är ~ på det här* I'm sick and tired of this
leta I *verb* look [efter for], ihärdigt search [efter for]
II *verb* med betonad partikel
leta fram hunt out [ur from]; *~ sig fram* find one's way
leta igenom t.ex. rum search, search through
leta reda (rätt) på: *jag ska ~ reda (rätt) på det* I'll try to find it; *hon ~de reda (rätt) på det* she managed to find it
lett *subst* Latvian
lettisk *adj* Latvian; se *svensk-* för sammansättningar
lettiska *subst* (se *svenska* för ex.) **1** kvinna Latvian woman **2** språk Latvian
Lettland Latvia
leukemi *subst* med. leukaemia
leva *verb* live; vara i livet be alive; *leve Konungen!* long live the King!; *~ tillbringa sitt liv* spend one's life; *~ ett bra liv* lead a good life; *~ av (på) ngt* live on sth; *~ sig in i ngt* enter into sth; *~ kvar* live on, survive
levande *adj* **1** motsats: död living, alive; om djur live endast före subst.; *~ varelser* living beings; *mera död än ~* more dead than alive; *komma ~ från ngt* come out of sth alive; *en ~ fisk* a live fish **2** ett *~ intresse* a keen (lively) interest; *ett ~ lexikon* a walking encyclopedia; *i ~ livet* in real life; *en ~ skildring* a vivid description
leve *subst* cheer; *utbringa ett fyrfaldigt ~ för* give four (eng. motsvarighet three) cheers for
levebröd *subst*, *tjäna sitt ~* earn one's living, make a living
lever *subst* anat. liver
leverans *subst* delivery
leverantör *subst* supplier; storleverantör contractor
leverera *verb* tillhandahålla supply [ngt till ngn sb with sth], provide [ngt till ngn sb with sth]; sända deliver
leverfläck *subst* mole

leverop *subst* cheer

leverpastej *subst* liver paste

levnad *subst* life

levnadsbana *subst* career

levnadsbeskrivning *subst* curriculum vitae (latin), CV

levnadsglad *adj*, *vara* ~ be full of vitality

levnadskostnader *subst pl* cost sing. of living

levnadsstandard *subst* standard of living

levnadstäckning *subst* biography [*över* of]

lexikon *subst* dictionary; *slå upp ngt i* ~ look sth up in a dictionary

libanes *subst* Lebanese (pl. lika)

Libanon Lebanon

liberal *adj* liberal

liberalism *subst*, ~ el. ~*en* liberalism

libretto *subst* libretto (pl. libretti el. librettos)

Libyen Libya

libyer *subst* Libyan

licens *subst* licence; *ha* ~ have a licence

licensavgift *subst* licence fee

lida *verb* suffer [*av* from]; ~ *av* ha anlag för t.ex. svindel be subject to; *jag lider* pinas *av det* it makes me suffer; *få* ~ *för ngt* have to suffer for sth, have to pay for sth

lidande I *adj* suffering [*av* from]; *bli* ~ *på det* om person be the sufferer by it, be the loser by sth
 II *subst* suffering

lidelse *subst* passion

lidelsefull *adj* passionate

lie *subst* scythe

liera *verb*, ~ *sig* ally oneself [*med* with]

lierad *adj* connected [*med* with, to]

lift *subst* **1** skidlift etc. lift **2** *få* ~ get a lift

lifta *verb* hitch-hike

liftare *subst* hitch-hiker

liftkort *subst* skidsport lift ticket

liga *subst* **1** tjuvliga etc. gang **2** fotbollsliga etc. league

ligament *subst* anat. ligament

ligga I *verb* **1** om person, djur lie; vila be lying down; vara sängliggande be in bed, lie in bed; sova, ha sin sovplats sleep; ~ *sjuk* be ill in bed; ~ *lågt* lie low, keep a low profile; ~ *och läsa* lie reading; i sängen read in bed; ~ *och sova* be sleeping; ~ *med* ha samlag med sleep with, go to bed with **2** om saker, byggnader etc. lie; vara, befinna sig be; vara belägen be, be situated, lie, stand; *huset ligger nära stationen* the house is close to the station; *var ska knivarna* ~*?* where do the knives go?; *det ligger i släkten* it runs in the family; *huset ligger mellan två sjöar* the house lies between two lakes;

rummet ligger åt (*mot*) *gatan* the room overlooks the street **3** sport., ~ *först i tävling* lead; ~ *sist* be last; ~ *under med ett mål* be one goal down, be trailing by one goal **4** om fågelhona, ~ *på ägg* sit on her eggs; ~ *och ruva* be brooding

 II *verb* med betonad partikel

ligga efter be behind with

ligga framme: *låt inte pengarna* ~ *framme* don't leave the money lying about

ligga kvar: ~ *kvar i sängen* remain in bed; ~ *kvar över natten* stay the night; *kan jag låta mina grejor* ~ *kvar?* can I leave my things?

ligga nere om t.ex. arbete be at a standstill

ligga till 1 ~ *bra till* a) om t.ex. hus be well situated b) i t.ex. tävling be well placed, be in a good position; ~ *bra till för ngt* passa be well-suited for sth; ~ *bra till hos ngn* be in sb's good books **2** ~ *illa till* a) om t.ex. hus be badly situated b) i t.ex. tävling be badly placed, be in a bad position; ~ *illa till för ngt* be unsuited for sth; ~ *illa till hos ngn* be in sb's bad books **3** *ta reda på hur saken ligger till* find out how matters stand; *som det nu ligger till* as things are now, the way things are now

ligga under: ~ *under med ett mål* trail by one goal

ligga ute med jag ligger ute med pengar, I have money owing to me

ligga över stay overnight, stay the night

liggande *adj* lying; vågrät horizontal; *bli* ~ om sak, ligga kvar remain; bli kvarlämnad be left; inte göras färdig remain undone

liggare *subst* bok register [*för* of]

liggunderlag *subst* ground sheet

liggvagn *subst* **1** järnv. couchette **2** barnvagn pram, amer. baby carriage

ligist *subst* hooligan, thug, spec. amer. hoodlum

1 lik *subst* corpse, dead body

2 lik *adj* like; *de är mycket* ~*a varandra* they are very much alike; *hon är* ~ *honom till utseendet* she is like him in appearance; *här är allt sig* ~*t* everything is just the same as ever here; *det är just* ~*t honom!* it is just like him!; *han är sig inte* ~ *i dag* he is not his usual self today

lika I *adj* **1** av samma värde etc. equal; om t.ex. antal even; samma, likadan the same **2** **2** *plus 2 är* ~ *med 4* two and two make (makes) 4; *fem* ~ i spel five all
 II *adv* **1** vid verb: likadant in the same way, in

187

the same manner; **dela** ~ divide equally **2** vid adj. el. adv.: as, just as, equally; **hon är** ~ **bra som jag** she is as good as me; **han är** ~ **gammal som jag** he is my age, he is as old as me; **vi är** ~ **gamla** we are the same age **3** i lika grad equally; **bägge är** ~ **kvalificerade** they are both equally qualified

likaberättigad adj, **vara** ~ have equal rights [med with]

likadan adj similar [som to], alike ej före subst.; alldeles lika the same ej före subst.

likadant adv in the same way; **göra** ~ do the same

likartad adj liknande similar

likasinnad adj like-minded

likaså adv likaledes likewise; också also

like subst equal; **en prakt utan** ~ a matchless splendour; **han har inte sin** ~ he is without match, there is no one like him; **hans likar** his equals, his peers

likgiltig adj indifferent [för ngt to sth]; **det är mig** ~**t** it is all the same to me

likhet subst spec. till utseende resemblance [med to], similarity [med to]; jämlikhet equality; **i** ~ **med** liksom like; i överensstämmelse med in conformity with

likhetstecken subst equal sign, equals sign

likkista subst coffin, amer. casket, coffin

likna verb vara lik be like, resemble; se ut som look like; ~ **ngn till utseendet** resemble sb in looks; ~ **ngt vid** compare sth to

liknande adj likartad similar; **jag har aldrig sett ngt** ~ I have never seen anything like that (this)

liknelse subst jämförelse simile; bibl. parable

liksom I konj, **han är målare** ~ **jag** he is a painter, like me
II adv så att säga somehow, sort of, kind of

likström subst direct current, DC

likställd adj, **vara** ~ **med** be on an equality with, be on a par with

liktorn subst corn

liktydig adj med samma betydelse synonymous; **vara** ~ **med** vara detsamma som be tantamount to

liktåg subst funeral procession

likvagn subst hearse

likvid subst payment, settlement

likvidera verb liquidate

likvidering subst liquidation

likväl adv ändå yet, still, nevertheless

likvärdig adj equivalent [med to]

likör subst liqueur

lila subst o. adj lilac, mauve; mörklila purple; violett violet; se **blå-** för sammansättningar

lilja subst blomma lily

liljekonvalj subst blomma lily of the valley (pl. lilies of the valley)

lilla adj se **liten**

lillasyster subst little sister, kid sister

lillebror subst little brother, kid brother

lillfinger subst little finger, spec. amer. pinkie

lillgammal adj old for one's age; brådmogen precocious

lilltå subst little toe

lim subst glue

limma verb glue; ~ **fast ngt på ngt** glue sth on to sth

limousine subst limousine, vard. limo (pl. -s)

limpa subst **1** avlång loaf (pl. loaves); brödsort av rågmjöl rye bread **2** **en** ~ **cigaretter** a carton of cigarettes

lin subst flax

lina subst rope; smäckrare cord; ställina wire; **gå på** ~ walk the tightrope; **visa sig på styva** ~**n** show one's paces, briljera show off

linbana subst cableway

lind subst lime tree

linda I verb svepa wrap; vira wind; binda tie
II verb med betonad partikel
linda in wrap up
linda om: ~ svepa **om sig ngt** wrap oneself up in sth

lindansare subst tightrope walker

lindra verb nöd, smärta relieve; verka lugnande soothe

lindrig adj mild mild; lätt, obetydlig light, slight; **en** ~ **förkylning** a slight cold

lindring subst **1** av smärta, nöd etc. relief **2** av straff reduction [i of]

lingon subst lingonberry, red whortleberry; **inte värt ett ruttet** ~ vard. not worth a bean, not worth a damn

lingonsylt subst lingonberry jam, red whortleberry jam

lingvistik subst linguistics (med verb i sing.)

liniment subst liniment, rubbing lotion

linjal subst ruler

linje subst line; ~ **5** trafik. number 5; **bussarna på** ~ **5** the buses on route number 5; **över hela** ~**n** all along the line, throughout

linjedomare subst sport. linesman; fotb. assistant referee

linjeman subst sport. linesman; fotb. assistant referee

linjera verb rule

linka _verb_ limp, hobble

linne _subst_ **1** tyg el. linneförråd linen **2** tank top; underplagg för barn vest; för kvinnor slip

linneskåp _subst_ linen cupboard, amer. linen closet

linning _subst_ band

linoleum _subst_ linoleum

linolja _subst_ linseed oil

lins _subst_ **1** optisk el. i öga lens **2** bot. el. kok. lentil

lipa _verb_ vard. **1** gråta howl, blubber **2** ~ _åt ngn_ räcka ut tungan stick one's tongue out at sb

lir _subst_ vard., spel play

lira _verb_ vard., spela play

lirare _subst_ vard., spelare player

lirka _verb,_ ~ _med ngn_ coax (cajole) sb

lismare _subst_ fawner

Lissabon Lisbon

1 list _subst_ listighet cunning; knep trick

2 list _subst_ **1** kantlist strip **2** bård border, edging

1 lista _subst_ förteckning list [_på, över_ of]

2 lista _verb,_ ~ _fundera ut_ find out

listig _adj_ cunning, sly; förslagen smart

lita _verb,_ ~ _på_ a) förlita sig på depend on b) ha förtroende för trust; _jag_ ~_r på att du gör det_ I rely on you to do it

Litauen Lithuania

litauer _subst_ Lithuanian

litauisk _adj_ Lithuanian; se _svensk-_ för sammansättningar

litauiska _subst_ (se _svenska_ för ex.) **1** kvinna Lithuanian woman **2** språk Lithuanian

lite _subst_ o. _adv_ **1** föga little; få a few; _inte så ~ fel_ ganska många not a few faults; _rätt ~ folk_ rather few people; _det vill inte säga så ~!_ that's saying a great deal! **2** något, en smula a little; ~ _bröd_ some bread, a little bread; _vill du ha ~ jordgubbar?_ would you like some strawberries?; ~ _upplysningar_ some information; ~ _av varje_ a little of everything

liten I (_litet, lille, lilla, små_) _adj_ small; little; ytterst liten tiny, minute; kort short; _vara tacksam för minsta lilla bidrag_ be grateful for the least little contribution; _lilla du!_ my dear!; _din lilla dumbom!_ you little fool!; _ett litet sött (sött litet) barn_ a sweet little child
II (_litet, lille, lilla, små_) _subst,_ _stackars_ ~_!_ poor little thing!; _redan som_ ~ even as a child

liter _subst_ litre

litermått _subst_ litre measure; tillbringare measuring jug

litet _adj_ se _liten_

litografi _subst_ metod lithography; _en_ ~ a lithograph

litteratur _subst_ literature

litteraturhistoria _subst_ the history of literature

litterär _adj_ literary

liv _subst_ **1** life; livstid lifetime; _börja ett nytt_ ~ start a new life; bättra sig turn over a new leaf; _ge_ ~ _åt_ t.ex. rummet give life to; _ta ~et av ngn_ take sb's life; _springa för brinnande_ ~_et_ run for all one's worth; _för mitt_ ~ _kan jag inte begripa_ I can't for the life of me understand; _i hela mitt_ ~ all my life; _trött på_ ~_et_ tired of life; _vara vid_ ~ be alive **2** _komma ngn inpå_ ~_et_ lära känna ngn get to know sb intimately **3** midja waist äv. på plagg; _vara smal om_ ~_et_ have a small waist, have a slender waist **4** klänningsliv etc. bodice **5** oväsen row, noise; bråk fuss

liva _verb,_ ~ _upp_ liven up

livboj _subst_ lifebuoy

livbåt _subst_ lifeboat

livbälte _subst_ lifebelt

livfull _adj_ livlig lively; om skildring vivid; _hon var så_ ~ she was so full of life

livförsäkring _subst_ life insurance

livlig _adj_ lively; om skildring etc. vivid; om diskussion animated; om efterfrågan keen; om intresse great, keen; om trafik heavy

livlös _adj_ lifeless; uttryckslös expressionless

livmoder _subst_ anat. womb; med. uterus

livrem _subst_ belt, waist belt

livrädd _adj_ scared stiff, dead scared

livräddning _subst_ life-saving

livsfara _subst_ mortal danger, danger to life; _han svävar i_ ~ his life is in danger

livsfarlig _adj_ highly dangerous; dödlig fatal

livsföring _subst_ way of life

livshotande _adj_ skada etc. grave; dödlig fatal; ~ _skador_ life-threatening injuries

livslängd _subst_ om person length of life; om sak life

livsmedel _subst pl_ provisions

livsmedelsaffär _subst_ provision shop

livsmedelskedja _subst_ chain of food stores

livsmedelstillsats _subst_ food additive

livsstil _subst_ life style

livstecken _subst_ sign of life; _hon har inte gett ett_ ~ _ifrån sig_ inte hört av sig there's no sign of life from her

livstid _subst_ life, lifetime; _dömas till_ ~ be sentenced to life imprisonment; _få_ ~ get life

livsviktig adj vital; *det är inte ~t* it's not all that important

livsvillkor subst vital necessity

livsåskådning subst outlook on life

livvakt subst bodyguard

ljud subst sound; klang, om instrument tone

ljuda verb låta sound; höras be heard

ljuddämpare subst **1** på bil silencer, amer. muffler **2** på skjutvapen silencer

ljudeffekter subst pl sound effects

ljudisolera verb soundproof

ljudisolerad adj soundproof

ljudkassett subst audio cassette

ljudlös adj soundless

ljudskrift subst sound notation, phonetic transcription

ljudstyrka subst loudness, volume

ljudvåg subst soundwave

ljug subst vard., *det är bara ~* it's just a pack of lies

ljuga verb lie *[för ngn om ngt* to sb about sth]*, tell a lie, tell lies

ljum adj lukewarm, tepid

ljumske subst anat. groin

ljung subst heather

ljungpipare subst fågel golden plover

ljus I subst light; stearinljus candle; *köra med ~et på* drive with the lights on; *föra ngn bakom ~et* take sb in; *leta efter ngt med ~ och lykta* search high and low for sth **II** adj light; om dag, klangfärg clear; om hy fair; om hår fair, blond; *~t öl* pale beer; *mitt på ~a dagen* in broad daylight

ljusblå adj light blue, pale blue

ljusglimt subst **1** gleam of light **2** strimma av hopp ray of hope

ljushuvud subst, *han är inget ~* he's not very bright

ljushårig adj fair, blond; om kvinna blonde

ljuskrona subst chandelier

ljusna verb **1** get light, grow light **2** om utsikter get brighter; *det har börjat ~* it is getting light

ljusning subst förbättring change for the better

ljusomkopplare subst bil. dipswitch, amer. dimmer

ljuspunkt subst anledning till glädje bright spot

ljusstake subst candlestick

ljusår subst light year

ljusäkta adj, *gardinerna är ~* vanligen the curtains are colour-fast

ljuv adj sweet; förtjusande delightful

ljuvlig adj delightful, lovely; utsökt exquisite

LO subst se *Landsorganisationen*

lobb subst sport. lob

lobelia subst blomma lobelia

1 lock subst hårlock curl; längre lock, lock of hair

2 lock subst på kokkärl, låda etc. lid; kapsyl cap *[till of]*

locka verb **1** *~ förleda ngn till att göra ngt* entice sb into doing sth; fresta tempt; dra till sig publik attract; *det låter inte vidare ~nde* it doesn't sound very tempting; *~ ur ngn ngt* draw sth out of sb **2** *~* el. *~ på* call

lockbete subst bait

lockelse subst temptation, attraction

lockig adj curly

lockout subst lockout

lockouta verb lock out

lockpris subst specially reduced price

lodare subst layabout; luffare tramp

lodis subst vard. se *lodare*

lodjur subst lynx

lodrät adj vertical; *~a ord* i korsord clues down

1 loge subst i lada barn

2 loge subst **1** teat. box **2** klädloge dressing-room

logga verb data., *~ in* log in; *~ ut* log out

loggbok subst logbook

logi subst accommodation, lodging

logik subst logic

logisk adj logical

loj adj om person indolent; slö apathetic

lojal adj loyal *[mot to]*

lojalitet subst loyalty *[mot to]*

lok subst engine

lokal I subst premises pl.; rum room **II** adj local

lokalbedövning subst med. local anaesthesia; *få ~* get a local anaesthetic

lokalderby subst sport. local Derby, Derby

lokalisera verb locate *[i, till in]*; *~ sjukdomen* locate the disease

lokalkännedom subst, *ha god ~* know a place well, know a locality well

lokalradio subst local radio

lokalsamtal subst tele. local call

lokalsinne subst, *ha dåligt ~* have a poor sense of direction

lokaltrafik subst local traffic; järnv. suburban services pl.

lokaltåg subst local train, suburban train

lokalvårdare subst cleaner

lokatt subst se *lodjur*

lokförare subst engine-driver, amer. engineer

lokomotiv subst engine, railway engine

londonbo subst Londoner

longitud *subst* longitude

lopp *subst* **1** löpning run; tävling race; ~*et är kört* vard. it's all over, we've had it; *dött* ~ dead heat **2** *i det långa* ~*et* in the long run; *inom* ~*et av fem dagar* within five days; *under dagens* ~ during the day

loppa *subst* flea; *leva* ~*n* live it up

loppmarknad *subst* flea market, second-hand market

loppspel *subst* tiddlywinks (med verb i sing.)

lort *subst* smuts dirt, stark. filth

lortig *adj* dirty, stark. filthy

loss *adv* loose; *riva* ~ tear off; *skruva* ~ unscrew

lossa *verb* **1** lösgöra loose; ~ *på* band, knut untie, undo; göra lösare loosen **2** lasta ur unload **3** avlossa skott fire

lossna *verb* bli lösare come loose; helt come off; om t.ex. knut come undone; om ngt limmat come unstuck; om tänder get loose

lots *subst* pilot

lotsa *verb* pilot; vägleda guide

lott *subst* **1** del, öde lot **2** andel share; jordlott allotment, plot; *falla (komma) på ngns* ~ fall to sb's lot **3** lottsedel lottery ticket; *dra* ~ *om ngt* draw lots for sth, cast lots for sth

1 lotta *subst* member of the Women's Services

2 lotta *verb*, ~ *om ngt* draw lots for sth

lottad *adj*, *de sämst* ~*e* those who are worst off

lotteri *subst* lottery

lotteridragning *subst* lottery draw

lottlös *adj*, *bli* ~ come away empty-handed

lottning *subst*, *avgöra ngt genom* ~ decide sth by drawing lots

lottsedel *subst* lottery ticket

lov *subst* **1** ledighet holiday; ferier holidays pl., spec. amer. vacation; *få* ~ get a day (a week etc.) off **2** tillåtelse permission; *får jag* ~*?* när man bjuder upp till dans may I?; *får det* ~ *att vara en kopp kaffe?* may I offer you a cup of coffee?; *be ngn om* ~ *att få göra ngt* ask sb's permission to do sth **3** *få* ~ vara tvungen *att* have to, must **4** beröm praise; *Gud ske* ~*!* thank God!

lova *verb* promise; *det vill jag* ~*!* vard. I'll say!, I should say so!

lovande *adj* promising

lovdag *subst* holiday, day off

lovord *subst* praise

lovorda *verb* o. **lovprisa** praise

lovvärd *adj* praiseworthy

LP-skiva *subst* LP (pl. LPs)

LSD *subst* LSD narkotiskt medel

lucka *subst* **1** ugnslucka etc. door; fönsterlucka shutter; taklucka el. sjö. hatch **2** öppning hole, opening; expeditionslucka counter **3** tomrum gap; *fyll i luckorna* i en text fill in the gaps

luckra *verb*, ~ *upp* loosen, break up

ludd *subst* fjun fluff; dun down; på tyg nap

luddig *adj* **1** fjunig fluffy; dunig downy **2** oklar woolly

luden *adj* hairy, shaggy

luffa *verb* vara på luffen tramp the countryside, be on the road

luffare *subst* tramp

luffarschack *subst* noughts and crosses (med verb i sing.), amer. tick-tack-toe

luft *subst* air; *behandla ngn som* ~ give sb the cold shoulder; *det ligger i* ~*en* it's in the air; ~*en gick ur honom* he ran out of steam

lufta *verb* air

luftballong *subst* air balloon

luftbevakning *subst* aircraft warning service

luftbro *subst* airlift

luftdrag *subst* draught, amer. draft

luftfart *subst* aviation; flygtrafik air traffic

luftfilter *subst* air filter

luftfuktighet *subst* humidity

luftförorening *subst* air pollution; ämne air pollutant

luftförsvar *subst* air defence

luftgevär *subst* air gun

luftgrop *subst* air pocket

luftig *adj* airy; lätt, porös light

luftkonditionering *subst* air-conditioning

luftkudde *subst* bil. airbag

luftlandsätta *verb* mil. airdrop

luftlandsättning *subst* mil. airdrop

luftmadrass *subst* air bed, air mattress

luftombyte *subst* change of air, change of climate

luftrör *subst pl* anat. bronchi

luftrörskatarr *subst* med. bronchitis

luftstrupe *subst* windpipe

luftström *subst* air current

lufttryck *subst* air pressure; meteor. atmospheric pressure

lufttät *adj* airtight

luftvärmepump *subst* heat pump

luftvärn *subst* anti-aircraft (förk. AA) defence

lugg *subst* hår fringe

lugga *verb*, ~ *ngn* pull sb's hair

luggsliten *adj* threadbare

lugn I *subst* calm; ro peace; ordning order; fattning composure; *i* ~ *och ro* in peace and quiet

ll *adj* calm; stilla quiet; fridfull peaceful; ej orolig easy in one's mind; ej upprörd calm; fattad composed; *du kan vara ~ för att han klarar det* don't worry, he'll manage it; *med ~t samvete* with an easy conscience

lugna *verb* calm, quieten; småbarn soothe; inge tillförsikt reassure; *~ sig* calm down; *~ ner dig!* calm down!, don't get excited!

lugnande *adj* om nyhet etc. reassuring; om verkan etc. soothing; *~ medel* sedative, tranquillizer

lugnt *adv* calmly, quietly, peacefully; *ta det ~!* take it easy!

lukt *subst* smell; speciell odour; behaglig scent

lukta *verb* smell [*på ngt* at sth]; *det ~r gott* it smells good; *det ~r rök* it smells of smoke

luktfri *adj* odourless

luktsinne *subst* sense of smell

luktärt *subst* blomma sweet pea

lummig *adj* woody; lövrik leafy; skuggande shady

lump *subst* **1** trasor rags pl.; skräp junk **2** *ligga i ~en* vard. do one's military service

lumpa *verb* vara inkallad do one's military service

lumpen *adj* småsint mean; tarvlig shabby

lunch *subst* lunch; formellt luncheon; *äta fisk till ~* have fish for lunch

lunchkupong *subst* luncheon voucher

lunchrast *subst* lunch hour

lunchrum *subst* lunchroom; självservering canteen

lunchstängt *adj*, *vara ~* be closed for lunch

lund *subst* grove

lunga *subst* anat. lung

lungcancer *subst* med. lung cancer

lunginflammation *subst* med. pneumonia

lungsäcksinflammation *subst* med. pleurisy

lunka *verb* jog along, trot along

lupin *subst* blomma lupin

1 lur *subst* **1** horn horn **2** hörlur receiver; radio. earphone

2 lur *subst* bakhåll *ligga på ~* lie in wait, lurk

lura l *verb* **1** ligga på lur lie in wait [*på ngn* for sb] **2** *~ ngn* 'skoja' take sb in, bedraga deceive sb, spec. på pengar cheat sb [*på* out of], swindle [*på* out of]; *~ ngn att göra ngt* fool sb into doing sth
ll *verb* med betonad partikel
lura av ngn ngt genom bedrägeri cheat sb out of sth
lura på ngn ngt få ngn att köpa ngt trick sb into buying sth
lura till (åt) sig ngt secure sth by trickery

lurifax *subst* sly dog

lurpassa *verb*, *~ på ngn* lie in wait for

lurvig *adj* om hår rough; om hund shaggy

lus *subst* louse (pl. lice)

lusläsa *verb* read through thoroughly

lussekatt *subst* saffron bun eaten on Lucia Day, 13th December

lust *subst* böjelse, håg inclination; åtrå desire; *jag har ~ att gå dit* I feel like going there

lustbetonad *adj* pleasurable

lustgas *subst* laughing gas

lustgård *subst*, *Edens ~* the Garden of Eden

lustig *adj* **1** funny, comical; konstig odd; *göra sig ~ över* make fun of **2** *~a huset* spec. amer. fun house

lustighet *subst*, *säga en ~* say an amusing thing; vitsa crack a joke

lustigkurre *subst* joker, character

lustjakt *subst* yacht

1 lut *subst*, *ställa ngt på ~* stand sth slantwise; *ha ngt på ~* have sth up one's sleeve

2 lut *subst* tvättlut lye

1 luta *subst* musik. lute

2 luta *verb* **1** lean [*mot* against]; slutta slope; vila, stöda recline, rest; *~ sig bakåt* lean back; *~ sig fram (framåt)* lean forward; *~ sig ut genom fönstret* lean out of the window; *~ sig ned* bend down **2** vard., *det ~r nog dithät* it looks like it, it looks that way

lutad *adj* leaning [*mot* against]

lutande *adj* leaning; om t.ex. tak, handstil sloping

luteran *subst* Lutheran

lutersk *adj* Lutheran

lutfisk *subst* stockfish; maträtt boiled ling

luv *subst*, *komma (råka) i ~en på varandra* fly at each other, fly at each other's throats

luva *subst* cap, woollen cap

Luxemburg Luxembourg

luxemburgare *subst* Luxembourger

luxuös *adj* luxurious

lya *subst* lair, hovel, den

lycka *subst* **1** känsla happiness **2** tur luck; *~ till!* good luck!; *göra ~* ha framgång be a success

lyckad *adj* successful; *vara mycket ~* be a great success

lyckas *verb* succeed, om person äv. manage; *jag lyckades göra det* I managed to do it, I succeeded in doing it

lycklig *adj* glad happy [*över* about, at]; gynnad

av lyckan fortunate; tursam lucky; framgångsrik
successful; ~ *resa!* pleasant journey!
lyckligtvis *adv* luckily, fortunately
lyckokast *subst* unexpected success, real hit
lyckosam *adj* fortunate; framgångsrik
successful
lycksalig *adj* really happy, blissful
lycksökare *subst* adventurer; opportunist
opportunist
lyckt *adj*, *bakom ~a dörrar* behind closed
doors
lyckträff *subst* stroke of luck
lyckönska *verb* congratulate [*till* on]
lyckönskning *subst* congratulation;
hjärtliga ~ar på födelsedagen Many
Happy Returns of the Day
1 lyda *verb* **1** vara lydig obey; ~ *någons råd*
take sb's advice, follow sb's advice **2** ~
under sortera under come under, belong
under
2 lyda *verb* ha viss lydelse run, read
lydelse *subst* ordalydelse wording
lydig *adj* obedient [*mot* to]
lydnad *subst* obedience [*mot* to]
lyft *subst* vard., framsteg boost, big step forward
lyfta *verb* **1** lift; höja, t.ex. armen, huvudet raise; ~
ankar (*ankaret*) weigh anchor; ~ *bort*
(*undan*) take away; ~ *på luren* lift the
receiver **2** uppbära, t.ex. lön draw, earn **3** om
flygplan take off
lyftkran *subst* crane, lifting crane
lyhörd *adj* **1** om öra, sinne keen, sharp **2** *det är
lyhört i det här rummet* this room is not
soundproof, in this room you can hear
every sound
lykta *subst* lantern; gatlykta, billykta lamp
lyktstolpe *subst* lamppost
lymfkörtel *subst* anat. lymphatic gland
lymmel *subst* scoundrel
lyncha *verb* lynch
lynchning *subst* lynching
lynne *subst* läggning temperament; sinnelag
disposition
lyra *subst* bollkast throw; med slagträ hit; *en hög*
~ a high ball; *ta en* ~ make a catch, catch
lyrik *subst* lyric poetry; dikter lyrics pl.
lyriker *subst* lyric poet
lysa *verb* **1** skina shine; glänsa gleam, om t.ex.
stjärnor glitter, twinkle; ~ *igenom* om solen
shine through; om färg show through **2** *det
har lyst för dem* the banns have been
published for them; *det lyser i hallen* the
light is on in the hall
lysande *adj* **1** shining; klar bright **2** brilliant;
om framgång dazzling

lyse *subst* light; *släcka ~t* turn off the light
lysmask *subst* glow-worm

lysning
I England avkunnar man lysning
under tre söndagar, vanligtvis i
kyrkan, före ett giftermål. I USA är
det inte vanligt att man tar ut lys-
ning.

lysning *subst* the banns pl.; *ta ut* ~ ask to
have the banns published
lysningspresent *subst* ungefär wedding
present
lysrör *subst* fluorescent lamp, strip light
lysrörsbelysning *subst* fluorescent lighting,
strip lighting
lyssna *verb* listen [*efter* for; *på*, *till* to]
lyssnare *subst* listener
lysten *adj* desirous [*efter* of]; glupsk greedy
lyster *subst* glans lustre
lyte *subst* kroppsfel bodily defect, disability;
missbildning deformity
lyx *subst* luxury; *att unna sig ~en* allow
oneself the luxury of
lyxartikel *subst* luxury article; *lyxartiklar*
luxury goods
lyxig *adj* luxurious
lyxkrog *subst* first-class restaurant
låda *subst* **1** box; större case **2** draglåda drawer
låg *adj* low; ~*a böter* a small fine
låga *subst* flame, stark. blaze; på gasspis burner;
gå upp i lågor go up in flames
lågavlönad *adj* low-paid
lågenergilampa *subst* low-energy bulb
låginkomsttagare *subst* low-income earner
lågkonjunktur *subst* recession, depression
låglönegrupp *subst* low-wage group
lågmäld *adj* quiet
lågoktanig *adj*, ~ *bensin* low-octane petrol,
amer. low-octane gasoline
lågprisbutik *subst* cut-price shop
lågprisvaruhus *subst* discount store
lågsko *subst* shoe
lågstadium *subst*, *lågstadiet* i grundskolan the
junior level (department) of the
'grundskola'; se *grundskola*
lågsäsong *subst* low season
lågt *adv* low; *ligga* ~ lie low, keep a low
profile; *tavlan sitter för* ~ the picture is
too far (low) down; *solen står* ~ the sun is
low
lågtrafik *subst*, *vid* ~ at off-peak hours

lågtryck *subst* meteor. depression; område area of low pressure

lån *subst* loan; *ge ngn ett* ~ lend sb money; *söka* ~ apply for a loan; *ta ett* ~ take out a loan

låna *verb* **1** få låna borrow [*av* from]; *får jag ~ telefonen?* may I use the telephone? **2** låna ut lend [*åt* to]; ~ *ut* lend

låneansökan *subst* loan application

lånebibliotek *subst* lending-library

lånekort *subst* på bibliotek library ticket

lång *adj* **1** long; *det tar inte* ~ *tid att...* it won't take long to...; *det tar tre gånger så* ~ *tid* it takes three times as long **2** om person, reslig tall

långbyxor *subst pl* long trousers

långdistanslöpare *subst* long-distance runner

långdragen *adj* långvarig protracted, lengthy; långtråkig tedious

långfilm *subst* long film, feature film

långfinger *subst* middle finger

långfranska *subst* white loaf

långfredag *subst* Good Friday

långfärd *subst* long tour, long trip

långgrund *adj* shallow

långhelg *subst* long weekend

långhårig *adj* long-haired

långkalsonger *subst pl* long underpants, vard. long johns

långpromenad *subst* long walk

långrandig *adj* long-winded

långsam *adj* slow; gradvis gradual

långsamhet *subst* slowness

långsamt *adv* slowly; *det går* ~ it goes slowly, it takes a long time

långsiktig *adj*, ~ *planering* long-term planning

långsint *adj*, *han är* ~ he doesn't forgive things easily

långsmal *adj* long and narrow

långsynt *adj* long-sighted, amer. vanligen far-sighted

långsökt *adj* far-fetched

långt *adv* **1** om avstånd far, a long way, a long distance; *gå* ~ a) sträcka walk a long way b) i livet go far; *det går för* ~ that is going too far; *huset är* ~ *ifrån färdigt* the house is far from completed **2** om tid long; *det är* ~ *till jul* it is a long time to Christmas; *det är inte* ~ *till jul* Christmas is not far off

långtidsparkering *subst* long-stay parking, long-term parking; område long-stay car park; plats long-stay parking lot

långtidsprognos *subst* long-range forecast

långtradarchaufför *subst* truck-driver, amer. trucker, teamster

långtradare *subst* lastbil long-distance truck; med släp articulated lorry, amer. trailer truck

långtradarfik *subst* vard. o. **långtradarkafé** *subst* transport café, amer. truck stop

långtråkig *adj* boring

långtur *subst* long tour, long trip

långvarig *adj* long; långt utdragen prolonged

långvåg *subst* long wave

långvård *subst* long-term care

långärmad *adj* long-sleeved

lånord *subst* loan word

låntagare *subst* borrower

1 lår *subst* anat. thigh; kok. leg

2 lår *subst* large box; packlår packing-case

lårben *subst* thighbone

lås *subst* lock; hänglås padlock; på väska, armband etc. clasp; *dörren gick i* ~ the door locked itself; *inom* ~ *och bom* under lock and key

låsa *verb* **1** lock; med hänglås padlock; väska, armband etc. clasp; ~ *in ngn* lock sb up; ~ *upp* unlock **2** ~ *in sig* lock oneself in

låssmed *subst* locksmith

låt *subst* melodi tune; visa song

1 låta *verb* ljuda, verka sound [*som* like]; *hur låter melodin?* how does the melody go?; *så ska det* ~! that's the spirit!, now you're talking!

2 låta *hjälpverb*, ~ *ngn göra ngt* a) inte hindra let sb do sth; tillåta allow sb to do sth b) se till att get sb to do sth; förmå make sb do sth; ~ *göra ngt* se till att ngt blir gjort have sth done, get sth done; *låt oss göra det!* let's do it!; ~ *ngn förstå att...* give sb to understand that...; ~ *dörren stå öppen* leave the door open; ~ *ngt (ngn) vara* leave sth (sb) alone, let sth (sb) alone

låtsa *verb* se *låtsas*

låtsas *verb* pretend [*att, som om* that]; *han låtsades inte om att han visste* he didn't let on that he knew; *inte* ~ bry sig *om ngn (ngt)* take no notice of sb (sth)

lä *subst* lee; skydd mot vinden shelter; *där ligger du i* ~ that puts you in the shade, doesn't it?

läcka I *subst* leak äv. om informationsläcka **II** *verb* leak; ~ *information* leak information

läckage *subst* leakage

läcker *adj* delicious

läckerhet *subst*, *en* ~ a delicacy

läder *subst* leather

läge *subst* situation, position; tillstånd state

lägenhet *subst* våning flat, amer. apartment

läger *subst* tältläger etc. camp; **slå** ~ pitch one's camp

lägereld *subst* camp fire

lägerplats *subst* camping-ground

lägga I *verb* **1** placera put, place; i liggande ställning lay; ~ **ngn** till sängs put sb to bed; **låta** ~ **håret** have one's hair set; ~ **ägg** lay eggs; ~ **en duk på bordet** lay a cloth on the table **2** ~ **sig** a) lie down; gå till sängs go to bed; placera sig place oneself b) avta, om t.ex. storm abate, subside; gå över pass off
II *verb* med betonad partikel

lägga av: han har lagt av med fotboll he has stopped playing football; **jag har lagt av med att röka** I've quit smoking; **lägg av!** vard. a) sluta cut it out!, spec. amer. knock it off! b) försök inte come off it!

lägga fram put forward

lägga i: ~ **i ettan** (**ettans växel**) put the car in first gear

lägga sig i interfere

lägga ifrån sig ngt put down sth [**på ngt** on sth]; undan put sth away; lämna kvar leave sth, leave sth behind

lägga ihop 1 vika ihop fold, fold up **2** addera ihop add up

lägga in 1 stoppa etc. in put . . . in; slå in wrap up; ~ **in sig på sjukhus** go into hospital, amer. go into the hospital **2** konservera preserve; på glas bottle

lägga ned 1 packa ned pack [**i into**] **2** upphöra med, t.ex. verksamhet discontinue; inställa, t.ex. drift shut down; stänga, t.ex. fabrik close down **3** offra, t.ex. pengar, tid spend [**på on**]

lägga om 1 ändra change, alter, omorganisera reorganize **2** förbinda bandage, sår dress

lägga på put on; t.ex. förband apply; posta post; ~ **på** el. ~ **på luren** tele. hang up, ring off

lägga till 1 tillfoga add; bidra med contribute **2** ~ **sig till med skägg** grow a beard

lägga undan åt sidan put aside; spara put away

lägga upp 1 kok. dish up **2** t.ex. byxor shorten **3** t.ex. arbete organize, plan

lägga ut 1 pengar spend, lay out; **jag kan** ~ **ut för dig** I can pay for you **2** **han har lagt ut** blivit tjockare he has put on weight

läggdags *adv* time for bed, bedtime

läggning *subst* karaktär disposition; fallenhet bent

läggningsvätska *subst* för håret setting lotion

läglig *adj* timely; passande convenient; **komma** ~**t** come at the right time

lägre I *adj* lower; i rang etc. inferior [**än to**]
II *adv* lower

lägst I *adj* lowest
II *adv* lowest

lägstbjudande *adj*, **den** ~ the lowest bidder

läka *verb* heal

läkarbehandling *subst* medical treatment

läkarbesök *subst* visit to the doctor

Hos läkaren

I've got a temperature and a sore throat.
  Jag har feber och ont i halsen.
I've got a pain in my stomach.
  Jag har ont i magen.
I've come out in a rash.
  Jag har fått utslag.
It hurts.
  Det gör ont.
I've got an upset stomach.
  Jag är inte bra i magen.
I can't bend my knee.
  Jag kan inte böja knät.
It's swollen.
  Det är svullet.

---

läkare *subst* doctor, physician; **allmänt praktiserande** ~ general practitioner; **gå till** ~ go to a doctor, see a·doctor

läkarhjälp *subst*, **tillkalla** ~ call for a doctor

läkarhus *subst* medical centre

läkarintyg *subst* doctor's certificate

läkarmottagning *subst* lokal surgery, amer. office

läkarrecept *subst* prescription

läkarundersökning *subst* medical examination, vard. medical

läkarvård *subst* medical treatment

läkas *verb* heal

läkemedel *subst* medicine, drug

läktare *subst* inomhus gallery; åskådarläktare stand, grandstand

läktarvåld *subst* violence on the terraces, hooliganism

lämna I *verb* **1** leave; överge abandon **2** ge give; låta ngn få let sb have; räcka över hand, pass; ~ **ett anbud på** make an offer for; ~ **en förklaring** offer an explanation; ~ **upplysningar** provide information
II *verb* med betonad partikel

lämna ifrån sig ge ifrån sig hand over
lämna in hand; skicka send in; skrivelse give in; till förvaring leave
lämna kvar ngt leave sth; oavsiktligt leave sth behind
lämna tillbaka return
lämna ut t.ex. paket hand out; t.ex. varor deliver; dela ut distribute
lämpa verb, ~ **sig** be convenient; ~ **sig för ngt** be suited for sth
lämpad adj suitable, appropriate
lämplig adj passande suitable, t.ex. behandling suitable, appropriate, fitting; läglig convenient
län subst administrative province
länga subst rad range, row
längd subst length; kroppslängd, höjd height; i ~en in the end, in the long run
längdhopp subst long jump; hoppning long jumping
längdhoppare subst long jumper
längdriktning subst, i ~en lengthways
längdåkning subst sport. cross-country skiing
längdåkningsskida subst sport. cross-country ski
länge adv long, for a long time; **sova** ~ sleep late; **på** ~ for a long time; **än (ännu) så** ~ so far…; **så** ~ **som** as long as; **för** ~ **sedan** a long time ago; **middagen är färdig för** ~ **sedan** dinner has been ready for a long time; **det var** ~ **sen!** we haven't met for a long time!, skämts. long time no see!
längre I adj longer; etc., se **lång; en** ~ ganska lång **promenad** a longish walk, a rather long walk; **jag kan inte stanna någon** ~ **tid** I can't stay for very long
II adv om rum vanligen further, farther vanligen om avstånd; om tid longer; **du älskar mig inte** ~ you don't love me any more; ~ **fram** a) om avstånd further on b) om tid later on
längs prep o. adv, ~ el. ~ **efter** along, alongside
längst I adj longest etc. se **lång; i det** ~**a** as long as possible; in i det sista to the very last
II adv om rum furthest, farthest endast om avstånd; ända right; om tid longest; ~ **fram** at the very front
längta verb long [efter ngt for sth; efter att göra ngt to do sth], stark. yearn [efter ngt for sth; efter att göra ngt to do sth]; ~ **efter** sakna miss; ~ **hem** long for home, be homesick; **jag** ~**r efter att få träffa dig** I'm longing

to see you; **jag** ~**r efter att du ska komma** I'm longing for you to come
längtan subst longing [efter, till for], stark. yearning [efter, till for]
längtansfull adj longing, stark. yearning
länk subst **1** led link **2** kedja chain
länsa verb tömma empty [på of]
länsstyrelsen subst the county administrative board
länstol subst armchair, easy chair
läpp subst lip
läppglans subst lip gloss
läppja verb, ~ **på** dryck sip, sip at
läppstift subst lipstick
lär hjälpverb **1** sägs etc., **han** ~ **sjunga bra** they say he sings well **2** torde, **det** ~ **vara sant** it is probably true
lära I subst vetenskapsgren science; lärosats doctrine; tro faith
II verb undervisa teach, instruct; ~ **sig** learn [ngt av ngn sth from sb]; snabbt pick up [ngt av ngn sth from sb]; **få** ~ **sig** learn; undervisas be taught; ~ **känna ngn** get to know sb
III verb med betonad partikel
lära om relearn
läraktig adj, **hon är** ~ she is willing to learn
lärare subst teacher [i ett ämne of, in]; sport. etc. instructor
lärarhögskola subst institute of education; mindre teacher's training college
lärarvikarie subst supply teacher, substitute teacher
läraryrke subst teaching profession
lärd adj learned ['lɜːnɪd]
lärjunge subst **1** pupil [i en skola at] **2** bibl. el. friare disciple [till ngn of sb]
lärka subst lark, sky lark
lärkträd subst larch, larch tree
lärling subst apprentice; **vara** ~ **hos** be an apprentice with
lärobok subst textbook, skolbok schoolbook; ~ **i geografi** geography textbook
läromedel subst pl teaching materials, textbooks and teaching aids
läroplan subst skol. curriculum (pl. curricula)
lärorik adj instructive
läroämne subst subject
läsa I verb **1** read; t.ex. bön say; ~ **ngt för ngn** read sth to sb; ~ **högt** read aloud, read out loud **2** studera study; ~ **engelska för ngn** ta lektioner take lessons in English with sb; ~ **sina läxor** prepare one's homework **3** undervisa, ~ **engelska med ngn** ge lektioner give sb lessons in English

II *verb* med betonad partikel
läsa igenom ngt read sth through
läsa in en kurs, en roll learn
läsa på läxa etc. prepare
läsa upp read, read out
läsare *subst* reader
läsbar *adj* readable
läsebok *subst* reader
läsecirkel *subst* book club
läsekrets *subst* circle of readers, public
läsglasögon *subst pl* reading glasses (spectacles)
läsida *subst* lee side; *på ~n* on the leeward
läsk *subst* vard. soft drink; lemonad lemonade, amer. vanligen soda pop, soda
läskande *adj* refreshing
läskedryck *subst* soft drink; lemonad lemonade
läskig *adj* vard. horrible, nasty; otäck scary
läskunnig *adj*, *hon är* ~ she is able to read
läskunnighet *subst* ability to read
läslig *adj* möjlig att läsa legible; tydbar decipherable
läsning *subst* reading
läspa *verb* lisp
läspenna *subst* light pen, data pen
läspning *subst* lisping; *en* ~ a lisp
läsvärd *adj* readable; *boken är* ~ the book is worth reading
läsår *subst* skol. school year
läte *subst* sound; djurs call, cry
lätt I *adj* **1** ej tung light; *en ~ förkylning* a slight cold; *med ~ hand* lightly; varsamt gently **2** ej svår easy, simple; *~ som en plätt* as easy as pie; *inte ha det* ~ not have an easy time of it; *han har ~ för språk* he has a gift for languages; *hon har ~ för att gråta* she cries easily
II *adv* **1** ej tungt lightly; lindrigt slightly, gently; litet somewhat; *ta ~ på ngt* take sth lightly; bagatellisera make light of sth **2** ej svårt easily, vard. easy; *man blir ~ trött* one gets easily tired, one is apt to get tired
lätta *verb* **1** göra lättare lighten; *~ sitt hjärta för ngn* unburden one's mind to sb **2** ease, relieve minska spänningen; *känna sig ~d* feel relieved; *~ upp stämningen* relieve the atmosphere; *~ upp ngns humör* put sb in a good humour **3** *~ ankar* weigh anchor **4** bli lättare become lighter, get lighter; spänning etc. ease **5** om dimma lift
lättantändlig *adj* inflammable
lättfattlig *adj* easily comprehensible; *den var* ~ it was easy to understand

lätthanterlig *adj* easy to handle, easy to manage
lätthet *subst* **1** liten tyngd lightness **2** liten svårighet easiness, simplicity; *lära sig ngt med* ~ learn sth easily, learn sth with ease
lättillgänglig *adj* ... easily accessible, ... easy to get at
lättja *subst* laziness, idleness
lättjefull *adj* lazy
lättklädd *adj* lightly dressed
lättlurad *adj*, *han är* ~ he is easily taken in
lättläst *adj* om handstil very legible; om bok etc. very readable
lättmetall *subst* light metal, aluminium, amer. aluminum
lättmetallfälgar *subst pl* alloy wheels, alloy rims
lättmjölk *subst* low-fat milk
lättnad *subst* relief; mildring relaxation; lindring easing-off
lättpåverkad *adj* impressionable; *hon är* ~ lättinfluerad she is easily influenced
lättrogen *adj* credulous; lättlurad gullible
lättsinnig *adj* thoughtless; ansvarslös irresponsible
lättskrämd *adj*, *vara* ~ be easily scared
lättskött *adj*, *den är* ~ it is easy to handle
lättsmält *adj* om mat easily digested; om bok very readable
lättstekt *adj* stekt kort tid underdone, rare
lättsåld *adj*, *den är* ~ it is easy to sell; *en ~ bil* a car that is easy to sell
lättsövd *adj*, *vara* ~ be a light sleeper
lättvikt *subst* o. **lättviktare** *subst* sport. lightweight
lättvin *subst* light wine
lättöl *subst* low-alcohol beer, vard. förk. lab
läxa I *subst* **1** hemläxa homework (endast sing.); *många läxor* a lot of homework; *förhöra ~n* test the homework; *göra ~n* el. *göra läxorna* do one's homework; *ge ngt i ~* set sth for homework **2** *ge ngn en ~* tillrättavisning teach sb a lesson
II *verb*, *~ upp ngn* tell sb off
löda *verb* solder; *~ fast ngt* solder sth on
lödder *subst* lather; fradga foam, froth
löfte *subst* promise; *ge ett* ~ make a promise
lögn *subst* lie, falsehood
lögnaktig *adj* lying
lögnare *subst* liar
löjeväckande *adj* ridiculous
löjlig *adj* ridiculous; orimlig absurd
löjrom *subst* kok. whitefish roe
löjtnant *subst* lieutenant
löjtnantshjärta *subst* blomma bleeding heart

lök *subst* kok. onion; blomsterlök bulb
lömsk *adj* illistig sly; förrädisk treacherous
lön *subst* spec. veckolön wages pl.; spec. månadslön salary; mera allm. pay (endast sing.)
löna *verb*, ~ *sig* pay; *det ~r sig inte att göra det* tjänar ingenting till it's no use doing it, it's no good doing it
lönande *adj* profitable
löneförhandlingar *subst pl* pay negotiations
löneförhöjning *subst* pay rise, amer. pay raise, raise
löneförmån *subst* benefit attaching to one's salary (på veckolön wages)
löneglidning *subst* wage drift
löneskatt *subst* payroll tax
lönestopp *subst* wage freeze
lönlös *adj* gagnlös useless, futile
lönn *subst* träd maple
lönndörr *subst* secret door, hidden door
lönnmördare *subst* assassin
lönsam *adj* profitable
lönsamhet *subst* profitability
lönt *adj*, *det är inte ~ att försöka* it is no use trying
löntagare *subst* wage-earner, salary-earner
löpa *verb* **1** run **2** ~ *ut* om avtal, tid etc. run out, expire; sträcka sig run, extend **3** om hona be on heat, be in heat
löpande *adj*, ~ *utgifter* running expenses, current expenses; ~ *band* conveyor belt, assembly line; *på ~ band* in a steady stream, one after the other
löparbana *subst* track, running track
löpare *subst* **1** sport. runner **2** schack. bishop **3** duk runner
löpeld *subst*, *som en ~* like wildfire
löpning *subst* sport. running; lopp run; tävling race
löpsedel *subst* placard
lördag *subst* Saturday; se *fredag* för ex.
lördagskväll *subst* Saturday evening, senare Saturday night; *på ~arna* on Saturday evenings, on Saturday nights

---

lös
Skilj mellan *loose* [lu:s] lös, som uttalas med tonlöst s och *lose* [lu:z] förlora, som uttalas med tonande s.

---

lös I *adj* **1** loose; löstagbar detachable; separat separate, single; *en ~ hund* a dog off the leash, a stray dog; *gå ~ fri* be at large; *vara ~* hålla på att lossna be coming off; ha lossnat be

off, have come off, be (have come) loose; *elden är ~* a fire has broken out; som utrop fire, fire! **2** ej hård el. fast loose, mjuk loose, soft **3** om ammunition etc. blank **4** om rykte etc. baseless, groundless; *på ~a grunder* on flimsy grounds; *köpa ngt i ~ vikt* buy sth loose
II *adv*, *gå ~ på ngn (ngt)* attack sb (sth)
lösa *verb* **1** ~ el. ~ *upp* loosen, knut etc. loosen, undo, untie **2** ~ el. ~ *upp* i vätska dissolve **3** klara upp solve; konflikt etc. settle **4** betala biljett etc. pay for; köpa buy; ~ *in* check (om bank) pay; ~ *ut ngt på posten* get sth out at the post office **5** ~ *sig* i vätska dissolve; ~ *sig själv* om fråga etc. solve itself
lösaktig *adj* loose, dissolute
lösegendom *subst* personal property
lösen *subst* **1** lösepenning ransom **2** på t.ex. brev surcharge **3** paroll watchword
lösenord *subst* watchword; data. password
lösensumma *subst* ransom
lösgöra *verb* lösa, släppa lös set . . . free; ~ *sig* befria sig set oneself free
löshår *subst* false hair
löskokt *adj* soft-boiled, lightly boiled
löslig *adj* **1** i vätska soluble, dissolvable **2** om problem etc. solvable **3** löst sammanhängande loose
lösning *subst* **1** av problem etc. solution [av, på to, of] **2** vätska solution
lösningsmedel *subst* solvent
lösnummer *subst* single copy
lösryckt *adj* fristående, om ord etc. disconnected
löst *adv* loosely; lätt lightly
löstagbar *adj* detachable
löständer *subst pl* false teeth
lösögonfransar *subst pl* false eyelashes
lösöre *subst* personal property
löv *subst* leaf (pl. leaves)
lövkoja *subst* blomma stock
lövskog *subst* deciduous forest
lövsångare *subst* fågel willow warbler
lövträd *subst* deciduous tree
lövverk *subst* foliage

Mm

mack *subst* vard. petrol station, amer. gas station

macka *subst* vard. se *smörgås 1*

Madeira geogr. Madeira

madeira *subst* vin Madeira

madonna *subst* relig. the Madonna, Our Lady

madrass *subst* mattress

madrassera *verb* pad; *~d cell* padded cell

maffia *subst* Mafia

magasin *subst* **1** förrådshus storehouse; lager el. möbel warehouse **2** tidskrift magazine **3** på skjutvapen magazine

magasinera *verb* store

magcancer *subst* stomach cancer

magdans *subst* belly dance

mage *subst* stomach, vard. tummy; *ha dålig ~* have a weak stomach; *ha ont* smärtor *i ~n* have a stomach ache, vard. have a belly ache; *vara hård (trög) i ~n* be constipated; *jag är lös i ~n* I've got diarrhoea

mager *adj* **1** ej fet lean; *~* halvfet *ost* low-fat cheese **2** om person, kroppsdelar thin

maggrop *subst* pit of the stomach

magi *subst* magic

maginfluensa *subst* med. gastric flu

magisk *adj* magic

magister *subst* lärare schoolmaster; *ja, ~n!* yes, Sir!

magkatarr *subst* med. gastric catarrh, gastritis

magknip *subst* stomach ache, vard. belly ache

magnat *subst* magnate, tycoon

magnesium *subst* kem. magnesium

magnet *subst* magnet

magnetisera *verb* magnetize

magnetisk *adj* magnetic

magnetism *subst* magnetism

magnifik *adj* magnificent, splendid

magnolia *subst* blomma magnolia

magplask *subst* **1** belly flop **2** fiasko fiasco (pl. -s)

magra *verb* become thin, become thinner

magsaft *subst* gastric juice

magsjuk *adj*, *vara ~* have an upset stomach, vard. have a tummy upset

magsår *subst* gastric ulcer; *ha ~* have a gastric ulcer

magsäck *subst* stomach

mahogny *subst* trä el. träd mahogany

maj *subst* May; se *april* för ex.

majestät *subst* majesty; *Ers (Eders) ~* Your Majesty

majonnäs *subst* kok. mayonnaise

major *subst* major

majoritet *subst* majority; *få ~* get a majority

majs *subst* maize, amer. corn

majsflingor *subst pl* cornflakes

majskolv *subst* corncob; *~ar* som maträtt corn on the cob sing.

majstång *subst* maypole

mak *subst*, *gå i sakta ~* walk at a leisurely pace

1 maka *subst* wife

2 maka *verb*, *~ på ngt* flytta undan move sth; *~ sig* el. *~ på sig* move

makaber *adj* macabre

makadam *subst* macadam

makalös *adj* matchless; ojämförlig incomparable

makaroner *subst pl* macaroni (med verb i sing.)

make *subst* **1** *~n till den här handsken* the other glove of this pair **2** i äktenskap, *~* el. *äkta ~* husband; *äkta makar* husband and wife **3** motstycke match, equal; *jag har aldrig hört (sett) på ~n!* well I never!

Makedonien Macedonia

makeup *subst*, *göra ~* put on make-up

maklig *adj* bekväm easy-going; långsam slow, leisurely

makrill *subst* mackerel

makt *subst* power; våld force; *ha ~en* be in power; *sätta ~ bakom ordet* back up one's words by force; *det står inte i min ~ att* inf. it is not in my power to inf.; *med all ~* with all one's might; *sitta vid ~en* be in power

maktbalans *subst* balance of power

maktgalen *adj* power-mad

makthavande *subst*, *de ~* those in power

makthavare *subst*, *makthavarna* those in power

maktkamp *subst* power struggle

maktlysten *adj* power-seeking

maktlös *adj* powerless

maktmedel *subst pl* forcible means; *använda ~* use force

maktmissbruk *subst* abuse of power

mal *subst* insekt moth

mala *verb* t.ex. kaffe grind; kött mince, amer. grind

malaria *subst* med. malaria

mall *subst* mönster pattern

mallig *adj* stuck-up, cocky

Mallorca Majorca

malm *subst* metallhaltigt mineral ore; bruten rock

malt *subst* malt

Malta Malta; *ris à la* ~ kok., ungefär cold creamed rice

maltdryck *subst* malt liquor

malva *subst* mallow; färg mauve

maläten *adj* moth-eaten; luggsliten shabby

mamma *subst* mother [*till* of], vard. ma, mum, amer. mom, barnspr. mummy, amer. mammy; *leka* ~, *pappa, barn* play mothers and fathers

mammakläder *subst pl* maternity wear sing.

mammaklänning *subst* maternity dress

mammaledig *adj, vara* ~ be on maternity leave

mammaledighet *subst* maternity leave

1 man *subst* på djur mane

2 man *subst* **1** man (pl. men); besättningsman, arbetare hand; *hans närmaste* ~ his right-hand man; *tredje* ~ jur. third party; *per* ~ per person, per head **2** make husband

3 man *pron* den talande inbegripen one; 'vi' we; spec. i talspråk, anvisningar etc. you; 'folk' people; 'de' they; *förr trodde* ~ *att...* people used to think that...; ~ *påstår att...* it is said that..., they say that...

mana *verb* uppmana exhort; egga incite; uppfordra call upon

manager *subst* manager; teat. publicity agent

manchester *subst* o. **manchestersammet** *subst* tyg corduroy

mandarin *subst* frukt tangerine, mandarin

mandat *subst* **1** uppdrag commission; fullmakt mandate **2** plats i riksdagen seat

mandel *subst* **1** almond **2** anat. tonsil

mandelmassa *subst* almond paste

mandelspån *subst* almond flakes pl.

mandolin *subst* musik. mandolin

manér *subst* manner; stil style; tillgjordhet mannerism

manet *subst* jellyfish

mangel *subst* mangle

mangla *verb* tvätt etc. mangle; *jag ska* ~ I'm going to do the mangling

mango *subst* frukt mango (pl. -es el. -s)

mangrant *adv, de infann sig* ~ everyone turned up in full force

mani *subst* mania [*på* for], craze [*på* for]

manick *subst* vard. gadget

manifest *subst* manifesto (pl. -s)

manifestation *subst* manifestation

manifestera *verb,* ~ *sig* ta sig uttryck manifest itself

manikyr *subst* manicure; *få* ~ have a manicure

manikyrera *verb* manicure

maning *subst* vädjan appeal [*till* for]

manipulation *subst* manipulation

manipulera *verb,* ~ el. ~ *med* manipulate

manke *subst, lägga* ~*n till* put one's back into it

mankön *subst* male sex

manlig *adj* **1** av mankön male **2** typisk för en man masculine, male; spec. om goda egenskaper manly

manlighet *subst* typiskt för en man masculinity, om goda egenskaper manliness

mannagryn *subst* semolina sing.

mannaminne *subst, i* ~ within living memory

mannekäng *subst* person model

mannekänga *verb* model

mannekänguppvisning *subst* fashion show, fashion parade

manschauvinist *subst* male chauvinist

manschett *subst* på skjortan cuff; *darra på* ~*en* shake in one's shoes

manschettknapp *subst* cuff link

mansgris *subst* vard., *mullig* ~ male chauvinist pig

manskap *subst* koll. men pl.; sjö. crew

manslem *subst* penis, male organ

manssamhälle *subst* male-dominated society

mansålder *subst* generation

mantalsskriva *verb, mantalsskriven i Stockholm* registered in Stockholm, domiciled in Stockholm

mantalsskrivning *subst* ungefär residential registration

mantra *subst* slagord mantra äv. polit. el. relig.

manuell *adj* manual

manus *subst* o. **manuskript** *subst* manuscript (förk. MS); filmmanuskript script

manöver *subst* manoeuvre, amer. maneuver

manövrera *verb* manoeuvre, amer. maneuver; sköta handle, manage; ~ *ut ngn* outmanoeuvre sb

mapp *subst* för brev etc. folder; pärm file

maraton *subst* marathon

maratonlopp *subst* marathon, marathon race

mardröm *subst* nightmare, bad dream

margarin *subst* margarine

marginal *subst* margin

marginalanteckning *subst* marginal note

marginalskatt *subst* marginal tax

marginell *adj* marginal

Maria drottningnamn el. bibl. Mary

marig *adj* vard. awkward, tricky

marijuana *subst* marijuana, vard. pot

marin *subst* mil. navy; *Marinen* i Sverige the Swedish Naval Forces pl.

marinad *subst* kok. marinade

marinblå *adj* navy blue

marinera *verb* kok. marinate

marionett *subst* marionette, puppet

marionetteater *subst* puppet theatre

1 mark *subst* jordyta ground; jordmån soil; markområde land; *ta* ~ land; *jämna med ~en* raze to the ground; *på svensk* ~ on Swedish soil; *ta* ~ land, touch down

2 mark *subst* mynt mark

3 mark *subst* spelmark counter

markant *adj* påfallande marked, pronounced

markbunden *adj*, ~ *tv-kanal* terrestrial channel

markera *verb* **1** mark; ange indicate; poängtera emphasize, stress **2** sport. mark

markerad *adj* marked; utpräglad pronounced

markis *subst* solskydd awning, sunblind

marknad *subst* **1** hand. market **2** mässa fair

marknadsekonomi *subst* market economy

marknadsföra *verb* market

marknadsföring *subst* marketing

marknadsundersökning *subst* market reserch, market survey

markpersonal *subst* flyg. ground staff

marksänd *adj*, ~ *tv-kanal* terrestial channel

markör *subst* **1** språkv. el. tekn. marker **2** data. cursor

marmelad *subst* av citrusfrukter marmalade, av bär etc. jam

marmor *subst* marble

marockan *subst* Moroccan

marockansk *adj* Moroccan

Marocko Morocco

Mars astron. el. mytol. Mars

mars *subst* månaden March (förk. Mar.); se *april* för ex.

marsch *subst* gångart el. musik. march

marschall *subst* large outdoor candle lit to welcome party guests

marschera *verb* march; ~ *iväg* march off

marschfart *subst* bil. etc. cruising speed

marsipan *subst* marzipan

marskalk *subst* **1** mil. marshal **2** vid bröllop marshal, male attendant of the bride and bridegroom

marsvin *subst* guinea pig

martyr *subst* martyr

marxism *subst*, ~ el. ~*en* Marxism

marxist *subst* Marxist

maräng *subst* kok. meringue

mascara *subst* kosmetika mascara

1 mask *subst* **1** worm **2** i kött, ost maggot

2 mask *subst* ansiktsmask mask; *han höll ~en* he did not give the show away, höll sig för skratt he kept a straight face

1 maska *subst* mesh; vid stickning stitch; i strumpa ladder, run, amer. run

2 maska *verb* **1** arbeta långsamt go slow **2** friare el. sport. play for time, waste time

maskera *verb* mask; ~ *sig* mask oneself, disguise oneself

maskerad *subst* fancy-dress ball

maskeraddräkt *subst* fancy dress

maskin *subst* machine; motor, ångmaskin etc. engine; ~*er* maskinanläggning machinery sing., plant sing.; *för full* ~ sjö. at full speed; *arbeta för full* ~ work full steam

maskindisk *subst* o. **maskindiskpulver** *subst* dishwasher powder

maskinell *adj* mechanical; ~ *utrustning* machinery

maskineri *subst* machinery, mechanism

maskingevär *subst* machine gun

maskinist *subst* engine-man; i fastighet boilerman; fastighetsskötare caretaker; sjö. engineer

maskinskötare *subst* machine-minder

maskintvätt *subst* machine wash; *tål* ~ machine washable

maskning *subst* **1** going slow **2** friare el. sport. playing for time, wasting time

maskopi *subst*, *de står i* ~ *med varandra* they are in collusion, they are in cahoots

maskot *subst* mascot

maskros *subst* dandelion

maskulin *adj* masculine

maskulinum *subst* genus the masculine gender

maskäten *adj* worm-eaten

masonit® *subst* Masonite®

massa *subst* **1** *en* ~ el. *en hel* ~ mängd a lot, quite a lot; *massor av (med)* lots of **2** pappersmassa etc. pulp

massage *subst* massage

massageapparat *subst* massage apparatus; stav vibrator

massaker *subst* massacre [*på* of]

massakrera *verb* massacre

massera *verb* massage

massiv *adj* solid, massive

massmedium *subst* mass medium (pl. media)

massmord *subst* mass murder, wholesale murder

masstillverka *verb* mass-produce

masstillverkning *subst* mass production

massvis *adv*, ~ *med (av)*... lots of..., tons of...

massör *subst* masseur

massös *subst* masseuse

mast *subst* mast; flaggmast pole

mastig *adj* om mat solid, heavy; om program heavy

mat *subst* food; måltid meal; *en bit* ~ something to eat, a bite to eat; ~*en är färdig* dinner (lunch etc.) is ready; *laga* ~ cook; *till* ~*en* with one's food, with one's meals; *efter* ~*en* måltiderna after meals

mata *verb* feed

matador *subst* tjurfäktare matador

matarbuss *subst* feeder bus

matberedare *subst* food processor

matbestick *subst* knife, fork and spoon; cutlery (endast sing.)

matbit *subst, en* ~ a bite to eat, a snack

matbord *subst* dining-table

matbröd *subst* bread

match *subst* match; tävling competition; ~*ens lirare* man of the match; *det är en enkel* ~ it's as easy as pie, it's easy peasy

matcha *verb* om färg, plagg match

matchboll *subst* i tennis match point

matdags *adv, det är* ~ it is time to eat

matematik *subst* mathematics (vanligen med verb i sing.)

matematiker *subst* mathematician

matematisk *adj* mathematical

material *subst* material; råmaterial etc. materials pl.

materialism *subst,* ~ el. ~*en* materialism

materialist *subst* materialist

materialistisk *adj* materialistic

materiel *subst* t.ex. elektrisk equipment; t.ex. skrivmateriel materials pl.

matfett *subst* cooking fat

matförgiftning *subst* food poisoning

matiné *subst* matinée, afternoon performance

matjessill *subst* sweet pickled herring

matjord *subst* mylla earth, soil

matkupong *subst* voucher

matkällare *subst* food cellar

matlagning *subst* cooking; *vara duktig i* ~ be a good cook

matlust *subst* appetite

matnyttig *adj* **1** nourishing; ätlig edible **2** t.ex. om kunskaper useful

matolja *subst* cooking oil

matrester *subst pl* **1** som används igen leftovers **2** som kastas leavings, i tänder food particles

matros *subst* seaman; motsats: lättmatros able seaman; friare sailor

matrum *subst* dining-room

maträtt *subst* dish; del av meny course

matsal *subst* dining-room; större dining-hall; på fabrik etc. canteen

matsedel *subst* menu, bill of fare

matservis *subst* dinner service

matsilver *subst* table silver

matsked *subst* tablespoon; *en* ~ *smör* a tablespoonful of butter

matsmältning *subst* digestion

matsmältningsbesvär *subst* indigestion

matstrupe *subst* anat. gullet

matställe *subst* restaurant, amer. äv. diner, vard. spec. amer. eatery

matsäck *subst* **1** lunch packed lunch, amer. box lunch **2** smörgåsar sandwiches pl.

1 matt *adj* **1** kraftlös faint; svag, klen weak, feeble **2** ej blank matt; glanslös dull

2 matt *adj, schack och* ~*!* checkmate!

matta *subst* mjuk matta carpet; mindre rug; dörrmatta mat; *hålla sig på* ~*n* toe the line

mattas *verb* become weak, become weaker; om färg, glans fade; om t.ex. intresse flag; *färgerna har mattats* the colours have faded

1 matte *subst* vard., motsats: husse mistress

2 matte *subst* vard., matematik maths, amer. math

matvanor *subst pl* eating habits

matvaror *subst pl* provisions, eatables

matvaruaffär *subst* provision shop, food store, grocery store

matvrak *subst* glutton

matvrå *subst* dining alcove

matvägrare *subst* barn child who refuses to eat

matäpple *subst* cooking apple

max *subst* vard. maximum; *till* ~ as much as possible, to the maximum extent, vard. to the max; *båten tar* ~ *100 personer* the boat takes a maximum of 100 people; ~ *1 000 kronor* not more than 1000 kronor, vard. 1000 kronor max

maxa *verb* vard. se *maximera*

maxim *subst* maxim

maximal *adj* maximum; ~ *otur* the maximum of bad luck, real bad luck

maximalt *adv* at most

maximera *verb* limit, put an upper limit to

maximibelopp *subst* maximum amount

maximihastighet *subst* maximum speed, top speed

maximum *subst* maximum (pl. äv. maxima)

mazurka *subst* musik. mazurka

1 med *subst* på kälke etc. runner; på gungstol rocker

2 med I *prep* **1** with; *ordet börjar* ~ *a* the

word begins with an a; *hon har två barn ~ sin första man* she has two children by her first husband; *tala ~ ngn* speak to sb, speak with sb; *en korg ~ frukt* a basket of fruit; *en plånbok ~ 100 kr* a wallet containing 100 kr; *en kommitté ~ fem medlemmar* a committee consisting of five members **2** för att uttrycka sätt, *skrivet ~ blyerts* written in pencil; *betala ~ check* pay by cheque; *~ en hastighet av 60 km* at a speed of 60 km, at a rate of 60 km; *~ järnväg* by railway; *~ fem minuters mellanrum* at intervals of five minutes; *~ andra ord* in other words; *~ post* by post; *~ hög röst* in a loud voice; *vad menar du ~ det?* what do you mean by that?; *höja ~ 10 %* raise by 10%; *vinna ~ 2—1* win 2—1, win by 2—1 **3** 'och' and; *~ flera* (förk. *m.fl.*) and others; *~ mera* (förk. *m.m.*) et cetera (förk. etc.), and so on; och andra saker and other things **4** 'beträffande', *nöjd ~* content with; *noga ~* particular about, particular as to; *ha plats ~* have room for; *ha tid ~* have time for; *det bästa ~ det* the best thing about it; *så var det ~ det!* so much for that!; *det är ingen fara ~ honom* he's all right; *det är gott ~ en kopp te* it's nice to have a cup of tea; jag tycker om I do like a cup of tea; *vad är det för roligt ~ det?* what's so funny about that? **5** i vissa uttryck, *~ en gång* el. *~ ens* all at once; *~ åren blev han...* over the years he became...; *~ början kl. 18* commencing at 6 p.m.; *hit ~ pengarna!* hand over your money!; *adjö ~ dig!* bye-bye!, so long!; *tyst ~ dig!* be quiet! **II** *adv* också too, as well; *han är trött på det och det är jag* ~ he's tired of it and so am I

medalj *subst* medal

medaljör *subst* medallist

medan *konj* while

medansvarig *adj, vara ~* share the responsibility [*för* for]

medarbetare *subst* medhjälpare collaborator, partner; *från vår utsände ~* from our special correspondent

medbestämmandelagen *subst* (förk. *MBL*) the law concerning the right of participation in decision-making

medbestämmanderätt *subst* right to be consulted

medborgare *subst* citizen

medborgarskap *subst* citizenship

medborgerlig *adj, ~a rättigheter* civil rights

medbrottsling *subst* accomplice

meddela *verb, ~ ngn* inform sb [*ngt* of sth]; ge besked let sb know; *från London ~s att...* it is reported from London that...

meddelande *subst* budskap message [*om* of]; underrättelse information [*om* of, about]; news [*om* about, of]; tillkännagivande announcement [*om* about, of]; nyhetsmeddelande report [*om* on]; *ett ~* underrättelse a piece of information, a piece of news; *få ~ om* be informed of

medel *subst* **1** sätt, metod means (pl. lika) **2** botemedel remedy [*mot* for] **3** ~ pl. pengar money sing., funds

medeldistanslöpare *subst* middle-distance runner

medelhastighet *subst* average speed

Medelhavet the Mediterranean Sea, the Mediterranean

medelklass *subst, ~en* the middle classes pl.

medellivslängd *subst* average length of life; sannolik livslängd life expectancy

medellängd *subst* average length, persons average height

medelmåtta *subst* **1** *under ~n* below the average; *över ~n* above the average **2** om person mediocrity

medelmåttig *adj* mediocre

medelpunkt *subst* centre, focus

medelstor *adj* medium-sized, middle-sized

medelstorlek *subst* medium size

medelsvensson *subst* the (an) average Swede

medeltal *subst, i ~* on average, on an average

medeltemperatur *subst* mean temperature

medeltid *subst* hist., *~en* the Middle Ages pl.

medelvärde *subst* average; mat. mean

medelålder *subst, en man i ~n* el. *en ~s man* a middle-aged man

medfaren *adj, vara illa ~* om t.ex. bok, bil be badly knocked about

medfödd *adj* med. congenital [*hos* in]; om talang etc. native, inborn

medfölja *verb, ~ ngt* bifogas be enclosed with sth; *räkning medföljer* the bill is enclosed

medföra *verb* **1** ha till följd involve; vålla bring about; leda till lead to **2** *~ ngt* om person carry (take) sth along with one; hitåt bring sth along with one **3** om tåg, båt: passagerare convey, take; post etc. carry

medge *verb* **1** erkänna admit **2** tillåta allow, permit **3** bevilja grant

medgivande *subst* **1** erkännande admission;

eftergift concession **2** tillåtelse permission; samtycke consent

medgörlig *adj* reasonable; *hon är* ~ she is easy to get on with

medhjälpare *subst* assistant [*till* of]

medhåll *subst* stöd support; *få* ~ *hos* be supported by; *ha* ~ *hos* vara gynnad be favoured by

media *subst pl* the media

medicin *subst* medicine [*mot, för* for]; *få smaka sin egen* ~ get a taste of one's own medicine

medicinera *verb* take medicine

medicinsk *adj* medical

medikament *subst* medicine

medinflytande *subst* participation; *ha* ~ *över* have a voice in

meditation *subst* meditation

meditera *verb* meditate [*över* on]

medium *subst* medium

medkänsla *subst* sympathy; *ha* ~ *med* have sympathy with

medla *verb* mediate; som skiljedomare arbitrate

medlare *subst* mediator; skiljedomare arbitrator

medlem *subst* member; *vara* ~ i lag be a member of

medlemsavgift *subst* membership fee

medlemskap *subst* membership [*i* of]

medlemskort *subst* membership card

medlidande *subst* pity [*med* for], compassion [*med* with]; *hysa* ~ *med ngn* feel pity for sb, medkänsla feel sympathy [*med* with]

medling *subst* mediation; skiljedom arbitration

medmänniska *subst* fellow creature, fellow being

medmänsklig *adj* brotherly, human

medpassagerare *subst* fellow-passenger

medryckande *adj* captivating; spännande exciting

medsols *adv* clockwise

medspelare *subst* i t.ex. tennis, kortspel partner; i lagspel team-mate; på teater etc. co-actor; *han fick bollen av en av medspelarna* he got the ball from one of the other players

medtagen *adj* utmattad exhausted

medtävlare *subst* competitor [*om* for], rival [*om* for]

medurs *adv* clockwise

medverka *verb* bidraga contribute [*i* t.ex. tidning to; *till* to]; delta take part [*i* in]; hjälpa till assist [*i, vid, till* in]

medverkan *subst* **1** bistånd assistance **2** deltagande participation

medverkande *subst*, *de* ~ those taking part; i pjäs the actors; vid konsert etc. the performers

medvetande *subst* consciousness [*om* of]

medveten *adj* conscious [*om* of], aware [*om* of]

medvetslös *adj* unconscious

medvind *subst*, *segla i* ~ a) sjö. have the wind behind one b) ha medgång be doing well

medvurst *subst* mettwurst smoked pork and beef sausage; ofta German sausage

megabyte *subst* data. megabyte

megafon *subst* megaphone

megahertz *subst* megahertz

megaton *subst* megaton

megawatt *subst* megawatt

meja *verb*, ~ *ned folk* mow [məu] down people

mejeri *subst* dairy

mejl *subst* vard. e-mail

mejla *verb* vard. e-mail

mejram *subst* kryddväxt marjoram

mejsel *subst* chisel; skruvmejsel screwdriver

mejsla *verb* chisel

meka *verb* vard., ~ *med* bilen (mopeden) do repair work on

mekanik *subst* lära mechanics (med verb i sing.)

mekaniker *subst* mechanic

mekanisera *verb* mechanize

mekanisk *adj* mechanical

mekanism *subst* mechanism

melankoli *subst* melancholy

melankolisk *adj* melancholy

mellan *prep* mellan två between; mellan flera, 'bland' among; ~ *femtio och sextio personer* some fifty or sixty people

mellanakt *subst* interval, amer. intermission

mellandagarna *subst pl* mellan jul o. nyår the days between Christmas and New Year

Mellaneuropa Central Europe

mellaneuropeisk *adj* Central European

mellangärde *subst* anat. diaphragm, midriff

mellanhand *subst* medlare intermediary; hand. middleman; *gå genom flera mellanhänder* go through middlemen's hands

mellanlanda *verb* stop over

mellanlandning *subst* intermediate landing, stopover; *flyga utan* ~ fly non-stop

mellanmål *subst* snack, between meals

mellanrum *subst* **1** intervall interval **2** avstånd space; lucka gap

mellanskillnad *subst* difference

mellanstadium *subst*, *mellanstadiet* i grundskolan the intermediate level (department) of the 'grundskola'; se *grundskola*

mellanstorlek *subst* medium size

mellantid *subst* interval; *under ~en* in the meantime, meanwhile; *sport.* intermediate time

mellanting *subst*, *ett ~ mellan...* something between...

mellanvikt *subst* o. **mellanviktare** *subst sport.* middleweight

mellanvåg *subst radio.* medium wave

mellanöl *subst* medium-strong beer

Mellanöstern the Middle East

mellersta *adj* middle; *~ Sverige* Central Sweden

melodi *subst* melody, tune

melodisk *adj* melodious

melodramatisk *adj* melodramatic

melon *subst* melon

melonskiva *subst* slice of melon

memoarer *subst pl* memoirs

memorandum *subst* memorandum (pl. vanligen memoranda)

men *konj* but

mena *verb* **1** åsyfta mean [*med* by]; *det ~r du väl inte!* you don't say! **2** anse think [*om* of]

menande *adj* meaning, significant

mened *subst*, *begå ~* commit perjury

menig *subst mil.* private

mening *subst* **1** åsikt opinion [*om* of, about]; *säga sin ~ rent ut* speak one's mind **2** avsikt intention; syfte purpose; *det var inte ~en* ursäkt I didn't mean to; *vad är ~en med det här?* vad är det bra för what is the idea of this?; vad vill det här säga what is all this about? **3** innebörd sense; betydelse meaning; *det är ingen ~ med att komma* there is no point in coming **4** gram., sats sentence

meningsfull *adj* meaningful, purposeful

meningslös *adj* meaningless; oförnuftig senseless

meningsutbyte *subst* exchange of views

menisk *subst anat.* meniscus

menlös *adj* harmless; intetsägande vapid

Menorca Minorca

mens *subst* vard. o. **menstruation** *subst* period, menstruation; *ha ~* have one's period

mental *adj* mental

mentalitet *subst* mentality

mentalsjuk *adj* mentally ill

mentalsjukdom *subst* mental disease

mentalsjukhus *subst* mental hospital

mentol *subst* menthol

menuett *subst musik.* minuet

meny *subst* menu

mer o. **mera** *adj* o. *adv* more; ytterligare further;

---

någon ~ gång another time; mera any more; *jag träffade honom aldrig ~* I never saw him again; *ingen ~ än han såg det* no one besides (except) him saw it; *var det någon ~ som såg det?* did anybody else see it?; *han vet ~ än väl* he knows perfectly well; *med ~a* etc.

meridian *subst* geogr. meridian

merit *subst* kvalifikation qualification; förtjänst merit

meritera *verb* qualify; *~ sig* qualify, qualify oneself

merkantil *adj* commercial

Merkurius astron. el. mytol. Mercury

mersmak *subst*, *det ger ~* it whets the appetite, it makes you want more

---

mervärdesskatt

I England som i Sverige betalar man <u>mervärdesskatt</u>, <u>moms</u>, *VAT*, på de flesta varor. Undantagna är bl.a. mat och barnkläder. I USA bestämmer varje stat hur mycket man ska betala i skatt, *state tax*. Den måste alltid läggas på varans pris.

---

mervärdesskatt *subst* value-added tax, VAT

1 mes *subst* fågel titmouse (pl. titmice)

2 mes *subst* stackare namby-pamby, softy, wimp

mesig *adj* vard. namby-pamby, wimpish

mesost *subst* whey-cheese

Messias Messiah

mest I *adj* o. *subst* most, the most; 'mer än hälften av' most; *det upptar den ~a tiden* it takes up most of the time; *det ~a av arvet* the greater part of the inheritance; *det ~a av vad som görs* most of what is done; *det ~a jag kan göra* the most I can do

II *adv* **1** most, the most; *~ beundrad är hon för sin skönhet* she is most admired for her beauty; *en av våra ~ kända författare* one of our best-known authors, one of our most well-known authors **2** för det mesta mostly, mainly; *han fick ~ huvudsakligen pengar* he got chiefly money; *som pojkar är ~* just as boys generally are

mestadels *adv* mostly; till största delen for the most part; i de flesta fall in most cases

meta *verb* fish, angle for; ~ **abborre** angle for perch

metall *subst* metal

metallarbetare *subst* o. **metallare** *subst* vard. metal-worker

metallisk *adj* metallic

meteor *subst* meteor

meteorolog *subst* meteorologist, vard., t.ex. i tv weatherman, weather forecaster

meteorologi *subst* meteorology

meteorologisk *adj* meteorological

meter *subst* metre; *två* ~ *tyg* two metres of cloth

metersystem *subst*, ~*et* the metric system

metervara *subst*, *tyget finns i* ~ the cloth is sold by the metre

metervis *adv* per meter by the metre

metod *subst* method

metodik *subst* metodlära methodology; metoder methods pl.

metodisk *adj* methodical

metodist *subst* Methodist

metrev *subst* fishing-line, line

metrik *subst* prosody

metrisk *adj* prosodic; rytmisk metrical

metronom *subst* musik. metronome

metspö *subst* fishing-rod, rod

Mexico Mexico

mexikan *subst* o. **mexikanare** *subst* Mexican

mexikansk *adj* Mexican; *Mexikanska bukten* the Gulf of Mexico

m.fl. (förk. för *med flera*) and others

mick *subst* vard., mikrofon mike

middag *subst* **1** tid noon, midday; *god* ~*!* good afternoon!; *i går* ~ yesterday at noon **2** måltid dinner; *sova* ~ have an afternoon nap, have a siesta; *äta* ~ *ute* borta dine out; *äta fisk till* ~ have fish for dinner

middagsbjudning *subst* dinner party

middagsbord *subst* dinner table

middagstid *subst*, *vid* ~ a) at dinner-time b) vid 12-tiden at noon

midja *subst* waist; markerad waistline; *ha smal* ~ have a slim waistline

midjeväska *subst* vard. bum bag, amer. fanny pack

midnatt *subst* midnight; *vid* ~ at midnight

midnattssolen *subst* the midnight sun

midsommar *subst* midsummer; som helg Midsummer; *i* ~ this midsummer, at midsummer

midsommarafton *subst* Midsummer Eve

midsommardag *subst* Midsummer Day

midsommarstång *subst* maypole

midvinter *subst* midwinter

mig *pron* me; *han tog* ~ *i armen* he took my arm; *en vän till* ~ a friend of mine; *kom hem till* ~*!* come round to my place!; *jag var utom* ~ I was beside myself

Migrationsverket *subst* the Swedish Immigration Board

migrän *subst* migraine

mikra *verb* vard. microwave

mikro *subst* vard. kortform för *mikrovågsugn* microwave

mikrofilm *subst* microfilm

mikrofon *subst* microphone, vard. mike

mikroskop *subst* microscope

mikrovågshuvud *subst* tv. LNB (förk. för *low-noise block converter*)

mikrovågsugn *subst* microwave oven, microwave

mil *subst*, *en* ~ ten kilometres, eng. motsvarighet ungefär six miles; *engelsk* ~ mile

mild *adj* mild; om t.ex. färg, regn soft; lindrig, om t.ex. straff light; om t.ex. röst, sätt gentle

mildra *verb* lindra mitigate; t.ex. smärta alleviate; t.ex. straff reduce

milis *subst* militia

militant *adj* militant

militarism *subst* militarism

militär I *subst* **1** soldat serviceman; i armén soldier; *en hög* ~ a high-ranking officer; *bli* ~ join the armed forces **2** krigsmakten, ~*en* the military pl., the army **II** *adj* military

militärbas *subst* military base

militärtjänst *subst* military service

miljard *subst* billion; *två* ~*er* two billion

miljon *subst* million; *två* ~*er* two million

miljonaffär *subst* transaction involving millions

miljondel *subst* millionth; se *femtedel* för ex.

miljontals *adv*, ~ *människor* millions of people

miljonär *subst* millionaire

miljö *subst* yttre förhållanden environment; omgivning surroundings pl.; *förstöra* ~*n* destroy the environment, pollute the environment

---

midsommar
Midsommar firas normalt inte i England och USA. Man kan därför behöva ge en förklaring när man talar om det svenska midsommarfirandet.

miljöaktivist *subst* environmentalist, vard. neds. ecofreak

miljöbrott *subst* environmental crime

miljödepartement *subst* ministry of the environment

miljöfarlig *adj*, *vara* ~ be harmful to the environment, be ecologically harmful; *~t avfall* hazardous waste

miljöförstöring *subst* environmental pollution

miljökatastrof *subst* environmental disaster

miljöminister *subst* minister of the environment

miljöombyte *subst* change of environment, change of surroundings

miljöparti *subst* polit. environmental party

Miljöpartiet de Gröna *subst* polit. the Green Party [in Sweden]

miljöpolitik *subst* environmental policy

miljöskadad *adj* **1** *vara* ~ be harmed by one's environment **2** missanpassad maladjusted

miljövård *subst* environmental control

miljövänlig *adj* environment-friendly, ecofriendly

millibar *subst* millibar

milligram *subst* milligram, milligramme

milliliter *subst* millilitre

millimeter *subst* millimetre

milstolpe *subst* milestone

mima *verb* mime; till inspelat ljud lip-synch

mimik *subst* facial expressions pl.

mimosa *subst* blomma mimosa

1 min (*mitt, mina*) *pron* my; självst. mine; *Mina damer och herrar!* Ladies and Gentlemen!; *jag har gjort mitt* I have done my part (bit); *jag och de ~a* me and my family (my people)

2 min *subst* ansiktsuttryck expression; uppsyn air; utseende look; *göra ~er* grimasera make faces [*åt ngn* at sb], pull faces [*åt ngn* at sb]; *hålla god ~ i elakt spel* grin and bear it

mina *subst* mine

mindervärdig *adj* inferior

mindervärdighet *subst* inferiority

mindervärdighetskomplex *subst* inferiority complex

minderårig I *adj* omyndig, *vara ~a* be under age
II *subst*, *en* ~ a minor; *~a* juveniles

mindre I *adj* smaller; kortare shorter; ringare less; obetydlig slight; *Mindre Asien* Asia Minor; *av ~ betydelse* of minor importance; jämförande of less importance; *det kostar en ~ förmögenhet* it costs a

small fortune
II *adj* o. *adv* motsats: mera less; *där var* ~ färre *bilar än här* there were fewer cars than here; *ingen ~ än statsministern* no less a person than the prime minister; *det är ~ troligt* it is not very likely

minera *verb* mine

mineral *subst* mineral

mineralriket *subst* the mineral kingdom

mineralvatten *subst* mineral water

mingla *verb* mingle, mingle with people

miniatyr *subst* miniature

minigolf *subst* miniature golf

minimal *adj* extremely small, minimal

minimibelopp *subst* minimum amount

minimum *subst* minimum

minior *subst* o. **miniorscout** *subst* flicka Brownie, Brownie Guide; pojke Cub, Cub Scout

miniräknare *subst* pocket calculator

minister *subst* minister

ministär *subst* ministry, cabinet

mink *subst* djur el. päls mink

minkpäls *subst* mink coat

minnas *verb* remember; erinra sig recollect, recall; *om jag minns rätt* el. *om jag inte minns fel* if I remember rightly

minne *subst* **1** memory äv. dators; hågkomst recollection; *~n* memoarer memoirs; *jag har inget ~ av att jag gjorde det* I can't remember doing it; *ha* (*hålla*) *ngt i ~t* bear sth in mind; *lägga ngt på ~t* komma ihåg remember sth; *till ~* (*minnet*) *av* in memory of, in remembrance of **2** souvenir souvenir, keepsake

minnesanteckning *subst* memorandum (pl. memoranda)

minnesbeta *subst*, *ge ngn en* ~ teach sb a lesson that he (she) won't forget

minnesförlust *subst* loss of memory, amnesia

minnesgåva *subst* souvenir, keepsake

minneslista *subst* memorandum (pl. memoranda), check list; till inköp shopping list

minnesmärke *subst* **1** minnesvård memorial [*över* to], monument [*över* to] **2** från det förgångna relic, ancient monument

minnesvärd *adj* memorable [*för* to]

minoritet *subst* minority; *vara i* ~ be in a minority

minoritetsparti *subst* minority party

minsann *adv* sannerligen certainly, indeed

minska *verb* **1** göra mindre reduce [*med* by]; skära ned cut down [*med* by]; förminska decrease [*med* by]; sänka lower **2** bli mindre decrease, lessen, diminish; sjunka decline; ~ *5 kilo i vikt* go down 5 kilos in weight

minskas *verb* se *minska*

minskning *subst* reduction [*av, i* of, in], decrease [*av, i* of, in]; nedskärning cut [*av* in]

minst I *adj* **1** motsats: störst smallest; kortast shortest; obetydligast slightest **2** motsats: mest least, the least; motsats: flest fewest, the fewest; *han fick* ~ he got least, he got the least; *där det finns* ~ *bilar* where there are fewest cars **3** *det* ~*a du kan göra är att...* the least you can do is to...; *jag begrep inte det* ~*a* I didn't understand a thing; *inte det* ~*a* not in the least **II** *adv* least; åtminstone at least; *när man* ~ *väntar det* when you least expect it; ~ *sagt* to say the least

minsvepning *subst* minesweeping

minsökare *subst* mine detector

mint *subst* smakämne mint

minus I *subst* **1** minus **2** underskott deficit [*på* of] **II** *adv* minus; med avdrag av less

minusgrad *subst, fem* ~*er* five degrees below zero

minustecken *subst* minus sign

minut *subst* minute; *i sista* ~*en* at the last minute

minutiös *adj* meticulous; detaljerad minute, elaborate

minutvisare *subst* minute hand

mirakel *subst* miracle

mirakulös *adj* miraculous

miserabel *adj* miserable, wretched

miss *subst* misslyckande miss

missa *verb* miss

missanpassad *adj* maladjusted

missbelåten *adj* dissatisfied, displeased

missbelåtenhet *subst* dissatisfaction, displeasure

missbildning *subst* lyte deformity

missbruk *subst* abuse

missbruka *verb* abuse; t.ex. alkohol, narkotika be addicted to

missbrukare *subst* av alkohol alcoholic; av narkotika drug addict

missfall *subst, få* ~ have a miscarriage

missfoster *subst* abortion

missfärga *verb* discolour, stain

missförhållande *subst* **1** ~*n* unsatisfactory state of things sing.; dåliga förhållanden bad conditions pl.; *sociala* ~*n* social evils

missförstå *verb* misunderstand

missförstånd *subst* misunderstanding

missgynna *verb*, ~ *ngn* treat sb unfairly, be

unfair to sb; *en* ~*d grupp* a disadvantaged group

misshandel *subst* maltreatment; *utsätta för* ~ maltreat, assault, batter

misshandla *verb* **1** maltreat **2** kroppsligt maltreat, assault **3** om t.ex. barn, kvinnor maltreat, batter

missil *subst* missile äv. mil.

mission *subst* mission

missionär *subst* missionary

missköta *verb* **1** mismanage **2** försumma neglect; *hon missköter sig* a) sin hälsa she is neglecting her health b) sitt arbete she is neglecting her work

missleda *verb* mislead

misslyckad *adj* unsuccessful; *vara* ~ be a failure

misslyckande *subst* failure; fiasko fiasco (pl. -s)

misslyckas *verb* fail [*med* in; *med att göra ngt* to do sth]; ~ *kapitalt* fail miserably

missmodig *adj* downhearted, dejected

missnöjd *adj* dissatisfied; stadigvarande discontented

missnöje *subst* dissatisfaction [*över* at], displeasure [*över* at]; stadigvarande discontent [*över* at]; ogillande disapproval [*med* of]

missräkning *subst* disappointment [*över* at]

missta *verb*, ~ *sig* make a mistake; *om jag inte* ~*r mig* if I'm not mistaken; ~ *sig på* misjudge

misstag *subst* mistake, error; förbiseende oversight; *av* ~ by mistake

misstanke *subst* suspicion; *hysa (fatta) misstankar mot* suspect; *väcka misstankar* arouse suspicion

misstolka *verb* misinterpret

misstro I *verb* distrust; tvivla på doubt **II** *subst* distrust [*till, mot* of]

misstroendevotum *subst*, *ställa* ~ move a vote of no confidence

misstrogen *adj* distrustful

misströsta *verb* despair [*om* of]

misstycka *verb*, *om du inte misstycker* if you don't mind

misstänka *verb* suspect [*för* of]

misstänksam *adj* suspicious [*mot* of]

misstänksamhet *subst* suspicion; egenskap suspiciousness

misstänkt I *adj* **1** suspected [*för* of] **2** tvivelaktig suspicious **II** *subst, en* ~ a suspect

missunna *verb* grudge, begrudge; avundas envy

missuppfatta *verb* misunderstand

missuppfattning *subst* misunderstanding

missvisande *adj* misleading, deceptive

missväxt *subst* crop failure; *vi befarar* ~ we fear there will be a bad harvest

missämja *subst* dissension, discord, bad feeling

missöde *subst* mishap; *tekniskt* ~ technical hitch; *genom ett* ~ en olycklig slump by mischance

mista *verb* lose

miste *adv* wrong; *ta* ~ make a mistake; *gå* ~ *om* miss

---

mistel

I England och USA hänger man ofta upp en mistelkvist, *mistletoe*, till jul. Enligt tradition får man kyssa den person av motsatt kön som man möter under misteln.

---

mistel *subst* växt mistletoe

misär *subst* nöd extreme poverty

1 mitt *pron* se *1 min*

2 mitt I *subst* middle; centrum centre **II** *adv*, ~ *emellan* half-way between; ~ *emot* just opposite; ~ *framför* el. ~ *för* just in front [*ngt* of sth]; ~ *för ögonen på ngn* right before sb's eyes; ~ *i* in the middle; ~ *i ngt* in the middle of sth; ~ *ibland oss* in our midst; *dela ngt* ~ *itu* divide into two equal parts, divide in half; ~ *på* (*under, uppe i*) in the middle of; ~ *över gatan* straight across the street

mittbena *subst* parting (amer. part) down the middle

mitterst *adv* in the middle [*i* of], in the centre [*i* of]

mittersta *adj*, ~ *raden* el. *den* ~ *raden* the middle row

mittfältare *subst* sport. midfielder

mittfältsspelare *subst* sport. midfielder

mittpunkt *subst* centre

mix *subst* kok. mix

mixer *subst* kok. el. t.ex radio. mixer

mixtra *verb*, ~ *med* knåpa potter with, tinker with

mjuk *adj* soft; t.ex. om handlag gentle; mör tender; smidig lithe, flexible

mjuka *verb*, ~ *upp ngt* göra mjuk make sth soft, soften sth; ~ *upp* t.ex. sina muskler limber up

mjukglass *subst* soft ice cream

mjuklanda *verb* make a soft landing

mjukna *verb* soften, become soft, grow soft

mjukost *subst* soft cheese

mjukplast *subst* non-rigid plastic

mjukvara *subst* data. software

mjäkig *adj* sloppy; om t.ex. pojke namby-pamby

mjäll *subst* i håret dandruff; *ha* ~ have dandruff

mjälte *subst* anat. spleen

mjöl *subst* vetemjöl flour

mjölig *adj* floury; ~ *potatis* mealy potatoes

mjölk *subst* milk

mjölka *verb* milk

mjölkchoklad *subst* milk chocolate

mjölke *subst* hos fisk milt, soft roe

mjölkpaket *subst* milk carton; paket mjölk carton of milk

mjölktand *subst* milk tooth

m.m. (förk. för *med mera*) and so on; och andra saker and other things

mobb *subst* mob

---

mobba

Lägg märke till att *mob* inte används i betydelsen mobba.

---

mobba *verb* i skola bully; mera allm. victimize, vard. gang up on

mobbning *subst* i skola bullying; mera allm. victimization, vard. ganging up on

mobil *subst* vard., telefon mobile

mobilisera *verb* mobilize

mobilisering *subst* mobilization

mobiltelefon *subst* mobile phone, cellphone, amer. cellular phone, cellphone

mocka *subst* **1** kaffe mocha **2** skinn suede

mockajacka *subst* suede jacket

mockasin *subst* moccasin

mod *subst* courage, vard. bottle; *fatta* ~ pluck up courage; *förlora* ~*et* lose heart, be discouraged; *känna sig väl till* ~*s* feel at ease; *vara vid gott* ~ be in good spirits

modd *subst* slush

mode *subst* fashion; 'fluga' rage, craze; *en författare på* ~*t* a fashionable author

modefluga *subst* passing fashion, fad; *det har blivit en* ~ it has become all the rage

modehus *subst* fashion house

modell *subst* model; *sitta* (*stå*) ~ pose

1 modellera *subst* modelling clay; plastiskt material plasticine

2 modellera *verb* model

modem *subst* data. modem

modemedveten *adj* fashion-conscious

moder *subst* mother; *Moder jord* Mother Earth

moderat I *adj* måttlig moderate; skälig reasonable; polit. Conservative **II** *subst,* ~*erna* the Moderate Party, the Swedish Conservative Party

moderbolag *subst* parent company

moderkaka *subst* placenta

moderlig *adj* motherly; som tillkommer en mor maternal

moderlighet *subst* motherliness

modern *adj* nutida modern, contemporary; tidsenlig up to date; på modet fashionable; ~ *lägenhet* flat (apartment) with modern conveniences (vard. with mod cons)

modernisera *verb* modernize

modersbunden *adj, vara* ~ have a mother fixation

modersfixering *subst* mother fixation

moderskap *subst* motherhood, maternity

moderskapspenning *subst* maternity allowance

moderskärlek *subst* maternal love, a mother's love

modersmjölk *subst* mother's milk, breast milk

modersmål *subst* mother tongue

modeskapare *subst* stylist

modetidning *subst* fashion magazine

modevisning *subst* fashion show

modfälld *adj* discouraged, disheartened

modifiera *verb* modify

modifikation *subst* modification

modig *adj* courageous, plucky, brave

modist *subst* milliner, modiste

modul *subst* module

mogen *adj* mature; om t.ex. frukt ripe; *vid* ~ *ålder* at a mature age; ~ *för* ripe for, ready for

mogna *verb* mature; om t.ex. frukt ripen

mognad *subst* maturity; om t.ex. frukt ripeness

mojna *verb* lull, slacken

Moldavien 1 staten Moldova **2** Moldavia

molekyl *subst* molecule

moll *subst* musik. minor; *gå i* ~ be in the minor key

moln *subst* cloud

molnfri *adj* cloudless

molnig *adj* cloudy, overcast

molntäcke *subst, lättande* ~ decreasing cloud

moment *subst* faktor element, factor; punkt point, item; stadium stage

momentan *adj* momentary

moms *subst* VAT, value-added tax

monark *subst* monarch

monarki *subst* monarchy

mongol *subst* Mongol, Mongolian

Mongoliet Mongolia

mongolisk *adj* Mongolian

mongoloid *subst* med. mongoloid

monitor *subst* monitor

monogam *adj* monogamous

monogami *subst* monogamy

monogram *subst* monogram

monokel *subst* monocle

monolog *subst* monologue, soliloquy

monopol *subst* monopoly [*på* of]; *ha* ~ have a monopoly

Monopol® *subst* sällskapsspel Monopoly®

monopolisera *verb* monopolize

monoton *adj* monotonous

monster *subst* monster

monsun *subst* monsoon

montan *subst* vard., mens period

monter *subst* **1** showcase, display case **2** utställningsutrymme stand

montera *verb* mount; t.ex. bil, radio assemble; ~ *in* fit in, install; ~ *ned* dismantle, dismount

montering *subst* mounting; inmontering installation; av t.ex. bil, radio assembly

monteringsfärdig *adj* prefabricated

montör *subst* fitter; av t.ex. bil, radio assembler

monument *subst* monument

monumental *adj* monumental

moped *subst* moped

mopedist *subst* moped rider

mopp *subst* mop

moppa *verb* mop

moppe *subst* vard., moped moped

mops *subst* pug, pug dog

mor *subst* mother, vard. mum, ma, barnspr. mummy, amer. mom; ~*s dag* Mother's Day; *bli* ~ become a mother; *hon är* ~ *till...* she is the mother of...

moral *subst* **1** etik ethics sing.; moraluppfattning morality (endast sing.); seder morals pl. **2** anda, spec. stridsmoral morale (endast sing.)

moralisera *verb* moralize [*över* on]

moralisk *adj* moral; etisk ethical

morbror *subst* uncle, maternal uncle

mord *subst* murder [*på* of]

mordbrand *subst* arson; *anstifta* ~ commit arson

mordförsök *subst* attempted murder

morfar *subst* grandfather, maternal grandfather, vard. grandpa, granddad; ~*s*

far great-grandfather; ~*s mor*
great-grandmother
morfin *subst* med. morphine
morföräldrar *subst pl, mina* ~ my
grandparents, my grandparents on my
mother's side
morgon *subst* motsats: kväll morning; gryning
dawn; *god* ~*!* good morning!; *i* ~
tomorrow; *i* ~ *bitti* tomorrow morning;
om (på) ~*en* in the morning
morgondag *subst,* ~*en* tomorrow
morgonkaffe *subst* early morning coffee
morgonluft *subst* morning air; *vädra* ~ el.
börja vädra ~ begin to see one's chance
morgonpigg *adj, vara* ~ a) inte sömnig be alert
in the morning b) morgontidig be an early
riser
morgonrock *subst* dressing gown
morgonstund *subst,* ~ *har guld i mund* the
early bird catches the worm
morgontidning *subst* morning paper
morkulla *subst* fågel woodcock
mormon *subst* Mormon
mormonsk *adj* Mormon
mormor *subst* grandmother, maternal
grandmother, vard. grandma, granny; ~*s*
far great-grandfather; ~*s mor*
great-grandmother
morot *subst* carrot
morra *verb* growl [*åt at*], snarl [*åt at*]
morrhår *subst pl* whiskers
morsa *subst* vard. mum, ma, amer. mom
morse *subst, i* ~ this morning; *i går* ~
yesterday morning
morsealfabet *subst* Morse alphabet, Morse
code
morsgris *subst* vard., kelgris mother's darling
morsk *adj* kavat self-assured; kaxig cocky,
stuck-up
mortel *subst* mortar
mortelstöt *subst* pestle
mos *subst* kok. mash; av äpplen sauce
mosa *verb* **1** ~ *ngt* el. ~ *sönder ngt* reduce
sth to pulp **2** tillintetgöra crush completely,
sport. beat completely **3** ~ *sig* pulp
mosaik *subst* mosaic
mosaisk *adj* relig. Mosaic
mosig *adj* mosad pulpy
moské *subst* mosque
moskit *subst* insekt mosquito (pl. -es)
Moskva Moscow
mossa *subst* moss
moster *subst* aunt, maternal aunt
mot *prep* **1** i riktning mot towards; *gränsen* ~
Finland the Finnish border; *hålla upp* ~

ljuset hold up to the light; *rusa* ~ *dörren*
dash to the door; *skjuta* ~ shoot at **2** i fråga
om inställning: to, towards; *grym* ~ cruel to;
vänlig ~ kind to **3** för att beteckna motstånd,
kontrast, motsvarighet against, for; *tabletter* ~
huvudvärk headache tablets; *göra ngt* ~
betalning do sth for money
mota *verb* **1** ~ spärra vägen för *ngn (ngt)* bar
the way for sb (sth), block the way for sb
(sth) **2** fösa drive; ~ *bort* drive away
motanfall *subst* o. **motangrepp** *subst*
counterattack; *gå till* ~ counterattack
motarbeta *verb* **1** sätta sig upp mot oppose
2 motverka counteract; bekämpa combat
motbjudande *adj* repugnant [*för* to], stark.
repulsive [*för* to]
motell *subst* motel; *bo på* ~ stay in a motel
motgift *subst* antidote [*mot* against, for]
motgång *subst* misfortune; bakslag reverse,
setback
motion *subst* **1** kroppsrörelse exercise **2** förslag
motion [*om* for]; lagförslag bill [*i* on; *om* for]
motionera *verb* take exercise
motionscykel *subst* exercise bike
motionsgymnastik *subst* keep-fit exercises
pl.; *gå på* ~ go to keep-fit classes
motionsslinga *subst* o. **motionsspår** *subst*
jogging track
motiv *subst* bevekelsegrund motive [*för, till* for,
of]; skäl reason [*för* for]
motivation *subst* motivation [*för* of]
motivera *verb* **1** utgöra skäl för give cause for;
rättfärdiga justify, explain; ~ *ditt svar* give
reasons for your answer **2** skapa lust för
motivate
motivering *subst* berättigande justification [*för*
for], explanation [*för* for]; angivande av skäl
statement of one's reasons [*för* for]
motkandidat *subst* rival candidate
motocross *subst* motocross
motoffensiv *subst* counter-offensive
motor *subst* förbränningsmotor engine, motor;
elektrisk motor
motorbåt *subst* motorboat
motorcykel *subst* motorcycle, vard. motorbike
motorcyklist *subst* motorcyclist
motordriven *adj* motor-driven
motorfel *subst, få* ~ get engine trouble
motorfordon *subst* motor vehicle
motorfordonsförsäkring *subst* motor vehicle
insurance
motorförare *subst* motorist, driver
motorgräsklippare *subst* power lawnmower
motorhuv *subst* bonnet, amer. hood
motorism *subst* motoring

motorstopp *subst, jag fick* ~ tillfälligt my car stalled; bilen gick sönder my car broke down

motorstyrd *adj,* ~ *parabolantenn* motorized dish

motorstyrka *subst* engine power

motorsåg *subst* chain saw

motortrafikled *subst* ungefär main arterial road, major road

motortävling *subst* motor race

motorväg *subst* motorway, amer. expressway, freeway

motorvärmare *subst* engine pre-heater

motpart *subst* opponent; ~*en* the other side

motprestation *subst* service in return

motsats *subst* opposite [*mot, till* of], contrary [*mot, till* of]; *vara raka* ~*en* be quite the opposite; *stå i skarp* ~ *till ngt* form a sharp contrast to sth; *i* ~ *till mig är han…* unlike me he is…

motsatt *adj* opposite, contrary; *det* ~*a könet* the opposite sex; ~*a åsikter* opposed views

motsols *adv* anti-clockwise

motspelare *subst* sport. opponent

motstridig *adj* conflicting, contradictory

motstycke *subst, det saknar* ~ el. *det är utan* ~ it is without precedent, it is unique

motstå *verb* resist, withstand

motstående *adj* opposite

motstånd *subst* resistance, opposition; *göra* ~ *mot* offer resistance to; *möta starkt* ~ meet with strong resistance

motståndare *subst* opponent [*till* of]; *vara* ~ *till* be an opponent

motståndskraft *subst* resistance [*mot* to], power of resistance [*mot* to]

motståndskraftig *adj* resistant [*mot* to]

motsvara *verb* 1 correspond to; t.ex. beskrivningen answer, answer to 2 t.ex. krav fulfil, come up to; vara likvärdig med be equivalent to

motsvarande *adj* corresponding; jämgod equivalent

motsvarighet *subst* överensstämmelse correspondence; motstycke counterpart [*till* to, of], opposite number

motsäga *verb* contradict

motsägande *adj* contradictory

motsägelse *subst* contradiction

motsätta *verb,* ~ *sig* oppose

motsättning *subst* opposition; fientligt förhållande antagonism; *stå i* ~ *mot (till)* be in contrast to

motta *verb* receive

mottagande *subst* 1 reception 2 hand. receipt; *vid* ~*t av* on receipt of

mottagare *subst* person el. apparat receiver

mottaglig *adj* susceptible [*för* to]

mottagning *subst* 1 reception 2 läkarmottagning, lokal surgery, amer. office; *doktorn har* ~ *varje dag* the doctor has his surgery (hos t.ex. psykiater consulting) hours every day

mottagningsrum *subst* läkares surgery

mottagningstid *subst* visiting hours, consulting hours; läkares surgery hours

motto *subst* motto (pl. -es el. -s)

moturs *adv* anti-clockwise

motverka *verb* motarbeta counteract; hindra obstruct

motvikt *subst* counterbalance [*mot, till* to]

motvilja *subst* olust dislike [*mot* of, for]

motvillig *adj* reluctant

motvillighet *subst* reluctance

motvind *subst* 1 headwind; *ha* ~ have the wind against one 2 *segla i* ~ be fighting a losing battle

motåtgärd *subst* countermeasure

mountainbike *subst* mountainbike

mousse *subst* 1 kok. mousse 2 hårmousse mousse

moussera *verb* sparkle; ~*nde vin* sparkling wine

MP3-spelare *subst* data. el. musik. MP3-player

1 mucka *verb* vard., ~ *gräl* pick a quarrel

2 mucka *verb* vard. mil. be demobbed

muffins *subst* muffin

mugg *subst* mug, cup

Muhammed Mohammed

muhammedan *subst* Mohammedan

mula *subst* mule

mule *subst* muzzle

mulen *adj* overcast, cloudy

mullbär *subst* frukt mulberry

muller *subst* rumble

mullig *adj* plump

mullra *verb* rumble, roll

mullvad *subst* djur el. hemlig agent mole

mulna *verb* cloud over, become overcast

mul- och klövsjuka *subst* foot-and-mouth disease

multilateral *adj* multilateral

multimedia *subst pl* multimedia

multinationell *adj* multinational

multiplicera *verb* multiply [*med* by]

multiplikation *subst* multiplication

multiplikationstabell *subst* multiplication table

multna *verb* moulder, amer. molder; decay

mumie *subst* mummy

mumla *verb* mumble; muttra mutter

mums I *interj* vard., ~*!* yum-yum!

II *subst* vard., *det smakar* ~*!* it's yummy!

mumsa *verb* vard. munch; ~ *på ngt* el. ~ *i sig ngt* munch sth

mumsig *adj* vard. delicious, yummy

mun *subst* mouth; *hålla* ~ keep quiet, vard. shut up; *dra på* ~*nen* smile slightly; *prata bredvid* ~ let the cat out of the bag; *tala i* ~*nen på varandra* speak at the same time; *vara stor i* ~ talk big

München Munich

mungipa *subst* corner of one's mouth

munk *subst* **1** person monk **2** bakverk doughnut

munkavle *subst* o. **munkorg** *subst* muzzle; *sätta* ~ *på* muzzle, gag

mun-mot-munmetoden *subst* the mouth-to-mouth method, the kiss of life

munsbit *subst* mouthful; tugga morsel

munspel *subst* mouth organ

munstycke *subst* mouthpiece; på cigarett tip; på slang etc. nozzle

munsår *subst* sore on the lips, cold sore

munter *adj* merry; glättig cheerful

muntlig *adj* oral; om t.ex. överenskommelse verbal

muntra *verb*, ~ *upp ngn* cheer sb up

munvatten *subst* mouthwash

mur *subst* wall

mura *verb*, ~ *ngt* bygga (av tegel) build sth of brick; ~ *igen* (*till*) wall up; med tegel brick up

murare *subst* bricklayer; spec. stenmurare mason

murbruk *subst* mortar

murgröna *subst* växt ivy

murken *adj* decayed, stark. rotted

murkla *subst* svamp morel

mus *subst* mouse (pl. mice)

museum *subst* museum, för konst museum, gallery

musik *subst* music

musikal *subst* musical

musikalisk *adj* musical

musikant *subst* musician, music-maker

musiker *subst* musician

musikinstrument *subst* musical instrument

musikkår *subst* band; större orchestra

musikstycke *subst* piece of music

musikvideo *subst* music video

musiköra *subst*, *ha* ~ have a good ear for music

muskel *subst* muscle

muskelknutte *subst* vard. muscle-man, man mountain

muskelsträckning *subst*, *få en* ~ pull a muscle

muskot *subst* krydda nutmeg

muskulatur *subst* muscles pl.

muskulös *adj* muscular

müsli *subst* muesli, amer. Granola®

muslim *subst* Muslim

muslimsk *adj* Muslim

musmatta *subst* data. mouse mat, amer. mouse pad

Musse Pigg seriefigur Mickey Mouse

mussla *subst* mussel

must *subst* **1** av äpplen juice **2** *suga* ~*en ur ngn* wear sb out, exhaust sb

mustasch *subst* moustache; *skaffa sig* ~ grow a moustache

mustig *adj* **1** kraftig, närande rich **2** om t.ex. historia racy, juicy

muta *verb* bribe

mutor *subst pl* bribes

mutter *subst* tekn. nut

muttra *verb* mutter

MVG (förk. för *mycket väl godkänd*) skol., se *godkänna 3*

Myanmar Myanmar

mycken (*mycket; myckna*) *adj* omedelbart före subst. **1** much, framför eng. subst. i pl. many **2** en hel del a great deal of, a good deal of; framför eng. subst. i pl. a great many **3** fullt med plenty; *efter* ~ *diskussion* after a great deal of discussion; *det var mycket folk på mötet* there were many people at the meeting; *vara till* ~ *nytta* be of great use

mycket *adv* **1** före adj. i positiv form very, very much; ~ *söt* very pretty; ~ *rädd* very much afraid; ~ *lik* very much alike **2** före adj. i komparerad form much; ~ *sötare* much prettier; ~ *vackrare* much more beautiful; *så* ~ *bättre* all the better, so much the better; ~ *färre fel* far fewer mistakes **3** före adv. very, very much; *det är* ~ *möjligt* it is quite possible **4** i övriga fall, *det görs* ~ *för barnen* much is done for children; *hon är* ~ *över femtio* she is well over fifty; *det är* ~ *hans fel* it is his fault to a great extent; *jag beklagar* ~ *att…* I very much regret that…; *boken innehåller* ~ *av intresse* the book contains much that is interesting; *en gång för* ~ once too often; *koka ngt för* ~ boil sth too long; *hur* ~ *fick han?* how much did he get?; *hur* ~ *jag än försöker* however much I try; *lika* ~ as much; *lika* ~ *till* as much again; *så* ~ *fick jag inte* I didn't get as much as that; *det gör inte så*

~ it doesn't matter very much; *inte så ~ som ett öre* not so much as an öre; *utan att så ~ som svara* without even answering

mygel *subst* vard. wangling, fiddling, wire-pulling

mygga *subst* stickmygga mosquito (pl. -es el. -s)

myggbett *subst* mosquito bite

mygla *verb* vard., fiffla wangle, fiddle, gå bakvägar, intrigera use underhand means, pull wires

myglare *subst* vard. wangler, fiddler, wire-puller

mylla *subst* mould, amer. mold; earth

myller *subst* swarm, crowd, throng

myllra *verb* swarm [av with]

myndig *adj* **1** *bli ~* come of age; *uppnå ~ ålder* reach one's majority **2** befallande authoritative

myndighet *subst* authority; *~erna* the authorities

myndighetsperson *subst* person in authority

mynna *verb*, *~ i* el. *~ ut i* a) om flod etc. fall into; om gata etc. lead to b) end in; *~ ut i intet* come to nothing

mynning *subst* mouth; på vapen muzzle

mynt *subst* coin; *slå ~ av* make capital out of

mynta *subst* växt mint

myntinkast *subst* på automat slot

myr *subst* bog, swamp

myra *subst* ant

myrstack *subst* ant-hill

myrten *subst* växt myrtle

mysa *verb* **1** smile contentedly **2** ha det skönt be enjoying oneself

mysig *adj* vard., trivsam nice and cosy, groovy; om person sweet, nice; *ha det ~t* feel nice and cosy

mysk *subst* musk

myskoxe *subst* musk ox

mysterium *subst* mystery

mystiker *subst* mystic

mystisk *adj* **1** gåtfull mysterious **2** relig. mystic

myt *subst* myth [om of]

myteri *subst* mutiny; *göra ~* mutiny

mytologi *subst* mythology

1 må *verb* känna sig be, feel; *hur ~r du?* how are you?; *jag ~r bra* I feel fine; *~ så gott!* keep well!

2 må *hjälpverb*, *vad som än ~ hända* whatever may happen; *det ~ vara hänt!* all right!

måfå *subst*, *på ~* at random

måg *subst* son-in-law (pl. sons-in-law)

måhända *adv* maybe

1 mål *subst*, *har du inte ~ i mun?* haven't you got a tongue in your head?; *sväva på ~et* hum and haw, be evasive

2 mål *subst* jur. case

3 mål *subst* måltid meal; *ett ~ mat* a meal

4 mål *subst* **1** i bollspel goal; *göra ett ~* score a goal **2** vid kapplöpning etc. finish; spec. vid hästkapplöpning winning-post; *komma (gå) i ~* come in **3** vid skjutning mark; skottavla el. bombmål target **4** goal; syfte aim, purpose; *skjuta över ~et* overshoot the mark

måla *verb* **1** paint **2** *~ sig* sminka sig make up

målare *subst* painter

målarfärg *subst* paint

målbrott *subst*, *han är i ~et* his voice is breaking

målbur *subst* goal

måleri *subst* painting

målföre *subst* voice; *tappa ~t* become speechless; *återfå ~t* recover oneself, recover one's composure

målgivande *adj*, *~ passning* sport. assist

målinriktad *adj* purposeful, single-minded

mållinje *subst* sport. finishing-line; fotb. goal-line

mållös *adj* stum speechless [av with]

målmedveten *adj* purposeful, single-minded

målmedvetenhet *subst* purposefulness

målning *subst* painting

målskillnad *subst* goal difference

målsman *subst* förmyndare guardian; förälder parent

målsnöre *subst* finishing-tape

målstolpe *subst* goalpost

målsättning *subst* aim, purpose, goal

måltavla *subst* target [för of]

måltid *subst* meal

måltips *subst* high score matches pool

målvakt *subst* goalkeeper, vard. goalie, amer. goaltender

1 mån *subst*, *i någon ~* to some extent, to a certain degree

2 mån *adj*, *~ om* angelägen om anxious about; aktsam med careful of; noga med particular about

månad *subst* month; *en gång i ~en* once a month; *20 000 kr i ~en* 20,000 kr a month, 20,000 kr per month; *förra ~en* last month; *om en ~* in a month, in a month's time

månadshyra *subst* monthly rent

månadsskifte *subst* turn of the month

månadssten *subst* birthstone

månadsvis *adv* monthly, by the month

månatlig *adj* monthly

månatligen *adv* monthly

måndag *subst* Monday; se *fredag* för ex.

måndagskväll *subst* Monday evening, senare Monday night; *på ~arna* on Monday evenings, on Monday nights

måne *subst* moon

månförmörkelse *subst* eclipse of the moon

många *pron* many; *~ anser att...* many people think that..., a great number of people think that...; *ganska (rätt) ~* quite a number, quite a lot; *så ~ brev!* what a lot of letters!

mångdubbel *adj*, *mångdubbla värdet* many times the value

mångfald *subst* stort antal *en ~* t.ex. plikter a great number of

mångfaldig *adj* manifold; skiftande diverse, varied

mångfaldiga *verb* multiply

månggifte *subst* polygamy

mångmiljonär *subst* multimillionaire

mångsidig *adj* **1** many-sided **2** om person all-round, versatile

mångårig *adj*, *en ~ vänskap* a long-standing friendship, a friendship of many years

---

månlandning

Den 20 juli 1969 genomförde astronauterna *Neil Armstrong* och *Edwin Aldrin* den första månlandningen. Då yttrade *Armstrong* de berömda orden när han tog sina första steg på månens yta:
That's one small step for a man, one giant leap for mankind.
Det är ett litet steg för en människa, men ett jättekliv för mänskligheten.

---

månlandning *subst* moon-landing

månlandskap *subst* lunar landscape

månresa *subst* trip to the moon

månsken *subst* moonlight

mård *subst* djur marten

mås *subst* gull

måste *hjälpverb*, *han ~* a) är tvungen he must; angivande 'yttre tvång' he has to; framtid he will have to, he is obliged to; framtid will be obliged to b) var tvungen att he had to, he was obliged to; *jag ~* kan inte låta bli att *skratta* I can't help laughing

mått *subst* measure [*på* of]; *~et är rågat!*

I've had enough of it!; *hålla ~et* come up to expectations; *ett visst ~ av respekt* a certain amount of respect; *ta ~ på ngn* till en kostym take sb's measurements; *av stora ~* of great proportions; *efter våra ~* by our standards

måtta *subst* moderation; *det är ingen ~ på vad han fordrar* there is no limit to what he demands; *med ~* moderately

måttband *subst* measuring-tape

måttbeställd *adj*, *en ~ kostym* a suit made to measure, a custom-made suit

måtte *hjälpverb*, *~ du aldrig ångra det!* may you never regret it!; *han ~ vara sjuk* he must be ill; *han ~ inte ha hört det* he cannot have heard it

måttenhet *subst* unit of measurement

måttfull *adj* moderate; sansad sober

måttlig *adj* moderate

måttstock *subst* measure, standard

måttsystem *subst* system of measurement

mäkla *verb* medla mediate

mäklare *subst* **1** hand. broker **2** fastighetsmäklare estate agent, amer. real estate agent, realtor

mäktig *adj* **1** powerful; väldig tremendous, huge **2** om föda heavy

mängd *subst* **1** kvantum quantity, amount; antal number; mat. set; *en stor ~ böcker* a large number of books; *en stor ~ te* a large amount of tea; *i riklig ~* in abundance **2** *~en* folket, massan the crowd

människa *subst* man (pl. men); person person; mänsklig varelse human being; *~n* i allm. man; *människor* folk people; *människorna* mänskligheten mankind sing.; *alla människor* everybody sing.; *ingen ~* nobody; *någon ~* somebody, anybody; *en gammal ~* an old person; *gamla människor* old people; *hur är han (hon) som ~?* what is he (she) like as a person?

människokärlek *subst* love of mankind; kristlig kärlek charity

människoliv *subst* life, human life

människonatur *subst*, *~* el. *~en* human nature

människosläkte *subst*, *~t* the human race, mankind

människovän *subst* humanitarian

människovänlig *adj* humanitarian, humane

människovärdig *adj*, *vara ~* be fit for human beings

mänsklig *adj* **1** human **2** human, medmänsklig humane

mänsklighet *subst* **1** ~*en* människosläktet mankind **2** humanitet humaneness

märg *subst* **1** benmärg marrow **2** bot. pith

märka *verb* **1** mark; lägga märke till notice, observe; *märk att...* note that...; *skillnaden märks knappt* the difference is hardly noticeable **2** *märkt med rött* marked in red

märkbar *adj* noticeable; uppenbar obvious

märke *subst* **1** mark; spår trace; *ha ~n efter ngt* show marks of sth; *sätta ~ för* put a mark against **2** fabrikat: t.ex. bils make; t.ex. kaffe, tobaks brand **3** klubbmärke etc. badge **4** *lägga ~ till* notice

märkesjeans *subst pl* designer jeans

märkesnamn *subst* proprietary name, brand name

märkesvaror *subst pl* proprietary products (goods); *ledande ~* brand leaders

märklig *adj* remarkable; egendomlig strange, odd; *det var ~t!* how extraordinary!

märkpenna *subst* marker

märkvärdig *adj* egendomlig strange; anmärkningsvärd remarkable; *göra sig ~* viktig make oneself important

mäss *subst* mess, lokal mess, messroom

mässa *subst* **1** kyrkl. mass; *gå i ~n* attend Mass **2** utställning fair, exhibition

mässing *subst* metall brass

mässingsinstrument *subst* brass instrument

mässingsorkester *subst* brass band

mässling *subst* measles

mästare *subst* master; sport. champion

mästarinna *subst* champion, woman champion

mästerlig *adj* masterly

mästerligt *adv* in a masterly way

mästerskap *subst* championship

mästerstycke *subst* o. **mästerverk** *subst* masterpiece

mäta *verb* measure; *han kan inte ~ sig med...* he cannot match...

mätare *subst* **1** meter **2** mätinstrument gauge

mätarställning *subst* meter reading; vägmätare mileage recording

mätbar *adj* measurable

mätinstrument *subst* measuring instrument

mätning *subst* mätande measuring; *göra ~ar* take measurements, make measurements

mätt *adj*, *jag är ~, tack* I simply couldn't eat another thing, I've had enough, thanks; *äta sig (bli) ~* have enough to eat, satisfy one's hunger; *hon kunde inte se sig ~ på det* she never tired of looking at it

mätta *verb* **1** satisfy; *frukt ~r inte* fruit does not fill you **2** kem. el. friare saturate

mättad *adj* kem. el. friare saturated; ~*e fetter* saturates

---

möbel
Furniture är alltid singular. Det kan inte föregås av obestämd artikel, *a*.
a piece of furniture
    en möbel
a great deal of furniture, a lot of furniture
    många möbler, mycket möbler
not much furniture
    inte mycket möbler
the furniture looks nice
    möblerna ser fina ut

---

möbel *subst* enstaka piece of furniture; *möbler* furniture sing.

möbeltyg *subst* furnishing fabric

möblemang *subst* furniture (endast sing.); *ett ~* a suite of furniture

möblera *verb* förse med möbler furnish; ordna möblerna i arrange the furniture in; *~ om* a) flytta om möblerna rearrange the furniture b) förse med andra möbler refurnish c) t.ex. regering reshuffle

möblering *subst* furnishing

möda *subst* besvär pains pl., trouble; *göra sig ~* take pains, take trouble; *endast med ~ kunde han göra det* only with difficulty could he do it

mödom *subst* virginity

mödomshinna *subst* anat. hymen, maidenhead

mödosam *adj* laborious, difficult

mödravård *subst* maternity welfare

mödravårdscentral *subst* antenatal clinic

mögel *subst* **1** mould, amer. mold **2** i hus mildew

mögla *verb* **1** go mouldy, amer. go moldy **2** go mildewy

möglig *adj* **1** mouldy, amer. moldy **2** om vägg etc. mildewy

möhippa *subst* bachelorette party

möjlig *adj* possible; tänkbar conceivable; *i ~aste mån* as far as possible

möjligen *adv* possibly; kanhända perhaps; *kan man ~ få träffa...* is it possible, I wonder, to see...; *har du ~ en*

hundralapp på dig? do you happen to
have a hundred kronor?

möjliggöra *verb*, ~ *ngt* make sth possible

möjlighet *subst* possibility [*till* of]; chans
chance [*till* of]; utsikt prospect [*till* of]

mönster *subst* pattern

mönstergill *adj* model endast före subst., ideal;
om t.ex. uppförande exemplary

mönstra *verb* **1** granska inspect, scrutinize
2 sjö. sign on; ~ *av* sign off **3** till militärtjänst
be enlisted for military service

mönstrad *adj* t.ex. tyg, tröja patterned

mönstring *subst* **1** granskning inspection,
scrutiny **2** mil. el. sjö. enlistment

mör *adj* om kött, frukt tender

möra *verb*, ~ *kött* tenderize meat

mörbulta *verb*, ~ *ngn* beat sb black and blue;
vara alldeles ~*d* be aching all over

mörda *verb* murder, kill

mördande *adj* friare murderous; *en* ~ *blick* a
withering glance

mördare *subst* murderer

mördeg *subst* shortcrust pastry

mörk *adj* dark; dyster sombre, gloomy; ~
choklad plain chocolate, amer. dark
chocolate; ~ *kostym* dark lounge suit; *det
ser* ~*t ut* things look bad

mörka *verb*, *försöka* ~ *ngt* try to cover sth
up

mörkblå *adj* dark blue

mörker *subst* dark, darkness; *efter mörkrets
inbrott* after dark; *famla i mörkret*
grope in the dark

mörkertal *subst* number of unrecorded cases,
hidden statistics sing.

mörkhyad *adj* dark, dark-skinned

mörkhårig *adj* dark-haired

mörklägga *verb* **1** black out **2** hålla hemligt, ~
ngt keep sth secret, cover sth up

mörkläggning *subst* **1** blackout **2** cover-up

mörkna *verb* get dark; *det* ~*r* it's getting
dark

mörkrostad *adj*, *mörkrostat kaffe* dark
roast coffee

mörkrädd *adj*, *vara* ~ be afraid of the dark

mörkögd *adj* dark-eyed

mört *subst* fisk roach; *pigg som en* ~ fit as a
fiddle

mössa *subst* cap, luva cap

mösskärm *subst* cap peak

möta *verb* meet; råka på come across; spec. röna
meet with

mötande *adj*, ~ *trafik* oncoming traffic

mötas *verb* meet

möte *subst* meeting; avtalat appointment;

konferens conference; *stämma* ~ *med*
make an appointment with, arrange to
meet

möteslokal *subst* mötesplats meeting place;
samlingsrum assembly room (rooms pl.); för
konferenser conference room (rooms pl.)

Nn

nackdel *subst* disadvantage, drawback [*för* to; *med* of]

---

nacke
Lägg märke till att det engelska ordet *neck* vanligen betyder <u>hals</u>.

---

nacke *subst*, *hon bröt ~n* she broke her neck; *han kliade sig i ~n* he scratched the back of his head

nackstöd *subst* i bil headrest

nafs *subst*, *i ett ~* vard. in a flash

nafsa *verb* snap [*efter* at]

nagel *subst* nail; *hon biter på naglarna* she bites her nails; *peta naglarna* clean one's nails

nagelband *subst* cuticle

nagelborste *subst* nail brush

nagelfil *subst* nail file

nagellack *subst* nail varnish, nail polish

nagelsax *subst* nail scissors pl.

nagga *verb*, *~ i kanten* göra hack i nick; t.ex. kapital eat into; t.ex. rykte tarnish; *koppen är ~d i kanten* the cup is chipped

naggande *adv*, *den* (*han, hon* etc.) *är liten men ~ god* there isn't much of it (him, her etc.) but what there is, is good

nagla *verb*, *~ fast ngt* nail sth on [*vid* to]

naiv *adj* naive

naivitet *subst* naivety, naiveté

naken *adj* 1 naked; *klä av sig ~* strip naked 2 spec. konst. nude

nakenbadare *subst* nude bather, vard. skinny-dipper

nalkas *verb* approach

nalle *subst* vard. 1 leksak el. barnspr. teddy bear, teddy; *Nalle Puh* Winnie-the-Pooh 2 vard. se *mobiltelefon*

nallebjörn *subst* teddy bear, teddy

namn *subst* name [*på* of]; *hur är ~et?* your name, please!; *skapa* (*göra*) *sig ett ~* make a name for oneself; *vad i herrans* (*fridens*) *~ ...?* what on earth ...?; *i sanningens ~* to tell the truth; *jag känner honom bara till ~et* I only know him by name; *nämna ngt vid dess rätta*

~ call sth by its right name, stark. call a spade a spade

namnbyte *subst* change of name

namnge *verb* name

namngiven *adj*, *en icke ~ person* an unnamed person, an anonymous person

namninsamling *subst* list of signatures; *göra en ~* draw up a petition

namnsdag *subst* name day

namnskylt *subst* name plate; på t.ex. affär signboard

namnteckning *subst* signature

napalm *subst* napalm

1 napp *subst* 1 tröst dummy, comforter, amer. pacifier 2 dinapp teat, spec. amer. nipple

2 napp *subst* 1 vid fiske bite, svag. nibble [*på* at] 2 *polisen fick ~* a) en ny ledtråd the police got a new lead b) hade tur the police got a lucky break

nappa *verb* om fisk bite [*på ngt* at sth, sth.], svag. nibble [*på* at]; *det ~de han på genast* he jumped at it at once

nappatag *subst* tussle, set-to; *ta ett ~ med* grapple with, tussle with

nappflaska *subst* feeding bottle

naprapat *subst* naprapath

narciss *subst* narcissus (pl. narcissi)

narkoman *subst* drug addict, vard. junkie

narkos *subst*, *ge ngn ~* administer an anaesthetic to sb

narkotika *subst pl* narcotics, vard. drugs

narkotikabekämpning *subst* fight against narcotics, fight against drugs

narkotikaberoende *subst* drug addiction

narkotikahandel *subst* drug traffic

narkotikahandlare *subst* drug trafficker, drug dealer

narkotikahund *subst* sniffer dog

narkotikahärva *subst* narcotics ring (racket)

narkotikalangare *subst* drug pusher

narkotikamissbruk *subst* drug abuse

narkotikamissbrukare *subst* drug addict

narkotikapolisen *subst* o. **narkotikaroteln** *subst* the narcotics squad, the drugs squad

narkotisk *adj* narcotic; *~a medel* narcotics

narr *subst* fool; *göra ~ av ngn* make fun of sb

nasal *adj* nasal

nasalljud *subst* nasal, nasal sound

nasse *subst* barnspr. piggy, piglet

nation *subst* nation

nationaldag *subst* national day, national holiday

nationaldräkt *subst* national costume; allmogedräkt traditional costume

nationalekonom *subst* economist
nationalekonomi *subst* economics (med verb i sing.)
nationalism *subst* nationalism
nationalitet *subst* nationality
nationalmuseum *subst* national museum; för konst national gallery
nationalpark *subst* national park

nationalsånger
Storbritanniens nationalsång heter *God Save the Queen* (*King*) och USA:s *the Stars and Stripes* eller *the Star-Spangled Banner*.

nationalsång *subst* national anthem
nativitet *subst* födelsetal birthrate
NATO atlantpaktsorganisationen NATO (förk. för *North Atlantic Treaty Organization*)
natrium *subst* kem. sodium
natt *subst* night; *god ~!* good night!; *hon kom ~en till söndagen* she came on Saturday night; *i ~* a) föregående last night b) kommande tonight; *i går ~* yesterday night; *om* (*på*) *~en* el. *om* (*på*) *nätterna* at night, by night; *stanna över ~en* stay overnight, stay the night; *det gjordes över ~en* it was done overnight
natta *verb*, *~ barnen* put the children to bed
nattaxa *subst* på buss etc. night fare, night tariff
nattbuss *subst* late night bus
nattdräkt *subst* nightwear; *i ~* in nightwear
nattduksbord *subst* bedside table, amer. night table
nattetid *adv* at night, by night, in the night
nattflyg *subst* **1** flygningar night-flights pl. **2** flygplan night plane
nattfrost *subst* night frost
nattklubb *subst* nightclub
nattlig *adj* **1** under natten in the night **2** varje natt nightly
nattlinne *subst* nightdress, nightgown, vard. nightie
nattlogi *subst* husrum accommodation for the night
nattmangling *subst* all-night negotiations pl.
nattparkering *subst* night parking, overnight parking
nattportier *subst* night porter
nattradio *subst* all-night radio
nattrafik *subst* night services pl.
nattskift *subst* night shift; *arbeta ~* work nights

nattskjorta *subst* nightshirt
nattskärra *subst* fågel nightjar
nattsköterska *subst* night nurse
nattuggla *subst* person night owl
nattvak *subst* late hours pl., keeping late hours
nattvakt *subst* **1** person night watchman **2** tjänstgöring night duty
nattvard *subst*, *~en* the Holy Communion
nattåg *subst* night train
natur *subst* **1** allm. nature; *det ligger i sakens ~* it is in the nature of things **2** läggning disposition; karaktär character **3** natursceneri etc. scenery, natural scenery; *~en* som skapande kraft etc. nature; *en vacker ~* omgivning beautiful scenery; *ute i ~en* out in the country; *komma ut i ~en* get out into the countryside
natura *subst*, *in ~* in kind
naturaförmåner *subst pl* emoluments, vard. perks
naturalisera *verb* naturalize
naturbarn *subst* child of nature
naturbegåvning *subst*, *hon är en ~* she has natural talents, she is naturally gifted
naturbehov *subst*, *uträtta sina ~* relieve oneself
naturgas *subst* natural gas
naturkunskap *subst* skol. science
naturlag *subst* natural law, law of nature
naturlig *adj* natural; *ett porträtt i ~ storlek* a life-size portrait
naturligtvis *adv* of course, naturally
naturläkemedel *subst* nature-cure medicine
naturorienterande *adj*, *~ ämnen* science subjects
naturreservat *subst* nature reserve
naturskyddsområde *subst* nature reserve
naturskön *adj*, *~ omgivning* an area of great natural beauty
naturtillgång *subst* natural asset; *~ar* natural resources, natural assets
naturtrogen *adj*, *en ~ avbildning* a copy true to life, a lifelike copy
naturvetare *subst* scientist
naturvetenskap *subst* science
naturvetenskaplig *adj* scientific
naturvård *subst* nature conservation
nautisk *adj*, *~ mil* nautical mile
nav *subst* hub; propellernav boss
navel *subst* anat. navel
navelsträng *subst* navel string, vetensk. umbilical cord
navigation *subst* navigation
navigera *verb* navigate

nazism *subst*, ~ el. ~*en* Nazism
nazist *subst* Nazi
nazistisk *adj* Nazi
Neapel Naples
neapolitansk *adj* Neapolitan
necessär *subst* toilet case; miuk toilet bag
ned *adv* down; nedför trappan downstairs;
   längst ~ *på* sidan, papperet etc. at the bottom
   of
nedan *adv* below
nedanför I *prep* below
   II *adv* below, down below
nedbantad *adj*, ~ *budget* reduced budget;
   programmet är nedbantat the
   programme has been cut down
nedbruten *adj*, *vara* ~ be broken down
nedbrytbar *adj*, *biologiskt* ~ biodegradable
nederbörd *subst* regn rainfall; snö snowfall;
   riklig ~ heavy rainfall, heavy snowfall
nederlag *subst* defeat; *lida* ~ suffer defeat
nederländare *subst* Netherlander
Nederländerna *pl* the Netherlands
nederländsk *adj* vanligen Dutch; *den* ~*a*
   regeringen the government of the
   Netherlands
nederst *adv* at the bottom [*i, på, vid* of]
nedersta *adj*, ~ *hyllan* el. *den* ~ *hyllan* the
   lowest shelf, the bottom shelf; ~
   våningen the ground floor, amer. äv. the
   first floor
nedfall *subst*, *radioaktivt* ~ radioactive
   fall-out
nedfart *subst* **1** till garage etc. entrance [*till* of]
   2 i skidbacke descent, ski run
nedflyttad *adj* sport., *bli* ~ be relegated
nedfrysning *subst* refrigeration
nedfällbar *adj*, ~ *sits* tip-up seat; *den är* ~ it
   can be lowered, it can be let down
nedför I *prep* down
   II *adv* downwards
nedförsbacke *subst* downhill slope, descent
nedgång *subst* **1** till källare, tunnelbana etc. way
   down **2** om himlakroppar setting; *solens* ~
   sunset **3** tillbakagång, om pris decline;
   minskning decrease
nedifrån *adv* from below, from underneath
nedisad *adj*, ~*e fönster* iced-up windows
nedkomma *verb*, ~ *med en son* give birth to
   a son
nedkomst *subst* förlossning delivery,
   confinement
nedladdning *subst* data. download
nedlåta *verb*, ~ *sig* condescend
nedlåtande *adj* condescending, patronizing
nedlägga *verb* se *lägga ned under lägga II*

nedläggelse *subst* o. **nedläggning** *subst*
   inställelse shutting-down, closing-down; *en*
   ~ a shutdown
nedläggningshotad *adj* ... threatened with a
   closedown
nedre *adj* lower
nedrusta *verb* disarm; begränsa reduce
   armaments
nedrustning *subst* disarmament; begränsningar
   arms limitations pl.
nedräkning *subst* vid t.ex. start countdown
nedsatt *adj* om t.ex. hörsel, syn impaired; *till* ~
   pris at a reduced price
nedskärning *subst* cut [*i* in]; minskning
   reduction
nedslag *subst* **1** blixtnedslag stroke of lightning
   2 mil., projektils impact **3** sport., vid hopp etc.
   landing
nedslående *adj* disheartening, depressing
nedsläpp *subst* i ishockey face-off; *göra* ~ face
   off
nedsmutsad *adj* very dirty; om miljö polluted
nedsmutsning *subst* om miljö pollution
nedstämd *adj* depressed
nedstänkt *adj*, *bli* ~ get splashed all over
nedsättande *adj* om sätt disparaging; t.ex. om
   ord derogatory
nedsättning *subst* sänkning lowering; minskning
   reduction
nedsövd *adj*, *vara* ~ be under an
   anaesthetic
nedtill *adv* **1** at the foot, at the bottom [*på*
   of] **2** därnere below, down below
nedvikt *adj* turned down
nedvärdera *verb* ekon. depreciate; om insats etc.
   disparage
nedåt I *prep* down; längs down along
   II *adv* downwards
nedåtgående I *subst*, *vara i* ~ om konjunkturer
   etc. be on the downgrade
   II *subst* om pris falling
nedärvd *adj* hereditary; kulturellt traditional
negation *subst* negation
negativ I *adj* negative
   II *subst* foto. negative
neger *subst* neds. Negro (pl. -es)
negligé *subst* negligee
negligera *verb* neglect; strunta i ignore
negress *subst* neds. Negress
nej I *interj* no; ~ *då!* visst inte oh, no!, not at
   all!; ~ *tack!* no thanks!; ~, *nu måste jag
   kila!* well, I must be off!
   II *subst* no (pl. -s); avslag refusal; *tacka* ~ *till
   ngt* decline sth with thanks, turn sth down

nejlika *subst* **1** blomma: stor carnation, enklare pink **2** krydda clove

nejröst *subst* no

neka *verb* **1** deny; *han ~de till att ha gjort det* he denied having done it **2** vägra refuse; *~ ngn tillträde* refuse sb admittance

nekande *adj* negative; *ett ~ svar* a refusal

nektarin *subst* frukt nectarine

neon *subst* kem. neon

neonljus *subst* neon light

neonskylt *subst* neon sign

Neptunus astron. el. mytol. Neptune

ner *adv* se *ned*

nere I *adv* down
   II *adj* deprimerad down, depressed

nerv *subst* nerve; *han går mig på ~erna* he gets on my nerves

nervig *adj* vard., nervös highly-strung, nervy

nervknippe *subst* vard., om person bundle of nerves

nervlugnande *adj*, *~ medel* tranquillizer

nervositet *subst* nervousness

nervpress *subst* nervous strain

nervpåfrestande *adj* nerve-racking

nervsammanbrott *subst*, *få ett ~* have (get) a nervous breakdown

nervvrak *subst* nervous wreck

nervös *adj* nervous; orolig uneasy; *~* el. *~ av sig* highly-strung; neurotisk neurotic; *vara ~ inför provet* be (feel) nervous about one's exam

netto *adv* net; *betala ~ kontant* pay net cash

nettolön *subst* net salary; veckolön net wages pl.; månadslön take-home pay

nettovikt *subst* net weight

nettovinst *subst* net profit

neuros *subst* neurosis (pl. neuroses)

neurotisk *adj* neurotic

neutral *adj* neutral

neutralisera *verb* neutralize

neutralitet *subst* neutrality

neutron *subst* fys. neutron

neutrum *subst* gram. neuter; *i ~* in the neuter

ni *pron* you

nia *subst* nine; se *femma* för ex.

nick *subst* **1** nickning nod **2** sport. header

nicka *verb* **1** nod *[till ngn* to sb; *åt ngn* at sb*]* **2** sport. head **3** *~ till* somna in drop off

nickel *subst* metall nickel

nidingsdåd *subst* outrage, barbarous act; vandalism act of vandalism

niga *verb* curtsy *[för ngn* to sb*]*

Niger Niger

Nigeria Nigeria

nigning *subst* curtsying; *en ~* a curtsy

nikotin *subst* nicotine

nikotinförgiftning *subst* nicotine poisoning

nikotinplåster *subst* nicotine patch

Nilen floden the Nile

nio *räkn* nine; se *fem* för ex. o. *fem-* för sammansättningar

nionde *räkn* ninth (förk. 9th); se *femte* för ex. o. *femte-* för sammansättningar

niondel *subst* ninth; se *femtedel* för ex.

nisch *subst* niche

nischbank *subst* niche bank

1 nit *subst* iver zeal, stark. ardour

2 nit *subst* lott blank; *gå på en ~* draw a blank; kamma noll come away empty-handed

3 nit *subst* tekn. rivet

nita *verb*, *~* el. *~ fast* rivet *[på* on to*]*

nitisk *adj* flitig diligent; ivrig zealous; *alltför ~* over-zealous

nitpistol *subst* tekn. rivet gun

nitti *räkn* vard. se *nittio*

nittio *räkn* ninety; se *fem* för ex. o. *femtio-* för sammansättningar

nittionde *räkn* ninetieth

nitton *räkn* nineteen; se *fem* för ex. o. *fem-* för sammansättningar

nittonde *räkn* nineteenth (förk. 19th); se *femte* för ex. o. *femte-* för sammansättningar

nittonhundranittiotalet *subst* the nineteen-nineties pl.; *på ~* in the nineteen-nineties

nittonhundratalet *subst* the twentieth century; se *femtonhundratalet* för ex.

nivå *subst* level, standard; *i ~ med* on a level with

njure *subst* kidney

njursten *subst* kidney stone

njuta *verb* enjoy; *hon njuter av livet* she enjoys life; *hon njöt i fulla drag* she enjoyed herself immensely

njutbar *adj* enjoyable

njutning *subst* pleasure, stark. delight

NO förk. se *naturorienterande*

Noa o. **Noak** Noah; *~s ark* Noah's ark

nobba *verb* vard., *~ ngn (ngt)* say no to sb (sth), turn sb (sth) down, vard. give sb (sth) the brush-off

nobben *subst* vard., *få ~* be turned down, vard. get the brush-off

nobelpris *subst* Nobel Prize *[i* for t.ex. litteratur*]*

nobelpristagare *subst* Nobel Prize winner

nog *adv* **1** tillräckligt enough, sufficiently; *han var fräck ~ att...* he had the cheek to...; *stor* ~ large enough, sufficiently large; *hon har fått* ~ she has had enough **2** *konstigt* ~ *kom hon sent* funnily enough she came late **3** förmodligen probably; helt säkert certainly; *han är* ~ *snart här* I expect he will soon be here; *de kommer* ~! helt säkert they'll come all right!

noga I *adv* precis precisely, exactly; ingående closely; omsorgsfullt carefully; *akta sig* ~ *för att...* take great care not to...; *det är inte så* ~ it's not so important, it doesn't matter all that much; *jag vet inte så* ~ I don't know exactly **II** *adj* **1** noggrann careful [*med ngt* about sth] **2** kinkig particular [*med ngt* about sth]; fordrande exacting [*med ngt* about sth]

noggrann *adj* omsorgsfull careful [*med* about]; exakt accurate; ingående close; *efter noggrant övervägande* after careful consideration

nogräknad *adj* particular [*med* about]

noll *räkn* **1** nought [nɔ:t], amer. naught [nɔ:t]; på instrument zero; spec. i telefonnummer 0 [uttalas əʊ]; *det är* ~ *grader* Celsius the thermometer is at zero, the thermometer is at freezing-point; *kamma* ~ come away empty-handed **2** sport. nil; i tennis love

nolla *subst* **1** nought [nɔ:t], amer. naught [nɔ:t]; *en* ~ om person a nobody, a nonentity; *hålla* ~*n* sport. keep a clean sheet

nollning *subst* skol.: vard. ragging, amer. hazing

nollpunkt *subst* zero, zero point; ~*en* absolute zero; *stå på* ~*en* om termometer el. friare be at zero

nollställa *verb*, ~ *ngt* mätare etc. set sth to zero, reset sth

nolltaxerare *subst* vard. tax-evader; egentligen taxpayer who pays no income-tax due to deductions that exceed tax on income

nolltid *subst*, *på* ~ vard. in no time

nolltolerans *subst* zero tolerance

nolläge *subst* zero position, neutral position

nominativ *subst* gram. nominative; *i* ~ in the nominative

nominell *adj* nominal

nominera *verb* nominate

nonchalans *subst* **1** nonchalance **2** försumlighet negligence; likgiltighet indifference; vårdslöshet carelessness

nonchalant *adj* nonchalant; försumlig negligent; likgiltig indifferent; vårdslös careless

nonchalera *verb* pay no attention to; försumma neglect

nonsens *subst* nonsense, rubbish

nonstop *adj* non-stop

nord *subst* o. *adv* north [om of]

Nordafrika som enhet North Africa; norra Afrika Northern Africa

nordafrikansk *adj* North-African

Nordamerika North America

nordamerikansk *adj* North-American

nordan *subst* o. **nordanvind** *subst* north wind, northerly wind

nordbo *subst* **1** Northerner **2** skandinav Scandinavian

Norden Skandinavien the Scandinavian countries pl., Scandinavia; mer officiellt the Nordic countries

Nordeuropa the north of Europe, Northern Europe

Nordirland Northern Ireland

nordisk *adj* **1** northern **2** skandinavisk Scandinavian; mer officiellt Nordic

nordkust *subst* north coast

nordlig *adj* från el. mot norr, om t.ex. riktning, läge northerly; om vind north, northerly; i norr northern

nordligare I *adj* more northerly **II** *adv* farther north

nordligast I *adj* northernmost **II** *adv* farthest north

nordost I *subst* väderstreck the north-east **II** *adv* north-east [om of]

nordostlig *adj* north-east, north-eastern

nordpol *subst*, ~*en* the North Pole

nordsida *subst* north side

Nordsjön the North Sea

Nordsverige the north of Sweden, Northern Sweden

nordväst I *subst* väderstreck the north-west **II** *adv* north-west [om of]

nordvästlig *adj* north-west, north-western, north-westerly

nordvästra *adj* the north-west, the north-Western

Norge Norway

norm *subst* måttstock standard; rättesnöre norm; regel rule

normal *adj* normal

normalisera *verb* normalize

normalstorlek *subst* normal size, standard size

norr I *subst* väderstreck the north; *ett rum mot* (*åt*) ~ a room to the north, a room facing north **II** *adv* north [om of], to the north [om of]

norra *adj* t.ex. sidan the north; t.ex. delen the northern; ~ *halvklotet* the Northern hemisphere; ~ *Sverige* the north of Sweden, Northern Sweden

norrifrån *adv* from the north

norrläge *subst*, *ett hus med* ~ a house facing north

norrländsk *adj* Norrland endast före subst., from Norrland ej före subst., of Norrland ej före subst.

norrlänning *subst* Norrlander

norrman *subst* Norwegian

norrsken *subst* the northern lights pl.

norrstreck *subst* på kompass North point

norrut *adv* åt norr northward, northwards; i norr in the north; *resa* ~ go north

norsk *adj* Norwegian

norska *subst* (se *svenska* för ex.) **1** kvinna Norwegian woman **2** språk Norwegian

norskfödd *adj* Norwegian-born; se äv. *svensk-* för sammansättningar

nos *subst* **1** på djur el. vard. 'näsa' nose; på häst, nötkreatur muzzle **2** på flygplan etc., spets nose

nosa *verb* sniff [*på ngt* at sth], smell [*på ngt* at sth]

noshörning *subst* rhinoceros, vard. rhino (pl. -s)

nostalgi *subst* nostalgia

nostalgisk *adj* nostalgic

not *subst* anmärkning note; nottecken note; ~*er* nothäfte music sing.; *har du* ~*erna med dig?* have you got the music?; *spela efter* ~*er* play from music; *vara med på* ~*erna* understand what the thing is all about, catch on

nota *subst* **1** räkning bill, amer., restaurangnota check **2** lista list [*på* of]

notera *verb* **1** anteckna note down **2** lägga märke till note **3** uppge pris på quote

notis *subst* **1** meddelande etc. notice; i tidning news item; tillkännagivande announcement **2** *inte ta* ~ *om* take no notice of

notorisk *adj* notorious

notställ *subst* music stand

nottecken *subst* musik. note

notvärde *subst* musik. time value

nougat *subst* **1** choklad soft chocolate nougat **2** fransk nougat nougat

novell *subst* short story

novellsamling *subst* collection of short stories

november *subst* November (förk. Nov.); se *april* för ex.

novis *subst* novice

nu I *adv* now; ~ *genast* at once; ~ *gällande priser* ruling prices; ~ *då* (*när*) now that;

~ *på söndag* etc. this Sunday etc., this coming Sunday etc.; ~ *är det snart jul* Christmas will soon be here; ~ *kommer han!* here he comes!; ~ *ringer det!* there goes the bell!

II *subst*, *leva i* ~*et* live in the present

nubb *subst* tack

nubbe *subst* snaps (pl. lika)

nucka *subst*, *gammal* ~ old spinster

nudda *verb*, ~ el. ~ *vid* brush against; skrapa lätt graze

nudel *subst* kok. noodle

nudism *subst* nudism

nudist *subst* nudist

nuförtiden *adv* nowadays, these days

numera *adv* nu now; nuförtiden nowadays

numerus *subst* gram. number

nummer *subst* **1** number **2** om tidningsupplaga issue, exemplar copy **3** på sko etc. size **4** i program item, varieté turn **5** *göra ett stort* ~ *av* make a big thing out of

nummerlapp *subst* kölapp queue ticket

nummerordning *subst*, *i* ~ in numerical order

nummerplåt *subst* number plate, amer. license plate

nummerupplysningen *subst* tele. directory enquiries pl., amer. directory assistance

numrera *verb* number; ~*d plats* reserved seat

numrering *subst* numbering

nunna *subst* nun

nunnekloster *subst* convent, nunnery

nutid *subst*, ~*en* the present times pl.; ~*ens ungdom* young people today

nutida *adj* today's; modern modern; tidsenlig up-to-date; *det* ~ *London* the London of today

nuvarande *adj* rådande existing; *i* ~ *läge* in the present circumstances; *i* ~ *stund* at the present moment

ny *adj* new; hittills okänd, om t.ex. metod novel; färsk fresh; nyligen inträffad recent; *en* ~ en annan another, another one; *ett* ~*tt* annat *pappersark* a fresh sheet of paper; *den* ~*a generationen* the rising generation; *en* ~ *Hitler* a second Hitler; *det* ~*a i* what is new about (in); *på* ~*tt* once more

---

novell
Lägg märke till att det engelska ordet *novel* betyder <u>roman</u>.

nyanlagd *adj* recently-built, newly-built;
den är ~ it has been recently (newly) built

nyans *subst* shade, nuance

nyansera *verb* avtona shade off; variera vary, nuance

nyanställd *subst*, *en ~* a new employee

Nya Zeeland New Zealand

nybakad *adj* om bröd etc. fresh, newly baked

nybildad *adj* recently-formed

nybliven *adj*, *en ~ lärare* nyutexaminerad a recently qualified teacher; *en ~ mor* a woman who has recently become a mother

nybyggare *subst* settler

nybyggd *adj* recently-built, newly-built

nybygge *subst* hus under byggnad house under construction; färdigt bygge new building

nybörjare *subst* beginner [i at]

nyckel *subst* key; *~n till framgång* the key to success

nyckelben *subst* kroppsdel collar bone

nyckelhål *subst* keyhole

nyckelknippa *subst* bunch of keys

nyckelpiga *subst* ladybird, amer. ladybug

nyckelposition *subst* key position

nyckelring *subst* key ring

nyckelroll *subst* key role, key part

nyckfull *adj* capricious; godtycklig arbitrary

nyfascism *subst*, *~* el. *~en* neo-Fascism

nyfascist *subst* neo-Fascist

nyfiken *adj* curious [på about], vard. nosy, nosey

nyfikenhet *subst* curiosity; *väcka ngns ~* arouse sb's curiosity; *av ren ~* out of sheer curiosity

nyfrälst *adj* newly converted, born-again

nyfödd *adj* new-born

nyförvärv *subst* **1** new acquisition, recent acquisition **2** om t.ex. fotbollsspelare new signing

nygift *adj*, *de är ~a* they are newly-married

---

nyhet

Det engelska ordet *news* är singular.
Det kan inte föregås av obestämd
artikel, *a*.
A piece of news. En nyhet.
A lot of news. Många nyheter.

---

nyhet *subst* **1** något nytt, ny sak novelty; förändring innovation **2** underrättelse, *~* el. *~er* news sing.; *en ~* a piece of news; *inga ~er är goda ~er* no news is good news

nyhetsbyrå *subst* news agency

nyhetssammandrag *subst* news summary

nyhetssändning *subst* radio. el. tv. newscast

nyhetsuppläsare *subst* newsreader, newscaster

nyklippt *adj*, *jag är ~* I have just had my hair cut; *vår gräsmatta är ~* our lawn has just been cut

nykomling *subst* newcomer

nykter *adj* **1** inte berusad sober **2** sansad, om person level-headed; om t.ex. rapport sober

nykterhet *subst* **1** avhållsamhet från alkohol temperance **2** nyktert tillstånd el. saklighet sobriety, soberness

nykterist *subst* teetotaller

nyktra *verb*, *~ till* become sober

nylagad *adj*, *~ mat* freshly-made food

nyliberalism *subst* polit. neo-liberalism

nyligen *adv* recently

nylon *subst* nylon

nymf *subst* nymph

nymodig *adj* modern, neds. newfangled

nymålad *adj* freshly-painted, newly-painted; *Nymålat!* skylt Wet Paint

nymåne *subst* new moon

nynazism *subst*, *~* el. *~en* neo-Nazism

nynazist *subst* neo-Nazi

nynna *verb* hum [på ngt sth]

nyp *subst* pinch

nypa I *subst* **1** grepp, *hålla ngt i ~n* hold sth in one's hand **2** *en ~* smula, t.ex. mjöl a pinch of; *en ~ frisk luft* a breath of fresh air; *ta ngt med en ~ salt* take sth with a pinch of salt
II *verb* pinch, nip

nypon *subst* frukt rose hip

nyponsoppa *subst* rosehip soup

nypotatis *subst* new potato

nypremlär *subst* revival; *ha ~* om pjäs be revived

nyrakad *adj* newly-shaved; *han är ~* he has just shaved

nyrekrytera *verb*, *~ folk* recruit new people

nyrenoverad *adj* newly-renovated

nys *subst*, *få ~ om* get wind of

nysa *verb* sneeze

nysilver *subst* electroplated nickel silver (förk. EPNS); *saker av ~* electroplated articles

nyskapande *adj* innovative; t.ex. fantasi creative

nysning *subst* sneezing; *en ~* a sneeze

nysnö *subst* newly-fallen snow, fresh snow

nyss *adv*, *han anlände ~* he arrived just now; *han har ~ anlänt* he has just arrived; *mamma har ~ fyllt 50* my mother has just turned 50

nystan *subst* ball; garnnystan ball of wool

nystartad *adj* recently-started; *företaget är nystartat* the company has been recently established

nytta *subst* use, good; fördel advantage; *dra ~ av ngt* benefit by sth, profit by sth; *göra någon ~* a) uträtta ngt get something done b) hjälpa be of help; *det gör ~* it does some good; *ha ~ av* find very useful; *vara ngn till stor ~* be of great use to sb

nyttig *adj* useful; *frukt är ~t* fruit is good for you

nyttotrafik *subst* commercial traffic

nyutexaminerad *adj*, *hon är ~ sjuksköterska* she has recently passed her exams as a nurse

nyutkommen *adj* recently published

nyval *subst* new election

nyzeeländare *subst* New Zealander

nyår

Nyårsafton, *New Year's Eve*, firas som i Sverige med fester. Vid tolv-slaget önskar man varandra Gott Nytt År, *Happy New Year*, och sjunger *Auld Lang Syne* [,ɔːldlæŋ'zaɪn]. I London samlas massor av människor på *Trafalgar Square* för att höra Big Ben ringa in det nya året. I New York samlas man på *Times Square*.

nyår *subst* new year; som helg New Year

nyårsafton *subst* New Year's Eve

nyårsdag *subst* New Year's Day

nyårslöfte *subst*, *avlägga ett ~* make a New Year resolution

nyårsvaka *subst*, *hålla ~* see the New Year in

1 nå *interj* well!

2 nå *verb* **1** *jag ~r inte upp* I can't reach so high **2** *vattnet ~r upp till knäna* the water comes up to one's knees; *jag kan ~s på telefon* I can be reached by phone

nåd *subst* **1** *få ~* be pardoned; om dödsdömd be reprieved **2** titel, *Ers ~* Your Grace

nådeansökan *subst* petition for mercy

någon (*något, några*) *pron* **1** 'en viss','vissa' some, somebody, someone; *några människor* some people; *~ har tagit min cykel* somebody has taken my bicycle; 'ett visst', 'ett visst något' some,

something; *jag har något viktigt att säga* I have something important to say **2** 'någon alls', 'några alls' any, anybody, anyone; 'något alls' anything; *har ~ av pojkarna kommit?* have any of the boys come?; *om ~ söker mig* if anybody calls; någon viss person if somebody calls; *om du inte har något viktigt att säga* if you haven't got anything important to say; *hon hade inte några pengar* she hadn't got any money **3** 'några få', *för några dagar sedan* a few days ago, some days ago; 'en', 'ett' one, a, an; *finns det ~ toalett här?* is there a toilet here?; *Jag vill ha ett kex. Finns det något?* I want a biscuit. Is there one?; *det är alltid något* it's better than nothing

någondera (*någotdera*) *pron* av två either; *från ~ sidan* from either side

någonsin *adv* ever; *aldrig ~* never

någonstans *adv* **1** anywhere; *jag kan inte hitta det ~* I can't find it anywhere **2** på ett visst ställe somewhere; *jag måste ha lagt den ~* I must have put it somewhere **3** *var ~?* where?, whereabouts?

någonting *pron* **1** anything **2** något visst something

någorlunda I *adv* fairly
II *adj* fairly good

något I *pron* se *någon*
II *adv* en smula somewhat, a little, a bit; lätt slightly; ganska rather

nål *subst* needle; hårnål, knappnål pin; *sitta som på ~ar* be on pins and needles

nåla *verb*, *~ fast ngt* pin sth on [*på, vid* to]

nåldyna *subst* pincushion

nåväl *interj* nå well!; då så all right!

näbb *subst* på fågel beak, bill; *försvara sig med ~ar och klor* defend oneself tooth and nail

näbbmus *subst* shrewmouse (pl. shrewmice)

näck *adj* vard., naken naked, nude

näckros *subst* water lily

näktergal *subst* thrush nightingale; sydnäktergal nightingale

nämligen *adv* **1** ty for; eftersom since; emedan as; ser ni you see; *det är ~ så att ...* el. *saken är ~ den att ...* the fact is that ... **2** framför uppräkning el. som upplysning namely; *bara en person hade kommit ~ Peter* vanligen only one person had arrived, and that was Peter

nämna *verb* omnämna mention; uppge state

nämnare *subst* mat. denominator; *minsta*

gemensamma ~ lowest common denominator

nämnd *subst* utskott committee

nämnvärd *adj*, **ingen** ~ **förbättring** no improvement to speak of

näpen *adj* nice, cute, sweet

1 när I *konj* om tid when; **just** ~ just as, just when

II *adv* when; hur dags at what time

2 när *adv*, **han är inte på långt ~ så lång som jag** he is nowhere near as tall as me; **alla var närvarande så ~ som på två** everybody was there but two; **så** ~ nästan almost

1 nära *adj* near, close; **inom en ~ framtid** in the near future, in the immediate future; **en** ~ **anhörig** a close relative

2 nära *adv* o. *prep*, **hon var ~ döden** she was near death; **stå någon ~** be very close to sb; **jag var ~ att falla** I almost fell

närande *adj* nourishing

närbelägen *adj*, **i den närbelägna byn** in the near by village, in the village near by

närbesläktad *adj* closely related; **en ~ typ** a closely related type

närbild *subst* close-up; **ta en ~ av ngn** take a close-up of sb

närbutik *subst* local shop, spec. amer. convenience store

närgången *adj* impertinent; **vara ~ mot** a) take liberties with b) göra sexuella närmanden mot make a pass at

närhelst *konj* whenever

närhet *subst* **1** grannskap neighbourhood, vicinity **2** nearness

näring *subst* föda nourishment, food; **ge ~ åt** t.ex. ett rykte lend support to

näringskedja *subst* food chain

näringsliv *subst* trade and industry, industry

näringsminister *subst* minister of commerce

närings- och handelsdepartementet *subst* the ministry of industry and commerce

näringsrik *adj* nutritious, nourishing

näringsvärde *subst* nutritional value

näringsämne *subst* nutrient

närliggande *adj*, **en ~ lösning** an obvious solution, a solution that lies near at hand

närma *verb*, ~ **sig** approach; ~ **sig 40 år** be getting on for forty; **filmen ~r sig slutet** the film is drawing to an end; **det ~r sig stängningsdags** it's getting near closing time

närmande *subst* advances; **göra ~n mot** make advances to

närmare I *adj* nearer, closer; ytterligare further; ~ **detaljer** further details; **jag vill ha ett hotell ~ stationen** I want a hotel closer to (nearer, nearer to) the station; **vid ~ bekantskap** on closer acquaintance **II** *adv* nearer, closer; t.ex. granska more closely; ~ **bestämt** more exactly, to be precise; **jag har tänkt ~ på saken** I have thought the matter over; ~ **kommentera ngt** comment on sth in more detail; **klockan var ju ~ 10** it was nearly 10 **III** *prep* **1** nearer, closer to, nearer to; inemot close on **2** nästan nearly

närmast I *adj* nearest; omedelbar immediate; om t.ex. vän closest; närmast i ordningen next; **under de ~e två dagarna** during the next few days; **inom den ~e framtiden** in the immediate future, in the near future; **hans ~e anhöriga** his nearest relations; **i det ~e** almost **II** *adv* **1** nearest, closest; t.ex. närmast berörd most closely; närmast i ordningen next; **tiden ~ omedelbart före kriget** the time immediately before the war; **var och en är sig själv ~** every man for himself, you have to look after number one; **den ~ sörjande** the chief mourner **2** först och främst first of all, in the first place **III** *prep* nearest, closest to, nearest to

närradio *subst* community radio

närsamtal *subst* tele. local call

närstående *adj* close, intimate

närsynt *adj* short-sighted, near-sighted

närsynthet *subst* short-sightedness

närtrafik *subst* local services pl.

närtåg *subst* local train, suburban train

närvara *verb*, ~ **vid** be present at, attend

närvarande I *adj* **1** vara ~ **vid** be present at **2** nuvarande present; **för ~** for the present, for the time being **II** *subst*, **de ~** those present

närvaro *subst* presence; **i gästernas ~** before the guests

näs *subst* **1** landremsa isthmus **2** udde foreland

näsa *subst* nose; **ha ~ för** have a nose for; **räcka lång ~ åt** cock a snook at; **sätta ~n i vädret** put on airs, be stuck up; **boken låg mitt framför ~n på mig** the book was lying under my very nose; **peta sig i ~n** pick one's nose; **dra ngn vid ~n** take sb in

näsblod *subst*, **jag blöder ~** my nose is bleeding

näsborr *subst* nostril

näsbränna *subst* vard., **hon fick sig en ~** she

got a telling-off; en minnesbeta she was given a lesson

näsduk *subst* handkerchief

nässelfeber *subst* nettle-rash

nässla *subst* nettle

nässpray *subst* nasal spray

näst I *adv* next; *den ~ bästa* the second best; *den ~ sista* the last but one **II** *prep*, *~ el. ~ efter* after, next to

nästa *adj* next; *~ dag* a) påföljande the next day, the following day b) nu följande next day

nästan *adv* almost; praktiskt taget practically; *~ aldrig* hardly ever; mera betonat almost never; *~ ingenting* hardly anything

näste *subst* nest

nästla *verb*, *~ sig in hos ngn* ingratiate oneself with sb

näsvis *adj* cheeky [*mot* to], impertinent [*mot* to]

nät *subst* **1** net **2** spindels web **3** nätverk network; elektr. mains pl. **4** data. net; *sufta på ~et* Internet surf the Net

nätansluten *adj* elektr. mains-operated

näthinna *subst* ögats retina

nätt I *adj* söt pretty, cute; prydlig neat; *en ~ summa* a tidy sum **II** *adv* prettily, neatly; *~ och jämnt* only just

nätverk *subst* network

näve *subst* fist; *han slog ~n i bordet* he banged his fist on the table; han sa ifrån he put his foot down

nöd *subst* **1** nödställd belägenhet distress **2** behov need, svag. want; nödvändighet necessity; *det går ingen ~ på honom* he has nothing to complain of, he has got all he wants; *i ~ och lust* for better or for worse; *med ~ och näppe* narrowly; *hon kom undan med ~ och näppe* she had a narrow escape

nödbroms *subst*, *dra i ~en* pull the emergency brake

nödfall *subst*, *i ~* if necessary

nödlanda *verb* make an emergency landing

nödlandning *subst* emergency landing, forced landing

nödläge *subst* distress; *i ett ~* in an emergency

nödlögn *subst* white lie

nödlösning *subst* emergency solution; tillfällig temporary solution

nödrop *subst* cry of distress; signal distress signal

nödsignal *subst* distress signal; per radio SOS

nödsituation *subst*, *i en ~* in an emergency

nödutgång *subst* emergency exit

nödutrustning *subst* survival kit

nödvändig *adj* necessary; oumbärlig essential

nödvändighet *subst* necessity; *med ~ of* necessity

nödvändigtvis *adv* necessarily

nöja *verb*, *~ sig med* be satisfied with, be content with; *han nöjde sig med inskränkte sig till en kort kommentar* he confined himself to a short comment

nöjd *adj* tillfredsställd satisfied, content; belåten pleased

nöje *subst* **1** glädje pleasure, delight, joy; *jag har ~t att presentera...* I have the pleasure of introducing...; *för ~s skull* for fun **2** förströelse amusement

nöjesbransch *subst*, *~en* show business, vard. show-biz

nöjesfält *subst* amusement park, fun fair

nöjesliv *subst* underhållning entertainments pl., amusements pl., liv av nöjen life of pleasure; *det finns inget ~ i den här staden* there are no entertainments in this town

nöjeslysten *adj*, *hon är ~* she is fond of amusement, she is fond of pleasure

nöjesläsning *subst* light reading

nöjesresa *subst* pleasure trip

nörd *subst* vard. nerd

nöt *subst* **1** nut **2** problem, *en hård ~ att knäcka* a hard nut to crack

nöta *verb*, *~ el. ~ på* wear; kläder wear out; *tyget tål att ~ på* the cloth will stand wear; *~ ut* wear out

nötknäppare *subst* nutcrackers pl.; *en ~* a pair of nutcrackers

nötkreatur *subst pl* cattle; *fem ~* five head of cattle

nötkärna *subst* kernel; *frisk som en ~* fit as a fiddle

nötkött *subst* beef

nötskal *subst* nutshell

nötskrika *subst* fågel jay

nött *adj* worn; *en ~ fras* hackneyed phrase

nötväcka *subst* fågel nuthatch

Oo

oacceptabel *adj* unacceptable

oaktsam *adj* careless

oanad *adj* unsuspected; *få ~e konsekvenser* have unforeseen consequences

oangenäm *adj* unpleasant, disagreeable

oansenlig *adj* insignificant; om t.ex. lön modest; om utseende plain

oanständig *adj* indecent

oanständighet *subst* indecency

oansvarig *adj* irresponsible

oanträffbar *adj* unavailable; *han har varit ~ hela dagen* I (we etc.) have been unable to get hold of him all day

oanvänd *adj* unused

oanvändbar *adj* useless

oaptitlig *adj* unappetizing

oartig *adj* impolite [*mot* to]

oas *subst* oasis (pl. oases)

oavbruten *adj* uninterrupted, continuous

oavgjord *adj* undecided; *en ~ match* a draw

oavgjort *adv*, *sluta ~* end in a draw; *spela ~* draw [*mot* against]

oavhängig *adj* independent

oavsett *prep* oberoende av irrespective of; frånsett apart from; *~ om hon kommer eller inte* whether she comes or not

oavsiktlig *adj* unintentional, accidental

obalans *subst* lack of balance; *han är i ~* he is a bit unstable just now, he is not his usual self

obalanserad *adj* om person unbalanced

obarmhärtig *adj* merciless; skoningslös relentless

obducera *verb* perform a postmortem on, perform an autopsy on

obduktion *subst* postmortem, autopsy

obebodd *adj* uninhabited

obeboelig *adj* uninhabitable

obefintlig *adj* om sak non-existent

obefogad *adj* unwarranted; grundlös unfounded

obegagnad *adj* unused; *så gott som ~* as good as new

obegriplig *adj* incomprehensible; otydbar unintelligible

obegränsad *adj* unlimited

obegåvad *adj* unintelligent; utan talang untalented

obehag *subst* olust discomfort; besvär trouble; *få ~ av* be troubled by, be inconvenienced by; *känna ~* feel ill at ease

obehaglig *adj* disagreeable [*mot* to], unpleasant [*mot* to]; otrevlig nasty [*mot* to]

obehindrat *adv*, *föra sig ~* move freely; *tala engelska ~* speak English fluently

obehärskad *adj* uncontrolled; *vara ~ om* person be lacking in self-control

obehörig *adj* unauthorized; som saknar kompetens unqualified; *~a äga ej tillträde* no admittance

obekant *adj* okänd unknown [*för* to]; *det låter ~* it sounds unfamiliar

obekräftad *adj* unconfirmed

obekväm *adj* uncomfortable; oläglig inconvenient; *~ arbetstid* unsocial hours; *han är politiskt ~* he is a liability politically

obemannad *adj* om t.ex. raket unmanned; om fyr, järnvägsstation etc. unattended

obemärkt *adj* unnoticed

obenägen *adj* ovillig unwilling, reluctant

oberoende I *subst* independence
II *adj* independent [*av* of]

oberäknelig *adj* unpredictable

oberättigad *adj* unjustified, groundless

oberörd *adj* unmoved, unaffected [*av* by]; likgiltig indifferent [*av* to]; *det lämnade mig ~* it did not affect me, it left me cold

obesegrad *adj* unconquered; spec. sport. undefeated

obeskrivlig *adj* indescribable

obeslutsam *adj* indecisive

obeslutsamhet *subst* indecision

obesprutad *adj* organically grown

obestridlig *adj* indisputable

obestämd *adj* **1** indefinite; *uppskjuta ngt på ~ tid* postpone sth indefinitely; *~ artikel* gram. indefinite article **2** obeslutsam indecisive; oklar vague

obeständig *adj* ostadig inconstant; ombytlig changeable

obesvarad *adj* unanswered; om hälsning unreturned; *~ kärlek* unrequited love

obesvärad *adj* ostörd undisturbed; av t.ex. för mycket kläder unhampered; otvungen, ledig free and easy

obetald *adj* unpaid

obetonad *adj* unstressed

obetydlig *adj* insignificant, trifling; ringa slight

obetänksam *adj* thoughtless, inconsiderate

obevakad *adj* unguarded; ~
järnvägsövergång open level crossing,
amer. open grade crossing
obeveklig *adj* relentless, implacable
obeväpnad *adj* unarmed
obildad *adj* uneducated, uncultured
objekt *subst* object
objektiv I *subst* till kamera etc. lens
II *adj* objective
objuden *adj* uninvited, unasked
oblekt *adj* unbleached
obligation *subst* hand. bond
obligatorisk *adj* compulsory
oblodig *adj* om revolution, statskupp etc.
bloodless
oblyg *adj* shameless, impudent
oboe *subst* musik. oboe
obotlig *adj* **1** om sjukdom incurable
2 oförbätterlig incorrigible
obs. (förk. för *observera*) Note, NB
obscen *adj* obscene
obscenitet *subst* obscenity
observant *adj* observant
observation *subst* observation
observatorium *subst* observatory
observatör *subst* observer
observera *verb* observe, note
obstruktion *subst* sport. el. polit. obstruction
obäddad *adj* om säng unmade
oböjlig *adj* inflexible; gram. indeclinable
obönhörlig *adj* inexorable, implacable
ocean *subst* ocean
ocensurerad *adj* uncensored
och *konj* and; ~ *så vidare* (förk. *osv.*) and so
on, et cetera (förk. etc.); *han satt ~ läste
en bok* he was reading a book, he sat
reading a book
ociviliserad *adj* uncivilized
ockerpris *subst* exorbitant price
ockerränta *subst* extortionate interest
ockrare *subst* usurer, money-lender
också *adv* also, ...too, ...as well; *jag ~* me
too; *och det gjorde jag ~* and so did I
ockupant *subst* occupant, occupier
ockupation *subst* occupation
ockupationsmakt *subst* occupying power
ockupationsstyrkor *subst pl* occupation
forces
ockupera *verb* occupy
o.d. (förk. för *och dylikt*) and the like
odaterad *adj* undated
odds *subst* odds pl.
odefinierbar *adj* indefinable
odelad *adj* undivided; om bifall unqualified
odemokratisk *adj* undemocratic

odiplomatisk *adj* undiplomatic
odisciplinerad *adj* undisciplined
odiskutabel *adj* indisputable
odjur *subst* monster
odla *verb* bruka cultivate; frambringa grow,
raise; ~*de pärlor* cultured pearls
odlare *subst* cultivator, grower, planter
odling *subst* odlande cultivation; område
plantation; av t.ex. bakterier culture; ~ *av
grönsaker* the growing of vegetables
odryg *adj* uneconomical
odräglig *adj* unbearable, insufferable
oduglig *adj* **1** om person incompetent,
unqualified [*till* for], incapable [*till* t.ex.
arbete of] **2** om sak useless
odåga *subst* good-for-nothing
odödlig *adj* immortal
odödlighet *subst* immortality
odör *subst* bad smell, nasty smell
oegentligheter *subst pl* irregularities
oekonomisk *adj* uneconomical
oemotståndlig *adj* irresistible
oemottaglig *adj* **1** insusceptible [*för* to] **2** för
smitta immune
oenig *adj*, *vara ~* disagree [*med* with, *om*
about], be divided [*om* about]
oenighet *subst* disagreement
oense *adj*, *bli ~* disagree; osams fall out [*med*
with]; *vara ~* disagree [*om* about]
oerfaren *adj* inexperienced [*i* in],
unpractised [*i* in]
oerhörd *adj* enorm enormous, tremendous
oersättlig *adj* irreplaceable
ofantlig *adj* enormous, tremendous
ofarlig *adj* harmless
ofattbar *adj* incomprehensible [*för* to]
ofelbar *adj* felfri infallible
offensiv *subst* o. *adj* offensive
offentlig *adj* public; officiell official
offentliganställd *subst* **1** public employee
2 statstjänsteman civil servant
offentliggöra *verb*, ~ *ngt* announce sth,
make sth public
offentlighet *subst* publicity; ~*en* allmänheten
the public, the general public

---

offer
Lägg märke till att det engelska
ordet *offer* betyder erbjuda, erbjuda
sig eller erbjudande.

---

offer *subst* **1** uppoffring sacrifice **2** byte, rov
victim, prey **3** *lätt ~* sitting target; *falla ~*

för fall victim to; i krig, olyckshändelse victim, casualty

offert *subst* hand. offer [*på* vid försäljning of, vid köp for]; *lämna en* ~ make an offer, submit an offer

officer *subst* officer [*i* in; *vid* of]

ufficiell *adj* official

offra *verb* **1** uppoffra sacrifice **2** ~ *sitt liv* give one's life, lay down one's life; ~ *sig* sacrifice oneself [*för* for]; satsa spend; ägna devote [*på* to]

offside *subst* o. *adj* o. *adv* sport. offside

ofog *subst* oskick nuisance; *göra* ~ be up to mischief

oframkomlig *adj* om väg impassable

ofrankerad *subst* unstamped

ofreda *verb* antasta molest

ofrivillig *adj* involuntary, unintentional

ofrånkomlig *adj* oundviklig inevitable

ofta *adv* often; *allt som* ~*st* every now and then

ofullbordad *adj* unfinished, uncompleted

ofullkomlig *adj* imperfect

ofullständig *adj* incomplete

ofärgad *adj* om t.ex. glas uncoloured; om tyg undyed; om skokräm neutral

oförarglig *adj* harmless, inoffensive

oförberedd *adj* unprepared

oförbätterlig *adj* incorrigible

oфördelaktig *adj* disadvantageous

oförenlig *adj* incompatible; om t.ex. åsikter irreconcilable

oföretagsam *adj* unenterprising

oförglömlig *adj* unforgettable

oförklarlig *adj* inexplicable, unaccountable

oförlåtlig *adj* unforgivable

oförmåga *subst* inability

oförrättad *adj*, *hon gick med oförrättat ärende* she went away without having achieved anything, she went away empty-handed

oförsiktig *adj* vårdslös careless; tanklös thoughtless

oförskämd *adj* insolent [*mot* to], impudent [*mot* to]

oförskämdhet *subst* insolence; *en* ~ an impertinence

oförsonlig *adj* irreconcilable, implacable

oförståndig *adj* oklok unwise; dum foolish

oförsvarlig *adj* indefensible, inexcusable

oförtjänt *adj* undeserved

oförutsedd *adj* unforeseen, unexpected

oförändrad *adj* unchanged, unaltered

ogenerad *adj* free and easy; oberörd unconcerned

ogenomförbar *adj* impracticable, unworkable

ogenomskinlig *adj* opaque, … not transparent

ogenomtänkt *adj* förhastad rash, hasty; *planon var* ~ the plan was not properly thought out

ogift *adj* unmarried, single

ogilla *verb* **1** disapprove of, dislike **2** jur.: upphäva overrule

ogillande I *subst* disapproval

II *adj* disapproving

ogiltig *adj* invalid, not valid; *förklara* ~ sport. disallow

ogin *adj* ej tillmötesgående disobliging

ogrundad *adj* unfounded

ogräs *subst* weeds pl.; *ett* ~ a weed; *rensa* ~ weed

ogräsmedel *subst* weed-killer

ogynnsam *adj* unfavourable [*för* for]

ogärna *adv* motvilligt unwillingly, reluctantly; *jag gör det* ~ I don't like doing it; *jag ville* ~ *tro det* I find it hard to believe

ogästvänlig *adj* inhospitable

ohanterlig *adj* om sak unwieldy

ohederlig *adj* dishonest

ohotad *adj* unthreatened; sport. etc. unchallenged

ohyfsad *adj* ill-mannered; ohövlig impolite [*mot* to]

ohygglig *adj* förfärlig dreadful, frightful

ohygienisk *adj* unhygienic

ohyra *subst* vermin (med verb i pl.)

ohållbar *adj* om ståndpunkt etc. untenable; *en* ~ *situation* an intolerable situation

ohälsosam *adj* unhealthy; om föda unwholesome

ohämmad *adj* unrestrained; utan hämningar uninhibited

ohörbar *adj* inaudible

ohövlig *adj* impolite [*mot* to]

oidentifierad *adj* unidentified

oigenkännlig *adj* unrecognizable

oinskränkt *adj* om frihet unrestricted

ointaglig *adj* mil. impregnable

ointressant *adj* uninteresting [*för* to]

ointresserad *adj* uninterested [*av* in]

oinvigd *adj* uninitiated [*i* in]

oj *interj* **1** ~*!* oh!, oh dear! **2** vid smärta ow! [aʊ]

ojust I *adj* orättvis unfair

II *adv*, *spela* ~ a) play dirty b) bryta mot reglerna commit a foul

ojämförlig *adj* incomparable

ojämförligt *adv*, *den ~ störste* by far the greatest

ojämn *adj* uneven **1** skrovlig rough; oregelbunden irregular; *en ~ kamp* an unequal struggle; *en ~ väg* a rough road, a bumpy road **2** växlande variable **3** om tal, udda odd, uneven

ok *subst* yoke

okammad *adj* om hår uncombed; ovårdad dishevelled

okamratlig *adj* disloyal; osportslig unsporting

okej I *adj* vard. OK, okay
II *interj* vard. OK!, okay!

oklanderlig *adj* irreproachable; felfri faultless

oklar *adj* **1** indistinct; om ljus, sikt, färg dim **2** otydlig unclear, indistinct **3** osäkert unclear, uncertain

oklok *adj* unwise, imprudent

oknäppt *adj* om plagg unbuttoned; *knappen är ~* the button is not done up

okomplicerad *adj* simple, uncomplicated

okonstlad *adj* unaffected

okonventionell *adj* unconventional

okritisk *adj* uncritical

oktan *subst* octane

oktanig *adj*, *95-oktanig bensin* 95-octane petrol, amer. 95-octane gasoline

oktantal *subst* octane rating; *bensin med högt ~* high-octane petrol

oktav *subst* musik. octave

oktober *subst* October (förk. Oct.); se *april* för ex.

okultiverad *adj* uncultivated; ohyfsad unpolished

okunnig *adj* **1** ovetande ignorant [om of; om att that] **2** omedveten unaware [om of; om att that], unconscious [om of; om att that]; oupplyst uninformed [om of; om att that] **3** olärd ignorant [i of]

okunnighet *subst* ignorance [om of]

okuvlig *adj* indomitable

okynne *subst* mischievousness, mischief

okänd *adj* unknown [för to]; obekant unfamiliar [för to]; främmande strange [för to]

okänslig *adj* insensitive

olag *subst*, *i ~* out of order

olaglig *adj* unlawful, illegal

oldboy *subst* sport. veteran

olidlig *adj* insufferable

olik *adj* unlike

olika I *adj* different; skiftande varying; växlande various; *smaken är ~* tastes differ; *det är ~ varierar* it varies
II *adv* differently, in different ways

olikartad *adj* dissimilar, different

olikhet *subst* unlikeness; skillnad difference

oliktänkande *subst*, *en ~* a dissident

olinjerad *adj* om t.ex. papper unruled

oliv *subst* olive

olivolja *subst* olive oil

olja I *subst* oil; *gjuta ~ på vågorna* pour oil on troubled waters
II *verb* oil

oljeborrplattform *subst* oil rig

oljebyte *subst* oil change

oljebälte *subst* oilslick

oljeeldning *subst* oil-heating

oljefat *subst* oil drum

oljefläck *subst* på vattenyta oilslick, på t.ex. väg patch of oil

oljefärg *subst* konst. oil colour

oljeledning *subst* pipeline

oljemålning *subst* oil painting

oljemätare *subst* oil gauge

oljepanna *subst* oil-fired boiler

oljeraffinaderi *subst* oil refinery

oljetank *subst* oil tank

oljetanker *subst* oil tanker

oljeutsläpp *subst* oil spill; avsiktligt dumping of oil

oljud *subst* noise; *föra ~* make a noise

ollon *subst* ekollon acorn

ologisk *adj* illogical

olovlig *adj* unlawful; förbjuden forbidden

olust *subst* obehag uneasiness; missnöje dissatisfaction; motvilja dislike, distaste; *känna ~ inför* feel uneasy about

olustig *adj* **1** *känna sig ~* ur humör feel out of spirits **2** obehaglig unpleasant

olycka *subst* **1** misfortune; *föra ~ med sig* bring bad luck; elände misery **2** missöde mishap; olyckshändelse accident; katastrof disaster; *en ~ kommer sällan ensam* it never rains but it pours; *en ~ händer så lätt* accidents will happen; *råka ut för en ~* meet with an accident

olycklig
Lägg märke till att det engelska uttrycket *be unlucky* betyder <u>ha otur</u>.

olycklig *adj* **1** unhappy [över about]; eländig miserable; *~ kärlek* unrequited love **2** drabbad av otur unfortunate, unlucky **3** beklaglig unfortunate

olycksbådande *adj* ominous

olycksdrabbad *adj* om t.ex. väg dangerous; om person accident-prone

olycksfall *subst* accident, casualty

olycksfallsförsäkring *subst* accident insurance

olycksfågel *subst* unlucky creature, unlucky person; *han är en* ~ råkar ofta ut för olyckor he is accident-prone

olyckshändelse *subst* accident; *råka ut för en* ~ meet with an accident

olycksplats *subst*, ~*en* the scene of the accident

olydig *adj* disobedient [*mot* to]

olydnad *subst* disobedience [*mot* to]

olympiad *subst* Olympiad

olympisk *adj*, *de* ~*a spelen* the Olympic Games, the Olympics

olåst *adj* unlocked

olägenhet *subst* **1** besvär inconvenience **2** nackdel drawback

oläglig *adj* olämplig inconvenient [*för* to]

olämplig *adj* **1** unsuitable [*för* for], unfit [*för* to] **2** oläglig inconvenient

oländig *adj*, ~ *terräng* rough ground, rugged ground

oläsbar *adj* o. **oläslig** *adj* **1** om handstil etc. illegible **2** om bok unreadable

olöslig *adj* insoluble; *ett* ~*t problem* an insoluble problem

1 om *konj* if; ~ *inte* if not, unless; ~ *du inte behöver den, kasta den* if you don't need it, throw it away; ... ~ *du inte ber honom göra det* ... unless you ask him to do it

2 om I *prep* **1** 'omkring' round, spec. amer. around; *ha en halsduk* ~ *halsen* have a scarf round one's neck; *falla ngn* ~ *halsen* fall on sb's neck; *jag är kall* ~ *händerna* my hands are cold **2** om läge of; *norr* ~ north of **3** på, om tid, ~ *dagen* (*dagarna*) in the daytime, by day; *två gånger* ~ *dagen* twice a day; ~ *fredagarna* on Fridays; ~ *morgnarna* in the morning; *året* ~ all the year round **4** inom, om tid, ~ *ett år* in a year, in a year's time; *i dag* ~ *sex veckor* six weeks from today **5** 'angående' etc. about, of; *historien* ~ the story about (of) **6** 'över' (ämne etc.) on; *föreläsa* ~ lecture on **7** 'på', om antal, *en grupp* ~ *40 personer* a group of 40 people

II *adv* **1** 'omkring', *en bok med papper* ~ a book wrapped in paper; *helt* ~*!* about turn!; *höger* ~*!* right turn! **2** 'på nytt', *måla*

~ repaint; *många gånger* ~ many times over; *göra* ~ re-make

omaka *adj* om t.ex. äkta par ill-matched; ~ *handskar* odd gloves; *handskarna är* ~ these gloves don't match

omanlig *adj* unmanly

omarbeta *verb* revise

omarbetning *subst* revision; för scenen, filmen adaptation

ombesörja *verb* attend to, take care of

ombilda *verb* omorganisera reorganize; omskapa transform

ombonad *adj* om bostad etc. cosy, snug

ombord *adv* on board, aboard

ombud *subst* representative [*för* of]

ombudsman *subst* representant representative

ombyggnad *subst*, *huset är under* ~ the house is being rebuilt

ombyte *subst* change; ~ *förnöjer* variety is the spice of life

ombytlig *adj* changeable

omdebatterad *adj* much debated; omstridd controversial; *mycket* ~ much debated, much discussed

omdirigera *verb* trafiken redirect, re-route

omdöme *subst* **1** omdömesförmåga judgement **2** åsikt opinion

omdömeslös *adj*, *hon är* ~ she is lacking in judgement

omedelbar *adj* immediate, direct

omedelbart *adv* immediately, at once

omedgörlig *adj* unreasonable, uncooperative

omedveten *adj* unconscious [*om* of]

omelett *subst* omelette, spec. amer. omelet

omfamna *verb* embrace; kramar hug

omfamning *subst* embrace; kram hug

omfatta *verb* täcka cover; *kartan* ~*r hela staden* the map covers the whole town

omfattande *adj* vidsträckt extensive, comprehensive; långtgående far-reaching

omfattning *subst* extent; utsträckning range; *i vilken* ~*?* to what extent?

omfång *subst* storlek size; omfattning extent

omfångsrik *adj* extensive

omfördela *verb* redistribute

omförhandla *verb* renegotiate

omförhandling *subst* renegotiation

omge *verb* surround

omgift *adj* remarried

omgivning *subst*, ~ el. ~*ar* t.ex. en stads surroundings pl.; trakt neighbourhood; miljö environment

omgående *adv* immediately, promptly

omgång *subst* **1** uppsättning set; hop batch **2** sport. etc. round; tur turn; *få en* ~ get a

thrashing; *i ~ar* efter varandra in turns; *i två*
~ar on two separate occasions; *betala i*
två ~ar pay in two instalments
omhänderta *verb* take care of, look after; gripa
take in to custody; *bli ~gen* efter olycka
receive care, receive attention
omild *adj* harsh
omintetgöra *verb* plan, förhoppningar etc.
frustrate, thwart; *planerna*
omintetgjordes the plans were brought
to nothing
omisskännlig *adj* unmistakable
omistlig *adj* indispensable
omkastning *subst* sudden change
omklädningshytt *subst* changing cubicle
omklädningsrum *subst* changing-room
omkomma *verb* be killed, die
omkommen *subst*, *den omkomne* the
victim; *de omkomna* the victims, those
killed
omkostnader *subst pl* costs; utgifter expenses
omkrets *subst* circumference
omkring I *prep* round, about, spec. amer.
around; *runt ~* around, round about
II *adv* **1** round, around; hit och dit about;
runt ~ all round, all around; *när allt*
kommer ~ after all, when all is said and
done **2** ungefär about
omkull *adv* down, over; *ramla ~* fall down,
fall over
omkörning *subst* overtaking, amer. passing;
han gjorde en snabb ~ he rapidly
overtook, amer. he rapidly passed
omkörningsfil *subst* fast lane, overtaking
lane, amer. passing lane
omlopp *subst* circulation; astron. revolution;
en del rykten är i ~ a number of rumours
are going about
omloppsbana *subst* astron. orbit
omläggning *subst* **1** om ändring change,
alteration **2** omorganisering reorganization
3 av trafik diversion
omnämna *verb* mention [*för ngn* to sb]
omodern *adj* out of date, unfashionable; *en*
~ bostad a flat (an apartment) without
modern conveniences
omogen *adj* **1** om frukt, tid etc. unripe **2** om
person immature
omoralisk *adj* immoral
omorganisera *verb* reorganize
omotiverad *adj* **1** unjustified, unwarranted
2 utan motivation unmotivated
omplacera *verb* **1** *~ ngn* tjänsteman etc.
transfer sb to another post **2** pengar
re-invest

omplacering *subst* **1** av tjänsteman etc. transfer
2 av pengar investment
ompröva *verb* reconsider, re-examine; *~ ett*
beslut reconsider a decision
omprövning *subst* reconsideration; *ta ngt*
under ~ reconsider sth
omringa *verb* surround
område *subst* **1** geogr. territory; mindre district,
area; trakt region; *privat ~* private property
2 fack etc. field; *på det ekonomiska ~t* in
the economic field
omröstning *subst* vote, voting; *göra en ~*
take a vote
omsider *adv* at last; *sent ~* at long last
omskola *verb* retrain
omskolning *subst* retraining
omskära *verb* circumcise
omslag *subst* **1** för bok etc. cover; för paket
wrapper **2** i t.ex. väder change
omslagsflicka *subst* cover girl
omslagspapper *subst* wrapping-paper,
brown paper
omsluta *verb* omge surround, enclose,
encircle
omsorg *subst* **1** omvårdnad care [*om* of]
2 noggrannhet care; omtanke attention; besvär
trouble
omsorgsfull *adj* careful; grundlig thorough
omspel *subst* sport. **1** replay **2** extra avgörande
match play-off
omstridd *adj* disputed
omständighet *subst* circumstance; *under*
sådana ~er in such circumstances
omständlig *adj* detailed; långrandig
long-winded
omstörtande *adj*, *~ verksamhet* subversive
activity
omsvep *subst*, *säga ngt utan ~* say sth
straight out
omsvängning *subst* sudden change
omsätta *verb* **1** *företaget omsätter 50*
miljoner kronor the company has a
turnover of 50 million kronor; *~ i pengar*
turn into cash **2** hand., sälja sell
omsättning *subst* hand. turnover, sales pl.
omtala *verb*, *mycket ~d* much discussed
omtanke *subst* omsorg care [*om* for];
omtänksamhet consideration [*om* for]
omtumlad *adj* dazed; *hon var ~* she was in a
daze
omtyckt *adj* popular [*av* with]; *illa ~*
unpopular
omtänksam *adj* considerate [*mot* to,
towards]
omtänksamhet *subst* consideration

omtöcknad adj dazed; av sprit etc. fuddled

omusikalisk adj unmusical

omutlig adj incorruptible

omval subst re-election

omvandla verb transform [till into], change [till into]

omvandling subst transformation [till into], change [till into]

omvårdnad subst care, nursing

omväg subst detour, roundabout way; **ta en** ~ make a detour, go a roundabout way

omvälja verb re-elect

omvänd adj **1** omkastad inverted, reversed **2** relig. el. friare converted

omvända verb relig. convert

omvändelse subst conversion

omvärdering subst revaluation, reassessment

omvärld subst, ~**en** the surrounding world

omväxlande adj **1** t.ex. program varied **2** alternerande alternate

omväxling subst variety, variation; **för ~s skull** for a change

omyndig adj, **vara** ~ minderårig be under age; **en** ~ a minor

omåttlig adj excessive, exorbitant

omänsklig adj inhuman

omärklig adj unnoticeable, imperceptible

omöblerad adj unfurnished

omöjlig adj impossible

omöjlighet subst impossibility

onanera verb masturbate

onani subst masturbation

onaturlig adj unnatural

ond adj **1** moraliskt evil, wicked; ~ **cirkel** vicious circle **2** arg angry [på with; över about], amer. mad [på with; över about]

ondska subst evil, wickedness; elakhet malice, spite

ondskefull adj wicked; elak spiteful, malicious

onekligen adv undeniably, certainly

on-line adj data. on-line

onormal adj abnormal

onsdag subst Wednesday; se **fredag** för ex.

onsdagskväll subst Wednesday evening, senare Wednesday night; **på ~arna** on Wednesday evenings, on Wednesday nights

ont adj **1 roten till allt** ~ the root of all evil; **intet ~ anande** unsuspectingly; **det är inget** ~ **i det** there is no harm in that **2** värk pain, ache; **göra** ~ hurt; **ha** ~ be in pain, suffer; **ha** ~ **i huvudet** have a headache; **ha mycket** ~ **i huvudet** have a bad

headache 3 det är ~ **om smör** there is a shortage of butter; **ha** ~ **om** be short of

onyanserad adj om kritik, omdöme etc. simplistic; ytlig superficial

onykter adj intoxicated, vard. drunk

onyttig adj **1** värdelös useless **2** ohälsosam unhealthy

onyx subst ädelsten onyx

onåd subst, **i** ~ in disgrace

onödan subst, **i** ~ unnecessarily, without cause

onödig adj unnecessary, needless

oordnad adj **1** i oordning disordered, disorderly **2** om förhållanden unsettled

oordning subst disorder; **råka i** ~ become disarranged

oorganiserad adj unorganized; ~ **arbetskraft** non-union labour

opal subst ädelsten opal

opartisk adj impartial; neutral neutral

opassande adj improper, unbecoming

opedagogisk adj unpedagogical

opera

The Royal Opera House i London kallas också *Covent Garden*. Det mest kända operahuset i New York är *the Metropolitan Opera House* eller *the Met*. Mycket känt är också operahuset i Sydney.

opera subst **1** opera **2** byggnad opera house

operasångare subst opera singer

operation subst operation

operationssal subst operating theatre

operera verb operate; ~ **ngn** operate on sb; ~**s** be operated on; ~ **bort** remove

operett subst klassisk operetta, light opera; mera modern musical comedy

opersonlig adj impersonal

opinion subst opinion; **den allmänna ~en** public opinion

opinionssiffror subst pl, **dåliga** ~ poor poll ratings

opinionsundersökning subst opinion poll

opium subst opium

opponera verb, ~ **sig** object [mot to]

opportunist subst opportunist

opportunistisk adj opportunist

opposition subst opposition; ~**en** polit. the Opposition

oppositionsledare subst leader of the Opposition

opraktisk *adj* unpractical, impractical

oproportionerlig *adj* disproportionate

opsykologisk *adj* unpsychological

optik *subst* optics (med verb i sing.)

optiker *subst* optician; affär optician's

optimism *subst* optimism

optimist *subst* optimist

optimistisk *adj* optimistic

optisk *adj* optical

opålitlig *adj* unreliable, untrustworthy

orakad *adj* unshaved, unshaven

orakel *subst* oracle

orange *subst* o. *adj* orange; se *blått* för ex. o. *blå-* för sammansättningar

orangutang *subst* orang-outang

ord *subst* word; ~ *och inga visor* plain speaking; *begära ~et* ask permission to speak; *få ~et* be called upon to speak; *hålla sitt ~* el. *stå vid sitt ~* keep one's word; *innan jag visste ~et av* before I knew where I was; *i ~ och handling* in word and deed; *med andra ~* in other words; *ta till ~a* begin to speak

ordagrann *adj* literal

ordalag *subst*, *i allmänna ~* in general terms

ordbehandlare *subst* maskin word processor

ordbehandling *subst* word processing

ordblind *adj* word-blind

ordbok *subst* dictionary

orden *subst* **1** samfund order **2** ordenstecken decoration, order

ordentlig *adj* **1** orderly, methodical; prydlig neat; proper tidy **2** riktig proper; rejäl real; grundlig thorough; *jag har fått en ~ förkylning* I've caught an awful cold; *ett ~t mål mat* a square meal

ordentligt *adv* in an orderly manner, in a methodical manner; *bli ~ våt* get thoroughly wet

order *subst* **1** befallning order, command; *få ~ om att* be ordered to, be instructed to; *ge ~ om ngt* order sth; *lyda ~* obey orders; *på ~ av* by order of **2** hand. order [*på* for]

ordföljd *subst*, *rak ~* normal word order; *omvänd ~* inverted word order

ordförande *subst* vid sammanträde chairman [*för* of], chairperson [*för* of]; i förening ofta president [*i* of]

ordförandeskap *subst* chairmanship, i förening ofta presidency

ordförklaring *subst* explanation of a word, definition of a word

ordförråd *subst* vocabulary; *hon har [ett] stort ~* she has a large vocabulary

ordinarie *adj* om tur etc. regular; om tjänst permanent; ~ *speltid* sport. normal time

ordination *subst* med. prescription

ordinera *verb* med. prescribe

ordinär *adj* ordinary, common

ordklass *subst* part of speech

ordlek *subst* pun

ordlista *subst* glossary, vocabulary

ordna I *verb* **1** ställa i ordning arrange, fix; *det ~r sig nog!* it will be all right!; things will sort themselves out! **2** skaffa get, find **3** ta hand om see to; t.ex. tävlingar organize **II** *verb* med betonad partikel

ordna om ändra rearrange; ta hand om arrange

ordna upp reda ut settle

ordning *subst* **1** order; ordentlighet orderliness; snygghet tidiness; metod method; *jag får ingen ~ på det här* I can't get this straight; *hålla ~ på ngt* keep sth in order; *det är helt i sin ~* it is quite in order; *i vanlig ~* as usual; *göra i ~ ngt* get sth ready, get sth in order; *göra sig i ~* get ready; *ställa i ~ ngt* get sth in order, put sth in order **2** följd order, sequence

ordningsföljd *subst* order, succession; *i rätt ~* in the right order

ordningsregler *subst pl* regulations

ordningssinne *subst* feeling for order

ordningstal *subst* ordinal number

ordningsvakt *subst* t.ex. i tunnelbanan, ungefär guard, patrolman; vid t.ex. museum attendant

---

ordspråk
Engelskan är rikt på ordspråk, t.ex.:
first come, first served
  den som kommer först till kvarn
  får först mala
it's the early bird that catches the worm
  morgonstund har guld i mun
it never rains but it pours
  en olycka kommer sällan ensam
east, west, home's best
  borta bra men hemma bäst.

---

ordspråk *subst* proverb

ordval *subst* choice of words

ordväxling *subst* dispute

orealistisk *adj* unrealistic

oreda *subst* oordning disorder, confusion; röra muddle

oregano subst krydda oregano

oregelbunden adj irregular

oresonlig adj unreasonable; envis stubborn

organ subst **1** kroppsdel organ **2** språkrör mouthpiece **3** tidning newspaper

organisation subst organization

organisatör subst organizer

organisera verb organize

organisk adj organic

organism subst organism

orgasm subst orgasm; *få* ~ have an orgasm

orgel subst musik. organ

orgie subst orgy

orientalisk adj oriental

Orienten the Orient, the East

orientera verb **1** orientate; informera inform [*om* on]; ~ *sig* orientate oneself; ~ *sig på kartan* take one's bearings from the map **2** sport. orienteer

orienterare subst sport. orienteer

orientering subst **1** orientation; information information **2** sport. orienteering

original subst **1** original **2** person eccentric **3** huvudexemplar top copy

originalitet subst originality

originell adj **1** ursprunglig original **2** besynnerlig eccentric, queer

oriktig adj incorrect; orätt wrong

orimlig adj absurd; oskälig unreasonable

orka verb, *jag* ~*r inte lyfta den* I can't lift it; *nu* ~*r jag inte* hålla på *längre* I cannot (can't) go on any longer; *jag* ~*r inte mer* t.ex. mat I cannot (can't) manage any more; *att du bara* ~*r!* a) hur orkar du? how 'do you manage? b) håll inte på så där! do you have to carry on like this?; *han sprang så mycket han* ~*de* he ran for all he was worth

orkan subst hurricane

orkester subst orchestra; mindre jazz etc. band

orkidé subst orchid ['ɔːkɪd]

orm subst snake

ormbunke subst växt fern

ornament subst ornament, decoration

ornitolog subst ornithologist

oro subst **1** anxiety [*för*, *över* about] **2** politisk el. social unrest

oroa verb, ~ *ngn* göra ängslig make sb anxious; bekymra worry sb, trouble sb; ~ *sig för* be anxious about, worry about

orolig adj **1** ängslig anxious **2** rastlös, bråkig restless

orolighet subst, ~*er* disturbances

oroshärd subst trouble spot

orosmoln subst, ~*en hopar sig* the storm clouds are gathering

orováckande adj alarming

orre subst fågel black grouse (pl. lika)

orsak subst cause [*till* for]; *ingen* ~*!* not at all!, amer. you're welcome!; *av den* ~*en* for that reason

orsaka verb cause

ort subst plats place; trakt district

ortodox adj orthodox

ortopedisk adj orthopaedic, spec. amer. orthopedic

orubbad adj unmoved; om t.ex. förtroende unshaken

orutinerad adj inexperienced

oråd subst, *ana* ~ suspect mischief, vard. smell a rat

oräknelig adj innumerable

orättvis adj unjust [*mot* to], unfair [*mot* to]

orättvisa subst unfairness (endast sing.), injustice

orörd adj untouched; ~ *natur* unspoiled countryside

orörlig adj immobile; utan att röra sig motionless

OS subst (förk. för *olympiska spelen*) the Olympic Games pl.

os subst smell, unpleasant smell

osa verb smoke; ryka reek; *det* ~*r bränt* a) there's a smell of burning b) det börjar bli farligt the fat's in the fire

o.s.a. (förk. för *om svar anhålles*) please reply, RSVP (förk. för *répondez s'il vous plaît* franska)

osagd adj unsaid, unspoken; *det låter jag vara osagt* I would not like to say

osaklig adj, *hans argument är* ~*a* his arguments are not to the point; *han är* ~ he is not objective

osammanhängande adj incoherent, disconnected

osams adj, *bli* ~ quarrel, fall out

osann adj untrue, false

osanning subst falsehood; *tala* ~ tell lies, tell a lie

osannolik adj unlikely, improbable; *det är* ~*t att hon har gjort det* she is unlikely to have done it

oseriös adj om t.ex. firma irresponsible, unreliable

osjälvisk adj unselfish, selfless

osjälvständig adj unoriginal; *vara* ~ be lacking in independence, be unoriginal

oskadad adj o. **oskadd** adj unhurt, unharmed; om sak undamaged, intact; *han återvände* ~ he returned safe and sound

oskadliggöra *verb*, ~ *ngn* (*ngt*) render sb (sth) harmless

oskarp *adj* **1** slö blunt **2** suddig blurred, unsharp

oskick *subst* ovana bad habit; ofog nuisance

oskiljaktig *adj* inseparable

oskuld *subst* **1** innocence; kyskhet chastity, virginity **2** *hon är* ~ she is a virgin

oskyddad *adj* **1** unprotected **2** för väder o. vind unsheltered

oskyldig *adj* **1** innocent [*till* of]; *han är* ~ *till brottet* he is not guilty of the crime **2** oförarglig inoffensive

oskälig *adj* unreasonable; om pris etc. excessive

oslagbar *adj* unbeatable

oslipad *adj* **1** om ädelsten uncut, unpolished **2** om kniv dull **3** om person unpolished

osmaklig *adj* distasteful, stark. disgusting

osminkad *adj*, *hon var* ~ she had no make-up

osockrad *adj* unsweetened

osportslig *adj* unsporting

oss *pron* us; ~ *själva* ourselves

---

ost
Stilton och *Cheddar* är två kända engelska ostar. *Stilton* är en blåmögelost som är gjord på komjölk och påminner om den franska Roquefort. *Cheddarosten* kommer ursprungligen från trakterna kring Cheddarravinen, där den lagrades till mognad i några av de många grottorna. Idag tillverkas cheddarost i många andra länder, t.ex. Irland, Australien, USA och Sverige.

---

1 ost *adv* se öst

2 ost *subst* cheese; *lyckans* ~ lucky dog

ostadig *adj* unsteady, unstable; ~*t väder* changeable weather

ostbricka *subst* cheese board

ostburgare *subst* cheeseburger

ostbågar *subst pl* cheese doodles

osthyvel *subst* cheese slicer

Ostindien the East Indies pl.

ostkust *subst* east coast

ostlig *adj* se östlig

ostraffad *adj* unpunished; *han är tidigare* ~ he has no previous criminal record

ostron *subst* oyster

ostronskivling *subst* svamp oyster mushroom

ostskiva *subst* slice of cheese

ostädad *adj* untidy

ostämd *adj* musik. untuned, out of tune

osund *adj* **1** unhealthy; om föda unwholesome **2** om t.ex. metoder unsound

osv. (förk. för *och så vidare*) etc.

osympatisk *adj* otrevlig unpleasant; om sätt el. utseende unsympathetic

osynlig *adj* invisible [*för* to]

osäker *adj* uncertain [*på, om* of]; otrygg insecure; riskfull unsafe; *känna sig* ~ *bortkommen* feel unsure; *isen är* ~ the ice is not safe

otacksam *adj* om person ungrateful [*mot* to, towards]; ~ *uppgift* thankless task

otacksamhet *subst* ingratitude

otakt *subst*, *gå i* ~ walk out of step; *spela i* ~ play out of time

otal *subst*, *ett* ~ *gånger* any number of times

otalig *adj* innumerable, countless

otalt *adj*, *ha ngt* ~ *med ngn* have a score to settle with sb, have a bone to pick with sb

otid *subst*, *i tid och* ~ ideligen at all times

otillfredsställande *adj* unsatisfactory

otillfredsställd *adj* unsatisfied

otillgänglig *adj* inaccessible [*för* to], unapproachable [*för* by]

otillräcklig *adj* om kvantitet insufficient; om kvalitet inadequate

otippad *adj*, *en* ~ *segrare* an unbacked winner

otjänst *subst*, *göra ngn en* ~ do sb a bad turn, do sb a disservice

otrevlig *adj* disagreeable [*mot* to], unpleasant [*mot* to]

otrogen *adj* t.ex. i äktenskap unfaithful [*mot* to]; svekfull faithless [*mot* to]

otrolig *adj* incredible, unbelievable

otränad *adj*, *vara* ~ be out of training

otröstlig *adj* inconsolable

otta *subst*, *i* ~*n* early in the morning

otur *subst* bad luck; *ha* ~ be unlucky

otvivelaktigt *adv* undoubtedly, no doubt

otvungen *adj* free and easy, natural

otydlig *adj* indistinct

otålig *adj* impatient [*på* with; *över* at]

otålighet *subst* impatience

otäck *adj* nasty [*mot* to]; ryslig horrible, awful

otäcking *subst* vard. rascal, devil

otämd *adj* untamed

otänkbar *adj* inconceivable, unthinkable

oumbärlig *adj* indispensable

oundgänglig *adj* necessary; oumbärlig indispensable

oundviklig *adj* **1** unavoidable **2** som ej kan undgås inevitable

ouppfostrad *adj* badly brought-up

oupphörlig *adj* incessant, continuous

ouppklarad *adj* unsolved; oförklarad unexplained

ouppmärksam *adj* inattentive [*mot* to]

outgrundlig *adj* inscrutable

outhärdlig *adj* unbearable

outplånlig *adj* indelible

outsider *subst* sport. etc. outsider

outspädd *adj* undiluted

outtröttlig *adj* indefatigable; om energi etc. tireless

outtömlig *adj* inexhaustible

oval *subst* o. *adj* oval

1 ovan I *prep* above, over
  II *adv* above; *här* ~ above; *som* ~ as above

2 ovan *adj* ej van unaccustomed [*vid* to], unused [*vid* to]; oövad unpractised, untrained; oerfaren inexperienced; *vara ~ att göra ngt* be unaccustomed to doing sth, be unused to doing sth

ovana *subst* **1** brist på vana unfamiliarity [*vid* with] **2** ful vana bad habit

ovanför *prep* o. *adv* above

ovanifrån *adv* from above

ovanlig *adj* unusual; sällsynt uncommon, infrequent

ovannämnd *adj* above-mentioned

ovanpå I *prep* on top of
  II *adv* on top

ovanstående *adj* t.ex. lista, ord the above

ovarsam *adj* vårdslös careless

ovation *subst* ovation

overall *subst* overalls pl., amer coveralls pl.; träningsoverall track suit; för barn, amer. snow suit

overklig *adj* unreal

overksam *adj* **1** sysslolös idle, inactive **2** utan verkan ineffective

ovetenskaplig *adj* unscientific

ovett *subst*, *få* ~ get a scolding

ovidkommande *adj* irrelevant [*för* to]

ovilja *subst* agg animosity [*mot* towards], stark. aversion [*mot* to]

ovillig *adj* ej villig unwilling, reluctant

ovillkorlig *adj* unconditional

ovillkorligen *adv* absolutely

oviss *adj* uncertain; tveksam doubtful

ovisshet *subst* uncertainty, doubt; *i* ~ uncertain, in a state of uncertainty

ovårdad *adj* **1** om klädsel etc. dishevelled; om

person slovenly **2** om språk careless, substandard

oväder *subst* storm; *det blir* ~ there is going to be a storm

ovälkommen *adj* unwelcome

ovän *subst* enemy; *vara ~ med ngn* be on bad terms with sb; *de har blivit ~ner* they have fallen out

ovänlig *adj* unkind [*mot* to]; ej vänskaplig unfriendly [*mot* to]

oväntad *adj* unexpected

ovärderlig *adj* invaluable [*för* to]

ovärdig *adj* unworthy

oväsen *subst* noise; *föra* ~ make a noise

oväsentlig *adj* unessential [*för* to], inessential [*för* to]; oviktig unimportant [*för* to]

oxbringa *subst* kok. brisket of beef

oxe *subst* **1** ox (pl. oxen) **2** *Oxen* stjärntecken Taurus

oxfilé *subst* fillet of beef

oxkött *subst* beef

oxstek *subst* roast beef

ozon *subst* ozone

ozonskikt *subst*, ~*et* the ozone layer

oåterkallelig *adj* irrevocable

oåtkomlig *adj* inaccessible [*för* to]; *förvaras ~ för barn* keep out of children's reach

oäkta *adj* falsk false; ~ *pärlor* imitation pearls

oändlig *adj* endless, interminable; *fortsätta i det* ~*a* go on for ever and ever

oärlig *adj* dishonest [*mot* to, towards]

oätbar *adj* uneatable

oätlig *adj* om t.ex. svamp inedible

oäven *adj*, *inte* ~ fairly good, not bad

oöm *adj* om sak durable, hard-wearing; om person robust

oöverlagd *adj* rash; ej planlagd unpremeditated

oöverskådlig *adj* **1** illa disponerad badly arranged, confusing **2** om följder etc. incalculable

oöverstiglig *adj* insurmountable

oöversättlig *adj* untranslatable

oöverträffad *adj* unsurpassed [*i fråga om* for]

Pp

p *subst*, *sätta* ~ *för ngt* put a stop to sth
pacemaker *subst* med. el. sport. pacemaker
pacificera *verb* pacify
pacifism *subst*, ~ el. ~*en* pacifism
pacifist *subst* pacifist
pack *subst* slödder rabble, riff-raff
packa I *verb* pack, pack up; ~*t med folk*
packed with people, crowded with people
II *verb* med betonad partikel
packa ihop sig tränga ihop sig crowd
together [*i* into], crowd [*i* into]
packa in pack up; i paket wrap up
packa ner pack [*i* into]
packa upp unpack; paket unwrap
packad *adj* vard., berusad sloshed, tanked up,
amer. loaded, tanked
packe *subst* pack, package; bunt bundle
packis *subst* pack ice
packlår *subst* packing-case
packning *subst* **1** nedpackning packing **2** bagage
luggage, bagage **3** tekn. gasket; till kran etc.
washer
padda *subst* djur toad
paddel *subst* paddle
paddla *verb* paddle; *vara ute och* ~ be out
canoeing
paff *adj*, *jag blev alldeles* ~ I was quite
taken aback
paginera *verb* paginate
paj *subst* pie; utan deglock tart
paja *verb* vard. **1** ~ el. ~ *ihop* break down, go
to pieces **2** förstöra ruin
pajas *subst* clown; *spela* ~ play the fool
paket *subst* **1** parcel, litet packet, större
package; *ett* ~ *cigaretter* a packet of
cigarettes, amer. a pack of cigarettes
2 lärobokspaket etc. package
paketavtal *subst* enhetsavtal package deal
paketera *verb* packet
pakethållare *subst* carrier, luggage carrier
paketresa *subst* package tour
Pakistan Pakistan
pakistanare *subst* Pakistani
pakistansk *adj* Pakistani
pakt *subst* pact, treaty
palats *subst* palace
Palestina Palestine
palestinier *subst* Palestinian

palestinsk *adj* Palestinian
palett *subst* konst. palette
paljetter *subst pl* spangles
pall *subst* **1** möbel stool; fotstöd footstool
2 lastpall pallet
palla *verb* **1** *jag* ~*r inte* I can't cope, I'm not
up to it **2** stötta, ~ *upp* chock up, block up
3 ~ *äpplen* scrump apples
palm *subst* palm
palmblad *subst* palm leaf
palmsöndag *subst* Palm Sunday
palsternacka *subst* grönsak parsnip
paltbröd *subst* bread baked with blood and
rye flour
paltor *subst pl* vard. rags
pamp *subst* bigwig, VIP (förk. för *Very
Important Person*)
pampig *adj* vard. magnificent, grand
Panamakanalen the Panama Canal
panamerikansk *adj* Pan-American
panda *subst* panda
panel *subst* **1** panel; panelling (endast sing.)
2 diskussionspanel panel
panera *verb*, ~ *ngt* breadcrumb sth, coat sth
with egg and breadcrumbs
pang *interj* bang!, crack!, pop!
panga *verb* vard., ha sönder smash
pangsuccé *subst* vard. roaring success, smash
hit
panik *subst* panic; *gripas av* ~ panic, be
seized with panic
panikslagen *adj* panic-stricken
pank *adj* vard., *vara* ~ be broke
1 panna *subst* **1** kok. pan; kaffepanna kettle
2 värmepanna furnace; ångpanna boiler
2 panna *subst* anat. forehead
pannbiff *subst* ungefär hamburger
pannkaka *subst* pancake; *det blev* ~ *av
alltihop* it fell flat, it became one big mess;
göra ~ *av ngt* make a mess of sth, muck
up sth
pannrum *subst* boiler room
panorama *subst* panorama
panorera *verb* film. pan
pansar *subst* armour (endast sing.)
pansarplåt *subst* armour-plate
pant *subst* pawn; i lek forfeit; *betala* ~ för t.ex.
tomglas pay a deposit
panta *verb* vard., ~ *flaskor* get money on
return bottles
pantbank *subst* pawnshop
panter *subst* panther
pantkvitto *subst* pawn ticket
pantomim *subst* pantomime, dumb show
pantsätta *verb* i pantbank pawn

papegoja *subst* parrot
papiljott *subst* curler
papp *subst* kartong cardboard
pappa *subst* **1** father [*till* of], vard. dad, pa, barnspr. daddy, amer. papa **2** ~ *långben* insekt daddy-long-legs
pappaledig *adj*, *vara* ~ be on paternity leave
pappaledighet *subst* paternity leave
papper *subst* paper; brevpapper stationery; omslagspapper wrapping paper, brown paper; *ett* ~ a) bit a piece of paper b) ark, blad a sheet of paper; *några* ~ ark some sheets of paper
pappersarbete *subst* paperwork; *mycket* ~ a lot of paperwork
pappersark *subst* sheet of paper
pappersavfall *subst* waste paper
pappersbruk *subst* paper mill
pappersexercis *subst* red tape
pappershandel *subst* stationer's
pappersinsamling *subst* paper collection
papperskasse *subst* carrier bag, amer. paper bag
papperskniv *subst* paper knife, paper-cutter
papperskorg *subst* waste-paper basket, amer. wastebasket; utomhus litterbin
papperslapp *subst* piece of paper, slip of paper
pappersmassa *subst* paper pulp
pappersnäsduk *subst* paper handkerchief
papperspåse *subst* paper bag
pappersservett *subst* paper napkin
papperstallrik *subst* paper plate
pappkartong *subst* cardboard box
paprika *subst* **1** grönsak pepper, sweet pepper **2** krydda paprika
par *subst* **1** sammanhörande pair; två stycken couple; *ett* ~ *byxor* a pair of trousers; *ett* ~ *handskar* a pair of gloves; *ett gift* ~ a married couple **2** *ett* ~ några a couple of, two or three; *om ett* ~ *dagar* in a day or two, in a few days
para *verb* **1** ~ *ihop* match, pair **2** om djur mate; ~ *sig* mate
parabol *subst* o. **parabolantenn** *subst* tv. satellite dish, dish
parad *subst* parade
paradera *verb* parade
paradis *subst* paradise
paradoxal *adj* paradoxical
paragraf *subst* section
Paraguay Paraguay
paraguayan *subst* o. **paraguayare** *subst* Paraguayan
parallell *subst* o. *adj* parallel

paralysera *verb* paralyse, amer. paralyze
paramilitär *adj* o. *subst* paramilitary
paranoid *adj* paranoid
paranoiker *subst* paranoiac
parant *adj* elegant elegant; iögonfallande striking
paranöt *subst* brazil nut, brazil
paraplegisk *adj* med., förlamad paraplegic
paraply *subst* umbrella; *fälla ihop ett* ~ fold an umbrella; *fälla upp ett* ~ put up an umbrella
paraplyvagn *subst* buggy, baby buggy
parasit *subst* parasite
parasitera *verb* sponge [*på* on]
parasoll *subst* parasol, sunshade
paratyfus *subst* paratyphoid fever, paratyphoid
pardon *subst*, *utan* ~ without mercy
parentes *subst* parenthesis (pl. parentheses), brackets pl.; *sätta ngt inom* ~ put sth in brackets
parera *verb* parry; avvärja fend off
parfym *subst* perfume, billigare scent
parfymaffär *subst* perfumery
parfymera *verb* perfume, scent
parisare *subst* person Parisian
parisisk *adj* Parisian
park *subst* park
parkera *verb* park
parkering *subst* **1** parking; plats parking place; ~ *förbjuden* no parking **2** se *parkeringsplats*
parkeringsautomat *subst* parking meter
parkeringsbroms *subst* bil. parking brake
parkeringsböter *subst pl*, *få* ~ get a parking fine
parkeringsförbud *subst*, *det är* ~ parking is prohibited
parkeringshus *subst* multistorey car park, vard. multistorey, amer. parking garage
parkeringslapp *subst* parking ticket
parkeringsljus *subst* parking light
parkeringsmätare *subst* parking meter
parkeringsplats *subst* parking place; område car park, amer. parking lot; rastplats vid landsväg lay-by
parkeringsvakt *subst* för parkeringsmätare traffic warden; vid parkeringsplats car-park attendant
parkett *subst* **1** teat. stalls pl.; *främre* ~ orchestra stalls, amer. orchestra **2** golv parquet flooring
parkettgolv *subst* parquet floor
parksoffa *subst* park bench
parlament *subst* parliament; ~*et* Parliament; *sitta i* ~*et* be a member of Parliament, be an M.P.

parlamentarisk *adj* parliamentary

parlamentsledamot *subst*, *vara* ~ be a member of Parliament, be an M.P.

parlör *subst* phrase book

parmesanost *subst* Parmesan

parning *subst* mating

parningslek *subst* mating dance

parningstid *subst* mating season

parodi *subst* parody [*på* of]

parodiera *verb* parody, mimic

paroll *subst* watchword, slogan

part *subst* **1** del portion, share **2** jur. party

parti *subst* **1** del part; avdelning section; av bok passage **2** hand., kvantitet lot; varusändning consignment **3** polit. party **4** spelparti game **5** gifte match **6** *ta ngns* ~ take sb's part, side with sb

partiell *adj* partial

partikel *subst* particle

partikongress *subst* party conference

partiledare *subst* party leader

partipolitik *subst* party politics (vanligen med verb i pl.)

partipolitisk *adj* party-political

partisk *adj* partial, biased, one-sided

partiskhet *subst* partiality, bias, one-sidedness

partitur *subst* musik. score

partner *subst* partner

party *subst* party

parvis *adv* in pairs, in couples

pass *subst* **1** passage pass **2** legitimation passport **3** tjänstgöring duty; *vem har ~et i kväll?* who is on duty tonight? **4** *så* ~ *mycket* så mycket as much as this; *så* ~ till den grad *stor att...* so big that...; *komma väl (bra) till* ~ come in handy

passa I *verb* **1** ge akt på attend; se efter see to, look after; passa upp på wait upon; ~ *telefonen* answer the telephone; ~ *tiden* be punctual; ~ *på* utnyttja *tillfället* take the chance, take the opportunity; ~ *tåget* be in time for the train **2** vara lagom, lämpa sig etc. fit, suit; vara lämplig be fit [*till* for], be suitable [*till* for; *för* to]; vara läglig be convenient [*för ngn* to sb]; *stolen ~r inte här* the chair is out of place here; *det ~r mig utmärkt* it suits me fine; *om det ~r dig* if it is convenient for you; *de ~r för varandra* they are suited to each other **3** vara klädsam suit, become; *de ~r bra ihop* they go well together **4** kortsp. el. sport. pass **5** *det ~r sig* anstår *inte för...* it does not become...; ~ *dig noga!* watch it!, look out!

II *verb* med betonad partikel

passa ihop 1 fit, fit together **2** om personer suit each other **3** ~ *ihop med ngt* match

passa in fit, fit in; ~ *in ngt* fit sth in, fit sth into; *den ~r inte in* it doesn't fit in

passa på look out; ~ *på medan...* take the opportunity while...

passa upp betjäna attend; vid bordet wait [*på ngn, ngn* on sb]; *pass upp!* look out!

passadvind *subst* trade wind

passage *subst* passage

passagerare *subst* passenger

passande *adj* **1** lämplig suitable [*till* for] **2** fit [*till* for]; läglig convenient [*till* for]; riktig, rätt appropriate, proper

passare *subst* compasses pl.; *en* ~ a pair of compasses

passbyrå *subst* passport office

passera *verb* pass; överskrida cross; sport. overtake; ~ *förbi* pass by

passform *subst* om kläder etc. fit

passfoto *subst* passport photo

passion *subst* passion

passionerad *adj* entusiastisk keen, ardent; ~ *kärlek* passionate love

passionerat *adv* passionately

passionsfrukt *subst* passion fruit

passiv I *adj* passive; ~ *rökning* passive smoking, second-hand smoking

II *subst* gram. the passive, the passive voice

passkontroll *subst* **1** undersökning passport examination **2** kontor passport office

passkontrollant *subst* passport official, immigration officer

passning *subst* **1** eftersyn attention; ~ *av barn* looking after children **2** sport. pass

pasta *subst* kok. pasta

pastej *subst* pie; liten patty

pastell *subst* pastel

pastellmålning *subst* pastel

pastill *subst* pastille, lozenge

pastor *subst* frikyrklig pastor; ~ *Bo Ek* the Rev. Bo Ek

paté *subst* kok. pâté

patent *subst*, *ta* ~ *på ngt* take out a patent for sth; *söka* ~ *på ngt* apply for a patent on sth

patentlås *subst* safety lock, yale lock

patentlösning *subst* patent solution

patetisk *adj* överdrivet känslosam, löjeväckande pathetic; högtravande pathetic, sad

patiens *subst* patience, amer. solitaire; *lägga* ~ play patience

patient *subst* patient

patolog *subst* pathologist

patologi *subst* pathology
patologisk *adj* pathological
patos *subst* lidelse passion, devotion; *socialt* ~ passion for social justice
patriark *subst* patriarch
patriarkalisk *adj* patriarchal
patriot *subst* patriot
patriotisk *adj* patriotic
patron *subst* **1** för skjutvapen cartridge **2** för t.ex. kulpenna refill
patronhylsa *subst* cartridge case
patrull *subst* patrol
patrullera *verb* patrol
paus *subst* **1** pause; uppehåll break; teat. el. radio. interval; *göra en* ~ ta rast have a break **2** musik. rest
pausa *verb* vard. pause, make a pause
paviljong *subst* pavilion
pay-per-view *subst* tv. pay-per-view slags betal-tv där man betalar för speciella evenemang
pc *subst* persondator PC, personal computer
pedagog *subst* educationist; lärare pedagogue
pedagogik *subst* pedagogy
pedagogisk *adj* pedagogical; uppfostrande educational
pedal *subst* pedal
pedant *subst* pedant; friare meticulous person, perfectionist, vard. nitpicker
pedanteri *subst* pedantry; friare meticulousness, perfectionism, vard. nitpicking
pedantisk *adj* pedantic, friare meticulous, vard. nitpicking
pediatrik *subst* paediatrics, spec. amer. pediatrics
pedofil *subst* paedophile
pejla *verb* **1** take a bearing of; flyg., med radio locate **2** loda sound; ~ *läget* (*stämningen*) see how the land lies; ~ *läget hos* el. ~ *stämningen hos* sound, sound out
peka *verb* point [*på* at, to]; *det mesta* ~*r på att hon är skyldig* everything indicates that she is guilty
pekfinger *subst* forefinger, index finger
pekines *subst* hund pekinese (pl. lika)
pekoral *subst* pretentious trash, high-flown trash
pekpinne *subst* pointer
pelare *subst* pillar; kolonn column
pelargon *subst* geranium
pelikan *subst* pelican
pendel *subst* pendulum
pendeltrafik *subst* commuter traffic; *bussar*

som går i ~ buses that run a commuter service
pendeltåg *subst* commuter train
pendla *verb* **1** swing, oscillate **2** om t.ex. förortsbo commute
pendlare *subst* commuter
penetrera *verb* penetrate
peng *subst* slant coin, little sum of money
pengar *subst pl* money sing.; *var är* ~*na?* where is the money?; *kontanta* (*reda*) ~ cash, ready money; *tjäna* (*göra*) *stora* ~ make big money, earn big money; *vara utan* ~ be penniless, be out of cash
penicillin *subst* med. penicillin
penis *subst* penis
penna *subst* pen; blyertspenna pencil
pennalism *subst* bullying
penningbekymmer *subst pl* financial worries
penningbrist *subst* shortage of money, lack of money
penningknipa *subst*, *vara i* ~ be hard up, be short of cash
penninglott *subst* state lottery ticket
penninglotteri *subst* state lottery
penningplacering *subst* investment
penningsumma *subst* sum of money
penningvärde *subst* money value
pennkniv *subst* penknife
pennskaftsfattning *subst* i bordtennis penholder grip
pennvässare *subst* pencil-sharpener
pensé *subst* pansy
pensel *subst* brush
pension *subst* underhåll pension; *få* ~ get a pension; *gå i* ~ retire
pensionat *subst* boarding house; mindre hotell private hotel
pensionera *verb* pension, grant a pension to; ~*d* retired, pensioned
pensionering *subst* pensioning; *till sin* ~ *var han*... up to his retirement he was...
pensionsförsäkring *subst* retirement annuity, retirement pension insurance
pensionsplan *subst* pension plan, pension scheme
pensionsålder *subst* pensionable age, retirement age
pensionär *subst* pensioner, senior citizen
pensla *verb*, ~ *med ägg* brush with beaten egg; ~ *ett sår* med jod etc. paint a wound
pentry *subst* kokvrå kitchenette; sjö. el. flyg. galley
peppar *subst* pepper; *peppar, peppar!* touch wood!, amer. knock on wood!; *dra dit* ~*n växer!* go to blazes!

pepparkaka *subst* gingerbread biscuit; *mjuk* ~ gingerbread cake

pepparkorn *subst* peppercorn

pepparvarn *subst* pepper mill

pepparmint *subst* smakämne peppermint

pepparrot *subst* horseradish

peppra *verb* pepper [*ngt* el. *på ngt* sth]

per *prep* **1** ~ *gång* varje gång every time, each time; åt gången at a time; med by; ~ *brev* by letter; ~ *post* per post **2** ~ *månad* a month, per month; månadsvis by the month **3** ~ *styck* se *styck*

perenn *adj* perennial

perfekt I *adj* perfect

II *subst* the perfect tense; ~ *particip* past participle, perfect participle

perfektionist *subst* perfectionist

perforera *verb* perforate

perforering *subst* perforation

periferi *subst* **1** cirkels circumference **2** ytterområde periphery

period *subst* period

periodare *subst* vard. dipso, dipsomaniac

periodisk *adj* periodic

periodvis *adv* periodically

periskop *subst* periscope

permanent I *adj* permanent

II *subst* av hår perm

permanenta *verb* hår perm; låta ~ *sig* have a perm

permission *subst* leave of absence; *ha* ~ be on leave

permittera *verb* friställa lay off, dismiss; ~*d* äv. be made redundant

perplex *adj* perplexed

perrong *subst* platform

persedel *subst* mil. item of equipment; *persedlar* utrustning equipment sing., kit sing.

perser *subst* katt Persian

Persien hist. Persia

persienn *subst* Venetian blind

persika *subst* frukt peach

persilja *subst* kok. parsley

persisk *adj* hist. Persian

persiska *subst* språk Persian, Farsi

person *subst* person; framstående personage; ~*er* vanligen people; ~*erna* teat. the cast sing.; *i egen hög* ~ in person

personal *subst* staff; spec. mil. personnel; *ha för liten* ~ be understaffed; *höra till* ~*en* be on the staff

personalavdelning *subst* staff department, personnel department

personalchef *subst* personnel manager

personalfest *subst* staff party; på firma office party

personalmöte *subst* staff meeting

personbevis *subst* birth certificate

personbil *subst* private car

personbästa *subst* sport. personal best

persondator *subst* personal computer (förk. PC)

personifiera *verb* personify

personlig *adj* personal, individual; *för min* ~*a del* for my part; ~ *kod* PIN number; ~*t pronomen* personal pronoun

personligen *adv* personally

personlighet *subst* personality; *han är en* ~ he has personality

personnamn *subst* personal name

---

personnummer

Det system med personnummer som vi har i Sverige förekommer inte i England och USA. I England motsvaras de i viss mån av *personal identity number*, i USA av *social security number* sjukförsäkringsnummer. De används inte alls i samma utsträckning som de svenska personnumren.

---

personnummer *subst* ungefär personal identity number, amer., ungefär social security number

personsökare *subst* pager, bleeper

persontåg *subst* motsats: godståg passenger train

perspektiv *subst* perspective; ~*en* utsikterna the prospects

perspektivfönster *subst* picture window

Peru Peru

peruan *subst* Peruvian

peruansk *adj* Peruvian

peruk *subst* wig

pervers *adj* perverted; *han är* ~ he is a pervert

perversitet *subst* pervertedness (endast sing.), sexual perversion

pessimism *subst* pessimism

pessimist *subst* pessimist

pessimistisk *adj* pessimistic

pest *subst* plague; *för honom var det som att välja mellan* ~ *och kolera* he was between the devil and the deep blue sea

peta *verb* pick [på at], poke [på at]; ~

naglarna clean one's nails; ~ **näsan** el. ~ **sig i näsan** pick one's nose

petig *adj* pedantisk finicky

petitess *subst* trifle

petition *subst* petition [*om* for]

petunia *subst* blomma petunia

p.g.a. (förk. för *på grund av*) on account of

P-hus *subst* se *parkeringshus*

pH-värde *subst* pH value

pianist *subst* pianist

piano *subst* piano (pl. -s); *spela* ~ play the piano

pianostol *subst* piano stool

pianostämmare *subst* piano-tuner

piccolo *subst* bellboy, spec. amer. bellhop

picknick *subst* picnic

pickup *subst* på skivspelare el. liten varubil pick-up

piedestal *subst* pedestal

pierca *verb* vard. pierce; ~ **öronen** have one's ears pierced

piff *subst* zest; *sätta* ~ *på maten* give a relish to the food; *sätta lite* ~ *på ngt* add a little extra touch to sth

piffa *verb*, ~ *upp* smarten up

piffig *adj* chic, smart

piga *subst* maid

1 pigg *subst* spike; spets point

2 pigg *adj* **1** brisk, spry; vaken alert; ~*a ögon* lively eyes; *känna sig* ~ feel fit **2** *vara* ~ *på ngt* be keen on sth

pigga *verb*, ~ *upp* buck up; muntra upp cheer up

piggna *verb*, ~ *till* come round

piggsvin *subst* djur porcupine

piggvar *subst* fisk turbot

pigment *subst* pigment

pik *subst* spydighet dig, taunt; *ge ngn en* ~ make a sly dig at sb

pika *verb* taunt

pikant *adj* piquant, kryddad spicy, piquant

piket *subst* **1** polisstyrka flying squad, riot squad **2** polisbil police van, amer. patrol wagon

1 pil *subst* träd willow

2 pil *subst* **1** för pilbåge arrow **2** för pilkastning dart; *kasta* ~ play darts

pilbåge *subst* bow

pilgrim *subst* pilgrim

pilgrimsfärd *subst*, *göra en* ~ go on a pilgrimage

pilkastning *subst* spel darts sing.

pilkastningstavla *subst* dartboard

pilla *verb*, ~ knåpa *med ngt* fiddle with sth

piller *subst* pill

pillerburk *subst* pillbox

pillesnopp *subst* barnspr. willy, willie

pilot *subst* pilot

pilsner *subst* ungefär lager

1 pimpla *verb* dricka tipple

2 pimpla *verb* fiska jig [*ngt* for sth]

pimpsten *subst* pumice, pumice stone

pina I *subst* pain, torment, suffering; *göra* ~*n kort* get it over with **II** *verb* torment, torture

pinaler *subst pl* sak things

pincett *subst*, *en* ~ a pair of tweezers; ~*en* the tweezers pl.

pingis *subst* vard. ping-pong

pingla *verb* tinkle, jingle

pingst *subst*, ~ el. ~*en* Whitsun; se *jul* för vidare ex.

pingstafton *subst* Whitsun Eve

pingstdag *subst* Whit Sunday

pingsthelg *subst*, ~*en* Whitsun

pingstlilja *subst* blomma narcissus

pingströrelse *subst*, ~*n* the Pentecostal Movement

pingstvän *subst* Pentecostalist

pingvin *subst* penguin

pinje *subst* pine

pinka *verb* vard. pee, have a pee

PIN-kod *subst* för t.ex. bankomatkort el. mobiltelefon PIN code (förk. för *Personal Identification Number*)

pinne *subst* peg; för fåglar perch; vedpinne stick

pinnhål *subst*, *komma ett par* ~ *högre* rise a step or two

pinnstol *subst* Windsor-style chair

pinsam *adj* painful; besvärande awkward

pinuppa *subst* vard., bild el. flicka pin-up

pion *subst* blomma peony

pionjär *subst* pioneer

1 pip I *subst* ljud peep, cheep; råttas squeak **II** *interj* peep!

2 pip *subst* på kärl spout

1 pipa *verb* om fågel chirp, cheep; om råtta squeak; om vinden whistle

2 pipa *subst* pipe; visselpipa whistle; *röka* ~ smoke a pipe; *gå åt* ~*n* vard. go to pot

piphuvud *subst* pipe bowl

pipig *adj* om röst squeaky

---

pilkastning

Att kasta pil, *play darts*, är ett mycket populärt nöje på en engelsk pub. Det arrangeras också mästerskapstävlingar i pilkastning.

pippi *subst* **1** barnspr., fågel birdie **2** *ha* ~ *på* vard. have a thing about, have a mania for

piprensare *subst* pipe-cleaner

pipskaft *subst* pipe stem

pipskägg *subst* pointed beard

pipställ *subst* pipe rack

pir *subst* pier, mindre jetty

pirat *subst* pirate

piratkopia *subst* pirate copy

pirog *subst* pastej Russian pasty; ~*er* vanligen piroshki

pirra *verb, det* ~*r i magen på mig när jag tänker på*... I have butterflies in my stomach when I think of...

pirrig *adj* jittery; enerverande nerve-racking

piruett *subst* pirouette; *göra en* ~ pirouette

piska I *subst* whip
II *verb* **1** whip, stark. lash; mattor beat; ~ *upp en stämning av*... whip up an atmosphere of...; *känna sig* ~*d att göra ngt* feel forced to do sth

piskrapp *subst* lash, cut with a whip

pisksnärt *subst* piskslag crack

piss *subst* vulg. piss, vard. pee

pissa *verb* vulg. piss, vard. pee, piddle

pissoar *subst* urinal

pist *subst* skidbana piste

pistol *subst* pistol, vard. gun

pistong *subst* tekn. piston

pitt *subst* vulg. cock, prick

pittoresk *adj* picturesque

pizza *subst* pizza

pizzeria *subst* pizzeria

pjosk *subst* pampering [*med* of]

pjoska *verb*, ~ *med ngn* pamper sb

pjoskig *adj* namby-pamby

pjäs *subst* **1** teat. play **2** föremål el. mil. piece **3** schack. man (pl. men)

pjäxa *subst* ski boot

placera I *verb* **1** place; gäster seat **2** ~ *pengar* invest money **3** ~ *sig* sätta sig seat oneself; ~ *sig som etta* sport. come first; *inte bli* ~*d* not be placed
II *verb* med betonad partikel

placera om 1 möbler etc. rearrange, shift about **2** pengar re-invest **3** ~ *om ngn* tjänsteman etc. transfer sb to another post

placera ut sätta ut set out

placering *subst* **1** placing; av gäster seating **2** sport place **3** av pengar investment

plack *subst* på tänder plaque

pladask *adv, falla* ~ fall flat on one's face, fall headlong

pladder *subst* babble, prattle

pladdra *verb* babble, prattle

plagg *subst* garment, article of clothing

plagiat *subst* plagiarism; *ett* ~ an act of plagiarism

plagiera *verb* plagiarize

1 plakat *subst* placard, poster

2 plakat *adj* vard. dead drunk

1 plan (-*en* -*er*) *subst* **1** öppen plats open space, piece of ground, liten, t.ex. framför hus, area **2** bollplan etc. ground, field; tennisplan court **3** planritning plan [*till* for, of] **4** planering etc. plan [*på* for]; *ha* ~*er på ngt* plan sth; *ha* ~*er på att göra ngt* plan to do sth, amer. plan on doing sth

2 plan (-*et* -) *subst* **1** planyta plane, nivå level; *ligga i samma* ~ *som* be on the same level as; *i två* ~ in two planes **2** våningsplan floor **3** flygplan plane

3 plan *adj* plane, level; ~ *yta* plane surface

planenligt *adv* according to plan

planera *verb* planlägga plan, design, project; ~ *göra ngt* plan to do sth, amer. plan on doing sth; ~ *för* göra förberedelser make preparations for

planeringskalender *subst* engagement diary, planner

planet *subst* planet

planetsystem *subst* planetary system

plank *subst* staket fence; kring bygge etc. hoarding

planka *subst* plank; av furu el. gran deal

plankstek *subst* planked steak

planlägga *verb* plan; *planlagt mord* premeditated murder

planläggning *subst* planning, design

plansch *subst* plate, illustration; väggplansch wall chart; poster poster

planta *subst* plant

plantage *subst* plantation

plantera *verb* plant; ~ *om* transplant; krukväxt repot

plantering *subst* plantation; anläggning park, garden

plantskola *subst* nursery

plask *subst* splash

plaska *verb* splash

plaskdamm *subst* paddling pool, paddling pond

plasmaskärm *subst* tv. plasma screen

plast *subst* plastic

plastbehandlad *adj* plastic-coated

plastfolie *subst* clingfilm, amer. plastic wrap

plastkasse *subst* plastic carrier bag, amer. plastic bag

plastpåse *subst* plastic bag

plastvaror *subst pl* plastic goods

platan *subst* plane tree
platina *subst* platinum
platonsk *adj* Platonic; ~ *kärlek* Platonic
love
plats *subst* **1** place; *avgränsad* spot; *sittplats*,
mandat seat; *utrymme* space; *tillräcklig plats*
room; *beställa* ~ *på* t.ex. *bilfärja* book a
passage; *få en bra* ~ *sittplats* get a good
seat; *få* ~ *med* find room for; *hotellet har*
~ *för 100 gäster* the hotel has
accommodation for 100 guests; *lämna* ~
för make room for; *ta stor* ~ take up a
great deal of space (room); *bo på* ~*en* live
on the spot; *ställa ngt på sin* ~ put sth
where it belongs; *sätta ngn på* ~ vard. take
sb down a peg, put sb in his (her, etc.) place
2 *anställning* situation, job; *befattning* post,
position; *få* ~ get a job [*hos* with]
platsa *verb* vard. qualify for, be good enough
for; *hon* ~*r inte i gruppen* she doesn't
quite fit in the group
platsannons *subst* job advertisement, job ad
platsansökan *subst* application for a
situation etc.; *se plats 2*
platsbiljett *subst* seat reservation
platt I *adj* flat; *det blev* ~ *fall* it was a flop, it
was a fiasco
II *adv* flatly; *falla* ~ *till marken* misslyckas
fall flat
platta I *subst* **1** plate; *rund disc* **2** cd CD, disc;
grammofonskiva record **3** *kokplatta* hotplate
II *verb*, ~ *till* (*ut*) flatten, flatten out; ~ *till*
ngn squash sb
plattform *subst* platform
plattfotad *adj* flat-footed
plattityd *subst* platitude
platå *subst* plateau
plenum *subst* plenary meeting, plenary
session
Plexiglas® *subst* Perspex®
plikt *subst* skyldighet duty [*mot* towards]; *göra*
sin ~ do one's duty
pliktkänsla *subst* sense of duty
pliktmedveten *adj*, *han är mycket* ~ he has
a strong sense of duty
pliktskyldig *adj* dutiful
pliktskyldigast *adv* out of a sense of duty
plikttrogen *adj* faithful, dutiful, loyal
plint *subst* **1** byggn. plinth **2** gymn. box
plita *verb* skriva write busily; ~ *ihop ngt* put
sth together with a great effort
plock *subst* småplock odds and ends pl.
plocka I *verb* pick; *samla* gather; ~ *en fågel*
pluck a fowl; ~ *äpplen* pick apples
II *verb* med betonad partikel

plocka bort remove, take away
plocka fram take out
plocka ihop gather . . . together, collect;
nu ~*r vi ihop* let's get our things together
plocka ner take down
plocka sönder ngt pick sth to pieces, take
sth to pieces
plocka upp pick up; *ur låda* take out
plocka ut välja pick out
plocka åt sig grab
plockmat *subst* koll. snacks pl.
plog *subst* plough, amer. plow
ploga *verb*, ~ *vägen* clear the road of snow
ploj *subst* vard. ploy
plomb *subst* tandfyllning filling
plombera *verb* **1** *tand* fill **2** *försegla* seal
plommon *subst* plum
plommonstop *subst* bowler, amer. derby
plommonträd *subst* plum tree
plottra *verb*, ~ *bort* fritter away
plottrig *adj* messy, muddled, confused
plugg *subst* **1** *tapp* plug, stopper **2** vard.,
pluggande swotting, cramming **3** skola school
plugga *verb* **1** ~ *igen* plug up **2** vard.: skol. el.
univ. swot, amer. grind
plugghäst *subst* vard.: skol. el. univ. swot,
swotter, amer. grind
1 plump *adj* coarse, rude
2 plump *subst* bläckplump blot
plumpudding *subst* Christmas pudding, amer.
plum pudding
plundra *verb* utplundra plunder [*på* of]; *råna*
rob [*på* of], loot [*på* of]
plundring *subst* plundering, robbing, looting
plural *subst* the plural; *första person* ~ first
person plural; *stå i* ~ be in the plural
pluralform *subst* plural form
pluralis *subst* se *plural*
pluraländelse *subst* plural ending
plus *subst* o. *adv* plus
plusgrad *subst* degree above zero
pluskvamperfekt *subst* the pluperfect, the
pluperfect tense
plustecken *subst* plus sign
Pluto astron. el. mytol. el. seriefigur Pluto
plutokrat *subst* plutocrat
pluton *subst* platoon
plutonium *subst* kem. plutonium
plutt *subst* vard., småväxt person little shrimp
plym *subst* plume
plymå *subst* cushion
plysch *subst* plush
plåga I *subst* smärta pain; *pina* torment; *obehag*
nuisance
II *verb* pina torment, stark. torture; ~ *livet ur*

ngn worry the life out of sb, plague the life out of sb
plågas *verb* suffer, suffer pain
plågoris *subst* scourge, svag. pest, nuisance
plågsam *adj* painful
plån *subst* på tändsticksask striking surface
plånbok *subst* wallet; *en späckad* ~ a well-lined wallet
plåster *subst* plaster, amer. Band-Aid®; *som* ~ *på såret* to make up for it, as a consolation
plåstra *verb*, ~ *om* sår dress
plåt *subst* **1** sheet-metal, metal; bleck tin **2** skiva, foto plate
plåta *verb* vard. take a snapshot of, take a picture of
plåtburk *subst* tin, can, amer. can
plåtskada *subst*, ~ el. *plåtskador* på bil damage sing. to the bodywork
plåtslagare *subst* sheet-metal worker
plåtslageri *subst* sheet-metal workshop; bil. body shop
plåttak *subst* tin roof, plated roof
pläd *subst* filt rug, amer. lap robe
plädera *verb* plead
pläter *subst* silver på koppar Sheffield plate, silver plate
pläterad *adj* silver-plated
plätt *subst* kok. small pancake; *lätt som en* ~ as easy as pie
plöja *verb* plough, amer. plow
plöjning *subst* ploughing, amer. plowing
plös *subst* på sko tongue
plötslig *adj* sudden, abrupt
plötsligt *adv* suddenly, abruptly, all of a sudden
P.M. *subst* memo (pl. -s)
pneumatisk *adj* pneumatic
pocketbok *subst* paperback
podium *subst* platform; för talare rostrum; för dirigent podium
poem *subst* poem
poesi *subst* poetry
poet *subst* poet
poetisk *adj* poetic, poetical
pointer *subst* hund pointer
pojkaktig *adj* boyish
pojkcykel *subst* boy's cycle
pojke *subst* boy, lad, friare fellow, chap
pojknamn *subst* boy's name
pojkstreck *subst* boyish prank, lark
pojkvän *subst* boyfriend
pokal *subst* **1** spec. pris cup **2** för dryck goblet
poker *subst* kortspel poker
pokeransikte *subst* poker face

pol *subst* pole
polack *subst* Pole
polar *adj* polar
polare *subst* vard. pal, mate, spec. amer. buddy
polarisation *subst* polarization
polarisera *verb* polarize
polaritet *subst* polarity
polcirkel *subst* polar circle; *norra* ~*n* the Arctic circle; *södra* ~*n* the Antarctic circle
polemik *subst* polemic, controversy
polemisera *verb* carry on a controversy
Polen Poland
polera *verb* polish
polermedel *subst* polish
policy *subst* policy
poliklinik *subst* out-patients' clinic, out-patients' department
polio *subst* polio
polioskadad *adj*, *han är* ~ he is a polio victim
polis *subst* **1** myndighet police (med verb i pl.) **2** polisman policeman, police officer, amer. vanligen patrolman; *kvinnlig* ~ policewoman
polisanmälan *subst* report to the police; *göra* ~ *om ngt* report sth to the police
polisassistent *subst* senior police officer
polisbil *subst* patrol car
polisbricka *subst* policeman's badge
polisdistrikt *subst* police district, amer. precinct
polisförhör *subst* police interrogation
polishund *subst* police dog
poliskommissarie *subst* **1** police superintendent, lägre chief inspector **2** amer. captain, lägre lieutenant
poliskår *subst* police force
polisman *subst* se *polis 2*
polismästare *subst* police commissioner
polisonger *subst pl* sidewhiskers, amer. sideburns
polispiket *subst* **1** flying squad, riot squad **2** bil police van, amer. patrol wagon
polisrazzia *subst* police raid
polisspärr *subst* kedja police cordon; vägspärr roadblock
polisstation *subst* police station
polisundersökning *subst* o. **polisutredning** *subst* police investigation
politik *subst* **1** politics (som vetenskap sing., i betydelsen 'politisk åsikt' pl.) **2** handlingssätt policy
politiker *subst* politician
politisk *adj* political; ~ *åsikt* political view, politics

polka *subst* dans polka
polkagris *subst* rock, peppermint rock, amer. rock, rock candy
pollen *subst* pollen
pollett *subst* check, counter; gaspolett disc
pollettera *verb*, ~ *bagaget* have one's luggage (baggage) registered, amer. check one's baggage
pollettering *subst* registering, registration, amer. checking
polo *subst* sport. polo
polokrage *subst* polo neck, turtle neck
polonäs *subst* musik. polonaise
polotröja *subst* polo neck sweater, turtle neck
polsk *adj* Polish; se svensk- för sammansättningar
polska *subst* (se svenska för ex.) **1** kvinna Polish woman **2** språk Polish
Polstjärnan *subst* the pole star, the North Star
polyester *subst* tyg el. material polyester
pomerans *subst* Seville orange, bitter orange
pommes frites *subst pl* chips, French fried potatoes, spec. amer. French fries, fries
pomp *subst o.* **pompa** *subst* pomp
pondus *subst* authority; värdighet dignity
ponny *subst* pony
ponton *subst* pontoon
pontonbro *subst* pontoon bridge
pool *subst* **1** bassäng pool **2** personalgrupp pool
popartist *subst* vard. pop artiste
popcorn *subst* popcorn
popgrupp *subst* pop group
poplin *subst* tyg poplin
popmusik *subst* pop music
poppel *subst* träd poplar
popsångare *subst* pop singer
popularisera *verb* popularize
popularitet *subst* popularity
populär *adj* popular [bland with]
populärvetenskap *subst* popular science
por *subst* pore
porla *verb* murmur, ripple
pormask *subst* blackhead
pornografi *subst* pornography
pornografisk *adj* pornographic
porr *subst* vard. porno, porn
porrfilm *subst* porno film, porno movie
porrtidning *subst* porno magazine
porslin *subst* china; äkta porcelain
porslinstallrik *subst* china plate
port *subst* ytterdörr streetdoor, front door; inkörsport gate; portgång gateway
portabel *adj* portable
porter *subst* stout, svag. porter
portfölj *subst* briefcase

portförbjuda *verb*, ~ *ngn* refuse sb admittance
portgång *subst* gateway, doorway
portier *subst* receptionist, reception clerk; vaktmästare hall porter
portion *subst* portion; *i små ~er* in small doses
portionera *verb*, ~ el. ~ *ut* portion, portion out, ration out
portionsvis *adv* in portions
portkod *subst* entry code, house code
portmonnä *subst* purse
portnyckel *subst* latchkey, street-door key
porto *subst* postage
portofri *adj* post-free; *brevet är* ~ the letter is free of postage
portofritt *adv* post-free, free of postage
portohöjning *subst* increase in postal rates
porträtt *subst* portrait; spec. foto picture
porträttera *verb* portray
porträttlik *adj* lifelike
porttelefon *subst* entryphone, house phone
Portugal Portugal
portugis *subst* Portuguese (pl. lika)
portugisisk *adj* Portuguese; se svensk- för sammansättningar
portugisiska *subst* (se svenska för ex.) **1** kvinna Portuguese woman **2** språk Portuguese
portvakt *subst* dörrvakt porter; i hyreshus caretaker, amer. janitor
portvin *subst* port, port wine
porös *adj* porous; svampaktig spongy
pose *subst* pose, attitude
posera *verb* pose
position *subst* position
1 positiv I *adj* positive; *~t svar* affirmative answer, answer in the affirmative
II *subst* gram. the positive
2 positiv *subst* musik. barrel organ
possessiv *adj* gram. possessive
post *subst* **1** brevpost etc. post, mail; *skicka ngt med* ~ post sth, mail sth, send sth by post (mail) **2** postkontor post office; *Posten* postverket the Post Office **3** hand., i bokföring etc. item, entry; belopp amount; varuparti lot **4** vaktpost sentry **5** befattning post, appointment
posta *verb* post, mail
postadress *subst* postal address, amer. mailing address
postanvisning *subst* i Storbritannien för fixerat lägre belopp postal order, amer. money order
poste restante *adv* poste restante
postfack *subst* post-office box (förk. POB)

postförskott *subst* cash on delivery (förk. COD); *sända ngt mot* ~ send sth COD

postgiro *subst* postal giro service; konto postal giro account

postgirokonto *subst* postal giro account

post-it *subst* vard., självhäftande minneslapp post-it note, post-it

postkontor *subst* post office

postkupp *subst* rån mail robbery; på postkontor post-office robbery

postlåda *subst* letterbox, amer. mailbox

postmästare *subst* postmaster

postnummer *subst* postcode, amer. ZIP code

postorderfirma *subst* mail-order firm

postpaket *subst* postal parcel; *som* ~ by parcel post

poströst *subst* postal vote

poströsta *verb* vote by post

postskriptum *subst* postscript

poststämpel *subst* postmark

posttjänsteman *subst* post-office employee

posttur *subst* hämtning collection; leverans till adressaten post delivery; *med första* ~*en* by the first post

postutdelning *subst* postal delivery

postväsen *subst* postal services pl.

potatis *subst* potato; koll. potatoes pl.; *odla* ~ grow potatoes; *färsk* ~ new potatoes

potatisbulle *subst* potato cake

potatischips *subst pl* potato crisps, amer. potato chips

potatiskrokett *subst* potato cake

potatismjöl *subst* potato flour

potatismos *subst* mashed potatoes; med smör o. persilja etc. creamed potatoes, vard. mash

potatispress *subst* ricer

potatissallad *subst* potato salad

potatisskal *subst* potato peel; avskalade potato peelings

potatisskalare *subst* redskap potato-peeler

potens *subst* **1** fysiol. potency **2** mat. power

potentiell *adj* potential

potpurri *subst* potpourri; musik. vanligen medley

pott *subst* pool, kitty

potta *subst* nattkärl chamber pot

poäng *subst* **1** point; skol., betygspoäng mark, amer. grade; *segra på* ~ win on points **2** slutkläm, mening point; *fatta* ~*en i en historia* see the point of a story; *hon har missat* ~*en* she has missed the point

poängberäkning *subst* sport. etc. scoring

poängställning *subst* score

poängtera *verb* emphasize, point out

poängtips *subst* treble chance

p-piller *subst* contraceptive pill, birth pill; *sluta med* ~ give up the Pill; *ta (äta)* ~ be on the Pill

p-plats *subst* se *parkeringsplats*

PR *subst* PR, public relations pl.; reklam publicity

pracka *verb*, ~ *på ngn ngt* fob sth off on sb

Prag Prague

prakt *subst* splendour, magnificence

praktexempel *subst*, *ett* ~ *på...* a perfect example of...

praktexemplar *subst* magnificent specimen, perfect example [*på* of]; *den här blomman är ett* ~ this flower is a real beauty

praktfull *adj* splendid, magnificent; prunkande gorgeous

praktik *subst* practice; *sakna* ~ *i (på) ngt* lack experience of sth; *i* ~*en* in practice

praktikant *subst* trainee

praktikantplats *subst* o. **praktikplats** *subst* trainee job

praktisera *verb* practise; *allmänt* ~*nde läkare* general practitioner

praktisk *adj* practical; lätthanterlig handy

praktiskt *adv* practically; ~ *taget* practically

pralin *subst*, *en* ~ a chocolate, med krämfyllning a chocolate cream

prao *subst* (förk. för *praktisk arbetslivsorientering*) skol. practical occupational experience, job experience

prassel *subst* **1** rustling; *ett* ~ a rustle **2** se *vänsterprassel*

prassla *verb* **1** rustle **2** se *vänsterprassla*

prat *subst* samspråk talk, chat; pladder chatter; skvaller gossip; *sånt* ~*!* nonsense!; *löst (tomt)* ~ idle talk

prata *verb* talk [*med* to, with], chat [*med* to, with]; skvallra gossip [*med* to, with]; ~ *omkull ngn* talk sb down

pratbubbla *subst* i serieruta speech bubble, speech balloon

pratig *adj* talkative, chatty

pratkvarn *subst* chatterbox

pratmakare *subst* great talker, chatterbox

pratsam *adj* talkative, chatty

pratshow *subst* radio. el. tv. chat show

pratsjuk *adj* talkative, chatty

pratstund *subst* chat

praxis *subst* practice, custom

precis I *adj* precise, exact **II** *adv* precisely, exactly, just; *hon kom* ~ she just arrived; *kom* ~ *klockan 8* come at eight (eight o'clock) sharp

precisera *verb* villkor etc. specify; uttrycka klart define exactly; *närmare ~t* to be precise
precision *subst* precision
predika *verb* preach [*över* on]
predikan *subst* sermon [*över* on]
predikant *subst* preacher
predikat *subst* predicate
predikatsfyllnad *subst* gram. complement
predikstol *subst* pulpit
prefix *subst* prefix
preja *verb*, *~ ett fartyg* command a vessel to heave to; *~ en bil* force a car to stop; *~ en bil av vägen* force a car off the road
prejudikat *subst* precedent
prekär *adj* precarious, insecure
preliminär *adj* preliminary
preliminärskatt *subst* preliminary tax, amer. withholding tax
preludium *subst* musik. prelude
premie *subst* **1** försäkringsavgift premium **2** extra utdelning bonus; pris prize
premieobligation *subst* premium bond
premiera *verb* **1** prisbelöna award prizes to, award a prize to **2** belöna reward
premiss *subst* förutsättning condition; logik premise; *under falska ~er* under false pretences
premiär *subst* teat. premiere, opening night
premiärminister *subst* prime minister, premier
prenumerant *subst* subscriber [*på* to]
prenumeration *subst* subscription [*på* to]
prenumerera *verb*, *~ på* subscribe to, take in
preparat *subst* preparation
preparera *verb* prepare
preposition *subst* gram. preposition
presenning *subst* tarpaulin
presens *subst* gram. the present tense, the present; *~ particip* the present participle
present *subst* present, gift
presentation *subst* **1** introduction [*för* to] **2** presenterande presentation
presentera *verb* **1** föreställa introduce [*för, i* to]; *~ sig* introduce oneself **2** framlägga, förete present
presentkort *subst* gift token, gift voucher
president *subst* president [*i* of]
presidentperiod *subst* presidency
presidentval *subst* presidential election
press *subst* **1** tidningspress, redskap etc. press **2** påtryckning pressure; påfrestning strain; *sätta ~ på ngn* put pressure on sb
pressa I *verb* press; krama squeeze; *~ priserna* force down prices, cut prices; *~ potatis* rice potatoes

II *verb* med betonad partikel
pressa fram t.ex. en bekännelse extort [*ur* from]
pressa ihop ngt compress sth, squeeze sth together
pressa upp t.ex. priser force up
pressa ut ngt ur press sth out of; *~ ut pengar av ngn* blackmail sb
pressande *adj* t.ex. värme oppressive; t.ex. arbete arduous
pressbyrå *subst* kiosk el. butik newsagent
pressfotograf *subst* press photographer
pressklipp *subst* press cutting, press clipping
presskonferens *subst* press conference
pressmeddelande *subst* press release
pressveck *subst* crease
prestation *subst* i arbete, sport performance; bedrift achievement, feat
prestationsförmåga *subst* capacity; hos t.ex. bil performance
prestera *verb* perform, accomplish, achieve
prestige *subst* prestige
prestigebetonad *adj* o. **prestigefylld** *adj* prestigious
pretention *subst* pretension
pretentiös *adj* pretentious
Preussen Prussia
preventiv *adj* o. *subst* preventive
preventivmedel *subst* contraceptive
preventivpiller *subst* contraceptive pill, birth pill
prick *subst* **1** punkt dot; fläck speck; på tyg etc. spot; på måltavla bull's eye; *~ klockan 2* at two o'clock sharp; *träffa mitt i ~* hit the mark; *få en ~ i körkortet* have one's licence endorsed; *sätta ~en över i* add the finishing touch; *på ~en* to a T, exactly **2** straffpoäng penalty point **3** person, *en hygglig ~* a decent fellow
pricka I *verb* **1** t.ex. linje dot; med nål etc. prick **2** träffa hit **3** ge en prickning censure
II *verb* med betonad partikel
pricka av tick off
pricka för tick off, mark
prickfri *adj* faultless; sport. without any penalty points; *30 års ~ körning* a thirty-year clean driving record
prickig *adj* spotted, spotty
prickskytt *subst* marksman, sharpshooter
prilla *subst* pinch of snuff
prima *adj* first-class, first-rate
primadonna *subst* prima donna; på talscen leading lady
primitiv *adj* primitive
primuskök® *subst* Primus®, Primus® stove

primärvård *subst* primary health care
primör *subst* early vegetable
princip *subst* principle; *av* ~ on principle; *jag har som* ~ *att...* I make it a principle to...
principfast *adj* firm
principfråga *subst* question of principle
principiell *adj*, *av* ~*a skäl* on grounds of principle ·
prins *subst* prince
prinsessa *subst* princess
prinskorv *subst* ungefär chipolata sausage
printer *subst* data., skrivare printer
prioritera *verb* give priority to
prioritet *subst* priority
pris *subst* **1** price; *hålla för höga* ~*er* charge too much; *falla i* ~ fall in price; *till nedsatt* ~ at a reduced price; *till* ~*et av* at the cost of; *till varje* ~ at all costs, at any price **2** belöning prize; *få första* ~ be awarded the first prize; *ta* ~*et* be easily best, vard. take the biscuit
prisa *verb* praise; ~ *sig lycklig* count oneself lucky
prisbelöna *verb* award prizes to, award a prize to; *prisbelönt roman* prize novel, winning novel
prishöjning *subst* rise in prices, price rise
prisklass *subst* price range, price class
priskontroll *subst* price control
priskrig *subst* price war
prislapp *subst* price ticket, price tag
prislista *subst* **1** hand. price list **2** sport. prize list
prisläge *subst* price range; *i alla* ~*n* at all prices
prismedveten *adj* price-conscious
prisnedsättning *subst* price reduction
prispall *subst* winners' stand, rostrum
prispengar *subst pl* prize money sing.
prispokal *subst* challenge cup
prisras *subst* collapse in prices, sudden fall in prices
prisskillnad *subst* difference in price (prices)
prisstopp *subst* price freeze; *införa* ~ freeze prices
prissumma *subst* prize money
prissänkning *subst* price reduction
prissätta *verb* fix the price (prices) of, price
prissättning *subst* price-fixing, pricing
pristagare *subst* prizewinner
prisuppgift *subst* quotation [*på* for]; *lämna* ~ *på* state the price of, give the price of
prisutdelning *subst* distribution of prizes
prisutveckling *subst* price trend

privat I *adj* private, personal; *i det* ~*a* in private life
II *adv* privately, in private
privatanställd *adj*, ~ *person* person in private employment
privatbil *subst* private car
privatbilist *subst* private motorist
privatbruk *subst*, *för* ~ for private use, for personal use
privatisera *verb* privatize
privatlektion *subst* private lesson
privatliv *subst* private life
privatperson *subst* private person; *som* ~ in private, in private life
privatsekreterare *subst* private secretary
privatägd *adj* privately-owned
privilegiera *verb* privilege
privilegium *subst* privilege
PR-man *subst* PR officer, public relations officer
problem *subst* problem
problematisk *adj* problematic, complicated
problembarn *subst* problem child
procedur *subst* procedure
procent *subst* per cent; tal percentage
procentsats *subst* rate per cent, percentage
procentuell *adj*, *den* ~*a höjningen i...* the percentage rise in...
process *subst* **1** förlopp process **2** jur. lawsuit, action, case; *göra* ~*en kort med ngn* make short work of sb
procession *subst* procession
processor *subst* data. processor
producent *subst* producer; odlare grower
producera *verb* produce; odla grow
produkt *subst* product
produktion *subst* production; spec. lantbr. produce
produktiv *adj* productive; om t.ex. författare prolific
produktivitet *subst* productivity
professionell *adj* professional
professor *subst* professor [*i* of; *vid* at, in]
professur *subst* professorship, chair
profet *subst* prophet
profetera *verb* prophesy
profetia *subst* prophecy; förutsägelse prediction
proffs *subst* pro (pl. -s)
proffsboxare *subst* professional boxer
proffsig *adj* vard. professional
profil *subst* profile; personlighet personality; *i* ~ in profile
profit *subst* profit
profitera *verb* förtjäna profit [*på* by], benefit [*på* by]; utnyttja take advantage [*på* of]

profitör *subst* profiteer

profylax *subst* preventive medicine, prophylaxis

prognos *subst* **1** ekon. el. för väder forecast **2** med. prognosis

prognoskarta *subst* weather chart

program *subst* programme, amer. el. data. program

programenligt *adv*, *allt gick* ~ everything went off according to plan, friare everything went off smoothly

programledare *subst* konferencier compere; tv. presenter

programmera *verb* programme; data. program

programmering *subst* programming

programpunkt *subst* item on a (the) programme

programvara *subst* data. software

programväljare *subst* på t.ex. tvättmaskin programme selector, programme control

progressiv *adj* progressive; ~ *form* gram. progressive form, progressive tense

projekt *subst* project, plan, scheme

projektil *subst* projectile, missile

projektor *subst* projector

proklamation *subst* proclamation

proklamera *verb* proclaim

proletariat *subst* proletariat

proletär *subst* o. *adj* proletarian

prolog *subst* prologue [*till* to]

promenad *subst* **1** walk; flanerande stroll; *ta en* ~ go for a walk **2** plats promenade

promenadsko *subst* walking-shoe

promenera *verb* take a walk, take a stroll, stroll; *gå ut och* ~ go for a walk, take a walk; ~ *omkring* stroll about

promille I *adv* per thousand, per mille, per mil
II *subst*, *hög* ~ av alkohol, ungefär high percentage of alcohol

prominent *adj* prominent

promotor *subst* för företag el. sport. promotor

pronomen *subst* gram. pronoun

propaganda *subst* propaganda

propagera *verb* make propaganda [*för* for]

propeller *subst* propeller

propellerblad *subst* propeller blade

proper *adj* snygg tidy, neat; ren clean

proportion *subst* proportion; *ha sinne för* ~*er* have a sense of proportion; *inte alls stå i* ~ *till...* be out of all proportion to...

proportionell *adj* proportionate [*mot* to]

proportionerlig *adj* proportionate, symmetrical

proposition *subst* lagförslag government bill; *lägga fram en* ~ bring in a bill

propp *subst* **1** stopper; för tvättställ, tapp plug **2** elektr. fuse, fuse plug; *det har gått en* ~ a fuse has blown **3** blodpropp clot; av öronvax lump of wax

proppa *verb*, ~ *full* cram, stuff; ~ *i ngn mat* cram food into sb; ~ *i sig* gorge oneself [*ngt* with sth]; ~ *igen ett hål* stop up, plug up a hole

proppfull *adj* crammed [*med* with], packed [*med* with]

proppmätt *adj*, *äta sig* ~ stuff (gorge) oneself [*på* with]; *vara* ~ vard. be full up

prosa *subst* prose; *på* ~ in prose

prosaisk *adj* prosaic, unimaginative

prosit *interj*, ~*!* God bless you!, God bless!

prospekt *subst* reklamtryck prospectus; för hotell etc. brochure

prost *subst* kyrkl. dean

prostata *subst* anat. prostate, prostate gland

prostatit *subst* med. prostatitis

prostituera *verb*, ~ *sig* prostitute oneself

prostituerad *adj* prostitute; *en* ~ a prostitute

prostitution *subst* prostitution

protein *subst* protein

protektionism *subst* protectionism

protes *subst* arm, ben etc. artificial arm (leg etc.); tandprotes denture, dental plate

protest *subst* protest [*mot* against]; *inlägga* ~ lodge a protest

protestant *subst* Protestant

protestantisk *adj* Protestant

protestera *verb* protest [*mot* against], object [*mot* to]

protestmöte *subst* protest meeting

protokoll *subst* minutes pl; *föra* ~ *vid ett sammanträde* keep the minutes of a meeting

prototyp *subst* prototype

prov *subst* **1** test; prövning trial; examensprov examination; *vi har* ~ *i biologi* we have a biology test; *anställa ngn på* ~ engage sb on trial; *sätta på* ~ put to the test; *ta varor på* ~ take goods on approval **2** bevis proof **3** varuprov sample; av tyg etc. pattern; provexemplar specimen

prova *verb* test; pröva på, provköra etc. try; grundligt try out; kläder try on; ~ *av* test; provsmaka sample, taste; ~ *ut* t.ex. glasögon, mössa try out

provdocka *subst* tailor's dummy, mannequin

provhytt *subst* fitting cubicle; större fitting room

proviant *subst* provisions pl., supplies pl.

provins *subst* province

provinsiell *adj* provincial

provision *subst* commission; *få* ~ get a commission

provisorisk *adj* tillfällig temporary; ~ *regering* provisional government

provisorium *subst* provisional arrangement, makeshift

provkörning *subst* av bil etc. trial run; på väg road test

provocera *verb* provoke

provocerande *adj* provocative

provokation *subst* provocation

provokativ *adj* provocative

provrum *subst* att prova kläder i fitting-room

provrör *subst* test tube

provrörsbarn *subst* test-tube child

provsmaka *verb* taste, sample

provstopp *subst* för kärnvapen nuclear test ban

pruta *verb* om köpare haggle; köpslå bargain; om säljare reduce the price; ~ *på en vara* haggle over the price of a thing; *jag lyckades* ~ *10 %* I managed to knock down the price 10%

prutt *subst* vulg. fart

prutta *verb* vulg. fart, let off

prya *verb* vard. get job experience

pryd *adj* prudish

pryda *verb* smycka adorn; dekorera decorate; *den pryder sin plats* it looks decorative there (here)

prydlig *adj* neat, trim

prydnad *subst* decoration; prydnadssak ornament

prydnadssak *subst* ornament

prydnadsväxt *subst* ornamental plant

prygla *verb* flog

pryl *subst* vard. thing, gadget

prålig *adj* gaudy, flashy

pråm *subst* barge; hamnpråm lighter

prägel *subst* **1** avtryck impression **2** drag touch; karaktär character; *sätta sin* ~ *på* leave (set) one's mark on; *en personlig* ~ a personal touch

prägla *verb* **1** mynta coin, mint; stämpla stamp **2** känneteckna characterize, mark

präktig *adj* utmärkt fine, splendid, grand; stadig stout; tjock thick; *en* ~ *förkylning* a proper cold

pränta *verb*, ~ *ngt* write sth carefully; texta print sth

prärie *subst* prairie

präst *subst* clergyman; spec. katolsk el. icke-kristen priest; frikyrklig minister; *kvinnliga* ~*er* women priests

prästgård *subst* vicarage, rectory

prästkrage *subst* blomma oxeye daisy

pröjs *subst* vard. pay, payment; *jag vill ha* ~ *för det här* I want to be paid for this

pröjsa *verb* vard. pay

pröva *verb* try, try out; undersöka test; granska examine; ~ *ngns tålamod* try sb's patience; ~ *sig fram* feel one's way; ~ *på* try, try one's hand at

prövning *subst* **1** prov, undersökning test, ordeal, examination; av t.ex. fullmakt investigation **2** lidande ordeal, affliction

P.S. *subst* (förk. för *post scriptum*) PS

psalm *subst* i psalmboken hymn; i Psaltaren psalm

psalmbok *subst* hymn book

psaltare *subst*, ~*n* i Bibeln Psalms pl.

pseudonym *subst* pseudonym, pen name

P-skiva *subst* parking disc, amer. parking disk

psyka *verb* vard. psych, psych out

psyke *subst* mentality, psyche

psykedelisk *adj* psychedelic

psykiater *subst* psychiatrist

psykiatri *subst* psychiatry

psykiatrisk *adj* psychiatric

psykisk *adj* mental

psykoanalys *subst* psychoanalysis

psykolog *subst* psychologist

psykologi *subst* psychology

psykologisk *adj* psychological

psykopat *subst* psychopath

psykos *subst* psychosis (pl. psychoses)

---

pub

Puben är mycket viktig i engelskt liv. Varje liten by har minst en pub. Där serveras oftast också någon form av mat, *pub grub*. De flesta pubar har en enklare avdelning, *public bar* och en finare avdelning, *saloon bar*.
På puben hör man ofta:
A pint of bitter, please!
  En pint "bitter", tack.
Last orders!
  Dags för sista beställning!
Time, please!
  Dags att stänga!

---

pub *subst* pub

pubertet *subst* puberty
publicera *verb* publish
publicitet *subst* publicity
publik *subst* på teater etc. audience; åskådare crowd, spectators pl.; läsekrets readers pl.; antal besökare attendance
publikation *subst* publication
publikdragande *adj* popular, attractive
publikfriande *adj* crowd-pleasing; *vara ~* play to the gallery
publikmagnet *subst* crowd-puller; teat. box-office attraction
publiksiffra *subst* attendance
publiksuccé *subst* hit, success; bok best seller
puck *subst* i ishockey puck
puckel *subst* hump, hunch
puckelpist *subst* mogul
puckelrygg *subst* hunchback
puckelryggig *adj* hunchbacked
pudding *subst* kok. pudding
pudel *subst* poodle
puder *subst* powder
puderdosa *subst* compact
pudra *verb* powder; med socker etc. dust; *~ sig* powder oneself
puff *subst* knuff push; lätt med armbågen nudge
puffa *verb* knuffa push; lätt med armbågen nudge
puka *subst* kettle-drum; *pukor* i orkester timpani
pulka *subst* pulka, little sledge; barnpulka toboggan; *åka ~* go tobogganing
pullover *subst* pullover
puls *subst* pulse; *ta ~en på ngn* med. feel sb's pulse; *känna ngn på ~en* sound sb out; *ha åttio i ~* have a pulse of 80
pulsa *verb* trudge, plod; *~ i snön* trudge through the snow
pulsera *verb* beat, throb, pulsate
pulsåder *subst* artery
pulver *subst* powder
pulvrisera *verb* pulverize
puma *subst* djur puma
pump *subst* pump
1 pumpa *verb* pump; *~ däcken* blow up the tyres
2 pumpa *subst* pumpkin, amer. squash
pumps *subst pl* court shoes, amer. pumps
pund *subst* **1** myntenhet pound (förk. £) **2** vikt pound (förk. lb., pl. lb. el. lbs.)
pundsedel *subst* pound note
pung *subst* **1** påse pouch; börs purse **2** anat. scrotum
punga *verb*, *~ ut med* fork out, cough up
pungbjörn *subst* koala bear, koala
pungdjur *subst* marsupial

punka *subst* vard., *få ~* have a flat
punkare *subst* vard. punk rocker
punkt *subst* **1** point; skiljetecken full stop, amer. period; *sätta ~ för ngt* put a stop to sth; *låt mig tala till ~!* let me finish! **2** sak, fråga point, matter; i kontrakt, 'nummer' på program etc. item
punktera *verb* sticka hål på puncture
punktering *subst*, *få ~* have a puncture, vard. have a flat, have a flat tyre
punktlig *adj* punctual
punktlighet *subst* punctuality
punktmarkering *subst* sport. man-to-man marking
punktskrift *subst* blindskrift braille
punktstrejk *subst* selective strike
punsch *subst* Swedish punch, arrack punch
pupill *subst* anat. pupil
puré *subst* purée
puritan *subst* puritan
purjo *subst* o. **purjolök** *subst* grönsak leek
purken *adj* vard. sulky, sullen
purpur *subst* purple
purpurröd *adj* blåröd purple; högröd crimson
puss *subst* kyss kiss
pussa *verb* o. **pussas** *verb* kiss
pussel *subst* puzzle; läggspel jigsaw puzzle, jigsaw; *lägga ~* do a jigsaw puzzle
pusselbit *subst* piece of (in) a jigsaw puzzle, piece
pussla *verb*, *~ ihop* put together
pusta *verb* flåsa puff; *~ ut* a) hämta andan take breath b) ta en paus take a breather
puta *verb*, *~ med munnen* pout; *~ ut* om kläder etc. bulge, stick out
puts *subst* rappning på hus plaster
putsa *verb* **1** rengöra clean; polera polish; klippa ren trim **2** rappa plaster **3** sport., *~ ett rekord* improve on a record
putsmedel *subst* polish
putsning *subst* **1** cleaning, polishing; *en ~* a clean, a polish **2** putsande plastering; puts plaster **3** *~ av ett rekord* improvement on a record
putt *subst* golf. putt
putta *verb* **1** vard., *~ till ngt* give a thing a push **2** golf. putt
puttra *verb* kok. simmer
p-vakt *subst* se *parkeringsvakt*
pygmé *subst* pygmy
pyjamas *subst* pyjamas pl., amer. pajamas pl.; *en ~* a pair of pyjamas
pynt *subst* grannlåt finery; t.ex. julpynt decorations pl.

pynta *verb* smycka decorate; göra fint smarten things up

pyra *verb* smoulder

pyramid *subst* pyramid

pyre *subst* mite, tiny tot

Pyrenéerna *pl* the Pyrenees

pyreneisk *adj*, *Pyreneiska halvön* the Iberian Peninsula

pyroman *subst* pyromaniac

pys *subst* vard. little chap, little boy

pyspunka *subst* vard. slow puncture, slow leak

pyssla *verb* busy oneself; *gå och* ~ potter about; ~ *om ngn* look after sb

pysslig *adj* handy

pytonorm *subst* python

pyts *subst* bucket; färgpyts pot

pytteliten *adj* tiny, teeny

pyttipanna *subst* hash of fried diced meat, onions, and potatoes

på *prep* **1** om rum on; 'inom' el. framför namn på större ö vanligen in; 'vid' at; om riktning to, into, on to; ~ *Hamngatan* in Hamngatan, amer. on Hamngatan; ~ *Hamngatan 25* at 25 Hamngatan; ~ *himlen* in the sky; *bo* ~ *hotell* stay at a hotel; ~ *landet* in the country; *han hade inga pengar* ~ *sig* he had no money on (about) him; ~ *sjön* till havs at sea; ~ *torget* in the market; *göra ett besök* ~ ... pay a visit to ...; *gå* ~ *bio* go to the cinema; *den går* ~ *bio* it's on at the cinema; *knacka* ~ *dörren* knock at the door; *fara (fara ut)* ~ *landet* go into the country; *stiga* ~ *tåget* get on the train **2** om tid, *de är födda* ~ *samma dag* they were born on the same day; ~ *samma gång* at the same time; ~ *fritiden* in one's leisure time; ~ *hösten* in the autumn; ~ *fredag morgon* on Friday morning; *i dag* ~ *morgonen* this morning; ~ *1900-talet* in the 20th century; *vi har en vecka* ~ *oss* we've got a week; *vi har till lördag* ~ *oss* we've got till Saturday **3** vid ordningsföljd after; *gång* ~ *gång* time after time **4** 'per' in; *det går 100 pence* ~ *ett pund* there are 100 pence in a pound **5** i prepositionsattribut of; 'lydande på' for; *en check* ~ *500 kronor* a cheque for 500 kronor; *en flicka* ~ *femton år* a girl of fifteen; *en gädda* ~ *fem kilo* a pike weighing five kilos; *en sedel* ~ *fem pund* a five-pound note **6** andra uttryck, ~ *engelska* in English; *säga ngt* ~ *skoj* say sth for a joke; *arbeta* ~ *ngt* work at sth; *jag märkte* ~ *hennes ögon att* ... I could tell by her eyes that ...; *blind* ~ *ena*

ögat blind in one eye **II** *adv*, *en burk med lock* ~ a pot with a lid on it; *han rodde* ~ he rowed on, he went on rowing

påbrå *subst*, *ha gott* ~ come of good stock

påbud *subst* decree

påbörja *verb* begin; *ett* ~*t arbete* a job already begun

påfallande I *adj* striking **II** *adv* strikingly

påflugen *adj* pushing

påfrestande *adj* trying

påfrestning *subst* strain, stress

påfyllning *subst* **1** påfyllande filling up **2** refill; en portion till another helping; en kopp till another cup

påfågel *subst* spec. tupp peacock, höna peahen

påföljd *subst* consequence

påföra *verb*, ~ *ngn skatt* levy tax on sb

pågå *verb* go on, be going on; fortsätta continue; vara last

pågående *adj*, ~ *form* gram. progressive form, progressive tense; *under* ~ *föreställning* while the performance is in progress

påhitt *subst* idé idea; lögn invention

påhittig *adj* ingenious

påhopp *subst* attack

påk *subst* thick stick, cudgel; *rör på* ~*arna* get moving!

påkalla *verb* kräva call for, claim, demand; ~ *ngns uppmärksamhet* attract sb's attention

påklädd *adj* dressed

påkostad *adj* expensive

påkörd *adj*, *bli* ~ be run into; omkullkörd be knocked down

pålaga *subst* tax, duty

påle *subst* pole, post; mindre pale, stake

pålitlig *adj* reliable, trustworthy

pålitlighet *subst* reliability, trustworthiness

pålägg *subst* **1** skinka, ost etc. ham, cheese etc.; *en smörgås med* ~ an open sandwich **2** tillägg extra charge, additional charge; höjning increase

påläggskalv *subst* framtidsman coming young man

påminna *verb* **1** ~ *ngn om ngt* a) få att minnas remind sb of sth b) fästa uppmärksamheten på call sb's attention to sth; *han påminner om sin bror* he resembles his brother, he reminds one of his brother; *påminn mig om att jag ska göra det* remind me to do it **2** ~ *sig* recall

påminnelse *subst* reminder [*om* of]

påpasslig *adj* attentive; 'vaken' alert; *vara ~ gripa tillfället* seize the opportunity
påpeka *verb* point out [*för* to]
påpekande *subst* anmärkning remark [*om* about-]; påminnelse reminder [*om* of]
påringning *subst* tele. phone call
påse *subst* bag
påseende *subst* granskning inspection, examination; *sända ngt till ~* send sth on approval; *vid första ~t* at the first glance
påsig *adj* baggy; *~a kinder* puffy cheeks

påsk
Engelska barn får liksom svenska barn påskägg till påsk. Amerikanska barn får sina påskägg och sitt påskgodis på påskdagen. Men de måste leta. Påskharen, *the Easter bunny*, har nämligen gömt godiset någonstans.

påsk *subst* Easter; *glad ~!* Happy Easter!; se *jul* för vidare ex.
påskafton *subst* Easter Eve
påskdag *subst* Easter Day, Easter Sunday
påskhelg *subst*, *~en* Easter; *under ~en* at Easter
påskina *verb*, *låta ~* antyda intimate, hint
påskkäring *subst* liten flicka 'Easter witch' young girl dressed up as a witch who goes from door to door at Easter
påsklilja *subst* blomma daffodil
påsklov *subst* Easter holidays pl., amer. Easter vacation
påskrift *subst* **1** underskrift signature **2** text på t.ex. etikett inscription; etikett på t.ex. flaska label
påskris *subst* se *fastlagsris*
påskynda *verb* hasten, speed up; t.ex. förloppet accelerate
påskägg *subst* Easter egg
påslakan *subst* duvet cover
påssjuka *subst* med. mumps (med verb i sing.)
påstigning *subst* boarding, entering
påstridig *adj* obstinate, stubborn
påstå *verb* say; uppge state; hävda assert, claim; vidhålla maintain; *det ~s* they say, it is said; *han ~r sig kunna göra det* he claims he is able to do it
påstådd *adj* alleged
påstående *subst* uppgift statement; hävdande assertion; anspråk claim
påstötning *subst* påminnelse reminder [*om* of]

påta *verb* peta, gräva poke about
påtaglig *adj* obvious; *en ~ förbättring* a marked improvement
påtryckning *subst* pressure; *utöva ~ar på ngn* bring pressure to bear on sb, put pressure on sb
påtryckningsgrupp *subst* pressure group
påträffa *verb* se *träffa på under träffa 1*
påträngande *adj* **1** om person pushing **2** om t.ex. behov, fara urgent, instant
påtvinga *verb*, *~ ngn ngt* force sth on sb
påtår *subst*, *vill du ha ~?* would you like another cup?
påve *subst* pope
påverka *verb* influence, affect
påverkan *subst* influence, effect
påvisa *verb* påpeka point out [*för* to]; bevisa prove [*för* to]
påökt *subst*, *få ~ på lönen* get a rise in pay, amer. get a raise in pay
päls *subst* **1** på djur fur, coat; *ge ngn på ~en* stryk give sb a hiding **2** plagg fur coat, fur
pälsa *verb*, *~ på sig ordentligt* wrap oneself up well
pälsfodrad *adj* fur-lined
pälsmössa *subst* fur cap
pälsvaror *subst pl* furs
pälsverk *subst* fur; pälsvaror furs pl.
pärla *subst* **1** pearl; av glas etc. bead; droppe av t.ex. dagg drop; *äkta pärlor* real pearls; *imiterade pärlor* imitation pearls; *odlade pärlor* cultured pearls **2** om t.ex. konstverk el. person gem
pärlband *subst* string of pearls, av glas etc. string of beads
pärlemor *subst* mother-of-pearl
pärlhalsband *subst* pearl necklace
pärlhyacint *subst* blomma grape hyacinth
pärm *subst* bokpärm cover; samlingspärm file; för lösa blad binder; mapp folder
päron *subst* pear
päronformig *adj* pear-shaped
päronträd *subst* pear tree, pear
pärs *subst* prövning ordeal
pöbel *subst* mob
pöl *subst* vattenpöl, blodpöl etc. pool; smutsig vattenpöl puddle
pölsa *subst* kok. hash of offal and grain, ungefär haggis
pösa *verb* svälla swell, swell up; jäsa rise
pösig *adj* puffy

Qq

Rr

quatre mains *adv* musik., *spela à* ~ fyrhändigt
play a duet, play duets

quenell *subst* kok. quenelle

quiche *subst* kok. quiche

quilta *verb* quilt

quisling *subst* quisling

rabalder *subst* uppståndelse commotion; oväsen
uproar; stormigt uppträde row

rabarber *subst* rhubarb; *lägga* ~ *på* make off
with

1 rabatt *subst* flower bed; kantrabatt flower
border

2 rabatt *subst* hand. discount; nedsättning
reduction; *lämna 20 %* ~ *på priset*
allow a 20% discount off the price

rabattfrimärke *subst* stamp at a reduced rate

rabatthäfte *subst* book of discount coupons

rabattkort *subst* reduced rate ticket

rabattkupong *subst* o. **rabattmärke** *subst*
discount coupon

rabbin *subst* relig. rabbi

rabbla *verb*, ~ el. ~ *upp* rattle off, reel off

rabies *subst* med. rabies

racer *subst* bil racing car, amer. race car

racerförare *subst* racing driver

rackare *subst* rascal, rogue; *din* ~*!* you
rascal!

rackartyg *subst* mischief; *hitta på* ~ get into
mischief

rackarunge *subst*, *lilla* ~ young rascal

racket *subst* racket, bordtennisracket bat

rad *subst* **1** räcka, led row; serie series (pl. lika);
antal number; *tre dagar i* ~ three days
running; *en* ~ *frågor* a number of
questions **2** i skrift line; *börja på ny* ~ nytt
stycke start a fresh paragraph; *skriv ett par*
~*er till mig* write me a line **3** teat., *på*
första ~*en* in the dress circle; *andra* ~*en*
the upper circle, amer. second balcony;
tredje ~*en* the gallery

rada *verb* **1** ~ *upp ngt* ställa i rad (i rader) put
sth in a row, put sth in rows **2** räkna upp cite,
enumerate

radar *subst* tekn. radar

radarkontroll *subst* fartkontroll radar speed
check, radar trap

radarpar *subst* sport. two players who work
very well together

radarskärm *subst* radar screen

radavstånd *subst* typogr. spacing

radera *verb*, ~ el. ~ *bort* (*ut*) sudda ut erase,
rub out; ~ *ut* utplåna, t.ex. stad wipe out

radergummi *subst* rubber, eraser, amer. eraser

radhus *subst* terrace house, amer. row house

radialdäck *subst* radial tyre, amer. radial tire

radiator *subst* radiator

radie *subst* radius (pl. radii)

radikal I *adj* radical; grundlig thorough
II *subst* person radical

radio *subst* **1** radio; *Sveriges Radio* the Swedish Broadcasting Corporation; *höra ngt i ~* hear sth on the radio; *sända i ~* broadcast; *höra (lyssna) på ~* listen to the radio **2** radiomottagare radio (pl. -s), radio set, receiver

radioaktiv *adj* radioactive; *~ strålning* nuclear radiation; *~t avfall* radioactive (nuclear) waste, amer. vard. radwaste; *~t nedfall* fallout

radioaktivitet *subst* radioactivity

radioantenn *subst* aerial, amer. antenna

radioapparat *subst* radio, radio set, receiver

radiobil *subst* **1** polisbil radio patrol car **2** på nöjesfält dodgem, bumper car, amer. bumper car

radiolicens *subst* radio licence

radiolyssnare *subst* radio listener

radiomottagare *subst* radio, receiver

radioprogram *subst* radio programme

radiostation *subst* radio station

radiostyrd *adj* radio-controlled

radiosändare *subst* apparat radio transmitter; sändarstation radio station

radiosändning *subst* broadcast; tekn. transmission

radiotelegrafist *subst* radio operator

radium *subst* kem. radium

radon *subst* kem. radon

radonhus *subst* house affected by radon radiation

raffinaderi *subst* refinery

raffinera *verb* refine

raffinerad *adj* refined; elegant elegant

rafflande *adj* nervkittlande thrilling

rafsa *verb*, *~ ihop sina saker* scramble one's things together; *~ ihop ett brev* scribble down a letter

ragata *subst* bitch, vixen

raggmunk *subst* kok., ungefär potato pancake

raggsocka *subst* ungefär thick oversock

ragla *verb* stagger, reel

ragu *subst* kok. ragout

raid *subst* raid [mot on]

rak *adj* straight; upprätt erect, upright; *på ~ arm* offhand, straight off

raka *verb* shave; *~ sig* shave

rakapparat *subst* elektrisk shaver, electric razor

rakblad *subst* razor blade

rakborste *subst* shaving-brush

raket *subst* rocket; *fara i väg som en ~* be off like lightning

raketdriven *adj* rocket-propelled

raketvapen *subst* missile, rocket missile

rakhyvel *subst* safety razor

rakkniv *subst* razor

rakkräm *subst* shaving cream

raklång *adj*, *falla ~* fall flat; *ligga ~* lie stretched out

raksträcka *subst* straight

rakt *adv* rätt straight, right; helt enkelt simply; *gå ~ fram* go straight on; *han gick ~ på sak* he came straight to the point

raktvål *subst* shaving soap

rakvatten *subst* aftershave, aftershave lotion

rally *subst* bilrally motor rally, rally

ram *subst* infattning frame; begränsning framework; *sätta inom glas och ~* frame

rama *verb*, *~ in* frame

ramaskri *subst* outcry

ramla *verb* falla fall, tumble; *~ av* fall off; *~ omkull* fall down

RAM-minne *subst* data. RAM-memory (förk. för *random access memory*)

ramp *subst* **1** sluttande uppfart ramp **2** teat.:, golvramp footlights pl.; takramp stage lights pl. **3** avskjutningsramp launching pad

rampfeber *subst* stage fright

rampljus *subst* belysning footlights pl.; *stå i ~et* be in the limelight

ramponera *verb* damage; förstöra wreck

ramsa *subst* string of words, rigmarole; barnramsa nursery rhyme

ranch *subst* ranch

rand *subst* **1** streck etc. stripe; *ränderna går aldrig ur* ordspr. a leopard cannot change its spots **2** kant edge; brädd brim, brink

randig *adj* striped

rang *subst* rank; *en konstnär av första ~* a first-rate artist

rangordning *subst* sport. order of preference (of precedence)

ranka *verb* rangordna rank

rankningslista *subst* ranking list

rannsaka *verb* search, examine

rannsakan *subst* o. **rannsakning** *subst* search

ranson *subst* ration

ransonera *verb* ration

ransonering *subst* rationing

rap *subst* musik. rap

rapa
Lägg märke till att det engelska
ordet *rape* betyder <u>våldta</u>.

rapa *verb* belch, burp
rapning *subst* belch, burp
1 rapp *subst* slag blow; snärt lash
2 rapp *adj* quick; flink nimble
rappa *verb* musik. rap
rappare *subst* musik. rapper
rapphöna *subst* o. **rapphöns** *subst* partridge
rapport *subst* report; redogörelse account;
  avlägga ~ om ngt report on sth
rapportera *verb* report [*om* on]
raps *subst* växt rape
rapsodi *subst* rhapsody
rar *adj* snäll nice [*mot* to]; vänlig kind [*mot* to];
  söt sweet
raring *subst* darling, love, spec. amer. honey
raritet *subst* rarity
1 ras *subst* race; om djur breed; härstamning
  stock
2 ras *subst* **1** jordskred landslide; av byggnad
  collapse **2** ekon., värdesänkning collapse
rasa *verb* **1** störta, ~ el. ~ *ned* fall down; störta
  ihop collapse; störta in cave in **2** om vind etc.
  rage **3** ekon., *priserna har ~t* prices have
  fallen sharply, prices have plunged
rasande *adj* furious [*på* with; *över* about]
rasdiskriminering *subst* racial discrimination
rasera *verb* riva ned demolish; förstöra destroy;
  jämna med marken raze, lay . . . in ruins
raseri *subst* **1** fury, frenzy; vrede rage
  2 stormens raging
raseriutbrott *subst* fit of rage; *få ett ~* fly into
  a rage
rasfördomar *subst pl* racial (race) prejudice
  sing.
rasförföljelse *subst* racial persecution
rashat *subst* racial (race) hatred
rashund *subst* pedigree dog
rashäst *subst* thoroughbred
rasism *subst* racism
rasist *subst* racist
rasistisk *adj* racist
rask *adj* snabb quick, fast
raska *verb*, *~ på* hurry, hurry up
raskatt *subst* pedigree cat
rasp *subst* verktyg el. ljud rasp
raspolitik *subst* racial (race) policy

rassla *verb* skramla rattle; slamra clatter; prassla
  rustle
rast *subst* paus break; lunchrast break for lunch
rasta *verb* **1** *~ hunden* take the dog for a
  walk **2** ta rast have a break, rest
rastlös *adj* restless
rastplats *subst* o. **rastställe** *subst* vid vägen för
  bilister lay-by (pl. lay-bys), amer. rest stop; vid
  motorväg service area
rata *verb* reject
ratificera *verb* ratify
ratificering *subst* ratification
rationalisera *verb* rationalize
rationalisering *subst* rationalization
rationell *adj* rational
ratt *subst* wheel, bil., sjö. etc. wheel,
  steering-wheel; på tv, radio etc. knob
rattfull *adj*, *föraren var ~* the driver was
  guilty of drink-driving
rattfylleri *subst* drink-driving, amer.
  drunk-driving
rattfyllerist *subst* drink-driver, amer. drunken
  driver
rattlås *subst* steering lock
rattstång *subst* steering-column
ravin *subst* ravine
rayon *subst* textil. rayon
razzia *subst* raid; *göra en ~ i (hos)* raid
rea *subst* o. verb vard., se *realisation* o. *realisera*
reafynd *subst* sales bargain
reagera *verb* react [*mot* against]
reaktion *subst* reaction [*på* to]
reaktionsförmåga *subst* ability to react; *hon
  har en snabb ~* she reacts quickly
reaktionär *adj* o. subst reactionary
reaktor *subst* nuclear reactor, reactor
realinkomst *subst* real income
realisation *subst* sale, bargain sale; *köpa på
  ~* buy at a sale
realisationsvinst *subst* capital gain
realisera *verb* **1** sälja till nedsatt pris sell off; om
  flera varor have sales **2** förverkliga realize, carry
  out
realism *subst* realism
realistisk *adj* realistic
realitet *subst* reality; *i ~en* in reality
realvärde *subst* real value
reavinst *subst* capital gain
rebell *subst* rebel
rebus *subst* picture puzzle
recensent *subst* critic, reviewer
recensera *verb* review
recension *subst* review

recept
Det engelska ordet *receipt* betyder kvitto.

recept *subst* **1** med. prescription **2** kok. recipe [*på* for] **3** *det finns inget enkelt* ~ *metod* there's no simple formula [*för* for], there's no simple method [*för* for]

receptbelagd *adj, den är* ~ it is obtainable only on a doctor's prescription

receptfri *adj, den är* ~ it is obtainable without a prescription

reception *subst* **1** mottagning reception **2** på hotell reception desk

receptionist *subst* receptionist

reciprok *adj* reciprocal

reda I *subst* ordning order; *få* ~ *på* få veta find out, get to know; *ha* ~ *på ngt* know sth; *hålla* ~ *på* hålla uppsikt över look after; hålla sig à jour med keep up with; *ta* ~ *på* a) utforska find out b) ta hand om see to
II *verb* ordna: t.ex. bo, måltid prepare; ~ *upp* lösa upp unravel; ~ *ut* klarlägga explain

redaktion *subst* personal editorial staff, editors pl.

redaktör *subst* editor

redan *adv* already; så tidigt som as early as; till och med even; ~ *då jag kom in märkte jag att...* the moment I entered I noticed that...; ~ *följande dag* the very next day; ~ *som barn* while still a child, even as a child

redare *subst* shipowner

rede *subst* bo nest

rederi *subst* företag shipping company

redig *adj* klar clear; tydlig plain

redigera *verb* edit; avfatta write

redo *adj* färdig ready; beredd prepared

redogöra *verb*, ~ *för ngt* account for sth, describe sth, give an account of sth

redogörelse *subst* account [*för* of]; report [*för* on]

redovisa *verb*, ~ *ngt* el. ~ *för ngt* account for sth

redovisning *subst* account

redskap *subst* verktyg tool; spec. för hushållet utensil; utrustning equipment

reducera *verb* reduce; förminska diminish; sänka t.ex. priser cut, lower

reducering *subst* reduction

reduceringsmål *subst* sport., *få ett* ~ pull one back

reduktion *subst* reduction; sänkning av t.ex. priser cut

referat *subst* **1** redogörelse account, report; översikt review **2** i tv el. radio commentary

referens *subst* reference

referensram *subst* frame of reference

referera *verb* **1** ~ *ngt* report sth; ~ *en match* sport. commentate on (cover) a match **2** ~ *till ngn (ngt)* refer to sb (sth)

reflektera *verb* **1** fundera reflect [*över ngt* on sth]; tänka think [*över ngt* about sth]; ~ *på att sluta* think of leaving **2** återkasta reflect

reflex *subst* **1** reflex **2** återspegling reflection **3** på t.ex. cykel reflector

reflexanordning *subst* på fordon rear reflector

reflexband *subst* luminous tape

reflexbricka *subst* luminous tag (disc), reflector tag (disc)

reflexion *subst* **1** fys. reflection **2** begrundan reflection; anmärkning observation

reflexiv *adj* gram. reflexive; ~*a pronomen* reflexive pronouns

reflexrörelse *subst* reflex movement, reflex

reform *subst* reform; nydaning reorganization

reformera *verb* reform; nydana reorganize

refräng *subst* refrain, chorus

refug *subst* trafik. traffic island, amer. safety island

refusera *verb* förkasta reject, vard. turn down

regatta *subst* regatta

1 regel *subst* på dörr bolt

2 regel *subst* rule; föreskrift regulation; *i (som)* ~ as a rule

regelbunden *adj* o. **regelmässig** *adj* regular; *vara* ~ be regular

regelrätt *adj* regular, according to the rules

regelvidrig *adj, vara* ~ be against the rules

regemente *subst* mil. regiment

regera *verb* härska rule; styra govern; vara kung etc. reign

regering *subst* government; styrelse rule; monarks regeringstid reign

regeringschef *subst* head of government

regeringskris *subst* government crisis

regeringsparti *subst* government party

regeringsställning *subst, i* ~ in power, in office

regeringstid *subst* monarks reign

regi *subst* **1** teat., *i B:s* ~ directed by B **2** ledning, *i egen* ~ el. *i privat* ~ under private management; *i universitetets* ~ conducted by the university

regim *subst* **1** regime **2** ledning management

region *subst* region

regional *adj* regional

regissera *verb* teat. el. film. direct
regissör *subst* teat. el. film. director
register *subst* register [*över* of]; förteckning list [*över* of]; i bok index [*över* of]
registrera *verb* register
registrering *subst* registration
registreringsbevis *subst* för motorfordon certificate of registration
registreringsnummer *subst* registration number
registreringsskylt *subst* number plate, amer. license plate
regla *verb* med regel bolt; låsa lock
reglage *subst* regulator; spak lever; kontrollinstrument controls pl.
reglemente *subst* regulations pl.
reglera *verb* **1** regulate; justera adjust **2** fastställa fix; göra upp, t.ex. arbetstvist settle; ~*d arbetstid* regulated working hours
reglering *subst* **1** reglerande regulation; justerande adjustment **2** fastställande fixing; uppgörelse settlement
regn *subst* rain; *det ser ut att bli* ~ it looks like rain
regna *verb* rain; *låtsas som om det* ~*r* take no notice; *matchen* ~*de bort* the match was washed out (was a wash-out)
regnblandad *adj,* ~ *snö* sleet
regnbåge *subst* **1** rainbow **2** fisk; rainbow trout
regnbågsforell *subst* rainbow trout
regndroppe *subst* raindrop
regnig *adj* rainy
regnkappa *subst* raincoat
regnmätare *subst* rain gauge
regnområde *subst* area of rain
regnskog *subst* rain forest
regnskur *subst* shower, shower of rain; häftig downpour
regnställ *subst* rainsuit
regnväder *subst* rainy weather
reguljär *adj* regular
rehabilitera *verb* rehabilitate
rehabilitering *subst* rehabilitation
rejvparty *subst* rave party, rave-up
rejäl *adj* **1** *en* ~ *förkylning* a nasty cold; *en* ~ *prissänkning* a substantial reduction **2** pålitlig reliable
rek *subst* brev registered letter
reklam *subst* annonsering etc. advertising (endast sing.); på tv commercials pl.; ~ *för rakvatten* an advertisement (vard. an ad) for aftershave; på tv a commercial for aftershave

reklamation *subst* klagomål complaint; ersättningsanspråk claim
reklambyrå *subst* advertising agency
reklamera *verb* klaga på make a complaint about; kräva ersättning för put in a claim for
reklamerbjudande *subst* special offer
reklamfilm *subst* commercial
reklaminslag *subst* commercial
reklamkampanj *subst* advertising campaign
reklampaus *subst* radio. el. tv. commercial break
reklam-tv *subst* commercial television
rekommendation *subst* anbefallning recommendation
rekommendera *verb* **1** recommend **2** ~*t brev* registered letter, amer. registered mail
rekonstruera *verb* reconstruct
rekord *subst* record; *slå* ~ *i längdhopp* break the long jump record; *sätta* ~ set up a record
rekordförsök *subst* attempt at the (a) record
rekordhållare *subst* record-holder
rekordpublik *subst* record crowd; på t.ex. teater record audience
rekordtid *subst* record time
rekreation *subst* recreation; vila rest
rekryt *subst* recruit; värnpliktig conscript
rekrytera *verb* recruit
rekrytering *subst* recruitment
rektangel *subst* rectangle
rektangulär *adj* rectangular
rektor *subst* **1** vid skola headmaster, kvinnlig headmistress; vid institut el. fackhögskolor principal, director **2** spec. amer. principal
rektorsexpedition *subst* i skola headmaster's (headmistress's) office; i Storbritannien vanligen headmaster's (headmistress's) study
rekviem *subst* musik. el. ceremoni requiem
rekvirera *verb* beställa order; skicka efter send for; begära ask for
rekvisita *subst* teat. el. film. properties pl.
rekvisition *subst* beställning order
relatera *verb* relate, give an account of
relation *subst* förhållande relation; intimare, mellan personer relationship; *stå i* ~ *till* be related to
relativ *adj* relative; ~*t pronomen* gram. relative pronoun
relativt *adv* relatively
relevans *subst* relevance
relevant *adj* relevant [*för* to]
relief *subst* relief

religion
- Den engelska statskyrkan, *Church of England,* är protestantisk. Dess överhuvud är drottningen, men i praktiken leds den av ärkebiskoparna i Canterbury och York.
- Irländska republiken är till största delen katolsk.
- I USA finns ingen statskyrka.

religion *subst* religion; tro faith
religionskunskap *subst* skol. religion
religiös *adj* religious
relik *subst* relic
reling *subst* sjö. gunwale
relä *subst* tekn. el. elektr. relay
rem *subst* strap; livrem belt; drivrem belt
remi *subst* schack draw
remiss *subst* **1** med. referral; brev letter of referral **2** i parlament, *sända på ~ till...* refer to... for consideration
remittera *verb* refer äv. med.
remsa *subst* strip; strimla ribbon
1 ren *subst* djur reindeer (pl. lika)
2 ren *adj* clean; oblandad pure; outspädd neat; *~ choklad* plain (ordinary) chocolate; *en ~ förlust* a dead loss; *det är ~a rama lögnen* it is a downright lie; *en ~ olyckshändelse* a pure accident; *~t samvete* a clear conscience; *en ~ slump* a mere chance; *~t spel* fair play; *~ vinst* net profit, clear profit; *göra ~t* städa etc. clean up; *göra ~t ett sår* cleanse a wound
rena *verb* clean; vätska purify
rengöra *verb* clean; tvätta wash, golv scrub
rengöring *subst* cleaning, washing, scrubbing
rengöringskräm *subst* för ansiktet cleansing cream
rengöringsmedel *subst* cleaning agent, detergent
renhet *subst* **1** cleanness; om t.ex. vatten, luft purity **2** abstrakt purity
renhållning *subst* cleaning; sophämtning refuse collection, amer. garbage collection
renhållningsarbetare *subst* refuse collector, amer. garbage collector
renhållningsverk *subst* public cleansing department
renhårig *adj* ärlig honest
rening *subst* cleaning; kem. purification

renkött *subst* reindeer meat
renlig *adj* cleanly
renommé *subst* reputation, repute; *ha dåligt ~* have a bad reputation (name); *ha gott ~* have a good reputation (name)
renovera *verb* renovate
renovering *subst* renovation
rensa I *verb* clean; bär pick; *~ luften* clear the air; *~ ogräs* weed
  II *verb* med betonad partikel
  rensa bort remove
  rensa ut weed out
rent *adv* **1** cleanly; *tala ~* talk properly **2** alldeles quite, completely; *~ av* faktiskt actually; till och med even; *det är ~ av en skandal* it is a downright scandal; *~ ut* plainly, outright; *~ ut sagt* to use plain language
rentvå *verb,* *~ från misstankar* clear from suspicion
renässans *subst* **1** renaissance; förnyelse revival **2** *~en* hist. the Renaissance
reorganisera *verb* reorganize
rep *subst* rope; lina cord; *hoppa ~* skip, amer. jump rope
repa I *verb* **1** rispa scratch **2** *~ sig* ta upp sig improve; tillfriskna recover [*efter* from-]
  II *subst* scratch
reparation *subst* repair, repairs pl.; lagning mending
reparationsverkstad *subst* repair workshop; för bilar ofta garage
reparatör *subst* repairer, repairman
reparera *verb* repair; laga mend, fix
repertoar *subst* repertoire; spelplan programme
repetera *verb* **1** upprepa repeat; skol. revise, amer. review **2** teat., öva in rehearse
repetition *subst* **1** upprepning repetition; skol. revision, amer. review **2** teat. rehearsal
repetitionskurs skol. *subst* refresher course
repetitionsövning *subst* mil. military refresher course
repig *adj* scratched
replik *subst* reply, answer; teat. line
replikera *verb* reply, answer
reportage *subst* i tidning etc. report [*om* on-]; i radio el. tv documentary
reportagefilm *subst* documentary
reporter *subst* reporter
representant *subst* representative, sales representative [*för* of]

representanthuset
Representanthuset är den kammare i den amerikanska kongressen som har mest inflytande. Det består av 435 folkvalda medlemmar, *representatives*.

representanthuset *subst* the House of Representatives

representation *subst* **1** polit. etc. representation **2** värdskap entertainment

representationskostnader *subst pl* entertainment expenses

representativ *adj* **1** representative [*för* for]; typisk typical [*for* of] **2** stilig, värdig distinguished

representera *verb* **1** företräda, motsvara represent **2** utöva värdskap entertain

repressalier *subst pl* reprisals

reprimand *subst* reprimand, svag. rebuke

repris *subst* av pjäs el. film revival; av radio- el. tv-program repeat; sport., (tv.) i slowmotion action replay; *programmet ges i ~ nästa vecka* there will be a repeat of the programme next week

reproducera *verb* reproduce

reproduktion *subst* reproduction

reptil *subst* reptile

republik *subst* republic

republikan *subst* republican

republikansk *adj* republican

repövning *subst* mil. military refresher course

1 resa I *subst* spec. till lands journey; till sjöss voyage; överresa crossing, vard., om alla slags resor trip; med bil ride, trip; med flyg flight; *resor* spec. längre travels; *enkel ~ kostar 90 kr* the single fare is 90 kr, amer. the one-way fare is 90 kr; *trevlig ~!* pleasant journey!, bon voyage! (franska) II *verb* färdas travel, journey; till ett visst mål go [*till* to]; avresa leave, depart [*till* for]; *~ över Atlanten* cross the Atlantic III *verb* med betonad partikel
resa bort go away [*från* from]; *han är bortrest* he has gone away
resa förbi go past, go by; passera pass
resa igenom pass through
2 resa *verb*, *~* el. *~ upp* sätta upp raise; *~ ett tält* pitch a tent; *~ på sig* get up; *~ sig* a) stiga upp rise, get up, stand up, get on one's feet b) om håret stand on end c) *~ sig upp i sängen* sit up in bed

resande *subst* **1** travel, travelling **2** resenär traveller; passagerare passenger

resebroschyr *subst* travel brochure, holiday brochure

resebyrå *subst* travel agency

resecheck *subst* traveller's cheque, amer. traveler's check

reseda *subst* blomma mignonette

reseersättning *subst* compensation for travelling expenses

reseförsäkring *subst* travel insurance

resekostnad *subst*, *~er* cost sing. of travelling, travelling expenses pl.

reseledare *subst* guide, tour leader

resenär *subst* traveller; passagerare passenger

reserv *subst* **1** reserve äv. mil. **2** sport. reserve, substitute

reservat *subst* reserve, national park

reservation *subst* **1** protest protest **2** reservation; *med en viss ~* with a certain reservation; *med ~ för fel* barring mistakes, allowing for mistakes

reservbänk *subst*, *på ~en* on the substitute's bench

reservdel *subst* spare part

reservdäck *subst* för bil etc. spare tyre, amer. spare tire

reservera *verb* **1** reserve; hålla i reserv keep... in reserve **2** förhandsbeställa book, reserve; *~ plats* vanligen make reservations

reserverad *adj* reserved

reservnyckel *subst* spare key

reservoar *subst* reservoir; cistern cistern

reservoarpenna *subst* fountain pen

reservutgång *subst* emergency exit, emergency door

reseskildring *subst* account of one's travels; film travelogue

reseur *subst* travel alarm clock

resevaluta *subst* utländsk valuta foreign currency

resfeber *subst*, *ha ~* be nervous (excited) before a journey

resgods *subst* luggage, baggage

resgodsexpedition *subst* luggage office, baggage office

resgodsförsäkring *subst* luggage insurance, baggage insurance

resgodsförvaring *subst* o. **resgodsinlämning** *subst* konkret left-luggage office, cloakroom, amer. checkroom

residens *subst* residence

resignation *subst* resignation

resignera *verb* foga sig resign oneself [*inför* to]

resignerad *adj* resigned

reslig *adj* tall; lång o. ståtlig stately

resning *subst* **1** uppresande raising **2** uppror rising, revolt **3** jur. new trial; *begära* ~ demand a new trial

resolut *adj* beslutsam resolute, determined

resolution *subst* resolution [*om ngt* on sth]

reson *subst* reason; *ta* ~ listen to reason

resonans *subst* resonance

resonemang *subst* diskussion discussion; samtal talk, conversation; tankegång reasoning

resonera *verb* discuss [*om ngt* sth]; argumentera reason, argue

resonlig *adj* reasonable

respekt *subst* respect; aktning esteem

respektabel *adj* respectable; anständig decent

respektera *verb* respect

respektingivande *adj* imponerande imposing; *en* ~ *person* a person that commands respect

respektive I *adj* respective
II *adv* respectively; *de kostar 30* ~ *40 kronor* they cost 30 and 40 kronor respectively

respektlös *adj* disrespectful; stark. irreverent

respektlöshet *subst* disrespect; stark. irreverence

respirator *subst* respirator

respons *subst* response

resrutt *subst* route

ressällskap *subst* person travelling companion; grupp party of tourists

rest *subst* remainder, rest; kvarleva remnant; ~*er av mat* leftovers; *för* ~*en* för övrigt besides, furthermore; för den delen for that matter

---

På restaurangen

Can I have the menu, please?
Kan jag få matsedeln, tack?
I'd like a prawn cocktail as a starter and lamb cutlets for main course.
Som förrätt vill jag ha räkcocktail och som huvudrätt lammkotletter.
The bill, please!, amer. *The check, please!*
Får jag betala!
Is service included?
Är dricksen inräknad?

---

restaurang *subst* restaurant

restaurangvagn *subst* dining-car, amer. diner, restaurant-car

restaurera *verb* restore

restaurering *subst* restoration

resterande *adj* remaining

restid *subst* åtgående tid travelling time

restlager *subst* surplus stock

restriktion *subst* restriction

restriktiv *adj* restrictive

restskatt *subst* unpaid tax arrears pl., back tax

resultat *subst* result; utgång, utfall outcome

resultatlös *adj* fruktlös fruitless, futile

resultera *verb* result [*i* in]

resumé *subst* résumé, summary

resurs *subst* resource; ~*er* penningmedel means

resväska *subst* suitcase

resår *subst* **1** spiralfjäder coil spring **2** gummiband elastic

resårband *subst* elastic; *ett* ~ a piece of elastic

resårbotten *subst* sprung bed

resårmadrass *subst* spring interior mattress

reta *verb* **1** förarga, ~ el. ~ *upp* irritate, annoy; skämta elakt tease **2** framkalla retning irritate; stimulera stimulate; ~ *aptiten* whet the appetite

retas *verb* tease

retfull *adj* irritating, annoying

rethosta *subst* dry cough, hacking cough

retirera *verb* retreat, withdraw

retlig *adj* lättretad irritable; lättstött touchy

retorik *subst* rhetoric

retorisk *adj* rhetorical

retroaktiv *adj* retrospective, retroactive

reträtt *subst* spec. mil. retreat; *slå till* ~ retreat

retsam *adj* irritating, annoying

retsticka *subst* tease

retur *subst* **1** *tur och* ~ se under 2 tur 2 **2** ~ *avsändaren* return to sender; *vara på* ~ i avtagande be on the decline **3** sport., returmatch return match; returboll i tennis etc. return

returbiljett *subst* return ticket, amer. round-trip ticket

returglas *subst* returnable bottle

returmatch *subst* return match (amer. game)

returnera *verb* return, send back

returpapper *subst* waste paper for recycling; återvunnet recycled paper

retuschera *verb* retouch; *en* ~*d bild* a touched-up photo

reumatiker *subst* rheumatic

reumatisk *adj* rheumatic

reumatism *subst* med. rheumatism

1 rev *subst* vid fiske fishing-line
2 rev *subst* sandrev, klipprev reef
reva *verb* sjö. reef
revalvera *verb* revalue
revalvering *subst* revaluation
revansch *subst* revenge; *få ~ på ngn* get
one's revenge on sb
revben *subst* rib
revbensspjäll *subst* kok. spareribs pl.
revers *subst* hand. promissory note
revidera *verb* revise; räkenskaper audit; priser
readjust
revir *subst* djurs territory
revision *subst* revision; av räkenskaper audit
revisionsbyrå *subst* firm of accountants
revisor *subst* auditor; *auktoriserad ~*
chartered accountant, amer. certified public
accountant (förk. CPA)
revolt *subst* revolt; *göra ~ mot* revolt against
revoltera *verb* revolt [*mot* against]
revolution *subst* revolution; *göra ~* start a
revolution
revolutionera *verb* revolutionize; *~nde*
epokgörande revolutionary
revolutionär *adj* o. *subst* revolutionary
revolver *subst* revolver, gun
revorm *subst* med. ringworm
revy *subst* review; teat. revue, show
revär *subst* på uniform stripe
Rhen the Rhine
rhododendron *subst* buske rhododendron
Rhodos Rhodes
ribba *subst* vid höjdhopp bar; fotb. etc. crossbar,
bar
ribbstickad *adj* rib-knitted
ribbstol *subst* wall bars pl.
ricinolja *subst* castor oil
rida *verb* ride; *~ på* ride
ridande *adj*, *~ polis* mounted police
ridbyxor *subst pl* riding-breeches
riddare *subst* knight
riddarsporre *subst* blomma delphinium
ridhjälm *subst* riding helmet
ridhus *subst* riding school
ridhäst *subst* saddle horse, riding horse
ridning *subst* riding
ridskola *subst* riding school
ridsport *subst* riding
ridspö *subst* riding-whip, horsewhip
ridstövel *subst* riding-boot
ridtur *subst* ride; *göra en ~* go out riding
ridå *subst* curtain
rigg *subst* sjö. rigging, tackling
rigid *adj* rigid
rigorös *adj* rigorous, strict

rik *adj* rich, mycket förmögen wealthy; om
jordmån, fantasi fertile; *~ på* rich in, full of;
bli ~ get rich, make money; *de ~a* the rich
rike *subst* stat state, country; kungadöme el. relig.
kingdom; kejsardöme empire; *Sveriges ~*
the Kingdom of Sweden
rikedom *subst* **1** förmögenhet wealth (endast
sing.), fortune, riches pl. **2** wealth; ymnighet
abundance; *en ~ på idéer* a wealth of
ideas
riklig *adj* abundant, ample; rik rich; *~t med*
mat plenty of food
riksbank *subst*, *Sveriges Riksbank* el.
Riksbanken the Bank of Sweden
riksdag *subst*, *~en* el. *Sveriges Riksdag* the
Riksdag, the Swedish Parliament
riksdagshus *subst*, *~et* the Riksdag building,
the Parliament building
riksdagsledamot *subst* o. **riksdagsman** *subst*
member of the Riksdag, member of
parliament
riksdagsval *subst* general election
riksgräns *subst* frontier, border
rikssamtal *subst* long-distance call
rikssvenska *subst* Standard Swedish
riksväg *subst* main road, arterial road
riksåklagare *subst* Prosecutor-General,
Chief Public Prosecutor; motsvaras i
Storbritannien av Director of Public
Prosecutions
rikta *verb* **1** vända åt visst håll direct [*mot* at];
vapen etc. aim [*mot* at], level [*mot* at], point
[*mot* at]; *~ in* t.ex. kikare etc. train [*mot* on]
2 räta straighten **3** *~ sig* a) vända sig address
oneself b) om bok etc. be intended [*till* for]
c) om kritik be directed [*mot* against]
riktig *adj* **1** rätt right, proper; felfri correct;
berättigad justified **2** förstärkande: äkta real,
regular; ordentlig proper; *de slogs på ~t* på
allvar they fought in earnest
riktigt *adv* korrekt correctly; verkligen really;
alldeles, ganska quite; ordentligt properly;
mycket very; *jag mår inte ~ bra* I am not
feeling quite well; *saken är inte ~ skött*
the matter has not been properly handled;
det är ~ synd it's really a pity; *göra en*
sak ~ do a thing properly (right)
riktlinje *subst*, *dra upp ~rna för ngt* lay
down the general outlines for sth
riktmärke *subst* aim [*för* of], objective [*för* of]
riktning *subst* **1** direction; *i ~ mot* in the
direction of **2** direction; linje line, lines pl.;
vändning turn; rörelse movement
riktnummer *subst* tele. dialling code, amer. area
code

riktpunkt *subst* objective [för of], aim [för of]

rim *subst* rhyme

rimfrost *subst* hoarfrost, rime, white frost

rimlig *adj* skälig reasonable; sannolik probable

rimligen *adv* o. **rimligtvis** *adv* reasonably; sannolikt quite likely

1 rimma *verb* rhyme [på with, to]; *det ~r inte med vad han har sagt* it doesn't fit in (it doesn't tally) with what he has said

2 rimma *verb* kok. salt . . . lightly, salt

ring *subst* **1** ring **2** på bil etc. tyre, amer. tire **3** kring solen el. månen halo (pl. -s el. -es) **4** sport. ring

1 ringa *adj* liten small, slight; obetydlig trifling; *av ~ intresse* of little interest; *inte det ~ste tvivel* not the slightest doubt; *inte det ~ste* inte alls not in the least

2 ringa I *verb* ring; klämta toll; *jag ringer i morgon* I'll phone you tomorrow; *det ringer på dörren* the doorbell is ringing; *~ ett samtal* make a phone call; *~ på (i) klockan* ring the bell

II *verb* med betonad partikel

ringa på hos ngn ring sb's doorbell

ringa upp ngn ring sb up, call sb up

ringakta *verb* person despise; sak disregard

ringaktning *subst* contempt, disregard

ringblomma *subst* marigold

ringduva *subst* wood pigeon

ringfinger *subst* ring finger

ringhörna *subst* boxn. corner of the ring

ringklocka *subst* bell; dörrklocka doorbell

ringla *verb*, *~ sig* om t.ex. väg, kö wind [waɪnd]; om hår, rök curl

ringled *subst* trafik. ring road, amer. beltway

ringning *subst* ringing

ringrostig *adj* ring-rusty; *han är ~* he is out of training

ringtryck *subst* bil. tyre pressure, amer. tire pressure

rinna I *verb* run, flyta flow, strömma stream

II *verb* med betonad partikel

rinna bort run away

rinna i väg om tid slip away

rinna ut:: *floden rinner ut i havet* the river flows into the sea; *~ ut i sanden* come to nothing

rinna över flow over, run over

ripa *subst* fågel grouse (pl. lika)

1 ris *subst* sädesslag rice

2 ris *subst* kvistar twigs pl.

risgryn *subst* koll. rice; *ett ~* a grain of rice

risgrynsgröt *subst* rice pudding

rishög *subst* vard., bil banger, amer. beater

risig *adj* vard., förfallen tumbledown,

ramshackle; ovårdad, sjabbig shabby; *känna sig ~* feel lousy

risk *subst* risk [för of]; *på egen ~* at one's own risk; *löpa ~en att bli sjuk* run the risk of becoming ill

riskabel *adj* risky; farlig dangerous

riskera *verb* risk; *~ att falla* risk falling

riskfylld *adj* risky; farlig dangerous

risotto *subst* kok. risotto (pl. -s)

rispa I *subst* scratch; i tyg rent

II *verb* scratch

rista *verb* skära carve, cut; *~ in* med nål etc. engrave [i on]

rit *subst* rite

rita *verb* draw; göra ritning till design; *~ av* draw; kopiera copy; *~ upp* draw

ritning *subst* drawing; byggn. drawing, design; *gå enligt ~arna* go according to plan

ritt *subst* ride, riding-tour

ritual *subst* ritual

riva I *verb* **1** klösa scratch; om rovdjur claw; slita tear **2** med rivjärn grate; t.ex. hus pull down

II *verb* med betonad partikel

riva av tear off, rip off; *~ av ett blad på almanackan* tear a leaf off the calendar

riva loss lös tear off, rip off

riva ned tear down

riva omkull knock down

riva sönder tear up

riva upp öppna tear open, rip open; gata etc. take up; *~ upp ett beslut* cancel a decision, go back on a decision

riva ut tear out

rival *subst* rival [om for]

rivalisera *verb*, *~ med ngn om ngt* compete with sb for sth

rivalitet *subst* rivalry

Rivieran the Riviera

rivig *adj* **1** med schwung swinging, lively **2** *hon är ~* she is full of go

rivjärn *subst* grater

rivning *subst* rasering demolition, pulling down

rivningshus *subst* house to be demolished

rivstart *subst* flying start; *starta med en ~* tear away, tear off

rivstarta *verb* get off to a flying start

rivöppnare *subst* ring-pull, pop-top, pull-tab

1 ro *subst* vila rest; frid peace; stillhet stillness; *jag får ingen ~ för honom* he doesn't give me any peace; *jag gör det inte för ~s skull* I'm not doing it for fun; *slå sig till ~* make oneself comfortable; dra sig tillbaka settle down

2 ro *verb* row [rəʊ]

roa *verb* amuse; underhålla entertain; *vara ~d*

av att dansa like dancing; ~ **sig** amuse
oneself
robot *subst* **1** människa robot **2** mil. guided
missile
robotbas *subst* guided missile base
robotvapen *subst* guided missile
robust *adj* robust, sturdy
1 rock *subst* coat
2 rock *subst* musik. rock, rock music
rocka *subst* fisk ray, spec. ätlig skate
rockhängare *subst* **1** galge coathanger **2** hook;
i rock tab
rockmusik *subst* rock, rock music
rockvaktmästare *subst* cloak-room
attendant
rococo *subst*, ~**n** the Rococo period
rodd *subst* rowing ['rəʊɪŋ]
roddare *subst* oarsman, rower
roddbåt *subst* rowing boat, amer. row boat
roddsport *subst* rowing
roddtur *subst* row [rəʊ], pull
roddtävling *subst* rowing-match
rodel *subst* sport. luge
roder *subst* roderblad rudder; hela styrinrättningen
helm; *lyda* ~ answer the helm
rodna *verb* turn red, redden; av blygsel etc.
blush [*av* with]; av t.ex. ilska flush [*av* with]
rodnad *subst* hos person: av blygsel blush; av t.ex.
ilska flush; hos sak redness (endast sing.)
roffa *verb*, ~ *åt sig* grab
rojalism *subst* royalism
rojalist *subst* royalist
rojalistisk *adj* royalist
rokoko *subst* rococo; ~**n** the Rococo period
rolig *adj* skojig funny; trevlig nice, pleasant;
roande amusing; *det var ~t att få träffa*
dig it was nice to meet you; *det var ~t att*
höra I am glad to hear it; *så ~t!* how nice!;
så skojigt what fun!
roligt *adv* amusingly; *ha ~t* enjoy oneself,
have fun
roll *subst* part, role; *~erna är ombytta* the
tables are turned; *det spelar ingen ~* it
does not matter; *det har spelat ut sin ~* it
has had its day
rollator *subst* slags gåstol med hjul rollator
rollista *subst* cast
rollmodell *subst* role model
rollspel *subst* role play; spelande role-playing
Rom Rome
1 rom *subst* fiskrom roe, spawn; maträtt roe
2 rom *subst* dryck rum
roman *subst* bok novel [*av* by; *om* about]
romanförfattare *subst* novelist
romans *subst* romance

romantik *subst* romance
romantisera *verb* romanticize
romantisk *adj* romantic
romare *subst* Roman
romarriket *subst* the Roman Empire
romersk *adj* Roman
romersk-katolsk *adj* Roman Catholic
rond *subst* round, vakts round, beat
rondell *subst* trafik. roundabout, amer. traffic
circle
rop *subst* call, cry, högre shout; ~ *på hjälp* call
for help, cry for help
ropa I *verb* call [*på* for], call out [*på* for], cry,
högre shout [*på* for]; ~ *efter ngn* call out
after sb; tillkalla call out to sb, call sb; ~ *på*
hjälp call for help; tele. call up
II *verb* med betonad partikel
ropa ngn till sig call sb
ropa upp namn read out, call over
ropa ut meddela call out, announce
ros *subst* rose
rosa *subst* o. *adj* rose, pink; se *blått* för ex. o. *blå-*
för sammansättningar
rosenbuske *subst* rosebush
rosenkindad *adj* rosy-cheeked
rosenknopp *subst* rosebud
rosenrasande *adj* furious
rosenröd *adj* rosy, rose-red; *se allt i*
rosenrött see everything through
rose-coloured spectacles
rosett *subst* prydnad, knuten bow [bəʊ]
rosig *adj* rosy, rose-coloured
rosmarin *subst* kok. rosemary
rossla *verb* wheeze, rattle
rossling *subst* wheeze, rattle
rost *subst* på järn el. växter rust
1 rosta *verb* rust, get rusty; ~ *sönder* rust
away
2 rosta *verb* roast; bröd toast; ~*t bröd* toast;
en ~d brödskiva a slice of toast
rostbiff *subst* roast beef
rostfri *adj* rustless; om stål stainless
rostig *adj* rusty
rostskydd *subst* **1** rust protection **2** medel
anti-rust agent
rostskyddsgaranti *subst* anti-rust warranty
rostskyddsmedel *subst* anti-rust agent
rot *subst* root; *slå ~* take root
rota *verb*, ~ *i en byrålåda* rummage about
in a drawer

---

roman
Novell heter på engelska *short story.*

rotation *subst* rotation, revolution
rotel *subst* department; inom polisen squad, division
rotera *verb* rotate, revolve, turn
rotfrukt *subst* root vegetable
rotfyllning *subst* av tand root filling
rotfäste *subst*, *få* ~ take root
rotmos *subst* mashed turnips pl.
rotselleri *subst* grönsak celeriac
rotting *subst* cane
rotvälska *subst* double Dutch, gibberish
roulett *subst* roulette
rov *subst* **1** djurs etc. prey **2** byte booty, loot
rova *subst* grönsak turnip
rovdjur *subst* predatory animal, beast of prey
rovfågel *subst* bird of prey
rovgirig *adj* rapacious, ravenous
rubb *subst*, ~ **och stubb** el. **hela** ~*et* the whole lot
rubba *verb* **1** flytta på move, dislodge **2** bringa i oordning disturb, upset **3** ngns förtroende etc. shake; ~ *ngns planer* upset sb's plans
rubbad *adj* förryckt crazy
rubbning *subst* störning disturbance
rubel *subst* rouble
rubin *subst* ruby
rubinröd *adj* ruby-red, ruby
rubricera *verb* **1** förse med rubrik headline **2** beteckna classify
rubrik *subst* i tidning headline; t.ex. i brev el. över kapitel heading
rucka *verb* **1** en klocka regulate, adjust **2** ~ *på* beslut change, modify; en sten move
ruckel *subst* fallfärdigt hus ramshackle house
rucola *subst* grönsak rocket, amer. arugula
rudimentär *adj* rudimentary
1 ruff *subst* sport. foul [faʊl]
2 ruff *sjö.* cabin
ruffa *verb* sport. foul [faʊl]
ruffel *subst*, ~ **och båg** vard. monkey business, hanky-panky; fiffel fiddling
ruffig *adj* **1** sport., om spel rough, foul **2** sjaskig shabby; fallfärdig dilapidated
rufsa *verb*, ~ *till ngn i håret* ruffle sb's hair
rufsig *adj* ruffled, dishevelled
rugby *subst* sport. rugby, Rugby
ruggig *adj* om väder nasty; hemsk horrible
ruin *subst* ruin; *ligga i* ~*er* lie in ruins; *på* ~*ens brant* on the verge of ruin
ruinera *verb* ruin
ruinerad *adj* ruined, bankrupt
rulad *subst* kok. roulade, roll
rulett *subst* roulette
rulla I *verb* **1** roll **2** ~ *sig* roll; om blad etc. curl **II** *verb* med betonad partikel

rulla i gång: ~ *i gång en bil* push-start a car
rulla ihop roll up
rulla in vagn etc. wheel in
rulla ned gardin etc. pull down
rulla upp ngt hoprullat unroll; gardin pull up
rullator *subst* slags gåstol med hjul rollator
rullbord *subst* serving trolley
rullbälte *subst* inertia-reel seat-belt
rulle *subst* roll; trådrulle, filmrulle el. på metspö reel; *det är full* ~ it's going like a house on fire; på fest the party is in full swing
rullgardin *subst* blind, amer. shade
rullkrage *subst* polo neck
rullskridsko *subst* roller-skate
rullstol *subst* wheelchair
rullstolsbunden *adj* se *rullstolsburen*
rullstolsburen *adj* ... confined to a wheelchair
rulltrappa *subst* escalator
rulltårta *subst* **1** med sylt i jam Swiss roll, amer. jelly roll **2** drömtårta chocolate Swiss roll, amer. chocolate cream roll
rum *subst* **1** room; uthyrningsrum lodgings pl.; logi accommodation (endast sing.); ~ *att hyra* rubrik rooms to let, apartments to let **2** utrymme room; *få* ~ *med* find room for; *lämna* ~ *för ngt* make room for sth; *komma i första* ~*met* come first; *äga* ~ take place
rumba *subst* rumba; *dansa* ~ do the rumba, dance the rumba
rumla *verb*, ~ el. ~ *om* go on the spree
rumpa *subst* vard., stuss backside, behind
rumsadverb *subst* gram. adverb of place
rumsförmedling *subst* för hotellrum etc. agency for hotel accommodation; för uthyrningsrum accommodation agency
rumskamrat *subst* roommate
rumsren *adj* **1** house-trained, spec. amer. housebroken **2** regelrätt, just, *vara* ~ be on the level
rumstemperatur *subst* room temperature
rumän *subst* Romanian
Rumänien Romania
rumänsk *adj* Romanian; se *svensk-* för sammansättningar
rumänska *subst* (se *svenska* för ex.) **1** kvinna Romanian woman **2** språk Romanian
runa *subst* rune
rund *adj* round; knubbig plump; *i runt tal* in round numbers
runda I *verb* **1** göra rund round; ~ *av* round off **2** fara (gå) runt round

II *subst*, **gå en ~ i parken** take a stroll round the park
rundkindad *adj* round-cheeked
rundlagd *adj* stout, portly
rundresa *subst* circular tour
rundtur *subst* sightseeing tour
rundvandring *subst*, **en ~ i staden** a tour of the town, a walk round the town
runsten *subst* rune stone
runt I *adv* round; **låta ngt gå ~** vid bordet pass sth round
II *prep* round; **~ hörnet** round the corner; **året ~** all the year round
runtom I *adv* round about, around; **~ i landet** all over the country
II *prep* round, all round
rus *subst* intoxication; **sova ~et av sig** sleep it off; **i ett ~ av lycka** transported with joy
rusa I *verb* **1** rush, dash **2 ~ en motor** race an engine
II *verb* med betonad partikel
rusa efter hämta rush for
rusa fram till rush up to, dash up to
rusa förbi rush past, dash past
rusa i väg rush off, dash off
rusa upp start up, spring to one's feet; **~ upp ur sängen** spring out of bed
rusch *subst* rush [efter for]
rusdryck *subst* intoxicating liquor
ruska *verb* shake; **~ på huvudet** shake one's head
ruskig *adj* om väder nasty; hemsk horrible
ruskväder *subst* nasty weather, awful weather
rusning *subst* rush [efter for]
rusningstid *subst*, **~** el. **~en** the rush hour
rusningstrafik *subst* rush-hour traffic
russin *subst* raisin; **plocka ~en ur kakan** välja ut det bästa ur ngt take the pick of the bunch, take all the best plums (ones)
rusta *verb* **1** mil. arm **2** utrusta equip; spec. fartyg fit out **3** förbereda prepare [till, för for]; **~ upp** reparera repair, do up
rustik *subst* rustic
rustning *subst*, **en ~** pansar a suit of armour; **i full ~** in full armour
ruta *subst* **1** fyrkant square **2** på tv-apparat screen **3** i fönster etc. pane
rutad *adj*, **rutat papper** squared paper
ruter *subst* kortsp. diamonds pl.; **en ~ a** diamond
ruterdam *subst* kortsp. the queen of diamonds
ruterfem *subst* kortsp. the five of diamonds
rutig *adj* checked, check... endast före subst.
rutin *subst* experience; vana, slentrian routine; **det går på ~** it's just a matter of routine

rutinerad *adj* experienced
rutscha *verb* slide, glide
rutschbana *subst* o. **rutschkana** *subst* på lekplats slide; vatten water chute
rutt *subst* route; trafiklinje service
rutten *adj* rotten
ruttna *verb* rot
ruva *verb* sit, brood; grubbla brood
rya *subst* o. **ryamatta** *subst* rya rug, long-pile rug
ryck *subst* knyck jerk; dragning tug; **vakna med ett ~** wake with a start
rycka I *verb* **1** dra pull, tug; häftigare jerk, twitch; slita tear; **~ på axlarna åt ngt** shrug one's shoulders at sth **2 ~ närmare** om t.ex. fienden close in; **~ till ngns undsättning** rush to sb's help
II *verb* med betonad partikel
rycka bort tear away; om döden snatch away
rycka fram mil. advance
rycka in mil., till tjänstgöring join up
rycka in i ngt march into sth; **~ in i ngns ställe** take sb's place
rycka loss (**lös**) ngt pull sth loose, pull sth off, wrench sth loose (off)
rycka till start, give a start; **~ till sig** snatch
rycka upp sig pull oneself together
rycka ut om brandkår etc. turn out; från militärtjänst be released
ryckig *adj* knyckig jerky
ryckning *subst* ryck pull, tug; sprittning twitch
ryckvis *adv* i ryck by fits and starts
rygg *subst* back; **vända ngn ~en** föraktfullt turn one's back on sb; **gå bakom ~en på ngn** do things behind sb's back; **ha ont i ~en** have a backache; **hålla ngn om ~en** support sb, back sb up
rygga *verb* shrink back [för from], flinch [för from]
ryggfena *subst* zool. dorsal fin
ryggmärg *subst* spinal marrow, spinal cord
ryggrad *subst* backbone; anat. spine
ryggradsdjur *subst* vertebrate
ryggradslös *adj* om person spineless; **~a djur** invertebrates
ryggsim *subst* backstroke; **simma ~** do the backstroke
ryggskott *subst* med. lumbago
ryggstöd *subst* support for the back; på stol back
ryggsäck *subst* rucksack, backpack
ryggtavla *subst* back
ryggvärk *subst* backache

ryka *verb* **1** smoke; *det ryker ur skorstenen* the chimney is smoking **2** ~ *ihop* fly at each other, börja slåss come to blows **3** *där rök min sista hundralapp* there goes my last hundred kronor

rykta *verb* häst dress, groom

ryktas *verb*, *det* ~ *att...* it is rumoured that...

ryktbar *adj* renowned, famous

ryktbarhet *subst* renown, fame

rykte *subst* **1** kringlöpande nyhet rumour [*om* of]; ~*t går att...* there is a rumour that... **2** allm. omdöme om ngn (ngt) reputation; *ha gott* ~ have a good reputation; *ha* ~ *om sig att vara sträng* have the reputation of being strict

ryktessmidare *subst* o. **ryktesspridare** *subst* rumour-monger

rymd *subst* **1** världsrymd space; *yttre* ~*en* outer space **2** rymdinnehåll capacity

rymddräkt *subst* spacesuit

rymdfarare *subst* space traveller

rymdfarkost *subst* spacecraft (pl. lika)

rymdfärd *subst* space flight, space journey

rymdkapsel *subst* space capsule

rymdmått *subst* cubic measure

rymdpilot *subst* space pilot

rymdraket *subst* space rocket

rymdstation *subst* spacestation

rymdvarelse *subst* extraterrestial (förk. ET), alien

rymdålder *subst*, ~*n* the space age

rymlig *adj* spacious, roomy

rymling *subst* fugitive, runaway

rymma *verb* **1** fly run away; om fånge etc. escape **2** kunna innehålla hold; ha plats för have room for; innefatta contain

rymmas *verb*, *de ryms i salen* there is room for them in the hall; *den ryms i fickan* it goes into the pocket

rymning *subst* ur fängelse etc. escape

rynka I *subst* i huden wrinkle, line; på kläder crease
II *verb*, ~ *pannan* wrinkle one's forehead, ögonbrynen knit one's brows, spec. ogillande frown; ~ *på näsan åt* turn up one's nose at; ~ *sig* om tyg crease

rynkig *adj* **1** om hud wrinkled **2** skrynklig creased

rysa *verb* av köld shiver [*av* with]; av fasa etc. shudder [*av* with]

rysare *subst* thriller

rysk *adj* Russian

ryska *subst* (se *svenska* för ex.) **1** kvinna Russian woman **2** språk Russian

ryskfödd *adj* Russian-born; se *svensk-* för vidare sammansättningar

ryslig *adj* dreadful, horrible, awful

ryslighet *subst*, ~*er* horrors

rysning *subst* shiver, shudder

ryss *subst* Russian

Ryssland Russia

ryssländsk *adj* Russian

ryta *verb* roar [*åt* at]

rytande *subst*, *ett* ~ a roar

rytm *subst* rhythm

rytmisk *adj* rhythmic, rhythmical

ryttare *subst* rider, horseman

ryttartävling *subst* horse-riding competition

1 rå *adj* **1** ej kokt el. stekt raw **2** om t.ex. silke raw; om t.ex. olja crude **3** om t.ex. skämt coarse; *den* ~*a styrkan* brute force

2 rå I *verb*, ~ *sig själv* be one's own master
II *verb* med betonad partikel
rå för: *jag* ~*r inte för det* I can't help it
rå om ngt own sth
rå på: *jag* ~*r inte på honom* I can't manage him

råbarkad *adj* coarse, crude

råbiff *subst* ungefär steak tartare

råd *subst* **1** advice (endast sing.); *ett* ~ a piece of advice; *lyda ngns* ~ take sb's advice; *jag har fått många goda* ~ I've had a lot of good advice; *be ngn om* ~ el. *fråga ngn till* ~*s* ask sb's advice **2** medel means; utväg way out; *det blir väl ingen annan* ~ there will be no alternative; *han vet alltid* ~ he is never at a loss **3** pengar, *jag har inte* ~ *till* (*med*) *det* I can't afford it **4** rådsförsamling council

råda *verb* **1** ge råd advise; *vad råder du mig till?* what do you advise me to do? **2** ha makten rule; disponera dispose [*över* of]; *om jag fick* ~ if I had my way; *omständigheter som jag inte råder över* circumstances over which I have no control **3** förhärska prevail; *det råder...* there is (are)...

rådande *adj* prevailing, current; förhärskande predominant; *under* ~ *förhållanden* in the existing circumstances, in the present circumstances; *den* ~ nuvarande *regimen* the present regime

rådfråga *verb* consult

rådfrågning *subst* consultation

rådgivare *subst* adviser

rådgivning *subst* advice

rådgivningsbyrå *subst* advice bureau

rådgöra *verb*, ~ *med* consult with, confer with

rådhus *subst* town hall, i större städer city hall
rådig *adj* resolute; fyndig resourceful
rådjur *subst* roe deer (pl. lika)
rådman *subst* jur., vid tingsrätt district court judge; i vissa städer city court judge
rådslag *subst* deliberation, consultation
rådvill *adj* villrådig perplexed; *vara* ~ be at a loss, be perplexed
råg *subst* rye
råga I *verb* heap, pile up; ~*d tesked* heaped teaspoon; ~*d kopp* full cup
II *subst, till* ~ *på allt* to crown it all, on top of it all
rågbröd *subst* rye bread
råge *subst* full measure, good measure
rågmjöl *subst* rye flour
rågsikt *subst* sifted rye flour
rågummiskor *subst pl* crepe shoes
1 råka *subst* fågel rook
2 råka I *verb* **1** träffa meet; stöta ihop med come across, run across **2** händelsevis komma att happen to; *han* ~*de falla* he happened to fall **3** komma, ~ *i fara* get into danger; *bilen* ~*de i sladdning* the car started skidding; ~ *i händerna på* fall into the hands of
II *verb* med betonad partikel
råka på ngn come across sb, run across sb
råka ut: ~ *illa ut* get into trouble; ~ *ut för bedragare* fall into the hands of swindlers; *jag har* ~*t ut för honom tidigare* I have come up against him before; ~ *ut för en olycka* meet with an accident
råkas *verb* meet
råkost *subst* raw (uncooked) vegetables and fruit
råma *verb* moo, stark. bellow
1 rån *subst* bakverk wafer
2 rån *subst* robbery; *väpnat* ~ armed robbery
råna *verb* rob; ~ *ngn på ngt* rob sb of sth
rånare *subst* robber
rånförsök *subst* attempted robbery
rånkupp *subst* robbery
rånmord *subst* murder with robbery
råolja *subst* crude oil
råris *subst* unpolished rice, rough rice
råsiden *subst* raw silk
råtta *subst* rat, liten mouse (pl. mice)
råttfälla *subst* mousetrap; större rat-trap
råttgift *subst* rat poison
råvara *subst* raw material
räcka I *verb* **1** överräcka hand; *vill du* ~ *mig saltet?* please pass me the salt; ~ *ngn*

handen give sb one's hand; ~ *varandra handen* shake hands **2** nå reach **3** förslå be enough [*för, till* for], be sufficient [*för, till* for], suffice [*för, till* for] **4** vara, hålla på last
II *verb* med betonad partikel
räcka fram hold out, stretch out; *vägen räcker inte ända fram* the road does not go all the way
räcka till: *få det att* ~ *till* make it do
räcka upp: ~ *upp handen* put up one's hand; *barnet räcker inte upp till bordskanten* the child does not reach up to the edge of the table
räcka ut: ~ *ut handen efter ngt* reach out for sth
räcke *subst* på t.ex. balkong rail; på trappa: inomhus banisters pl.; utomhus railing
räckhåll *subst, inom* ~ within reach, within sb's reach; *det är inom* ~ *för mig* it is within my reach, within sb's reach
räckvidd *subst* reach, range
räd *subst* raid [*mot* on]
rädd *adj* **1** afraid ej före subst. [*för* of; *för att* to]; skrämd frightened [*för* of], scared [*för* of]; alarmed; ~ *av sig* timid **2** *vara* ~ *för att göra ngt* be afraid to do sth; *vara* ~ *om* aktsam om be careful with, t.ex. sina kläder take care of; *var* ~ *om dig!* take care of yourself!, take care!
rädda *verb* save [*från, ur, undan* from]; ur överhängande fara rescue [*från, ur, undan* from]; bevara preserve [*åt* for]; ~ *livet på ngn* save sb's life; *hans liv stod inte att* ~ his life was beyond saving
räddare *subst* rescuer; befriare deliverer
räddhågad *adj* timid
räddning *subst* rescue; räddande saving, rescuing; *göra en* ~ make a save
räddningsaktion *subst* rescue action
räddningsbåt *subst* lifeboat
räddningskår *subst* rescue corps, salvage corps; bil. breakdown service
räddningsmanskap *subst* rescue party
rädisa *subst* grönsak radish
rädsla *subst* fear [*för* of], dread [*för* of]
räffla *subst* o. *verb* groove
räfsa I *subst* rake
II *verb* rake [*ihop* together]
räka *subst* liten, tångräka shrimp, större prawn
räkel *subst, en lång* ~ a lanky fellow
räkenskap *subst, föra* ~*er* keep accounts
räkenskapsår *subst* financial year
räkna I *verb* **1** count, reckon; beräkna calculate; *hans dagar är* ~*de* his days are numbered; ~*s som omodern* be regarded

as old-fashioned; ~ *med ngt* a) vänta sig expect sth b) ta med i beräkningen allow for sth c) påräkna count on sth, reckon on sth, calculate on sth; *en motsåndare att ~ med* an opponent to be reckoned with; *~t i pund* in pounds; *i pengar ~t* in terms of money **2** mat. do arithmetic, do sums; ~ *ott tal* do a sum **3** uppgå till number

ll *verb* med betonad partikel

räkna efter: *jag måste ~ efter* I must work it out

räkna ifrån ngt dra av deduct sth; frånse leave sth out of account

räkna ihop t.ex. pengar count up; en summa add up

räkna med count, count in, include

räkna upp nämna i ordning enumerate; pengar count out

räkna ut beräkna calculate, work out; fundera ut figure out; förstå make out; boxn. count out; ~ *ut ett tal* do a sum

räknas *verb*, *det ~ inte* it does not count

räkneord *subst* numeral

räknetal *subst* sum

räkneverk *subst* counter

räkning *subst* **1** räknande counting; beräkning calculation; mat. arithmetic; *gå ner för ~* boxn. take the count; *hålla ~ på ngt* keep count of sth; *tappa ~en* el. *tappa bort ~en* lose count; *ett streck i ~en* an unforeseen obstacle; *vara ur ~en* be out of the running **2** nota bill; konto account; *en ~ på 500 kr* a bill for five hundred kronor; *föra ~ över ngt* keep an account of sth; *behålla ngt för egen ~* keep sth for oneself; *för ngns ~* on sb's account, on sb's behalf; *ta ngt med i ~en* take sth into account

räls *subst* rail

rälsbuss *subst* railbus

rämna *verb* crack, split

1 ränna *subst* **1** groove **2** avloppsränna drain **3** farled channel

2 ränna *verb* run; ~ *omkring* (*ute*) run about

rännsten *subst* gutter

ränsel *subst* knapsack, rucksack

ränta *subst* interest (endast sing.); ~ *på ~* compound interest; *ta 15 % i ~* charge 15% interest; *mot ~* at interest

ränteavdrag *subst* deduction of interest; skattemässigt tax-relief on interest

räntefri *adj*, *ett ~tt lån* an interest-free loan; *lånet är ~tt* the loan is free of interest

räntehöjning *subst* increase in the rate of interest

ränteinkomst *subst* income from interest

räntesats *subst* rate of interest

räntesänkning *subst* reduction in the rate of interest

rät *adj* right; om linje straight; ~ *vinkel* right angle

räta *verb*, ~ el. ~ *ut* straighten, straighten out; ~ *på benen* stretch one's legs; ~ *ut sig* om sak become straight

rätsida *subst* right side, face; *jag får ingen ~ på det här* I can't get this straight

1 rätt *subst* maträtt dish; del av måltid course; *dagens ~* på matsedel today's special

2 rätt *subst* **1** rättighet right; rättvisa justice; *ge ngn ~* admit that sb is right; *kontraktet ger honom ~ till...* the contract entitles him to...; *du gjorde ~ som vägrade* you were right to refuse; *göra ~ för sig* göra nytta do one's share; betala för sig pay one's way; *ha ~* be right [*i ngt* about sth]; *ha ~ till ngt* have a right to sth; *komma till sin ~* do oneself justice; ta sig bra ut show to advantage; *han är i sin fulla ~* he is quite within his rights; *med ~ eller orätt* rightly or wrongly; *med all (full) ~* with perfect justice **2** rättsvetenskap law **3** domstol court, court of law

3 rätt l *adj* riktig right, correct; rättmätig rightful; sann, verklig true, real; ~ *skall vara ~* fair's fair; *det är inte mer än ~* it's only fair; *det är ~ åt honom!* serves him right!; *göra det ~a* do the right thing; *i ordets ~a bemärkelse* in the proper sense of the word

ll *adv* **1** korrekt rightly, correctly; *eller ~are sagt* or rather; *går din klocka ~?* is your watch right?; *räkna ~* antal count right; lösa ett räknetal do it right; *stava ~* spell correctly **2** förstärkande quite; ganska pretty, rather; *jag tycker ~ bra om henne* I quite like her **3** rakt straight, direct, right

rätta l *subst* **1** *med ~* rightly, justly; *finna sig till ~* settle down, find one's way about; *komma till ~* be found; *komma till ~ med* manage, handle; t.ex. problem cope with; t.ex. svårigheter overcome; *sätta sig till ~* settle oneself; *tala ngn till ~* make sb see (listen to) reason; *visa ngn till ~* show sb the way **2** jur., *inför ~* in court, before court; *dra ngt inför ~* bring (take) sth to court; *stå inför ~* be on trial, stand trial; *ställas inför ~* be put on trial

ll *verb* **1** korrigera correct, put... right; ~ *sig* correct oneself; ~ *en skrivning* mark (amer. grade) a paper; ~ *till* t.ex. fel put... right, correct; missförhållande etc.

remedy **2** avpassa adjust [*efter* to]; ~ *sig efter* t.ex. ngns önskningar comply with; beslut etc. abide by; andra människor, omständigheter adapt oneself to

rättegång *subst* rannsakning trial [*mot* against]; process legal proceedings pl. [*mot* against]; spec. civilmål lawsuit [*mot* against]

rättelse *subst* correction

rättesnöre *subst*, *tjäna till ~ för ngn* serve as a guide (guiding principle) to sb

rättfram *adj* straightforward, frank

rättfärdig *adj* just, righteous

rättfärdiga *verb* justify

rättighet *subst* right; befogenhet authority; *ha fulla ~er* be fully licensed

rättika *subst* grönsak black radish

rättmätig *adj* om t.ex. arvinge rightful, lawful; om krav etc. legitimate

rättning *subst* korrigering correcting, av skrivningar marking, correcting, amer. grading

rättrogen *adj* faithful

rättsfall *subst* legal case

rättshjälp *subst* legal aid

rättsinnad *adj* o. **rättsinnig** *adj* right-minded

rättskrivning *subst* spelling, orthography; prov spelling test

rättslig *adj* laglig legal; *på ~ väg* by legal means

rättslös *adj*, *hon är ~* she is without legal rights

rättsmedicin *subst* forensic medicine

rättsprocess *subst* legal process

rättspsykiater *subst* forensic psychiatrist

rättssal *subst* court, courtroom

rättssamhälle *subst* community governed by the rule of law

rättsskydd *subst* legal protection

rättstavning *subst* spelling, orthography; prov spelling test

rättsväsen *subst* judicial system

rättvis *adj* just [*mot* to]; skälig fair [*mot* to]; opartisk impartial [*mot* to]

rättvisa *subst* justice; skälighet fairness; opartiskhet impartiality; ~*n* lag el. rätt justice; *göra ~ åt ngt* do justice to sth

rättvisekrav *subst*, *det är ett ~ att...* it's only fair that..., justice demands that...

rättvänd *adj*, *vara ~* be turned the right way round, be turned right side up

rättänkande *adj* right-minded

rätvinklig *adj* right-angled

räv *subst* fox

rävhona *subst* vixen, she-fox

rävjakt *subst* fox-hunting

rävspel *subst* intrigue, intrigues pl.

rävunge *subst* fox cub

röd *adj* red; högröd scarlet; *Röda havet* the Red Sea; ~*a hund* German measles; *Röda korset* the Red Cross; *se rött* see red; se äv. *blå-* för sammansättningar

rödaktig *adj* reddish, ruddy

rödbeta *subst* beetroot, amer. beet

rödblommig *adj* om hy ruddy, florid

rödbrun *adj* russet

rödbrusig *adj* red-faced

rödhake *subst* fågel robin, robin redbreast

rödhårig *adj* red-haired

röding *subst* fisk char

rödkindad *adj* red-cheeked, rosy-cheeked

rödkål *subst* red cabbage

Rödluvan sagofigur Little Red Riding Hood

rödlök *subst* red onion

rödnäst *adj* red-nosed

rödspätta *subst* plaice (pl. lika)

rödtjut *subst* vard., rödvin plonk

rödtunga *subst* kok., fisk witch

rödvin *subst* red wine

rödögd *adj* red-eyed

1 röja *verb* förråda betray, give away; yppa reveal; avslöja expose; visa show

2 röja *verb* skog clear; ~ *mark* clear land; ~ *väg för* clear the way for, pave the way for; ~ *ngn ur vägen* remove sb; ~ *undan* t.ex. hinder clear away; person, hinder remove

röjning *subst* clearing

rök *subst* smoke; *gå upp i ~* go up in smoke

röka *verb* smoke

rökare *subst* smoker; *icke ~* non-smoker

rökbomb *subst* smoke-bomb

rökelse *subst* incense

rökfri *adj* smokeless

rökförbud *subst*, *det är ~* smoking is prohibited

rökig *adj* smoky

rökkupé *subst* smoking-compartment, smoker

rökning *subst* smoking; ~ *förbjuden* no smoking

rökpipa *subst* pipe, tobacco pipe

rökrum *subst* smoking-room

röksvamp *subst* puffball

rön *subst* iakttagelse observation; upptäckt discovery

röna *verb* meet with, experience

rönn *subst* mountain ash, rowan

rönnbär *subst* rowanberry

röntga *verb* X-ray
röntgenbehandling *subst* X-ray treatment
röntgenbild *subst* X-ray picture
röntgenfotografera *verb* X-ray
röntgenstrålar *subst pl* X-rays
rör *subst* ledningsrör pipe
röra I *subst* mess; virrvarr mix-up; oreda
muddle; *vara en enda* ~ be all in a mess
II *verb* **1** sätta i rörelse move, stir; *han rörde
inte ett finger* he did not stir a finger; ~ *i
gröten* stir the porridge; ~ *på benen*
stretch one's legs; *rör på benen!* sätt fart!
get a move on!; *han rörde på huvudet* he
moved his head; ~ *på sig* move; motionera
get some exercise **2** vidröra touch **3** angå
concern; *det rör mig inte i ryggen* I
couldn't care less; ~ *ngn till tårar* move
sb to tears **4** ~ *sig* move; motionera get
exercise; *rör dig inte!* don't move!; ~ *sig
fritt* move about freely; *han har mycket
pengar att* ~ *sig med* he has a lot of
money at his disposal; *det rör sig om din
framtid* it concerns your future; *det rör
sig om stora summor* big sums of
money are involved; *vad rör det sig om?*
what is it about?
III *verb* med betonad partikel
röra ihop kok. etc. mix
röra om: ~ *om i* kok. stir; ~ *om i
byrålådan* poke about in the drawer
rörande I *adj* touching, moving
II *prep* angående concerning, regarding
rörd *adj* gripen moved, touched
rörelse *subst* **1** motsats: vila motion; av levande
varelse movement; *sätta fantasin i* ~ stir
the imagination; *sätta sig i* ~ begin to
move; *vara i* ~ be in motion **2** politisk etc.
movement **3** affärsrörelse business,
enterprise
rörelsefrihet *subst* freedom of movement
rörelseförmåga *subst* ability to move
rörelsehindrad *adj* disabled
rörelsekapital *subst* working capital
rörig *adj* messy; *vad här är ~t!* what a
mess!
rörledning *subst* pipeline; i hus piping
rörledningsfirma *subst* plumbing firm
rörlig *adj* flyttbar mobile, movable; om priser,
ränta flexible; *~t kapital* working capital
rörläggare *subst* o. **rörmokare** *subst* plumber
rörsocker *subst* cane sugar
röst *subst* **1** stämma voice; *med hög* ~ in a
loud voice; *med låg* ~ in a low voice
2 polit. vote; *lägga ned sin* ~ abstain from
voting

rösta *verb* vote; ~ *om ngt* vote on sth; ~ *på
ngn* vote for sb
röstberättigad *adj*, *hon är* ~ she is entitled
to vote
röstfiske *subst* vote-catching
röstkort *subst* voting card
röstlängd *subst* electoral register
rösträkning *subst* rösträknande counting of
votes; *en* ~ a count, a count of votes
rösträtt *subst*, *ha* ~ have the right to vote
röstsedel *subst* voting-paper, ballot paper
röta *subst* rot, putrefaction; förmultning decay
rött *subst* red; *se* ~ see red; se *blått* för ex.
röv *subst* vulg. arse, amer. ass
röva *verb* rob [*ngt från ngn* sb of sth]
rövare *subst* robber; *leva* ~ raise hell
rövarhistoria *subst* cock-and-bull story

Ss

s
s uttalas tonande [z] eller tonlöst [s].
Ibland kan ord få en annan bety-
delse bara genom att *s* uttalas
tonande.
close [kləʊs] nära
close [kləʊz] stänga

loose [luːs] lös
lose [luːz] förlora

hiss [hɪs] väsa
his [hɪz] hans

peace [piːs] fred
peas [piːz] ärtor

price [praɪs] pris man betalar
prize [praɪz] pris man vinner

rice [raɪs] ris
rise [raɪz] ökning; resa sig

sabba *verb* vard. ruin, spoil, muck up
sabbat *subst* Sabbath
sabbatsår *subst* sabbatical year; *ta ett ~* take
a sabbatical
sabel *subst* sabre
sabla *adj* vard. blasted, damned
sabotage *subst* sabotage; *utföra (göra) ~
mot* carry out (commit) sabotage against
sabotera *verb* sabotage
sabotör *subst* saboteur
Sachsen Saxony
sacka *verb*, *~ efter* lag behind, drop behind
sackarin *subst* saccharin
sadel *subst* saddle; *sitta säkert i ~n* be
firmly in the saddle
sadism *subst* sadism
sadist *subst* sadist
sadistisk *adj* sadistic
sadla *verb* **1** saddle **2** *~ om* byta yrke change
one's job
safari *subst* safari
saffran *subst* krydda saffron

saffransbröd *subst* saffron-flavoured bread
safir *subst* ädelsten sapphire
saft *subst* **1** av frukt, kött, grönsaker juice **2** kokt
med socker för spädning fruit syrup, syrup
3 blandad med vatten som dryck fruit drink;
pressa ~en ur en citron squeeze the
juice out of a lemon
saftig *adj* juicy

---

sagor
Askungen *Cinderella*, Den fula
ankungen *The Ugly Duckling*, Den
lilla sjöjungfrun *The Little Mermaid*,
Hans och Greta *Hansel and Gretel*,
Kejsarens nya kläder *The Emperor's
New Clothes*, Prinsessan på ärten
The Princess and the Pea, Rödluvan
Little Red Riding Hood, Snövit *Snow
White*, Törnrosa *The Sleeping
Beauty*

---

saga *subst* för barn fairy tale, fairy story;
fornnordisk saga; mytol. myth; *berätta en ~
för mig!* tell me a story!
sagesman *subst* informant
sagobok *subst* book of fairy tales, story book
sagoland *subst* fairyland, wonderland
sagolik *adj* fabulous; fantastisk t.ex. om tur
fantastic; *en ~ röra* an incredible mess
Sahara the Sahara
sak *subst* **1** thing, object **2** angelägenhet matter,
business (endast sing.); *en ~* 'någonting'
something; *där sa du en ~!* you said
something there!, that's an idea!; *~er och
ting* things; *~en är den att han...* the
fact is that he...; *~en är klar!* that settles
it!; *vad gäller ~en?* what's it about?; *jag
ska säga dig en ~* I tell you what; *jag
ska tänka på ~en* I'll think it over; *det är
en annan ~ med dig* it's different with
you; *det är min ~* that's my business; *det
är inte min ~* it's none of my business;
det är din ~ att göra det it is up to you to
do it; *~ samma* no matter, never mind;
det är en självklar ~ it is a matter of
course; *han har rätt i ~* essentially he is
right; *så var det med den ~en!* and
that's that!; *han är säker på sin ~* he is
sure of his ground; *till ~en!* let's come to
the point!; *komma till ~en* get to the
point **3** att kämpa för cause; rättsfall case; *göra*

gemensam ~ *med ngn* make common cause with sb

sakfråga *subst,* *själva* ~*n* the point at issue

sakkunnig *adj* expert, competent

sakkunskap *subst* expert knowledge

saklig *adj* matter-of-fact; objektiv objective

sakna *verb* **1** inte ha, vara utan lack, be without; behöva want, be in want of; lida brist på be lacking in; *ryktet* ~*r grund* the rumour is without foundation; *huset* ~*r hiss* there is no lift in the house; *han* ~*r humor* he has no sense of humour; *verbet* ~*r infinitiv* the verb has no infinitive **2** inte kunna hitta, *jag* ~*r mina nycklar* I have lost my keys **3** märka frånvaron av, *jag* ~*r den inte* I don't miss it; behöver den inte I can do without it, I don't need it

saknad I *subst,* ~*en efter henne är stor* her loss is deeply felt; *känna stor* ~ *efter ngn* deeply feel sb's loss **II** *adj* person missing person; mil. missing in action; *de* ~*e* those missing, the missing persons; *anmäld som* ~ reported missing

saknas *verb* vara borta be missing

sakta I *adj* långsam slow; varsam gentle; dämpad, tyst soft; *i* ~ *mak* at an easy pace **II** *adv* långsamt slowly; varsamt gently; ~ *i backarna!* take it easy!; *gå för* ~ om urverk be slow **III** *verb,* ~ *av (ned)* el. ~ *farten* slow down; *klockan* ~*r sig* the clock is losing time

sal *subst* hall; matsal dining-room; salong drawing-room

salami *subst* kok. salami

saldo *subst* balance; *ingående* ~ balance brought forward; *utgående* ~ balance carried forward

salig *adj* blessed, vard., lycklig very happy; *en* ~ *röra (blandning)* a glorious mess

saliv *subst* saliva

sallad *subst* **1** grönsak lettuce **2** maträtt salad

salladsbestick *subst, ett* ~ a pair of salad servers

salladsblad *subst* lettuce leaf

salladsdressing *subst* salad dressing

salladshuvud *subst* lettuce

salmonella *subst* med. salmonella

salong *subst* **1** i hem drawing-room, amer. parlor; stort sällskapsrum lounge **2** publiken på t.ex. teater audience **3** utställning exhibition

salt *subst* o. *adj* salt

salta *verb* **1** salt, sprinkle with salt; ~ *in* lägga i saltlake soak in brine **2** vard., ~ *en räkning* pad a bill

saltgurka *subst* pickled gherkin

salthalt *subst* salt content

saltkar *subst* för bordet saltcellars

saltlake *subst* koll. brine, pickle

saltomortal *subst* luftsprång somersault; *slå en* ~ do a somersault

saltströare *subst* salt-sprinkler, amer. vanligen saltshaker; saltkar saltcellars

saltsyra *subst* kem. hydrochloric acid

saltvatten *subst* salt water

salu *subst, till* ~ on sale, for sale

salubjuda *verb* o. **saluföra** *verb,* ~ *ngt* offer sth for sale

saluhall *subst* market hall

salustånd *subst* stall; spec. på marknad booth; på mässa stand

salut *subst* salute; *skjuta* ~ give the salute

salutera *subst* salute

salutorg *subst* market place

1 salva *subst* till smörjning ointment

2 salva *subst* volley

salvia *subst* kok. sage

samarbeta *verb* co-operate, work together; spec. i litterärt arbete el. polit. collaborate

samarbete *subst* co-operation; spec. litterärt arbete el. politik collaboration

samarbetsvillig *adj* co-operative

samband *subst* connection; *stå i* ~ *med* have a relation to, bear a relation to

sambo *subst* partner, cohab; mera formellt cohabitant

same *subst* Lapp, Laplander, mera vetensk. Sami (pl. lika); ~*rna* the Sami

samexistens *subst* coexistence

samfund *subst* society, association; religiöst communion

samfälld *adj* joint; enhällig unanimous

samfärdsmedel *subst* means (pl. lika) of transport

samförstånd *subst* mutual understanding, understanding; enighet agreement

samhälle *subst* **1** ~ el. ~*t* society **2** ort place

samhällsklass

Även om samhällsklasserna avsevärt minskat i betydelse under de senaste 50 åren, spelar de fortfarande en viss roll i England. Man talar om *the upper class*, överklassen, en liten grupp adliga familjer med stora egendomar, *the middle class*, medelklassen, och *the working class*, arbetarklassen.

samhällelig *adj* social; ~ *plikt* civic duty

samhällsdebatt *subst* public debate

samhällsfarlig *adj*, *vara* ~ be a public danger

samhällsfientlig *adj* anti-social

samhällsgrupp *subst* social group

samhällsklass *subst* social class

samhällskunskap *subst* skol. civics (med verb i sing.), social studies

samhällslära *subst* sociology

samhällsskick *subst* social structure, type of society

samhällsställning *subst* social position

samhällstillvänd *adj* social-minded

samhällstjänst *subst* som straff community service

samhällsvetenskap *subst* univ. social studies, sociology

samhörighet *subst* solidarity; själsfrändskap affinity

samisk *adj* Lapp

samklang *subst* accord, harmony; *stå i ~ med* be in harmony with

samkväm *subst* social gathering

samla *verb* **1** ~ el. ~ *ihop* gather; planmässigt collect; få ihop get together; samla på hög amass, accumulate; förena, ena unite, unify; ~ *frimärken* collect stamps; ~ *en förmögenhet* amass a fortune; ~ *på ngt* collect sth; ~ *till ngt* a) spara save up for sth b) lägga ihop club together for sth **2** ~ *sig* a) se *samlas* b) compose oneself; koncentrera sig concentrate

samlad *adj* **1** sansad collected; *lugn och ~* calm and collected **2** *Strindbergs ~e skrifter* the collected works of Strindberg

samlag *subst* sexual intercourse, spec. med. coitus; *ha ~* vard. have sex, make love

samlare *subst* collector

samlas *verb* om personer gather, get together; församlas assemble; träffas meet; hopas collect

samlevnad *subst* mellan människor social life, living together; *fredlig ~* mellan nationer el. grupper peaceful coexistence

samling *subst* **1** av personer gathering, crowd **2** grupp group **3** av t.ex. böcker, mynt collection **4** lugn composure

samlingslokal *subst* meeting-place; samlingssal assembly hall

samlingsplats *subst* meeting-place

samlingspunkt *subst* meeting-point, rallying-point

samlingsregering *subst* coalition government

samlingssal *subst* assembly hall

samliv *subst* life together; äktenskapligt married life

samma (*samme*) *adj* the same [*som* as]; likadan similar [*som* to]; ~ *dag han for* the day he left; *sak* ~ el. vard. *skit ~! no* matter!, never mind!; *de är i ~ ålder* they are the same age; *på ~ gång* at the same time; *på ~ sätt* in the same way

samman *adv* together

sammanbinda *verb* binda ihop bind together; till en bunt tie together

sammanbiten *adj* resolute

sammanblandning *subst* **1** förväxling confusion, mixing up **2** blandning mixing

sammanbo *verb* live together, live in; mera formellt cohabit

sammanbrott *subst* collapse, breakdown; *få ett ~* have a breakdown

sammandrabbning *subst* encounter, clash

sammandrag *subst* summary; *här är nyheterna i ~* here is the news summary; *matchen i ~* highlights of the match

sammanfalla *verb* coincide

sammanfatta *verb* sum up, summarize

sammanfattning *subst* summary; *göra en ~* give a summary, sum up

sammanfattningsvis *adv* to sum up

sammanföra *verb* bring . . . together

sammanhang *subst* samband connection; i text context

sammanhållning *subst* solidarity; enighet unity

sammanhängande *adj* connected; utan avbrott continuous

sammankalla *verb* summon, assemble

sammankomst *subst* meeting, gathering, vard. get-together

sammanlagd *adj* total total; *deras ~a inkomster* their incomes taken together

sammanlagt *adv* in all; *vinna ~* win on aggregate

sammansatt *adj* om t.ex. ord compound; *vara ~ av* bestå av be composed of

sammanslagning *subst* **1** union **2** fusion merger, fusion

sammanslutning *subst* **1** förening association, society **2** polit. union, federation

sammanställa *verb* put together, compile

sammanställning *subst* list, compilation

sammanstötning *subst* **1** kollision collision **2** strid clash

sammansvärjning *subst* conspiracy, plot

sammansättning *subst* **1** det sätt varpå ngt är sammansatt composition; struktur structure; kombination combination **2** ord som består av två el. flera ord compound

sammanträda *verb* meet, assemble
sammanträde *subst* meeting, committee meeting; **sitta i** ~ be at (in) a meeting
sammanträffa *verb* råkas meet
sammanträffande *subst* **1** möte meeting **2** av omständigheter coincidence
sammet *subst* velvet
sammetsklänning *subst* velvet dress
sammetslen *adj* velvety
samordna *verb* co-ordinate
samordning *subst* co-ordination
samråd *subst*, **i** ~ **med** in consultation with
samråda *verb* consult each other; ~ **med ngn** consult sb
samröre *subst* collaboration; **ha** ~ **med** have dealings with
sams *adj*, **vara** ~ a) vänner be friends, be on good terms b) eniga be agreed [om ngt on sth]
samsas *verb* **1** enas agree [om ngt on sth] **2** ~ **om** t.ex. utrymmet share
samspel *subst* musik. el. teat. ensemble; sport. teamwork
samspråk *subst* talk, conversation; **komma i** ~ **med varandra** start talking (chatting) with each other
samspråka *verb* talk, converse; förtroligt chat
samstämmig *adj* enhällig unanimous
samsända *verb* radio. el. tv. broadcast simultaneously; tekn. simulcast
samsändning *subst* radio. el. tv. joint broadcast, joint transmission
samt *adv* and, and also, as well as
samtal *subst* conversation, talk; tele. call; **föra ett** ~ carry on a conversation
samtala *verb* talk [om about], converse [om about]
samtalsämne *subst* topic, topic of conversation; **byta** ~ change the subject
samtid *subst*, ~**en** vår tid our age, our time
samtida I *adj* contemporary
II *subst*, **våra** ~ our contemporaries
samtidig *adj* i samma ögonblick simultaneous
samtidigt *adv* på samma gång at the same time; i samma ögonblick simultaneously
samtliga *adj*, ~ **passagerare** all the passengers; ~ **var där** all of them (us etc.) were there
samtycka *verb* consent [till to], agree [till to]
samtycke *subst* consent; gillande approval
samvaro *subst* being together; tid tillsammans time together; umgänge relations pl.
samverka *verb* co-operate
samverkan *subst* co-operation; ~ **mot brott** neighbourhood watch

samvete *subst* conscience; **ha dåligt** ~ **för ngt** have a bad (guilty) conscience about sth; **ha rent** ~ have a clear conscience
samvetsgrann *adj* conscientious; ängsligt scrupulous
samvetskval *subst pl* pangs of conscience, remorse sing.
samvetslös *adj* unscrupulous, unprincipled
samvetsöm *adj*, ~ **värnpliktig** conscientious objector

Samväldet
The Commonwealth är en sammanslutning av ungefär 50 självständiga stater, som förr ingick i det brittiska imperiet, *the British Empire*. Dess syfte är att stärka handel och vänskap.

Samväldet *subst* the Commonwealth
sand *subst* sand; till vägar grit
sanda *verb* mot halka grit
sandal *subst* sandal
sandbil *subst* gritting truck, vard. gritter, amer. salt truck
sandig *adj* sandy
sandkorn *subst* grain of sand
sandlåda *subst* att leka i sandpit, amer. sandbox
sandpapper *subst* sandpaper; **ett** ~ a piece of sandpaper
sandpappra *verb* sandpaper
sandslott *subst* barns sandcastle
sandstrand *subst* beach, sandy beach
sandsäck *subst* sandbag
sandwich *subst* ungefär canapé [ˌkænəˈpeɪ] (franska)
sanera *verb* **1** t.ex. stadsdel clear of slums; renovera renovate; riva pull down **2** rensa upp clean up **3** omorganisera reorganize; **vi måste** ~ **finanserna** we must put our finances on a sound basis **4** befria från skadliga ämnen decontaminate
sanering *subst* **1** t.ex. stadsdel slum clearance; renovering renovation; rivning pulling down **2** upprensning cleaning-up **3** omorganisering reorganization; **en** ~ **av finanserna** putting the finances on a sound basis **4** befriande från skadliga ämnen decontamination
sang *subst* kortsp. no trumps; **en** ~ one no-trumps
sanitetsartiklar *subst pl* se *sanitetsvaror*

sanitetsbinda *subst* sanitary towel, amer. sanitary napkin

sanitetsvaror *subst pl* sanitary articles

sanitär *adj* sanitary; *vara (utgöra) en ~ olägenhet* be a private nuisance

sank I *subst*, *skjuta (borra) ngt i ~* sink sth **II** *adj* sumpig, vattensjuk swampy, marshy, waterlogged

sankmark *subst* marsh, swamp

sankt *adj* saint (förk. St.)

sanktbernhardshund *subst* St. Bernard

sanktion *subst* sanction; *sätta in ~ er mot* impose sanctions against

sanktionera *verb* sanction

sann *adj* true; *inte sant?* wasn't it?, don't you think so?; *så sant jag lever!* as sure as I live!

sanna *verb*, *~ mina ord!* mark my words!

sannerligen *adv* indeed, really; förvisso certainly

sanning *subst* truth; *tala ~* tell the truth; *~en att säga* to tell the truth...; *se ~en i vitögat* face the truth; *säga ngn ett ~ens ord* el. *säga ngn några ~ar* tell sb a few home truths

sanningsenlig *adj* truthful; sann true

sannolik *adj* probable, likely

sannolikhet *subst* probability, likelihood; *med all ~* in all probability

sannolikt *adv* probably, very likely

sannspådd *adj*, *han blev ~* his predictions came true

sans *subst* medvetande *förlora ~en* lose consciousness; *komma till ~* become conscious, vard. come round

sansad *adj* sober, level-headed; vettig sensible; *lugn och ~* calm and collected

sardell *subst* fisk anchovy

sardin *subst* sardine

sardinburk *subst* burk sardiner tin of sardines

Sardinien Sardinia

sardinsk *adj* o. **sardisk** *adj* Sardinian

sarg *subst*, *~en* i ishockey the boards pl., the sideboards pl.

sarga *verb* såra wound; illa tilltyga mangle

sarkasm *subst* sarcasm

sarkastisk *adj* sarcastic

satan *subst* **1** den onde Satan, the Devil **2** i kraftuttryck, *ett ~s oväsen* the devil of a row

satellit *subst* satellite

satellitprogram *subst* tv. satellite programme

satellitsändning *subst*, *en ~* a satellite broadcast

satellit-tv *subst* satellite TV

satir *subst* satire [*över* on, upon]

satirisk *adj* satirical

satkärring *subst* vard. o. **satmara** *subst* vard. bitch, cow

sats *subst* **1** språkv. sentence; om t.ex. huvudsats el. bisats vanligen clause **2** ansats take-off; *ta ~* vid hoppning take a run **3** musik. movement **4** uppsättning set **5** kok. batch

satsa *verb* **1** stake; riskera venture; investera invest; *~ på* inrikta sig på go in for, concentrate on **2** i spel make one's stake; *~ på* hålla på bet on

satsdel *subst*, *ta ut ~arna i en mening* analyse a sentence

satsning *subst* inriktning concentration; försök bid; *en djärv ~* a bold venture; *göra en ~ på* invest in, concentrate one's resources on

satt *adj* stocky, square-built

sattyg *subst* vard.: rackartyg mischief; elände damned nuisance

Saturnus astron. el. mytol. Saturn

satäng *subst* satin

Saudiarabien Saudi Arabia

saudiarabisk *adj* Saudi Arabian

saudier *subst* Saudi

sav *subst* sap

savann *subst* savannah

1 sax *subst* scissors pl., större shears pl.; *en ~* a pair of scissors, större a pair of shears; *ge mig en ~* give me the scissors

2 sax *subst* vard. musik., saxofon sax

saxofon *subst* saxophone, vard. sax

saxofonist *subst* saxophonist

scampi *subst pl* kok., *~ fritti* scampi fritti

scanna *verb* data. el. med. scan

scanner *subst* data. el. med. scanner

scarf *subst* scarf (pl. scarves)

scen *subst* på teater stage, del av akt scene; *~en* teatern the stage, the theatre; *ställa till en ~* make a scene

scenarbetare *subst* stage hand, scene-shifter

scenario *subst* scenario (pl. -s)

schablon *subst* **1** mönster pattern, model **2** klichéartad cliché; om person stereotype

schablonavdrag *subst* i självdeklaration standard deduction, general deduction

schablonmässig *adj* stereotyped, conventional

schack *subst* spel chess; *hålla ngn (ngt) i ~* keep sb (sth) in check

schackbräde *subst* chessboard

schackdrag *subst* i schack el. taktiskt drag move

schackmatt *adj* checkmate

schackparti *subst* game of chess

schackpjäs *subst* chessman

schackspel *subst* **1** pjäserna chess set **2** spelet chess

schackspelare *subst* chess-player

schakt *subst* i gruva etc. shaft

schakta *verb* excavate; t.ex. lös jord remove

schalottenlök *subst* shallot

schampo *subst* shampoo (pl. -s)

schamponera *verb*, ~ *ngt* shampoo sth, give sth a shampoo

schamponering *subst* shampoo (pl. -s)

scharlakansfeber *subst* scarlet fever, scarlatina

scharlakansröd *adj* scarlet

schattering *subst* nyans shade

schejk *subst* sheikh

schema *subst* t.ex. arbetsschema schedule; t.ex. färgschema scheme; skol. timetable, amer. schedule; *lägga ett* ~ make a timetable, amer. make a schedule

schematisk *adj* schematic; *en* ~ *framställning* an outline

schimpans *subst* chimpanzee

schism *subst* schism, split

schizofren *subst* o. *adj* schizophrenic

schizofreni *subst* schizophrenia

schlager *subst* hit, popular song

schlager-EM the Eurovision Song Contest

schlagerfestival *subst* pop-song (hit-song) contest

schlagersångare *subst* popular singer

schvung *subst* fart, kläm go, dash

Schwarzwald the Black Forest

schwarzwaldtårta *subst* ungefär Black Forest gateau

Schweiz Switzerland

schweizare *subst* Swiss (pl. lika)

schweizerfranc *subst* Swiss franc

schweizerost *subst* Swiss cheese

schweizisk *adj* Swiss

schweiziska *subst* kvinna Swiss woman

schysst *adj* o. *adv* vard. fine, great; hygglig decent; rättvis fair

schäfer *subst* Alsatian, amer. German shepherd

scorekort *subst* i golf score card

scout *subst* scout; flickscout guide, amer. girl scout

scoutledare *subst* scouter, scoutleader

scripta *subst* vard. script girl

se I *verb* see; titta look; *hur man än* ~*r det* whatever way you look at it; *jag* ~*r det som min plikt* I regard it as my duty; *jag tål inte* ~ *honom* I can't stand the sight of him; *få* råka ~ see, catch sight of; *där* ~*r du!* there you are!; *i stort* ~*tt* a) på det hela taget on the whole b) i allm. generally speaking; ~ *på* (obetonat) titta på look at; ta en titt på have a look at; uppmärksamt watch; *hur* ~*r du på saken?* what is your view of the matter?; ~ *allvarligt på saken* take a serious view of the matter; *jag* ~*r på dig att...* I can tell by your face that...; ~ *sig i spegeln* look at oneself in the mirror

II *verb* med betonad partikel

se efter 1 ta reda på see [om if] **2** leta look **3** övervaka look after

se fram emot (mot) look forward to; *jag* ~*r fram emot att träffa dig* I'm looking forward to seeing you

se sig för look out, take care

se igenom look through

se ned på look down on

se sig om vända sig look round, amer. look around; ~ *sig om efter* söka look about for; ~ *sig om i världen* see the world

se på look on; iaktta watch; ~*r man på!* well, well!; I say!

se till övervaka look after, see to; ~ *till att ngt görs* see that something is done

se upp 1 titta upp look up [från from] **2** akta sig look out [för for], watch out [för for]; vara försiktig take care, be careful; ~ *upp för steget!* mind the step! **3** ~ *upp till* beundra look up to

se ut 1 titta ut look out **2** ha visst utseende look [som like]; *han* ~*r bra ut* he is good-looking; *hur* ~*r han ut?* what does he look like?; *hur* ~*r det ut i rummet?* what is the room like?; *så du* ~*r ut!* what a state you are in!; *det* ~*r så ut* el. *det* ~*r inte bättre ut* it looks like it, it seems very much like it **3** ~ *ut att vara* look like being; verka seem to be; *det* ~*r ut att bli regn* it looks like rain; *det* ~*r ut att bli en vacker dag* it looks like being a fine day **4** ~ *ut ngt åt sig* välja choose sth, pick sth out

se över se igenom look over

seans *subst* spiritualism seance

sebra *subst* djur zebra

sed *subst* bruk custom; praxis practice; sedvana usage; ~*er och bruk* manners and customs

sedan I *adv* **1** därpå then; senare later; efteråt afterwards; ~ *har jag inte sett henne* I haven't seen her since; *det är ett år* ~ *nu* it is a year ago now **2** vard., *än sen då?* iron. so what?

II *prep* alltsedan: vid uttryck för tidpunkt since; vid uttryck för tidslängd for; ~ *dess* since then;

hon har varit sjuk ~ i går she has been ill since yesterday
III *konj* alltsedan since; efter det att after; när when; **~ jag kom hit** since I came here; **ända ~** ever since; **det var först ~ jag hade sett den som...** it was not until I had seen it that...
sedel *subst* banksedel banknote, note, amer. bill
sedelautomat *subst* på bensinmack cash-operated fuel pump
sedelbunt *subst* bundle of banknotes
sedermera *adv* later on, afterwards
sedlighet *subst* morality
sedlighetsbrott *subst* sexual offence
sedlighetsrotel *subst*, **~n** the vice squad
sedvanlig *adj* customary; vanlig usual; vedertagen accepted
sedvänja *subst* custom; praxis practice
seedad *adj* sport. seeded
seg *adj* tough; envis stubborn
segdragen *adj* long drawn-out, protracted
segel *subst* sail; **hissa ~** hoist the sails
segelbåt *subst* sailing-boat; större yacht
segelflygning *subst* **1** flygning gliding **2** färd sailplane flight
segelflygplan *subst* glider
seger *subst* victory [*över* om]; spec. sport. win [*över* over]; besegrande conquest
segerherre *subst* victor
segerrik *adj* victorious
segertåg *subst* triumphal procession
seghet *subst* toughness; envishet stubbornness
segla *verb* sail
seglare *subst* person yachtsman
seglats *subst* segeltur sailing tour, sailing trip; längre sjöresa voyage
segling *subst* **1** seglande sailing, sportsegling sailing, yachting **2** segeltur sailing tour
seglivad *adj*, **vara ~** be tough, be hard to get rid of
segna *verb*, **~ till marken** sink to the ground; **~ död ner** el. **~ ner död** drop down dead
segra *verb* win [*över* over]; vinna seger be victorious [*över* over], triumph [*över* over]; **~ eller dö** conquer or die; **~ över** besegra conquer; övervinna overcome
segrare *subst* victor; i tävling winner
segrarpall *subst* winner's (winners') stand, rostrum
segregation *subst* segregation
segregera *verb* segregate
segsliten *adj* utdragen long drawn-out
seismograf *subst* seismograph
sejdel *subst* tankard; utan lock mug

sekatör *subst* pruning shears pl.; **en ~** a pair of pruning shears
sekel *subst* century
sekelskifte *subst*, **vid ~t** at the turn of the century
sekret *subst* fysiol. secretion
sekretariat *subst* secretariat
sekreterare *subst* secretary
sekretess *subst* secrecy
sekretessbelagd *adj* classified
sekretesslagen *subst* the Official Secrets Act
sekretär *subst* bureau, amer. writing desk
sekt *subst* sect
sektion *subst* section
sektor *subst* sector; **den offentliga ~n** the public sector
sekund *subst* second; **det var i sista ~n** it was at the very last moment
sekunda *adj* sämre second-rate, inferior
sekundvisare *subst* second-hand
sekundär *adj* secondary
sekvens *subst* sequence
sele *subst* harness; barnsele reins pl.
selen *subst* kem. selenium
selleri *subst* celery; rotselleri celeriac
semafor *subst* semaphore

semester
I amerikansk engelska är *semester* det vanliga ordet för termin (brittisk engelska vanligen *term*).

semester *subst* holiday, spec. amer. vacation; **vara på ~** be on holiday, be on one's holidays
semesteranläggning *subst* holiday camp, amer. vacation village
semesterersättning *subst* holiday pay, amer. vacation pay
semesterfirare *subst* holiday-maker, amer vacationer
semesterort *subst* holiday resort
semesterparadis *subst* vard. ideal holiday resort, spec. amer. vacationland
semesterresa *subst* holiday trip, amer. vacation trip
semestra *verb* ha semester be on holiday, be (go) on one's holidays, amer. be on vacation; tillbringa semestern spend one's holiday, amer. spend one's vacation
semifinal *subst* sport. semifinal; **gå till ~** reach the semifinals
semikolon *subst* semicolon

seminarium *subst* univ. seminar

semitisk *adj* Semitic

semla *subst* cream bun with almond paste, eaten during Lent

1 sen *adv* o. *prep* o. *konj* se *sedan*

2 sen *adj* **1** motsats: tidig late; *för ~ ankomst* late arrival; *det börjar bli ~t* it is getting late **2** *inte vara ~ att göra ngt* not be slow to do sth

sena *subst* **1** sinew; anat. tendon **2** på tennisracket string

senap *subst* mustard

senare I *adj* later; motsats: förra latter; följande subsequent; kommande future; *det blir en ~ fråga* that will be a question for later on; *på ~ år* de här åren in the last few years **II** *adv* later; längre fram later on

senast I *adj* latest; sist i ordning last; *de ~e veckorna* the last few weeks **II** *adv* latest; motsats: först last; *jag såg honom ~ i går* I saw him only yesterday; *~ i morgon* tomorrow at the latest; *allra ~ i morgon* tomorrow at the very latest; *du ska vara hemma ~ klockan fyra* you must be home by four o'clock at the latest

senat *subst* senate

senator *subst* senator

sendrag *subst* cramp

senig *adj* sinewy, om kött stringy

senil *adj* senile

senildemens *subst* senile dementia

senilitet *subst* ålderdomssvaghet senility

senior I *adj* senior **II** *subst* **1** pensionär senior citizen, pensioner **2** sport. senior

sensation *subst* sensation; *göra ~* cause a sensation

sensationell *adj* sensational

sensationsmakeri *subst* sensationalism endast sing., sensation-mongering

sensibel *adj* sensitive

sensommar *subst* late summer

sensuell *adj* sensual

sent *adv* late; *gå och lägga sig ~* som vana keep late hours; *komma för ~ till...* a) inte passa tiden be late for... b) gå miste om be too late for...; *ursäkta att jag kommer för ~* sorry I'm late

sentida *adj* present-day

sentimental *adj* sentimental

separat I *adj* separate; särskild special **II** *adv* separately

separation *subst* separation

separera *verb* separate

september *subst* September (förk. Sept.); se *april* för ex.

Serbien Serbia

serbisk *adj* Serbian, Serb

serbokroatiska *subst* språk Serbo-Croatian

serenad *subst* serenade

sergeant *subst* mil. sergeant

serie *subst* **1** series (pl. lika); i radio el. tv etc. series; följetong serial; följd, svit sequence **2** sport. league **3** *tecknad ~* el. *~ comic* strip, cartoon; *~rna* the comics, the funnies

seriefigur *subst* comic-strip character

seriekrock *subst* multiple collision, vard. pile-up

seriemord *subst* serial killing, serial murder

seriemördare *subst* serial killer, serial murderer

serietidning *subst* med tecknade serier comic, comic paper

serietillverkad *adj* mass-produced

serietillverkning *subst* serial production, mass production

seriös *adj* **1** serious; högtidlig solemn **2** om t.ex. firma responsible, reliable

serum *subst* med. serum

serva *verb* **1** sport. serve; *vem ~r?* whose serve is it? **2** *~ bilen* have one's car serviced

serve *subst* serve, service

serveess *subst* i tennis ace

servegame *subst* sport. service game

servegenombrott *subst* sport. break of serve

servera *verb* **1** serve; hälla i pour out; *~ sig själv* help oneself; *middagen är ~d* el. *det är ~t* dinner is served, dinner is ready **2** betjäna vid bordet serve at table, wait at table

serveretur *subst* sport. service return

servering *subst* **1** betjäning service; uppassning waiting **2** lokal restaurant; på järnvägsstation etc. refreshment room, buffet

serveringsavgift *subst* service charge

servett *subst* napkin, serviette, amer. napkin

service *subst* service

servicebox *subst* night safe, amer. night depository

servicehus *subst* block of service flats (apartments) for the elderly or disabled

servicestation *subst* service station

serviceyrke *subst* service occupation

servis *subst* porslin etc. service, set

servitris *subst* waitress

servitör *subst* waiter

servobroms *subst* bil. power brake

servostyrning *subst* bil. power-steering

ses *verb* råkas meet, see each other; *vi* ~*!* see you later!, be seeing you!

session *subst* session, friare meeting

set *subst* i tennis set; i bordtennis el. badminton game

setboll *subst* set point; i bordtennis el. badminton game ball

setter *subst* hund setter

Sevilla Seville

sevärd *adj, den är* ~ it's worth seeing

sevärdhet *subst, ~erna i staden* the sights of the town; *det är en verklig* ~ it's really worth seeing

1 sex *räkn* six; se *fem* för ex. o. *fem-* för sammansättningar

2 sex *subst* det sexuella sex; *ha* ~ *med* have sex with, make love to

sexa *subst* six; se *femma* för ex.

sexcylindrig *adj, en* ~ *bil* a six-cylinder car; *bilen är* ~ the car has six cylinders

sexig *adj* sexy

sexism *subst* sexism

sexist *subst* sexist

sexkantsnyckel *subst* Allen key, amer. Allen wrench

sexliv *subst* sex life

sexti *räkn* vard. se *sextio*

sextio *räkn* sixty; se *fem* för ex. o. *femtio-* för sammansättningar

sextionde *räkn* sixtieth

sextiowattslampa *subst* sixty-watt bulb

sexton *räkn* sixteen; se *femton* för ex. o. *femton-* för sammansättningar

sextonde *räkn* sixteenth (förk. 16th); se *femte* för ex. o. *femte-* för sammansättningar

sextondelsnot *subst* musik. semiquaver, amer. sixteenth-note

sextrakasserier *subst pl* sexual harassment sing.

sexualdrift *subst* sex urge, sexual urge

sexualförbrytare *subst* sexual offender

sexualitet *subst* sexuality

sexualliv *subst* sex life

sexualrådgivning *subst* sexual guidance

sexualundervisning *subst* sex instruction

sexualupplysning *subst* sex education

sexuell *adj* sexual

sfinx *subst* sphinx

sfär *subst* sphere

sheriff *subst* sheriff

sherry *subst* sherry

shoppa *verb* shop; *gå och* ~ go shopping

shoppingcentrum *subst* shopping centre

shoppingrunda *subst* vard. shopping spree

shoppingvagn *subst* shopping trolley, cart

shoppingväska *subst* shopping bag

shorts *subst pl* shorts; *ett par* ~ a pair of shorts, shorts

show *subst* show

si *adv, det görs än* ~*, än så* it is done sometimes this way, sometimes that; *det är lite* ~ *och så med hans kunskaper i...* his knowledge of... isn't up to much

sia *verb* prophesy [*om* of]

Siames *subst* katt Siamese (pl. lika)

siamesisk *adj* Siamese

Sibirien Siberia

sibirisk *adj* Siberian

siciliansk *adj* Sicilian

Sicilien Sicily

sicksack *subst, i* ~ in a zigzag, zigzag

sida *subst* **1** side; ~ *vid* ~ side by side; *det är hennes starka* ~ it is her strong point; *byta* ~ i bollspel change ends; *han har sina goda sidor* he has his good points; *ställa sig på ngns* ~ side with sb, take sides with sb; *hon tjänar lite vid* ~*n om* she earns a little on the side; *å ena* ~*n...å andra* ~*n* on one hand... on the other, on the one hand... on the other; *gå åt* ~*n* step aside; *gå åt* ~*n för ngn* make room for sb; *lägga ngt åt* ~*n* put sth aside, put sth away; om t.ex. problem put sth on one side **2** i bok page; *se* ~*n* (förk. *sid.*) **5** see page (förk. p.) 5

sidbyte *subst* sport. change of ends

siden *subst* silk

sidfläsk *subst* rökt el. saltat bacon

sidkollision *subst* bil. side-on collision

sidled *subst, i* ~ sideways, laterally

sidlinje *subst* i tennis sideline; fotb. touchline

sidnumrering *subst* pagination, page numbering

sidospår *subst* sidetrack

sidovind *subst* side wind

siesta *subst* siesta; *ta* ~ take a siesta

siffra *subst* figure, konkret figure, numeral; enstaka i flersiffrigt tal digit; antal number; *romerska siffror* Roman numerals; *skriva med siffror* write in figures

sifon *subst* siphon

sig *pron,* ~ el. ~ *själv* maskulin himself, feminin herself, neutrum itself; pl. themselves; 'man' oneself; *man måste försvara* ~ one must defend oneself; *hon hade inga pengar på* ~ she had not got any money on her; *han tvättade* ~ *om händerna* he washed his hands; *hon sade* ~ *vara nöjd* she said she was satisfied; *känna* ~ *trött*

feel tired; *lära* ~ learn; *rädd av* ~ timid,
inclined to be timid; *hon hade ingenting
på* ~ she had nothing on; *gå hem till* ~ go
home
sightseeing *subst* sightseeing; *vara ute på* ~
be out sightseeing, be out on a sightseeing
tour
sigill *subst* seal
signal *subst* signal; ringning ring; *ge* ~ make a
signal; med signalhorn sound the horn; *slå en
~* el. *slå en ~ till ngn* ringa upp give sb a
ring
signalement *subst* description [*på* of]
signalera *verb* signal
signalhorn *subst* bil. horn, hooter
signatur *subst* **1** signature **2** författarnamn pen
name; initialer initials
signaturmelodi *subst* signature tune
signera *verb* sign
signifikativ *adj* **1** typisk typical **2** betydelsefull
significant
sik *subst* whitefish
1 sikt *subst* såll sieve
2 sikt *subst* **1** visibility; *ha fri* ~ have a clear
view **2** tidrymd, *på lång* ~ in the long view
1 sikta *verb* sålla sift; t.ex. grus screen
2 sikta *verb* **1** få syn på sight **2** rikta aim [*på,
mot, till* at]
sikte *subst* sight; *ta* ~ *på* aim
siktförbättring *subst, en* ~ improved
visibility
siktförsämring *subst, en* ~ reduced visibility
sil *subst* **1** strainer; durkslag colander **2** sl.,
narkotikados shot
sila *verb* **1** strain **2** om t.ex. vatten, sand trickle;
om ljus filter; *regnet ~r ned* it is steadily
pouring down
silhuett *subst* silhouette
silikon *subst* kem. silicone
silikonbehandlad *adj* silicone-treated
silikos *subst* silicosis

sig
En del vanliga svenska reflexiva ut-
tryck är inte reflexiva på engelska,
dvs. de saknar motsvarighet till sig:
approach närma sig, *dress* klä sig, *feel*
känna sig, *hurry* skynda sig, *learn*
lära sig, *lie down* lägga sig, *move* röra
sig, *shave* raka sig, *sit down* sätta sig,
turn vända sig, *wash* tvätta sig,
worry oroa sig

silke *subst* silk
silkesgarn *subst* silk yarn
silkeslen *adj* silky
silkesmask *subst* silkworm
silkespapper *subst* tissue paper
silkesvantar *subst pl, behandla ngn med* ~
handle sb with kid gloves
sill *subst* herring; *inlagd* ~ pickled herring
silver *subst* silver
silverbröllop *subst* silver wedding
silvergran *subst* silver fir
silvermedalj *subst* silver medal
silverputs *subst* silver polish
silversmed *subst* silversmith
silverstämpel *subst* silver mark
simbassäng *subst* swimming-pool
simborgarmärke *subst* swimming badge,
swimming badge for 200 metres
simdyna *subst* float, armkudde water wing
simfot *subst* **1** zool. webbed foot **2** sport.,
simfötter diving flippers
simfötter *subst pl* sport. flippers
simhall *subst* public swimming baths pl.
simkunnig *adj, han är* ~ he can swim
simlärare *subst* swimming instructor
simma *verb* swim; ~ *bra* be a good swimmer
simmare *subst* swimmer
simmärke *subst* swimming badge
simning *subst* swimming
simpel *adj* **1** common, ordinary; enkel simple
2 lumpen mean; tarvlig vulgar
simsalabim *interj* trollformel hey presto,
abracadabra
simskola *subst* swimming school
simsport *subst* swimming
simtag *subst* swimming stroke; *ta några
lugna* ~ swim with a steady slow stroke
[*mot* towards]
simulera *verb* **1** sham; spela sjuk sham illness
2 efterbilda simulate
simultantolka *verb* translate simultaneously
simultantolkning *subst* simultaneous
translation
sin (*sitt, sina*) *pron* **1** tillsammans med ett subst.
his, her, its; syftande på flera ägare their; med
syftning på 'one' one's; självst.: his, hers, its,
theirs **2** *på ~a ställen* (*håll*) in places,
here and there; *på* ~ *tid* förr formerly;
någon har glömt kvar ~ *väska*
somebody has forgotten his (vard. their)
bag
sina *verb* go dry; om t.ex. förråd give out, run
short; *en aldrig ~nde ström* a
never-ending stream

singel *subst* **1** i tennis singles (pl. lika); match singles match **2** cd el. vinylskiva single

singelolycka *subst* one-car accident

singla *verb* kasta toss; ~ *slant om* toss for; *ska vi ~ slant?* let's toss up!

singular *subst* gram. the singular; *stå i ~* be in the singular; *första person ~* first person singular

singularform *subst* singular form

singularis *subst* se *singular*

sinnad *adj* lagd minded; inriktad disposed; *fientligt ~ nation* hostile nation

sinne *subst* **1** fysiol. sense; *vara från sina ~n* be out of one's mind, be out of one's senses; *vid sina ~ns fulla bruk* in full possession of all one's senses **2** förstånd mind; hjärta heart; sinnelag disposition, nature; *ett glatt ~* a cheerful disposition; *ha ~ för* have a feeling for; ha blick för have an eye for; förstå sig på have an instinct for; *man vet inte vad han har i ~t* one doesn't know what he is up to; *sätta sig i ~t att göra ngt* set one's mind on doing sth; *vara glad till ~s* be in a happy mood

sinnelag *subst* disposition, temperament

sinnesförvirrad *adj* mentally deranged

sinnesförvirring *subst* mental derangement

sinnesintryck *subst* sensory impression

sinnesnärvaro *subst* presence of mind

sinnesrörelse *subst* emotion

sinnessjuk *adj* åld., se *mentalsjuk*

sinnesstämning *subst* frame of mind, state of mind, mood

sinnlig *adj* sensuell sensual

sinnrik *adj* ingenious

sinom *pron*, *i ~ tid* in due course

sinsemellan *adv* between themselves; om flera vanligen among themselves

sippa *subst* blomma wild anemone

sippra *verb* trickle; droppvis tränga ooze; ~ *ut* trickle out, ooze out; läcka leak out

sirap *subst* kok. **1** ljus golden syrup, amer. light syrup **2** mörk black treacle, amer. molasses **3** fruktsirap syrup

siren *subst* mytol. el. larmapparat siren

sirlig *adj* prydlig elegant, graceful

sist *adv* last; *ligga ~* i tävling be last; ~ *i boken* at the end of the book; ~ *i kön* at the end of the queue; ~ *men inte minst* last but not least; *det har hänt mycket sedan ~* lots of things have happened since the last time; *till ~* till slut finally, in the end; avslutningsvis lastly

sista *(siste)* *adj* last, bakerst last, back; senaste latest; slutlig final; *på ~ bänk* i sal etc. in the

back row; ~ *delen* the last part; av två the latter part; *de ~ dagarna* the last few days; *de två ~ dagarna* the last two days; ~ *gången* the last time; förra gången last time; *lägga ~ handen vid...* put the finishing touches to...; *i ~ hand* last, last of all; ~ *sidan* i tidning the back page; *in i det ~* to the very last

sistnämnda *adj* last-mentioned

sistone *subst*, *på ~* lately

sisu *subst* never-say-die attitude, bulldog spirit

sits *subst* seat, på stol seat, bottom

sitt *pron* se *sin*

sitta I *verb* **1** sit; sitta ned sit down; vara, befinna sig be; *var så god och sitt!* please take a seat!; ~ *hemma* be at home; stanna stay at home; ~ *och läsa* sit reading; hålla på att be reading; ~ *i fängelse* be in prison; *hon sitter i sammanträde* she is at (in) a meeting; *han sitter i telefon* he is engaged on the phone **2** om sak be; ha sin plats be placed; hänga hang; vara satt be put; anbragt be fixed, be fitted; *klänningen sitter bra* the dress fits well

II *verb* med betonad partikel

sitta av avtjäna **ett straff** serve a sentence

sitta fast ha fastnat stick, be stuck; vara fastsatt be fixed; vara fastklibbad adhere

sitta i om t.ex. skräck remain; *fläcken sitter i* the stain is still there

sitta ihop have stuck together; vara hopsatt be put together, be fastened together

sitta inne 1 inomhus be indoors; hålla sig stay indoors **2** i fängelse be in prison, vard. do time, be inside

sitta kvar 1 inte resa sig remain sitting, remain seated; *sitt kvar!* don't get up! **2** vara kvar remain

sitta med i styrelsen be a member of the board, be on the board

sitta ned (ner) sit down

sitta uppe sit up; om sak: vara uppsatt be up; ~ *uppe halva natten* be (stay, sit) up half the night

sitta åt be tight, stark. be too tight

sittande *adj* sitting; *den ~ regeringen* the Government in office; *i ~ ställning* in a sitting position

sittfläsk *subst* vard., *ha ~* be a real sticker, have staying power

sittplats *subst* seat

sittstrejk *subst* sit-down strike

sittvagn *subst* för barn pushchair, amer. stroller

situation *subst* situation; *vara* ~*en vuxen* be equal to the occasion

situp *subst* gymn. sit-up

sjabbig *adj* shabby

sjakal *subst* djur jackal

sjal *subst* shawl; halsduk scarf (pl. scarfs el. scarves)

sjalett *subst* kerchief

sjappa *verb* vard. bolt, make off

sjaskig *adj* slovenly; sjabbig shabby

sjok *subst* t.ex. av tyg, snö sheet

sju *räkn* seven; se *fem* för ex. o. *fem-* för sammansättningar

sjua *subst* seven; se *femma* för ex.

sjuda *verb* seethe; småkoka simmer

---

sjuk

I was sick yesterday betyder på brittisk engelska vanligen *jag mådde illa i går*. En amerikan skulle däremot uppfatta det som *jag var sjuk i går*. Här skulle en engelsman säga *I was ill yesterday*.

---

sjuk *adj* **1** vanligen före subst. i brittisk engelska sick, som predikatsfyllnad ill; *bli* ~ fall ill, be taken ill [*i influensa* with flu] **2** amer. före subst. el. som predikatsfyllnad sick **3** ~ *humor* sick humor

sjukanmäla *verb*, ~ *sig* report sick

sjukanmälan *subst* notification; *göra* ~ report sick

sjukbädd *subst* sjuksäng sickbed; *vid* ~*en* at the bedside

sjukdom *subst* illness; svårare, av bestämt slag disease; *smittsam* ~ infectious disease, epidemic disease

sjukdomsfall *subst* case of illness

sjukersättning *subst* sickness benefit

sjukfrånvaro *subst* absence due to illness

sjukförsäkring *subst* health insurance

sjukgymnast *subst* physiotherapist, vard. physio (pl. -s)

sjukgymnastik *subst* physiotherapy

sjukhem *subst* nursing home

sjukhus *subst* hospital; *ligga på* ~ be in hospital, amer. be in the hospital

sjukhussjuka *subst* hospital infection

sjukintyg *subst* certificate of illness; utfärdat av läkare doctor's certificate

sjukledig *adj*, *vara* ~ be on sick-leave; *han har varit* ~ *en vecka* he has been absent for a week owing to illness

sjuklig *adj* lidande sickly, unhealthy

sjukling *subst* sick person, invalid

sjukpenning *subst* sickness benefit

sjuksal *subst* hospital ward, ward

sjukskriva *verb*, *jag har blivit sjukskriven* I have got a doctor's certificate, I am on the sick list

sjuksköterska *subst* nurse; manlig male nurse

sjuksköterskeelev *subst* student nurse

sjuksyster *subst* nurse

sjuksäng *subst* sickbed

sjukvård *subst* **1** skötsel nursing, care of the sick; behandling medical treatment **2** organisation medical service

sjukvårdare *subst* paramedic; mil. medical orderly

sjukvårdsartiklar *subst pl* sanitary articles

sjukvårdsbiträde *subst* nurse's assistant

sjumannalag *subst* seven-a-side team

sjunde *räkn* seventh (förk. 7th); se *femte* för ex. o. *femte-* för sammansättningar

sjundedel *subst* seventh; se *femtedel* för ex.

sjunga I *verb* sing [*för ngn* to sb]; ~ *falskt* sing out of tune; ~ *rent* sing in tune **II** *verb* med betonad partikel

sjunga med join in the singing

sjunga ut sing up; säga sin mening speak one's mind

sjunka *verb* sink; falla fall, drop; bli lägre subside; minska decrease; *priserna har sjunkit* prices have fallen; *temperaturen sjunker* the temperature is falling; ~ *i pris* go down in price; ~ *ihop* falla ihop collapse; ~ *ned i en fåtölj* sink into an armchair

sjunkbomb *subst* depth charge, depth bomb

sjutti *räkn* vard. se *sjuttio*

sjuttio *räkn* seventy; se *fem* för ex. o. *femtio-* för sammansättningar

sjuttionde *räkn* seventieth

sjutton *räkn* **1** seventeen; se *femton* för ex. o. *femton-* för sammansättningar **2** i svordomar el. vissa uttryck: Lord!; *ja, för* ~! yes, damn it!; javisst you bet!; *vad* ~ *skulle jag göra det för?* why on earth should I do that?; *full i* ~ full of mischief; *det var dyrt som* ~ it cost the earth

sjuttonde *räkn* seventeenth (förk. 17th); se *femte* för ex. o. *femte-* för sammansättningar

sjå *subst*, *ett fasligt* ~ a tough job

sjåpa *verb*, ~ *sig* vard. be namby-pamby; göra sig till be affected, put it on

sjåpig *adj* vard. namby-pamby; tillgjord affected

själ *subst* soul; sinne mind; ande spirit; *lägga*

in hela sin ~ *i* put one's heart and soul
into; *i* ~ *och hjärta* innerst inne in one's
heart of hearts

själslig *adj* mental; andlig spiritual

själv *pron* **1** *du* ~ yourself; *jag* ~ myself;
han ~ himself; *hon* ~ herself; *den (det)* ~
itself; *man* ~ oneself, yourself; *vi* ~*a*
ourselves; *ni* ~*a* yourselves; *de* ~*a*
themselves; *mig* ~ myself; *hon har*
pengar ~ egna she has got money of her
own; *han kom* ~ personligen he came in
person; *du ser* ~ *hur*... you can see for
yourself how...; *du* ~ *då!* what about
you!, what about yourself!; *gå* ~*!* you go!;
säg ~ *när!* say when! **2** ~*a arbetet* arbetet i
sig the work itself; ~*a* blotta *tanken* the very
idea; ~*a* (~*aste*) *presidenten* the
president himself; t.o.m. presidenten even the
presindent

självaktning *subst* self-respect, self-esteem

självbedrägeri *subst* self-deception

självbehärskning *subst* self-command,
self-control

självbelåten *adj* self-satisfied

självbestämmanderätt *subst* right of
self-determination

självbetjäning *subst* self-service

självbevarelsedrift *subst* instinct of
self-preservation

självbiografi *subst* autobiography

självbiografisk *adj* autobiographical

självdeklaration *subst* income-tax return

självdisciplin *subst* self-discipline

självfallet *adv* obviously, of course

självförebråelse *subst* self-reproach

självförsvar *subst* self-defence

självförsörjande *adj* self-supporting; om land
self-sufficient

självförtroende *subst* self-confidence; *ha* ~
be self-confident

självförverkligande *subst* self-fulfilment

självförvållad *adj* self-inflicted

självgod *adj* self-righteous

självhjälp *subst* self-help

självhäftande *adj* self-adhesive

självinstruerande *adj*, ~ *material*
self-instructional material

självironi *subst* self-irony

självisk *adj* selfish, egoistic

självklar *adj* uppenbar obvious, self-evident;
ja, det är ~*t!* yes, of course!

självklarhet *subst*, *det är en* ~ it is obvious,
it stands to reason

självkostnadspris *subst*, *till* ~ at cost price

självkritik *subst* self-criticism

självkänsla *subst* self-esteem

självlockig *adj* om hår naturally curly

självlysande *adj* luminous

självlärd *adj* self-taught

självmant *adv*, *hon gjorde det* ~ she did it
of her own accord

självmedveten *adj* säker self-assured,
self-confident

självmord *subst* suicide; *begå* ~ commit
suicide

självmordsbombare *subst* suicide bomber

självmordsförsök *subst* attempted suicide;
göra ett ~ attempt to commit suicide

självmål *subst*, *göra ett* ~ sport. el. allm. score
an own goal

självporträtt *subst* self-portrait

självrannsakan *subst* soul-searching

självrisk *subst* försäkringsterm excess

självservering *subst* lokal self-service
restaurant, mindre cafeteria; *här är det* ~
it's self-service here

självskriven *adj* självklar natural; ~ *till en*
plats just the person for the job

självstudier *subst pl* private studies

självständig *adj* independent

självständighet *subst* independence

självsvåldig *adj* egenmäktig arbitrary,
high-handed

självsäker *adj* self-assured, self-confident

självuppoffring *subst* self-sacrifice

självupptagen *adj* self-centred

självändamål *subst*, *ett* ~ an end in itself; ~
pl. ends in themselves

sjätte *räkn* sixth (förk. 6th); *ett* ~ *sinne* a
sixth sense; se *femte* för ex. o. *femte-* för
sammansättningar

sjättedel *subst* sixth; se *femtedel* för ex.

sjö *subst* insjö lake; hav sea; *jag sitter inte i*
~*n* har inte bråttom I'm in no hurry; det går
ingen nöd på mig I'm all right; *till* ~*ss* sjöledes
by sea, på sjön at sea; *gå till* ~*ss* om person go
to sea, om båt put to sea; *ute till* ~*ss* on the
open sea

sjöduglig *adj* seaworthy

sjöfart *subst* navigation; *handel och* ~ trade
and shipping

sjögräs *subst* seaweed

sjögående *adj* seagoing

sjögång *subst* high sea, rough sea; *det är*
svår ~ there is a heavy sea

sjöjungfru *subst* mermaid

sjökapten *subst* sea captain

sjökort *subst* chart

sjölejon *subst* sea lion

sjöman *subst* sailor, i mera officiellt språk seaman

sjömil *subst* nautisk mil nautical mile

sjömärke *subst* navigation mark, seamark

sjörapport *subst* väderleksrapport weather forecast for sea areas

sjöresa *subst* voyage, sea voyage; överresa crossing

sjörövare *subst* pirate

sjösjuk *adj* seasick; *hon blir lätt ~* she gets easily seasick, she is a bad sailor

sjösjuka *subst* seasickness

sjöstjärna *subst* zool. starfish

sjöstridskrafter *subst pl* naval forces

sjösätta *verb* launch

sjösättning *subst* launching

sjötomt *subst* vid havet site bordering on the sea; vid insjö site bordering on a lake

sjötunga *subst* fisk sole

s.k. (förk. för *så kallad*); *den ~ svarta lådan* the so-called black box, the black box as it is called; *denne ~ författare* neds. that so-called author

ska I (*skall; skulle*) *hjälpverb* **1** för att uttrycka ren framtid = 'kommer att': i första person will, shall; i övriga fall will; *skulle* i första person would, should; i övriga fall would; ofta konstruktion med be going to; *jag hoppas ni ~ trivas här* I hope you will be happy here; *jag frågade honom om han skulle komma hem till middag* I asked him if he would be home for dinner; *jag ~ träffa honom i morgon* I will (I shall, I'll) meet him tomorrow, I am going to meet him tomorrow; *ingen visste vad som skulle hända* nobody knew what would happen, nobody knew what was going to happen **2** konditionalt *skulle*: i första person would, should; i övriga fall would; *det skulle inte förvåna mig om han gifte om sig* I wouldn't (shouldn't) be surprised if he remarried; *det skulle jag tro* I would (should) think so; *om jag varit som du, skulle jag ha vägrat* in your place I would (should) have refused; *utan hans hjälp skulle hon ha drunknat* without his help she would have been drowned **3** om något omedelbart förestående, *~ (skulle)* = ämnar (ämnade), tänker (tänkte): *jag ~ spela tennis i eftermiddag* I'm going to play tennis this afternoon; *jag ~ just packa* I'm about to pack, I'm just going to pack; *det ser ut som om det skulle bli regn* it looks as if it's going to rain; *när ~ du resa?* when are you leaving?, when are you going?; *~ du stanna över natten?* are you staying

the night? **4** om något på förhand bestämt, enligt avtal el. ödet, konstruktion med be to inf.; *konserten ~ äga rum i domkyrkan* the concert is to take place in the cathedral; *om vi ~ vara där klockan tre måste vi..*, if we are to be there at three we have to...; *föreställningen skulle börja klockan åtta* the performance was to begin at eight; *kriget skulle vara mer än fyra år* the war was to last for more than four years **5** för att uttrycka subjektets egen vilja, avsikt will; *skulle* would; *jag ~ se vad jag kan göra* I will (I'll) see what I can do; *jag skulle ge vad som helst för att få igen den* I would (I'd) give anything to have it back **6** för att uttrycka annans vilja än den talande shall; *skulle* should; *~ jag öppna fönstret?* shall I open the window?; *jag vet inte vad jag ~ säga* I don't know what to say; *jag lovade att han skulle få pengarna* I promised that he would have the money; *vad vill du att jag ~ göra?* what do you want me to do?; *hon bad mig att jag skulle komma genast* she asked (told) me to come at once; *jag väntade mig inte att du skulle vara här* I didn't expect you to be here **7** för att uttrycka lämplighet och tvång: *~ (skulle)* a) = bör (borde): should i alla personer, stark. ought to b) = måste: presens must; imperfekt had to; *hon skulle ha varit mer försiktig* she should (ought to) have been more careful; *du skulle ha sett honom* you should have seen him; *varför ~ ni alltid gräla?* why must you always quarrel? **8** för att uttrycka åsikt, förmodan: *~ (skulle)* = säges (sades), påstås (påstods): konstruktion med be said to; *hon ~ vara mycket musikalisk* she is said to be very musical, they say she is very musical; *hon skulle* enligt vad det påstods *vara omgift med en amerikanare* she was said to be remarried to an American **9** i att-satser: *det är synd att han ~ vara så lat* it is a pity that he should be so lazy; *det är konstigt att det ~ vara så svårt* it's strange that it should be so difficult; *jag längtar efter att skolan ~ sluta* I long for school to break up; *han litar på att jag ~ hjälpa henne* he relies on me to help her; *han var angelägen om att hon skulle komma tillbaka* he was anxious for her to return **10** i avsikts-, villkors- el. medgivandebisatser: *skulle* would, should; *han sänkte rösten för att vi inte skulle höra vad han sade* he lowered his voice so that we would (should) not hear what he said; *om han ~ räddas, måste något göras genast* if he is to be saved, something must be done at once; *om* om händelsevis *något skulle inträffa, hör jag av mig* if anything should happen, I'll let you know; *om* om mot all förmodan *jag skulle vinna högsta vinsten, skulle jag resa till Japan* if I were to win the first prize, I would (should) go to Japan **11** spec. fall: *det ~ du säga som aldrig har försökt!* that's easy for you to say who have never tried!; *du skulle bara våga!* you just dare!; *vad ~ det här betyda?* what is the meaning of this?; *vad ~ det tjäna till?* what is the use, what is the good of that?; *vad ~ det här föreställa?* what is this supposed to be?; *naturligtvis skulle det hända just mig* of course it would happen to me of all people **II** (*skall; skulle*) *huvudverb* (det eg. huvudverbet är utelämnat i svenskan): *jag ~ av* tänker stiga av *här* I'm getting off here; *jag ~ bort* I'm going out; *jag ~ i väg nu* I must be off now, I must be going now; *vad ~ jag med det till?* what am I supposed to do with that?

skabb *subst* med. scabies

skada I *subst* persons injury; saks damage (endast sing.); ont harm; *det är ingen ~ skedd* there is no harm done; *få svåra skador* be seriously injured, be seriously hurt; om sak be seriously damaged; *ta ~ av* bli lidande suffer from; om sak be damaged by; *ta ~n igen* make up for it **II** *verb* person injure; sak damage; vara skadlig för be bad for, harm; *det ~r inte att försöka* there is no harm in trying

skadad *adj* om person el. kroppsdelar injured; om sak damaged; *den ~e* the injured person; *de ~e* the injured

skadeanmälan *subst* notification of damage, notification of loss

skadeglad *adj* om t.ex. min malicious

skadeglädje *subst* malicious pleasure

skadegörelse *subst* damage [*på* to]

skadereglering *subst* försäkringsterm claims adjustment

skadestånd *subst* damages pl.

skadeståndsskyldig *adj*, *vara ~* be liable to damages

skadeverkan *subst* 1 o. **skadeverkning** *subst* skada damage (endast sing.) **2** skadlig verkan harmful effect

skadlig *adj* injurious, harmful; *det är ~t för*

hälsan att röka smoking is bad for the health

skaffa *verb* **1** get; få tag på get hold of; inhämta obtain; *~ ngn ngt* a) get sb sth, find sb sth b) förse ngn med ngt provide sb with sth; *~ barn* have children, raise a family **2** *~ sig* get oneself; t.ex. kunskaper acquire; t.ex. vänner make; inhämta obtain; lyckas få secure; förse sig med provide oneself with

skafferi *subst* larder; större pantry

skafföttes *adv*, *ligga ~* lie (sleep) head to foot

skaft *subst* **1** på t.ex. redskap, bestick handle **2** bot. stalk, stem

skaka I *verb* shake [*av* with]; om åkdon jolt; *han ~de i hela kroppen* he was trembling all over; *~ på ngt* shake sth; *~ på huvudet* shake one's head **II** *verb* med betonad partikel

skaka av shake off; *~ av sanden från filten* shake the sand off the blanket; *hon ~de av sig mannen som följde efter henne* she shook off the man who was following her

skaka fram shake out [*ur* of]; lyckas hitta produce, find

skaka om shake ... well; *~ om flaskan* shake up the bottle; *~ om ngn* give sb a shake

skakad *adj* upprörd shaken, upset

skakande *adj* om t.ex. nyheter upsetting, shocking

skakel *subst* skalm shaft

skakig *adj* shaky; om vagn jolting, jogging

skakis *adj* vard. shaky; nervös jittery

skakning *subst* enstaka shake; vibration vibration; *med en ~ på huvudet* with a shake of the head

skal *subst* **1** hårt: på t.ex. nötter, skaldjur, ägg shell **2** mjukt: på t.ex. druva, banan skin; på t.ex. potatis, citrusfrukter peel **3** avskalade skal, peelings pl.

1 skala *subst* scale; på radio tuning dial; *göra ngt i stor ~* do sth on a large scale

2 skala *verb* t.ex. frukt, potatis, räkor peel; ägg shell; *~ av* peel

skalbagge *subst* beetle

skald *subst* poet

skaldjur *subst* shellfish; maträtt sea food

1 skall *verb* se *ska*

2 skall *subst* hunds barking

skalle *subst* **1** skull **2** anat., huvud head, vard. nut

skallerorm *subst* rattlesnake

skallgång *subst*, *gå ~ efter ngn* organize a search for sb

skallig *adj* flintskallig bald, bald-headed

skallra I *subst* rattle

II *verb* rattle; *tänderna ~de på honom* his teeth chattered

skalm *subst* på glasögon side, sidepiece, amer. temple, bow [bəʊ]

skalp *subst* o. **skalpera** *verb* scalp

skalv *subst* quake, svag. tremor

skam *subst* shame; skamfläck disgrace [*för* to]

skamfilad *adj*, *ett skamfilat rykte* a tarnished reputation

skamfläck *subst* stain [*på*, *i* on], blot [*på*, *i* on]; *en ~ för* a disgrace to

skamkänsla *subst* sense of shame, feeling of shame

skamlig *adj* shameful, disgraceful; friare scandalous

skamlös *adj* shameless; fräck impudent

skamsen *adj* shamefaced; *vara ~ över* be ashamed of

skamvrå *subst*, *stå i ~n* stand in the corner; *ställa i ~n* put in the corner

skandal *subst* scandal; *det är en rena ~en!* it's a disgrace!; *göra ~* cause a scandal

skandalös *adj* scandalous; uppträdande outrageous

skandinav *subst* Scandinavian

Skandinavien Scandinavia

skandinavisk *adj* Scandinavian

skapa *verb* create, make; *han är som skapt för det* he is just cut out for it

skapande *adj* creative

skapare *subst* creator; av t.ex. mode el. stil originator

skapelse *subst* creation

skaplig *adj* tolerable, not bad

skapligt *adv* pretty well, fairly well

skara *subst* troop, band; *i stora skaror* in large crowds

skare *subst* frozen crust, frozen crust on the snow

skarp I *adj* sharp; brant steep; om smak el. lukt strong; om ljud piercing; om ljus, färg etc. bright, glaring; om sinnen keen; *~ ammunition* live ammunition; *~ protest* strong protest

II *subst*, *ta i på ~en med ngn* crack down on sb; *säga till ngn på ~en* tell sb off properly

skarpsinne *subst* sharp-wittedness

skarpsinnig *adj* acute, sharp-witted

skarpt *adv*, *skjuta ~* shoot with live ammunition

1 skarv *subst* fog joint; vid sömnad seam; tekn. splice

2 skarv *subst* fågel cormorant

skarva *verb* lägga till ett stycke add a piece [*ngt* to sth]; *~ ihop* join; tekn. splice; *~ ngt* sömnad piece sth together

skarvsladd *subst* extension flex, amer. extension cord

skata *subst* fågel magpie

skateboard *subst* skateboard

skatt *subst* **1** rikedom treasure; *~er* riches **2** avgift etc.: tax; kommunalskatt, ungefär local taxes pl.; i Storbritannien, ungefär rates pl.; på vissa varor el. tjänster duty; *det är ~ på bensin* there is a tax on petrol

skatta *verb* **1** värdera, uppskatta estimate, value [*till* at]; *~ sig lycklig* count oneself fortunate **2** betala skatt pay taxes; *~ för en inkomst* pay taxes on an income; *han ~r för... om året* he is assessed at... a year

skattebetalare *subst* taxpayer

skatteflykt *subst* undandragande av skatt tax evasion

skatteflykting *subst* tax exile

skattefri *adj* tax-free

skattefusk *subst* tax evasion

skattehöjning *subst* increase in taxation

skattelättnad *subst* tax relief

skattemyndighet *subst*, *~er* tax authorities

skatteparadis *subst* tax haven

skatteplanera *verb* engage in tax evasion, try to avoid taxation

skatteplanering *subst* tax evasion, tax dodging

skattepliktig *adj* om varor el. inkomst taxable

skatteskolkare *subst* tax evader, tax dodger

skatteskuld *subst* tax debt

skattesmitare *subst* tax evader, tax dodger

skattesänkning *subst* tax reduction

skattetabell *subst* tax table

skattetryck *subst* pressure of taxation, burden of taxation

skatteåterbäring *subst* tax refund

skattmas *subst* tax-collector

skattmästare *subst* treasurer

skattsedel *subst* ungefär income-tax demand note

skattskyldig *adj*, *vara ~* be liable to tax

skava *verb* gnida, riva rub, chafe; *skorna skaver* my shoes make my feet sore; *~ av (bort)* t.ex. färg scrape, scrape off

skavank *subst* fel defect, fault

skavfötters *adv* se *skafföttes*

skavsår *subst* sore

ske *verb* hända happen, occur; äga rum take place; *det har ~tt en förbättring* there

has been an improvement; *vad som ~r* el.
vad som händer och ~r what is going on
sked *subst* spoon; *ta ~en i vacker hand*
make the best of a bad job
skede *subst* period; fas phase; stadium stage
skeende *subst* course of events
skela *verb* squint
skelett *subst* **1** skeleton **2** stomme framework
skelögd *adj* squint-eyed, cross-eyed
skelögdhet *subst* squint
sken *subst* **1** ljus etc. light, glare **2** falskt yttre etc.
show, appearance; förevändning pretext,
pretence; *~et bedrar* appearances are
deceptive; *ge ~ av att vara* pretend to be
1 skena *verb* bolt; *~ i väg* run away; *en
~nde häst* a runaway horse
2 skena *subst* **1** järnv. el. löpskena rail **2** på
skridsko blade, runner
skenbar *adj* apparent
skenben *subst* shin bone
skendemokrati *subst* pseudo-democracy,
sham democracy
skenhelig *adj* hypocritical
skenhelighet *subst* hypocrisy
skenmanöver *subst* diversion
skepp *subst* **1** ship; fartyg vessel **2** inom
arkitektur nave; sidoskepp aisle
skeppa *verb*, *~ ngt* ship sth, send sth by ship
skeppare *subst* master, vard. skipper
skepparhistoria *subst* yarn; *dra en ~* spin a
yarn
skeppsbrott *subst* shipwreck; *lida ~* be
shipwrecked
skeppsbruten *adj* shipwrecked; *en ~* a
shipwrecked man (woman, child)
skeppsredare *subst* shipowner
skeppsvarv *subst* shipyard
skepsis *subst* scepticism, amer. vanligen
skepticism
skeptisk *adj* sceptical [*mot* of], amer. vanligen
skeptical [*mot* of]
sketch *subst* sketch
skev *adj* vind warped, distorted; *en ~ bild* a
distorted picture
skick *subst* **1** tillstånd condition, state; *i dåligt
~* in bad condition; *i gott ~* in good
condition; *i sitt nuvarande ~* in its
present state **2** uppförande behaviour; sätt
manners pl.
skicka I *verb* sända send [*med, per* by];
expediera forward; vid bordet pass; *vill du ~
hit brödet!* please pass me the bread!
II *verb* med betonad partikel
skicka efter send for
skicka i väg send off

skicka med *ngt* send sth along, send sth
too
skicka omkring send round; vid bordet
pass round
skicka tillbaka return, send back
skicka vidare send on; vid bordet pass on
skicklig *adj* duktig clever, skilful; kunnig
capable; *vara ~ i ngt* be good at sth, be
clever at sth; *vara ~ i att göra ngt* be
good at doing sth, be clever at doing sth
skicklighet *subst* cleverness [*i* at], skill [*i* at,
in]
1 skida *subst* **1** kniv sheath; svärd scabbard
2 ärtskida pod
2 skida *subst* sport. ski; *åka skidor* ski; göra en
skidtur go skiing
skidbacke *subst* ski slope; för skidhopp ski
jump
skidbindning *subst* ski binding
skidbyxor *subst pl* skiing (ski) trousers
skidföre *subst*, *det är bra* (*dåligt*) *~* ungefär
the snow is good (bad) for skiing
skidglasögon *subst pl* skiing (ski) goggles
skidhandskar *subst pl* skiing (ski) gloves
skidlift *subst* ski lift
skidlöpare *subst* skier
skidsemester *subst* skiing holiday, amer.
skiing vacation
skidspår *subst* sport. ski track, ski run
skidstav *subst* ski pole
skidtur *subst* skiing-tour
skidvalla *subst* ski wax
skidåkare *subst* skier
skidåkning *subst* skiing
skiffer *subst* takskiffer slate
skift *subst* shift, arbetslag gang; *arbeta i ~*
work in shifts
skifta *verb* change, alter; omväxla med varandra
alternate; *~ i rött* be tinged with red
skiftarbete *subst* shift work
skifte *subst* change
skiftning *subst* förändring change; *rött med en
~ i blått* red with a tinge of blue
skiftnyckel *subst* adjustable spanner,
adjustable wrench
skifttangent *subst* på tangentbord shift key
skikt *subst* layer, av färg layer, coat
skild *adj* **1** åtskild separated; frånskild divorced
2 *~a* olika different, varying; *vitt ~a
intressen* widely differing interests
skildra *verb* describe, give an account of
skildring *subst* description; redogörelse account
skilja *verb* **1** avskilja, åtskilja separate; med våld
sever; *en tunn vägg skilde oss åt* we
were separated by a thin wall **2** särskilja

distinguish [*mellan, på* between]; ~ *mellan* (*på*) tell the difference between **3** ~ *sig* jur. get a divorce; ~ *sig från sin man* divorce one's husband **4** ~ *sig* skiljas åt part; vara olik differ, be different; *hon skiljer sig från mängden* she stands out from the rest

skiljas *verb* **1** part; lämna ngn ~ *ifrån ngn* leave sb; ~ *åt* part **2** ta ut skilsmässa get a divorce

skiljetecken *subst* punctuation mark

skiljeväg *subst* crossroads pl. (med verb i sing.; pl. lika)

skillnad *subst* olikhet difference; åtskillnad distinction; *till* ~ *från henne* unlike her

skilsmässa *subst* äktenskaplig divorce; *ta ut* ~ jur. sue for a divorce; *de ligger i* ~ they are seeking a divorce

skimra *verb* shimmer, glimmer

skina *verb* shine, stark. blaze

skingra *verb* disperse; t.ex. tvivel dispel; t.ex. mystiken clear up, solve; ~ *sig* disperse, scatter

skingras *verb* disperse, scatter

skinhead *subst* vard. skinhead

skinka *subst* **1** kok. ham **2** vard., om kroppsdel buttock

skinn *subst* skin; päls fur; beredd hud leather; *hålla sig i* ~*et* behärska sig control oneself, keep calm; uppföra sig behave oneself

skinnjacka *subst* läderjacka leather jacket

skipa *verb*, ~ *rätt* administer justice; ~ *rättvisa* rättvist fördela etc. see that justice is done

skippa *verb* vard., hoppa över skip

skiss *subst* **1** teckning sketch [*till* for] **2** förklaring i stora drag outline [*till* of]

skissera *verb* **1** teckna sketch **2** beskriva sketch, outline

skit *subst* exkrementer shit; smuts filth; skräp damned junk, damned rubbish; *snacka* ~ talk tripe, talk bullshit; *snacka* ~ *om ngn* run sb down

skita *verb* vulg. shit; *det skiter jag i* I don't care a damn about that; ~ *ner ngt* make sth dirty; ~ *ner sig* get dirty

skitbra *adj* vard. bloody good, damn good

skitdålig *adj* vard. lousy, crappy

skitförbannad *adj* vard. pissed off

skitig *adj* vard. filthy

skitsnack *subst* vard. crap, bullshit

skitstövel *subst* vard. bastard, amer. asshole

skiva *subst* **1** platta etc. plate; av trä etc. board; tunn sheet **2** grammofonskiva, cd disc, record

3 bordsskiva top; lös leaf (pl. leaves) **4** uppskuren slice

skivad *adj* sliced

skivbroms *subst* disc brake, spec. amer. disk brake

skivling *subst* ovamp agaric

skivpratare *subst* i radio disc jockey

skivspelare *subst* record-player

skivstång *subst* bar-bell

skjorta *subst* shirt; *det kostar* ~*n* it costs the earth

skjortblus *subst* shirtblouse, shirtwaist

skjortknapp *subst* påsydd shirt button; lös bröstknapp shirt stud

skjul *subst* redskapsbod etc. shed; kyffe hovel

skjuta I *verb* **1** med skjutvapen shoot [*mot, på* at]; ge eld, avfyra fire **2** flytta push, stark. shove; ~ *på* uppskjuta *ngt* put off sth, postpone sth **3** *katten sköt rygg* the cat arched its back **4** ~ *mål* score a goal

II *verb* med betonad partikel

skjuta av skjutvapen, skott fire, discharge

skjuta fram 1 ~ *fram stolen till brasan* push the chair up to the fire **2** sticka ut jut out, project

skjuta ifrån sig ngn (*ngt*) push sb (sth) away, stark. shove sb (sth) away

skjuta igen ngt push sth to, stänga close sth, shut sth

skjuta till bidra med contribute; ~ *till vad som fattas* make up for the deficiency

skjuta upp 1 t.ex. dörr push . . . open; rymdraket launch **2** uppskjuta put off, postpone

skjutbana *subst* shooting-range; täckt shooting-gallery

skjuts *subst* lift, ride; *få* ~ get a lift, get a ride

skjutsa *verb* köra drive; ~ *ngn* give sb a lift

skjutvapen *subst* firearm

sko
Det svenska bruket att ta av sig skorna när man hälsar på hos någon är mycket ovanligt i England och USA. I många sammanhang skulle detta uppfattas som konstigt.

sko I *subst* **1** lågsko shoe; känga boot; halvkänga bootee **2** hästsko horse shoe

II *verb* **1** förse med skor shoe **2** ~ *sig* göra sig oskälig vinst *på ngns bekostnad* line one's pocket at sb's expense

skoblock *subst* shoetree

skoborste *subst* shoebrush, bootbrush

skock *subst* oordnad mängd crowd; mindre klunga group; av djur herd, flock

skocka *verb*, ~ *sig* crowd together [*kring* round], flock together [*kring* round]

skockas *verb* se *skocka sig under skocka*

skodon *subst pl* shoes, boots and shoes; hand. footwear sing.

skog *subst* större forest; mindre wood; ofta woods pl.; *det går åt ~en* it's all going wrong, it's all going to pieces

skogbevuxen *adj* o. **skogig** *adj* wooded

skogsarbetare *subst* woodman, lumberjack

skogsbrand *subst* forest fire

skogsbruk *subst* forestry

skogsbryn *subst* edge of a wood; större edge of a forest

skogsdunge *subst* grove

skogsparti *subst* piece of woodland

skogstrakt *subst* woodland

skohorn *subst* shoehorn

skoj *subst* **1** skämtande joking; *det var bara på ~* it was only for a joke, it was only for fun **2** bedrägeri swindling; *det är rena ~et* it's a swindle

skoja *verb* skämta joke; ha hyss för sig, bråka etc. lark about, play pranks, be up to mischief; *~ med ngn* a) skämta med ngn kid sb, make fun of sb b) driva med ngn make fun of sb; *~r du?* are you joking?, you must be joking!

skojare *subst* **1** bedragare cheat, swindler; bluffmakare trickster; lymmel blackguard **2** skämtare joker; spjuver rogue

skojig *adj* lustig, konstig funny; trevlig nice; kul fun

skokräm *subst* shoe polish, shoe cream

---

skola

Leave school betyder på brittisk engelska <u>sluta skolan</u>. På amerikansk engelska använder man hellre *graduate* för att undvika att ge intryck av att man har <u>hoppat av</u> (hoppa av = *drop out*).

---

skola I *subst* school; *gå i ~n* go to school; *sluta ~n* a) för gott leave school b) för dagen, terminen finish school; *vara i ~n* be at school
II *verb* utbilda train; *~ om* retrain

skolavslutning *subst*, *~en äger rum i juni* school breaks up (amer. lets out) in June

skolbarn *subst* schoolchild (pl. schoolchildren)

skolexempel *subst*, *ett ~ på...* a typical example of...

skolflicka *subst* schoolgirl

skolgång *subst* obligatorisk school attendance; *~en börjar tidigt* children begin attending school early

skolgård *subst* playground; spec. mindre school yard

skolk *subst* truancy

skolka *verb*, ~ el. *~ från skolan* play truant, amer. play hooky; *~ från* t.ex. en lektion shirk; *~ från arbetet* keep away from one's work

skolkamrat *subst* schoolfellow, schoolmate

skolkare *subst* truant

skolklass *subst* school class, school form

skolkort *subst* **1** school photo, class photo **2** biljett schoolchildren's season-ticket

skollov *subst* ferier holidays pl., vacation, amer. vacation

skolmat *subst* school meals pl.

skolmatsal *subst* school dining-hall, school canteen

skolmogen *adj*, *vara ~* be sufficiently mature for school

skolning *subst* utbildning training

skolplikt *subst* compulsory school attendance

skolpojke *subst* schoolboy

skolradio *subst* broadcasting for schools, program broadcast for schools

skolresa *subst* school journey, school trip

skolsal *subst* klassrum classroom

skolskjuts *subst* bil car (bus) for transporting children to school

skolsköterska *subst* school nurse

skolstyrelse *subst* ungefär local education committee, local education board

skoltandvård *subst* school dental service

skoltrött *adj* ... tired of school, school-weary

skol-tv *subst* school TV; program TV programme for schools

skolungdom *subst*, *några ~ar* some schoolchildren

Skolverket *subst* The Swedish National Agency for Education

skolväska *subst* school bag, med axelrem satchel

skolålder *subst* school age

skolår *subst* school year

skomakare *subst* shoemaker

skomakeri *subst* shoemaker's

skona *verb* spare [*ngn från ngt* sb sth]

skonare *subst* o. **skonert** *subst* sjö. schooner

skoningslös *adj* merciless

skonsam *adj* mild lenient [*mot* towards];
hänsynsfull considerate [*mot* towards];
barmhärtig merciful [*mot* towards]; varsam
careful [*mot* towards]; ~ *mot huden* kind
to the skin

skontvätt *subst* delicate wash (endast sing.);
koll. delicates pl.

skopa *subst* scoop; för vätska ladle

skorpa *subst* **1** bakverk rusk **2** hårdnad yta crust;
på sår scab

skorpion *subst* **1** djur scorpion **2** *Skorpionen*
stjärntecken Scorpio

skorsten *subst* chimney; på fartyg el. lok funnel

skorstensfejare *subst* sotare chimney sweep
(sweeper)

skosnöre *subst* shoelace, amer. shoestring

skospänne *subst* shoe buckle

skosula *subst* sole

skoter *subst* scooter

skotsk *adj* Scottish, Scots; spec. om skotska
produkter Scotch; ~ *whisky* Scotch, Scotch
whisky

skotska *subst* **1** kvinna Scotswoman (pl.
Scotswomen), i England Scotswoman,
Scotchwoman (pl. Scotchwomen) **2** språk
Scots

skott *subst* **1** vid skjutning el. sport shot; laddning
charge **2** på växt shoot, sprout

skotta *verb* shovel

skottavla *subst* target

skottdag *subst* leap day

skotte *subst* person Scotsman (pl. Scotsmen),
Scot, i England Scotsman, Scot, Scotchman
(pl. Scotchmen); *skottarna* som nation el. lag
etc. the Scots, the Scotch

skottglugg *subst* loop hole; *hamna i ~en*
come under fire

skotthåll *subst*, *inom* ~ within range [*för* of];
utom ~ out of range [*för* of]

skottkärra *subst* wheelbarrow

Skottland Scotland

skottlinje *subst* line of fire

skottlossning *subst* skottväxling firing,
shooting

skottsäker *adj* ogenomtränglig bullet-proof; ~
väst bullet-proof vest

skottväxling *subst* exchange of shots

skottår *subst* leap year

skraj *adj* scared

skral *adj* **1** underhaltig poor **2** krasslig ... out of
sorts, ... poorly

skramla I *subst* rattle

    II *verb* **1** rattle; om mynt, nycklar jingle **2** samla
pengar club together

skrammel *subst* skramlande rattling; *ett* ~ a
rattle

skranglig *adj* gänglig lanky; rankig rickety

skrank *subst* railing, barrier; vid domstol bar

skrapa I *subst* **1** redskap scraper **2** skråma
scratch **3** tillrättavisning telling-off
    II *verb* scrape; riva, krafsa scratch

skraplott *subst* scratch card

skrapning *subst* med. dilatation and curettage
(förk. *D&C*)

skratt *subst* laughter; enstaka el. sätt att skratta
laugh; *få sig ett gott* ~ have a good laugh;
tjuta av ~ roar with laughter; *jag
försökte hålla mig för* ~ I tried to keep a
straight face, I tried not to laugh; *brista ut
i* ~ burst out laughing; *hon var full i* ~
she was ready to burst with laughter, she
couldn't keep a straight face

skratta *verb* laugh [*åt* at]; ~ *ut ngn* laugh sb
down

skrattgrop *subst* dimple

skrattretande *adj* laughable, ridiculous

skrattsalva *subst* burst of laughter, stark. roar
of laughter

skrattspegel *subst* distorting mirror, spec.
amer. funhouse mirror

skrev *subst* crotch, crutch

skreva *subst* klyfta cleft; spricka crevice

skri *subst* människas scream, shriek; rop cry

skriande *adj, ett* ~ *behov av* a crying need
for; *behovet är* ~ there is a crying need;
en ~ *brist på* an acute shortage of

skribent *subst* writer; journalist journalist

skrida *verb* gå långsamt glide; om tid pass on; ~
fram om person march along, stride along

skridsko *subst* skate; *åka ~r* skate; göra en
skridskotur go skating

skridskobana *subst* skating-rink

skridskoåkare *subst* skater

skridskoåkning *subst* skating

skrift *subst* **1** motsats: tal el. tryck writing;
skrivtecken characters pl. **2** handling etc.
written document; tryckt printed
document; tryckalster publication

skriftlig *adj* written

skriftligt *adv* in writing

skriftspråk *subst*, ~*et* the written language

skrik *subst* cry; rop shout; tjut yell; gällt scream,
shriek; *sista ~et* modet the latest fashion,
all the rage

skrika *verb* utstöta skrik cry, call out, cry out;
ropa shout; gällt scream, shriek

skrikande I *adj* shouting, screaming
    II *subst* shouting, screaming

skrikhals *subst* gaphals loudmouth; skrikigt barn cry-baby

skrikig *adj* **1** om barn screaming endast före subst.; om röst shrill; *barnet är så ~t* the child screams such a lot **2** om färg glaring, loud

skrin *subst* box, för smycken case

skrinlägga *verb* uppge give up; lägga på hyllan shelve; *~ planerna på ngt* shelve plans to do sth

skriva I *verb* write; *~ ren (rent)* copy out...; *~ maskin* type; *~ beloppet med bokstäver* set out the amount in writing **II** *verb* med betonad partikel

skriva av copy

skriva in 1 bokföra etc. enter **2** *~ in sig* register

skriva om på nytt rewrite

skriva på t.ex. lista write one's name on

skriva under sign one's name to, put one's name to; *du måste ~ under* you must sign, you must sign your name

skriva upp 1 anteckna write down, take down **2** *~ upp ngt* debitera ngt put sth down [*på ngn* to sb's account]

skriva ut write out; på maskin type; på data print out

skriva ut ngn från t.ex. sjukhus discharge sb

skrivare *subst* data. printer

skrivbok *subst* skol. exercise book

skrivbord *subst* writing-desk, desk; större writing-table

skrivbordsalmanacka *subst* desk calendar

skrivbordslåda *subst* desk drawer

skrivbordsunderlägg *subst* writing-pad

skrivelse *subst* official letter

skriveri *subst* writing

skrivfel *subst* slip of the pen; på maskin el. data typing-error

skrivhuvud *subst* data. printhead

skrivmaskin *subst* typewriter

skrivmaskinspapper *subst* typing-paper

skrivning *subst* skriftligt prov written test, för examen written exam

skrivstil *subst* handwriting, hand

skrivunderlägg *subst* writing-pad

skrivvakt *subst* invigilator, amer. proctor

skrock *subst* superstition

skrockfull *adj* superstitious

skrot *subst* scrap metal; järnskrot scrap iron

skrota *verb*, *~* el. *~ ned* scrap

skrothandlare *subst* scrap merchant

skrothög *subst* scrap heap

skrovlig *adj* rough; sträv harsh

skrovmål *subst*, *få sig ett ~* have a good tuck-in, have a real blow-out

skrubb *subst* rum boxroom, cubby-hole

skrubba *verb* skura scrub; gnida rub

skrubbsår *subst* graze; *jag har fått ett ~ på knät* I have grazed my knee

skrumpen *adj* shrivelled; hopkrympt shrunken

skrumpna *verb* shrivel, shrivel up; krympa shrink

skrupel *subst* scruple

skrupelfri *adj* unscrupulous

skruttig *adj* vard., *en ~ bil* an old banger; *känna sig ~* feel wretched, feel out of sorts

skruv *subst* screw; *ha en ~ lös* have a screw loose; *det tog ~* that did the trick, that went home

skruva I *verb* **1** screw **2** boll spin **II** *verb* med betonad partikel

skruva av unscrew, screw off; stänga av turn off

skruva fast ngt screw sth on, screw sth tight

skruva ned 1 fasten sth on, fasten sth tight **2** gas, radio etc. turn down, lower

skruva på gas, radio etc. turn on

skruva upp gas, radio etc. turn up

skruvmejsel *subst* screwdriver

skruvnyckel *subst* spanner, spec. amer. wrench

skruvpenna *subst* propelling pencil

skruvstäd *subst* vice

skrymmande *adj* bulky; *den är ~* it takes up a lot of space

skrymsle *subst* nook, corner

skrynkelfri *adj* creaseproof

skrynkla I *subst* crease, wrinkle; i huden wrinkle **II** *verb* tyg, *~ sig* crease, crumple, wrinkle; *~ ihop* crumple up

skrynklig *adj* creased, wrinkled; om hud wrinkled

skryt *subst* boasting; *tomt ~* an empty boast

skryta *verb* boast [*över, med* of, about]

skrythals *subst* o. **skrytmåns** *subst* boaster, braggart

skrytsam *adj* om person boastful

skråla *verb* bawl, bellow, roar

skråma *subst* scratch, slight wound

skräck *subst* fright [*för* of], dread [*för* of]; *sätta ~ i ngn* strike sb with terror

skräckexempel *subst*, *ett ~ på...* a shocking example of...

skräckfilm *subst* horror movie

skräckinjagande *adj* terrifying

skräckkabinett *subst* chamber of horrors

skräckslagen *adj* terror-struck, terror-stricken

skräckvälde *subst* reign of terror

skräda *verb, inte ~ orden* not mince matters, not mince one's words

skräddare *subst* tailor

skräddarsydd *adj* tailor-made, amer. custom-made

skräll *subst* **1** crash; smäll bang **2** sport. vard. sensation, upset; turn-up

skrälla *verb* **1** om t.ex. trumpet, högtalare blare; om fönster rattle; om åska crash **2** sport. cause a sensation, cause an upset

skrälle *subst, ett ~ till bil* a ramshackle old car

skrällig *adj* musik etc. blaring

skrämma *verb* frighten, scare; *låta ~ sig* be intimidated; *~ bort ngn* frighten sb away, scare sb away; *~ ihjäl ngn* frighten sb to death; *~ slag på ngn* scare the life out of sb

skrämsel *subst* fright, alarm

skrämseltaktik *subst* intimidating tactics pl.

skrän *subst* yell, howl; skränande yelling, howling

skräna *verb* yell, howl

skräp *subst* rubbish, trash

skräpa *verb, ~ ned* make a mess; *~ ned i rummet* litter up the room

skräpig *adj* untidy, littered

skräpkultur *subst* trash culture, junk culture

skräpmat *subst* junk food

skrävla *verb* brag, swagger

skrävlare *subst* braggart, swaggerer

skröplig *adj* bräcklig frail; om hälsa weak

skugga I *subst* motsats: ljus shade; av ett föremål shadow; *stå i ~n av ett träd* stand in the shade of a tree; *inte ~n av en chans* not an earthly chance, not the ghost of a chance

II *verb* **1** ge skugga åt shade **2** bevaka shadow, tail

skuggbild *subst* silhouette

skuggboxas *verb* shadow-box

skuggboxning *subst* shadow boxing

skuggig *adj* shady

skuggrik *adj* very shady

skuggsida *subst* shady side

skuld *subst* **1** debt; *sätta sig i ~ hos* run into debt with **2** fel fault; brottslighet guilt; *~en är min* it's my fault, I'm to blame; *vara ~ till* be to blame for; orsak till be the cause of

skulderblad *subst* shoulder blade

skuldfri *adj* **1** *en ~ person* a person without debts **2** oskyldig guiltless, innocent

skuldkänsla *subst* sense of guilt

skuldmedveten *adj* guilty; *vara ~* be guilty, be conscious of one's guilt

skuldra *subst* shoulder

skuldsatt *adj, en ~ person* a person who is in debt

skull *subst, för min ~* for my sake, just to please me; *för min egen ~* i eget intresse in my own interest; *för en gångs ~* for once

skulle *verb* se *ska*

skulptur *subst* sculpture

skulptör *subst* sculptor

1 skum *adj* **1** mörk dark **2** misstänkt shady, suspicious **3** illa beryktad disreputable

2 skum *subst* **1** foam **2** fradga froth

skumbad *subst* foam bath

skumgummi *subst* foam rubber

skumma *verb* **1** foam **2** fradga froth **3** ta bort skum på skim

skummis *subst* vard., skum person shady character

skummjölk *subst* skim milk, skimmed milk

1 skumpa *verb* jog, bump

2 skumpa *subst* vard., champagne champers (med verb i sing.), bubbly

skumplast *subst* foam plastic

skumsläckare *subst* foam extinguisher

skunk *subst* djur skunk

skur *subst* shower

skura *verb* golv scrub; göra ren clean

skurborste *subst* scrubbing-brush

skurk *subst* scoundrel, villain

skurkaktig *adj* scoundrelly, villainous

skurkstreck *subst* rotten trick, dirty trick

skurpulver *subst* scouring-powder

skurtrasa *subst* scouring-cloth

skuta *subst* small cargo boat; mindre lastfartyg, vard., båt boat

skutt *subst* hopp leap, bound

skutta *verb* leap, bound

skvala *verb* **1** pour; forsa gush **2** *musiken ~de* there was music non-stop

skvaller *subst* gossip; förtal slander

skvalleraktig *adj* gossipy; som förtalar slanderous

skvallerbytta *subst* gossip, gossipmonger; *~ bingbång!* telltale tit!

skvallerkärring *subst* old gossip

skvallertidning *subst* gossip magazine, gossip paper

skvallra *verb* gossip; sprida ut rykten tell tales

skvalmusik *subst* non-stop pop music

skvalp *subst* kluckande splash

skvalpa *verb* **1** om vågor lap **2** i kärl splash to and fro; ~ **ut** (**över**) spill, splash over, slop over

skvatt *subst*, **inte ett** ~ not a thing, not a bit

skvätt *subst* drop; som skvätt ut splash; **en** ~ **vatten** a few drops of water

skvätta *verb* **1** stänka splash **2** småregna drizzle

1 sky *subst* **1** moln cloud **2** himmel sky; **höja ngn till** ~**arna** praise sb to the skies; **skrika i högan** ~ cry to the skies

2 sky *subst* köttsky gravy

3 sky *verb* shun; **inte** ~ **någon möda** spare no pains; **inte** ~ **någonting** stick at nothing

skydd *subst* protection [**för, mot** from]; mera konkret shelter [**mot** against]; **söka** ~ seek protection, seek shelter, take shelter; **i** ~ **av mörkret** under cover of darkness

skydda *verb* protect [**för, mot** against]; mera konkret shelter [**mot** against]; försvara defend; skyla, ge betäckning cover; trygga safeguard; bevara preserve; ~ **sig** protect oneself, shelter oneself

skyddsanordning *subst* safety device, guard

skyddsglasögon *subst pl* protective goggles

skyddshelgon *subst* patron saint

skyddshjälm *subst* cykelhjälm etc. safety helmet; för t.ex. byggnadsarbetare hard hat

skyddskonsulent *subst* probation officer

skyddsling *subst* protégé, om kvinna protégée

skyddsombud *subst* safety representative, safety ombudsman

skyddsområde *subst* mil. prohibited area, restricted area

skyddsrock *subst* overall; t.ex. läkares white coat

skyddsrum *subst* air-raid shelter

skyddstillsyn *subst* probation

skyfall *subst* cloudburst

skyffel *subst* skovel shovel; sopskyffel dustpan

skyffla *verb* skotta shovel

skygg *adj* shy; blyg timid

skygghet *subst* shyness; blyghet timidity

skygglappar *subst pl* blinkers, amer. blinders

skyhög *adj* extremely high; om t.ex. priser sky-high

skyhögt *adv* sky-high

skyla *verb* hölja cover; dölja hide; ~ **över** cover up

skyldig *adj* **1** som bär skuld guilty [**till** of]; **göra sig** ~ **till ett brott** commit a crime; **den** ~**e** the guilty person, the culprit **2 vara** (**bli**) ~ **ngn en förklaring** owe sb an explanation; **vara** (**bli**) ~ **ngn pengar** owe sb money; **vad är** (**blir**) **jag** ~**?** what do I owe you? **3** förpliktad bound, obliged

skyldighet *subst* duty [**mot** towards], obligation [**mot** towards]

skylla *verb*, ~ **ngt på ngn** blame sb for sth; ~ **på ngn** throw the blame on sb, lay the blame on sb; **det får du** ~ **dig själv för** you have yourself to blame for that; **skyll dig själv!** det är ditt eget fel it is your own fault!; ~ **ifrån sig** throw the blame on someone else

skylt *subst* **1** butiksskylt etc. sign, signboard **2** dörrskylt, namnskylt plate **3** vägvisare signpost

skylta *verb* **1** ~ **med ngt** put sth on show, display sth **2** väg signpost; **dåligt** ~**d** trafik. badly signposted

skyltdocka *subst* tailor's dummy, mannequin

skyltfönster *subst* shopwindow, amer. store window

skyltning *subst* konkret display, display of goods; i skyltfönster window display

skymf *subst* förolämpning insult [**mot** to]

skymfa *verb* insult; kränka outrage

skymma *verb* **1** block; dölja conceal, hide; **du skymmer mig** you are in my light; ~ **sikten** block the view **2** mörkna get dark; **det börjar** ~ it is getting dark

skymning *subst*, **i** ~**en** at dusk, at twilight

skymt *subst* glimpse; spår trace; **se en** ~ **av** catch a glimpse of

skymta *verb* **1** få en skymt av catch a glimpse of **2** visa sig, dyka upp appear here and there; ~ **fram** peep out; otydligare loom

skymundan *subst*, **hålla sig i** ~ undangömd keep oneself out of the way; **komma i** ~ be neglected

skynda I *verb* ila, hasta hasten; ~ **sig** hurry, hurry up, hasten; ~ **dig!** el. ~ **dig på!** hurry up!, come on!; **jag måste** ~ **mig** jag har bråttom I am in a hurry

II *verb* med betonad partikel

skynda fram: ~ **sig fram till platsen** hurry to the spot

skynda på hurry, hurry up; ~ **på ngn** hurry sb

skyndsam *adj* speedy; brådskande quick

skynke *subst* **1** täckelse cover, covering **2 det var som ett rött** ~ **för honom** it was like a red rag to a bull to him

skyskrapa *subst* skyscraper, high rise

skytt *subst* **1** marksman; **han är en skicklig** ~ he's a good marksman (shot) **2 Skytten** stjärntecken Sagittarius

skytte *subst* shooting; med gevär rifle-shooting

skyttegrav *subst* trench

skyttel *subst* vid vävning shuttle

skytteltrafik *subst* shuttle service; *gå i ~* shuttle

skåda *verb* behold, see

skådeplats *subst* scene, scene of action

skådespel *subst* play, drama; spektakel spectacle

skådespelare *subst* actor

skådespelerska *subst* actress

skådespelsförfattare *subst* playwright, dramatist

skål I *subst* **1** bunke bowl; flatare basin, dish **2** välgångsskål toast; *dricka ngns ~* drink to sb's health

II *~! interj* your health!, here's to you!, vard. cheers!

skåla *verb* glas mot glas clink glasses; *~* dricka *med ngn* drink sb's health; *~ för ngn* drink sb's health

skålla *verb* scald

skållhet *adj* scalding hot

Skåne Skåne, Scania

skåning *subst* person from Skåne, person living in Skåne, Scanian

skånsk *adj* Skåne endast före subst., Scanian

skåp *subst* cupboard, amer. closet; i omklädningsrum locker

skåpbil *subst* van, delivery van

skåpsupa *verb* take a drop on the quiet, have a drop on the sly

skåra *subst* hugg, rispa cut; repa scratch

skägg *subst* beard; *låta ~et växa* grow a beard

skäggig *adj* bearded; orakad unshaved

skäggstubb *subst* stubble

skäl *subst* **1** reason [till for]; orsak cause [till of]; *det vore ~ att...* it would be advisable to...; *av det enkla ~et* for that simple reason **2** rätt, *göra ~ för sig* göra nytta do one's share; vara värd sin lön be worth one's salt

skälig *adj* rimlig reasonable; rättvis fair

skäligen *adv* **1** tämligen rather, pretty **2** reasonably

skäll *subst, få ~* get a telling-off

skälla *verb* **1** om hund bark [på at] **2** om person, *~ på ngn* tell sb off; *~ ut ngn* scold sb, tell sb off

skällsord *subst* insult, term of abuse

skälva *verb* shake, stark. quake

skälvning *subst* darrning tremor

skämd *adj* om frukt rotten; om kött tainted; *bli ~* go bad

skämma *verb* **1** spoil, mar **2** *~ bort* spoil [med by]; klema bort pamper; *~ ut ngn* disgrace sb, put sb to shame; *~ ut sig* disgrace oneself

skämmas *verb* blygas be ashamed, feel ashamed, be (feel) ashamed of oneself; *skäms du inte?* aren't you ashamed of yourself?; *du borde ~!* you ought to be ashamed of yourself!; *~ för (över)* be ashamed of

skämmig *subst* vard., pinsam embarrassing

skämt *subst* joke, jest; skämtande joking; *~ åsido!* joking apart!; *han tål inte ~* he can't take a joke; *på ~* for a joke, in jest

skämta *verb* joke [med with], jest [med with]; *~ med ngn* driva med pull sb's leg; göra narr av make fun of sb

skämtare *subst* joker, jester, wag

skämtartikel *subst* party novelty, novelty

skämthistoria *subst* funny story, joke

skämtsam *adj* joking, jesting

skämtserie *subst* comic strip, comic

skämttecknare *subst* cartoonist

skämtteckning *subst* cartoon

skämttidning *subst* comic, comic paper

skända *verb* desecrate; våldta violate

1 skänk *subst* matsalsmöbel sideboard

2 skänk *subst* gåva gift; *få ngt till ~s* get sth as a gift; gratis get sth for nothing

skänka *verb* give; förära present [ngn ngt sb with sth]; *~ bort* give away

1 skär *subst* liten klippö rocky islet, skerry

2 skär *adj* ljusröd pink; se blå- för sammansättningar

skära I *subst* redskap sickle

II *verb* cut; kött carve; *~ tänder* grind one's teeth, gnash one's teeth; *~ sig* såra sig cut oneself; *~ sig i fingret* cut one's finger

skärande *adj* om ljud piercing, shrill

skärbräde *subst* cutting-board; för bröd breadboard

skärböna *subst* French bean, string bean

skärgård *subst* archipelago (pl. -s), islands and skerries pl.; *Stockholms ~* the Stockholm archipelago

skärm *subst* **1** screen **2** t.ex. lampskärm shade; brätte peak

skärma *verb, ~ av* t.ex. ljus screen

skärmbild *subst* X-ray picture

skärmbildsundersökning *subst* X-ray examination

skärmflygare *subst* sport. paraglider

skärmflygning *subst* sport. paragliding

skärmmössa *subst* peaked cap

skärmsegling *subst* sport. parasailing

skärmsläckare *subst* data. screen saver

skärp *subst* belt; långt knytskärp sash

skärpa I *subst* **1** sharpness; om t.ex. kritik severity; klarhet clarity **2** tydlighet (hos bild) definiton

II *verb* sharpen; stegra, öka intensify, increase; t.ex. motsättningar accentuate; t.ex. straff increase the severity of, make more severe; *det skärpta läget* the tense situation; ~ *sig* rycka upp sig pull oneself together

skärpt *adj* intelligent bright, sharp

skärrad *adj* jittery, nervy

skärseld *subst* purgatory

skärskåda *verb* undersöka examine, view; syna scrutinize, scan

skärt *subst* pink; se *blått* för ex.

skärtorsdag *subst* Maundy Thursday

skärva *subst* fragment, broken piece; splitter splinter

sköld *subst* shield

sköldpadda *subst* landsköldpadda tortoise; med simfötter turtle

skölja I *verb* rinse; ~ *sig i munnen* rinse one's mouth

II *verb* med betonad partikel

skölja av t.ex. händer wash; t.ex. tallrik rinse

skölja upp ngt tvätta upp give sth a quick wash

skölja ur rinse

sköljning *subst* rinsing; *en* ~ a rinse

skön *adj* **1** vacker beautiful **2** angenäm nice; härlig lovely; bekväm comfortable; ~*t!* bra fine!; *det är* ~*t att han...* it is a good thing he... **3** iron. nice, fine, pretty; *en* ~ *röra* a fine mess, a pretty mess

skönhet *subst* utseende el. person beauty

skönhetsdrottning *subst* beauty queen

skönhetsfel *subst* o. **skönhetsfläck** *subst* little flaw, blemish

skönhetsmedel *subst* cosmetic, beauty preparation

skönhetssalong *subst* beauty parlour, amer. beauty parlor

skönhetstävling *subst* beauty competition

skönhetsvård *subst* beauty care, behandling beauty treatment

skönja *verb* urskilja discern; börja se begin to see

skönjbar *adj* discernible; synbar visible

skönlitteratur *subst* poetry, essays and fiction, belles lettres (franska) med verb i sing.; endast prosa fiction

skönstaxering *subst* discretionary assessment of income

skör *adj* brittle; ömtålig fragile

skörd *subst* harvest, crop

skörda *verb* **1** reap, harvest; frukt gather **2** ~ *många offer* claim many victims

skörta *verb*, ~ *upp* fästa upp tuck up; bedraga overcharge, fleece

sköta *verb* **1** vårda nurse; behandla treat; om läkare attend; ~ *om ngn* vara aktsam om be careful with sb, look after sb well **2** förestå, leda manage, run; ha hand om (t.ex. ngns affärer) look after; *kunna* ~ *ett arbete* be able to carry on a job; ~ *sitt arbete* go about one's work, attend to one's work; *sköt du ditt!* mind your own business! **3** hantera handle; maskin etc. work, operate **4** ~ el. ~ *om* ombesörja attend to, see to; ta hand om take care of; behandla deal with; göra do; ha hand om be in charge of **5** ~ *sig* a) sköta om sig look after oneself, take care of oneself b) uppföra sig conduct oneself; *hur sköter han sig?* how is he doing, how is he getting on?

skötbord *subst* nursing (changing) table

sköte *subst* knä lap

skötebarn *subst* huvudintresse chief concern, pet interest

sköterska *subst* nurse

skötsam *adj* stadgad steady; plikttrogen conscientious

skötsel *subst* **1** vård care; av sjuka nursing **2** ledning management; av t.ex. hushåll running **3** av t.ex. bil service; av t.ex. maskin maintenance

skötselanvisning *subst*, ~ *ar* på plagg etc. care instructions; för t.ex. apparat maintenance sing., operating instructions

skövla *verb* devastate; härja ravage

sladd *subst* **1** elektr. flex, amer. cord **2** slirning skid; *jag fick* ~ *på bilen* my car skidded

sladda *verb* slira skid

sladdbarn *subst* vard. skämts. afterthought

sladder *subst* **1** prat chatter **2** skvaller gossip

sladdlös *subst* elektr. el. tele. etc. cordless

slafsa *verb*, ~ *i sig ngt* gobble sth down, guzzle sth

slafsig *adj* slarvig sloppy

1 slag *subst* sort kind, sort; typ type; *alla* ~*s bilar* all kinds of cars; *vi har ett* ~*s nya blommor* we have a new kind of flower; *boken är utmärkt i sitt* ~ the book is excellent in its way

2 slag *subst* **1** stöt, hugg blow; i spel stroke; med knytnäven punch; *vara ett hårt* ~ *för* be a hard blow to; *ett* ~ *i ansiktet* a slap in the face; *göra* ~ *i saken* settle the matter **2** rytmisk rörelse beat; tekn. stroke **3** klockslag stroke **4** *ett* ~ en kort stund for a moment, for a little while; **vänta ett** ~! wait a moment!, wait a bit! **5** mil. battle; ~et **vid Hastings** the battle of Hastings **6** med. apoplexy; **få** ~ vanligen have a stroke **7** på kavaj etc. lapel; på byxor turn-up, amer. cuff

slaganfall subst apoplectic stroke, fit of apoplexy

slagen adj besegrad defeated, beaten

slagfält subst battlefield; **på** ~et on the battlefield

slagfärdig adj kvick quick-witted

slagkraft subst **1** effektivitet effectiveness **2** vapens striking power

slagkraftig adj effective

slagord subst slogan, catchword, buzzword

slagsida subst sjö., **få** ~ heel over

slagskepp subst battleship

slagskämpe subst fighter

slagsmål subst fight, vard. punch-up; **råka i** ~ **med** get into a fight with

slagträ subst i bollspel bat

slagverk subst musik., ~et i orkester the percussion

slak adj slack; matt feeble, weak

slakt subst slaktande slaughter

slakta verb kill, butcher, i större skala slaughter

slaktare subst butcher

slakteri subst **1** abattoir, slaughterhouse **2** slakteriaffär butcher's

slakthus subst abattoir, slaughterhouse

slalom subst slalom; **åka** ~ slalom

slalombacke subst slalom slope

slalompjäxa subst slalom boot

slalomskida subst slalom ski

slalomåkare subst slalom skier, slalomer

slalomåkning subst slalom-skiing, slaloming

1 slam subst kortsp. slam

2 slam subst **1** gyttja mud **2** kloakslam sludge

slammer subst clatter [av, med of], rattle [av, med of]

slampa subst slut, tart

slamra verb clatter, rattle; ~ **med ngt** clatter sth, rattle sth

1 slang subst språkv. slang

2 slang subst tube; cykelslang tube, t.ex. vattenslang hose

slangbella subst catapult, amer. slingshot

slanglös adj, ~t **däck** tubeless tyre

slank adj slender, slim

slant subst mynt coin; ~ar pengar money sing.; **förtjäna en** ~ earn some money, earn a bit of money

slapp adj **1** slak slack, limp **2** nonchalant easy-going; om disciplin lax

slapphet subst **1** slackness, limpness

2 nonchalans easy-goingness; slapp disciplin laxity

slappna verb slacken; ~ **av** relax

slarv subst **1** carelessness **2** försumlighet negligence

slarva I subst careless woman, careless girl **II** verb be careless; ~ **bort** a) förlägga lose b) slösa bort fritter away

slarver subst **1** om kvinna (flicka) careless woman (girl); om man (pojke) careless fellow **2** odåga good-for-nothing

slarvfel subst careless mistake, slip

slarvig adj careless [med about]

1 slask subst **1** slush; slaskväder slushy weather **2** slaskvatten slops pl.

2 slask subst vask sink

slaska verb **1** blaska splash about; ~ **ned** splash **2** det ~r it's slushy weather

slaskband subst tv. scratch tape

slaskhink subst slop pail

slaskig adj om väder el. väglag slushy

slaskvatten subst slops pl.

slaskväder subst slushy weather

1 slav subst folk Slav

2 slav subst slave [under ngt to sth]

slava verb slave, drudge

slavdrivare subst slave-driver

slaveri subst slavery

slavhandel subst slave trade

1 slavisk adj Slavonic

2 slavisk adj osjälvständig slavish

slejf subst på sko strap; ryggslejf half-belt

slem subst fysiol. mucus; i t.ex. luftrören phlegm

slemhinna subst anat. mucous membrane

slemlösande adj, ~ **medel** expectorant

slemmig adj slimy

slentrian subst routine; **fastna i** ~ get into a rut

slev subst soppslev etc. ladle

sleva verb, ~ **i sig ngt** shovel down sth, put away sth

slicka verb, ~ el. ~ **på** lick; ~ **sig om munnen** lick one's lips; ~ **av (ur) ngt** el. ~ **ren** ren lick sth clean; ~ **i sig** om katt lap up

slickepinne subst lolly, lollipop

slida subst **1** sheath **2** anat. vagina

slinga subst t.ex. rörslinga coil; av rök etc. wisp; ögla loop; hårslinga lock

slingra verb wind; ~ **sig** a) om t.ex. väg, flod wind; om växt trail; om t.ex. rök wreathe b) try to get round things; ~ **sig ifrån** dodge, shirk; ~ **sig undan** get out of it, get out of things

slingrande *adj* o. **slingrig** *adj* om t.ex. väg, flod winding

slinka *verb* kila slip; smyga slink, steal

slint *subst*, **slå** ~ misslyckas fail, backfire

slipa *verb* grind, polish, glas el. ädelstenar cut

slipad *adj* knivig, slug smart, shrewd

slipover *subst* slipover

slippa I *verb* **1** ~ el. ~ *ifrån* (*undan*): befrias från be excused from; undgå escape; bli kvitt get rid of; inte behöva not have to, not need to; *för att* ~ *besväret* to save the bother, to avoid the bother; *kan jag inte få* ~ *göra det?* el. *låt mig* ~ *göra det!* I'd rather not do it; do I have to do it?; *låt mig* ~ *höra eländet!* I don't want to have to listen to the wretched business!; *slipp* låt bli *då!* don't then! **2** släppas, ~ *över bron* be allowed to pass the bridge

II *verb* med betonad partikel

slippa fram få passera be allowed to pass

slippa igenom get through, släppas be let through

slippa lös get loose, break loose

slippa undan undkomma escape

slippa ut get out [*ur* of], släppas be let out [*ur* of]; bli frigiven be released

slips *subst* tie; *knyta en* ~ knot a tie

slipsten *subst* grindstone

slira *verb* skid; om hjul spin; om koppling etc. slip

slirig *adj* slippery

sliskig *adj* om smak etc. sweet and sickly; om person oily

slit *subst* arbete hard work, drudgery

slita I *verb* **1** nöta, ~ el. ~ *på* t.ex. kläder wear out **2** riva tear; rycka pull **3** knoga work hard, drudge [*med ngt* at sth]; ~ *ont* have a rough time of it **4** ~ *sig* om t.ex. djur break loose, get loose; ~ *sig från ngn* om person tear oneself away from sb

II *verb* med betonad partikel

slita av sönder break; slita bort tear off

slita loss (lös) tear off, tear loose; ~ *sig lös* tear oneself away

slita sönder ngt riva i bitar tear sth up, tear sth to pieces

slita ut nöta ut wear ... out; ~ *ut sig* wear oneself out

slitage *subst* wear and tear

sliten *adj* worn; luggsliten shabby

slit-och-slängsamhälle *subst*, ~*t* ungefär the consumer society

slits *subst* skåra, sprund slit

slitsad *adj*, *en* ~ *kjol* a slit skirt

slitsam *adj* toilsome, laborious

slitstark *adj* hard-wearing; hållbar durable

slockna *verb* go out

slogan *subst* slogan

sloka *verb* droop

slokhatt *subst* slouch hat

slopa *verb* avskaffa scrap, abolish; ge upp give up; utelämna leave out; sluta med discontinue

slott *subst* palace; borg castle

slovak *subst* Slovak

Slovakien Slovakia

slovakisk *adj* Slovakian; *Slovakiska republiken* the Slovak Republic

sloven *subst* Slovene

Slovenien Slovenia

slovensk *adj* Slovenian

slow motion *subst*, *i* ~ in slow motion

sluddra *verb* slur one's words; om berusad talk thickly

sluddrig *adj* slurred; om berusad thick

slug *adj* shrewd; listig sly, cunning; klipsk clever

sluka *verb* swallow; hungrigt devour

slum *subst* slumkvarter slum; ~*men* the slums pl.

slummer *subst* slumber; lur doze, nap

slump *subst* tillfällighet chance; ~*en gjorde att vi träffades* it so happened that we met; *av en ren* ~ by mere chance, by mere accident

slumpa *verb*, ~ *bort* sell off

slumpmässig *adj* random

slumpvis *adv*, ~ *utvalda* chosen at random

slumra *verb* slumber; halvsova doze; ~ *till* doze off

slunga I *subst* sling

II *verb* sling; häftigt fling, hurl

slurk *subst* skvätt drop; *en* ~ *kaffe* a few drops of coffee

sluskig *adj* shabby

sluss *subst* passage lock; dammlucka sluice

slut I *subst* end, ending; ~*et gott, allting gott* all's well that ends well; *få (göra)* ~ *på* stoppa put an end to; *göra* ~ *på* konsumera finish; *göra* ~ *med ngn* break off with sb; *filmen har ett lyckligt* ~ the film has a happy ending; *ta* ~ upphöra end; tryta give out; *smöret börjar ta* ~ the butter is running short; *arbetet tar aldrig* ~ the work will never end; *smöret har tagit* ~ *för oss* we have no butter left; *den andre från* ~*et* the last but one; *den femte från* ~*et* the last but four; *i* ~*et av (på)* at the end of; *på* ~*et* at the end, in the end; *till* ~ a) till sist finally, in the end b) äntligen at last c) avslutningsvis lastly

II *adj* over; avslutad at an end, finished;

förbrukad used up, all gone; slutsåld sold out; utmattad done up, exhausted; utsliten done for; *nu är det ~ med friden* now we'll have no more (that's the end of) peace and quiet; *det är ~ mellan oss* it is all over between us; *biljetterna är ~* the tickets are sold out; *terminen är ~* the term is over

sluta *verb* **1** avslutas end, finish; göra färdig finish, finish off; upphöra med stop, cease; lämna leave; *boken ~r sorgligt* the book has a sad ending; *vi ~r kl. 3* we finish at 3, we stop at 3; *det har ~t regna* it has stopped raining; *~ röka* give up smoking; *han har ~t hos oss* he has left us; *~* upphöra *med ngt* stop sth; *~ med att göra ngt* stop doing sth; *det ~de med att han...* the end of it was that he...; *~!* stop it! **2** *~ till* close, shut **3** uppgöra conclude; *~ fred* make peace **4** *~ sig* stänga sig: om t.ex. dörr shut; om t.ex. blomma close; *~ sig till* a) ansluta sig attach oneself to, join b) dra slutsats conclude [*av* from]

slutare *subst* foto. shutter

slutbetyg *subst* school-leaving certificate; slutomdöme final verdict

sluten *adj* stängd closed; förseglad sealed; *~ vård* institutional care

slutföra *verb* fullfölja complete, finish

slutgiltig *adj* final, definitive

slutkapitel *subst* last chapter, final chapter

slutkörd *adj*, *vara ~* be done up, be whacked

slutlig *adj* final; ytterst ultimate; slutgiltig definite; *~ skatt* final tax

slutligen *adv* finally, in the end, ultimately

slutlikvid *subst* slutbetalning final settlement, payment of balance

slutomdöme *subst* final verdict

slutplädering *subst* jur. concluding speech

slutresultat *subst* final result, final outcome

slutsats *subst* conclusion; *dra en ~ av ngt* draw a conclusion from sth; *dra förhastade ~er* jump to conclusions

slutscen *subst* final scene, closing scene

slutsignal *subst* sport. final whistle

slutskattsedel *subst* final notice of income-tax assessment

slutskede *subst* final stage; fas final phase

slutspel *subst* sport. final tournament; i vissa sporter play-off; *gå till ~* qualify for the play-offs

slutstation *subst* terminus

slutsumma *subst* total amount

slutsåld *adj*, *vara ~* be sold out, be out of stock

slutta *verb* slope, slant

sluttande *adj* sloping

sluttning *subst* slope

slyngel *subst* young rascal, rascal; rackarunge scamp

slå I *verb* **1** tilldela flera slag beat; träffa med ett slag strike, hit; stöta, smälla knock, bang; *det slog mig att...* it struck me that...; *~ en boll i nät* hit a ball into the net; sparka kick a ball into the net; *~ en spik i ngt* drive a nail into sth; *~ i dörrarna* slam the doors **2** tele., ett telefonnummer dial; *klockan ~r två* the clock is striking two **3** om t.ex. hjärta beat; om t.ex. dörr be banging; *regnet ~r mot fönstret* the rain is banging against the window **4** bli uppskattad be a hit **5** *~ sig* hurt oneself; *~ sig i huvudet* bump one's head; *~ sig för bröstet* blow one's own trumpet

II *verb* med betonad partikel

slå an ton, tangent strike; vara tilltalande catch on [*på* with]

slå av 1 hugga etc. av knock off; bryta itu break... in two **2** koppla av switch off **3** pruta *~ av på* t.ex. pris, krav reduce

slå fast ngt 1 med hammare hammer sth on [*på ngt to*] **2** se *fastslå*

slå i ngt t.ex. spik bang sth in; *~ i vin i ett glas* pour out wine into a glass

slå ifrån koppla från switch off

slå igen 1 ge igen hit back **2** *~ igen* t.ex. bok, dörr shut... with a bang

slå ihjäl kill

slå ihop ngt 1 t.ex. bok, paraply close sth **2** slå samman put sth together **3** blanda ihop mix sth together **4** förena join sth, combine sth; *~ sig ihop* inbördes join together

slå in 1 hamra in drive in, knock in **2** slå sönder: t.ex. fönster smash; t.ex. dörr batter... down **3** *~ in ngt* lägga in wrap up sth [*i papper* in paper; *i ett paket* into a parcel]

slå ned 1 kuva, t.ex. uppror crush, smash **2** komma nedfallande fall, drop; om fågel alight **3** *~ ned ngn (ngt)* slå omkull; knock sb (sth) down **4** *~ ned i* om blixten strike **5** *~ sig ned* a) sätta sig sit down, settle down b) bosätta sig settle, settle down; *~ dig ned!* take a seat!

slå om 1 förändras change **2** *~ om ett papper om ngt* put paper round sth, wrap paper round sth

slå omkull ngn (ngt) knock sb (sth)

down, knock sb (sth) over

slå på koppla på t.ex. motor switch on

slå runt om t.ex. bil overturn

slå sönder ngt break sth to pieces, smash sth

slå till 1 ge . . . ett slag strike, hit **2** koppla på t.ex. motor switch on **3** acceptera take the chance **4** bestämma sig settle the deal, clinch the deal

slå tillbaka t.ex. anfall beat off, repel

slå upp 1 sätta upp put up **2** fälla upp: t.ex. paraply, sufflett put up; krage turn up **3** öppna open; ~ *upp en dörr* throw a door open **4** ~ *upp sidan 10 i boken* open the book at page 10; se på turn to page 10 in the book; ~ *upp ett ord i ett lexikon* look up a word in a dictionary

slå ut 1 t.ex. ett fönster smash **2** i boxning knock out **3** om blomma come out; öppna sig open; om träd burst into leaf **4** ~ *väl ut* turn out well

slående adj påfallande, träffande striking

slån subst o. **slånbär** subst sloe

slåss verb fight [om ngt over sth, for sth]

släcka verb put out; t.ex. törst slake, quench; *ljuset är släckt* the light is out

släde subst sleigh; mindre t.ex. hundsläde sledge; *åka* ~ sleigh, go sleighing

slägga subst **1** sledgehammer **2** sport., redskap hammer; *kasta* ~ throw the hammer; släggkastning hammer throw, throwing the hammer

släggkastning subst sportgren hammer throw, throwing the hammer

släkt I subst **1** ätt family; *det ligger i* ~*en* it runs in the family **2** släktingar relations pl., relatives pl.
II adj related [med to]

släkte subst generation generation; ras race

släkting subst relation, relative

släktkär adj, *vara* ~ have a strong family feeling

släktled subst generation generation

släktmöte subst family gathering

släktnamn subst family name, surname

släktskap subst relationship, kinship, affinity

slända subst trollslända dragonfly

släng subst **1** sväng swerve; knyck jerk; *en* ~ *med huvudet* a jerk of one's head **2** lindrigt anfall touch; *en* ~ *av influensa* a bout of influenza

slänga verb **1** vard. chuck, sling; vårdslöst toss; häftigt fling; kasta bort throw away, chuck away **2** *släng dig i väggen!* go and take a running jump!

slängkappa subst cloak

slängkyss subst, *kasta en* ~ *åt ngn* blow sb a kiss

slänt subst sluttning slope; backsluttning hillside

släp subst **1** på klänning train **2** släpvagn trailer; *ha ngt på* ~ have sth in tow

släpa verb dra drag; med möda haul; längs marken trail; ~ *fötterna efter sig* drag one's feet; *gå med* ~*nde steg* shuffle along; ~ *efter* lag behind; ~ *fram ngt ur källaren* drag sth out of the cellar; ~ *med sig ngt* drag sth about with one; ~ *på ngt* bära på lug sth along

släpig adj **1** om t.ex. gång shuffling **2** om t.ex. röst drawling

släplift subst sport. ski-tow, T-bar lift

släppa I verb **1** ~ *ngt* leave hold of sth, let go of sth; ~ *ngn* let sb go; släppa lös let sb loose; frige set sb free, release sb; *släpp mig!* let me go!; *släpp min hand!* let go of my hand!; ~ *hundarna på ngn* set the dogs on sb **2** om t.ex. färg come off; om t.ex. värk pass off **3** ~ *sig* fjärta break wind
II verb med betonad partikel

släppa fram (förbi) ngn (ngt) let sb (sth) pass

släppa ifrån sig 1 ~ *ifrån sig ngt* let sth go; avhända sig part with sth **2** avstå från give up

släppa igenom ngt let sth through

släppa in ngn i ngt let sb into sth, admit sb into sth; ~ *in luft* let in air

släppa lös ngn t.ex. fånge set sb free, release sb; koppla lös unleash; ~ *lös djur* turn animals loose

släppa på vatten, ström turn on

släppa upp t.ex. ballong send up; ~ *upp kopplingen* i bil let in the clutch

släppa ut 1 ~ *ut ngn (ngt)* let sb (sth) out [ur of] **2** olja, föroreningar discharge; fånge release

släpphänt adj easy-going, indulgent [med, mot towards]

släpvagn subst trailer

slät adj jämn om t.ex. hy, hår, yta smooth; plan level, plane, om yta even, om mark flat; enkel, om t.ex. ring plain

släta verb, ~ *till* smooth down; plana flatten; ~ *ut* smooth out; ~ *över* t.ex. problem smooth over

släthårig adj om hund smooth-haired

slätrakad adj clean-shaven, close-shaven

slätstruken adj mediocre, indifferent

1 slätt I subst plain; slättland flat land
II adv jämnt, *ligga* ~ be smooth

2 slätt *adv* dåligt *stå sig ~ i konkurrensen* come off badly in the face of strong competition

slätvar *subst* fisk brill

slö *adj* **1** om t.ex. kniv blunt, dull **2** trög slow, sluggish; håglös listless

slöa *verb* idle, laze

slödder *subst* mob, riff-raff, rabble

slöfock *subst* lazybones sing.

slöja *subst* veil

slöjd *subst* handicraft; träslöjd woodwork

slösa *verb* **1** waste *[på on]*; vara frikostig med, t.ex. beröm lavish *[på on]*; *~ bort* waste **2** vara slösaktig be wasteful; *~ med* slösa bort waste **3** vara frikostig med be lavish with; *~ med beröm* be lavish of praise

slösaktig *adj* wasteful

slöseri *subst* wastefulness, extravagance

smacka *verb* när man äter eat noisily; *~ med läpparna* smack one's lips; *~ med tungan* click one's tongue

smak *subst* taste; viss utmärkande flavour; bismak savour; *~en är olika* tastes differ; *få ~ för* acquire a taste for; *det ger ~ åt soppan* el. *det sätter ~ på soppan* it gives a flavour to the soup; *falla ngn i ~en* strike sb's fancy, take sb's fancy

smaka *verb*, *~* el. *~ på* taste; *~ bra* taste nice; *~ citron* taste of lemon; *det ~r ingenting* it has no taste; *det ~ar konstigt* it has a queer taste; *det ska ~ gott med en kopp kaffe* I wouldn't mind a cup of coffee; *vill du ~?* would you like to try one (some etc.)?

smakfull *adj* tasteful; elegant stylish

smaklig *adj* välsmakande tasty; aptitlig appetizing; *~ måltid!* enjoy your meal!, bon appetit!

smaklös *adj* tasteless

smakprov *subst* **1** taste **2** sample

smaksak *subst* matter of taste

smaksinne *subst* sense of taste

smaksätta *verb* flavour

smakämne *subst* flavouring

smal *adj* narrow; ej tjock thin; slank slender; *det är en ~ sak för honom* it's quite easy for him; *hålla sig ~* keep slim; *vara ~ om höfterna* have narrow hips

smalben *subst* anat., *~et* the shin

smalna *verb* **1** om t.ex. väg become narrow, get narrow **2** tunnare, magrare get thinner

smaragd *subst* ädelsten emerald

smart *adj* **1** smart **2** slug sly; *~ card* smart card

smash *subst* sport. smash

smasha *verb* sport. smash

smaskens *adj* o. **smaskig** *adj* vard. yummy

smatter *subst* skrivmaskins clatter; trumpets blare

smattra *verb* om skrivmaskin etc. clatter; om trumpet blare

smed *subst* smith; grovsmed blacksmith

smedja *subst* smithy, forge

smeka *verb* caress; kela med fondle

smekmånad *subst* honeymoon; *åka på ~* go on a honeymoon

smeknamn *subst* pet name

smekning *subst* caress, endearment

smeksam *adj* tender, caressing

smet *subst* **1** blandning, kaksmet mixture; pannkakssmet, flottyrsmet etc. batter **2** grötlik massa sticky mass

smeta *verb* daub; något kladdigt smear; *~ ned sig* get oneself into a mess, get oneself all mucky

smetig *adj* smeary, sticky

smicker *subst* flattery

smickra *verb* flatter

smickrande *adj* flattering *[för to]*

smida *verb* forge; hamra ut hammer out; *~ planer* draw up plans; *~ medan järnet är varmt* strike while the iron is hot

smide *subst* **1** smidning forging **2** föremål wrought-iron goods, piece of wrought-iron work

smidig *adj* **1** böjlig, spänstig flexible; vig, rörlig lithe **2** mjuk (om t.ex. ngns sätt) smooth and easy

smidighet *subst* **1** böjlighet, spänstighet flexibility; vighet litheness **2** mjukhet smoothness

smil *subst* smile; självbelåtet smirk; flin grin

smila *verb* smile; självbelåtet smirk; flina grin *[mot at]*

smilfink *subst* vard. smarmy type

smilgrop *subst* dimple

smink *subst* make-up; rött rouge; teat. greasepaint

sminka *verb*, *~ ngn* make sb up; *~ sig* make up

sminkning *subst* make-up

smisk *subst*, *få ~* get a smacking, på stjärten get a spanking

smiska *verb* smack; på stjärten spank

smita *verb* **1** ge sig i väg run away *[från from]*; försvinna make off; *föraren smet från olycksplatsen* the driver left the scene of the accident; *~ från* a) t.ex. tillställning slip away from b) t.ex. betalning, skatter evade, dodge **2** om kläder, *~ åt* fit tight

smitning *subst* trafik. leaving the scene of the accident; fall av smitning case of hit-and-run

smitta I *subst* infection

II *verb* infect; *han ~de mig* I caught it from him; *bli ~d av ngn* catch an infection from sb; *sjukdomen ~r* the disease is infectious, vid beröring the disease is contagious

smittbärare *subst* disease carrier, carrier

smittkoppor *subst pl* med. smallpox sing.

smittsam *adj* infectious; genom beröring contagious, catching

smittämne *subst* contagion; virus virus; bacill bacteria

smocka I *subst* sock, biff

II *verb*, *~ till ngn* sock sb, biff sb

---

smoking
Det engelska ordet *smoking* betyder rökning. *No Smoking!* = Rökning förbjuden!

---

smoking *subst* dinner jacket, amer. tuxedo (pl. -s), vard. tux

smolk *subst*, *~ i glädjebägaren* a fly in the ointment

sms *subst* tele. text message, SMS

sms:a *verb* tele. send a text message, send an SMS

smuggel *subst* smugglande smuggling

smuggelgods *subst* smuggled goods pl.

smuggla *verb* smuggle

smugglare *subst* smuggler

smuggling *subst* smugglande smuggling

smula I *subst* **1** spec. brödsmula crumb; allmännare bit, scrap **2** litet, *en ~* a little, a bit; en aning a little bit, a trifle

II *verb*, *~ sönder* crumble

smultron *subst* wild strawberry

smussel *subst* hanky-panky, monkey business

smussla *verb* fiffla cheat; *~ undan* hide away

smuts *subst* dirt, filth

smutsa *verb*, *~ ned ngt* make sth dirty; *~ ned sig* get dirty

smutsig *adj* dirty, filthy; nedsmutsad: om t.ex. kläder soiled; om t.ex. disk unwashed; *bli ~* get dirty

smutskasta *verb* throw mud at, fling mud at; *~ ngns person* drag sb's name through the mud

smutskläder *subst pl* dirty linen sing.

smutstvätt *subst* dirty washing, dirty laundry

smutta *verb* sip; *~ på* dryck sip, sip at

smycka *verb* adorn; pryda ornament; dekorera decorate

smycke *subst* piece of jewellery; *~n* jewellery sing., amer. jewelry sing.

smyckeskrin *subst* jewel case, jewel box

smyg *subst*, *i ~* olovandes on the sly, on the quiet

smyga *verb*, *~ sig* steal; smita slip; gå tyst creep; *~ på tå* tiptoe; *ett fel har smugit sig in* an error has crept in

smygande *adj* om t.ex. gång stealthy, sneaking; om t.ex. sjukdom, gift insidious

smygtitta *verb*, *~ på ngn* glance (peep) at sb on the sly

små *adj* se *liten I*

småaktig *adj* small-minded; futtig mean

småaktighet *subst* small-mindedness; futtighet meanness

småbarn *subst* small child, little child; spädbarn baby, infant

småbarnsföräldrar *subst pl* parents of small children

småbil *subst* small car; mycket liten minicar, mini

småbildskamera *subst* minicamera, vard. minicam

småbitar *subst pl* small pieces; *gå i ~* break to pieces

småborgerlig *adj* lower middle-class, neds. bourgeois

småbruk *subst* konkret smallholding

småbrukare *subst* smallholder

småbröd *subst* koll. fancy biscuits pl., amer. cookies pl.

småfranska *subst* roll

småföretag *subst* small business, small firm

småföretagare *subst* small businessman

småhus *subst* small house, small self-contained house

småkaka *subst* fancy biscuit, amer. cookie

småkryp *subst* vard. creepy-crawly

småle *verb* smile [*mot, åt* at]

småleende *subst* faint smile

småningom *adv*, *så ~* gradually, little by little

småpaket *subst* small packet

småpengar *subst pl* small coins; växel small change sing.

småpotatis *subst* small beer, amer. small potatoes

småprat *subst* chat; kallprat small talk

småprata *verb* chat

smårätter *subst pl* ungefär hors d'oeuvres

småsak *subst* liten sak little thing; bagatell trifle

småsparare *subst* small saver
småstad *subst* small town; landsortsstad provincial town
småstadsaktig *adj* provincial
småstadsbo *subst* provincial
småstuga *subst* cottage
småsyskon *subst pl* younger sister and brother, younger sisters and brothers, younger sisters (brothers)
småtimmarna *subst pl, fram på* ~ in the small hours
smått I *adj* small etc.; se *liten I*
II *subst*, ~ *och gott* all sorts of nice little things; *i* ~ i liten skala on a small scale
III *adv* en smula a little, slightly, somewhat
småtting *subst* vard. little kid, tiny tot
småttingar *subst pl* o. **småungar** *subst pl* small children, little kids
småvägar *subst pl* bypaths
småäta *verb* snack (nibble) between meals
smäcker *adj* slender
smäda *verb* abuse
smädelse *subst*, ~ el. ~*r* abuse sing.
smäll *subst* **1** knall bang; av piska crack; av kork pop; vid kollision smash; vid explosion detonation **2** slag med handen smack, slap; med piska lash; stöt blow **3** smisk smacking, spanking
smälla I *verb* **1** slå, dänga bang, knock **2** om dörr etc. bang, slam; om piska, gevär crack; om kork pop; om skott go off; *det smäller högre* it's worth more, it counts more; *i morgon smäller det!* tomorrow the balloon goes up! **3** smiska smack, spank
II *verb* med betonad partikel
smälla i dörrarna bang the doors, slam the doors
smälla av freak out, flip out
smälla i sig 1 mat gorge oneself [ngt with sth] **2** kunskaper cram
smälla igen dörr bang
smälla till slap, smack
smälla upp hus knock up; nyhet splash
smällare *subst* fyrverkeri cracker, banger
smällkaramell *subst* cracker
smälta I *verb* **1** melt [till into]; metaller fuse [till into] **2** mat digest; komma över get over
II *verb* med betonad partikel
smälta bort melt away
smälta ihop ngt melt sth together, fuse sth together
smältost *subst* processed cheese
smältpunkt *subst* melting-point
smärgelpapper *subst* emery paper

smärre *adj* smaller, less; *några* ~ *fel* a few minor errors
smärt *adj* slender, slim
smärta *subst* pain; lidande suffering; sorg grief; *ha svåra smärtor* be in great pain
smärtfri *adj* painless
smärtgräns *subst* pain threshold
smärtsam *adj* painful
smärtstillande *adj* pain-relieving; med. analgesic; ~ *medel* vard. pain-killer
smör *subst* butter; *bre* ~ *på* spread butter on; *gå åt som* ~ el. *gå åt som* ~ *i solsken* go like hot cakes
smörblomma *subst* buttercup
smördeg *subst* puff pastry
smörgås *subst* **1** *en* ~ utan pålägg a slice (a piece) of bread and butter; med pålägg an open sandwich **2** *kasta* ~ lek play ducks and drakes, skip stones across the water
smörgåsbord *subst* smorgasbord, large mixed hors d'oeuvre
smörgåsmat *subst* skinka, ost etc. ham, cheese etc. to put on (in) sandwiches
smörgåstårta *subst* savoury sandwich layer cake
smörj *subst* beating, thrashing; *få* ~ get a beating, get a thrashing
smörja I *subst* skräp rubbish, muck
II *verb* med fett (olja) grease, oil
smörjmedel *subst* lubricant
smörjning *subst* lubrication, greasing
smörjolja *subst* lubricating oil
smörklick *subst* pat of butter

smörkniv
I England har man sin egen smörkniv. Den lägger man på assietten som är avsedd för brödet, inte på smörtallriken.

smörkniv *subst* butter knife
smörkräm *subst* buttercream
smörpapper *subst* grease-proof paper
smörstekt *adj* ... fried in butter; ~ *svamp* mushrooms fried in butter
snabb *adj* rapid, quick, swift; om t.ex. tåg, löpare fast; om t.ex. affär, hjälp prompt; *i* ~ *takt* at a rapid pace, at a quick pace
snabba *verb* **1** ~ *på* (*upp*) speed up **2** ~ *sig* el. ~ *på* hurry up, look lively
snabbfrysa *verb* quick-freeze
snabbgående *adj* fast
snabbhet *subst* speed, rapidity

snabbis *subst* vard. quickie

snabbkaffe *subst* instant coffee

snabbkassa *subst* fast check-out, amer. express check-out lane

snabbkurs skol. *subst* crash course, rapid course

snabbköp *subst* o. **snabbköpsaffär** *subst* self-service shop, self-service store; större supermarket

snabbladdning *subst* bil., *en* ~ a rapid recharge

snabbmat *subst* fast food, convenience food

snabbtelefon *subst* intercom system el. telefon

snabbtänkt *adj* quick-witted, ready-witted

snabel *subst* elefants trunk

snabel-a *subst* data. at, @

snack *subst* o. **snacka** *verb* vard. se *prat* o. *prata*

snaggad *adj*, *vara* ~ have one's hair cut short, have a crew cut

snappa *verb* snatch [*efter* at]; ~ *till* (*åt*) *sig* snatch; ~ *upp* en nyhet etc. snatch up, pick up; ett ord etc. catch

snaps *subst* glas brännvin snaps (pl. lika), dram

snar *adj* snabb speedy; omedelbar prompt; nära förestående near, immediate

snara *subst* snare; fälla trap

snarare *adv* **1** om tid sooner **2** hellre rather; *det var* ~ *tjugo än tio* it was nearer twenty than ten; *jag tror* ~ *att...* I'm inclined to think that...

snarast *adj* o. *adv*, *med det* ~*e* el. ~ *möjligt* as soon as possible, at the earliest possible date

snarka *verb* snore

snarkning *subst*, *en* ~ a snore; snarkande snoring; ~*ar* snarkande snoring

snarlik *adj* rather like

snarstucken *adj* touchy, short-tempered

snart *adv* soon; inom kort shortly; ~ *är vi framme* we will soon be there; *så* ~ el. *så* ~ *som* så fort as soon as; så ofta whenever; *så* ~ *som möjligt* as soon as possible; *så har det varit i* ~ *tio år* it's been like that for nearly ten years

snask *subst* sötsaker sweets pl., amer. candy

snaska *verb* **1** äta sötsaker eat sweets; ~ *på ngt* munch sth **2** äta snaskigt be messy

snatta *verb* i butik shoplift

snattare *subst* shoplifter

snatteri *subst* i butik shoplifting

snattra *verb* **1** om anka quack **2** pladdra chatter, jabber

snava *verb* stumble, trip

sned I *adj* lutande slanting; sluttande sloping; krokig, vind crooked; på snedden diagonal **II** *subst*, *på* ~ askew

snedparkering *subst* angle-parking

snedspark *subst* fotb. miskick

snedsprång *subst* escapade; kärlekshistoria love affair

snedstreck *subst* slanting line; typogr. el. data. slash

snedtak *subst* sloping roof

snedträff *subst* om t.ex. spark miskick; med t.ex. raket mishit

snedtända *verb* av narkotika have a bad trip

snedvriden *adj* twisted, distorted

snedögd *adj* slant-eyed

snegla *verb*, ~ *på* förstulet glance furtively at

snett *adv* slantingly; på sned askew; på snedden diagonally; *gå* ~ go wrong; *mössan sitter* ~ your cap is crooked (is a bit cock-eyed); *tavlan hänger* ~ the picture is slanting

snibb *subst* hörn corner; spets point

snickarbyxor *subst pl* dungarees, amer. overalls

snickare *subst* spec. inredningssnickare joiner; timmerman carpenter

snickeri *subst* **1** hantverk joinery, carpentry; ~*er* carpentry work **2** snickarverkstad joiner's workshop

snickra *verb* do carpentry work

snida *verb* carve

snideri *subst* carving

sniffa *verb* sniff [*på* at]; narkotika snort

snigel *subst* slug; med snäcka snail

snigelfart *subst*, *med* ~ at a snail's pace

sniken *adj* greedy

snille *subst* genius

snilleblixt *subst* brainwave

snilledrag *subst* stroke of genius, masterstroke

snillrik *adj* brilliant

snits *subst* style, chic

snitsa *verb* vard., ~ *till* (*ihop*) a) t.ex. middag knock up, fix b) ett tal put together c) piffa upp smarten up

snitsig *adj* stylish, chic

snitt *subst* cut; med. incision; tvärsnitt section; *i* ~ on average

sno *verb* **1** hoptvinna twist; vira twine, wind; snurra twirl, turn **2** vard., stjäla pinch **3** ~ *sig* a) linda sig twist, twine [*om* round]; trassla ihop sig get twisted b) vard., skynda sig get cracking

snobb *subst* snob; klädsnobb dandy

snobba *verb*, ~ *med* t.ex. kunskaper show off; t.ex. fina bekantskaper swank about, brag about

snobberi *subst* snobbery
snobbig *adj* snobbish
snobbism *subst* snobbery
snodd *subst* cord; för garnering braid, lace
snofsig *adj* vard. smart
snuk *subst* zool. grass snake
snoka *verb* poke, pry, snoop; ~ *upp* (*reda på*) hunt up
snopen *adj* besviken disappointed; *det känns lite snopet* it feels a bit disappointing
snopp *subst* **1** barnspr. el. vard., penis willie, thing **2** på cigarr tip
snoppa *verb* ljus snuff; krusbär etc. top and tail; bönor string; ~ el. ~ *av* cigarr cut; ~ *av ngn* snub sb
snor *subst* vard. snot
snorig *adj* snotty, snotty-nosed
snorkel *subst* snorkel
snorkig *adj* vard. snooty
snorunge *subst* o. **snorvalp** *subst* snotty-nosed kid; som är uppkäftig saucy brat, cheeky brat
snowboard *subst* snowboard
snowboarding *subst* snowboarding
snubbe *subst* vard. guy, bloke, chap, amer. vanligen guy
snubbla *verb* stumble, trip
snudd *subst*, *det är* ~ *på skandal* it's little short of a scandal
snudda *verb*, ~ *vid* brush against; skrapa lätt graze
snurra I *subst* **1** leksak top **2** vindsnurra windmill **II** *verb* spin, twirl; kring axel turn [*omkring* on]; rotate, revolve; *alltning ~r runt för mig* my head is in a whirl
snurrig *adj* vard. **1** yr giddy, dizzy **2** tokig crazy

---

snus
Det svenska sättet att snusa är inte vanligt i England och USA. *Snuff* är ett fint pulver som andas in i näsan.

---

snus *subst* luktsnus snuff; av svensk typ snus [snu:s]
snusa *verb* tobak take snuff
snusdosa *subst* snuffbox
snusen *subst* vard., *lite på* ~ a bit tipsy
snusförnuftig *adj* would-be wise, platitudinous
snusk *subst* dirt, filth
snuskig *adj* dirty, filthy
snut *subst* vard., polis cop; ~*en* koll. the cops pl.
snutt *subst* vard., kort avsnitt snippet, little bit; melodi snatch, bit of a tune

snuva *subst*, *få* ~ catch a cold; *ha* ~ have a cold
snuvig *adj*, *vara* ~ have a cold
snyfta *verb* sob
snyftning *subst* sob
snygg *adj* prydlig tidy, neat; ren clean; vacker etc. pretty, nice, fine; om en man handsome, good-looking; *jo, det var just ~t!* iron. that's (this is) a fine thing!
snygga *verb*, ~ *till* (*upp*) *sig* make oneself tidy; piffa upp sig smarten oneself up; ~ *upp* städa tidy up
snyltgäst *subst* person sponger, gatecrasher
snyta *verb*, ~ *sig* blow one's nose
snyting *subst* vard., *ge ngn en* ~ sock sb, wallop sb
snål *adj* **1** stingy, mean [*mot* towards] **2** om vind biting
snåla *verb* vara snål be stingy, be mean; nödgas leva snålt stint oneself; ~ *in på* spara save on
snålhet *subst* stinginess, meanness [*mot* towards]; *låta ~en bedra visheten* be penny-wise and pound-foolish
snåljåp *subst* skinflint, miser, spec. amer. cheapskate
snålskjuts *subst*, *åka* ~ travel without paying; utnyttja take advantage [*på* of]
snår *subst* thicket, brush
snäcka *subst* **1** snäckdjur mollusc **2** skal shell
snäll *adj* good [*mot* to]; vänlig kind [*mot* to]; snäll och rar nice [*mot* to]; väluppfostrad well-behaved; ~*a du gör det* el. *var ~ och gör det* would you do that please?; *men ~a du, ...!* but my dear, ...!
snärja *verb* snare, entangle, trap; ~ *in sig* get entangled
snärtig *adj* om slag sharp; om replik cutting
snäsa *verb*, ~ el. ~ *till ngn* snap at sb; åthuta tell sb off; ~ *av ngn* snub sb
snäv *adj* tight, close; om kjol etc. close-fitting; trång, knapp narrow
snö *subst* snow
snöa *verb* snow; *det ~r* it is snowing; *vägen har ~t igen* the road has been snowed over
snöblandad *adj*, *snöblandat regn* sleet
snöblind *adj* snowblind
snöboll *subst* snowball
snöby *subst* snow flurry; kraftigare snow squall
snödjup *subst* depth of snow
snödriva *subst* snowdrift
snödroppe *subst* blomma snowdrop
snöfall *subst* snowfall, fall of snow
snöflinga *subst* snowflake
snöglopp *subst* sleet

snögubbe *subst* snowman
snöig *adj* snowy
snökedja *subst* tyre chain
snöplig *adj* t.ex. om resultat disappointing; *få (ta) ett ~t slut* come to a sorry end
snöplog *subst* snowplough, amer. snowplow
snöra *verb* lace, lace up; *~ upp* unlace
snöre *subst* string; grövre cord; segelgarn twine; för garnering braid; målsnöre tape; *ett ~* a piece of string
snöripa *subst* kok. grouse
snörpa *verb*, *~ på munnen* purse one's lips
snöröjning *subst* snow clearance
snöskoter *subst* snowmobile
snöskottning *subst* clearing (shovelling) away the snow
snöskred *subst* avalanche, snowslide
snöslask *subst* sleet, wet snow; sörja slush
snöslunga *subst* snow-blower
snöstorm *subst* snowstorm, våldsam blizzard
snösväng *subst* vard., snöröjning snow clearance; arbetsstyrka snow clearance force
snötäcke *subst* covering of snow; *~ts tjocklek* the depth of snow
snötäckt *adj* snow-covered
Snövit i sagan Snow White
so *subst* sugga sow [sau]
soaré *subst* soirée (franska)
sobel *subst* djur el. skinn sable
sober *adj* sober
social *adj* social
socialarbetare *subst* social worker, welfare worker
socialbidrag *subst* social security benefit; behovsprövat income support
socialbyrå *subst* social welfare office
socialdemokrat *subst* social democrat; *~erna* the Social Democrats
socialdemokrati *subst* social democracy
socialdemokratisk *adj* social democratic
socialdepartement *subst* ministry of health and social affairs
socialfall *subst* social welfare case
socialförsäkring *subst* social insurance, national insurance
socialgrupp *subst* social group, social class
socialisera *verb* socialize; förstatliga nationalize
socialism *subst*, *~* el. *~en* socialism
socialist *subst* socialist
socialistisk *adj* socialistic
socialminister *subst* minister of health and social affairs
Socialstyrelsen *subst* the National Swedish Board of Health and Welfare

socialvård *subst* social welfare
socialvårdare *subst* social worker
societet *subst* society; *~en* Society
sociolog *subst* sociologist
sociologi *subst* sociology
socka *subst* sock
sockel *subst* base; lampfattning socket
socken *subst* parish
socker *subst* sugar
sockerbeta *subst* sugar beet
sockerbit *subst* lump of sugar
sockerdricka *subst* lemonade
sockerfri *adj* sugarless; t.ex. tuggummi sugar-free
sockerhalt *subst* sugar content
sockerkaka *subst* sponge cake
sockerlag *subst* syrup
sockerrör *subst* sugar cane
sockersjuk *adj* diabetic; *en ~* a diabetic
sockersjuka *subst* diabetes
sockerskål *subst* sugar basin, sugar bowl
sockervadd *subst* candy floss, amer. cotton candy
sockerärt *subst* mange-tout, sugar pea, amer. snow pea
sockra *verb*, *~* el. *~ i (på)* sugar
soda *subst* soda
sodavatten *subst* soda water, soda
soffa *subst* sofa; mindre el. pinnsoffa settee; vilsoffa couch; t.ex. järnvägsvagn el. parksoffa seat
soffbord *subst* coffee table
soffgrupp *subst* möblemang lounge suite, three-piece suite
soffliggare *subst* valskolkare abstainer from voting, stay-at-home
soffpotatis *subst* vard. couch potato
sofistikerad *adj* sophisticated
soja *subst* sås soya sauce
sojaböna *subst* soya bean, soybean
sol *subst* sun
sola *verb*, *~ sig* sunbathe
solarium *subst* solarium
solarplexus *subst* anat. el. boxn. solar plexus
solbad *subst* sunbath
solbada *verb* sunbathe, take a sunbath
solbrillor *subst pl* vard. shades, sunglasses
solbränd *adj* brun suntanned; sönderbränd sunburnt
solbränna *subst* suntan, tan; sönderbränd sunburn
soldat *subst* soldier, menig soldier, private
soldäck *subst* sundeck
soleksem *subst* sun rash
solenergi *subst* solar energy
solfjäder *subst* fan

solförmörkelse *subst* solar eclipse

solglasögon *subst pl* sunglasses, vard. shades

solglimt *subst* glimpse of the sun

solid *adj* solid; ~ *ekonomi* sound economy, sound finances; *ha ~a kunskaper i* have a sound knowledge of

solidarisera *verb*, ~ *sig* fully identify oneself [*med* with]

solidarisk *adj*, *vara ~ med ngn* be loyal to sb

solidaritet *subst* solidarity

solig *adj* sunny

solist *subst* soloist

solka *verb*, ~ *ned* soil

solkig *adj* soiled

solklar *adj* uppenbar obvious, clear

solklänning *subst* sun dress

solkräm *subst* sun (suntan) lotion

solliv *subst* sun top

solljus *subst* sunlight

solnedgång *subst* sunset, sundown; *i ~en* at sunset

solo I *adj* o. *adv* solo; helt ensam alone
II *subst* solo (pl. -s)

solochvåra *verb*, ~ *ngn* play the lonely-hearts racket with sb, trick sb out of money by false promises of marriage

solochvårare *subst* lonely-hearts racketeer, conman who obtains money from a woman by false promises of marriage

sololja *subst* suntan oil, suntan lotion

solros *subst* sunflower

solsken *subst* sunshine; *det är ~* vanligen the sun is shining

solskydd *subst* i bil sun shield, sun visor; skydd mot solen i allm. protection from the sun

solskyddsmedel *subst* sunblock; solkräm sun (suntan) lotion

solsting *subst*, *få ~* have a sunstroke, get a sunstroke

solstol *subst* sun chair, sun lounger

solstråle *subst* sunbeam, ray of sunshine

solsystem *subst* solar system

soltak *subst* på bil sunroof, sunshine roof

soltimmar *subst pl* hours of sunshine

soluppgång *subst* sunrise; *i ~en* at sunrise

solur *subst* sundial

som I *pron* om person who (objektsform whom); om djur el. sak which; om person, djur el. sak ofta that; *allt ~* all that; *mycket ~* much that; *han var den förste ~ kom* he was the first to come; *platsen ~ han bor på* the place where he is living; *det var här ~ jag mötte honom* it was here that I met him; *det är någon ~ knackar på dörren*

there is someone knocking at the door
II *konj* **1** as, like; *varför gör du inte ~ jag?* why don't you do as I do?, vard. why don't you do like I do?; *om jag vore ~ du* if I were you; *redan ~ pojke simmade han ~ en fisk* even as a boy he swam like a fish **2** eftersom as, since

III *adv* framför superl., *när vattnet är ~ högst* when the water is at its highest; *när festen pågick ~ bäst* right in the middle of the party; *när man är ~ minst förberedd* when one is least prepared

somlig *pron*, ~*t*, ~*a* some; ~*t* självst. some things pl.; ~*a* självst. some, some people, certain people

sommar *subst* summer; *i somras* last summer; se *höst* för vidare ex.

sommardag *subst* summer day, summer's day

sommargäst *subst* holiday visitor, holiday guest, summer visitor (guest); om fågel summer visitor

sommarlik *adj* summery, summer-like

sommarlov *subst* summer holidays pl., vacation

sommar-OS *subst* the summer Olympics pl.

sommarsolstånd *subst* summer solstice

sommarstuga *subst* summer cottage, weekend cottage

sommarställe *subst* place in the country, summer cottage, större summer house

sommartid *subst* **1** årstid summer, summertime **2** framflyttad tid daylight saving time; i Storbritannien vanligen British Summer Time

somna *verb* fall asleep, go to sleep; ~ *om* fall asleep again, go back to sleep again

son *subst* son; *han är ~ till* he is the son of

sona *verb* atone for, make amends for

sonat *subst* sonata

sondera *verb* probe, sound; ~ *möjligheterna* explore the possibilities; ~ *terrängen* see how the land lies

sondotter *subst* granddaughter

sonhustru *subst* daughter-in-law (pl. daughters-in-law)

sonson *subst* grandson

sopa *verb* sweep

sopbil *subst* refuse lorry, amer. garbage truck

sopborste *subst* dust brush; med längre skaft broom

sophink *subst* refuse bucket, amer. garbage can, trash can

sophämtare *subst* refuse collector, vard. dustman; amer. garbage collector

sophämtning *subst* refuse collection, amer. garbage collection

sophög *subst* refuse heap, amer. garbage heap

sopkvast *subst* broom

sopnedkast *subst* refuse chute, amer. garbage chute

sopor *subst pl* avfall refuse sing., amer. garbage sing.; skräp rubbish sing., amer. trash

sopp *subst* svamp bolete

soppa *subst* **1** soup **2** vard. mess

sopptallrik *subst* soup plate

soppåse *subst* bin-liner, bin bag, amer. trash bag

sopran *subst* person el. röst soprano (pl. -s)

sopskyffel *subst* dustpan

sopsortering *subst* refuse sorting, amer. garbage sorting

sopstation *subst* central refuse disposal plant, amer. garbage disposal plant

soptipp *subst* refuse dump, amer. garbage dump

soptunna *subst* dustbin, refuse bin, trash can, garbage can

sopåtervinning *subst* waste reclamation

sorbet *subst* vattenglass sorbet, amer. sherbet

sorg *subst* **1** bedrövelse sorrow *[över* at], grief *[över* for]; *till min stora ~ måste jag* to my great regret I have to **2** sörjande el. sorgdräkt mourning; förlust genom dödsfall bereavement; *anlägga ~* go into mourning *[efter* for]

sorgband *subst* mourning band

sorgdräkt *subst* mourning

sorgebarn *subst* problem child

sorgfri *adj* bekymmerfri carefree

sorgklädd *adj*, *vara ~* be in mourning

sorglig *adj* ledsam, beklaglig sad; bedrövlig deplorable; *ett ~t faktum* a melancholy fact; *det är ~t men sant* it is sad but unfortunately true

sorglös *adj* carefree; obekymrad unconcerned; lättsinnig happy-go-lucky

sorgmarsch *subst* funeral march

sorgmusik *subst* funeral music

sorgsen *adj* sad; sorgmodig melancholy, mournful

sork *subst* djur vole, fieldmouse

sorl *subst* murmur

sorla *verb* murmur

sort *subst* slag sort, kind; typ type; hand., märke brand

sortera *verb* **1** sort, efter kvalitet sort, grade, classify *[efter* according to] **2** *~ under* a) lyda under be subordinate to, be under the control of b) höra under belong under, come under; *~ under rubriken...* come under the heading of...

sortering *subst* **1** sorterande sorting **2** se *sortiment*

sorti *subst* exit *[från, ur* from]

sortiment *subst* assortment, range, selection

SOS *subst*, *ett ~* an SOS

sosse *subst* vard. socialist, social democrat

sot *subst* soot; i motor carbon

1 sota *verb* **1** skorsten etc. sweep; motor decarbonize **2** *~ ngt* el. *~ ned ngt* smutsa soot sth, make sth sooty **3** alstra sot smoke, give off soot

2 sota *verb*, *få ~ för ngt* pay for sth

sotare *subst* person chimney-sweep

sotig *adj* sooty; smutsig grimy

souvenir *subst* souvenir, keepsake

sova I *verb* sleep, be asleep; *~ gott* djupt be sound asleep, be fast asleep; *sov gott!* sleep well!; *jag ska ~ på saken* I'll have to sleep on it, I'll have to sleep on the matter

II *verb* med betonad partikel

sova av sig t.ex. rus, ilska sleep off

sova ut tillräckligt länge have enough sleep

sova över tiden oversleep; *~ över* hos ngn stay the night

Sovjet *subst* hist. the Soviet Union

Sovjetunionen hist. the Soviet Union

sovkupé *subst* sleeping-compartment

sovmorgon *subst*, *hon har ~* she's having a lie-in; *i morgon har jag ~* tomorrow I will have a late morning (I will be able to have a nice lie-in)

sovplats *subst* järnv. el. sjö. sleeping-berth

sovplatsbiljett *subst* sleeping-berth ticket

sovra *verb* t.ex. material sift, sort out

sovrum *subst* bedroom

sovstad *subst* dormitory suburb

sovsäck *subst* sleeping-bag

sovvagn *subst* sleeping-car

spackel *subst* **1** verktyg putty knife **2** spackelfärg putty

spackla *verb* putty

spad *subst* liquid; för soppor el. såser stock

spade *subst* spade

spader *subst* **1** kortsp. spades pl.; *en ~* a spade **2** vard., *få ~* go mad; *jag tror jag får ~!* I'll go mad in a minute!

spaderdam *subst* kortsp. the queen of spades

spaderfem *subst* kortsp. the five of spades

spagat *subst*, *gå ned i ~* do the splits

spaghetti *subst* spaghetti (med verb i sing.)

1 spak *subst* lever; flyg. control column, control stick

2 spak *adj* lätthanterlig manageable; foglig docile

spaljé *subst* för växt trellis, espalier

spalt *subst* typogr. column

spalta *verb* **1** ~ *upp ngt* i spalter divide sth into columns **2** klyva split, split up

spana *verb* med blicken look out; intensivt watch; om polis investigate; mil. reconnoitre; ~ *efter* be on the look-out for, search for

spanare *subst* spejare scout; flyg. observer; om polis investigator, detective

Spanien Spain

spaning *subst* search sing.; polisspaning investigation; mil. el. flyg. reconnaissance; *vara på* ~ *efter ngt* be on the look-out for sth, be on the search for sth

spaningsplan *subst* reconnaissance plane

spanjor *subst* Spaniard

spanjorska *subst* Spanish woman

spann *subst* brospann span

spannmål *subst* corn, spec. amer. grain; brödsäd cereals pl.

spansk *adj* Spanish

spanska *subst* språk Spanish; se *svenska 2*; för ex.

spanskfödd *adj* Spanish-born; se *svensk-* för vidare sammansättningar

spara I *verb* **1** save [*till* for] **2** hushålla med economize [*på* on]; skona, t.ex. sin hälsa spare; ~ *på sockret!* go easy on the sugar! **II** *verb* med betonad partikel
  spara ihop save up [*till* for], lay up [*till* for]; hopa accumulate
  spara in dra in **på ngt** economize on sth

sparare *subst* saver

sparbank *subst* savings bank

sparbanksbok *subst* savings book

sparbössa *subst* money box, savings-box

spargris *subst* piggy bank

spark *subst* kick; *få en* ~ get kicked; *få* ~*en* vard. get the sack, be fired; *ge ngn* ~*en* give sb the sack, fire sb

sparka I *verb* kick; ~ *bakut* om häst kick out; ~ *boll* vanligen play football, vard. play footie; *bli* ~*d* från jobbet get the sack, be fired **II** *verb* med betonad partikel
  sparka av sig täcket kick off one's bedclothes
  sparka igen dörren kick the door shut
  sparka till ngn (ngt) give sb (sth) a kick
  sparka upp ngt t.ex. dörr kick sth open

sparkapital *subst* saved capital, savings capital

sparkbyxor *subst pl* rompers

sparkcykel *subst* scooter

sparkdräkt *subst* romper suit, rompers pl.

sparkonto *subst* savings account

sparkstötting *subst* kick-sled

sparmedel *subst* savings pl.

sparpaket *subst* austerity package

sparra *verb*, ~ *mot ngn* be sb's sparring-partner

sparringpartner *subst* sparring-partner

sparris *subst* grönsak asparagus

sparsam *adj* ekonomisk economical; *vara* ~ *med* economize on; *vara* ~ med pengar be economical; ~ *med* t.ex. beröm, ord sparing of

sparsamhet *subst* economy, thrift

spartansk *adj* Spartan

sparv *subst* fågel sparrow

sparvhök *subst* fågel sparrow hawk

spasmodisk *adj* spasmodic

spastiker *subst* spastic

spastisk *adj* spastic

speceriaffär *subst* grocer's shop, amer. grocery store

specerier *subst pl* groceries

specialerbjudande *subst* special offer

specialfall *subst* special case

specialisera *verb*, ~ *sig* specialize [*på, i* in]

specialist *subst* specialist [*på* in]; expert expert [*på* on, in]

specialitet *subst* speciality

specialkunskap *subst* specialist knowledge

speciallärare *subst* remedial teacher

specialutbildad *adj* specially trained

speciell *adj* special, particular

specificera *verb* specify

specifik *adj* specific

specifikation *subst* specification [*över* of], detailed description [*över* of]

spedition *subst* spedierande forwarding, dispatch, shipping

speditör *subst* forwarding agent (agents pl.), shipping agent (agents pl.)

speedway *subst* sport. speedway

spegel *subst* mirror, looking-glass

spegelbild *subst* reflection

spegelblank *adj* om t.ex. sjö glassy; om t.ex. golv, metall shiny

spegelreflexkamera *subst* reflex camera

spegelvänd *adj* reversed, inverted

spegla *verb* reflect, mirror; ~ *sig* be reflected, om person look in a mirror

speja *verb* spy [*efter* for], spy about [*efter* for]

spejare *subst* mil. reconnaissance scout

spektakulär *adj* spectacular

spektrum *subst* spectrum (pl. spectra)

spekulant *subst* **1** prospective buyer [*på* of] **2** börsspelare speculator

spekulation *subst* speculation; *på* ~ on speculation, vard. on spec

spekulera *verb* speculate [*över* about, on]

spel *subst* **1** musik. playing **2** teat., spelsätt acting **3** sällskaps-, kort- el. idrottsspel game; spelande playing; spelsätt vanligen play; hasardspel gambling; stick i kortspel trick; ~ *om pengar* playing for money; *förlora på* ~ lose by gambling **4** olika uttryck: ~*et är förlorat* the game is up; *spela ett högt* ~ play a dangerous game; *ha ett finger* (*sin hand*) *med i* ~*et* have a hand in it; *stå på* ~ be at stake; *sätta ngt på* ~ risk sth, put sth at stake; *han är ur* ~*et* he is out of it, he is out of the running

spela I *verb* play; visa t.ex. film show; spela hasard gamble; låtsas vara pretend; ~ *fiol* play the violin; ~ *kort* play cards; ~ *piano* play the piano, vard. play piano; ~ *sjuk* pretend to be ill; ~ *teater* act; ~ *för ngn* a) inför ngn play to sb b) ta lektioner take piano (violin etc.) lessons from sb; ~ *på en häst* bet on a horse; ~ *på lotteri* take part in a lottery (lotteries pl.)
II *verb* med betonad partikel
spela bort gamble away
spela in 1 ~ *in en film* make a film, produce a film; ~ *in ngt* på band record sth **2** inverka come into play
spela upp spelläxa play [*för* to]; t.ex. en vals strike up; ljudband play back

spelare *subst* player; hasardspelare gambler; vadhållare better

spelautomat *subst* gambling machine; enarmad bandit, vard. fruit machine, one-armed bandit

spelbord *subst* för kortspel card-table; för hasardspel gambling table, gaming table

speldosa *subst* musical box

spelfilm *subst* feature film

spelhall *subst* amusement hall, amusement arcade

spelhåla *subst* gambling-den, gambling-house

spelkort *subst* playing-card

spelman *subst* musician; fiolspelare fiddler

spelmark *subst* counter

spelmål *subst* sport. goal in open play

spelregel *subst* rule of the game

spelrum *subst* scope, play, margin; *fritt* ~ free scope

spelskuld *subst* gambling debt

speltid *subst* för film running time; för musikkassett playing time

speluppläggare *subst* sport. playmaker

spenat *subst* spinach

spendera *verb* spend

spene *subst* teat, nipple

spenslig *adj* slender

sperma *subst* sperm

spermie *subst* sperm

1 spets *subst* **1** udd point; på reservoarpenna nib; ände, t.ex. på finger, tunga tip; *stå i* ~*en för ngt* be at the head of sth; *ställa sig i* ~*en för ngt* put oneself at the head of sth; *driva saken till sin* ~ carry matters to extremes **2** bergstopp peak, top

2 spets *subst* textil., ~ el. ~*ar* lace (endast sing.)

3 spets *subst* hund spitz; *dvärg* ~ Pomeranian

spetsa *verb* göra spetsig, spetsa till sharpen, point; ~ *öronen* prick up one's ears

spetsig *adj* pointed; vass sharp; ~ *vinkel* acute angle

spetskrage *subst* lace collar

spett *subst* **1** järnspett iron-lever **2** stekspett spit; grillspett skewer

spex *subst* farce

spexa *verb* clown about

spigg *subst* fisk stickleback

spik *subst* nail; stift nubb, tack; *träffa huvudet på* ~*en* hit the nail on the head

spika *verb* **1** nail; med nubb etc. tack; ~ *fast* nail [*vid* on to] **2** ~ *en dag* bestämma fix a day

spikhuvud *subst* head of a nail

spikrak *adj* dead straight

spiksko *subst* sport. spiked shoe, track shoe

spill *subst* waste, wastage, loss

spilla *verb* **1** spill, drop, waste, lose **2** ~ *tid på ngt* waste time on sth

spillo *subst*, *gå till* ~ go to waste, run to waste

spillolja *subst* waste oil

spillra *subst* skärva splinter; friare remnant, remains pl.; *spillror* av t.ex. flygplan, hus wreckage

spillvatten *subst* överloppsvatten waste water

spilta *subst* för häst stall; lös box, loose box

1 spindel *subst* tekn. spindle

2 spindel *subst* zool. spider

spindelnät *subst* o. **spindelväv** *subst* cobweb, spider web, spider's web

spinkig *adj* very thin, slender

spinn *subst* flyg. spin; *råka i* ~ get into a spin

spinna *verb* **1** spin **2** om katt, motor purr

spion *subst* spy, hemlig agent secret agent

spionage *subst* espionage

spionera *verb* spy [*på* on; *åt* for]

spioneri *subst* spying, espionage (endast sing.)

spira I *subst* **1** topp spire **2** härskarstav sceptre
II *verb*, ~ el. ~ *upp (fram)* skjuta skott sprout, sprout up

spiral *subst* **1** spiral **2** preventivmedel loop, coil

spiralfjäder *subst* coil spring, spiral spring

spiraltrappa *subst* spiral staircase, winding staircase

spiritism *subst* se *spiritualism*

spiritualism *subst* spiritualism

spirituell *adj* witty

spis *subst* **1** elektrisk cooker, amer. stove; gasspis gas stove; köksspis kitchen range **2** *öppen* ~ fireplace **3** *stå vid en öppen* ~ be busy cooking

spisa *verb* eat

spisfläkt *subst* cooker hood ventilator, cooker fan

spisning *subst*, *utan vidare* ~ without further ado

spjut *subst* **1** spear; kastspjut javelin **2** sport. javelin; *kasta* ~ throw the javelin

spjutkastare *subst* sport. javelin thrower

spjutkastning *subst* sport., gren javelin throw, javelin

spjäll *subst* i eldstad damper; i maskin throttle valve

spjälsäng *subst* cot, amer. crib

spjärna *verb*, ~ *emot* streta emot offer resistance

splitter *subst* splinter

splitterfri *adj* shatterproof

splitterny *adj* brand-new

splittra *verb* **1** shatter, splinter; klyva split **2** partier, familjer etc. divide, divide up **3** ~ *sig* a) i små stycken splinter b) ägna sig åt mycket divide one's energies; *han är* ~*d* he is torn in different directions

splittring *subst* oenighet division, split

1 spola I *verb* **1** vatten etc. flush; skölja rinse; med. syringe; på toaletten flush; ~ *av* t.ex. bilen wash down **2** förkasta, vard. scrap, chuck out
II *verb* med betonad partikel
spola av t.ex. bilen wash down
spola bort wash away
spola i (upp) vatten i badkaret run a bath
spola ner ngt i toaletten flush sth down the toilet

2 spola *verb* vinda upp på spole wind, spool; ~ *av* unspool; ~ *fram* band, film fast-forward, wind forward; ~ *tillbaka* band, film rewind

spolarvätska *subst* windscreen washer fluid, amer. windshield washer fluid

spole *subst* **1** för symaskin spool **2** för film, färgband, band etc.: tom spool, full reel **3** hårspole curler **4** elektr. el. radio. coil

spoliera *verb* spoil, wreck; ödelägga ruin

sponsor *subst* sponsor

sponsra *verb* sponsor

spontan *adj* spontaneous

spontanitet *subst* spontaneity

sporadisk *adj* sporadic; enstaka isolated

sporra *verb* spur

sporre *subst* spur

sport *subst* sport

sporta *verb* go in for sports, go in for games

sportaffär *subst* sports shop

sportartiklar *subst pl* sports equipment sing.

sportbil *subst* sports car

sportdykare *subst* skindiver

sportdykning *subst* skindiving

sportfiskare *subst* angler

sportfiske *subst* angling

sportig *adj* sporty

sportjacka *subst* leisure jacket

sportkläder *subst pl* sports clothes

sportlov *subst* winter sports holiday, amer. winter sports vacation

sportnyheter *subst pl* sports news sing.; i tv, radio sportscast sing.

sportredaktör *subst* sports editor

sportsida *subst* sporting page

sportslig *adj* sporting

sportsmässig *adj* sportsmanlike, sporting

sportstuga *subst* ungefär weekend cottage, summer cottage

spott *subst* saliv spittle, saliva

spotta *verb* spit

spottstyver *subst*, *för en* ~ for a song

spraka *verb* knastra crackle; gnistra sparkle

sprallig *adj* lively, frisky

spratt *subst* practical joke; *spela ngn ett* ~ play a trick on sb

sprattelgubbe *subst* **1** leksak jumping jack **2** sprallig person jack-in-the-box, live-wire

sprattla *verb* **1** flounder **2** om småbarn kick about; om t.ex. dansös do a lot of high kicking

sprej *subst* o. **spreja** *verb* spray

sprejburk *subst* spray can

sprejflaska *subst* atomizer

spreta *verb* om ben sprawl; ~ el. ~ *ut* stick out; ~ *med fingrarna* spread one's fingers

spretig *adj* straggly; ~ *handstil* sprawling hand

spricka I *subst* **1** crack, i hud chap **2** i t.ex. vänskap breach; inom t.ex. parti split

II *verb* crack; om hud chap; brista break; sprängas sönder burst; rämna split; *äta tills man är nära att* ~ eat till one is ready to burst; *förhandlingarna har spruckit* negotiations have broken down

sprida *verb*, ~ *sig* spread; sprida ut sig, skingra sig disperse, scatter; ~ *ljus över ngt* shed light on sth; ~ *ett rykte* spread a rumour; ~ *omkring ngt* scatter sth about; ~ *ut* spread out; friare spread, circulate

spridd *adj* utbredd spread; enstaka isolated, stray; kringspridd scattered, dispersed; ~*a skurar* scattered showers; *på* ~*a ställen* here and there

spridning *subst* spread, distribution

spring *subst* springande running about; *det är ett ständigt* ~ *av folk här* there is a constant stream of people popping in and out

1 springa *subst* narrow opening; t.ex. dörrspringa chink; i t.ex. brevlåda slit; för mynt slot

2 springa I *verb* **1** löpa run; ~ *sin väg* run away; ~ *benen av sig* run oneself off one's legs; ~ *efter ngn* vara efterhängsen run after sb; ~ *i affärer* go shopping **2** brista, ~ *i luften* explode, be blown up
II *verb* med betonad partikel
springa bort run away, run off
springa efter hämta run for, run and fetch
springa fatt ngn catch sb up
springa fram run forward, run up
springa före framför run in front [*ngn* of sb], run ahead [*ngn* of sb]
springa in genom t.ex. dörren run in
springa ned run down, nedför trappan run downstairs
springa om ngn (ngt) overtake sb (sth), run past sb (sth)
springa upp 1 löpa run up, uppför trappan run upstairs **2** resa sig jump up, spring up

springande *adj*, *den* ~ *punkten* the crucial point

springare *subst* schack. knight

springpojke *subst* errand boy, messenger boy, delivery boy

sprinkler *subst* sprinkler

sprinter *subst* sprinter

sprinterlopp *subst* sport. sprint, amer. dash

sprit *subst* alkohol alcohol; dryck spirits pl.; starksprit liquor; industriell spirit

sprita *verb* ärter etc. shell

spritdryck *subst* alcoholic liquor; ~*er* spirits

spritförbud *subst* prohibition

spritkök *subst* spirit stove

spritlangare *subst* ungefär bootlegger

spritpåverkad *adj*, *vara* ~ be under the influence of drink (alcohol), be intoxicated

spritrestriktioner *subst pl* restrictions on spirits

spriträttigheter *subst pl*, *ha* ~ be fully licensed

spritsmugglare *subst* liquor smuggler, bootlegger

spritt *adv*, ~ *språngande galen* raving mad; ~ *naken* stark naked

spritta *verb* t.ex. av glädje jump [*av* for], bound [*av* for]; ~ *till* give a start, start

spritärter *subst pl* shelling peas; kok. green peas

sprudla *verb* bubble; ~ *av liv* bubble over with high spirits

sprudlande *adj* exuberant; ~ *kvickhet* sparkling wit

sprund *subst* på kläder slit, opening

spruta I *subst* handspruta el. för injektion syringe; för besprutning, målning sprayer; brandspruta fire-engine; *få en* ~ get an injection [*mot* for], vard. get a shot [*mot* for]
II *verb* **1** spurt; med fin stråle squirt; med stor kraft spout **2** ~ *på* sprinkle, spray; med slang hose; spec. färg el. mot ohyra spray; ~ *in* inject

sprutlackering *subst* **1** spraying **2** färg spray paint

sprutmåla *verb* spray-paint

sprutpistol *subst* spray gun

språk *subst* language; uttryckssätt style; talspråket speech; *siffrorna talar sitt tydliga* ~ the figures speak for themselves; *ut med* ~*et!* speak up!, out with it!

språkbegåvad *adj*, *han är mycket* ~ he has a gift for languages

språkbegåvning *subst* gift for languages

språkbruk *subst* usage, linguistic usage

språkfel *subst* linguistic error

språkkunnig *adj*, *vara* ~ have a good knowledge of languages

språkkunskaper *subst pl* knowledge sing. of languages

språkkurs skol. *subst* language course

språkkänsla *subst* feeling for language

språklärare *subst* language teacher

språkresa *subst* kurs utomlands language course abroad

språkrör *subst* mouthpiece [*för* for]

språkundervisning *subst* language teaching

språng *subst* jump, leap; *hon är på* ~ *någonstans* she is about somewhere

språngbräda *subst* springboard

språngmarsch *subst* run; *i* ~ at a run

spräcka *verb* crack; plan spoil

spräcklig *adj* speckled, spotted

spränga *verb* burst; med sprängämne blast; spränga i luften blow up; ~ **banken** i spel break the bank; ~ **bort** med sprängämne blast away; ~ **en dörr** break a door open, force a door open; ~ **sönder** burst; med sprängämne blast; i flera delar burst to pieces, med sprängämne blast to pieces

sprängbomb *subst* high-explosive bomb

sprängladdning *subst* explosive charge

sprängämne *subst* explosive

sprätt *subst,* **han satte ~ på pengarna** he threw his money around

sprätta *verb,* ~ **upp** söm rip up; kuvert slit open

spröd *adj* brittle; om t.ex. sallad crisp; ömtålig fragile

spröt *subst* **1** zool. antenna, feeler **2** i paraply rib

spurt *subst* sport. spurt; **lägga på en ~** put on a spurt

spurta *verb* sport. spurt

sputnik *subst* sputnik

spy *verb* vomit, throw up; ~ **ut** eld, rök belch forth

spydig *adj* malicious; ironisk sarcastic

spydighet *subst* egenskap malice; ~**er** malicious remarks

spypåse *subst* flyg. el. sjö. vomit bag, sl. barf bag

spå *verb* **1** utöva spådom tell fortunes; ~ **ngn i handen** tell sb his fortune by the lines of the hand; ~ **ngn i kort** tell sb his fortune by the cards **2** förutsäga predict, foretell

spådom *subst* förutsägelse prediction, prophecy

spågumma *subst* o. **spåkärring** *subst* neds. old fortune-teller

spån *subst* flisa chip; filspån filings pl.; hyvelspån shavings pl.

spånkorg *subst* chip basket

spånskiva *subst* material chipboard; **en ~** a sheet of chipboard

spår *subst* **1** märke mark; friare trace; fotspår footstep; t.ex. efter vagn, djur track; jakt. trail; lukt scent; på band track; ledtråd (vid brott) clue; **följa ~et** a) om hund follow the track b) om polisen follow up the clue; **följa ngn i ~en** follow sb's footsteps; **allt gick i de gamla ~en** everything was in the same old groove; **vara inne på fel ~** be on the wrong track; **komma ngn (ngt) på ~en** get on the track of sb (sth) **2** järnv. track; skenor rails pl., line

spåra *verb* följa spåren av track, trace; ~ **upp** track down; ~ **ur** om tåg etc. leave the rails;

diskussionen ~de ur the discussion got side-tracked; **festen ~de ur** the party got out of hand

spårhund *subst* sleuth-hound, bloodhound

spårlöst *adv,* **han försvann ~** he vanished into thin air

spårvagn *subst* tram, tramcar, amer. streetcar

spårvagnsförare *subst* tram driver, amer. streetcar driver

spårvagnskonduktör *subst* tram conductor, amer. streetcar conductor

spårvidd *subst* gauge, width of track

spårväg *subst* tramway, amer. streetcar line

spä *verb,* ~ **ut** dilute; blanda mix

späck *subst* lard; valfiskspäck blubber

späckad *adj,* **en ~ plånbok** a bulging wallet; ~ **med citat** studded with quotations

späd *adj* om t.ex. växt, ålder tender; om gestalt slender; ömtålig delicate

späda *verb,* ~ **ut** dilute; blanda mix

spädbarn *subst* infant, baby

spädbarnsdödlighet *subst* infant mortality

spädgris *subst* sucking-pig

spädning *subst* **1** dilution **2** spädande diluting, mixing

spänd *adj* utsträckt stretched; om rep, muskel taut; om person tense; ivrig att få veta anxious to know; **ett spänt förhållande** strained relations pl.; **högt ~ förväntan** eager expectation; **spänt intresse** intense interest

1 spänn *subst,* **vara på ~** om person be in suspense, vard. be uptight

2 spänn *subst* vard., krona krona (pl. kronor)

spänna I *verb* sträcka ut stretch; dra åt, t.ex. rep tighten; anstränga: t.ex. krafter, röst strain; ~ **ngns förväntningar** raise sb's expectations; ~ **hanen på ett gevär** cock a gun; ~ **musklerna** flex one's muscles; ~ **sig** tense oneself; anstränga sig strain oneself; **spänn dig inte!** relax!

II *verb* med betonad partikel

spänna av el. **spänna av sig** unfasten; ngt fäst med rem unstrap; med spänne unbuckle

spänna fast ngt fasten sth on [vid to]; med rem strap sth on [vid to]; med spänne buckle sth on [vid to]; ~ **fast säkerhetsbältet** fasten one's seatbelt

spänna på el. **spänna på sig** put on; säkerhetsbälte fasten

spänna åt tighten

spännande *adj* exciting, thrilling; **det ska bli ~ att få se** it will be very interesting to see

spänne *subst* **1** clasp; på skärp buckle **2** för håret slide; hårklämma hairclip

spänning *subst* **1** allm. el. elektr. tension; i volt voltage; tekn. strain, stress **2** excitement; oro suspense; *vänta med* ~ wait eagerly

spänst *subst* **1** kroppslig vigour, physical fitness; vitalitet vitality **2** elasticitet springiness; om t.ex. fjäders elasticity

spänsta *verb* motionera take exercise to keep fit

spänstig *adj* **1** om person fit, vigorous; om gång springy; vital vital; *hålla sig* ~ keep fit, keep in good form **2** elastisk elastic

spärr *subst* **1** catch, stop, lock; spärranordning locking device **2** vid in- el. utgång barrier **3** hinder barrier; barrikad barricade; polisspärr på väg road-block

spärra I *verb* block up, bar; stänga för trafik close [*för* to]; ~ *en check* stop payment of a cheque (amer. check); ~ *ett konto* block an account, freeze an account
II *verb* med betonad partikel
spärra av 1 gata, väg close; med t.ex. bockar block; med rep rope off; med poliskordong cordon off **2** isolera isolate, shut off
spärra in ngn shut up sb; låsa lock sb up
spärra upp ögonen open one's eyes wide

spärranordning *subst* locking device, blocking device

spärreld *subst* barrage

spärrvakt *subst* ticket collector

spätta *subst* fisk plaice (pl. lika)

spö *subst* metspö fishing-rod; ridspö horsewhip; *regnet står som* ~*n i backen* it's pouring down, vard. it's raining cats and dogs

spöa *verb* ge stryk, besegra give sb a thrashing

spöka *verb* **1** om en avliden haunt a place; *det* ~*r här* this place is haunted; *det* ~*r här i huset* this house is haunted **2** vard., *det är nog hans gamla kärlekshistoria som* ~*r igen* ligger bakom it is probably his old love affair that is behind it (ställer till trassel that is causing trouble) again

spöke *subst* vålnad ghost, spectre

spökhistoria *subst* ghost story

spöklik *adj* ghostlike, ghostly; kuslig uncanny, weird

spörsmål *subst* question; *juridiska* ~ legal matters

1 squash *subst* grönsak marrow, amer. squash

2 squash *subst* sport. squash

squashbana *subst* sport. squash court

stab *subst* staff

stabil *adj* stable; stadig solid; om person steady

stabilisator *subst* sjö. el. flyg. stabilizer

stabilisera *verb*, ~ *sig* stabilize

stabilitet *subst* stability

stabschef *subst* mil. chief of staff

stack *subst* höstack stack; myrstack ant-hill

stackare *subst* poor creature, stark. poor devil

stackars *adj*, ~ *jag (mig)!* poor me!; ~ *liten!* poor little thing!

stackato *subst* o. *adv* musik. el. allm. staccato

stad *subst* town; större city; i administrativt avseende borough; *gamla stan* the old part of the town

stadga I *subst* **1** stadighet steadiness, stability; stadgad karaktär firmness of character **2** förordning regulations pl.; lag law
II *verb* **1** göra stadig steady; ~ *sig* om person settle down; om vädret become settled **2** förordna direct; påbjuda decree

stadgad *adj* **1** om person steady **2** föreskriven prescribed

stadig *adj* steady; stabil stable; *ha* ~*t arbete* have regular work; ~ *blick* steady gaze; ~ *fast kund* regular client; *en* ~ *måltid* a substantial meal, a square meal; ~*t väder* settled weather

stadigvarande *adj* permanent; ständig constant

stadion *subst* stadium

stadium *subst* stage; skede phase; *på ett tidigt* ~ at an early stage

stadsbefolkning *subst* urban population, town population

stadsbibliotek *subst* town library

stadsbud *subst* bärare porter

stadsdel *subst* quarter of the town, district

stadsfullmäktig *subst* town councillor, i större stad city councillor

stadshotell *subst* principal hotel in a (the) town

stadshus *subst* town hall, i större stad city hall

stadsplanering *subst* town-planning, city-planning

stafett *subst* sport. **1** pinne baton **2** tävling etc. relay

stafettlopp *subst* sport. relay race

stafettlöpare *subst* relay runner

stafettlöpning *subst* relay race, löpande relay racing

staffli *subst* easel

stag *subst* lina etc.: sjö. stay; till tält guy; stång av trä el. metall strut

stagnation *subst* stagnation

stagnera *verb* stagnate

staka *verb* **1** t.ex. väg mark; ~ *ut* t.ex. tomt

stake out, **stake off**; gränser mark out **2** ~ *sig* stumble [*på* over]

stake *subst* **1** stör stake **2** ljusstake candlestick

staket *subst* av trä fence; av metall railing

---

stall

Det engelska ordet *stall* betyder bås, spilta eller marknadsstånd. *Stalls* betyder parkett på t.ex. teater eller opera.

---

stall *subst* **1** byggnad stable; för cykel shed **2** grupp racerförare etc. stable

stam *subst* **1** bot. stem; trädstam trunk **2** folkstam tribe; *en man av gamla* ~*men* a man of the old stock

stamfader *subst* earliest ancestor

stamgäst *subst* regular customer

stamkund *subst* regular customer

stamma *verb* i tal stammer, stutter

stamning *subst* stammering, stuttering

stampa *verb* med fötterna stamp; ~ *i golvet* stamp on the floor; ~ *i marken* om häst paw the ground; ~ *takten* beat time with one's foot; *stå och* ~ *på samma fläck* be getting nowhere

stamtavla *subst* **1** genealogical table **2** djurs pedigree

standard *subst* standard; *höja* ~*en* raise the standard

standardbrev *subst* form letter

standardformat *subst* standard size

standardhöjning *subst* rise in the standard of living

standardisera *verb* standardize

standardmått *subst* standard size

standardsänkning *subst* lowering of one's standard of living

stank *subst* stench, vard. stink

stanna I *verb* **1** bli kvar stay; ~ *över natten* stay the night; ~ *borta* stay away; ~ *hemma* stay at home **2** bli stående stop; avsiktligt om fordon pull up; ~ *tvärt* stop short; *klockan har* ~*t* the clock has stopped; *det* ~*de vid hotelser* it got no further than threats **3** hejda stop **II** *verb* med betonad partikel

stanna av stop, cease

stanna kvar remain

stanniol *subst* o. **stanniolpapper** tinfoil, silver paper

stans *subst* tekn. punch

stansa *verb* punch

stapel *subst* hög pile; av ved stack; *gå av* ~*n* äga rum come off, take place

stapelvara *subst* staple, staple commodity

stapla *verb*, ~ el. ~ *upp* pile, pile up, stack

stappla *verb* gå ostadigt totter [*fram* along], stumble [*fram* along]; vackla stagger

stare *subst* fågel starling

stark *adj* strong, kraftig powerful; intensiv intense; om ljud loud; ~ *hunger* great hunger; ~*t kaffe* strong coffee; ~*a kryddor* hot spices; ~ *köld* bitter cold; ~ *mat* hot food

starksprit *subst* spirits pl., amer. hard liquor

starkström *subst* heavy current, high-voltage current

starkt *adv* strongly; kraftigt powerfully; ~ *begränsad* strictly limited; ~ *trafikerad gata* very busy road

starkvin *subst* fortified wine, dessert wine

starköl *subst* strong beer

starr *subst* med., *grå* ~ cataract; *grön* ~ glaucoma

start *subst* start; flyg. take-off; *flygande* ~ sport. flying start

starta *verb* start; flyg. take off; bege sig av set out; ~ *eget* start out on one's own

startbana *subst* flyg. runway

startblock *subst* sport. starting-block

startfält *subst* sport. line-up

startförbud *subst* flyg., *det råder* ~ all planes are grounded

startgrop *subst*, *ligga i* ~*arna* be ready to start, be waiting for the starting-signal

startkabel *subst* bil. jump lead, amer. jumper cable; *starta med startkablar* jump-start

startkapital *subst* initial capital

startklar *adj*, *vara* ~ be ready to start; flyg. be ready to take off

startlinje *subst* starting-line

startmotor *subst* starter, self-starter

startnyckel *subst* bil. ignition key

startpistol *subst* sport. starter's gun

startraket *subst* booster rocket

startsignal *subst* starting signal

startskott *subst*, ~*et gick* the pistol went off

stat *subst* polit. state; ~*en* the State; statsmakten the Government

station *subst* station

stationera *verb* station

stationsvagn *subst* bil estate car, amer. station wagon

stationär *adj* stationary

statisk *adj* static

statist *subst* teat. walker-on; spec. film. extra

statistik *subst* statistics (verb i sing., i betydelsen 'siffror' verb i pl.)

statistisk *adj* statistical

stativ *subst* stand, till kamera etc. tripod

statlig *adj* statens etc. vanligen State ... endast före subst.; ~ *tjänst* public service, civil service

statsanslag *subst* Government (State) grant

statsanställd I *adj*, *vara* ~ be employed in Government service **II** *subst* Government employee

statsbesök *subst* state visit

statsbidrag *subst* State subsidy, State grant

statschef *subst* head of State

statsfinanser *subst pl* public finances, state finances

statsförvaltning *subst* public administration

statskunskap *subst* political science

statskupp *subst* coup d'état (franska) (pl. coups d'état)

statskyrka *subst* established church, State church

statsman *subst* statesman; politiker politician

statsminister *subst* prime minister, premier

statsobligation *subst* Government bond

statsråd *subst* minister cabinet minister

statssekreterare *subst* under-secretary of State

statstjänsteman *subst* civil servant, public servant

statsunderstöd *subst* State subsidy, State grant

statsöverhuvud *subst* head of State

statuera *verb*, *för att* ~ *ett exempel* as a lesson to others, as a warning to others

status *subst* status, ställning status, standing

statussymbol *subst* status symbol

staty *subst* statue

stav *subst* **1** käpp etc. staff; för stavhopp pole; skidstav ski pole **2** sportgren pole-vault

stava *verb* spell; ~ *bra* be a good speller, be good at spelling; ~ *fel* make a spelling mistake

stavelse *subst* syllable

stavfel *subst* spelling mistake

stavgång *subst* sport. Nordic walking

stavhopp *subst* sportgren pole vault; hoppning pole-vaulting

stavhoppare *subst* pole-vaulter

stavning *subst* spelling

stay-up *adj*, ~ *strumpor* stay-up stockings, stay-ups

stearin *subst* candlegrease

stearinljus *subst* candle

steg *subst* step; kliv stride; raketsteg stage; *ta*

första ~*et* take the first step; *ta* ~*et fullt ut* go the whole way, go the whole hog

stega *verb*, ~ el. ~ *upp* pace out, step out

stege *subst* ladder

steglits *subst* fågel goldfinch

stegra *verb* **1** t.ex. priser increase, raise; t.ex. oro heighten; förstärka intensify **2** ~ *sig* om häst rear

stegring *subst* ökning increase, rise

stegvis I *adv* step by step **II** *adj* gradual

stek *subst* joint; tillagad vanligen joint, roast

steka *verb* **1** roast, i ugn roast, bake; i stekpanna fry; *den är för litet stekt* it's underdone; *den är för mycket stekt* it's overdone **2** om solen be broiling, be scorching; ~ *sig i solen* be broiling in the sun

stekfat *subst* meat dish

stekos *subst* smell of frying

stekpanna *subst* frying pan, amer. frypan

stekspade *subst* slice, spatula

stekspett *subst* spit; grillspett skewer

stektermometer *subst* meat thermometer

stel *adj* **1** stiff; styv rigid; ~ *av fasa* paralysed with fear **2** om umgänge formal

stelbent *adj* formal, rigid

stelhet *subst* **1** stiffness; styvhet rigidity **2** formalitet formality

stelkramp *subst* med. tetanus, vard. lockjaw

stelna *verb* om kroppsdel etc. stiffen, get stiff; av köld, fasa be numbed; om vätska solidify

sten *subst* **1** stone, amer. äv. rock; *de kastade* ~ amer. vanligen they threw rocks **2** mycket liten pebble; mycket stor boulder, rock (äv. amer.); *en* ~ *har fallit från mitt bröst* it is a load off my mind

stena *verb* stone

stenbock *subst* **1** zool. ibex **2** *Stenbocken* stjärntecken Capricorn

stenbrott *subst* quarry

stencil *subst* hand-out

stendöd *adj* stone-dead

stendöv *adj* stone-deaf

stengods *subst* stoneware

stengolv *subst* stone floor

stenhus *subst* stone house, av tegel brick house

stenhög *subst* heap of stones

stenig *adj* stony

stenkast *subst* avstånd stone's throw

stenograf *subst* shorthand writer

stenografi *subst* shorthand, stenography

stenparti *subst* i trädgård rock garden, rockery

stenskott *subst*, *jag har fått ett* ~ *på bilen* my car was hit by a flying stone

stensätta *verb* lägga pave

stenåldern *subst* the Stone Age

stenöken *subst* stony desert, vard., storstad concrete jungle

steppdans *subst* dansande tap-dancing; enstaka tap-dance

stereo *subst* stereo (pl. -s)

stereoanläggning *subst* stereo equipment, stereo

stereofonisk *adj* stereophonic

stereotyp *adj* stereotyped

steril *adj* sterile; ofruktbar barren

sterilisera *verb* sterilize

sterling *subst*, *pund* ~ pound sterling

stetoskop *subst* med. stethoscope

steward *subst* steward

stia *subst* svinstia sty, pigsty

stick I *subst* **1** av nål etc. prick; av t.ex. bi sting; av mygga bite; av vapen stab, thrust **2** kortsp. trick; *lämna ngn i* ~*et* leave sb in the lurch
II *adv*, ~ *i stäv mot* directly contrary to

sticka I *subst* **1** flisa splinter; pinne stick; *få en* ~ *i fingret* get a splinter in one's finger **2** stickning knitting-needle
II *verb* **1** prick; om t.ex. bi sting; om mygga bite; köra, stöta stick; ~ *hål i (på)* prick a hole, prick holes in; t.ex. ballong puncture; ~ *en kniv i ngn* stick a knife into sb; ~ *en nål i ngt* stick a needle into sth; ~ *sig i fingret* prick one's finger [*på* with] **2** stoppa put, stick; 'köra' thrust **3** textil. knit **4** *röken sticker i näsan på mig* the smoke makes my nose smart; *solen sticker i ögonen* the sun blazes into your eyes **5** vard., *stick!* push off!, scram!; *jag sticker* I'm off; *jag måste* ~ I must be off; ~ *hem* pop home, nip home
III *verb* med betonad partikel
sticka emellan med ett par ord put in a few words
sticka fram stick out
sticka ihjäl ngn: ~ *ned ngn* stab sb to death
sticka upp 1 skjuta upp, synas stick up, stick out; om växt shoot up **2** vara uppnosig be cheeky

stickande *adj* **1** smärtande shooting, svag. tingling **2** om lukt, smak pungent **3** om sol, hetta blazing, scorching

stickgarn *subst* knitting-yarn

stickig *adj* som sticks prickly

stickkontakt *subst* elektr.: propp plug; vägguttag point

stickling *subst* cutting

stickning *subst* textil. knitting

stickprov *subst* spot check

1 stift *subst* kyrkl. diocese

2 stift *subst* **1** sprint etc. pin; häftstift drawing-pin, amer. thumbtack **2** blyertsstift lead; reservstift lead refill; på reservoarpenna nib **3** i tändare flint; tändstift plug

stifta *verb* grunda found; ~ *lagar* make laws

stiftare *subst* grundare founder

stiftelse *subst* foundation

stiftpenna *subst* propelling pencil

stig *subst* path; upptrampad track

stiga I *verb* **1** gå step, walk **2** höja sig rise, go up; om flygplan climb **3** öka, växa rise, grow; *brödet har stigit i pris* bread has gone up in price
II *verb* med betonad partikel
stiga av gå av get off; *jag vill* ~ *av* bli avsläppt *vid...* I want to be put down at...
stiga fram step forward
stiga in get in; ~ *in i bilen* get into the car; ~ *in i rummet* enter the room; *stig in!* vid knackning come in!
stiga ned (ner) step down, descend
stiga på 1 i rummet enter **2** tåg, buss etc. get on, cykel get on, mount
stiga undan step out of the way
stiga upp get up; kliva upp get out [*ur* t.ex. ett badkar of]; ~ *upp i* en vagn get into; ~ *upp på* en stege get up on, mount

stigande *adj* rising; om ålder advancing; ~ *efterfrågan* growing demand; *med* ~ *intresse* with increasing interest; ~ *skala* ascending scale; ~ *tendens* rising tendency, upward tendency

stigbygel *subst* stirrup

stigning *subst* rise; i terräng el. flyg. ascent, climb; backe rise

stil *subst* **1** handstil handwriting, writing **2** boktryckeriterm type; tryckstil print **3** sätt att utföra ngt style, manner; *i stor* ~ i stor skala on a large scale; vräkigt in style, in grand style; *något i den* ~*en* something like that; *något i* ~ *med* something like; *det är* ~ *på henne* she has style

stilett *subst* stiletto (pl. -s)

stilettklack *subst* stiletto heel, spike heel

stilig *adj* elegant, smart; vacker handsome

stilistisk *adj* stylistic

still *adv* se *stilla I*

stilla I *adj* o. *adv* ej upprörd calm; stillsam quiet; fridfull peaceful; svag gentle; tyst silent; *Stilla havet* the Pacific Ocean; *ligga* ~ lie still; *sitta* ~ sit still; hålla sig stilla keep still, keep quiet; inte röra sig not move, not stir; *sitta* ~ kvar remain seated; *stå* ~ a) inte flytta sig

stand still b) om t.ex. fabrik, maskin stand idle, be idle
ll *verb* t.ex. hunger satisfy; lindra, t.ex. lidande alleviate
stillasittande *adj* om t.ex. arbete, liv sedentary
stillastående *adj* om t.ex. fordon stationary; om maskin idle
stillatigande *adv* silently, in silence
stillbild *subst* film., **en** ~ a still
stilleben *subst* konst. still life (pl. still lifes)
stillestånd *subst* vapenstillestånd armistice
stillhet *subst* stillness, calm, quiet, peace; *det skedde i all* ~ it took place quietly; *begravningen sker i* ~ the funeral will be private
stillsam *adj* quiet; rofylld tranquil
stiltje *subst* **1** vindstilla calm **2** lugn period period of calm; stillestånd stagnation
stim *subst* **1** fiskstim shoal, school **2** oväsen noise
stimfisk *subst* shoaling fish
stimmig *adj* noisy
stimulans *subst* stimulation; *ge* ~ *åt* stimulate
stimulera *verb* stimulate
sting *subst* **1** av t.ex. bi sting; av mygga bite; av nål etc. prick **2** 'snärt' sting, bite, go; *tappa* ~*et* lose one's drive
stinka *verb* stink
stins *subst* stationmaster
stint *adv*, *se* ~ *på ngn* stare hard at sb; *se ngn* ~ *i ögonen* look sb straight in the eye
stipendiat *subst* studiestipendiat holder of a scholarship
stipendium *subst* studiestipendium scholarship; bidrag grant; *söka* ~ apply for a scholarship, apply for a grant
stipulera *verb* stipulate
stirra *verb* stare *[på* at*]*; ~ *sig blind på ngt* concentrate on sth to the exclusion of everything else
stirrande *adj* staring; ~ *blick* tom vacant eye, vacant look
stjäla *verb* steal
stjälk *subst* bot. stem, tjockare stalk
stjälpa *verb* **1** välta omkull overturn, tip over **2** hälla pour, tip; ~ *i sig* gulp down; ~ *ur* (*ut*) innehåll pour out; spilla spill
stjärna *subst* **1** star **2** tele., *tryck* ~ press the star button, press star
stjärnbaneret *subst* the star-spangled banner, the stars and stripes
stjärnbild *subst* constellation
stjärnfall *subst* shooting star

stjärngosse *subst* boy attendant on 'Lucia' who carries a star on a stick
stjärnhimmel *subst* starry sky

stjärntecken
Vattumannen *Aquarius*, Fiskarna *Pisces*, Väduren *Aries*, Oxen *Taurus*, Tvillingarna *Gemini*, Kräftan *Cancer*, Lejonet *Leo*, Jungfrun *Virgo*, Vågen *Libra*, Skorpionen *Scorpio*, Skytten *Sagittarius*, Stenbocken *Capricorn*

stjärntecken *subst* astrol. star sign, sign of the Zodiac
stjärt *subst* **1** tail **2** på människa bottom, behind
stjärtfena *subst* **1** fisks tail fin **2** flyg. tail fin, fin
sto *subst* mare; ungt filly
stock *subst* log; *sova som en* ~ sleep like a log
stocka *verb*, ~ *sig* om trafik be held up, get held up
stockholmare *subst* Stockholmer
stockholmska *subst* **1** kvinna Stockholm woman; flicka Stockholm girl **2** språk Stockholm dialect
stockning *subst*, ~ *i trafiken* traffic jam, hold-up
stockros *subst* blomma hollyhock
stoff *subst* material material, stuff; innehåll i bok etc. subject-matter
stofil *subst*, *gammal* ~ old fogey
stoft *subst* **1** damm etc. dust **2** avlidens remains pl., ashes pl.
stoj *subst* oljud noise; larm uproar
stoja *verb* make a noise, be noisy
stol *subst* chair; utan ryggstöd stool; sittplats seat; *inte sticka under* ~ *med ngt* make no bones about sth
stollift *subst* sport. chairlift
stollig *adj* crazy, cracked
stolpe *subst* säng-, lykt- el. målstolpe post; telefonstolpe etc. pole; *skjuta i* ~*n* sport. hit the post; *det gick* ~ *in* sport. it went in off the post
stolpiller *subst* med. suppository
stolt *adj* proud *[över* of*]*
stolthet *subst* pride *[över* in*]*
stoltsera *verb* **1** boast *[med* of*]* **2** vara stolt över pride oneself *[med* on*]*
stomme *subst* frame, framework; utkast skeleton

1 stopp *subst* stoppage; *sätta ~ för ngt* put a stop to sth; *säg ~!* say when!

2 stopp *subst* o. *interj* stop!, halt!

1 stoppa *verb* **1** stop; sätta stopp för put a stop to; bli stillastående come to a standstill **2** stå emot stand up [*för* to]; hålla last; *det ~r inte med 1 000 kr* 1000 kronor isn't enough

2 stoppa I *verb* **1** strumpor etc. darn, mend **2** fylla fill; stoppa full stuff; möbler upholster; ~ *fickorna fulla med* fill one's pockets with **3** stoppa in etc. put, thrust

II *verb* med betonad partikel

stoppa i sig äta put away

stoppa in stoppa undan tuck away [*i* in, into]

stoppa ned (ner) put down, tuck down

stoppa om 1 möbler re-upholster **2** ~ *om ett barn* tuck a child up in bed

stoppa till fylla igen hål etc. stop up, fill up; täppa till rör etc. choke, block up

stoppa undan stow away

stoppa upp djur etc. stuff

stoppboll *subst* sport. drop shot; *slå en ~* play a dropshot

stoppförbud *subst* trafik., som skylt no waiting; *det är ~* waiting is prohibited

stoppgarn *subst* darning-wool

stoppgräns *subst* stopping limit

stopplikt *subst* trafik. obligation to stop

stoppljus *subst* **1** på bil brake light, stop light **2** trafik. traffic lights pl.

stoppmärke *subst* trafik. stop sign

stoppning *subst* **1** lagning darning, mending **2** möbelstoppning upholstery

stoppnål *subst* darning-needle

stoppsignal *subst* stop signal

stoppskylt *subst* trafik. stop sign

stopptecken *subst* stop signal

stoppur *subst* stop watch

stor *adj* **1** rymlig large, vard. big; lång tall; spec. abstrakt el. i betydelsen 'framstående' etc. great; *~t antal* a large number; *en ~ del av tiden* a good deal of the time; *till ~ del* largely; *till min ~a förvåning* much to my surprise; *vara till ~ hjälp* be a great help; *en ~ karl* a big man; lång a tall man; *en verkligt ~ man* a truly great man; *det är ~a pengar* that's a lot of money; *~ publik* a large audience; *en ~ summa pengar* a large sum of money; *i ~t sett* el. *i det ~a hela* on the whole; *slå på ~t* do things in a big way, do the thing in style **2** vuxen grown up; *~a damen* vard. quite a little lady; *bli ~* grow up **3** ~ *bokstav* capital letter

storartad *adj* grand, magnificent, splendid

storasyster *subst* big sister

storbelåten *adj* highly satisfied

Storbritannien

Storbritannien, *Great Britain*, omfattar England, Skottland och Wales. I dagligt tal räknar man ibland också in Nordirland.

Storbritannien Great Britain

stordia *subst* overhead transparent

stordiaprojektor *subst* overhead projector

stordåd *subst* great achievement, great exploit

storebror *subst* big brother

storfamilj *subst* extended family

storfinans *subst*, *~en* high finance, big business

storhet *subst* **1** egenskap greatness, grandeur **2** person celebrity

storhetstid *subst* days pl. of glory

storhetsvansinne *subst* megalomania

stork *subst* stork

storkna *verb* choke [*av* with], suffocate [*av* from]

storkovan *subst* vard., *vinna ~* win a fortune, hit the jackpot

storlek *subst* size; *till ~en* in size; *vad har du för ~?* what size do you take?

storm *subst* hård vind gale; spec. med oväder storm; *en ~ i ett vattenglas* a storm in a teacup, amer. a tempest in a teapot; *en ~ av applåder* a storm of applause

storma *verb* **1** *det ~r* a storm is raging; ~ *fram* rush at **2** mil. el. friare storm

stormakt *subst* great power, big power

stormande *adj* stormy; ~ *bifall* a storm of applause; *göra ~ succé* be a tremendous success

stormarknad *subst* hypermarket, superstore

stormförtjust *adj* absolutely delighted [*i* with]

stormig *adj* stormy

stormning *subst* assault; stormande storming

stormsteg *subst*, *med ~* by leaps and bounds

stormvarning *subst* gale warning

storrökare *subst* heavy smoker

storsint *adj* magnanimous

storsinthet *subst* magnanimity

storslagen *adj* grand, grandiose, magnificent

storslalom *subst* giant slalom

storspov *subst* fågel curlew

storstad *subst* big city, big town; världsstad metropolis

storstadsdjungel *subst* vard. concrete jungle

storstilad *adj* grand, grandiose

Stor-Stockholm Greater Stockholm

storstrejk *subst* general strike

storstädning *subst* spring-cleaning

stort *adv* greatly, largely; *inte ~ mer än ett barn* little more than a child, not much more than a child

stortrivas *verb* get on very well, be very happy

stortå *subst* big toe

storvilt *subst* big game

storvuxen *adj* o. **storväxt** *adj* big; om person, lång el. träd, hög tall

storätare *subst* big eater, heavy eater, gourmand

storögd *adj* large-eyed, big-eyed

straff *subst* **1** punishment; spec. jur. penalty; *belägga ngt med ~* impose a penalty on sth; *få sitt ~* be punished; *till ~* as a punishment **2** sport., se *straffspark*

straffa *verb* punish; *han är inte tidigare ~d* he has no previous convictions

straffarbete *subst* hist. hard labour, imprisonment with hard labour

straffbar *adj* punishable; *det är ~t att...* it is an offence to...

straffregister *subst* åld. se *kriminalregister*

straffränta *subst* på kvarskatt interest endast sing. on tax arrears

straffspark *subst* sport. penalty, penalty kick; *döma ~* award a penalty; *lägga en ~* take a penalty

straffsparksläggning *subst* sport. penalty shoot-out

straffånge *subst* convict

stram *adj* snäv tight; sträng severe; stel stiff

strama *verb* om kläder etc. be tight

strand *subst* shore; badstrand, sandstrand beach; flodstrand bank

stranda *verb* **1** om fartyg run ashore **2** misslyckas fail, break down

strandjeep *subst* beach buggy

strandning *subst* **1** fartygs stranding **2** misslyckande failure; t.ex. förhandlingars breakdown

strapats *subst*, *~er* hardships

strass *subst* paste, strass

strategi *subst* strategy

strategisk *adj* strategic

strax *adv* **1** om tid directly, in a minute, in a moment; snart presently; genast at once; *~ efter middagen* just after dinner; *~*

innan han for just before he left; *är du klar? — jag kommer ~!* are you ready? — I'm coming in a minute (moment)!; *jag kommer ~ tillbaka* I'll be back in a minute (moment); *klockan är ~ 2* it is close on two o'clock **2** om rum, *~ bredvid* el. *~ intill* close by

streber *subst* climber, pusher

streck *subst* **1** pennstreck, penseldrag etc. stroke; linje el. skiljelinje line; tvärstreck cross; på skala mark; *låt oss dra ett ~ över det* glömma det let's forget it; *det var ett ~ i räkningen för mig* it was a disappointment to me, it upset my plans **2** rep cord, line; för tvätt clothes-line **3** *ett fult ~* a dirty trick

strecka *verb*, *~ för i en bok* mark passages in a book

streckkod *subst* på varor bar code

strejk *subst* strike; *utlysa ~* call a strike; *gå ut i ~* go on strike

strejka *verb* **1** gå i strejk go on strike; vara i strejk be on strike **2** inte fungera, *bilen ~r* the car is out of order; *bromsarna ~r* the brakes don't work

strejkaktion *subst* industrial action

strejkande *adj* striking; *de ~* the strikers

strejkbrytare *subst* strike-breaker, neds. scab, blackleg

strejkvakt *subst* picket

stress *subst* stress

stressa *verb* rush and tear; *~ inte!* take it easy!; *~ ngn* stress sb out, stress sb; *~ mig inte!* don't rush me!

stressad *adj*, *jag är ~* I'm stressed out, I'm suffering from stress

stressande *adj* o. **stressig** *adj* stressful; *vara ~* be stressful, be causing stress

streta *verb* knoga work hard, toil [*med ngt* at sth]; mödosamt förflytta sig struggle; *~ emot* resist, struggle; *~ på* plod on

stretcha *verb* do stretching exercises

1 strid *adj* om ström etc. swift, rapid

2 strid *subst* kamp fight, fighting (endast sing.); spec. hård struggle; spec. mellan tävlande contest; drabbning battle; oenighet contention (endast sing.), strife (endast sing.); konflikt conflict; dispyt dispute; *en ~ på liv och död* a life-and-death struggle; *inre ~* inward struggle; *i ~ mot reglerna* in violation of the rules; *det står i ~ med (mot) avtalet* it goes against the agreement

strida *verb* **1** kämpa fight, struggle; tvista

dispute **2** *det strider mot reglerna* it is contrary to the rules, it is against the rules

stridbar *adj* aggressiv aggressive

stridigheter *subst pl* **1** conflicts **2** meningsskiljaktigheter differences

stridsberedskap *subst* readiness for action

stridslysten *adj* aggressiv aggressive

stridsmedel *subst pl*, *konventionella ~* conventional weapons

stridsrop *subst* war cry

stridsspets *subst* warhead

stridsvagn *subst* tank

stridsyxa *subst* battle-axe; *gräva ned ~n* bury the hatchet

stridsåtgärd *subst* offensive action; facklig strike action

stridsövning *subst* tactical exercise, manoeuvre

strikt *adj* strict; i klädsel, uppträdande sober

strila *verb* sprinkle; *~nde regn* steady rain

strimla I *subst* strip, shred **II** *verb* kok. shred

strimma *subst* streak; rand stripe; *en ~ av hopp* a gleam of hope

stringtrosa *subst* thong, string tanga

stripig *adj*, *~t hår* lank hair

strippa I *verb* do a striptease, striptease **II** *subst* person stripper

stropp *subst* strap; på sko etc. loop

struken *adj*, *en ~ tesked* a level teaspoonful

struktur *subst* structure; spec. textil. texture

strul *subst* vard., krångel muddle; besvär trouble, hassle

strula *verb* vard., *~ till något* make a mess of things, screw up; *sluta ~!* don't be so difficult!; om apparat *den ~r* it's on the blink

strulig *adj* vard. trying, difficult

struma *subst* med. goitre

strumpa *subst* stocking; kortare sock

strumpbyxor *subst pl* tights, pantyhose sing.

strumpeband *subst* suspender, ringformigt, utan hållare el. amer. garter

strumpebandshållare *subst* suspender belt, amer. garter belt

strumpläst *subst*, *i ~en* in one's stockinged feet; *han mäter 1,80 i ~en* he stands 1.80 metres in his stockings

strunt *subst* skräp rubbish, trash; *prata ~* talk rubbish, talk nonsense

strunta *verb*, *~ i* not bother about; *det ~r jag blankt i!* I don't give a hang about that!, I couldn't care less!; *~ i det!* forget it!

struntprat *subst* o. *interj* nonsense, rubbish

struntsak *subst* bagatell trifle, trifling matter

struntsumma *subst* trifle, trifling sum

strupe *subst* throat

struphuvud *subst* larynx (pl. larynges el. -es)

struptag *subst*, *ta ~ på ngn* seize sb by the throat, throttle sb

strut *subst* glasstrut etc. cone; mindre cornet

struts *subst* ostrich

stryk *subst*, *få ~* get a beating, get a thrashing; *ful som ~* as ugly as sin

stryka I *verb* **1** smeka stroke; gnida rub **2** med strykjärn etc. iron **3** bestryka med färg etc. coat, paint; breda på, t.ex. salva spread **4** stryka ut, stryka över cross out, strike out, cancel **II** *verb* med betonad partikel

stryka av torka av wipe

stryka bort t.ex. en tår brush away; torka bort wipe off; ta bort remove

stryka för: *~ för ngt med rött* mark sth in red

stryka med dö die, perish

stryka ned (ner) förkorta cut down

stryka omkring: *~ omkring på gatorna* t.ex. om ligor roam the streets

stryka på t.ex. salva spread

stryka under underline, emphasize, stress

stryka ut el. **stryka över** t.ex. ett ord cross, strike out, cancel; *~ ut* färg, salva spread

strykande *adj*, *ha ~ åtgång* have a rapid sale; *tidningen hade ~ åtgång* the newspaper went like hot cakes

strykbräde *subst* ironing-board

strykfri *adj* non-iron

strykjärn *subst* iron

strykklass *subst*, *sätta i ~* discriminate against, victimize

strykning *subst* **1** med handen etc. stroke; gnidning rub **2** med strykjärn ironing **3** med färg coating; konkret coat, coat of paint **4** uteslutning cancellation **5** nedstrykning, i t.ex. manuskript deletion, cut

stryktips *subst* football pools

strypa *verb* strangle

strå *subst* **1** straw; grässtrå blade of grass; *dra det kortaste ~et* get the worst of it; *dra det längsta ~et* get the best of it; *dra sitt ~ till stacken* do one's bit; *inte lägga två ~n i kors* not lift a finger [*för att* to]; *vara ett ~ vassare än ngn* be a cut above sb; *vara ett ~ vassare än ngt* be just that little bit better **2** hårstrå hair

stråke *subst* bow; *stråkar* i orkester strings

stråkinstrument *subst* stringed instrument

stråla *verb* beam, shine; om t.ex. ögon sparkle [*av* with]; *~ av hälsa* be radiant with health

strålande *adj* lysande brilliant; ~ *väder* glorious weather; *du ser ~ ut* you look marvellous; *vara på ett ~ humör* be in a wonderful mood

strålbehandling *subst* radiotherapy

stråle *subst* ray; av ljus beam; av vätska, gas jet

strålkastare *subst* rörlig searchlight; till fasadbelysning floodlight; teat. spotlight; på bil etc. headlight

strålning *subst* radiation

strålskydd *subst* protection against radiation

sträck *subst*, *i ~* el. *i ett ~* at a stretch, without stopping

sträcka I *subst* stretch; avstånd, vägsträcka distance; delsträcka section; delsträcka, etapp leg

II *verb* **1** spänna stretch; ~ *en muskel* pull a muscle, stretch a muscle **2** ~ *på benen* stretch one's legs; ~ *på sig* tänja och sträcka stretch, stretch oneself; räta på sig straighten oneself up; *sträck på dig!* stå rak! stand straight! **3** ~ *sig* a) tänja och sträcka stretch, stretch oneself b) ha viss utsträckning stretch, range; ~ *sig efter ngt* reach for sth, reach out for sth

III *verb* med betonad partikel

sträcka fram t.ex. handen put out, hold out

sträcka ut put out, hold out; tänja stretch out; dra ut, spänna stretch; förlänga extend

sträckbänk *subst*, *hålla ngn på ~en* i spänning keep sb on tenterhooks; *ligga på ~en* be on the rack

sträckning *subst*, *få en ~* muskelsträckning pull a muscle, stretch a muscle

1 sträng *adj* hård, omild severe; bestämd, noga strict; bister, allvarlig stern, austere; *lagens ~aste straff* the maximum penalty; *vara ~ mot* be severe; mot barn be strict with

2 sträng *subst* musik. el. på racket string

stränga *verb* string; ~ *om* restring

stränginstrument *subst* string instrument stringed instrument

sträv *adj* rough; om smak harsh; *ett ~t vin* a very dry wine

sträva *verb* strive; kämpa struggle; ~ *efter att göra ngt* endeavour to do sth, strive to do sth

strävan *subst* ambition; mål aim; bemödande effort, efforts pl.

strävhårig *adj* om hund wire-haired

strävsam *adj* industrious, hard-working

strö *verb* sprinkle, strew; ~ *omkring* scatter, scatter about; ~ *pengar omkring sig* splash money about

ströare *subst* castor

ströbröd *subst* breadcrumbs pl.

strödd *adj* utspridd scattered

ströjobb *subst* odd jobb, casual job

strökund *subst* chance customer, stray customer

ström *subst* **1** strömning current; vattendrag, flöde stream; *följa med ~men* go with the tide; *en ~ av tårar* a flood of tears; *i en jämn ~* in a constant stream **2** elektr. current; elkraft power

strömavbrott *subst* power failure, på grund av avstängning power cut

strömbrytare *subst* switch

strömförande *adj* live

strömlinjeformad *adj* streamlined

strömma I *verb* stream; flyta, flöda stream, flow, run, stark. pour

II *verb* med betonad partikel

strömma in om vatten etc. rush in, flow in; om t.ex. folk, brev stream in, pour in

strömma till om vatten etc. flow; om folkskaror come flocking

strömma över overflow

strömming *subst* Baltic herring

strömning *subst* current

strösocker *subst* granulated sugar; finare castor sugar

strössel *subst* koll. hundreds and thousands pl., amer. sprinkles

ströva *verb*, ~ el. ~ *omkring* roam, rove, stroll

strövtåg *subst* vandring ramble, excursion

stubb *subst* åkerstubb, skäggstubb stubble

stubbe *subst* trädstubbe stump

stubben *subst*, *på ~* vard. on the spot

stubin *subst* fuse; *ha kort ~* om person have a short fuse

stucken *adj* offended [*över* at], hurt [*över* at]

student *subst* studerande student

studentexamen *subst* Certificate of Secondary Education

studentutbyte *subst* student exchange

studera *verb* study

studerande *subst* univ. el. amer. skol. student

studie *subst* study [*över* of]

studiebesök *subst* visit for purposes of study, study visit

studiebidrag *subst* study grant

studiecirkel *subst* study circle

studiedag *subst* teachers' seminar; *3 ~ar* three-day teachers' seminar

studielån *subst* study loan

studiemedel *subst* ekonomiskt stöd study allowances; bidrag study grant

studieplan *subst* skol. syllabus

studierektor *subst* skol. director of studies

studieresa *subst* study tour

studierådgivning *subst* student counselling, student guidance

studieskuld *subst* study-loan debt

studiestöd *subst* financial aid to students

studievägledare *subst* study counsellor, study adviser

studievägledning *subst* study counselling, study guidance

studio *subst* studio (pl. -s)

studium *subst* study [*av, i* of]

studs *subst* bounce; *på* ~ on the rebound, on the bounce

studsa *verb* om boll bounce; ~ *tillbaka* rebound, bounce back

studsmatta *subst* trampoline; för motion rebounder

stuga *subst* small house; på landet vanligen cottage; koja cabin

stuka *verb* **1** sprain; ~ *sig i handleden* sprain one's wrist **2** ~ el. ~ *till ngt* platta till batter sth, knock sth out of shape

stum *adj* **1** dumb [*av* with]; *bli* ~ be struck dumb; *i* ~ *beundran* in mute admiration **2** om bokstav: ej uttalad mute, silent

stumfilm *subst* silent film, silent

stump *subst* rest stump

stund *subst* kort tidrymd while; tidpunkt moment; *stanna en* ~ stay for a while; *en kort* ~ a short while, a moment; *det dröjer bara en liten* ~ it will only be a moment; *inte en lugn* ~ not a moment's peace; *han trodde att hans sista* ~ *var kommen* he thought that his last hour had come; *för en* ~ *sedan* a little while ago, a few minutes ago; *på lediga* ~*er* in one's spare time

stunda *verb* approach, draw near

stundande *adj* coming

stundtals *adv* at times, now and then

1 stup *subst* brant precipice, steep slope

2 stup *adv*, ~ *i ett* el. ~ *i kvarten* non-stop, all the time

stupa *verb* **1** luta brant descend abruptly, fall steeply **2** *nära att* ~ *av trötthet* ready to drop with fatigue; ~ *i säng* tumble into bed **3** dö i strid be killed in action; *de* ~*de* those killed in action, those killed in the war

stupfull *adj* vard. dead drunk

stuprör *subst* drainpipe, downpipe; amer. downspout

stursk *adj* näsvis cheeky; fräck insolent, impudent; mallig stuck-up

stuteri *subst* stud, stud farm

stuv *subst* remnant; ~*ar* remnants, oddments

1 stuva *verb* lasta, packa stow

2 stuva *verb*, ~ *ngt* grönsaker etc. cook sth in white sauce; ~*d potatis* potatoes in white sauce; ~*d spenat* creamed spinach

stuvning *subst* vit sås white sauce; köttstuvning stew

styck *subst*, *10 kronor* ~ el. *10 kronor per* ~ 10 kronor each; *pris per* ~ price each; *sälja per* ~ sell by the piece

stycka *verb* **1** kött etc. cut up; ~ *sönder* cut . . . into pieces **2** jord, mark parcel out

stycke *subst* **1** del, avsnitt etc. piece, part, bit; textavsnitt passage; som börjar med ny rad paragraph; *vi fick gå ett* ~ *av vägen* we had to walk part of the way; *ett gott* ~ *härifrån* a fair distance from here; *ett gott* ~ *in på 2000-talet* well into the 21st century; *bilen gick bara ett litet* ~ the car went a short way; *i* ~*n* sönder in pieces, broken; *slå ngt i* ~*n* knock sth to pieces **2** *fem* ~*n apelsiner* five oranges; *vi var fem* ~*n* there were five of us; *några* ~*n* some, a few; *10 kronor* ~*t* 10 kronor each **3** musikstycke piece, piece of music; teaterstycke play **4** *i många* ~*n* avseenden in many respects

styckning *subst* **1** av kött etc. cutting-up **2** av mark parcelling out

stygg *adj* spec. om barn naughty; elak nasty [*mot* to]; ond wicked

styggelse *subst* abomination [*för* to]

stygn *subst* stitch

stylad *adj* styled

stylist *subst* stylist

stylta *subst* stilt; *gå på styltor* walk on stilts

stympa *verb* lemlästa mutilate, maim

stympning *subst* mutilation, maiming

styr *subst*, *hålla ngn (ngt) i* ~ keep sb (sth) in check; *hålla sig i* ~ control oneself

styra *verb* **1** fordon, fartyg etc. steer **2** regera govern, rule; leda direct; *de* ~*nde i samhället* those in power **3** ~ *om* ordna see to, arrange, manage

styrbord *subst* sjö. starboard

styre *subst* **1** cykelstyre handlebars pl. **2** styrelse rule

styrelse *subst* föreningar etc. committee; bolagsstyrelse board of directors; företagsledning management; *sitta med i* ~*n* be on the board, be on the committee

styrelseledamot *subst* o. **styrelsemedlem** *subst* förenings member of a (the) board, member of a (the) committee

styrka I *subst* **1** strength; kraft power, force; intensitet intensity; *vindens* ~ the force of the wind; *andlig* ~ strength of mind **2** trupp force; arbetsstyrka working staff; antal, numerär strength
II *verb* **1** göra starkare, befästa strengthen, confirm; ge kraft, mod fortify **2** bevisa prove; med vittnen attest, verify

styrkedemonstration *subst* show of force

styrketräning *subst* sport. strength training; med vikter weight training

styrketår *subst* vard. bracer, pick-me-up

styrman *subst* sjö. **1** mate; *andre* ~ second mate; *förste* ~ first mate **2** som styr helmsman

styrning *subst* styrande steering; *automatisk* ~ automatic control

styrsel *subst* stadga firmness, steadiness, stability; 'ryggrad' backbone

styrspak *subst* flyg. control stick, control column

styrstång *subst* på cykel handlebars pl.

styv *adj* **1** stiff; ~ *bris* fresh breeze **2** duktig, skicklig ~ *i ngt* good at sth

styvbarn *subst* stepchild

styvbror *subst* stepbrother

styvdotter *subst* stepdaughter

styvfar *subst* stepfather

styvmoderligt *adv*, *vara* ~ *behandlad* be unfairly treated

styvmor *subst* stepmother

styvmorsviol *subst* blomma wild pansy

styvna *verb* stiffen

styvson *subst* stepson

styvsyster *subst* stepsister

styvt *adv* **1** stiffly; *hålla* ~ *på ngt* insist on sth; *hålla* ~ *på att göra ngt* insist on doing sth **2** duktigt, *det var* ~ *gjort!* well done!

stå I *verb* **1** stand; *hur* ~*r det?* vad är resultatet? what's the score?; *det* ~*r 2—1* the score is two one; ~ *och hänga* hang around; ~ *för* ansvara för be responsible for; leda, ha hand om be at the head of, be in charge of; ~ *för vad man säger* stand by what one has said; ~ *i ackusativ* be in the accusative; ~ *i affär* work in a shop; *ha mycket att* ~ *i* have many things to attend to, have plenty to do; *valet* ~*r mellan...* the choice lies between...; *barometern* ~*r på...* the barometer points to...; ~ *vid ngt* vad man har sagt stand by sth, keep to

sth, stick to sth **2** ha stannat, om klocka have stopped; hålla, om tåg etc. stop, wait **3** finnas skriven be written; *vad* ~*r det på skylten?* what does it say on the sign?; *läsa vad som* ~*r om...* read what is written about...; i tidning read what they say about...; *det* ~*r i boken* it is in the book; *det* ~*r i boken att...* it says in the book that... **4** ~ *sig* a) hävda sig hold one's own b) hålla sig, om mat etc. keep c) fortfarande gälla, om teori etc. hold good, stand; bestå last
II *verb* med betonad partikel
stå bakom stödja ngt be behind...
stå efter vara underlägsen **ngn** be inferior to sb
stå emot resist, withstand; tåla stand
stå fast vid t.ex. anbud stand by; t.ex. åsikt stick to; t.ex. krav insist on
stå framme till bruk etc. be ready; skräpa be left about
stå inne vara inomhus be indoors; *låta pengarna* ~ *inne* leave the money on deposit
stå kvar stanna kvar remain, stay on
stå på 1 *vad* ~*r på?* hur är det fatt what's the matter?, vard. what's up? **2** ~ *på sig* stick to one's guns; ~ *på dig!* don't give in!, stick up for yourself!
stå till: *hur* ~*r det till?* hur mår du? how are you?; *hur* ~*r det till hemma* (*med familjen*)*?* how is your family?
stå upp stiga upp, höja sig rise; resa sig stand up
stå ut: *jag* ~*r inte ut längre* I can't stand it any longer, I can't put up with it any longer
stå över ngt 1 vara höjd över be above sth **2** *jag* ~*r över* jag väntar I'll wait; ~ *över sin tur* i spel pass, miss one's turn

stående *adj* standing; vertikal vertical; stillastående stationary; ~ *fras* set phrase; *bli* ~ a) inte sätta sig remain standing b) stanna stop c) bli kvarlämnad be left

ståhej *subst* vard. hullabaloo, fuss

stål *subst* steel

stålar *subst pl* vard. dough sing., dosh sing.

stålborste *subst* wire brush

stålindustri *subst* steel industry

Stålmannen seriefigur Superman

stålull *subst* steel wool

stålverk *subst* steelworks (pl. lika)

stånd *subst* **1** salustånd stall; spec. på marknad booth; på mässa stand **2** civilstånd status **3** samhällsklass social class **4** nivå height **5** fysiol. erection **6** ställning etc., *hålla* ~ hold one's ground [*mot* against], hold one's own [*mot* against], hold out [*mot* against] **7** skick etc. condition, state; *vara i ~ att göra ngt* be able to do sth, be capable of doing sth; *få till ~* bring about; upprätta establish; *komma till ~* come about, be brought about; äga rum come off, take place; *sätta ngt ur ~* throw sth out of gear; *vara ur ~ att göra* inf. ngt be incapable of doing sth, be unable to do sth

ståndaktig *adj* firm; orubblig steadfast, constant

ståndare *subst* bot. stamen

ståndpunkt *subst* standpoint, point of view

stång *subst* stake etc. pole; i galler etc. bar; räcke rail; *hålla ngn ~en* hold one's own against sb; *flaggan är på halv ~* the flag is at half-mast

stångas *verb* butt; med varandra butt each other

stånka *verb* flåsa puff and blow, breathe heavily; stöna groan [*av* with]

ståplats *subst*, *~er* utrymme standing room; *på ~* på idrottsanläggning in the standing-room section; *det finns bara ~er kvar* there are only standing-room tickets left

ståt *subst* pomp; prakt splendour

ståta *verb*, *~ med* parade, make a display of

ståtlig *adj* storslagen grand, magnificent; imponerande: om person imposing; om t.ex. byggnad stately, impressive

ståuppkomiker *subst* stand-up comedian

städ *subst* anvil

städa *verb* rengöra clean, vard. do; snygga upp i tidy up; *~ rummet* el. *~ på (i) sitt rum* tidy one's room; *~ i ett skåp* clean up a cupboard

städare *subst* cleaner

städerska *subst* cleaner; städhjälp charwoman; på hotell chambermaid

städhjälp *subst* cleaner; i hemmet home help

städrock *subst* overall

städskåp *subst* broom cupboard, amer. broom closet

ställ *subst* ställning stand; för disk, pipor m.m. rack

ställa I *verb* **1** put, place, stand; *~ dörren öppen* leave the door open; *~ ngn inför ett problem* confront sb with a problem; *~ ngn inför valet mellan...* make sb choose between...; *~s inför valet mellan...* have to choose between...; *~ en fråga till ngn* ask sb a question, put a question to sb; *~ ngt till förfogande* make sth available; *ha det bra ställt*

ekonomiskt be well off **2** ställa in set; *~ sin klocka* set one's watch [*efter ngt* by sth]; *~ väckarklockan på ringning klockan sex* set the alarm clock for six o'clock **3** uppställa, t.ex. villkor make; lämna, t.ex. garanti give **4** *~ sig* placera sig place oneself; *ställ dig här!* stand here!; *~ sig i kö (rad)* queue up, line up; *~ sig i vägen för ngn* put oneself in sb's way; *~ sig upp* stand up, rise

II *verb* med betonad partikel

ställa ifrån sig ngt put sth down; undan put away sth; lämna, glömma leave sth behind

ställa in 1 *~ in ngt* put sth in; reglera adjust sth [*efter* to]; *~ in radion på en station* tune in a station; *~ in sig på ngt* bereda sig på prepare oneself for sth; räkna med count on sth **2** *~ sig in hos ngn* ingratiate oneself with sb, vard. cringe to sb, suck up to sb **3** ge återbud om etc. se *inställa 1*

ställa om placera om rearrange

ställa till med anordna arrange, organize; sätta i gång med start; t.ex. bråk make; vålla cause; *vad har du nu ställt till med?* what have you been up to now?

ställa undan put aside

ställa upp 1 placera put up; t.ex. schackpjäser lay out; ordna, i t.ex. grupper place, arrange **2** uppbåda: t.ex. en armé raise; ett lag put up **3** göra upp: t.ex. program, rapport draw up **4** framställa: t.ex. teori put forward, advance; t.ex. villkor make; t.ex. regel lay down **5** delta take part, join in; vara villig stand by, show willing; *~ upp mot* i tävling meet; *~ upp som presidentkandidat* run for the presidency

ställbar *adj* adjustable

ställd *adj* svarslös nonplussed; bragt ur fattningen put out, embarrassed

ställe *subst* **1** place, mera begränsad spot; i skrift etc. passage; *på ~t* genast on the spot; *göra på ~t marsch* mark time; *på en del ~n* in some places, here and there **2** i *~t* instead; i gengäld in return; *jag skulle inte vilja vara i ditt ~* I wouldn't be in your shoes; *i ~t för* instead of [*att gå* going]

ställföreträdare *subst* deputy; ersättare substitute; representant representative

ställning *subst* **1** position; plats place; samhällsställning, affärsställning standing; poängställning score; *hur är ~en?* i spel what is the score?; *ta ~* a) ha egen uppfattning take one's stand b) bestämma sig make up one's mind; *i hög ~* of high position, of good social position; *i sittande* ~ in a sitting position; sittande sitting down **2** ställ stand; stomme frame

ställningstagande *subst* ståndpunkt standpoint [*i* on], attitude [*till* towards]

stämband *subst* anat. vocal cord

stämgaffel *subst* musik. tuning-fork

stämjärn *subst* verktyg chisel

1 stämma I *subst* röst voice; musik. part; i orgel stop

II *verb* överensstämma correspond, tally; *räkningen stämmer* the account is correct; *det stämmer!* that's right!, quite right!

III *verb* med betonad partikel

stämma in falla in *alla stämde in i sången* everyone joined in the song

stämma ned göra förstämd depress; ~ *ned tonen* come down a peg or two

stämma upp raise; *orkestern stämde upp* the band struck up

stämma överens agree, tally

2 stämma *verb* hejda stem, check

3 stämma I *subst* sammanträde meeting, assembly

II *verb* jur. summon; ~ *inför domstol* summon to appear before the court; ~ *ngn för ngt* sue sb for sth

1 stämning *subst* sinnesstämning mood, temper; atmosfär atmosphere; ~*en var tryckt* there was a feeling of depression; *vara i* ~ el. *vara i den rätta* ~*en för…* be in the right mood for…; *i glad* (*festlig*) ~ in high spirits

2 stämning *subst* jur. summons; *delge ngn* ~ serve a writ upon sb

stämpel *subst* **1** verktyg stamp; gummistämpel rubber stamp **2** avtryck stamp; på guld, silver hallmark; poststämpel postmark; inbränd brand, mark

stämpeldyna *subst* stamp pad

stämpelkort *subst* clocking-in card

stämpelur *subst* time clock

1 stämpla *verb* **1** med stämpel stamp; märka mark; frimärke cancel; *brevet är* ~*t den 3 maj* the letter is postmarked 3rd May; ~ *in* a) på stämpelur clock in b) belopp register; ~ *ut* clock out **2** *gå och* ~ om arbetslös be on the dole

2 stämpla *verb* **1** konspirera plot, conspire

stämpling I *subst* komplott plot, conspiracy

II *subst* sport. high tackle

ständig *adj* oavbruten constant, continuous; stadigvarande permanent; oupphörlig continual

stänga I *verb* tillsluta shut; slå igen close; med lås

lock; med regel bolt; ~ *butiken* för dagen shut up shop; *posten är stängd* the post office is closed

II *verb* med betonad partikel

stänga av shut off; väg close; spärra av block up; vatten, gas shut; vrida av turn off; elström, radio, tv switch off; huvudledning, telefon cut off; från tjänst etc. suspend; *gatan är avstängd!* street closed to traffic; *avstängt!* no admission!

stänga igen shut up, lock up

stänga in: ~ *in ngn* (*ngt*) shut sb (sth) up, lock sb (sth) up; inhägna ngn (ngt) hedge sb (sth) in; ~ *in sig* shut oneself up, lock oneself up

stänga till close, shut

stänga ute: ~ *ute ngn* (*ngt*) shut sb (sth) out, lock sb (sth) out; utesluta exclude

stängningsdags *adv* closing time

stängsel *subst* fence; räcke rail; tillfälligt barrier

stänk *subst* splash; droppe tiny drop; från vattenfall etc. spray; *ett* ~ regnstänk a drop of rain; *ett* ~ *citronsaft* a dash of lemon juice; *ett* ~ *av vemod* a touch of melancholy

stänka *verb* splash; ~ *smuts på ngn* spatter sb with mud

stänkskydd *subst* på bil mudflap

stänkskärm *subst* **1** flygel på bil wing, amer. fender **2** på cykel, motorcykel el. liten sportbil mudguard, amer. vanligen fender

stäpp *subst* steppe

stärka *verb* **1** styrka strengthen **2** bekräfta confirm **3** med stärkelse starch

stärkande *adj* strengthening; ~ *medel* tonic

stärkelse *subst* starch

stäv *subst* sjö. stem

stäva *verb* head; ~ *mot* bear towards

stävja *verb* check; undertrycka suppress

stöd *subst* support; stötta prop; hjälp aid; *få* ~ ekonomiskt *av* be subsidized by; *till* (*som*) ~ *för* påstående etc. in support of, in confirmation of; *till* (*som*) ~ *för minnet* as an aid to the memory, as a mnemonic

stödbandage *subst* support bandage

stödbehå *subst* uplift bra

stöddig *adj* självsäker self-important, cocksure

stödja *verb* support; luta rest, lean; grunda base, found; ~ *armbågarna mot bordet* rest one's elbows on the table; ~ *sig* support oneself; luta sig lean, rest; ~ *sig på* t.ex. faktum base one's opinion on; ~ *sig på ngn* åberopa cite sb as one's authority

stödundervisning *subst* remedial teaching

stök subst städning cleaning; fläng bustle; före jul etc. preparations pl.

stöka verb städa clean up, be busy; ~ *till* make a mess; ~ *till i rummet* litter up the room; ~ *undan ngt* get sth out of the way

stökig adj untidy, messy

stöld subst theft; stjälande thieving (endast sing.); inbrott burglary

stöldförsäkring subst insurance against theft; inbrott insurance against burglary

stöldgods subst stolen goods pl.

stöldsäker adj thiefproof, theftproof; mot inbrott burglarproof

stön subst groan, svag. moan

stöna verb groan, svag. moan

stöpa verb gjuta cast, mould, amer. mold; ~ *ljus* make candles, dip candles

1 stör subst fisk sturgeon

2 stör subst stång pole, stake

störa verb disturb; avbryta interrupt; *förlåt att jag stör* excuse my disturbing you; *får jag ~ ett ögonblick?* could you spare me a minute?; *psykiskt störd* mentally handicapped

störande I adj besvärande troublesome, annoying

II adv, *uppträda* ~ create a disturbance

störning subst **1** disturbance; avbrott interruption; rubbning disorder; ~*ar* från motorer etc. interference sing. **2** radio.: genom annan sändare jamming (endast sing.)

större adj larger, bigger, greater etc.; se stor; ~ *delen av…* most of…; *till* ~ *delen* for the most part, mostly; *ett* ~ *krig* relativt stort a major war; *en* ~ *summa* relativt stor a big sum, a large sum

störst adj largest, biggest, greatest etc.; se stor; ~ *i världen* biggest in the world; ~*a delen av…* most of…; *till* ~*a delen* for the most part, mostly

störta I verb **1** beröva makten overthrow; ~ *ngn i fördärvet* bring about sb's ruin **2** falla fall down, tumble down, topple down [ned i samtliga fall into]; om flygplan crash; om häst fall **3** rusa rush, dash **4** ~ *sig* kasta sig throw oneself; rusa rush headlong, dash headlong; ~ *sig i fördärvet* ruin oneself

II verb med betonad partikel

störta emot 1 i riktning mot rush towards, dash towards **2** anfalla rush at

störta fram ut rush out, dash out

störta in om tak etc. fall in, come down; om vägg fall down

störta ned falla fall down, tumble down;

rusa rush down; rasa come down

störta samman collapse

störtdykning subst, *göra en* ~ take a nose dive

störthjälm subst crash helmet

störtlopp subst sport downhill race; gren downhill racing, downhill skiing

störtregn subst downpour

störtregna verb, *det* ~*r* it is pouring down

stöt subst **1** slag, törn etc. thrust; slag blow; knuff push **2** elektr. el. vid jordbävning shock; fys. impact **3** skakning hos fordon etc. jolt **4** vard., inbrott job

stöta I verb **1** thrust; slå knock, bang, bump **2** krossa pound **3** ~ *sig med ngn* get on the wrong side of sb; *bli stött* be offended [över by] **4** ~ *mot* knock against (into), bump against (into), strike against (into); ~ *på grund* run aground

II verb med betonad partikel

stöta emot ngt knock against sth, bump against sth, strike against sth

stöta ihop kollidera med knock into each other; råkas run across each other; ~ *ihop med* a) kollidera med run into, collide with b) träffa run across, run into

stöta på träffa, finna come across; ~ *på* t.ex. svårigheter meet with

stöta till knuffa till knock against

stötande adj offensive, objectionable

stötdämpare subst shock-absorber

stötesten subst stumbling-block [för to]

stötfångare subst bumper

stötsäker adj shockproof

stött adj **1** om frukt bruised **2** förnärmad offended [över at, by; på with]

stötta I subst **1** stöd support, stay **2** stolpe prop

II verb **1** support **2** med stolpe prop, prop up

stöttepelare subst mainstay, pillar

stövel subst high boot; *stövlar* spec. av gummi wellingtons, vard. wellies

stövelknekt subst bootjack

subjekt subst gram. subject

subjektiv adj subjective

substans subst substance; ämne matter

substantiell adj substantial

substantiv subst gram. noun

substantivera verb gram. substantivize; ~*t adjektiv* adjective used as a noun

subtil adj subtle

subtilitet subst subtlety

subtrahera verb subtract

subtraktion subst subtraction

subvention subst subsidy

subventionera verb subsidize

succé *subst* success, om bok, pjäs etc. success, hit; *göra* ~ meet with success, be a success

succéfilm *subst* vard. box-office success

successiv *adj* stegvis gradual

suck *subst* sigh; *dra en djup* ~ heave a deep sigh; *dra sin sista* ~ breathe one's last

sucka *verb* sigh [*av* with; *efter* for]

Sudan the Sudan

sudd *subst* **1** tuss wad; tavelsudd duster **2** suddighet blur, bläckfläckar etc. smudges pl. **3** suddgummi rubber, amer. eraser

sudda I *verb* **1** svärta av sig smudge **2** måla, kludda daub
II *verb* med betonad partikel
sudda bort el. **sudda ut** radera rub out, erase; ~ *ut på* svarta tavlan rub . . . clean, wipe . . . clean

> **suddgummi**
> Det brittiska ordet för suddgummi är *rubber*. I amerikanska skolor säger man *eraser*, eftersom *rubber* också betyder gummi = kondom.

suddgummi *subst* rubber, eraser, amer. eraser

suddig *adj* **1** kluddig smudgy **2** otydlig blurred, indistinct **3** oredig confused

sufflé *subst* kok. soufflé

sufflett *subst* bil. hood, amer. top

sufflör *subst* teat. prompter

sug *subst* **1** suction **2** *tappa* ~*en* lose heart, give up

suga *verb* suck; *sjön suger* the sea air gives you an appetite; ~ *på en pipa* suck at a pipe; ~ *ur* t.ex. apelsin, sår suck; t.ex. arbetare sweat; ~ *ut ngt* suck sth dry; ~ *åt sig* absorb, suck up

sugande *adj*, *ha en* ~ *känsla i magen* have a hollow feeling in one's stomach, have a sinking feeling in one's stomach

sugen *adj*, *känna sig* ~ hungrig feel peckish; *jag är* ~ *på en kopp kaffe* I feel like a cup of coffee; *jag är* ~ *på att spela tennis* I feel very much like playing tennis

sugga *subst* gris sow [sau]

suggerera *verb* influence by suggestion [*till* into]

suggestion *subst* suggestion

suggestiv *adj* suggestive

sugmärke *subst* love-bite, amer. hickey

sugrör *subst* till saft etc. straw

sukta *verb*, ~ *efter* long for; ~ *ngn* try to tempt sb

sula *subst* o. *verb* sole

sultan *subst* sultan

summa *subst* sum

summarisk *adj* summary, kortfattad concise

summer *subst* buzzer

summera *verb*, ~ el. ~ *ihop* sum up, add up

sumobrottning *subst* sport. sumo wrestling, vard. sumo

sump *subst* kaffesump grounds pl.

sumpa *verb* missa miss, tappa lose; ~ *chansen* miss the opportunity

sumpmark *subst* swamp, marsh

1 sund *subst* sound, strait, straits pl.

2 sund *adj* **1** sound, healthy **2** om föda wholesome

sup *subst* **1** dram, snifter **2** glas brännvin snaps (pl. lika)

supa *verb* drink, vard. booze; ~ *ngn full* make sb drunk; ~ *sig full* get drunk

supé *subst* supper, evening meal

supera *verb* have supper

Super-G *subst* sport. (förk. för *super giant slalom*) slags storslalom Super-G

superlativ *subst* gram. the superlative; *i* ~ in the superlative

superlim *subst* super glue

supermakt *subst* superpower

suppleant *subst* deputy, substitute

supplement *subst* supplement [*till* to]

supporter *subst* supporter

suput *subst* vard. drunkard, boozer

sur *adj* **1** motsats: söt sour; syrlig acid; ~*t regn* acid rain; *göra livet* ~*t för ngn* lead sb a dog's life; *bita i det* ~*a äpplet* swallow the bitter pill **2** blöt wet; om mark waterlogged; om pipa foul **3** arg angry, surly; *han är* ~ *på mig* he is angry with me; *vara* ~ *över ngt* be angry about sth

surdeg *subst* leaven; *jäsa med* ~ leaven

surfa *verb* go surfing, vindsurfa go windsurfing; ~ *på nätet* surf the net

surfare *subst* sport. surfer, vindsurfare windsurfer

surfing *subst* surf-riding

surfingbräda *subst* surfboard; till windsurfing sailboard

surkål *subst* kok. sauerkraut (tyska)

surmulen *adj* sullen, surly

surna *verb* sour, turn sour

surr *subst* hum, buzz; vinande whirr

surra *verb* hum, buzz; vina whirr

surrealism *subst* konst. surrealism

surrealistisk *adj* konst. surrealistic

surrogat *subst* substitute

surströmming *subst* kok. fermented Baltic herring

sus *subst* **1** vindens sigh; *det gick ett ~ genom rummet* a murmur went through the room, a buzz went through the room **2** *leva i ~ och dus* lead a wild life

susa *verb* **1** *det ~r i träden* the wind is sighing in the trees; *vi körde så fort att det ~de om öronen på oss* we were driving so fast that the wind whistled about our ears **2** om kula etc. whistle; *~ förbi* whistle by, whizz past; *~ i väg* rush off

susen *subst* vard., *det gör ~* it does the trick, it's the business; *vinet i såsen gjorde ~* the wine gave an extra touch to the sauce

sushi *subst* kok. sushi (japanska)

suspekt *adj* suspicious, suspect

suspendera *verb* suspend

sussa *verb* vard., sova sleep, barnspr. go to bye-byes

sutare *subst* fisk tench

sutenör *subst* pimp, ponce

suverän *adj* **1** enväldig sovereign, supreme **2** överlägsen superb, terrific

suveränitet *subst* sovereignty, supremacy

svacka *subst* **1** hollow, depression **2** ekon. decline; formsvacka bad patch, down patch

svada *subst* talförhet volubility; ordflöde torrent of words

svag *adj* **1** weak [*av* with], feeble [*av* with]; utmattad faint; om t.ex. vin, öl light; *~ puls* feeble pulse; *vara ~ för* have a weakness for, be fond of **2** ringa slight; om ljud faint, soft; *~ värme* kok. low heat **3** skral poor; *ett ~t hopp* a poor result

svagdricka *subst* small beer

svaghet *subst* weakness; *ha en ~ för choklad* have a weakness for chocolate

svagsint *adj* feeble-minded

svagström *subst* low-voltage current

sval I *adj* cool
  II *subst* i kök chiller, cool cupboard

svala *subst* swallow; *en ~ gör ingen sommar* ordspr. one swallow does not make a summer

svalg *subst* anat. throat

svalka I *subst* coolness, friskhet freshness
  II *verb* cool, uppfriska cool, refresh; *~ av* cool off, cool down

svall *subst* av vågor surge, surging

svalla *verb* om vågor surge, swell; om blod boil; om känslor etc. run high

svallvåg *subst* brottsjö surge; efter fartyg backwash

svalna *verb* cool; *~ av* cool down, cool off

svamla *verb* drivel; utan sammanhang ramble

svammel *subst* drivel; osammanhängande rambling

svamp *subst* **1** fungus, spec. ätlig mushroom; *plocka ~* pick mushrooms, go mushrooming **2** tvättsvamp sponge

svampgummi *subst* sponge rubber

svampkarta *subst* mushroom chart

svampplockning *subst* mushrooming, picking mushrooms

svampstuvning *subst* creamed mushrooms pl.

svan *subst* swan

svanhopp *subst* simn. swallow dive, amer. swan dive

svankrygg *subst* spec. om häst sway-back; *ha ~* be sway-backed

svans *subst* tail

svansa *verb*, *gå och ~* swagger about

svar *subst* **1** answer [*på* to], reply [*på* to], gensvar response [*på* to]; *få till ~* be told; *ge ngn ~ på tal* give sb tit for tat **2** *stå till ~s för ngt* be held responsible for sth

svara *verb* **1** answer, reply [*på* to]; reagera respond [*med* with; *på* to]; med motåtgärd counter [*med* with; *med att göra* inf. by doing ing-form]; *det är rätt ~t* that's right; *~ i telefon* answer the telephone, answer the phone; *~ på* en fråga, ett brev, en annons answer...; *det kan jag inte ~ på* I can't say **2** *~ för* ansvara för, ordna answer for, be responsible for; *~ för kostnaderna* stand the cost **3** *~ mot* motsvara correspond to, agree with

svarande *subst* jur. **1** defendant **2** i skilsmässomål respondent

svarslös *adj*, *vara (stå) ~* be nonplussed, not know what to reply

svarsvisit *subst* return visit, return call

svart I (se äv. *blå-* för sammansättningar) *adj* black; dyster dark; *~ arbetskraft* black labour; *~a börsen* the black market; *~ färg* black; *Svarta havet* the Black Sea; *~ hål* astron. black hole; *stå på ~a listan* be on the black list; *~a tavlan* skol. the blackboard; *de ~a* the blacks
  II *adv*, *jobba ~* work on the side, moonlight; *köpa ~* buy on the black market
  III *subst* färg black; *ha ~ på vitt på ngt* have sth in black and white; *göra ~ till vitt* prove that black is white; *måla* skildra *ngt i ~* paint sth in black colours; *se allting i ~* look on the dark side of things; se *blått* för vidare ex.

svartabörsaffär *subst* black-market transaction

svartabörshaj *subst* black-marketeer

svarthårig *adj* black-haired; *han är ~* he has black hair

svartjobb *subst* vard. work done without paying tax

svartjobbare *subst* 'black' worker, person who does work without paying tax

svartlista *verb* blacklist

svartmes *subst* fågel coal tit

svartmuskig *adj* swarthy

svartmåla *verb*, *~ ngt* paint sth black

svartna *verb* blacken, become black; *det ~de för ögonen på mig* everything went black before my eyes

svartpeppar *subst* black pepper

svartsjuk *adj* jealous [*på* of]

svartsjuka *subst* jealousy

svartsjukedrama *subst* brott crime passionnel (franska)

svartskalle *subst* neds., ungefär wop

svartskäggig *adj* black-bearded

svartvit *adj* black and white

svartögd *adj* black-eyed; se *blå-* för vidare sammansättningar

svarv *subst* lathe, turning-lathe

svarva *verb* turn

svarvare *subst* turner

svarvstol *subst* turning-lathe

svavel *subst* sulphur, amer. sulfur

svaveldioxid *subst* kem. sulphur dioxide, amer. sulfur dioxide

svavelhalt *subst* sulphur (amer. sulfur) content

svavelhaltig *adj* sulphurous, amer. sulfurous

svavelsyra *subst* sulphuric acid, amer. sulfuric acid

1 sveda *subst* smarting pain; *ersättning för ~ och värk* compensation for pain and suffering

2 sveda *verb* **1** singe **2** förbränna scorch, burn

svek *subst* förräderi treachery [*mot* to]; trolöshet deceit

svekfull *adj* treacherous

svensexa *subst* stag party

svensk I *adj* Swedish

II *subst* Swede

svenska *subst* **1** kvinna Swedish woman, dam Swedish lady, flicka Swedish girl; *hon är ~* she is Swedish, she is a Swede **2** språk Swedish; *~n* Swedish; *på ~* in Swedish; *vad heter... på ~?* what is the Swedish for...?

svensk-engelsk *adj* t.ex. ordbok

Swedish-English; t.ex. förening Anglo-Swedish

svenskfödd *adj* Swedish-born

svenskspråkig *adj* **1** *en ~ person* a Swedish-speaking person; *en ~ författare* a writer who writes in Swedish **2** *den är ~* på svenska it is in Swedish **3** i länder där svenska talas in countries where Swedish is spoken

svensktalande *adj* Swedish-speaking... endast före subst.; *vara ~* speak Swedish

svenskundervisning *subst* the teaching of Swedish; *få ~* receive instruction in Swedish

svep *subst* sweep; razzia raid; *i ett ~* at one sweep, friare at one go

svepa I *verb* wrap up; minor sweep

II *verb* med betonad partikel

svepa fram om t.ex. vind sweep along; *snöstormen svepte fram över landet* the snow storm swept over the country

svepa i sig el. **svepa** vard., dricka, tömma knock back

svepa in wrap up; *~ in sig* wrap oneself up

svepskäl *subst* pretext; *komma med ~* make excuses

Sverige Sweden

svetsa *verb*, *~* el. *~ ihop* (*samman*) weld

svetsare *subst* welder

svetsning *subst* welding

svett *subst* sweat, perspiration

svettas *verb* sweat, perspire

svettdroppe *subst* bead of perspiration

svettig *adj* sweaty, perspiring; *vara alldeles ~* be all in a sweat; *jag är ~ om händerna* my hands are sweaty

svida *verb* smart, sting; *det svider i halsen på mig* av t.ex. peppar my throat is burning; vid förkylning I have a sore throat; *röken sved i ögonen på mig* the smoke made my eyes smart

svidande *adj* smarting, burning; *ett ~ nederlag* a crushing defeat

svika *verb* **1** överge fail, desert; bedra deceive, förråda betray; lämna i sticket let down; *~ sitt löfte* break one's promise; *~ sin plikt* fail in one's duty **2** inte räcka till fail, fail to come, fail to appear

svikande *adj*, *med aldrig ~ energi* with never-failing energy

svikt *subst* fjädring springiness, spänst elasticity, böjlighet flexibility

svikta *verb* **1** böja sig bend; vackla totter; gunga shake **2** om t.ex. tro waver; om t.ex. krafter,

motstånd give way, yield; *med aldrig ~ engergi* with never-failing energy
svikthopp *subst* sport. springboard diving; *göra ett ~* do a springboard dive
svimma *verb* faint, swoon; *~ av* faint away
svimning *subst* faint, swoon
svin *subst* pig; *han är ett ~* he is a swine
svinaktig *adj* **1** om t.ex. pris outrageous **2** oanständig dirty, filthy
svinaktigt *adv*, *det var ~ gjort* that was a dirty rotten trick; *uppföra sig ~* behave like a swine
svindel *subst* **1** yrsel dizziness, giddiness; *få ~* feel dizzy, feel giddy **2** bedrägeri swindle
svindla *verb* **1** få yrsel, *det ~r för ögonen på mig* I feel dizzy **2** bedra swindle [*på* out of], cheat [*på* out of]
svindlande *adj* om t.ex. höjd dizzy, giddy; om pris, lycka etc. enormous; *i ~ fart* at breakneck speed
svindlare *subst* swindler, cheat
svindyr *adj* terribly expensive
svinga *verb* swing
svinkall *adj*, *det är ~t* it's freezing, it's beastly cold
svinkött *subst* pork
svinläder *subst* pigskin
svinn *subst* waste, wastage
svinstia *subst* pigsty
svira *verb* rumla be on the spree
svischa *verb* swish
sviskon *subst* prune
svit *subst* **1** följe, rad rum el. musik. suite; serie succession; kortsp. sequence **2** *~erna av* t.ex. sjukdom the after-effects of
svordom *subst* svärord swearword, curse, oath; *~ar* swearing sing.
svullen *adj* swollen
svullna *verb* swell; *~ upp* swell, swell up
svullnad *subst* swelling
svulst *subst* swelling, tumour
svuren *adj* sworn
svåger *subst* brother-in-law (pl. brothers-in-law)
svågerpolitik *subst* nepotism
svångrem *subst* belt; *vi måste dra åt ~men* we must tighten our belts
svår *adj* difficult, hard; mödosam heavy, tough; allvarlig *i ~are* allvarligare *fall* in serious cases, in more serious cases, stark. in grave cases; *ett ~t fel* misstag a serious error, a serious mistake; *en ~ förkylning* a bad cold, a severe cold; *ha ~a plågor* be in great pain; *ett ~t prov* a severe test; *en ~ sjukdom* a serious illness; *ett ~t slag* a sad blow; *~ värk* severe pain; *göra det ~t*

för ngn make things difficult for sb; *ha det ~t* a) lida suffer greatly b) slita ont have a rough time of it, ekonomiskt be badly off; *ha ~t för ngt* find sth difficult
svårartad *adj* **1** serious, grave **2** med. malignant
svårbegriplig *adj*, *vara ~* be difficult (hard) to understand; *en ~ text* a text that is difficult (hard) to understand
svårflirtad *adj* o. **svårflörtad** *adj*, *vara ~* be hard to get round; svår att entusiasmera be hard to please; sexuellt play hard to get
svårframkomlig *adj* om väg almost impassable
svårhanterlig *adj*, *vara ~* be difficult to handle, be difficult to manage
svårighet *subst* difficulty; möda hardship; besvär trouble; hinder obstacle; *~ att göra ngt* difficulty in doing sth
svårläst *adj*, *vara ~* be difficult to read
svårlöst *adj*, *ett ~ problem* a problem difficult to solve, a hard problem to solve
svårmod *subst* melancholy; dysterhet gloom; sorgsenhet sadness
svårsmält *adj* indigestible; *vara svårsmält* be hard to digest, be indigestible
svårstartad *adj*, *vara ~* be difficult to start, be hard to start
svårtillgänglig *adj* **1** om plats difficult of access **2** om person, reserverad distant, reserved, stand-offish
svårtolkad *adj* o. **svårtydd** *adj*, *vara ~* be difficult (hard) to interpret; *en ~ text* a text that is difficult (hard) to interpret
svägerska *subst*. sister-in-law (pl. sisters-in-law)
svälja *verb* swallow; t.ex. stolthet pocket
svälla *verb* swell [*av* with]; utvidga sig expand

---

svordomar

Många svordomar, särskilt *four-letter words*, t.ex. *fuck*, uppfattas av många människor som mycket stötande. De används t.ex. inte på tv annat än om avsikten är att chocka eller uppröra. *Four-letter words* kallas de för att de består av fyra bokstäver. De motsvarar det som vi på svenska brukar kalla "runda ord". Andra svordomar, t.ex. *bloody, damn*, är mindre stötande, men bör ändå undvikas utom mellan goda vänner.

svält *subst* starvation, hungersnöd famine

svälta *verb* starve; ~ *ihjäl* starve to death

svältgräns *subst* hunger line

svämma *verb, floden ~de över sina bäddar* the river overflowed its banks

sväng *subst* krök turn, bend, kurva curve; *vägen gör en tvär* ~ the road takes a sharp turn; *vara med i ~en* be out and about a great deal; *ta ut ~arna* a) vard., gå hela vägen go the whole hog b) festa live it up

svänga I *verb* **1** swing **2** vifta med wave **3** vända turn; ~ *om hörnet* turn the corner; ~ *åt höger* turn to the right **4** vibrera vibrate **5** om vind change

II *verb* med betonad partikel

svänga av: ~ *av åt vänster* turn off to the left

svänga in på en gata turn into

svänga om turn round, amer. turn around; om vind veer round

svängdörr *subst* swing; roterande revolving door

svängning *subst* **1** rörelse swing **2** fys., vibration vibration; kringsvängning rotation, revolution **3** variation fluctuation **4** friare, i t.ex. politik change, shift

svängrum *subst* space, elbow-room

svära *verb* **1** gå ed swear [*på* to; *vid* by] **2** begagna svordomar swear [*över, åt* at], curse [*över, åt* at]

svärd *subst* sword

svärdfisk *subst* swordfish

svärdotter *subst* daughter-in-law (pl. daughters-in-law)

svärdslilja *subst* blomma iris

svärfar *subst* father-in-law (pl. fathers-in-law)

svärföräldrar *subst pl* parents-in-law

svärm *subst* t.ex. av bin, människor swarm, av fåglar flight

svärma *verb* **1** swarm [*omkring* round] **2** ~ *för ngn* have a crush on sb; ~ *för ngt* have a passion for sth

svärmare *subst* **1** drömmare dreamer **2** fyrverkeri jumping jack, jumping cracker

svärmeri *subst* förälskelse infatuation, stark. passion

svärmor *subst* mother-in-law (pl. mothers-in-law)

svärord *subst* swearword

svärson *subst* son-in-law (pl. sons-in-law)

svärta I *subst* **1** blackness **2** färgämne blacking **II** *verb*, ~ el. ~ *ned* blacken

sväva *verb* **1** float, be suspended **2** om fågel soar; kretsa hover **3** ~ *i fara* be in danger

svävare *subst* o. **svävfarkost** *subst* hovercraft (pl. lika)

sweater *subst* sweater

sweatshirt *subst* sweatshirt

swimmingpool *subst* swimming pool

swing *subst* dans el. musik swing

sy *verb* sew, kläder vanligen make; ~ *fast (i) en knapp i* t.ex. rocken sew a button on; ~ *ihop* sew up

syateljé *subst* dressmaker's

sybehör *subst pl* sewing-materials

sybord *subst* work-table

syd *subst* o. *adv* south [*of* om]; se *nord-* för sammansättningar

Sydafrika landet South Africa

sydafrikan *subst* South African

sydafrikansk *adj* South-African

Sydamerika South America

sydamerikansk *adj* South American

sydeuropa *subst* Southern Europe

sydeuropé *subst* Southern European

sydlig *adj* från el. mot söder, om t.ex. riktning, läge southerly; om vind south, southerly; i söder southern

sydländsk *adj* southern

sydlänning *subst* sydeuropé Southern European

sydost I *subst* **1** väderstreck the south-east **2** vind south-easter, south-east wind **II** *adv* south-east [*om* of]

sydpol *subst*, ~*en* the South Pole

sydväst I *subst* **1** väderstreck the south-west; vind south-wester, south-west wind **2** huvudbonad sou'wester **II** *adv* south-west [*om* of]

syfilis *subst* syphilis

syfta *verb* sikta, eftersträva aim [*till* at]; ~ *på* a) anspela på allude to b) mena mean; ~*r du på mig?* are you referring to me?; ~ *tillbaka på ngt* refer back to sth

syfte *subst* ändamål purpose, end; mål aim; ~*t med ngt* the purpose of sth; *i (med)* ~ *att* inf. with a view to ing-form

syjunta *subst* sewing circle

syl *subst* awl; *inte få en* ~ *i vädret* not get a word in edgeways, amer. vanligen not get a word in edgewise

sylt *subst* jam, preserve, preserves pl.

sylta I *subst* kok. brawn, amer. headcheese **II** *verb* **1** koka sylt preserve **2** ~ *in sig* trassla in sig get involved [*i* in], get mixed up [*i* in]

syltburk *subst* jam jar, med innehåll jar of jam

syltlök *subst* syltad lök, koll. pickled onions pl.

symaskin *subst* sewing-machine

symbol
The Shamrock, treklövern, är en symbol för Irland. *The Thistle*, tisteln, representerar Skottland, *the Leek*, purjolöken, Wales och *the Rose*, rosen, England.

symbol *subst* symbol [*för* of]
symbolisera *verb* symbolize
symbolisk *adj* symbolic, symbolical [*för* of]
symfoni *subst* symphony
symfoniorkester *subst* symphony orchestra
symmetri *subst* symmetry
symmetrisk *adj* symmetric, symmetrical
sympati *subst* medkänsla sympathy [*för* for]; *fatta ~ för ngn* take to sb, take a liking to sb
sympatisera *verb* sympathize [*med* with]
sympatisk *adj* trevlig nice, pleasant
sympatisör *subst* sympathizer
symtom *subst* symptom [*på* of]
symtomatisk *adj* symptomatic [*för* of]
syn *subst* **1** synsinne sight; *ha dålig ~* have a bad eyesight; *få ~ på* catch sight of **2** synsätt view [*på* of] **3** anblick sight **4** vision vision; spökbild apparition **5** utseende, sken *för ~s skull* for the sake of appearances; *till ~es* som det ser ut apparently, skenbart seemingly
syna *verb* besiktiga inspect; granska examine
synagoga *subst* synagogue
synas *verb* **1** vara synlig be seen; visa sig appear, show; *fläcken syns inte* the spot does not show; *det syns tydligt att…* it is obvious that…, it is evident that…; *det syns på dig att…* one can tell by looking at you that…; *~ till* appear, be seen **2** framgå, tyckas appear
synbar *adj* synlig visible [*för* to]
synbarligen *adv* uppenbart obviously
synd *subst* **1** sin; *ett ~ens näste* a hotbed of sin; *envis som ~en* as stubborn as a mule; *hata ngn som ~en* hate sb like poison **2** skada, orätt *så ~!* what a pity!, what a shame!; *det är ~ att han inte kommer* it is a pity that he isn't coming; *jag tycker ~ om henne* I feel sorry for her
synda *verb* sin; *~ mot en regel* offend against a rule
syndabock *subst* scapegoat
syndaflod *subst* flood, deluge; *~en* bibl. the Flood
syndare *subst* **1** relig. sinner; friare offender

syndfull *adj* sinful
syndig *adj* sinful, stark. wicked
syndrom *subst* syndrome
synfel *subst* defect of vision, visual defect
synfält *subst* field of vision
synhåll *subst*, *inom ~* within sight [*för* of]; *utom ~* out of sight [*för* of]
synkronisera *verb* synchronize
synlig *adj* visible [*för* to]; *bli ~* come into sight
synnerhet *subst*, *i ~* particularly, especially
synnerligen *adv* ytterst extremely; särskilt particularly
synonym I *adj* synonymous
II *subst* synonym [*till* of]
synpunkt *subst* ståndpunkt standpoint, point of view, åsikt view; *från juridisk ~* from a legal point of view
synskadad *adj* visually handicapped
synskärpa *subst* acuteness of vision
synt *subst* musik. vard. synth
syntax *subst* gram. syntax
syntes *subst* synthesis (pl. syntheses)
syntetfiber *subst* synthetic fibre
syntetisk *adj* synthetic
synthesizer *subst* musik. synthesizer
synvilla *subst* optical illusion
synvinkel *subst* aspect; synpunkt point of view; *ur min ~* from my point of view
synål *subst* sewing-needle
synålsbrev *subst* packet of needles
syra *subst* **1** kem. acid **2** smak acidity, sourness
syre *subst* oxygen
syrebrist *subst* lack of oxygen
syren *subst* blomma lilac
syrgas *subst* oxygen
syrgastält *subst* oxygen tent
Syrien Syria
syrier *subst* Syrian
syrisk *adj* Syrian
syrlig *adj* **1** somewhat sour, sourish **2** om t.ex. leende, ton acid, om min sour
syrra *subst* vard. sister
syrsa *subst* insekt cricket
syskon *subst*, *ha ~* bröder och systrar have brothers and sisters; *de är ~* bror och syster they are brother and sister
syskonbarn *subst* **1** pojke nephew; flicka niece **2** kusin cousin
syskrin *subst* workbox
sysselsatt *adj* **1** upptagen occupied, engaged, strängt upptagen busy; *vara ~ med att göra ngt* be busy doing sth **2** anställd employed
sysselsätta *verb* **1** ge arbete åt employ **2** ~

ngn hålla ngn sysselsatt occupy sb, keep sb busy; ~ *sig* occupy oneself, busy oneself

sysselsättning *subst* occupation, employment, work; *full* ~ ekon. full employment; *ha full* ~ *med ngt* have one's hands full with sth; *sakna* ~ a) have nothing to do b) vara arbetslös be unemployed

syssla I *subst* **1** göromål business (utan pl.), work (utan pl.), i hushåll etc. duty; *dagliga sysslor* daily chores **2** sysselsättning occupation

II *verb*, ~ *med ngt* vara sysselsatt med busy oneself with sth, be busy with sth; *vad* ~*r du* just nu *med?* what are you doing?; *vad* ~*r du med på söndagar?* how do you spend your Sundays?; ~ *med trädgårdsarbete* do gardening

syssling *subst* second cousin

sysslolös *adj* idle

system *subst* **1** system; *sätta ngt i* ~ make a system of sth **2** vid tippning perm **3** ~*et* vard. se *systembolag* o. *systembutik*

systematisera *verb* systematize

systematisk *adj* systematic, orderly, methodical

systembolag *subst* bolag state-controlled company for the sale of wines and spirits

systembutik *subst* State liquor shop, spec. amer. State liquor store

systemtips *subst* permutation, vard. perm

syster *subst* **1** sister; *systrarna Larson* the Larson sisters **2** nunna; sister; sjuksköterska vanligen nurse

systerdotter *subst* niece

systerson *subst* nephew

sytråd *subst* sewing-thread

1 så *verb* sow

2 så I *adv* **1** för att uttrycka sätt so; sålunda thus; på så sätt like this, like that; *hur* ~*?* varför why?; ~ *där* like that; ~ *här* like this; ~ *här går det när man...* that is what happens when you...; *den är placerad* ~ *att man kan komma åt den* it is placed in such a way that one can get at it; *han bara säger* ~ he only says that; ~ *är det* a) that is how it is b) det är rätt that's it; ~ *är* (*var*) *det med det!* el. ~ *är* (*var*) *det med den saken!* well that's that!; *är det bra* ~*?* a) is it all right? b) tillräckligt is that enough?; ~ *kallad* se *s.k.* **2** för att uttrycka grad so; framför adj. som står före subst. such, vid jämförelse as; ~ *här varmt är det sällan i mars* it is seldom as warm as this in March; *jag sjunger inte* ~ *bra* I don't

sing very well; ~ *dum är han inte* he is not as stupid as that, he is not that stupid; *jag har aldrig sett* ~ *snälla människor* I have never seen such kind people; *jag har aldrig sett något* ~ *vackert* I have never seen anything so beautiful; *han är inte* ~ *dum att han flyttar* he's not silly enough to move **3** i utrop, ~ *roligt!* how nice!; ~ *synd!* what a pity!; ~ *du ser ut!* what a state you are in!; ~ *där ja, nu kan vi gå!* well, now we can go!; ~ *det* ~*!* so that's that!, so there! **4** sedan, då then; *gå till höger,* ~ *ser du...* turn to the right and you will see...; *om du inte vill,* ~ *slipper du* if you don't want to do it, you needn't

II *konj* **1** för att uttrycka avsikt, ~ el. ~ *att* so that, in order that, so as to inf. **2** för att uttrycka följd, ~ *att* a) so that b) och därför and so; *det är* ~ *att man kan bli tokig* it is enough to make one go mad

III *pron*, *i* ~ *fall* in that case, if so

sådan (vard. *sån*) *pron*, *en* ~ *bok* el. *en* ~ *där bok* a book like that; ~*a böcker!* such books!, books like that!; *en* ~ *stor bok!* what a big book!; ~ *är han* that's how he is; *ser jag* ~ *ut?* do I look like that?; *arbetet som* ~*t* the work as such; *en* ~ *som han* a man like him; *jag har en* ~ *hemma* I have one at home; *jag har några* ~*a hemma* I have some at home; *papperstallrikar?* ~*a använder jag inte* paper plates? I don't use them; ~*t händer* these things will happen, such things will happen; ~*t gör man inte* it's just not done; *frukt och* ~*t* fruit and suchlike; *hon sade ingenting* ~*t* she said nothing of the kind

sådd *subst* **1** såENDE sowing **2** det sådda seed

såg *subst* verktyg saw

såga *verb* saw

sågspån *subst* sawdust

således *adv* följaktligen consequently

såll *subst* sieve

sålla *verb* sift; ~ *bort* sort

sålunda *adv* thus, in this manner

sång *subst* **1** sjungande singing, song **2** fåglars, sångstycke song

sångare *subst* **1** singer **2** fågel warbler

sångbok *subst* songbook

sångerska *subst* female singer, singer

sångfågel *subst* songbird, songster

sångkör *subst* choir

sångröst *subst* singing-voice

sångstämma *subst* vocal part

såpa *subst* **1** soft soap **2** såpopera soap
såpbubbla *subst* soap bubble; *blåsa*
  såpbubblor blow bubbles
såphal *adj* slippery, greasy
såpopera *subst* soap opera, soap
sår *subst* wound; inflammerat sore; brännsår
  burn
såra *verb* **1** wound, injure; *den ~de* the
  wounded person; *de ~de* the wounded
  2 kränka hurt, stöta offend
sårbar *adj* vulnerable
sårbarhet *subst* vulnerability
sårsalva *subst* ointment
sås *subst* **1** sauce **2** köttsås gravy **3** salladssås
  dressing
såsom *konj* as, like; *~ barn* as a child;
  behandla ngn ~ ett barn treat sb like a
  child
såsskål *subst* sauce boat, gravy boat
såtillvida *adv* i så måtto so far, thus far; *~ som*
  in so far as
såvida *konj* if, in case; förutsatt att provided
  that; *~ inte* unless
såvitt *adv*, *~ jag vet* as far as I know
såväl *konj*, *~ A som B* A as well as B, both A
  and B
säck *subst* sack, mindre bag
säcka *verb*, *~ ihop* collapse, break down
säckig *adj* baggy
säckpipa *subst* bagpipes pl.
säckpipsblåsare *subst* bagpiper
säckväv *subst* sacking, sackcloth
säd *subst* **1** corn, spec. amer. grain **2** utsäde
  seed, grain
sädesax *subst* ear of corn, amer. ear of grain
sädescell *subst* fysiol. sperm, sperm cell
sädesfält *subst* med gröda field of corn, amer.
  field of grain
sädesslag *subst* kind of corn, kind of grain,
  cereal
sädesvätska *subst* semen
sädesärla *subst* fågel wagtail
säga I *verb* **1** say; berätta, säga till tell; *säg det!*
  vem vet? who knows?; *säg inte det!* var inte så
  säker I wouldn't say that; *var snäll och*
  säg mig... please tell me...; *så att ~* so
  to say, so to speak; *om jag får ~ det själv*
  though I say it myself; *om, låt oss ~, tre*
  dagar in, let's say, three days; *det må jag*
  ~! well, I never!; *kom snart, ska vi ~ i*
  morgon? come soon - shall we say
  tomorrow?; *det vill ~* (förk. dvs.) that is,
  that is to say (förk. i.e.); *vad vill det här*
  ~? what does this mean?; *~ vad man*
  vill, men hon... say what you will (like),

but she...; *gör som jag säger* do as I
say, do as I tell you; *jag säger då det!*
well, I never!; *jag bara säger som det är*
I am merely stating facts; *var det inte det*
jag sa? I told you so!; *då säger vi det!*
that's settled, then!; *säger du det?* really?,
you don't say?; *det säger du bara!* you're
only saying that; *vad säger du om det?*
what do you say to that?; *det säger allt!*
that says it all!; *det säger inte så mycket*
that is not saying much; *vem har sagt*
det? who said that?, who said so?; *namnet*
säger mig ingenting the name means
nothing to me; *jag har hört ~s att...* I
have heard it said that...; *han sägs vara*
rik he is said to be rich; *sagt och gjort* no
sooner said than done; *det är för mycket*
sagt that is saying too much; *sagt är*
sagt! you must stand by what you've said!;
som sagt el. *som sagt var* as I said
before; *oss emellan sagt* between
ourselves
  2 *hon säger sig vara lycklig* she says she
is happy; *det säger sig självt* that goes
without saying
II *verb* med betonad partikel
säga emot contradict
säga ifrån: *~ ifrån på skarpen* put one's
foot down; *hon sa bestämt ifrån att hon*
inte vill she flatly refused
säga om ngt upprepa say sth again, repeat
sth
säga till befalla tell, order; *~ till ngn* ge ngn
besked tell sb, let sb know; *om ni önskar*
något, så säg till! if you need something,
say so!; *säg till* när det räcker! say when!; *är*
det tillsagt? vid expediering are you being
attended to?; *han har ingenting att ~*
till om he has no say; *han har en hel del*
att ~ till om he has a great deal of say
säga upp 1 *~ upp ngn* anställd vanligen give
sb notice; hyresgäst vanligen give sb notice to
quit; *~ upp sig* el. *~ upp sin anställning*
give notice **2** *~ upp bekantskapen med*
ngn break off relations with sb
säga åt: *~ åt ngn att* inf. tell sb to inf.
sägen *subst* legend, myth
säker *adj* förvissad sure [*på* of, about], certain
[*på* of, about]; riskfri safe, trygg secure; *ett*
~t gömställe a safe hiding-place; *~ sex*
safe sex; *vara på den säkra sidan* be on
the safe side; *ett ~t tecken* a sure sign; *det*
är alldeles ~t otvivelaktigt it is quite certain;
känna sig ~ feel secure, feel safe; *kan jag*
vara ~ på det? can I be sure of that?; räkna

på may I count on that?; *är du ~ på det?* are you sure about that?, are you certain about that?; helt säker are you positive about that?; *det kan du vara ~ på* el. *var så ~* you may be certain (sure), you bet; *han tog det säkra för det osäkra och...* to be on the safe side he..., to be quite sure he...

säkerhet *subst* **1** visshet certainty, safety; trygghet utan risk security; i uppträdande assurance; *den allmänna ~en* public safety; *för ~s skull* to be on the safe side; *vara i ~* be safe, be in safety; *med all ~* säkerligen certainly, without doubt; *veta med ~* know for certain **2** security; *lämna ~ för ett lån* give security for a loan; *låna ut pengar mot ~* lend money on security

säkerhetsbälte *subst* i t.ex. bil, flygplan seat belt, safety belt

säkerhetskedja *subst* på dörr door-chain; på smycke safety-chain

säkerhetslina *subst* livlina lifeline

säkerhetsnål *subst* safety pin

säkerhetspolis *subst* security police

säkerhetsrisk *subst* security risk

säkerhetsskäl *subst*, *av ~* for security reasons

säkerhetsåtgärd *subst* precautionary measure

säkerligen *adv* certainly, no doubt

säkerställa *verb* guarantee, secure

säkert *adv* med visshet certainly; högst sannolikt very likely, probably; tryggt securely; *ja ~!* certainly!, sure!; *det vet jag alldeles ~ I* know that for certain; *jag vet inte ~ om...* I am not quite sure whether...

säkra *verb* secure; t.ex. freden safeguard; *~ sin ställning* consolidate one's position

säkring *subst* **1** elektr. fuse; *det har gått en ~* a fuse has blown **2** på vapen safety-catch

säl *subst* seal

sälg *subst* träd sallow, pussy willow

sälja *verb* **1** sell **2** marknadsföra market; *vi har sålt slut på* we are sold out of

säljare *subst* **1** seller **2** försäljare salesman

sälla *verb*, *~ sig till* join

sällan *adv* seldom, rarely, infrequently; *endast ~* only on rare occasions; *inte så ~* rather often

sällsam *adj* strange, peculiar, singular

sällskap *subst* **1** umgänge company, society; samling personer party; *göra ~ med ngn till stationen* go with sb to the station, accompany sb to the station; *jag gjorde henne ~ hem* I saw her home; *vi gjorde*

~ till teatern we went together to the theatre; *ha ~ med ngn* be going out with sb; *hålla ngn ~* keep sb company; *komma (råka) i dåligt ~* get into bad company; *i ~ med* together with, in company with **2** följeslagare companion **3** förening society

sällskaplig *adj* road av sällskap sociable

sällskapsdjur *subst* t.ex. hund el. katt pet

sällskapslek *subst* party game

sällskapsliv *subst* social life

sällskapsmänniska *subst* sociable person

sällskapsresa *subst* conducted tour

sällskapssjuk *adj*, *han är ~* he needs company; älskar he loves company; tillfälligt he is longing for company

sällskapsspel *subst* party game

sällsynt *adj* rare, uncommon, unusual

sälskinn *subst* sealskin

sämja *subst* harmony, unity

sämre *adj* o. *adv* worse [än than]; underlägsen inferior [än to]

sämskskinn *subst* shammy leather

sämst *adj* o. *adv* worst; *i ~a fall* if the worst comes to the worst; *de ~ avlönade* the most poorly paid

sända *verb* **1** send [med, per by] **2** radio. transmit; program broadcast; *...sänds i radio och tv* ...will be broadcast and televised

sändare *subst* radio. transmitter

sändarstation *subst* broadcasting station, transmitting station

sändebud *subst* **1** ambassador [i to] **2** envoyé envoy

sänder *adv*, *i ~* i taget at a time, en efter en one by one, one at a time

sändning *subst* **1** varuparti consignment, shipment **2** leverans delivery **3** radio. el. tv. transmission; program broadcast

sändningstid *subst* viewing time, viewing hours pl.

säng *subst* bed; utan sängkläder bedstead; barnsäng cot; *gå i ~ med ngn* go to bed with sb; *komma i ~* get to bed; *få kaffe på ~en* have coffee in bed; *ta ngn på ~en* take sb by surprise; *gå till ~s* a) go to bed b) om sjuk take to one's bed; *ligga till ~s* be in bed, lie in bed; *sitta vid ngns ~* sit by sb's bedside

sängdags *adv*, *det är ~* it's time for bed, it's bedtime; *vid ~* at bedtime

sängfösare *subst* nightcap

sänggavel *subst* huvudända headboard, fotända footboard

sängkammare *subst* bedroom

sängkant *subst*, *vid ~en* at the bedside

sängkläder *subst pl* bedclothes, bedding sing.

sänglampa *subst* bedside lamp

sänglektyr *subst* bedside reading

sängliggande *adj* på längre tid bedridden; *vara ~* be confined to bed

sänglinne *subst* bed linen

sängrökning *subst* smoking in bed

sängtäcke *subst* quilt

sängvätare *subst* bed-wetter

sängöverkast *subst* bedspread

sänka I *subst* **1** fördjupning depression, hollow **2** med. sedimentation rate; *ta ~n* carry out a sedimentation test [*på ngn* on sb] **II** *verb* **1** lower, priser, skatter etc. reduce, lower **2** *~ farten* reduce speed; *~ ned* sink **3** *~ ett fartyg* sink a ship **4** *~ sig* a) skymning etc. descend [*över* on], fall [*över* on] b) om personer lower oneself [*till* to]

sänkning *subst* sänkande **1** lowering **2** t.ex. av priser reduction **3** av fartyg sinking

sära *verb*, *~* el. *~ på* skilja från varandra separate, part; *~ på benen* part one's legs

särbehandling *subst* special treatment; *positiv ~* positive discrimination, amer. affirmative action

särbo *subst* couple that live apart

särdeles *adv* synnerligen extremely, exceedingly, most

särdrag *subst* characteristic, egenhet peculiarity

säregen *adj* egendomlig strange, peculiar, odd

särklass *subst*, *stå i ~* be in a class by oneself

särprägel *subst* distinctive stamp, distinctive character

särskild *adj* speciell special, particular; *~ ingång* separate entrance; *jag märkte ingenting särskilt* I did not notice anything particular; *jag har inte något särskilt för mig* I have nothing particular to do

särskilja *verb* **1** separate **2** åtskilja distinguish between

särskilt *adv* speciellt particularly, specially, i synnerhet in particular; *jag brydde mig inte ~ mycket om det* I did not bother too much about it

särskola *subst* special school for mentally retarded children

särställning *subst*, *inta en ~* hold an exceptional position, hold a unique position

särtryck *subst* offprint

säsong *subst* season

säte *subst* **1** hemvist, stolsits seat **2** persons bakdel seat

sätt *subst* **1** way, manner, fashion (endast sing.), metod method; medel means (pl. lika); *på ~ och vis* i viss mån in a way; *på alla möjliga ~* el. *på alla ~ och vis* in every possible way; *på det ~et* in that way, in that manner, in this way (manner), like that, like this; *på ett eller annat ~* somehow or other; *på så ~* in that way; jaså I see! **2** uppträdande manner, behaviour; umgängessätt manners pl.

sätta I *verb* **1** placera put, place, set; fästa, sticka stick; ordna place, arrange; anbringa fit, fix; *~ ngn till att göra ngt* set sb to do sth; *~ smak på* smaksätta flavour; ge smak åt give a flavour to; *~ barn till världen* bring children into the world **2** satsa stake, bet **3** plantera set, t.ex. potatis plant **4** *~ sig* sitta ned sit down, ta plats take a seat, placera sig place oneself; *sätt dig här!* come and sit here!; *~ sig upp i sängen* sit up in bed; *~ sig i bilen och köra* get into the car and drive; *~ sig på cykeln och köra* get on the bike and ride; *~ sig vid ratten* take the wheel **5** om person, *~ sig i en situation* put oneself in a situation; *~ sig på ngn* spela översittare bully sb **6** om sak: sätta sig, sjunka settle, fastna stick [*i* t.ex. halsen in] **II** *verb* med betonad partikel

sätta av 1 släppa av put down **2** reservera set aside

sätta sig emot opponera sig oppose; fästa fix, fasten; *~ sig fast* fastna stick, get stuck; *~ fast ngn* fånga, ange put sb away, run in sb

sätta fram 1 ta fram put out; t.ex. stolar draw up; *~ fram ngt på bordet* put sth on the table **2** *~ fram klockan* put the clock forward; armbandsur put one's watch forward

sätta för ngt put sth in front; *~ för en lucka* put up a shutter

sätta i put in, t.ex. ett häftstift apply, t.ex. tändstift fit in, installera install; *~ i ett foder i ngt* line sth; *~ i en knapp* sew a button on; *~ i ngn ngt* t.ex. en idé put sth into sb's head; *~ i sig mat* put away food

sätta ihop: *~ ihop ngt* **1** put sth together, join sth, kombinera combine sth; författa, komponera compose **2** t.ex. ett program draw up

sätta in 1 *~ in ngt* put sth in; lämna till förvaring deposit sth **2** *~ in pengar på ett konto* pay money into an account **3** *~ ngn in i ngt* acquaint sb with sth, make sb acquainted with sth

sätta i väg set off, dash off, run off

sätta ned (ner) 1 put down, set down **2** minska reduce; sänka lower; försvaga, t.ex. krafter weaken

sätta på 1 put on; montera på fit on; ~ *på ngt på ngt* put sth on sth; montera på fit sth on to sth **2** ~ *på sig ngt* put on sth; ~ *på sig säkerhetsbältet* fasten one's seatbelt **3** ~ *på* laga *lite kaffe* make some coffee **4** ~ *på tv:n* turn on the telly **5** ~ *på ngn* vulg. screw (lay) sb

sätta upp 1 placera etc. put up, resa, ställa upp set up; uppföra erect; höja, t.ex. pris raise; hänga upp hang; placera högre put…higher up; ~ *upp ngt på en hylla* put sth up on a shelf, place sth on a shelf **2** upprätta: t.ex. kontrakt draw up; t.ex. lista make out, make up **3** teat., iscensätta stage **4** starta: t.ex. tidning, affär start; ~ *upp ett fotbollslag* get together a football team; ~ *sig upp mot ngn* set oneself up against sb

sätta ut 1 ~ *ut ngt utomhus* put sth outdoors; ~ *ut ngt till beskådande* display sth; plantera ut plant sth **2** skriva ut: t.ex. datum put down; t.ex. kommatecken put; ange på t.ex. karta mark, show

sättsadverb *subst* gram. adverb of manner

säv *subst* rush

söder I *subst* väderstreck the south; *Södern* the South
II *adv* south, to the south [*om* of]; se *norr-* för vidare sammansättningar

Söderhavet the South Pacific

söderifrån *adv* from the south

söderut *adv* åt söder southward, southwards; *resa* ~ go south, travel south

södra *adj* the south; t.ex. delen the southern; se *norra* för ex.

söka I *verb* **1** leta look; ~ el. ~ *efter* leta efter look for; ihärdigt search for; ~ *läkare för ngt* see a doctor about sth, consult a doctor about sth; *sekreterare söks* i annons secretary wanted **2** vilja träffa want to see; försöka träffa try to get hold of; *vem söks?* el. *vem söker ni?* who do you want to see?; *det är ngn som söker dig* there is somebody to see you **3** ansöka om apply for **4** ~ *sig till* uppsöka seek; dras till make for; ta sin tillflykt till resort to; ~ *sig till ngn* seek sb **5** data. search
II *verb* med betonad partikel
söka in i (till): ~ *in i (till) en skola* apply for admission to a school

söka upp: ~ *upp ngn* look sb up, go to see sb

söka ut utvälja choose, pick out

sökande *subst* aspirant applicant [*till* for], candidate [*till* for]

sökare *subst* foto. view-finder

sökarljus *subst* searchlight, på t.ex. bil spotlight

sökning *subst* data. search

sökord *subst* data. search word

sökprogram *subst* data. search program

sökt *adj* långsökt far-fetched

söla *verb* **1** dawdle, loiter **2** dra ut på tiden waste time; smutsa soil, dirty

sölig *adj* **1** långsam dawdling, slow

söm *subst* textil. seam; *gå upp i ~marna* come apart at the seams; *utan* ~ seamless

sömlös *adj* seamless

sömmerska *subst* dressmaker

sömn *subst* sleep; *ha god* ~ sleep well; *falla i* ~ fall asleep; *gå i ~en* walk in one's sleep, vara sömngångare be a sleep-walker; *under ~en* during sleep

sömnad *subst* sewing, needlework

sömngångare *subst* sleepwalker

sömnig *adj* sleepy

sömnlös *adj* sleepless

sömnlöshet *subst* insomnia

sömnmedel *subst* med. vard. sleeping-pill, sleeping-tablet

sömnpiller *subst* sleeping-pill

sömnproblem *subst* vard., *ha* ~ have difficulty sleeping (falling asleep), suffer from insomnia

sömntablett *subst* sleeping-tablet

sömntuta *subst* vard. great sleeper, sleepyhead

söndag *subst* Sunday; *på sön- och helgdagar* on Sundays and holidays; se *fredag* för ex.

söndagsbilaga *subst* Sunday supplement

söndagsbilist *subst* week-end motorist

söndagskväll *subst* Sunday evening, senare Sunday night; *på ~arna* on Sunday evenings, on Sunday nights

söndagsskola *subst* Sunday school

sönder *adj* o. *adv* **1** bruten broken, i bitar in pieces, sönderriven torn; *gå* ~ brista etc. break, krossas smash, gå i bitar go to pieces, come to pieces, spricka burst; *ha* ~ *ngt* break sth, i flera delar break sth to pieces, riva sönder tear sth to pieces; *ta* ~ *ngt*, ta isär take sth to pieces, take sth to bits **2** i olag out of order; slut (om t.ex. glödlampa) gone; *gå* ~ go (get) out of order, stanna break down

sönderbombad *adj*, *vara* ~ be destroyed by bombs; *en* ~ *stad* a city destroyed by bombs

sönderfall *subst* disintegration
sönderfalla *verb* i bitar fall to pieces,
disintegrate
söndersliten *adj* om kläder tattered,
threadbare; *kroppen var ~ av vargar*
the body had been torn to pieces by wolves
söndra *verb* **1** dela divide **2** t.ex. parti disrupt,
break up
söndring *subst* oenighet dissension, discord
sörja *verb* **1** ~ *ngn* a) avliden mourn b) bära
sorgdräkt efter wear mourning for sb, be in
mourning for sb; *han sörjes närmast av
maka och barn* the chief mourners are
his wife and children **2** mourn, grieve; ~
över grieve for, grieve over **3** ~ *för* se till
see to, sköta om take care of, dra försorg om
provide for; ~ *för ngns behov* supply sb's
wants; ~ *för framtiden* make provision
for the future; ~ *för att ngt görs* see to it
that something is done
sörjande *adj*, *de närmast* ~ the chief
mourners
sörpla *verb* slurp; ~ *i sig ngt* slurp sth,
guzzle down sth
söt *adj* **1** sweet; rar nice, sweet; småvacker
pretty, spec. amer. cute; ~*t vatten* i insjö
fresh water
söta *verb* sweeten
sötma *subst* sweetness
sötmandel *subst* sweet almond; *jag tycker
om* ~ I like sweet almonds
sötningsmedel *subst* sweetening agent,
sweetener
sötnos *subst* sweetie, sweetie pie, honey
sötsaker *subst pl* sweets, amer. candy sing.
sötsliskig *adj* sickly-sweet, om t.ex. leende
sugary, om t.ex. färg pretty-pretty
sötsur *adj* kok. sweet-sour, sweet and sour
sött *adv* rart etc. sweetly; *det smakar* ~ it
tastes sweet
sötvatten *subst* fresh water
sötvattensfisk *subst* fresh-water fish
söva *verb* **1** put sb to sleep, send sb to sleep;
musiken är ~*nde* the music makes you
sleepy (drowsy) **2** med., ~ el. ~ *ned* (*ner*) ge
narkos administer an anaesthetic to

Tt

ta

- *Take* betyder vanligen att man tar
  något bort från den talande eller
  tar med sig något till en annan
  plats:
  Don't forget to take your umbrella.
  Glöm inte att ta med dig para-
  plyet.
  They took him to hospital.
  De tog honom till sjukhuset.
- *Bring* används när man tar med
  sig något till den talande:
  Bring your books next time.
  Ta med dig böckerna (hit) nästa
  gång.

ta I *verb* **1** take; ta med sig hit, komma med bring;
solen ~*r* the sun gives you quite a colour
(a tan); *vilken väg ska jag* ~*?* which way
shall I take?; *han tog det hårt* it affected
him deeply; *bromsen* ~*r inte* the brake
doesn't work (function); ~ *ett lån* take out
a loan; *vem* ~*r du mig för?* what do you
take me for?; ~ *till vänster* turn to the left
2 ta sig, t.ex. en kopp kaffe, ett bad have; ~ *en bit
mat* have something to eat; ~ *sig en
tupplur* have a nap **3** ta fast catch; gripa tag i
seize; ~ *i ngt* touch sth; ~ *ngn i armen*
seize sb by the arm **4** ta betalt charge **5** ~ *sig*
a) skaffa sig: t.ex. en ledig dag, en promenad take;
t.ex. en bit mat, en cigarett have **b**) lyckas komma
get; ~ *sig till gränsen* get to the border;
kan du ~ *dig* hitta *hit?* can you find your
way here? **c**) förkovra sig improve; tillfriskna
recover [*efter* from]; *plantan* ~*r sig* the
plant is coming on
II *verb* med betonad partikel
ta av 1 take off, remove; ~ *av sig* take off;
~ *av rocken* el. ~ *av dig rocken* take off
your coat **2** vika av turn off
ta bort avlägsna take away, remove; ~ *bort
en fläck* take out a stain, remove a stain
ta efter ngn imitate sb, copy sb
ta emot mottaga receive; ta hand om: t.ex.
beställning, avgifter etc. take; t.ex. inackorderingar,

tvätt take in; antaga accept; ~ *emot* inte tillbakavisa *pengarna* take the money, accept the money; *det är något som ~r emot* there's something in the way; *anmälningar ~s emot av...* applications may be handed in to...

ta fast fånga catch; få fast get hold of; ~ *fast tjuven!* stop thief!

ta fram ngt take sth out [*ur* of]; ~ *fram* för att visa upp produce [*ur* out of]; ~ *sig fram* a) hitta find one's way b) bana sig väg make one's way

ta för sig servera sig help oneself [*av ngt* to sth]

ta sig för göra do; gripa sig an med set about

ta sig förbi make one's way past, get past

ta i anstränga sig put one's back into it; ~ *inte i så där!* el. *vad du ~r i!* take it easy!, don't overdo it!; *det är väl att ~ i!* now you're exaggerating!

ta ifrån ngn ngt take sth away from sb; beröva deprive sb of sth

ta igen 1 ~ *igen ngt* tillbaka take sth back **2** ~ *igen förlorad tid* make up for lost time **3** ~ *igen sig* återhämta sig recover

ta in take in, bring in; station i radio etc. tune in to; ~ *in ngn* ge tillträde admit sb [*i* t.ex. förening to]; ~ *in vatten* läcka let in water; ~ *in på hotell* put up at a hotel; ~*s in på sjukhus* be admitted to hospital

ta itu med set about

ta loss ta bort take off, take away; avskilja detach

ta med 1 föra hit, ha med sig bring; föra bort take **2** inbegripa include

ta ned (ner) take down, bring down

ta om ngt upprepa take (say, read etc.) sth again

ta på el. **ta på sig** t.ex. skor, glasögon put on; ~ *på sig skulden* take the blame; ~ *på sig* åta sig *för mycket* take on too much

ta till börja använda take to; begagna sig av use; överdriva exaggerate; ~ *till så att det räcker* take enough; *vad ska jag ~ mig till?* what am I to do?; *vad ~r du dig till?* what are you up to?

ta tillbaka take back, bring back; ~ *tillbaka ansökan* withdraw one's application

ta upp take up, bring up; ur ficka etc. take out [*ur* of]; samla upp gather up; öppna paket etc. open; ~ *upp ngt till diskussion* bring sth up for discussion; *han tog upp sig mot slutet av matchen* he improved towards the end of the match

ta ur take out [*ur* of]; avlägsna kärnor, en fläck etc. remove

ta ut dra ut take out; extrahera extract; få ut get out [*ur* of]; hämta ut pengar på bank etc. draw; ~ *ut en melodi på ett instrument* pick out a tune on an instrument; ~ *ut slaget helt* i t.ex. tennis follow through; *de ~r ut varandra* they cancel each other out; ~ trötta *ut sig* tire oneself out

ta vid börja begin; fortsätta follow on, follow; ~ *illa vid sig* be upset [*av, över* about]

ta åt sig dra till sig: t.ex. smuts attract; fukt absorb; äran etc. take, claim; *du ~r alltid åt dig* you are always taking things personally; *vad tog det åt honom?* what's the matter with him?

tabbe *subst* vard. blunder

tabell *subst* table [*över* of]

tablett *subst* tablet; piller pill; liten duk table mat, place mat

tablettform *subst*, *i* ~ in tablet form

tabloid *subst* tabloid

tabloidpress *subst*, ~*en* the tabloids pl., the tabloid press

tablå *subst* **1** teat. tableau **2** översikt table, chart [*över* of] **3** ~*!* you can imagine the rest!

tabu *subst* taboo (pl. -s); *belägga med* ~ taboo

tabulator *subst* tabulator, vard. tab, tangent tabulator key

---

tack

Lägg märke till att <u>ja tack</u> heter *yes, please* och <u>nej tack</u> *no, thank you*. Bara *thank you* betyder oftast <u>tack</u> eller <u>ja tack</u>:
– *Would you like something to drink?*
– *Thank you. A glass of juice, please.*

---

tack *subst* thanks pl.; *ja* ~*!* som svar på: vill du ha...? yes, please!; *nej* ~*!* no, thank you!, no thanks!; *hjärtligt* ~ *för...* many thanks for...; ~ *så mycket!* thank you very much!; ~ *för senast!* motsvaras av we had a nice time at your place the other day (evening etc.); ~ *för maten!* motsvaras av I did enjoy the meal!, what a nice meal!; ~ *för att du kom!* thanks for coming!; ~ *vare hans hjälp* thanks to his help

1 tacka *verb* thank; ~ *ja till ngt* accept sth with thanks; ~ *nej till ngt* decline sth with thanks; *ingenting att* ~ *för!* don't mention it!; ~ *för det!* naturligtvis of

tacka
I England och USA säger man inte tack för maten efter en måltid, men det är artigt att säga något antingen när man äter eller när man går, t.ex. *This is very nice. I enjoyed the meal very much.* Man tackar heller inte för senast efter en fest.

course!; ~ *vet jag* ... give me ... any day; *ha ngn att* ~ *för ngt* owe sth to sb
2 tacka *subst* får ewe
3 tacka *subst* av guld, silver bar, ingot
tackla *verb* äv sport. tackle
tackling *subst* sport. tackle; tacklande tackling
tacksam *adj* grateful [*mot* to]
tacksamhet *subst* gratitude [*mot* to]
tacksamhetsskuld *subst*, *stå i* ~ *till ngn* owe a debt of gratitude to sb, be under an obligation to sb
tacktal *subst* speech of thanks; *hålla* ~ make a speech of thanks
tafatt *adj* awkward
tafsa *verb* vard., ~ *på ngt* fiddle about with sth; ~ *på ngn* paw sb about, grope sb
taft *subst* tyg taffeta
tag *subst* **1** grepp hold, grip, grasp; t.ex. simtag, årtag stroke; *släppa* ~*et* let go; *fatta* (*gripa, hugga*) ~ *i* catch hold of; *få* ~ *i* get hold of **2** stund, *försök själv ett* ~ have a go yourself; *i första* ~*et* i första försöket at the first go; med detsamma straight off; *jag glömmer det inte i första* ~*et* I won't forget in a hurry; *två i* ~*et* two at a time; *jag ska resa bort ett* ~ I'll go away for a while; *det blev hårda* ~ *för oss* we had a tough time
tagel *subst* horsehair
tagen *adj* medtagen done up; rörd moved
tagetes *subst* blomma French marigold, större African marigold
tagg *subst* prickle; törntagg thorn
taggig *adj* prickly; med törntaggar thorny
taggtråd *subst* barbed wire
tagning *subst* **1** av film filming, shooting; enstaka take **2** foto., exponering exposure
Taiwan Taiwan
tajma *verb* vard. time
tak *subst* **1** yttertak roof; innertak ceiling; *ha* ~ *över huvudet* have a roof over one's head; *rummet är högt i* ~ the room has a high ceiling; *han gick i* ~*et* blev rasande *när han hörde det* he hit the roof when he heard it

2 maximum, t.ex. pristak ceiling; *sätta ett* ~ *för* impose a ceiling on, för utgifter cap
takbox *subst* på bil roof box
takkrona *subst* chandelier
taklampa *subst* ceiling lamp
taklucka *subst* roof hatch, på bil sun roof
takpanna *subst* tile, roofing tile
takräcke *subst* på bil roof rack
takränna *subst* gutter
takt *subst* **1** tempo: musik. time; fart pace, rate; *slå* ~*en* beat time; *i snabb* ~ at a fast rate; *gå i* ~ keep in step, walk in step; *öka* ~*en* increase the pace, increase the speed **2** rytmisk enhet bar **3** finkänslighet tact, discretion
taktfast *adj* om steg measured; rytmisk rhythmic
taktfull *adj* tactful, discreet
taktik *subst* tactics (med verb i pl.)
taktiker *subst* tactician
taktisk *adj* tactical
taktlös *adj* tactless
taktpinne *subst* baton, conductor's baton
tal *subst* **1** antal, siffertal number; räkneuppgift sum **2** anförande speech; *det är* ~ *om att hon ska lämna oss* there is some talk of her leaving us; *det har aldrig varit* ~ *om det* there has never been any question of that; *hålla* ~ el. *hålla ett* ~ make a speech; *i dagligt* ~ in everyday speech, colloquially; *på* ~ *om det* apropå by the way; *föra något på* ~ take a matter up, bring a matter up; *komma på* ~ come up
tala I *verb* speak; konversera talk; *allvarligt* ~*t* seriously speaking; *det är mycket som* ~*r för att han har gjort det* there is a lot that points towards his having done it; ~ *sig varm för* recommend sth warmly; ~ *för sig själv* talk to oneself; å egna vägnar speak for oneself; *resultatet* ~*r för sig själv* the result speaks for itself; *det är ingenting att* ~ *om!* don't mention it!; *för att inte* ~ *om* ... not to mention ... ; ~ *till* speak to, talk to, högtidligt address; ~ *till punkt* finish what one has to say; ~ *emot ett förslag* speak against a proposal **II** *verb* med betonad partikel
tala in på band record
tala om tell [*ngt för ngn* sb sth]; ~ *inte om det för någon!* don't tell anybody!
tala ut så att det hörs speak up; rent ut speak one's mind; ~ *ut med ngn* have it out with sb, thrash it out with sb
talan *subst*, *föra ngns* ~ represent sb, jur.

plead sb's cause; *föra sin egen* ~ plead one's own case; *han har ingen* ~ he has no say in the matter

talande *adj* uttrycksfull expressive; om blick significant; *den* ~ talaren the speaker

talang *subst* talent; *han är en* ~ he is a talented person, he is a gifted person; *unga* ~*er* young talents

talangfull *adj* talented, gifted

talare *subst* speaker; vältalare orator; *jag är inte någon* ~*n* I'm not much of a speaker

talarstol *subst* rostrum; vid möte platform

talas *verb*, *vi får* ~ *vid om saken* we must have a talk about it; *höra* ~ *om* hear of

talesman *subst* spokesman [*för* of, for], kvinnlig spokeswoman, av bägge könen spokesperson

talesätt *subst* set phrase

talfel *subst* speech defect

talför *adj* talkative, loquacious

talförmåga *subst* faculty of speech, power of speech

talg *subst* tallow; njurtalg suet

talgoxe *subst* fågel great tit, great titmouse

talk *subst* puder talcum powder

talkör *subst*, *en* ~ speech choir; *i* ~ in chorus

tall *subst* träd pine, Scotch fir; se *björk-* för sammansättningar

tallbarr *subst* pine needle

tallkotte *subst* pine cone

tallrik *subst* plate; *en* ~ *soppa* a plate of soup

talman *subst* i parlament speaker

talong *subst* på biljetthäfte etc. counterfoil, amer. stub

talorgan *subst* speech organ, organ of speech

talrik *adj* numerous; ~*a vänner* numerous friends, a great number of friends

talspråk *subst* spoken language

tam *adj* tame; ~*a djur* domestic animals

tambur *subst* hall; kapprum cloakroom

tampong *subst* tampon

tand *subst* tooth (pl. teeth) äv. på kam, såg etc.; *borsta tänderna* brush one's teeth, clean one's teeth; *få tänder* be teething, be cutting one's teeth; *jag har fått blodad* ~ my appetite has been whetted; bli ivrig taste blood; *hon har tappat en* ~ she has lost a tooth; *visa tänderna* om person el. djur bare one's teeth, show one's teeth

tandborr *subst* dentist's drill

tandborste *subst* toothbrush

tandemcykel *subst* tandem, tandem bicycle

tandgarnityr *subst* set of teeth; protes denture

tandhygienist *subst* dental hygienist

tandklinik *subst* dental clinic

tandkräm *subst* toothpaste

tandkött *subst* gums pl.

tandlossning *subst* loosening of the teeth

tandläkare *subst* dentist, dental surgeon; *jag har varit hos* ~*n* I've been to the dentist

tandläkarmottagning *subst* dentist's surgery, amer. dentist's office

tandläkartid *subst* appointment at the dentist's, dental appointment

tandpetare *subst* toothpick

tandprotes *subst* denture, dental plate

tandreglering *subst* correction of irregularities of the teeth; med. orthodontics (med verb i sing.)

tandskydd *subst* boxn. gumshield

tandsköterska *subst* dental nurse

tandsprickning *subst* teething, dentition

tandsten *subst* tartar

tandställning *subst* för tandreglering brace

tandtråd *subst* dental floss

tandvård *subst* dental service; personlig dental care

tandvärk *subst*, *ha* ~ have toothache, have a toothache

tangatrosor *subst pl* tanga briefs

tangent *subst* musik. el. på tangentbord key

tangentbord *subst* keyboard

tangera *verb*, ~ *rekordet* equal the record

tango *subst* tango (pl. -s); *dansa* ~ do the tango

tank *subst* **1** behållare tank **2** stridsvagn tank

tanka *verb* bil. fill up, vard. tank up; sjö. el. flyg. refuel

tankbil *subst* tank lorry, tank truck, tanker

tankbåt *subst* tanker

tanke *subst* thought [*på* of]; idé idea [*om, på* of]; åsikt opinion [*om* about]; *jag hade inte en* ~ *på att gå dit* it never occurred to me to go there; *det för (leder)* ~*n till…* it makes one think of…; *ha ngt i tankarna* have sth in mind; *ständigt ha ngt i tankarna* have sth constantly at the back of one's mind; *komma på andra tankar* change one's mind; *komma på bättre tankar* think better of it; *hur kom du på den* ~*n?* what made you think of that?; *med* ~ *på* considering; *slå det ur tankarna!* put that out of your head!

tankegång *subst* train of thought, line of thought

tankeläsare *subst* thought-reader

tanker *subst* tanker

tankeställare *subst*, *det gav oss en* ~ that was an eye-opener, that gave us something to think about

tankeväckande *adj* thought-provoking
tankeöverföring *subst* thought transference, telepathy
tankfartyg *subst* tanker
tankfull *adj* thoughtful, pensive
tanklock *subst* bil. filler cap, amer. gas cap
tanklös *adj* thoughtless
tankning *subst* bil. filling-up; sjö. el. flyg. refuelling
tankspridd *adj* absent-minded
tankspriddhet *subst* absent-mindedness
tankstreck *subst* dash
tant *subst* aunt; friare lady, nice old lady; ~ *Johansson* Mrs. Johansson
tantig *adj* vard. old-maidish, frumpish
Tanzania Tanzania
tanzanier *subst* Tanzanian
tanzanisk *adj* Tanzanian
tapet *subst* wallpaper; vävd etc. tapestry; *vara på ~en* be on the carpet, be up for discussion
tapetrulle *subst* roll of wallpaper
tapetsera *verb* paper; ~ *om* repaper
tapetserare *subst* upholsterer
tapetsering *subst* paperhanging
tapisseri *subst* tapestry
tapp *subst* **1** i tunna etc. tap **2** till hopfästning peg
1 tappa *verb*, ~ *vin på buteljer* draw wine off into bottles, bottle wine; ~ *upp vattnet i badkaret* run the water into the bath; ~ *ur* empty, run off
2 tappa *verb* **1** ~ *ngt* låta falla drop sth, let sth fall **2** förlora lose; ~ *huvudet* lose one's head; ~ *räkningen* lose count; ~ *bort* lose
tapper *adj* brave, courageous
tapperhet *subst* bravery, courage
tappt *adv*, *ge* ~ give in
tariff *subst* tariff
tarm *subst* anat. intestine
tarvlig *adj* vulgär, grov vulgar; lumpen shabby
tarvligt *adv*, *bära sig* ~ *åt* behave shabbily [*mot* to]
taskig *adj* vard. rotten [*mot* to], lousy [*mot* to]
tass *subst* paw
tassa *verb* patter, pad
tatuera *verb* tattoo
tatuering *subst* tattooing; *en* ~ a tattoo
tavelgalleri *subst* picture gallery
tavelutställning *subst* exhibition of paintings
tavla *subst* **1** målning picture **2** anslagstavla board; skottavla target **3** vard., tabbe blunder
tax *subst* dachshund
taxa *subst* rate, charge, tariff; för körning fare

taxameter *subst* meter, taximeter
taxering *subst* för skatt tax assessment
taxeringsvärde *subst* ratable value
taxi *subst* taxi, taxicab, cab
taxichaufför *subst* taxi-driver, cab-driver
taxistation *subst* taxi rank, amer. taxistand
T-bana *subst* se *tunnelbana*
tbc *subst* tuberkulos TB
TCO förk., se ex. under *tjänsteman*
1 te *subst* tea; *dricka* ~ have tea; *laga* ~ make tea
2 te *verb*, ~ *sig* förefalla appear, seem; se ut look
teak *subst* träd el. virke teak
teater *subst* theatre; *spela* ~ act; *gå på ~n* go to the theatre; *gå in vid ~n* go on the stage
teaterbesök *subst*, *ett* ~ a visit to the theatre
teaterbesökare *subst* theatregoer
teaterföreställning *subst* theatrical performance
teaterkikare *subst* opera glasses pl.
teaterkritiker *subst* dramatic critic
teaterpjäs *subst* play, stage play
teatersalong *subst* auditorium
teaterscen *subst* stage
teaterskola *subst* drama school
teatersällskap *subst* theatrical company
teatralisk *adj* theatrical
tebjudning *subst* tea party
teburk *subst* tea caddy, tea canister
tecken *subst* **1** sign [*på* of]; kännetecken, bevis mark [*på* of], högtidligt token [*på* of]; signal signal [*till* for]; *alla* ~ *tyder på att …* there is every indication that … **2** skrivtecken character
teckenspråk *subst*, *på* ~ sign language
teckna *verb* **1** avbilda draw; skissera sketch, outline; ~ *efter modell* draw from a model; ~*d film* cartoon; ~*d serie* comic strip **2** skriva sign; ~ *aktier* subscribe for shares **3** ~ *sig för …* på en lista put down one's name for …
tecknad *adj*, *en* ~ *film* a cartoon, an animated film; *en* ~ *serie* a comic strip; *skarpt* ~*e drag* clear-cut features
tecknare *subst* **1** drawer; draughtsman, amer. draftsman **2** av aktier subscriber **3** av serier, tecknad film cartoonist
teckning *subst* **1** avbildning drawing; skiss sketch **2** av aktier etc. subscription
tedags *subst*, *vid* ~ at teatime
teddybjörn *subst* teddy bear
tefat *subst* saucer; *flygande* ~ flying saucer
teflon® *subst* Teflon®

tegel *subst* murtegel brick

tegelfasad *subst*, *hus med* ~ house with brick facing

tegelpanna *subst* roofing-tile

tegelsten *subst* brick

tegeltak *subst* tiled roof

tejp *subst* adhesive tape

tejpa *verb*, ~ *ngt* tape sth; laga med tejp mend sth with tape, tejpa fast fasten sth with tape

teka *verb* ishockey face off

tekanna *subst* teapot

teknik *subst* **1** metod technique **2** ingenjörskonst engineering; vetenskap, skolämne technology

tekniker *subst* technician; ingenjör engineer

tekning *subst* ishockey face-off

teknisk *adj* technical

teknokrat *subst* technocrat

teknolog *subst* technologist

teknologi *subst* technology

teknologisk *adj* technological

tekopp *subst* teacup

telefax *subst* se *fax*

I telefon
Vincent speaking.
Det här är Vincent.
Can I speak to . . . , please.
Kan jag få tala med . . . ?
Hold on, please.
Var god dröj.
You must have got the wrong number.
Ni måste ha slagit fel nummer.
Can you ask him to call back?
Kan ni be att han ringer mig senare?
I'm phoning about . . .
Jag ringer om . . .

telefon *subst* telephone, vard. phone; *det är* ~ *till dig* you are wanted on the phone; *det ringer i* ~ the phone is ringing; *svara i* ~ answer the phone; *tala i* ~ talk on the phone, speak on the phone

telefonabonnent *subst* telephone subscriber

telefonapparat *subst* telephone

telefonautomat *subst* payphone

telefonavlyssning *subst* phone tapping, wire tapping

telefonera *verb* telephone, vard. phone; ~ *till ngn* telephone sb, phone sb

telefonhytt *subst* call box, phone box, amer. phone booth

telefonist *subst* operator, telephone operator

telefonkatalog *subst* telephone directory, telephone book

telefonkiosk *subst* public call box, phone booth

telefonkort *subst* phonecard

telefonledning *subst* telephone line

telefonlur *subst* receiver, telephone receiver

telefonnummer *subst* telephone number; *hemligt* ~ ex-directory number, amer. unlisted number

telefonpåringning *subst* telephone call

telefonräkning *subst* telephone bill, phone bill

telefonsamtal *subst* telephone call, phone call; *vi hade ett långt* ~ we had a long conversation on the phone

telefonsladd *subst* telephone cord (flex)

telefonstation *subst* telephone exchange

telefonstolpe *subst* telegraph pole, amer. telephone pole

telefonsvarare *subst*, *automatisk* ~ answering machine, answerphone

telefonterror *subst* vard., *utsättas för* ~ be subjected to anonymous phone calls

telefontid *subst* answering hours pl., telephone hours pl.

telefonväckning *subst*, *beställa* ~ order an alarm call

telefonväxel *subst* telephone exchange; t.ex. på företag, hotell switchboard

telefoto *subst* foto. telephoto

telegraf *subst* telegraph

telegrafera *verb* cable, send a telegram

telegrafist *subst* telegraphist, telegraph operator

telegram *subst* telegram, vard. wire, cable

telegrambyrå *subst* news agency

telekommunikationer *subst pl* telecommunications

teleobjektiv *subst* telephoto lens

telepati *subst* telepathy

teleprinter *subst* teleprinter

teleskop *subst* telescope

television *subst* television; se *tv* för ex. o. *tv-* för sammansättningar

tema *subst* **1** theme, topic, subject **2** gram., *ett verbs* ~ the principal parts of a verb

temadag *subst* skol. day devoted to a particular theme or topic

temapark *subst* theme park

temp *subst* vard., *ta* ~*en* take one's (sb's) temperature; *ta* ~*en på ngn* take sb's temperature

tempel *subst* temple

temperament *subst* temperament; *ha* ~ be temperamental

temperamentsfull *adj* temperamental

temperatur *subst* temperature

tempererad *adj* om klimat, zon temperate; *vara väl tempererat* om vin be just the right temperature

tempo *subst* fart pace, speed, rate; takt tempo

temporär *adj* temporary

tempus *subst* tense

tendens *subst* tendency; om priser etc. trend

tendera *verb* tend [*mot, åt, till* towards]

tenn *subst* tin; i tennföremål pewter

tennis *subst* tennis

tennisarm *subst* med., *ha* ~ have a tennis elbow

tennisbana *subst* tennis court

tennishall *subst* indoor tennis court, tennis hall

tennisracket *subst* tennis racket

tenniströja *subst* för tennis tennis shirt; fritidsplagg polo shirt

tennisturnering *subst* tennis tournament

tennsaker *subst pl* pewter goods, pewter sing.

tennsoldat *subst* tin soldier

tenor *subst* musik., person el. röst tenor

tenorsaxofon *subst* musik. tenor saxophone

tenta I *subst* vard. exam, preliminary exam
II *verb* vard. be examined [*för ngn* by sb]

tentakel *subst* tentacle, feeler

tentamen *subst* examination; *muntlig* ~ oral examination

tentera *verb* **1** ~ *ngn* examine sb [*i* in; *på* on] **2** be examined [*för ngn* by sb]

teolog *subst* theologian

teologi *subst* theology

teoretiker *subst* theorist

teoretisk *adj* theoretical

teori *subst* theory

teoriprov *subst* för bilkörning theory test

tepåse *subst* tea bag

terapeut *subst* therapist

terapeutisk *adj* therapeutic

terapi *subst* therapy

term *subst* term

termin *subst* univ. el. skol. term, amer. semester, term

terminal *subst* terminal

terminalvård *subst* med. terminal care

terminologi *subst* terminology

termobyxor *subst pl* thermal trousers

termometer *subst* thermometer; *~n står på -10°* el. *~n visar -10°* the thermometer reads 10 below zero, the thermometer is at 10 below zero

termos® *subst* o. **termosflaska** *subst* Thermos® flask

termoskanna *subst* Thermos® jug

termostat *subst* thermostat

terpentin *subst* kem. turpentine

terrakotta *subst* terracotta

terrarium *subst* terrarium

terrass *subst* terrace

terrassera *verb* terrace

terrier *subst* hund terrier

territorialvatten *subst* territorial waters pl.

territoriell *adj* territorial

territorium *subst* territory

terror *subst* terror

terrordåd *subst* act of terror

terrorisera *verb* terrorize

terrorism *subst* terrorism

terrorist *subst* terrorist

terräng *subst* ground, country; *kuperad* ~ hilly country; *förlora* ~ lose ground; *vinna* ~ gain ground

terränglöpning *subst* **1** cross-country running **2** tävling cross-country run, cross-country race

terylen® *subst* Terylene®, amer. Dacron®

tes *subst* thesis (pl. theses)

teservis *subst* tea set

tesil *subst* tea-strainer

tesked *subst* teaspoon

tesort *subst* tea, kind of tea

test *subst* prov test

testa *verb* test; ~ *ngt på ngn* test sth on sb

testamente *subst* **1** will; formellt last will and testament; *upprätta sitt* ~ make one's will, draw up one's will **2** *Gamla Testamentet* the Old Testament; *Nya Testamentet* New Testament

testamentera *verb*, ~ *ngt till ngn* bequeath sth to sb, leave sb sth

testbild *subst* i tv test card, test pattern

testikel *subst* anat. testicle

testning *subst* testing

tevagn *subst* tea trolley, tea waggon

tevatten *subst* water for the tea

teve *subst* se *tv* för ex. o. *tv*- för sammansättningar

t.ex. (förk. för *till exempel*) e.g.

text *subst* **1** text **2** filmtext subtitles pl. **3** sångtext words pl., lyrics pl.

texta *verb* **1** ~ *ngt* med tryckbokstäver write sth in block letters **2** film. etc. subtitle

textil *adj* textile

textilier *subst pl* textiles

textilindustri *subst* textile industry

textilslöjd *subst* skol. textile handicraft

text-tv *subst* teletext

Thailand Thailand
thailändsk *adj* Thai
thinner *subst* kem. thinner
thriller *subst* thriller
tia *subst* **1** ten; se *femma* för ex. **2** *en* ~ mynt a ten-krona piece
Tibet Tibet
tibetan *subst* Tibetan
tibetansk *adj* Tibetan
ticka *verb* tick
tick-tack *subst* tick-tack, tick-tock
tid *subst* time; period period; intervall interval; ögonblick moment; kontorstid etc. hours pl.; *beställa ~ hos...* make an appointment with...; *ge sig god* ~ allow oneself plenty of time; *har du* ~ *ett slag?* have you a moment to spare?; *passa ~en* be on time; *ta god* ~ *på sig* take one's time [*med ngt* over sth]; *jag var sjuk första ~en* I was ill (amer. sick) during the first few days (weeks etc.); *den gamla goda ~en* the good old times pl., the good old days pl.; *den gustavianska ~en* the Gustavian period; *för en* ~ *sedan* some time ago; *nu för ~en* nowadays; *vara före sin* ~ be ahead of one's time; *i* ~ *och otid* ideligen at all times; *inom den närmaste ~en* in the immediate future; *med ~en* in time, in course of time; *det är på ~en att jag* (*vi*) *går* it is about time to leave; *på min* ~ in my time..., in my day...; *på senare* ~ el. *på senaste* (*sista*) *~en* recently, lately; *under ~en* meantime, meanwhile; *under ~en 1—15 maj* between 1 May and 15 May; *gå ur ~en* depart this life; *vid ~en för* t.ex. sammanbrottet at the time of; *vid samma* ~ *i morgon* at this time tomorrow; *hon har gått över ~en* om blivande mor she is overdue
tidevarv *subst* age, period
tidig *adj* early
tidigare I *adj* föregående previous, former **II** *adv* earlier; förut previously; *aldrig* ~ never before
tidigarelägga *verb* bring forward in time
tidigast *adv*, ~ *i morgon* tomorrow at the earliest
tidigt *adv* early; ~ *på morgonen* early in the morning
tidlös *adj* timeless
tidning *subst* newspaper, paper; veckotidning magazine; *det står i ~en* it is in the paper; *det står i ~en att...* it says in the paper that...
tidningsartikel *subst* newspaper article

tidningsbilaga *subst* supplement
tidningsförsäljare *subst* newsvendor
tidningskiosk *subst* newsstand; större bookstall
tidningspapper *subst* **1** gamla tidningar newspaper **2** för tryckning newsprint
tidpunkt *subst* point of time, moment; *vid ~en för* at the time of
tidrymd *subst* period [*av* of], space of time [*av* of]
tidsadverb *subst* gram. adverb of time
tidsbegränsning *subst* time limit
tidsbesparande *adj* time-saving
tidsbesparing *subst* time-saving; *göra stora ~ar* save a lot of time
tidsbrist *subst* lack of time
tidsenlig *adj* nutida up to date; modern modern
tidsfråga *subst*, *det är bara en* ~ it's only a matter of time
tidsfördriv *subst* pastime, time-killer
tidsförlust *subst* loss of time
tidsinställd *adj*, ~ *bomb* time bomb
tidskrift *subst* periodical; teknisk journal; lättare magazine
tidskrävande *adj* time-consuming
tidsnöd *subst*, *vara i* ~ be short of time
tidsplan *subst* timetable, schedule
tidspress *subst*, *arbeta under* ~ work under pressure, work against the clock
tidssignal *subst* i radio time signal
tidsvinst *subst* saving of time
tidsålder *subst* age, era
tidsödande *adj* time-wasting, time-consuming
tidtabell *subst* timetable, amer. vanligen schedule
tidtagarur *subst* stopwatch, timer
tidtagning *subst* timekeeping

---

tidvatten

Tidvatten eller ebb och flod betyder att vattnet sänker eller höjer sig två gånger om dygnet. Särskilt kraftigt är tidvattnet vid Engelska kanalen. Nivåskillnaden kan vara mycket stor och man kan se båtar ligga hundratals meter upp på land när det är ebb.

---

tidvatten *subst* tide
tidvis *adv* at times
tiga *verb* be silent [*med* about], keep silent

[*med* about]; *där fick hon så hon teg!* that shut her up!, that put her straight!

tiger *subst* tiger; hona tigress

tigerunge *subst* tiger cub

tigga *verb* beg [*om* for]; *gå och* ~ go begging; ~ *och be ngn om ngt* beg sb for sth

tiggare *subst* beggar

tiggeri *subst* begging

tik *subst* bitch, she-dog

till I *prep* **1** om rum el. friare to; in i into; mot towards; *dricka vin* ~ *middagen* drink wine with one's dinner; *få soppa* ~ *middag* have soup for dinner; ~ *fots* on foot; *färdas* ~ *lands* travel by land; *färdas* ~ *sjöss* travel by sea; *resa in* ~ *staden* go up to town; *tåget* ~ *S.* the train for S. **2** om tid, *från 9* ~ *12* from 9 to 12; *har vi mjölk* ~ *i morgon?* have we got milk for tomorrow?; *festen är bestämd* ~ *den 15* the party has been fixed for the 15th; *han börjar skolan* ~ *hösten* he begins school this autumn; *hon gav mig presenter* ~ *jul och* ~ *födelsedagen* she gave me presents at Christmas and on my birthday; *reser du hem* ~ *jul?* are you going home for Christmas?; *natten* ~ *fredagen* som adv. on (during) the night before Friday; *det skulle vara färdigt* ~ *i dag* it was supposed to be ready by today **3** avsedd för for; för att uttrycka tillhörighet, förhållande of; *två biljetter* ~ *Hamlet* two tickets for Hamlet; *här är ett brev* ~ *dig* here is a letter for you; *hans kärlek* ~ *musik* his love of music; *han är son* ~ *en läkare* he is the son of a doctor; *författaren* ~ *boken* the author of the book; *nyckeln* ~ *skåpet* the key to the cupboard, som tillbehör the key of the cupboard; *en vän* ~ *mig* a friend of mine; *en vän* ~ *min bror* a friend of my brother's **4** andra uttryck, *förvandla* ~ transform into; *en förändring* ~ *det sämre* a change for the worse; *detta gjorde honom* ~ *en berömd man* this made him a famous man; ~ *antalet* in number; ~ *kvaliteten* in quality; *känna ngn* ~ *namnet* know sb by name; *känna ngn* ~ *utseendet* know sb by sight; ~ *yrket* by profession; *köpa ngt* ~ *ett pris av* buy sth at the price of **5** i vissa förbindelser, *kulor* ~ *att skjuta med* bullets for shooting with, bullets to shoot with; ~ *och med (t.o.m.)* up to, up to and including **6** ~ *dess* el. ~ *dess att* till, until

II *adv* **1** ytterligare, *en dag* ~ one day more, another day; *en kopp te* ~ another cup of tea; *köp tre flaskor* ~*!* buy three more bottles!; *lika mycket* ~ as much again; *lite* ~ a little more **2** i vissa förbindelser, *det gör varken* ~ *eller från* it makes no difference; ~ *och från* då och då off and on; *gå* ~ *och från* come and go; ~ *och med* even; *åt byn* ~ towards the village; ~ *dess* till then, until then; ~ *dess att* till, until

tillagad *adj*, ~ *mat* cooked food

tillagning *subst* kok. making, cooking; av måltid preparation; ~ *av mat* cooking

tillbaka *adv* back; bakåt backwards; *sedan lång tid* ~ *är han...* for a long time past he has been...

tillbakablick *subst* retrospect (endast sing.) [*på* of]; i film etc. flashback [*på* to]

tillbakadragande *subst* withdrawal, av t.ex. trupper withdrawal, pull-out

tillbakadragen *adj* försynt retiring; reserverad reserved; *ett tillbakadraget liv* a retired life

tillbakagång *subst*, *vara på* ~ be on the decline, be falling off

tillbakavisa *verb* förslag reject; beskyllning repudiate

tillbehör *subst pl* till bil, dammsugare etc. accessories; till maträtt trimmings

tillblivelse *subst* coming into being

tillbringa *verb*, *hon* ~*de dagen med att läsa en bok* she spent the day reading a book

tillbringare *subst* jug, amer. pitcher

tillbud *subst* olyckstillbud near-accident, narrow escape; *det var ett allvarligt* ~ there might have been a serious accident

tillbörlig *adj* due; lämplig fitting, proper

tilldela *verb*, ~ *ngn ngt* allot sth to sb; utmärkelse confer sth on sb; pris award sb sth; ~ *ngn ett slag* deal sb a blow

tilldelning *subst* **1** ranson allowance, ration **2** tilldelande allocation

tilldra o. **tilldraga** *verb*, ~ *sig* a) ske happen, occur; utspelas take place b) attrahera attract

tilldragande *adj* attractive

tilldragelse *subst* occurrence; viktigare event

tillfalla *verb*, ~ *ngn* go to sb; oväntat fall to sb

tillfart *subst* o. **tillfartsväg** *subst* approach road

tillflykt *subst* refuge [*mot, undan* from]; medel, utväg resort, resource; *ta sin* ~ *till* take refuge in; *en person* take refuge with, go to ... for refuge

tillflyktsort *subst* place of refuge

tillfoga *verb* **1** tillägga add **2** vålla, ~ *ngn ngt* t.ex. förlust inflict sth on sb

tillfreds *adj* satisfied [*med* with], content [*med* with]

tillfredsställa *verb* satisfy; göra till lags suit, please

tillfredsställande *adj* satisfactory [*för ngn* to sb]

tillfredsställelse *subst* satisfaction [*för* to; *över, med* at]

tillfriskna *verb* recover [*efter, från* from]

tillfrisknande *subst* recovery [*efter, från* from]

tillfråga *verb* ask [*om* about]; rådfråga consult [*om* about, as to]

tillfångata *verb,* ~ *ngn* take sb prisoner, capture sb

tillfälle *subst* när ngt inträffar occasion; lägligt opportunity; slumpartat chance; *begagna* ~*t att* inf. take the opportunity to inf., seize the opportunity to inf.; *gripa* ~*t* el. *ta* ~*et i akt* seize the opportunity; *för* ~*t* just nu for the time being; för närvarande at present; *vid* ~ *ska jag . . .* some time or other I will . . .; *vid det här* ~*t* on this occasion; *vid första bästa* ~ at the first opportunity

tillfällig *adj* då och då occasional; händelsevis accidental; kortvarig temporary; övergående momentary; ~*t arbete* casual work, odd jobs pl.; ~ *bekantskap* chance acquaintance

tillfällighet *subst* slump chance; sammanträffande coincidence; *av en ren* ~ by pure chance, by sheer accident

tillfälligt *adv* för kort tid temporarily; för närvarande for the time being

tillföra *verb* bring; ~ skaffa *ngt till ngn* supply sb with sth, provide sb with sth

tillförlitlig *adj* reliable

tillförordna *verb,* ~ *ngn* appoint sb temporarily

tillförordnad *adj,* ~ *professor* acting professor

tillförsel *subst* supply

tillförsikt *subst* confidence [*till* in]

tillgiven *adj* **1** attached; om nära släkting affectionate; trogen devoted; ~ *ngn* attached to sb **2** i brev, *Din tillgivne . . .* Yours sincerely . . ., till nära släkting el. vän Yours affectionately . . .

tillgivenhet *subst* attachment; hängivenhet devotion [*för* to]; kärlek affection [*för* for]

tillgjord *adj* affected; konstlad artificial

till godo *adv* se *till godo* under *godo*

tillgodogöra *verb,* ~ *sig* assimilate; t.ex. undervisningen profit by

tillgodohavande *subst* för sålda varor etc. outstanding account [*hos* with]; i bank etc. credit balance [*hos, i* with]

tillgodokvitto *subst* credit note

tillgodoräkna *verb,* ~ *sig* include, count in; t.ex. vinst, belopp be credited with

tillgodose *verb* krav etc. meet, satisfy; behov supply

tillgripa *verb,* ~ *våld* resort to violence

tillgå *verb, det finns att* ~ it is to be had [*hos* from], it is obtainable [*hos* from]

tillgång *subst* **1** tillträde access [*till* to]; *ha* ~ *till vatten* have water at hand; *med* ~ *till kök* with the use of kitchen **2** förråd supply [*på* of]; ~ *och efterfrågan* supply and demand **3** resurs: person el. hand. asset; ~*ar* penningmedel means

tillgänglig *adj* **1** accessible [*för* to]; om t.ex. resurser available [*för ngn* to sb; *för ngt* for sth]; öppen open [*för* to]; *med alla* ~*a medel* by every available means **2** om person, *vara* ~ be easy to approach

tillhandahålla *verb,* ~ *ngn ngt* supply sb with sth

tillhygge *subst* weapon

tillhåll *subst* tillflyktsort retreat [*för* for]; refuge [*för* for]; *det är ett* ~ *för skinnhuvuden* it is frequented by skinheads

tillhöra *verb* belong to; räknas till be one of; vara medlem av be a member of; *han tillhör lagets bästa spelare* he is one of the team's best players

tillhörighet *subst, mina (dina* etc.) ~*er* my (your etc.) belongings, my (your etc.) possessions

tillintetgöra *verb* förstöra destroy, ruin; förinta annihilate; ~ *ngn* nedgöra defeat sb completely

tillintetgörelse *subst* defeat, destruction, ruin, annihilation

tillit *subst* confidence [*till* in], reliance [*till* on]

tillitsfull *adj* confident; mot andra trusting

tillkalla *verb* send for, summon

tillknäppt *adj* om person reserved

tillkomma *verb* **1** tilläggas be added; *dessutom tillkommer moms* in addition there will be VAT **2** ~ tillhöra *ngn*: vara ngns rättighet be sb's due; vara ngns plikt be sb's duty; *det tillkommer inte mig att* inf. it is not for me to inf. **3** uppstå come about, arise; om t.ex. roman be written

tillkommande *adj* future; *hans* ~ his wife to-be

tillkomst *subst* uppkomst origin; upprättande

establishment; tillblivelse coming into being; om politisk rörelse etc. rise

tillkännage *verb* announce [*för* to]; bestämt declare [*för* to]

tillkännagivande *subst* announcement [*om* about], declaration [*om* about]

tillmäta *verb*, ~ *ngt stor betydelse* attach great importance to sth

tillmötesgå *verb* person oblige; begäran etc. comply with; ~ *ngns önskan* meet sb's wishes, comply with sb's request

tillmötesgående I *adj* obliging
II *subst* obligingness

tillnärmelsevis *adv* approximately; *inte* ~ *så stor som...* nothing like as big as..., nowhere near as big as...

tillreda *verb*, ~ *ngt* bereda prepare sth, get sth ready

tillrop *subst* call, shout

tillryggalägga *verb* cover [*på* in], do [*på* in]

tillråda *verb* advise, recommend

tillrådan *subst*, *på min* ~ on my advice

tillrådlig *adj* advisable

tillräcklig *adj* sufficient; nog enough; för ändamålet, om t.ex. kunskaper adequate; ~*t med mat* sufficient food, enough food

tillräknelig *adj*, *vara* ~ be responsible for one's actions, be sane

till rätta *adv* se *rätta I 1*

tillrättavisa *verb* rebuke, stark. reprimand

tillrättavisning *subst* rebuke, stark. reprimand

tills *konj* o. *prep* till, until

tillsammans *adv* together; allt som allt altogether, in all; gemensamt jointly; ~ *har vi 200 kr* we have 200 kronor between us

tillsats *subst* **1** tillsättande addition **2** ngt inblandat added ingredient; i livsmedel additive

tillsatsämne *subst* additive

tillskansa *verb*, ~ *sig* appropriate; ~ *sig makten* usurp power

tillskott *subst* tillskjutet bidrag contribution, additional contribution; tillökning addition

tillskriva *verb* tillerkänna ~ *ngn ngt* ascribe sth to sb, attribute sth to sb; ~ *sig äran* take the credit to oneself

tillspetsad *adj*, *läget är tillspetsat* the situation has become critical

tillströmning *subst* **1** av vatten inflow **2** av människor stream; rusning rush

tillstymmelse *subst* suspicion [*till* of]; *inte en* ~ *till sanning* not a vestige of truth

tillstyrka *verb* support, recommend

1 tillstånd *subst* tillåtelse permission;

bemyndigande authorization; tillståndsbevis permit

2 tillstånd *subst* skick state, condition; *i berusat* ~ in a state of intoxication; *i dåligt* ~ in bad condition

tillställning *subst* entertainment; fest party

tillstöta *verb* tillkomma, hända occur; *komplikationer tillstötte efter operationen* complications set in after the operation

tillsyn *subst* supervision; *ha* ~ *över* supervise; barns look after

tillsyningsman *subst* supervisor [*för, över* of]

tillsägelse *subst* **1** befallning order [*om* for], orders pl. [*om* for]; *utan* ~ without being told; *få en* ~ tillrättavisning be given a reprimand; *få en* ~ *att göra ngt* be told to do sth

tillsätta *verb* utnämna appoint, kommitté set up; ~ *en tjänst* fill a post, appoint sb to a post

tilltag *subst* streck trick

tilltaga *verb* increase [*i* in]; om t.ex. inflytande grow; utbreda sig spread

tilltagande I *adj* increasing; om t.ex. inflytande growing
II *subst*, *vara i* ~ be on the increase, be increasing

tilltagen *adj*, *vara knappt* ~ om tyg etc. not be quite enough; *vara rikligt* ~ om t.ex. portion be ample in quantity

tilltal *subst* address; *svara på* ~ answer when one is spoken to

tilltala *verb* **1** vända sig till address, speak to **2** behaga appeal to; om person attract

tilltalande *adj* attractive [*för* to], pleasing [*för* to]

tilltalsnamn *subst* first name, given name, ngt åld. Christian name

tilltalsord *subst* form of address

tilltro *subst* tro credit; förtroende confidence [*till* in]; *sätta* ~ *till* have confidence in; *vinna* ~ om rykte etc. gain credence [*hos* with]

tillträda *verb* egendom etc. take over, take over possession of; arv, egendom come into, come into possession of; ~ *tjänsten* enter on one's duties

tillträde *subst* **1** entrance [*till* to], admission [*till* to]; tillåtelse att gå in admittance; *Tillträde förbjudet!* No Admittance!; *ha* ~ till have admission to **2** tillträdande: av egendom entry [*av* into possession of], taking over [*av* of]; *vid* ~*t av tjänsten* *blev han*... on taking up his duties he became...

tilltugg *subst, ett glas öl med* ~ a glass of beer with something to eat

tilltvinga *verb,* ~ *sig ngt* obtain sth by force

tilltyga *verb,* ~ *ngn illa* handle sb roughly, manhandle sb

tilltänkt *adj* proposed; tillämnad intended; planerad projected

tillvalsämne *subst* skol. optional subject, amer. elective subject

tillvarata *verb* ta hand om take care of, take charge of; bevaka safeguard; utnyttja, t.ex. möjligheter take advantage of

tillvaratagande *subst,* ~*t av*... the taking care of..., the taking charge of... etc.; se *tillvarata*

tillvaro *subst* existence; liv life

tillverka *verb* manufacture [*av* out of], make [*av* out of]; framställa produce [*av* from]

tillverkare *subst* manufacturer, maker, producer

tillverkning *subst* fabrikation manufacture, make, production; per år etc. output; *den är av svensk* ~ it is made in Sweden

tillväga *adv, hur man ska gå* ~ how one should set about it, how one should go about it

tillvägagångssätt *subst* procedure, course of action

tillväxt *subst* growth [*av* in]; ökning increase [*i* in]

tillåta *verb* allow, permit; gå med på consent to; *tillåter ni att jag röker?* do you mind if I smoke?; *om vädret tillåter* weather permitting; ~ *sig* permit oneself, allow oneself; ~ *sig* ta sig friheten *att göra ngt* take the liberty of doing sth

tillåtelse *subst* permission; *be om* ~ *att få göra ngt* ask permission to do sth; *få* ~ *att göra ngt* be given permission to do sth

tillåten *adj* allowed, permitted; laglig lawful

tillägg *subst* **1** addition **2** pristillägg extra charge, additional charge; järnv. excess fare, extra fare **3** sport. extra time, injury time

tillägga *verb* add [*till* to]

tilläggspension *subst* supplementary pension

tilläggstid *subst* sport., *de spelar på* ~ they are into stoppage time, they are into injury time

tillägna *verb* **1** ~ *ngn ngt* dedicate sth to sb **2** ~ *sig* förvärva acquire; tillgodogöra sig take in

tillämpa *verb* apply [*på* to]; ~*d matematik* applied mathematics

tillämplig *adj* applicable [*på* to]

tillämpning *subst* application [*på* to]

tillökning *subst* påökning increase [*av* of]; *vänta* ~ *i familjen* be expecting an addition to the family

tillönska *verb* wish

timeout *subst* timeout; *ta* ~ take timeout

timglas *subst* hourglass, sandglass

timid *adj* timid

timjan *subst* kok., krydda thyme

timlärare *subst* part-time teacher

timlön *subst* pay by the hour; *få (ha)* ~ be paid by the hour

timme *subst* **1** hour; *en fyra timmars resa* a four-hour journey; *en gång i* ~*n* once every hour; *90 km i* ~*n* 90 kilometres an hour; *om en* ~ in an hour **2** lektion lesson

timmer *subst* timber, amer. lumber

timmerman *subst* carpenter

timotej *subst* växt timothy grass, timothy

timpenning *subst* se *timlön*

timtals *adv* for hours

timvisare *subst* hour hand

1 tina *subst* fiskeredskap pot

2 tina *verb,* ~ el. ~ *upp* thaw; smälta melt

tindra *verb* twinkle; gnistra sparkle

ting *subst* sak thing; föremål object

tingsrätt *subst* i stad municipal court, på landet district court

tinning *subst* temple

tio *räkn* ten; se *fem* för ex. o. *fem-* för sammansättningar

tiodubbel *adj* tenfold

tiokamp *subst* sport. decathlon

tiokampare *subst* sport. decathlete

tiokrona *subst* o. **tiokronorsmynt** *subst* ten-krona piece

tionde *räkn* tenth (förk. 10th); se *femte* för ex. o. *femte-* för sammansättningar

tiondel *subst* tenth; se *femtedel* för ex.

tiotal *subst* ten; *ett par* ~ some twenty or thirty; se *femtiotal* för ex.

tiotusentals *adv* tens of thousands; ~ *människor* tens of thousands of people

1 tipp *subst* spets tip [*av, på* of]

2 tipp *subst* **1** soptipp refuse dump, amer. garbage dump **2** avstjälpningsanordning tipping device

1 tippa *verb* **1** stjälpa ut tip, dump **2** falla tip; ~ *över* tip over

2 tippa *verb* **1** förutsäga tip; ~ *vem som vinner* tip the winner, spot the winner **2** med tipskupong do the pools, do the football pools; ~ *tretton rätt* forecast thirteen correct results

1 tippning *subst* tipping, dumping

2 tippning *subst* fotb. doing the pools

tips *subst* **1** upplysning tip [*om* about, as to], tip-off [*om* about, as to] **2** *vinna på* ~ win on the pools

tipsa *verb*, ~ *ngn om ngt* tip sb off about sth

tipskupong *subst* pools coupon

tirad *subst* tirade

tisdag *subst* Tuesday; se *fredag* för ex.

tisdagskväll *subst* Tuesday evening, senare Tuesday night; *på ~arna* on Tuesday evenings, on Tuesday nights

tissel *subst*, ~ *och tassel* viskande whispering; skvaller tittle-tattle

tissla *verb*, ~ *och tassla* viska whisper

tistel *subst* växt thistle

titel *subst* title; *en bok med ~n...* a book entitled...

titelförsvarare *subst* sport. title defender

titelhållare *subst* sport. titleholder

titelroll *subst* film. etc. title role

titt *subst* **1** blick look; hastig glance; *ta en ~ på...* have a look at..., have a glance at... **2** kort besök call [*hos ngn* on sb]; *tack för ~en!* it was kind of you to look me up!

titta *verb* look [*på* at]; ta en titt have a look [*på* at]; flyktigt glance [*på* at]; ~ *fram* peep out; synas show; ~ *in* komma in och hälsa på look in [*till* on], drop in [*till* on]

tittare *subst* tv-tittare viewer

tittarsiffror *subst pl* TV ratings; *de vikande ~na* the falling ratings

tittarstorm *subst* i tv storm of protest from TV-viewers

titthål *subst* peep-hole

titthålskirurgi *subst* med. keyhole surgery

titulera *verb*, ~ *ngn professor* address sb as professor

tivoli *subst* amusement park, fun fair

tjafs *subst* vard., prat drivel; strunt rubbish; fjant fuss

tjafsa *verb* vard., prata talk rubbish; fjanta fuss

tjafsig *subst* larvig silly; fjantig fussy

tjalla *verb* vard., skvallra, ange squeal, snitch

tjallare *subst* vard., angivare squealer, amer. snitch; en som skvallrar snitch

tjat *subst* nagging [*om* about]

tjata *verb* gnata nag [*på ngn* sb; *om ngt* about sth]

tjatig *adj* **1** gnatig nagging **2** långtråkig boring

tjeck *subst* Czech

Tjeckien the Czech Republic

tjeckisk (se *svensk-* för sammansättningar) *adj* Czech; *Tjeckiska republiken* the Czech Republic

tjeckiska *subst* (se *svenska* för ex.) **1** kvinna Czech woman **2** språk Czech

tjej *subst* vard. girl

Tjetjenien *subst* the Chechen Republic, Chechnya

tjock *adj* **1** thick ej om person **2** om person 'kraftig' stout; fet fat **3** rök, dimma etc. dense; ~ *grädde* double cream, amer. heavy cream

tjocka *subst* fog

tjockflytande *adj* thick, viscous

tjockis *subst* vard. fatty

tjocklek *subst* thickness

tjockskalle *subst* vard. blockhead, fathead

tjocktarm *subst* med. large intestine, colon

tjugo *räkn* twenty; se *fem* för ex. o. *femtio-* för sammansättningar

tjugohundratalet *subst* the twenty-first century, the 21th century

tjugokronorssedel *subst* twenty-krona note, amer. twenty-krona bill

tjugolapp *subst* vard. se *tjugokronorssedel*

tjugonde *räkn* twentieth (förk. 20th); se *femte* för ex. o. *femte-* för sammansättningar

tjur *subst* bull; *ta ~en vid hornen* take the bull by the horns

tjura *verb* sulk, be in a sulk

tjurfäktare *subst* bullfighter

tjurfäktning *subst* bullfighting; *en ~* a bullfight

tjurig *adj* sulky

tjurskalle *subst* vard. obstinate person, pig-headed person

tjurskallig *adj* vard. pig-headed

tjusa *verb* charm, enchant, fascinate

tjusig *adj* charming, lovely

tjusning *subst* charm; *fartens ~* the fascination of speed

tjut *subst* howling; *ett ~* a howl

tjuta *verb* howl; om mistlur hoot, vard., gråta cry

tjuv *subst* thief (pl. thieves); inbrottstjuv burglar; på dagen ofta housebreaker

tjuvaktig *adj* thievish, thieving

tjuvgods *subst* stolen property, stolen goods pl.

tjuvkoppla *verb* bil. hotwire

tjuvlarm *subst* burglar alarm

tjuvlyssna *verb* eavesdrop, listen in

tjuvlyssnare *subst* eavesdropper

tjuvläsa *verb*, ~ *ngt* t.ex. en bok read sth on the sly

tjuvnyp *subst*, *ge ngn ett ~* make a dig at sb

tjuvskytt *subst* poacher, game poacher

tjuvskytte *subst* poaching, game poaching

tjuvstanna *verb* om bil. stall

tjuvstart *subst* sport. false start

tjuvstarta *verb* sport. make a false start; frieri jump the gun

tjuvtitta *verb*, ~ *i ngt* t.ex. en bok take a look into sth on the sly

tjäle *subst* frost in the ground, ground frost

tjällossning *subst*, ~*en* the thawing of the frozen soil; *i* ~*en* when the ground is thawing

tjälskada *subst* frost damage

tjäna *verb* **1** göra tjänst (tjänst åt) serve; ~ *som* el. ~ *till* serve as; *det* ~*r ingenting till att gå dit* it is no use going; *vad* ~*r det till?* what is the good of that? **2** tjäna pengar etc. earn, make

tjänare I *subst* servant
II *interj*, ~*!* vard. hallo!, amer. hi there!

tjänarinna *subst* maidservant

tjänst *subst* **1** service; *göra ngn en* ~ do sb a favour; *vara i* ~ *hos ngn* be employed by sb; *stå till ngns* ~ be at sb's service; *vad kan jag stå till* ~ *med?* what can I do for you? **2** befattning post; spec. statlig appointment; ämbete office; *lämna sin* ~ befattning resign one's appointment; *inkomst av* ~ earned income; *vara i* ~ be on duty

tjänstebil *subst* official car; bolags etc. company car

tjänstebostad *subst* lägenhet apartment attached to one's post, house attached to one's post; högre ämbetsmans official residence

tjänstefel *subst* breach of duty

tjänsteflicka *subst* servant, servant girl, maid

tjänstefolk *subst* servants pl.

tjänsteman *subst* statlig civil servant, official; i enskild tjänst salaried employee; kontorist clerk; *Tjänstemännens Centralorganisation* (förk. *TCO*) The Swedish Confederation of Professional Employees

tjänstepension *subst* occupational pension, service pension

tjänstepistol *subst* service pistol, service-issue pistol

tjänsteplikt *subst* plikt i tjänsten official duty

tjänsteresa *subst* i statstjänst official journey; affärsresa business journey

tjänsterum *subst* office

tjänstevapen *subst* service pistol, service-issue pistol

tjänsteår *subst* year of service (pl. years of service)

tjänstgöra *verb* serve [*som* as], do duty [*som* as], om person act [*som* as], serve [*som* as]

tjänstgöring *subst* duty; arbete work

tjänstledig *adj*, *vara* ~ be on leave, be on leave of absence

tjänstledighet *subst* leave of absence

tjänstvillig *adj* obliging, helpful

tjära *subst* o. *verb* tar

T-korsning *subst* trafik. T-junction

toa *subst* vard. lav, loo, amer. john; se äv. *toalett*

toalett *subst* rum lavatory, toilet, amer. bathroom; på restaurang gents, ladies, amer. men's room, ladies' room; offentlig public convenience; *gå på* ~*en* go to the lavatory etc., amer. go to the bathroom etc.

toalettartikel *subst* toilet requisite

toalettbord *subst* dressing-table, amer. dressing-table, vanity

toalettpapper *subst* toilet paper; *en rulle* ~ a toilet roll

tobak *subst* tobacco

tobaksaffär *subst* tobacconist's, newsagent's

tobaksvaror *subst pl* tobacco sing.

toffel *subst* slipper

toffelhjälte *subst* henpecked husband

tofs *subst* **1** av hår tuft **2** på fågel crest **3** av ylle el. tråd rund pompom, lång tassel

tok *subst* **1** person fool **2** *gå på* ~ go wrong

tokig *adj* **1** mad [*i* about], crazy [*i* about] **2** dum mad, crazy

tolerans *subst* tolerance [*mot* towards]

tolerant *adj* tolerant [*mot* towards]

tolerera *verb* tolerate, put up with

tolfte *räkn* twelfth (förk. 12th); se *femte* för ex.

tolftedel *subst* twelfth; se *femtedel* för ex.

tolk *subst* interpreter

tolka *verb* **1** interpret; handskrift decipher **2** översätta translate

tolkning *subst* interpretation, rendering, translation; version version

tolv *räkn* twelve; *klockan* ~ *på dagen* vanligen at noon; *klockan* ~ *på natten* vanligen at midnight; se *fem* för ex. o. *fem-* för sammansättningar

tom *adj* empty; ~*ma sidor* blank pages; *en* ~ *stol* a vacant chair

t.o.m. (förk. för *till och med*) **1** up to, up to and including **2** even; ~ *Peter kom i tid* even Peter was punctual

tomat *subst* tomato (pl. -es)

tomatketchup *subst* tomato ketchup

tomatpuré *subst* tomato purée, tomato paste

tombola *subst* tombola

tomglas *subst* koll. empty bottles pl.

tomgång *subst* motor., *bilen går på* ~ the car is idling, the car is ticking over

tomhänt *adj* empty-handed

tomrum *subst* **1** ej utfylld plats vacant space; lucka gap **2** fys. vacuum

tomt *subst* kring villa garden; större grounds pl.; obebyggd building site, amer. lot

tomte *subst* **1** hustomte, ungefär brownie **2** ~*n* jultomten Father Christmas, Santa Claus

tomtebloss *subst* fyrverkeri sparkler

tomtgräns *subst* vid trädgård boundary of the (a) garden; markgräns boundary of a piece of land

tomträtt *subst* leasehold right, site leasehold right

1 ton *subst* vikt metric ton, britt. motsvarighet (1 016 kg) ton

2 ton *subst* musik. m.m. tone; om viss ton note; *använd inte den ~en mot mig!* don't take that tone with me!; *ta sig ~ mot ngn* try to domineer sb; *i vänlig ~* in a friendly tone of voice; *det hör till god ~* it is good form

tona *verb* **1** ljuda sound, ring; ~ *bort* ljud, bild fade out **2** ge färgton åt tone; håret tint

tonande *adj* fonet., ~ *ljud* voiced sound

tonart *subst* musik. key

tonfall *subst* intonation

tonfisk *subst* tunny fish, tuna fish

tongivande *adj*, *vara ~* set the tone, set the fashion

tongång *subst*, *kända ~ar* familiar strains

tonhuvud *subst* på bandspelare tape head

tonhöjd *subst* pitch

tonnage *subst* tonnage

tonsiller *subst pl* anat. tonsils

tonsätta *verb*, ~ *ngt* set sth to music

tonsättare *subst* composer

tonvikt *subst* stress, emphasis; *lägga ~ på* el. *lägga ~en på* stress, put the stress on, emphasize

tonåren *subst pl*, *en flicka i ~* a girl in her teens

tonåring *subst* teenager

topas *subst* ädelsten topaz

topless *adj* topless

topografi *subst* topography

topp *subst* **1** top; krön crest; bergstopp summit; spets pinnacle, peak; *hissa flaggan i ~* run up the flag; *med flaggan i ~* with all flags flying **2** blus top

toppa *verb* **1** ta av toppen på top **2** stå överst på (t.ex. lista) top, head

toppen *interj* vard. super, great

toppfart *subst* top speed

toppform *subst*, *vara i ~* be in top form

topphastighet *subst* top speed

topplista *subst* vard., *den är etta på ~n* it is top of the charts

topplock *subst* bil. cylinder head

topplockspackning *subst* bil. cylinder-head gasket

toppluva *subst* knitted cap, woollen cap

topplån *subst* last mortgage loan

toppmöte *subst* summit meeting

toppventil *subst* motor. overhead valve

torde *hjälpverb* uppmaning *ni ~ observera* you will observe; bör you should observe; förmodan *det ~ finnas många som inte kommer att tycka om det* there are probably many who won't like it

torftig *adj* enkel plain; fattig poor; knapp, skral scanty, meagre; *en ~ uppsats* a scanty essay, a poor essay

torg *subst* **1** salutorg market place, market **2** öppen plats square

tork *subst* **1** apparat drier **2** *hänga ut ngt på ~* hang sth out to dry **3** ~*en* vard., anstalt the detox; *han sitter på ~en* he is drying out

torka I *subst* drought, dry weather **II** *verb* **1** dry; genom t.ex. gnidning wipe; ~ *disken* do the drying-up; ~ *sina tårar* wipe away one's tears **2** bli torr get dry **III** *verb* med betonad partikel

torka av t.ex. skorna wipe; damma av dust; ~ *av ansiktet* dry one's face; ~ *av dammet på ngt* wipe the dust off sth

torka bort 1 fläck wipe off **2** get dried up

torka upp 1 wipe up, mop up **2** bli torr dry up, get dry again

torka ut om t.ex. flod dry up, run dry

torkarblad *subst* bil. wiper blade

torkhandduk *subst* tea towel, tea cloth

torkhuv *subst* hood hair-drier

torkning *subst* drying

torkrum *subst* drying room

torkskåp *subst* drying cupboard, airing cupboard

torkställ *subst* för disk plate rack

torktumlare *subst* tumble-drier

torn *subst* **1** tower; spetsigt kyrktorn steeple; klocktorn belfry **2** schack. rook, castle **3** data. tower

tornado *subst* tornado (pl. -es el. -s)

tornspira *subst* spire; på kyrktorn steeple

torp *subst* crofter's holding; stuga cottage

torped *subst* torpedo (pl. -es)

torpedbåt *subst* torpedo boat

torpedera *verb* torpedo

torr *adj* **1** dry; om jord parched; *hon är inte ~ bakom öronen* she is wet behind the ears, she is very green; *ha sitt på det ~a* be comfortably off **2** tråkig dull, boring

torrboll *subst* vard., om person dry stick, bore

torrdass *subst* vard. se *torrklosett*

torrfoder *subst* till hund, katt, fiskar dry food

torrhosta *verb* dry cough

torrklosett *subst* earth closet

torrmjölk *subst* powdered milk, dried milk

torrschampo *subst* dry shampoo

torrskodd *adj* dry-shod

torsdag *subst* Thursday; se *fredag* för ex.

torsdagskväll *subst* Thursday evening, senare Thursday night; *på ~arna* on Thursday evenings, on Thursday nights

torsk *subst* **1** cod (pl. lika), codfish **2** vard., prostituerads kund john

torska *verb* sport. vard. lose

tortera *verb* torture

tortyr *subst* torture

torv *subst* **1** jordart peat **2** grästorv turf

torva *subst* grästorva piece of turf

total *adj* total, entire, complete

totalisator *subst* totalizator, vard. tote

totalitär *adj* totalitarian

toto *subst* vard. the tote

touchdown *subst* touchdown målpoäng: rugby 3 poäng, amerikansk fotboll 6 poäng

tova *subst* tangled knot

tradition *subst* tradition

traditionell *adj* traditional

traditionsbunden *adj* tradition-bound

trafik *subst* traffic; *fartyget går i regelbunden ~ mellan...* the vessel runs regularly between...

trafikant *subst* vägtrafikant road user; fotgängare pedestrian; passagerare passenger

trafikera *verb* om personer el. fordon use, frequent; om trafikföretag work, operate; om buss etc. run on

trafikerad *adj*, *hårt ~ gata* street full of traffic, very busy street

trafikfara *subst* danger on the roads, danger to other traffic

trafikflyg *subst* flygväsen civil aviation; flygtrafik air services pl.

trafikflygplan *subst* passenger plane; större air liner

trafikfälla *subst* road trap

trafikförordning *subst* traffic regulations pl.

trafikförseelse *subst* traffic offence

trafikförsäkring *subst* third party motor insurance

trafikhinder *subst* traffic obstacle

trafikkaos *subst* chaos on the roads; *det var ~ trafikstockning* there was a snarl-up

trafikledare *subst* air-traffic controller

trafikljus *subst* traffic lights pl.

trafikmärke *subst* traffic sign

trafikolycka *subst* traffic accident, road accident

trafikomläggning *subst* traffic diversion, amer. detour

trafikpolis *subst* **1** avdelning traffic police **2** polisman traffic policeman

trafiksignal *subst* traffic signal, traffic light

trafikstockning *subst* traffic jam

trafiksyndare *subst* traffic offender

trafikövervakning *subst* traffic control

tragedi *subst* tragedy

tragik *subst* tragedy

tragikomisk *adj* tragi-comic, tragi-comical

tragisk *adj* tragic

trailer *subst* släpvagn el. film trailer

trakassera *verb* ansätta, plåga pester, harass; förfölja persecute

trakasserier *subst pl* pestering, harassment, persecution alla endast sing.

trakt *subst* område district, area; grannskap neighbourhood; *här i ~en* in this area, in this neighbourhood, in these parts

traktamente *subst* allowance for expenses, subsistence allowance

traktor *subst* tractor; bandtraktor caterpillar

tralla *verb* warble; sjunga sing

trampa *verb* kliva omkring tramp; trycka ned med foten tread; upprepat trample; *~ vatten* tread water; *~ ngn på tårna* tread on sb's toes; *~ ur kopplingen* bil. declutch; *~ över* sport. overstep the mark

trampbil *subst* för barn pedal car

trampolin *subst* simn. diving-board, springboard; för höga hopp highboard

trams *subst* vard. nonsense, rubbish

trana *subst* fågel crane

tranbär *subst* cranberry

trans *subst* trance; *vara i ~* be in a trance

transaktion *subst* transaction

transformator *subst* transformer

transformera *verb* transform

transfusion *subst* blodtransfusion blood transfusion

transistor *subst* transistor

transithall *subst* flyg. transit hall, departure hall

transitiv *adj* gram. transitive

transpiration *subst* perspiration

transplantation *subst* transplantation; *en ~* a transplant

transplantera *verb* transplant; spec. hud graft

transponder *subst* tv. el. trafik. transponder

transport *subst* **1** frakt transport, spec. amer. transportation; till sjöss freight, shipment **2** bokföringsterm amount brought forward, amount carried forward

transportabel *adj* transportable; bärbar portable

transportera *verb* frakta transport; till sjöss freight, ship

transportmedel *subst* means (pl. lika) of transport

transvestit *subst* transvestite

trapets *subst* gymn. trapeze

trappa I *subst* **1** inomhus stairs pl.; längre staircase; *en* ~ a flight of stairs; *en* ~ *upp* uppstairs; *bo en* ~ *upp* live on the first floor, amer. live on the second floor; *möta ngn i* ~*n* meet sb on the stairs **2** utomhus steps pl.; *en* ~ a flight of steps **II** *verb*, ~ *ned* de-escalate; ~ *upp* escalate

trappavsats *subst* inomhus landing

trappräcke *subst* banisters pl.

trappsteg *subst* step

trappstege *subst* stepladder

trappuppgång *subst* staircase, stairs pl.

trasa I *subst* **1** trasigt tygstycke rag; *gå klädd i trasor* go about in rags **2** dammtrasa duster; skurtrasa scouring-cloth **II** *verb*, ~ *sönder ngt* tear sth to pieces, tear sth to shreds

trasig *adj* **1** söndertrasad ragged, tattered; sönderriven torn; fransig frayed **2** sönder broken; *vara* ~ inte fungera be out of order

traska *verb* trot; mödosamt plod, trudge

trasmatta *subst* rag mat; större rag rug

trassel *subst* **1** bomull cotton waste **2** besvär trouble, bother; komplikationer complications pl.; *ställa till* ~ cause a lot of trouble; bråka kick up a fuss **3** härva tangle

trassla *verb*, ~ *till sina affärer* get one's finances into a muddle; ~ *inte till saker och ting!* don't complicate things!; *det har* ~*t till sig* things have got into a mess; ~ *sig* get entangled

trasslig *adj* ihop trasslad entangled; virrig muddled, confused; *han har* ~*a affärer* his finances are shaky

trast *subst* fågel thrush

tratt *subst* funnel

trav *subst* **1** trot; *rida i* ~ ride at a trot; *hjälpa ngn på* ~*en* put sb on the right track, help sb to get started, help sb to get going **2** travsport trotting **1 trava** *verb*, ~ el. ~ *upp* pile up, stack up **2 trava** *verb* trot; *komma* ~*nde* come trotting along

travbana *subst* trotting-track, trotting-course

trave *subst* av böcker, ved etc. pile, stack

travhäst *subst* trotter, trotting-horse

travsport *subst* trotting, harness racing

tre *räkn* three; se *fem* för ex. o. *fem-* för sammansättningar

trea *subst* (se äv. *femma* för ex.) **1** three; ~*ns växel* third gear **2** vard., lägenhet three-room flat, three-room apartment

tredimensionell *adj* three-dimensional

tredje *räkn* third (förk. 3rd); *för det* ~ in the third place; vid uppräkning thirdly; se *femte* o. *andra* för ex. samt *femte-* för sammansättningar

tredjedag *subst*, ~ *jul* the day after Boxing Day

tredjedel *subst* third; se *femtedel* för ex.

tredubbel *adj* tre gånger så stor vanligen treble; i tre skikt etc. vanligen triple; trefaldig threefold; *betala tredubbla priset* pay three times the price, pay treble the price

tredubbla *verb* treble

trefilig *adj* trafik., *den är* ~ it has three lanes

trefjärdedelstakt *subst* three-four time

trehjuling *subst* vagn three-wheeler; cykel tricycle, vard. trike

trehundra *räkn* three hundred; se *femhundra-* för sammansättningar

trekant *subst* triangle

trekantig *adj* triangular

trekvart *subst* three quarters pl.; ~*s timme* three quarters of an hour

trekvartsstrumpa *subst* knee sock

trend *subst* trend

trendig *adj* vard. trendy

trerummare *subst* o. **trerumslägenhet** *subst* three-room flat, three-room apartment

tresteg *subst* o. **trestegshopp** *subst* sport. triple jump

trestegshoppare *subst* sport. triple jumper

trestegsraket *subst* three-stage rocket

trestjärnig *adj*, *ett* ~*t hotell* a three-star hotel

tretti *räkn* vard., se *trettio*

trettio *räkn* thirty; se *fem* för ex. o. *femtio-* för sammansättningar

trettionde *räkn* thirtieth (förk. 30th); se *femte* för ex.

trettioårig *adj*, ~*a kriget* the Thirty Years' War; se *femårig* för vidare ex.

tretton *räkn* thirteen; *det går* ~ *på dussinet* they are ten a penny; se *femton* för ex. o. *femton-* för sammansättningar

trettondagen *subst* Epiphany, Twelfth Day

trettondagsafton *subst* the Eve of Epiphany, Twelfth Night

trettonde *räkn* thirteenth (förk. 13th); se *femte* för ex. o. *femte-* för sammansättningar

treva *verb* grope about [*efter* for]; ~ *sig fram* grope one's way along

trevande *adj*, ~ *försök* fumbling effort, tentative effort

trevare *subst* feeler; *göra en* ~ put out feelers

trevlig *adj* nice; angenäm pleasant; rolig enjoyable; sympatisk attractive; *vi hade mycket* ~*t* we had a very nice time; *det var* ~*t att träffas* nice meeting you; ~ *resa!* pleasant journey!

trevnad *subst* well-being; *sprida* ~ create a nice atmosphere

trevåningshus *subst* three-storey house

triangel *subst* geom. triangle

triangeldrama *subst* domestic triangle; teat. eternal triangle drama

tribun *subst* estrad platform

tribunal *subst* tribunal

tribut *subst* tribute

trick *subst* knep trick, stunt

tricksa *verb* **1** get up to tricks, monkey about **2** fotb. dribble

trikå *subst* **1** tyg stockinet **2** ~*er* plagg utan ben leotard sing.; med ben tights

trikåvaror *subst pl* knitwear sing., hosiery sing.

trilla *verb* **1** rulla roll, om tårar trickle **2** ramla tumble; falla fall

trilling *subst* triplet

trim *subst* trim; *vara i god* ~ be in good trim

trimma *verb* trim; ~ *en motor* tune up an engine, soup up an engine

trimning *subst* trim; trimmande trimming

trind *adj* knubbig chubby, plump

trio *subst* trio (pl. -s) äv. musik.

tripp *subst* **1** short trip; *göra en* ~ *till…* go for a trip to… **2** narkotika trip

trippa *verb* **1** trip along, go tripping along **2** med narkotika trip out

trippmätare *subst* bil. trip meter, trip mileage counter

trissa *verb*, ~ *upp priset* force up the price

trist *adj* dyster gloomy, melancholy; enformig monotonous; tråkig dreary; ledsam sad

tristess *subst* gloominess, melancholy; enformighet monotony; leda dreariness; ledsamhet sadness

triumf *subst* triumph

triumfbåge *subst* triumphal arch

triumfera *verb* triumph [*över* over]; jubla exult [*över* over]

triumferande *adj* triumphant

triumftåg *subst* triumphal procession

trivas *verb* **1** känna sig lycklig be happy, feel happy; *han trivs inte i Sverige* he isn't happy in Sweden, he doesn't like being in Sweden; *vi trivs med varandra* we get on well with one another **2** blomstra flourish, prosper

trivial *adj* trivial

trivialitet *subst* triviality

trivsam *adj* pleasant; om plats cosy

trivsel *subst* well-being; *skapa* ~ create a cosy atmosphere

trivselfaktor *subst* feel-good factor

trivselvikt *subst*, *min* ~ *är…* the weight I feel comfortable with is…

tro I *subst* belief [*på* in]; tilltro, tillit el. relig. faith [*på* in]; *sätta* ~ *till* trust, believe; *leva i den* ~*n att…* be convinced that…; *handla i god* ~ act in good faith **II** *verb* **1** believe; anse think, suppose; föreställa sig fancy, imagine; *jag* ~*r det* I think so, I believe so; *jag kan (kunde) just* ~ *det!* I dare say!, I'm not surprised!; *det var roligt, må du* ~*!* it was fun, I can tell you!; ~ *ngn om gott* think well of sb; *det hade jag inte* ~*tt om dig* I had not expected that from you; ~ *på ngn (ngt)* believe in sb (sth); förlita sig på have faith in sb (sth); sätta tro till believe sb (sth); *jag* ~*r inte på honom* vad han säger I don't believe him **2** ~ *sig vara…* think (believe) that one is…, believe (imagine) oneself to be…

troende I *adj* believing **II** *subst*, *en* ~ a believer

trofast *adj* om kärlek faithful [*mot* to]; om vänskap loyal [*mot* to]

trofé *subst* trophy

trogen *adj* faithful [*mot* to]; lojal loyal [*mot* to]

trohet *subst* fidelity [*mot* to]; trofasthet faithfulness [*mot* to], loyalty [*mot* to]

trolig *adj* sannolik probable, likely; *jag håller det för* ~*t att…* I think it likely that…

troligen *adv* o. **troligtvis** *adv* very likely, most likely, probably

troll *subst* troll; elakt goblin; *när man talar om* ~*en, så står de i farstun* talk of the devil and he's sure to appear

trolla *verb* göra trollkonster do conjuring tricks; ~ *bort* spirit away; ~ *fram en middag* produce a dinner as if by magic

trollbunden *adj* spellbound

trolleri *subst* magic, enchantment

trollkarl *subst* magician, wizard; trollkonstnär conjurer

trollkonst *subst* conjuring trick

trollkonstnär *subst* conjurer

trollspö *subst* o. **trollstav** *subst* magic wand

trolös *adj* faithless [*mot* to], disloyal [*mot* to]

trolöshet *subst* faithlessness; ~ *mot huvudman* breach of faith

trombon *subst* musik. trombone

tron *subst* throne

tronföljare *subst* successor to the throne

tropikerna *subst pl* the tropics

tropikhjälm *subst* topee, pith helmet

tropisk *adj* tropical

trosa *subst*, *trosor* panties; tätt åtsittande briefs; *en* ~ el. *ett par trosor* a pair of panties

trossamfund *subst* religious community

trosskydd *subst* panty liner, panty shield

trotjänare o. **trotjänarinna** *subst*, *gammal* ~ faithful old servant

trots I *subst* motspänstighet obstinacy [*mot* towards]; motstånd defiance [*mot* of]
II *prep* in spite of; ~ *att* in spite of the fact that

trotsa *verb* defy; djärvt möta, t.ex. stormen brave; *det ~r all beskrivning* it is beyond description

trotsig *adj* utmanande defiant; motspänstig obstinate

trotsålder *subst*, *vara i ~n* be at a defiant age, be at a difficult age

---

trottoar
Lägg märke till att *pavement* betyder gatubeläggning på amerikansk engelska.

---

trottoar *subst* pavement, amer. sidewalk

trottoarkant *subst* kerb, amer. curb

trottoarservering *subst* pavement restaurant, amer. sidewalk restaurant, sidewalk café

trovärdig *adj* **1** om t.ex. berättelse credible **2** om person trustworthy **3** tillförlitlig reliable

trovärdighet *subst* **1** om t.ex. berättelse el. person credibility **2** om person trustworthiness **3** tillförlitlighet reliability

trubadur *subst* troubadour

trubba *verb*, ~ *av* blunt

trubbel *subst* trouble, bother

trubbig *adj* oskarp blunt, blunted

trubbnäsa *subst* snub nose

truck *subst* truck

truga *verb*, ~ *ngn* press sb; ~ *på ngn ngt*

press sth on sb; ~ *sig på ngn* force oneself on sb

trumbroms *subst* drum brake

trumf *subst* trump

trumfa *verb* kortsp. play a trump, play trumps

trumfess *subst* ace of trumps

trumhinna *subst* eardrum

trumma I *subst* musik. el. tekn. drum; *slå på* ~ (*~n*) beat the drum; *slå på* ~ *för sig själv* blow one's own trumpet, amer. blow one's own horn
II *verb* drum

trumpen *adj* sullen, sulky; butter morose

trumpet *subst* trumpet; *spela* (*blåsa i*) ~ play the trumpet

trumpetare *subst* trumpeter

trumpetstöt *subst* trumpet blast

trumslagare *subst* drummer

trupp *subst* **1** troop, body, band; mil. detachment; ~*er* styrkor forces **2** sport. squad **3** teat. troupe

trust *subst* ekon. trust

1 trut *subst* fågel gull

2 trut *subst* vard., mun mouth; *håll ~en!* shut up!

truta *verb*, ~ *med munnen* pout one's lips

tryck *subst* **1** press pressure [*mot* against]; tonvikt stress [*på* on]; påfrestning strain; *utöva* ~ *på ngn* put pressure on sb **2** typogr. el. på tyg etc. print; tryckning printing; *komma ut i* ~ come out in print

trycka I *verb* **1** press; klämma squeeze, oppress sb; ~ *ngns hand* shake sb's hand; ~ *ngn till sitt bröst* press sb to one's bosom, clasp sb to one's bosom; ~ *sig mot en vägg* press oneself against a wall; tätt intill flatten oneself against a wall; ~ *på en knapp* press a button **2** ~ *ngn* trycka weigh sb down **3** typogr. el. på tyg etc. print
II *verb* med betonad partikel

trycka av avfyra fire, pull the trigger

trycka ihop ngt flera föremål press sth together; klämma squeeze sth together

trycka in press in

trycka ned (**ner**) press down, friare depress

trycka om bok etc. reprint

tryckbokstav *subst* block letter

tryckeri *subst* printing works (pl. lika)

tryckfel *subst* misprint

tryckfrihet *subst* freedom of the press

tryckkabin *subst* flyg. pressure cabin

tryckknapp *subst* **1** i plagg press-stud, amer. snap, snap fastener **2** strömbrytare pushbutton

tryckkokare *subst* pressure-cooker

tryckluft *subst* compressed air

tryckluftsborr *subst* pneumatic drill

tryckning *subst* **1** pressure **2** typogr. printing; *boken är under* ~ the book is being printed

tryckpress *subst* printing press

trycksak *subst* piece of printed matter; *~er* printed matter sing.

tryffel *subst* slags svamp truffle; kok. truffles pl.

trygg *adj* secure; utom fara safe [*för* from]

trygga *verb*, ~ *ngt* make sth secure [*för, emot* from], make sth safe [*för, emot* from]

trygghet *subst* security; utom fara safety

tryne *subst* snout, vard., ansikte mug

tryta *verb* give out, om förråd run short, run out

tråckla *verb* tack; ~ *fast* tack on [*på* to]

tråd *subst* thread; bomullstråd cotton, cotton-thread; metalltråd wire; fiber fibre; *hon har inte en ~ på kroppen* she hasn't a stitch on her body; *dra i ~arna* dirigera pull the strings; *tappa ~en* komma av sig lose the thread

trådrulle *subst* med tråd reel of cotton, amer. spool of thread

tråg *subst* trough; flatare tray

tråka *verb* **1** ~ *ihjäl ngn* el. ~ *ut ngn* bore sb to death **2** trakassera pester

tråkig *adj* **1** långtråkig boring; enformig dull **2** beklaglig unfortunate; sorglig sad; *så ~t!* ledsamt what a pity!

tråkmåns *subst* vard. bore, dry stick

trålare *subst* båt trawler

tråna *verb* yearn [*efter* for], pine [*efter* for]

trång *adj* narrow; om t.ex. skor tight; *det är ~t i rummet* a) lite utrymme there is not much space in the room b) överfullt the room is packed, the room is crowded

trångbodd *adj*, *vara* ~ ha liten bostad be cramped for space

trångsynt *adj* narrow-minded

trångt *adv*, *bo* ~ be cramped for space; *sitta* ~ be cramped; om plagg fit too tight

1 trä *verb* trä på (upp) thread [*på* on]; t.ex. armen genom rockärmen pass, slip; ~ *en tråd på en nål* thread a needle

2 trä *subst* wood; virke timber; *stolar av* ~ wooden chairs, chairs made of wood; *ta i ~!* touch wood!, amer. knock on wood!

träaktig *adj* träig woody; om person wooden

träben *subst* wooden leg

träbit *subst* piece of wood, bit of wood

träbock *subst* person bore

träd
BARRTRÄD *CONIFEROUS TREES*:
gran *spruce*, tall *pine*, en *juniper*
LÖVTRÄD *DECIDUOUS TREES*:
björk *birch*, ek *oak*, bok *beech*, lönn *maple*, rönn *mountain ash*, *rowan*

träd *subst* tree

1 träda *verb* se *1 trä*

2 träda I *verb* stiga step; gå go; trampa tread; ~ *i dagen* come to light
II *verb* med betonad partikel
träda emellan step between, go between
träda fram step forward, go forward; komma come forward; plötsligt emerge [*ur* out of]
träda in step in, go in; komma come in, enter; ~ *in i ett rum* enter a room
träda tillbaka step back, go back; lägga av withdraw, retire

trädgräns *subst* timberline, treeline

trädgård *subst* garden; amer., med rabatter etc. garden, ej anlagd yard; *botanisk* ~ botanical gardens

trädgårdsarkitekt *subst* landscape gardener

trädgårdsmästare *subst* gardener

trädstam *subst* tree trunk

trädstubbe *subst* tree stump

träff *subst* **1** på rätt plats hit **2** vard., möte date; sammankomst för flera get-together, gathering; *stämma* ~ *med* arrange a meeting with, vard. make a date with

träffa *verb* **1** möta meet; händelsevis run across; *jag hoppades att* ~ *honom hemma* I had hoped to find him at home; *~s direktör B.?* is Mr. B. in?; i telefon can I speak to Mr. B.?; ~ *på* möta, råka på meet with, come across, run across **2** ej missa hit; slå till strike; *inte* ~ miss **3** ~ *ett avtal* come to an agreement; ~ *ett val* make a choice

träffad *adj*, *hon kände sig* ~ *av hans anmärkningar* she took his remarks personally; *om du känner dig ~!* if the cap fits, wear it!

träffande *adj* välfunnen apt; 'på kornet' to the point

träffas *verb* meet; händelsevis chance to meet

träfiberplatta *subst* fibreboard

trähus *subst* wooden house

träkol *subst* charcoal

träldom *subst* bondage, slavery

trämassa *subst* wood pulp

träna *verb* **1** träna andra train; om instruktör coach **2** sig själv train; öva sig, öva sig i practise, amer. practice

tränare *subst* trainer, coach

tränga I *verb* driva drive, press; skjuta push; tvinga force

II *verb* med betonad partikel

tränga bort psykol. repress

tränga sig fram t.ex. genom folkmassan push one's way forward

tränga sig före i kö jump the queue

tränga igenom penetrate

tränga ihop 1 ~ *ihop folk* crowd people together, pack people together **2** ~ *ihop sig* crowd together

tränga in 1 ~ *in ngn i ett hörn* force sb into a corner; ~ *in i...* el. ~ *sig in i...* force one's way into... **2** *kulan trängde in i kroppen* på honom the bullet penetrated his body

tränga undan ngn push sb aside

tränga ut ngn i gatan force sb out; *gasen trängde ut...* the gas forced its way out...

trängande *adj* urgent, pressing; *ha* ~ *behov av* be in urgent need of

trängas *verb* crowd; knuffas jostle one another

trängsel *subst* crowding; människomassa crowd; *det var stor* ~ *i varuhuset* the store was absolutely packed with people

träning *subst* training; övning practice; instruktion coaching

träningsoverall *subst* track suit

träningsskor *subst pl* training shoes, trainers, amer. sneakers

träningsvärk *subst*, *jag har* ~ I fell stiff after my exercise (game etc.)

träsk *subst* fen, marsh

träsked *subst* wooden spoon

träsko *subst* wooden shoe, clog

träslöjd *subst* woodwork äv. som skolämne; carpentry

träsnitt *subst* woodcut

träta *verb* quarrel [*om* about]

trög *adj* sluggish; långsam slow [*i* at]; flegmatisk phlegmatic; slö dull; *ett* ~*t lås* a stiff lock; *vara* ~ *i magen* be constipated

trögflytande *adj* tjockflytande viscous; om vattendrag sluggish

trögtänkt *adj* slow-witted

tröja *subst* sweater; sporttröja jersey; fotbollströja shirt

tröska *verb* thresh

tröskel *subst* threshold

tröst *subst* comfort; *det är en klen (ringa)* ~ it's little (no) consolation

trösta *verb* comfort, console; ~ *sig* console oneself [*med* by]

tröstlös *adj* **1** omöjlig att trösta inconsolable **2** hopplös hopeless, desperate

tröstnapp *subst* comforter, dummy, amer. pacifier

tröstäta *verb* console oneself by eating

tröstätande *subst* comfort eating

trött *adj* tired [*på* of], weary [*på* of]; *arbeta sig* ~ work till one is tired out; *jag är* ~ *på att vänta* I'm tired of waiting

trötta *verb* tire, weary; ~ *ut* tire out

trötthet *subst* tiredness, weariness

tröttkörd *adj* utarbetad overworked

tröttna *verb* become tired [*på* of], get tired [*på* of]; långsammare grow tired [*på* of]

tröttsam *adj* tiring; om person tiresome

T-shirt *subst* o. **T-tröja** *subst* T-shirt

tu *räkn* two; *ett* ~ *tre* plötsligt all of a sudden; *det är inte* ~ *tal om den saken* there is no question about that; *på* ~ *man hand* in private

tub *subst* **1** tube **2** kikare telescope

tuba *subst* musik. tuba

tuberkulos *subst* med. tuberculosis [*i* of]

tubkikare *subst* telescope

tudelning *subst* division into two parts

tuff *adj* vard. **1** tough; ~*a tag* rough stuff; ~ *mot smuts* om t.ex. tvättmedel hard on dirt **2** elegant smart, with-it

tuffing *subst* vard. tough guy

tugga I *subst* munfull bite; vad som tuggas chew

II *verb* chew

tuggtobak *subst* chewing-tobacco

tuggummi *subst* chewing-gum; *ett* ~ a piece of chewing-gum

tukta *verb* **1** få att lyda chastise, discipline; bestraffa punish **2** t.ex. häckar prune

tull *subst* **1** avgift customs duty, customs pl.; brotull etc. toll; *betala* ~ *på (för) ngt* pay duty on (for) sth, pay customs on (for) sth **2** myndighet Customs pl.; tullstation custom house; *passera genom* ~*en* pass through the Customs

tulla *verb* betala tull ~ *för ngt* pay duty on sth

tullavgift *subst* customs duty

tullbehandla *verb*, ~ *ngt* clear sth through the Customs

tullbehandling *subst* customs examination

tullbevakning *subst* customs supervision

tullfri *adj*, *den är* ~ it is duty-free, it is free of duty; *en* ~ *vara* a duty-free article

tullhus *subst* customs house

tullkontroll *subst* customs check

tullpliktig *adj* dutiable; *den är ~* it is liable to duty

tulltjänsteman *subst* customs officer, customs official

tullvisitation *subst* av resgods customs examination

tulpan *subst* tulip

tulpanlök *subst* tulip bulb

tulta vard. **I** *subst* litet barn toddler **II** *verb*, *~ omkring* toddle around

tum *subst* inch; *inte vika en ~* not budge an inch

tumla *verb* **1** falla fall, tumble; vältra sig roll **2** torka i tumlare tumble-dry

tumlare *subst* **1** zool. porpoise **2** torktumlare tumbler-drier

tumma *verb*, *~* el. *~ på* fingra på finger sth; nöta på, t.ex. en bok thumb sth; *~ på ngt* a) komma överens shake hands on sth b) jämka på make modifications in sth

tumme *subst* thumb; *hålla tummarna för ngn* keep one's fingers crossed for sb; *rulla tummarna* twiddle one's thumbs

Tummeliten *subst* Tom Thumb

tumregel *subst* rule of thumb

tumskruv *subst* thumbscrew; *sätta ~ar* press *på ngn* put the screws on sb

tumstock *subst* folding rule

tumult *subst* tumult; rabalder uproar; upplopp riot

tumvante *subst* mitten

tumör *subst* med. tumour

tung *adj* heavy; *med ~t hjärta* with a heavy heart

tunga *subst* tongue; *jag har det på ~n* I have it on the tip of my tongue; på våg needle, pointer; *vara ~n på vågen* hold the balance, tip the scale; *ha en rapp ~* have a quick tongue

tungrodd *adj* trög heavy; osmidig, om t.ex. organisation unwieldy

tungsinne *subst* melancholy, gloom

tungsint *adj* melancholy, gloomy

tungspets *subst* tip of the tongue

tungt *adv* heavily; *hans ord väger ~ hos...* his words carry weight with...; *~ vägande skäl* weighty reasons

tungvikt *subst* o. **tungviktare** *subst* heavyweight

tungvrickare *subst* tongue-twister

tunika *subst* tunic

Tunisien Tunisia

tunisier *subst* Tunisian

tunisisk *adj* Tunisian

tunn *adj* thin; om dryck weak, watery; *~ grädde* single cream, amer. light cream

1 tunna *subst* barrel; mindre cask; *hoppa i galen ~* do the wrong thing, make a blunder

2 tunna *verb*, *~ ut ngt* göra ngt tunnare make sth thinner; späda dilute sth

tunnbröd *subst* ungefär thin flat unleavened bread

tunnel *subst* tunnel, spec. gångtunnel subway, amer. underpass

tunnelbana

Tunnelbanelinjerna i London har olika namn, t.ex. *the Circle Line, the Waterloo Line, the Bakerloo Line*. På tunnelbanekartor markeras de med olika färger. Tunnelbanan i New York kallas *subway*, i Washington och en del andra städer *metro*.

tunnelbana *subst* underground, vard. tube, amer. subway

tunnelbanestation *subst* underground (vard. tube) station, amer. subway

tunnflytande *adj* thin, very liquid

tunnklädd *adj* thinly dressed, thinly clad

tunnland *subst* ungefär acre

tunntarm *subst* small intestine

tupera *verb* hår backcomb

tupp *subst* cock, amer. vanligen rooster

tuppa *verb*, *~ av* pass out; slumra till nod off

tuppkam *subst* cockscomb

tupplur *subst* little nap; *ta sig en ~* have a nap, take a nap

1 tur *subst* lycka luck; *ha ~* be lucky [i in, at]; *ha ~ med sig* lyckas be lucky, have luck on one's side; *som ~ var* luckily; *mera ~ än skicklighet* more good luck than skill

2 tur *subst* **1** ordning, omgång turn; *i ~ och ordning* in turn; *jag står i ~* el. *det är min ~* it's my turn **2** resa, utflykt trip [till to], tour [i of], utflykt excursion; på cykel, till häst ride; i bil drive; *båten gör fyra ~er dagligen* the boat runs four times daily; *150 kr ~ och retur* 150 kr return, 150 kr there and back; *~ och retur till...* a return ticket to..., amer. a round-trip ticket to... **3** i dans figure

turas *verb*, *~ om att läsa* take it in turns to read, take turns in reading, take turns at reading; *~ om med ngn* take turns with sb

turban *subst* huvudbonad turban
turbin *subst* turbine
turbinmotor *subst* turbine engine, turbo-motor
turbulens *subst* t.ex på marknaden turbulence, friare trouble; ängslan anxiety
turbulent *adj* turbulent, friare troubled
turism *subst* tourism
turist *subst* tourist
turista *verb* vard., ~ *i* go touring in, tour
turistbuss *subst* touring coach, tourist bus
turistbyrå *subst* travel agency, tourist agency; för information tourist information centre
turistklass *subst* tourist class
turistort *subst* tourist resort
turk *subst* Turk
Turkiet Turkey
turkisk *adj* Turkish; se *svensk-* för sammansättningar
turkiska *subst* (se *svenska* för ex.) **1** kvinna Turkish woman **2** språk Turkish
turkos *subst* o. *adj* ädelsten el. färg turquoise
turlista *subst* tidtabell timetable, amer. schedule
turné *subst* tour [*i* of]; *göra en* ~ go on a tour
turnera *verb* tour
turnering *subst* tournament
tursam *adj* lucky, fortunate
turturduva *subst* turtle dove; *turturduvor* älskande par lovebirds
turtäthet *subst*, *vissa tider är tågens* ~ *större* at certain times the trains run more frequently
tusan *subst* hang it!; *ge* ~ *i allt* not care a damn about anything
tusch *subst* färg Indian ink, amer. India ink
tuschpenna *subst* felt pen
tusen *räkn* **1** thousand; ~ el. *ett* ~ a thousand; se *hundra* för vidare ex. **2** *gilla ngn till* ~ vard. like sb a hell of a lot
tusende I *subst* thousand **II** *räkn* thousandth; se *femte* för ex.
tusendel *subst* thousandth; se *hundradel* för ex.
tusenfoting *subst* insekt centipede, millipede
tusenkonstnär *subst* Jack-of-all-trades
tusenkronorssedel *subst* o. **tusenlapp** *subst* thousand-krona note, amer. thousand-krona bill
tusensköna *subst* daisy
tusental *subst* thousand; se *hundratal* för ex.
tusentals *adv* thousands; ~ *människor* thousands of people
tuss *subst* av bomull, tråd etc. wad
tussilago *subst* coltsfoot (pl. -s)

tuta I *verb* signalera hoot; ~ *i ngn ngt* vard. put sth into sb's head **II** *subst* bil. hooter, horn
tuttar *subst* pl vulg. tits, boobs
tuva *subst* grästuva tuft

tv
Den engelska, statliga kanalen *BBC* finansieras med statsbidrag och licensavgifter. De privata kanalerna finansieras med enbart reklamintäkter eller med avgifter och reklamintäkter. I USA finansieras de flesta kanalerna, t.ex. *NBC*, *CBS*, med reklamintäkter och är gratis för tittarna. Programmen tas emot med en parabol *dish*, *satellite dish* och en satellitmottagare (box) *satellite receiver* (*box*).

tv *subst* television, TV äv. tv-apparat, vard. telly, amer. the tube; *se* (*titta*) *på* ~ watch television, watch TV, vard. watch the telly; *intern* ~ closed-circuit television
tv-antenn *subst* television aerial, TV aerial, spec. amer. television antenna, TV antenna
tv-apparat *subst* television set, TV set, vard. telly, amer. tube
tv-bild *subst* television picture, TV picture
tv-debatt *subst* televised debate
tveka *verb* hesitate [*om* about], be doubtful [*om* about]
tvekamp *subst* duel
tvekan *subst* hesitation, indecision; tvivel doubt; *utan* ~ a) without hesitation b) utan tvivel without doubt
tveklöst *adv* doubtless, without doubt
tveksam *adj* **1** tvekande hesitant **2** osäker doubtful, uncertain
tveksamhet *subst* hesitation
tvestjärt *subst* insekt earwig
tvetydig *adj* ambiguous, equivocal; oanständig indecent
tvilling *subst* **1** twin **2** *Tvillingarna* stjärntecken Gemini
tvillingbror *subst* twin brother
tvillingsyster *subst* twin sister
tving *subst* tekn. clamp, cramp
tvinga I *verb* force, compel **II** *verb* med betonad partikel
tvinga fram en bekännelse av ngn extort a confession from sb
tvinga i sig maten force down the food

tvinga på ngn ngt force sth on sb
tvinga till sig ngt obtain sth by force
tvinna *verb* twine, twist
tvist *subst* kontrovers dispute [*om* about], controversy [*om* about]; *avgöra (bilägga) en* ~ settle a dispute
tvista *verb* dispute; gräla quarrel [*om* about]
tvivel *subst* doubt; *utan* ~ no doubt, without any doubt
tvivelaktig *adj* doubtful; diskutabel dubious; skum shady, fishy
tvivelsmål *subst* doubt; *sväva i* ~ have doubts
tvivla *verb* doubt; ~ *på* betvivla doubt
tv-kanal *subst* television channel, TV channel
tv-licens *subst* television licence, TV licence
tv-pjäs *subst* television play, TV play
tv-program *subst* TV programme
tv-publik *subst* TV audience, television audience
tv-reklam *subst* **1** television advertising **2** reklaminslag television commercial, commercial
tv-rum *subst* TV room, television room; större TV (television) lounge
tv-ruta *subst* TV screen, screen
tv-satellit *subst* TV satellite, television satellite
tv-serie *subst* television series pl. lika, TV series pl. lika
tv-skärm *subst* TV screen
tv-spel *subst* video game
tv-såpa *subst* vard. soap opera
tv-sändare *subst* TV transmitter, television transmitter
tv-sändning *subst* TV broadcast, television broadcast
tv-tittare *subst* viewer
tvungen *adj* **1** bli (*vara*) ~ *att...* tvingas be forced to..., be compelled to...; spec. av inre tvång be obliged to...; få lov att have to...; *vara så illa* ~ have no other choice **2** stel forced
1 två *verb*, *jag ~r mina händer* I wash my hands of it
2 två *räkn* two; *båda* ~ both; ~ *gånger* twice; se *fem* för ex. o. *fem-* för sammansättningar
tvåa *subst* (se äv. *femma* för ex.) **1** two, i spel deuce; ~*ns växel* second gear **2** vard., lägenhet two-room flat, two-room apartment
tvådelad *adj*, ~ *baddräkt* two-piece swimsuit
tvåfilig *adj* trafik., *den är* ~ it has two lanes

tvåhjuling *subst* vagn two-wheeler; cykel bicycle
tvåhundra *räkn* two hundred; se *femhundra-* för sammansättningar
tvål *subst* soap; *en* ~ a piece of soap, a bar of soap
tvåla *verb*, ~ *in* soap, lather
tvålask *subst* soap-container
tvålkopp *subst* soapdish
tvållödder *subst* soap-lather
tvålopera *subst* vard. soap opera, soap
tvåmotorig *adj* twin-engined
tvång *subst* compulsion; våld force; nödvändighet necessity; *genom (med)* ~ by compulsion, by force
tvångsarbete *subst* forced labour
tvångsföreställning *subst* psykol. obsession
tvångsläge *subst*, *befinna sig i* ~ find oneself in an emergency situation
tvångsmata *verb* force-feed
tvångsmatning *subst* force-feeding
tvångströja *subst* straitjacket
tvåplansvilla *subst* two-storeyed house
tvårummare *subst* two-room flat, two-room apartment
tvåsidig *adj* two-sided, bilateral
tvåspråkig *adj* bilingual
tvåspråkighet *subst* bilingualism
tvåtaktsmotor *subst* two-stroke engine
tvåvåningsbuss *subst* double-decker-bus
tvåvåningshus *subst* two-storey house
tvåårig *adj* (se äv. *femårig* för ex.) **1** *en* ~ *flicka* a two-year-old girl **2** om växt biennial
tvär I *subst*, *ligga på* ~*en* be crosswise; *sätta sig på* ~*en* om person become obstinate, become awkward **II** *adj* brant steep; om t.ex. krök, vändning abrupt, sharp; plötslig sudden; kort abrupt
tvärbromsa *verb* brake suddenly
tvärbromsning *subst* sudden braking
tvärdrag *subst* korsdrag draught
tvärgata *subst* crossroad; *nästa* ~ *till höger* the next turning to the right
tvärnita *verb* slam on the brakes, brake suddenly
tvärs *adv*, ~ *över gatan* just across the street
tvärsigenom *prep* o. *adv* straight through; tvärsöver straight across
tvärsnitt *subst* cross-section
tvärstanna *verb* stop dead
tvärsäker *adj* absolutely sure [*på* of], absolutely certain [*på* of]; självsäker cocksure

tvärsöver *prep* o. *adv* right across, straight across

tvärtemot *prep* quite contrary to

tvärtom *adv* on the contrary; *det förhåller sig* ~ it is the other way round; *...och* ~ ...and vice versa

tvärvändning *subst*, *göra en* ~ make a sharp turn

tvätt *subst* **1** washing, wash; *det går bort i* ~*en* it will come off (out) in the wash **2** platsen laundry; *kemisk* ~ dry cleaning; platsen cleaner's

tvätta *verb* wash; kemiskt dry-clean; ~ *fönster* clean windows; ~ *sig* wash, have a wash; ~ *sig om händerna* wash one's hands

tvättbar *adj* washable

tvättbjörn *subst* djur raccoon

tvättbräde *subst* washboard

tvättfat *subst* washbasin, handbasin

tvättinrättning *subst* laundry

tvättkläder *subst pl* washing sing., laundry sing.

tvättklämma *subst* clothes peg, amer. clothespin

tvättkorg *subst* clothes basket, laundry basket

tvättlapp *subst* face flannel, face cloth

tvättmaskin *subst* washing-machine

tvättmedel *subst* detergent, i pulverform washing powder

tvättning *subst* washing, laundering; kemisk dry cleaning

tvättomat *subst* launderette, laundrette, amer. Laundromat®

tvättprogram *subst* wash programme, washing programme

tvättråd *subst* washing instructions pl.

tvättstuga *subst* rum laundry room

tvättställ *subst* väggfast washbasin

tvättsvamp *subst* sponge, bath sponge

tvättäkta *adj* sann true; genuin genuine, authentic; inbiten out-and-out

ty *konj* for; därför att because

tycka I *verb* anse think; inbilla sig fancy, imagine; *tycker du inte?* don't you think so?; *vad tycker du om boken?* how do you like the book?, what do you think of the book?; ~ *sig höra...* fancy that one hears..., imagine that one hears...; ~ *sig vara något* think oneself somebody **II** *verb* med betonad partikel

tycka om like; vara förtjust i be fond of, care for; *jag tycker illa om honom* I don't like him, I dislike him; ~ *om att göra ngt* like doing sth, be fond of doing sth; *jag*

tycker illa om att göra det I don't like doing it, I dislike doing it

tyckas *verb* seem; *det kan* ~ *så* it may seem so; *vad tycks om* min hatt? how do you like...?

tycke *subst* **1** åsikt opinion; *i mitt* ~ in my opinion, to my thinking, to my mind **2** smak fancy, liking; *fatta* ~ *för* take a fancy to, take a liking to; *om* ~ *och smak ska man inte diskutera* there's no accounting for tastes

tyda *verb* **1** tolka interpret; dechiffrera decipher; lösa solve **2** ~ *på* indicate; friare point to

tydlig *adj* lätt att se, inse, förstå plain, clear; lätt att urskilja: om t.ex. fotspår, bevis, uttal distinct; markerad marked; läslig legible; uppenbar obvious

tydligen *adv* evidently, obviously

tyfon *subst* storm typhoon

tyfus *subst* med. typhoid fever

tyg *subst* **1** material (endast sing.) [*till* for], cloth (endast sing.) [*till* for]; ~*er* textiles **2** *allt vad* ~*en håller* for all one is worth

tygel *subst*, *ge ngn fria tyglar* give sb a free hand; *hålla ngn i strama tyglar* keep sb in check

tygla *verb* rein in; lidelser etc. bridle, curb; begär restrain, check

tygstycke *subst* piece of cloth

tyll *subst* slags tyg tulle

tyna *verb*, ~ *av* el. ~ *bort* pine away

tynga *verb* **1** vara tung weigh heavily [*på* on]; trycka press [*på* on] **2** belasta, t.ex. minnet burden, load; *sorgen tynger henne* the sorrow weighs her down; *tyngd av skatter* burdened with taxes; *tyngd av år* weighed down by years

tyngande *adj* heavy; tungt vägande weighty; om t.ex. skatt oppressive

tyngd *subst* weight; tungt föremål etc. load; spec. fys. gravity; *en* ~ *har fallit från mitt bröst* a weight has been lifted from my mind

tyngdkraft *subst*, ~*en* gravity, the force of gravity

tyngdlyftning *subst* weight-lifting

tyngdlöshet *subst* weightlessness

tyngdpunkt *subst* centre of gravity, main point

typ *subst* **1** type [*av* of], sort model **2** vard. for example, shall we say

typexempel *subst* typical example, case in point

typisk *adj* typical [*för* of], representative [*för* of]

typografi *subst* typography

tyrann *subst* tyrant

tyranni *subst* tyranny

tyrannisera *verb* tyrannize

tyrannisk *adj* tyrannical; härsklysten domineering

Tyrolen the Tyrol

tyrolerhatt *subst* Tyrolean hat

tysk I *adj* German; se *svensk-* för sammansättningar
II *subst* German

tyska *subst* (se *svenska* för ex.) **1** kvinna German woman **2** språk German

Tyskland Germany

tyst I *adj* silent; lugn o. tyst quiet; ljudlös noiseless; ~ *förbehåll* mental reservation; *var ~!* be quiet!; *i det ~a* on the quiet
II *adv* silently, quietly; t.ex. gå, tala softly, quietly; *håll ~!* keep quiet!; *hålla ~ med ngt* keep sth quiet, keep sth to oneself; *tala ~* speak low; *det ska vi tala ~ om* the least said the better

tysta *verb* silence; ~ *ned ngn* silence sb; ~ *ned ngt* suppress sth, hush sth up

tystgående *adj* silent, noiseless

tysthet *subst* tystnad silence; tystlåtenhet quietness; *i ~* el. *i all ~* i hemlighet in secrecy, privately

tystlåten *adj* fåordig silent [om about]; förtegen reticent [om about]

tystna *verb* become silent; upphöra cease

tystnad *subst* silence; *förbigå ngt med ~* pass sth over in silence

tystnadsplikt *subst* läkares etc. professional secrecy

tyvärr *adv* unfortunately; ~ *kan jag inte komma* I'm sorry to say I can't come; ~ *inte* I'm afraid not

tå *subst* toe; *gå på ~* walk on tiptoe, tiptoe

tåflörta *verb* play footsie

---

tåg
A single ticket to . . . , please!,
amer. *A one-way trip to . . . , please!*
En enkel biljett till . . .
A return ticket to . . . , please!,
amer. *A round trip ticket to . . . , please!*
En tur och retur till . . .
Which platform does the train leave from?
Vilken plattform går tåget från?

---

1 tåg *subst* rep rope; grövre cable

2 tåg *subst* **1** järnv. etc. train; *byta ~* change trains **2** festtåg etc. procession

tåga *verb* march; i t.ex. demonstrationståg walk in procession, march in procession

tågförare *subst* train-driver

tågförbindelse *subst* train service, train connection

tågluffa *verb* go (travel) by Interrail, travel on an Interrail card

tågluffare *subst* train-hiker, person who goes by Interrail

tågolycka *subst* railway accident, amer. railroad accident

tågresa *subst* train journey

tågtidtabell *subst* railway timetable, amer. railroad schedule

tåhätta *subst* på sko toecap

tåla *verb* uthärda bear, endure; stå ut med stand; finna sig i suffer, put up with, tolerate; *jag tål honom inte* I can't stand him; *han tål en hel del sprit* he can hold his liquor; *han tål inte skämt* he can't take a joke; *jag tål inte krabba* crab disagrees with me; *det tål att tänka på* it needs thinking about; *sådant bör inte ~s* such things ought not to be tolerated

tålamod *subst* patience; *ha ~* be patient; *förlora ~et* lose one's patience

tålig *adj* **1** hardy; slitstark durable **2** tålmodig patient

tålmodig *adj* patient

tålmodighet *subst* patience

tåls *subst*, *ge sig till ~* have patience, be patient

tånagel *subst* toenail

1 tång *subst* verktyg tongs pl.; avbitartång pliers pl.; *en ~* a pair of tongs, a pair of pliers

2 tång *subst* bot. seaweed

tår *subst* **1** tear; *han fick ~ar i ögonen* tears came into his eyes; *brista i ~ar* burst into tears; *rörd till ~ar* moved to tears **2** skvätt drop; *en ~ kaffe* a few drops of coffee

tårfylld *adj* om t.ex. blick, röst tearful

tårgas *subst* tear gas

tårpil *subst* träd weeping willow

tårta *subst* cake; spec. med grädde gateau (pl. gateaux); av mör- el. smördeg vanligen tart; *det är ~ på ~* it's saying the same thing twice

tårtbit *subst* piece of cake

tårtbotten *subst* flan case

tårtspade *subst* cake slice

tårögd *adj*, *vara ~* have tears in one's eyes

täcka *verb* cover; i form av skyddande lager coat; skydda protect; fylla, t.ex. ett behov supply; spec. hand. meet

täcke *subst* **1** cover, covering; lager coating **2** sängtäcke quilt, duvet; duntäcke down quilt, continental quilt

täckjacka *subst* quilted jacket

täckmantel *subst*, *under vänskapens* ~ under the cloak of friendship

täcknamn *subst* assumed name, cover name

täckning *subst* covering; hand. cover; *checken saknar* ~ the cheque is not covered; *utan* ~ refer to drawer

täckorganisation *subst* front organization

täckt *adj* covered; ~ *bil* closed car

tälja *verb* skära cut; snida carve

täljare *subst* mat. numerator

täljkniv *subst* sheath knife; *skära guld med* ~ make money hand over fist

tält *subst* tent; större, för cirkus etc. marquee

tälta *verb* bo i tält camp, camp out

tältare *subst* tenter, camper

tältduk *subst* canvas

tältplats *subst* camping-ground, camping-site

tältstol *subst* camp stool

tältsäng *subst* camp bed

tämja *verb* tame; husdjur domesticate

tämligen *adv* fairly, moderately

tända *verb* **1** light; elljus turn on, switch on; ~ *en eld* el. ~ *en brasa* make a fire; ~ *eld på* set fire to **2** bli arg flare up; bli entusiastisk get turned on

tändare *subst* cigaretttändare etc. lighter

tändhatt *subst* percussion cap, detonator

tändning *subst* bil. ignition

tändningsnyckel *subst* motor. ignition key

tändrör *subst* mil. fuse

tändsticka *subst* match

tändsticksask *subst* matchbox; ask tändstickor box of matches

tändstift *subst* motor. sparking plug, spark plug

tänja *verb* stretch; ~ *ut* stretch; draw out, prolong; ~ *sig* el. ~ *ut sig* stretch

tänjbar *adj* stretchable, elastic

tänka I *verb* **1** think [*på* of]; förmoda suppose; föreställa sig imagine; tro believe; *tänk att hon är så rik!* to think that she is so rich!; *tänk bara!* just think!, just fancy!, just imagine!; *tänk om du skulle träffa honom* supposing (what if) you were to meet him; ~ *för sig själv* inom sig think to oneself; *var det inte det jag tänkte!* just as I thought!; *det är* (*vore*) *något att* ~ *på* that's worth considering, that's worth thinking about **2** ~ el. ~ *att* inf. ämna be going to inf.; fundera på att be thinking of

ing-form; *tänker du stanna hela kvällen?* are you going to stay the whole evening?, do you intend (mean) to stay the whole evening? **3** ~ *sig* **a)** föreställa sig imagine; *kan ni* ~ *er vad som har hänt?* can you imagine what has happened?; ~ *sig för innan man gör ngt* think carefully before one does sth, think twice before doing sth **b)** ämna bege sig *vart har du tänkt dig resa?* where have you thought of going to?

II *verb* med betonad partikel

tänka efter think, reflect, consider; *när man tänker efter* when one comes to think of it

tänka igenom ngt think sth out

tänka om do a bit of rethinking, reconsider matters

tänka ut fundera ut think out, work out

tänka över think over, consider

tänkande I *subst* thinking; begrundan reflection; filosofi thought **II** *adj* thinking

tänkare *subst* thinker

tänkbar *adj* imaginable; möjlig possible; *den enda* ~*a lösningen* the only conceivable solution, the best possible solution

tänkvärd *adj* minnesvärd memorable; *den är* ~ it's worth considering

täppa I *subst* trädgårdstäppa garden patch **II** *verb*, ~ *till* (*igen*) stop up, obstruct; ~ *till munnen på ngn* shut sb's mouth; *jag är täppt i näsan* my nose is stopped up

tära *verb* förtära consume; ~ *på* t.ex. ngns krafter tax; t.ex. ett kapital break into

tärande *adj*, *en* ~ *sjukdom* a wasting disease

1 tärna *subst* fågel tern

2 tärna *subst* brudtärna bridesmaid

tärning *subst* **1** speltärning dice pl. **2** kok. cube

tärningsspel *subst* dice; spelande dice-playing

1 tät *subst* head; *gå i* ~*en för* head, walk at the head of; *ligga i* ~*en* sport. be in the lead

2 tät *adj* **1** t.ex. om rader close; svårgenomtränglig thick; om skog el. dimma el. fys. dense; ej porös massive, compact; om snöfall heavy **2** ofta förekommande frequent; upprepad repeated **3** förmögen well-heeled, well-to-do

täta *verb* täppa till stop up; ~ *ngt* göra ngt vattentät make sth watertight

tätatät *subst* tête-à-tête

täthet *subst* om t.ex. rader closeness; om skog, dimma density; om ngt ej poröst compactness; om ngt ofta förekommande frequency

tätna *verb* become denser, get thicker

tätningslist *subst* för fönster etc. draught excluder, strip, amer. draft excluder

tätort *subst* tätbebyggd densely built-up area; tätbefolkad densely-populated area

tätt *adv* closely, thickly, tight; *hålla* ~ om båt, kärl be watertight; *locket sluter* ~ the lid fits tight; *stå* ~ stand closely together; ~ *efter* close behind; ~ *intill* (*invid*) close up, close by, close up to

tättbebyggd *adj* densely built-up

tättbefolkad *adj* densely populated

tättskriven *adj* closely-written

tävla *verb* compete [*med* with; *om* for]

tävlan *subst* competition [*om* for]; tävlande rivalry

tävlande I *adj* competing; rivaliserande rival
II *subst*, *en* ~ a competitor, a rival

tävling *subst* competition; sport. el. allm. contest; i t.ex. löpning race

tävlingsbana *subst* löparbana racetrack; hästtävlingsbana racecourse

tävlingsbidrag *subst* entry, competition entry; lösning av tävlingsuppgift solution

tävlingsbil *subst* racing car

tävlingsförare *subst* racing driver

tö *subst* thaw

töa *verb* thaw

töcken *subst* dimma mist; dis haze

töja *verb*, ~ *sig* stretch

töjbar *adj* stretchable, elastic

tölp *subst* boor, drummel lout

tölpaktig *adj* boorish, loutish

töm *subst* rein

tömma *verb* **1** göra tom empty; brevlåda clear; ~ *ut* empty out, empty; hälla ut pour out **2** tappa, ~ *på flaskor* pour into bottles

tönt *subst* vard. nerd, wimp, jerk

töntig *adj* vard.: om t.ex. skämt, underhållning corny; fånig sloppy; insnöad square; ynklig pathetic; *var inte så* ~*!* don't be such a nerd (wimp, jerk)!

törn *subst* stöt blow, shock

törna *verb*, ~ *emot* bump into (against), knock into (against), stark. crash into; ~ *ihop* collide

törne *subst* tagg thorn; mindre prickle

Törnrosa the Sleeping Beauty

törnrosasömn *subst* torpor, slumber

törnrosbuske *subst* vild briar, briar bush

törs *verb* **1** jag ~ *inte göra det* I don't dare do it **2** får lov att, *hur mycket kostar den om jag* ~ *fråga?* how much does it cost, if I may ask?

törst *subst* thirst [*efter* for]

törsta *verb* thirst [*efter* for]; ~ *ihjäl* die of thirst

törstig *adj* thirsty

tös *subst* vard. girl, lass, poetiskt maid

töväder *subst* thaw; *det är* ~ a thaw has set in

Uu

ubåt *subst* submarine

UD se *utrikesdepartement*

udd *subst* **1** point; på t.ex. gaffel prong **2** skärpa sting

udda *adj* odd, uneven; ~ *eller jämnt* odd or even; *en* ~ omaka *sko* an odd shoe

udde *subst* hög cape, headland; låg el. smal point

ufo *subst* UFO (förk. för *unidentified flying object*) (pl. -s)

Uganda Uganda

ugandier *subst* Ugandan

ugandisk *adj* Ugandan

uggla *subst* owl; *ana ugglor i mossen* smell a rat

ugn *subst* **1** oven **2** brännugn kiln; smältugn furnace

ugnseldfast *adj* oven-proof

ugnslucka *subst* oven door

ugnspannkaka *subst* ungefär batter pudding

ugnssteka *verb* roast, roast . . . in the oven; t.ex. fisk bake

u-hjälp *subst* u-landshjälp aid to the developing countries

Ukraina Ukraine, the Ukraine

ukrainare *subst* Ukrainian

ukrainsk *adj* Ukrainian

ukulele *subst* musik. ukulele

u-land *subst* developing country

ull *subst* wool; *av* ~ made of wool, woollen

ullgarn *subst* wool yarn, wool

ullig *adj* woolly, fleecy

ultimatum *subst* ultimatum; *ställa ett* ~ *till ngn* issue an ultimatum to sb

ultrakonservativ *adj* ultraconservative

ultraljud *subst* ultrasound

ultramarin *adj* o. *subst* ultramarine

ultraradikal *adj* ultraradical

ultrarapid I *adj*, ~ *bild* slow-motion picture II *subst*, *i* ~ in slow motion

ultraviolett *adj* ultraviolet

ulv *subst*, *en* ~ *i fårakläder* a wolf in sheep's clothing

umbärande *subst* privation, hardship

umgås *verb* **1** see each other; *de* ~ *jämt* they are always together; *vi har umgåtts flitigt* we have seen a lot of each other

lately **2** ~ *med planer på att göra ngt* contemplate doing sth

umgänge *subst* förbindelse relations pl., dealings pl.; sällskap company, society; *dåligt* ~ bad company; *sexuellt* ~ sexual intercourse; *ha stort* ~ have many friends

umgängeskrets *subst* circle of friends and acquaintances

umgängesliv *subst* social life

undan I *adv* **1** bort away; ur vägen out of the way; åt sidan aside; *gå* ~ get out of the way **2** fort, raskt *det går* ~ *med arbetet* the work is getting on fine **3** ~ *för* ~ little by little, en i taget one by one II *prep* from; ut ur out of

undanbe *verb*, ~ *sig* t.ex. återval decline; *blommor* ~*des* no flowers by request; *rökning* ~*des* refrain from smoking, no smoking

undandra *verb*, ~ *sig* t.ex. sina plikter shirk, evade

undanflykt *subst*, *komma med* ~*er* be evasive, make excuses

undangömd *adj*, *den var* ~ it was hidden away

undanhålla *verb*, ~ *ngn ngt* withhold sth from sb, keep sth back from sb

undanröja *verb* t.ex. hinder clear away; person, hinder remove

undanskymd *adj*, *den var* ~ it was hidden away, it was out of sight

undanta *verb* except; *ingen* ~*gen* nobody excepted

undantag *subst* exception; *ett* ~ *från regeln* an exception to the rule; ~*et bekräftar regeln* the exception proves the rule; *med* ~ *av (för)* with the exception of

undantagsfall *subst*, *i* ~ in exceptional cases

undantagslöst *adv* without exception, invariably

undantagstillstånd *subst*, *proklamera* ~ proclaim a state of emergency

1 under *subst* wonder, marvel, miracle; *göra* ~ work wonders, work miracles; *som genom ett* ~ as if by a miracle

2 under I *prep* **1** i rumsbetydelse under; nedanför below, beneath; *stå* ~ *ngn* i rang be below sb; *ta ngn* ~ *armen* take sb's arm; *ett slag* ~ *bältet* a blow below the belt; *vara känd* ~ *namnet* . . . be known by the name of . . . , go by the name of . . . ; *5 grader* ~ *noll* five degrees below freezing-point, five degrees below zero **2** i tidsbetydelse: under loppet av during, in; som svar på frågan 'hur länge' for; ~ *dagen* during the day; *det regnade oavbrutet ~ fem dagar* it rained continuously for five days; *~ en resa ska man...* when travelling one should...; *~ tiden* in the meantime; *~ det att han talade skrev han några anteckningar* while he was speaking he wrote some notes

II *adv* underneath; nedanför below

underarm *subst* anat. forearm

underbar *adj* wonderful, marvellous

underbarn *subst* infant prodigy

underbemannad *adj* undermanned

underbetala *verb* underpay

underbetald *adj* underpaid

underbyxor *subst pl* mera åtsittande briefs; för kvinnor knickers, panties; trosor briefs; för män underpants, pants

underdel *subst* lower part, bottom

underdånig *adj* ödmjuk humble

underexponera *verb* underexpose

underfund *adv*, *komma ~ med* find out, understand

underförstå *verb*, *det är ~tt i avtalet* this is implied in the contract

undergiven *adj* submissive

undergräva *verb* undermine

undergång *subst* **1** ruin, fall; förstörelse destruction; *världens ~* the end of the world **2** gångtunnel subway, amer. underpass

under hand *adv* privately, confidentially

underhandla *verb* negotiate [om for]

underhudsfett *subst* fysiol. subcutaneous fat

underhuggare *subst* underling, subordinate

underhåll *subst* **1** understöd maintenance; t.ex. årligt allowance; *betala ~* vid t.ex. skilsmässa pay maintenance **2** skötsel maintenance, upkeep

underhålla *verb* **1** försörja support, maintain **2** hålla i stånd maintain, keep up **3** roa entertain, amuse

underhållande *adj* roande entertaining, amusing

underhållning *subst* entertainment

underhållningsbranschen *subst* teater m.m. show business, vard. show biz

underhållningsmusik *subst* light music

underifrån *adv* from below, from underneath

underjordisk *adj* underground

underkant *subst*, *i ~* on the small side, kort on the short side

underkasta *verb*, *~ sig* submit to; *vara ~d* t.ex. straff be subjected to

underkastelse *subst* submission; kapitulation surrender

underkjol *subst* underskirt, petticoat

underkläder *subst pl* underclothes, underwear sing.

underklänning *subst* slip

underkropp *subst* lower part of the body

underkuva *verb* subdue, subjugate

underkyld *adj*, *underkylt regn* freezing rain

underkäke *subst* lower jaw

underkänna *verb* ogilla not approve of; avvisa reject; *~ ngn* skol. fail sb; *målet blev underkänt* sport. the goal was disallowed

underkänt skol. *subst*, *få ~* fail [i in], be failed [i in]

underlag *subst* foundation, basis (pl. bases)

underlakan *subst* bottom sheet

underlig *adj* strange, curious; konstig odd

underliv *subst* abdomen; könsdelar genitals pl.

underlåta *verb*, *han underlät att meddela oss* he failed to inform us

underlåtenhet *subst*, *~ att betala* failure to pay

underläge *subst* weak position; *vara i ~* sport. be trailing behind, be doing badly

underlägg *subst* t.ex. karottunderlägg mat; skrivunderlägg writing pad; för ölglas beer mat

underlägsen *adj* inferior; *vara ngn ~* be inferior to sb

underläpp *subst* lower lip, underlip

underlätta *verb*, *~ ngt* facilitate sth, make sth easier

undermedvetande *subst* subconsciousness

undermedveten *adj* subconscious; *det undermedvetna* the subconscious

underminera *verb* undermine, sap

undermålig *adj* substandard, inferior

undernärd *adj* underfed, undernourished

undernäring *subst* undernourishment, malnutrition

underordnad *adj* subordinate; *vara ~ ngn* be subordinate to sb

underrede *subst* på fordon undercarriage

underrubrik *subst* subheading

underrätta *verb*, *~ ngn om ngt* inform sb of sth

underrättelse *subst*, *~ el. ~r* information (endast sing.) [om about, on]; mil. etc. intelligence (endast sing.) [om of]; nyhet el. nyheter news (med verb i sing.) [om of]

underrättelsetjänst *subst* intelligence, intelligence service

undersida *subst* underside; *på ~n* underneath

underskatta *verb* underrate, underestimate

underskott *subst* deficit; *~ på 1 000 kr* a deficit of 1000 kronor

underskrida *verb* fall short of [*med* by], be below [*med* by]

underskrift *subst* signature; *förse ngt med sin ~* sign sth

undersköterska *subst* assistant nurse

underst *adv* at the bottom [*i* lådan etc. of]; lägst lowest

understa *adj*, *den ~ lådan* etc. the lowest drawer, the bottom drawer, av två the lower drawer

understiga *verb* be below, fall below, fall short of; *~nde* below, under, less than

understryka *verb* betona underline, emphasize, stress

understöd *subst* till behövande relief; periodiskt underhåll allowance; anslag subsidy, grant

understödja *verb* support; hjälpa assist, aid

undersåte *subst* subject

undersöka *verb* examine, investigate; *~nde journalistik* investigative journalism

undersökning *subst* **1** examination, investigation; hälsoundersökning screening; *medicinsk ~* medical examination; *vid närmare ~* on closer examination, on closer inspection **2** prov test, testing

underteckna *verb* sign; *~d* I the undersigned

undertrycka *verb* suppress; underkuva subdue, oppress

undertröja *subst* vest, amer. undershirt

underutvecklad *adj* underdeveloped

undervattenskabel *subst* submarine cable

underverk *subst* miracle, wonders; *medicinen gör ~* the medicine works wonders

undervisa *verb* teach; handleda instruct [*i* in]; *han ~r i engelska* he teaches English

undervisning *subst* teaching [*i* of, in], instruction [*i* in]; handledning tuition; utbildning education; *få ~ i engelska* be taught English

undervärdera *verb* underestimate, underrate

underårig *adj*, *vara ~* be a minor

undgå *verb* slippa undan escape; undvika avoid; *jag kunde inte ~ att höra det* I couldn't avoid hearing it, I couldn't help hearing it

undkomma *verb* escape, get away

undra *verb* wonder [*på ngt, över ngt* at sth]

undran *subst* wonder [*över* at]

undre *adj* lower; *den ~ världen* the underworld

undsätta *verb* mil. relieve; rädda rescue

undsättning *subst* relief; *komma till ngns ~* come to sb's rescue

undsättningsexpedition *subst* relief expedition

undulat *subst* budgerigar, vard. budgie

undvara *verb* **1** do without **2** avvara spare

undvika *verb* avoid; *~ att göra ngt* avoid doing sth

ung *adj* young; *som ~ var han* as a young man he was; *de ~a* the young, young people

ungdom *subst* **1** abstrakt youth; *i min ~* in my youth, when I was young **2** ~ el. *~ar* young people pl., youth; *några ~ar* some young people; *~en av i dag* young people today; *hon är ingen ~ längre* she's not as young as she used to be

ungdomlig *adj* youthful

ungdomlighet *subst* youthfulness, youth

ungdomsarbetslöshet *subst* unemployment among the young

ungdomsbok *subst* book for young people, book for juveniles

ungdomsbrottslighet *subst* juvenile delinquency

ungdomsbrottsling *subst* young offender

ungdomsgård *subst* youth club, youth centre

ungdomsår *subst pl* early years; *i mina ~* in my early years, in my youth

unge
föl *foal, filly*, hundvalp *puppy*, kalv *calf*, kattunge *kitten*, lamm *lamb*, unge till t.ex. lejon eller tiger *cub*

unge *subst* **1** av djur: t.ex. fågelunge young bird; *ungar* young, young ones **2** vard., barn kid

ungefär I *adv* about; *~ vid min ålder* at about my age; *~ samma sak* much the same thing; *~ så här* something like this **II** *subst*, *på ett ~* approximately, roughly

ungefärlig *adj* approximate

Ungern Hungary

ungersk *adj* Hungarian; se *svensk-* för sammansättningar

ungerska *subst* (se *svenska* för ex.) **1** kvinna Hungarian woman **2** språk Hungarian

ungkarl *subst* bachelor

ungkarlshotell *subst* working men's hostel, vard. doss house, amer. flop house

ungkarlsliv *subst* bachelor life

ungkarlslya *subst* bachelor pad

ungmö *subst* maid, maiden; *gammal ~* old maid, spinster

ungrare *subst* Hungarian

uniform *subst* uniform

unik *adj* unique

union *subst* union
unisont *adv* in unison
universalmedel *subst* panacea, cure-all
universaltång *subst* universal pliers pl.
universell *adj* universal
universitet *subst* university; *gå på ~et* be at the university
universitetsstuderande *subst* university student, undergraduate
universum *subst* universe; världsalltet the Universe
unken *adj* musty; avslagen stale
unna *verb*, *~ ngn ngt* not grudge sb sth; *det är dig väl unt!* you deserve it!; *inte ~ ngn ngt* grudge sb sth; *~ sig ngt* allow oneself sth
uns *subst* vikt ounce; *inte ett ~* not a scrap

upp
Lägg märke till skillnaden mellan svenska och engelska i följande ordpar:

unbutton knäppa upp
button up knäppa ända upp

unpack packa upp
pack up packa ihop

upp *adv* **1** up; uppåt upwards; uppför trappan upstairs; *hit ~* up here; *högst ~* at the top; *ända ~* right up; *vända ngt ~ och ned* turn sth upside-down; *~ med händerna* hands up!
uppassare *subst* servitör waiter; på båt el. flyg steward
uppbackning *subst* support
uppbjuden *verb*, *bli uppbjuden* be asked to dance
uppblåst *adj* **1** luftfylld blown, inflated **2** högfärdig conceited
uppbringa *verb* skaffa procure
uppbrott *subst* avresa departure; *göra ~* break up; från fest break up the party
uppbåd *subst* skara troop, band; *ett stort ~ av poliser* a strong force of policemen
uppbära *verb* erhålla, t.ex. lön, pension draw; inkassera collect
uppdaga *verb*, *~ ngt* upptäcka discover sth, bring sth to light
uppdatera *verb*, *~ ngt* update sth, bring sth up to date

uppdelning *subst* division [i into]; fördelning distribution
uppdiktad *adj* invented
uppdrag *subst* commission; uppgift task; *få i ~ att* inf. be commissioned to inf.; *ge ngn i ~ att* inf. commission sb to inf.; *på ~ av* by order of
uppdragsgivare *subst* **1** arbetsgivare employer **2** hand. principal; klient client
uppe *adv* **1** up; upptill at the top [på of, above]; *vara ~ hela natten* sit up all night, stay up all night; *vi var ~ i 120 km* we were doing 120 km an hour **2** i övre våningen upstairs
uppehåll *subst* **1** avbrott, paus break; järnv., flyg. etc. stop, halt; *göra ~* stop, halt; *tåget gör 10 minuters ~ på stationen* the train stops for 10 minutes at the station; *utan ~* without stopping, without pausing **2** vistelse stay
uppehålla *verb* **1** fördröja detain, delay, keep **2** underhålla, t.ex. bekantskap keep up, maintain; *~ livet* support life **3** *~ sig* a) vistas stay [hos with], stop [hos with] b) ha sin hemvist reside
uppehållstillstånd *subst* residence permit
uppehållsväder *subst*, *mest ~* mainly dry, mainly fair
uppehälle *subst*, *fritt ~* free board and lodging; *förtjäna sitt ~* earn one's living
uppenbar *adj* obvious; självklar evident
uppenbara *verb*, *~ sig* reveal oneself [för to]; visa sig appear
uppenbarelse *subst* **1** relig. revelation; drömsyn vision **2** varelse creature
uppenbarligen *adv* obviously, evidently
uppesittarkväll *subst* late night spent making preparations for Christmas
uppfart *subst* drive, driveway, approach
uppfatta *verb* apprehend; höra catch; begripa understand
uppfattning *subst* **1** apprehension; begripande understanding; *bilda sig en ~ om ngt* form an opinion of sth; *enligt min ~* in my opinion **2** begrepp idea [om, av of], notion [om, av of]
uppfinna *verb* invent; t.ex. metod devise
uppfinnare *subst* inventor
uppfinning *subst* invention
uppfinningsrik *adj* inventive; fyndig ingenious
uppfostra *verb* bring up, amer. raise; *illa ~d* badly brought up; *väl ~d* well brought up, well-bred
uppfostran *subst* upbringing
uppfriskande *adj* refreshing

uppfylla *verb* **1** fylla, genomtränga fill **2** fullgöra fulfil, plikt fulfil, perform, löfte carry out; ngns önskningar comply with, meet

uppfyllelse *subst* fulfilment; av t.ex. plikt performance; *gå i ~* be fulfilled, come true

uppfånga *verb* catch, signaler pick up; ljus, ljud intercept

uppfällbar *adj*, *en ~ säng* a bed that can be raised; om sits, stol tip-up

uppfödning *subst* av djur breeding, rearing, amer. raising

uppföljning *subst* follow-up *[av of]*

uppför I *prep* up; *gå ~ trappan* go upstairs **II** *adv* uphill

uppföra *verb* **1** bygga build, erect **2** framföra: t.ex. pjäs, opera, musik perform **3** *~ sig* bära sig åt behave, behave oneself; *~ sig väl* behave

uppförande *subst* **1** byggande building, erection, construction; *huset är under ~* the house is under construction **2** musik. performance **3** yttre uppträdande behaviour; moraliskt uppträdande conduct; *dåligt ~* bad behaviour, misbehaviour

uppförsbacke *subst* uphill slope, hill

uppge *verb* state; ange give; rapportera report; *han uppgav sig vara...* he declared himself to be...; *~ sin ålder till...* state one's age to be...

uppgift *subst* **1** information (endast sing.) *[om, på* about, on; *angående* as to*]*; påstående statement *[över* as to*]*; *närmare ~er* further information **2** åliggande task; kall mission; *få i ~ att göra ngt* be given the task of doing sth; *han har till ~ att...* it is his task to... **3** skol., skriftlig written exercise; mat. problem

uppgjord *adj*, *~ på förhand* pre-arranged; *matchen var ~ på förhand* the match was fixed

uppgå *verb*, *~* belöpa sig *till* amount to

uppgång *subst* **1** väg upp way up; trappuppgång staircase **2** om himlakroppar rise, rising **3** höjning, om pris etc. rise

uppgörelse *subst* **1** avtal agreement, arrangement; *träffa en ~* come to an agreement **2** avräkning settlement, settlement of accounts **3** gräl dispute; scen scene

upphetsad *adj* excited

upphetsande *adj* exciting

upphetsning *subst* excitement

upphittad *adj* found

upphittare *subst* finder

upphov *subst* origin; källa source; orsak cause; *ge ~ till* give rise to; *vara ~ till...* be the cause of...

upphovsman *subst* originator *[till of]*; anstiftare instigator *[till of]*

upphällning *subst*, *vara på ~en* a) minska i betydelse be on the decline b) hålla på att ta slut be running out

upphäva *verb* avskaffa abolish, do away with; förklara ogiltig cancel; annullera annul; avbryta t.ex. belägring, blockad raise

upphöja *verb* **1** raise; *~* befordra *ngn till...* promote sb to... **2** mat., *10 upphöjt till 2* 10 squared; *10 upphöjt till 3* ten cubed; *10 upphöjt till 4* 10 raised to the power of 4 (etc.)

upphöra *verb* sluta cease, stop; ta slut come to an end, be over; *firman har upphört* the firm has closed down; *~ att göra ngt* stop doing sth

uppifrån I *prep* down from, from **II** *adv* from above; *~ och ned* from top to bottom

uppiggande *adj* stärkande bracing; stimulerande stimulating

uppkalla *verb*, *~ ngn efter ngn* name sb after sb

uppkok *subst* rehash *[på of]*

uppkomling *subst* upstart

uppkomma *verb* arise *[av from]*

uppkomst *subst* ursprung origin

uppkäftig *adj* cheeky, saucy

uppköp *subst* purchase

uppkörning *subst* körprov driving test

uppladdning *subst* **1** mil. build-up **2** sport. final work-out **3** data. upload

uppladdningsbar *adj* batteri rechargeable

upplaga *subst* edition, om tidning etc. issue; spridning circulation

upplagd *adj*, *jag känner mig inte ~ för att göra det* I don't feel like doing it

uppleva *verb* erfara experience; bevittna witness

upplevelse *subst* experience

upplopp *subst* **1** tumult riot, tumult **2** sport. finish

upplysa *verb*, *~ ngn om...* underrätta inform sb of...; ge upplysning give sb information on (about)...

upplysande *adj* informative; lärorik instructive; förklarande explanatory

upplysning *subst* **1** belysning lighting, illumination **2** underrättelse information (endast sing.); *en ~* a piece of information; *~ar* information sing.; *närmare ~ar* further information

upplyst *adj* kunnig, bildad enlightened

upplåta *verb,* ~ *ngt åt ngn* put sth at sb's disposal

uppläggning *subst* arrangement

uppläsning *subst* reading, recitation

upplösa *verb* **1** dissolve **2** skingra disperse **3** ~ *sig* dissolve; sönderfalla decompose; upphöra be dissolved; skingras disperse

upplösning *subst* dissolution; sönderfall disintegration; ~*en på historien* the outcome of the story

upplösningstillstånd *subst,* *vara i* ~ be on the verge of a breakdown, be on the verge of collapse

uppmana *verb* enträget urge, request

uppmaning *subst* request; *på* ~ *av* at the request of

uppmjukning *subst* softening,, softening up

uppmuntra *verb* encourage

uppmuntran *subst* encouragement

uppmärksam *adj* attentive [på, mot to]; iakttagande observant [på of]; *göra ngn* ~ *på…* draw sb's attention to…, call sb's attention to…

uppmärksamhet *subst* attention; artighet attentiveness; iakttagelseförmåga observation; *fästa ngns* ~ *på* draw sb's attention to; *fästa* ~ *vid* pay attention to; *väcka* ~ attract attention

uppmärksamma *verb* lägga märke till notice, observe; *en* ~*d bok* a book that has attracted much attention

uppnosig *adj* cheeky, saucy

uppnå *verb* reach; åstadkomma attain, achieve

uppnäsa *subst* snub nose, turned-up nose

uppochnedvänd *adj* upside-down

uppoffra *verb* sacrifice [för to]; avstå från give up, forgo; ~ *sig* sacrifice oneself [för for]

uppoffrande *adj* self-sacrificing

uppoffring *subst* sacrifice

upprepa *verb* repeat; förnya renew; ~*de gånger* repeatedly

upprepning *subst* repetition; förnyande renewal

uppriktig *adj* sincere [mot with], frank [mot with]

uppriktighet *subst* sincerity [mot with], frankness [mot with]

uppriktigt *adv* sincerely, frankly; ~ *sagt* frankly, to be frank

upprop *subst* **1** skol., mil. etc. rollcall, calling over of names **2** vädjan appeal

uppror *subst* **1** resning etc. rebellion; mindre revolt; *göra* ~ revolt, rebel **2** upphetsning excitement; *vara i* ~ be in uproar

upprorisk *adj* rebellious

upprusta *verb* **1** rearm **2** reparera repair, carry out repairs **3** öka kapaciteten hos expand, improve

upprustning *subst* **1** rearmament **2** reparation repair endast sing. **3** ökning av kapacitet expansion, improvement

uppryckning *subst* shake-up, shaking-up

upprymd *adj* elated

uppräkning *subst* enumeration

upprätt *adj* o. *adv* upright, erect

upprätta *verb* **1** få till stånd establish; grunda found **2** avfatta dokument draw up **3** rehabilitera rehabilitate; ~ *ngns rykte* restore sb's reputation

upprättelse *subst,* *få* ~ obtain redress, obtain satisfaction

upprätthålla *verb* vidmakthålla maintain, uphold; bevara preserve; ~ *lag och ordning* enforce law and order

uppröjning *subst* clearing, clearance

uppröra *verb* väcka avsky hos revolt; chockera shock; ~ *sinnena* stir up people's minds

upprörande *adj* revolting, shocking

upprörd *adj* harmsen indignant [över at]; uppskakad upset [över about]; chockerad shocked [över at]

uppsagd *adj,* *bli* ~ get notice, get notice to quit; *jag är* ~ I have had notice to quit

uppsats *subst* skol. composition [om on]; större, litterär essay [om on]

uppsatsämne *subst* subject for composition el. subject for essay

uppsatt *adj,* *en högt* ~ *person* a person in a high position

uppseende *subst,* *väcka* ~ attract attention, stark. create a sensation

uppseendeväckande *adj* sensational

uppsikt *subst* supervision [över of], superintendence [över of]; *ha* ~ *över* have charge of, supervise; *stå under* ~ be under supervision

uppskakande *adj* upsetting, stark. shocking

uppskatta *verb* **1** beräkna etc. estimate [till at]; värdera value [till at] **2** visa sin uppskattning appreciate

uppskattning *subst* **1** estimate; värdering valuation **2** gillande appreciation

uppskattningsvis *adv* approximately

uppskjuta *verb* put off, postpone

uppskjutning *subst* rymdraket launching

uppskov *subst* uppskjutande postponement [med of]; *bevilja ngn en månads* ~ allow sb a respite of one month; *utan* ~ without delay

uppskärrad *adj* nervös jumpy, jittery, uppskakad on edge

uppskörtad *adj*, *bli* ~ vard. have to pay through the nose
uppslag *subst* **1** på byxa turn-up, amer. cuff **2** idé idea; förslag suggestion
uppslagsbok *subst* reference book; encyklopedi encyclopedia
uppslagsord *subst* headword
uppslitande *adj* distressing, very trying
uppsluka *verb* engulf, swallow up
uppsluppen *adj*, *vara* ~ be in high spirits
uppslutning *subst* stöd support; *det var god* ~ *på mötet* many people attended the meeting
uppspelt *adj* in high spirits
uppstigning *subst* rise; flyg. el. på berg ascent
uppstoppad *adj* om djur stuffed
uppsträckning *subst* reprimand, vard. telling-off
uppstå *verb* **1** uppkomma, t.ex. svårigheter arise [av from], come into existence, result [av from]; om t.ex. mod appear; plötsligt spring up; *det uppstod en paus* there was a pause **2** bibl. rise; ~ *från de döda* rise from the dead
uppståndelse *subst* **1** oro excitement, stir, fuss **2** relig. resurrection
uppställning *subst* **1** anordning arrangement, disposition **2** mil. formation; sport. line-up
uppstötning *subst* belch; *få en* ~ belch
uppsving *subst* rise; hand. boom
uppsvullen *adj* o. **uppsvälld** *adj* swollen
uppsyn *subst* **1** ansiktsuttryck expression; min air; utseende look **2** övervakning supervision, control; *under* ~ *av* under the supervision of
uppsåt *subst* spec. jur. intent; avsikt intention
uppsägning *subst* notice to quit; *med tre månaders* ~ with three months' notice
uppsägningstid *subst* period of notice; *med en månads* ~ with one month's notice
uppsättning *subst* **1** upprättande putting up; arrangemang arrangement **2** teat. stage-setting; produktion production **3** sats set
uppsöka *verb*, *du borde* ~ *läkare* you ought to see a doctor
uppta *verb* **1** antaga, tillägna sig adopt **2** ta i anspråk, fylla take up
upptagen *adj* **1** sysselsatt busy, occupied; *jag är* ~ i kväll, bortbjuden etc. I am engaged . . . ; av arbete I shall be busy . . . ; *vara* ~ *med att göra ngt* be busy doing sth **2** besatt occupied; *platsen är* ~ the seat is taken; *det är upptaget* tele. the number is engaged, amer. the line is busy

upptagetton *subst* tele. engaged tone
upptagningsområde *subst* catchment area
upptakt *subst* början beginning [*till* of]; prelude [*till* to]
uppteckna *verb* skriva ned take down, write down
upptill *adv* at the top [*på* of]; däruppe above
upptrappning *subst* escalation
uppträda *verb* **1** framträda appear; visa sig make one's appearance **2** om skådespelare act, perform **3** uppföra sig behave, behave oneself
uppträdande *subst* **1** framträdande appearance **2** uppförande behaviour
uppträde *subst* scene; *ställa till ett* ~ make a scene
upptåg *subst* prank; spratt practical joke
upptågsmakare *subst* practical joker
upptäcka *verb* discover; komma på, ertappa detect; få reda på find out
upptäckt *subst* discovery; ertappande detection
upptäcktsfärd *subst* o. **upptäcktsresa** *subst* expedition; *göra en* ~ *i* explore
upptäcktsresande *subst* explorer
upptänklig *adj* imaginable, conceivable
uppvaknande *subst* awakening
uppvakta *verb* **1** visa sin kärlek court **2** besöka t.ex. myndighet call on **3** *vi* ~ *de honom på hans födelsedag* we came to congratulate him on his birthday
uppvaktning *subst* **1** visit; *på hans födelsedag blev det stor* ~ many people congratulated him on his birthday **2** följe attendants pl.
uppvigla *verb* stir up
uppviglare *subst* agitator agitator
uppvigling *subst* agitation
uppvisa *verb* t.ex. pass produce; visa, påvisa show
uppvisning *subst* exhibition, show; mannekänguppvisning parade; t.ex. gymnastikuppvisning display
uppvuxen *adj*, *han är* ~ *i Malmö* he grew up in Malmö
uppväcka *verb* framkalla awaken; t.ex. vrede provoke
uppväga *verb* counterbalance; ersätta compensate for, make up for; *det uppväger nackdelarna* it outweighs the disadvantages
uppvärmning *subst* **1** heating; *elektrisk* ~ electric heating **2** sport. warm-up
uppväxande *adj* growing up; *det* ~ *släktet* the rising generation
uppväxt *subst* se *uppväxttid*

uppväxttid *subst,* **under** ~*en* during the years when she (he) was growing up, during her (his) childhood and adolescence

uppåt I *prep* up to, up towards; ~ *landet* från havet up country; norrut in the north of the country

II *adv* upwards

III *adj,* *vara* ~ glad be in high spirits

uppåtgående I *subst,* *vara på* ~ om priser etc. be rising, be on the upgrade

II *adj* **1** om pris rising **2** om person be up-and-coming

1 ur *subst* fickur, armbandsur watch; väggur etc. clock; *Fröken Ur* the speaking clock

2 ur *subst,* *i* ~ *och skur* in all weathers

3 ur *prep* out of; från from; ~ *bruk* out of use

uran *subst* metall uranium

Uranus astron. Uranus

urarta *verb* degenerate [*till* into]; *matchen* ~*de* the match got out of control

urbanisera *verb* urbanize

urberg *subst* primary rock, primitive rocks pl.

urgammal *adj* extremely old; forntida ancient

urholka *verb* **1** ngns förtroende weaken, undermine **2** holka ur hollow out

urholkning *subst* fördjupning hollow, cavity

urin *subst* urine

urinblåsa *subst* bladder

urinera *verb* urinate, pass urine

urinoar *subst* urinal

urinprov *subst,* *lämna* ~ provide a specimen of urine

urinvånare *subst* original inhabitant; *urinvånarna* vanligen the aborigines

urinvägsinfektion *subst* med. urinary infection

urklipp *subst* press cutting, cutting, clipping

urkund *subst* document, record

urladdning *subst* **1** discharge; explosion explosion **2** av känslor outburst

urless *adj* vard., ~ *på ngt* completely fed up with sth

urmakare *subst* watchmaker; butik watchmaker's

urminnes *adj,* *sedan* ~ *tider* from time immemorial

urmodig *adj* completely out of date; gammalmodig old-fashioned

urna *subst* urn

urpremiär *subst* first performance; av film first release

urringad *adj* low-necked, décolleté (franska)

urringning *subst,* *djup* ~ plunging neckline, décolletage

ursinne *subst* fury [*över* at], frenzy; raseri rage [*över* at]

ursinnig *adj* furious [*över* at]

urskilja *verb* skönja discern; 'kunna urskilja' make out; särskilja distinguish

urskillning *subst* discernment; omdömesförmåga judgement; *utan* ~ without discrimination, indiscriminately

urskog *subst* primeval forest, virgin forest

urskulda *verb* excuse; ~ *sig* excuse oneself

ursprung *subst* origin [*till* of]; *till sitt* ~ in origin

ursprunglig *adj* original

ursprungligen *adv* originally

---

ursäkt

Om man t.ex. trampar någon på tårna säger man *I'm sorry* eller *sorry*. I USA säger man också *Excuse me!* Om man inte uppfattar något, säger man *Sorry?* eller *Excuse me?*, mera formellt *Pardon?* Om man vill fråga om något, säger man *Excuse me . . .*

---

ursäkt *subst* excuse; *hon bad om* ~ she apologized, she said she was sorry; *be ngn om* ~ apologize to sb

ursäkta *verb* excuse, pardon; ~ *mig!* excuse me!, pardon me!; ~ *att jag stör* excuse my disturbing you; ~ *sig* excuse oneself [*med att* on the grounds that]

urtavla *subst* dial

urtiden *subst,* *i* ~ in prehistoric times pl.

urtråkig *adj* vard. deadly dull, deadly boring

Uruguay Uruguay

uruguayare *subst* Uruguayan

uruguaysk *adj* Uruguayan

urusel *adj* vard. rotten, lousy, putrid

urval *subst* choice, selection; *dikter i* ~ selected poems

urvattnad *adj* watered-down; fadd wishy-washy; om färg watery

uråldrig *adj* extremely old, ancient

USA the US, the USA

usch *interj* ooh [u:], ugh [ʌg]; ~ *då!* ugh!

usel *adj* wretched, miserable; dålig worthless; elak vile, mean

U-sväng *subst* U-turn

ut *adv* out; *dag* ~ *och dag in* day in, day out; *läsa* ~ *en bok* finish a book; *vända* ~ *och in på ngt* turn sth inside out; *gå* ~ *på gatan* go out into the street; *gå* ~ *på isen*

go out on to the ice; *gå ~ på restaurang*
go to a restaurant; *~ ur* out of

utagerad *adj, saken är ~* the matter is over
and done with

utan I *prep o. adv* without; *~ arbete* out of
work; *~ honom skulle jag aldrig klarat
det* but for him I would never have
managed it; *~ att han märkte det*
without his noticing it, without him
noticing it; *känna ngt ~ och innan* know
sth inside out
II *konj* but; *inte bara... ~ även* not
only... but also

utanför I *prep* outside; framför before
II *adv* outside; *lämna mig ~!* leave me out
of it!

utanförskap *subst* feeling of being an
outsider, feeling of isolation; från t.ex. en
politisk union exclusion

utanpå I *prep* outside, on the outside of; över
on the top of, over; *gå ~ överträffa* beat
II *adv* outside, on the outside; ovanpå on the
top

utantill *adv, lära sig ngt ~* learn sth by
heart

utarbeta *verb* work out; t.ex. rapport, svar
prepare; t.ex. program draw up

utarbetad *adj* worn out, overworked

utbetala *verb* pay out

utbetalning *subst* payment

utbetalningskort *subst* postal cheque

utbilda *verb* educate; i visst syfte train; undervisa
instruct; *~ sig för läkaryrket* study for
the medical profession; *hon är ~d
sjuksköterska* she is a trained nurse, she
is a qualified nurse

utbildning *subst* education; i visst syfte training;
undervisning instruction

utbildningsanstalt *subst* educational
institution; i visst syfte training institution

utbildningsdepartement *subst* ministry of
education

utbildningsminister *subst* minister of
education

utblottad *adj* destitute [*på* of]

utbreda *verb, ~ sig* spread

utbredd *adj* spread; *allmänt ~* widespread

utbredning *subst* spreading, extension,
distribution

utbringa *verb* leve give; föreslå call for; *~ ngns
skål* drink to sb's health

utbrista *verb* yttra exclaim, burst out

utbrott *subst* av t.ex. krig, sjukdom outbreak [*av*
of]; vulkans eruption; av känslor outburst

utbryta *verb* break out

utbränd *adj* bildl. burnt-out

utbud *subst* erbjudande offer; *~et av varor
har ökat* the selection (supply) of
available goods has increased

utbuktning *subst* bulge

utbyggnad *subst* tillbyggnad extension, annexe

utbyta *verb* exchange [*mot* for]; *spelaren
blev utbytt* the player was substituted

utbytbar *adj* replaceable, exchangeable

utbyte *subst* **1** exchange; *i ~ mot* in
exchange for **2** behållning profit, benefit; *ha
~ av* get benefit from

utdela *verb* distribute, give out

utdelning *subst* **1** utdelande distribution,
dealing out; av post delivery **2** aktieutdelning
dividend

utdrag *subst* extract [*ur* from], excerpt [*ur*
from]

utdragbar *adj* extensible; *~t bord* extension
table

utdragen *adj* lång drawn out; långrandig
lengthy

utdöd *adj* utslocknad, utrotad extinct; övergiven
dead

utdöende *adj, arten befinner sig i ~* the
species is dying out

utdöma *verb* **1** straff impose **2** förklara oduglig
condemn; förkasta reject

ute *adv* **1** rumsbetydelse out; utomhus outdoors,
out of doors; utanför outside; *där ~* out
there; *vara ~ på havet* be out at sea;
vara ~ på landet be out in the country;
vara ~ och resa be out travelling **2** i
tidsbetydelse, *allt hopp är ~* all hope is at an
end; *tiden är ~* time is up; *det är ~ med
honom* it is all up with him **3** *vara illa ~* i
knipa be in trouble; *vara för sent ~* be too
late; *vara ~ efter ngn (ngt)* be after sb
(sth)

utebli *verb* om person fail to come, stay away,
not turn up; om sak not be forthcoming; ej bli
av not come off; *~ från* t.ex. möte fail to
attend, be absent from

utedass *subst* vard. outside lavatory (loo)

utefter *prep* along, all along

utegrill *subst* barbecue

utegångsförbud *subst* under viss tid curfew;
införa ~ impose a curfew

uteliggare *subst* down-and-out, bag lady,
bag man

uteliv *subst* **1** friluftsliv outdoor life **2** för att roa
sig night life

utelämna *verb* leave out, omit; förbigå pass
over

uteplats *subst* patio (pl. -s)

uteservering *subst* lokal open-air café, open-air restaurant

utesluta *verb* exclude [*ur* from]; ur förening etc. exclude, expel [*ur* from]; *det är uteslutet* it is out of the question

uteslutande *adv* solely, exclusively

utexaminerad *adj* trained, certificated; *bli ~ från* t.ex. högskola graduate from

utfall *subst* 1 attack 2 result, outcome

utfalla *verb* 1 om vinst go [*på* nummer to]; om pengar become due; *lotten utföll med vinst* it was a winning ticket 2 ~ *till ngns fördel* be favourable to sb

utfart *subst* way out; väg ur stad exit road, main road out of town

utfartsväg *subst* exit road, main road out of town

utflykt *subst* utfärd excursion, outing, trip; *göra en ~* go on an excursion, go on an outing

utforma *verb* 1 ge form åt design, model, give final shape to 2 formulera draw up, formulate

utformning *subst* 1 design, shaping 2 formulering drawing up, formulation

utforska *verb* ta reda på find out; undersöka investigate; speciellt land explore

utfällbar *adj* folding, collapsible

utfärda *verb* issue

utfästa *verb*, ~ *en belöning* offer a reward

utfästelse *subst* löfte promise, pledge; åtagande engagement

utför I *prep* down
II *adv* down, downhill; *färdas ~* descend; *det går ~ med honom* he is going downhill

utföra *verb* perform; ~ *ett arbete* do a piece of work; ~ *en beställning* carry out an order

utförande *subst* 1 verkställande, framförande etc. performance, execution, carrying out; arbete workmanship 2 modell design

utförbar *adj* practicable, workable

utförlig *adj* detailed; uttömmande exhaustive

utförsbacke *subst* downhill slope, descent

utförsåkning *subst* sport. downhill skiing

utförsälja *verb* sell out

utförsäljning *subst* sale, clearance sale

utge *verb* 1 bok publish 2 ~ *sig för att vara* pretend to be

utgift *subst* expense; ~ el. ~*er* expenditure sing.

utgivare *subst* av bok etc. publisher; *vara ansvarig ~* be legally responsible

utgivning *subst* publication

utgå *verb* 1 härstamma come [*från*, *ur* from], issue [*från*, *ur* from]; *jag ~r från att du vet* I assume you know 2 uteslutas be excluded; utelämnas be left out, be omitted

utgående *adj* outgoing; ~ *post* outgoing mail

utgång *subst* 1 väg ut exit, way out 2 slut end, close; slutresultat result, outcome

utgångspunkt *subst* starting-point

utgåva *subst* edition

utgöra *verb* constitute, make up, form; belöpa sig till amount to; ~*s* bestå *av* consist of, be made up of

uthus *subst* outhouse

uthyrning *subst* letting; för lång tid leasing; *till ~* om t.ex. båt for hire; om t.ex. rum to let

uthållig *adj* ståndaktig persevering

uthållighet *subst* staying power, perseverance

uthärda *verb* stand, bear

utifrån I *prep* from
II *adv* from outside

utjämna *verb* 1 skillnad level out 2 sport. equalize

utjämning *subst* levelling-out

utkant *subst* av stad outskirts pl.; *i stadens ~er* on the outskirts of the town

utkast *subst* 1 koncept draft [*till* of], rough draft; skiss sketch [*till* of] 2 sport. throw

utkastare *subst* vard., vakt chucker-out, bouncer

utkik *subst* person el. utkiksplats look-out; *hålla ~* keep a look-out [*efter* for]

utklassa *verb* sport. outclass

utklassning *subst*, *det var ~* they were outclassed

utklädd *adj* dressed up

utkomma *verb* om bok etc. come out, be published

utkomst *subst*, *ha sin ~* earn one's living

utkämpa *verb* fight; kämpa till slut fight out

utkörning *subst* av varor delivery

utlandet *subst*, *från ~* from abroad; *i ~* abroad

utlandskorrespondent *subst* utrikeskorrespondent foreign correspondent

utlandsresa *subst* journey abroad; *utlandsresor* travel abroad

utlandssamtal *subst* tele. overseas phone call

utlandssvensk *subst* Swede living abroad, expatriate Swede

utled *adj* o. **utledsen** *adj* thoroughly tired [*på* of], fed up

utlopp *subst* utflöde outflow; avlopp outlet; *ge ~ åt* t.ex. känslor give vent to

utlova *verb* promise; erbjuda offer

utlysa *verb* give notice of, announce
utlånad *adj*, **boken är** ~ från bibliotek the
book is out on loan
utlåning *subst* utlånande lending; lån loans pl.
utlåningsränta *subst* interest on a loan;
räntefot lending rate
utlåtande *subst* opinion; sakkunnigas report
utlägg *subst* outlay, expenses pl.
utlämna *verb* **1** deliver, hand over; överlämna
give up, surrender **2** till annan stat extradite
utlämnande *subst* o. **utlämning** *subst*
1 delivering, handing over; överlämnande
surrender **2** till annan stat extradition
utländsk *adj* foreign
utlänning *subst* foreigner
utlösa *verb* **1** sätta igång start, trigger off **2** tekn.
release
utlösning *subst* **1** tekn. release **2** sexuell orgasm
utmana *verb* challenge; trotsa defy; i t.ex. sport
take on
utmanande *adj* challenging, defiant; om t.ex.
uppträdande, klädsel provocative
utmanare *subst* challenger
utmaning *subst* challenge
utmattad *adj* exhausted
utmattning *subst* exhaustion, fatigue
utmed *prep* along, all along
utmynna *verb* se *mynna ut i* under *mynna*
utmåla *verb* paint [för to; som as], depict [för
to; som as]
utmärglad *adj* avtärd emaciated, haggard
utmärka *verb* känneteckna characterize; ~ **sig**
distinguish oneself [genom by]
utmärkande *adj* characteristic,
distinguishing quality
utmärkelse *subst* distinction; ära honour
utmärkt *adj* excellent; förstklassig first-rate
utnyttja *verb* tillgodogöra sig utilize, make use
of; exploatera exploit
utnyttjande *subst* utilization, exploitation
utnämna *verb* appoint; **han har utnämnts
till professor** he has been appointed
professor
utnämning *subst* appointment
utnött *adj* worn out; sliten well-worn
utochinvänd *adj*, **den är** ~ it is turned inside
out
utom *prep* **1** utanför outside; **jag har inte
varit** ~ **dörren** I haven't been out, I
haven't been outside the door; ~ **fara** el. ~
all fara out of danger; ~ **allt tvivel**
beyond doubt; **bli** ~ **sig** be beside oneself
[av with] **2** med undantag av except, with the
exception of; förutom besides, in addition
to; **alla** ~ **han** all except him, all but he;

ingen ~ **jag** no one but me; **det var fyra
gäster** ~ **jag** there were four guests
besides me; **hela landet** ~ **Stockholm**
the whole country excluding Stockholm
utombordare *subst* outboard motorboat
utombords *adv* outboard, outside
utombordsmotor *subst* outboard motor
utomhus *adv* outdoors, out of doors
utomhusantenn *subst* outdoor aerial, amer.
outdoor antenna
utomhusbana *subst* för tennis open-air court;
för ishockey outdoor rink
utomhusgrill *subst* barbecue
utomhustemperatur *subst* outdoor
temperature
utomlands *adv* abroad
utomordentlig *adj* extraordinary; förträfflig
excellent
utomstående *subst*, **en** ~ an outsider
utomäktenskaplig *adj* om barn illegitimate;
~**a förbindelser** extramarital relations
utopi *subst* utopia; idé, plan utopian scheme,
utopian idea
utpekad *adj*, **känna sig** ~ feel accused; **den**
~**e mördaren** the alleged murderer
utplåna *verb* obliterate [ur, från from]; wipe
out; **hela byn** ~**des** the whole village was
wiped out
utpressare *subst* blackmailer
utpressning *subst* blackmail
utprova *verb* try out, test
utpräglad *adj* marked, pronounced
utreda *verb* undersöka investigate
utredning *subst* **1** undersökning investigation;
betänkande report **2** kommitté commission,
committee
utrensning *subst* utrensande weeding out; polit.
purge
utresa *subst* outward journey; sjö. outward
voyage; flyg. outbound flight
utresetillstånd *subst* exit permit
utrikes I *adj* foreign
II *adv* abroad; **resa** ~ go abroad

---

utrikesdepartement
Utrikesdepartementet i Storbritan-
nien heter *The Foreign and Com-
monwealth Office* eller *the Foreign
Office*. I USA kallas det *the State
Department*.

---

utrikesdepartement *subst* ministry for
foreign affairs; ~**et** britt. the Foreign and

Commonwealth Office, amer. the State Department

utrikeskorrespondent *subst* foreign correspondent

utrikesminister *subst* minister for foreign affairs; ~*n* britt. the Secretary of State for Foreign and Commonwealth Affairs, amer. the Secretary of State

utrikespolitik *subst* foreign politics pl., handlingssätt foreign policy

utrikespolitisk *adj*, *en ~ debatt* a debate on foreign policy; ~*a frågor* questions relating to foreign policy

utrop *subst* cry, exclamation

utropa *verb* **1** ropa högt exclaim, cry out **2** offentligt förkunna proclaim

utropstecken *subst* exclamation mark

utrota *verb* root out, eradicate; t.ex. råttor exterminate

utrotningshotad *subst*, ~*e arter* endangered species

utrusta *verb* equip; förse supply, furnish; spec. fartyg fit out; beväpna arm

utrustning *subst* equipment, outfit

utryckning *subst* **1** efter alarm turnout **2** hemförlovning discharge from active service

utrymma *verb* **1** lämna evacuate; t.ex. hus vacate **2** röja ur clear out

utrymme *subst* plats space, room; spelrum scope; *fordra mycket ~* take up a lot of space

utrymning *subst* **1** evacuation **2** röjning clearing

uträtta *verb* do; t.ex. uppdrag perform, carry out; åstadkomma accomplish, achieve

utröna *verb* ascertain [*om* whether], find out [*om* whether]

utsago *subst*, *enligt ~ är han...* he is said to be...; *enligt hans ~* according to him

utsatt *adj* **1** blottställd exposed [*för* to]; sårbar vulnerable [*för* to]; *vara ~ för* vara föremål för be subjected to; mottaglig för be liable to **2** *på ~ tid* at the time fixed, at the appointed time

utse *verb* välja choose [*till* ledare etc. as; *till* befattning for]; utnämna appoint; ~ *ngn till ordförande* appoint sb chairman

utseende *subst* yttre appearance; persons vanligen looks pl.; *känna ngn till ~t* know sb by sight

utsida *subst* outside; yttre exterior

utsikt *subst* **1** överblick view [*över* of, over]; *rummet har ~ mot parken* the room overlooks the park; *hålla ~* keep a look-out **2** prospect; chans chance; *han*

har goda ~er att lyckas his prospects of succeeding are good; *det finns alla ~er till...* there is every chance of... **3** väderleksutsikt forecast; ~ *för de närmaste dagarna* the outlook for the next few days

utsirad *adj* ornamented, decorated

utsirning *subst* ornament, ornamentation

utsjasad *adj* dead tired

utskjutande *adj* projecting

utskott *subst* committee

utskrattad *adj*, *bli ~* be laughed down

utskrift *subst* **1** något antecknat, transcript, renskrift fair copy **2** data. printout; *göra en ~* print out

utskälld *adj*, *bli ~* be told off; *han blev ~* he was told off

utskällning *subst* telling off, scolding

utslag *subst* **1** hudutslag rash; *få ~* break out in a rash **2** på våg turn of the scale; av visare etc. deflection **3** avgörande decision; *fälla ~* give a decision, give a verdict **4** yttring manifestation; exempel instance

utslagen *adj* **1** i t.ex. sport, ur tävling eliminated; boxn. knocked out **2** *en ~* el. *en ~ människa* a dropout, a social casualty; *vara ~ från arbetsmarknaden* be excluded from the labour market **3** *vara ~* om blomma be out, be in bloom

utslagning *subst* **1** sport. elimination **2** socialt social maladjustment

utslagsgivande *adj* decisive

utslagsröst *subst*, *ha ~* have the casting vote

utslagstävling *subst* sport. knock-out competition

utsliten *adj* worn out; ~ *fras* hackneyed phrase

utslocknad *adj* om vulkan, ätt extinct

utsläpp *subst* **1** tömning discharge; dumpning dumping; ~ *av olja* spill **2** plats outlet

utsmyckning *subst* **1** dekoration ornament **2** utsmyckande ornamentation (endast sing.)

utspark *subst* sport. goal kick

utspel *subst* **1** åtgärd move, action; initiativ initiative; förslag proposals pl. **2** kortsp. lead

utspelas *verb* take place

utspisning *subst* feeding

utspridd *adj* scattered, spread out

utspädd *adj* diluted

utspädning *subst* dilution

utstakad *adj* staked out; bestämd determined

utstråla *verb* radiate, emanate; t.ex. ljus emit

utstrålning *subst* radiation, emanation; om person personal charm, charisma

utsträckning *subst* extension; i tid

prolongation; vidd extent; *i stor* ~ to a great extent; *i största möjliga* ~ to the greatest possible extent

utsträckt *adj* outstretched, extended; *ligga* ~ lie stretched out

utstuderad *adj* raffinerad studied; listig artful; inpiskad out-and-out

utstyrsel *subst* utrustning outfit

utstå *verb* stå ut med endure; genomgå suffer, go through

utstående *adj* om t.ex. tänder, öron protruding; utskjutande projecting

utställare *subst* **1** på utställning exhibitor **2** av check drawer

utställning *subst* exhibition, show; visning display

utställningsföremål *subst* exhibit

utställningslokal *subst* showroom; med flera rum showrooms

utstöta *verb* ljud utter

utstött *adj*, *en* ~ *människa* a social outcast, a derelict

utsuga *verb* exploit

utsugning *subst* av folk exploitation

utsvulten *adj* starved, famished

utsvävande *adj* liderlig dissipated

utsvävningar *subst pl* dissipation sing., friare extravagances

utsåld *adj* be sold out; *vara* ~ om vara be sold out, be out of stock; *utsålt* i annons etc. full house

utsäde *subst* frö, koll. seed, seed-corn

utsändning *subst* **1** uppskickning sending out **2** radio. el. tv. broadcast, transmission; spec. tv. telecast

utsätta *verb* **1** blottställa expose [*för* to]; underkasta subject [*för* to] **2** ~ *sig för* expose oneself to; ~ *sig för risken att bli utan elektricitet* run the risk of being without electricity

utsökt *adj* exquisite, choice

utsövd *adj* thoroughly rested

uttag *subst* **1** vägguttag power point, socket, amer. outlet **2** penninguttag withdrawal

uttagning *subst* selection [*till* for]

uttagningstävling *subst* trial, trials pl.

uttal *subst* pronunciation [*av* of]; *ha bra engelskt* ~ have a good English accent

uttala *verb* **1** ord pronounce; ~ *fel* mispronounce **2** uttrycka, t.ex. önskan express **3** t.ex. dom pronounce, pass **4** ~ *sig* express oneself [*om* on], give one's opinion [*om* on]; ~ *sig för* declare oneself in favour of; ~ *sig mot* declare oneself against

uttalande *subst* statement, pronouncement [*om* about]

uttalsbeteckning *subst* phonetic notation

utter *subst* djur el. skinn otter

uttorkad *adj* dried up

uttryck *subst* expression; *stående* ~ set phrase; *ge* ~ *åt* give expression to; *ta sig* ~ *i...* find expression in...; om känsla give vent to...; *som ett* ~ *för min uppskattning* as a mark of appreciation

uttrycka *verb* express; *jag vet inte hur jag ska* ~ *det* I don't know how to put it; ~ *sig* express oneself; *för att* ~ *sig kort* to be brief

uttrycklig *adj* express; tydlig explicit

uttryckligen *adv* expressly, explicitly

uttrycksfull *adj* expressive

uttryckslös *adj* expressionless; om blick vacant

uttryckssätt *subst* mode of expression

uttråkad *adj* bored; *vara* ~ be bored, be bored to death

utträda *verb*, ~ *ur föreningen* leave a society, withdraw from a society

utträde *subst* withdrawal [*ur* from], retirement [*ur* from]

uttröttad *adj* weary; *vara* ~ tired out [*av* with], be weary [*av* with]

uttåg *subst* march out, departure

uttömma *verb* exhaust, spend; ~ *sina krafter* exhaust oneself

uttömmande I *adj* exhaustive, very thorough **II** *adv* exhaustively, thoroughly

utvald *adj* chosen, picked; *några få* ~*a* a select few

utvandra *verb* emigrate

utvandrare *subst* emigrant

utvandring *subst* emigration

utveckla *verb* **1** develop [*till* into]; t.ex. teorier expound; visa display, show **2** t.ex. elektricitet, värme generate **3** ~ *sig* develop, grow [*till* into]

utvecklas *verb* develop [*till* into], grow [*till* into]

utveckling *subst* framåtskridande development, vetensk. evolution; framsteg progress

utvecklingsland *subst* developing country

utvecklingssamtal *subst* skol. discussion between teacher, parent and pupil on progress at school

utvecklingsstadium *subst* stage of development

utvecklingsstörd *adj* mentally retarded

utverka *verb* obtain, secure

utvidga *verb* göra bredare widen; t.ex. sitt

inflytande extend; t.ex. marknaden expand; göra
större enlarge; ~ **sig** se *utvidgas*

utvidgas *verb* widen, widen out; t.ex.
marknaden expand; om metall expand; om t.ex.
inflytande enlarge

utvidgning *subst* widening, extension; om t.ex.
marknaden expansion; om t.ex. inflytande
enlargement

utvikningsbrud *subst* vard. centrefold girl,
pin-up girl

utvilad *adj* rested, refreshed

utvinna *verb* extract [*ur* from], win [*ur* from]

utvisa *verb* **1** ~ **ngn** a) visa ut order sb out
b) sport. send sb off; order sb off; i ishockey
send sb to the penalty box c) ur landet expel
sb **2** visa show; utmärka indicate

utvisning *subst* **1** ordering out; sport. sending
off **2** ur landet expulsion

utväg *subst* expedient, means (pl. lika), way
out; **jag ser ingen annan ~ än att göra
det** I see no other way out but to do so

utvändig *adj* external, outside

utvändigt *adv* externally, outside, on the
outside

utvärdera *verb* evaluate

utvärdering *subst* evaluation

utvärtes *adj* external, outward; **till ~ bruk**
for external use

utväxla *verb* exchange [*mot* for]

utväxling *subst* **1** utbyte exchange **2** tekn. gear,
gearing

utånad *adj*, **boken är ~** från bibliotek the book
is out on loan

utåt I *prep* i uttryck för riktning out towards; t.ex.
landet out into
II *adv* outwards; **längre ~** further out;
dörren går ~ the door opens outwards

utåtriktad *adj* o. **utåtvänd** *adj* om person
extrovert, outgoing; **den är ~** it is turned
outwards

utöka *verb* increase

utöva *verb* t.ex. makt exercise; inflytande exert;
t.ex. välgörenhet, yrke practise; t.ex. verksamhet
carry on

utöver *prep* over and above, beyond

utövning *subst* t.ex. av makt exercise; t.ex. av yrke
practice; t.ex. inflytande exertion

uvertyr *subst* musik. overture [*till* to]

vaccin *subst* vaccine

vaccination *subst* vaccination

vaccinera *verb* vaccinate; ~ **sig** get
vaccinated

vacker *adj* beautiful, söt pretty; om person ofta
good-looking; storslagen fine; ~**t väder** fine
weather

vackert *adv* beautifully; **det där låter ~**
that sounds fine; **sitt ~** till hund sit up and
beg; **hon skriver ~** har vacker handstil she
has good handwriting

vackla *verb* **1** totter; ragla stagger **2** vara
obestämd vacillate; om t.ex. priser fluctuate

vacklan *subst* vacillation; obeslutsamhet
indecision

vacklande *adj* **1** obestämd vacillating; om t.ex.
priser fluctuating **2** om hälsa failing

1 vad *subst* på ben calf (pl. calves)

2 vad *subst* vadhållning bet; **skall vi slå ~ om
det?** shall we bet on it?

3 vad I *pron* frågande what; ~ el. **va?** hur sa
what?; artigare sorry?, pardon?; ~ **för en**
(**ett, ena, några**) what, avseende urval
which, which one (pl. ones); ~ **är det för
dag i dag?** what day is it today?; **nej, ~
säger du!** really!, you don't say!; **vet du
~!** tell you what!; **jag vet inte ~ som
hände** I don't know what happened; ~
värre är what is worse; ~ **som helst**
whatever
II *adv*, ~ **du än gör, glöm inte att låsa!**
whatever you do, don't forget to lock up!;
~ **du är lycklig!** how happy you are!; ~
tiden går fort! how time flies!; ~
hemskt! how horrible!; ~ **synd!** what a
pity!

vada *verb* wade

vadare *subst* o. **vadarfågel** *subst* wading bird,
wader

vadd *subst* wadding; bomullsvadd cotton wool

vaddera *verb* pad, pad out, wad

vaddtäcke *subst* quilt

vadhållning *subst* betting, making bets

vag *adj* vague; dimmig hazy

vagel *subst* med. sty

vagga I *subst* cradle; **från ~n till graven**
from the cradle to the grave, skämts. from

womb to tomb

II *verb* rock; ~ *ngn i sömn* rock sb to sleep

vaggvisa *subst* cradle song, lullaby

vagina *subst* anat. vagina

vagn *subst* carriage; lastvagn etc. waggon, wagon, truck; tvåhjulig kärra cart; spec. järnv. amer. car

vaja *verb* om t.ex. flagga fly, float; fladdra flutter

vajer *subst* cable; tunnare wire

vak *subst* hole in the ice

vaka I *subst* vigil, night watch

II *verb* hålla vaka sit up; ha nattjänst be on night duty; ~ *in det nya året* see the new year in; ~ *hos en patient* watch by a patient; ~ *över* övervaka keep watch over, watch over

vakande *adj* watching; *hålla ett* ~ *öga på* keep a close eye on

vakans *subst* vacancy

vakant *adj* vacant

vaken *adj* **1** ej sovande awake ej före subst., waking endast före subst.; *i vaket tillstånd* when awake **2** mottaglig för intryck, om t.ex. sinne alert; pigg bright; uppmärksam wide-awake

vakna *verb*, ~ el. ~ *upp* wake, wake up

vaksam *adj* vigilant, watchful

vaksamhet *subst* vigilance, watchfulness

vakt *subst* **1** watch; spec. mil. guard, tjänstgöring duty; *gå på* ~ mil. be on guard, be on duty; sjö. be on watch; *vara på sin* ~ vara försiktig be on one's guard **2** person guard; vaktpost sentry **3** skol., på skrivning invigilator, amer. proctor

vakta *verb* **1** watch; bevaka guard; t.ex. barn look after; hålla vakt keep guard **2** skol., på skrivning invigilate, amer. proctor

vaktbolag *subst* security company, Securicor® [sɪˈkjuːrɪkɔː]

vaktel *subst* fågel quail

vakthavande *adj*, ~ *officer* the officer on duty

vakthund *subst* watchdog

vaktkur *subst* sentry box

vaktmästare *subst* uppsyningsman caretaker, spec. amer. janitor; i museum attendant; i kyrka verger; dörrvakt doorman, porter; på bio etc. commissionaire, attendant

vaktparad *subst*, ~*en* the mounting of the guard

vakuum *subst* vacuum

vakuumförpackad *adj* vacuum-packed

vakuumförpackning *subst* vacuum packaging; konkret vacuum pack, vacuum package

vakuumtorka *verb* vacuum-dry; ~*d* vacuum-dried

1 val *subst* zool. whale

2 val *subst* **1** choice, utväljande selection; *vara i* ~*et och kvalet* be faced with a difficult choice **2** genom omröstning election; själva röstandet voting; *det blir allmänna* ~ there will be a general election; *förrätta* ~*et* conduct the election; *gå till* ~ go to the polls

valbar *adj* eligible [*till* for]; *icke* ~ ineligible [*till* for]

valbarhet *subst* eligibility

valberedning *subst* election committee

valborg

Valborgsmässoafton firas inte i engelsktalande länder. Man kan därför behöva ge en förklaring när man talar om det svenska valborgs-mässofirandet.

valborg *subst* o. **valborgsmässoafton** *subst* the eve of May Day, Walpurgis [vælˈpuəgɪs] night

valbås *subst* polling booth

valdag *subst* polling day, election day

valdeltagande *subst*, ~*t var lågt* polling was low

valdistrikt *subst* electoral district, electoral ward

valfisk *subst* whale

valfläsk *subst* polit. election promises pl., vote-catching

valfri *adj* optional

valfrihet *subst* freedom of choice

valfusk *subst* electoral rigging; *bedriva* ~ rig an election

valfångare *subst* whaler

valförrättare *subst* returning officer

valk *subst* **1** i huden callus; av fett roll **2** hårvalk pad

valkampanj *subst* election campaign

valkrets *subst* polit. constituency

1 vall *subst* upphöjning bank, embankment; fästningsvall rampart

2 vall *subst* betesvall grazing-ground, pasture ground

1 valla *verb* vakta tend, watch; ~ *fåren* tend one's sheep

2 valla I *subst* skidvalla wax

II *verb*, ~ *skidor* wax skis

vallfart *subst* pilgrimage

vallfärda *verb* go on a pilgrimage
vallgrav *subst* moat
vallmo *subst* poppy
vallmofrö *subst* poppy seed
vallokal *subst* polling-station
vallängd *subst* electoral register
vallöfte *subst* electoral pledge, electoral promise
valmanskår *subst* electorate, constituency
valmöte *subst* election meeting
valnöt *subst* walnut
valp *subst* pup, puppy; pojke cub
valross *subst* walrus
valrörelse *subst* election campaign
1 vals *subst* musik. waltz; *dansa* ~ do a waltz, waltz
2 vals *subst* tekn., i kvarn etc. roller; i valsverk roll; på skrivmaskin cylinder
1 valsa *verb* dansa waltz
2 valsa *verb* tekn., ~ el. ~ *ut* roll out
valsedel *subst* ballot paper, voting-paper
valstrid *subst* election campaign
valstuga *subst* party [election] campaign booth
valthorn *subst* musik. French horn
valurna *subst* ballot box

---

valuta
- Storbritannien: 1 pound (£) = 100 pence (p)
- Irland: 1 Euro = 100 cent
- USA: 1 dollar ($) = 100 cent. I talspråk används ofta *buck* <u>dollar</u>, *quarter* <u>25 cent</u>, *dime* <u>10 cent</u> och *nickel* <u>5 cent</u>
- Canada: 1 dollar = 100 cent
- Australien: 1 dollar = 100 cent

---

valuta *subst* myntslag currency; *utländsk* ~ foreign exchange; *få* ~ *för pengarna* get value for one's money
valutabestämmelser *subst pl* currency regulations; för utlandsvaluta foreign exchange regulations
valutahandel *subst* exchange dealings pl.
valutakurs *subst* rate of exchange, exchange rate
valutamarknad *subst* foreign exchange market
valv *subst* vault
valör *subst* value; sedelvalör denomination
vamp *subst* vamp
vampyr *subst* vampire

van *adj* erfaren experienced, trained; skicklig skilled, expert; förtrogen accustomed [*vid ngt* to sth; *vid att göra ngt* to doing sth], used [*vid ngt* to sth; *vid att göra ngt* to doing sth]; *jag är* ~ *vid att lägga mig tidigt* I'm used to going to bed early, I'm in the habit of going to bed early; *ett språk som jag är* ~ *vid* a language I am used to, a language I am familiar with
vana *subst* spec. omedveten habit; spec. medveten practice; sedvana custom; vedertaget bruk usage; erfarenhet experience; färdighet practice; *sin* ~ *trogen* true to one's habit; *det får inte bli en* ~ don't make a habit of it; *dyra vanor* expensive habits; *av gammal* ~ by force of habit, from force of habit; *ha för* ~ *att göra ngt* have a habit of doing sth, be in the habit of doing sth; medvetet make a practice of doing sth
vandalisera *verb* vandalize, destroy
vandalisering *subst* vandalizing
vandalism *subst* vandalism
vandra *verb* gå till fots walk; gå på vandring, fotvandra hike, ramble; ströva utan mål wander, roam, stroll
vandrande *adj* walking; utan mål roaming, wandering; ~ *pinne* stick insect, amer. äv. walking stick
vandrare *subst* wanderer; fotvandrare walker, hiker
vandrarhem *subst* youth hostel
vandring *subst* utan mål wandering; utflykt walking-tour; fotvandring ramble, hike
vandringspokal *subst* sport. challenge cup
vandringspris *subst* challenge trophy
vanebildande *adj* habit-forming
vanesak *subst* matter of habit
vanföreställning *subst* delusion, fallacy
vanheder *subst* disgrace, dishonour
vanhedra *verb* disgrace, dishonour
vanhedrande *adj* disgraceful, dishonourable
vanhelga *verb* profane, desecrate
vanhelgande *subst* profanation, desecration
vanilj *subst* vanilla
vaniljglass *subst* vanilla ice cream, vard. vanilla ice
vaniljsocker *subst* vanilla sugar
vaniljsås *subst* custard sauce, vanilla custard
vanka *verb*, ~ *av och an* pace up and down
vankas *verb*, *det vankades bullar* we were treated to buns; *i dag* ~ *det tårta* today there will be a cake
vankelmod *subst* vacillation; ombytlighet inconstancy

vankelmodig adj vacillating; ombytlig inconstant

vanlig adj bruklig usual [hos with], accustomed, habitual; sedvanlig customary [hos with]; vardaglig ordinary; gemensam för många, motsats: sällsynt common; ofta förekommande frequent; *mindre* ~ less common, not very common; *i* ~*a fall* in ordinary cases, as a rule; ~*a människor* ordinary people; *på* ~*t sätt* in the usual manner; *som* ~*t* as usual; *bättre än* ~*t* better than usual

vanligen adv generally, usually, ordinarily

vanmakt subst maktlöshet powerlessness, impotence

vanmäktig adj powerless, impotent

vanpryda verb disfigure, spoil the look of

vanrykte subst disrepute

vansinne subst insanity, madness; dårskap folly; *det vore rena* ~*t att* inf. it would be insane to inf.

vansinnig adj mad; utom sig frantic [av with]; *har du blivit* ~*?* are you mad?, are you out of your mind?; *han gör mig* ~ he drives me mad (crazy)

vanskapad adj o. **vanskapt** adj deformed

vansklig adj svår difficult, hard; riskabel risky; kinkig awkward

vansköta verb mismanage; försumma neglect

vanskötsel subst mismanagement; försummelse neglect

vante subst glove; tumvante mitten; *lägga vantarna på* vard. lay hands on

vantolka verb misinterpret

vantrivas verb feel uncomfortable [med with], not feel at home; *jag vantrivs med arbetet* I am not at all happy in my work

vantrivsel subst dissatisfaction, inability to get on in one's surroundings; otrivsamhet unpleasant atmosphere

vanvett subst insanity; galenskap madness

vanvettig adj insane; galen mad, crazy

vanvård subst mismanagement, neglect

vanvårda verb mismanage, neglect

vanära subst, *dra* ~ *över sin familj* bring disgrace on one's family

vapen subst **1** weapon; i pl. vanligen arms; koll. weaponry sing.; *bära* ~ bear arms, carry arms; *lägga ned vapnen* lay down one's arms, surrender; *gripa till* ~ take up arms **2** vapensköld coat of arms (pl. coats of arms)

vapendragare subst supporter, partisan

vapenfri adj, ~ *tjänst* non-combatant duties pl.

vapenför adj, *han är* ~ he is fit for military service

vapengömma subst arms cache

vapenhandel subst arms traffic

vapenhandlare subst arms dealer

vapenkontroll subst arms control

vapenlicens subst licence to carry a gun, firearms permit

vapensköld subst coat of arms (pl. coats of arms)

vapenstillestånd subst armistice; vapenvila truce; tillfälligt cease-fire

vapenvila subst cessation of hostilities; tillfällig cease-fire

vapenvägrare subst conscientious objector (förk. CO)

1 var subst med. pus, matter

2 var pron **1** varje särskild each; varenda every; ~ *femte dag* every fifth day, every five days; *ge dem ett äpple* ~ give them an apple each **2** ~ *och en* var och en för sig each; alla everyone, everybody; ~ *och en av dem* each of them; alla every one of them; *vi betalar* ~ *och en för sig* each of us will pay for himself (resp. herself); *hon talade med* ~ *och en för sig* she spoke to each person individually **3** var sin: *vi fick* ~ *sitt äpple* we got an apple each; *de gick åt* ~ *sitt håll* they went in different directions **3 var** adv where; ~ *då?* el. ~ *någonstans?* where?; ~ *i all världen är det?* where on earth is it?; ~ *som helst* anywhere

1 vara I huvudverb be, finnas till exist; *för att* ~ *så ung är du duktig* considering you are so young you are clever; *vi är fem stycken* there are five of us; *det är Eva* sagt i telefon Eva speaking, Eva here; *får det* ~ *en kopp te?* would you like a cup of tea?; *det får* ~ *som det är* el. *vi låter det* ~ *som det är* we'll leave it at that; *var ska (brukar) knivarna* ~*?* where do the knives go?; *jag var hos* hälsade på *honom* I went to see him; *hur är det med din far?* hur mår how is your father?; *hur är det med ditt skolarbete?* how (what) about your schoolwork?; *man måste* ~ *två om det* that's a job for two, it takes two to do it; *vad är den här till* el. *vad ska den här* ~ *till?* what is this for?
II hjälpverb be; *när är han född?* when was he born?; *bilen är gjord i Sverige* the car was made in Sweden; *bilen är gjord för export* the car is made for export; *han är bortrest* he has gone away
III verb med betonad partikel
vara av med ha förlorat have lost; vara kvitt

have got rid of, be rid of

vara kvar stanna remain, stay on

vara med 1 deltaga take part; *får jag ~ med?* may I join in?; göra er sällskap may I join you? **2** närvara be present [*på, vid* at]; *jag var med när det hände* I was there (present) when it happened **3** ~ *med på* samtycka till agree to; ~ *med om* bevittna see; uppleva experience; *vad är det med henne?* what's the matter with her?; hur mår hon? how is she?

vara om sig look after one's own interests, look after number one

vara till 1 exist, be **2** *den är till för det* that's what it's there for, that's what it's meant for

2 vara *verb* räcka last; pågå go on; fortsätta continue

3 vara *subst* artikel article, product; *varor* articles, products, goods

4 vara *subst, ta ~ på* a) ta hand om take care of, look after b) utnyttja make use of

5 vara *verb* om sår etc. fester

varaktig *adj* långvarig lasting; beständig permanent

varandra *pron* each other, one another

varannan *räkn* every other, every second

vardag *subst* weekday; *till ~s* vardagsbruk for everyday use; om kläder for everyday wear

vardaglig *adj* everyday, ordinary; banal commonplace; om utseende plain; *ett ~t uttryck* a colloquial expression

vardagsklädd *adj*, *hon var ~* she was dressed in everyday clothes

vardagskläder *subst pl* everyday (ordinary) clothes

vardagsslag *subst*, *i ~* om vardagarna on weekdays; vanligtvis usually; till vardagsbruk for everyday use; om kläder for everyday wear

vardagsliv *subst* everyday life, ordinary life

vardagsmat *subst* riktig mat everyday food, ordinary food; *det var ~* förekom ofta *för henne* she thought nothing of it

vardagsrum *subst* living room, sitting room

vardera *pron* each

varelse *subst* being, creature; *levande ~* living creature

varenda *pron* every, every single

vare sig *konj* **1** either; *jag känner inte ~ honom eller hans bror* I don't know either him or his brother **2** antingen whether; *han måste gå ~ han vill eller inte* he must go whether he wants to or not

vareviga *adj*, *~ en* every single one

varför *adv* why; ~ *det?* el. ~ *då?* why?; *jag var förkyld ~ jag stannade hemma* I had a cold so I stayed at home

varg *subst* wolf (pl. wolves); *jag är hungrig som en ~* I could eat a horse

varghona *subst* o. **varginna** *subst* she-wolf

vargunge *subst* wolf cub

varhelst *adv* wherever

variant *subst* variant

variation *subst* variation

variera *verb* vary; vara ostadig fluctuate

varieté *subst* **1** föreställning variety show **2** lokal variety theatre

varifrån *adv*, ~ *kommer du?* where do you come from?

varigenom *adv* through which, by which

varje *pron* varje särskild each; varenda every; vardera av endast två either; vilken som helst any; *i ~ fall* in any case; *lite av ~* a little of everything

varken *konj*, ~ ... *eller* neither ... nor; *den är ~ bättre eller sämre än tidigare* it's no better nor worse than before; *hon ~ röker eller dricker* she neither drinks nor (or) smokes

varm *adj* warm; het hot; hjärtlig hearty; *tre grader ~t* three degrees above zero; *ett ~t bad* a hot bath; *bli ~ i kläderna* begin to find one's feet; *tala sig ~ varm för ngt* recommend sth warmly, support sth warmly om person med starka känslor; *vara ~ om fötterna* have warm feet

varmbad *subst* hot bath

varmblodig *adj* warm-blooded, hot-blooded

varmfront *subst* meteor. warm front

varmhjärtad *adj* warm-hearted, generous

varmkorv *subst* hot dog

varmluft *subst* hot air

varmrätt *subst* huvudrätt main course, main dish

varmvatten *subst* hot water

varmvattensberedare *subst* water-heater

varmvattenskran *subst* hot-water tap

varna *verb* warn [*för ngn* against sb]; *han ~de oss för det* he warned us against it; *hon ~de oss för att göra det* she warned us not to do it, she warned us against doing it

varnande *adj* warning; *låt det här bli ett ~ exempel för dig* let this be a warning to you

varning *subst* warning [*för* to], caution; ~ *för hunden!* beware of the dog; *han fick en ~ av domaren* sport. he was booked (cautioned) by the referee

varningsblinker *subst* bil. hazard flasher

varningslampa *subst* warning lamp

varningsmärke *subst* o. **varningsskylt** *subst* trafik. warning sign

varningstriangel *subst* warning triangle, reflecting triangle

varpå *adv* on which; tid after which, whereupon

vars *pron* relativt whose, om djur el. saker vanligen of which

varsam *adj* aktsam careful [*med* with]

varsamhet *subst* care, caution

varse *adj*, *bli* ~ märka notice, observe, see

varsel *subst* **1** förebud premonition [*om* of] **2** förvarning notice; *med kort* ~ at short notice

varsko *verb* underrätta inform; förvarna warn [*ngn om ngt* sb of sth]

varsla *verb*, ~ *om strejk* give notice of a strike

varstans *adv*, *det ligger papper lite* ~ paper is lying here, there, and everywhere; paper is lying all over the place

varsågod *interj* se *god I 1*

1 vart *adv* where; *jag vet inte* ~ *jag ska gå* I don't know where to go; ~ *som helst* anywhere; ~ *du än går* wherever you go

2 vart *subst*, *jag kommer ingen* ~ I'm getting nowhere

vartill *adv* to which, of which

varudeklaration *subst* description of goods, description of merchandise; förpackningsrubrik: innehåll contents pl.; ingredienser ingredients used

varuhiss *subst* goods lift, amer. goods elevator

varuhus *subst* department store, department stores (pl. lika)

varulv *subst* werewolf

varumagasin *subst* lager warehouse

varumärke *subst* trademark

varuprov *subst* sample

1 varv *subst* skeppsvarv shipyard, shipbuilding yard; flottans naval shipyard

2 varv *subst* **1** omgång turn, round; sport. lap; tekn. revolution; vid stickning etc. row **2** lager, skikt layer

varva *verb* **1** ~ *ngt* lägga i skikt put sth in layers **2** sport. lap **3** skol. etc., ~*d kurs* sandwich course **4** ~ *ner* ease off, take it easier, relax

varvid *adv* at which; *han snubblade,* ~ *han föll* he stumbled, in doing which he fell

varvräknare *subst* revolution counter, vard. rev counter

varvsindustri *subst* shipbuilding industry

varvtal *subst* number of revolutions, vard. number of revs

vas *subst* vase [vɑːz, amer. veɪs]

vaselin *subst* vaseline

vask *subst* avlopp sink

vaska *verb* wash

1 vass *adj* sharp; spetsig pointed; om t.ex. blick, ljud piercing

2 vass *subst* bot. reed; koll. reeds pl.

Vatikanen the Vatican

vatten *subst* **1** water; *ta in* ~ läcka take in water; *ta sig* ~ *över huvudet* bite off more than one can chew, take on more than one can manage **2** vätska, ~ *i knät* med. water on the knee **3** urin, *kasta* ~ pass water, urinate

vattenbehållare *subst* water tank; större reservoir; för varmvatten boiler

vattenbrist *subst* shortage of water

vattendelare *subst* watershed, divide

vattendrag *subst* watercourse

vattendunk *subst* watercan

vattenfall *subst* waterfall; större falls pl.

vattenfast *adj* waterproof, water-resistant

vattenfärg *subst* watercolour

vattenförsörjning *subst* water supply

vattenglass *subst* water ice

vattenhink *subst* water bucket

vattenkanna *subst* watering-can

vattenkanon *subst* water cannon

vattenklosett *subst* water closet; vard. förk. WC [ˌdʌbljuːˈsiː]

vattenkokare *subst* electric kettle

vattenkoppor *subst pl* med. chickenpox sing.

vattenkraft *subst* water power

vattenkran *subst* tap, amer. faucet

vattenkrasse *subst* växt watercress

vattenkyld *adj* water-cooled

vattenledning *subst* water main

vattenmätare *subst* water meter

vattenpass *subst* spirit level

vattenplaning *subst* bil. aquaplaning

vattenpolo *subst* water polo

vattenpuss *subst* o. **vattenpöl** *subst* puddle, pool of water

vattenskida *subst* water-ski; *åka vattenskidor* water-ski

vattenslang *subst* hose

vattenspridare *subst* water sprinkler

vattenstånd *subst* water level

vattenstämpel *subst* watermark

vattentillförsel *subst* o. **vattentillgång** *subst* water supply

vattentorn *subst* water tower

vattentät _adj_ om tyg waterproof; om kärl watertight

vattenverk _subst_ waterworks (pl. lika)

vattenyta _subst_, _på ~n_ on the surface of the water

vattenånga _subst_ steam

vattenödla _subst_ djur newt

vattkoppor _subst pl_ med. chickenpox sing.

vattna _verb_ water

vattnas _verb_, _när jag såg maten vattnades det i munnen på mig_ it made my mouth water when I saw the food

vattnig _adj_ watery

Vattumannen stjärntecken Aquarius

vax _subst_ wax

vaxa _verb_ wax

vaxartad _adj_ waxlike

vaxböna _subst_ butter bean

vaxduk _subst_ oilcloth

vaxkabinett _subst_ waxworks exhibition, waxworks museum

vaxkaka _subst_ honeycomb

ve _interj_, _~ och fasa!_ blast!, damnation!

veck _subst_ fold; i sömnad pleat; byxveck etc. crease; i ansiktet wrinkle; _lägga pannan i ~_ pucker one's brow

1 vecka _verb_ pleat, fold; _~d kjol_ pleated skirt; _~ sig_ fold; skrynkla sig crease; spec. om papper crumple, crinkle

2 vecka _subst_ week; _en gång i ~n_ once a week; _förra ~n_ last week; _om en ~_ in a week, in a week's time; _i dag om en ~_ a week from today, a week today

veckig _adj_ creased; skrynklig crumpled

veckla _verb_ linda, vira wind; _~ ihop ngt_ fold sth together; _~ upp (ut)_ unfold; t.ex. paket undo

veckodag _subst_ day of the week

veckohelg _subst_ weekend

veckolön _subst_ weekly wages pl.

veckopeng _subst_ o. **veckopengar** _subst pl_ weekly pocket money (med verb i sing.)

veckoslut _subst_ weekend

veckotidning _subst_ weekly publication, weekly magazine, weekly

ved _subst_ wood; bränsle firewood

vederbörande _subst_ the person concerned; pl. those concerned; jur. the party concerned

vederbörlig _adj_ due, proper; _på ~t_ säkert _avstånd_ at a safe distance; _med ~t tillstånd_ with due permission

vedergällning _subst_ retribution; gottgörelse reward; hämnd retaliation

vedergällningsaktion _subst_ act of reprisal

vederhäftig _adj_ reliable, trustworthy

vedermöda _subst_, _~_ el. **_vedermödor_** hardship, hardships pl.

vedertagen _adj_ erkänd accepted, recognized

vedervärdig _adj_ repulsive, repugnant

vedhuggare _subst_ woodcutter

vedträ _subst_ log of wood

vegan _subst_ vegan

vegetabilier _subst pl_ vegetables

vegetabilisk _adj_ vegetable

vegetarian _subst_ vegetarian

vegetarisk _adj_ vegetarian

vegetation _subst_ vegetation

vek _adj_ **1** pliable; svag weak **2** om personer soft: mjuk, känslig gentle, tender; _bli ~_ soften, grow soft

veke _subst_ wick

vekling _subst_ weakling

velig _adj_ obeslutsam vacillating

velour _subst_ velour

vem _pron_ who (objektsform who el. whom); vilkendera which, which of them; _~ där?_ who's there?; mil. who goes there?; _jag vet inte ~ som kom_ I don't know who came; _~s är det?_ whose is it?; _~ det än är_ whoever it may be

vemod _subst_ sadness, melancholy

vemodig _adj_ sad, melancholy

ven _subst_ vein

Venedig Venice

venerisk _adj_ venereal; _~ sjukdom_ venereal disease

venetianare _subst_ Venetian

venetiansk _adj_ Venetian

Venezuela Venezuela

venezuelan _subst_ Venezuelan

venezuelansk _adj_ Venezuelan

ventil _subst_ **1** i rum ventilator, air regulator **2** tekn. valve

ventilation _subst_ ventilation

ventilera _verb_ **1** ventilate; vädra air **2** dryfta debate, discuss

Venus astron. el. mytol. Venus

veranda _subst_ veranda, amer. ofta porch

verb _subst_ gram. verb

verbböjning _subst_ conjugation of a verb (of verbs)

verifiera _verb_ verify

verifiering _subst_ verification

verifikation _subst_ verification; kvitto receipt

veritabel _adj_ veritable, true

verk _subst_ **1** arbete work, labour; _i själva ~et_ in reality, actually; _sätta ngt i ~et_ carry out sth, put sth into effect; förverkliga realize sth; _gå till ~et_ set about it **2** konstnärligt verk etc. work; _samlade ~_ collected works

3 ämbetsverk civil service department **4** fabrik works pl. **5** i ur works pl.

verka verb **1** handla, arbeta work, act; ~ *för* work for **2** göra verkan work, act; *medicinen* ~*de inte* the medicine had no effect **3** förefalla seem, appear; ~ *barnslig* seem childish

verkan subst **1** resultat effect; följd consequence **2** kem. action **3** intryck impression; *göra* ~ have an effect, be effective; *ha* ~ *på* have an effect on

verklig adj real; sann, äkta true, genuine; faktisk actual; *ett* ~*t nöje* a real pleasure

verkligen adv really; faktiskt actually, indeed; förvisso certainly; *nej* ~*?* really?; *jag hoppas* ~ *att du har rätt* I do (betonat) hope you are right

verklighet subst reality; faktum fact; sanning truth; *bli* ~ become a reality, materialize; *i* ~*en* a) i verkliga livet in real life b) i själva verket in reality c) faktiskt in fact, as a matter of fact

verklighetsflykt subst escape from reality

verklighetsfrämmande adj unrealistic

verklighetstrogen adj realistic; *filmen är* ~ the film is true to life

verkmästare subst foreman, supervisor

verkningsfull adj effective, impressive

verkningsgrad subst, *motorn har stor* ~ the engine is very efficient

verksam adj **1** active; driftig energetic; arbetsam industrious, busy **2** verkande, om maskiner etc. effective; *vara* ~ *som* work as

verksamhet subst **1** activity; handling, rörelse action; maskins operation **2** arbete, sysselsättning work; fabriksverksamhet etc. enterprise; affärsverksamhet business

verkstad subst workshop; för reparationer repair shop; bilverkstad garage

verkstadsgolv subst, *arbetarna på* ~*et* the workers on the shop floor

verkstadsindustri subst engineering industry

verkställa verb carry out, perform; order execute; utbetalning make

verkställande I adj executive; ~ *direktör* managing director, amer. president **II** subst carrying out, performance; t.ex. av dom execution

verkställighet subst execution; *gå i* ~ be put into effect, be carried out

verktyg subst **1** redskap tool, implement **2** person tool

verktygslåda subst toolbox

vermouth subst starkvin vermouth

vernissage subst, ~*n* the opening of an (the) art exhibition, vernissage

vers subst verse; dikt poem; *på* ~ in verse; *sjunga på sista* ~*en* be on one's last legs, be on the way out

version subst version

versmått subst metre

versrad subst line of poetry

vertikal adj o. subst vertical

vertikalplan subst vertical plane

vertikalvinkel subst vertical angle

vessla subst djur weasel

vestibul subst vestibule, entrance hall; i hotell lounge, lobby

veta I verb know [om about]; *såvitt jag vet* as far as I know; *det vet jag väl!* irriterat I know that!, I know all about that!; *vet du vad, jag har hittat det!* do you know what, I've found it!; *vet du vad, vi går på bio!* I tell you what, let's go to the movies!; *få* ~ få reda på find out, get to know, learn; få höra hear of, be told; *man kan aldrig* ~ you never know, you never can tell; *jag vill inte* ~ *av något sånt!* I won't have that!

II verb med betonad partikel

veta av ngt know of sth, be aware of sth; *honom vill jag inte* ~ *av* I won't have anything to do with him

veta med sig be conscious [att man är of being, that one is], be aware [att man är of being, that one is]

veta om know about, be aware of

veta varken ut eller in be at one's wits' end, be at a loss what to do

vetande subst knowledge; *mot bättre* ~ against one's better judgement

vete subst wheat

vetebröd subst kaffebröd buns pl.

vetebulle subst bun

vetemjöl subst wheat flour

vetenskap subst science

vetenskaplig adj scientific; humanistisk scholarly

vetenskapligt adv scientifically; humanistiskt in a scholarly manner

vetenskapsman subst naturvetenskapsman scientist; humanist scholar

veteran subst veteran

veteranbil subst veteran car

veterinär subst veterinary surgeon, vard. vet; amer. veterinarian, vard. vet

veterligen adv o. **veterligt** adv, *mig* ~ to my knowledge

vetgirig adj eager to learn

vetgirighet subst, *hans* ~ his inquiring mind; kunskapstörst his thirst for knowledge

veto *subst* veto (pl. -es); *inlägga ~ mot ngt* veto sth

vetskap *subst* knowledge [*om* of]

vett *subst* sense; *ha ~ att göra ngt* have the sense to do sth; *vara från ~et* be out of one's senses

vetta *verb*, *~ mot* face, face on to

vettig *adj* sensible, reasonable

vettskrämd *adj*, *vara ~* be frightened out of one's senses

vev *subst* crank, handle

veva I *subst*, *i den ~n* el. *i samma ~* just at that moment

II *verb* turn the handle [*på ngt* of sth]

vevaxel *subst* tekn. crankshaft

VG (förk. för *väl godkänd*) skol., se *godkänna 3*

vi *pron* we

via *prep* via, by, by way of

viadukt *subst* viaduct

vibration *subst* vibration

vibrera *verb* vibrate

vice *adj* vice-, deputy

vice versa *adv* vice versa

vicevärd *subst* landlord's agent, deputy landlord

vichyvatten *subst* soda water, soda

vicka I *verb* vara ostadig wobble, be unsteady; gunga rock, sway

II *verb* vard., se *vikariera*

vickning *subst* late light supper

1 vid *adj* wide; vidsträckt extensive, broad

2 vid *prep* **1** rumsbetydelse at; bredvid by; nära near; *sitta ~ ett bord* sit at a table; bredvid sit by a table; *ställ cykeln ~ dörren!* put your bike by the door; *stan ligger ~ en flod* the town stands on a river; *huset ligger ~ en gata* the house is in (amer. on) a street; *~ gränsen* at the frontier; *~ kusten* on the coast; *sida ~ sida* side by side; *slaget ~ Hastings* the battle of Hastings **2** för att uttrycka verksamhetsområde el. förhållande: *vara anställd ~ en firma* be employed at a firm; *han är ~ marinen* he is in the Navy; *vara fäst ~ ngn* be attached to sb; *vara fäst ~ ngt* be attached to sth, be fastened to sth **3** tidsbetydelse at; *~ mitt besök i...* when on a visit to...; *~ hans död* on his death; *~ sin död* när han dog when he died; *~ halka* when it is slippery; *~ god hälsa* in good health; *~ jul* at Christmas; *~ leverans* on delivery; *~ middagen* at dinner; *~ midnatt* at midnight; *~ dåligt väder* in bad weather; *~ arton års ålder* at the age of seventeen

vida *adv* **1** i vida kretsar widely; *~ omkring* far and wide **2** i hög grad, *~ bättre* far better, much better

vidare *adj* o. *adv* **1** ytterligare further; mera more; i rum farther, further; i tid longer; *flyga ~* fly on [*till* to]; *läsa ~* read on, go on reading; *se ~ sid. 5* see also page five; *och så ~* and so on; *tills ~* så länge for the present; tills annat besked ges until further notice; *utan ~* resolut straight off; genast at once **2** *inte (inget) ~ bra* not very good, not too good; *han är ingen ~ lärare* he is not much of a teacher

vidarebefordra *verb* forward, send on

vidarebefordran *subst* forwarding; *för ~ till* to be forwarded to

vidareutbildning *subst* further education, further training

vidbränd *adj*, *gröten är ~* the porridge has got burnt

vidd *subst* **1** omfång width **2** omfattning extent, scope; räckvidd range **3** vidsträckt yta, *~er* wide open spaces

vide *subst* buske osier; träd willow

video *subst* **1** system video; bandspelare video (pl. -s), video cassette recorder (förk. VCR); *spela in på ~* videotape, video **2** inspelat band video

videoband *subst* video tape, camcorder

videobandspelare *subst* video cassette recorder (förk. VCR)

videofilma *verb* videotape, video

videoinspelning *subst* video recording

videokamera *subst* video camera, camcorder

videokassett *subst* video cassette

videospel *subst* video game

videovåld *subst* violence on video; videovåldsfilmer video nasties pl.

videovåldsfilm *subst* video nasty

vidga *verb* göra vidare widen; göra större enlarge, expand metall; *~ sig* bli vidare widen; bli större enlarge; öka, växa expand

vidgning *subst* bli vidare widening; bli större enlargement, expansion

vidhålla *verb* keep to, adhere to, stick to

vidkommande *subst*, *för mitt ~ tänker jag...* for my part I intend to...

vidkännas *verb* **1** bära, lida *få ~ kostnaderna* have to bear the costs; *få ~ förlusterna* have to suffer losses **2** erkänna acknowledge

vidlyftig *adj* **1** utförlig detailed; mångordig wordy

vidmakthålla *verb* maintain, keep up

vidmakthållande *subst* maintenance, keeping up

vidrig *adj* disgusting, repulsive

vidröra *verb* touch; omnämna touch on

vidskepelse *subst* superstition

vidskeplig *adj* superstitious

vidskeplighet *subst* superstition

vidsträckt *adj* extensive, wide, vast

vidsynt *adj* **1** tolerant broad-minded **2** framsynt far-sighted

vidta *verb* åtgärder take; ~ *förändringar* make changes

vidunder *subst* monster

vidunderlig *adj* monstrous

vidvinkelobjektiv *subst* wide-angle lens

vidöppen *adj* wide open [*för* to]

Vietnam Vietnam

vietnames *subst* Vietnamese (pl. lika)

vietnamesisk *adj* Vietnamese

vift *subst*, *vara ute på* ~ på nöjen be out on the spree

vifta *verb* wave; ~ *på svansen* om hund wag its tail; ~ *bort* t.ex. flugor whisk away

viftning *subst* wave, wave of the hand; *med en* ~ *på svansen* with a wag of its tail

vig *adj* smidig lithe; rörlig agile, nimble

viga *verb* marry

vigsel *subst* marriage; själva ceremonin wedding

vigselakt *subst* marriage ceremony

vigselattest *subst* o. **vigselbevis** *subst* marriage certificate

vigselring *subst* wedding ring

vigör *subst* vigour; *vid full* ~ in full vigour

vik *subst* bay; större el. havsvik gulf; mindre creek

vika I *subst*, *ge* ~ a) give way [*för* to], give in [*för* to], yield [*för* to] b) falla ihop collapse **II** *verb* **1** fold **2** reservera, ~ *en kväll* för fester etc. set aside an evening; ~ *en plats* reserve a seat **3** ~ *om hörnet* turn the corner **4** ~ *sig* böja sig bend; ~ *sig dubbel* av skratt, smärta double up with; ge vika yield [*för* to], give way [*för* to], give in [*för* to]; *benen vek sig under henne* her legs gave way under her **III** *verb* med betonad partikel

vika av turn off [*från vägen* from the road]

vika ihop fold up

vika in på turn into, turn down

vika undan give way [*för* to]

vikariat *subst* post as a substitute, temporary post

vikarie *subst* för t.ex. lärare substitute, ställföreträdare deputy, ersättare stand-in

vikariera *verb*, ~ *för ngn* stand in for sb, substitute for, deputize for

vikarierande *adj* deputy; om t.ex. rektor acting

vikbar *adj* foldable

viking

Vikingarna härskade över stora delar av England och Irland under 700-, 800- och 900-talen. Deras huvudstad var Jorvik, nuvarande *York*. Där finns finns nu ett populärt och välbesökt vikingamuseum, *Jorvik Viking Centre*. Vikingarna grundlade också Dublin. Många orter i England har nordiska namn, *Derby, Scunthorpe, Wensleydale*. Engelskan innehåller också många skandinaviska ord från den här tiden, t.ex. *knife, law, window*.

viking *subst* Viking

vikingatiden *subst* the Viking Age

vikingatåg *subst* Viking raid

vikt *subst* **1** weight; *sälja efter* ~ sell by weight; *gå ned i* ~ lose weight; *gå upp i* ~ put on weight; *hålla* ~*en* keep one's weight down **2** betydelse importance; *fästa stor* ~ *vid ngt* attach great importance to sth

viktig *adj* **1** important [*för* to]; väsentlig essential [*för* to]; *det* ~*aste är att…* the most important thing is to… **2** högfärdig self-important; mallig stuck-up; *göra sig* ~ give oneself airs

viktigpetter *subst* vard. pompous ass, conceited ass

viktväktare *subst* weightwatcher

vila I *subst* rest, repose; *en stunds* ~ a little rest; *i* ~ at rest **II** *verb* rest [*mot* against; *på* on]; *saken får* ~ *tills vidare* the matter must rest there for the moment; *här* ~*r…* here lies…; ~ *ut* have a good rest; ~ *sig* rest, take a rest

vild *adj* wild; ~*a djur* wild animals; ~ *strejk* wildcat strike; *Vilda Västern* the Wild West; *bli* ~ ursinnig become furious

vilddjur *subst* wild beast; om människor vanligen beast

vilde *subst* savage

vildhet *subst* wildness, savagery

vildmark *subst* wilderness

vildsint *adj* fierce, ferocious

vildsvin *subst* wild boar

vilja I *subst* will; önskan wish, stark. desire; avsikt intention; *min sista* ~ testamente my last will and testament; *få sin* ~ *fram* get one's own way; *av egen fri* ~ of one's own free will; *med bästa* ~ *i världen går det inte* with the best will in the world it is not possible

II *huvudverb* o. *hjälpverb* önska want, wish, desire; tycka om like; mena, ämna mean; vara villig be willing; ~ *ha* want; *vill du ha lite mera te?* — *ja, det vill jag* would you like some more tea? — yes, I would; *jag skulle* ~ *ha...* I want..., I should like..., I should like to have...; *jag vill hellre ha te än kaffe* I would rather have tea than coffee; *vad vill du ha att dricka?* what will you have to drink?; *vill du vara snäll och göra det* will (would) you please do it?, would you mind doing it?; *jag vill att du ska göra det* I want you to do it; *vad vill du att han ska göra?* what do you want him to do?; *gör som du vill* do as you please, do as you wish; *vet du vad jag skulle* ~*?* do you know what I would like to do?; *det vill jag hoppas* I do hope so; *jag vill minnas att...* I seem to remember that...; *arbetet vill aldrig ta slut* the work seems never to end

vilje *subst, göra ngn till* ~*s* do as sb wants (wishes)

viljestark *adj* strong-willed

viljestyrka *subst* willpower

viljesvag *adj* weak-willed

vilken *pron* (*vilket, vilka*) **1** relativt: om person who (objektsform whom); om djur el. sak which; om person, djur el. sak that; ~ *som helst* anyone; ~ *som helst som* whoever, whichever; *i vilket fall som helst* in any case **2** frågande: obegränsat, vad för slags, vad för några what; självst. om person who (objektsform who el. whom); urval, om personer el. andra subst. which, which one (pl. ones); *vilkens* el. *vilkas* whose; *vilka böcker har du läst?* what (av ett begränsat antal which) books have you read?; ~ *är* vad heter *Sveriges största stad?* what is the largest town in Sweden?; *vilka är de där pojkarna?* who are those boys?; *jag vet inte* ~ *av dem som kom först* I don't know which of them came first **3** andra ex.: *res* ~ *dag du vill* go any day you like; *vilka åtgärder han än må vidta* whatever steps he may take **4** i utrop: ~ *dag!* what a day!; *vilket väder!* what weather!; *vilka höga berg!* what high mountains!

vilkendera *pron* which, whichever

1 villa *subst* villfarelse illusion, delusion

2 villa *subst* house; finare, på kontinenten el. i Storbritannien villa; enplansvilla ofta bungalow

villasamhälle *subst* o. **villastad** *subst* residential district

villaägare *subst* houseowner

villebråd *subst* game; förföljt villebråd quarry

villervalla *subst* confusion, chaos

villfarelse *subst* error, delusion

villig *adj* willing, beredd ready; *vara* ~ *att* inf. be willing to inf.

villighet *subst* willingness, readiness

villkor *subst* condition; köpevillkor etc. terms pl.; *ställa som* ~ *att...* make it a condition that...; *på det* ~*et att...* on condition that...; *på inga* ~ on no condition

villkorlig *adj* conditional; *de fick* ~ *dom* they were given a conditional (suspended) sentence

villkorsbisats *subst* conditional clause

villkorslös *adj* unconditional

villospår *subst, vara på* ~ be on the wrong track

villoväg *subst, leda ngn på* ~*ar* lead sb astray; *komma på* ~*ar* go astray

villrådig *adj, vara* ~ *om vad man ska göra* be at a loss what to do

vilodag *subst* day of rest

vilohem *subst* rest home

vilopaus *subst* o. **vilostund** *subst* break, rest

vilse *adv, gå* ~ lose one's way, get lost

vilseleda *verb,* ~ *ngn* mislead sb, lead sb astray

vilseledande *adj* misleading

vilsen *adj* lost

vilstol *subst* utomhus deck chair; av sängtyp lounger, lounge chair

vilt I *adv* **1** wildly, furiously; *växa* ~ grow wild **2** ~ *främmande* quite strange **II** *subst* game

vilthandel *subst* butik poulterer's, poultry shop

viltreservat *subst* game reserve

vimla *verb* swarm [av with]; *det* ~*r av folk på gatorna* the streets are swarming (teeming) with people

vimmel *subst* folkvimmel throng, crowd

vimmelkantig *adj* yr giddy, dizzy; förvirrad confused

vimpel *subst* **1** sport. el. sjö., spetsig pennant **2** lång, smal streamer

vimsig *adj* scatterbrained

vin
I USA, t.ex. i Napa Valley i Kalifornien, och i Australien, t.ex. längs Murray River, har man stora vinodlingar. Även i England, t.ex. i Kent, odlas vin, men i liten skala.

vin *subst* **1** dryck wine **2** växt vine
vina *verb* whine; om pil etc. whistle
vinbär *subst*, *röda* ~ redcurrants; *svarta* ~ blackcurrants
1 vind *subst* wind; lätt vind breeze; *driva* ~ *för våg* drift aimlessly; *låta ngt gå* ~ *för våg* leave sth to take care of itself; *få* ~ *i seglen* catch the wind, begin (start) to do well; *ha* ~ *i seglen* sjö. sail with a fair wind; ha framgång be on the road to success; *borta med* ~*en* gone with the wind
2 vind *subst* i hus, vindsrum attic
vindkraftverk *subst* wind turbine
vindruta *subst* på bil windscreen, amer. windshield
vindrutespolare *subst* windscreen washer, amer. windshield washer
vindrutetorkare *subst* windscreen wiper, amer. windshield wiper
vindruva *subst* grape
vindruvsklase *subst* bunch of grapes
vindskammare *subst* attic, garret
vindskontor *subst* lumber room
vindspel *subst* windlass, winch; stående capstan
vindstilla *adj* calm
vindsurfa *verb* windsurf
vindsurfingbräda *subst* sailboard
vindsvåning *subst* attic, attic storey
vindtygsjacka *subst* windproof jacket, windcheater
vindtät *adj* windproof
vindögd *adj* squint-eyed, cross-eyed
vinfat *subst* wine barrel, wine cask
vinflaska *subst* wine bottle; med vin bottle of wine
vinge *subst* wing
vingla *verb* gå ostadigt stagger; stå ostadigt sway; om möbler wobble
vinglig *adj* staggering; om möbler wobbly, rickety
vingmutter *subst* wing nut
vingspets *subst* flyg. wing tip
vingård *subst* vineyard
vink *subst* med handen wave; tecken sign,

motion; antydan hint; *förstå* ~*en* take the hint
vinka *verb* ge tecken beckon [åt to]; vifta wave [åt to]; ~ *av ngn* wave sb off; *han* ~*de henne till sig* he beckoned to her to come over to him
vinkel *subst* angle; hörn corner; vrå nook
vinkelformig *adj* angular
vinkelhake *subst* geom. set square, amer. triangle
vinkeljärn *subst* angle iron, angle bar
vinkellinjal *subst* T-square
vinkelrät *adj* perpendicular; ~ *mot* perpendicular to, at right angles to
vinkla *verb*, ~ *nyheterna* slant the news
vinkällare *subst* wine cellar
vinlista *subst* wine list, wine card
vinna *verb* **1** i strid, tävlan, spel win **2** t.ex. tid, terräng gain [genom, med, på by]; ~ *på* ta in på *ngn* gain on sb **3** ha vinst profit [på by]; ha nytta benefit [på from]; *du vinner ingenting med att hota* threats won't get you anywhere; ~ *på en affär* benefit from (by) a deal, profit from (by) a deal; tjäna pengar make money on a deal
vinnande *adj* winning; intagande attractive
vinnare *subst* winner
vinningslysten *adj* greedy, grasping
vinodlare *subst* vine-grower
vinranka *subst* grapevine
vinrättigheter *subst pl*, *ha* ~ be licensed to serve wine; *ha vin- och spriträttigheter* be fully licensed
vinsch *subst* winch
vinscha *verb*, ~ el. ~ *upp* hoist, winch
vinst *subst* **1** gain; förtjänst profit, profits pl.; avkastning yield, returns pl.; utdelning dividend; *det blir en ren* ~ *på 1 000 kronor* there will be a net profit of 1000 kronor; *ge* ~ yield a profit; *sälja ngt med* ~ sell sth at a profit; *jag gick dit på* ~ *och förlust* I went there on the off chance **2** i lotteri lottery prize; *högsta* ~*en* the first prize
vinstandel *subst* share of the profits; utdelning dividend
vinstgivande *adj* profitable, remunerative, paying
vinstlista *subst* lottery prize list
vinstlott *subst* winning ticket
vinstnummer *subst* winning number
vinstock *subst* grapevine
vinter *subst* winter; *i vintras* last winter; se *höst* for vidare ex.
vinterdag *subst* winter day, winter's day

vinterdvala *subst* hibernation; *ligga i ~* hibernate

vinterdäck *subst* snow tyre, winter tyre

vintergata *subst,* *Vintergatan* the Milky Way

vinterkörning *subst* med bil winter driving

vinter-OS *subst* the winter Olympics pl.

vintersolstånd *subst* winter solstice

vintersport *subst* winter sports pl.

vintertid *subst* winter, wintertime

vinthund *subst* greyhound

vinyl *subst* vinyl äv. grammofonskiva i motsats till cd-skiva el. kassett

vinäger *subst* o. **vinättika** *subst* wine-vinegar

viol *subst* violet

violett *subst* o. *adj* violet; se *blått* för ex.

violin *subst* musik. violin

violinist *subst* musik. violinist

violoncell *subst* musik. cello (pl. -s)

violoncellist *subst* musik. violoncellist, cellist

vipp *subst,* *vara på ~en att göra ngt* be on the point of doing sth, be within an ace of doing sth

vippa *verb* swing up and down; guppa bob up and down; gunga seesaw; *~ på stjärten* wag one's tail; *~ på stolen* tilt one's (the) chair

vipport *subst* garagedörr overhead door

vira *verb* wind; för prydnad wreathe

viril *adj* manlig virile; kraftfull, energisk manly

virka *verb* crochet

virke *subst* wood, timber

virkning *subst* crocheting, crochet work

virknål *subst* crochet hook, crochet needle

virrig *adj* muddled, confused

virrvarr *subst* förvirring confusion; villervalla muddle; röra jumble; oreda mess, tangle

virtuell *adj,* *~ verklighet* data. etc. virtual reality

virtuos *subst* virtuoso (pl. -s el. virtuosi)

virtuositet *subst* virtuosity

virus *subst* med. virus

virvel *subst* whirl, swirl; vattenvirvel eddy; hårvirvel crown

virvelvind *subst* whirlwind

virvla *verb* whirl, swirl

1 vis *subst* way, manner, fashion; *på det ~et* in that way

2 vis *adj* wise

1 visa *subst* song; folkvisa ballad

2 visa I *verb* **1** show [*för* to]; peka point [*på* at, to], ådagalägga exhibit, display; *kyrkklockan ~r rätt tid* the church clock tells the right time; *~ ngn aktning* pay respect to sb; *~ ngn på dörren* show

sb the door **2** *~ sig* show oneself; framträda appear; bli tydlig become apparent; synas be seen; *det kommer att ~ sig om...* it will be seen whether...; *detta ~de sig vara ogenomförbart* this proved impracticable

II *verb* med betonad partikel

visa fram förete show, exhibit, display

visa upp fram, t.ex. pass, ta fram produce

visa ut ngn order sb out, send sb out

visare *subst* på ur hand; på instrument pointer, indicator, needle

visavi *prep* mittemot opposite; beträffande regarding

visdom *subst* wisdom; lärdom learning

visdomstand *subst* wisdom tooth

visent *subst* djur European bison

vishet *subst* wisdom

vision *subst* vision [*av, om* of]

visionär I *adj* visionary

II *subst* visionary, dreamer

visit *subst* call, visit; *avlägga ~ hos ngn* pay sb a visit, call on sb

visitera *verb* examine; kroppsvisitera search; inspektera inspect

visitkort *subst* visiting-card, card; amer. calling card

viska *verb* whisper

viskning *subst* whisper

visning *subst* showing; demonstration demonstration; förevisning exhibition, display, show; *det är två ~ar om dagen på slottet* visitors are shown over the palace (castle) twice a day

visp *subst* whisk

vispa *verb* whip, whisk; ägg etc. beat

vispgrädde *subst* whipped cream, till vispning whipping cream

viss *adj* **1** certain [*om, på* of]; sure [*om, på* of, about] **2** särskild certain, bestämd summa fixed; *en ~ herr S.* a certain Mr S.; *i ~ mån* to a certain extent, to some extent; *i ~a avseenden* in some respects, in some ways

visselpipa *subst* whistle

vissen *adj* faded; förtorkad withered; *känna sig ~* feel off colour, feel rotten

visserligen *adv* helt visst certainly; förvisso to be sure; *han är ~ duktig, men...* it is true that he is clever, but...

visshet *subst* certainty; *få ~ om ngt* find out sth for certain

vissla I *subst* whistle

II *verb* whistle; *~ ut ngn* hiss sb; artist hiss sb off the stage

vissling _subst_ whistle

vissna _verb_ fade, wither

visst _adv_ certainly, to be sure; utan tvivel no doubt; ja ~_!_ certainly!, of course!; ~ _inte!_ certainly not!; _du tror ~ att..._ you seem to think that...

vistas _verb_ stay; bo reside, live

vistelse _subst_ stay

vistelseort _subst_ place of residence, permanent residence; jur., hemort domicile

visuell _adj_ visual

visum _subst_ visa

vit (se äv. _blå-_ för sammansättningar) **I** _adj_ white; _den ~a duken_ the screen

II _subst_, _en ~_ a white, a white man, a white woman; _de ~a_ the whites

vita _subst_ äggvita, ögonvita white

vital _adj_ vital; livskraftig vigorous

vitalitet _subst_ vitality; livskraft vigour

vitamin _subst_ vitamin; _C-vitamin_ vitamin C

vitaminbrist _subst_ vitamin deficiency

vitaminisera _verb_ vitaminize

vite _subst_ fine, penalty; _vid ~ av_ under penalty of a fine of

vitglödande _adj_ white-hot

vithårig _adj_ white-haired

vitkål _subst_ cabbage, white cabbage

vitlimma _verb_ whitewash

vitling _subst_ fisk whiting

vitlök _subst_ garlic

vitlöksklyfta _subst_ clove of garlic

vitlökspress _subst_ garlic press

vitna _verb_ whiten, turn white, grow white

vitpeppar _subst_ white pepper

vitrysk _adj_ Belarusian

vitryska _subst_ **1** kvinna Belarusian woman **2** språk Belarusian

vitryss _subst_ Belarusian

Vitryssland Belarus

vits _subst_ **1** ordlek pun; kvickhet joke, jest **2** _det är ingen ~ med att göra det_ there is no point in doing it

vitsa _verb_ joke, crack jokes

vitsig _adj_ kvick witty

vitsippa _subst_ wood anemone

vitsord _subst_ skriftligt betyg testimonial; skol. mark, amer. grade

vitsorda _verb_ intyga testify to, certify; ~ _att ngn är..._ certify that sb is...

1 vitt _subst_ white; se _blått_ o. _svart_ för ex.

2 vitt _adv_ widely; ~ _och brett_ far and wide; _prata ~ och brett om_ talk at great length about

vittgående _adj_ far-reaching; ~ _reformer_ extensive reforms

vittna _verb_ witness; intyga testify [om to]; ~ _mot ngn_ give evidence against sb; ~ _om_ visa show

vittne _subst_ witness; _vara ~ till ngt_ witness sth, be a witness to sth

vittnesbås _subst_ witness box, amer. stand

vittnesbörd _subst_ testimony, evidence

vittnesmål _subst_ evidence, testimony; _avlägga ~_ give evidence

vittomfattande _adj_ far-reaching, extensive

vittra _verb_ falla sönder crumble, crumble away

vittvätt _subst_ whites pl.

vitvaror _subst pl_ white goods

vitöga _subst_, _se sanningen i ~t_ face the truth

VM _subst_ se _världsmästerskap_

vodka _subst_ vodka

vokabulär _subst_ ordförråd vocabulary, ordlista äv. glossary

vokal _subst_ vowel

vokalist _subst_ vocalist

volang _subst_ flounce; smalare frill

volleyboll _subst_ bollspel volleyball

1 volt _subst_ elektr. volt

2 volt _subst_ vid ridning el. fäktning volt; _slå ~er_ gymn. turn somersaults

volym _subst_ volume

votera _verb_ vote

votering _subst_ voting

vov _interj_, ~ ~_!_ bow-wow! [ˌbaʊˈwaʊ]

vovve _subst_ barnspråk bow-wow [ˈbaʊwaʊ]

vrak _subst_ fartyg el. person wreck

vraka _verb_ reject

vrakgods _subst_ wreckage

vrakpris _subst_ bargain price; _till ~_ at a giveaway price

vrakspillror _subst pl_ wreckage sing.

vred _subst_ handle, runt knob

vrede _subst_ wrath; ursinne fury, rage; _låta sin ~ gå ut över ngn_ vent one's anger on sb

vredesmod _subst_, _i ~_ in a fury, in a rage

vredesutbrott _subst_ fit of rage; _få ett ~_ fly into a rage

vredgad _adj_ angry, furious

vresig _adj_ peevish, cross

vresighet _subst_ peevishness, crossness

vricka _verb_ stuka sprain; rycka ur led dislocate

vrickad _adj_ vard. crazy, cracked

vrickning _subst_ stukning sprain, dislocation

vrida I _verb_ turn; sno twist, wind; ~ _händerna_ wring one's hands; ~ _tvätt_ wring out the washing; ~ _och vränga på ngt_ twist and turn sth; ~ _sig_ turn

II _verb_ med betonad partikel

vrida av twist off

vrida fram klockan put the clock forward
vrida om t.ex. nyckeln turn
vrida på t.ex. kranen turn on
vrida till kranen turn off the tap
vrida upp klockan wind up the clock
vriden *adj* **1** snodd twisted, contorted **2** tokig cracked, crazy
vridmoment *subst* tekn. torque

vrist
Det engelska ordet *wrist* betyder handled.

vrist *subst* **1** fotens böjda översida instep **2** fotled ankle
vrå *subst* corner, nook
vråk *subst* fågel buzzard
vrål *subst* vrålande roaring, bawling; *ett* ~ a roar, a bawl
vråla *verb* roar, bawl, bellow
vrång *adj* cussed, perverse, difficult
vrångbild *subst* distorted picture
vrångstrupe *subst*, *jag fick den i* ~*n* it went down the wrong way
vräka **I** *verb* **1** heave; kasta toss, throw **2** köra ut från en bostad evict, eject **3** *regnet vräker ned* it's pouring down; *snön vräker ned* the snow is coming down heavily **4** *sitta och* ~ *sig* lounge about
II *verb* med betonad partikel
vräka bort kasta throw away
vräka i sig mat guzzle down food
vräka omkull throw ... over; person send ... sprawling
vräka ur sig blurt out
vräka ut pengar spend money like water
vräkig *adj* ostentatious; flott flashy, showy; slösaktig extravagant
vränga *verb* vända ut o. in på turn ... inside out; förvränga distort, twist
vulgaritet *subst* vulgarity
vulgär *adj* vulgar, common
vulkan *subst* volcano (pl. -s)
vurm *subst* passion, craze, mania
vurma *verb*, ~ *för ngt* have a passion for sth, have a craze for sth
vuxen **I** *adj* fullvuxen adult, grown-up; *hon var inte* ~ *uppgiften* she was not equal to the task
II *subst*, *de vuxna* adults
vuxenutbildning *subst* adult education
vy *subst* view
vykort *subst* picture postcard

vyssa *verb* lull; ~ *till sömns* lull to sleep
vådaskott *subst* accidental shot
vådlig *adj* farlig dangerous
våffeljärn *subst* waffle iron
våffla *subst* waffle
1 våg *subst* **1** redskap scale, scales pl.; större weighing-machine; med skålar balance **2** *Vågen* stjärntecken Libra
2 våg *subst* wave
våga *verb* dare, riskera risk; ~*r han gå?* dare he go?, does he dare to go?; ~ *livet* venture one's life, risk one's life; *du skulle bara* ~*!* just you dare!, just you try!; ~ *sig dit* dare to go there; ~ *sig på ngn (ngt)* angripa dare to tackle sb (sth)
vågad *adj* **1** djärv daring, bold **2** riskfylld risky, hazardous **3** oanständig indecent
vågbrytare *subst* breakwater
våghals *subst* daredevil
våghalsig *adj* reckless, rash
vågig *adj* wavy; böljande undulating
våglängd *subst* radio. wavelength
vågrät *adj* horizontal; plan level; ~*a ord* i korsord clues across
vågspel *subst* o. **vågstycke** *subst* bold venture, daring venture; vågsam handling daring act
våld *subst* våldsamhet violence; makt power; tvång force, compulsion; *yttre* ~ violence; *bruka* ~ use force [*mot* against], use violence [*mot* against]; *vara i ngns* ~ be in sb's power, be at sb's mercy; *med* ~ by force
våldföra *verb*, ~ *sig på* a) begå våldtäkt rape b) kränka use violence on
våldsam *adj* violent; vild furious
våldsamhet *subst* violence
våldsdåd *subst* act of violence
våldsfilm *subst* film containing violence
våldta *verb* rape
våldtäkt *subst* rape
våldtäktsförsök *subst* attempted rape
våldtäktsman *subst* rapist
vålla *verb* förorsaka cause, be the cause of; ~ *ngn smärta* cause sb pain; ~ *stora kostnader* involve great expenditure
vålnad *subst* ghost, phantom
vånda *subst* agony; kval torment
våndas *verb* suffer agony [*över* about], be in agony [*över* about]
våning *subst* **1** lägenhet flat, amer. apartment **2** etage storey; våningsplan floor; *på andra* ~*en* en trappa upp on the first floor, amer. on the second floor
våningsbyte *subst* exchange of flats, exchange of apartments

1 vår *pron* our; självst. ours; *de ~a* our people; se *1 min* för vidareex.

2 vår *subst* spring, springtime; *i våras* last spring; se *höst* för vidare ex.

våras *verb, det ~* spring is coming; *det ~ för... ... is coming back again, ... is* flourishing

1 vård *subst* minnesvård memorial, monument

2 vård *subst* care [*om, av* of], uppsikt charge [*om, av* of]; jur. custody [*om, av* of]; *sluten ~* institutional care; på sjukhus hospital treatment; *öppen ~* non-institutional care; *få god ~* be well looked after; *ha ~ om* have charge of, have care of

vårda *verb* take care of; se till look after; bevara preserve; *hon ~s på sjukhus* she is being treated in hospital

vårdad *adj* om person el. yttre well-groomed, neat; om t.ex. språk careful

vårdag *subst* spring day, day in spring

vårdagjämning *subst* vernal equinox, spring equinox

vårdare *subst* keeper; sjukvårdare male nurse

vårdcentral *subst* health centre

vårdhem *subst* nursing home

vårdnad *subst, få ~en av ett barn* be granted custody of a child

vårdnadshavare *subst* målsman guardian

vårdslös *adj* careless [*med* with, about]; försumlig negligent [*med* about], neglectful [*med* of]

vårdslöshet *subst* carelessness; försumlighet negligence, neglect

vårdyrke *subst* caring profession

vårflod *subst* spring flood

vårlik *adj* spring-like

vårrulle *subst* kok. spring roll

vårstädning *subst* spring-cleaning

vårta *subst* wart

vårtbitare *subst* long-horned grasshopper, green grasshopper

vårtecken *subst* sign of spring

vårtermin *subst* spring term, spec. amer. spring semester

---

våning
Lägg märke till skillnaden mellan brittisk och amerikansk engelska.

VÅNING	BRITT.	AMER.
1ˢᵗ *floor*	en trappa	bottenvåning
2ⁿᵈ *floor*	två trappor	en trappa
3ʳᵈ *floor*	tre trappor	två trappor

---

vårtrötthet *subst* spring fatigue, spring fever

våt *adj* wet; fuktig damp, moist; *bli ~ om fötterna* get one's feet wet

våtservett *subst* wet wipe

väcka *verb* **1** göra vaken wake, wake up; på beställning vanligen call; rycka upp rouse; *ljud som kan ~ de döda* noise enough to raise the dead; *~ ngn till liv* call sb back to life; ur svimning revive sb **2** framkalla arouse, uppväcka, t.ex. känslor arouse, awaken; *~ förvåning* cause astonishment; *~ minnen* el. *~ minnen till liv* awaken memories, call up memories **3** framställa, t.ex. fråga raise, bring up

väckarklocka *subst* alarm; *ställa ~n* set the alarm

väckelse *subst* relig. revival

väckelsemöte *subst* revival meeting

väckning *subst, beställa ~* book an alarm call; *får jag be om ~ kl. 7?* will you call me at 7, please?

väder *subst* weather; *det är dåligt ~* the weather is bad; *vad är det för ~ i dag?* what's the weather like today?

väderbiten *adj* weather-beaten

väderkorn *subst, ha gott ~* have a keen scent

väderkvarn *subst* windmill

väderlek *subst* weather

väderleksrapport *subst* weather forecast, weather report

väderleksutsikter *subst pl* rapport weather forecast sing.

väderprognos *subst* weather forecast

väderrapport *subst* weather forecast, weather report

vädersatellit *subst* weather satellite

väderstreck *subst, de fyra ~en* the cardinal points, the points of the compass

vädertjänst *subst* meteorological service, weather forecast service

vädja *verb* appeal

vädjan *subst* appeal

vädra *verb* **1** lufta air **2** få väderkorn på scent; *~ ngt* få nys om get wind of sth

vädring *subst* luftning airing; *hänga ut kläder till ~* hang clothes out to air

vädur *subst* **1** djur ram **2** *Väduren* stjärntecken Aries

väg *subst* road; stig path; t.ex. riktning, utveckling, sträcka way; *en timmes ~ att gå härifrån* one hour's walk from here; *~en till framgång* the way to success, the road to success; *allmän ~* public road; *gå (resa) sin ~* go away, leave; *gå ~en rakt fram* go right on, walk right on, follow the road;

resa (ta) ~en över Paris go via Paris, go by way of Paris; **vart har hon tagit** ~en? where has she gone?; **stå i** ~en för ngn stand in sb's way; **något i den** ~en something like that; **vara på** ~ till... be on one's way to...; **följa ngn en bit på** ~en accompany sb part of the way; **stanna på halva** ~en stop half-way; **jag var just på** ~ **att säga det** I was about to say it; **inte på långa** ~ar not by a long way, vard. not by a long chalk; **hur ska man gå till** ~a? how is one to go about it?; **ur** ~en! get out of the way!; **vid** ~en vägkanten on the roadside, by the roadside

väga verb weigh; ~ **skälen för och emot** weigh the pros and cons, consider the pros and cons; **det står och väger** it's in the balance

vägande adj, **tungt** ~ **skäl** very weighty reasons, very important reasons

vägarbetare subst road worker, road mender

vägarbete subst roadworks pl., road repairs pl.

vägbana subst roadway

vägbeläggning subst road surface

vägegenskaper subst pl bil. road-holding qualities

vägg subst wall; **bo** ~ **i** ~ **med ngn** i rummet intill occupy the room next to sb; i lägenheten intill live next door to sb; **köra huvudet i** ~en bang one's head against a brickwall; **det är som att tala till en** ~ it's like talking to a brick wall; **ställa ngn mot** ~en put sb up against a wall; **det är uppåt** ~arna galet it's all wrong

väggfast adj, **den är** ~ it is fixed to the wall; ~a inventarier fixtures

väggkontakt subst vägguttag point; strömbrytare wall switch

vägglus subst bug

väggmålning subst wall painting, mural

vägguttag subst elektr. power point, socket, amer. outlet

vägkant subst roadside, wayside; vägren verge; **vid** ~en by the roadside

vägkarta subst road map

vägkorsning subst crossroads (pl. lika), crossing

väglag subst state of the road (roads pl.); **det är dåligt** ~ the roads are in a bad state

vägleda verb guide, instruct

vägledning subst guidance, instruction

vägmärke subst road sign, traffic sign

vägnar subst pl, **på hennes** ~ on her behalf; **å styrelsens** ~ on behalf of the board

vägnät subst road network

vägra verb refuse [ngn ngt sb sth]; **han** ~**des att resa** he was refused permission to go

vägran subst refusal

vägren subst **1** vägkant verge **2** mittremsa central reserve

vägskäl subst fork, fork in the road; **vid** ~et at the cross-roads

vägspärr subst roadblock

vägsträcka subst distance

vägtrafikant subst road-user

vägtrafikförordning subst road traffic regulations pl.

vägvett subst road sense

vägvisare subst **1** person guide **2** vägskylt signpost

vägövergång subst över annan led viaduct, amer. overpass

väja verb, ~ el. ~ **undan** make way [för for], give way [för to]; ~ **undan för** slag dodge; ~ **åt höger** move to the right

väktare subst watchman; nattvakt security officer; **lagens** ~ pl. the guardians of the law

väl I subst welfare, well-being

II adv **1** bra well; **hålla sig** ~ **med ngn** keep in with sb; **det vore** ~ **om...** it would be a good thing if... **2** grad, **hon är** ~ **något för ung** she is a bit too young **3** förmodligen probably; **du är** ~ **inte trött?** you are not tired, are you?; **han får** ~ **vänta** he will have to wait; **han är** ~ **framme nu** he must be there by now; **det är** ~ **inte möjligt!** surely it is not possible!; **det hade** ~ **varit bättre att...?** wouldn't it have been better to...?; **det vet jag** ~! I know that! **4** andra betydelser, **jag önskar det** ~ **bara vore över** I only wish it were (was) over; **när han** ~ **en gång somnat...** once he had fallen asleep...; **jag mötte inte henne men** ~ **hennes bror** I didn't meet her, but her brother; **gott och** ~ **en timme** well over one hour

välartad adj well-behaved

välbefinnande subst well-being; god hälsa health

välbehag subst pleasure, delight; tillfredsställelse feeling of satisfaction

välbehållen adj safe and sound; om sak in good condition

välbehövlig adj badly-needed

välbekant adj well known

välbelägen adj well-situated, nicely-situated

välbeställd adj well-to-do, wealthy

välbesökt adj well-attended

välbetänkt *adj* well-advised; *mindre* ~ ill-advised

välbärgad *adj* well-to-do

välde *subst* **1** rike empire; *det romerska* ~*t* the Roman Empire **2** makt domination

väldig *adj* enorm enormous, vard., t.ex. bekymmer awful; t.ex. succé terrific; vidsträckt vast

väldigt *adv* mycket very

välfärd *subst* welfare

välfärdssamhälle *subst* o. **välfärdsstat** *subst* welfare state

välförsedd *adj* well-stocked, well-supplied

välförtjänt *adj* om t.ex. vila well-earned; om belöning well-merited; om t.ex. popularitet well-deserved

välgjord *adj* well-made

välgrundad *adj* well-founded

välgång *subst* prosperity, success

välgångsönskningar *subst pl* good wishes; *bästa* ~*!* best wishes!

välgörande *adj* om sak beneficial

välgörare *subst* benefactor

välgörenhet *subst* charity

välgörenhetsinrättning *subst* charitable institution

välja I *verb* **1** choose [*bland* from among, out of; *mellan, på* between; *till* as, for]; noga select; plocka ut pick out [*bland* from]; yrke adopt, take up; *det är bara att* ~ *och vraka* you can just pick and choose **2** genom röstning utse elect; ~ *ngn till ordförande* elect sb chairman, elect sb as chairman
II *verb* med betonad partikel
välja bort: ~ *bort ett ämne* skolämne drop a subject
välja om re-elect
välja ut select, pick out

väljare *subst* voter

väljarkår *subst* electorate

välklädd *adj* well-dressed

välkommen *adj* welcome [*till, i* to]

välkomna *verb* welcome

välkomsthälsning *subst* welcome

välkänd *adj* well known

välla *verb*, ~ *fram* well forth; strömma stream forth, pour forth

vällevnad *subst* luxurious living, high living

välling *subst* på mjöl gruel

välluktande *adj* sweet-smelling, fragrant

vällust *subst* sensual pleasure

vällustig *adj* sensual, voluptuous

välmenande *adj* well-meaning

välmening *subst* good intentions pl.; *i all* ~ el. *i bästa* ~ with the best of intentions

välment *adj* well-meant, well-intentioned

välmående *adj* **1** vid god hälsa healthy; blomstrande flourishing **2** välbärgad prosperous

välrakad *adj* close-shaven

välsedd *adj* popular; om gäst welcome

välsigna *verb* bless

välsignad *adj* blessed

välsignelse *subst* blessing; uttalad benediction

välsituerad *adj* well-to-do

välskapad *adj*, *ett välskapt barn* a fine healthy child

välskött *adj* **1** well-managed; om t.ex. hushåll well-run **2** om t.ex. händer well-kept; om t.ex. tänder well-cared-for; om t.ex. yttre well-groomed

välsmakande *adj* läcker tasty, delicious

välsorterad *adj* well-assorted, well-stocked

välstekt *adj* well-done, well-cooked

välstånd *subst* prosperity; rikedom wealth

vält *subst* roller

välta *verb* overturn, tip over; *båten välte* the boat capsized

vältalare *subst* orator, good speaker

vältalig *adj* eloquent

vältalighet *subst* eloquence

vältra *verb* roll; ~ *skulden på ngn* lay the blame on sb; ~ *sig i gräset* roll over in the grass; ~ *sig i lyx* be rolling in luxury; ~ *sig i smutsen* wallow in the dirt

vältränad *adj* ... in good shape, fit

väluppfostrad *adj* well brought-up

välutbildad *adj* well-educated

välvd *adj* arched, vaulted

välvilja *subst* benevolence, goodwill; *hysa* ~ *mot ngn* be well disposed towards sb

välvillig *adj* benevolent, kind, kindly; *ställa sig* ~ *till ett förslag* be favourably disposed to a proposal

välvårdad *adj* well-kept; om t.ex. yttre well-groomed

välväxt *adj* well-built; om kvinna ofta shapely

vämjas *verb*, ~ *vid ngt* be disgusted by sth

vämjelig *adj* disgusting, nauseating

vämjelse *subst* disgust, loathing

vän *subst* friend; *gamle* ~*!* old chap!, old fellow!; *en god* nära ~ a great friend [*till* of], a close friend [*till* of]; *en god* ~ *till min bror* a friend of my brother's; *en* ~ *till mig* a friend of mine; *bli* ~ el. *bli god* ~ *med...* make friends with...; *bli* ~*ner* el. *bli goda* ~*ner* become friends

vända I *verb* **1** turn; vända om, vända tillbaka

turn back; återvända return; *vänd!* el. *var god vänd* (förk. *v.g.v.*) please turn over (förk. PTO); ~ *bilen* turn the car round, reverse the car; ~ *om hörnet* round the corner, turn the corner; ~ *på bladet* (*sidan*) turn the page, turn over the page; ~ *på sig* turn round; ~ *på steken* se på t.ex. ett problem på ett nytt sätt look at it the other way round **2** ~ *sig* turn, kring en axel turn, revolve; om vind shift, veer; *lyckan vände sig* his (her etc) luck changed; ~ *sig i sängen* turn over in the bed, turn in one's bed; ~ *sig till ngn* a) vända sig om mot ngn turn to sb, turn towards sb b) rikta sig till ngn address sb c) för att få ngt apply to sb; *inte veta vart man ska* ~ *sig* not know where to turn; till vem not know to whom to turn **II** *verb* med betonad partikel

vända om tillbaka turn back; återvända return

vända sig om turn, turn round

vända upp och ned på ngt turn sth upside-down

vända ut och in på ngt vränga turn sth inside out

vändbar *adj* reversible

vändkors *subst* turnstile

vändkrets *subst* tropic; *Kräftans* ~ the tropic of Cancer; *Stenbockens* ~ the tropic of Capricorn

vändning *subst* **1** turn; förändring change; *en* ~ *till det bättre* a change (turn) for the better; *det tog en ny* ~ it took a new turn; *vara kvick (rask, snabb) i* ~*arna* be a fast worker, be alert; *vara långsam i* ~*arna* be a slow worker; vara trög be slow on the uptake **2** uttryckssätt: fras phrase; uttryck expression

vändplan *subst* trafik. turning area

vändpunkt *subst* turning-point

vändzon *subst* trafik. turning area

väninna *subst* girlfriend, woman friend

vänja *verb* accustom [*vid* to]; ~ *sig* accustom oneself [*vid* to]; bli van grow (get) accustomed [*vid* to], get used [*vid* to]; ~ *sig vid att göra det* get into the habit of doing it; *man vänjer sig snart* you soon get used to it; ~ *sig av med att göra det* break oneself of the habit of doing it

vänkrets *subst* circle of friends

vänlig *adj* kind [*mot* to]; vänskaplig friendly [*mot* to, towards]

vänlighet *subst* kindness [*mot* towards, to], friendliness [*mot* towards, to]; *visa ngn en* ~ do sb a kindness

vänort *subst* twin town

vänskap *subst* friendship; *fatta* ~ *för ngn* become attached to sb; *för gammal* ~*s skull* for old friendship's sake, for old times' sake

vänskaplig *adj* friendly, om förhållande, sätt amicable; *stå på* ~ *fot med ngn* be on friendly terms with sb

vänskapsband *subst* bond of friendship, tie of friendship

vänskapsmatch *subst* friendly, friendly match

vänster I *adj* o. *adv* left; ~ *sida* left side, left-hand side; se *höger I* för vidare ex. **II** *subst* **1** polit., ~*n* the Left **2** sport., *en rak* ~ a straight left

vänsteranhängare *subst* leftist, leftwinger

vänsterback *subst* left back

vänsterhänt *adj* left-handed

vänsterorienterad *adj*, *vara* ~ be left-wing

vänsterparti *subst* left-wing party

vänsterprassel *subst* vard., *ett* ~ an affair on the side

vänsterprassla *verb* have an affair on the side

vänstertrafik *subst* left-hand traffic

vänstervriden *adj* polit., *vara* ~ be left-wing; *en* ~ a left-winger

vänstervridning *subst* polit. left-wing views pl.

vänta I *verb* wait [*på* for]; invänta await; ~ *sig* förvänta sig expect [*av* of, from]; *var god och* ~ i telefon hold the line, please; *inte veta vad som* ~*r en* not know what may be in store for one; *jag* ~*r dem i morgon* I am expecting them tomorrow; *få* ~ have to wait; *det hade jag inte* ~*t mig av honom* I didn't expect that from (of) him; *det är att* ~ it is to be expected; ~ *med att göra ngt* put off sth, postpone sth, put off (postpone) doing sth; ~ *på att han ska göra det* wait for him to do it; *låta ngn* ~ *på sig* keep sb waiting; *svaret lät inte* ~ *på sig* the answer was not long in coming **II** *verb* med betonad partikel

vänta in: *tåget* ~*s in kl. 10* the train is due in at ten o'clock

vänta ut ngn tills ngn kommer wait for sb to come

väntan *subst* waiting; förväntan expectation; *i* ~*n på* waiting for

väntelista *subst* waiting list

väntetid *subst* wait, waiting time

väntrum *subst* o. **väntsal** *subst* waiting room

väpnad *adj* armed

1 värd *subst* host; hyresvärd landlord
2 värd *adj* worth; värdig worthy of; *pjäsen är ~ att ses* the play is worth seeing; *det är inte mödan värt* it is not worth while; *det är inte värt att gå dit* a) it's no use going there b) det är inte tillrådligt you'd better not go there
värde *subst* value; spec. inre värde worth; *sätta stort ~ på ngt* attach great value to sth, attach great importance to sth; *falla (minska, sjunka) i ~* fall in value; ekon. depreciate; *stiga (gå upp) i ~* rise in value; ekon. rise in value, appreciate
värdebeständig *adj* stable in value
värdebrev *subst* rekommenderat registered letter; assurerat insured letter
värdefull *adj* valuable
värdeförsändelse *subst* om paket: assurerat insured parcel; rekommenderat registered parcel; om brev se *värdebrev*
värdehandling *subst* valuable document
värdelös *adj* worthless, valueless
värdeminskning *subst* depreciation, decrease in value
värdepapper *subst* security; obligation bond; aktie share, amer. stock
värdera *verb* **1** fastställa värdet på value, estimate, estimate the value of **2** uppskatta value; sätta värde på appreciate
värdering *subst* valuation, estimation
värderingsman *subst* official valuer
värdesak *subst* article of value, object of value; *~er* valuables
värdestegring *subst* increase in value, rise in value
värdesätta *verb* se *värdera*
värdfolk *subst* vid bjudning host and hostess
värdig *adj* **1** worthy; förtjänt av worthy of; passande fitting **2** om egenskap dignified
värdighet *subst* **1** egenskap dignity [i of]; *han ansåg det vara under sin ~ att göra det* he considered it beneath him to do so, he considered it beneath his dignity to do so **2** ämbete etc. office, position; rang rank
värdigt *adv* with dignity
värdinna *subst* hostess; hyresvärdinna, pensionatsvärdinna landlady
värdland *subst* host country
värdshus *subst* gästgivargård inn; restaurang restaurant
värdshusvärd *subst* innkeeper, landlord
värja I *verb* försvara defend; *~ sig* defend oneself [*mot* against]
II *subst* rapier

värk *subst* ache, pain; *~ar* födslovärkar labour pains; *reumatisk ~* rheumatic pains pl.
värka *verb* ache; *fingret värker* my finger aches
värktablett *subst* painkiller
värld *subst* world; jord earth; *jag vill inte såra henne för allt i ~en* I don't want to hurt her for anything in the world; *vad i all ~en har hänt?* what on earth has happened?; *vem i all ~en...?* who on earth...?; *i hela ~en* all over the world, over the whole world; *komma sig upp i ~en* come up in the world; *komma till ~en* come into the world; *vi måste få saken ur ~en* let's have done with it
världsalltet *subst* the universe
världsatlas *subst* atlas of the world
världsbekant *adj*, *hon är ~* she is known all over the world
världsberömd *adj* world-famous
världsbild *subst* conception of the world
världsdel *subst* part of the world, continent
världsfrånvarande *adj*, *han är ~* he is living in a world of his own
världshandel *subst* world trade, world commerce
världshav *subst* ocean
världskarta *subst* map of the world
världsklass *subst*, *en fotbollsspelare i ~* a world-class footballer
världskrig *subst* world war; *första ~et* World War I (uttalas one); *andra ~et* World War II (uttalas two)
världskris *subst* world crisis
världslig *adj* motsats: andlig worldly
världslighet *subst* worldliness
världsmakt *subst* world power
världsmedborgare *subst* citizen of the world
världsmästare *subst* o. **världsmästarinna** *subst* world champion
världsmästerskap *subst* world championship
världsomfattande *adj* world-wide, global
världsomsegling *subst* seglats sailing trip round the world
världsrekord *subst* world record; *slå ~* beat the world record
världsrykte *subst* world fame, world reputation
världsrymden *subst* outer space
världsvan *adj* urbane
världsåskådning *subst* outlook on life, view of life
värma *verb* warm, heat; *~ sig* warm oneself, get warm
värme *subst* **1** warmth; fys. el. hög heat; *vid 30*

graders ~ at 30 degrees above zero
2 uppvärmning heating
värmealstrande *adj* heat-producing
värmebehandling *subst* med. heat treatment,
  thermotherapy
värmebeständig *adj* heatproof,
  heat-resistant
värmebölja *subst* heatwave
värmeflaska *subst* hot-water bottle
värmelampa *subst* infrared lamp
värmeledande *adj* heat-conducting
värmeledning *subst* anläggning heating, central
  heating
värmeledningselement *subst* radiator
värmepanna *subst* boiler
värmeplatta *subst* hotplate
värmepump *subst* heat pump
värmeskåp *subst* warming cupboard
värn *subst* försvar defence [*mot* against];
  beskydd protection [*mot* against]
värna *verb*, ~ el. ~ *om* defend [*mot* against],
  protect [*mot* against]
värnlös *adj* defenceless

värnplikt
Varken Storbritannien eller USA
har allmän värnplikt. De har i stället yrkesarméer. I händelse av krig
kan man kalla in personer som
genomgått militärutbildning. I
Storbritannien kallas detta *conscription*, i USA *drafting*.

värnplikt *subst*, *allmän* ~ compulsory
  military service; *göra* ~*en* do one's
  military service
värnpliktig *adj*, *han är* ~ he is liable for
  military service; *en* ~ a conscript, amer.
  draftee
värpa *verb* lay
värphöna *subst* laying hen, layer
värpning *subst* laying
värre *adj* o. *adv* worse; *dess* ~ tyvärr
  unfortunately; *det blir bara* ~ it's getting
  worse and worse; *det gör bara saken* ~ it
  only makes matters worse; *det var* ~ *det*
  det var tråkigt that's too bad, what a nuisance
värst I *adj* worst; *i* ~*a fall* if the worst comes
  to the worst; *det är det* ~*a jag vet* it's a
  thing I can't stand; *det* ~*a var att...* the
  worst of it was that...
  II *adv* worst, the worst; *han blev* ~
  skadad he got injured worst, he got

injured the worst; *filmen var inte så* ~
  bra the film was not all that good, the film
  was not very good
värsting *subst* vard. bad boy; ungdomsbrottsling
  hardened young offender
värva *verb* rekrytera recruit, enlist; t.ex.
  fotbollsspelare sign; ~ *ngn för en sak* enlist
  sb in a cause; ~ *röster* solicit votes
värvning *subst* recruiting, recruitment,
  enlistment; *ta* ~ enlist [*vid* in], join the
  army
väsa *verb* hiss; ~ *fram* hiss, hiss out
väsen *subst* **1** någots innersta natur essence;
  beskaffenhet nature; läggning character,
  disposition personlighet **2** varelse being
  3 oväsen noise, row; *mycket* ~ *för*
  ingenting a lot of fuss about nothing,
  much ado about nothing
väsentlig *adj* essential [*för* to]; betydande
  considerable; *i allt* ~*t* in all essentials
väska *subst* bag, case; handväska handbag, spec.
  amer. purse
väskryckare *subst* bag-snatcher
väsnas *verb* make a noise, make a fuss
vässa *verb* sharpen; bryna whet

väst
Lägg märke till att *vest* betyder
undertröja på brittisk engelska.
Undertröja heter *undershirt* på amerikansk engelska.

1 väst *subst* plagg waistcoat, amer. vest
2 väst I *subst* väderstreck the west
  II *adv* west [*om* of], to the west [*om* of]; se
  nord- för sammansättningar
västanvind *subst* west wind, westerly wind
väster I *subst* väderstreck the west; *Västern*
  the West
  II *adv* west [*om* of], to the west [*om* of]
västerifrån *adv* from the west
Västerlandet *subst* the West
västerländsk *adj* western
västerlänning *subst* Westerner
västerut *adv* åt väster westward, westwards; i
  väster in the west; *resa* ~ go west
Västeuropa Western Europe
Västindien the West Indies pl.
västlig *adj* från el. mot väst, om t.ex. riktning, läge
  westerly; om vind west, westerly; i väst
  western
västra *adj* t.ex. sidan the west; t.ex. delen the
  western; se *norra* för ex.

Västtyskland hist. West Germany
väta verb wet
väte subst kem. hydrogen
väteklorid subst kem. hydrogen chloride
vätesuperoxid subst kem. hydrogen peroxide
vätska subst liquid; kroppsvätska body fluid
väv subst web; material fabric, woven fabric; vävnadssätt weave
väva verb weave
vävare subst weaver
vävd adj woven
vävnad subst **1** vävning weaving **2** konkret woven fabric **3** fysiol. tissue
vävnadsindustri subst textile industry
vävning subst weaving
vävstol subst loom
växa I verb grow; öka increase; *det växer mig över huvudet* it's getting beyond my control; *vara situationen vuxen* be equal to the occasion
II verb med betonad partikel
växa bort: *det växer bort* it will disappear
växa ifrån ngt grow out of sth, outgrow sth
växa igen om stig become overgrown with weeds
växa ihop grow together
växa till:: *flickan har vuxit till sig* she has grown into a fine girl
växa upp grow up, grow
växa ur sina kläder grow out of one's clothes
växande adj growing; ökande increasing
växel subst **1** växelpengar change, small change **2** på bil gear; *köra på tvåans* ~ drive in second gear **3** spårväxel switch **4** tele. exchange; växelbord switchboard
växelbruk subst lantbr. rotation of crops
växelkontor subst exchange office
växelkurs subst rate of exchange, exchange rate
växellåda subst gear box
växelspak subst gear lever; spec. amer. gearshift
växelström subst alternating current, AC
växelvis adv alternately; i tur och ordning by turns
växla verb **1** t.ex. pengar change; *kan du ~ 100 kronor åt mig?* can you give me change for 100 kronor?; ~ *en sedel* cash a note **2** utbyta t.ex. ord, ringar exchange **3** järnv. shunt, switch **4** skifta vary; ändra sig change **5** bil. change gear, spec. amer. shift gear; ~

till lägre växel change to a lower gear; om tåg shunt **6** ~ *om* alternate
växlande adj varying, changing; vindar variable; natur varied
växt subst **1** tillväxt growth; ökning increase; kroppsväxt build; längd height, stature; *han är liten till* ~*en* he is short in stature **2** planta plant; ört herb **3** svulst growth, tumour
växthus subst greenhouse, hothouse
växthuseffekt subst greenhouse effect
växthusgas subst greenhouse gas
växtriket subst the vegetable kingdom
växtvärk subst growing pains pl.
vördnad subst reverence, veneration; aktning respect; *visa ~ för ngn* show sb respect
vördnadsbetygelse subst token of respect, mark of respect
vördnadsbjudande adj venerable; friare imposing
vördnadsfull adj respectful
vördsam adj respectful

Ww

Xx

Wales Wales
walesare *subst* Welshman (pl. Welshmen);
 walesarna som nation the Welsh
walesisk *adj* Welsh; se *svensk-* för
 sammansättningar
walesiska *subst* (se *svenska* för ex.) **1** kvinna
 Welshwoman (pl. Welshwomen) **2** språk
 Welsh
Warszawa Warsaw
watt *subst* elektr. watt
wc *subst* WC, toilet, lavatory
webb *subst* data., ~*en* the web, World Wide
 Web
webbplats *subst* data. web site
wellpapp *subst* corrugated paper; tjockare
 corrugated cardboard
weltervikt *subst* sport. welterweight
whisky *subst* whisky; amerikansk el. irländsk
 whiskey
whiskygrogg *subst* whisky and soda
whiskypinne *subst* tot of whisky, dram of
 whisky
whiteboard *subst* skrivtavla whiteboard
Wien Vienna
wienare *subst* Viennese (pl. lika)
wienerbröd *subst* Danish pastry, vard. Danish
wienerkorv *subst* frankfurter, spec. amer.
 wienerwurst, vard. wiener, wienie
wienerlängd *subst* ungefär long bun plait
wienerschnitzel *subst* Wiener schnitzel
wienervals *subst* Viennese waltz
wild card *subst* sport. wild card
wire *subst* cable; tunnare wire
wok *subst* kok. wok, stir-fry
woka *verb* kok. wok, stir-fry

x-krok *subst* x-hook, angle-pin picture hook
X-kromosom *subst* X-chromosome
xylofon *subst* musik. xylophone
xylofonist *subst* musik. xylophonist

Yy

yacht *subst* yacht

Y-kromosom *subst* Y-chromosome

yla *verb* howl

ylande *subst* howling

ylle *subst* wool; *filt av* ~ woollen blanket

yllefilt *subst* woollen blanket

yllestrumpa *subst* woollen stocking; kortare woollen sock

ylletröja *subst* jersey, sweater

ylletyg *subst* woollen cloth, woollen fabric

yllevaror *subst pl* woollens, woollen goods

ymnig *adj* riklig abundant, om regn, snöfall heavy

ymnigt *adv* abundantly, heavily

ympa *verb* **1** träd graft **2** med. inoculate

ympning *subst* **1** av träd graft, grafting **2** med. inoculation

yngel *subst* koll. fry (vanligen pl.); grodyngel tadpole

yngla *verb* om t.ex. groda spawn; ~ *av sig* breed

yngling *subst* youth, young man

yngre *adj* younger; nyare more recent; i tjänsten junior; *en* ~ rätt ung *man* a youngish man

yngst *adj* youngest

ynklig *adj* ömklig pitiable; eländig, usel miserable, wretched; futtig paltry

ynkrygg *subst* coward; stackare wretch

ynnest *subst* favour

yoga *subst* yoga

yoghurt *subst* yoghurt, yogurt

yppa *verb* röja reveal, uppenbara disclose; ~ *sig* erbjuda sig present itself, om tillfälle etc. arise, turn up; uppstå arise

ypperlig *adj* utmärkt excellent, superb; förstklassig first-rate

ypperst *adj* förnämst finest, best

yppig *adj* om växtlighet luxuriant; fyllig buxom; om figur full; ~ *barm* ample bosom

yr *adj* dizzy [*av* with], giddy [*av* with]; *bli* ~ el. *bli* ~ *i huvudet* get dizzy, get giddy; ~ *i mössan* bewildered

yra I *subst* vild framfart frenzy; glädjeyra delirium of joy; *i segerns* ~ in the flush of victory **II** *verb* **1** rave; om febersjuk be delirious; ~ *om ngt* rave about sth **2** om snö, sand whirl about

yrka *verb*, ~ el. ~ *på* fordra demand; resa krav på call for; som rättighet claim; kräva insist

yrkande *subst* begäran demand; jur. claim

yrken
affärsbiträde *shop assistant* (amer. *salesclerk*), apotekare *chemist*, bilmekaniker *car mechanic*, brevbärare *postman* (amer. *mailman*), dataprogrammerare *computer programmer*, frisör *hairdresser*, läkare *doctor*, murare *bricklayer*, målare *painter*, optiker *optician*, rörmontör *plumber*, sjuksköterska *nurse*, snickare *carpenter*, tandläkare *dentist*

yrke *subst* med högre utbildning, konstnärligt profession; inom hantverk el. handel trade; sysselsättning occupation; arbete job; *utöva ett* ~ practise a profession; inom hantverk el. handel carry on a trade; *välja* ~ choose a career; *till* ~*t* by profession

yrkesarbetande *adj* gainfully employed

yrkesarbetare *subst* skilled worker

yrkesförare *subst* commercial driver

yrkeskvinna *subst* professional woman

yrkesman *subst* fackman professional; hantverkare craftsman

yrkesmusiker *subst* professional musician

yrkesmässig *adj* t.ex. om förfarande professional; t.ex. om trafik commercial

yrkesorientering *subst*, *praktisk* ~ practical vocational guidance

yrkessjukdom *subst* occupational disease

yrkesskada *subst* industrial injury

yrkesskicklig *adj* skilled; *hon är* ~ she is skilled in her trade

yrkesskicklighet *subst* professional skill; hantverksskicklighet craftsmanship

yrkesutbildad *adj* skilled, trained

yrkesutbildning *subst* vocational training

yrkesutövning *subst* exercise of a profession; inom hantverk el. handel exercise of a trade

yrkesval *subst* choice of a profession; inom hantverk el. handel choice of a trade

yrkesvana *subst* professional experience, experience in one's trade

yrkesvägledare *subst* careers officer, careers advisor, amer. career counselor

yrkesvägledning *subst* vocational (careers) guidance, amer. vocational (career) counseling

yrsel _subst_ svindel dizziness; feberyra delirium

yrsnö _subst_ drift snow

yrvaken _adj_ drowsy, still half asleep

yrväder _subst_ snowstorm, blizzard

yster _adj_ livlig frisky, boisterous

yta _subst_ surface; areal area

ytbehandla _verb_ tekn. finish

ytbeklädnad _subst_ facing

ytlig _adj_ superficial, om person shallow

ytlighet _subst_ superficiality; hos person superficiality, shallowness

ytmått _subst_ square measure

ytter _subst_ sport. winger

ytterbana _subst_ outside track

ytterdörr _subst_ outer door, front door

ytterficka _subst_ outside pocket

ytterkant _subst_ outer edge, outside edge

ytterkläder _subst pl_ outdoor clothes

ytterlig _adj_ extreme, excessive; fullständig utter

ytterligare I _adj_ vidare further; ett till additional; mer more
II _adv_ vidare further; i ännu högre grad additionally; ännu mera still more; ~ _två månader_ another two months

ytterlighet _subst_ extreme; ytterlighetsåtgärd extremity

ytterlighetsparti _subst_ extremist party

ytterlighetsåtgärd _subst_ extreme measure; ~_er_ extreme measures, extremities

ytterområde _subst_ fringe area; förort suburb

ytterplagg _subst_ outdoor garment

ytterrock _subst_ overcoat

yttersida _subst_ outer side; utsida outside, exterior

ytterskär _subst_, _åka_ ~ vid skridskoåkning do the outside edge

ytterst _adv_ **1** längst ut farthest out **2** i högsta grad extremely, most

yttersta _adj_ **1** längst ut belägen outermost; längst bort belägen farthest; friare utmost **2** sist last; om t.ex. orsak ultimate; _ligga på sitt_ ~ be at death's door **3** störst, högst utmost, extreme; _göra sitt_ ~ do one's utmost; _utnyttja ngt till det_ ~ exploit sth to the utmost

yttertak _subst_ roof

yttra _verb_ **1** uttala utter; säga say; t.ex. sin mening express **2** ~ _sig_ a) uttala sig express an opinion [_om_ about, on], give one's opinion [_om_ about, on]; ta till orda speak b) visa sig show itself [_i_ in]; _hur_ ~_r sig sjukdomen?_ what are the symptoms of the disease?

yttrande _subst_ **1** uttalande remark, utterance; anförande statement **2** utlåtande opinion [_över, i_ on]

yttrandefrihet _subst_ freedom of speech

yttranderätt _subst_ right of free speech

yttre I _adj_ **1** längre ut belägen outer, utanför el. som är utanpå exterior, external; ~ _likhet_ outward resemblance; ~ _skada_ external injury **2** som kommer utifrån external; ~ _våld_ physical violence
II _subst_ exterior; ngns yttre external appearance; _till det_ ~ outwardly, externally

yttring _subst_ manifestation [_av_ of]

yvas _verb_, ~ _över ngt_ pride oneself on sth, be proud of sth

yvig _adj_ om hår etc. bushy, tät thick; ~ _gest_ sweeping gesture

yxa I _subst_ axe, spec. amer. ax; med kort skaft hatchet; _kasta_ ~_n i sjön_ throw up the sponge, throw in the towel
II _verb_, ~ _till_ rough-hew

yxskaft _subst_ axe handle

Zz

Zaire *hist.* Zaire
Zambia Zambia
zambier *subst* Zambian
zambisk *adj* Zambian
zappa *verb vard.*, växla mellan tv-kanaler zap
zebra *subst* zebra
zenit *subst astron.* zenith; *stå i* ~ be at the
zenith; *nå* ~ *i sin karriär* reach the zenith
of one's career
zigenare *subst* gypsy, gipsy
zigenarliv *subst* gypsy life
zigenerska *subst* gypsy woman
Zimbabwe Zimbabwe
zimbabwier *subst* Zimbabwean
zimbabwisk *adj* Zimbabwean
zink *subst* zinc
zinksalva *subst* zinc ointment
zodiaken *subst astrol.* the zodiac
zodiaktecken *subst astrol.* sign of the zodiac,
star sign
zon *subst* zone, friare area
zongräns *subst* zonal boundary; trafik. fare
stage
zontaxa *subst* avgift zone tariff
zonterapeut *subst* zone therapist
zonterapi *subst* zone therapy
zoo *subst* zoologisk trädgård zoo
zooaffär *subst* pet shop
zoolog *subst* zoologist
zoologi *subst* zoology
zoologisk *adj* zoological; ~ *affär* pet shop; ~
trädgård zoological gardens pl., Zoo
zoom *subst* foto. zoom
zooma *verb* foto. zoom; ~ *in* zoom in; ~ *ut*
zoom out

Åå

1 å *subst* small river, stream; *gå över* ~*n*
efter vatten take a lot of unnecessary
trouble
2 å *prep* se *på I*
3 å *interj* oh!
åberopa *verb* hänvisa till refer to
åbäke *subst* om sak monstrosity; *ditt* ~*!* you
big lump!
åbäkig *adj* unwieldy, clumsy
ådagalägga *verb* lägga i dagen manifest; visa
show, display
åder *subst* vein
åderbråck *subst* varicose veins pl.
åderförkalkad *adj*, *han börjar bli* ~ vard.
he's getting senile
åderförkalkning *subst* hardening of the
arteries, vard. senility; med. arteriosclerosis
åderlåta *verb* bleed
1 ådra I *subst* vein
II *verb* förse med ådror vein; sten, trä grain
2 ådra *verb* låta bli utsatt för cause; ~ *sig* sjukdom
contract; förkylning catch; utsätta sig för incur;
uppmärksamhet attract; ~ *sig skulder* incur
debts
åh *interj* oh!
åhå *interj* oh!, oho!, I see!
åhörare *subst* listener; ~ pl. audience
åhörarläktare *subst* public gallery
åhörarplatser *subst pl* public seats; på teater etc.
auditorium sing.
åhörarskara *subst* audience
åka I *verb* **1** fara go, som passagerare ride; köra
drive; vara på resa travel; ~ *bil* go by car; ~
buss go by bus, travel by bus; ~ *båt* go by
boat; ~ *cykel* ride a bicycle; ~ *gratis*
travel free of charge; ~ *hiss* go by lift; ~
motorcykel ride a motor cycle; ~ *tåg* go
by train; ~ *på semester* go on holiday,
amer. go on a vacation; *jag fick* ~ *med*
honom till stationen he gave me a lift to
the station **2** glida, halka slip, glide
II *verb* med betonad partikel
åka av halka av slip off
åka bort resa go away
åka dit vard., bli fast be caught, get caught
åka fast be caught [*för* for], get caught [*för*
for]
åka förbi go past; köra drive past; passera

pass

åka med: *låta ngn ~ med* give sb a lift; *får jag ~ med?* may I have a lift?

åka om overtake, pass

åka på 1 kollidera med run into **2** vard., råka ut för ~ *på en förkylning* catch a cold

åka upp glida upp slip up; öppna sig open up

åka ur sport. **1** flyttas ner be relegated **2** ur en tävling be knocked out

åkarbrasa *subst*, *ta sig en ~* slap one's arms against one's sides to keep warm

åker *subst* åkerjord arable land; åkerfält field

åkerbruk *subst* agriculture, farming

åkeri *subst* haulage contractors, road carriers pl.

åklagare *subst* prosecutor; *allmän ~* public prosecutor, amer. district attorney

åkomma *subst* complaint

åkpåse *subst* i barnvagn toes muff

åksjuk *adj* travel-sick

åksjuka *subst* travel sickness

åktur *subst* drive, ride; *göra en ~* go for a drive, go for a ride, vard. go for a spin

ål *subst* eel; havsål conger eel

åla *verb*, *~ sig* worm one's way, crawl along

ålder *subst* age; *i en ~ av 70 år* el. *vid 70 års ~* at the age of 70; *han är i min ~* he is my age; *när jag var i din ~* when I was your age; *barn i ~n 10—15* children between 10 and 15 years of age

ålderdom *subst* old age; *på ~en* in one's old age

ålderdomlig *adj* gammal old; gammaldags old-fashioned; om t.ex. språk archaic

ålderdomshem *subst* home for old people

åldersdiskriminering *subst* ageism

åldersgräns *subst* age limit

ålderspension *subst* retirement pension

åldersskillnad *subst* difference in age

ålderstigen *adj* aged, advanced in years

ålderstillägg *subst* ungefär seniority allowance

åldrad *adj* aged

åldras *verb* age, grow old, grow older

åldrig *adj* aged

åldring *subst* old man, old woman

åliggande *subst* plikt duty; skyldighet obligation; uppgift task

ålägga *verb* beordra order, instruct

ånga I *subst* steam (endast sing.); dunst vapour (endast sing.)
II *verb* steam

ångare *subst* o. **ångbåt** *subst* steamboat; större steamer

ånger *subst* regret; samvetskval remorse [*över* at]

ångerfull *adj* regretful [*över* at], repentant [*över* of]

ångervecka *subst* cooling-off period week in which one has the right to cancel a hire-purchase agreement

ångest *subst* anxiety [*för* about]

ångestfylld *adj* anxiety-ridden, agonized, anguished

ångfartyg *subst* steamship (förk. S/S, SS)

ångkoka *verb* steam

ångmaskin *subst* steam-engine

ångpanna *subst* boiler

ångra *verb* regret, be sorry for; *jag ~r att jag gjorde det* I regret doing it; *~ sig* a) känna ånger regret it, be sorry b) ändra sig change one's mind

ångstrykjärn *subst* steam iron

ångvält *subst* steam-roller

ånyo *adv* anew, again

år *subst* year; *hon dog ~ 2006* she died in 2006, she died in the year 2006; *förra ~et* last year; *hon fyller ~ i morgon* tomorrow is her birthday; *hon är tjugo ~* el. *hon är tjugo ~ gammal* she is twenty years old, she is twenty years of age; *~et om* el. *~et runt* all the year round; *så här ~s* at this time of the year; *ett två ~ gammalt barn* a two-year-old child, a

---

åldersgränser

ÅLDER I STORBRITANNIEN FÅR MAN:

16 gifta sig om man har föräldrarnas medgivande, ha sexuellt umgänge

17 börja övningsköra, ta körkort

18 rösta, köpa och dricka alkohol, se filmer som innehåller sex och våld, gifta sig utan att behöva föräldrarnas tillstånd

I USA FÅR MAN:

15 ta körkort i vissa stater

16 ta körkort i de flesta stater

18 rösta, gifta sig utan att behöva föräldrarnas tillstånd, dricka öl och vin

21 dricka starksprit

I Storbritannien anses man vuxen vid 18 års ålder. I USA kan åldersgränserna skilja sig från stat till stat.

child of two; ~ *från* ~ el. ~ *för* ~ year by
year; *i* ~ this year; *i många* ~ for many
years; om framtid for many years to come;
han är en man i sina bästa ~ he is in the
prime of his life; *med* ~*en* over the years;
om två ~· in two years' time, *två gånger
om* ~*et* twice a year; *under* ~*ens lopp* in
the course of time; *vid mina* ~ at my age
åra *subst* oar; paddelåra paddle
åratal *subst*, *i* ~ el. *på* ~ for years, for years
and years
årgång *subst* **1** av tidning etc. year's issue; spec.
bunden annual volume; *gamla* ~*ar av
Newsweek* back copies av Newsweek **2** av
vin vintage
årgångsvin *subst* vintage wine

århundrade
På engelska använder man vanligen
ordet *century* för svenskans
1900-talet osv. Lägg märke till
skillnaden:
the 19th century artonhundratalet
(= nittonde århundradet)
the 20th century nittonhundratalet
(= tjugonde århundradet)
the 21st century tjugohundratalet
(= tjugoförsta århundradet)

århundrade *subst* century
årklyka *subst* rowlock, amer. oarlock
årlig *adj* annual, yearly
årligen *adv* annually, yearly, every year
årsavgift *subst* annual charge; i förening etc.
annual subscription
årsberättelse *subst* annual report
årsbok *subst* yearbook, annual
årsdag *subst* anniversary [*av* of]
årsinkomst *subst* annual income, yearly
income
årskort *subst* annual season ticket
årskull *subst* age group; *de stora* ~*arna* på
t.ex. 80-talet the bulge in the birthrate
årskurs *subst* skol. form, amer. grade
årslön *subst* annual salary, yearly salary;
ha...i ~ have an annual income of...
årsmodell *subst*, *av senaste* ~ of the latest
model
årsmöte *subst* annual meeting
årsskifte *subst* turn of the year
årstid *subst* season, time of the year
årtal *subst* date, year

årtionde *subst* decade
årtull *subst* rowlock, amer. oarlock
årtusende *subst* millennium (pl. millennia); *ett*
~ vanligen a thousand years
ås *subst* ridge
åsamka *verb* se *2 ådra*
åse *verb* betrakta watch; bevittna witness
åsido *adv* aside; *skämt* ~ joking apart
åsidosätta *verb* inte beakta disregard, set aside
åsikt *subst* view [*om* about], opinion [*om* of,
about]; *enligt min* ~ in my opinion
åska I *subst* thunder; åskväder thunderstorm;
~*n har slagit ned i trädet* the lightning
has struck the tree
II *verb*, *det* ~*r* it is thundering
åskknall *subst* thunderclap
åskledare *subst* lightning-conductor
åskmoln *subst* thundercloud
åsknedslag *subst* stroke of lightning
åskvigg *subst* thunderbolt
åskväder *subst* thunderstorm
åskådare *subst* spectator; mera passiv
onlooker; mera tillfällig bystander;
åskådarna publiken: på teater etc. the
audience sing.; vid idrottstävling the crowd sing.
åskådarläktare *subst* på t.ex. idrottsplats stand
åskådlig *adj* klar clear
åsna *subst* djur el. person donkey, ass
åstadkomma *verb* få till stånd bring about;
förorsaka cause, make; frambringa produce;
prestera achieve
åsyfta *verb* aim at; avse, mena intend, mean;
hänsyfta på refer to
åsyn *subst* sight; *i ngns* ~ in sb's presence
åt I *prep* till to; i riktning mot towards, in the
direction of; ~ *höger* to the right; *nicka* ~
ngn nod at sb; *ropa* ~ *ngn* call out to sb;
skratta ~ laugh at; *ge ngt* ~ *ngn* give sth
to sb; *köpa ngt* ~ *ngn* buy sth for sb; *två*
~ *gången* two at a time
II *adv*, *skruva* ~ *ngt* screw sth tight,
tighten sth
åta *verb*, ~ *sig* ta på sig undertake, take upon
oneself, ansvar etc. take on, assume
åtagande *subst* undertaking, engagement
åtal *subst* av åklagare prosecution; av målsägare
legal action; *allmänt* ~ public
prosecution; *väcka* ~ *mot* take legal
proceedings against
åtala *verb* om åklagare prosecute; om målsägare
bring an action against; *bli* ~*d för stöld*
be prosecuted for theft; *den* ~*de* the
defendant
åtalbar *adj* indictable

åtanke *subst*, **ha ngn (ngt)** *i* ~ remember sb (sth), bear sb (sth) in mind

åtbörd *subst* gesture

åter *adv* **1** tillbaka back, back again **2** ånyo, igen again, once more; **öppnas** ~ reopen

återanpassa *verb* rehabilitera rehabilitate

återanpassning *subst* rehabilitation

återanskaffningsvärde *subst* försäkringsterm replacement value

återanvända *verb* re-use; återvinna recycle

återanvändning *subst* re-use; återvinna recycling

återberätta *verb* retell; i ord återge relate

återbesök *subst* hos t.ex. läkare, nästa besök next visit, next appointment; **göra** ~ make a follow-up visit

återbetala *verb* repay, pay back

återbetalning *subst* repayment

återblick *subst* retrospect (endast sing.) [på of]; i bok, film etc. flashback [på to]

återbud *subst*, **ge** ~ om inbjudan a) skriva send word to say that one cannot come b) ringa phone to say that one cannot come

återbäring *subst* refund; hand. rebate; försäkringsterm dividend; **få** ~ get a dividend

återerövra *verb* recapture, reconquer

återerövring *subst* recapture, reconquest

återfall *subst* med. relapse [i into]; **få** ~ have a relapse

återfinna *verb*, ~ **ngt** find sth again; **citatet återfinns på sid.** 27 the quotation is to be found on page 27

återfå *verb*, ~ **ngt** get sth back, recover sth; ~ **hälsan** recover one's health, recover

återförena *verb* reunite

återförening *subst* reunion

återförsäljare *subst* detaljist retailer, distributor

återge *verb* **1** tolka render; avbilda reproduce; framställa represent; ~ **i tryck** reproduce in print **2** ge tillbaka, ~ **ngn hälsan** restore sb's health

återgivande *subst* o. **återgivning** *subst* reproduction, rendering

återgå *verb* återvända go back; gå tillbaka be returned

återgälda *verb* repay; gengälda return, reciprocate

återhållsam *adj* behärskad restrained; måttfull temperate, moderate

återhållsamhet *subst* restraint; måttfullhet temperance, moderation

återhämta *verb* recover; ~ **sig** recover [efter, från from]

återigen *adv* again

återinföra *verb* reintroduce; varor reimport

återinträde *subst* re-entry [i into]

återkalla *verb* **1** kalla tillbaka call ... back; t.ex. ett sändebud recall **2** annullera cancel

återkomma *verb* return, come back; i tanke recur

återkommande *adj* regelbundet recurrent; **ofta** ~ frequent

återkomst *subst* return

återlämna *verb* give back, return

återresa *subst* journey back; **på** ~**n** on one's way back, on the way back

återse *verb*, ~ **ngn** see sb again, meet sb again

återseende *subst* reunion; **på** ~! be seeing you!

återspegla *verb* reflect, mirror

återspegling *subst* reflection

återstod *subst* rest, remainder; lämning remains pl.

återstå *verb* remain, finnas kvar be left, be left over; **det** ~**r att bevisa** it remains to be proved

återstående *adj* remaining; **hans** ~ **dagar** the rest of his days

återställa *verb* **1** i skick som förut restore **2** lämna tillbaka replace, return

återställare *subst* pick-me-up, bracer; **han behövde en** ~ talesätt he needed a hair of the dog that bit him

återställd *adj*, **han är alldeles** ~ he has quite recovered

återsända *verb* send back, return

återta *verb* **1** take back; återerövra recapture; återvinna recover **2** återkalla withdraw; upphäva cancel

återtåg *subst* retreat

återuppliva *verb* revive

återupplivningsförsök *subst* attempt at resuscitation; **göra** ~ **på ngn** make an attempt to bring sb back to life

återuppringning *subst* tele. callback

återupprätta *verb* re-establish; ge upprättelse åt rehabilitate

återuppstå *verb* rise again; friare be revived; ~ **från de döda** rise from the dead

återuppta *verb*, ~ **ngt** resume sth, take up sth again

återupptäcka *verb* rediscover

återval *subst* re-election

återverka *verb* react [på on], have repercussions [på on]

återvinna *verb* **1** win back; återfå regain **2** avfall, mark reclaim; t.ex. aluminium från ölburkar recycle

återvinning *subst* av avfall, mark reclamation; t.ex. aluminium från ölburkar recycling

återvinningsbar *adj* recyclable

återväg *subst* way back

återvälja *verb* re-elect

återvända *verb* return, turn back

återvändo *subst*, *det finns ingen* ~ there is no turning back

återvändsgata *subst* cul-de-sac

återvändsgränd *subst* blind alley, dead end; *råka in i en* ~ reach a deadlock

åtgång *subst* förbrukning consumption; avsättning sale

åtgången *adj*, *den är illa* ~ it has been roughly treated, it has been battered about

åtgärd *subst* measure; mått o. steg step, move; *vidta* ~*er* take measures, take steps

åtgärda *verb*, *det måste vi* ~ göra något åt we must do something about it

åtkomlig *adj* som kan nås within reach [*för* of]

åtlyda *verb* obey

åtlydnad *subst* obedience

åtlöje *subst* ridicule; *göra sig till ett* ~ make a laughing-stock of oneself

åtminstone *adv* at least; minst ... at the least; i varje fall at any rate

åtnjuta *verb* enjoy; erhålla receive

åtnjutande *subst* enjoyment; *komma i* ~ *av* benefit by

åtrå I *subst* desire [*efter* for]; spec. sexuellt lust [*efter* for]
II *verb* desire

åtråvärd *adj* desirable

åtsittande *adj* tight, tight-fitting

åtskild *adj* separate; *ligga* ~*a* lie apart

åtskiljas *verb* part

åtskillig *adj* **1** a great deal of, a good deal of **2** ~*a* flera several

åtskilligt *adv* a good deal, considerably

åtskillnad *subst*, *göra* ~ *mellan* make a distinction between

åtstramning *subst* av kredit squeeze; av ekonomin tightening-up endast sing.

åtstramningspaket *subst* austerity package

åtta I *räkn* eight; ~ *dagar* vanligen a week; ~ *dagar i dag* this day week; se *fem* för ex. o. *fem*- för sammansättningar
II *subst* eight; se *femma* för ex.

åttahörning *subst* octagon

åtti *räkn* vard. se *åttio*

åttio *räkn* eighty; se *fem* för ex. o. *femtio*- för sammansättningar

åttionde *räkn* eightieth

åttonde *räkn* eighth (förk. 8th); *var* ~ *dag*

every week, once a week; se *femte* för ex. o. *femte*- för sammansättningar

åttondel *subst* eighth; se *femtedel* för ex.

åverkan *subst*, *göra* ~ *på ngt* cause damage to sth

Ää

äckel *subst* **1** disgust; *känna ~ för* feel disgusted by **2** äcklig person creep, pig

äckelpotta *subst* vard. pig

äckla *verb* nauseate, sicken; friare disgust

äcklig *adj* nauseating, disgusting, vard. yucky

ädel *adj* noble; *av ~ börd* of noble birth

ädelmetall *subst* precious metal

ädelost *subst* blue-veined cheese, blue cheese

ädelsten *subst* precious stone; juvel gem, jewel

äga *verb* ha i sin ägo, besitta possess; ha have; vara personlig ägare till, rå om own; *~ rum* take place

äganderätt *subst* ownership [*till* of], proprietorship [*till* of]; besittningsrätt right of possession

ägare *subst* owner [*till* of]; till restaurang, firma etc. proprietor [*till* of]

ägg
kokt ägg *boiled egg*, stekt ägg *fried egg*, äggröra *scrambled eggs*, vändstekt *fried on both sides*, stekt på ena sidan *done on one side* (amer. *sunnyside up*), omelett *omelette* (amer. *omelet*)

ägg *subst* egg; *lägga ~* lay eggs

äggformig *adj* egg-shaped

äggkopp *subst* egg cup

äggledare *subst* anat. Fallopian tube, oviduct

äggplanta *subst* grönsak aubergine, spec. amer. eggplant

äggröra *subst* scrambled eggs pl.

äggskal *subst* egg shell

äggstanning *subst* baked egg

äggstock *subst* ovary

äggtoddy *subst* egg nog, egg flip

äggula *subst* yolk, egg yolk; *en ~* the yolk of an egg; *två äggulor* the yolks of two eggs

äggvita *subst* egg white; *en ~* the white of an egg; *två äggvitor* the whites of two eggs

äggviteämne *subst* protein

ägna *verb* devote [*åt* to]; *~ sin tid åt...* devote one's time to...; *~ sig åt...*

devote oneself to...; *~ sig åt (utöva) ett yrke* follow a profession

ägnad *adj*, *~ att väcka oro* calculated to cause alarm

ägo *subst*, *komma i ngns ~* come into sb's hands, come into sb's possession; *vara i ngns ~* be in sb's possession

ägodelar *subst pl* property sing., possessions

äkta *adj* **1** motsats: falsk genuine; autentisk authentic; om silver etc. real; uppriktig sincere; sann, verklig true **2** *~ hälft* better half; *~ makar* husband and wife, man and wife; *~ par* married couple, husband and wife; *det ~ ståndet* the married state

äktenskap *subst* marriage; *~et* jur. marriage, matrimony; *efter tio års ~* after ten years of married life; *ingå ~ med* marry; *född utom ~et* born out of wedlock

äktenskaplig *adj* matrimonial

äktenskapsannons *subst* matrimonial advertisement

äktenskapsbrott *subst* adultery

äktenskapsförord *subst* premarital settlement

äktenskapsskillnad *subst* divorce

äkthet *subst* genuineness; autenticitet authenticity

äldre *adj* older [*än* than]; framför släktskapsord elder, amer. vanligen older; i tjänst etc. senior [*än* to]; tidigare earlier; *Sten Sture den ~* Sten Sture the Elder; *av ~ datum* of an earlier date; *en ~* rätt gammal *herre* an elderly gentleman

äldreomsorg *subst* care of the elderly, geriatric care

äldst *adj* oldest; framför släktskapsord eldest, amer. vanligen oldest, av två ofta older, elder; i tjänst etc. senior; tidigast earliest

älg *subst* elk, amer. moose

älska *verb* **1** love; tycka om like, be fond of **2** ha samlag make love

älskad *adj* beloved; efter subst. vanligen loved; *~e Jan!* Jan darling!; i brev My Dear Jan,...

älskare *subst* lover

älskarinna *subst* mistress

älskling *subst* darling, som tilltal love, sweetheart, spec. amer. honey; käresta sweetheart; favorit pet

älsklingsbarn *subst* favourite child; *familjens ~* the pet of the family

älsklingsrätt *subst* favourite dish

älskvärd *adj* amiable [*mot* to], charming [*mot* to]

älskvärdhet *subst* amiability, charm

älta *verb*, ~ *ngt* go over sth again, dwell on sth

älv *subst* river

älva *subst* fairy, elf (pl. elves)

ämbete *subst* office

ämbetsman *subst* public official, Government official

ämbetsrum *subst* office

ämbetsverk *subst* civil service department

ämna *verb* intend to, mean to

ämnen i skolan

bild *art*, biologi *biology*, franska French, fysik *physics*, geografi *geography*, hemkunskap *domestic science*, idrott *sport*, *physical education* (PE), *physical training* (PT), kemi *chemistry*, matte *maths* (amer. *math*), religion *religious instruction*, syslöjd *sewing*, *needlework*, träslöjd *woodwork*, tyska German, samhällskunskap *civics*, spanska Spanish, teknik *technology*

ämne *subst* **1** material material **2** stoff, materia matter **3** samtalsämne, skolämne etc. subject; **hålla sig till** ~t keep to the subject, keep to the point

ämneskonferens *subst* staff meeting of teachers of the same subject

ämneslärare *subst* specialist teacher, subject teacher

ämnesomsättning *subst* metabolism

än I *adv* **1** se ännu **2** också, *om* ~ even if; *ett rum om* ~ *aldrig så litet* a room however small; *hur mycket jag* ~ *tycker om honom* however much I like him; *vad som* ~... whatever..., no matter what...; *var jag* ~... wherever I...; *vem som* ~... who ever..., no matter who... **3** ~ *sen då?* well, what of it?, so what? **4** *än...*, *än...* sometimes..., sometimes...; *bli* ~ *varm* ~ *kall* go hot and cold by turns **II** *konj* efter komparativ than; *äldre* ~ older than

ända I *subst* **1** end; spetsig tip; stump bit, piece; sjö., tågända rope, bit of rope; *nedre* ~*n av ngt* the bottom of sth; *övre* ~*n av ngt* the top end of sth; *i ena* ~*n* at one end; *gå till* ~ come to an end; *vara till* ~ be at an end **2** vard., persons behind, bottom; *få* ~*n ur vagnen* pull one's finger out, get on with it

II *adv*, *han bor* ~ *borta i...* he lives as far away as...; ~ *från början* from the very beginning; ~ *in i minsta detalj* down to the very last detail; ~ *sedan dess* ever since then; ~ *till jul* until Christmas; fram till right up to Christmas; *resa* ~ *till London* go as far as London, go all the way to London

ändamål *subst* purpose; avsikt aim; ~*et med* the purpose of, the object of, the aim of; ~*et helgar medlen* the end justifies the means; *för detta* ~ for this purpose, to this end

ändamålsenlig *adj*, *den är* ~ it is suited to its purpose, it is suitable

ände *subst* se ända I 1

ändelse
Ändelser i engelskan:

-s	för 3:e person presens av verb: *he works*
-ed	för imperfekt och perfekt particip av regelbundna verb: *he worked*, *he has worked*.
-ing	för presens particip av verb: *working*, i t.ex. pågående form (*he is working*).
-s	för plural av substantiv: *boys*.
-'s	för genitiv: *John's book*.
-ly	för adverb: *badly*.
-er, -est	för komparation av adjektiv: *smaller*, *smallest*.

ändelse *subst* gram. ending, suffix

ändhållplats *subst* terminus

ändra *verb* alter; byta change; ~ *en klänning* alter a dress; ~ el. ~ *på* alter; mera genomgripande change; ~ *sig* förändras alter, change; ändra beslut change one's mind; komma på bättre tankar think better of it

ändring *subst* alteration, change; rättning correction; *en* ~ *till det bättre* a change for the better

ändstation *subst* för tåg, buss etc. terminus

ändtarm *subst* anat. rectum

ändå *adv* **1** likväl yet, still; inte desto mindre nevertheless; trots allt all the same; i vilket fall som helst anyway **2** vid komparativ still, even; ~ *bättre* still better, even better **3** *om du* ~ *vore här!* if only you were here!

äng *subst* meadow

ängel *subst* angel

änglalik *adj* angelic

ängslan *subst* anxiety [*för, över* about]; oro alarm [*för, över* about]

ängslas *verb* be anxious [*för, över* about], feel anxious [*för, över* about]; oroa sig worry [*för, över* about]

ängslig *adj* rädd, orolig anxious [*för, över* about], uneasy [*för, över* about]

änka *subst* widow [*efter* of]

änkeman *subst* widower

änkepension *subst* widow's pension

änkling *subst* widower [*efter* of]

ännu *adv* **1** om tid: spec. om ngt ej inträffat yet; fortfarande still; hittills as yet, yet, so far; så sent som only, as late as; *är hon här ~?* a) har hon kommit is she here yet? b) är hon kvar is she still here?; *det har ~ aldrig hänt* it has never happened so far, it has never happened as yet; *~ i denna dag* to this very day; *~ så sent som i går* only yesterday; *~ så länge* hittills so far, up to now **2** ytterligare more; *~ en* one more, yet another; *~ en gång* once more **3** framför komparativ still, even; *~ bättre* still better, even better

äntligen *adv* till slut at last, finally; sent omsider at length

äppelmos *subst* apple sauce

äppelträd *subst* apple tree

äpple *subst* apple

äppleskrutt *subst* apple core

ära I *subst* honour; beröm credit; berömmelse glory, renown; *ge ngn ~n för ngt* give sb the credit for sth; *det gick hans ~ för när* that wounded his pride; *ha ~n att träffa ngn* have the honour of meeting sb, have the pleasure of meeting sb; *jag har den ~n!* el. *har den ~n!* på födelsedag many happy returns!, many happy returns of the day!, happy birthday!; *sätta en ~ i att göra ngt* make a point of doing sth; *ta åt sig ~n av ngt* take the credit for sth; *dagen till ~* in honour of the day; *en fest till ngns ~* a party in sb's honour **II** *verb* honour

ärad *adj* honoured; aktad esteemed

äregirig *adj* ambitious

ärekränkande *adj* defamatory; i skrift libellous

ärekränkning *subst* defamation; i skrift libel

ärelysten *adj* ambitious

ärende *subst* **1** uträttning errand; *gå ~n* om bud go on errands; *ha ett ~ till stan* have

business in town, have something to do in town; *skicka ngn i ett ~* send sb on an errand **2** fråga matter; *offentliga ~n* public affairs; *övriga ~n* vid sammanträde any other business

ärevarv *subst* sport. lap of honour

ärftlig *adj* hereditary

ärftlighet *subst* biol. heredity; om sjukdom hereditariness

ärftlighetslära *subst* genetics (med verb i sing.)

ärg *subst* verdigris

ärkebiskop *subst* archbishop

ärkefiende *subst* arch-enemy

ärla *subst* fågel wagtail

ärlig *adj* honest [*mot* to]; hederlig honourable; rättvis fair; *med ~a eller oärliga medel* by fair means or foul

ärlighet *subst* honesty; *~ varar längst* ordspr. honesty is the best policy

ärligt *adv*, *~ talat* to be honest

ärm *subst* sleeve

ärmhål *subst* armhole

ärmlös *adj* sleeveless

ärr *subst* scar

ärrig *adj* scarred; kopparrig pockmarked

ärt *subst* o. **ärta** *subst* pea

ärtbalja *subst* o. **ärtskida** *subst* pod, pea pod

ärtsoppa *subst* pea soup

ärva *verb* inherit [*av, efter* from]; *~ pengar* come into money; *~ ngn* be sb's heir

ärvd *adj* inherited; medfödd hereditary

äsch *interj* oh!, pooh!

äska *verb* anslag etc. ask for, demand; *~ tystnad* call for silence

äss *subst* ace

äta *verb* eat; *~ upp* eat up; *~ upp sina ord* eat one's words; *vad ska vi ~ till middag?* what shall we have for dinner?

ätbar *adj* eatable; ej giftig, om t.ex. svamp edible

ätbarhet *subst* edibility

ätlig *adj* edible

ätstörning *subst* eating disorder

ätt *subst* family; kunglig dynasty

ättika *subst* vinegar; *lägga in i ~* pickle

ättiksgurka *subst* sour pickled gherkin

ättiksprit *subst* vinegar essence

ättiksyra *subst* acetic acid

ättling *subst* descendant, offspring (pl. lika)

även *adv* **1** också also, ...too; likaledes ...as well as; *inte blott...utan ~* not only...but also... **2** till och med even; *~ om* even if, even though

äventyr *subst* **1** adventure **2** flirt, romans affair

äventyra *verb* risk, hazard, jeopardize

äventyrare *subst* adventurer

äventyrlig *adj* adventurous; riskabel risky
äventyrsfilm *subst* adventure film
äventyrslust *subst* love of adventure
äventyrslysten *adj* adventure-loving

ö *subst* island; i vissa önamn el. poetiskt isle; *på
en* ~ in an island, liten on an island
öbo *subst* islander
1 öde *subst* fate; bestämmelse destiny; ~*t* Fate,
Destiny; lyckan Fortune; *ett grymt* ~ a
cruel fate
2 öde *adj* waste; ödslig desolate, deserted; *en*
~ *ö* a deserted island
ödelägga *verb*, ~ *ngt* lägga öde lay sth waste;
förhärja ravage sth, devastate sth
ödeläggelse *subst* devastation, ruin,
destruction
ödemark *subst* vildmark wilderness; obygd wilds
ödesdiger *adj* fatal; olycksbringande disastrous
ödesmättad *adj* fateful, fatal
ödla *subst* djur lizard
ödmjuk *adj* humble; undergiven meek
ödmjukhet *subst* humility, humbleness
ödsla *verb*, ~ *med* be wasteful with; ~ el. ~
bort waste, squander
ödslig *adj* desolate; dyster dreary
öga *subst* eye; *få upp ögonen för* become
alive to; inse realize; *ha* ~ *för* have an eye
for; *han har ögonen med sig* he keeps
his eyes open; *ha ett gott* ~ *till ngn* have a
soft spot for sb; *ha ett gott* ~ *till ngt* have
one's eye on sth; *hålla ett* ~ *på* keep an
eye on; *kasta ett* ~ *på* have a look at; ~
för ~ an eye for an eye; *med blotta* ~*t*
with the naked eye; *mellan fyra ögon* in
private, privately; *stå* ~ *mot* ~ *med* stand
face to face with; *det var nära* ~*t!* that
was a narrow escape!, that was a close
shave!
ögla *subst* loop, eye
ögna *verb*, ~ *igenom* glance through
ögonbindel *subst* blindfold; ögonförband eye
bandage
ögonblick *subst* moment; *ett* ~*!* one moment
please!; *vilket* ~ *som helst* at any
moment; *för* ~*et* för tillfället for the
moment, just now; *i samma* ~ at that
very moment; *om ett* ~ el. *på* ~*et* in a
moment, in an instant; *på ett* ~ in the
twinkling of an eye
ögonblicklig *adj* instantaneous; omedelbar
immediate

ögonblickligen *adv* omedelbart instantly, immediately

ögonbryn *subst* eyebrow

ögonfrans *subst* eyelash, lash

ögonglob *subst* eyeball

ögonhåla *subst* eye socket

ögonkast *subst* glance; *kärlek vid första ~et* love at first sight

ögonkontakt *subst* eye contact

ögonlock *subst* eyelid

ögonläkare *subst* eye specialist, ophthalmologist

ögonmått *subst*, *ha bra ~* have a sure eye

ögonskugga *subst* eyeshadow

ögonsten *subst*, *ngns ~* the apple of sb's eye

ögontjänare *subst* time-server

ögonvatten *subst* eye lotion, eyewash

ögonvittne *subst* eyewitness

ögonvrå *subst* corner of the eye, corner of one's eye

ögrupp *subst* group of islands

öka *verb* **1** göra större increase [*med* by]; *~ farten* increase speed, accelerate **2** bli större increase; växa grow; stiga rise; *~ i antal* increase in number; *~ i betydelse* become more important; *~ i vikt* put on weight

ökas *verb* increase

öken *subst* desert; bibl. wilderness

öknamn *subst* nickname

ökning *subst* increase; *en ~ i vikt* an increase in weight

ökänd *adj* notorious

öl
Engelskt öl, *beer*, är av en annan typ än det som brukar drickas i Sverige. På puben beställer man vanligen den sort man vill ha, t.ex. *a pint of bitter, please* en pint "bitter". Vill man ha öl av svensk typ beställer man *a pint of lager*.
I USA menar man oftast öl av svensk typ när man talar om *beer*.

öl *subst* beer; lagertyp, pilsner lager; *ljust ~* pale ale; *mörkt ~* stout

ölburk *subst* tom beer can; full can of beer

ölflaska *subst* tom beer bottle; full bottle of beer

ölglas *subst* beer glass; glas öl glass of beer

ölmage *subst* paunch, vard. beer belly

öm *adj* **1** ömtålig tender; känslig sensitive; som vållar smärta sore, aching; *en ~ punkt* a sore

point **2** kärleksfull tender [*mot* towards], loving [*mot* towards]

ömhet *subst* **1** smärta soreness **2** tillgivenhet tenderness [*mot* towards], affection [*mot* towards]

ömklig *adj* ynklig pitiful, pitiable; eländig wretched

ömma *verb* **1** göra ont be sore, feel sore **2** *~ för* feel compassion for, feel for

ömmande *adj* behjärtansvärd *ett ~ fall* a deserving case

ömse *adj*, *på ~ håll* (*sidor*) on both sides

ömsesidig *adj* mutual, reciprocal

ömsesidighet *subst* reciprocity

ömsom *adv*, *hon är ~ glad ~ sorgsen* she is sometimes happy, sometimes sad

ömtålig *adj* som lätt tar skada easily damaged; om matvara perishable; skör frail; klen (om hälsa), som kräver försiktighet (om t.ex. fråga) delicate

ömtålighet *subst* liability to damage; bräcklighet fragility; klenhet (om hälsa), försiktighet (om t.ex. fråga) delicacy

önska *verb* wish; vilja ha want; önska sig wish for; önska hett desire; *~ sig ngt till födelsedagen* want sth for one's birthday

önskan *subst* wish [*om* for], desire [*om* for]; *mot min ~* against my wishes

önskedröm *subst* dream; *det är bara en ~* it's just a pipedream

önskelista *subst*, *det står på min ~* it is on the list of presents I would like; *det står överst på min ~* it is at the top of the list of presents I would like

önskemål *subst* wish [*om* for], desire [*om* for]

önskeprogram *subst* radio. el. tv. request programme

önsketänkande *subst* wishful thinking

önskvärd *adj* desirable; *icke ~* undesirable

önskvärdhet *subst* desirability

öppen *adj* open; offentlig, om t.ex. plats public; uppriktig frank, candid; *~ tävlan* public competition, open competition; *vara ~ mot ngn* be open with sb, be frank with sb

öppenhet *subst* openness; uppriktighet frankness

öppenhjärtig *adj* frank, outspoken

öppenhjärtighet *subst* open-heartedness; uppriktighet frankness

öppethållande *subst* opening-hours pl.

öppna *verb* open; låsa upp unlock; *~ för ngn* open the door for sb, let sb in; *varuhuset öppnas* (*öppnar*) *klockan 9* the department store opens at nine o'clock; ~ **sig** open; vidga sig open out

öppning *subst* opening; springa crack; för mynt slot

öra *subst* **1** ear; **dra öronen åt sig** get cold feet; vara på sin vakt become wary; **ha ~ för musik** have an ear for music; **höra dåligt på det högra örat** hear badly with one's right ear; **han talade för ~a öron** he was talking to deaf ears; **vara döv på höger ~** be deaf in one's right ear; **vara på ~t** vard., berusad be drunk, be tipsy; **vara skuldsatt upp över öronen** be head over heels in debt **2** handtag handle; på tillbringare ear

öre *subst* öre; **utan ett ~ på fickan** without a penny; **inte värd ett rött ~** not worth a brass farthing; amer. not worth a cent

Öresund the Sound

örfil *subst* a thick ear

örfila *verb*, **~ upp ngn** give sb a thick ear

örhänge *subst* smycke earring; långt eardrop; örclips earclip

örlogsfartyg *subst* warship

örlogsflotta *subst* navy

örn *subst* fågel eagle

örngott *subst* pillow case, pillow slip

öronbedövande *adj* deafening

öroninflammation *subst* inflammation of the ear

öronläkare *subst* ear specialist

öronpropp *subst* **1** mot buller earplug **2** vaxpropp plug of wax **3** radio, hörpropp earphone

öronsjukdom *subst* disease of the ear

öronvärk *subst* earache

örring *subst* earring

örsnibb *subst* ear lobe, lobe

örsprång *subst* earache

ört *subst* herb, plant

ösa *verb* scoop; sleva ladle; hälla pour; **~ en båt** bale (bail) out a boat; **~ presenter över ngn** shower sb with presents; **det öser ned** it's pouring down, vard. it's raining cats and dogs

ösregn *subst* downpour; **i ~et** in the pouring rain

ösregna *verb* pour; **det ~r** it's pouring down

öst *subst* the east; se nord- för sammansättningar

östan *subst* o. **östanvind** *subst* east wind, easterly wind

östasiatisk *adj* East Asiatic

Östasien Eastern Asia

öster I *subst* väderstreck the east; **~n** the East, the Orient

II *adv* east [om of], to the east [om of]

österifrån *adv* from the east

Österlandet the East, the Orient

österländsk *adj* oriental, eastern

österlänning *subst* Oriental

österrikare *subst* Austrian

Österrike Austria

österrikisk *adj* Austrian; se svensk- för sammansättningar

österrikiska *subst* kvinna Austrian woman

Östersjön the Baltic Sea

österut *adv* åt öster eastward, eastwards; i öster in the east; **resa ~** go east, travel east

Östeuropa Eastern Europe

östlig *adj* fram el. mot öst, om t.ex. riktning, läge easterly; om vind east, easterly; i öst eastern

östra *adj* t.ex. sidan the east; t.ex. delen the eastern; se norra för ex.

östtysk *adj* o. *subst* hist. East German

Östtyskland hist. East Germany

öva *verb* **1** träna train [ngn i ngt sb in sth]; **~ ngn att göra ngt** train sb to do sth; **~ piano** practise the piano; **~ in** lära in practise; roll, pjäs rehearse; **~ upp** train, exercise **2** utöva exercise **3** **~ sig i att göra ngt** practise doing sth; **~ sig i engelska** practise English

över I *prep* **1** i rumsbetydelse el. friare over; högre än above; tvärsöver across; ned över, ned på on, upon; **~ hela kroppen** all over the body; **~ hela jorden** all over the earth; **gå ~ gatan** walk across the street, cross the street; **kasta sig ~ ngn** fall on sb; **leva ~ sina tillgångar** live beyond one's means **2** via via, by way of **3** i tidsbetydelse over; **resa bort ~ julen** go away over Christmas; **klockan är ~ fem** it is past five, amer. it is after five **4** mer än over, more than, above; **~ hälften av** over half of, more than half; **~ medellängd** over average height, above average height **5** **en biografi ~ Strindberg** a biography of Strindberg; **en karta ~ Sverige** a map of Sweden; **en essä ~** an essay on; **en föreläsning ~** a lecture on

II *adv* **1** over; ovanför above; tvärsöver across **2** slut over, at an end; förbi past **3** kvar left, left over; **det som blev ~** what was left, what was left over, the remainder

överallt *adv* everywhere; **~ där det finns...** wherever there is (are)...

överanstränga *verb* overexert, overstrain; **~ sig** overexert oneself, overtax one's strength

överansträngd *adj* overstrained; utarbetad overworked

överansträngning *subst* overstrain, over-exertion, overwork

överarm *subst* upper arm

överbefolkad *adj* overpopulated

överbefolkning *subst* overpopulation

överbefälhavare *subst* supreme commander, commander-in-chief

överbelasta *verb* overload, overstrain

överbetala *verb* overpay

överbevisa *verb* friare convince [ngn om sb of]; jur. convict; ~ **ngn om ett brott** convict sb of a crime

överblick *subst* survey [över of], general view [över of]

överblicka *verb* survey

överbliven *adj* remaining, left

överbord *adv*, *falla* ~ fall overboard

överbrygga *verb* bridge

överdel *subst* upper part, av plagg top, upper part

överdos *subst* overdose

överdosera *verb* overdose

överdrag *subst* **1** t.ex. skynke cover, covering; på möbel loose cover **2** lager av färg coat, coating **3** på konto overdraft

överdragskläder *subst pl* overalls

överdrift *subst* exaggeration, om påstående overstatement; *gå till* ~ go too far, go to extremes

överdriva *verb* exaggerate; *du överdriver* går för långt you're overdoing it

överdriven *adj* exaggerated, excessive

överdrivet *adv* exaggeratedly; ~ *artig* too polite

överdåd *subst* slöseri extravagance; lyx luxury

överdäck *subst* upper deck

överens *adj*, *adv*, *vara* ~ ense be agreed [om on], agree [om on]; *komma* ~ *om ngt* agree on (about) sth; *komma bra* ~ *med ngn* get on well with sb; *stämma* ~ agree, passa ihop correspond [med with]

överenskommelse *subst* agreement; *träffa en* ~ make an agreement; *enligt* ~ as agreed, as arranged

överensstämma *verb* agree [med with]; passa ihop correspond [med with]

överensstämmelse *subst* agreement; motsvarighet correspondence; *i* ~ *med* enligt in accordance with

överexponera *verb* foto. overexpose

överexponering *subst* overexposure

överfall *subst* assault, attack

överfalla *verb* assault, attack

överfart *subst* **1** crossing, överresa voyage, passage **2** viadukt flyover, amer. overpass

överflygning *subst* overflight

överflöd *subst* ymnighet abundance [på, av of], profusion [på, av of]; rikedom affluence [på, av of]; övermått superabundance [på, av of]; *finnas i* ~ be abundant; *leva i* ~ live in luxury

överflöda *verb* abound [av, på in, with]

överflödig *adj* superfluous, redundant; *känna sig* ~ feel unwanted

överflödskilon *subst* excess kilos, eng. motsvarighet ofta excess pounds

överfull *adj* overfull; packad crammed

överföra *verb* flytta över, sprida transfer, transmit; ~ *en sjukdom* transmit a disease

överföring *subst* av pengar transfer; av varor conveyance, transport, transportation; av elkraft el. radio. transmission

överförtjust *adj* delighted, overjoyed

överge *verb* abandon; svika desert; lämna leave, forsake; ge upp give up

övergiven *adj* abandoned, deserted

överglänsa *verb* outshine, eclipse

övergrepp *subst* intrång encroachment; fysiskt våld assault, act of cruelty; *sexuellt* ~ enstaka fall sexual assault; mot minderårig act of sexual abuse

övergå *verb*, *det ~r mitt förstånd* it passes my comprehension, it is above my comprehension

övergående *adj* passing; tillfällig temporary; kortvarig transitory

övergång *subst* **1** omställning change-over; från ett tillstånd till ett annat transition; förändring change **2** för fotgängare crossing, pedestrian crossing **3** övergångsbiljett transfer ticket

övergångsbestämmelse *subst* provisional regulation

övergångsbiljett *subst* transfer ticket

övergångsstadium *subst* transition stage

övergångsställe *subst* för fotgängare crossing, pedestrian crossing

övergångstid *subst* transition period

övergångsålder *subst* klimakterium change of life; med. menopause

övergöda *verb* overfeed

överhand *subst*, *få (ta)* ~*en* få övertaget get the upper hand [över of]; sprida sig spread; *få (ta)* ~*en över ngn* om känsla get the better of sb; *elden tog* ~ the fire got out of control

överhetta *verb* overheat

överhopa *verb* load; ~*d med arbete* overburdened with work, vard. up to the eyes in work

överhuvud *subst* head; ledare chief

överhuvudtaget *adv* on the whole; alls at all;
om det ~ är möjligt if it is at all possible

överhängande *adj* hotande impending,
imminent; brådskande urgent

överilad *adj* rash, hasty

överinseende *subst* supervision; *under ~ av*
under the supervision of

överkant *subst* upper edge, upper side; *i ~ för*
stor, lång, hög etc. rather on the large (long,
high etc.) side

överkast *subst* sängöverkast bedspread,
coverlet

överklaga *verb* appeal against

överklagande *subst* appeal [*av* against]

överklass *subst* upper class; *~en* the upper
class, the upper classes pl.

överklassig *adj* upper class

överkomlig *adj* om hinder surmountable; om
pris reasonable, moderate

överkropp *subst* upper part of the body; *med
bar ~* stripped to the waist

överkäke *subst* upper jaw

överkänslig *adj* hypersensitive [*för* to];
allergisk allergic [*för* to]

överkörd *adj*, *bli ~* i trafiken etc. be run over,
get run over; i diskussion be steamrollered

överlagd *adj* uppsåtlig premeditated; *noga ~*
övertänkt well considered

överlakan *subst* top sheet

överlasta *verb* overload, overburden

överleva *verb* survive; *~ ngn (ngt)* outlive sb
(sth); *~ sig själv* om företeelse outlive its
day, become out of date

överlevande *adj* surviving; *de ~* the
survivors

överlista *verb* outwit

överljudshastighet *subst* supersonic speed

överljudsplan *subst* supersonic aircraft

överlycklig *adj* overjoyed

överlåta *verb* **1** överföra transfer, make over; *~
ngt till (åt, på) ngn* transfer sth to sb,
make over sth to sb; *biljetten får ej ~s* the
ticket is not transferable **2** hänskjuta leave;
jag överlåter åt dig att göra det I leave
it to you to do it

överlåtelse *subst* transfer [*på, till* to]

överläge *subst* advantage; *vara i ~* be in a
superior position, have the upper hand;
sport. be doing well

överlägga *verb* confer, deliberate; *~ med
ngn om ngt* confer with sb about sth

överläggning *subst* deliberation [*om* on],
discussion [*om* on]; *~ar* samtal talks

överlägsen *adj* superior [*ngn* to sb];
högdragen supercilious

överlägsenhet *subst* superiority [*över* to];
högdragenhet superciliousness

överläkare *subst* senior consultant;
avdelningschef senior physician; kirurg senior
surgeon; sjukhuschef medical
superintendent

överlämna *verb* avlämna deliver, deliver up,
deliver over; lämna fram hand…over; räcka
pass, pass…over; skänka present, give; mil.
deliver up, surrender; överlåta leave; *den
saken ~r jag åt dig* I leave that to you

överlämnande *subst* delivery; av t.ex. gåva
presentation

överläpp *subst* upper lip

övermakt *subst* i antal superior numbers pl.; i
stridskrafter superiority in forces; *kämpa
mot ~en* fight against heavy odds

överman *subst* superior; *finna sin ~* meet
one's match

övermanna *verb* overpower

övermod *subst* förmätenhet presumption,
arrogance

övermogen *adj* overripe

övermorgon *subst*, *i ~* the day after tomorrow

övermått *subst* excess; överflöd superfluity

övermäktig *adj* superior; *smärtan blev
henne ~* the pain became too much for
her

övermänniska *subst* superman

övermänsklig *adj* superhuman

övernatta *verb* stay overnight, stay the night

övernaturlig *adj* supernatural; *i ~ storlek*
larger than life

överord *subst pl* överdrift exaggeration sing.

överordnad I *adj* superior; *i ~ ställning* in a
superior position, in a responsible position
II *subst* superior

överplagg *subst* outer garment

överpris *subst* excessive price; *betala ~ för*
be overcharged for

överraska *verb* surprise; *~d över* surprised
at; *han ~de henne* he took her by surprise

överraskande I *adj* surprising
II *adv* surprisingly; *det kom fullständigt
~* it came as a complete surprise

överraskning *subst* surprise [*över* at]

överreagera *verb* overreact

överreklamerad *adj* overrated

överresa *subst* crossing; längre voyage,
passage

överrock *subst* overcoat

överrumpla *verb*, *~ ngn* surprise sb, take sb
by surprise

överrumpling *subst* surprise

överräcka *verb* hand over; skänka present

överrösta *verb*, *oväsendet ~de honom* the noise drowned his voice; *~ ngn* skrika högre än shout louder than sb

övers *subst*, *ha tid till ~* have spare time; *jag har ingenting till ~ för sådana människor* I've no time for such people

överse *verb*, *~ med ngt* overlook sth

överseende I *adj* indulgent [*mot* towards] **II** *subst* indulgence [*med* with]; *ha ~ med ngn* be indulgent towards sb; *ha ~ med ngt* overlook sth

översikt *subst* survey [*över, av* of]; sammanfattning outline [*över, av* of], summary [*över, av* of]

översiktskarta *subst* key map, general map

översittare *subst* bully; *spela ~* bully, play the bully; *spela ~ mot ngn* bully sb

översitteri *subst* bullying

överskatta *verb* overrate, overestimate

överskattning *subst* overrating, overestimation

överskjutande *adj*, *~ belopp* surplus amount, excess amount

överskott *subst* surplus; vinst profit

överskrida *verb* t.ex. gräns cross; *~ sina befogenheter* exceed one's authority

överskrift *subst* till artikel etc. heading; i brev form of address

överskugga *verb* overshadow

överskåda *verb* survey, take in

överskådlig *adj* klar och redig clear, lucid; *den är ~* lättfattlig it is easy to grasp

överskådlighet *subst* clearness, lucidity

överslag *subst* förhandsberäkning rough estimate [*över* of], rough calculation [*över* of]

översnöad *adj*, *vara ~* be covered with snow

överspänd *adj* overstrung, highly-strung

överst *adv* uppermost, on top; *~ på sidan* at the top of the page

översta *adj*, *den ~ lådan* the top drawer; av två the upper drawer; *den allra ~ hyllan* the topmost shelf, the uppermost shelf

överste *subst* colonel

överstelöjtnant *subst* lieutenant-colonel; inom flygvapnet, ungefär wing commander

överstepräst *subst* high priest

överstiga *verb* exceed, go beyond

överstycke *subst* på dörr lintel

översvallande *adj* om person effusive, gushing; *~ entusiasm* unbounded enthusiasm; *~*

glädje transports of joy; *~ vänlighet* overflowing kindness

översvämma *verb* flood; med brev swamp with letters

översvämning *subst* flood

översyn *subst* overhaul; *göra en ~ av* make an overview of

översållad *adj* strewn [*med* with], covered [*med* with]

översätta *verb* translate [*till* into]

översättare *subst* translator

översättning *subst* translation [*till* into]

överta *verb* take over, t.ex. ansvaret, befälet take over, take; t.ex. praktik, affär succeed to

övertag *subst* överläge advantage [*över* over]

övertala *verb* persuade; *låta ~ sig att göra ngt* be persuaded (talked) into doing sth

övertalig *adj* redundant; *de var ~a* they were too many in number

övertalning *subst* persuasion

övertalningsförmåga *subst* persuasive powers pl.

övertid *subst* overtime; *arbeta på ~* work overtime

övertidsarbete *subst* overtime work

övertidsersättning *subst* overtime pay, overtime compensation

övertramp *subst*, *göra ~* overstep the mark

överträda *verb* infringe, trespass against

överträdelse *subst* infringement, trespass; *~ beivras* offenders will be prosecuted; vid förbjudet område trespassers will be prosecuted

överträffa *verb* surpass, exceed; överglänsa outdo; *~ sig själv* surpass oneself, excel oneself

övertyga *verb* convince [*om* of]; *ni kan vara ~d om att...* you may rest assured that...; *~ sig om ngt* make sure of sth

övertygande *adj* convincing

övertygelse *subst* conviction; *handla efter sin ~* act up to one's convictions

övertänd *subst*, *byggnaden var helt ~* the building was all in flames

övervaka *verb* supervise, superintend; hålla ett öga på keep an eye on, watch over

övervakare *subst* **1** jur. probation officer **2** som håller uppsikt över supervisor

övervakning *subst* **1** jur. probation; *stå under ~* be on probation **2** uppsikt supervision, superintendence

övervakningskamera *subst* surveillance camera; system med övervakningskameror CCTV (förk. för *closed-circuit TV*)

övervikt *subst* overweight; av bagage excess

luggage, excess baggage; *med tio rösters* ~ by a majority of ten

överviktig *adj* overweight

övervinna *verb* overcome; besegra conquer

övervintra *verb* pass the winter; ligga i ide hibernate

övervintring *subst* wintering; i ide hibernation

övervuxen *adj* overgrown, overrun

övervåning *subst* upper floor, upper storey

1 överväga *verb* ta i betraktande consider

2 överväga *verb* uppväga outweigh; *ja-röster överväger* the ayes are in the majority, the ayes have it

1 övervägande *subst* consideration, deliberation; *ta ngt i* ~ take sth into consideration

2 övervägande *adj* förhärskande predominant; *den* ~ *delen av* the great majority of

överväldiga *verb* overwhelm, overpower

överväldigande *adj* overwhelming

övervärdera *verb* overestimate, overrate

överårig *adj* över pensionsålder superannuated; för gammal too old; över viss maximiålder over age

överösa *verb*, ~ *ngn med gåvor* shower gifts on sb

övning *subst* **1** (endast sing.): praktik, vana practice; träning training; ~ *i att dansa* practice in dancing **2** (med pl.) exercise; t.ex. brandövning drill; *gymnastiska* ~*ar* gymnastic exercises

övningsbil *subst* driving-school car, britt. motsvarighet learner's car

övningsexempel *subst* uppgift exercise; t.ex. mat. problem

övningsförare *subst* learner-driver

övningskörning *subst* med bil driving practice

övningsuppgift *subst* skol. exercise

övre *adj* upper, översta upper, top; ~ *däck* upper deck

övrig *adj* återstående remaining; annan other; *det* (*de*) ~*a* the rest, the others; *det* ~*a Europa* the rest of Europe; *det lämnar mycket* ~*t att önska* it leaves a great deal to be desired; *för* ~*t* a) dessutom besides, moreover b) i förbigående sagt incidentally, by the way c) annars otherwise d) vidare further

övärld *subst* skärgård archipelago (pl. -s)